고등 수학 문제 해결의 길잡이

풍산자
유형기본서
수학 I

쉽고 정확한 문제 분석은 **자신감**으로
유형 집중 학습은 **실력**으로 보답하는 **풍산자**입니다.

언제나 현재에 집중할 수 있다면 반드시 행복해진다.
- 파올로 코엘료 -

문제의 핵심을 알려주는 유형 학습 비법서

풍산자
유형기본서

간결하고 개념 학습에
효과적인
개념 설명

유사/변형/실력 3단계로
유형을 정복하는
핵심 문제

풍산자식 해결 전략과
방법을 제시하는
대표유형

교재 활용
로드맵

문제 해결을 위한
응용력을 길러주는
상위권 도약 문제

배운 유형을
스스로 점검하는
실전 연습 문제

모든 유형을 학습할 수 있는 필수유형	필수유형별 대표 예제와 자세한 풀이, 풍산자식 해결 전략
유형을 정복하기 위한 풍부한 문제	수준별 3단계로 문제를 제시한 체계적인 학습
유형 학습 점검을 통한 실전 문제 연습	시험별 잘 나오는 유형과 중요 문제로 구성된 실전 연습 문제

풍산자

유형기본서

수학 I

구성과 특징

1 개념과 유형이 일목요연하게 정리
2 유형별 문항 학습으로 실전에 강함
3 친절하고 명쾌한 설명으로 혼자서도 학습 가능

개념

1. 수학의 기본 개념을 구조적으로 정리
2. 개념 확립에 도움이 되는 확인 문제
3. 학습할 개념의 바탕이 되는 이전 개념
4. 실전 적용에 활용 가능한 내용
5. 원리, 심화 개념, 공식 등 연구

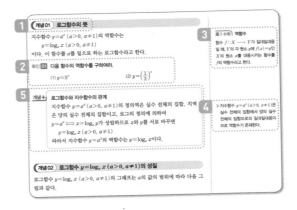

대표 유형

1. 반드시 알아할 유형을 필수유형과 발전유형으로 제시
2. 문제 해결을 위한 핵심 전략
3. 단계별 해결 방법 확인
4. 풀이 과정에 적용된 개념, 원리, 방법 등을 바로 확인
5. 연관 개념, 문제 풀이 비법, 보충 설명 등 제공

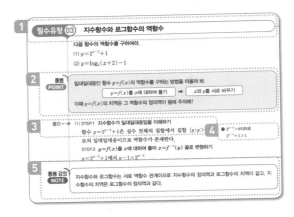

유사/변형/실력

1. 대표유형보다 낮은 난이도, 동일 출제 원리를 담은 문제
2. 대표유형과 동일 난이도, 동일 출제 원리를 담은 문제
3. 대표유형과 동일 난이도이지만 표현 방법을 바꾼 문제
4. 대표유형과 동일 출제 원리이지만 응용개념을 담은 문제

기출 수능/평가원/교육청 기출문제

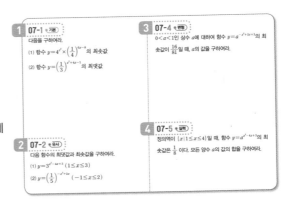

실전 연습

1 각 중단원별로 반드시 풀어야 할 문제를 수록하여 시험에 대비

서술형 ✎ 서술형으로 출제 가능성이 높은 문항

기출 수능/평가원/교육청 기출문제

실전 연습 문제 ○━━

01

함수 $y=\log_2(-x^2+5x+6)$의 정의역을 A, 함수 $y=\log_3(x-2)$의 정의역을 B라고 할 때, 집합 $A\cap B$의 원소 중 정수의 합은?

① 9   ② 12   ③ 14

④ 15   ⑤ 20

04 서술형 ✎

함수 $y=\log_2 kx$의 평행이동한 후 x축어 수 $y=\log_2\dfrac{8}{5x}$의 구하여라.

상위권 도약

1 각 중단원별로 상위권 실력을 완성할 수 있도록 난이도가 높은 문제를 구성

기출 수능/평가원/교육청 기출문제

상위권 도약 문제 ○

01

함수 $y=\log_2 x$의 그래프를 x축의 방향으로 -1만큼 평행이동하고 y축에 대하여 대칭이동한 그래프를 나타내는 함수를 $y=f(x)$라고 하자. 점 $A(1, 0)$과 함수 $y=f(x)$의 그래프 위의 점 B에 대하여 삼각형 OAB가 $\overline{OB}=\overline{AB}$인 이등변삼각형일 때, 삼각형 OAB의 넓이를 구하여라. (단, O는 원점이다.)

03

함수 $y=\log_a(x-2)$
B(6, -1), C(6, 2)
각형 ABCD와 만나.
최솟값을 m이라고 할

정답과 풀이

1 문제를 해결하는 데 필요한 핵심 아이디어
2 답을 구하는 데 필요한 단계적 사고 과정
3 주어진 문제를 해결하는 데 필요한 확장 원리, 개념, 공식
4 실전에 도움이 되는 다양한 풀이

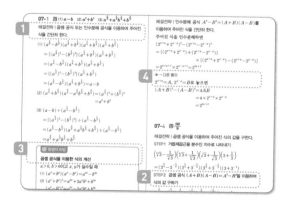

차례

I

지수함수와 로그함수

II

삼각함수

III

수열

01

지수

01 지수

개념01 거듭제곱근

(1) **거듭제곱근**: 2 이상의 자연수 n에 대하여 n제곱하여 실수 a가 되는 수, 즉 방정식 $x^n=a$를 만족시키는 x를 a의 n제곱근이라고 한다.
이때 a의 제곱근, a의 세제곱근, a의 네제곱근, …을 통틀어 a의 거듭제곱근이라고 한다.

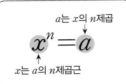

[예] 8의 세제곱근을 x라고 하면 $x^3=8$, 즉 $x^3-8=0$이므로
$(x-2)(x^2+2x+4)=0$ $\therefore x=2$ 또는 $x=-1\pm\sqrt{3}i$

(2) **실수인 거듭제곱근**: 실수 a의 n제곱근 중 실수인 것은 다음과 같다.

	$a>0$	$a=0$	$a<0$
n이 홀수	$\sqrt[n]{a}$	0	$\sqrt[n]{a}$
n이 짝수	$\sqrt[n]{a},\ -\sqrt[n]{a}$	0	없다

[예] ① -8의 세제곱근 중에서 실수인 것 ➡ $\sqrt[3]{-8}=-2$
② 16의 네제곱근 중에서 실수인 것 ➡ $\sqrt[4]{16}=2,\ -\sqrt[4]{16}=-2$

확인 01 다음 거듭제곱근을 구하고, 그 중에서 실수인 것의 개수를 구하여라.

(1) -27의 세제곱근　　　　　　(2) 81의 네제곱근

中1 수학 거듭제곱

어떤 수 a를 여러 번 곱한 a, a^2, a^3, …, a^n, …을 통틀어 a의 거듭제곱이라고 한다.
a^n에서 a를 거듭제곱의 밑, n을 거듭제곱의 지수라고 한다.

▶ 실수 a의 n제곱근은 복소수의 범위에서 n개 존재한다.

▶ $\sqrt[n]{a}$는 'n제곱근 a'라고 읽는다.
또, $\sqrt[2]{a}$는 간단히 $\sqrt{a}$로 나타낸다.

개념02 거듭제곱근의 성질

$a>0$, $b>0$이고, m, n이 2 이상의 자연수일 때

① $\sqrt[n]{a}\,\sqrt[n]{b}=\sqrt[n]{ab}$
② $\dfrac{\sqrt[n]{a}}{\sqrt[n]{b}}=\sqrt[n]{\dfrac{a}{b}}$

③ $(\sqrt[n]{a})^m=\sqrt[n]{a^m}$ → $\sqrt[n]{a^n}=(\sqrt[n]{a})^n=a$
④ $\sqrt[m]{\sqrt[n]{a}}=\sqrt[mn]{a}=\sqrt[n]{\sqrt[m]{a}}$

⑤ $\sqrt[np]{a^{mp}}=\sqrt[n]{a^m}$ (단, p는 자연수)

[예] ① $\sqrt[3]{3}\,\sqrt[3]{9}=\sqrt[3]{27}=\sqrt[3]{3^3}=3$
② $\dfrac{\sqrt[3]{16}}{\sqrt[3]{2}}=\sqrt[3]{\dfrac{16}{2}}=\sqrt[3]{8}=\sqrt[3]{2^3}=2$

③ $(\sqrt[4]{9})^6=\sqrt[4]{9^6}=\sqrt[4]{(3^3)^4}=3^3=27$
④ $\sqrt[3]{\sqrt{64}}=\sqrt[6]{64}=\sqrt[6]{2^6}=2$

⑤ $\sqrt[6]{5^2}=\sqrt[3]{5}$

확인 02 다음을 간단히 하여라.

(1) $\sqrt[3]{4}\times\sqrt[3]{16}$　　(2) $\dfrac{\sqrt[3]{3}}{\sqrt[3]{24}}$　　　(3) $\sqrt[3]{\sqrt{64}}\times\sqrt{\sqrt{81}}$

▶ a가 실수일 때
$$\sqrt[n]{a^n}=\begin{cases} a & (n\text{이 홀수}) \\ |a| & (n\text{이 짝수}) \end{cases}$$

개념03 **지수의 확장**

(1) **0 또는 음의 정수인 지수**: $a\neq0$이고, n이 양의 정수일 때

① $a^0=1$

② $a^{-n}=\dfrac{1}{a^n}$

[예] ① $2^0=1$, $(-3)^0=1$

② $2^{-2}=\dfrac{1}{2^2}=\dfrac{1}{4}$

▶**주의** 0^0은 정의하지 않는다.

(2) **유리수인 지수**: $a>0$이고, m, n $(n\geq2)$이 정수일 때

① $a^{\frac{m}{n}}=\sqrt[n]{a^m}$

② $a^{\frac{1}{n}}=\sqrt[n]{a}$

[예] ① $4^{\frac{2}{3}}=\sqrt[3]{4^2}=\sqrt[3]{2^4}=2\sqrt[3]{2}$

② $9^{\frac{1}{2}}=\sqrt{9}=\sqrt{3^2}=3$

(3) **실수인 지수의 정의**

$\sqrt{2}=1.41421356\cdots$에 대하여 $\sqrt{2}$에 한없이 가까워지는 유리수 1, 1.4, 1.41, 1.414, 1.4142, $\cdots$를 지수로 가지는 수 2^1, $2^{1.4}$, $2^{1.41}$, $2^{1.414}$, $2^{1.4142}$, $\cdots$의 값은 일정한 수에 한없이 가까워지는데 이 일정한 수를 $2^{\sqrt{2}}$이라고 정의한다. 이와 같은 방법으로 $a>0$일 때 임의의 실수 x에 대하여 a^x을 정의할 수 있다.

(4) **지수가 실수일 때의 지수법칙**

$a>0$, $b>0$이고, x, y가 실수일 때

① $a^x\times a^y=a^{x+y}$

② $a^x\div a^y=a^{x-y}$

③ $(a^x)^y=a^{xy}$

④ $(ab)^x=a^xb^x$

[예] ① $2^{\sqrt{3}}\times2^{2\sqrt{3}}=2^{\sqrt{3}+2\sqrt{3}}=2^{3\sqrt{3}}$

② $3^{3\sqrt{2}}\div3^{\sqrt{2}}=3^{3\sqrt{2}-\sqrt{2}}=3^{2\sqrt{2}}$

③ $(3^{\sqrt{2}})^{\sqrt{2}}=3^{\sqrt{2}\times\sqrt{2}}=3^2=9$

④ $(2^{\sqrt{2}}3^{\sqrt{3}})^{\sqrt{6}}=2^{\sqrt{2}\times\sqrt{6}}3^{\sqrt{3}\times\sqrt{6}}=2^{2\sqrt{3}}3^{3\sqrt{2}}$

확인 03 다음 값을 구하여라.

(1) $\left(-\dfrac{3}{4}\right)^0$

(2) $\left(\dfrac{2}{3}\right)^{-2}$

확인 04 다음을 간단히 하여라.

(1) $2^7\times(2^2)^{-2}$

(2) $(3^25^{-1})^{-3}\div3^35^{-2}$

(3) $7^{\frac{1}{6}}\times(7^{-\frac{1}{3}})^{\frac{1}{2}}$

(4) $3^{\frac{7}{2}}\div(27^2)^{\frac{2}{3}}$

(5) $9^{\sqrt{3}}\times3^{\sqrt{27}}\div3^{\sqrt{12}}$

(6) $(2^{-\frac{1}{\sqrt{3}}}\times3^{\sqrt{3}})^{\sqrt{3}}$

中2 수학 **지수법칙**

$a\neq0$, $b\neq0$이고 m, n이 자연수일 때

(1) $a^ma^n=a^{m+n}$

(2) $(a^m)^n=a^{mn}$

(3) $a^m\div a^n=\begin{cases}a^{m-n} & (m>n) \\ 1 & (m=n) \\ \dfrac{1}{a^{n-m}} & (m<n)\end{cases}$

(4) $(ab)^n=a^nb^n$, $\left(\dfrac{a}{b}\right)^n=\dfrac{a^n}{b^n}$

개념+ **지수법칙에서 밑과 지수 범위**

a^x에서 x의 값의 범위에 따라 지수법칙이 성립하는 a의 값의 범위를 정리하면 다음과 같다.

x의 값의 범위	자연수	정수	유리수	실수
a의 값의 범위	0이 아닌 실수	0이 아닌 실수	양수	양수

옳은 것만을 |보기|에서 있는 대로 골라라.

┌─|보기|──────────────────────────────────
ㄱ. 3은 -81의 네제곱근이다.

ㄴ. 8의 세제곱근은 2뿐이다.

ㄷ. 7의 네제곱근 중 실수인 것은 2개이다.

ㄹ. n이 홀수일 때, 5의 n제곱근 중 실수인 것은 2개이다.

ㅁ. n이 짝수일 때, -8의 n제곱근 중 실수인 것은 2개이다.
└──────────────────────────────────────

풍쌤 POINT

실수 a의 n제곱근은 n제곱하여 a가 되는 수, 즉 방정식 $x^n=a$를 만족시키는 x임을 기억해.

$$\boxed{a의\ n제곱근} \rightleftarrows \boxed{n제곱하여\ a가\ 되는\ 수} \rightleftarrows \boxed{x^n=a를\ 만족시키는\ x}$$

풀이

ㄱ. $3^4=81$이므로 3은 81의 네제곱근❶이다.

ㄴ. 8의 세제곱근은 방정식 $x^3=8$의 근이므로
$x^3-8=0$❷, 즉 $(x-2)(x^2+2x+4)=0$에서
$2,\ -1\pm\sqrt{3}i$이다.

ㄷ. 4는 짝수이므로 7의 네제곱근 중 실수인 것은
$\sqrt[4]{7},\ -\sqrt[4]{7}$의 2개❸이다.

ㄹ. n이 홀수이므로
5의 n제곱근 중 실수인 것은 1개❹이다.

ㅁ. n이 짝수이고 $-8<0$이므로
-8의 n제곱근 중 실수인 것은 없다.❺

따라서 옳은 것은 ㄷ이다.

❶ x가 a의 n제곱근이면 $x^n=a$
를 만족시킨다.

❷ 좌변을
$a^3-b^3=(a-b)(a^2+ab+b^2)$
을 이용하여 인수분해한다.

❸ a가 양수이고 n이 짝수일 때
a의 n제곱근 중 실수인 것은
$\sqrt[n]{a},\ -\sqrt[n]{a}$의 2개이다.

❹ a가 양수이고 n이 홀수일 때
a의 n제곱근 중 실수인 것은
$\sqrt[n]{a}$의 1개이다.

❺ a가 음수이고 n이 짝수일 때
a의 n제곱근 중 실수인 것은
없다.

답 ㄷ

풍쌤 강의 NOTE

실수 a의 n제곱근 중 실수인 것은 방정식 $x^n=a$의 근 중에서 실수인 것과 같으므로 함수 $y=x^n$의
그래프와 직선 $y=a$의 교점의 x좌표와 같다.

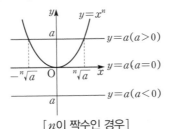

[n이 짝수인 경우]

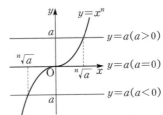

[n이 홀수인 경우]

01-1 유사

다음 설명 중 옳은 것은?

① 2는 -16의 네제곱근이다.
② 27의 세제곱근은 3뿐이다.
③ 5의 네제곱근 중 실수인 것은 2개이다.
④ n이 홀수일 때, 3의 n제곱근 중 실수인 것은 2개이다.
⑤ n이 짝수일 때, -4의 n제곱근 중 실수인 것은 2개이다.

01-2 유사

다음 설명 중 옳지 <u>않은</u> 것은?

① 네제곱근 81은 3이다.
② $\sqrt{(-4)^2}$의 제곱근은 ± 2이다.
③ -20의 네제곱근 중 실수인 것은 없다.
④ -64의 세제곱근 중 실수인 것은 -4이다.
⑤ 7의 세제곱근은 $\sqrt[3]{7}$뿐이다.

01-3 변형

$\sqrt{256}$의 네제곱근 중 음수인 것을 a, 세제곱근 -27을 b라고 할 때, ab의 값을 구하여라.

01-4 변형

125의 세제곱근 중 실수인 것을 a, 81의 네제곱근 중 실수인 것의 개수를 b, -12의 세제곱근 중 실수인 것의 개수를 c라고 할 때, $a+b+c$의 값을 구하여라.

01-5 변형

옳은 것만을 |보기|에서 있는 대로 골라라.

┤보기├
ㄱ. n이 홀수일 때, $x^n = -8$을 만족시키는 실수 x는 1개이다.
ㄴ. n이 짝수일 때, $x^n = 6$을 만족시키는 실수 x는 n개이다.
ㄷ. n이 홀수일 때, $\sqrt[n]{-13} = -\sqrt[n]{13}$이다.
ㄹ. n이 짝수일 때, $\sqrt[n]{(-5)^n} = -5$이다.

01-6 실력 기출

자연수 n이 $2 \le n \le 11$일 때, $-n^2 + 9n - 18$의 n제곱근 중에서 음의 실수가 존재하도록 하는 모든 n의 값의 합을 구하여라.

다음을 간단히 하여라.

(1) $\sqrt[3]{(-3)^2} \times \sqrt[3]{3}$

(2) $\sqrt{\sqrt[3]{2} \times \sqrt[3]{32}}$

(3) $\dfrac{\sqrt[3]{135}}{\sqrt[3]{5}}$

(4) $\sqrt{27} \times \dfrac{1}{\sqrt[6]{243}}$

풍쌤 POINT

거듭제곱근으로 주어진 수의 계산은 다음을 기억해.

➡ (i) 근호 안의 수를 소인수분해하기

   (ii) 거듭제곱근의 성질을 이용하여 식을 간단히 하기

풀이

(1) $\sqrt[3]{(-3)^2} \times \sqrt[3]{3} = \sqrt[3]{3^2} \times \sqrt[3]{3} = \sqrt[3]{3^2 \times 3}$ ❶

$\qquad\qquad\qquad\qquad\quad = \sqrt[3]{3^3} = 3$ ❷

(2) $\sqrt{\sqrt[3]{2} \times \sqrt[3]{32}} = \sqrt{\sqrt[3]{2} \times \sqrt[3]{2^5}}$

$\qquad\qquad\qquad = \sqrt{\sqrt[3]{2 \times 2^5}}$

$\qquad\qquad\qquad = \sqrt{\sqrt[3]{2^6}} = \sqrt[6]{2^6}$ ❸

$\qquad\qquad\qquad = 2$

(3) $\dfrac{\sqrt[3]{135}}{\sqrt[3]{5}} = \sqrt[3]{\dfrac{135}{5}} = \sqrt[3]{27} = \sqrt[3]{3^3} = 3$

(4) $\sqrt{27} \times \dfrac{1}{\sqrt[6]{243}} = \sqrt{3^3} \times \sqrt[6]{\dfrac{1}{3^5}}$

$\qquad\qquad\qquad = \sqrt[6]{3^9} \times \sqrt[6]{\dfrac{1}{3^5}}$

$\qquad\qquad\qquad = \sqrt[6]{3^9 \times \dfrac{1}{3^5}}$

$\qquad\qquad\qquad = \sqrt[6]{3^4} = \sqrt[3]{3^2}$ ❹

$\qquad\qquad\qquad = \sqrt[3]{9}$

❶ $\sqrt[n]{a}\,\sqrt[n]{b} = \sqrt[n]{ab}$ 를 이용한다.

❷ $\sqrt[np]{a^{mp}} = \sqrt[n]{a^m}$ 이므로 $\sqrt[m]{a^m} = a$ 이다.

❸ $\sqrt{\sqrt[3]{2^6}} = \sqrt[2 \times 3]{2^6} = \sqrt[6]{2^6}$

❹ $\sqrt[np]{a^{mp}} = \sqrt[n]{a^m}$ 이므로 $\sqrt[6]{3^4} = \sqrt[3 \times 2]{3^{2 \times 2}} = \sqrt[3]{3^2}$

답 (1) 3 (2) 2 (3) 3 (4) $\sqrt[3]{9}$

풍쌤 강의 NOTE

거듭제곱근의 성질은 양수에서만 적용됨을 기억한다.

$a > 0$, $b > 0$이고, m, n이 2 이상의 자연수일 때

① 거듭제곱근의 곱셈 또는 나눗셈은 $\sqrt[n]{a}\,\sqrt[n]{b} = \sqrt[n]{ab}$, $\dfrac{\sqrt[n]{a}}{\sqrt[n]{b}} = \sqrt[n]{\dfrac{a}{b}}$ 이용

② 거듭제곱과 거듭제곱근을 모두 포함한 식은

$(\sqrt[n]{a})^m = \sqrt[n]{a^m}$, $\sqrt[m]{\sqrt[n]{a}} = \sqrt[mn]{a} = \sqrt[n]{\sqrt[m]{a}}$, $\sqrt[np]{a^{mp}} = \sqrt[n]{a^m}$ (단, p는 자연수) 이용

02-1 ⊙ 유사

다음을 간단히 하여라.

(1) $\sqrt[3]{(-5)^2} \times \sqrt[3]{5}$

(2) $\sqrt[3]{\sqrt{9} \times \sqrt{81}}$

(3) $\dfrac{\sqrt[5]{96}}{\sqrt[5]{3}}$

(4) $\sqrt{125} \times \dfrac{1}{\sqrt[6]{625}}$

02-2 ⊙ 유사

다음을 간단히 하여라.

(1) $\left(\sqrt[8]{81}\right)^2$

(2) $\sqrt[3]{25} \times \sqrt[3]{625}$

(3) $\dfrac{\sqrt[4]{162}}{\sqrt[4]{2}}$

(4) $\sqrt[3]{\sqrt[4]{64}} \times \sqrt{\sqrt{256}}$

02-3 ⊙ 변형

$\sqrt[6]{\dfrac{8^{10}+4^{10}}{8^4+4^{11}}}$ 을 간단히 하여라.

02-4 ⊙ 변형

등식 $\sqrt[3]{24}+\sqrt[3]{81}-\sqrt[3]{3}=a \times \sqrt[3]{3}$ 을 만족시키는 유리수 a의 값을 구하여라.

02-5 ⊙ 실력

$\sqrt[4]{\dfrac{\sqrt{3^5}}{\sqrt[n]{2}}} \times \sqrt[6]{\dfrac{\sqrt{2}}{\sqrt[4]{3^9}}} = \sqrt[8]{9}$ 가 성립할 때, 자연수 n의 값을 구하여라.

02-6 ⊙ 실력   기출

$\sqrt{\dfrac{3}{2}} \times \sqrt[4]{a}$ 가 자연수가 되도록 하는 자연수 a의 최솟값을 구하여라.

$a>0$일 때, 다음을 간단히 하여라.

(1) $\sqrt[3]{\dfrac{\sqrt[5]{a}}{\sqrt[4]{a}}} \times \sqrt[4]{\dfrac{\sqrt[3]{a}}{\sqrt[5]{a}}}$

(2) $\sqrt[3]{\dfrac{\sqrt[6]{a^5}}{\sqrt[4]{a}}} \div \sqrt{\dfrac{\sqrt{a}}{\sqrt[6]{a}}}$

(3) $\sqrt{\dfrac{\sqrt[3]{a}}{\sqrt[4]{a}}} \times \sqrt[3]{\dfrac{\sqrt[4]{a}}{\sqrt{a}}} \div \sqrt[4]{\dfrac{\sqrt[3]{a}}{\sqrt{a}}}$

풍쌤 POINT

문자를 포함한 거듭제곱근의 계산은 거듭제곱근의 성질을 이용해서 간단히 해.

풀이

(1) $\sqrt[3]{\dfrac{\sqrt[5]{a}}{\sqrt[4]{a}}} \times \sqrt[4]{\dfrac{\sqrt[3]{a}}{\sqrt[5]{a}}} = \dfrac{\sqrt[3]{\sqrt[5]{a}}}{\sqrt[3]{\sqrt[4]{a}}} \times \dfrac{\sqrt[4]{\sqrt[3]{a}}}{\sqrt[4]{\sqrt[5]{a}}}$ ← $\sqrt[n]{\dfrac{a}{b}} = \dfrac{\sqrt[n]{a}}{\sqrt[n]{b}}$를 이용하여 간단히 한다.

$= \dfrac{\sqrt[15]{a}}{\sqrt[12]{a}} \times \dfrac{\sqrt[12]{a}}{\sqrt[20]{a}}$ ← $\sqrt[m]{\sqrt[n]{a}} = \sqrt[mn]{a}$를 이용하여 간단히 한다.

$= \dfrac{\sqrt[15]{a}}{\sqrt[20]{a}} = \dfrac{\sqrt[60]{a^4}}{\sqrt[60]{a^3}}$ ← $\sqrt[np]{a^{mp}} = \sqrt[n]{a^m}$을 이용한다.

$= \sqrt[60]{\dfrac{a^4}{a^3}} = \sqrt[60]{a}$

(2) $\sqrt[3]{\dfrac{\sqrt[6]{a^5}}{\sqrt[4]{a}}} \div \sqrt{\dfrac{\sqrt{a}}{\sqrt[6]{a}}} = \dfrac{\sqrt[3]{\sqrt[6]{a^5}}}{\sqrt[3]{\sqrt[4]{a}}} \div \dfrac{\sqrt{\sqrt{a}}}{\sqrt{\sqrt[6]{a}}}$ ← $\sqrt[n]{\dfrac{a}{b}} = \dfrac{\sqrt[n]{a}}{\sqrt[n]{b}}$를 이용하여 간단히 한다.

$= \dfrac{\sqrt[18]{a^5}}{\sqrt[12]{a}} \div \dfrac{\sqrt[4]{a}}{\sqrt[12]{a}}$ ← $\sqrt[m]{\sqrt[n]{a}} = \sqrt[mn]{a}$를 이용하여·간단히 한다.

$= \dfrac{\sqrt[18]{a^5}}{\sqrt[12]{a}} \times \dfrac{\sqrt[12]{a}}{\sqrt[4]{a}}$

$= \dfrac{\sqrt[18]{a^5}}{\sqrt[4]{a}} = \dfrac{\sqrt[36]{a^{10}}}{\sqrt[36]{a^9}}$ ← $\sqrt[np]{a^{mp}} = \sqrt[n]{a^m}$을 이용한다.

$= \sqrt[36]{\dfrac{a^{10}}{a^9}} = \sqrt[36]{a}$

(3) $\sqrt{\dfrac{\sqrt[3]{a}}{\sqrt[4]{a}}} \times \sqrt[3]{\dfrac{\sqrt[4]{a}}{\sqrt{a}}} \div \sqrt[4]{\dfrac{\sqrt[3]{a}}{\sqrt{a}}} = \dfrac{\sqrt{\sqrt[3]{a}}}{\sqrt{\sqrt[4]{a}}} \times \dfrac{\sqrt[3]{\sqrt[4]{a}}}{\sqrt[3]{\sqrt{a}}} \times \dfrac{\sqrt[4]{\sqrt{a}}}{\sqrt[4]{\sqrt[3]{a}}}$ ← $\sqrt[n]{\dfrac{a}{b}} = \dfrac{\sqrt[n]{a}}{\sqrt[n]{b}}$를 이용하여 간단히 한다.

$= \dfrac{\sqrt[6]{a}}{\sqrt[8]{a}} \times \dfrac{\sqrt[12]{a}}{\sqrt[6]{a}} \times \dfrac{\sqrt[8]{a}}{\sqrt[12]{a}} = 1$ ← $\sqrt[m]{\sqrt[n]{a}} = \sqrt[mn]{a}$를 이용하여 간단히 한다.

답 (1) $\sqrt[60]{a}$ (2) $\sqrt[36]{a}$ (3) 1

풍쌤 강의 NOTE

· 거듭제곱근에 문자가 포함된 경우

➡ $\sqrt[m]{\sqrt[n]{a}} = \sqrt[mn]{a}$, $\sqrt[n]{a} = \sqrt[mn]{a^m}$ ($a>0$이고 m, n은 2 이상의 자연수)

을 이용하여 근호를 하나로 변형한 후 거듭제곱근의 성질을 이용하여 간단히 한다.

· $\sqrt[p]{a} \times \sqrt[q]{a}$, $\dfrac{\sqrt[p]{a}}{\sqrt[q]{a}}$와 같이 근호 앞의 수가 다른 경우

➡ p와 q의 최소공배수로 근호 앞의 수를 같게 한 다음 간단히 한다.

03-1 ⊙ 기본

$a>0$일 때, 다음을 간단히 하여라.

(1) $\sqrt[4]{\dfrac{\sqrt[3]{a^2}}{\sqrt{a}}} \times \sqrt[3]{\dfrac{\sqrt[4]{a^3}}{\sqrt{a}}}$

(2) $\sqrt{\dfrac{\sqrt{a}}{\sqrt[3]{a}}} \div \sqrt[4]{\dfrac{\sqrt[5]{a}}{\sqrt[3]{a^2}}}$

(3) $\sqrt{\dfrac{\sqrt[3]{a^7}}{\sqrt{a}}} \times \sqrt[4]{\dfrac{\sqrt[3]{a}}{a}} \div \sqrt[6]{\dfrac{\sqrt{a^5}}{\sqrt{a}}}$

03-2 ⊙ 유사

$a>0$일 때, $\sqrt[3]{\dfrac{\sqrt[8]{a}}{\sqrt{a}}} \times \sqrt{\dfrac{\sqrt[3]{a}}{\sqrt[6]{a}}} \times \sqrt[4]{\dfrac{\sqrt[3]{a}}{\sqrt[6]{a}}}$ 를 간단히 하여라.

03-3 ⊙ 변형

$a>0$, $b>0$일 때, $\sqrt[4]{81a^3b} \times \sqrt[6]{a^3b} \div \sqrt[3]{27b^2}$ 을 간단히 하여라.

03-4 ⊙ 변형

$a>0$, $b>0$일 때, $\sqrt[3]{\dfrac{b\sqrt{b}}{\sqrt[4]{a}}} \times \sqrt{\dfrac{\sqrt[3]{a^2}}{\sqrt[3]{b}}} \div \sqrt[3]{\dfrac{\sqrt{b^2}}{\sqrt[6]{a}}}$ 을 간단히 하여라.

03-5 ⊙ 변형

$a>1$일 때,

$$\sqrt[4]{\dfrac{\sqrt[6]{a}}{\sqrt[3]{a}}} \times \sqrt[4]{\dfrac{\sqrt[3]{a}}{\sqrt{a}}} \times \sqrt[3]{\dfrac{\sqrt{a}}{\sqrt[8]{a}}} = \sqrt[k]{a}$$

를 만족시키는 상수 k의 값을 구하여라.

03-6 ⊙ 실력

양수 a에 대하여

$$\dfrac{\sqrt[3]{a^2\sqrt[4]{a^3\sqrt{a}}}}{\sqrt{a\sqrt[4]{a\sqrt[3]{a}}}} = \sqrt[m]{a^n}$$

일 때, $m+n$의 값을 구하여라.

(단, m과 n은 서로소인 자연수이다.)

다음을 계산하여라.

(1) $9^{-\frac{5}{2}} \times 16^{\frac{1}{4}} \div 81^{-\frac{3}{2}}$

(2) $2^{\frac{4}{3}}3^{\frac{1}{2}} \times (3^{\frac{4}{3}}4^{\frac{2}{3}})^{\frac{1}{2}} \div (4^{-\frac{3}{2}}9^{\frac{1}{3}})^{-\frac{1}{2}}$

(3) $2^{\sqrt{3}} \times 2^{5\sqrt{3}} \div 4^{3\sqrt{3}}$

(4) $(3^{\sqrt{2}})^{\sqrt{6}+\sqrt{2}} \times (3^{\sqrt{3}})^{\sqrt{3}+1} \div 27^{1+\sqrt{3}}$

풍쌤 POINT

지수가 정수, 유리수, 실수일 때에도 지수법칙이 성립함을 잊지마!

풀이

(1) $9^{-\frac{5}{2}} \times 16^{\frac{1}{4}} \div 81^{-\frac{3}{2}}$

$= (3^2)^{-\frac{5}{2}} \times (2^4)^{\frac{1}{4}} \div (3^4)^{-\frac{3}{2}}$ ❶

$= 3^{-5} \times 2 \div 3^{-6} = 2 \times 3^{-5} \div 3^{-6}$

$= 2 \times 3^{-5-(-6)} = 6$

(2) $2^{\frac{4}{3}}3^{\frac{1}{2}} \times (3^{\frac{4}{3}}4^{\frac{2}{3}})^{\frac{1}{2}} \div (4^{-\frac{3}{2}}9^{\frac{1}{3}})^{-\frac{1}{2}}$

$= 2^{\frac{4}{3}}3^{\frac{1}{2}} \times (3^{\frac{4}{3}}2^{\frac{4}{3}})^{\frac{1}{2}} \div (2^{-3}3^{\frac{2}{3}})^{-\frac{1}{2}}$

$= 2^{\frac{4}{3}}3^{\frac{1}{2}} \times 3^{\frac{2}{3}}2^{\frac{2}{3}} \div 2^{\frac{3}{2}}3^{-\frac{1}{3}}$

$= 2^{\frac{4}{3}+\frac{2}{3}-\frac{3}{2}} \times 3^{\frac{1}{2}+\frac{2}{3}-(-\frac{1}{3})}$ ❷

$= 2^{\frac{1}{2}} \times 3^{\frac{3}{2}} = 3\sqrt{6}$ ❸

(3) $2^{\sqrt{3}} \times 2^{5\sqrt{3}} \div 4^{3\sqrt{3}}$

$= 2^{\sqrt{3}} \times 2^{5\sqrt{3}} \div (2^2)^{3\sqrt{3}}$

$= 2^{\sqrt{3}+5\sqrt{3}-6\sqrt{3}}$

$= 2^0 = 1$

(4) $(3^{\sqrt{2}})^{\sqrt{6}+\sqrt{2}} \times (3^{\sqrt{3}})^{\sqrt{3}+1} \div 27^{1+\sqrt{3}}$

$= 3^{2\sqrt{3}+2} \times 3^{3+\sqrt{3}} \div (3^3)^{1+\sqrt{3}}$

$= 3^{2\sqrt{3}+2+3+\sqrt{3}-3(1+\sqrt{3})}$

$= 3^2 = 9$

❶ $9=3^2$, $16=2^4$, $81=3^4$과 같이 소수의 거듭제곱의 형태로 나타낸다.

❷ 밑이 같은 것끼리 모아서 지수법칙을 적용한다.

❸ $2^{\frac{1}{2}} \times 3^{\frac{3}{2}} = \sqrt{2} \times \sqrt{3^3}$
$= \sqrt{2} \times 3\sqrt{3} = 3\sqrt{6}$

🖪 (1) 6 (2) $3\sqrt{6}$ (3) 1 (4) 9

풍쌤 강의 NOTE

밑이 합성수이면 이들을 소수의 거듭제곱의 형태로 고친 후 지수법칙을 적용한다.

$a>0$, $b>0$이고, x, y가 실수일 때

① $a^x \times a^y = a^{x+y}$　　　　② $a^x \div a^y = a^{x-y}$

③ $(a^x)^y = a^{xy}$　　　　　　　④ $(ab)^x = a^x b^x$

04-1 ⊙ 기본   기출

$3^0 \times 8^{\frac{2}{3}}$의 값을 구하여라.

04-2 ⊙ 유사

다음을 계산하여라.

(1) $25^{\frac{1}{2}} \times 32^{\frac{2}{5}} \div 125^{-\frac{1}{3}}$

(2) $2^{-\frac{1}{2}} 3^{\frac{2}{3}} \times (4^{\frac{9}{4}} 9^2)^{\frac{1}{3}} \div (2^{-\frac{1}{2}} 3^{\frac{1}{3}})^6$

(3) $7^{\sqrt{18}} \div 7^{\sqrt{50}} \times 49^{\sqrt{2}}$

(4) $(5^3)^{\sqrt{2}-1} \times (5^{\sqrt{2}})^{3\sqrt{2}-5} \div 25^{1-\sqrt{2}}$

04-3 ⊙ 유사

$\left\{ \left(\dfrac{3}{7} \right)^{-\frac{5}{2}} \right\}^{\frac{1}{5}} \times \left\{ \left(\dfrac{27}{7} \right)^{\frac{3}{4}} \right\}^{\frac{2}{3}}$의 값을 구하여라.

04-4 ⊙ 변형

$a > 0$일 때, $(a^3)^{-1} \div \left(\dfrac{1}{a^2} \times \sqrt[3]{a^4} \right)^{\frac{9}{2}}$을 간단히 하여라.

04-5 ⊙ 변형

$3^{x-2y} = a$, $3^{x+y} = b$일 때, 27^{2x+y}을 a와 b로 나타내어라.

04-6 ⊙ 변형

$\sqrt{3}$의 5제곱근 중 실수인 것을 a라고 할 때,
$(a^{-\frac{\sqrt{2}}{4}})^{\sqrt{2}} \times (a^{-3})^{-\frac{5}{2}} \times a^3$의 값을 구하여라.

다음 세 수의 대소 관계를 나타내어라.

$$A=\sqrt[6]{(\sqrt{3})^5},\ B=\sqrt[4]{\sqrt[3]{2^7}},\ C=\sqrt{\sqrt{5}}$$

풍쌤 POINT

거듭제곱근 $\sqrt[l]{a}$, $\sqrt[m]{b}$, $\sqrt[n]{c}$의 대소는 l, m, n의 최소공배수를 이용하여 같은 거듭제곱근으로 통일한 다음 근호 안의 수의 대소를 비교해.

풀이

STEP1 거듭제곱근 정리하기

주어진 거듭제곱근을 정리하면

$A=\sqrt[6]{(\sqrt{3})^5}=\sqrt[12]{3^5}$ ❶

$B=\sqrt[4]{\sqrt[3]{2^7}}=\sqrt[12]{2^7}$

$C=\sqrt{\sqrt{5}}=\sqrt[4]{5}$

❶ $(\sqrt{3})^5=\sqrt{3^5}$이고
$\sqrt[6]{\sqrt{3^5}}=\sqrt[6\times2]{3^5}=\sqrt[12]{3^5}$

STEP2 거듭제곱근 통일하기

12와 4의 최소공배수가 12이므로 12제곱근으로 만들면

$A=\sqrt[6]{(\sqrt{3})^5}=\sqrt[12]{3^5}$

$B=\sqrt[4]{\sqrt[3]{2^7}}=\sqrt[12]{2^7}$

$C=\sqrt{\sqrt{5}}=\sqrt[4]{5}=\sqrt[12]{5^3}$

STEP3 세 수 A, B, C의 대소 관계 구하기

근호 안의 수끼리 비교하면 $5^3<2^7<3^5$ ❷

$\therefore C<B<A$

❷ $3^5=243$, $2^7=128$, $5^3=125$이
므로 $5^3<2^7<3^5$

다른 풀이 ❸

STEP1 분수인 지수로 변형하기

$A=\sqrt[6]{(\sqrt{3})^5}=\sqrt[12]{3^5}=(3^5)^{\frac{1}{12}}=243^{\frac{1}{12}}$ ❹

$B=\sqrt[4]{\sqrt[3]{2^7}}=\sqrt[12]{2^7}=(2^7)^{\frac{1}{12}}=128^{\frac{1}{12}}$

$C=\sqrt{\sqrt{5}}=\sqrt[4]{5}=5^{\frac{1}{4}}=5^{\frac{3}{12}}=(5^3)^{\frac{1}{12}}=125^{\frac{1}{12}}$

❸ [필수유형06]과 연계된 풀이

❹ $\sqrt[n]{a^m}=a^{\frac{m}{n}}$을 이용한다.

STEP2 세 수 A, B, C의 대소 관계 구하기

밑끼리 비교하면 $125<128<243$

$\therefore C<B<A$

답 $C<B<A$

풍쌤 강의 NOTE

거듭제곱근의 대소 비교

[방법1] 거듭제곱근의 근호 앞의 수를 최소공배수로 통일하여 근호 안의 수의 크기를 비교

➡ $\sqrt[m]{a}$, $\sqrt[n]{b}$를 $\sqrt[mn]{a^n}$, $\sqrt[mn]{b^m}$으로 변형하여 비교

[방법2] 지수를 유리수로 변형한 다음 지수의 분모를 통분하여 지수를 같게 만들어 밑의 크기를 비교

➡ $\sqrt[m]{a}=a^{\frac{1}{m}}$, $\sqrt[n]{b}=b^{\frac{1}{n}}$을 $(a^n)^{\frac{1}{mn}}$, $(b^m)^{\frac{1}{mn}}$으로 변형하여 비교

05-1 ⦿ 유사

세 수

$$A=\sqrt[5]{\sqrt[3]{2^4}},\ B=\sqrt[3]{(\sqrt[5]{3})^2},\ C=\sqrt[5]{\sqrt{5}}$$

의 대소 관계를 나타내어라.

05-2 ⦿ 유사

세 수

$$A=\sqrt{5},\ B=\sqrt[3]{5^4},\ C=\sqrt[3]{2^4\times5^2}$$

의 대소 관계를 나타내어라.

05-3 ⦿ 변형

세 수

$$A=\{(\sqrt{5})^{\sqrt{2}}\}^{\sqrt{2}},\ B=\sqrt{\sqrt{(5^{\sqrt{2}})^{\sqrt{2}}}},$$
$$C=\{\sqrt{(\sqrt{5})^{\sqrt{2}}}\}^{\sqrt{2}}$$

의 대소 관계는?

① $A<B<C$ ② $A=B<C$
③ $A<B=C$ ④ $B=C<A$
⑤ $B<C<A$

05-4 ⦿ 변형   기출

$\sqrt{2\sqrt{2}},\ \sqrt{2^{\sqrt{2}}},\ (\sqrt{2})^{\sqrt{2}}$의 대소 관계는?

① $\sqrt{2\sqrt{2}}<\sqrt{2^{\sqrt{2}}}<(\sqrt{2})^{\sqrt{2}}$
② $\sqrt{2\sqrt{2}}<\sqrt{2^{\sqrt{2}}}=(\sqrt{2})^{\sqrt{2}}$
③ $\sqrt{2^{\sqrt{2}}}=(\sqrt{2})^{\sqrt{2}}<\sqrt{2\sqrt{2}}$
④ $\sqrt{2^{\sqrt{2}}}<(\sqrt{2})^{\sqrt{2}}<\sqrt{2\sqrt{2}}$
⑤ $(\sqrt{2})^{\sqrt{2}}<\sqrt{2\sqrt{2}}<\sqrt{2^{\sqrt{2}}}$

05-5 ⦿ 변형

세 수 $A=\sqrt{5},\ B=\sqrt[3]{11},\ C=\sqrt[6]{130}$에 대하여 $\sqrt{A},\ \sqrt{B},\ \sqrt{C}$의 대소 관계를 나타내어라.

05-6 ⦿ 실력

$a>1$일 때, 세 수

$$A=\sqrt[n-1]{a^n},\ B=\sqrt[n-1]{a^{n+1}},\ C=\sqrt[n]{a^{n+1}}$$

의 대소 관계를 나타내어라.

거듭제곱근을 지수를 사용하여 나타내기

1이 아닌 양수 a에 대하여 다음 식에서 $m+n$의 값을 구하여라.

(단, m과 n은 서로소인 자연수이다.)

(1) $\sqrt{a\sqrt{a\sqrt{a\sqrt{a}}}}=a^{\frac{n}{m}}$

(2) $\sqrt[4]{a\sqrt[3]{a^2}}\times\sqrt{\sqrt[3]{a^2}}=a^{\frac{n}{m}}$

풍쌤 POINT

여러 개의 거듭제곱근이 포함된 식을 정리할 때는 분수인 지수의 형태로 바꿔 봐.

풀이

(1) STEP 1 $\sqrt{a\sqrt{a\sqrt{a\sqrt{a}}}}$ 간단히 하기

$$\sqrt{a\sqrt{a\sqrt{a\sqrt{a}}}}=\sqrt{a}\times\sqrt{\sqrt{a}}\times\sqrt{\sqrt{\sqrt{a}}}\times\sqrt{\sqrt{\sqrt{\sqrt{a}}}}$$
$$=\sqrt{a}\times\sqrt[4]{a}\times\sqrt[8]{a}\times\sqrt[16]{a}\,❶$$

STEP 2 분수인 지수로 나타내기

$$\sqrt{a}\times\sqrt[4]{a}\times\sqrt[8]{a}\times\sqrt[16]{a}=a^{\frac{1}{2}}\times a^{\frac{1}{4}}\times a^{\frac{1}{8}}\times a^{\frac{1}{16}}$$
$$=a^{\frac{1}{2}+\frac{1}{4}+\frac{1}{8}+\frac{1}{16}}=a^{\frac{15}{16}}$$

STEP 3 $m+n$의 값 구하기

따라서 $m=16$, $n=15$이므로 $m+n=31$

❶ $\sqrt{\sqrt{a}}=\sqrt[2\times2]{a}=\sqrt[4]{a}$

$\sqrt{\sqrt{\sqrt{a}}}=\sqrt[2\times2\times2]{a}=\sqrt[8]{a}$

$\sqrt{\sqrt{\sqrt{\sqrt{a}}}}=\sqrt[2\times2\times2\times2]{a}=\sqrt[16]{a}$

(2) STEP 1 $\sqrt[4]{a\sqrt[3]{a^2}}\times\sqrt{\sqrt[3]{a^2}}$ 간단히 하기

$$\sqrt[4]{a\sqrt[3]{a^2}}\times\sqrt{\sqrt[3]{a^2}}=\sqrt[4]{a}\times\sqrt[4]{\sqrt[3]{a^2}}\times\sqrt{\sqrt[3]{a^2}}$$
$$=\sqrt[4]{a}\times\sqrt[12]{a^2}\times\sqrt[6]{a^2}$$

STEP 2 분수인 지수로 나타내기

$$\sqrt[4]{a}\times\sqrt[12]{a^2}\times\sqrt[6]{a^2}=a^{\frac{1}{4}}\times a^{\frac{1}{6}}\times a^{\frac{1}{3}}$$
$$=a^{\frac{1}{4}+\frac{1}{6}+\frac{1}{3}}=a^{\frac{9}{12}}=a^{\frac{3}{4}}\,❷$$

STEP 3 $m+n$의 값 구하기

따라서 $m=4$, $n=3$이므로 $m+n=7$

❷ m과 n은 서로소인 자연수이므로 $\frac{9}{12}$를 $\frac{3}{4}$으로 약분한다.

🔲 (1) 31 (2) 7

풍쌤 강의 NOTE

거듭제곱근의 계산은 거듭제곱근의 성질을 이용하여 식을 간단히 할 수도 있지만 식이 복잡한 경우 거듭제곱근을 a^r 꼴로 바꾼 다음 지수법칙을 이용하는 것이 더 편리하다. 거듭제곱근을 a^r 꼴로 바꿀 때는 다음을 이용한다.

$a>0$이고 m, n은 2 이상의 정수일 때

① $\sqrt[n]{a^m}=a^{\frac{m}{n}}$

② $\sqrt[m]{\sqrt[n]{a}}=\sqrt[mn]{a}=a^{\frac{1}{mn}}$

06-1 ◉ 유사   기출

1이 아닌 양수 a에 대하여

$$\sqrt[4]{a\sqrt[3]{a\sqrt{a}}}=a^{\frac{n}{m}}$$

일 때, $m+n$의 값을 구하여라.

(단, m과 n은 서로소인 자연수이다.)

06-2 ◉ 유사

1이 아닌 양수 a에 대하여

$$\sqrt{a\sqrt[3]{a\sqrt[4]{a}}}\times\sqrt[6]{a\sqrt{a^3}}=a^{\frac{n}{m}}$$

일 때, $m+n$의 값을 구하여라.

(단, m과 n은 서로소인 자연수이다.)

06-3 ◉ 유사

$\sqrt[3]{2^2\sqrt[4]{2\sqrt[5]{2^4}}}\div\sqrt[5]{2\sqrt[4]{2\sqrt{2}}}=2^{\frac{n}{m}}$일 때, $m+n$의 값을 구하여라. (단, m과 n은 서로소인 자연수이다.)

06-4 ◉ 변형

$\sqrt[3]{3^2\sqrt[4]{3\sqrt{3^3}}}\times\sqrt[4]{\sqrt{3^5}}$을 3의 거듭제곱으로 나타내어라.

06-5 ◉ 변형

1이 아닌 양수 a에 대하여

$$P=\sqrt[3]{a\sqrt[4]{a\sqrt[6]{a}}},\ Q=a\sqrt[5]{a\sqrt{a^k}}$$

일 때, $P=\sqrt{Q}$를 만족시키는 유리수 k의 값을 구하여라.

06-6 ◉ 실력

$a>1$이고 $\sqrt[3]{a\sqrt[4]{a^3\sqrt{a^k}}}=\sqrt[5]{a^3\sqrt[3]{a}}$일 때, 유리수 k의 값을 구하여라.

다음 식을 간단히 하여라. (단, $a>0$, $b>0$)

(1) $(a^{\frac{1}{4}}-b^{\frac{1}{4}})(a^{\frac{1}{4}}+b^{\frac{1}{4}})(a^{\frac{1}{2}}+b^{\frac{1}{2}})(a+b)$

(2) $(a^{\frac{1}{3}}-b^{\frac{1}{3}})(a^{\frac{2}{3}}+a^{\frac{1}{3}}b^{\frac{1}{3}}+b^{\frac{2}{3}})$

(3) $(a+b)\div(a^{\frac{1}{3}}+b^{\frac{1}{3}})$

풍쌤 POINT

지수를 포함한 식은 적당한 곱셈 공식이나 인수분해 공식을 이용해.

(1) 곱셈 공식 $(A+B)(A-B)=A^2-B^2$을 이용

(2) 곱셈 공식 $(A-B)(A^2+AB+B^2)=A^3-B^3$을 이용

(3) 인수분해 공식 $A^3+B^3=(A+B)(A^2-AB+B^2)$을 이용

풀이

(1) $(a^{\frac{1}{4}}-b^{\frac{1}{4}})(a^{\frac{1}{4}}+b^{\frac{1}{4}})(a^{\frac{1}{2}}+b^{\frac{1}{2}})(a+b)$ ❶

$=\{(a^{\frac{1}{4}})^2-(b^{\frac{1}{4}})^2\}(a^{\frac{1}{2}}+b^{\frac{1}{2}})(a+b)$

$=(a^{\frac{1}{2}}-b^{\frac{1}{2}})(a^{\frac{1}{2}}+b^{\frac{1}{2}})(a+b)$

$=\{(a^{\frac{1}{2}})^2-(b^{\frac{1}{2}})^2\}(a+b)$

$=(a-b)(a+b)$

$=a^2-b^2$

(2) $(a^{\frac{1}{3}}-b^{\frac{1}{3}})(a^{\frac{2}{3}}+a^{\frac{1}{3}}b^{\frac{1}{3}}+b^{\frac{2}{3}})$

$=(a^{\frac{1}{3}})^3-(b^{\frac{1}{3}})^3$

$=a-b$

(3) $(a+b)\div(a^{\frac{1}{3}}+b^{\frac{1}{3}})$ ❷

$=\{(a^{\frac{1}{3}})^3+(b^{\frac{1}{3}})^3\}\div(a^{\frac{1}{3}}+b^{\frac{1}{3}})$

$=(a^{\frac{1}{3}}+b^{\frac{1}{3}})(a^{\frac{2}{3}}-a^{\frac{1}{3}}b^{\frac{1}{3}}+b^{\frac{2}{3}})\div(a^{\frac{1}{3}}+b^{\frac{1}{3}})$

$=a^{\frac{2}{3}}-a^{\frac{1}{3}}b^{\frac{1}{3}}+b^{\frac{2}{3}}$

❶ $(a^{\frac{1}{4}}-b^{\frac{1}{4}})(a^{\frac{1}{4}}+b^{\frac{1}{4}})$을 먼저 전개한다.

❷ $a+b=(a^{\frac{1}{3}})^3+(b^{\frac{1}{3}})^3$으로 생각하여 인수분해 공식을 적용한다.

답 (1) a^2-b^2　(2) $a-b$　(3) $a^{\frac{2}{3}}-a^{\frac{1}{3}}b^{\frac{1}{3}}+b^{\frac{2}{3}}$

풍쌤 강의 NOTE

거듭제곱을 포함한 식은 곱셈 공식이나 인수분해 공식을 이용하여 간단히 할 수 있다.

07-1 (유사)

다음 식을 간단히 하여라. (단, $a>0$, $b>0$)

(1) $\left(a^{\frac{1}{8}}-b^{\frac{1}{8}}\right)\left(a^{\frac{1}{8}}+b^{\frac{1}{8}}\right)\left(a^{\frac{1}{4}}+b^{\frac{1}{4}}\right)\left(a^{\frac{1}{2}}+b^{\frac{1}{2}}\right)$

(2) $\left(a^{\frac{2}{3}}+b^{\frac{2}{3}}\right)\left(a^{\frac{4}{3}}-a^{\frac{2}{3}}b^{\frac{2}{3}}+b^{\frac{4}{3}}\right)$

(3) $(a-b)\div\left(a^{\frac{1}{3}}-b^{\frac{1}{3}}\right)$

07-2 (유사)

$a>0$일 때, $\left(a^{\frac{2}{3}}+a^{-\frac{1}{3}}\right)^3+\left(a^{\frac{2}{3}}-a^{-\frac{1}{3}}\right)^3$을 간단히 하여라.

07-3 (변형)   (기출)

다음 식을 간단히 한 것은?

$$\left(2^{x+y}+2^{x-y}\right)^2-\left(2^{x+y}-2^{x-y}\right)^2$$

① 2^{2x}

② 2^{2x+2}

③ 2^{2x+2y}

④ 2^{-2y}

⑤ 2^{-2y+2}

07-4 (변형)

$\left(\sqrt[4]{3}-\dfrac{1}{\sqrt[4]{3}}\right)\left(\sqrt[4]{3}+\dfrac{1}{\sqrt[4]{3}}\right)\left(\sqrt{3}+\dfrac{1}{\sqrt{3}}\right)\left(3+\dfrac{1}{3}\right)$의 값을 구하여라.

07-5 (변형)

$x>0$이고 $x^2=5$일 때, 다음 식의 값을 구하여라.

$$\frac{1}{1-x^{\frac{1}{4}}}+\frac{1}{1+x^{\frac{1}{4}}}+\frac{2}{1+x^{\frac{1}{2}}}+\frac{4}{1+x}$$

07-6 (실력)

$x=2^{\frac{1}{3}}+2^{-\frac{1}{3}}$일 때, $2x^3-6x+10$의 값을 구하여라.

$a > 0$이고 $a^{\frac{1}{2}} + a^{-\frac{1}{2}} = \sqrt{5}$일 때, 다음 식의 값을 구하여라.

(1) $a^2 + a^{-2}$

(2) $a^3 + a^{-3}$

풍쌤 POINT

$a^x + a^{-x}$ $(a>0)$ 꼴의 식의 값은 곱셈 공식과 $a^x a^{-x} = 1$을 이용하여 구할 수 있어.

풀이

STEP 1 $a + a^{-1}$의 값 구하기

$a^{\frac{1}{2}} + a^{-\frac{1}{2}} = \sqrt{5}$이므로

$a + a^{-1} = (a^{\frac{1}{2}} + a^{-\frac{1}{2}})^2 - 2$ ❶

$\qquad = (\sqrt{5})^2 - 2 = 3$

(1) STEP 2 $a^2 + a^{-2}$의 값 구하기

$a^2 + a^{-2} = (a + a^{-1})^2 - 2$

$\qquad = 3^2 - 2 = 7$

(2) STEP 3 $a^2 + a^{-3}$의 값 구하기

$a^3 + a^{-3} = (a + a^{-1})^3 - 3(a + a^{-1})$ ❷

$\qquad = 3^3 - 3 \times 3 = 18$

❶ 곱셈 공식의 변형

$x^2 + y^2 = (x+y)^2 - 2xy$와

$a^{\frac{1}{2}} \times a^{-\frac{1}{2}} = 1$임을 이용한다.

❷ 곱셈 공식의 변형

$x^3 + y^3$

$= (x+y)^3 - 3xy(x+y)$

와 $a \times a^{-1} = 1$임을 이용한다.

다른 풀이

$a^{\frac{1}{2}} + a^{-\frac{1}{2}} = \sqrt{5}$의 양변을 제곱하면

$a + a^{-1} + 2 = 5$ $\quad \therefore a + a^{-1} = 3$

(1) $a + a^{-1} = 3$의 양변을 제곱하면

$a^2 + a^{-2} + 2 = 9$ $\quad \therefore a^2 + a^{-2} = 7$

(2) $a + a^{-1} = 3$의 양변을 세제곱하면

$a^3 + a^{-3} + 3 \times a \times a^{-1} \times (a + a^{-1}) = 27$

$a^3 + a^{-3} + 3(a + a^{-1}) = 27$

$a^3 + a^{-3} + 3 \times 3 = 27$

$\therefore a^3 + a^{-3} = 18$

답 (1) 7 (2) 18

풍쌤 강의 NOTE

실수 x에 대하여 $a^x + a^{-x}$의 값이 주어지고 $a^{nx} + a^{-nx}$의 값을 구할 때는 곱셈 공식 또는 곱셈 공식의 변형을 이용한다.

① $(a^x + a^{-x})^2 = a^{2x} + a^{-2x} + 2$ ➡ $a^{2x} + a^{-2x} = (a^x + a^{-x})^2 - 2$

② $(a^x - a^{-x})^2 = a^{2x} + a^{-2x} - 2$ ➡ $a^{2x} + a^{-2x} = (a^x - a^{-x})^2 + 2$

③ $(a^x + a^{-x})^3 = a^{3x} + a^{-3x} + 3(a^x + a^{-x})$ ➡ $a^{3x} + a^{-3x} = (a^x + a^{-x})^3 - 3(a^x + a^{-x})$

④ $(a^x - a^{-x})^3 = a^{3x} - a^{-3x} - 3(a^x - a^{-x})$ ➡ $a^{3x} - a^{-3x} = (a^x - a^{-x})^3 + 3(a^x - a^{-x})$

08-1 유사

$a>0$이고 $a^{\frac{1}{2}}+a^{-\frac{1}{2}}=\sqrt{10}$일 때, 다음 식의 값을 구하여라.

(1) a^2+a^{-2}

(2) a^3+a^{-3}

08-2 변형

$x^{\frac{1}{2}}+x^{-\frac{1}{2}}=5$일 때, $x^{\frac{3}{2}}+x^{-\frac{3}{2}}$의 값을 구하여라.

(단, $x>0$)

08-3 변형

$x>0$이고 $\sqrt{x}+\dfrac{1}{\sqrt{x}}=\sqrt{7}$일 때, $\dfrac{x^2+x^{-2}+7}{x+x^{-1}+1}$의 값을 구하여라.

08-4 변형

$x>0$이고 $x^2+x^{-2}=14$일 때, $\dfrac{x^{\frac{1}{2}}+x^{-\frac{1}{2}}}{x+x^{-1}}$의 값을 구하여라.

08-5 변형 기출

$3^{2x}-3^{x+1}=-1$일 때, $\dfrac{3^{4x}+3^{-4x}+1}{3^{2x}+3^{-2x}+1}$의 값을 구하여라.

08-6 실력

$a>0$이고 $a^{3x}-a^{-3x}=36$일 때, $a^{2x}+a^{-2x}$의 값을 구하여라.

$a>0$이고 $a^{2x}=3$일 때, 다음 식의 값을 구하여라.

(1) $\dfrac{a^x-a^{-x}}{a^x+a^{-x}}$

(2) $\dfrac{a^{3x}-a^{-3x}}{a^x+a^{-x}}$

풍쌤 POINT

$\dfrac{a^x-a^{-x}}{a^x+a^{-x}}$ 꼴의 식의 값은 분모와 분자에 a^x을 곱하여 주어진 조건을 구하는 식에 대입해.

풀이 (1) STEP1 분모와 분자에 a^x 곱하기

$\dfrac{a^x-a^{-x}}{a^x+a^{-x}}$의 분모와 분자에 a^x을 곱하면

$$\dfrac{a^x-a^{-x}}{a^x+a^{-x}}=\dfrac{a^x(a^x-a^{-x})}{a^x(a^x+a^{-x})}=\dfrac{a^{2x}-1}{a^{2x}+1}$$

STEP2 $\dfrac{a^x-a^{-x}}{a^x+a^{-x}}$의 값 구하기

$$\therefore \dfrac{a^x-a^{-x}}{a^x+a^{-x}}=\dfrac{a^{2x}-1}{a^{2x}+1}=\dfrac{3-1}{3+1}=\dfrac{1}{2}$$

(2) STEP1 분모와 분자에 a^x 곱하기

$\dfrac{a^{3x}-a^{-3x}}{a^x+a^{-x}}$의 분모와 분자에 a^x을 곱하면

$$\dfrac{a^{3x}-a^{-3x}}{a^x+a^{-x}}=\dfrac{a^x(a^{3x}-a^{-3x})}{a^x(a^x+a^{-x})}=\dfrac{a^{4x}-a^{-2x}}{a^{2x}+1}$$

STEP2 $\dfrac{a^{3x}-a^{-3x}}{a^x+a^{-x}}$의 값 구하기

$$\therefore \dfrac{a^{3x}-a^{-3x}}{a^x+a^{-x}}=\dfrac{a^{4x}-a^{-2x}}{a^{2x}+1}$$
$$=\dfrac{(a^{2x})^2-(a^{2x})^{-1}}{a^{2x}+1}\ \mathbf{0}$$
$$=\dfrac{3^2-\dfrac{1}{3}}{3+1}=\dfrac{13}{6}$$

$\mathbf{0}\ \dfrac{a^{4x}-a^{-2x}}{a^{2x}+1}$
$=\dfrac{(a^{2x})^2-(a^{2x})^{-1}}{a^{2x}+1}$
$=\dfrac{3^2-3^{-1}}{3+1}$

답 (1) $\dfrac{1}{2}$ (2) $\dfrac{13}{6}$

풍쌤 강의 NOTE

a^{kx}의 값이 주어지고 $\dfrac{a^{mx}-a^{-mx}}{a^{nx}+a^{-nx}}$ 꼴의 값을 구할 때는 주어진 식을 a^{kx}을 포함한 식으로 변형하여 구할 수 있다.

09-1 〔유사〕

$a > 0$이고 $a^{2x} = 5$일 때, 다음 식의 값을 구하여라.

(1) $\dfrac{a^x - a^{-x}}{a^x + a^{-x}}$

(2) $\dfrac{a^{3x} - a^{-3x}}{a^x + a^{-x}}$

09-4 〔변형〕

〔기출〕

실수 a에 대하여 $9^a = 8$일 때, $\dfrac{3^a - 3^{-a}}{3^a + 3^{-a}}$의 값을 $\dfrac{q}{p}$라고 하자. $p + q$의 값을 구하여라.

(단, p와 q는 서로소인 자연수이다.)

09-2 〔유사〕

$2^{8x} = 36$일 때, $\dfrac{2^{6x} - 2^{-6x}}{2^{2x} - 2^{-2x}}$의 값을 구하여라.

09-5 〔변형〕

$a > 0$이고 $\dfrac{a^x + a^{-x}}{a^x - a^{-x}} = \dfrac{5}{3}$일 때, a^{4x}의 값을 구하여라.

09-3 〔유사〕

$9^x = 4$일 때, $\dfrac{3^x + 3^{-x}}{27^x - 27^{-x}}$의 값을 구하여라.

09-6 〔실력〕

$\dfrac{5^x + 5^{-x}}{5^x - 5^{-x}} = 5$일 때, $25^x + 25^{-x}$의 값을 구하여라.

두 실수 x, y에 대하여 다음 물음에 답하여라.

(1) $2^x = 9$일 때, $\left(\dfrac{1}{8}\right)^{-\frac{x}{2}}$의 값을 구하여라.

(2) $3^x = 16$, $24^y = 64$일 때, $\dfrac{4}{x} - \dfrac{6}{y}$의 값을 구하여라.

풍쌤 POINT

$a^x = k$의 조건이 주어질 때의 식의 값은

(1)의 경우 ➡ 조건식 $a^x = k$를 이용할 수 있도록 구하는 식을 a^x 꼴로 변형

(2)의 경우 ➡ 구하는 식의 형태가 나올 수 있도록 조건식 $a^x = k$를 $a = k^{\frac{1}{x}}$로 변형

풀이

(1) **STEP1** 구하는 식을 주어진 식을 이용하여 나타내기

$$\left(\dfrac{1}{8}\right)^{-\frac{x}{2}} = (2^{-3})^{-\frac{x}{2}} = (2^x)^{\frac{3}{2}} \ ❶$$

     ❶ $(2^{-3})^{-\frac{x}{2}} = 2^{\frac{3}{2}x} = (2^x)^{\frac{3}{2}}$

STEP2 주어진 식의 값 대입하기

$(2^x)^{\frac{3}{2}}$에 $2^x = 9$를 대입하면

$$(2^x)^{\frac{3}{2}} = 9^{\frac{3}{2}} = (3^2)^{\frac{3}{2}} = 3^3 = 27$$

(2) **STEP1** 주어진 식을 변형하여 나타내기

$3^x = 16$에서 $3 = 16^{\frac{1}{x}} = (2^4)^{\frac{1}{x}} = 2^{\frac{4}{x}}$ ······ ㉠

$24^y = 64$에서 $24 = 64^{\frac{1}{y}} = (2^6)^{\frac{1}{y}} = 2^{\frac{6}{y}}$ ······ ㉡

STEP2 구하는 식의 값이 나오도록 변형한 식 이용하기

㉠÷㉡을 하면

$$\dfrac{3}{24} = 2^{\frac{4}{x}} \div 2^{\frac{6}{y}}$$

$$\dfrac{1}{8} = 2^{\frac{4}{x} - \frac{6}{y}} \ ❷$$

     ❷ $a^m \div a^n = a^{m-n}$을 이용한다.

$$2^{-3} = 2^{\frac{4}{x} - \frac{6}{y}}$$

$$\therefore \dfrac{4}{x} - \dfrac{6}{y} = -3$$

답 (1) 27   (2) -3

풍쌤 강의 NOTE

(2)의 경우에서 $a^x = k^m$, $b^y = k^n$ $(a > 0,\ b > 0,\ xy \neq 0)$일 때

➡ $a = k^{\frac{m}{x}}$, $b = k^{\frac{n}{y}}$

➡ $ab = k^{\frac{m}{x}} \times k^{\frac{n}{y}} = k^{\frac{m}{x} + \frac{n}{y}}$, $\dfrac{a}{b} = k^{\frac{m}{x}} \div k^{\frac{n}{y}} = k^{\frac{m}{x} - \frac{n}{y}}$

10-1 ◉ 유사

두 실수 x, y에 대하여 다음 물음에 답하여라.

(1) $3^x=8$일 때, $\left(\dfrac{1}{9}\right)^{-\frac{x}{3}}$의 값을 구하여라.

(2) $45^x=81$, $5^y=27$일 때, $\dfrac{4}{x}-\dfrac{3}{y}$의 값을 구하여라.

10-2 ◉ 유사

두 실수 x, y에 대하여 $7^x=9$, $189^y=81$일 때, $\dfrac{2}{x}-\dfrac{4}{y}$의 값을 구하여라.

10-3 ◉ 변형

두 실수 x, y에 대하여 $5^x=a$, $5^y=b$일 때, $\left(\dfrac{1}{5}\right)^{2x-3y}$을 a, b에 대한 식으로 나타내어라.

10-4 ◉ 변형

두 실수 a, b에 대하여 $24^a=32$, $3^b=2$일 때, $2^{\frac{5}{a}-\frac{1}{b}}$의 값을 구하여라.

10-5 ◉ 변형 기출

두 실수 a, b에 대하여 $2^a=3$, $6^b=5$일 때, 2^{ab+a+b}의 값을 구하여라.

10-6 ◉ 실력

두 실수 a, b에 대하여 $60^a=4$, $60^b=20$일 때, $3^{\frac{a+b}{1-b}}$의 값을 구하여라.

세 실수 x, y, z에 대하여 다음 물음에 답하여라.

(1) $12^x = 3^y = a$이고 $\dfrac{1}{x} - \dfrac{1}{y} = 2$일 때, 상수 a의 값을 구하여라.

(2) $2^x = 3^y = 6^z$일 때, $\dfrac{1}{x} + \dfrac{1}{y} - \dfrac{1}{z}$의 값을 구하여라. (단, $xyz \neq 0$)

풍쌤 POINT

$a^x = b^y$과 같이 주어진 조건식의 밑이 다른 경우 식의 값은 조건식을 변형해서 밑을 k로 통일해!

(1)의 경우 ➡ $a^x = b^y = k$에서 $a^x = k$, $b^y = k$이므로 $a = k^{\frac{1}{x}}$, $b = k^{\frac{1}{y}}$

(2)의 경우 ➡ $a^x = b^y = c^z$에서 $a^x = b^y = c^z = k$로 놓고 (1)의 방법 적용

풀이

(1) **STEP1** 12와 3을 a^r 꼴로 나타내기

$12^x = a$에서 $(12^x)^{\frac{1}{x}} = a^{\frac{1}{x}}$ ∴ $a^{\frac{1}{x}} = 12$ ❶ ⋯⋯ ㉠

$3^y = a$에서 $(3^y)^{\frac{1}{y}} = a^{\frac{1}{y}}$ ∴ $a^{\frac{1}{y}} = 3$ ❶ ⋯⋯ ㉡

STEP2 지수법칙을 이용하여 a의 값 구하기

㉠÷㉡을 하면 $a^{\frac{1}{x}} \div a^{\frac{1}{y}} = \dfrac{12}{3}$, $a^{\frac{1}{x} - \frac{1}{y}} = 4$ ❷

이때 $\dfrac{1}{x} - \dfrac{1}{y} = 2$이므로 $a^2 = 4$

∴ $a = 2$ (∵ $a > 0$)

❶ 밑이 a로 같게 되도록 주어진 식을 변형한다.

❷ 지수법칙을 이용하여 $\dfrac{1}{x} - \dfrac{1}{y}$이 나오도록 한다.

(2) **STEP1** 2, 3, 6을 k^r 꼴로 나타내기

$2^x = 3^y = 6^z = k$로 놓으면 $k > 0$이고, $xyz \neq 0$에서 $k \neq 1$이다.

$2^x = k$에서 $2 = k^{\frac{1}{x}}$ ⋯⋯ ㉠

$3^y = k$에서 $3 = k^{\frac{1}{y}}$ ⋯⋯ ㉡

$6^z = k$에서 $6 = k^{\frac{1}{z}}$ ⋯⋯ ㉢

STEP2 지수법칙을 이용하여 $\dfrac{1}{x} + \dfrac{1}{y} - \dfrac{1}{z}$의 값 구하기

㉠×㉡÷㉢을 하면 $2 \times 3 \div 6 = k^{\frac{1}{x}} \times k^{\frac{1}{y}} \div k^{\frac{1}{z}}$

$1 = k^{\frac{1}{x} + \frac{1}{y} - \frac{1}{z}}$에서 $k > 0$이고, $k \neq 1$이므로

$\dfrac{1}{x} + \dfrac{1}{y} - \dfrac{1}{z} = 0$

冒 (1) 2 (2) 0

풍쌤 강의 NOTE

지수에 포함된 문자에 대한 식의 값을 구하는 문제는

➡ 주어진 조건식의 밑이 다른 경우에는 밑을 통일하고, 지수법칙을 이용하여 식의 값을 구한다.

즉, $a^x = b^y = c^z = k$에서 $a = k^{\frac{1}{x}}$, $b = k^{\frac{1}{y}}$, $c = k^{\frac{1}{z}}$으로 변형하여 곱하거나 나눈다.

11-1 　유사

세 실수 x, y, z에 대하여 다음 물음에 답하여라.

(1) $16^x = 2^y = a$이고 $\dfrac{1}{x} - \dfrac{1}{y} = 3$일 때, 상수 a의 값을 구하여라.

(2) $2^x = 10^y = 5^z$일 때, $\dfrac{1}{x} - \dfrac{1}{y} + \dfrac{1}{z}$의 값을 구하여라. (단, $xyz \neq 0$)

11-2 　변형

$\dfrac{1}{x} + \dfrac{1}{y} = 3$을 만족시키는 실수 x, y에 대하여 $5^x = 25^y = k$가 성립할 때, 상수 k의 값을 구하여라.

11-3 　변형

두 양수 a, b에 대하여
$$ab = 27, \quad a^x = b^y = 81$$
일 때, $\dfrac{1}{x} + \dfrac{1}{y}$의 값을 구하여라.

11-4 　변형

$2^x = 3^y = 7^z = a$, $\dfrac{1}{x} + \dfrac{1}{y} + \dfrac{1}{z} = 2$일 때, 상수 a의 값을 구하여라.

11-5 　변형

1이 아닌 양수 a, b에 대하여 $a^x = b^y = 7^z$이고 $\dfrac{1}{x} + \dfrac{1}{y} = \dfrac{2}{z}$일 때, ab의 값을 구하여라. (단, $xyz \neq 0$)

11-6 　실력 　기출

세 양수 a, b, c가
$$a^x = b^{2y} = c^{3z} = 7, \quad abc = 49$$
를 만족시킬 때, $\dfrac{6}{x} + \dfrac{3}{y} + \dfrac{2}{z}$의 값을 구하여라.

어느 회사에서 신제품이 출시되고 t일이 지난 후에 하루 매출액 T를 조사해 보니 다음과 같은 관계가 성립한다고 한다.

$$T = 64 \times k^t \times 10^6 \text{(원)} \ (k\text{는 상수})$$

이때 신제품이 출시되고 15일이 지난 후 하루 매출액이 9600만 원이었다면 신제품이 출시되고 45일이 지난 후의 하루 매출액을 구하여라.

풍쌤 POINT

지수법칙의 실생활에의 활용 문제는 주어진 관계식에 알맞은 수를 대입한 후 지수법칙을 이용하여 식을 정리해.

풀이

STEP1 주어진 관계식에 각 문자에 해당하는 값을 대입하여 k^{15}의 값 구하기

신제품이 출시되고 t일이 지난 후의 하루 매출액 T는

$$T = 64 \times k^t \times 10^6 \text{(원)}$$

이때 신제품이 출시되고 15일이 지난 후 하루 매출액이 9600만 원이므로

$$96 \times 10^6 = 64 \times k^{15} \times 10^6$$

$$\therefore k^{15} = \frac{3}{2} \ \text{❶}$$

STEP2 구하는 값을 주어진 식에 대입하기

따라서 신제품이 출시되고 45일이 지난 후의 하루 매출액은

$$64 \times k^{45} \times 10^6 = 64 \times (k^{15})^3 \times 10^6$$
$$= 64 \times \left(\frac{3}{2}\right)^3 \times 10^6 \ \text{❷}$$
$$= 216 \times 10^6 \text{(원)}$$
$$= 21600 \text{(만 원)}$$

❶ k^{45}의 값이 필요하므로 k의 값을 구하지 않고 k^{15}의 값을 이용하여 $k^{45} = (k^{15})^3$으로 구할 수 있다.

❷ $k^{15} = \frac{3}{2}$을 대입한다.

답 21600만 원

풍쌤 강의 NOTE

• 지수법칙의 실생활에의 활용 문제는 지수를 포함한 관계식이 주어지거나 일정한 비율로 증가 또는 감소하는 상황에 대한 문제가 대부분이다.

• 지수법칙의 실생활에의 활용 문제는
  (ⅰ) 관계식이 주어진 경우 ➡ 주어진 관계식에 알맞은 값을 대입하여 지수법칙을 이용
  (ⅱ) 관계식이 주어지지 않은 경우 ➡ 주어진 상황을 식으로 나타낸 다음 지수법칙을 이용

12-1 ◉ 기본

행성 주위에 행성의 중력이 태양의 인력보다 더 큰 공간을 이 행성의 '중력장'이라고 한다. 행성의 질량을 m_P kg, 태양의 질량을 m_S kg, 행성에서 태양까지의 거리를 d km, 중력장의 반지름의 길이를 r km라고 할 때, 다음과 같은 관계가 성립한다고 한다.

$$r = d \times \left(\frac{m_P}{m_S}\right)^{\frac{2}{5}}$$

$m_S = 2^{1000} m_P$이고, $d = 2^{406}$인 소행성이 있다고 할 때, r의 값을 구하여라.

12-2 ◉ 변형

일정한 비율로 증식하는 세균의 처음의 개체 수를 m_0, t시간이 지난 후의 개체 수를 m이라고 할 때, 다음과 같은 관계가 성립한다고 한다.

$$m = m_0 \times k^t \ (k는 \ k > 0인 \ 상수)$$

4시간이 지난 후 이 세균의 개체 수는 처음 수의 2배가 된다고 하면 20시간이 지난 후의 개체 수는 처음 수의 몇 배가 되는지 구하여라.

12-3 ◉ 변형

인체에 흡수된 어떤 진통제는 1일이 지나면 처음 흡수된 양의 a %가 인체에 남고, 그 이후에도 1일이 지날 때마다 남은 양의 a %가 인체에 남는다고 한다. 10 mg의 진통제가 흡수되고 4일이 지난 후 0.256 mg의 진통제가 인체에 남았을 때, a의 값을 구하여라.

12-4 ◉ 변형
기출

조개류는 현탁물을 여과한다. 수온이 $t(℃)$이고 개체 중량이 $w(g)$일 때, A 조개와 B 조개가 1시간 동안 여과하는 양(L)을 각각 Q_A, Q_B라고 하면 다음과 같은 관계식이 성립한다고 한다.

$$Q_A = 0.01 t^{1.25} w^{0.25}$$
$$Q_B = 0.05 t^{0.75} w^{0.30}$$

수온이 20℃이고 A 조개와 B 조개의 개체중량이 각각 8 g일 때, $\dfrac{Q_A}{Q_B}$의 값은 $2^a \times 5^b$이다. $a+b$의 값을 구하여라. (단, a, b는 유리수이다.)

12-5 ◉ 실력

원기둥 모양의 수도관에서 단면인 원의 넓이를 S, 원의 둘레의 길이를 L이라 하고, 수도관의 기울기를 I라고 하자. 이 수도관에서 물이 가득 찬 상태로 흐를 때 물의 속력을 v라고 하면

$$v = c\left(\frac{S}{L}\right)^{\frac{2}{3}} \times I^{\frac{1}{2}} \ (c는 \ c \neq 0인 \ 상수)$$

이 성립한다고 한다. 단면인 원의 반지름의 길이가 각각 a, b인 원기둥 모양의 두 수도관 A, B에서 물이 가득 찬 상태로 흐르고 있다. 두 수도관 A, B의 기울기가 각각 0.04, 0.09이고, 흐르는 물의 속력을 각각 v_A, v_B라고 하자. $\dfrac{v_A}{v_B} = 6$일 때, $\dfrac{a}{b}$의 값을 구하여라. (단, 두 수도관 A, B에 대한 상수 c의 값은 서로 같다.)

실전 연습 문제

01

다음 중 옳은 것은?

① n이 홀수일 때, $\sqrt[n]{(-5)^n}=5$이다.

② -81의 네제곱근 중 실수인 것은 $\sqrt[4]{-81}$이다.

③ 8의 세제곱근은 ±2이다.

④ 제곱근 36은 6이다.

⑤ n이 홀수일 때, 4의 n제곱근 중 실수인 것은 2개이다.

02

임의의 실수 a에 대하여 a의 n제곱근 중 실수인 것의 개수를 $R(a,n)$으로 나타낼 때, $R(-5,6)+R(-5,7)+R(8,4)+R(8,5)$의 값은?

① 2   ② 3   ③ 4

④ 5   ⑤ 6

03 서술형 ✎

-216의 세제곱근 중 실수인 것을 a, 25의 네제곱근 중 실수인 것을 b라고 할 때, $a+b^2$의 값을 구하여라.

04

$\sqrt{\sqrt[3]{a}\times\dfrac{1}{4\sqrt[5]{a}}}\div\sqrt[3]{\sqrt{a}\times\dfrac{1}{8\sqrt[5]{a}}}\times\sqrt[5]{\sqrt{a}\times\dfrac{32}{\sqrt[3]{a}}}$ 를 간단히 하면? (단, $a>0$)

① $\dfrac{1}{4}$ ② $\dfrac{1}{2}$ ③ 2

④ 4   ⑤ 8

05 `기출`

$m\leq135$, $n\leq9$인 두 자연수 m, n에 대하여 $\sqrt[3]{2m}\times\sqrt{n^3}$의 값이 자연수일 때, $m+n$의 최댓값은?

① 97   ② 102   ③ 107

④ 112   ⑤ 117

06

다음 중 식의 값이 가장 큰 것은?

① $\sqrt[3]{64}$ ② $\sqrt[4]{3}\sqrt[4]{27}$

③ $\sqrt{\sqrt{36}}$ ④ $\dfrac{\sqrt[3]{250}}{\sqrt[3]{2}}$

⑤ $\left(\sqrt[4]{49}\right)^2$

07 서술형 ✏️

네 수 A, B, C, D에 대하여 $A=3\sqrt{3}+\sqrt[3]{6}$,
$B=\sqrt{3}+3\sqrt[3]{6}$, $C=2\sqrt[3]{6}-3\sqrt{3}$, $D=2\sqrt{3}-3\sqrt[3]{6}$일
때, 가장 큰 수와 가장 작은 수의 합을 구하여라.

08

$\sqrt[4]{\sqrt{a}\times\dfrac{a}{\sqrt[3]{a}}}\div\dfrac{\sqrt{\sqrt[4]{a}\sqrt[3]{a}}}{\sqrt[4]{\sqrt[3]{a^2}}}=a^m$일 때, 유리수 m의 값

은? (단, $a>0$, $a\neq1$)

① $\dfrac{1}{6}$ ② $\dfrac{1}{4}$ ③ $\dfrac{1}{3}$

④ $\dfrac{1}{2}$ ⑤ $\dfrac{2}{3}$

09

실수 x에 대하여

$$3^{x+1}-3^x=a,\ 5^{x+1}+5^x=b$$

일 때, 45^x을 a, b를 이용하여 나타낸 것은?

① $\dfrac{ab}{6}$ ② $\dfrac{a^2b}{24}$ ③ $\dfrac{a^2b}{12}$

④ $\dfrac{ab^2}{24}$ ⑤ $\dfrac{ab^2}{12}$

10

$P_n=7^{\frac{1}{n(n+1)}}$에 대하여

$$P_1\times P_2\times P_3\times\cdots\times P_{2021}=7^k$$

일 때, 상수 k의 값은? (단, n은 자연수이다.)

① $\dfrac{2020}{2021}$ ② $\dfrac{2021}{2022}$ ③ 1

④ $\dfrac{2021}{2020}$ ⑤ $\dfrac{2022}{2021}$

11

$x-y=1$, $3^x+3^{-y}=4$일 때, 27^x+27^{-y}의 값은?

① 22 ② 24 ③ 26

④ 28 ⑤ 30

12

$x=\dfrac{3^{\frac{1}{4}}+3^{-\frac{1}{4}}}{2}$일 때, $(x+\sqrt{x^2-1})^4$의 값을 구하여라.

13 기출

$2^{2x}-3\times2^x-1=0$일 때, $\dfrac{2^{3x}-2^{-3x}}{2^x-2^{-x}}$의 값을 구하여라.

14

함수 $f(x)=\dfrac{2^x-2^{-x}}{2^x+2^{-x}}$에 대하여 $f(\alpha)=\dfrac{2}{3}$,

$f(\beta)=\dfrac{4}{5}$일 때, $f(\alpha+\beta)$의 값은?

① $\dfrac{14}{23}$ ② $\dfrac{16}{23}$ ③ $\dfrac{18}{23}$

④ $\dfrac{20}{23}$ ⑤ $\dfrac{22}{23}$

15 서술형 ✐

$3.28^x=10$, $0.0328^y=10$일 때, $\dfrac{1}{x}-\dfrac{1}{y}$의 값을 구하여라.

16

$2^x=5^y=10^z$일 때, $xy-yz-zx$의 값은?

(단, $xyz\neq0$)

① 0   ② 1   ③ 2

④ 5   ⑤ 10

17

어떤 약을 혈관 내에 주사했을 때, 초기 혈중 농도 x_0와 t시간 후의 혈중 농도 x 사이에는

$$x=x_0\left(\frac{1}{2}\right)^{kt} \ (k\text{는 비례상수})$$

인 관계가 성립하고, 이 약은 혈중 농도가 a 이상일 때만 효력이 있다고 한다. 이 약을 주사하여 초기 혈중 농도를 a의 3배로 하면 10시간의 효력이 있고 10시간 후의 혈중 농도는 a일 때, 이 약이 20시간 효력이 있게 하려면 초기 혈중 농도가 a의 몇 배가 되어야 하는지를 구하여라.

상위권 도약 문제

01

양수 a에 대하여 a의 m제곱근 중 실수인 것을 p라 하고 a의 n제곱근 중 실수인 것을 q라고 할 때, 옳은 것만을 I보기I에서 있는 대로 고른 것은?

(단, m, n은 1보다 큰 홀수이고, $m < n$이다.)

┌─I보기I─────────────────────────────
│ ㄱ. p의 n제곱근 중 실수인 것은 q의 m제곱근 중
│   실수인 것과 같다.
│ ㄴ. a^n의 m제곱근 중 실수인 것은 a^m의 n제곱근
│   중 실수인 것보다 크다.
│ ㄷ. pq의 $m+n$제곱근 중 양수인 것은 a의 mn제
│   곱근 중 실수인 것과 같다.
└─────────────────────────────────────

① ㄱ   ② ㄷ   ③ ㄱ, ㄴ
④ ㄱ, ㄷ   ⑤ ㄱ, ㄴ, ㄷ

02

모든 실수 x에 대하여 $\sqrt[7]{ax^2+2ax-5}$가 음수가 되기 위한 실수 a의 값의 범위를 구하여라.

03

두 자연수 a, b에 대하여

$$\sqrt{\frac{2^a \times 5^b}{2}}\text{이 자연수,} \quad \sqrt[3]{\frac{3^b}{2^{a+1}}}\text{이 유리수}$$

일 때, $a+b$의 최솟값은?

① 11   ② 13   ③ 15
④ 17   ⑤ 19

04

부등식 $1 < m^{n-5} < n^{m-8}$을 만족시키는 자연수 m, n에 대하여

$$A = m^{\frac{1}{m-8}} \times n^{\frac{1}{n-5}}$$
$$B = m^{-\frac{1}{m-8}} \times n^{\frac{1}{n-5}}$$
$$C = m^{\frac{1}{m-8}} \times n^{-\frac{1}{n-5}}$$

이라고 할 때, A, B, C의 대소 관계는?

① $A > B > C$ ② $A > C > B$
③ $B > A > C$ ④ $B > C > A$
⑤ $C > A > B$

05

두 실수 a, b에 대하여

$$5^{2a+b}=32,\ 5^{a-b}=2$$

일 때, $4^{\frac{a+b}{ab}}$ 의 값을 구하여라.

06

세 실수 a, b, c에 대하여

$$a+b+c=-2,$$
$$3^a+3^b+3^c=\frac{4}{3},$$
$$3^{-a}+3^{-b}+3^{-c}=\frac{11}{3}$$

일 때, $9^a+9^b+9^c$의 값은?

① $\dfrac{2}{3}$ ② $\dfrac{20}{27}$ ③ $\dfrac{22}{27}$

④ $\dfrac{8}{9}$ ⑤ $\dfrac{26}{27}$

07

세 양수 a, b, c에 대하여 $\dfrac{3}{a}+\dfrac{2}{b}=\dfrac{6}{c}$일 때, $12^a=k^b=6^c$을 만족시키는 양수 k의 값은?

① 3 ② $2\sqrt{3}$ ③ 4

④ $3\sqrt{3}$ ⑤ $4\sqrt{2}$

08

밀도가 균일한 공기 중에서 자유 낙하하는 물체에 작용하는 중력과 공기 저항력이 평형을 이루게 될 때의 물체의 속력을 종단속력이라 한다. 질량이 m이고 단면적이 S인 구형 물체의 종단속력 v(m/초)는 다음 식을 만족시킨다고 한다.

$$v^2=\frac{2mg}{D\rho S}$$

(단, D는 끌림 계수, ρ는 공기 밀도, g는 중력가속도이며, 질량 단위는 kg, 단면적 단위는 m²이다.)

밀도가 균일한 공기 중에서 자유 낙하하는 구형의 두 물체 A와 B에 작용하는 끌림 계수(D), 공기 밀도(ρ), 중력가속도(g)가 서로 같다. 두 물체 A와 B의 질량의 비는 $1:2\sqrt{2}$이고 단면적의 비는 $1:8$일 때, 두 물체 A, B의 종단속력을 각각 v_A, v_B라 하자. $\left(\dfrac{v_A}{v_B}\right)^3$의 값은?

① $2^{\frac{9}{8}}$ ② $2^{\frac{3}{2}}$ ③ $2^{\frac{15}{8}}$

④ $2^{\frac{9}{4}}$ ⑤ $2^{\frac{21}{8}}$

02

로그

로그

로그의 정의

(1) **로그**: $a>0$, $a\neq1$일 때, 양수 N에 대하여 $a^x=N$
을 만족시키는 실수 x를 $\log_a N$과 같이 나타낸
다.

이 실수 x를 a를 밑으로 하는 N의 로그라 하고,
N을 $\log_a N$의 진수라고 한다.

$$a^x=N \Longleftrightarrow x=\log_a N$$

[예] $3^2=9 \Longleftrightarrow 2=\log_3 9$, $\left(\dfrac{1}{2}\right)^{-1}=2 \Longleftrightarrow -1=\log_{\frac{1}{2}} 2$

(2) $\log_a N$이 정의될 조건

① 밑의 조건: a는 1이 아닌 양수, 즉 $a>0$, $a\neq1$

② 진수의 조건: N은 양수, 즉 $N>0$

> ▶ 특별한 말이 없으면 $\log_a N$은
> $a>0$, $a\neq1$, $N>0$을 만족시키는
> 것으로 생각한다.

확인 01 다음 $a^x=b$ 꼴의 등식을 $x=\log_a b$ 꼴로 나타내어라.

(1) $3^4=81$

(2) $5^0=1$

(3) $16^{-\frac{1}{2}}=\dfrac{1}{4}$

(4) $\left(\dfrac{1}{5}\right)^3=0.008$

확인 02 다음 등식을 만족시키는 실수 x의 값을 구하여라.

(1) $\log_2 x=3$

(2) $\log_{16} x=\dfrac{1}{4}$

(3) $\log_x 49=2$

(4) $\log_x 5=\dfrac{1}{2}$

로그의 성질

(1) **로그의 성질**

$a>0$, $a\neq1$, $x>0$, $y>0$일 때 ← $a>0$, $a\neq1$은 밑의 조건, $x>0$, $y>0$은 진수의 조건

① $\log_a a=1$, $\log_a 1=0$

② $\log_a xy=\log_a x+\log_a y$

③ $\log_a \dfrac{x}{y}=\log_a x-\log_a y$

④ $\log_a x^n=n\log_a x$ (단, n은 실수)

[예] ① $\log_{\frac{1}{2}} \dfrac{1}{2}=1$, $\log_{\frac{1}{2}} 1=0$

② $\log_2 6=\log_2 (2\times3)=\log_2 2+\log_2 3=1+\log_2 3$

③ $\log_3 \dfrac{3}{2}=\log_3 3-\log_3 2=1-\log_3 2$

④ $\log_3 9=\log_3 3^2=2\log_3 3=2$

> ▶ $\log_a a^n=n$
> $\log_a \dfrac{1}{x}=\log_a x^{-1}$
> $\quad\quad =-\log_a x$

(2) 로그의 밑의 변환 공식

$a>0$, $a\neq1$, $b>0$일 때

① $\log_a b=\dfrac{\log_c b}{\log_c a}$ (단, $c>0$, $c\neq1$)

② $\log_a b=\dfrac{1}{\log_b a}$ (단, $b\neq1$)

[예] ① $\log_2 5=\dfrac{\log_3 5}{\log_3 2}$

② $\log_2 5=\dfrac{\log_5 5}{\log_5 2}=\dfrac{1}{\log_5 2}$

> $\log_a b$를 밑이 b인 로그로 나타내면
>
> $\log_a b=\dfrac{\log_b b}{\log_b a}=\dfrac{1}{\log_b a}$

(3) 로그의 여러 가지 성질

$a>0$, $a\neq1$, $b>0$일 때

① $\log_{a^m} b^n=\dfrac{n}{m}\log_a b$ (단, m, n은 실수, $m\neq0$)

② $\log_a b\times\log_b a=1$ (단, $b\neq1$)

③ $a^{\log_a b}=b$

④ $a^{\log_c b}=b^{\log_c a}$ (단, $c>0$, $c\neq1$)

> $\log_a b\times\log_b c\times\log_c a=1$

[예] ① $\log_8 9=\log_{2^3} 3^2=\dfrac{2}{3}\log_2 3$

② $\log_2 3\times\log_3 2=1$

③ $3^{\log_3 5}=5$

④ $4^{\log_2 5}=5^{\log_2 4}=5^{\log_2 2^2}=5^2=25$

> **주의** **로그의 성질의 잘못된 적용**

로그의 계산에서 다음의 등식은 성립하지 않음에 주의한다.

(1) $\log_1 1\neq1$, $\log_1 1\neq0 \Longrightarrow$ (밑)>0, (밑)$\neq1$

(2) $\log_a(x+y)\neq\log_a x+\log_a y$

　$\log_a x\times\log_a y\neq\log_a x+\log_a y \Longrightarrow \log_a xy=\log_a x+\log_a y$

(3) $\log_a(x-y)\neq\log_a x-\log_a y$

　$\dfrac{\log_a x}{\log_a y}\neq\log_a x-\log_a y \Longrightarrow \log_a \dfrac{x}{y}=\log_a x-\log_a y$

(4) $(\log_a x)^n\neq n\log_a x \Longrightarrow \log_a x^n=n\log_a x$

확인 03 **다음 값을 구하여라.**

(1) $\log_4 2+\log_4 32$

(2) $\log_2 12-\log_2 3$

(3) $\log_3 \dfrac{1}{9}$

(4) $\log_6 4+2\log_6 3$

확인 04 **다음 값을 구하여라.**

(1) $\log_{25} 125$

(2) $5^{\log_5 3}$

(3) $\log_2 9\times\log_3 \sqrt{2}$

(4) $7^{\log_7 2}\times8^{\log_2 3}$

개념03 상용로그

(1) 상용로그

10을 밑으로 하는 로그, 즉 $\log_{10} N\,(N>0)$을 상용로그라 하고, 보통 밑 10을 생략하여 $\log N$으로 나타낸다.

[예] ① $\log 10 = \log_{10} 10 = 1$

② $\log 0.01 = \log_{10} 10^{-2} = -2$

③ $\log 10\sqrt{10} = \log_{10} 10^{\frac{3}{2}} = \frac{3}{2}$

> 상용로그는 밑이 10인 로그이므로 진수가 10의 거듭제곱인 수는 유리수가 된다.

(2) 상용로그의 값

① 상용로그표: 0.01의 간격으로 1.00에서 9.99까지의 수에 대한 상용로그의 값을 반올림하여 소수점 아래 넷째 자리까지 나타낸 표

② 상용로그표를 이용하여 상용로그의 값 구하기

상용로그표를 이용하면 정수 부분이 한 자리인 양수의 상용로그의 값을 구할 수 있다. 예를 들면 다음 상용로그표에서 $\log 5.18$의 값을 구하려면 5.1의 가로줄과 8의 세로줄이 만나는 곳의 수를 찾으면 된다. 즉, $\log 5.18 = 0.7143$이다.

수	⋯	6	7	8	9
⋮					
5.1				.7143	
⋮					

> 상용로그표의 값은 반올림하여 어림한 값이지만 편의상 등호를 사용하여 나타낸다.

> 상용로그표에서 .7143은 0.7143을 뜻한다.

③ 상용로그표에 없는 양수의 상용로그의 값 구하기

양수 N은 $1 \le a < 10$인 실수 a와 정수 n에 대하여

$$N = a \times 10^n$$

꼴로 나타낼 수 있다. 이때

$$\log N = \log(a \times 10^n) = \log a + n = n + \log a$$

와 같이 나타낼 수 있으므로 N의 상용로그의 값은 로그의 성질과 상용로그표를 이용하여 구할 수 있다.

[예] $\log 518 = \log(5.18 \times 10^2) = \log 10^2 + \log 5.18 = 2 + 0.7143 = 2.7143$

확인 05 상용로그표를 이용하여 다음 값을 구하여라.

수	0	1	2	3	4
3.0	.4771	.4786	.4800	.4814	.4829
3.1	.4914	.4928	.4942	.4955	.4969
3.2	.5051	.5065	.5079	.5092	.5105

(1) $\log 3.04$

(2) $\log 3.11$

(3) $\log 3.2$

(4) $\log 3.24$

(5) $\log 3.14^2$

(6) $\log 3230$

개념04 상용로그의 정수 부분과 소수 부분

(1) 상용로그의 정수 부분과 소수 부분

임의의 양수 N에 대하여

$$\log N = n + \alpha \ (n\text{은 정수}, \ 0 \le \alpha < 1)$$

로 나타낼 때, n을 $\log N$의 정수 부분, α를 $\log N$의 소수 부분이라고 한다.

> **주의** 상용로그의 값이 음수인 경우 소수 부분이 $0 \le$ (소수 부분) <1을 만족시키도록 식을 변형해야 한다.

[예] $\log 5.18 = 0.7143$일 때

① $\log 5180 = \log(5.18 \times 10^3) = \log 10^3 + \log 5.18 = 3 + 0.7143$에서
 $\log 5180$의 정수 부분은 3, 소수 부분은 0.7143이다.

② $\log 0.0518 = \log(5.18 \times 10^{-2}) = \log 10^{-2} + \log 5.18 = -2 + 0.7143$에서
 $\log 0.0518$의 정수 부분은 -2, 소수 부분은 0.7143이다.

(2) 상용로그의 정수 부분과 소수 부분의 성질

① 정수 부분이 n자리인 수의 상용로그의 정수 부분은 $n-1$이다.

② 소수점 아래 n째 자리에서 처음으로 0이 아닌 숫자가 나타나는 수의 상용로그의 정수 부분은 $-n$이다.

(3) 상용로그의 소수 부분의 성질

숫자의 배열이 같고 소수점의 위치만 다른 양수의 상용로그의 소수 부분은 모두 같다.

[예] $\log 5.18 = 0.7143$일 때

$\log 51.8 = \log(10 \times 5.18) = \log 10 + \log 5.18 = 1 + 0.7143$

$\log 518 = \log(10^2 \times 5.18) = \log 10^2 + \log 5.18 = 2 + 0.7143$

$\log 0.518 = \log(10^{-1} \times 5.18) = \log 10^{-1} + \log 5.18 = -1 + 0.7143$

$\log 0.0518 = \log(10^{-2} \times 5.18) = \log 10^{-2} + \log 5.18 = -2 + 0.7143$

> **n자리인 수를 A라고 하면**
> $10^{n-1} \le A < 10^n$
> 각각 상용로그를 취하면
> $\log 10^{n-1} \le \log A < \log 10^n$
> $\Rightarrow n-1 \le \log A < n$
> 이로부터 $\log A$의 정수 부분은 $n-1$이 된다.

확인06 다음 물음에 답하여라.

(1) $\log 7.38 = 0.8681$일 때, $\log x = 4.8681$을 만족시키는 x의 값을 구하여라.

(2) $\log 104 = 2.0170$일 때, $\log x = -1.9830$을 만족시키는 x의 값을 구하여라.

개념➕ | **상용로그의 정수 부분과 소수 부분의 활용**

(1) $\log A$가 정수이면 A는 10의 거듭제곱이다.

(2) $\log A$와 $\log B$의 소수 부분이 같으면

$\log A - \log B = \log \dfrac{A}{B}$의 값이 정수가 되므로

$\dfrac{A}{B}$는 10의 거듭제곱이다.

(3) $\log A$와 $\log B$의 소수 부분의 합이 1이면

$\log A + \log B = \log AB$의 값이 정수가 되므로

AB는 10의 거듭제곱이다.

다음 등식을 만족시키는 실수 a의 값을 구하여라.

(1) $\log_2 \dfrac{1}{128} = a$

(2) $\log_{\sqrt{2}} a = 4$

(3) $\log_a 243 = -\dfrac{5}{3}$

(4) $\log_{\frac{1}{2}} (\log_{25} a) = 1$

풍쌤 POINT

$\log_a N = x$ 꼴에서 a, N, x 중 어느 하나의 값을 구할 때에는 로그의 정의를 이용해.

> $a > 0$, $a \neq 1$일 때, 임의의 양수 N에 대하여
> $$\log_a N = x \iff a^x = N$$

풀이

(1) $\log_2 \dfrac{1}{128} = a$에서 $2^a = \dfrac{1}{128} = 2^{-7}$ $\therefore a = -7$

(2) $\log_{\sqrt{2}} a = 4$에서 $a = (\sqrt{2})^4 = (2^{\frac{1}{2}})^4 = 2^2 = 4$ ❶

❶ $(2^{\frac{1}{2}})^4 = 2^{\frac{1}{2} \times 4} = 2^2$

(3) **STEP 1** 로그의 정의 이용하기

$\log_a 243 = -\dfrac{5}{3}$에서 $a^{-\frac{5}{3}} = 243 = 3^5$

STEP 2 좌변에 a만 남도록 변형시키기

$\left(a^{-\frac{5}{3}}\right)^{-\frac{3}{5}} = (3^5)^{-\frac{3}{5}}$ ❷

$\therefore a = 3^{-3} = \dfrac{1}{27}$

❷ $a^x = b$
$\iff (a^x)^{\frac{1}{x}} = b^{\frac{1}{x}}$
$\iff a = b^{\frac{1}{x}}$
임을 이용하여 a의 값을 구한다.

(4) **STEP 1** 로그의 정의 이용하기

$\log_{\frac{1}{2}} (\log_{25} a) = 1$에서

$\log_{25} a = \dfrac{1}{2}$

STEP 2 로그의 정의를 이용하여 a의 값 구하기

$\log_{25} a = \dfrac{1}{2}$에서

$a = 25^{\frac{1}{2}} = \sqrt{25} = 5$

답 (1) -7 (2) 4 (3) $\dfrac{1}{27}$ (4) 5

풍쌤 강의 NOTE

로그의 정의를 이용하여 미지수를 구할 때 지수의 성질과 지수법칙이 사용된다.
앞에서 학습한 대표적인 지수의 성질과 지수법칙은 다음과 같다.

① $a > 0$일 때

$a^0 = 1$, $a^{-n} = \dfrac{1}{a^n}$ (단, $n > 0$) , $\sqrt[n]{a^m} = a^{\frac{m}{n}}$ (단, n은 2 이상의 정수)

② $a > 0$, $b > 0$이고, x, y가 실수일 때

$a^x \times a^y = a^{x+y}$, $a^x \div a^y = a^{x-y}$, $(a^x)^y = a^{xy}$, $(ab)^x = a^x b^x$

01-1 유사

다음 등식을 만족시키는 실수 a의 값을 구하여라.

(1) $\log_{2\sqrt{2}} 512 = a$

(2) $\log_{16} a = 0.25$

(3) $\log_a 3\sqrt{3} = \dfrac{3}{8}$

(4) $\log_{\frac{1}{2}} (\log_{16} a) = -1$

01-2 유사

$\log_{\sqrt{3}} a = 4$, $\log_2 \dfrac{1}{32} = b$를 만족시키는 실수 a, b에 대하여 $a+b$의 값을 구하여라.

01-3 유사

$\log_9 a = \dfrac{7}{2}$, $\log_b 81 = \dfrac{1}{3}$을 만족시키는 실수 a, b에 대하여 $\dfrac{b}{a}$의 값을 구하여라.

01-4 변형

기출

양수 a에 대하여 $\log_2 \dfrac{a}{4} = b$일 때, $\dfrac{2^b}{a}$의 값을 구하여라.

01-5 변형

$\log_2(\log_a 2) = -1$, $\log_2\{\log_3(\log_2 b)\} = 0$을 만족시키는 실수 a, b에 대하여 ab의 값을 구하여라.

01-6 실력

좌표평면 위의 두 직선

$$x - 2y = 4, \quad 2x - (\log_2 a)y = 6$$

이 평행할 때, 양수 a의 값을 구하여라.

다음 물음에 답하여라.

(1) $\log_{x+2}(-x+5)(x+4)$의 값이 정의되도록 하는 x의 값의 범위를 구하여라.

(2) 모든 실수 x에 대하여 $\log_{a-1}(x^2+2ax+5a)$의 값이 정의되도록 하는 정수 a의 값의 합을 구하여라.

풍쌤 POINT

로그에서 밑 또는 진수 부분에 특별한 조건 없이 문자가 들어 있는 경우에는 로그의 밑의 조건과 진수의 조건을 먼저 생각해 봐!

$$\boxed{\log_a N \text{의 값이 정의되기 위한 조건}} \Rightarrow \boxed{a>0,\ a\neq 1,\ N>0}$$

풀이

(1) STEP1 (밑)>0, (밑)$\neq 1$인 범위 구하기

밑은 1이 아닌 양수이어야 하므로

$x+2>0,\ x+2\neq 1$, 즉 $x>-2,\ x\neq -1$ ...... ㉠

STEP2 (진수)>0인 범위 구하기

진수는 양수이어야 하므로 $(-x+5)(x+4)>0$

$(x-5)(x+4)<0$ $\therefore -4<x<5$ ...... ㉡

STEP3 x의 값의 범위 구하기

㉠, ㉡을 동시에 만족시키는 x의 값의 범위는

$-2<x<-1$ 또는 $-1<x<5$

(2) STEP1 (밑)>0, (밑)$\neq 1$인 범위 구하기

밑은 1이 아닌 양수이어야 하므로

$a-1>0,\ a-1\neq 1$, 즉 $a>1,\ a\neq 2$ ...... ㉠

STEP2 (진수)>0인 범위 구하기

진수는 양수이어야 하므로 $x^2+2ax+5a>0$

모든 실수 x에 대하여 위 식이 성립하려면❶ 이차방정식

$x^2+2ax+5a=0$의 판별식을 D라고 할 때

$\dfrac{D}{4}=a^2-5a=a(a-5)<0$ $\therefore 0<a<5$ ...... ㉡

STEP3 a의 값의 범위를 구하여 정수 a의 합 구하기

㉠, ㉡을 동시에 만족시키는 a의 값의 범위는

$1<a<2$ 또는 $2<a<5$

따라서 정수 a의 값의 합은 $3+4=7$

❶ 이차함수의 그래프의 개형을 생각하면

冟 (1) $-2<x<-1$ 또는 $-1<x<5$ (2) 7

풍쌤 강의 NOTE

이차부등식이 항상 성립할 조건은 다음과 같다.

① 모든 실수 x에 대하여 $ax^2+bx+c>0$이 성립할 조건 ➡ $a>0,\ D<0$

② 모든 실수 x에 대하여 $ax^2+bx+c<0$이 성립할 조건 ➡ $a<0,\ D<0$

02-1 유사

$\log_x(-x^2+3x+4)$의 값이 정의되도록 하는 정수 x의 개수를 구하여라.

02-2 유사 기출

$\log_{a+3}(-a^2+3a+28)$의 값이 정의되도록 하는 정수 a의 개수를 구하여라.

02-3 유사

모든 실수 x에 대하여 $\log_{a-2}(x^2-4ax+20a)$의 값이 정의되도록 하는 정수 a의 값을 구하여라.

02-4 변형

$\log_3(6-x)$와 $\log_x(-2x+14)$의 값이 모두 정의되도록 하는 정수 x의 개수를 구하여라.

02-5 실력

모든 실수 x에 대하여 $\log_{10}(ax^2-ax+1)$의 값이 정의되도록 하는 실수 a의 값의 범위를 $m \le a < n$이라고 할 때, 실수 m, n에 대하여 $m+n$의 값을 구하여라.

02-6 실력

모든 실수 x에 대하여 $\log_{(a-2)^2}(ax^2+ax+2)$가 정의되도록 하는 정수 a의 개수를 구하여라.

다음 식의 값을 구하여라.

(1) $\log_6 \dfrac{1}{3} - \log_6 27 + 2\log_6 \dfrac{3}{2}$

(2) $3\log_2 \sqrt[3]{6} + \log_2 \dfrac{1}{2} + \log_2 \dfrac{\sqrt{2}}{3}$

(3) $\log_9 (3 \times 3^2 \times 3^3 \times \cdots \times 3^8)$

풍쌤 POINT 로그의 계산에서 로그의 밑이 같으면 로그의 성질을 이용하여 진수를 간단히 해.

풀이

(1) $\log_6 \dfrac{1}{3} - \log_6 27 + 2\log_6 \dfrac{3}{2}$

$= \log_6 \dfrac{1}{3} - \log_6 27 + \log_6 \left(\dfrac{3}{2}\right)^2$ ❶

$= \log_6 \left(\dfrac{1}{3} \times \dfrac{1}{27} \times \dfrac{9}{4}\right)$

$= \log_6 \dfrac{1}{36}$

$= \log_6 6^{-2} = -2$ ❷

❶ $k\log_a x = \log_a x^k$

❷ $\log_a a = 1$,
$\log_a x^n = n\log_a x$

(2) $3\log_2 \sqrt[3]{6} + \log_2 \dfrac{1}{2} + \log_2 \dfrac{\sqrt{2}}{3}$

$= \log_2 (\sqrt[3]{6})^3 + \log_2 \dfrac{1}{2} + \log_2 \dfrac{\sqrt{2}}{3}$

$= \log_2 6 + \log_2 \dfrac{1}{2} + \log_2 \dfrac{\sqrt{2}}{3}$

$= \log_2 \left(6 \times \dfrac{1}{2} \times \dfrac{\sqrt{2}}{3}\right)$

$= \log_2 \sqrt{2} = \log_2 2^{\frac{1}{2}} = \dfrac{1}{2}$

(3) $\log_9 (3 \times 3^2 \times 3^3 \times \cdots \times 3^8) = \log_9 3^{1+2+3+\cdots+7+8}$ ❸

$= \log_9 3^{36} = \log_9 9^{18}$

$= 18\log_9 9 = 18$

❸ 밑이 같은 거듭제곱의 곱은 지수의 합이다.

답 (1) -2 (2) $\dfrac{1}{2}$ (3) 18

풍쌤 강의 NOTE 로그의 성질을 이용하여 다음과 같이 식을 간단히 할 수 있다.
$a>0$, $a\neq 1$, $x_1>0$, $x_2>0$, $x_3>0$, $\cdots$, $x_n>0$일 때
① $\log_a x_1 + \log_a x_2 - \log_a x_3 = \log_a \dfrac{x_1 x_2}{x_3}$
② $\log_a x_1 + \log_a x_2 + \log_a x_3 + \cdots + \log_a x_n = \log_a (x_1 x_2 x_3 \cdots x_n)$

03-1 (유사)

다음 식의 값을 구하여라.

(1) $4 \log_5 \sqrt[4]{3} - \dfrac{1}{2} \log_5 75 + \dfrac{1}{2} \log_5 \dfrac{25}{3}$

(2) $\log_3 (6 - \sqrt{11}) + \log_3 (6 + \sqrt{11}) - \dfrac{1}{2} \log_3 \dfrac{1}{25}$

03-2 (유사)

$\log_3 \left(1 - \dfrac{1}{2}\right) + \log_3 \left(1 - \dfrac{1}{3}\right) + \log_3 \left(1 - \dfrac{1}{4}\right)$
$\qquad\qquad + \cdots + \log_3 \left(1 - \dfrac{1}{9}\right)$

의 값을 구하여라.

03-3 (변형)

다음 식의 값을 구하여라.

$$\dfrac{1}{2} \log_2 4 + \dfrac{2}{3} \log_2 8 + \dfrac{3}{4} \log_2 16$$
$$\qquad\qquad + \cdots + \dfrac{9}{10} \log_2 1024$$

03-4 (변형)

$\log_4 (2 \times 2^2 \times 2^3 \times 2^4) = a$,

$\log_2 2^2 + \log_3 3^2 + \cdots + \log_{10} 10^2 = b$

일 때, $a + b$의 값을 구하여라.

03-5 (변형)

$\log_2 1 + \log_2 2 + \log_2 4 + \log_2 8 + \cdots + \log_2 A = 45$

일 때, 자연수 A의 값을 구하여라.

03-6 (변형) (기출)

두 양수 x, y가

$\qquad \log_2 (x + 2y) = 3, \ \log_2 x + \log_2 y = 1$

을 만족시킬 때, $x^2 + 4y^2$의 값을 구하여라.

다음 식의 값을 구하여라.

(1) $\dfrac{1}{\log_2 12} + \dfrac{1}{\log_3 12} + \dfrac{1}{\log_4 12} + \dfrac{1}{\log_6 12}$

(2) $\log_2 3^4 \times \log_3 \sqrt{5} \times \log_5 \sqrt{2}$

(3) $\log_3 (\log_2 3 \times \log_3 5 \times \log_5 8)$

풍쌤 POINT

로그의 계산에서 로그의 밑이 다르면 로그의 밑의 변환 공식 등을 이용하여 먼저 밑을 같게 해.

풀이

(1) $\dfrac{1}{\log_2 12} + \dfrac{1}{\log_3 12} + \dfrac{1}{\log_4 12} + \dfrac{1}{\log_6 12}$

$= \log_{12} 2 + \log_{12} 3 + \log_{12} 4 + \log_{12} 6$

$= \log_{12}(2 \times 3 \times 4 \times 6)$

$= \log_{12} 144$

$= \log_{12} 12^2 = 2$

(2) $\log_2 3^4 \times \log_3 \sqrt{5} \times \log_5 \sqrt{2}$

$= 4\log_2 3 \times \dfrac{1}{2}\log_3 5 \times \dfrac{1}{2}\log_5 2$

$= 4 \times \dfrac{\log_{10} 3}{\log_{10} 2} \times \dfrac{1}{2} \times \dfrac{\log_{10} 5}{\log_{10} 3} \times \dfrac{1}{2} \times \dfrac{\log_{10} 2}{\log_{10} 5}$ ❶

$= 4 \times \dfrac{1}{2} \times \dfrac{1}{2} = 1$

❶ 밑을 10이 아닌 다른 수로 정해도 결과는 같다.

(3) $\log_3 (\log_2 3 \times \log_3 5 \times \log_5 8)$

$= \log_3 \left(\log_2 3 \times \dfrac{\log_2 5}{\log_2 3} \times \dfrac{\log_2 8}{\log_2 5} \right)$

$= \log_3 (\log_2 8)$ ❷

$= \log_3 3$

$= 1$

❷ $\log_2 8 = \log_2 2^3 = 3$

답 (1) 2　(2) 1　(3) 1

풍쌤 강의 NOTE

· 밑의 변환 공식 $\log_a b = \dfrac{\log_c b}{\log_c a}$를 이용할 때 밑 c를 어떤 수로 정해도 그 결과는 같다.
　　　　　　　　　　　　　　　└ $c > 0, c \neq 1$

· 로그의 밑의 변환 공식 증명

① $\log_a b = x$, $\log_c a = y$라고 하면 $a^x = b$, $c^y = a$이므로 $b = a^x = (c^y)^x = c^{xy}$

　로그의 정의에 의하여 $xy = \log_c b$이므로 $\log_a b \times \log_c a = \log_c b$

　이때 $a \neq 1$에서 $\log_c a \neq 0$이므로 양변을 $\log_c a$로 나누면 $\log_a b = \dfrac{\log_c b}{\log_c a}$

② ①에서 $c = b$라고 하면 $\log_a b = \dfrac{\log_b b}{\log_b a} = \dfrac{1}{\log_b a}$

04-1 ⦿기본 ⟨기출⟩

두 실수 a, b가

$$ab=\log_3 5, \quad b-a=\log_2 5$$

를 만족시킬 때, $\dfrac{1}{a}-\dfrac{1}{b}$의 값은?

① $\log_5 2$ ② $\log_3 2$ ③ $\log_3 5$

④ $\log_2 3$ ⑤ $\log_2 5$

04-2 ⦿유사

다음 식의 값을 구하여라.

(1) $\log_2\left(\log_3 2 \times \log_4 3\right)$

(2) $\left(\log_{12} 7\right)\left(\log_5 \sqrt{6}+\log_5 \sqrt{24}\right)-\dfrac{1}{\log_7 5}$

04-3 ⦿변형

$\log_2 40-\dfrac{1}{\log_5 2}$의 값을 a라고 할 때,

$\left(\log_2 a+\log_4 a^2\right)\times\log_a 8$의 값을 구하여라.

04-4 ⦿변형

$\dfrac{\log_5 2}{a}=\dfrac{\log_5 8}{b}=\log_5 3$일 때, 상수 a, b에 대하여 $a+b$의 값을 구하여라. (단, $ab\neq 0$)

04-5 ⦿변형

$\dfrac{\log_2 5}{a}=\dfrac{\log_5 7}{b}=\dfrac{\log_7 16}{c}=2$일 때, $\left(5^{ab}\right)^{2c}$의 값을 구하여라. (단, a, b, c는 상수이다.)

04-6 ⦿실력

다음 등식을 만족시키는 상수 a의 값을 구하여라.

(단, $a\neq 1$)

$$\begin{aligned} &\log_a\left(\log_2 3\right)+\log_a\left(\log_3 4\right)+\log_a\left(\log_4 5\right) \\ &\qquad\qquad + \cdots +\log_a\left(\log_7 8\right) \\ &=-\dfrac{1}{2} \end{aligned}$$

다음 식의 값을 구하여라.

(1) $(\log_3 5 + \log_9 625)(\log_5 27 - \log_{125} 81)$

(2) $4^{\log_4 \frac{2}{3} + \log_4 27 - \log_4 6}$

(3) $2^{\log_2 1 + \log_2 3 - \log_2 6 + \log_2 9 + \log_2 18}$

풍쌤 POINT

로그의 밑과 진수에 거듭제곱이 있거나 지수에 로그가 있는 경우에는 다음 성질을 이용하여 식을 간단히 해.

① $a > 0$, $a \neq 1$, $b > 0$일 때, $\log_{a^m} b^n = \dfrac{n}{m} \log_a b$ (단, m, n은 실수, $m \neq 0$)

② $a > 0$, $b > 0$일 때, $a^{\log_c b} = b^{\log_c a}$ (단, $c > 0$, $c \neq 1$)

풀이

(1) $(\log_3 5 + \log_9 625)(\log_5 27 - \log_{125} 81)$

$= (\log_3 5 + \log_{3^2} 5^4)(\log_5 3^3 - \log_{5^3} 3^4)$

$= (\log_3 5 + 2\log_3 5)\left(3\log_5 3 - \dfrac{4}{3}\log_5 3\right)$

$= 3\log_3 5 \times \dfrac{5}{3}\log_5 3$ ❶

$= 3\log_3 5 \times \dfrac{5}{3\log_3 5} = 5$

❶ $\log_a b = \dfrac{1}{\log_b a}$

(2) $4^{\log_4 \frac{2}{3} + \log_4 27 - \log_4 6}$의 지수를 간단히 하면

$\log_4 \dfrac{2}{3} + \log_4 27 - \log_4 6 = \log_4\left(\dfrac{2}{3} \times 27 \times \dfrac{1}{6}\right) = \log_4 3$

$\therefore 4^{\log_4 \frac{2}{3} + \log_4 27 - \log_4 6} = 4^{\log_4 3} = 3$

(3) $2^{\log_2 1 + \log_2 3 - \log_2 6 + \log_2 9 + \log_2 18}$의 지수를 간단히 하면

$\log_2 1 + \log_2 3 - \log_2 6 + \log_2 9 + \log_2 18$

$= \log_2 \dfrac{1 \times 3 \times 9 \times 18}{6} = \log_2 81$

$\therefore 2^{\log_2 1 + \log_2 3 - \log_2 6 + \log_2 9 + \log_2 18} = 2^{\log_2 81} = 81$

目 (1) 5   (2) 3   (3) 81

풍쌤 강의 NOTE

· 지수에 로그가 있는 경우에는 지수의 밑과 로그의 밑을 같게 만들고 로그의 성질을 이용한다.

➡ $a^{\log_a b} = b^{\log_a a} = b$

· 로그의 여러 가지 성질 증명

① 로그의 밑의 변환에 의하여 $\log_{a^m} b^n = \dfrac{\log_a b^n}{\log_a a^m} = \dfrac{n\log_a b}{m\log_a a} = \dfrac{n}{m}\log_a b$

② $x = a^{\log_c b}$이라 하고 양변에 c를 밑으로 하는 로그를 취하면

$\log_c x = \log_c a^{\log_c b} = \log_c b \times \log_c a = \log_c a \times \log_c b = \log_c b^{\log_c a}$

즉, $x = b^{\log_c a}$이므로 $a^{\log_c b} = b^{\log_c a}$

05-1 유사

다음 식을 계산하여라.

(1) $\left(\log_2 5 + \log_4 \dfrac{1}{5}\right)\left(\log_5 2 + \log_{25} \dfrac{1}{2}\right)$

(2) $\log_2 9 \times \log_5 4 \times (\log_3 5 + \log_9 25)$

(3) $2^{3\log_2 5 - 2\log_{\frac{1}{2}} 4 - 4\log_2 10}$

05-2 유사

$\dfrac{4}{\log_3 25} + \log_{25} 10 - \dfrac{\log_{\sqrt{7}} 3}{\log_{\sqrt{7}} 5}$ 을 계산한 결과가 a일

때, 5^a의 값을 구하여라.

05-3 변형 기출

1이 아닌 두 양수 a, b에 대하여

$$\dfrac{\log_a b}{2a} = \dfrac{18\log_b a}{b} = \dfrac{3}{4}$$

이 성립할 때, ab의 값을 구하여라.

05-4 변형

$8^a = 9$, $b = \log_{27} 125$일 때, 8^{ab}의 값을 구하여라.

05-5 변형

$a = \log_{\frac{1}{4}} 5$, $b = 2\log_{\frac{1}{2}} \sqrt{5}$, $2^{ac} = 5$일 때, 세 수 a, b, c

의 대소 관계를 비교하여라.

05-6 실력

자연수 n에 대하여 함수 $f(n)$을 $f(n) = \dfrac{1}{\log_{\left(\frac{n+3}{n+2}\right)^2} 9}$

로 정의할 때,

$$f(1) + f(2) + f(3) + \cdots + f(3^{100} - 3)$$

의 값을 구하여라.

다음 물음에 답하여라.

(1) $\log_5 2 = a$, $\log_5 3 = b$일 때, $\log_5 48$을 a, b를 사용한 식으로 나타내어라.

(2) $\log_2 5 = a$, $\log_5 3 = b$일 때, $\log_{12} 54$를 a, b를 사용한 식으로 나타내어라.

(3) $7^a = 8$, $7^b = 9$일 때, $\log_7 6$을 a, b를 사용한 식으로 나타내어라.

풍쌤 POINT

로그의 값을 문자로 나타내는 문제는 주어진 로그식 또는 지수식을 밑이 같은 로그식으로 변형한 다음 진수를 소인수로 나타내어 로그의 합 또는 차로 정리해 봐.

풀이

(1) $\log_5 48 = \log_5 (2^4 \times 3)$

$\qquad = \log_5 2^4 + \log_5 3$

$\qquad = 4\log_5 2 + \log_5 3 = 4a + b$

(2) **STEP 1** 주어진 로그식의 밑을 5로 같게 하기

$\log_5 2 = \dfrac{1}{\log_2 5} = \dfrac{1}{a}$, $\log_5 3 = b$

STEP 2 구하는 식의 진수를 소인수분해하여 a, b로 나타내기

$\therefore \log_{12} 54 = \dfrac{\log_5 54}{\log_5 12} = \dfrac{\log_5 (2 \times 3^3)}{\log_5 (2^2 \times 3)}$

$\qquad = \dfrac{\log_5 2 + 3\log_5 3}{2\log_5 2 + \log_5 3}$

$\qquad = \dfrac{\dfrac{1}{a} + 3b}{2 \times \dfrac{1}{a} + b} = \dfrac{\dfrac{1+3ab}{a}}{\dfrac{2+ab}{a}} = \dfrac{3ab+1}{ab+2}$

(3) **STEP 1** 주어진 식을 밑을 7로 하는 로그식으로 나타내기

$7^a = 8$에서 $a = \log_7 8 = \log_7 2^3 = 3\log_7 2$ $\qquad \therefore \log_7 2 = \dfrac{a}{3}$

$7^b = 9$에서 $b = \log_7 9 = \log_7 3^2 = 2\log_7 3$ $\qquad \therefore \log_7 3 = \dfrac{b}{2}$

STEP 2 구하는 식의 진수를 소인수분해하여 a, b로 나타내기

$\therefore \log_7 6 = \log_7 (2 \times 3) = \log_7 2 + \log_7 3$

$\qquad = \dfrac{a}{3} + \dfrac{b}{2} = \dfrac{2a+3b}{6}$

답 (1) $4a+b$ (2) $\dfrac{3ab+1}{ab+2}$ (3) $\dfrac{2a+3b}{6}$

풍쌤 강의 NOTE

로그의 값을 문자로 나타낼 때

① $\log_a b$가 주어진 경우 ➡ 주어진 로그식의 밑을 a로 같게 한 후, 로그식을 대입할 수 있도록 구하는 식의 진수를 소인수분해한다.

② $a^x = b$가 주어진 경우 ➡ 주어진 지수식을 밑을 a로 하는 로그식으로 변형한 후 대입한다.

06-1 ⦿유사

$\log_5 2 = a$, $\log_5 3 = b$일 때, $\log_5 \dfrac{4}{15}$를 a, b를 사용한 식으로 나타내어라.

06-2 ⦿유사

$\log_{10} 15 = a$, $\log_{10} \dfrac{25}{3} = b$일 때, $\log_{10} 45$를 a, b를 사용한 식으로 나타내어라.

06-3 ⦿유사

$3^a = 5$, $3^b = 8$일 때, $\log_3 20$을 a, b를 사용한 식으로 나타내어라.

06-4 ⦿변형

$\log_2 12 = a$일 때, $\log_6 4$를 a를 사용한 식으로 나타내어라.

06-5 ⦿변형

$\log_9 (3\sqrt{2} + 3) = m$일 때, $\log_9 (3\sqrt{2} - 3)$을 m을 사용한 식으로 나타내어라.

06-6 ⦿실력 기출

함수

$$f(x) = \frac{x+1}{2x-1}$$

에 대하여 $\log_{10} 2 = a$, $\log_{10} 3 = b$라고 할 때, $f(\log_3 6)$의 값을 a, b를 사용한 식으로 나타내어라.

다음 물음에 답하여라.

(1) 1이 아닌 두 양수 a, b에 대하여 $a^4 b^5 = 1$일 때, $\log_a a^3 b^2$의 값을 구하여라.

(2) 1이 아닌 세 양수 x, y, z에 대하여 $x^2 = y^3 = z^4 = a$일 때, $\log_{xyz} a$의 값을 구하여라.

(단, $a > 0$, $a \neq 1$)

풍쌤 POINT

주어진 조건식을 변형하고 로그의 여러 가지 성질을 이용하여 값을 구해 봐.

풀이

(1) **STEP1 밑이 a인 로그 취하기**

$a^4 b^5 = 1$의 양변에 a를 밑으로 하는 로그를 취하면

$\log_a a^4 b^5 = \log_a 1$, $\log_a a^4 + \log_a b^5 = 0$

$4 + 5\log_a b = 0$ $\therefore \log_a b = -\dfrac{4}{5}$

STEP2 로그의 성질을 이용하여 식의 값 구하기

$\therefore \log_a a^3 b^2 = \log_a a^3 + \log_a b^2 = 3 + 2\log_a b$

$= 3 + 2 \times \left(-\dfrac{4}{5}\right) = \dfrac{7}{5}$

(2) **STEP1 밑이 a인 로그 취하기**

$x^2 = y^3 = z^4 = a$에 a를 밑으로 하는 로그를 취하면❶

$\log_a x^2 = \log_a y^3 = \log_a z^4 = \log_a a$

$2\log_a x = 3\log_a y = 4\log_a z = 1$

$\therefore \log_a x = \dfrac{1}{2}$, $\log_a y = \dfrac{1}{3}$, $\log_a z = \dfrac{1}{4}$

STEP2 밑의 변환을 이용하여 식의 값 구하기

$\therefore \log_{xyz} a = \dfrac{1}{\log_a xyz} = \dfrac{1}{\log_a x + \log_a y + \log_a z}$❷

$= \dfrac{1}{\dfrac{1}{2} + \dfrac{1}{3} + \dfrac{1}{4}} = \dfrac{1}{\dfrac{13}{12}} = \dfrac{12}{13}$

다른 풀이

(1) $a^4 b^5 = 1$에서 $b^5 = a^{-4}$ $\therefore b = a^{-\frac{4}{5}}$

$\therefore \log_a a^3 b^2 = \log_a \{a^3 \times (a^{-\frac{4}{5}})^2\} = \log_a a^{\frac{7}{5}} = \dfrac{7}{5}$

(2) $x^2 = y^3 = z^4 = a$에서 $x = a^{\frac{1}{2}}$, $y = a^{\frac{1}{3}}$, $z = a^{\frac{1}{4}}$이므로

$\log_{xyz} a = \dfrac{1}{\log_a xyz} = \dfrac{1}{\log_a a^{\frac{1}{2} + \frac{1}{3} + \frac{1}{4}}} = \dfrac{1}{\log_a a^{\frac{13}{12}}} = \dfrac{12}{13}$

❶ 로그를 취한다는 것은 로그의 정의를 이용하는 것과 같다.

$x^2 = a$에서 $x = a^{\frac{1}{2}}$

$\iff \log_a x = \dfrac{1}{2}$

❷ $\log_{xyz} a = \dfrac{\log_a a}{\log_a xyz}$

$= \dfrac{1}{\log_a xyz}$

답 (1) $\dfrac{7}{5}$ (2) $\dfrac{12}{13}$

풍쌤 강의 NOTE

$x^m = y^n$의 양변에 a를 밑으로 하는 로그를 취하면

$\log_a x^m = \log_a y^n$ ➡ $m\log_a x = n\log_a y$

07-1 (유사)

1이 아닌 두 양수 a, b에 대하여 $a^3=b^4$일 때, $\dfrac{8}{9}\log_a b$ 의 값을 구하여라.

07-2 (변형)

1보다 큰 세 실수 a, b, c에 대하여

$$\log_a b : \log_c b = 2 : 1$$

일 때, $\log_a c - \log_c a$의 값을 구하여라.

07-3 (변형)

$3^x=2^y=6^z$일 때, $\dfrac{1}{x}+\dfrac{1}{y}-\dfrac{1}{z}$의 값을 구하여라.

(단, $xyz \neq 0$)

07-4 (변형)

1보다 큰 세 양수 a, b, c에 대하여

$$\log_{27} a = \log_{\sqrt{3}} b = \log_{81} c$$

가 성립할 때, $\dfrac{1}{\log_{ac} \sqrt{b}}$의 값을 구하여라.

07-5 (실력)

네 양수 a, b, c, k가 다음 조건을 만족시킬 때, k^2의 값을 구하여라.

> (가) $3^a=5^b=k^c$
> (나) $\log c = \log(2ab) - \log(2a+b)$

07-6 (실력)

1이 아닌 세 양수 a, b, c가

$$\log_a b + \log_b c + \log_c a = \dfrac{7}{2},$$

$$\log_{b^2} a + \log_{c^2} b + \log_{a^2} c = \dfrac{7}{2}$$

을 만족시킬 때, $\log_{ab} a + \log_{bc} b + \log_{ca} c$의 값을 구하여라.

다음 물음에 답하여라.

(1) 이차방정식 $x^2-3x+4=0$의 두 근을 α, β라고 할 때,

$\log_{\alpha+\beta}\left(\alpha+\dfrac{2}{\beta}\right)+\log_{\alpha+\beta}\left(\beta+\dfrac{2}{\alpha}\right)$의 값을 구하여라.

(2) 이차방정식 $x^2-3x+1=0$의 두 근이 $\log_{10}a$, $\log_{10}b$일 때, $\log_a b+\log_b a$의 값을 구하여라.

풍쌤 POINT

이차방정식의 두 근이 α, β이면 근과 계수의 관계에서 $\alpha+\beta$, $\alpha\beta$의 값을 먼저 구한 후 주어진 식을 $\alpha+\beta$, $\alpha\beta$의 값을 이용할 수 있도록 변형해.

풀이

(1) **STEP1 두 근의 합과 곱 구하기**

이차방정식의 근과 계수의 관계에 의하여

$\alpha+\beta=3$, $\alpha\beta=4$

STEP2 식에 대입하기

$\therefore \log_{\alpha+\beta}\left(\alpha+\dfrac{2}{\beta}\right)+\log_{\alpha+\beta}\left(\beta+\dfrac{2}{\alpha}\right)$

$=\log_{\alpha+\beta}\left(\alpha+\dfrac{2}{\beta}\right)\left(\beta+\dfrac{2}{\alpha}\right)=\log_{\alpha+\beta}\left(\alpha\beta+2+2+\dfrac{4}{\alpha\beta}\right)$

$=\log_3(4+2+2+1)=\log_3 9=2$

(2) **STEP1 두 근의 합과 곱 구하기**

이차방정식의 근과 계수의 관계에 의하여

$\log_{10}a+\log_{10}b=3$, $\log_{10}a\times\log_{10}b=1$

STEP2 식에 대입하기

$\therefore \log_a b+\log_b a$

$=\dfrac{\log_{10}b}{\log_{10}a}+\dfrac{\log_{10}a}{\log_{10}b}$

$=\dfrac{(\log_{10}b)^2+(\log_{10}a)^2}{\log_{10}a\times\log_{10}b}$

$=\dfrac{(\log_{10}a+\log_{10}b)^2-2\log_{10}a\times\log_{10}b}{\log_{10}a\times\log_{10}b}$ ❶

$=\dfrac{3^2-2\times1}{1}=7$

❶ 곱셈 공식을 변형한 식
$x^2+y^2=(x+y)^2-2xy$
를 이용한다.

답 (1) 2 (2) 7

풍쌤 강의 NOTE

① 이차방정식 $ax^2+bx+c=0$의 두 근이 α, β이면

$\alpha+\beta=-\dfrac{b}{a}$, $\alpha\beta=\dfrac{c}{a}$

② 이차방정식 $ax^2+bx+c=0$의 두 근이 $\log_{10}\alpha$, $\log_{10}\beta$이면

$\log_{10}\alpha+\log_{10}\beta=-\dfrac{b}{a}$, $\log_{10}\alpha\times\log_{10}\beta=\dfrac{c}{a}$

08-1 ◉ 기본 〔기출〕

이차방정식 $x^2-18x+6=0$의 두 근을 α, β라고 할 때, $\log_2(\alpha+\beta)-2\log_2\alpha\beta$의 값을 구하여라.

08-4 ◉ 변형

이차방정식 $x^2-5x+5=0$의 두 근을 α, β라 하고, $a=\alpha-\beta$일 때, $\log_a\alpha+\log_b\beta$의 값을 구하여라.

(단, $\alpha>\beta$)

08-2 ◉ 유사

이차방정식 $x^2-4x+2=0$의 두 근을 α, β라고 할 때,

$$\log_{\alpha+\beta}\left(\alpha-\frac{3}{\beta}\right)+\log_{\alpha+\beta}\left(\beta-\frac{3}{\alpha}\right)$$

의 값을 구하여라.

08-5 ◉ 변형

이차방정식 $x^2+px+4=0$의 해가 $\log_3 a$, $\log_b 9$이고 $a+b=90$일 때, 상수 p의 값을 구하여라.

08-3 ◉ 유사

이차방정식 $x^2-3x+1=0$의 두 근을 $\log_a 10$, $\log_b 10$이라고 할 때, ab의 값을 구하여라.

08-6 ◉ 실력

이차방정식 $x^2-px+q=0$의 두 실근을 α, β라고 할 때,

$$\log_2(\alpha+\beta)=\log_2\alpha+\log_2\beta-1$$

이 성립한다. $p+q$의 최솟값을 구하여라.

(단, p, q는 실수이다.)

다음 물음에 답하여라.

(1) $\log_3 20$의 정수 부분을 x, 소수 부분을 y라고 할 때, $3^x + 3^y$의 값을 구하여라.

(2) $\log_5 10$의 정수 부분을 x, 소수 부분을 y라고 할 때, $\dfrac{5^x + 5^{-x}}{5^y + 5^{-y}}$의 값을 구하여라.

풍쌤 POINT

밑 a의 거듭제곱을 이용하여 $\log_a N$의 정수 부분을 먼저 구한 후
소수 부분은 $\log_a N - ($정수 부분$)$임을 이용해.

풀이

(1) **STEP1** x, y의 값 구하기

$3^2 < 20 < 3^3$이므로 $\log_3 3^2 < \log_3 20 < \log_3 3^3$

$\therefore 2 < \log_3 20 < 3$

$\log_3 20$의 정수 부분은 2이므로 $x = 2$

$\log_3 20$의 소수 부분은

$\log_3 20 - 2 = \log_3 20 - \log_3 9 = \log_3 \dfrac{20}{9}$이므로

$y = \log_3 \dfrac{20}{9}$

STEP2 대입하여 식의 값 구하기

$\therefore 3^x + 3^y = 3^2 + 3^{\log_3 \frac{20}{9}} = 9 + \dfrac{20}{9}^{❶} = \dfrac{101}{9}$

❶ $a^{\log_a b} = b$

(2) **STEP1** x, y의 값 구하기

$5 < 10 < 5^2$이므로 $\log_5 5 < \log_5 10 < \log_5 25$

$\therefore 1 < \log_5 10 < 2$

$\log_5 10$의 정수 부분은 1이므로 $x = 1$

$\log_5 10$의 소수 부분은

$\log_5 10 - 1 = \log_5 10 - \log_5 5 = \log_5 \dfrac{10}{5} = \log_5 2$이므로

$y = \log_5 2$

STEP2 대입하여 식의 값 구하기

$\therefore \dfrac{5^x + 5^{-x}}{5^y + 5^{-y}} = \dfrac{5 + 5^{-1}}{5^{\log_5 2} + 5^{-\log_5 2}} = \dfrac{5 + \dfrac{1}{5}}{2 + \dfrac{1}{2}} = \dfrac{52}{25}$

답 (1) $\dfrac{101}{9}$ (2) $\dfrac{52}{25}$

풍쌤 강의 NOTE

• $\log_a N$의 정수 부분과 소수 부분 구하기

$a > 1$이고 양수 N과 정수 n에 대하여

$a^n < N < a^{n+1}$이면 $\log_a a^n < \log_a N < \log_a a^{n+1}$이므로 $n < \log_a N < n+1$

➡ $\log_a N$의 정수 부분은 n, 소수 부분은 $\log_a N - n$

• $\log_a N$의 정수 부분이 α, 소수 부분이 β이면 $\log_a N = \alpha + \beta$로 나타낼 수 있다.

(단, α는 정수, $0 \leq \beta < 1$)

09-1 ⦿유사

$\log_2 5$의 정수 부분을 x, 소수 부분을 y라고 할 때, $2^x + 2^y$의 값을 구하여라.

09-4 ⦿변형

$\log_6 15 = n + \alpha$ (n은 정수, $0 \le \alpha < 1$)일 때, $6^n - 6^\alpha$의 값을 구하여라.

09-2 ⦿변형

$\log_3 54$의 소수 부분을 x라고 할 때, $3^x - 3^{-x}$의 값을 구하여라.

09-5 ⦿실력 〔기출〕

$\log_2 65$의 소수 부분을 a, $\log_5 72$의 소수 부분을 b라고 하자. 두 자연수 p와 q에 대하여 $2^{p+a} \times 5^{q+b}$의 값이 100의 배수가 될 때, $p + q$의 최솟값을 구하여라.

09-3 ⦿변형

$\log_3 18$의 정수 부분을 a, $\log_4 9$의 소수 부분을 b라고 할 때, $3^a + 2^b$의 값을 구하여라.

09-6 ⦿실력

$a < b$인 $\log_a b$의 정수 부분을 α, 소수 부분을 β라고 하자. α, β는 이차방정식 $x^2 - px + 2\log_3 7 = 2$의 해일 때, 3^p의 최솟값을 구하여라.

다음 값을 구하여라.

(1) $\log 3.35 = 0.5250$일 때, $\log 0.0335 + \log \sqrt[5]{33.5}$의 값

(2) $\log 2 = 0.3010$, $\log 3 = 0.4771$일 때, $\log \dfrac{\sqrt{5}}{6}$의 값

풍쌤 POINT

어떤 양수의 상용로그의 값을 구할 때 로그의 성질을 이용하여 진수를 변형해 봐.

(1) 구하는 상용로그의 진수를 3.35를 사용하여 나타내.

(2) 구하는 상용로그의 진수를 2, 3을 사용하여 나타내.

풀이

(1) **STEP1 로그의 값 각각 구하기**

$$\log 0.0335 = \log \frac{3.35}{100}$$
$$= \log 3.35 - \log 100 \,^{❶}$$
$$= 0.5250 - 2 = -1.4750$$

❶ $\log \dfrac{M}{N} = \log M - \log N$

$$\log \sqrt[5]{33.5} = \frac{1}{5} \log(10 \times 3.35)$$
$$= \frac{1}{5}(\log 10 + \log 3.35)$$
$$= \frac{1}{5}(1 + 0.5250) = 0.3050$$

STEP2 로그의 값의 합 구하기

$$\therefore \log 0.0335 + \log \sqrt[5]{33.5} = -1.4750 + 0.3050 = -1.17$$

(2) **STEP1 조건을 이용할 수 있도록 식 변형하기**

$$\log \frac{\sqrt{5}}{6} = \log \sqrt{5} - \log(2 \times 3)$$
$$= \frac{1}{2} \log 5 \,^{❷} - (\log 2 + \log 3)$$
$$= \frac{1}{2} \log \frac{10}{2} - (\log 2 + \log 3)$$
$$= \frac{1}{2}(1 - \log 2) - \log 2 - \log 3$$
$$= \frac{1}{2} - \frac{3}{2} \log 2 - \log 3$$

❷ $\log 5 = \log \dfrac{10}{2}$

STEP2 대입하여 식의 값 구하기

$$\therefore \log \frac{\sqrt{5}}{6} = \frac{1}{2} - \frac{3}{2} \times 0.3010 - 0.4771 = -0.4286$$

답 (1) -1.17　(2) -0.4286

풍쌤 강의 NOTE

양수 A에 대하여 $\log A = a$일 때,
$$\log A^n = n \log A = na, \quad \log(A \times 10^n) = \log A + n = a + n$$
이므로 상용로그표에 없는 수의 로그값을 구할 수 있다.

10-1 유사

$\log 6.04 = 0.7810$일 때, $\log 0.0604 + \log \sqrt[5]{604}$의 값을 구하여라.

10-2 유사

$\log 2 = 0.3010$일 때, $\log \dfrac{\sqrt{20}}{5}$의 값을 구하여라.

10-3 변형   기출

다음은 상용로그표의 일부이다.

수	$\cdots$	7	8	9
$\vdots$	$\vdots$	$\vdots$	$\vdots$	$\vdots$
4.0	$\vdots$	.6096	.6107	.6117
4.1	$\vdots$	.6201	.6212	.6222
4.2	$\vdots$	.6304	.6314	.6325
$\vdots$	$\vdots$	$\vdots$	$\vdots$	$\vdots$

위의 표를 이용하여 $\log \sqrt{419}$의 값을 구하여라.

10-4 변형

$\log 0.419 = -0.3778$일 때, $\log x = 1.6222$이다. 양수 x의 값을 구하여라.

10-5 변형

다음은 상용로그표의 일부이다.

수	0	1	2	$\cdots$	9
$\vdots$	$\vdots$	$\vdots$	$\vdots$		$\vdots$
3.1	.4914	.4928	.4942	$\vdots$	.5038
3.2	.5051	.5065	.5079	$\vdots$	.5172
$\vdots$	$\vdots$	$\vdots$	$\vdots$	$\vdots$	$\vdots$

$\log \dfrac{1}{x} = 1.4921$일 때, 위의 표를 이용하여 양수 x의 값을 구하여라.

10-6 실력

다음은 상용로그표의 일부이다.

수	0	1	2	3
$\vdots$	$\vdots$	$\vdots$	$\vdots$	$\vdots$
4.5	.6532	.6542	.6551	.6561
4.6	.6628	.6637	.6646	.6656
4.7	.6721	.6730	.6739	.6749
$\vdots$	$\vdots$	$\vdots$	$\vdots$	$\vdots$

$\log(453 \times k) = 2.3291$일 때, 위의 표를 이용하여 양수 k의 값을 구하여라.

다음 값을 구하여라.

(1) $\log x = 4.6$일 때, $\log x^3 + \log \sqrt{x}$의 정수 부분과 소수 부분을 각각 구하여라.

(2) $\log \sqrt[3]{x^2} = -\dfrac{5}{2}$일 때, $\log x$의 정수 부분과 소수 부분을 각각 구하여라. (단, $x > 0$)

풍쌤 POINT

$\log N$은
$$\log N = (\text{정수 부분}) + (\text{소수 부분}) = n + \alpha \ (n\text{은 정수}, \ 0 \leq \alpha < 1)$$
로 나타낼 수 있어. 이때 소수 부분 α의 범위에 주의해야 해!

풀이

(1) STEP1 $\log x^3 + \log \sqrt{x}$의 값 구하기

$$\log x^3 + \log \sqrt{x} = 3\log x + \frac{1}{2}\log x$$
$$= \frac{7}{2}\log x$$
$$= \frac{7}{2} \times 4.6 = 16.1$$

STEP2 $\log x^3 + \log \sqrt{x}$의 정수 부분과 소수 부분 구하기

$\log x^3 + \log \sqrt{x} = 16 + 0.1$이므로 $\log x^3 + \log \sqrt{x}$의
정수 부분은 16, 소수 부분은 0.1이다.

(2) STEP1 $\log x$의 값 구하기

$\log \sqrt[3]{x^2} = \log x^{\frac{2}{3}} = \dfrac{2}{3}\log x$이고 $\log \sqrt[3]{x^2} = -\dfrac{5}{2}$이므로

$$\frac{2}{3}\log x = -\frac{5}{2} \qquad \therefore \ \log x = -\frac{15}{4}$$

STEP2 $\log x$의 정수 부분과 소수 부분 구하기

$$\log x = -\frac{15}{4}^{❶} = -3 - \frac{3}{4} = (-3-1) + \left(1 - \frac{3}{4}\right)$$
$$= -4 + \frac{1}{4} = -4 + 0.25$$

따라서 $\log x$의 정수 부분은 -4, 소수 부분은 0.25이다.

❶ 상용로그의 값이 음수인 경우 $0 \leq (\text{소수 부분}) < 1$을 만족시키도록 식을 변형해야 한다.

目 (1) 정수 부분: 16, 소수 부분: 0.1 (2) 정수 부분: -4, 소수 부분: 0.25

풍쌤 강의 NOTE

일반적으로 임의의 양수 N은 10의 거듭제곱을 사용하여 $N = a \times 10^n \ (1 \leq a < 10, \ n\text{은 정수})$ 꼴로 나타낼 수 있다.

N의 상용로그의 값은
$$\log N = \log(a \times 10^n) = \log a + \log 10^n = n + \log a$$
이다. 이때 n은 정수이고, $1 \leq a < 10$에서 $0 \leq \log a < 1$이므로 $\log a$의 값은 소수이다.

여기서 n을 $\log N$의 정수 부분, $\log a$를 $\log N$의 소수 부분이라고 한다.

따라서 $\log N = n + \alpha \ (n\text{은 정수}, \ 0 \leq \alpha < 1)$로 나타낼 수 있다.

11-1 ⊚유사

$\log x = 3.4$일 때, $\log x^2 + \log \sqrt[4]{x^3}$의 정수 부분과 소수 부분을 각각 구하여라.

11-4 ⊚변형

$\log A$의 정수 부분이 2일 때, A가 될 수 있는 자연수의 개수를 구하여라.

11-2 ⊚유사

$\log \sqrt{x} = -\dfrac{8}{3}$을 만족시키는 x에 대하여 $\log x$의 정수 부분과 소수 부분을 각각 n, α라고 할 때, $\dfrac{n}{\alpha}$의 값을 구하여라.

11-5 ⊚변형

자연수 x에 대하여 $\log x$의 정수 부분을 $f(x)$라고 할 때,
$$f(1) + f(2) + f(3) + \cdots + f(2023)$$
의 값을 구하여라.

11-3 ⊚변형

양수 A에 대하여 $\log A$의 정수 부분이 4이고, 소수 부분이 α $(0 < \alpha < 1)$일 때, $\log \dfrac{1}{\sqrt[5]{A^4}}$의 소수 부분을 α에 대한 식으로 나타내어라.

11-6 ⊚실력   기출

양의 실수 x에 대하여 $f(x)$가 다음과 같다.
$$f(x) = \log x$$
$f(n)$의 정수 부분이 1, 소수 부분이 α일 때, 2α의 정수 부분이 1인 모든 자연수 n의 개수를 구하여라.

(단, $3.1 < \sqrt{10} < 3.2$)

log 2＝0.3010, log 3＝0.4771일 때, 다음 물음에 답하여라.

(1) 6^{12}은 몇 자리의 정수인지 구하여라.

(2) $\left(\dfrac{3}{5}\right)^{12}$은 소수점 아래 몇째 자리에서 처음으로 0이 아닌 숫자가 나타나는지 구하여라.

(3) 6^{12}의 최고 자리의 숫자를 구하여라.

풍쌤 POINT
거듭제곱으로 나타내어진 양수 N의 자릿수를 구하는 문제는 $\log N$의 정수 부분의 성질을 이용하고, 최고 자리의 숫자를 구하는 문제는 $\log N$의 소수 부분의 성질을 이용해.

풀이

(1) STEP1 **$\log 6^{12}$의 값 구하기**

$\log 6^{12}＝12\log 6＝12(\log 2＋\log 3)＝12(0.3010＋0.4771)＝9.3372$

STEP2 **몇 자리의 정수인지 구하기**

따라서 $\log 6^{12}$의 정수 부분이 9이므로 6^{12}은 10자리의 정수이다.

(2) STEP1 **$\log\left(\dfrac{3}{5}\right)^{12}$의 값 구하기**

$\log\dfrac{3}{5}＝\log\dfrac{6}{10}＝\log 6－\log 10＝\log 2＋\log 3－1$

$＝0.3010＋0.4771－1＝－0.2219$

$\therefore \log\left(\dfrac{3}{5}\right)^{12}＝12\log\dfrac{3}{5}＝－2.6628＝－3＋0.3372$

STEP2 **처음으로 0이 아닌 숫자가 나타나는 자리 구하기**

따라서 $\log\left(\dfrac{3}{5}\right)^{12}$의 정수 부분이 $－3$이므로 소수점 아래 3째 자리에서 처음으로 0이 아닌 숫자가 나타난다.

(3) STEP1 **$\log 6^{12}$의 값 구하기**

(1)에서 $\log 6^{12}＝9.3372$

STEP2 **최고 자리의 숫자 구하기**

이때 $\log 2＝0.3010<0.3372<\log 3＝0.4771$이므로

$9＋\log 2<9.3372<9＋\log 3$, $\log(2\times10^9)<\log 6^{12}<\log(3\times10^9)$

$\therefore 2\times10^9<6^{12}<3\times10^9$

따라서 6^{12}의 최고 자리의 숫자는 2이다.

답 (1) 10자리 (2) 3째 자리 (3) 2

풍쌤 강의 NOTE

· 자릿수: 양수 N에 대하여

① $\log N$의 정수 부분이 n이면 N은 $(n+1)$자리의 수이다.

② $\log N$의 정수 부분이 $-n$이면 N은 소수점 아래 n째 자리에서 처음으로 0이 아닌 수가 나타난다.

· 최고 자리의 숫자: 양수 N에 대하여 $\log a\leq(\log N$의 소수 부분$)<\log(a+1)$을 만족시키는 한 자리의 자연수 a의 값을 구하면 N의 최고 자리의 숫자는 a이다.

12-1 ◉ 유사

$\log 2 = 0.3010$, $\log 3 = 0.4771$일 때, 다음 수는 몇 자리의 정수인지 구하여라.

(1) 6^{10}

(2) 18^{20}

12-2 ◉ 유사

$\log 2 = 0.3010$일 때, 다음 수는 소수점 아래 몇째 자리에서 처음으로 0이 아닌 숫자가 나타나는지 구하여라.

(1) $\left(\dfrac{1}{4}\right)^{15}$

(2) $\left(\dfrac{1}{5}\right)^{9}$

12-3 ◉ 유사

$\log 2 = 0.3010$, $\log 3 = 0.4771$일 때, 다음 수의 최고 자리의 숫자를 구하여라.

(1) 6^{20}

(2) 9^{20}

12-4 ◉ 변형

$A = 2^{10}$, $B = 5^{10}$일 때, $A^3 B$는 몇 자리의 정수인지 구하여라. (단, $\log 2 = 0.3010$으로 계산한다.)

12-5 ◉ 변형

$\log A = -3.36$일 때, A^{20}은 소수점 아래 몇째 자리에서 처음으로 0이 아닌 숫자가 나타나는지 구하여라.

12-6 ◉ 실력

2^n이 20자리의 수가 되도록 하는 모든 자연수 n의 값의 합을 구하여라. (단, $\log 2 = 0.3$으로 계산한다.)

다음 물음에 답하여라.

(1) $10 \leq x < 100$인 x에 대하여 $\log x^3$의 소수 부분과 $\log x^2$의 소수 부분이 같을 때, x의 값을 구하여라.

(2) $100 \leq x < 1000$인 x에 대하여 $\log x$의 소수 부분과 $\log \sqrt{x}$의 소수 부분의 합이 1일 때, x의 값을 구하여라.

풍쌤 POINT

(1) $\log A$와 $\log B$의 소수 부분이 같으면 $\log A - \log B = (정수)$

(2) $\log A$와 $\log B$의 소수 부분의 합이 1이면 $\log A + \log B = (정수)$

풀이

(1) **STEP1 $\log x$의 값의 범위 구하기**

$10 \leq x < 100$에서 $\log 10 \leq \log x < \log 100$ $\quad \therefore 1 \leq \log x < 2$

STEP2 소수 부분이 같음을 이용하여 x의 값 구하기

$\log x^3$의 소수 부분과 $\log x^2$의 소수 부분이 같으므로

$\log x^3 - \log x^2 = 3\log x - 2\log 3 = \log x$

이때 $\log x$는 정수이므로 $\log x = 1$

$\therefore x = 10$

(2) **STEP1 $\log x$의 값의 범위 구하기**

$100 \leq x < 1000$에서 $\log 100 \leq \log x < \log 1000$ $\quad \therefore 2 \leq \log x < 3$

STEP2 소수 부분의 합이 1임을 이용하여 x의 값 구하기

$\log x + \log \sqrt{x} = \log x + \dfrac{1}{2}\log x = \dfrac{3}{2}\log x$

$2 \leq \log x < 3$이므로 $3 \leq \dfrac{3}{2}\log x < \dfrac{9}{2}$

$\log x$의 소수 부분과 $\log \sqrt{x}$의 소수 부분의 합이 1이므로 $\dfrac{3}{2}\log x$는 정수이다.

즉, $\dfrac{3}{2}\log x = 3$ 또는 $\dfrac{3}{2}\log x = 4$이므로 $\log x = 2$ 또는 $\log x = \dfrac{8}{3}$

그런데 $\log x = 2$이면 $\log \sqrt{x} = 1$이 되어 $\log x$와 $\log \sqrt{x}$의 소수 부분의 합은 0이므로 조건을 만족시키지 않는다.

따라서 $\log x = \dfrac{8}{3}$이므로 $x = 10^{\frac{8}{3}} = \sqrt[3]{10^8}$

답 (1) 10 (2) $\sqrt[3]{10^8}$

풍쌤 강의 NOTE

$\log A = m + \alpha$, $\log B = n + \beta$ (m, n은 정수, $0 \leq \alpha < 1$, $0 \leq \beta < 1$)일 때

① $\log A$와 $\log B$의 소수 부분이 같으면

　➡ $\log A - \log B = (m + \alpha) - (n + \beta) = (m + \alpha) - (n + \alpha) = m - n$ (정수)

② $\log A$와 $\log B$의 소수 부분의 합이 1이면

　➡ $\log A + \log B = (m + \alpha) + (n + \beta) = m + n + (\alpha + \beta) = m + n + 1$ (정수)

➤**주의** '$\log A$와 $\log B$의 소수 부분의 합이 1이면 $\log A + \log B$는 정수이다.'의 역은 성립하지 않는다.

13-1 ◉ 기본

다음 |보기| 중 $\log A$와 소수 부분이 항상 같지는 <u>않은</u> 것을 있는 대로 골라라.

┌─|보기|──────────────────
│ ㄱ. $\log 100A$ ㄴ. $\log 0.1A$
│ ㄷ. $1+\log A$ ㄹ. $2\log A$
└────────────────────────

13-2 ◉ 유사

$100 \leq x < 1000$인 x에 대하여 $\log x^4$의 소수 부분과 $\log x^3$의 소수 부분이 같을 때, x의 값을 구하여라.

13-3 ◉ 유사

$1000 < x < 10000$인 x에 대하여 $\log x$의 소수 부분과 $\log \sqrt[3]{x}$의 소수 부분의 합이 1일 때, x의 값을 구하여라.

13-4 ◉ 변형

다음 두 조건을 만족시키는 실수 x의 곱을 A라고 할 때, $\log A$의 값을 구하여라.

┌────────────────────────────
│ (가) $\log x$의 정수 부분이 5이다.
│ (나) $\log x^2$의 소수 부분과 $\log \dfrac{1}{x}$의 소수 부분은
│   같다.
└────────────────────────────

13-5 ◉ 변형

$\log x$의 정수 부분을 $f(x)$, 소수 부분을 $g(x)$라고 할 때, 다음 조건을 만족시키는 모든 실수 x의 값의 곱을 구하여라.

┌────────────────────────────
│ (가) $f(x)=1$
│ (나) $g(x)+g(x^2)=1$
└────────────────────────────

13-6 ◉ 실력

100보다 작은 두 자연수 a, b $(a<b)$에 대하여 $\log a$의 소수 부분과 $\log b$의 소수 부분의 합이 1이 되는 순서쌍 (a, b)의 개수를 구하여라.

리히터 규모(Richter magnitude scale)는 지진이 방출하는 에너지량을 지진파를 측정해 추정해낸 값으로 리히터 규모(M)과 에너지(E) 사이에는

$$\log E = 11.8 + 1.5M$$

이 성립한다고 할 때, 다음 물음에 답하여라.

(1) 리히터 규모 7인 지진이 내는 에너지는 리히터 규모 3인 지진이 내는 에너지의 몇 배인지 구하여라.

(2) 리히터 규모가 2만큼 증가할 때 에너지의 크기는 몇 배 증가하는지 구하여라.

풍쌤 POINT

상용로그의 실생활에의 활용 문제는 주어진 관계식에 알맞은 수를 대입한 후 로그의 성질을 이용하여 식을 정리해 봐.

풀이

(1) **STEP1** E_3, E_7을 정하여 주어진 관계식에 각 문자에 해당하는 값 대입하기

리히터 규모 3, 리히터 규모 7인 지진이 내는 에너지를 각각 E_3, E_7이라고 하면

$$\log E_3 = 11.8 + 1.5 \times 3 \qquad \cdots\cdots \text{㉠}$$
$$\log E_7 = 11.8 + 1.5 \times 7 \qquad \cdots\cdots \text{㉡}$$

STEP2 몇 배인지 구하기

㉡$-$㉠을 하면 $\log E_7 - \log E_3 = 1.5 \times 4 = 6$

$\log \dfrac{E_7}{E_3} = 6$이므로 $\dfrac{E_7}{E_3} = 10^6$

따라서 리히터 규모 7인 지진이 내는 에너지는 리히터 규모 3인 지진이 내는 에너지의 10^6배이다.

(2) **STEP1** E'을 정하여 주어진 관계식에 각 문자에 해당하는 값 대입하기

리히터 규모가 2만큼 증가할 때의 에너지의 크기를 E'라고 하면

$$\log E' = 11.8 + 1.5(M+2) = 11.8 + 1.5M + 3 = \log E + 3$$
$$= \log E + \log 1000 = \log 1000E$$

$\therefore E' = 1000E$

STEP2 몇 배 증가하는지 구하기

따라서 리히터 규모가 2만큼 증가할 때 에너지의 크기는 1000배 증가한다.

답 (1) 10^6배　(2) 1000배

풍쌤 강의 NOTE

상용로그의 실생활에의 활용 문제는

(ⅰ) 관계식이 주어진 경우 ➡ 주어진 관계식에 알맞은 값을 대입하여 로그의 성질을 이용

(ⅱ) 관계식이 주어지지 않은 경우 ➡ 주어진 상황을 식으로 나타낸 다음 로그의 성질을 이용

① 현재의 양이 a이고 매년 $r\,\%$씩 일정한 비율로 증가할 때, n년 후의 양은 $a\left(1+\dfrac{r}{100}\right)^n$

② 현재의 양이 a이고 매년 $r\,\%$씩 일정한 비율로 감소할 때, n년 후의 양은 $a\left(1-\dfrac{r}{100}\right)^n$

14-1 유사

별의 등급 m과 별의 밝기 I 사이에는

$$m=-\frac{5}{2}\log I+C \ (단, C는 상수)$$

가 성립한다고 할 때, 4등급인 별의 밝기는 10등급인 별의 밝기의 몇 배인지 구하여라.

14-2 변형 기출

디지털 사진을 압축할 때 원본 사진과 압축한 사진의 다른 정도를 나타내는 지표인 최대 신호 대 잡음비를 P, 원본 사진과 압축한 사진의 평균제곱오차를 E라 하면 다음과 같은 관계식이 성립한다고 한다.

$$P=20\log 255-10\log E \ (E>0)$$

두 원본 사진 A, B를 압축했을 때 최대 신호 대 잡음비를 각각 P_A, P_B라 하고, 평균제곱오차를 각각 $E_A \ (E_A>0)$, $E_B \ (E_B>0)$라고 하자. $E_B=100E_A$일 때, P_A-P_B의 값을 구하여라.

14-3 변형

어느 자동차 보험회사에서는 자동차의 차량 가격에 대하여 보상 기준 가격을 1년에 20 %씩 떨어뜨리는 방식으로 보험료를 산정하고 있다. 10년 전에 1000만 원을 주고 구입한 자동차의 현재 보상 기준 가격을 구하여라. (단, $\log 2=0.30$으로 계산한다.)

14-4 변형

어느 회사에서 매년 일정한 비율로 매출을 증가시켜 30년 후의 매출이 올해 매출의 3배가 되도록 하려고 한다. 매출을 매년 몇 %씩 증가시켜야 하는지 구하여라. (단, $\log 1.038=0.016$, $\log 3=0.48$로 계산한다.)

14-5 변형

어떤 미술품의 가치는 매년 전년도에 비해 a %씩 증가한다고 한다. 2000년 초에 100만 원에 구입한 이 미술품의 2014년 초의 가격이 173만 원이었을 때, 다음 상용로그표를 이용하여 상수 a의 값을 구하여라.

수	0	1	2	3	4
1.0	.000	.004	.009	.013	.017
1.1	.041	.045	.049	.053	.057
⋮	⋮	⋮	⋮	⋮	⋮
1.7	.230	.233	.236	.238	.241

실전 연습 문제

01

$\log_2\{\log_3(\log_4 x)\}=0$일 때, x의 값은?

① 4   ② 8   ③ 16

④ 32   ⑤ 64

02 서술형✎

$\log_{x-2}(-x^2+7x-6)$이 정의되기 위한 x의 값의 범위를 구하여라.

03

$\log_2 12-2\log_{\frac{1}{2}}\sqrt{3}-\log_{\sqrt{2}}3$의 값은?

① 1   ② $\dfrac{3}{2}$ ③ 2

④ $\dfrac{5}{2}$ ⑤ 3

04

자연수 n에 대하여 $f(n)=\log\left(1+\dfrac{1}{n}\right)$일 때,
$$f(1)+f(2)+\cdots+f(n)=2$$
를 만족시키는 n의 값은?

① 9   ② 10   ③ 99

④ 100   ⑤ 999

05

1이 아닌 양수 x에 대하여
$$\frac{1}{\log_4 x}+\frac{1}{\log_9 x}=\frac{2}{\log_a x}$$
가 성립할 때, 양수 a의 값은?

① $\sqrt{6}$ ② 3   ③ $2\sqrt{6}$

④ 6   ⑤ 9

06

$p=\log_5\dfrac{2}{3}$, $q=\log_5\dfrac{3}{4}$일 때, $\log_5\dfrac{36}{5}$을 p, q를 사용한 식으로 나타낸 것은?

① $-6p-3q-1$ ② $-6p-4q-1$

③ $-6p-5q+1$ ④ $-7p-4q-1$

⑤ $-7p-5q+1$

07

두 실수 x, y에 대하여 $15^x=25$, $3^y=625$일 때, $\dfrac{1}{x}-\dfrac{2}{y}$의 값은?

① $\dfrac{1}{5}$ ② $\dfrac{1}{4}$ ③ $\dfrac{1}{3}$

④ $\dfrac{1}{2}$ ⑤ 1

08

$2^x=a$, $2^y=b$, $2^z=c$일 때, $\log_a \sqrt{bc^2}$을 x, y, z를 사용한 식으로 나타낸 것은? (단, $xyz\neq 0$)

① $\dfrac{2y+z}{x}$ ② $\dfrac{y+2z}{x}$ ③ $\dfrac{y+z}{2x}$

④ $\dfrac{2y+z}{2x}$ ⑤ $\dfrac{y+2z}{2x}$

09

1이 아닌 세 양의 실수 a, b, c에 대하여 $a^2=b^3=c^4$이 성립할 때, 세 수 $A=\log_a b$, $B=\log_b c$, $C=\log_c a$의 대소 관계는?

① $A<B<C$ ② $A<C<B$
③ $B<A<C$ ④ $B<C<A$
⑤ $C<B<A$

10

기출

세 양수 a, b, c가 다음 조건을 만족시킨다.

> (가) $\sqrt[3]{a}=\sqrt{b}=\sqrt[4]{c}$
> (나) $\log_8 a+\log_4 b+\log_2 c=2$

$\log_2 abc$의 값은?

① 2 ② $\dfrac{7}{3}$ ③ $\dfrac{8}{3}$

④ 3 ⑤ $\dfrac{10}{3}$

11

삼각형 ABC의 세 변의 길이 a, b, c에 대하여 $\log_9 (a+b)+\log_9 (a-b)=\log_3 c$인 관계가 성립할 때, 삼각형 ABC는 어떤 삼각형인가?

① 정삼각형
② $\angle C=90°$인 직각삼각형
③ $\angle A=90°$인 직각삼각형
④ $b=c$인 이등변삼각형
⑤ $a=c$인 이등변삼각형

12 서술형

이차방정식 $x^2-6x+2=0$의 두 근이 $\log_3 a$, $\log_3 b$일 때, $\log_a b+\log_b a$의 값을 구하여라.

13

$\log_5 \dfrac{1}{3}$의 정수 부분을 n, 소수 부분을 α라고 할 때,

$5^\alpha - 5^n$의 값은?

① $\dfrac{16}{15}$ ② $\dfrac{6}{5}$ ③ $\dfrac{7}{5}$

④ $\dfrac{22}{15}$ ⑤ $\dfrac{28}{15}$

14

3^{16}은 m자리의 자연수이고, 최고 자리의 숫자는 n이다. $m+n$의 값은? ($\log 2 = 0.3010$, $\log 3 = 0.4771$)

① 11   ② 12   ③ 13

④ 15   ⑤ 16

15

$100 \le x < 1000$인 x에 대하여 $\log x^2$의 소수 부분과 $\log x^4$의 소수 부분이 같도록 하는 x의 최솟값과 최댓값을 각각 α, β $(\alpha < \beta)$라고 할 때, $\dfrac{\beta}{\alpha}$의 값은?

① $\sqrt{10}$ ② 10 ③ $10\sqrt{10}$

④ 100 ⑤ $100\sqrt{10}$

16 서술형 🖉

양수 t에 대하여 $\log t$의 정수 부분을 $f(t)$라고 하자. 이차방정식 $3x^2 - 41x + k = 0$의 두 근이 $f(t)$, $\log t - f(t)$일 때, $f(t) + k$의 값을 구하여라.

(단, k는 상수이다.)

17

다음 조건을 만족시키는 자연수 N의 값을 구하여라.

(단, $[x]$는 x를 넘지 않는 최대의 정수이다.)

> (가) $[\log N] = [\log 256]$
> (나) $\log N - [\log N] = \log 36 - [\log 24]$

18 서술형 🖉

어떤 호수는 외부에서부터 더 이상 오염물질이 유입되지 않으면 자연적으로 정화가 되어 1년이 지날 때마다 오염물질이 10 %씩 줄어든다고 한다. 이 호수에 30년 동안 오염물질이 유입되지 않는다고 할 때, 30년 후 오염물질의 양은 현재의 오염 물질의 양의 k배이다. 상수 k의 값을 다음 표를 이용하여 구하여라.

x	2.40	3.00	4.17
$\log x$	0.380	0.477	0.620

01

모든 실수 x에 대하여 $\log_{a+2}(ax^2-2ax-a+6)$이 정의되기 위한 정수 a의 개수를 구하여라.

03

1인 아닌 서로 다른 두 양수 a, b가 $\log_a b = \log_b a$를 만족시킬 때, $(a+1)(b+4)$의 최솟값을 구하여라.

02

$A = 3^{\frac{\log_{10}(\log_{10} 3)}{\log_{10} 3}}$ 일 때, 10^A의 값은?

① 1   ② $\dfrac{3}{2}$ ③ 2

④ $\dfrac{5}{2}$ ⑤ 3

04

a, b가 양수일 때, 두 수

$$A = \log_2(a+b), \quad B = 2 + \frac{1}{2}(\log_2 a + \log_2 b)$$

에 대하여 $A - B = -1$일 때, $\dfrac{b}{a}$의 값을 구하여라.

05

삼각형 ABC의 세 변의 길이 a, b, c에 대하여

$$\log_{b+c} a + \log_{b-c} a = 2\log_{b+c} a \times \log_{b-c} a$$

가 성립한다. 삼각형 ABC는 어떤 삼각형인지 구하여라.

06 기출

$0 < a < 1$인 a에 대하여 10^a을 3으로 나눌 때, 몫이 정수이고 나머지가 2가 되는 모든 a의 값의 합은?

① $3\log_{10} 2$ 　　② $6\log_{10} 2$

③ $1 + 3\log_{10} 2$ 　　④ $1 + 6\log_{10} 2$

⑤ $2 + 3\log_{10} 2$

07

자연수 n에 대하여 이차함수 $y = x^2 - 2nx - 1$의 그래프와 직선 $y = x - 2n$이 만나는 서로 다른 두 점의 좌표를 α_n, β_n이라고 하자. $f(n) = \log\left(\dfrac{1}{\alpha_n} + \dfrac{1}{\beta_n}\right)$이라고 할 때, $f(1) + f(2) + \cdots + f(10)$의 값을 구하여라.

08

상용로그 $\log x$의 정수 부분을 $N(x)$로 나타낸다고 할 때, 다음의 A, B에 대하여 $|A| + |B|$의 값을 구하여라.

$$A = N\left(\frac{1}{99}\right) + N\left(\frac{1}{98}\right) + \cdots + N\left(\frac{1}{3}\right) + N\left(\frac{1}{2}\right)$$

$$B = N(1) + N(2) + \cdots + N(99)$$

03

지수함수

03 지수함수

개념01 지수함수의 뜻

a가 1이 아닌 양수일 때, 임의의 실수 x에 대하여 양수 a^x의 값은 하나로 정해지므로

$$y=a^x \ (a>0,\ a\neq1)$$

은 함수이다. 이때 $y=a^x$을 a를 밑으로 하는 지수함수라고 한다.

▶**주의** 함수 $y=a^x$에서 실수 지수의 정의에 따라 $a>0$인 경우만 생각한다. 이때 $a=1$이면 모든 실수 x에 대하여 $y=1^x=1$이므로 $y=a^x$은 상수함수가 된다.

확인01 지수함수 $f(x)=\left(\dfrac{1}{2}\right)^x$에 대하여 다음을 구하여라.

(1) $f(0)$ (2) $f(1)$

(3) $f(2)$ (4) $f(-3)$

> **高 수학 Ⅰ** 지수의 확장
>
> $2^{-\frac{3}{2}}$, $2^{\sqrt{2}}$ 등과 같이 지수의 범위를 실수까지 확장할 수 있다.

개념02 지수함수 $y=a^x \ (a>0,\ a\neq1)$의 성질

지수함수 $y=a^x \ (a>0,\ a\neq1)$의 그래프는 a의 값의 범위에 따라 다음 그림과 같다.

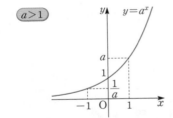 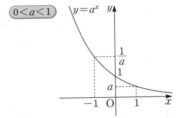

(1) 정의역은 실수 전체의 집합이고, 치역은 양의 실수 전체의 집합이다.

(2) $a>1$일 때, x의 값이 증가하면 y의 값도 증가한다.

    $0<a<1$일 때, x의 값이 증가하면 y의 값은 감소한다.

(3) 그래프는 두 점 $(0, 1)$, $(1, a)$를 지난다.

(4) 그래프의 점근선은 x축 (직선 $y=0$)이다.

(5) 일대일함수이다. ← $x_1\neq x_2$이면 $a^{x_1}\neq a^{x_2}$

> ▶ $a>1$일 때
> $x_1<x_2 \Longleftrightarrow a^{x_1}<a^{x_2}$
> $0<a<1$일 때
> $x_1<x_2 \Longleftrightarrow a^{x_1}>a^{x_2}$
>
> ▶ $y=\left(\dfrac{1}{a}\right)^x=a^{-x}$이므로 함수 $y=a^x$의 그래프와 함수 $y=\left(\dfrac{1}{a}\right)^x$의 그래프는 y축에 대하여 대칭이다.
>
> ▶ 곡선이 어떤 직선에 한없이 가까워질 때, 이 직선을 그 곡선의 점근선이라고 한다.

확인02 다음은 함수 $f(x)=a^x \ (a>0,\ a\neq1)$에 대한 설명이다. ☐ 안에 알맞은 것을 써넣어라.

(1) 정의역은 $\{x\,|\,x$는 ☐$\}$이고, 치역은 $\{y\,|\,y$는 ☐$\}$이다.

(2) $a>1$일 때, $x_1<x_2$이면 $f(x_1)$☐$f(x_2)$이다.

(3) $0<a<1$일 때, $x_1<x_2$이면 $f(x_1)$☐$f(x_2)$이다.

개념 03 지수함수의 그래프의 평행이동과 대칭이동

지수함수 $y=a^x$ $(a>0,\ a\neq1)$의 그래프를

(1) x축의 방향으로 m만큼, y축의 방향으로 n만큼 평행이동한 그래프의 식은
$y=a^{x-m}+n$

(2) x축에 대하여 대칭이동한 그래프의 식은 $y=-a^x$ ←y 대신 $-y$ 대입

(3) y축에 대하여 대칭이동한 그래프의 식은 $y=a^{-x}=\left(\dfrac{1}{a}\right)^x$ ←x 대신 $-x$ 대입

(4) 원점에 대하여 대칭이동한 그래프의 식은 $y=-a^{-x}=-\left(\dfrac{1}{a}\right)^x$ ←x 대신 $-x$ 대입, y 대신 $-y$ 대입

[예] 지수함수 $y=3^x$의 그래프를

(1) x축의 방향으로 2만큼, y축의 방향으로 1만큼 평행이동한 그래프의 식은 $y=3^{x-2}+1$

(2) x축에 대하여 대칭이동한 그래프의 식은 $y=-3^x$

(3) y축에 대하여 대칭이동한 그래프의 식은 $y=3^{-x}=\left(\dfrac{1}{3}\right)^x$

(4) 원점에 대하여 대칭이동한 그래프의 식은 $y=-3^{-x}=-\left(\dfrac{1}{3}\right)^x$

> **高1 수학) 도형의 평행이동**
>
> 함수 $y=f(x-m)+n$의 그래프는 함수 $y=f(x)$의 그래프를 x축의 방향으로 m만큼, y축의 방향으로 n만큼 평행이동한 것이다.
>
> ▶ $y=a^{x-m}+n$의 그래프는 점 $(m,\ n+1)$을 지나고, 점근선은 직선 $y=n$이다.

확인 03 지수함수 $y=2^x$의 그래프를 이용하여 다음 함수의 그래프를 그리고, 치역과 점근선의 방정식을 구하여라.

(1) $y=\dfrac{1}{2^x}$

(2) $y=2\times2^x$

(3) $y=2^x+3$

(4) $y=-2^x$

개념 04 지수함수의 최대·최소

정의역이 $\{x\,|\,m\leq x\leq n\}$일 때, 지수함수 $y=a^x$ $(a>0,\ a\neq1)$의 최댓값과 최솟값은

(1) $a>1$이면 $x=n$일 때 최댓값 a^n, $x=m$일 때 최솟값 a^m을 갖는다.

(2) $0<a<1$이면 $x=m$일 때 최댓값 a^m, $x=n$일 때 최솟값 a^n을 갖는다.

> ▶ 지수함수 $y=a^{f(x)}$은
> (1) $a>1$이면 $f(x)$가 최대일 때 최댓값, $f(x)$가 최소일 때 최솟값을 갖는다.
> (2) $0<a<1$이면 $f(x)$가 최대일 때 최솟값, $f(x)$가 최소일 때 최댓값을 갖는다.

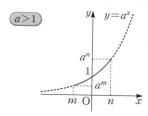

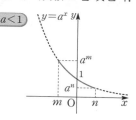

확인 04 다음 함수의 최댓값과 최솟값을 구하여라.

(1) $y=5^x$ $(1\leq x\leq2)$

(2) $y=\left(\dfrac{1}{4}\right)^x$ $(-1\leq x\leq1)$

함수 $f(x)=\left(\dfrac{1}{3}\right)^x$에 대한 설명으로 옳은 것만을 |보기|에서 있는 대로 골라라.

┤보기├

ㄱ. 정의역은 양의 실수의 집합이다.
ㄴ. $x_1 < x_2$이면 $f(x_1) < f(x_2)$이다.
ㄷ. 그래프는 점 $(0,\ 1)$을 지난다.
ㄹ. 그래프의 점근선은 y축이다.
ㅁ. 그래프는 $y=3^x$의 그래프와 y축에 대하여 대칭이다.

풍쌤 POINT
지수함수 $y=a^x\ (a>0,\ a\neq1)$ 꼴의 성질을 파악하려면 그래프의 개형을 그려 보면 돼.

풀이 ●─◉ $y=f(x)$의 그래프는 다음 그림과 같다.

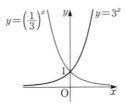

ㄱ. 정의역은 실수 전체의 집합이다. (거짓)

ㄴ. $f(x)=\left(\dfrac{1}{3}\right)^x$에서 밑 $\dfrac{1}{3}$이 $0<\dfrac{1}{3}<1$이므로 x의 값이 증가하면 y의 값은 감소한다.

　즉, $x_1 < x_2$이면 $f(x_1) > f(x_2)$이다. (거짓)

ㄷ. 그래프는 점 $(0,\ 1)$을 지난다. (참)

ㄹ. 그래프의 점근선은 x축이다. (거짓)

ㅁ. 두 함수 $y=3^x$, $y=\left(\dfrac{1}{3}\right)^x$의 그래프는 y축에 대하여 대칭이다. (참)

따라서 옳은 것은 ㄷ, ㅁ이다. 　　　　　　　　　　　　　　　　　　　　　**답** ㄷ, ㅁ

풍쌤 강의 NOTE

· 지수함수에서 x의 값이 증가할 때의 y의 값의 변화는 (밑)>1인 경우와 $0<$(밑)<1인 경우로 나누어 생각한다.

· 지수함수 $y=a^x$의 그래프를 a의 값에 따라 그리면 다음과 같다.

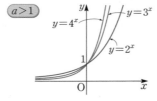

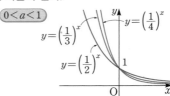

① $a>1$일 때 $\begin{cases} x>0 \text{에서는 } a \text{의 값이 클수록 } y \text{축에 가깝다.} \\ x<0 \text{에서는 } a \text{의 값이 클수록 } x \text{축에 가깝다.} \end{cases}$

② $0<a<1$일 때 $\begin{cases} x>0 \text{에서는 } a \text{의 값이 작을수록 } x \text{축에 가깝다.} \\ x<0 \text{에서는 } a \text{의 값이 작을수록 } y \text{축에 가깝다.} \end{cases}$

01-1 ⬤유사

다음 중 함수 $y=2^x$에 대한 설명으로 옳지 <u>않은</u> 것은?

① 그래프는 점 $(1, 2)$를 지난다.

② 그래프는 제1, 2사분면을 지난다.

③ 그래프는 x축과 한 점에서 만난다.

④ 그래프와 y축의 교점의 좌표는 $(0, 1)$이다.

⑤ x의 값이 증가하면 y의 값도 증가한다.

01-2 ⬤변형

지수함수 $y=(-a^2+4a+5)^x$에 대하여 x의 값이 증가할 때, y의 값도 증가하도록 하는 정수 a의 개수를 구하여라.

01-3 ⬤변형

지수함수 $y=(a^2+2a+1)^x$에 대하여 x의 값이 증가할 때, y의 값이 감소하도록 하는 실수 a의 값의 범위를 구하여라.

01-4 ⬤변형

임의의 실수 a, b에 대하여 $a<b$일 때, $f(a)>f(b)$를 만족시키는 함수를 I보기에서 있는 대로 골라라.

┤보기├

ㄱ. $f(x)=\left(\dfrac{\sqrt{2}}{2}\right)^x$ ㄴ. $f(x)=\dfrac{1}{3^{-x}}$

ㄷ. $f(x)=\left(\dfrac{3}{2}\right)^{-x}$ ㄹ. $f(x)=\left(\dfrac{1}{5}\right)^{-x}$

01-5 ⬤변형

네 지수함수 $y=a^x$, $y=b^x$, $y=c^x$, $y=d^x$의 그래프가 다음 그림과 같을 때, 네 양수 a, b, c, d의 대소를 비교하여라.

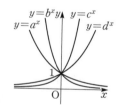

01-6 ⬤실력   기출

함수 $f(x)=a^x$에 대한 설명으로 옳은 것만을 I보기에서 있는 대로 골라라. (단, $a>0$, $a\neq1$)

┤보기├

ㄱ. $f(-x)=\dfrac{1}{f(x)}$

ㄴ. $f(x)=\sqrt{f(2x)}$

ㄷ. $f(x^3)=\{f(x)\}^3$

다음 지수함수의 그래프를 그리고, 치역과 점근선의 방정식을 구하여라.

(1) $y=2^{x+2}-3$

(2) $y=8\times2^{1-2x}+5$

풍쌤 POINT

주어진 함수의 그래프는 $y=a^x\,(a>0,\,a\neq1)$의 그래프를 평행이동 또는 대칭이동한 그래프임을 알고 함수의 그래프를 그려봐.

풀이

(1) $y=2^{x+2}-3$의 그래프는 $y=2^x$의 그래프를 x축의 방향으로 -2만큼, y축의 방향으로 -3만큼 평행이동한 것이므로 오른쪽 그림과 같다.❶ 따라서 치역은 $\{y|y>-3\}$, 점근선의 방정식은 $y=-3$이다.

(2) $y=8\times2^{1-2x}+5=2^3\times2^{1-2x}+5$

$\qquad=2^{4-2x}+5=(2^{-2})^{x-2}+5$

$\qquad=\left(\dfrac{1}{4}\right)^{x-2}+5$

즉, $y=8\times2^{1-2x}+5$의 그래프는 $y=\left(\dfrac{1}{4}\right)^x$의 그래프를 x축의 방향으로 2만큼, y축의 방향으로 5만큼 평행이동한 것이므로 오른쪽 그림과 같다.❷ 따라서 치역은 $\{y|y>5\}$, 점근선의 방정식은 $y=5$이다.

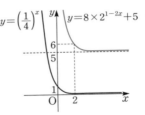

❶ 함수 $y=2^x$의 그래프는 점 $(0,1)$을 지나므로 함수 $y=2^{x+2}-3$의 그래프는 이 점을 x축의 방향으로 -2만큼, y축의 방향으로 -3만큼 평행이동한 점 $(-2,-2)$를 지난다.

❷ 함수 $y=\left(\dfrac{1}{4}\right)^{x-2}+5$의 그래프는 점 $(2,6)$을 지난다.

월 (1) 풀이 참조, 치역: $\{y|y>-3\}$, 점근선의 방정식: $y=-3$
　　(2) 풀이 참조, 치역: $\{y|y>5\}$, 점근선의 방정식: $y=5$

풍쌤 강의 NOTE

· 지수함수 $y=a^{bx+m}+n$에서 x의 계수 b가 1이 아닐 때에는 x의 계수로 묶어 식을 변형한 후 평행이동 또는 대칭이동을 이용하여 그 그래프를 그린다.
예를 들어 함수 $y=2^{-x+2}$에서 $2^{-x+2}=2^{-(x-2)}=\left(\dfrac{1}{2}\right)^{x-2}$이므로 함수 $y=2^{-x+2}$의 그래프를 그릴 때에는 함수 $y=\left(\dfrac{1}{2}\right)^{x-2}$의 그래프를 그리면 된다.

· 지수함수 $y=a^{x-m}+n$의 정의역은 실수 전체의 집합이고, 치역은 $\{y|y>n\}$, 그래프의 점근선은 직선 $y=n$이다.

02-1 기본

다음 지수함수의 그래프를 그리고, 치역과 점근선의 방정식을 구하여라.

(1) $y=3^{x-1}-2$

(2) $y=-4^x+\dfrac{5}{2}$

(3) $y=-2^{-x}+1$

(4) $y=9\times3^{1-x}-1$

02-2 변형

오른쪽 그림은 함수 $y=3^x$의 그래프를 y축에 대하여 대칭이동한 후 x축의 방향으로 m만큼, y축의 방향으로 n만큼 평행이동한 그래프와 그 점근선을 나타낸 것이다. $m+n$의 값을 구하여라.

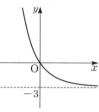

02-3 변형

함수 $y=3^{2x}$의 그래프를 x축의 방향으로 m만큼, y축의 방향으로 n만큼 평행이동하였더니 $y=9\times3^{2x}-6$의 그래프와 일치하였다. $m-n$의 값을 구하여라.

02-4 변형   기출

함수 $y=a\times3^x\,(a\neq0)$의 그래프를 원점에 대하여 대칭이동한 후 x축의 방향으로 2만큼, y축의 방향으로 3만큼 평행이동시킨 그래프가 점 $(1,\,-6)$을 지난다. 이때 상수 a의 값을 구하여라.

02-5 변형

함수 $y=5^x$의 그래프를 평행이동 또는 대칭이동하여 겹쳐질 수 있는 그래프의 식을 I보기I에서 있는 대로 골라라.

┌ 보기 ┐

ㄱ. $y=\left(\dfrac{1}{5}\right)^{x-2}$ ㄴ. $y=5^{2x}+3$

ㄷ. $y=\sqrt{5}\times5^x+1$ ㄹ. $y=-\left(\dfrac{1}{5}\right)^x$

02-6 변형

함수 $y=-2^{x-1}+n$의 그래프가 제1사분면을 지나지 않도록 하는 정수 n의 최댓값을 구하여라.

다음 물음에 답하여라.

(1) 오른쪽 그림과 같이 두 함수 $y=4^x$, $y=2^x$의 그래프가 직선 $y=k$와 만나는 점을 각각 A, B라고 하자. $\overline{AB}=2$일 때, 상수 k의 값을 구하여라.

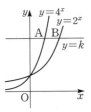

(2) 오른쪽 그림과 같이 함수 $y=4^x$의 그래프 위의 점 P에 대하여 선분 OP를 함수 $y=2^x$의 그래프가 $1:3$으로 내분할 때, 점 P의 x좌표를 구하여라. (단, O는 원점이다.)

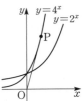

풍쌤 POINT

(1) 점 A의 x좌표를 a로 놓고 점 B의 x좌표를 a를 사용하여 나타내.
이때 두 점 A, B의 y좌표는 k로 같아.

(2) 점 P의 x좌표를 a로 놓고 선분 OP를 $1:3$으로 내분하는 점의 좌표를 구해.

풀이

(1) 점 A의 좌표를 (a, k)라고 하자.

$\overline{AB}=2$이므로 점 B의 좌표는 $(a+2, k)$

두 점 A, B는 각각 함수 $y=4^x$, $y=2^x$의 그래프 위의 점이므로

$4^a=k$, $2^{a+2}=k$

$4^a=2^{a+2}$, $2^{2a}=2^{a+2}$, $2a=a+2$ ∴ $a=2$

∴ $k=4^2=16$

(2) **STEP1** **내분점의 좌표를 한 문자로 나타내기**

점 P의 좌표를 $(a, 4^a)$이라고 하자.

선분 OP를 $1:3$으로 내분하는 점의 좌표는❶

$\left(\dfrac{a}{1+3}, \dfrac{4^a}{1+3}\right)$, 즉 $\left(\dfrac{a}{4}, 4^{a-1}\right)$

STEP2 **점 P의 x좌표 구하기**

이 점이 함수 $y=2^x$의 그래프 위에 있으므로

$4^{a-1}=2^{\frac{a}{4}}$, $2^{2a-2}=2^{\frac{a}{4}}$, $2a-2=\dfrac{a}{4}$ ∴ $a=\dfrac{8}{7}$

따라서 점 P의 x좌표는 $\dfrac{8}{7}$이다.

❶ 좌표평면 위의 두 점
$A(x_1, y_1)$, $B(x_2, y_2)$를 이은 선분 AB를 $m:n$ $(m>0, n>0)$으로 내분하는 점의 좌표는
$\left(\dfrac{mx_2+nx_1}{m+n}, \dfrac{my_2+ny_1}{m+n}\right)$

답 (1) 16 (2) $\dfrac{8}{7}$

풍쌤 강의 NOTE

지수함수 $y=a^x$의 그래프가 점 (p, q)를 지나면 $q=a^p$이다.

03-1 `변형`

다음 그림과 같이 함수 $y=3^{-x}$의 그래프 위의 한 점 A를 지나면서 x축에 평행한 직선이 함수 $y=9^x$의 그래프와 만나는 점을 B, 점 B를 지나면서 y축에 평행한 직선이 함수 $y=3^{-x}$의 그래프와 만나는 점을 C라고 하자. $\overline{\mathrm{AB}}$의 길이가 3일 때, $\overline{\mathrm{BC}}$의 길이를 구하여라.

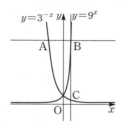

03-2 `변형`

오른쪽 그림과 같이 점 $\mathrm{A}(4,\,0)$을 지나는 직선 l과 두 함수 $y=2^{3x}$, $y=2^x$ $(x \geq 0)$의 그래프가 만나는 점을 각각 P, Q라고 하자. 점 Q가 선분 AP의 중점일 때, 점 P의 x좌표를 구하여라.

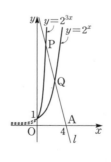

03-3 `변형`　　　　`기출`

다음 그림과 같이 지수함수 $y=3^x$의 그래프 위의 한 점 A의 y좌표가 $\dfrac{1}{3}$이다. 이 그래프 위의 한 점 B에 대하여 선분 AB를 $1:2$로 내분하는 점 C가 y축 위에 있을 때, 점 B의 y좌표를 구하여라.

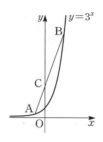

03-4 `실력`　　　　`기출`

다음 그림과 같이 두 곡선 $y=2^x-1$, $y=2^{-x}+\dfrac{a}{9}$의 교점을 A라고 하자. 점 B의 좌표가 $(4,\,0)$일 때, 삼각형 AOB의 넓이가 16이 되도록 하는 양수 a의 값을 구하여라. (단, O는 원점이다.)

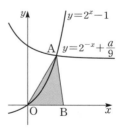

다음 물음에 답하여라.

(1) 자연수 n에 대하여 직선 $y=n$과 두 함수 $y=2^x$, $y=2^{x+3}$의 그래프의 교점을 각각 P_n, Q_n이라고 할 때, $\overline{P_1Q_1}+\overline{P_2Q_2}+\overline{P_3Q_3}+\cdots+\overline{P_8Q_8}$의 값을 구하여라.

(2) 두 함수 $y=2^x$, $y=2^{x+3}$의 그래프와 두 직선 $y=1$, $y=8$로 둘러싸인 부분의 넓이를 구하여라.

풍쌤 POINT

두 함수 $y=2^x$, $y=2^{x+3}$의 그래프는 한 그래프를 x축의 방향으로 평행이동하면 일치하므로 그래프의 위치만 다를 뿐 곡선의 모양이 같아.

풀이

함수 $y=2^{x+3}$의 그래프는 함수 $y=2^x$의 그래프를 x축의 방향으로 -3만큼 평행이동한 것이다.

(1) 두 함수 $y=2^x$, $y=2^{x+3}$의 그래프는 오른쪽 그림과 같다.

$\overline{P_1Q_1}=\overline{P_2Q_2}=\overline{P_3Q_3}=\cdots=\overline{P_8Q_8}=3$이므로

$\overline{P_1Q_1}+\overline{P_2Q_2}+\overline{P_3Q_3}+\cdots+\overline{P_8Q_8}$
$=8\times3=24$

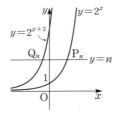

(2) 함수 $y=2^{x+3}$의 그래프와 직선 $y=1$, y축으로 둘러싸인 부분의 넓이는 함수 $y=2^x$의 그래프와 두 직선 $y=1$, $x=3$으로 둘러싸인 부분의 넓이와 같다.

따라서 두 함수 $y=2^x$, $y=2^{x+3}$의 그래프와 두 직선 $y=1$, $y=8$로 둘러싸인 부분의 넓이는 오른쪽 그림에서 직사각형 PQRS의 넓이와 같다.

직사각형 PQRS의 넓이는 $3\times(8-1)=21$이므로 구하는 넓이는 21이다.

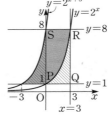

답 (1) 24 (2) 21

풍쌤 강의 NOTE

두 지수함수 $y=a^{x-p}$, $y=a^{x-q}$의 그래프는 한 그래프를 x축의 방향으로 평행이동하면 일치한다.
예를 들면 함수 $y=2^{x-2}$의 그래프는 함수 $y=2^x$의 그래프를 x축의 방향으로 2만큼 평행이동한 것이므로 세 점 B, D, F는 세 점 A, C, E를 각각 x축의 방향으로 2만큼 평행이동한 것이다.
따라서 $\overline{AB}=\overline{CD}=\overline{EF}=2$이다.
또, 두 지수함수 $y=a^x+p$, $y=a^x+q$의 그래프는 한 그래프를 y축의 방향으로 평행이동하면 일치한다.

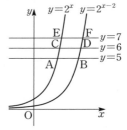

04-1 　유사

다음 물음에 답하여라.

(1) 자연수 n에 대하여 직선 $y=n$과 두 함수 $y=3^x$, $y=3^{x-2}$의 그래프의 교점을 각각 P_n, Q_n이라고 할 때, $\overline{P_1Q_1}+\overline{P_2Q_2}+\overline{P_3Q_3}+\cdots+\overline{P_9Q_9}$의 값을 구하여라.

(2) 두 함수 $y=3^x$, $y=3^{x-2}$의 그래프와 두 직선 $y=1$, $y=9$로 둘러싸인 부분의 넓이를 구하여라.

04-2 　변형

오른쪽 그림과 같이 두 함수 $y=3^x$, $y=3^x+2$의 그래프와 두 직선 $x=0$, $x=1$로 둘러싸인 부분의 넓이를 구하여라.

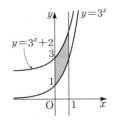

04-3 　변형

다음 그림과 같이 두 곡선 $y=2^x$, $y=2^{x+2}$과 두 직선 $y=2$, $y=4$로 둘러싸인 부분의 넓이를 S_1이라고 하자. 또, 두 곡선 $y=2^x$, $y=2^x-2$와 두 직선 $x=1$, $x=2$로 둘러싸인 부분의 넓이를 S_2라고 하자. S_1+S_2의 값을 구하여라.

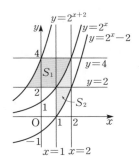

04-4 　실력

다음 그림은 두 함수 $y=3^x$, $y=3^{x-3}$의 그래프이다. 두 선분 AB, CD는 x축과 평행하고, 선분 BC는 y축과 평행하다. 이때 두 함수 $y=3^x$, $y=3^{x-3}$의 그래프와 두 선분 AB, CD로 둘러싸인 부분의 넓이를 구하여라.
(단, A$(0, 1)$이고, 두 점 A, C는 곡선 $y=3^x$ 위의 점이며 두 점 B, D는 곡선 $y=3^{x-3}$ 위의 점이다.)

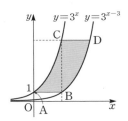

다음 세 수 A, B, C의 대소를 비교하여라.

(1) $A=(\sqrt{2})^{\frac{3}{4}}$, $B=0.5^{-\frac{5}{4}}$, $C=\left(\frac{1}{2}\right)^{-\frac{3}{2}}$

(2) $A=0.5^{\frac{3}{4}}$, $B=0.25^{\frac{2}{3}}$, $C=0.125^{\frac{1}{2}}$

풍쌤 POINT

지수를 포함한 수의 대소를 비교할 때에는 밑을 통일한 후 지수만 비교!

(밑)>1이면 지수가 클수록 큰 수이고, $0<$(밑)<1이면 지수가 클수록 작은 수야.

풀이

(1) **STEP1** 밑을 2로 나타내기

$$A=(\sqrt{2})^{\frac{3}{4}}=\left(2^{\frac{1}{2}}\right)^{\frac{3}{4}}=2^{\frac{3}{8}}$$

$$B=0.5^{-\frac{5}{4}}=\left(\frac{1}{2}\right)^{-\frac{5}{4}}=(2^{-1})^{-\frac{5}{4}}=2^{\frac{5}{4}}$$

$$C=\left(\frac{1}{2}\right)^{-\frac{3}{2}}=(2^{-1})^{-\frac{3}{2}}=2^{\frac{3}{2}}$$

STEP2 지수함수의 성질을 이용하여 대소 비교하기

이때 $\frac{3}{8}<\frac{5}{4}<\frac{3}{2}$이고, 함수 $y=2^x$은 x의 값이 증가하면 y의

값도 증가하므로 ❶

$$2^{\frac{3}{8}}<2^{\frac{5}{4}}<2^{\frac{3}{2}} \qquad \therefore A<B<C$$

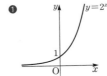

❶

(2) **STEP1** 밑을 0.5로 나타내기

$$A=0.5^{\frac{3}{4}}$$

$$B=0.25^{\frac{2}{3}}=(0.5^2)^{\frac{2}{3}}=0.5^{\frac{4}{3}}$$

$$C=0.125^{\frac{1}{2}}=(0.5^3)^{\frac{1}{2}}=0.5^{\frac{3}{2}}$$

STEP2 지수함수의 성질을 이용하여 대소 비교하기

이때 $\frac{3}{4}<\frac{4}{3}<\frac{3}{2}$이고, 함수 $y=0.5^x$은 x의 값이 증가하면

y의 값은 감소하므로 ❷

$$0.5^{\frac{3}{2}}<0.5^{\frac{4}{3}}<0.5^{\frac{3}{4}} \qquad \therefore C<B<A$$

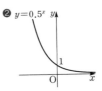

❷ $y=0.5^x$

답 (1) $A<B<C$ (2) $C<B<A$

풍쌤 강의 NOTE

지수를 포함한 수의 대소를 비교할 때에는 밑을 통일한 후 다음과 같은 지수함수의 성질을 이용한다.

지수함수 $y=a^x$에 대하여

① $a>1$일 때, $x_1<x_2 \Longleftrightarrow a^{x_1}<a^{x_2}$

② $0<a<1$일 때, $x_1<x_2 \Longleftrightarrow a^{x_1}>a^{x_2}$

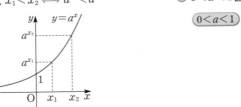

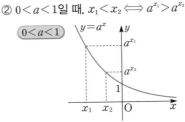

05-1 ⊙유사

다음 세 수 A, B, C의 대소를 비교하여라.

(1) $A=\left(\dfrac{2}{3}\right)^{\frac{3}{4}}$, $B=\left(\dfrac{3}{2}\right)^{-\frac{5}{4}}$, $C=\left(\dfrac{2}{3}\right)^{\frac{4}{5}}$

(2) $A=9^{\frac{4}{3}}$, $B=\sqrt[4]{27^3}$, $C=\left(\dfrac{1}{243}\right)^{-\frac{1}{2}}$

05-2 ⊙유사

다음 중 두 수의 대소 관계가 옳은 것은?

① $9^{\frac{1}{3}}<\sqrt{3}$

② $\sqrt[5]{8}<16^{\frac{1}{8}}$

③ $\dfrac{1}{3^2}>\dfrac{1}{3\sqrt[3]{3}}$

④ $\sqrt{\sqrt{3}}<\left(\dfrac{1}{3}\right)^{-\frac{1}{2}}$

⑤ $(0.5)^{-\frac{1}{2}}<(\sqrt{2})^{\frac{2}{3}}$

05-3 ⊙변형

자연수 n에 대하여 세 수

$$A=\left(\dfrac{1}{5}\right)^{\frac{n}{n+1}},\ B=\left(\dfrac{1}{5}\right)^{\frac{n+1}{n+2}},\ C=\left(\dfrac{1}{5}\right)^{\frac{n+2}{n+3}}$$

의 대소를 비교하여라.

05-4 ⊙변형

$0<a<1$일 때, 네 수 $A=3^a$, $B=3^{a^2}$, $C=3^{a^3}$, $D=3^{a^4}$ 중 가장 큰 수를 구하여라.

05-5 ⊙실력

$0<a<1$일 때, 세 수 a, a^a, a^{a^a}의 대소 관계는?

① $a<a^a<a^{a^a}$

② $a<a^{a^a}<a^a$

③ $a^a<a<a^{a^a}$

④ $a^a<a^{a^a}<a$

⑤ $a^{a^a}<a<a^a$

05-6 ⊙실력

$1<a<b$일 때, a^a, a^b, b^a, b^b에 대하여 옳은 것만을 l보기l에서 있는 대로 골라라.

┤보기├

ㄱ. $a^a<a^b$

ㄴ. $a^b<b^a$

ㄷ. 가장 큰 수는 b^b이다.

다음 함수의 최댓값과 최솟값을 구하여라.

(1) $y=3^{x+1}-2$ ($-2 \leq x \leq 1$)

(2) $y=\left(\dfrac{1}{4}\right)^{x-1}-3$ ($-1 \leq x \leq 1$)

풍쌤 POINT

지수함수의 최대·최소를 구할 때에는 먼저 밑의 범위가 (밑)>1, 0<(밑)<1인지 확인!

풀이

(1) **STEP1 주어진 함수가 증가하는 함수임을 알기**

함수 $y=3^{x+1}-2$에서 밑이 3이고 3>1이므로 주어진 함수는 x의 값이 증가하면 y의 값도 증가한다.

STEP2 주어진 함수의 최댓값과 최솟값 구하기

$-2 \leq x \leq 1$에서 함수 $y=3^{x+1}-2$는❶ $x=1$일 때 최대이고, 최댓값은

$3^{1+1}-2=9-2=7$

$x=-2$일 때 최소이고, 최솟값은

$3^{-2+1}-2=\dfrac{1}{3}-2=-\dfrac{5}{3}$

❶ $-2 \leq x \leq 1$에서 함수 $y=3^{x+1}-2$의 그래프는 다음 그림과 같다.

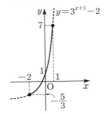

(2) **STEP1 주어진 함수가 감소하는 함수임을 알기**

함수 $y=\left(\dfrac{1}{4}\right)^{x-1}-3$에서 밑이 $\dfrac{1}{4}$이고 $0<\dfrac{1}{4}<1$이므로 주어진 함수는 x의 값이 증가하면 y의 값은 감소한다.

STEP2 주어진 함수의 최댓값과 최솟값 구하기

$-1 \leq x \leq 1$에서 함수 $y=\left(\dfrac{1}{4}\right)^{x-1}-3$은❷ $x=-1$일 때 최대이고, 최댓값은

$\left(\dfrac{1}{4}\right)^{-1-1}-3=4^2-3=13$

$x=1$일 때 최소이고, 최솟값은

$\left(\dfrac{1}{4}\right)^{1-1}-3=1-3=-2$

❷ $-1 \leq x \leq 1$에서 함수 $y=\left(\dfrac{1}{4}\right)^{x-1}-3$의 그래프는 다음 그림과 같다.

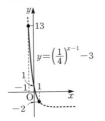

답 (1) 최댓값: 7, 최솟값: $-\dfrac{5}{3}$　(2) 최댓값: 13, 최솟값: -2

풍쌤 강의 NOTE

지수함수의 지수가 일차식인 경우에는 주어진 범위의 양 끝값에서 최댓값과 최솟값을 갖는다.

즉, 정의역이 $\{x \,|\, m \leq x \leq n\}$인 지수함수 $f(x)=a^{px+q}+r$ 꼴의 최대·최소는

① $a>1$이면 $x=n$일 때 최댓값 $f(n)$, $x=m$일 때 최솟값 $f(m)$을 갖는다.

② $0<a<1$이면 $x=m$일 때 최댓값 $f(m)$, $x=n$일 때 최솟값 $f(n)$을 갖는다.

06-1 ◉유사

다음 함수의 최댓값과 최솟값을 구하여라.

(1) $y=5^{x-1}-2 \ (1 \leq x \leq 3)$

(2) $y=\left(\dfrac{1}{2}\right)^{x+1}-2 \ (-3 \leq x \leq 1)$

(3) $y=3^{x-2} \times 2^{-2x} \ (-1 \leq x \leq 1)$

06-2 ◉변형

정의역이 $\{x \mid -2 \leq x \leq 1\}$인 함수 $y=2^{x+1}+k$의 최솟값이 $\dfrac{5}{2}$일 때, 상수 k의 값을 구하여라.

06-3 ◉변형　　　　　　　　　기출

$2 \leq x \leq 3$에서 함수 $f(x)=\left(\dfrac{1}{3}\right)^{2x-a}$의 최댓값은 27, 최솟값은 m이다. $a \times m$의 값을 구하여라.

(단, a는 상수이다.)

06-4 ◉변형

정의역이 $\{x \mid -1 \leq x \leq 2\}$일 때, 함수 $f(x)=a^{2x+1}$의 최댓값이 32가 되도록 하는 양수 a의 값의 합을 구하여라.

06-5 ◉변형

정의역이 $\{x \mid -2 \leq x \leq 2\}$일 때, 함수 $y=a^x+b$의 최댓값은 7, 최솟값은 $\dfrac{13}{4}$이다. $a+b$의 값을 구하여라.

(단, $0<a<1$)

06-6 ◉실력

정의역이 $\{x \mid 0 \leq x \leq 3\}$인 함수 $y=a^{|x-2|+2}$의 최솟값이 $\dfrac{1}{16}$일 때, 최댓값을 구하여라.

다음 함수의 최댓값과 최솟값을 구하여라.

(1) $y = 2^{-x^2 + 2x + 5}$ $(0 \leq x \leq 3)$

(2) $y = \left(\dfrac{1}{3}\right)^{x^2 - 4x + 2}$ $(0 \leq x \leq 4)$

풍쌤 POINT

지수함수 $y = a^{f(x)}$ 꼴의 최대·최소를 구할 때에는 먼저 밑의 범위가 (밑)>1, $0<$(밑)<1인지 확인! $f(x)$가 이차식인 경우에는 주어진 x의 값의 범위에서 $f(x)$의 최댓값과 최솟값을 구하면 주어진 함수의 최댓값과 최솟값을 구할 수 있어.

풀이

(1) STEP1 **지수의 최댓값과 최솟값 구하기**

$f(x) = -x^2 + 2x + 5$로 놓으면 $f(x) = -(x-1)^2 + 6$

$f(0) = 5$, $f(1) = 6$, $f(3) = 2$❶이므로

$0 \leq x \leq 3$에서 $2 \leq f(x) \leq 6$

STEP2 **주어진 함수의 최댓값과 최솟값 구하기**

함수 $y = 2^{f(x)}$은 밑이 2이고 $2 > 1$이므로 $f(x)$가 최대일 때 y도 최대, $f(x)$가 최소일 때 y도 최소가 된다.

따라서 함수 $y = 2^{f(x)}$은

$f(x) = 6$일 때 최대이고, 최댓값은 $2^6 = 64$

$f(x) = 2$일 때 최소이고, 최솟값은 $2^2 = 4$

❶ $0 \leq x \leq 3$에서 $f(x)$는 $x = 1$일 때 최댓값 6을 갖고, $x = 3$일 때 최솟값 2를 갖는다.

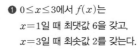

(2) STEP1 **지수의 최댓값과 최솟값 구하기**

$f(x) = x^2 - 4x + 2$로 놓으면 $f(x) = (x-2)^2 - 2$

$f(0) = 2$, $f(2) = -2$, $f(4) = 2$❷이므로

$0 \leq x \leq 4$에서 $-2 \leq f(x) \leq 2$

STEP2 **주어진 함수의 최댓값과 최솟값 구하기**

함수 $y = \left(\dfrac{1}{3}\right)^{f(x)}$은 밑이 $\dfrac{1}{3}$이고 $0 < \dfrac{1}{3} < 1$이므로 $f(x)$가 최소일 때 y는 최대, $f(x)$가 최대일 때 y는 최소가 된다.

따라서 함수 $y = \left(\dfrac{1}{3}\right)^{f(x)}$은

$f(x) = -2$일 때 최대이고, 최댓값은 $\left(\dfrac{1}{3}\right)^{-2} = 3^2 = 9$

$f(x) = 2$일 때 최소이고, 최솟값은 $\left(\dfrac{1}{3}\right)^2 = \dfrac{1}{9}$

❷ $0 \leq x \leq 4$에서 $f(x)$는 $x = 0$ 또는 $x = 4$일 때 최댓값 2를 갖고, $x = 2$일 때 최솟값 -2를 갖는다.

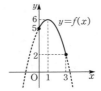

답 (1) 최댓값: 64, 최솟값: 4 (2) 최댓값: 9, 최솟값: $\dfrac{1}{9}$

풍쌤 강의 NOTE

지수함수가 $y = a^{px^2 + qx + r}$ 꼴인 경우에는 $f(x) = px^2 + qx + r$로 놓고 주어진 범위에서 $f(x)$의 최댓값과 최솟값을 구한 후 다음을 이용하여 $y = a^{f(x)}$의 최댓값과 최솟값을 구한다.

① $a > 1$이면 $f(x)$가 최대일 때 y도 최대이고, $f(x)$가 최소일 때 y도 최소이다.

② $0 < a < 1$이면 $f(x)$가 최소일 때 y는 최대이고, $f(x)$가 최대일 때 y는 최소이다.

07-1 기본

다음을 구하여라.

(1) 함수 $y = 4^{x^2} \times \left(\dfrac{1}{4}\right)^{6x-8}$ 의 최솟값

(2) 함수 $y = \left(\dfrac{1}{3}\right)^{x^2+4x-1}$ 의 최댓값

07-2 유사

다음 함수의 최댓값과 최솟값을 구하여라.

(1) $y = 3^{x^2-4x+3}$ $(1 \le x \le 3)$

(2) $y = \left(\dfrac{1}{5}\right)^{-x^2+2x}$ $(-1 \le x \le 2)$

07-3 변형

정의역이 $\{x \mid -1 \le x \le 3\}$ 인 함수 $y = \left(\dfrac{1}{2}\right)^{-x^2+4x+k}$
의 최댓값이 64일 때, 상수 k의 값을 구하여라.

07-4 변형

$0 < a < 1$인 상수 a에 대하여 함수 $y = a^{-x^2+2x+3}$의 최솟값이 $\dfrac{16}{81}$일 때, a의 값을 구하여라.

07-5 실력

정의역이 $\{x \mid 1 \le x \le 4\}$일 때, 함수 $y = a^{x^2-4x+3}$의 최솟값은 $\dfrac{1}{8}$ 이다. 모든 양수 a의 값의 합을 구하여라.

07-6 실력 기출

두 함수 $f(x)$, $g(x)$를
$$f(x) = x^2 - 6x + 3,$$
$$g(x) = a^x \ (a > 0, \ a \ne 1)$$
이라고 하자. $1 \le x \le 4$에서 함수 $(g \circ f)(x)$의 최댓값은 27, 최솟값은 m이다. m의 값을 구하여라.

다음 물음에 답하여라.

(1) 함수 $y=(2^x)^2-2^{x+2}+5$의 최솟값을 구하여라.

(2) $-1\leq x\leq 1$에서 함수 $y=-\left(\dfrac{1}{9}\right)^x+2\left(\dfrac{1}{3}\right)^x+3$의 최댓값과 최솟값을 구하여라.

풍쌤 POINT

a^x 꼴이 반복되는 함수의 최댓값과 최솟값은 $a^x=t$로 치환하여 t에 대한 함수의 최댓값과 최솟값을 이용하여 구하면 돼. 이때 t의 값의 범위에 주의해!

풀이

(1) **STEP1** $2^x=t$로 놓고 t의 값의 범위 구하기

$y=(2^x)^2-2^{x+2}+5=(2^x)^2-4\times 2^x+5$

$2^x=t$로 놓으면 $t>0$ **❶**

❶ $2^x>0$이므로 $t>0$

STEP2 주어진 함수를 t에 대한 식으로 나타내고 최솟값 구하기

이때 주어진 함수는 $y=t^2-4t+5=(t-2)^2+1$ **❷**

따라서 $t>0$에서 함수 $y=(t-2)^2+1$은

$t=2$일 때 최소이고, 최솟값은 1이다.

❷

(2) **STEP1** $\left(\dfrac{1}{3}\right)^x=t$로 놓고 t의 값의 범위 구하기

$y=-\left(\dfrac{1}{9}\right)^x+2\left(\dfrac{1}{3}\right)^x+3=-\left\{\left(\dfrac{1}{3}\right)^x\right\}^2+2\left(\dfrac{1}{3}\right)^x+3$

$\left(\dfrac{1}{3}\right)^x=t$로 놓으면 $-1\leq x\leq 1$에서 $\dfrac{1}{3}\leq\left(\dfrac{1}{3}\right)^x\leq\left(\dfrac{1}{3}\right)^{-1}$ **❸**

$\therefore \dfrac{1}{3}\leq t\leq 3$

❸ 함수 $y=\left(\dfrac{1}{3}\right)^x$은 x의 값이 증가하면 y의 값은 감소한다.

STEP2 주어진 함수를 t에 대한 식으로 나타내고 최댓값과 최솟값 구하기

이때 주어진 함수는 $y=-t^2+2t+3=-(t-1)^2+4$ **❹**

따라서 $\dfrac{1}{3}\leq t\leq 3$에서 함수 $y=-(t-1)^2+4$는

$t=1$일 때 최대이고, 최댓값은 4

$t=3$일 때 최소이고, 최솟값은 $-(3-1)^2+4=0$

❹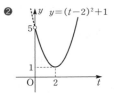

답 (1) 1 (2) 최댓값: 4, 최솟값: 0

풍쌤 강의 NOTE

a^x 꼴이 반복되는 함수에서 $a^x=t$로 치환하면 함수 $y=a^x$의 치역은 양의 실수이므로 치환한 t의 값의 범위가 $t>0$임에 주의한다. 이때 x의 값의 범위가 $\alpha\leq x\leq\beta$로 주어지면

$a>1$일 때 $a^\alpha\leq a^x\leq a^\beta$이므로 $a^\alpha\leq t\leq a^\beta$,

$0<a<1$일 때 $a^\beta\leq a^x\leq a^\alpha$이므로 $a^\beta\leq t\leq a^\alpha$

임에 주의한다.

08-1 유사

다음 물음에 답하여라.

(1) 함수 $y=-9^x+2\times3^x-3$의 최댓값을 구하여라.

(2) 함수 $y=\left(\dfrac{1}{4}\right)^x-4\left(\dfrac{1}{2}\right)^{x-1}+6$의 최솟값을 구하여라.

08-2 유사

다음 함수의 최댓값과 최솟값을 구하여라.

(1) $y=2^{x+2}-4^x-2 \quad (0\le x\le2)$

(2) $y=9^{-x}-2\times3^{-x} \quad (-2\le x\le1)$

08-3 변형

정의역이 $\{x\,|\,x\le0\}$인 함수 $y=9^x-6\times3^x+k$의 최솟값이 3일 때, 상수 k의 값을 구하여라.

08-4 변형

함수 $y=\left(\dfrac{1}{9}\right)^x+k\left(\dfrac{1}{3}\right)^{x-1}+2$의 최솟값이 -7일 때, 상수 k의 값을 구하여라. (단, $k<0$)

08-5 변형

함수 $y=\left(\dfrac{1}{4}\right)^x-\left(\dfrac{1}{2}\right)^{x+a}+b$가 $x=-1$일 때, 최솟값 -1을 갖는다. 상수 a, b에 대하여 $a+b$의 값을 구하여라.

08-6 변형

$-2\le x\le3$에서 정의된 함수 $y=\dfrac{1-2\times3^x-9^x}{9^x}$의 최댓값을 M, 최솟값을 m이라고 할 때, $M+m$의 값을 구하여라.

다음 함수의 최솟값을 구하여라.

(1) $y = 5^{1+x} + 5^{1-x}$

(2) $y = 9^x + 9^{-x} - 2(3^x + 3^{-x}) + 7$

풍쌤 POINT

양수 a^x과 $\dfrac{1}{a^x} = a^{-x}$ 꼴이 포함되어 있는 식의 최댓값 또는 최솟값을 구할 때는 산술평균과 기하평균의 관계를 생각해 봐.

풀이

(1) 모든 실수 x에 대하여 $5^{1+x} > 0$, $5^{1-x} > 0$ ❶이므로
산술평균과 기하평균의 관계에 의하여
$5^{1+x} + 5^{1-x} \geq 2\sqrt{5^{1+x} \times 5^{1-x}} = 2\sqrt{5^2} = 2 \times 5 = 10$
(단, 등호는 $5^{1+x} = 5^{1-x}$, 즉 $x = 0$일 때 성립한다.)
따라서 함수 $y = 5^{1+x} + 5^{1-x}$의 최솟값은 10이다.

(2) **STEP 1** $3^x + 3^{-x} = t$로 놓고 t의 값의 범위 구하기
$3^x + 3^{-x} = t$로 놓으면 모든 실수 x에 대하여 $3^x > 0$, $3^{-x} > 0$
이므로 산술평균과 기하평균의 관계에 의하여
$3^x + 3^{-x} \geq 2\sqrt{3^x \times 3^{-x}} = 2$
(단, 등호는 $3^x = 3^{-x}$, 즉 $x = 0$일 때 성립한다.)
따라서 t의 값의 범위는 $t \geq 2$이다.

STEP 2 주어진 함수를 t에 대한 식으로 나타내고 최솟값 구하기
$y = 9^x + 9^{-x} - 2(3^x + 3^{-x}) + 7$에서
$9^x + 9^{-x} = (3^x)^2 + (3^{-x})^2 = (3^x + 3^{-x})^2 - 2$
이므로 주어진 함수는
$y = t^2 - 2 - 2t + 7 = t^2 - 2t + 5 = (t-1)^2 + 4$ ❷
따라서 $t = 2$일 때 함수 $y = (t-1)^2 + 4$는 최소이고, 최솟값은
$(2-1)^2 + 4 = 5$

❶ 함수 $y = 5^{1+x} = 5 \times 5^x$의 치역은 양의 실수 전체의 집합이다.
또, 함수 $y = 5^{1-x} = 5 \times \left(\dfrac{1}{5}\right)^x$의 치역은 양의 실수 전체의 집합이다.

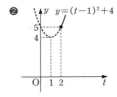
❷

目 (1) 10   (2) 5

풍쌤 강의 NOTE

· 산술평균과 기하평균의 관계
➡ $a > 0$, $b > 0$일 때, $a + b \geq 2\sqrt{ab}$ (단, 등호는 $a = b$일 때 성립한다.)

· $a > 0$, $a \neq 1$일 때, $a^x > 0$, $a^{-x} > 0$이므로 산술평균과 기하평균의 관계에 의하여
$a^x + a^{-x} \geq 2\sqrt{a^x \times a^{-x}} = 2$ ...... ㉠
가 성립한다. 이때 등호는 $a^x = a^{-x}$일 때, 즉 $x = 0$일 때 성립한다.
또, $a^{2x} + a^{-2x} = (a^x + a^{-x})^2 - 2$에서 $a^x + a^{-x} = t$로 놓으면 $a^{2x} + a^{-2x} = t^2 - 2$이고 ㉠에 의하여
$t \geq 2$이다.

09-1 유사

다음 함수의 최솟값을 구하여라.

(1) $y=2^{2+x}+2^{2-x}$

(2) $y=2(4^x+4^{-x})-4(2^x+2^{-x})$

09-2 변형

다음 함수의 최솟값을 구하여라.

(1) $y=4^x+\left(\dfrac{1}{4}\right)^{x-3}$

(2) $y=\dfrac{5^{2x}+5^x+25}{5^x}$

09-3 변형

함수 $y=4\times3^x+\dfrac{36}{3^x}$이 $x=a$에서 최솟값 b를 가질 때, $a+b$의 값을 구하여라.

09-4 변형

함수 $y=7^{x+a}+\left(\dfrac{1}{7}\right)^{x-a}$의 최솟값이 98일 때, 상수 a의 값을 구하여라.

09-5 변형

함수 $y=4^x+4^{-x}-2(2^x+2^{-x})+k$의 최솟값이 8일 때, 상수 k의 값을 구하여라.

09-6 변형

$2x+3y=4$를 만족시키는 실수 x, y에 대하여 4^x+8^y의 최솟값을 구하여라.

01

함수 $f(x)=(3a^2-2a)^x$에 대하여 $x_1<x_2$이면 $f(x_1)<f(x_2)$를 만족시키는 자연수 a의 최솟값은?

① 1   ② 2   ③ 3

④ 4   ⑤ 5

02

오른쪽 그림은 $y=a^x$, $y=b^x$, $y=\left(\dfrac{1}{b}\right)^x$, $y=\left(\dfrac{1}{c}\right)^x$의 그래프이다. a, b, c의 대소 관계를 바르게 나타낸 것은?

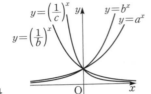

① $a>b>c$ ② $b>a>c$

③ $b>c>a$ ④ $c>a>b$

⑤ $c>b>a$

03

함수 $y=\dfrac{1}{9}\times 3^{x+1}-3$의 그래프에 대한 설명으로 옳은 것만을 |보기|에서 있는 대로 고른 것은?

┤보기├

ㄱ. 제1사분면, 제2사분면, 제3사분면을 지난다.

ㄴ. $y=-\dfrac{1}{3}\times 3^{-x}+3$의 그래프를 원점에 대하여 대칭이동한 그래프이다.

ㄷ. $y=3^x$의 그래프를 x축의 방향으로 1만큼, y축의 방향으로 -3만큼 평행이동한 그래프이다.

① ㄱ   ② ㄴ   ③ ㄷ

④ ㄱ, ㄴ   ⑤ ㄴ, ㄷ

04

기출

좌표평면에서 지수함수 $y=a^x$의 그래프를 y축에 대하여 대칭이동시킨 후 x축의 방향으로 3만큼, y축의 방향으로 2만큼 평행이동시킨 그래프가 점 $(1, 4)$를 지난다. 양수 a의 값은?

① $\sqrt{2}$ ② 2   ③ $2\sqrt{2}$

④ 4   ⑤ $4\sqrt{2}$

05

함수 $y=3^{x-1}$의 그래프와 만나지 않는 것만을 |보기| 에서 있는 대로 고른 것은?

┤보기├

ㄱ. $y=3^{x+1}$ ㄴ. $y=2\times 3^{-x}$

ㄷ. $y=-3^x$ ㄹ. $y=3^{|x|}+1$

① ㄱ, ㄴ   ② ㄱ, ㄷ   ③ ㄱ, ㄹ

④ ㄱ, ㄷ, ㄹ   ⑤ ㄴ, ㄷ, ㄹ

06 서술형

함수 $y=2^{a-x}+b$의 그래프가 다음 그림과 같을 때, $a+b$의 값을 구하여라. (단, 점선은 점근선이다.)

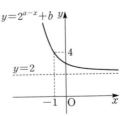

07

기출

세 지수함수 $f(x)=a^{-x}$, $g(x)=b^x$, $h(x)=a^x$ $(1<a<b)$에 대하여 직선 $y=2$가 세 곡선 $y=f(x)$, $y=g(x)$, $y=h(x)$와 만나는 점을 각각 P, Q, R라고 하자. $\overline{PQ}:\overline{QR}=2:1$이고 $h(2)=2$일 때, $g(4)$의 값은?

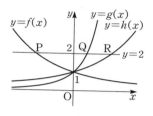

① 16　　　　② $16\sqrt{2}$　　　　③ 32
④ $32\sqrt{2}$　　　　⑤ 64

08

오른쪽 그림과 같이 함수 $y=2^x$, $y=2^{x-a}$의 그래프 위의 두 점 B, C와 x축 위의 두 점 A, D를 연결하여 직사각형 ABCD를 만들었다. 점 A의 좌표가 $(a, 0)$이고, 직사각형 ABCD 의 넓이가 160일 때, 자연수 a의 값을 구하여라.

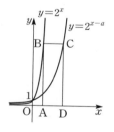

09

기출

두 곡선 $y=2^x$, $y=-4^{x-2}$이 y축과 평행한 한 직선과 만나는 서로 다른 두 점을 각각 A, B라고 하자. $\overline{OA}=\overline{OB}$일 때, 삼각형 AOB의 넓이는?

(단, O는 원점이다.)

① 64　　　　② 68　　　　③ 72
④ 76　　　　⑤ 80

10

세 수 $A=0.5^{-\frac{7}{8}}$, $B=\sqrt[3]{4}$, $C=0.25^{-\frac{3}{8}}$의 대소 관계는?

① $A<B<C$　　　　② $A<C<B$
③ $B<A<C$　　　　④ $B<C<A$
⑤ $C<B<A$

11

정의역이 $\{x\,|-1\leq x\leq 2\}$인 두 함수 $f(x)=3^x$, $g(x)=\left(\dfrac{1}{2}\right)^x$의 최댓값을 각각 α, β라고 할 때, $\alpha\beta$의 값은?

① 6　　　　② 12　　　　③ 18
④ 27　　　　⑤ 36

12 서술형 /

$-2 \leq x \leq 3$에서 함수 $f(x) = a^x$의 최댓값이 최솟값의 27배가 되도록 하는 모든 실수 a의 값의 곱을 구하여라. (단, $a > 0$, $a \neq 1$)

13

두 함수 $f(x) = 3^x$, $g(x) = -x^2 + 2ax + 1$에 대하여 함수 $f(g(x))$의 최댓값은 9이다. 양수 a의 값은?

① $\dfrac{1}{2}$ ② 1 ③ $\dfrac{3}{2}$

④ 2 ⑤ $\dfrac{5}{2}$

14

$0 \leq x \leq 3$에서 함수 $y = a^{x^2 - 2x - 1}$의 최댓값이 $\dfrac{4}{3}$일 때, y의 최솟값은? (단, $0 < a < 1$)

① $\dfrac{\sqrt{2}}{4}$ ② $\dfrac{\sqrt{3}}{4}$ ③ $\dfrac{1}{2}$

④ $\dfrac{3}{4}$ ⑤ $\dfrac{\sqrt{3}}{2}$

15

$-2 \leq x \leq 2$일 때, 함수 $y = 4^x - 2^{x+2} + 5$의 최댓값을 M, 최솟값을 m이라고 할 때, $M - m$의 값은?

① 1 ② 2 ③ 3

④ 4 ⑤ 5

16

함수 $y = 4^{a+x} + 4^{a-x}$의 최솟값이 32일 때, 상수 a의 값은?

① 1 ② 2 ③ 3

④ 4 ⑤ 5

17 서술형 /

함수 $y = 25^x + 25^{-x} - 6(5^x + 5^{-x}) + 14$의 최솟값을 구하여라.

상위권 도약 문제

01

다음 그림과 같이 $y=2^{-x}$의 그래프 위의 한 점 A를 지나고 x축에 평행한 직선이 $y=4^x$의 그래프와 만나는 점을 B, 점 B를 지나고 y축에 평행한 직선이 $y=2^{-x}$의 그래프와 만나는 점을 C라고 하자. 선분 AB의 길이가 2이고, 선분 BC의 길이를 l이라고 할 때, $4l^3$의 값을 구하여라.

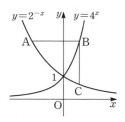

02 기출

곡선 $y=2^{ax+b}$과 직선 $y=x$가 서로 다른 두 점 A, B에서 만날 때, 두 점 A, B에서 x축에 내린 수선의 발을 각각 C, D라 하자. $\overline{AB}=6\sqrt{2}$이고 사각형 ACDB의 넓이가 30일 때, $a+b$의 값은?

(단, a, b는 상수이다.)

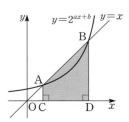

① $\dfrac{1}{6}$ ② $\dfrac{1}{3}$ ③ $\dfrac{1}{2}$

④ $\dfrac{2}{3}$ ⑤ $\dfrac{5}{6}$

03 기출

두 함수 $f(x)=2^x$, $g(x)=2^{x-2}$에 대하여 두 양수 a, b $(a<b)$가 다음 조건을 만족시킬 때, $a+b$의 값은?

> (가) 두 곡선 $y=f(x)$, $y=g(x)$와 두 직선 $y=a$, $y=b$로 둘러싸인 부분의 넓이가 6이다.
> (나) $g^{-1}(b)-f^{-1}(a)=\log_2 6$

① 15   ② 16   ③ 17
④ 18   ⑤ 19

04 기출

함수 $f(x)$는 모든 실수 x에 대하여 $f(x+2)=f(x)$ 를 만족시키고,

$$f(x)=\left|x-\frac{1}{2}\right|+1\ \left(-\frac{1}{2}\le x<\frac{3}{2}\right)$$

이다. 자연수 n에 대하여 지수함수 $y=2^{\frac{x}{n}}$의 그래프와 함수 $y=f(x)$의 그래프의 교점의 개수가 5가 되도록 하는 모든 n의 값의 합을 구하여라.

05

$-2\le x\le 1$에서 함수 $f(x)=2^{|x+1|+|x|+|x-1|}$의 최댓값을 M, 최솟값을 m이라고 하자. $M+m$의 값을 구하여라.

06

함수 $y=\left(\frac{1}{4}\right)^{x}+\left(\frac{1}{4}\right)^{-x}-2(2^{x}+2^{-x})+k$의 최솟값이 3일 때, 상수 k의 값을 구하여라.

07

함수 $y=\dfrac{3^{x+3}}{3^{2x}+3^{x}+1}$의 최댓값을 구하여라.

04

로그함수

04 로그함수

개념 01) 로그함수의 뜻

지수함수 $y=a^x\ (a>0,\ a\neq1)$의 역함수는
$$y=\log_a x\ (a>0,\ a\neq1)$$
이다. 이 함수를 a를 밑으로 하는 로그함수라고 한다.

확인 01 다음 함수의 역함수를 구하여라.

(1) $y=5^x$ (2) $y=\left(\dfrac{1}{2}\right)^x$

개념+ 로그함수와 지수함수의 관계

지수함수 $y=a^x\ (a>0,\ a\neq1)$의 정의역은 실수 전체의 집합, 치역
은 양의 실수 전체의 집합이고, 로그의 정의에 의하여
$y=a^x \Longleftrightarrow x=\log_a y$가 성립하므로 x와 y를 서로 바꾸면
$$y=\log_a x\ (a>0,\ a\neq1)$$
따라서 지수함수 $y=a^x$의 역함수는 $y=\log_a x$이다.

> 지수함수 $y=a^x\ (a>0,\ a\neq1)$은
> 실수 전체의 집합에서 양의 실수
> 전체의 집합으로의 일대일대응이
> 므로 역함수가 존재한다.

개념 02) 로그함수 $y=\log_a x\ (a>0,\ a\neq1)$의 성질

로그함수 $y=\log_a x\ (a>0,\ a\neq1)$의 그래프는 a의 값의 범위에 따라 다음 그
림과 같다.

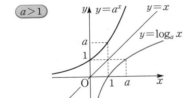
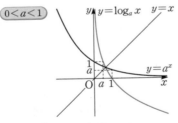

(1) 정의역은 양의 실수 전체의 집합이고, 치역은 실수 전체의 집합이다.
(2) $a>1$일 때, x의 값이 증가하면 y의 값도 증가한다.
  $0<a<1$일 때, x의 값이 증가하면 y의 값은 감소한다.
(3) 그래프는 두 점 $(1,\ 0)$, $(a,\ 1)$을 지난다.
(4) 그래프의 점근선은 y축이다.
(5) 그래프는 지수함수 $y=a^x$의 그래프와 직선 $y=x$에 대하여 대칭이다.

> $a>1$일 때
> $0<x_1<x_2 \Longleftrightarrow \log_a x_1<\log_a x_2$
> $0<a<1$일 때
> $0<x_1<x_2 \Longleftrightarrow \log_a x_1>\log_a x_2$

> $y=\log_{\frac{1}{a}} x=-\log_a x$
> 에서 $-y=\log_a x$이므로 함수
> $y=\log_a x$의 그래프와 함수
> $y=\log_{\frac{1}{a}} x$의 그래프는 x축에 대
> 하여 대칭이다.

확인 02 다음은 함수 $f(x)=\log_a x\ (a>0,\ a\neq1)$에 대한 설명이다. □ 안에 알맞
은 것을 써넣어라.

(1) 정의역은 $\{x\,|\,x$는 ☐$\}$이고, 치역은 $\{y\,|\,y$는 ☐$\}$이다.
(2) $a>1$일 때, $x_1<x_2$이면 $f(x_1)$☐$f(x_2)$이다.
(3) $0<a<1$일 때, $x_1<x_2$이면 $f(x_1)$☐$f(x_2)$이다.

개념 03 **로그함수의 그래프의 평행이동과 대칭이동**

로그함수 $y=\log_a x\,(a>0,\ a\neq1)$의 그래프를

(1) x축의 방향으로 m만큼, y축의 방향으로 n만큼 평행이동한 그래프의 식은
$$y=\log_a(x-m)+n$$

(2) x축에 대하여 대칭이동한 그래프의 식은 $y=-\log_a x$ ← y 대신 $-y$ 대입

(3) y축에 대하여 대칭이동한 그래프의 식은 $y=\log_a(-x)$ ← x 대신 $-x$ 대입

(4) 원점에 대하여 대칭이동한 그래프의 식은 $y=-\log_a(-x)$ ← x 대신 $-x$ 대입, y 대신 $-y$ 대입

(5) 직선 $y=x$에 대하여 대칭이동한 그래프의 식은 $y=a^x$

[예] 로그함수 $y=\log_2 x$의 그래프를

(1) x축의 방향으로 1만큼, y축의 방향으로 2만큼 평행이동 ➡ $y=\log_2(x-1)+2$

(2) x축에 대하여 대칭이동 ➡ $y=-\log_2 x$

(3) y축에 대하여 대칭이동 ➡ $y=\log_2(-x)$

(4) 원점에 대하여 대칭이동 ➡ $y=-\log_2(-x)$

(5) 직선 $y=x$에 대하여 대칭이동 ➡ $y=2^x$

> ▶ 로그함수 $y=\log_a(x-m)+n$의 그래프는 점 $(1+m,\ n)$을 지나고, 점근선은 직선 $x=m$이다.

> **고1 수학** 도형의 대칭이동
> 도형 $f(x,\ y)=0$을 직선 $y=x$에 대하여 대칭이동한 도형의 방정식은 $f(y,\ x)=0$이다.

확인 03 로그함수 $y=\log_3 x$의 그래프를 이용하여 다음 함수의 그래프를 그리고, 정의역과 점근선의 방정식을 구하여라.

(1) $y=\log_3(-x)$

(2) $y=\log_3(x-1)$

(3) $y=\log_3 3x$

(4) $y=\log_3 \dfrac{1}{x-2}$

개념 04 **로그함수의 최대·최소**

정의역이 $\{x\,|\,m\leq x\leq n\}$일 때, 로그함수 $y=\log_a x\,(a>0,\ a\neq1)$의 최댓값과 최솟값은

(1) $a>1$이면 $x=m$일 때 최솟값 $\log_a m$, $x=n$일 때 최댓값 $\log_a n$을 갖는다.

(2) $0<a<1$이면 $x=m$일 때 최댓값 $\log_a m$, $x=n$일 때 최솟값 $\log_a n$을 갖는다.

> ▶ 로그함수 $y=\log_a f(x)$는
> (1) $a>1$이면 $f(x)$가 최대일 때 최댓값, $f(x)$가 최소일 때 최솟값을 갖는다.
> (2) $0<a<1$이면 $f(x)$가 최대일 때 최솟값, $f(x)$가 최소일 때 최댓값을 갖는다.

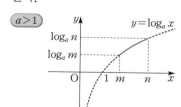

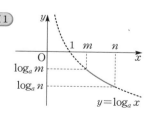

확인 04 $4\leq x\leq64$에서 다음 함수의 최댓값과 최솟값을 구하여라.

(1) $y=\log_2 x$

(2) $y=\log_{\frac{1}{4}} x$

함수 $y=\log_4 x$에 대한 설명으로 옳은 것만을 |보기|에서 있는 대로 골라라.

┤보기├
ㄱ. 정의역은 실수 전체의 집합이다.
ㄴ. 그래프는 점 $(1, 0)$을 지난다.
ㄷ. x의 값이 증가하면 y의 값은 감소한다.
ㄹ. 그래프의 점근선은 x축이다.
ㅁ. 그래프는 $y=4^x$의 그래프와 직선 $y=x$에 대하여 대칭이다.

풍쌤 POINT
로그함수 $y=\log_a x\ (a>0, a\neq1)$ 꼴의 성질을 파악하려면 그래프의 개형을 그려 보면 돼.

풀이 $y=\log_4 x$의 그래프는 다음 그림과 같다.

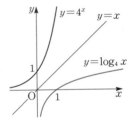

ㄱ. 정의역은 양의 실수 전체의 집합이다. (거짓)
ㄴ. 그래프는 점 $(1, 0)$을 지난다. (참)
ㄷ. x의 값이 증가하면 y의 값도 증가한다. (거짓)
ㄹ. 그래프의 점근선은 y축이다. (거짓)
ㅁ. $y=\log_4 x$의 역함수는 $y=4^x$이므로 $y=\log_4 x$의 그래프는
  $y=4^x$의 그래프와 직선 $y=x$에 대하여 대칭이다. (참)
따라서 옳은 것은 ㄴ, ㅁ이다.

답 ㄴ, ㅁ

풍쌤 강의 NOTE
• 로그함수에서 x의 값이 증가할 때의 y의 값의 변화는 (밑)>1인 경우와 $0<$(밑)<1인 경우로 나누어 생각한다.
• 로그함수 $y=\log_a x$의 그래프를 a의 값에 따라 그리면 다음과 같다.

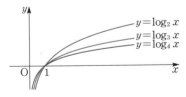
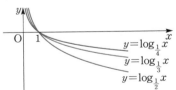

① $a>1$일 때 $\begin{cases} x>1 \text{에서는 } a \text{의 값이 클수록 } x \text{축에 가깝다.} \\ 0<x<1 \text{에서는 } a \text{의 값이 클수록 } y \text{축에 가깝다.} \end{cases}$

② $0<a<1$일 때 $\begin{cases} x>1 \text{에서는 } a \text{의 값이 작을수록 } x \text{축에 가깝다.} \\ 0<x<1 \text{에서는 } a \text{의 값이 작을수록 } y \text{축에 가깝다.} \end{cases}$

01-1 (유사)

다음 중 함수 $y=\log_{\frac{1}{5}} x$에 대한 설명으로 옳은 것을 모두 고르면? (정답 2개)

① 그래프의 점근선은 직선 $x=0$이다.

② 그래프는 점 $(0, 1)$을 지난다.

③ x의 값이 증가하면 y의 값도 증가한다.

④ 그래프는 $y=5^x$의 그래프와 직선 $y=x$에 대하여 대칭이다.

⑤ 그래프는 제1, 4사분면을 지난다.

01-2 (유사)

다음 중 함수 $y=\log_{\frac{1}{a}} \dfrac{1}{x}$ $(a>1)$에 대한 설명으로 옳지 않은 것은?

① 정의역은 양의 실수 전체의 집합이고, 치역은 실수 전체의 집합이다.

② 그래프의 점근선은 y축이다.

③ 그래프는 점 $(1, 0)$을 지난다.

④ x의 값이 증가하면 y의 값은 감소한다.

⑤ $f(x)=\log_{\frac{1}{a}} \dfrac{1}{x}$이라고 할 때, $x_1 \neq x_2$이면 $f(x_1) \neq f(x_2)$이다.

01-3 (변형)

함수 $y=\log_{5-2a} x$가 x의 값이 증가할 때 y의 값도 증가하도록 하는 실수 a의 값의 범위를 구하여라.

01-4 (변형)

네 로그함수 $y=\log_a x$, $y=\log_b x$, $y=\log_c x$, $y=\log_d x$의 그래프가 다음 그림과 같을 때, 네 상수 a, b, c, d의 대소를 비교하여라.

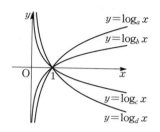

01-5 (변형)

함수 $f(x)=\log_3 x$에 대하여 옳은 것만을 |보기|에서 있는 대로 골라라. (단, $p>0$, $q>0$)

┌─|보기|─────────────────────
│ ㄱ. $3f(p)=f(3p)$
│ ㄴ. $f(pq)=f(p)+f(q)$
│ ㄷ. $f(p-q)=f(p)-f(q)$
│ ㄹ. $f(p)+f\left(\dfrac{1}{p}\right)=1$
└───────────────────────────

다음 로그함수의 그래프를 그리고, 정의역과 점근선의 방정식을 구하여라.

(1) $y=\log_2 (x+1)-2$

(2) $y=\log_{\frac{1}{3}} (2-x)+1$

풍쌤 POINT

주어진 함수의 그래프는 $y=\log_a x \ (a>0, \ a\neq 1)$의 그래프를 평행이동 또는 대칭이동한 그래프임을 알고 함수의 그래프를 그려 봐.

풀이

(1) $y=\log_2 (x+1)-2$의 그래프는 $y=\log_2 x$의 그래프를 x축의 방향으로 -1만큼, y축의 방향으로 -2만큼 평행이동한 것이므로 오른쪽 그림과 같다.

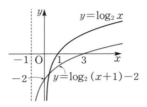

따라서 정의역은 $\{x|x>-1\}$●이고 점근선의 방정식은 $x=-1$이다.

❶ 함수 $y=\log_2 (x+1)-2$의 정의역은 로그의 진수의 조건에 의하여 $x+1>0$, 즉 $x>-1$

(2) $y=\log_{\frac{1}{3}} (2-x)+1=\log_{\frac{1}{3}} \{-(x-2)\}+1$

즉, $y=\log_{\frac{1}{3}} (2-x)+1$의 그래프는 $y=\log_{\frac{1}{3}} x$의 그래프를 y축에 대하여 대칭이동한 후 x축의 방향으로 2만큼, y축의 방향으로 1만큼 평행이동한 것이므로 오른쪽 그림과 같다.

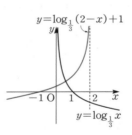

따라서 정의역은 $\{x|x<2\}$❷이고 점근선의 방정식은 $x=2$이다.

❷ 함수 $y=\log_{\frac{1}{3}} (2-x)+1$의 정의역은 로그의 진수의 조건에 의하여 $2-x>0$, 즉 $x<2$

📖 (1) 풀이 참조, 정의역: $\{x|x>-1\}$, 점근선의 방정식: $x=-1$
　(2) 풀이 참조, 정의역: $\{x|x<2\}$, 점근선의 방정식: $x=2$

풍쌤 강의 NOTE

· 로그함수 $y=\log_a (bx+m)+n$에서 x의 계수 b가 1이 아닐 때에는 x의 계수로 묶어 식을 변형한 후 평행이동 또는 대칭이동을 이용하여 그 그래프를 그린다.
예를 들어 함수 $y=\log_2 (2x+4)$에서 $\log_2 2(x+2)=\log_2 2+\log_2 (x+2)=1+\log_2 (x+2)$이므로 함수 $y=\log_2 (2x+4)$의 그래프를 그릴 때에는 함수 $y=\log_2 (x+2)+1$의 그래프를 그리면 된다.

· 함수 $y=\log_a (x-m)+n$의 정의역은 $\{x|x>m\}$, 치역은 실수 전체의 집합이고, 그래프의 점근선은 직선 $x=m$이다.

02-1 ◦ 유사

다음 로그함수의 그래프를 그리고, 정의역과 점근선의 방정식을 구하여라.

(1) $y=\log_{\frac{1}{2}}(x+1)-3$

(2) $y=\log_3(-x)+1$

(3) $y=-\log_{\frac{1}{3}}(3x-9)$

(4) $y=\log_2(8x+16)-1$

02-2 ◦ 변형

오른쪽 그림은 함수 $y=\log_2 x$ 의 그래프를 x축에 대하여 대칭 이동한 후 x축의 방향으로 m 만큼, y축의 방향으로 n만큼 평행이동한 그래프와 그 점근선을 나타낸 것이다. mn의 값을 구하여라.

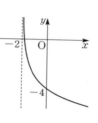

02-3 ◦ 변형 · 기출

함수 $y=\log_3\left(\dfrac{x}{9}-1\right)$의 그래프는 함수 $y=\log_3 x$의 그래프를 x축의 방향으로 m만큼, y축의 방향으로 n만큼 평행이동한 것이라고 할 때, $10(m+n)$의 값을 구하여라.

02-4 ◦ 변형

함수 $y=\log_5 x$의 그래프를 원점에 대하여 대칭이동한 후 x축의 방향으로 k만큼 평행이동한 그래프가 점 $(-6, -2)$를 지날 때, k의 값을 구하여라.

02-5 ◦ 변형

함수 $y=\log_3 x$의 그래프를 평행이동 또는 대칭이동하여 겹쳐질 수 있는 것만을 보기에서 있는 대로 골라라.

┤보기├
ㄱ. $y=\log_3 9x$ ㄴ. $y=\log_3 x^2$

ㄷ. $y=\log_{\frac{1}{3}}(6-3x)$ ㄹ. $y=\log_3\dfrac{3}{x}+2$

02-6 ◦ 실력

다음 그림과 같이 두 함수 $y=\log_2 4x$, $y=\log_2 x$의 그래프와 두 직선 $x=2$, $x=5$로 둘러싸인 부분의 넓이를 구하여라.

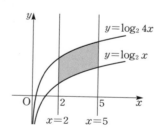

다음 함수의 역함수를 구하여라.

(1) $y = 2^{x-3} + 1$

(2) $y = \log_3(x+2) - 1$

풍쌤 POINT

일대일대응인 함수 $y = f(x)$의 역함수를 구하는 방법을 떠올려 봐.

$$\boxed{y = f(x)\text{를 }x\text{에 대하여 풀기}} \quad \Rightarrow \quad \boxed{x\text{와 }y\text{를 서로 바꾸기}}$$

이때 $y = f(x)$의 치역은 그 역함수의 정의역이 됨에 주의해!

풀이

(1) **STEP1** 지수함수가 일대일대응임을 이해하기

함수 $y = 2^{x-3} + 1$은 실수 전체의 집합에서 집합 $\{y \mid y > 1\}$❶ 로의 일대일대응이므로 역함수가 존재한다.

STEP2 $y = f(x)$를 x에 대하여 풀어 $x = f^{-1}(y)$ 꼴로 변형하기

$y = 2^{x-3} + 1$에서 $y - 1 = 2^{x-3}$

로그의 정의에 의하여 $x - 3 = \log_2(y-1)$❷

$\therefore x = \log_2(y-1) + 3$

STEP3 x와 y를 서로 바꾸기

x와 y를 서로 바꾸면 구하는 역함수는

$y = \log_2(x-1) + 3$❸

(2) **STEP1** 로그함수가 일대일대응임을 이해하기

함수 $y = \log_3(x+2) - 1$은 집합 $\{x \mid x > -2\}$❹에서 실수 전체의 집합으로의 일대일대응이므로 역함수가 존재한다.

STEP2 $y = f(x)$를 x에 대하여 풀어 $x = f^{-1}(y)$ 꼴로 변형하기

$y = \log_3(x+2) - 1$에서 $y + 1 = \log_3(x+2)$

로그의 정의에 의하여 $x + 2 = 3^{y+1}$❺

$\therefore x = 3^{y+1} - 2$

STEP3 x와 y를 서로 바꾸기

x와 y를 서로 바꾸면 구하는 역함수는

$y = 3^{x+1} - 2$❻

❶ $2^{x-3} > 0$이므로
$2^{x-3} + 1 > 1$

❷ 2를 밑으로 하는 로그함수로 고친다.

❸ 정의역: $\{x \mid x > 1\}$
치역: 실수 전체의 집합

❹ 진수의 조건에서 $x + 2 > 0$이므로 $x > -2$

❺ 3을 밑으로 하는 지수함수로 고친다.

❻ 정의역: 실수 전체의 집합
치역: $\{y \mid y > -2\}$

📖 (1) $y = \log_2(x-1) + 3$ (2) $y = 3^{x+1} - 2$

풍쌤 강의 NOTE

지수함수와 로그함수는 서로 역함수 관계이므로 지수함수의 정의역과 로그함수의 치역이 같고, 지수함수의 치역은 로그함수의 정의역과 같다.

03-1 (유사)

다음 함수의 역함수를 구하여라.

(1) $y = 3^{-x+2} - 1$

(2) $y = \log_{\frac{1}{2}}(x-4) + 3$

03-2 (변형)

다음 함수의 역함수를 구하여라.

(1) $y = \dfrac{3^x - 3^{-x}}{2}$

(2) $y = \log_2(x + \sqrt{x^2+1})$

03-3 (변형)

다음 물음에 답하여라.

(1) 함수 $y = 2^{ax}$의 역함수가 $y = \dfrac{a}{100}\log_2 x$일 때, 양수 a의 값을 구하여라.

(2) 함수 $y = \log_4(x+a) - 2$의 역함수가 $y = 4^{x+b} - 3$일 때, 상수 a, b에 대하여 $a+b$의 값을 구하여라.

03-4 (변형)

함수 $f(x) = \log_{\frac{1}{2}}(x-3) + k$의 역함수 $g(x)$에 대하여 $g(4) = 7$일 때, $f(19)$의 값을 구하여라.

(단, k는 상수이다.)

03-5 (변형) (기출)

함수 $f(x) = 1 + 3\log_2 x$에 대하여 함수 $g(x)$가 $(g \circ f)(x) = x$를 만족시킬 때, $g(13)$의 값을 구하여라.

03-6 (실력)

함수 $f(x) = \log_3 x - 4$의 역함수를 $g(x)$라고 할 때, 다음 중 함수 $f(x+1)$의 역함수는?

① $g(x-1) - 1$ 　　② $g(x-1)$

③ $g(x) - 1$ 　　　④ $g(x) + 1$

⑤ $g(x+1)$

오른쪽 그림은 두 함수 $y=2^x$과 $y=\log_2 x$의 그래프이다. 두 점 A, C는 함수 $y=2^x$의 그래프 위의 점이고 두 점 B, D는 함수 $y=\log_2 x$의 그래프 위의 점일 때, 점 D의 좌표를 구하여라.

(단, 두 점 A와 B, 두 점 C와 D를 이은 점선은 x축에 평행하다.)

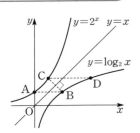

풍쌤 POINT

두 함수 $y=a^x$, $y=\log_a x$의 그래프는 직선 $y=x$에 대하여 대칭임을 이용하면 두 함수의 그래프 위의 점의 좌표를 구할 수 있어.

풀이

STEP1 점 A의 좌표 구하기

함수 $y=2^x$의 그래프는 점 $(0, 1)$을 지나므로 $A(0, 1)$

STEP2 점 B의 좌표 구하기

점 A와 점 B의 y좌표는 1로 같으므로 점 B의 좌표를 $(b, 1)$이라고 하면

$1=\log_2 b$❶ ∴ $b=2$

∴ $B(2, 1)$

❶ 함수 $y=\log_2 x$의 그래프가 점 B를 지나므로 $x=b$, $y=1$을 $y=\log_2 x$에 대입한다.

STEP3 점 C의 좌표 구하기

두 함수 $y=2^x$, $y=\log_2 x$는 서로 역함수 관계이므로 두 함수의 그래프는 직선 $y=x$에 대하여 대칭이다.

따라서 점 B와 점 C는 직선 $y=x$에 대하여 대칭이므로

$C(1, 2)$❷

❷ 점 C의 x좌표, y좌표는 각각 점 B의 y좌표, x좌표와 같다.

STEP4 점 D의 좌표 구하기

점 C와 점 D의 y좌표는 2로 같으므로 점 D의 좌표를 $(d, 2)$라고 하면

$2=\log_2 d$❸ ∴ $d=2^2=4$

∴ $D(4, 2)$

❸ 함수 $y=\log_2 x$의 그래프가 점 D를 지나므로 $x=d$, $y=2$를 $y=\log_2 x$에 대입한다.

답 $(4, 2)$

풍쌤 강의 NOTE

· 두 함수 $y=a^x$, $y=\log_a x$는 서로 역함수 관계이므로 두 함수의 그래프는 직선 $y=x$에 대하여 대칭이고, 함수 $y=a^x$의 그래프가 점 (p, q)를 지나면 함수 $y=\log_a x$의 그래프는 점 (q, p)를 지난다.

· 로그함수 $y=\log_a x$의 그래프가 점 (m, n)을 지난다.

➡ $n=\log_a m \Longleftrightarrow a^n=m$

04-1 ◉ 유사

다음 그림은 두 함수 $y=3^x$과 $y=\log_3 x$의 그래프이다. 두 점 A, C는 함수 $y=3^x$의 그래프 위의 점이고 두 점 B, D는 함수 $y=\log_3 x$의 그래프 위의 점일 때, 점 D의 좌표를 구하여라. (단, 두 점 A와 B, 두 점 C와 D를 이은 점선은 x축에 평행하다.)

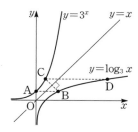

04-2 ◉ 변형

다음 그림과 같이 직선 $y=-x+6$이 두 함수 $y=a^x$, $y=\log_a x$의 그래프와 만나는 점을 각각 A, B라고 하자. $\overline{AB}=2\sqrt{2}$일 때, a의 값을 구하여라.

(단, 점 A의 x좌표는 점 B의 x좌표보다 작다.)

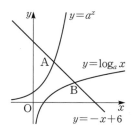

04-3 ◉ 변형

다음 그림에서 함수 $y=g(x)$의 그래프는 함수 $y=\log_2 (x-1)$의 그래프와 직선 $y=x$에 대하여 대칭이다. 함수 $y=g(x)$의 그래프는 점 P$(2, b)$를 지나고, 함수 $y=\log_2 (x-1)$의 그래프는 점 Q(a, b)를 지날 때, $a+b$의 값을 구하여라.

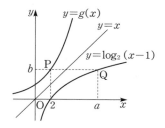

04-4 ◉ 실력

기출

곡선 $y=\log_{\sqrt{2}} (x-a)$와 직선 $y=\frac{1}{2}x$가 만나는 점 중 한 점을 A라 하고, 점 A를 지나고 기울기가 -1인 직선이 곡선 $y=(\sqrt{2})^x+a$와 만나는 점을 B라고 하자. 삼각형 OAB의 넓이가 6일 때, 상수 a의 값을 구하여라. (단, $0<a<4$이고, O는 원점이다.)

오른쪽 그림은 함수 $y=\log_2 x$의 그래프와 직선 $y=x$를 나타 낸 것이다. $\log_2 \dfrac{bc^3}{d}$의 값을 구하여라.

(단, 점선은 x축 또는 y축에 평행하다.)

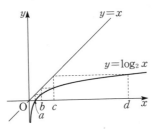

풍쌤 POINT

직선 $y=x$ 위의 점은 x좌표와 y좌표가 같음을 이용하여 a, b, c의 값을 차례대로 구해.

풀이

STEP1 a, b, c의 값 구하기

오른쪽 그림에서

$\log_2 b=a$

$\log_2 c=b$

$\log_2 d=c$

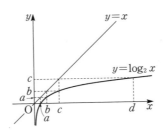

$y=\log_2 x$의 그래프는

점 $(1, 0)$을 지나므로

$a=1$

$y=\log_2 x$의 그래프는 점 $(b, 1)$을 지나므로

$1=\log_2 b$ $\therefore b=2$

$y=\log_2 x$의 그래프는 점 $(c, 2)$를 지나므로

$2=\log_2 c$ $\therefore c=2^2=4$

STEP2 로그의 성질을 이용하여 $\log_2 \dfrac{bc^3}{d}$의 값 구하기

$\therefore \log_2 \dfrac{bc^3}{d}=\log_2 b+3\log_2 c-\log_2 d$❶

$=a+3b-c$

$=1+3\times2-4=3$

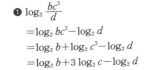

❶ $\log_2 \dfrac{bc^3}{d}$

$=\log_2 bc^3-\log_2 d$

$=\log_2 b+\log_2 c^3-\log_2 d$

$=\log_2 b+3\log_2 c-\log_2 d$

답 3

풍쌤 강의 NOTE

· 로그함수 $y=\log_a x$의 그래프가 점 (p, q)를 지나면 $q=\log_a p \Longleftrightarrow a^q=p$

· 함수 $y=f(x)$의 그래프와 직선 $y=x$가 주어질 때에는 직선 $y=x$ 위의 점의 x좌표와 y좌표가 같고, y축(x축)에 평행한 한 직선 위의 점들의 x좌표(y좌표)가 각각 같음을 이용하여 함숫값을 구한다.

05-1 ⦿ 유사

다음 그림은 함수 $y=\log_3 x$의 그래프와 직선 $y=x$를
나타낸 것이다. $\log_3 b^2+c$의 값을 구하여라.

(단, 점선은 x축 또는 y축에 평행하다.)

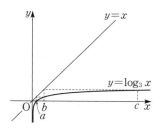

05-2 ⦿ 변형

다음 그림과 같이 곡선 $y=\log_a x$ 위의 점 $A(2, \log_a 2)$
를 지나고 x축에 평행한 직선이 곡선 $y=\log_b x$와 만
나는 점을 B, 점 B를 지나고 y축에 평행한 직선이 곡선
$y=\log_a x$와 만나는 점을 C라고 하자. $\overline{AB}=\overline{BC}=2$
일 때, a^2b의 값을 구하여라. (단, $1<a<b$)

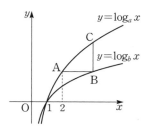

05-3 ⦿ 변형 ⦿ 기출

다음 그림과 같이 함수 $y=\log_2 x$의 그래프 위의 두
점 A, B에서 x축에 내린 수선의 발을 각각 $C(p, 0)$,
$D(2p, 0)$이라고 하자. 삼각형 BCD와 삼각형 ACB
의 넓이의 차가 8일 때, 실수 p의 값을 구하여라.

(단, $p>1$)

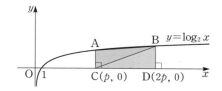

05-4 ⦿ 변형

다음 그림과 같이 두 곡선 $y=\log_4 x$, $y=\log_{\frac{1}{4}} x$와 두
직선 $x=a$, $x=a+2$가 만나는 점을 각각 A, B, C, D
라고 하자. 사각형 ABDC의 넓이가 3일 때, 상수 a의
값을 구하여라. (단, $a>1$)

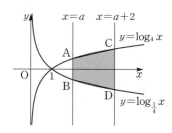

다음 세 수의 대소를 비교하여라.

(1) 3, $\log_2 9$, $\log_4 63$

(2) -1, $\log_{\frac{1}{3}} \dfrac{1}{2}$, $\log_{\frac{1}{9}} 4$

풍쌤 POINT

로그를 포함한 수의 대소를 비교할 때에는 로그의 밑을 통일한 후 진수만 비교!

(밑)>1이면 진수가 클수록 큰 수이고, 0<(밑)<1이면 진수가 클수록 작은 수야.

풀이

(1) $3 = \log_2 2^3 = \log_2 8$

$\log_4 63 = \log_{2^2} 63 = \dfrac{1}{2}\log_2 63 = \log_2 63^{\frac{1}{2}} = \log_2 \sqrt{63}$ ❶

이때 $\sqrt{63} < 8 < 9$이고, 함수 $y = \log_2 x$는 x의 값이 증가하면

y의 값도 증가하므로

$\log_2 \sqrt{63} < \log_2 8 < \log_2 9$

$\therefore \log_4 63 < 3 < \log_2 9$

> ❶ 세 수를 밑이 2인 로그로 통일
> 하여 나타낸다.

(2) $-1 = -\log_{\frac{1}{3}} \dfrac{1}{3} = \log_{\frac{1}{3}} \left(\dfrac{1}{3}\right)^{-1} = \log_{\frac{1}{3}} 3$

$\log_{\frac{1}{9}} 4 = \log_{\left(\frac{1}{3}\right)^2} 2^2 = \log_{\frac{1}{3}} 2$ ❷

이때 $\dfrac{1}{2} < 2 < 3$이고, 함수 $y = \log_{\frac{1}{3}} x$는 x의 값이 증가하면

y의 값은 감소하므로

$\log_{\frac{1}{3}} 3 < \log_{\frac{1}{3}} 2 < \log_{\frac{1}{3}} \dfrac{1}{2}$

$\therefore -1 < \log_{\frac{1}{9}} 4 < \log_{\frac{1}{3}} \dfrac{1}{2}$

> ❷ 세 수를 밑이 $\dfrac{1}{3}$인 로그로 통일
> 하여 나타낸다.

🔳 (1) $\log_4 63 < 3 < \log_2 9$ (2) $-1 < \log_{\frac{1}{9}} 4 < \log_{\frac{1}{3}} \dfrac{1}{2}$

풍쌤 강의 NOTE

로그를 포함한 수의 대소를 비교할 때에는 로그의 밑을 통일한 후 다음과 같은 로그함수의 성질을

이용한다.

로그함수 $y = \log_a x$에 대하여

① $a > 1$일 때, $0 < x_1 < x_2 \iff \log_a x_1 < \log_a x_2$

② $0 < a < 1$일 때, $0 < x_1 < x_2 \iff \log_a x_1 > \log_a x_2$

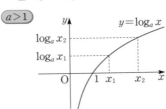

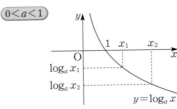

06-1 ⊙유사

다음 세 수의 대소를 비교하여라.

(1) $-\log_9 \dfrac{1}{27}$, $2\log_3 2$, $\log_3 \sqrt{15}$

(2) $\log_{\sqrt{5}} 2$, $\dfrac{\log 3}{\log 5}$, $\dfrac{1}{2}\log_5 10$

06-2 ⊙유사

다음 세 수의 대소를 비교하여라.

(1) $\log_{\frac{1}{4}} \dfrac{1}{2}$, $\log_{\frac{1}{2}} 5$, -2

(2) $2\log_{0.1} 4\sqrt{3}$, $\log_{0.1} 50$, $\log \dfrac{1}{45}$

06-3 ⊙변형

$1<a<3$일 때, 다음 세 수를 작은 것부터 차례대로 나열하여라.

$$A=\log_3 a, \quad B=\log_3 \dfrac{1}{a}, \quad C=\log_a 3$$

06-4 ⊙변형

$0<a<b<1$일 때, 네 수 $\log_a b$, $\log_a \dfrac{a}{b}$, $\log_b a$, $\log_b \dfrac{b}{a}$ 중 가장 큰 수를 구하여라.

06-5 ⊙실력

n이 1보다 큰 자연수일 때, 옳은 것만을 |보기에서 있는 대로 골라라.

┤보기├

ㄱ. $\log_2 n < \log_2 (n+1)$

ㄴ. $\log_{\frac{1}{2}} n > \log_{\frac{1}{3}} n$

ㄷ. $\log_2 (n+1) > \log_3 (n+2)$

06-6 ⊙실력

$1<x<9$일 때, 세 수

$$A=\log_3 x^2, \quad B=(\log_3 x)^2, \quad C=\log_3(\log_3 x)$$

의 대소를 비교하여라.

다음 함수의 최댓값과 최솟값을 구하여라.

(1) $y=\log_2(x-3)$ $(5\leq x\leq 7)$

(2) $y=\log_{\frac{1}{2}}(-x^2-4x+4)$ $(-3\leq x\leq 0)$

풍쌤 POINT

함수 $y=\log_a f(x)$ 꼴의 최대·최소를 구할 때에는 먼저 밑의 범위가 (밑)>1, 0<(밑)<1인지 확인!

$f(x)$가 이차식인 경우에는 주어진 x의 값의 범위에서 $f(x)$의 최댓값과 최솟값을 구하면 주어진 함수의 최댓값과 최솟값을 구할 수 있어.

풀이

(1) **STEP1** 주어진 함수가 증가하는 함수임을 이해하기

함수 $y=\log_2(x-3)$에서 밑이 2이고 2>1이므로 주어진 함수는 x의 값이 증가하면 y의 값도 증가한다.

STEP2 주어진 함수의 최댓값과 최솟값 구하기

$5\leq x\leq 7$에서 함수 $y=\log_2(x-3)$은

$x=7$일 때 최대이고, 최댓값은 $\log_2(7-3)=\log_2 2^2=2$

$x=5$일 때 최소이고, 최솟값은 $\log_2(5-3)=\log_2 2=1$

(2) **STEP1** $f(x)=-x^2-4x+4$로 놓고 $f(x)$의 값의 범위 구하기

$f(x)=-x^2-4x+4$로 놓으면

$f(x)=-(x+2)^2+8$

$f(-3)=7$, $f(-2)=8$, $f(0)=4$❶이므로

$-3\leq x\leq 0$에서 $4\leq f(x)\leq 8$

STEP2 주어진 함수의 최댓값과 최솟값 구하기

함수 $y=\log_{\frac{1}{2}}f(x)$는 밑이 $\frac{1}{2}$이고 $0<\frac{1}{2}<1$이므로 $f(x)$가 최대일 때 y는 최소, $f(x)$가 최소일 때 y는 최대가 된다.

함수 $y=\log_{\frac{1}{2}}f(x)$는

$f(x)=4$일 때 최대이고, 최댓값은 $\log_{\frac{1}{2}}4=\log_{2^{-1}}2^2=-2$

$f(x)=8$일 때 최소이고, 최솟값은 $\log_{\frac{1}{2}}8=\log_{2^{-1}}2^3=-3$

❶ $-3\leq x\leq 0$에서 $f(x)$는 $x=-2$일 때 최댓값 8을 갖고, $x=0$일 때 최솟값 4를 갖는다.

답 (1) 최댓값: 2, 최솟값: 1 　(2) 최댓값: -2, 최솟값: -3

풍쌤 강의 NOTE

• 로그함수의 진수가 일차식인 경우에는 주어진 범위의 양 끝값에서 최댓값과 최솟값을 갖는다.

• 로그함수 $y=\log_a(px^2+qx+r)$ 꼴인 경우에는 $f(x)=px^2+qx+r$로 놓고 주어진 범위에서 $f(x)$의 최댓값과 최솟값을 구한 후, 다음을 이용하여 $y=\log_a f(x)$의 최댓값과 최솟값을 구한다.

① $a>1$이면 $f(x)$가 최대일 때 y도 최대이고, $f(x)$가 최소일 때 y도 최소이다.

② $0<a<1$이면 $f(x)$가 최소일 때 y는 최대이고, $f(x)$가 최대일 때 y는 최소이다.

07-1 〔유사〕

다음 함수의 최댓값과 최솟값을 구하여라.

(1) $y = \log_{\frac{1}{2}}(3x-2)$ $(2 \leq x \leq 6)$

(2) $y = \log_3(x+2)+4$ $(1 \leq x \leq 7)$

(3) $y = \log_2(x^2+6x+13)$ $(-5 \leq x \leq -1)$

(4) $y = \log_{\frac{1}{3}}(-x^2+2x+9)$ $(2 \leq x \leq 4)$

07-2 〔변형〕

함수 $y = \log_3(x-1)+\log_3(7-x)$는 $x=a$에서 최댓값 M을 가질 때, $a+M$의 값을 구하여라.

07-3 〔변형〕 〔기출〕

$-1 \leq x \leq 2$에서 함수 $f(x) = \log_2(x^2-2x+a)$의 최솟값이 3일 때, 상수 a의 값을 구하여라.

07-4 〔변형〕

정의역이 $\{x \mid 5 \leq x \leq 9\}$인 함수 $y = \log_{\frac{1}{3}}(x+k)$의 최댓값이 -3일 때, 상수 k의 값을 구하여라.

07-5 〔변형〕

두 함수 $f(x) = \log_{\frac{1}{5}} x$, $g(x) = x^2+6x+14$에 대하여 함수 $(f \circ g)(x)$의 최댓값을 구하여라.

07-6 〔변형〕

정의역이 $\{x \mid 0 \leq x \leq 3\}$인 함수 $y = \log_a(x^2-4x+8)$의 최솟값이 -1일 때, 최댓값을 구하여라.

(단, $0 < a < 1$)

다음 함수의 최댓값과 최솟값을 구하여라.

(1) $y=(\log_2 x)^2-\log_2 x^2+3$ $(2\leq x\leq 8)$

(2) $y=(\log_{\frac{1}{3}} x)\left(\log_{\frac{1}{3}} \dfrac{9}{x}\right)$ $\left(\dfrac{1}{3}\leq x\leq 9\right)$

풍쌤 POINT

$\log_a x$ 꼴이 반복되는 함수의 최댓값과 최솟값은 $\log_a x=t$로 치환하여 t에 대한 함수의 최댓값과 최솟값을 이용하여 구하면 돼. 이때 t의 값의 범위에 주의해!

풀이

(1) **STEP 1** $\log_2 x=t$로 놓고 t의 값의 범위 구하기

$$y=(\log_2 x)^2-\log_2 x^2+3=(\log_2 x)^2-2\log_2 x+3$$

$\log_2 x=t$로 놓으면 $2\leq x\leq 8$에서 $\log_2 2\leq \log_2 x\leq \log_2 8$❶

$$\therefore 1\leq t\leq 3$$

STEP 2 주어진 함수를 t에 대한 식으로 나타내고 최댓값과 최솟값 구하기

이때 주어진 함수는 $y=t^2-2t+3=(t-1)^2+2$❷

따라서 $1\leq t\leq 3$에서 함수 $y=(t-1)^2+2$는

$t=3$일 때 최대이고, 최댓값은 $(3-1)^2+2=6$

$t=1$일 때 최소이고, 최솟값은 $(1-1)^2+2=2$

❶ 함수 $y=\log_2 x$는 x의 값이 증가하면 y의 값도 증가한다.

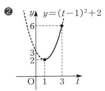

❷

(2) **STEP 1** $\log_{\frac{1}{3}} x=t$로 놓고 t의 값의 범위 구하기

$$y=(\log_{\frac{1}{3}} x)\left(\log_{\frac{1}{3}} \dfrac{9}{x}\right)=\log_{\frac{1}{3}} x\left(\log_{\frac{1}{3}} 9-\log_{\frac{1}{3}} x\right)$$

$$=\log_{\frac{1}{3}} x\left(-2-\log_{\frac{1}{3}} x\right)=-(\log_{\frac{1}{3}} x)^2-2\log_{\frac{1}{3}} x$$

$\log_{\frac{1}{3}} x=t$로 놓으면 $\dfrac{1}{3}\leq x\leq 9$에서

$\log_{\frac{1}{3}} 9\leq \log_{\frac{1}{3}} x\leq \log_{\frac{1}{3}} \dfrac{1}{3}$❸ $\therefore -2\leq t\leq 1$

STEP 2 주어진 함수를 t에 대한 식으로 나타내고 최댓값과 최솟값 구하기

이때 주어진 함수는 $y=-t^2-2t=-(t+1)^2+1$❹

따라서 $-2\leq t\leq 1$에서 함수 $y=-(t+1)^2+1$은

$t=-1$일 때 최대이고, 최댓값은 $-(-1+1)^2+1=1$

$t=1$일 때 최소이고, 최솟값은 $-(1+1)^2+1=-3$

❸ 함수 $y=\log_{\frac{1}{3}} x$는 x의 값이 증가하면 y의 값은 감소한다.

❹

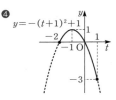

답 (1) 최댓값: 6, 최솟값: 2   (2) 최댓값: 1, 최솟값: -3

풍쌤 강의 NOTE

$\log_a x$ 꼴이 반복되는 함수에서 $\log_a x=t$로 치환할 때 $t>0$이라고 생각하지 않도록 주의한다.

즉, $\log_a x$는 0 또는 음수도 될 수 있으므로 주어진 x의 값의 범위를 이용하여 t의 값의 범위를 구한다.

08-1 ⊙ 유사

다음 함수의 최댓값과 최솟값을 구하여라.

(1) $y=(\log_{\frac{1}{3}} x)^2+\log_{\frac{1}{3}} x^4+2$ $(1\le x\le 27)$

(2) $y=\left(\log_2 \dfrac{x}{2}\right)\left(\log_2 \dfrac{4}{x}\right)$ $\left(\dfrac{1}{2}\le x\le 8\right)$

08-2 ⊙ 변형 · 기출

정의역이 $\{x\,|\,1\le x\le 81\}$인 함수

$$y=(\log_3 x)(\log_{\frac{1}{3}} x)+2\log_3 x+10$$

의 최댓값을 M, 최솟값을 m이라고 할 때, $M+m$의 값을 구하여라.

08-3 ⊙ 변형

함수 $y=(\log_2 x)^2+a\log_8 x^2+b$가 $x=\dfrac{1}{4}$에서 최솟값 -1을 가질 때, 상수 a, b에 대하여 $a+b$의 값을 구하여라.

08-4 ⊙ 변형

함수 $y=(\log_5 5x)\left(\log_5 \dfrac{25}{x}\right)+a$가 $x=b$에서 최댓값 1을 가질 때, $\dfrac{b^2}{a}$의 값을 구하여라.

(단, a는 상수이다.)

08-5 ⊙ 변형

함수 $y=3^{2\log x}-(x^{\log 3}+3^{\log x})+6$이 $x=a$에서 최솟값 b를 가질 때, $b-a$의 값을 구하여라.

08-6 ⊙ 실력

정의역이 $\left\{x\,\middle|\,\dfrac{1}{2}\le x\le 8\right\}$인 함수 $y=x^{4-\log_2 x}$의 최댓값을 M, 최솟값을 m이라고 할 때, Mm의 값을 구하여라.

$x>0$, $y>0$일 때, $\log_2\left(3x+\dfrac{1}{y}\right)+\log_2\left(y+\dfrac{3}{x}\right)$의 최솟값을 구하여라.

풍쌤 POINT

진수에 양수인 미지수 ax와 $\dfrac{a}{x}$ (a는 상수) 꼴이 포함되어 있는 식의 최댓값 또는 최솟값을 구할 때에는 산술평균과 기하평균의 관계를 생각해.

풀이

STEP1 로그의 성질을 이용하여 주어진 식 변형하기

$$\log_2\left(3x+\frac{1}{y}\right)+\log_2\left(y+\frac{3}{x}\right)=\log_2\left(3x+\frac{1}{y}\right)\left(y+\frac{3}{x}\right)^{❶}$$

$$=\log_2\left(3xy+\frac{3}{xy}+10\right)$$

$$\cdots\cdots\ \text{㉠}$$

❶ 로그의 성질
$$\log_a A+\log_a B=\log_a AB$$
를 이용한다.

STEP2 산술평균과 기하평균의 관계를 이용하여 최솟값 구하기

$x>0$, $y>0$이므로 산술평균과 기하평균의 관계에 의하여

$$3xy+\frac{3}{xy}+10\geq 2\sqrt{3xy\times\frac{3}{xy}}+10$$

$$=2\sqrt{9}+10=16$$

$$\left(\text{단, 등호는 } 3xy=\frac{3}{xy},\ \text{즉 } xy=1\text{일 때 성립한다.}\right)^{❷}$$

❷ $3xy=\dfrac{3}{xy}$에서 $(xy)^2=1$
이때 $x>0$, $y>0$이므로 $xy=1$

이때 밑이 2이고 $2>1$이므로 ㉠은 $3xy+\dfrac{3}{xy}+10$이 최소일 때 최소가 된다.

㉠에서

$$\log_2\left(3xy+\frac{3}{xy}+10\right)\geq\log_2 16$$

$$=\log_2 2^4=4$$

따라서 구하는 최솟값은 4이다.

답 4

풍쌤 강의 NOTE

· 로그가 포함된 식의 최댓값 또는 최솟값을 구할 때, 양수이고 서로 역수 관계인 로그의 진수가 포함되어 있으면 다음과 같은 산술평균과 기하평균의 관계를 이용한다.

➡ $a>0$, $b>0$일 때, $a+b\geq 2\sqrt{ab}$ (단, 등호는 $a=b$일 때 성립한다.)

· $\log_a b>0$, $\log_b a>0$일 때, 함수 $y=\log_a b+\log_b a$의 최댓값 또는 최솟값을 구할 때에는 산술평균과 기하평균의 관계를 이용한다.

➡ $\log_a b+\log_b a\geq 2\sqrt{\log_a b\times\log_b a}=2\sqrt{\log_a b\times\dfrac{1}{\log_a b}}=2$

(단, 등호는 $\log_a b=\log_b a$일 때 성립한다.)

09-1 유사

$x>0$, $y>0$일 때, $\log_5\left(x+\dfrac{1}{y}\right)+\log_5\left(y+\dfrac{16}{x}\right)$의 최솟값을 구하여라.

09-4 변형

$\log_5 x+\log_5 y=3$일 때, $5x+y$의 최솟값을 구하여라.

09-2 유사

$x>0$, $y>0$일 때, $\log_{\frac{1}{3}}\left(2x+\dfrac{1}{y}\right)+\log_{\frac{1}{3}}\left(y+\dfrac{2}{x}\right)$의 최댓값을 구하여라.

09-5 변형

$x+y=16$을 만족시키는 두 양수 x, y에 대하여 $\log_4 x+\log_4 y$의 최댓값을 구하여라.

09-3 변형

$x>1$일 때, 함수 $y=\log_3 x+\log_x 81$의 최솟값을 구하여라.

09-6 실력

$\dfrac{1}{5}\leq x\leq 20$일 때, $\log 5x\times\log\dfrac{20}{x}$은 $x=a$에서 최댓값 M을 갖는다. 이때 $a+M$의 값을 구하여라.

실전 연습 문제

01

함수 $y = \log_2(-x^2 + 5x + 6)$의 정의역을 A, 함수 $y = \log_3(x-2)$의 정의역을 B라고 할 때, 집합 $A \cap B$의 원소 중 정수의 합은?

① 9 ② 12 ③ 14

④ 15 ⑤ 20

02

다음 중 함수 $y = \log_{\frac{1}{2}}(x-3) + 2$에 대한 설명으로 옳지 <u>않은</u> 것은?

① 그래프는 점 $(5, 1)$을 지난다.

② 정의역은 $\{x \mid x > 3\}$이고, 치역은 실수 전체의 집합이다.

③ 역함수는 $y = \left(\dfrac{1}{2}\right)^{x-2} - 3$이다.

④ $x > 3$인 x에 대하여 x의 값이 증가할 때, y의 값은 감소한다.

⑤ 그래프는 $y = \log_{\frac{1}{2}} x$의 그래프를 x축의 방향으로 3만큼, y축의 방향으로 2만큼 평행이동한 것이다.

03

함수 $y = \log_3(x+a) + b$의 그래프가 다음 그림과 같을 때, 상수 a, b에 대하여 $a+b$의 값을 구하여라.

(단, 점선은 점근선이다.)

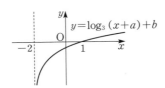

04 서술형✎

함수 $y = \log_2 kx$의 그래프를 y축의 방향으로 -4만큼 평행이동한 후 x축에 대하여 대칭이동한 그래프가 함수 $y = \log_2 \dfrac{8}{5x}$의 그래프와 일치할 때, 상수 k의 값을 구하여라.

05

다음 |보기|의 함수 중 그 그래프가 함수 $y = \log_2 x$의 그래프를 평행이동 또는 대칭이동하여 겹칠 수 있는 것의 개수는?

┌─|보기|─────────────────────┐
ㄱ. $y = \log_{\frac{1}{2}} 5x$　　　ㄴ. $y = 3 \times 2^x - 1$

ㄷ. $y = \log_4(4x+1)$　　ㄹ. $y = \log_4 x^2 - 3$

ㅁ. $y = -2\log_2 x + 6$　ㅂ. $y = 2\log_2 \sqrt{x-4}$
└───────────────────────────┘

① 2 ② 3 ③ 4

④ 5 ⑤ 6

06 기출

함수 $y = \log_3 x$의 그래프를 x축의 방향으로 a만큼, y축의 방향으로 2만큼 평행이동한 그래프를 나타내는 함수를 $y = f(x)$라고 하자. 함수 $f(x)$의 역함수가 $f^{-1}(x) = 3^{x-2} + 4$일 때, 상수 a의 값은?

① 1 ② 2 ③ 3

④ 4 ⑤ 5

07

다음 그림과 같이 두 함수 $y=\log_6(x+1)$, $y=\log_6(x-1)-6$의 그래프와 두 직선 $y=-3x$, $y=-3x+18$로 둘러싸인 부분의 넓이는?

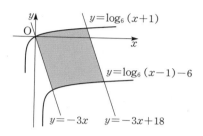

① 28   ② 32   ③ 36

④ 40   ⑤ 44

08

다음 그림은 두 함수 $y=2^x$, $y=\log_4 x$의 그래프와 직선 $y=x$를 나타낸 것이다. $b-a=6$일 때, ab의 값은?
(단, 점선은 x축 또는 y축에 평행하다.)

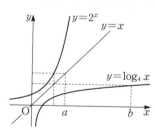

① 15   ② 18   ③ 21

④ 24   ⑤ 27

09 서술형 ✏️

다음 그림에서 사각형 ABCD는 한 변의 길이가 4인 정사각형이고, 점 D는 함수 $y=\log_2 x$의 그래프 위에 있다. 점 A의 좌표를 (a, b)라고 할 때, $a+b$의 값을 구하여라. (단, 두 점 B, C는 x축 위에 있다.)

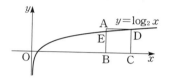

10 [기출]

함수 $f(x)=\log_2 x$의 그래프 위의 두 점 $A(a, f(a))$, $B(b, f(b))$를 이은 선분 AB를 $1:2$로 내분하는 점이 x축 위에 있을 때, $a^2 b$의 값은?

① 1   ② $\sqrt{2}$ ③ 2

④ $2\sqrt{2}$ ⑤ 3

11

다음 그림과 같이 세 함수 $f(x)=\log_a x$, $g(x)=\log_b x$, $h(x)=-\log_a x$의 그래프와 직선 $x=4$가 만나는 점을 각각 A, B, C라고 할 때, $\overline{AB}:\overline{BC}=1:3$이다. $g(a)$의 값을 구하여라.

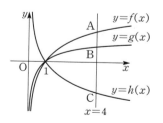

12

$1<a<5$일 때, 세 수

$$A=\log_5 a,\ B=\log_a 5,\ C=(\log_5 a)^2$$

의 대소 관계는?

① $A<B<C$ ② $A<C<B$

③ $B<A<C$ ④ $C<A<B$

⑤ $C<B<A$

13 기출

함수 $f(x)=2\log_{\frac{1}{2}}(x+k)$가 $0\le x\le 12$에서 최댓값 -4, 최솟값 m을 갖는다. $k+m$의 값은?

(단, k는 상수이다.)

① -1 ② -2 ③ -3

④ -4 ⑤ -5

14

함수 $y=\log_a(x^2-6x+13)$의 최댓값이 -2일 때, a의 값은? (단, $a>0,\ a\ne 1$)

① $\dfrac{1}{6}$ ② $\dfrac{1}{5}$ ③ $\dfrac{1}{4}$

④ $\dfrac{1}{3}$ ⑤ $\dfrac{1}{2}$

15 서술형

정의역이 $\left\{x\,\middle|\,\dfrac{1}{3}\le x\le 27\right\}$인 함수

$y=\left(\log_3\dfrac{x}{3}\right)\left(\log_3\dfrac{x}{27}\right)$의 최댓값을 M, 최솟값을 m

이라고 할 때, $M+m$의 값을 구하여라.

16

정의역이 $\{x\,|\,1\le x\le 1000\}$인 함수 $y=(100x)^{6-\log x}$

이 $x=a$에서 최댓값 b를 갖는다. $\dfrac{b}{a}$의 값은?

① 10^{10} ② 10^{11} ③ 10^{12}

④ 10^{13} ⑤ 10^{14}

17

$x>0,\ y>0$일 때,

$$\log_{\frac{1}{3}}(2x+y)+\log_{\frac{1}{3}}\left(\dfrac{2}{x}+\dfrac{1}{y}\right)$$

의 최댓값은?

① -4 ② -2 ③ 2

④ 4 ⑤ 6

상위권 도약 문제

01

함수 $y=\log_2 x$의 그래프를 x축의 방향으로 -1만큼 평행이동하고 y축에 대하여 대칭이동한 그래프를 나타내는 함수를 $y=f(x)$라고 하자. 점 $A(1,\ 0)$과 함수 $y=f(x)$의 그래프 위의 점 B에 대하여 삼각형 OAB가 $\overline{OB}=\overline{AB}$인 이등변삼각형일 때, 삼각형 OAB의 넓이를 구하여라. (단, O는 원점이다.)

02

〔기출〕

$a>1$인 실수 a에 대하여 곡선 $y=\log_a x$와

원 $C\colon \left(x-\dfrac{5}{4}\right)^2+y^2=\dfrac{13}{16}$의 두 교점을 P, Q라고 하

자. 선분 PQ가 원 C의 지름일 때, a의 값은?

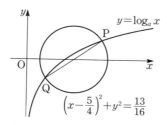

① 3   ② $\dfrac{7}{2}$ ③ 4

④ $\dfrac{9}{2}$ ⑤ 5

03

함수 $y=\log_a(x-2)-4$의 그래프가 네 점 $A(4,\ -1)$, $B(6,\ -1)$, $C(6,\ 2)$, $D(4,\ 2)$를 꼭짓점으로 하는 사각형 ABCD와 만나도록 하는 실수 a의 최댓값을 M, 최솟값을 m이라고 할 때, $(Mm)^6$의 값을 구하여라.

04

〔기출〕

$\dfrac{1}{4}<a<1$인 실수 a에 대하여 직선 $y=1$이 두 곡선 $y=\log_a x$, $y=\log_{4a} x$와 만나는 점을 각각 A, B라 하고, 직선 $y=-1$이 두 곡선 $y=\log_a x$, $y=\log_{4a} x$와 만나는 점을 각각 C, D라고 하자. 옳은 것만을 |보기|에서 있는 대로 고른 것은?

┤보기├

ㄱ. 선분 AB를 $1:4$로 외분하는 점의 좌표는 $(0,\ 1)$이다.

ㄴ. 사각형 ABCD가 직사각형이면 $a=\dfrac{1}{2}$이다.

ㄷ. $\overline{AB}<\overline{CD}$이면 $\dfrac{1}{2}<a<1$이다.

① ㄱ   ② ㄷ   ③ ㄱ, ㄴ

④ ㄴ, ㄷ   ⑤ ㄱ, ㄴ, ㄷ

05 기출

다음 그림과 같이 직선 $y=-x+a$가 두 곡선 $y=2^x$, $y=\log_2 x$와 만나는 점을 각각 A, B라 하고, x축과 만나는 점을 C라고 할 때, 점 A, B, C가 다음 조건을 만족시킨다.

> (가) $\overline{AB} : \overline{BC} = 3 : 1$
> (나) 삼각형 OBC의 넓이는 40이다.

점 A의 좌표를 A(p, q)라고 할 때, $p+q$의 값은?

(단, O는 원점이고, a는 상수이다.)

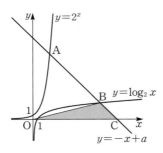

① 10   ② 15   ③ 20
④ 25   ⑤ 30

06

다음 그림과 같이 함수 $y=\log_3 (x+1)$의 그래프와 x축 및 직선 $x=n$으로 둘러싸인 도형을 A_n, 함수 $y=3^x$의 그래프와 y축 및 직선 $y=n$으로 둘러싸인 도형을 B_n이라고 하자. 두 도형 A_n, B_n에 포함된 점 중 x좌표와 y좌표가 모두 정수인 점의 개수를 각각 $f(n)$, $g(n)$이라고 할 때, $f(n)-g(n)=5$를 만족시키는 자연수 n의 개수를 구하여라.

(단, 두 도형 A_n, B_n은 경계선을 포함한다.)

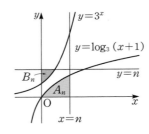

07

$x>1$, $y>1$일 때, $\dfrac{\log_x 3+\log_y 3}{\log_{xy} 3}$의 최솟값은?

① 1   ② 2   ③ 3
④ 4   ⑤ 5

05

지수방정식과 지수부등식

05 지수방정식과 지수부등식

개념 01 지수방정식

(1) **지수방정식**: 지수에 미지수가 있는 방정식

일반적으로 지수방정식은 다음 지수함수의 성질을 이용하여 풀 수 있다.

$$a>0,\ a\neq1일\ 때,\ a^{x_1}=a^{x_2}\Longleftrightarrow x_1=x_2$$

> $1^3=1^5$과 같이 지수가 서로 달라도 밑이 1이면 등식이 성립하므로 $a\neq1$인 조건이 필요하다.

(2) **지수방정식의 풀이**

① 밑을 같게 할 수 있는 경우

주어진 방정식을 $a^{f(x)}=a^{g(x)}$ 꼴로 변형한 후 지수가 같음을 이용한다.

$$a^{f(x)}=a^{g(x)}\ (a>0,\ a\neq1)\Longleftrightarrow f(x)=g(x)$$

[예] ① $2^x=8$에서 $8=2^3$이므로 $2^x=2^3$ ∴ $x=3$

② $2^x=\dfrac{1}{32}$에서 $\dfrac{1}{32}=2^{-5}$이므로 $2^x=2^{-5}$ ∴ $x=-5$

② a^x 꼴이 반복되는 경우

$a^x=t\ (t>0)$로 치환하여 t에 대한 방정식을 푼다.

이때 $a^x>0$이므로 $t>0$임에 주의한다.

③ 지수를 같게 할 수 있는 경우

주어진 방정식을 $a^{f(x)}=b^{f(x)}$ 꼴로 변형한 후 밑이 같거나 지수가 0임을 이용한다.

$$a^{f(x)}=b^{f(x)}\ (a>0,\ b>0)\Longleftrightarrow a=b\ 또는\ f(x)=0$$

④ 밑에도 미지수가 있는 경우

$$x^{f(x)}=x^{g(x)}\ (x>0)\Longleftrightarrow f(x)=g(x)\ 또는\ x=1$$

> $2^x=3$과 같이 밑도 지수도 같지 않은 지수방정식은 로그방정식에서 다룬다.

확인 01 **다음 방정식을 풀어라.**

(1) $\left(\dfrac{1}{2}\right)^x=64$

(2) $9^{x+1}=27^{2-x}$

개념+ **지수함수의 그래프와 지수방정식의 해**

지수함수 $y=a^x\ (a>0,\ a\neq1)$은 치역이 양의 실수 전체의 집합인 일대일함수이므로 임의의 양수 p에 대하여 지수방정식 $a^x=p$는 단 하나의 해만 존재한다.

이때 이 방정식의 해는 함수 $y=a^x$의 그래프와 직선 $y=p$의 교점의 x좌표와 같다.

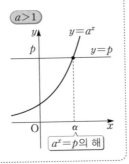

개념 02 지수부등식

(1) **지수부등식**: 지수에 미지수가 있는 부등식

일반적으로 지수부등식은 다음 지수함수의 성질을 이용하여 풀 수 있다.

> ① $a>1$일 때, $a^{x_1}<a^{x_2} \Longleftrightarrow x_1<x_2$
>
> ② $0<a<1$일 때, $a^{x_1}<a^{x_2} \Longleftrightarrow x_1>x_2$

▶ 지수부등식을 풀 때에는 밑이 1보다 큰지 작은지에 따라 부등호의 방향이 바뀐다는 것에 유의해야 한다.

(2) **지수부등식의 풀이**

① 밑을 같게 할 수 있는 경우

주어진 부등식을 $a^{f(x)}<a^{g(x)}$ 꼴로 변형한 후 다음을 이용한다.

(ⅰ) $a>1$일 때, $a^{f(x)}<a^{g(x)} \Longleftrightarrow f(x)<g(x)$

(ⅱ) $0<a<1$일 때, $a^{f(x)}<a^{g(x)} \Longleftrightarrow f(x)>g(x)$

예 ① $3^x<9$에서 $9=3^2$이므로 $3^x<3^2$ $\therefore x<2$

② $\left(\dfrac{1}{3}\right)^x<\dfrac{1}{9}$에서 $\dfrac{1}{9}=\left(\dfrac{1}{3}\right)^2$이므로 $\left(\dfrac{1}{3}\right)^x<\left(\dfrac{1}{3}\right)^2$ $\therefore x>2$

▶ $3^x<5$와 같이 밑도 지수도 같지 않은 지수부등식은 로그부등식에서 다룬다.

② 밑에도 미지수가 있는 경우

밑의 범위에 따라 부등호의 방향이 바뀌므로 밑이 같은 미지수일 때에는 $0<(밑)<1$, $(밑)=1$, $(밑)>1$과 같이 나누어 푼다.

③ a^x 꼴이 반복되는 경우

$a^x=t\ (t>0)$로 치환하여 t에 대한 부등식을 푼다.

이때 $a^x>0$이므로 $t>0$임에 주의한다.

확인 02 다음 부등식을 풀어라.

(1) $5^{x+1}\le125$

(2) $\left(\dfrac{1}{2}\right)^{5x}>\left(\dfrac{1}{16}\right)^{x-2}$

개념 ➕ **지수함수의 그래프와 지수부등식**

지수함수 $y=a^x\ (a>0,\ a\ne1)$에서 $a>1$이면 x의 값이 증가할 때 y의 값도 증가하고, $0<a<1$이면 x의 값이 증가할 때 y의 값은 감소한다.

따라서 부등식에서 밑을 같게 한 후 지수를 비교할 때에는 다음과 같이 부등호의 방향에 주의해야 한다.

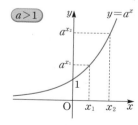

$a^{x_1} < a^{x_2} \Longleftrightarrow x_1 < x_2$

부등호의 방향이 그대로

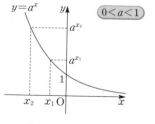

$a^{x_1} < a^{x_2} \Longleftrightarrow x_1 > x_2$

부등호의 방향이 반대로

다음 방정식을 풀어라.

(1) $2^{x^2+3x}=4^{x+1}$

(2) $27^{x+1} \times 3^x = 9$

(3) $\left(\dfrac{3}{4}\right)^{x^2-2x} = \left(\dfrac{4}{3}\right)^{6-3x}$

풍쌤 POINT

지수방정식을 풀 때에는 먼저 밑을 같게 할 수 있는지 확인해야 돼.
위의 문제들은 밑을 같게 할 수 있으므로 지수법칙을 이용해 밑을 같게 하면 돼.

풀이

(1) STEP1 양변의 밑을 2로 같게 하여 식 변형하기

$2^{x^2+3x}=4^{x+1}$에서

$2^{x^2+3x}=2^{2(x+1)}$, $2^{x^2+3x}=2^{2x+2}$

STEP2 양변의 지수를 비교하여 방정식 풀기

$x^2+3x=2x+2$, $x^2+x-2=0$, $(x+2)(x-1)=0$

$\therefore x=-2$ 또는 $x=1$

(2) STEP1 양변의 밑을 3으로 같게 하여 식 변형하기

$27^{x+1} \times 3^x = 9$에서

$(3^3)^{x+1} \times 3^x = 3^2$, $3^{4x+3}=3^2$ **❶**

STEP2 양변의 지수를 비교하여 방정식 풀기

$4x+3=2$, $4x=-1$

$\therefore x=-\dfrac{1}{4}$

❶ 지수법칙을 이용하면
$(3^3)^{x+1} \times 3^x = 3^2$
$3^{3x+3} \times 3^x = 3^2$
$3^{(3x+3)+x}=3^2$
$3^{4x+3}=3^2$

(3) STEP1 양변의 밑을 $\dfrac{3}{4}$으로 같게 하여 식 변형하기

$\left(\dfrac{3}{4}\right)^{x^2-2x} = \left(\dfrac{4}{3}\right)^{6-3x}$에서

$\left(\dfrac{3}{4}\right)^{x^2-2x} = \left\{\left(\dfrac{3}{4}\right)^{-1}\right\}^{6-3x}$ **❷**, $\left(\dfrac{3}{4}\right)^{x^2-2x} = \left(\dfrac{3}{4}\right)^{-6+3x}$

STEP2 양변의 지수를 비교하여 방정식 풀기

$x^2-2x=-6+3x$, $x^2-5x+6=0$, $(x-2)(x-3)=0$

$\therefore x=2$ 또는 $x=3$

❷ 양변의 밑을 $\dfrac{4}{3}$로 같게 하여
$\left(\dfrac{4}{3}\right)^{-x^2+2x} = \left(\dfrac{4}{3}\right)^{6-3x}$
으로 풀어도 된다.

답 (1) $x=-2$ 또는 $x=1$ (2) $x=-\dfrac{1}{4}$ (3) $x=2$ 또는 $x=3$

풍쌤 강의 NOTE

지수방정식을 풀 때에는 다음의 지수법칙을 이용하여 푼다.

$a>0$, $b>0$이고 x, y가 실수일 때

① $a^x a^y = a^{x+y}$ ② $a^x \div a^y = a^{x-y}$ ③ $(a^x)^y = a^{xy}$

④ $(ab)^x = a^x b^x$ ⑤ $\left(\dfrac{a}{b}\right)^x = \dfrac{a^x}{b^x}$

01-1 ⦿유사

다음 방정식을 풀어라.

(1) $9^{x^2+2}=3^{x^2-5x}$

(2) $\left(\dfrac{1}{32}\right)^{4-x}=8^{x-6}$

(3) $(5\sqrt{5})^{x^2-2}=5^{x+1}$

(4) $\left(\dfrac{5}{6}\right)^{2x^2+4}=\left(\dfrac{6}{5}\right)^{x-7}$

01-4 ⦿변형

방정식 $2^{x+3}=1000$의 근을 α라고 할 때, 다음 중 α의 값의 범위로 옳은 것은?

① $3<\alpha<4$ ② $4<\alpha<5$ ③ $5<\alpha<6$

④ $6<\alpha<7$ ⑤ $7<\alpha<8$

01-2 ⦿변형   기출

방정식 $(2^x-8)(3^{2x}-9)=0$의 두 실근을 α, β라고 할 때, $\alpha^2+\beta^2$의 값을 구하여라.

01-5 ⦿변형

x에 대한 방정식 $2^{x^2-10x}-8^{-2x+k}=0$의 한 근이 -2일 때, 다른 한 근을 구하여라. (단, k는 상수이다.)

01-3 ⦿변형

방정식 $\dfrac{9^{x^2+1}}{3^{-x+8}}=81$을 만족시키는 정수 x의 값을 구하여라.

01-6 ⦿실력

방정식 $125^{|x|}=\left(\dfrac{1}{5}\right)^{x^2-4}$의 모든 실근의 곱을 구하여라.

다음 방정식을 풀어라.

(1) $4^x + 3 \times 2^{x+1} - 16 = 0$

(2) $7^x + 7^{-x} = 2$

풍쌤 POINT

a^x 꼴이 반복되는 지수방정식을 풀 때에는 먼저 $a^x = t$로 치환하여 t에 대한 방정식을 풀면 돼.
이때 $t > 0$임에 주의해!

풀이

(1) **STEP 1** 2^x 꼴이 반복되는 방정식으로 변형하기

$4^x + 3 \times 2^{x+1} - 16 = 0$에서

$(2^x)^2 + 6 \times 2^{x}{}^{\mathbf{❶}} - 16 = 0$

STEP 2 $2^x = t\ (t > 0)$로 놓고 t에 대한 이차방정식 풀기

$2^x = t\ (t > 0)$로 놓으면 $t^2 + 6t - 16 = 0$

$(t+8)(t-2) = 0$ 　 $\therefore t = -8$ 또는 $t = 2$

그런데 $t > 0$이므로 $t = 2^{\mathbf{❷}}$

STEP 3 구한 해에 t 대신 2^x을 대입하여 x의 값 구하기

즉, $2^x = 2$이므로

$x = 1$

❶ $3 \times 2^{x+1} = 3 \times 2 \times 2^x = 6 \times 2^x$

❷ 구한 t의 값이 0보다 큰지 반드시 확인한다.

(2) **STEP 1** 7^x 꼴이 반복되는 방정식으로 변형하기

$7^x + 7^{-x} = 2^{\mathbf{❸}}$의 양변에 7^x을 곱하면

$(7^x)^2 + 1 = 2 \times 7^x,\ (7^x)^2 - 2 \times 7^x + 1 = 0$

STEP 2 $7^x = t\ (t > 0)$로 놓고 t에 대한 이차방정식 풀기

$7^x = t\ (t > 0)$로 놓으면 $t^2 - 2t + 1 = 0$

$(t-1)^2 = 0$ 　 $\therefore t = 1$

STEP 3 구한 해에 t 대신 7^x을 대입하여 x의 값 구하기

즉, $7^x = 1$이므로

$x = 0$

❸ $7^{-x} = \dfrac{1}{7^x}$이므로 양변에 7^x을 곱하여 7^x에 대한 이차방정식을 만든다.

답 (1) $x = 1$ 　 (2) $x = 0$

풍쌤 강의 NOTE

· 지수함수 $y = a^x$의 그래프는 항상 x축보다 위쪽에 있으므로 지수방정식 $f(a^x) = 0$에서 $a^x = t$로 치환할 때에는 t의 값의 범위가 항상 $t > 0$이다.

· 지수함수의 최대·최소에서의 치환과 지수방정식에서의 치환 비교

① 지수함수 $y = f(a^x)$ 꼴의 최대·최소: y의 최댓값 또는 최솟값을 구하는 것이므로 a^x 또는 $a^x + a^{-x}$을 t로 치환하더라도 다시 처음의 변수 x로 바꿀 필요는 없다.

② 지수방정식 $f(a^x) = 0$ 꼴: x의 값을 구하는 것이므로 a^x 또는 $a^x + a^{-x}$을 t로 치환한 방정식에서 구한 t의 값은 다시 처음의 변수 x로 바꾸어 해를 구한다.

02-1 ⊚ 유사

다음 방정식을 풀어라.

(1) $9^x - 4 \times 3^{x+1} + 27 = 0$

(2) $4^x + 2^{x+1} - 24 = 0$

(3) $3^{x+2} + 3^{-x} = 10$

(4) $\left(\dfrac{1}{8}\right)^x - \left(\dfrac{1}{2}\right)^{x-3} = 7 \times \left(\dfrac{1}{4}\right)^x$

02-2 ⊚ 변형

다음 방정식을 풀어라.

(1) $(3 + 2\sqrt{2})^x + (3 - 2\sqrt{2})^x = 6$

(2) $4^x + 4^{-x} + (2^x + 2^{-x}) - 4 = 0$

02-3 ⊚ 변형

연립방정식 $\begin{cases} 2^{x-1} + 5^y = 7 \\ 2^{x+2} - 5^{y-1} = 15 \end{cases}$ 의 해를 $x = \alpha$, $y = \beta$라

고 할 때, $\alpha\beta$의 값을 구하여라.

02-4 ⊚ 변형

방정식 $a^{2x} - 3 \times a^x + 2 = 0$의 한 근이 $\dfrac{1}{4}$일 때, a의 값

을 구하여라. (단, $a > 1$)

02-5 ⊚ 변형

지수방정식 $9^x - 11 \times 3^x + 28 = 0$의 두 실근을 α, β라

고 할 때, $9^\alpha + 9^\beta$의 값을 구하여라.

02-6 ⊚ 실력

두 함수 $y = 4^x$, $y = 2^{x+2}$의 그래프가 직선 $x = k$와 만

나는 두 점을 각각 A, B라고 하자. 두 점 A, B 사이의

거리가 32일 때, 상수 k의 값을 구하여라.

다음 방정식을 풀어라.

(1) $x^{x^2-3}=x^{2x}$ (단, $x>0$)

(2) $(x+3)^x=5^x$ (단, $x>-3$)

풍쌤 POINT

밑과 지수에 모두 미지수가 있는 지수방정식을 풀 때에는 다음과 같이 밑과 지수를 각각 비교해.

(1) 밑이 같을 때: $a^{f(x)}=a^{g(x)}$ $(a>0)$ ➡ $a=1$ 또는 $f(x)=g(x)$

(2) 지수가 같을 때: $a^{f(x)}=b^{f(x)}$ $(a>0, b>0)$ ➡ $a=b$ 또는 $f(x)=0$

풀이

(1) 밑이 같으므로 밑이 1이거나 지수가 같아야 한다. ❶

  (ⅰ) $x=1$일 때

    주어진 방정식은 $1^{-2}=1^2$이므로 등식이 성립한다.

  (ⅱ) $x\neq1$일 때

    $x^{x^2-3}=x^{2x}$에서

    $x^2-3=2x$, $x^2-2x-3=0$

    $(x+1)(x-3)=0$

    $\therefore x=-1$ 또는 $x=3$

    그런데 $x>0$이므로 $x=3$

  (ⅰ), (ⅱ)에 의하여 $x=1$ 또는 $x=3$

(2) 지수가 같으므로 지수가 0이거나 밑이 같아야 한다. ❷

  (ⅰ) $x=0$일 때

    주어진 방정식은 $3^0=5^0$이므로 등식이 성립한다.

  (ⅱ) $x\neq0$일 때

    $(x+3)^x=5^x$에서

    $x+3=5$

    $\therefore x=2$

  (ⅰ), (ⅱ)에 의하여 $x=0$ 또는 $x=2$

❶ 밑이 x로 같으므로 $x=1$, $x\neq1$로 나누어 생각한다.

❷ 지수가 x로 같으므로 $x=0$, $x\neq0$으로 나누어 생각한다.

답 (1) $x=1$ 또는 $x=3$ (2) $x=0$ 또는 $x=2$

풍쌤 강의 NOTE

밑과 지수에 모두 미지수가 있는 지수방정식은 각 경우에 따라 다음과 같이 푼다.

(ⅰ) 밑이 같은 경우 ➡ (밑)=1이거나 지수가 같음

(ⅱ) 지수가 같은 경우 ➡ (지수)=0이거나 밑이 같음

특히, 지수방정식에서 밑에 같은 문자가 있는 경우에는 밑이 1인지 아닌지 반드시 조사한다.

03-1 · 유사

다음 방정식을 풀어라.

(1) $x^{4x+1}=x^{-x+3}$ (단, $x>0$)

(2) $(x+7)^{x-2}=3^{x-2}$ (단, $x>-7$)

(3) $(x-3)^{3x+4}=(x-3)^{x^2-6}$ (단, $x>3$)

(4) $(3x+2)^{x-1}=(2x+5)^{x-1}$ $\left(단, x>-\dfrac{2}{3}\right)$

03-2 · 변형

방정식 $x^{x^2-5}=x^{4x+7}$의 모든 근의 합을 구하여라.

$(단,\ x>0)$

03-3 · 변형

두 집합

$$A=\{x\,|\,(x-2)^{x+5}=(x-2)^{2x+3},\ x>2\}$$
$$B=\{x\,|\,(x+1)^{2x-1}=3^{2x-1},\ x>-1\}$$

에 대하여 집합 $A\cup B$의 부분집합의 개수를 구하여라.

03-4 · 변형

방정식 $(x-1)^{x^2-2}=(x-1)^{x+4}$의 모든 근의 곱을 a,

방정식 $\left(x-\dfrac{3}{2}\right)^{5-2x}=3^{5-2x}$의 모든 근의 합을 b라고

할 때, $a+b$의 값을 구하여라. $\left(단, x>\dfrac{3}{2}\right)$

03-5 · 변형

방정식 $x\times x^{x+2}=(3x-4)^3(3x-4)^x$의 해를 구하여라. $\left(단, x>\dfrac{4}{3}\right)$

03-6 · 변형

방정식 $(x^2-x+1)^{x+2}=1$을 만족시키는 정수 x의 개수를 구하여라.

방정식 $9^x - k \times 3^x + 9 = 0$이 서로 다른 두 실근을 갖도록 하는 실수 k의 값의 범위를 구하여라.

풍쌤 POINT

주어진 방정식이 서로 다른 두 실근 α, β를 가지면 $3^x = t$ $(t > 0)$로 치환하여 얻은 t에 대한 이차방정식의 두 근 3^α, 3^β은 모두 양수이므로 t에 대한 이차방정식이 서로 다른 두 양의 실근을 가져야 해.

풀이

STEP 1 $3^x = t$ $(t > 0)$로 놓고 방정식이 서로 다른 두 실근을 가질 조건 구하기

$9^x - k \times 3^x + 9 = 0$에서

$(3^x)^2 - k \times 3^x + 9 = 0$

$3^x = t$ $(t > 0)$로 놓으면

$t^2 - kt + 9 = 0$ ······ ㉠

주어진 방정식이 서로 다른 두 실근을 가지면 방정식 ㉠은 서로 다른 두 양의 실근을 갖는다.

STEP 2 k의 값의 범위 구하기

(i) 이차방정식 ㉠의 판별식을 D라고 하면
$$D = (-k)^2 - 4 \times 1 \times 9 > 0 ❶$$
$$k^2 - 36 > 0, \ (k+6)(k-6) > 0$$
$$\therefore \ k < -6 \ \text{또는} \ k > 6$$

(ii) (이차방정식 ㉠의 두 근의 합) $= k > 0$

(iii) (이차방정식 ㉠의 두 근의 곱) $= 9 > 0$

(i)~(iii)에 의하여 $k > 6$ ❷

❶ 이차방정식 $ax^2 + bx + c = 0$의 판별식을 D라고 하면 $D = b^2 - 4ac$

❷ (i)~(iii)을 동시에 만족시키는 k의 값의 범위이다.

답 $k > 6$

풍쌤 강의 NOTE

· x에 대한 방정식 $ps^{2x} + qs^x + r = 0$의 두 근이 α, β이면
➡ $s^x = t$ $(t > 0)$로 치환하여 나타낸 t에 대한 이차방정식 $pt^2 + qt + r = 0$의 두 근은 s^α, s^β이다.

· 계수가 실수인 이차방정식의 두 근이 실수이면 다음과 같이 이차방정식의 판별식과 근과 계수의 관계를 이용하여 두 실근의 부호를 판별할 수 있다.

> 이차방정식 $ax^2 + bx + c = 0$의 두 실근을 α, β라 하고, 판별식을 D라고 하면
>
> ① 두 근이 모두 양수 $\Longleftrightarrow$ $D \geq 0$, $\alpha + \beta = -\dfrac{b}{a} > 0$, $\alpha\beta = \dfrac{c}{a} > 0$
>
> ② 두 근이 모두 음수 $\Longleftrightarrow$ $D \geq 0$, $\alpha + \beta = -\dfrac{b}{a} < 0$, $\alpha\beta = \dfrac{c}{a} > 0$
>
> ③ 두 근이 서로 다른 부호 $\Longleftrightarrow$ $\alpha\beta = \dfrac{c}{a} < 0$

▶**주의** $s^\alpha > 0$, $s^\beta > 0$이므로 ①의 경우를 확인한다.

04-1 유사

방정식 $4^x - 2^{x+2} + k - 1 = 0$이 서로 다른 두 실근을 갖도록 하는 실수 k의 값의 범위를 구하여라.

04-2 유사

방정식 $25^x - (a+1) \times 5^x + a + 4 = 0$이 서로 다른 두 실근을 갖도록 하는 실수 a의 값의 범위를 구하여라.

04-3 변형

방정식 $2 \times 16^x - 5 \times 4^x + k = 0$의 두 근을 α, β라고 하면 $\alpha + \beta = -1$일 때, 상수 k의 값을 구하여라.

04-4 변형   기출

x에 대한 방정식

$$4^x - k \times 2^{x+1} + 16 = 0$$

이 오직 하나의 실근 α를 가질 때, $k + \alpha$의 값을 구하여라. (단, k는 상수이다.)

04-5 실력

방정식 $2^{2x} - (k-4) \times 2^{x+1} + 2k = 0$의 두 근이 모두 1보다 클 때, 정수 k의 개수를 구하여라.

04-6 실력

방정식 $9^x + a \times 3^{x+1} + 15 - 3a = 0$의 두 실근의 비가 $1 : 2$일 때, 실수 a의 값을 구하여라.

다음 부등식을 풀어라.

(1) $2^{3x-2} < \sqrt{32}$

(2) $0.2^{4x-6} \le \left(\dfrac{1}{25}\right)^{-x}$

(3) $\left(\dfrac{1}{27}\right)^{2x} > \left(\dfrac{1}{3}\right)^{x^2+x}$

풍쌤 POINT

지수부등식을 풀 때에는 먼저 밑을 확인한 후 양변의 밑을 같게 변형하여 지수의 크기를 비교해.
이때 (밑)>1이면 부등식의 방향은 그대로, 0<(밑)<1이면 부등식의 방향은 반대로!

풀이

(1) **STEP 1** 양변의 밑을 2로 같게 하여 식 변형하기

$2^{3x-2} < \sqrt{32}$ 에서 $2^{3x-2} < \sqrt{2^5}$, $2^{3x-2} < 2^{\frac{5}{2}}$

STEP 2 양변의 지수의 크기를 비교하여 부등식 풀기

밑이 2이고 2>1이므로 $3x-2 < \dfrac{5}{2}$ ❶

$3x < \dfrac{9}{2}$　　$\therefore x < \dfrac{3}{2}$

❶ $a>1$이면 지수함수 $y=a^x$은 x의 값이 증가할 때 y의 값도 증가하므로 지수부등식의 부등호의 방향을 그대로 둔다.

(2) **STEP 1** 양변의 밑을 $\dfrac{1}{5}$로 같게 하여 식 변형하기

$0.2^{4x-6} \le \left(\dfrac{1}{25}\right)^{-x}$ 에서 $\left(\dfrac{1}{5}\right)^{4x-6} \le \left(\dfrac{1}{5}\right)^{-2x}$

STEP 2 양변의 지수의 크기를 비교하여 부등식 풀기

밑이 $\dfrac{1}{5}$이고 $0 < \dfrac{1}{5} < 1$이므로 $4x-6 \ge -2x$ ❷

$6x \ge 6$　　$\therefore x \ge 1$

❷ $0<a<1$이면 지수함수 $y=a^x$은 x의 값이 증가할 때 y의 값은 감소하므로 지수부등식의 부등호의 방향을 바꾼다.

(3) **STEP 1** 양변의 밑을 $\dfrac{1}{3}$로 같게 하여 식 변형하기

$\left(\dfrac{1}{27}\right)^{2x} > \left(\dfrac{1}{3}\right)^{x^2+x}$ 에서 $\left(\dfrac{1}{3}\right)^{6x} > \left(\dfrac{1}{3}\right)^{x^2+x}$

STEP 2 양변의 지수의 크기를 비교하여 부등식 풀기

밑이 $\dfrac{1}{3}$이고 $0 < \dfrac{1}{3} < 1$이므로 $6x < x^2+x$

$x^2 - 5x > 0$, $x(x-5) > 0$　　$\therefore x < 0$ 또는 $x > 5$

답 (1) $x < \dfrac{3}{2}$　(2) $x \ge 1$　(3) $x < 0$ 또는 $x > 5$

풍쌤 강의 NOTE

지수함수 $y=a^x$ $(a>0,\ a\ne0)$에서 $a>1$이면 x의 값이 증가할 때 y의 값도 증가하고, $0<a<1$이면 x의 값이 증가할 때 y의 값은 감소한다.
이 지수함수의 성질을 밑이 같은 지수부등식에 적용하면, 지수의 크기를 비교하여 부등호의 방향을 결정할 수 있다. 즉, $a^{f(x)} < a^{g(x)}$에서 $a>1$이면 큰 쪽의 지수가 커야 하므로 $f(x) < g(x)$이고, $0<a<1$이면 큰 쪽의 지수가 작아야 하므로 $f(x) > g(x)$이다.

05-1 유사

다음 부등식을 풀어라.

(1) $7^{x-2} \geq \left(\dfrac{1}{7}\right)^{1-4x}$

(2) $\left(\dfrac{1}{3}\right)^{2x+5} < \left(\dfrac{1}{\sqrt{3}}\right)^{-x}$

(3) $\left(\dfrac{3}{2}\right)^{2x^2-3} > \left(\dfrac{2}{3}\right)^{5x}$

(4) $\left(\dfrac{1}{4}\right)^{x^2} \leq \left(\dfrac{1}{16}\right)^{x^2+x-4}$

05-2 변형   기출

부등식 $\dfrac{27}{9^x} \geq 3^{x-9}$을 만족시키는 모든 자연수 x의 개수를 구하여라.

05-3 변형

부등식 $0.6^{x^2-1} - 0.36^{x+1} > 0$을 만족시키는 모든 정수 x의 값의 합을 구하여라.

05-4 변형

부등식 $\left(\dfrac{1}{25}\right)^{3x+1} \leq 625 \leq \left(\dfrac{1}{5}\right)^{4x-12}$을 만족시키는 실수 x의 최댓값을 M, 최솟값을 m이라고 할 때, Mm의 값을 구하여라.

05-5 실력

부등식 $\left(\dfrac{1}{8}\right)^{x^2} > 2^{ax}$을 만족시키는 정수 x의 개수가 3일 때, 모든 자연수 a의 값의 합을 구하여라.

05-6 실력

일차함수 $y=f(x)$의 그래프가 오른쪽 그림과 같고 $f(-6)=0$이다. 부등식 $3^{f(x)} \leq 81$의 해가 $x \leq -5$일 때, $f(1)$의 값을 구하여라.

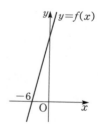

다음 부등식을 풀어라. (단, $x > 0$)

(1) $x^{4x-1} > x^{x+5}$

(2) $x^{x^2-2x} \leq x^3$

풍쌤 POINT

지수부등식은 밑의 범위에 따라 부등호의 방향이 바뀌므로 밑에 미지수가 있는 지수부등식을 풀 때에는 $0 < ($밑$) < 1$, $($밑$) = 1$, $($밑$) > 1$인 경우로 나누어 부등식을 풀어야 돼.

풀이

(1) (i) $0 < x < 1$일 때

$4x-1 < x+5$, $3x < 6$ $\qquad \therefore x < 2$

그런데 $0 < x < 1$이므로 $0 < x < 1$❶

(ii) $x = 1$일 때

$1^3 > 1^6$이므로 주어진 부등식이 성립하지 않는다.

(iii) $x > 1$일 때

$4x-1 > x+5$, $3x > 6$ $\qquad \therefore x > 2$

그런데 $x > 1$이므로 $x > 2$❷

(i)~(iii)에 의하여 주어진 부등식의 해는

$0 < x < 1$ 또는 $x > 2$

(2) (i) $0 < x < 1$일 때

$x^2-2x \geq 3$, $x^2-2x-3 \geq 0$

$(x+1)(x-3) \geq 0$ $\qquad \therefore x \leq -1$ 또는 $x \geq 3$

그런데 $0 < x < 1$이므로 해가 없다.❸

(ii) $x = 1$일 때

$1^{-1} \leq 1^3$이므로 주어진 부등식이 성립한다.

(iii) $x > 1$일 때

$x^2-2x \leq 3$, $x^2-2x-3 \leq 0$

$(x+1)(x-3) \leq 0$ $\qquad \therefore -1 \leq x \leq 3$

그런데 $x > 1$이므로 $1 < x \leq 3$❹

(i)~(iii)에 의하여 주어진 부등식의 해는

$1 \leq x \leq 3$

❶ $x < 2$와 $0 < x < 1$을 동시에 만족시키는 x의 값의 범위는 $0 < x < 1$이다.

❷ $x > 2$와 $x > 1$을 동시에 만족시키는 x의 값의 범위는 $x > 2$이다.

❸ $x \leq -1$ 또는 $x \geq 3$과 $0 < x < 1$을 동시에 만족시키는 x의 값은 없다.

❹ $-1 \leq x \leq 3$과 $x > 1$을 동시에 만족시키는 x의 값의 범위는 $1 < x \leq 3$이다.

目 (1) $0 < x < 1$ 또는 $x > 2$ (2) $1 \leq x \leq 3$

풍쌤 강의 NOTE

밑에 미지수가 있는 부등식 $x^{f(x)} > x^{g(x)}$ $(x > 0)$은 다음과 같은 방법으로 푼다.

(i) $0 < x < 1$일 때, $f(x) < g(x)$를 만족시키는 x의 값의 범위를 구한다.

(ii) $x = 1$일 때, 주어진 부등식이 성립하지 않음을 보인다.

(iii) $x > 1$일 때, $f(x) > g(x)$를 만족시키는 x의 값의 범위를 구한다.

이때 주어진 부등식의 해는 (i)~(iii)에서 구한 해를 합한 범위이다.

06-1 유사

다음 부등식을 풀어라. (단, $x > 0$)

(1) $x^{2x-5} < x^9$

(2) $x^{8x-3} \geq x^{5x+6}$

(3) $x^{x^2+4x} < x^{3x+12}$

06-2 변형

부등식 $x^{x^2-3} < x^{4x+2}$을 만족시키는 정수 x의 값의 합을 구하여라. (단, $x > 0$)

06-3 변형

부등식 $(x+1)^{-2x+3} \leq (x+1)^7$을 만족시키는 실수 x의 최솟값을 구하여라. (단, $x > -1$)

06-4 변형

부등식 $x^{2x^2-9x} > \dfrac{1}{x^4}$의 해가 $\alpha < x < \beta$ 또는 $x > r$일 때, $\alpha r + \beta$의 값을 구하여라. (단, $x > 0$)

06-5 변형

부등식 $(x-1)^{-x^2+5x} \geq (x-1)^{x-12}$을 만족시키는 정수 x의 개수를 구하여라. (단, $x > 1$)

06-6 실력

부등식 $(x^2-6x+9)^{x-3} < 1$의 해의 집합을 A라 할 때, 다음 중 집합 A의 원소가 <u>아닌</u> 것은? (단, $x \neq 3$)

① $\dfrac{3}{2}$ ② $\dfrac{5}{3}$ ③ $\dfrac{5}{2}$

④ $\dfrac{10}{3}$ ⑤ $\dfrac{7}{2}$

다음 부등식을 풀어라.

(1) $4^x - 9 \times 2^{x+1} + 32 \le 0$

(2) $\left(\dfrac{1}{9}\right)^x - 2 \times \left(\dfrac{1}{3}\right)^{x-1} - 27 > 0$

풍쌤 POINT

a^x 꼴이 반복되는 지수부등식을 풀 때에는 먼저 $a^x = t$로 치환하여 t에 대한 부등식을 풀면 돼. 이때 $t > 0$임에 주의해!

풀이

(1) **STEP1** 2^x 꼴이 반복되는 부등식으로 변형하기

$4^x - 9 \times 2^{x+1} + 32 \le 0$에서

$(2^x)^2 - 18 \times 2^x{}^{\text{❶}} + 32 \le 0$

STEP2 $2^x = t$ $(t > 0)$로 놓고 t에 대한 이차부등식 풀기

$2^x = t$ $(t > 0)$로 놓으면 $t^2 - 18t + 32 \le 0$

$(t - 2)(t - 16) \le 0$　　$\therefore 2 \le t \le 16$

STEP3 구한 해에 t 대신 2^x을 대입하여 x의 값의 범위 구하기

즉, $2 \le 2^x \le 16$이므로 $2^1 \le 2^x \le 2^4$

밑이 2이고 $2 > 1$이므로 $1 \le x \le 4$

❶ $9 \times 2^{x+1} = 9 \times 2 \times 2^x$
$\quad = 18 \times 2^x$

(2) **STEP1** $\left(\dfrac{1}{3}\right)^x$ 꼴이 반복되는 부등식으로 변형하기

$\left(\dfrac{1}{9}\right)^x - 2 \times \left(\dfrac{1}{3}\right)^{x-1} - 27 > 0$에서

$\left\{\left(\dfrac{1}{3}\right)^x\right\}^2 - 6 \times \left(\dfrac{1}{3}\right)^x{}^{\text{❷}} - 27 > 0$

STEP2 $\left(\dfrac{1}{3}\right)^x = t$ $(t > 0)$로 놓고 t에 대한 이차부등식 풀기

$\left(\dfrac{1}{3}\right)^x = t$ $(t > 0)$로 놓으면 $t^2 - 6t - 27 > 0$

$(t + 3)(t - 9) > 0$　　$\therefore t < -3$ 또는 $t > 9$

그런데 $t > 0$이므로 $t > 9$ ❸

STEP3 구한 해에 t 대신 $\left(\dfrac{1}{3}\right)^x$을 대입하여 x의 값의 범위 구하기

즉, $\left(\dfrac{1}{3}\right)^x > 9$이므로 $\left(\dfrac{1}{3}\right)^x > \left(\dfrac{1}{3}\right)^{-2}$

밑이 $\dfrac{1}{3}$이고 $0 < \dfrac{1}{3} < 1$이므로 $x < -2$

❷ $2 \times \left(\dfrac{1}{3}\right)^{x-1}$
$\quad = 2 \times \left(\dfrac{1}{3}\right)^{-1} \times \left(\dfrac{1}{3}\right)^x$
$\quad = 2 \times 3 \times \left(\dfrac{1}{3}\right)^x$
$\quad = 6 \times \left(\dfrac{1}{3}\right)^x$

❸ 구한 t의 값의 범위 중 0보다 큰 범위만 생각한다.

目 (1) $1 \le x \le 4$　(2) $x < -2$

풍쌤 강의 NOTE

부등식 $(a^x)^2 + p \times a^x + q < 0$ $(p, q$는 상수)와 같이 a^x 꼴이 반복되면 $a^x = t$로 치환하여 t에 대한 부등식 $t^2 + pt + q < 0$에서 t의 값의 범위를 먼저 구한다.

07-1 유사

다음 부등식을 풀어라.

(1) $4^{x+1} + 3 \times 2^x - 1 < 0$

(2) $\left(\dfrac{1}{25}\right)^x + 5 \times \left(\dfrac{1}{\sqrt{5}}\right)^{2x} - 6 > 0$

(3) $3^{2x+1} - 10 \times 3^x + 3 \geq 0$

(4) $7^x + 7^{-x+1} \leq 8$

07-2 변형 기출

부등식 $4^x - 10 \times 2^x + 16 \leq 0$을 만족시키는 모든 자연수 x의 값의 합을 구하여라.

07-3 변형

부등식 $3^{2x+1} - 28 \times 3^x + 9 \leq 0$의 최댓값을 M, 최솟값을 m이라고 할 때, $M - m$의 값을 구하여라.

07-4 변형

부등식 $\left(\dfrac{1}{2}\right)^{2x} - \left(\dfrac{1}{2}\right)^{x+3} < \left(\dfrac{1}{2}\right)^{x-3} - 1$을 만족시키는 정수 x의 개수를 구하여라.

07-5 변형

다음 두 부등식을 모두 만족시키는 x의 값의 범위가 $\alpha \leq x \leq \beta$일 때, $\alpha + \beta$의 값을 구하여라.

$$5^x + 5^{1-x} \leq 6$$
$$\left(\dfrac{1}{16}\right)^x - 14 \times \left(\dfrac{1}{4}\right)^x - 32 \leq 0$$

07-6 실력

x에 대한 부등식 $a^{2x} - 10 \times a^x + b < 0$의 해가 $0 < x < 2$일 때, $a + b$의 값을 구하여라.

(단, $a > 1$, b는 상수이다.)

모든 실수 x에 대하여 다음 부등식이 성립하도록 하는 실수 k의 값의 범위를 구하여라.

(1) $9^x - 3^{x+1} + k + 2 > 0$

(2) $\left(\dfrac{1}{2}\right)^{2x} + \left(\dfrac{1}{2}\right)^{x-2} + k - 1 \geq 0$

풍쌤 POINT

a^x 꼴이 반복되는 지수부등식이 모든 실수 x에 대하여 성립하면 $a^x = t$로 치환하여 나타낸 t에 대한 부등식이 $t > 0$에서 항상 성립함을 이용!

풀이

(1) STEP1 $3^x = t \; (t > 0)$로 놓고 t에 대한 이차부등식 세우기

$9^x - 3^{x+1} + k + 2 > 0$에서 $(3^x)^2 - 3 \times 3^x + k + 2 > 0$

$3^x = t \; (t > 0)$로 놓으면 $t^2 - 3t + k + 2 > 0$

STEP2 $t > 0$인 범위에서 부등식이 항상 성립함을 이용하여 k의 값의 범위 구하기

$f(t) = t^2 - 3t + k + 2$로 놓으면 $f(t) = \left(t - \dfrac{3}{2}\right)^2 + k - \dfrac{1}{4}$ ❶

$t > 0$인 모든 실수 t에 대하여 부등식 $f(t) > 0$이 항상 성립하려면 $f\left(\dfrac{3}{2}\right) > 0$이어야 한다.

즉, $k - \dfrac{1}{4} > 0$이므로 $k > \dfrac{1}{4}$

❶ $t > 0$에서 $y = f(t)$의 그래프는 다음 그림과 같다.

(2) STEP1 $\left(\dfrac{1}{2}\right)^x = t \; (t > 0)$로 놓고 t에 대한 이차부등식 세우기

$\left(\dfrac{1}{2}\right)^{2x} + \left(\dfrac{1}{2}\right)^{x-2} + k - 1 \geq 0$에서 $\left\{\left(\dfrac{1}{2}\right)^x\right\}^2 + 4 \times \left(\dfrac{1}{2}\right)^x + k - 1 \geq 0$

$\left(\dfrac{1}{2}\right)^x = t \; (t > 0)$로 놓으면 $t^2 + 4t + k - 1 \geq 0$

STEP2 $t > 0$인 범위에서 부등식이 항상 성립함을 이용하여 k의 값의 범위 구하기

$f(t) = t^2 + 4t + k - 1$로 놓으면 $f(t) = (t + 2)^2 + k - 5$ ❷

$t > 0$인 모든 실수 t에 대하여 부등식 $f(t) \geq 0$이 항상 성립하려면 $f(0) \geq 0$이어야 한다.

즉, $k - 1 \geq 0$이므로 $k \geq 1$

❷ $t > 0$에서 $y = f(t)$의 그래프는 다음 그림과 같다.

답 (1) $k > \dfrac{1}{4}$ (2) $k \geq 1$

풍쌤 강의 NOTE

· 모든 실수 x에 대하여 부등식 $(a^x)^2 + pa^x + q > 0$ $(p, q$는 상수$)$이 성립하면

➡ $a^x = t \; (t > 0)$로 치환할 때 t에 대한 부등식 $t^2 + pt + q > 0$이 항상 성립한다.

· 이차항의 계수가 양수인 이차식 $f(x)$에 대하여 $\alpha \leq x \leq \beta$에서

① 이차부등식 $f(x) \geq 0$이 항상 성립하려면 ➡ $(\alpha \leq x \leq \beta$에서의 $f(x)$의 최솟값$) \geq 0$

② 이차부등식 $f(x) \leq 0$이 항상 성립하려면 ➡ $(\alpha \leq x \leq \beta$에서의 $f(x)$의 최댓값$) \leq 0$

08-1 ◉ 유사

모든 실수 x에 대하여 부등식

$$25^x - 2 \times 5^{x+1} + 2k - 1 \geq 0$$

이 성립하도록 하는 실수 k의 값의 범위를 구하여라.

08-2 ◉ 유사

모든 실수 x에 대하여 부등식

$$\left(\frac{1}{4}\right)^x + 3 \times \left(\frac{1}{2}\right)^{x-1} + a + 1 > 0$$

이 성립하도록 하는 실수 a의 값의 범위를 구하여라.

08-3 ◉ 변형

모든 실수 x에 대하여 부등식

$$2^{x+1} - 2^{\frac{x+6}{2}} + a \geq 0$$

이 항상 성립하도록 하는 실수 a의 최솟값을 구하여라.

08-4 ◉ 변형

$x \leq 0$인 실수 x에 대하여 부등식

$$\left(\frac{1}{6}\right)^{x-1} - \left(\frac{1}{36}\right)^x + 2a \leq 0$$

이 성립하도록 하는 정수 a의 최댓값을 구하여라.

08-5 ◉ 실력

모든 실수 x에 대하여 부등식

$$49^x - 14k \times 7^{x-1} + 9 \geq 0$$

이 성립하도록 하는 실수 k의 최댓값을 구하여라.

08-6 ◉ 실력

모든 실수 x에 대하여 부등식

$$x^2 - (4^{k+1} - 6)x - 3 \times 4^k + 7 > 0$$

이 성립하도록 하는 실수 k의 값의 범위를 구하여라.

탄소의 방사성 동위 원소인 ^{14}C는 5730년마다 그 양이 반으로 줄어든다고 한다. 다음 물음에 답하여라.

(1) 처음에 a g인 ^{14}C가 t년 후에 남아 있는 양을 $f(t)$ g이라고 할 때, $f(t)$를 a, t에 대한 식으로 나타내어라.

(2) 어느 유물을 조사했더니 ^{14}C가 75 g이 남아 있었다. 처음 ^{14}C의 양이 300 g이었다면 이 유물은 몇 년 전의 것이라고 할 수 있는지 구하여라.

(3) 어느 유물 속에 남아 있는 ^{14}C의 양이 처음의 양의 $\frac{1}{8}$ 이하가 되는 것은 몇 년 후부터인지 구하여라.

풍쌤 POINT

일정한 비율로 늘어나거나 줄어드는 상황이 주어지면 구하는 값을 미지수로 놓고 지수방정식이나 지수부등식으로 나타내 봐.

풀이

(1) ^{14}C의 반감기❶가 5730년이므로 이 유물의 t년 후에 남아 있는 ^{14}C의 양은 처음 양의 $\left(\frac{1}{2}\right)^{\frac{t}{5730}}$이 된다.

$$\therefore f(t) = a \times \left(\frac{1}{2}\right)^{\frac{t}{5730}}$$

❶ 반감기는 방사성 원소가 붕괴하여 그 양이 반으로 줄어드는 데 걸리는 시간을 말한다.

(2) 처음 ^{14}C의 양이 300 g이었을 때의 유물이 x년 후에 ^{14}C가 75 g이 남아 있다면

$$300 \times \left(\frac{1}{2}\right)^{\frac{x}{5730}} = 75, \ \left(\frac{1}{2}\right)^{\frac{x}{5730}} = \frac{75}{300}, \ \left(\frac{1}{2}\right)^{\frac{x}{5730}} = \left(\frac{1}{2}\right)^{2}$$

$$\frac{x}{5730} = 2 ❷$$

$$\therefore x = 11460$$

따라서 11460년 전의 유물이라고 할 수 있다.

❷ 양변의 밑이 $\frac{1}{2}$로 같으므로 지수를 비교한다.

(3) x년 후부터 ^{14}C의 양이 처음의 양의 $\frac{1}{8}$ 이하가 된다고 하면

$$a \times \left(\frac{1}{2}\right)^{\frac{x}{5730}} \leq \frac{1}{8}a, \ \left(\frac{1}{2}\right)^{\frac{x}{5730}} \leq \frac{1}{8}, \ \left(\frac{1}{2}\right)^{\frac{x}{5730}} \leq \left(\frac{1}{2}\right)^{3}$$

$$\frac{x}{5730} \geq 3 ❸$$

$$\therefore x \geq 17190$$

따라서 17190년 후부터 처음 양의 $\frac{1}{8}$ 이하가 된다.

❸ 양변의 밑이 $\frac{1}{2}$이고 $0 < \frac{1}{2} < 1$이므로 부등호의 방향이 바뀐다.

답 (1) $f(t) = a \times \left(\frac{1}{2}\right)^{\frac{t}{5730}}$ (2) 11460년 (3) 17190년

풍쌤 강의 NOTE

처음의 양을 p, 일정한 비율 a로 x시간 후 변화된 양을 y라고 하면 $y = pa^x$이다.

09-1 ◉유사

어느 호수의 수면에서 빛의 세기를 I_0 W/m², 수심이 h m인 곳에서 빛의 세기를 I W/m²라고 하면

$$I = I_0 \times 2^{-\frac{h}{4}}$$

가 성립한다고 한다. 다음 물음에 답하여라.

(1) 빛의 세기가 수면에서 빛의 세기의 $\frac{1}{64}$이 되는 곳의 수심은 몇 m인지 구하여라.

(2) 빛의 세기가 수면에서 빛의 세기의 25 % 이하가 되려면 수심은 최소 몇 m이어야 하는지 구하여라.

09-2 ◉변형   기출

최대 충전 용량이 $Q_0\,(Q_0 > 0)$인 어떤 배터리를 완전히 방전시킨 후 t시간 동안 충전한 배터리의 충전 용량을 $Q(t)$라고 할 때, 다음 식이 성립한다고 한다.

$$Q(t) = Q_0\left(1 - 2^{-\frac{t}{a}}\right) \quad (\text{단, } a\text{는 양의 상수이다.})$$

$\dfrac{Q(4)}{Q(2)} = \dfrac{3}{2}$일 때, a의 값을 구하여라.

(단, 배터리의 충전 용량의 단위는 mAh이다.)

09-3 ◉변형

중고 제품을 거래하는 어떤 사이트에서 제품의 거래 가격을 최초 구매 시점에서 1년이 지날 때마다 20 %씩 떨어진 가격으로 설정한다. 125만 원을 주고 구매한 어떤 제품이 이 사이트에서 64만 원 이하로 가격이 설정되었다면 구매 후 몇 년 이상인 제품인지 구하여라.

09-4 ◉변형

빛이 어떤 필름을 한 장 통과할 때마다 처음 빛의 양의 $\frac{3}{4}$이 차단된다고 한다. 처음 빛의 양의 $\frac{127}{128}$ 이상을 차단하려면 이 필름을 최소 몇 장 붙여야 하는지 구하여라.

실전 연습 문제

01

방정식 $2^{x^2-5x}=\left(\dfrac{1}{16}\right)^{x-3}$을 만족시키는 양수 x의 값을 구하여라.

02

함수 $f(x)=3^x$에 대하여
$$f(2x)-8f(x+1)=81$$
을 만족시키는 x의 값은?

① 1   ② 2   ③ 3

④ 4   ⑤ 5

03 기출

방정식 $2^x+2^{5-x}=33$의 모든 실근의 합은?

① 4   ② 5   ③ 6

④ 7   ⑤ 8

04 서술형

연립방정식 $\begin{cases} 3^{x+1}+3^y=18 \\ 3^{x+y-1}=9 \end{cases}$의 해가 $x=\alpha,\, y=\beta$일 때, $\alpha^2+\beta^2$의 값을 구하여라.

05

방정식 $2^{2x+1}-a\times 2^x+8=0$의 서로 다른 두 실근이 -1, b일 때, $a-b$의 값은? (단, a는 상수이다.)

① 11   ② 14   ③ 17

④ 20   ⑤ 23

06

방정식 $(x+5)^{x^2+3x}=(x+5)^{6-2x}$의 모든 근의 합은?

(단, $x>-5$)

① -4 ② -3 ③ 1

④ 3   ⑤ 4

07 서술형 ✏️

방정식 $9^x - 2k \times 3^x + 2k + 8 = 0$이 서로 다른 두 실근을 가질 때, 정수 k의 최솟값을 구하여라.

08 기출

부등식 $(2^x - 32)\left(\dfrac{1}{3^x} - 27\right) > 0$을 만족시키는 모든 정수 x의 개수는?

① 7   ② 8   ③ 9

④ 10   ⑤ 11

09

부등식 $9^{\frac{1}{2}x^2 - 2} < \left(\dfrac{1}{3}\right)^{1-2x} < 3^{x+1}$을 만족시키는 x의 값의 범위는?

① $x < -1$ ② $-2 < x < 1$ ③ $x > 0$

④ $-1 < x < 2$ ⑤ $x > 2$

10 기출

이차함수 $y = f(x)$의 그래프와 일차함수 $y = g(x)$의 그래프가 그림과 같을 때, 부등식

$$\left(\frac{1}{2}\right)^{f(x)g(x)} \geq \left(\frac{1}{8}\right)^{g(x)}$$

을 만족시키는 모든 자연수 x의 값의 합은?

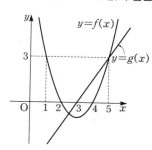

① 7   ② 9   ③ 11

④ 13   ⑤ 15

11

부등식 $\left(\dfrac{1}{25}\right)^{x^2} > (\sqrt{5})^{kx}$을 만족시키는 정수 x의 개수가 4일 때, 자연수 k의 최댓값 M, 최솟값을 m이라고 하자. $M + m$의 값은?

① 33   ② 34   ③ 35

④ 36   ⑤ 37

12

부등식 $x^{-x+4} > x^{3x-8}$의 해가 $\alpha < x < \beta$일 때, $\beta - \alpha$의 값을 구하여라. (단, $x > 0$)

13 서술형 ✐

두 집합

$$A = \{x \mid 3^{2x+1} - 28 \times 3^x + 9 \leq 0\},$$
$$B = \left\{ x \mid \left(\frac{1}{2}\right)^{2x-2} - 7 \times \left(\frac{1}{2}\right)^x < 2 \right\}$$

에 대하여 집합 $A \cap B$에 속하는 모든 정수인 원소의 합을 구하여라.

14

x에 대한 부등식 $8a^{2x} - 9a^x + 1 \leq 0$의 해가 $0 \leq x \leq 3$일 때, 양수 a의 값은?

① $\frac{1}{8}$ ② $\frac{1}{4}$ ③ $\frac{1}{2}$

④ 2   ⑤ 4

15 기출

함수 $f(x) = x^2 - x - 4$에 대하여 부등식

$$4^{f(x)} - 2^{1+f(x)} < 8$$

을 만족시키는 정수 x의 개수는?

① 1   ② 2   ③ 3

④ 4   ⑤ 5

16

모든 실수 x에 대하여 부등식

$$4^x - (k-4) \times 2^{x+1} + 2k \geq 0$$

이 성립하도록 하는 정수 k의 개수를 구하여라.

17

일정한 비율로 번식하는 두 종류의 박테리아 A, B가 있다. 박테리아 A는 한 시간에 2배씩 늘어나고, 박테리아 B는 한 시간에 4배씩 늘어난다고 한다. 2마리의 박테리아 A와 4마리의 박테리아 B가 동시에 번식을 시작했을 때, 두 박테리아 A, B의 수의 합이 1640마리 이상이 되는 것은 번식을 시작한 지 몇 시간 후인가?

① 3시간 후   ② 4시간 후   ③ 5시간 후

④ 6시간 후   ⑤ 7시간 후

상위권 도약 문제

01 기출

다음 그림과 같이 가로줄 l_1, l_2, l_3과 세로줄 l_4, l_5, l_6
이 만나는 곳에 있는 9개의 메모판에 모두 x에 대한 식
이 하나씩 적혀 있고, 그중 4개의 메모판은 접착 메모
지로 가려져 있다.

$x=a$일 때, 각 줄 l_k $(k=1, 2, 3, 4, 5, 6)$에 있는 3개
의 메모판에 적혀 있는 모든 식의 값의 합을 S_k라고 하
자. S_k $(k=1, 2, 3, 4, 5, 6)$의 값이 모두 같게 되는 모
든 실수 a의 값의 합은?

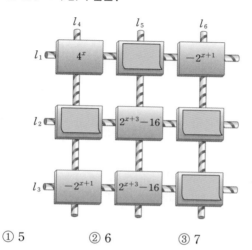

① 5   ② 6   ③ 7
④ 8   ⑤ 9

02

함수 $f(x)=\dfrac{2^x+2^{-x}}{2}$에 대한 설명으로 옳은 것만을
l보기에서 있는 대로 고른 것은?

┌보기┐
ㄱ. 함수 $y=f(2x)+f(x)$의 최솟값은 2이다.
ㄴ. 방정식 $f(x)=4$를 만족시키는 모든 실수 x의
　　값의 합은 0이다.
ㄷ. $x>0$에서 함수 $f(x)$의 역함수를 $g(x)$라고 할
　　때, $g\left(\dfrac{5}{3}\right)=\log_3 2$이다.

① ㄱ   ② ㄱ, ㄴ   ③ ㄱ, ㄷ
④ ㄴ, ㄷ   ⑤ ㄱ, ㄴ, ㄷ

03

방정식 $9^x-2(k+6)\times 3^x-3k^2+36k=0$의 서로 다
른 두 근이 모두 양수가 되도록 하는 모든 정수 k의 개
수는?

① 8   ② 9   ③ 10
④ 11   ⑤ 12

04

두 함수 $y=4^x$, $y=2^{x-1}+3$의 그래프가 만나는 점을 P라고 하자. 함수 $y=4^x$의 그래프 위의 점 A와 함수 $y=2^{x-1}+3$의 그래프 위의 점 B에 대하여 선분 AB의 중점이 P일 때, 점 A의 x좌표는 a이다. 2^a+2^{-a}의 값은? (단, 두 점 A, B는 서로 다른 점이다.)

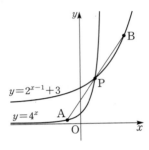

① $-2\sqrt{2}$ ② -2 ③ 0

④ 2 ⑤ $2\sqrt{2}$

05

기출

x에 대한 부등식

$$(3^{x+2}-1)(3^{x-p}-1)\leq 0$$

을 만족시키는 정수 x의 개수가 20일 때, 자연수 p의 값을 구하여라.

06

두 집합 A, B에 대하여

$$A=\{x\,|\,x^{3x^2+2}\leq x^{7x}\},$$
$$B=\{x\,|\,x^2+ax+b\leq 0\}$$

일 때, $A\cup B=B$를 만족시키는 상수 a, b에 대하여 $a+b$의 최댓값을 구하여라. (단, $x>0$)

07

실수 전체의 집합에서 정의된 함수 $f(x)$가 다음 조건을 만족시킬 때, 부등식

$$f(61\times 2^x)+f(2\times 2^x-4^x+64)>0$$

이 성립하도록 하는 실수 x의 값의 범위를 구하여라.

> 모든 실수 x, y에 대하여
> (가) $f(x+y)=f(x)+f(y)$
> (나) $f(x)<f(y)$이면 $x<y$

06

로그방정식과 로그부등식

06 로그방정식과 로그부등식

개념 01 로그방정식

(1) **로그방정식**: 로그의 진수 또는 밑에 미지수가 있는 방정식

일반적으로 로그방정식은 다음 로그함수의 성질을 이용하여 풀 수 있다.

$$\log_a x = b \Longleftrightarrow x = a^b, \ \log_a x_1 = \log_a x_2 \Longleftrightarrow x_1 = x_2$$

(2) **로그방정식의 풀이**

① 밑을 같게 할 수 있는 경우

주어진 방정식을 $\log_a f(x) = \log_a g(x)$ 꼴로 변형한 후 진수가 같음을 이용한다.

$$\log_a f(x) = \log_a g(x) \ (f(x) > 0, \ g(x) > 0) \Longleftrightarrow f(x) = g(x)$$

[예] $\log_2(x+1) = \log_2 5$에서 $x+1 = 5$ ∴ $x = 4$

이때 진수의 조건에 의하여 $x+1 > 0$에서 $x > -1$이므로 구하는 해는 $x = 4$

② $\log_a f(x) = b$ 꼴인 경우

$\log_a f(x) = b \Longleftrightarrow f(x) = a^b$임을 이용하여 푼다.

③ $\log_a x$ 꼴이 반복되는 경우

$\log_a x = t$로 치환하여 t에 대한 방정식을 푼다.

④ 진수가 같은 경우

밑이 같거나 진수가 1이다.

$$\log_a f(x) = \log_b f(x) \ (f(x) > 0) \Longleftrightarrow a = b \ 또는 \ f(x) = 1$$

⑤ 지수에 로그가 있는 경우

양변에 로그를 취하여 로그방정식으로 변형한다.

확인 01 다음 방정식을 풀어라.

(1) $\log_2(3x+1) = 4$

(2) $\log_{\frac{1}{5}} 3x = \log_{\frac{1}{5}}(x+4)$

> 로그방정식을 풀 때에는 구한 해가 밑의 조건 또는 진수의 조건을 만족시키는지 반드시 확인한다.
> (밑) > 0, (밑) ≠ 1, (진수) > 0

> $a^{\log x} = b$
> $\Longleftrightarrow \log_a a^{\log x} = \log_a b$
> $\Longleftrightarrow \log x = \log_a b$

개념➕ **로그함수의 그래프와 로그방정식의 해**

로그함수 $y = \log_a x \ (a > 0, \ a \neq 1)$은 양의 실수 전체의 집합에서 실수 전체의 집합으로의 일대일대응이므로 임의의 양수 p에 대하여 방정식 $\log_a x = p$는 단 하나의 해만 존재한다. 이때 이 방정식의 해는 함수 $y = \log_a x$의 그래프와 직선 $y = p$의 교점의 x좌표와 같다.

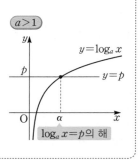

개념 02 로그부등식

(1) 로그부등식: 로그의 진수 또는 밑에 미지수가 있는 부등식

일반적으로 로그부등식은 다음 로그함수의 성질을 이용하여 풀 수 있다.

> ① $a>1$일 때, $\log_a x_1 < \log_a x_2 \Longleftrightarrow x_1 < x_2$
>
> ② $0<a<1$일 때, $\log_a x_1 < \log_a x_2 \Longleftrightarrow x_1 > x_2$

(2) 로그부등식의 풀이

① 밑을 같게 할 수 있는 경우

주어진 부등식을 $\log_a f(x) < \log_a g(x)$ 꼴로 변형한 후 다음을 이용한다.

(ⅰ) $a>1$일 때, $\log_a f(x) < \log_a g(x) \Longleftrightarrow 0 < f(x) < g(x)$

(ⅱ) $0<a<1$일 때, $\log_a f(x) < \log_a g(x) \Longleftrightarrow f(x) > g(x) > 0$

[예] ① $\log_3(x+1) < \log_3 4$에서 밑이 1보다 크므로 $x+1<4$에서 $x<3$

이때 진수의 조건에 의하여 $x+1>0$에서 $x>-1$이므로 구하는 해는 $-1<x<3$

② $\log_{\frac{1}{3}}(2x-6) > \log_{\frac{1}{3}} 2$에서 밑이 1보다 작으므로 $2x-6<2$에서 $x<4$

이때 진수의 조건에 의하여 $2x-6>0$에서 $x>3$이므로 구하는 해는 $3<x<4$

② $\log_a x$ 꼴이 반복되는 경우

$\log_a x = t$로 치환하여 t에 대한 부등식을 푼다.

③ 지수에 로그가 있는 경우

양변에 로그를 취하여 로그부등식으로 변형한다.

> ▶ 로그부등식을 풀 때에는 구한 해가 밑의 조건 또는 진수의 조건을 만족시키는지 반드시 확인한다.
> (밑)>0, (밑)$\neq 1$, (진수)>0

확인 02 다음 부등식을 풀어라.

(1) $\log_{\frac{1}{2}}(5x-2) > 1$

(2) $\log_5(2x+1) \leq \log_5(3x-2)$

개념+ 로그함수의 그래프와 로그부등식

로그함수 $y = \log_a x$ $(a>0, a \neq 1)$에서 $a>1$이면 x의 값이 증가할 때, y의 값도 증가하고, $0<a<1$이면 x의 값이 증가할 때 y의 값은 감소한다. 따라서 부등식에서 로그의 밑을 같게 한 후 진수를 비교할 때에는 다음과 같이 부등호의 방향에 주의해야 한다.

$a>1$

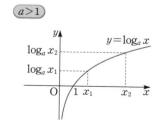

$\log_a x_1 < \log_a x_2 \Longleftrightarrow x_1 < x_2$
부등호의 방향이 그대로

$0<a<1$

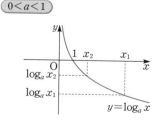

$\log_a x_1 < \log_a x_2 \Longleftrightarrow x_1 > x_2$
부등호의 방향이 반대로

다음 방정식을 풀어라.

(1) $\log_2 x + \log_2 (x+1) = 1$

(2) $\log_3 (x-4) = \log_9 (x-2)$

풍쌤 POINT

지수방정식과 마찬가지로 로그방정식을 풀 때에도 먼저 밑을 같게 할 수 있는지 확인해.
위의 문제들은 밑을 같게 할 수 있으므로 로그의 성질을 이용해 밑을 같게 하면 돼.

풀이

(1) **STEP1** 진수의 조건을 이용하여 x의 값의 범위 구하기

진수의 조건에서 $x>0$, $x+1>0$이므로

$x>0$ ❶ ⋯⋯ ㉠

STEP2 양변의 밑을 2로 같게 하여 양변의 진수를 비교하여 풀기

$\log_2 x + \log_2 (x+1) = 1$에서 $\log_2 x(x+1) = \log_2 2$

양변의 밑이 2로 같으므로

$x(x+1) = 2$, $x^2 + x - 2 = 0$, $(x+2)(x-1) = 0$

$\therefore x = -2$ 또는 $x = 1$

㉠에 의하여 $x=1$ ❷

❶ $x>0$과 $x>-1$을 동시에 만족시키는 x의 값의 범위이다.

❷ $x=-2$, $x=1$ 중에서 $x>0$을 만족시키는 x의 값을 구한다.

(2) **STEP1** 진수의 조건을 이용하여 x의 값의 범위 구하기

진수의 조건에서 $x-4>0$, $x-2>0$이므로

$x>4$ ❸ ⋯⋯ ㉠

STEP2 양변의 밑을 3으로 같게 하여 양변의 진수를 비교하여 풀기

$\log_3 (x-4) = \log_9 (x-2)$에서 $\log_3 (x-4) = \log_{3^2} (x-2)$

$2\log_3 (x-4) = \log_3 (x-2)$, $\log_3 (x-4)^2 = \log_3 (x-2)$ ❹

양변의 밑이 3으로 같으므로

$(x-4)^2 = x-2$, $x^2 - 8x + 16 = x - 2$

$x^2 - 9x + 18 = 0$, $(x-3)(x-6) = 0$

$\therefore x = 3$ 또는 $x = 6$

㉠에 의하여 $x=6$ ❺

❸ $x>4$와 $x>2$를 동시에 만족시키는 x의 값의 범위이다.

❹ 양변의 로그의 밑을 9로 같게 변형하여
$\log_9 (x-4)^2 = \log_9 (x-2)$
로 풀어도 된다.

❺ $x=3$, $x=6$ 중에서 $x>4$를 만족시키는 x의 값을 구한다.

📖 (1) $x=1$　(2) $x=6$

풍쌤 강의 NOTE

· 로그방정식을 풀 때에는 다음과 같은 로그의 성질을 이용하여 푼다.

(1) $a>0$, $a \neq 1$, $M>0$, $N>0$일 때

① $\log_a 1 = 0$, $\log_a a = 1$

② $\log_a MN = \log_a M + \log_a N$

③ $\log_a \dfrac{M}{N} = \log_a M - \log_a N$

④ $\log_a M^k = k \log_a M$ (단, k는 실수)

(2) $a>0$, $a \neq 1$, $b>0$, $c>0$, $c \neq 1$일 때, $\log_a b = \dfrac{\log_c b}{\log_c a}$

· 로그방정식의 해를 구할 때에는 항상 밑의 조건과 진수의 조건을 확인한다.

01-1 유사

다음 방정식을 풀어라.

(1) $\log_5(x-1)+\log_5(x+3)=1$

(2) $\log_{x-2}16=2$

(3) $\log_{\frac{1}{4}}(2x+6)=\log_{\frac{1}{2}}(x-1)$

(4) $\log_2(x^2-4)+1=\log_2(7x-11)$

01-2 변형   기출

방정식 $2\log_4(5x+1)=1$의 실근을 α라고 할 때, $\log_5\dfrac{1}{\alpha}$의 값을 구하여라.

01-3 변형

방정식 $\log_{\sqrt{6}}(x+2)-\log_6(10x-1)=0$의 두 근을 α, β라고 할 때, $2\alpha+\beta$의 값을 구하여라. (단, $\alpha<\beta$)

01-4 변형

다음 두 방정식의 해를 각각 p, q라고 할 때, $p+q$의 값을 구하여라.

$$\log_2(x+3)+\log_2(x-3)=4$$
$$\log_{\frac{1}{3}}x+1=2\log_{\frac{1}{9}}(x-6)$$

01-5 변형

방정식 $\log_{x^2-8x+16}(4-x)=\log_4(4-x)$의 해를 $x=\alpha$라고 할 때, 10^{α}의 값을 구하여라.

01-6 변형

방정식 $\log_2(x+a-3)+\log_2(x+a)=2$의 근이 $x=8$일 때, 상수 a의 값을 구하여라.

다음 방정식을 풀어라.

(1) $(\log_2 x)^2 - \log_2 x^4 + 3 = 0$

(2) $\log_3 x = \log_x 9 + 1$

풍쌤 POINT

$\log_a x$ 꼴이 반복되는 로그방정식을 풀 때에는 먼저 $\log_a x = t$로 치환하여 t에 대한 방정식을 풀어. 문제 (2)는 로그의 성질을 이용하여 밑을 3으로 같게 한 후 $\log_3 x = t$로 치환하면 돼!

풀이

(1) STEP1 **진수의 조건을 이용하여 x의 값의 범위 구하기**

진수의 조건에서 $x > 0$, $x^4 > 0$이므로 $x > 0$ ······ ㉠

STEP2 **$\log_2 x = t$로 놓고 t에 대한 이차방정식 풀기**

$(\log_2 x)^2 - \log_2 x^4 + 3 = 0$에서 $(\log_2 x)^2 - 4\log_2 x + 3 = 0$

$\log_2 x = t$로 놓으면 $t^2 - 4t + 3 = 0$

$(t-1)(t-3) = 0$ ∴ $t = 1$ 또는 $t = 3$

STEP3 **구한 해에 t 대신 $\log_2 x$를 대입하여 x의 값 구하기**

즉, $\log_2 x = 1$ 또는 $\log_2 x = 3$이므로

$x = 2$ 또는 $x = 2^3 = 8$

㉠에 의하여 $x = 2$ 또는 $x = 8$ ❶

❶ $x = 2$, $x = 8$은 진수의 조건을 모두 만족시킨다.

(2) STEP1 **밑과 진수의 조건을 이용하여 x의 값의 범위 구하기**

밑의 조건에서 $x > 0$, $x \neq 1$이고 진수의 조건에서 $x > 0$이므로

$0 < x < 1$ 또는 $x > 1$ ······ ㉠

STEP2 **$\log_3 x = t$로 놓고 t에 대한 이차방정식 풀기**

$\log_3 x = \log_x 9 + 1$에서 $\log_3 x = \dfrac{2}{\log_3 x} + 1$ ❷

$\log_3 x = t$로 놓으면 $t = \dfrac{2}{t} + 1$, $t^2 - t - 2 = 0$ ❸

$(t+1)(t-2) = 0$ ∴ $t = -1$ 또는 $t = 2$

STEP3 **구한 해에 t 대신 $\log_3 x$를 대입하여 x의 값 구하기**

즉, $\log_3 x = -1$ 또는 $\log_3 x = 2$이므로

$x = 3^{-1} = \dfrac{1}{3}$ 또는 $x = 3^2 = 9$

㉠에 의하여 $x = \dfrac{1}{3}$ 또는 $x = 9$ ❹

❷ $\log_x 9 = \log_x 3^2 = 2\log_x 3$
$= \dfrac{2}{\log_3 x}$

❸ $t = \dfrac{2}{t} + 1$의 양변에 t를 곱하여 정리한다.

❹ $x = \dfrac{1}{3}$, $x = 9$는 진수의 조건을 모두 만족시킨다.

답 (1) $x = 2$ 또는 $x = 8$ (2) $x = \dfrac{1}{3}$ 또는 $x = 9$

풍쌤 강의 NOTE

지수함수 $y = a^x$ $(a > 0, a \neq 1)$의 치역은 양의 실수 전체의 집합이므로 $a^x = t$로 치환하면 $t > 0$이지만 로그함수 $y = \log_a x$ $(a > 0, a \neq 1)$의 치역은 실수 전체의 집합이므로 $\log_a x = t$로 치환하면 t의 값의 범위도 실수 전체이므로 t의 값의 범위를 따로 생각하지 않아도 된다.

02-1 (유사)

다음 방정식을 풀어라.

(1) $(\log_{\frac{1}{2}} x)^2 + 9\log_{\frac{1}{2}} x = \log_{\frac{1}{2}} x^3 - 8$

(2) $\log_2 x + 4 = \log_x 32$

(3) $\log_5 5x \times \log_5 \dfrac{x}{25} = 4$

(4) $\log_3 x - \log_9 x = 3\log_3 x \times \log_{27} x$

02-2 (변형)

방정식 $2(\log_{\frac{1}{5}} x)^2 + \log_{\frac{1}{5}} x^3 + 1 = 0$의 두 근을 α, β 라고 할 때, $\alpha^2 + \beta^2$의 값을 구하여라.

02-3 (변형) (기출)

방정식 $(\log_3 x)^2 + 4\log_9 x - 3 = 0$의 모든 실근의 곱 을 구하여라.

02-4 (변형)

방정식 $\log_2 \dfrac{32}{x} \times \log_2 \dfrac{x}{8} + 3 = 0$의 두 근의 합을 구 하여라.

02-5 (실력)

방정식 $(\log x)^2 = 6 - \log x^2$의 두 근을 α, β라고 할 때, $\log_\alpha \beta + \log_\beta \alpha$의 값을 구하여라.

02-6 (실력)

연립방정식

$$\begin{cases} \log_2 x + \log_3 y = 7 \\ \log_3 x \times \log_2 y = 10 \end{cases}$$

의 해가 $x = \alpha$, $x = \beta$일 때, $\alpha - \beta$의 값을 구하여라.

(단, $\alpha > \beta$)

다음 방정식을 풀어라.

(1) $x^{\log_2 x} = 8x^2$

(2) $2^{\log_5 x} \times x^{\log_5 2} - 5 \times 2^{\log_5 x} + 4 = 0$

풍쌤 POINT

지수에 로그가 있는 방정식은 양변에 지수에 있는 로그와 밑이 같은 로그를 취하거나 $a^{\log_b x} = x^{\log_b a}$ 임을 이용해.

풀이

(1) **STEP 1** 진수의 조건을 이용하여 x의 값의 범위 구하기

진수의 조건에서 $x > 0$ ...... ㉠

STEP 2 양변에 밑이 2인 로그를 취하여 식 변형하기

$x^{\log_2 x} = 8x^2$의 양변에 밑이 2인 로그를 취하면

$\log_2 x^{\log_2 x} = \log_2 8x^2$, $(\log_2 x)^2 = 3 + 2\log_2 x$ **❶**

STEP 3 $\log_2 x = t$로 놓고 t에 대한 이차방정식 풀기

$\log_2 x = t$로 놓으면 $t^2 = 3 + 2t$, $t^2 - 2t - 3 = 0$

$(t+1)(t-3) = 0$ ∴ $t = -1$ 또는 $t = 3$

STEP 4 구한 해에 t 대신 $\log_2 x$를 대입하여 x의 값 구하기

즉, $\log_2 x = -1$ 또는 $\log_2 x = 3$이므로

$x = 2^{-1} = \dfrac{1}{2}$ 또는 $x = 2^3 = 8$

㉠에 의하여 $x = \dfrac{1}{2}$ 또는 $x = 8$ **❷**

❶ $\log_2 8x^2$
  $= \log_2 8 + \log_2 x^2$
  $= \log_2 2^3 + 2\log_2 x$
  $= 3 + 2\log_2 x$

❷ $x = \dfrac{1}{2}$, $x = 8$은 진수의 조건을 모두 만족시킨다.

(2) **STEP 1** 진수의 조건을 이용하여 x의 값의 범위 구하기

진수의 조건에서 $x > 0$ ...... ㉠

STEP 2 $2^{\log_5 x} = x^{\log_5 2}$임을 이용하여 식 변형하기

$2^{\log_5 x} \times x^{\log_5 2} - 5 \times 2^{\log_5 x} + 4 = 0$에서 $x^{\log_5 2} = 2^{\log_5 x}$이므로

$(2^{\log_5 x})^2 - 5 \times 2^{\log_5 x} + 4 = 0$

STEP 3 $2^{\log_5 x} = t$ $(t > 0)$로 놓고 t에 대한 이차방정식 풀기

$2^{\log_5 x} = t$ $(t > 0)$로 놓으면 $t^2 - 5t + 4 = 0$

$(t-1)(t-4) = 0$ ∴ $t = 1$ 또는 $t = 4$

STEP 4 구한 해에 t 대신 $2^{\log_5 x}$를 대입하여 x의 값 구하기

즉, $2^{\log_5 x} = 1 = 2^0$ 또는 $2^{\log_5 x} = 4 = 2^2$이므로

$\log_5 x = 0$ 또는 $\log_5 x = 2$ ∴ $x = 1$ 또는 $x = 5^2 = 25$

㉠에 의하여 $x = 1$ 또는 $x = 25$ **❸**

❸ $x = 1$, $x = 25$는 진수의 조건을 모두 만족시킨다.

답 (1) $x = \dfrac{1}{2}$ 또는 $x = 8$ (2) $x = 1$ 또는 $x = 25$

풍쌤 강의 NOTE

- $x^{\log_a f(x)} = g(x)$ 꼴인 방정식은 양변에 밑이 a인 로그를 취한다.
- $a^{\log_b x}$과 $x^{\log_b a}$ 꼴을 포함한 방정식은 $a^{\log_b x} = x^{\log_b a}$임을 이용한다.

03-1 유사

다음 방정식을 풀어라.

(1) $x^{\log_3 x} = \dfrac{x^3}{9}$

(2) $2^{\log_4 x} + 2^{3-\log_4 x} = 6$

(3) $3^{\log x} \times x^{\log 3} - 4(3^{\log x} + x^{\log 3}) - 9 = 0$

03-2 변형

방정식 $1000x^{\log x} = x^4$의 모든 근의 곱을 구하여라.

03-3 변형

방정식 $x^{\log_3 x} - \dfrac{27}{x^2} = 0$의 모든 근의 합을 $\dfrac{q}{p}$라고 할 때, $p+q$의 값을 구하여라.

(단, p, q는 서로소인 자연수이다.)

03-4 변형

방정식
$$5^{\log_2 x} \times x^{\log_2 5} - 13(5^{\log_2 x} + x^{\log_2 5}) + 25 = 0$$
의 두 근을 α, β라고 할 때, $\alpha+\beta$의 값을 구하여라.

03-5 변형

방정식 $3^{\log 3x} = 5^{\log 5x}$의 해를 구하여라.

03-6 실력

방정식 $\left(\dfrac{x^2}{2}\right)^{\log_2 x} = (4x^5)^{\log_x 2}$을 만족시키는 모든 실수 x의 값의 곱을 구하여라.

다음 물음에 답하여라.

(1) 방정식 $(\log_5 x)^2 - m\log_5 x^2 + n = 0$이 서로 다른 두 근을 가질 때, 실수 m, n 사이의 관계식을 구하여라.

(2) 방정식 $(2\log_2 x)^2 + \log_2 x^3 = k$가 중근을 갖도록 하는 상수 k의 값을 구하여라.

풍쌤 POINT

$\log_a x = t$로 치환하여 t에 대한 이차방정식으로 변형한 후 이차방정식의 판별식을 이용하면 돼.

풀이

(1) **STEP1** $\log_5 x = t$로 놓고 방정식이 서로 다른 두 근을 가질 조건 구하기

$(\log_5 x)^2 - m\log_5 x^2 + n = 0$에서

$(\log_5 x)^2 - 2m\log_5 x + n = 0$

$\log_5 x = t$로 놓으면 $t^2 - 2mt + n = 0$ ······ ㉠

주어진 방정식이 서로 다른 두 근을 가지므로 방정식 ㉠은 서로 다른 두 실근을 갖는다.

STEP2 이차방정식의 판별식을 이용하여 실수 m, n의 관계식 구하기

이차방정식 ㉠의 판별식을 D라고 하면

$\dfrac{D}{4} = (-m)^2 - n > 0$ ❶ $\therefore m^2 > n$

❶ 이차방정식이 서로 다른 두 실근을 가지면 (판별식) > 0이다.

(2) **STEP1** $\log_2 x = t$로 놓고 방정식이 중근을 가질 조건 구하기

$(2\log_2 x)^2 + \log_2 x^3 = k$에서

$4(\log_2 x)^2 + 3\log_2 x - k = 0$

$\log_2 x = t$로 놓으면 $4t^2 + 3t - k = 0$ ······ ㉠

주어진 방정식이 중근을 가지므로 방정식 ㉠은 한 개의 실근을 갖는다.

STEP2 이차방정식의 판별식을 이용하여 k의 값 구하기

이차방정식 ㉠의 판별식을 D라고 하면

$D = 3^2 - 4 \times 4 \times (-k) = 0$ ❷

$9 + 16k = 0$ $\therefore k = -\dfrac{9}{16}$

❷ 이차방정식이 중근을 가지면 (판별식) = 0이다.

📖 (1) $m^2 > n$ (2) $-\dfrac{9}{16}$

풍쌤 강의 NOTE

계수가 실수인 이차방정식 $ax^2 + bx + c = 0$에서 $D = b^2 - 4ac$라고 하면 다음이 성립한다.

① $D > 0 \iff$ 서로 다른 두 실근을 갖는다.

② $D = 0 \iff$ 중근(서로 같은 두 실근)을 갖는다.

③ $D < 0 \iff$ 서로 다른 두 허근을 갖는다.

04-1 (유사)

방정식 $(\log_6 x+1)^2-k\log_6 x^4+3=0$이 서로 다른 두 근을 갖도록 하는 실수 k의 값의 범위를 구하여라.

04-2 (유사)

방정식 $(\log_2 x-a)^2+\log_2 8x-2=0$이 중근을 갖도록 하는 상수 a의 값을 구하여라.

04-3 (변형)

방정식 $\log_3 x \times \log_3 \dfrac{81}{x}=\dfrac{m}{9}$이 서로 다른 두 근을 갖도록 하는 자연수 m의 개수를 구하여라.

04-4 (변형)

방정식 $\log_2 x \times \log_2 \dfrac{32}{x}=\dfrac{k}{2}$가 근을 갖도록 하는 정수 k의 최댓값을 구하여라.

04-5 (변형)

방정식 $(\log_3 x)^2-\log_3 x^5+8-k=0$의 두 근의 비가 $1:3$일 때, 상수 k의 값을 구하여라.

04-6 (실력)

방정식 $p(\log x)^2-p\log x^3+1=0$의 두 근을 α, β라고 하자. $\log \alpha-\log \beta=7$이 성립할 때, 상수 p의 값을 구하여라. (단, $p\neq 0$)

다음 부등식을 풀어라.

(1) $\log_9(x+2) \le \log_3(x-4)$

(2) $\log_{\frac{1}{3}}(x+5) + \log_{\frac{1}{3}}(x+3) > -1$

풍쌤 POINT

로그부등식을 풀 때에는 먼저 밑을 같게 할 수 있는지 확인하고, 밑을 같게 할 수 있으면 로그의 성질을 이용하여 각 항의 밑을 변형해. 이때 (밑)>1이면 부등호의 방향은 그대로, 0<(밑)<1이면 부등호의 방향은 반대로!

풀이

(1) **STEP1 진수의 조건을 이용하여 x의 값의 범위 구하기**

진수의 조건에서 $x+2>0$, $x-4>0$이므로 $x>4$ ······ ㉠

STEP2 양변의 밑을 3으로 같게 하여 진수를 비교하여 풀기

$\log_9(x+2) \le \log_3(x-4)$에서

$\log_{3^2}(x+2) \le \log_3(x-4)$, $\log_3(x+2) \le 2\log_3(x-4)$

$\log_3(x+2) \le \log_3(x-4)^2$ **❶**

밑이 3이고 3>1이므로 **❷**

$x+2 \le (x-4)^2$, $x^2-9x+14 \ge 0$

$(x-2)(x-7) \ge 0$ ∴ $x \le 2$ 또는 $x \ge 7$ ······ ㉡

㉠, ㉡에 의하여 $x \ge 7$

(2) **STEP1 진수의 조건을 이용하여 x의 값의 범위 구하기**

진수의 조건에서 $x+5>0$, $x+3>0$이므로 $x>-3$ ······ ㉠

STEP2 양변의 밑을 $\frac{1}{3}$로 같게 하여 진수를 비교하여 풀기

$\log_{\frac{1}{3}}(x+5) + \log_{\frac{1}{3}}(x+3) > -1$에서

$\log_{\frac{1}{3}}(x+5)(x+3) > -1$, $\log_{\frac{1}{3}}(x+5)(x+3) > \log_{\frac{1}{3}}3$

밑이 $\frac{1}{3}$이고 $0<\frac{1}{3}<1$이므로

$(x+5)(x+3) < 3$ **❸**, $x^2+8x+12<0$

$(x+6)(x+2)<0$ ∴ $-6<x<-2$ ······ ㉡

㉠, ㉡에 의하여 $-3<x<-2$

❶ 양변의 로그의 밑을 9로 같게 변형하여 $\log_9(x+2) \le \log_9(x-4)^2$으로 풀어도 된다.

❷ $a>1$이면 로그함수 $y=\log_a x$는 x의 값이 증가하면 y의 값도 증가하므로 로그부등식의 부등호의 방향을 그대로 둔다.

❸ $0<a<1$이면 로그함수 $y=\log_a x$는 x의 값이 증가하면 y의 값은 감소하므로 로그부등식의 부등호의 방향을 바꾼다.

답 (1) $x \ge 7$ (2) $-3<x<-2$

풍쌤 강의 NOTE

로그함수 $y=\log_a x$ ($a>0$, $a \ne 1$)에서 $a>1$이면 x의 값이 증가할 때 y의 값도 증가하고, $0<a<1$이면 x의 값이 증가할 때 y의 값은 감소한다.

이 로그함수의 성질을 밑이 같은 로그부등식에 적용하면 진수를 비교하여 부등호의 방향을 결정할 수 있다. 즉, $\log_a f(x) < \log_a g(x)$에서 $a>1$이면 큰 쪽의 진수가 커야 하므로 $0<f(x)<g(x)$이고, $0<a<1$이면 큰 쪽의 진수가 작아야 하므로 $f(x)>g(x)>0$이다.

05-1 ◉ 유사

다음 부등식을 풀어라.

(1) $2\log_{0.3}(x-3)>\log_{0.3}(x^2+1)$

(2) $\log(x+1)+\log(6-x)<1$

(3) $\log_{\frac{1}{2}}(x-1)>\log_{\frac{1}{4}}(2x+13)$

(4) $\log_2(x+2)-\log_4(2x-1)\geq\log_4(x-4)$

05-2 ◉ 변형

부등식 $\log_6\sqrt{3(x+1)}<1-\dfrac{1}{2}\log_6(2x+7)$의 해가

$\alpha<x<\beta$일 때, $\dfrac{\alpha}{\beta}$의 값을 구하여라.

05-3 ◉ 변형

부등식 $\log_3(-x^2+ax-4)\geq\log_3 x+2$의 해가
$1\leq x\leq 4$일 때, 상수 a의 값을 구하여라.

05-4 ◉ 변형 〔기출〕

이차함수 $y=f(x)$의 그래프와 직선 $y=x-1$이 그림
과 같을 때, 부등식

$$\log_3 f(x)+\log_{\frac{1}{3}}(x-1)\leq 0$$

을 만족시키는 모든 자연수 x의 값의 합을 구하여라.

（단, $f(0)=f(7)=0$, $f(4)=3$）

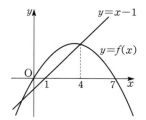

05-5 ◉ 변형

x에 대한 로그부등식

$$\log_{\frac{1}{5}}(x-1)\geq\log_{\frac{1}{5}}\left(\dfrac{1}{2}x+k\right)$$

를 만족시키는 모든 정수 x의 개수가 7일 때, 자연수 k
의 값을 구하여라.

05-6 ◉ 실력

부등식 $\log_a(x+3)>\log_a(1-x)+1$의 해가

$-\dfrac{1}{3}<x<1$일 때, a의 값을 구하여라. （단, $a\neq1$）

다음 부등식을 풀어라.

(1) $(\log_3 x)^2 < \log_3 x^3 + 4$

(2) $\log_{\frac{1}{2}} 4x \times \log_{\frac{1}{2}} 16x \le 3$

풍쌤 POINT

$\log_a x$ 꼴이 반복되는 로그부등식을 풀 때에는 먼저 $\log_a x = t$로 치환하여 t에 대한 부등식을 풀어.

풀이

(1) **STEP1** 진수의 조건을 이용하여 x의 값의 범위 구하기

진수의 조건에서 $x>0$, $x^3>0$이므로 $x>0$ ······ ㉠

STEP2 $\log_3 x = t$로 놓고 t에 대한 이차부등식 풀기

$(\log_3 x)^2 < \log_3 x^3 + 4$에서 $(\log_3 x)^2 < 3\log_3 x + 4$

$\log_3 x = t$로 놓으면 $t^2 < 3t + 4$, $t^2 - 3t - 4 < 0$

$(t+1)(t-4)<0$ ∴ $-1 < t < 4$

STEP3 구한 해에 t 대신 $\log_3 x$를 대입하여 x의 값의 범위 구하기

즉, $-1 < \log_3 x < 4$이므로 $\log_3 3^{-1} < \log_3 x < \log_3 3^4$

밑이 3이고 $3>1$이므로 $\frac{1}{3} < x < 81$ ······ ㉡

㉠, ㉡에 의하여 $\frac{1}{3} < x < 81$

(2) **STEP1** 진수의 조건을 이용하여 x의 값의 범위 구하기

진수의 조건에서 $4x>0$, $16x>0$이므로 $x>0$ ······ ㉠

STEP2 $\log_{\frac{1}{2}} x = t$로 놓고 t에 대한 이차부등식 풀기

$\log_{\frac{1}{2}} 4x \times \log_{\frac{1}{2}} 16x \le 3$에서

$(-2 + \log_{\frac{1}{2}} x)(-4 + \log_{\frac{1}{2}} x) \le 3$ ❶

$\log_{\frac{1}{2}} x = t$로 놓으면 $(-2+t)(-4+t) \le 3$

$t^2 - 6t + 5 \le 0$, $(t-1)(t-5) \le 0$ ∴ $1 \le t \le 5$

STEP3 구한 해에 t 대신 $\log_{\frac{1}{2}} x$를 대입하여 x의 값의 범위 구하기

즉, $1 \le \log_{\frac{1}{2}} x \le 5$이므로 $\log_{\frac{1}{2}} \frac{1}{2} \le \log_{\frac{1}{2}} x \le \log_{\frac{1}{2}} \left(\frac{1}{2}\right)^5$

밑이 $\frac{1}{2}$이고 $0 < \frac{1}{2} < 1$이므로 $\frac{1}{32} \le x \le \frac{1}{2}$ ······ ㉡

㉠, ㉡에 의하여 $\frac{1}{32} \le x \le \frac{1}{2}$

❶ $\log_{\frac{1}{2}} 4x \times \log_{\frac{1}{2}} 16x$
$= (\log_{\frac{1}{2}} 4 + \log_{\frac{1}{2}} x)$
$\qquad \times (\log_{\frac{1}{2}} 16 + \log_{\frac{1}{2}} x)$
$= (-2 + \log_{\frac{1}{2}} x)$
$\qquad \times (-4 + \log_{\frac{1}{2}} x)$

답 (1) $\frac{1}{3} < x < 81$ (2) $\frac{1}{32} \le x \le \frac{1}{2}$

풍쌤 강의 NOTE

부등식 $(\log_a x)^2 + p \times \log_a x + q < 0$ (p, q는 상수)와 같이 $\log_a x$ 꼴이 반복되면 $\log_a x = t$로 치환하여 t에 대한 부등식 $t^2 + pt + q < 0$에서 t의 값의 범위를 먼저 구한다.

06-1 · 유사

다음 부등식을 풀어라.

(1) $(\log_{\frac{1}{2}} x)^2 + 3\log_{\frac{1}{2}} x^2 + 8 > 0$

(2) $2(\log_5 x)^2 < 2 - 3\log_5 x$

(3) $\log_3 9x \times \log_{\sqrt{3}} x \geq 6$

(4) $\log_{\frac{1}{2}} \dfrac{2}{x} \times \log_2 4x < 10$

06-2 · 변형

부등식 $\log_{\frac{1}{4}} x^3 + (\log_{\frac{1}{4}} x)^2 \leq -2$의 해가 $\alpha \leq x \leq \beta$ 일 때, $\alpha + \beta$의 값을 구하여라.

06-3 · 변형

부등식 $\log_2 \dfrac{4}{x} \times \log_{\frac{1}{2}} \dfrac{8}{x} + 12 < 0$의 해가 $0 < x < \alpha$ 또는 $x > \beta$일 때, $\alpha\beta$의 값을 구하여라.

06-4 · 변형

부등식 $\log_5 x \times \log_5 25x \leq 48$을 만족시키는 x의 최댓값을 M, 최솟값을 m이라고 할 때, Mm의 값을 구하여라.

06-5 · 변형

부등식 $(\log_{\frac{1}{3}} x)^2 + a\log_3 x + b > 0$의 해가

$0 < x < \dfrac{1}{9}$ 또는 $x > 27$일 때, 두 상수 a, b에 대하여 $a - b$의 값을 구하여라.

06-6 · 실력

두 집합

$$A = \{x \mid x^2 - 5x + 4 \leq 0\},$$
$$B = \{x \mid (\log_2 x)^2 - 2k\log_2 x + k^2 - 1 \leq 0\}$$

에 대하여 $A \cap B \neq \varnothing$을 만족시키는 정수 k의 개수를 구하여라.

부등식 $x^{\log_{\frac{1}{2}} x} > \dfrac{x^4}{32}$ 을 풀어라.

풍쌤 POINT

밑과 지수에 모두 미지수가 있고 지수에 로그가 있는 $x^{\log_a f(x)} > g(x)$ 꼴의 부등식은 먼저 양변에 밑이 a인 로그를 취해. 이때 a의 값의 범위에 따른 부등호의 방향에 주의해!

풀이

STEP1 진수의 조건을 이용하여 x의 값의 범위 구하기

진수의 조건에서

$x > 0$ ...... ㉠

STEP2 양변에 밑이 $\dfrac{1}{2}$인 로그를 취한 후 $\log_{\frac{1}{2}} x = t$로 놓고 t에 대한

이차부등식 풀기

$x^{\log_{\frac{1}{2}} x} > \dfrac{x^4}{32}$의 양변에 밑이 $\dfrac{1}{2}$인 로그를 취하면

$\log_{\frac{1}{2}} x^{\log_{\frac{1}{2}} x} < \log_{\frac{1}{2}} \dfrac{x^4}{32}$ ❶

$\log_{\frac{1}{2}} x \times \log_{\frac{1}{2}} x < \log_{\frac{1}{2}} x^4 - \log_{\frac{1}{2}} 32$ ❷

$\left(\log_{\frac{1}{2}} x\right)^2 < 4\log_{\frac{1}{2}} x + 5$

$\log_{\frac{1}{2}} x = t$로 놓으면

$t^2 < 4t + 5$, $t^2 - 4t - 5 < 0$

$(t+1)(t-5) < 0$ ∴ $-1 < t < 5$

STEP3 구한 해에 t 대신 $\log_{\frac{1}{2}} x$를 대입하여 x의 값의 범위 구하기

즉, $-1 < \log_{\frac{1}{2}} x < 5$이므로

$\log_{\frac{1}{2}} \left(\dfrac{1}{2}\right)^{-1} < \log_{\frac{1}{2}} x < \log_{\frac{1}{2}} \left(\dfrac{1}{2}\right)^5$

밑이 $\dfrac{1}{2}$이고 $0 < \dfrac{1}{2} < 1$이므로

$\dfrac{1}{32} < x < 2$ ...... ㉡

㉠, ㉡에 의하여 $\dfrac{1}{32} < x < 2$

❶ 지수에 밑이 $\dfrac{1}{2}$인 로그가 있으므로 양변에 밑이 $\dfrac{1}{2}$인 로그를 취한다. 이때 밑이 $0 < \dfrac{1}{2} < 1$이므로 부등호의 방향이 바뀐다.

❷ $\log_{\frac{1}{2}} 32 = \log_{2^{-1}} 2^5$
$\qquad\qquad = -5$

답 $\dfrac{1}{32} < x < 2$

풍쌤 강의 NOTE

$3^x > 2^{-x+1}$과 같이 밑을 같게 할 수 없는 지수부등식도 양변에 밑이 같은 로그를 취한다.

07-1 유사

다음 부등식을 풀어라.

(1) $x^{\log x} \le 100x$

(2) $x^{\log_3 x} > \dfrac{x^5}{81}$

(3) $x^{\log_{0.5} x} \ge \sqrt{\dfrac{x}{2}}$

07-2 변형

부등식 $x^{\log_{\frac{1}{5}} x + 2} > \dfrac{1}{125}$ 을 만족시키는 자연수 x의 개수를 구하여라.

07-3 변형

부등식 $x^{\log_2 x - 1} \le \dfrac{x^2}{4}$ 을 만족시키는 모든 정수 x의 값의 합을 구하여라.

07-4 변형

부등식 $(x-1)^{\log_4 (x-1)} + 1 < x$를 만족시키는 x의 값의 범위를 구하여라.

07-5 변형

부등식
$$3^{\log x} \times x^{\log 3} - 6(3^{\log x} + x^{\log 3}) + 27 < 0$$
의 해를 $\alpha < x < \beta$라고 할 때, $\beta - \alpha$의 값을 구하여라.

07-6 실력

다음 조건을 만족시키는 정수 x의 개수를 구하여라.

(단, $\log 2 = 0.3$으로 계산한다.)

(가) $2^{2x+1} > 10^{5-x}$

(나) $(4x)^{\log_{\frac{1}{2}} x + 4} \ge \dfrac{1}{128}$

x에 대한 이차방정식 $x^2+(\log_2 a-3)x+3-2\log_2 a=0$이 서로 다른 두 실근을 갖도록 하는 실수 a의 값의 범위를 구하여라.

풍쌤 POINT

계수에 로그를 포함한 이차방정식의 근에 대한 조건이 주어지면 이차방정식의 판별식을 이용하여 로그부등식을 얻을 수 있어.

풀이

STEP1　이차방정식의 판별식을 이용하여 로그부등식 세우기

진수의 조건에서 $a>0$ ...... ㉠

이차방정식 $x^2+(\log_2 a-3)x+3-2\log_2 a=0$이 서로 다른 두 실근을 가지려면 이 이차방정식의 판별식을 D라고 할 때

$D=(\log_2 a-3)^2-4\times 1\times(3-2\log_2 a)>0$❶

$(\log_2 a)^2+2\log_2 a-3>0$

❶ 이차방정식이 서로 다른 두 실근을 가지므로 (판별식)>0이다.

STEP2　로그부등식을 풀어 a의 값의 범위 구하기

$\log_2 a=t$로 놓으면

$t^2+2t-3>0$, $(t+3)(t-1)>0$

$\therefore t<-3$ 또는 $t>1$

즉, $\log_2 a<-3$ 또는 $\log_2 a>1$이므로

$\log_2 a<\log_2 2^{-3}$ 또는 $\log_2 a>\log_2 2$

밑이 2이고 $2>1$이므로

$a<\dfrac{1}{8}$ 또는 $a>2$❷ ...... ㉡

❷ (밑)>1이므로 부등호의 방향이 바뀌지 않는다.

㉠, ㉡에 의하여 $0<a<\dfrac{1}{8}$ 또는 $a>2$

冒 $0<a<\dfrac{1}{8}$ 또는 $a>2$

풍쌤 강의 NOTE

이차방정식의 근의 조건

① 이차방정식이 서로 다른 두 실근을 가질 조건: (판별식)>0

② 이차방정식이 실근을 가질 조건: (판별식)≥ 0

③ 이차방정식이 실근을 갖지 않을 조건: (판별식)<0

④ 이차방정식의 두 근이 모두 양수일 조건: (판별식)≥ 0, (두 근의 합)>0, (두 근의 곱)>0

⑤ 이차방정식의 두 근이 모두 음수일 조건: (판별식)≥ 0, (두 근의 합)<0, (두 근의 곱)>0

08-1 (유사)

x에 대한 이차방정식

$$x^2+2(1-\log_3 a)x-\log_3 a+7=0$$

이 실근을 갖지 않도록 하는 실수 a의 값의 범위를 구하여라.

08-2 (유사)

x에 대한 이차방정식

$$x^2-4(1+\log_4 k)x+\log_4 k+6=0$$

이 실근을 갖도록 하는 정수 k의 값의 범위를 구하여라.

08-3 (변형)

x에 대한 이차방정식

$$\left(4+\log_{\frac{1}{2}} a\right)x^2-\left(1+\log_{\frac{1}{2}} a\right)x+1=0$$

이 서로 다른 두 실근을 갖도록 하는 자연수 a의 최솟값을 구하여라.

08-4 (변형)

x에 대한 이차방정식

$$x^2-2x\log_6 k+2-\log_6 k=0$$

의 근이 모두 양수가 되도록 하는 정수 k의 최댓값과 최솟값의 합을 구하여라.

08-5 (변형)

x에 대한 이차방정식

$$2x^2-2x\log_2 a+\log_2 a+4=0$$

의 근이 모두 음수가 되도록 하는 실수 a의 값의 범위를 구하여라.

08-6 (변형)

방정식

$$(\log x+\log 3)(\log x+\log 27)=-(\log a)^2$$

이 서로 다른 두 실근을 갖도록 하는 양수 a의 값의 범위가 $\alpha<k<\beta$일 때, $\alpha\beta$의 값을 구하여라.

모든 양수 x에 대하여 부등식 $(\log_{\frac{1}{3}} x)^2 - 4\log_{\frac{1}{3}} x + 3\log_{\frac{1}{3}} k - 2 > 0$이 성립하도록 하는 실수 k의 값의 범위를 구하여라.

풍쌤 POINT

$\log_a x = t$로 치환하여 t에 대한 부등식으로 바꾼 후 모든 양수 x에 대하여 로그부등식이 성립할 조건과 모든 실수 t에 대한 부등식이 성립할 조건이 같음을 이용해.

풀이

STEP1 $\log_{\frac{1}{3}} x = t$로 놓고 t에 대한 이차부등식 세우기

진수의 조건에서 $k > 0$ ······ ㉠

$(\log_{\frac{1}{3}} x)^2 - 4\log_{\frac{1}{3}} x + 3\log_{\frac{1}{3}} k - 2 > 0$에서

$\log_{\frac{1}{3}} x = t$로 놓으면 ❶

$t^2 - 4t + 3\log_{\frac{1}{3}} k - 2 > 0$ ······ ㉡

> ❶ x는 모든 양수이므로 t는 모든 실수이다.

STEP2 모든 실수 t에 대하여 부등식이 성립함을 이용하여 k의 값의 범위 구하기

주어진 부등식이 모든 양수 x에 대하여 성립하려면 부등식 ㉡은 모든 실수 t에 대하여 성립해야 하므로 이차방정식 $t^2 - 4t + 3\log_{\frac{1}{3}} k - 2 = 0$의 판별식을 D라고 하면

$\dfrac{D}{4} = (-2)^2 - (3\log_{\frac{1}{3}} k - 2) < 0$ ❷

$6 - 3\log_{\frac{1}{3}} k < 0,\ \log_{\frac{1}{3}} k > 2$

즉, $\log_{\frac{1}{3}} k > \log_{\frac{1}{3}} \left(\dfrac{1}{3}\right)^2$

밑이 $\dfrac{1}{3}$이고 $0 < \dfrac{1}{3} < 1$이므로

$k < \dfrac{1}{9}$ ······ ㉢

㉠, ㉢에 의하여 $0 < k < \dfrac{1}{9}$

> ❷ 이차부등식 $f(t) > 0$이 항상 성립하면 이차방정식 $f(t) = 0$의 판별식 $D < 0$이다.

冒 $0 < k < \dfrac{1}{9}$

풍쌤 강의 NOTE

• 모든 양의 실수 x에 대하여 부등식 $(\log_a x)^2 + p\log_a x + q > 0$ (p, q는 상수)이 성립하면
➡ $\log_a x = t$로 치환할 때 t에 대한 부등식 $t^2 + pt + q > 0$이 항상 성립한다.

• 모든 실수 x에 대하여 이차부등식이 항상 성립할 조건은 다음과 같다.
이차방정식 $ax^2 + bx + c = 0$의 판별식을 $D = b^2 - 4ac$라고 할 때
① $ax^2 + bx + c > 0$ ➡ $a > 0,\ D < 0$
② $ax^2 + bx + c < 0$ ➡ $a < 0,\ D < 0$
③ $ax^2 + bx + c \geq 0$ ➡ $a > 0,\ D \leq 0$
④ $ax^2 + bx + c \leq 0$ ➡ $a < 0,\ D \leq 0$

09-1 (유사)

모든 양수 x에 대하여 부등식

$$(\log_5 x)^2 \geq \log_5 \frac{x^2}{25a}$$

이 성립하도록 하는 실수 a의 값의 범위를 구하여라.

09-2 (변형)

모든 양수 x에 대하여 부등식

$$\log_2 x\left(\log_{\frac{1}{2}} x + 4\right) + 2\log_{\frac{1}{2}} k \leq 0$$

이 성립하도록 하는 정수 k의 최솟값을 구하여라.

09-3 (변형)

$x > 0$에서 부등식

$$(\log_{\sqrt{3}} x)^2 + 6\log_{\sqrt{3}} 3x > \log_3 a$$

가 성립하도록 하는 정수 a의 개수를 구하여라.

09-4 (변형)

모든 양수 x에 대하여 부등식

$$x^{\log_4 x} > (16x)^k$$

이 성립하도록 하는 모든 정수 k의 개수를 구하여라.

09-5 (변형)

모든 양수 x에 대하여 부등식

$$x^{-\log_3 x} < ax^2$$

이 성립하도록 하는 실수 a의 값의 범위를 구하여라.

09-6 (실력) (기출)

x에 대한 로그부등식

$$\left(\log_2 \frac{x}{a}\right)\left(\log_2 \frac{x^2}{a}\right) + 2 \geq 0$$

이 모든 양의 실수 x에 대하여 성립할 때, 양의 실수 a의 최댓값을 M, 최솟값을 m이라고 하자. 이때 $M + 16m$의 값을 구하여라.

다음 물음에 답하여라.

(1) 어느 도시의 미세 먼지 농도는 매년 2%씩 증가한다고 할 때, 미세 먼지 농도가 올해의 2배가 되는 것은 몇 년 후인지 구하여라.

(단, $\log 1.02=0.0086$, $\log 2=0.3010$으로 계산한다.)

(2) 올해 개체 수가 1000인 어느 멸종 위기 동물의 개체 수는 매년 4%씩 감소된다고 할 때, 이 동물의 개체 수가 처음으로 125 이하가 되는 것은 몇 년 후인지 구하여라.

(단, $\log 2=0.3010$, $\log 9.6=0.9823$으로 계산한다.)

풍쌤 POINT

일정한 비율로 증가 또는 감소하는 상황이 주어지면 구하는 값을 미지수로 놓고 조건을 만족시키는 방정식 또는 부등식을 세워 봐.

풀이

(1) **STEP1 주어진 상황을 식으로 나타내기**

올해 미세 먼지 농도를 a라고 하면 n년 후 미세 먼지 농도는 $a(1+0.02)^n$

n년 후의 미세 먼지 농도가 올해 미세 먼지 농도의 2배가 되려면

$a(1+0.02)^n=2a$, $1.02^n=2$

STEP2 양변에 상용로그를 취하여 n의 값 구하기

양변에 상용로그를 취하면 $\log 1.02^n=\log 2$, $n\log 1.02=\log 2$

$\therefore n=\dfrac{\log 2}{\log 1.02}=\dfrac{0.3010}{0.0086}=35$

따라서 미세 먼지 농도가 올해의 2배가 되는 것은 35년 후이다.

(2) **STEP1 주어진 상황을 식으로 나타내기**

n년 후의 동물의 개체 수는 $1000(1-0.04)^n=1000\times 0.96^n$

n년 후에 동물의 개체 수가 125 이하가 된다고 하면

$1000\times 0.96^n\leq 125$, $0.96^n\leq\dfrac{1}{8}$

STEP2 양변에 상용로그를 취하여 n의 값의 범위 구하기

양변에 상용로그를 취하면 $\log 0.96^n\leq\log\dfrac{1}{8}$, $n\log 0.96\leq\log 2^{-3}$

$n\log\dfrac{9.6}{10}\leq -3\log 2$, $n(\log 9.6-1)\leq -3\log 2$

$-0.0177n\leq -0.9030$ $\therefore n\geq 51.016\cdots$

따라서 동물의 개체 수가 처음으로 125 이하가 되는 것은 52년 후이다.

답 (1) 35년 (2) 52년

풍쌤 강의 NOTE

일정한 비율로 증가 또는 감소하는 상황에 대한 문제는 다음을 이용한다.

① 현재의 양이 a이고 매년 $r\%$씩 일정한 비율로 증가할 때, n년 후의 양은 $a\left(1+\dfrac{r}{100}\right)^n$

② 현재의 양이 a이고 매년 $r\%$씩 일정한 비율로 감소할 때, n년 후의 양은 $a\left(1-\dfrac{r}{100}\right)^n$

10-1 _{기본}

pH는 용액의 산성도를 가늠하는 척도로서 용액 1 L 속에 들어 있는 수소 이온 농도가 $[H^+]$일 때, $pH=-\log[H^+]$로 정한다. 다음 물음에 답하여라. (단, 수소 이온 농도의 단위는 mol/L로 나타낸다.)

(1) pH=6.2인 용액 1 L 속에 들어 있는 수소 이온 농도는 pH=7.2인 용액 1 L 속에 들어 있는 수소 이온 농도의 몇 배인지 구하여라.

(2) pH가 5.6 이하인 비를 산성비라고 할 때, 산성비 1 L 속에 들어 있는 최소 수소 이온 농도를 구하여라.

10-2 _{유사}

A 국가의 올해 GNP(국민 총생산)를 a원이라고 하자. GNP가 해마다 7 %씩 증가한다고 하면 올해 GNP의 4배가 되는 것은 몇 년 후인지 구하여라.

(단, $\log 1.07=0.03$, $\log 2=0.3$으로 계산한다.)

10-3 _{유사}

어느 도시의 인구 수가 매년 5 %씩 감소한다고 할 때, 이 도시의 인구 수가 처음으로 올해의 80 % 이하가 되는 것은 몇 년 후인지 구하여라.

(단, $\log 1.9=0.28$, $\log 2=0.3$으로 계산한다.)

10-4 _{변형}　　　　　　　　　　　_{기출}

어느 제과점에서는 다음과 같은 방법으로 빵의 가격을 실질적으로 인상한다.

> 빵의 개당 가격은 그대로 유지하고, 무게를 그 당시 무게에서 10 % 줄인다.

이 방법을 n번 시행하면 빵의 단위 무게당 가격이 처음의 1.5배 이상이 된다. n의 최솟값을 구하여라.

(단, $\log 2=0.3010$, $\log 3=0.4771$로 계산한다.)

10-5 _{변형}

어떤 식물성 플랑크톤은 바다 수면에 비치는 햇빛의 양의 8 % 이상이 도달하는 깊이까지 살 수 있다고 한다. 어떤 지역에서 햇빛이 수면으로부터 10 m씩 내려갈 때마다 햇빛의 양이 18 %씩 감소된다고 할 때, 이 식물성 플랑크톤이 살 수 있는 깊이는 최대 몇 m인지 구하여라. (단, $\log 2=0.3$, $\log 8.2=0.9$로 계산한다.)

01

방정식 $\log_3(x-2)=\log_9(2x-1)$을 만족시키는 x의 값은?

① 1   ② 2   ③ 3

④ 4   ⑤ 5

02 기출

방정식 $\log_2(4+x)+\log_2(4-x)=3$을 만족시키는 모든 실수 x의 값의 곱은?

① -10 ② -8 ③ -6

④ -4 ⑤ -2

03 서술형

방정식 $\log_{x^2-x+2}(x+1)=\log_{x+5}(x+1)$의 모든 근의 합을 구하여라.

04

방정식
$$4^{\log x}\times x^{\log 4}-3(4^{\log x}+x^{\log 4})+8=0$$
의 두 근을 α, β라고 할 때, $\alpha^2+\beta^2$의 값은?

① 100   ② 105   ③ 110

④ 115   ⑤ 120

05

연립방정식
$$\begin{cases} 5^x=25^y \\ \log_2 16x \times \log_2 8y=-1 \end{cases}$$
의 해를 $x=\alpha$, $y=\beta$라고 할 때, $\dfrac{1}{\alpha\beta}$의 값은?

① 16   ② 32   ③ 64

④ 128   ⑤ 256

06

방정식 $8x^{\log 8}-(3x)^{\log 3}=0$의 해를 $x=\alpha$라고 할 때, 120α의 값은? (단, $x>0$)

① 5   ② 6   ③ 7

④ 8   ⑤ 9

07

기출

방정식
$$(\log_3 x)^2 - 6\log_3 \sqrt{x} + 2 = 0$$
의 서로 다른 두 실근을 α, β라고 할 때, $\alpha\beta$의 값을 구하여라.

08

방정식 $\log_3 x - \dfrac{1}{5}\log_x 9 + k = 0$의 두 근이 곱이 27일 때, 상수 k의 값은?

① -3 ② -1 ③ 0

④ 1   ⑤ 3

09 서술형

방정식 $x^{1-\log_3 x^2} = \dfrac{x^6}{8}$의 해를 구하여라.

10

부등식 $\log_{0.5}(3x-5) \geq \log_{\sqrt{0.5}}(x-3)$을 만족시키는 실수 x의 최솟값은?

① 5   ② 6   ③ 7

④ 8   ⑤ 9

11

부등식 $\log_{\frac{1}{3}}\{\log_5(\log_2 x)\} > 0$을 만족시키는 자연수 x의 개수는?

① 28   ② 29   ③ 30

④ 31   ⑤ 32

12

정수 전체의 집합의 두 부분집합
$$A = \{x \mid \log_2(x+1) \leq k\},$$
$$B = \{x \mid \log_2(x-2) - \log_{\frac{1}{2}}(x+1) \geq 2\}$$
에 대하여 $n(A \cap B) = 5$를 만족시키는 자연수 k의 값은?

① 3   ② 4   ③ 5

④ 6   ⑤ 7

13 서술형

부등식 $(\log_2 8x)^2 - 5\log_{\sqrt{2}} x - 6 < 0$의 해와 부등식 $x^2 + mx + n < 0$의 해가 서로 같을 때, 두 상수 m, n에 대하여 $m+n$의 값을 구하여라.

14

부등식 $(3x)^{\log_{\frac{1}{3}} x + 1} > \dfrac{1}{27}$을 만족시키는 자연수 x의 최댓값은?

① 6   ② 7   ③ 8

④ 9   ⑤ 10

15

x에 대한 이차방정식

$$(3 - \log_2 a)x^2 - 2(1 - \log_2 a)x + 1 = 0$$

이 서로 다른 두 실근을 가질 때, 다음 중 상수 a의 값이 될 수 있는 것은?

① $\dfrac{1}{4}$ ② $\dfrac{1}{2}$ ③ 2

④ 4   ⑤ 8

16

모든 양수 x에 대하여 부등식

$$(\log_{\sqrt{5}} x)^2 + 4\log_{\sqrt{5}} 5x \geq \log_{\sqrt{5}} k$$

이 성립하도록 하는 모든 정수 k의 개수는?

① 23   ② 24   ③ 25

④ 26   ⑤ 27

17

화재가 발생한 화재실의 온도는 시간에 따라 변한다. 어떤 화재실의 초기 온도를 $T_0(\text{℃})$, 화재가 발생한 지 t분 후의 온도를 $T(\text{℃})$라고 할 때, 다음 식이 성립한다고 한다.

$$T = T_0 + k\log(8t + 1) \text{ (단, } k\text{는 상수이다.)}$$

초기 온도가 20 ℃인 이 화재실에서 화재가 발생한 지 $\dfrac{9}{8}$분 후의 온도가 365 ℃이었고, 화재가 발생한 지 a분 후의 온도는 710 ℃이었다. a의 값은?

① $\dfrac{99}{8}$ ② $\dfrac{109}{8}$ ③ $\dfrac{119}{8}$

④ $\dfrac{129}{8}$ ⑤ $\dfrac{139}{8}$

18

한 번 통과하면 60 %의 불순물이 제거되는 여과기가 있다. 불순물의 양을 처음 양의 2 % 이하가 되게 하려면 여과기를 최소한 몇 번 통과시켜야 하는지 구하여라. (단, $\log 2 = 0.3010$으로 계산한다.)

정답과 풀이 141쪽

01

실수 a에 대하여 $\log_2 |x-a| = \log_4 (x-3)$의 실근의 개수를 $f(a)$라고 할 때,
$f(0) + f(1) + f(2) + f(3) + f(4) + f(5)$의 값을 구하여라.

02

기출

직선 $x=k$가 두 곡선
$$y = \log_2 x, \quad y = -\log_2 (8-x)$$
와 만나는 점을 각각 A, B라고 하자. $\overline{AB} = 2$가 되도록 하는 실수 k의 값의 곱을 구하여라. (단, $0 < k < 8$)

03

x에 대한 방정식 $\log_3 (x-2) = \log_9 (x-a)$가 서로 다른 두 실근을 갖도록 하는 실수 a의 값의 범위가 $\alpha < a < \beta$이다. $10\alpha\beta$의 값은?

① 18   ② 27   ③ 36

④ 45   ⑤ 54

04

x에 대한 방정식 $(\log_2 x)^2 - \log_2 x^6 + k = 0$의 두 근이 $\dfrac{1}{2}$과 16 사이에 있을 때, 실수 k의 값의 범위는?

① $\dfrac{11}{2} < k \leq 5$ ② $7 < k \leq \dfrac{15}{2}$

③ $8 < k \leq 9$ ④ $\dfrac{17}{2} < k \leq \dfrac{19}{2}$

⑤ $9 < k \leq 10$

05

포물선 $y=f(x)$와 직선 $y=g(x)$가 다음 그림과 같이 두 점 P, Q에서 만난다. 두 점 P, Q의 x좌표는 각각 -3, 4이고 $f(-3)=f(3)=0$이다. 부등식 $\log_{0.5} f(x) > \log_{0.5} g(-x)$의 해가 $\alpha < x < \beta$일 때, $\alpha\beta$의 값을 구하여라.

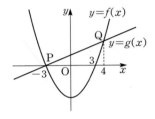

06

부등식 $|\log_3 x - \log_3 6| + \log_3 y \leq 1$을 만족시키는 두 자연수 x, y의 순서쌍 (x, y)의 개수는?

① 22   ② 24   ③ 26
④ 28   ⑤ 30

07

부등식
$$\log_{\frac{1}{2}} x^2 \times \log_2 x^2 + 16\log_2 |x| \geq n$$
이 다음 조건을 모두 만족시키도록 하는 자연수 n의 값을 구하여라.

> (가) 부등식을 만족시키는 양수 x의 최솟값과 최댓값은 모두 자연수이다.
> (나) 부등식을 만족시키는 정수 x의 개수는 14이다.

08

어느 기업에서는 제품의 개발을 위하여 예산에서 연구비가 차지하는 비율을 증가시키기로 하였다. 올해 이 기업의 예산에서 연구비가 차지하는 비율은 6 %이다. 이후 예산의 증가율은 매년 15 %, 연구비의 증가율은 매년 20 %로 일정하다면 처음으로 예산에서 연구비가 차지하는 비율이 8 % 이상이 될 때는 올해를 기준으로 몇 년 후인지 구하여라. (단, $\log 1.15 = 0.0607$, $\log 1.2 = 0.0792$, $\log 2 = 0.3010$, $\log 3 = 0.4771$로 계산한다.)

07

삼각함수

07 삼각함수

개념 01 일반각

(1) 동경과 시초선

평면 위의 두 반직선 OX와 OP에 의하여
∠XOP가 정해질 때, ∠XOP의 크기는 반직선
OP가 점 O를 중심으로 고정된 반직선 OX의 위
치에서 반직선 OP의 위치까지 회전한 양으로 정
한다. 이때 반직선 OX를 시초선, 반직선 OP를
동경이라고 한다.

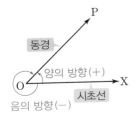

또, 동경 OP가 점 O를 중심으로 회전할 때, 시곗바늘이 도는 방향의 반대
방향을 양의 방향, 시곗바늘이 도는 방향을 음의 방향이라고 한다.

예 $410°$, $-410°$인 각을 그림으로 나타내면 다음과 같다.

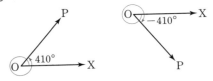

(2) 일반각

시초선 OX와 동경 OP가 나타내는 한 각의 크기
를 $a°$라고 하면 ∠XOP의 크기는

$$360° \times n + a° \; (n \text{은 정수})$$ ← n은 동경이 $360°$씩 회전한 방향과 횟수

꼴로 나타낼 수 있다.
이것을 동경 OP가 나타내는 일반각이라고 한다.

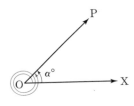

(3) 사분면의 각

좌표평면에서 원점 O에 대하여 시초선 OX를 x
축의 양의 방향으로 잡을 때, 동경 OP가 제1사분
면, 제2사분면, 제3사분면, 제4사분면에 있으면
동경 OP가 나타내는 각을 각각 제1사분면의 각,
제2사분면의 각, 제3사분면의 각, 제4사분면의 각
이라고 한다.

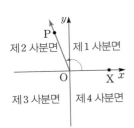

예 $1200° = 360° \times 3 + 120°$이므로 $1200°$는 제2사분면의 각이다.

확인 01 다음 각이 나타내는 일반각을 $360° \times n + a°$ 꼴로 나타내어라.

(단, n은 정수, $0° \le a° < 360°$)

(1) $60°$　　　　　　　　　(2) $850°$

(3) $-40°$　　　　　　　　(4) $-500°$

확인 02 다음 각은 제몇 사분면의 각인지 말하여라.

(1) $320°$　　　　　　　　(2) $1500°$

(3) $-130°$　　　　　　　(4) $-740°$

中1 수학 각

(1) 각 AOB: 한 점 O에서 시작하는
두 반직선 OA, OB로 이루어진
도형으로 ∠AOB, ∠BOA,
∠O, ∠a와 같이 나타낸다.

(2) 각 AOB의 크기: 꼭짓점 O를 중
심으로 반직선 OA가 반직선
OB까지 회전한 양

▶ 일반적으로 $a°$는 $0° \le a° < 360°$의
범위에서 나타낸다.

▶ 좌표평면에서 시초선은 보통 원점
에서 x축의 양의 방향으로 정한
다.

▶ 동경이 좌표축 위에 있으면 어느
사분면에도 속하지 않는다.

개념 02 호도법

(1) **육십분법**: 원의 둘레를 360등분 하여 각 호에 대한 중심각의 크기를 1도($°$),

1도의 $\dfrac{1}{60}$ 을 1분($'$), 1분의 $\dfrac{1}{60}$ 을 1초($''$)로 정의하여 각의 크기를 나타내는 방법

(2) **1라디안**: 반지름의 길이가 r인 원에서 길이가 r인 호의 중심각의 크기

(3) **호도법**: 라디안을 단위로 하여 각의 크기를 나타내는 방법

(4) **호도법과 육십분법 사이의 관계**

호도법과 육십분법 사이에는 다음과 같은 관계가 성립한다.

$$1\text{라디안}=\dfrac{180°}{\pi},\ 1°=\dfrac{\pi}{180}\text{라디안}$$

① 육십분법을 호도법으로 나타낼 때

➡ (호도법의 각)=(육십분법의 각)$\times \dfrac{\pi}{180}$

② 호도법을 육십분법으로 나타낼 때

➡ (육십분법의 각)=(호도법의 각)$\times \dfrac{180°}{\pi}$

[예] ① $50°=50\times 1°=50\times \dfrac{\pi}{180}=\dfrac{5}{18}\pi$

② $3\pi=3\pi\times 1(\text{라디안})=3\pi\times \dfrac{180°}{\pi}=540°$

확인 03 다음에서 육십분법으로 나타낸 각은 호도법으로, 호도법으로 나타낸 각은 육십분법으로 나타내어라.

(1) $40°$

(2) $-105°$

(3) $\dfrac{\pi}{5}$

(4) $-\dfrac{5}{6}\pi$

확인 04 다음 표를 완성하여라.

도($°$)	$0°$	$30°$	$45°$	$60°$	$90°$	$120°$
라디안	0		$\dfrac{\pi}{4}$		$\dfrac{\pi}{2}$	
도($°$)		$150°$		$270°$		$720°$
라디안	$\dfrac{3}{4}\pi$	$\dfrac{5}{6}\pi$	π	$\dfrac{3}{2}\pi$	2π	4π

확인 05 다음 각의 동경이 나타내는 일반각을 $2n\pi+\theta$ 꼴로 나타내어라.

(단, n은 정수, $0\le \theta<2\pi$)

(1) $\dfrac{\pi}{6}$

(2) $\dfrac{\pi}{2}$

(3) $\dfrac{13}{4}\pi$

(4) $-\dfrac{10}{3}\pi$

> 1라디안을 육십분법으로 나타내면 약 $57°17'45''$이다.

> 호도법으로 나타낸 각의 크기는 반지름의 길이에 대한 호의 길이의 비를 나타낸 실수이므로 보통 단위인 라디안은 생략하고 $\dfrac{\pi}{3}$, 2, π와 같이 실수로 나타낸다.

> 시초선 OX와 동경 OP가 나타내는 한 각의 크기를 θ라고 하면 $\angle$XOP의 크기는 $2n\pi+\theta$ (n은 정수) 꼴로 나타낼 수 있다.

반지름의 길이가 r, 중심각의 크기가 θ인 부채꼴의 호의 길이를 l, 넓이를 S라고 하면

$$l=r\theta,\ S=\frac{1}{2}r^2\theta=\frac{1}{2}rl$$

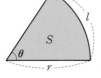

▶**주의** 부채꼴의 중심각의 크기 θ는 호도법으로 나타낸 각임에 유의한다.
　　 중심각의 크기가 육십분법으로 주어지면 호도법으로 고쳐서 계산한다.

확인 06 반지름의 길이가 4, 중심각의 크기가 $\dfrac{\pi}{4}$인 부채꼴의 호의 길이 l과 넓이 S를 구하여라.

> **中1 수학** 부채꼴의 호의 길이와 넓이
> 반지름의 길이가 r, 중심각의 크기가 $a°$인 부채꼴의 호의 길이를 l, 넓이를 S라고 하면
> $$l=2\pi r\times\frac{a}{360}$$
> $$S=\pi r^2\times\frac{a}{360}$$

개념 04 삼각함수

원점을 중심으로 하고 반지름의 길이가 r인 원 O 위의 점 $P(x,\ y)$에 대하여 동경 OP가 나타내는 일반각 중 하나의 크기를 θ라고 할 때, θ에 대한 삼각함수를 다음과 같이 정의한다.

$$\sin\theta=\frac{y}{r},\ \cos\theta=\frac{x}{r},\ \tan\theta=\frac{y}{x}\ (x\neq0)$$

이 함수들을 차례대로 θ의 사인함수, 코사인함수, 탄젠트함수라고 한다.

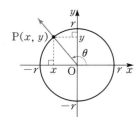

[예] 오른쪽 그림과 같이 원점 O와 원 위의 점 $P(-3,\ 4)$를 지나는 동경 OP가 나타내는 각의 크기를 θ라고 할 때, $\overline{OP}=\sqrt{(-3)^2+4^2}=5$이므로

$$\sin\theta=\frac{4}{5},\ \cos\theta=-\frac{3}{5},\ \tan\theta=-\frac{4}{3}$$

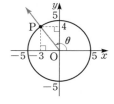

> sin, cos, tan는 각각 sine, cosine, tangent의 약자이다.

> **中3 수학** 삼각비
> $\angle C=90°$인 직각삼각형 ABC에서 $\angle A$의 삼각비는
>
> $\sin A=\dfrac{a}{c}$,
> $\cos A=\dfrac{b}{c}$,
> $\tan A=\dfrac{a}{b}$
> 로 정의한다.

확인 07 원점 O와 점 $P(12,\ -5)$를 지나는 동경 OP가 나타내는 각의 크기를 θ라고 할 때, 다음 값을 구하여라.

(1) $\sin\theta$ 　　 (2) $\cos\theta$ 　　 (3) $\tan\theta$

확인 08 다음은 $\theta=\dfrac{3}{4}\pi$일 때, $\sin\theta$, $\cos\theta$, $\tan\theta$의 값을 구하는 과정이다.

> 오른쪽 그림과 같이 $\dfrac{3}{4}\pi$를 나타내는 동경 OP와 단위원의 교점을 $P(x,\ y)$라고 하면 $\angle POQ=\dfrac{\pi}{4}$ 이므로 점 P의 좌표는 $P\left(-\dfrac{\sqrt{2}}{2},\ \boxed{\text{(가)}}\right)$이다.
> 이때 $\overline{OP}=1$이므로
> $$\sin\theta=\frac{\sqrt{2}}{2},\ \cos\theta=\boxed{\text{(나)}},\ \tan\theta=\boxed{\text{(다)}}$$

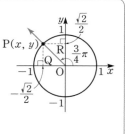

> 원점을 중심으로 하고 반지름의 길이가 1인 원을 단위원이라고 한다.

위의 과정에서 (가), (나), (다)에 알맞은 것을 구하여라.

개념05 삼각함수의 값의 부호

각 θ를 나타내는 동경 위의 점 $\mathrm{P}(x, y)$에 대하여 x좌표와 y좌표의 부호는 동경이 위치한 사분면에 따라 결정되므로 삼각함수의 값의 부호는 다음 표와 같이 정해진다.

삼각함수 ＼ 사분면	제1사분면 $(x>0, y>0)$	제2사분면 $(x<0, y>0)$	제3사분면 $(x<0, y<0)$	제4사분면 $(x>0, y<0)$
$\sin \theta = \dfrac{y}{r}$	$+$	$+$	$-$	$-$
$\cos \theta = \dfrac{x}{r}$	$+$	$-$	$-$	$+$
$\tan \theta = \dfrac{y}{x}$	$+$	$-$	$+$	$-$

> r는 원점과 $\mathrm{P}(x, y)$ 사이의 거리이므로 $r>0$이다.

(1) $\sin \theta$의 부호   (2) $\cos \theta$의 부호   (3) $\tan \theta$의 부호

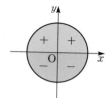 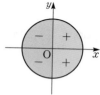 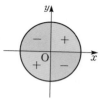

> 각 사분면에서 삼각함수의 값의 부호가 $+$인 것을 나타내면 다음과 같다.
>
> | $\sin \theta$ | $\begin{matrix}\sin \theta\\\cos \theta\\\tan \theta\end{matrix}$ |
> |---|---|
> | $\tan \theta$ | $\cos \theta$ |

예 $\dfrac{5}{3}\pi$는 제4사분면의 각이므로 $\sin \dfrac{5}{3}\pi<0$, $\cos \dfrac{5}{3}\pi>0$, $\tan \dfrac{5}{3}\pi<0$

확인 09 다음 각 θ에 대하여 $\sin \theta$, $\cos \theta$, $\tan \theta$의 값의 부호를 말하여라.

(1) $400°$ (2) $-800°$

(3) $\dfrac{19}{4}\pi$ (4) $-\dfrac{41}{6}\pi$

개념06 삼각함수 사이의 관계

(1) $\tan \theta = \dfrac{\sin \theta}{\cos \theta}$ (2) $\sin^2 \theta + \cos^2 \theta = 1$

> $(\sin \theta)^2$, $(\cos \theta)^2$, $(\tan \theta)^2$은 각각 $\sin^2 \theta$, $\cos^2 \theta$, $\tan^2 \theta$로 간단히 나타낸다.

확인 10 θ가 제2사분면의 각이고 $\sin \theta = \dfrac{3}{5}$일 때, $\cos \theta$, $\tan \theta$의 값을 구하여라.

개념＋ 삼각함수 사이의 관계 증명

각 θ를 나타내는 동경과 단위원의 교점을 $\mathrm{P}(x, y)$라고 하면

$x = \cos \theta$, $y = \sin \theta$

이므로

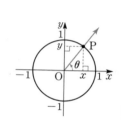

(1) $\tan \theta = \dfrac{y}{x} = \dfrac{\sin \theta}{\cos \theta}$

(2) 점 $\mathrm{P}(x, y)$는 단위원 위의 점이므로

    $x^2 + y^2 = 1$ $\therefore \cos^2 \theta + \sin^2 \theta = 1$

θ가 제1사분면의 각일 때, $\dfrac{\theta}{2}$를 나타내는 동경이 존재하는 사분면을 모두 구하여라.

풍쌤 POINT

θ를 일반각의 범위로 나타낸 후 $\dfrac{\theta}{2}$가 나타내는 각의 범위를 생각해 봐.

풀이

STEP1 $\dfrac{\theta}{2}$의 범위 구하기

θ가 제1사분면의 각이므로

$360° \times n + 0° < \theta < 360° \times n + 90°$ (n은 정수)❶

각 변을 2로 나누면

$180° \times n < \dfrac{\theta}{2} < 180° \times n + 45°$

STEP2 $n=2k$, $n=2k+1$ (k는 정수)일 때로 나누어 $\dfrac{\theta}{2}$가 나타내는 각의 범위 구하기

(i) $n=2k$ (k는 정수)일 때,❷

$180° \times 2k < \dfrac{\theta}{2} < 180° \times 2k + 45°$

$\therefore 360° \times k < \dfrac{\theta}{2} < 360° \times k + 45°$

즉, $\dfrac{\theta}{2}$는 제1사분면의 각이다.

(ii) $n=2k+1$ (k는 정수)일 때,

$180° \times (2k+1) < \dfrac{\theta}{2} < 180° \times (2k+1) + 45°$

$\therefore 360° \times k + 180° < \dfrac{\theta}{2} < 360° \times k + 225°$

즉, $\dfrac{\theta}{2}$는 제3사분면의 각이다.

STEP3 $\dfrac{\theta}{2}$를 나타내는 동경이 존재하는 사분면 구하기

(i), (ii)에 의하여 $\dfrac{\theta}{2}$를 나타내는 동경이 존재하는 사분면은

제1사분면 또는 제3사분면이다.

國 제1사분면 또는 제3사분면

❶ θ가 제1사분면의 각이라고 해서 $0° < \theta < 90°$로 놓지 않도록 주의한다.

❷ $360° = 180° \times 2$이므로 $\dfrac{\theta}{2}$의 범위를 일반각으로 나타내려면 n을 $n=2k$, $n=2k+1$ (k는 정수)로 나누어 생각한다.

풍쌤 강의 NOTE

각 θ를 나타내는 동경이 존재하는 사분면에 따라 θ의 범위를 일반각으로 표현하면 다음과 같다.

(단, n은 정수이다.)

① θ가 제1사분면의 각 ➡ $360° \times n + 0° < \theta < 360° \times n + 90°$
② θ가 제2사분면의 각 ➡ $360° \times n + 90° < \theta < 360° \times n + 180°$
③ θ가 제3사분면의 각 ➡ $360° \times n + 180° < \theta < 360° \times n + 270°$
④ θ가 제4사분면의 각 ➡ $360° \times n + 270° < \theta < 360° \times n + 360°$

01-1 유사

θ가 제2사분면의 각일 때, $\dfrac{\theta}{3}$를 나타내는 동경이 존재하는 사분면을 모두 구하여라.

01-2 유사

θ가 제3사분면의 각일 때, $\dfrac{\theta}{2}$를 나타내는 동경이 존재하는 사분면을 모두 구하여라.

01-3 변형

θ가 제1사분면의 각일 때, $\dfrac{\theta}{3}$를 나타내는 동경이 존재할 수 <u>없는</u> 사분면은 제몇 사분면인지 구하여라.

01-4 변형

2θ가 제4사분면의 각일 때, θ를 나타내는 동경이 존재하는 사분면을 모두 구하여라.

01-5 변형

다음 각을 $360° \times n + \alpha°$ (n은 정수, $0° \le \alpha° < 360°$) 꼴로 나타낼 때, $\alpha°$의 값이 가장 작은 것은?

① $-600°$ 　　② $-130°$ 　　③ $-85°$

④ $490°$ 　　⑤ $900°$

01-6 실력

θ를 나타내는 동경이 속하는 영역을 좌표평면 위에 나타내면 다음 그림의 색칠한 부분과 같을 때, $\dfrac{\theta}{2}$를 나타내는 동경이 속하는 영역을 좌표평면 위에 나타내어라.

(단, 경계선은 제외한다.)

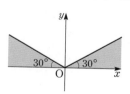

각 θ를 나타내는 동경과 각 6θ를 나타내는 동경이 x축에 대하여 대칭일 때, 각 θ의 크기를 모두 구하여라. (단, $0 < \theta < 2\pi$)

풍쌤 POINT

두 동경의 위치 관계를 이용하여 두 동경이 나타내는 각의 크기 α, β 사이의 관계식, 즉 두 각의 크기의 합 $\alpha + \beta$ 또는 차 $\alpha - \beta$를 일반각으로 나타낸다.

풀이

STEP1 θ를 정수 n에 대한 식으로 나타내기

오른쪽 그림과 같이 각 θ를 나타내는 동경과 각 6θ를 나타내는 동경이 x축에 대하여 대칭이므로

$$\theta + 6\theta = 2n\pi \ (n \text{은 정수})$$

$$7\theta = 2n\pi \qquad \therefore \ \theta = \frac{2n}{7}\pi \qquad \cdots\cdots \ \text{㉠}$$

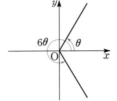

STEP2 n의 값 구하기

$0 < \theta < 2\pi$에서 $0 < \dfrac{2n}{7}\pi < 2\pi$이므로

$0 < n < 7$

$\therefore \ n = 1, \ 2, \ 3, \ 4, \ 5, \ 6$ **❶**

STEP3 각 θ의 크기 구하기

$n = 1, \ 2, \ 3, \ 4, \ 5, \ 6$을 ㉠에 대입하면

$$\theta = \frac{2}{7}\pi \ \text{또는} \ \theta = \frac{4}{7}\pi \ \text{또는} \ \theta = \frac{6}{7}\pi \ \text{또는} \ \theta = \frac{8}{7}\pi$$

$$\text{또는} \ \theta = \frac{10}{7}\pi \ \text{또는} \ \theta = \frac{12}{7}\pi$$

❶ n은 정수이므로
$0 < n < 7$에서
$n = 1, 2, 3, 4, 5, 6$이다.

답 $\dfrac{2}{7}\pi, \ \dfrac{4}{7}\pi, \ \dfrac{6}{7}\pi, \ \dfrac{8}{7}\pi, \ \dfrac{10}{7}\pi, \ \dfrac{12}{7}\pi$

풍쌤 강의 NOTE

두 동경을 나타내는 각의 크기가 각각 α, β일 때, 두 동경의 위치 관계에 따라 다음이 성립한다.

(단, n은 정수이다.)

두 동경의 위치 관계	일치한다.	일직선 위에 있고 방향이 반대이다.	x축에 대하여 대칭이다.	y축에 대하여 대칭이다.
그래프				
α, β의 관계식	$\beta - \alpha = 2n\pi$	$\beta - \alpha = 2n\pi + \pi$	$\beta + \alpha = 2n\pi$	$\beta + \alpha = 2n\pi + \pi$

02-1 유사

각 θ를 나타내는 동경과 각 7θ를 나타내는 동경이 일치할 때, 각 θ의 크기를 모두 구하여라. (단, $0<\theta<\pi$)

02-2 유사

각 θ를 나타내는 동경과 각 5θ를 나타내는 동경이 일직선 위에 있고 방향이 반대일 때, 각 θ의 크기를 모두 구하여라. (단, $\pi<\theta<2\pi$)

02-3 유사

각 θ를 나타내는 동경과 각 3θ를 나타내는 동경이 y축에 대하여 대칭일 때, 각 θ의 크기를 모두 구하여라.
(단, $0<\theta<\pi$)

02-4 변형

$\dfrac{\pi}{2}<\theta<\pi$이고 각 2θ를 나타내는 동경과 각 5θ를 나타내는 동경이 일치할 때, 각 θ의 크기를 구하여라.

02-5 실력

$0<\theta<\pi$이고 각 3θ를 나타내는 동경과 각 5θ를 나타내는 동경이 x축에 대하여 대칭일 때, 모든 각 θ의 크기의 합을 구하여라.

02-6 실력

각 2θ를 나타내는 동경과 각 4θ를 나타내는 동경이 직선 $y=x$에 대하여 대칭이다. 각 θ 중 크기가 가장 큰 각을 α, 가장 작은 각을 β라고 할 때, $\alpha-\beta$의 값을 구하여라. (단, $0<\theta<\pi$)

다음 물음에 답하여라.

(1) 반지름의 길이가 3이고 호의 길이가 2π인 부채꼴의 중심각의 크기와 넓이를 구하여라.

(2) 중심각의 크기가 $\dfrac{\pi}{5}$이고 넓이가 $\dfrac{8}{5}\pi$인 부채꼴의 둘레의 길이를 구하여라.

풍쌤 POINT

먼저 부채꼴의 호의 길이와 넓이를 구하는 공식에 주어진 값을 대입하여 부채꼴의 중심각의 크기 또는 반지름의 길이를 구해.

풀이

(1) **STEP 1 부채꼴의 중심각의 크기 구하기**

부채꼴의 중심각의 크기를 θ라고 하면 반지름의 길이가 3이고 호의 길이가 2π이므로

$$3\theta = 2\pi \text{❶} \qquad \therefore \theta = \dfrac{2}{3}\pi$$

STEP 2 부채꼴의 넓이 구하기

부채꼴의 넓이는

$$\dfrac{1}{2} \times 3 \times 2\pi = 3\pi \text{❷}$$

(2) **STEP 1 부채꼴의 반지름의 길이 구하기**

부채꼴의 반지름의 길이를 r라고 하면 중심각의 크기가 $\dfrac{\pi}{5}$이고

넓이가 $\dfrac{8}{5}\pi$이므로

$$\dfrac{1}{2} \times r^2 \times \dfrac{\pi}{5} = \dfrac{8}{5}\pi$$
$$r^2 = 16 \qquad \therefore r = 4 \ (\because r > 0) \text{❸}$$

STEP 2 부채꼴의 둘레의 길이 구하기

따라서 부채꼴의 호의 길이는 $4 \times \dfrac{\pi}{5} = \dfrac{4}{5}\pi$이므로 부채꼴의

둘레의 길이는

$$2 \times 4 + \dfrac{4}{5}\pi = 8 + \dfrac{4}{5}\pi \text{❹}$$

❶ 반지름의 길이가 r, 중심각의 크기가 θ인 부채꼴의 호의 길이는 $r\theta$이다.

❷ 부채꼴의 넓이는
$$\dfrac{1}{2} \times 3^2 \times \dfrac{2}{3}\pi = 3\pi$$
로 구할 수도 있다.

❸ 부채꼴의 반지름의 길이는 양수이다.

❹ (부채꼴의 둘레의 길이)
$= 2 \times$ (반지름의 길이)
$\quad +$ (부채꼴의 호의 길이)

답 (1) 중심각의 크기: $\dfrac{2}{3}\pi$, 넓이: 3π (2) $8 + \dfrac{4}{5}\pi$

풍쌤 강의 NOTE

반지름의 길이가 r, 중심각의 크기가 θ인 부채꼴에서

① 호의 길이 l을 구할 때 ➡ $l = r\theta$

② 넓이 S를 구할 때 ➡ $S = \dfrac{1}{2}r^2\theta = \dfrac{1}{2}rl$

③ 둘레의 길이를 구할 때 ➡ $2r + l = 2r + r\theta$

03-1 〔기본〕

중심각의 크기가 $\dfrac{\pi}{3}$이고 호의 길이가 6π인 부채꼴의 반지름의 길이를 구하여라.

03-2 〔유사〕

호의 길이가 π이고 넓이가 3π인 부채꼴의 중심각의 크기를 구하여라.

03-3 〔유사〕

중심각의 크기가 2이고, 둘레의 길이가 12인 부채꼴의 넓이를 구하여라.

03-4 〔변형〕

반지름의 길이가 4인 원의 넓이와 중심각의 크기가 $\dfrac{\pi}{4}$인 부채꼴의 넓이가 서로 같을 때, 부채꼴의 호의 길이를 구하여라.

03-5 〔실력〕 〔기출〕

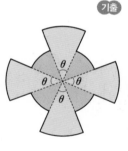

그림은 반지름의 길이가 5이고 중심각의 크기가 θ인 부채꼴 4개와 반지름의 길이가 3인 부채꼴 4개를 빈 틈없이 붙인 도형이다. 이 도형의 바깥쪽 둘레(굵은 실선 부분)의 길이가 $6\pi+20$일 때, 반지름의 길이가 5인 부채꼴의 중심각 θ의 크기를 구하여라.

(단, θ는 라디안이다.)

다음 물음에 답하여라.

(1) 밑면인 원의 반지름의 길이가 2이고, 모선의 길이가 5인 원뿔의 겉넓이를 구하여라.

(2) 둘레의 길이가 40인 부채꼴의 넓이가 최대일 때의 부채꼴의 반지름의 길이와 중심각의 크기를 구하여라.

풍쌤 POINT

(1) 원뿔의 전개도를 그려서 겉넓이를 구해.

(2) 부채꼴의 반지름의 길이를 r로 놓고 부채꼴의 넓이를 r에 대한 이차식으로 나타내어 이차함수의 최댓값을 구해. 이때 r의 값의 범위에 유의해!

풀이

(1) 주어진 조건을 이용하여 전개도를 그리면 오른쪽 그림과 같다.

옆면인 부채꼴의 호의 길이는

$2\pi \times 2 = 4\pi$ ❶

이므로 넓이는 $\dfrac{1}{2} \times 5 \times 4\pi = 10\pi$

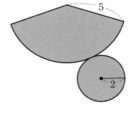

❶ 옆면인 부채꼴의 호의 길이는 밑면인 원의 둘레의 길이와 같다.

따라서 원뿔의 겉넓이는

(부채꼴의 넓이) + (밑면인 원의 넓이) $= 10\pi + \pi \times 2^2 = 14\pi$

(2) **STEP 1** 부채꼴의 반지름의 길이를 r로 놓고, r의 값의 범위 구하기

부채꼴의 반지름의 길이를 r, 호의 길이를 l이라고 하면 둘레의 길이가 40이므로 $2r + l = 40$ ∴ $l = 40 - 2r$

이때 $r > 0$, $l > 0$이므로 $0 < r < 20$ ❷

STEP 2 부채꼴의 넓이를 r에 대한 식으로 나타내기

부채꼴의 넓이를 S라고 하면

$S = \dfrac{1}{2}r(40 - 2r) = -r^2 + 20r$

$= -(r - 10)^2 + 100$ ❸ $(0 < r < 20)$

❷ $40 - 2r > 0$에서
$2r < 40$
∴ $r < 20$

❸ $-r^2 + 20r$
$= -(r^2 - 20r + 100) + 100$
$= -(r - 10)^2 + 100$

STEP 3 넓이가 최대일 때의 반지름의 길이와 중심각의 크기 구하기

따라서 S는 $r = 10$일 때 최댓값 100을 가지므로 넓이가 최대일 때의 반지름의 길이는 10이다.

이때 부채꼴의 중심각의 크기를 θ라고 하면

$\dfrac{1}{2} \times 10^2 \times \theta = 100$ ∴ $\theta = 2$

답 (1) 14π (2) 반지름의 길이: 10, 중심각의 크기: 2

풍쌤 강의 NOTE

· 원뿔의 전개도는 부채꼴과 원으로 이루어져 있으므로
(원뿔의 겉넓이) = (부채꼴의 넓이) + (원의 넓이)이다.

· 반지름의 길이가 r, 둘레의 길이가 a인 부채꼴의 넓이를 S라고 하면 $S = \dfrac{1}{2}r(a - 2r)$이므로 이차함수의 최대·최소를 이용하여 S의 최댓값을 구할 수 있다.

04-1 ⊛유사

밑면인 원의 반지름의 길이가 4이고, 모선의 길이가 8인 원뿔의 겉넓이를 구하여라.

04-2 ⊛유사

둘레의 길이가 12인 부채꼴의 넓이가 최대일 때의 부채꼴의 반지름의 길이와 중심각의 크기를 구하여라.

04-3 ⊛변형

둘레의 길이가 18 cm인 부채꼴 모양의 쿠키를 만들려고 한다. 이 쿠키의 넓이의 최댓값은 몇 cm²인지 구하여라. (단, 쿠키의 두께는 무시한다.)

04-4 ⊛변형

호의 길이가 4π, 넓이가 6π인 부채꼴을 옆면으로 하는 원뿔을 만들 때, 이 원뿔의 부피를 구하여라.

04-5 ⊛실력   기출

반지름의 길이가 2인 원 O에 내접하는 정육각형이 있다. 그림과 같이 정육각형의 각 변을 지름으로 하는 원 6개를 그릴 때, 색칠한 부분의 넓이를 구하여라.

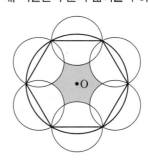

원점 O와 점 P$(-15, 8)$을 지나는 동경 OP가 나타내는 각의 크기를 θ라고 할 때, 다음 값을 구하여라.

(1) $3\sin\theta + 2\cos\theta$

(2) $\dfrac{15}{\cos\theta} - \dfrac{8}{\tan\theta}$

(3) $\dfrac{16}{17\sin\theta\tan\theta}$

풍쌤 POINT

주어진 조건을 만족시키도록 좌표평면에 동경을 나타낸 후 삼각함수의 정의를 이용하여 $\sin\theta$, $\cos\theta$, $\tan\theta$를 각각 구해.

풀이

$\overline{OP} = \sqrt{(-15)^2 + 8^2} = 17$이므로

$\sin\theta = \dfrac{8}{17}$

$\cos\theta = -\dfrac{15}{17}$

$\tan\theta = -\dfrac{8}{15}$

(1) $3\sin\theta + 2\cos\theta = 3 \times \dfrac{8}{17} + 2 \times \left(-\dfrac{15}{17}\right)$

$= \dfrac{24}{17} - \dfrac{30}{17} = -\dfrac{6}{17}$

(2) $\dfrac{15}{\cos\theta} - \dfrac{8}{\tan\theta} = \dfrac{15}{-\dfrac{15}{17}} - \dfrac{8}{-\dfrac{8}{15}}$ ❶

$= -17 + 15 = -2$

❶ $\dfrac{c}{\dfrac{b}{a}} = c \div \dfrac{b}{a}$

$= c \times \dfrac{a}{b}$

$= \dfrac{ac}{b}$

(3) $\dfrac{16}{17\sin\theta\tan\theta} = \dfrac{16}{17 \times \dfrac{8}{17} \times \left(-\dfrac{8}{15}\right)}$

$= \dfrac{1}{-\dfrac{4}{15}}$ ❷ $= -\dfrac{15}{4}$

❷ $\dfrac{1}{\dfrac{b}{a}} = \dfrac{a}{b}$

답 (1) $-\dfrac{6}{17}$　(2) -2　(3) $-\dfrac{15}{4}$

풍쌤 강의 NOTE

중심이 원점 O이고 반지름의 길이가 r인 원 위의 임의의 점 P(x, y)에 대하여 동경 OP가 x축의 양의 방향과 이루는 각의 크기를 θ라고 하면

① $r = \overline{OP} = \sqrt{x^2 + y^2}$

② $\sin\theta = \dfrac{y}{r}$, $\cos\theta = \dfrac{x}{r}$, $\tan\theta = \dfrac{y}{x}$ $(x \neq 0)$

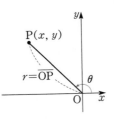

05-1 (유사)

원점 O와 점 P(1, −1)을 지나는 동경 OP가 나타내는 각의 크기를 θ라고 할 때, $\sqrt{2}(\sin\theta - \cos\theta)$의 값을 구하여라.

05-2 (유사)

원점 O와 점 P(5, 12)를 지나는 동경 OP가 나타내는 각의 크기를 θ라고 할 때, $\dfrac{13\sin\theta + 10\tan\theta}{13\cos\theta - 3}$의 값을 구하여라.

05-3 (유사)

원점 O와 점 P($-\sqrt{7}$, $-\sqrt{2}$)를 지나는 동경 OP가 나타내는 각의 크기를 θ라고 할 때, $3\sin\theta + 6\cos\theta + \sqrt{14}\tan\theta$의 값을 구하여라.

05-4 (변형)

원점 O와 점 P(a, $\sqrt{3}$)을 지나는 동경 OP가 나타내는 각의 크기를 θ라고 하자. $\sin\theta = \dfrac{\sqrt{3}}{4}$일 때, 양수 a의 값을 구하여라.

05-5 (변형)   (기출)

θ가 제3사분면의 각이고 $\cos\theta = -\dfrac{4}{5}$일 때, $\tan\theta$의 값을 구하여라.

05-6 (실력)

다음 그림과 같이 가로와 세로의 길이가 각각 8, 6인 직사각형 ABCD가 원 $x^2 + y^2 = 25$에 내접하고 있다. 두 동경 OB, OD가 나타내는 각의 크기를 각각 α, β라고 할 때, $\cos\alpha\tan\beta$의 값을 구하여라.
(단, O는 원점이고, 직사각형의 각 변은 좌표축과 평행하다.)

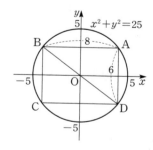

$\sin \theta \cos \theta > 0$, $\cos \theta \tan \theta < 0$을 동시에 만족시키는 θ는 제몇 사분면의 각인지 구하여라.

풍쌤 POINT

각 조건을 만족시키는 θ가 제몇 사분면의 각인지 파악한 후 두 조건을 동시에 만족시키는 사분면을 찾아.

풀이

STEP1 $\sin \theta \cos \theta > 0$을 만족시키는 θ는 제몇 사분면의 각인지 구하기

(i) $\sin \theta \cos \theta > 0$에서

$\sin \theta > 0$, $\cos \theta > 0$ 또는 $\sin \theta < 0$, $\cos \theta < 0$ ❶

$\sin \theta > 0$, $\cos \theta > 0$일 때, θ는 제1사분면의 각이다.

$\sin \theta < 0$, $\cos \theta < 0$일 때, θ는 제3사분면의 각이다. ❷

따라서 $\sin \theta \cos \theta > 0$을 만족시키는 θ는 제1사분면 또는 제3사분면의 각이다.

STEP2 $\cos \theta \tan \theta < 0$을 만족시키는 θ는 제몇 사분면의 각인지 구하기

(ii) $\cos \theta \tan \theta < 0$에서

$\cos \theta > 0$, $\tan \theta < 0$ 또는 $\cos \theta < 0$, $\tan \theta > 0$ ❸

$\cos \theta > 0$, $\tan \theta < 0$일 때, θ는 제4사분면의 각이다.

$\cos \theta < 0$, $\tan \theta > 0$일 때, θ는 제3사분면의 각이다.

따라서 $\cos \theta \tan \theta < 0$을 만족시키는 θ는 제3사분면 또는 제4사분면의 각이다.

STEP3 θ는 제몇 사분면의 각인지 구하기

(i), (ii)에 의하여 θ는 제3사분면의 각이다.

다른 풀이

$\sin \theta \cos \theta > 0$에서 $\sin \theta$와 $\cos \theta$의 부호는 서로 같으므로 θ는 제1사분면 또는 제3사분면의 각이다.

또, $\cos \theta \tan \theta < 0$에서 $\cos \theta$와 $\tan \theta$의 부호는 서로 다르므로 θ는 제3사분면 또는 제4사분면의 각이다.

따라서 θ는 제3사분면의 각이다.

답 제3사분면의 각

❶ 두 수 A, B에 대하여 $AB > 0$이면 A, B의 부호는 서로 같다.

❷ $\sin \theta$와 $\cos \theta$가 모두 음수이면 $\tan \theta$만 양수이므로 θ는 제3사분면의 각이다.

❸ 두 수 A, B에 대하여 $AB < 0$이면 A, B의 부호는 서로 다르다.

풍쌤 강의 NOTE

삼각함수의 값의 부호는 올사탄코(얼싸안고, 올스타킹, 아싸티코)

➡ 올: 제1사분면에서는 모든 삼각함수의 값이 양수이다.

사: 제2사분면에서는 사인만이 양수이다.

탄: 제3사분면에서는 탄젠트만이 양수이다.

코: 제4사분면에서는 코사인만이 양수이다.

06-1 기본

다음 조건을 만족시키는 각 θ는 제몇 사분면의 각인지 구하여라.

(1) $\sin\theta > 0$, $\tan\theta < 0$

(2) $\sin\theta < 0$, $\cos\theta > 0$

06-2 유사

$\sin\theta\tan\theta < 0$, $\dfrac{\tan\theta}{\cos\theta} > 0$을 동시에 만족시키는 θ는 제몇 사분면의 각인지 구하여라.

06-3 변형

다음 중 $\dfrac{\cos\theta}{\sin\theta} > 0$, $\sin\theta + \cos\theta > 0$을 동시에 만족시키는 θ의 크기가 될 수 있는 것은?

① $-\dfrac{2}{3}\pi$ ② $-\dfrac{\pi}{5}$ ③ $\dfrac{3}{8}\pi$

④ $\dfrac{5}{6}\pi$ ⑤ $\dfrac{7}{8}\pi$

06-4 변형

θ가 제2사분면의 각일 때, 다음 중 부호가 나머지 넷과 다른 것은?

① $\tan\theta$ ② $\sin\theta - \cos\theta$

③ $\cos\theta + \tan\theta$ ④ $\sin\theta\cos\theta$

⑤ $\dfrac{\sin\theta}{\tan\theta}$

06-5 변형

$\dfrac{3}{2}\pi < \theta < 2\pi$일 때,

$$|\cos\theta - \tan\theta| - \sqrt{\cos^2\theta} + \sqrt{(\sin\theta + \tan\theta)^2}$$

을 간단히 하여라.

06-6 실력

$\sqrt{\sin\theta\cos\theta} = -\sqrt{\sin\theta}\sqrt{\cos\theta}$를 만족시키는 각 θ에 대하여 옳은 것만을 |보기|에서 있는 대로 골라라.

(단, $\sin\theta \neq 0$, $\cos\theta \neq 0$)

┌─ 보기 ─────────────────────
ㄱ. $\sin\theta\tan\theta < 0$

ㄴ. $\sin\theta + \cos\theta < 0$

ㄷ. $\dfrac{\sqrt{\tan\theta}}{\sqrt{\cos\theta}} = -\sqrt{\dfrac{\tan\theta}{\cos\theta}}$
└──────────────────────────

다음 식을 간단히 하여라.

(1) $(\sin^2\theta - 1)(\tan^2\theta + 1)$

(2) $\dfrac{\cos\theta}{1+\sin\theta} + \dfrac{1+\sin\theta}{\cos\theta}$

풍쌤 POINT

삼각함수 사이의 관계를 이용하여 식을 변형한 후 전개하여 식을 간단히 하면 돼. 이때 분수로 주어지면 분수를 통분하여 간단히 해.

풀이

(1) $(\sin^2\theta - 1)(\tan^2\theta + 1) = -\cos^2\theta\left(\dfrac{\sin^2\theta}{\cos^2\theta} + 1\right)$ **❶**

$= -\sin^2\theta - \cos^2\theta$

$= -(\sin^2\theta + \cos^2\theta)$

$= -1$

❶ $\sin^2\theta + \cos^2\theta = 1$이므로
$\sin^2\theta - 1 = -\cos^2\theta$

(2) $\dfrac{\cos\theta}{1+\sin\theta} + \dfrac{1+\sin\theta}{\cos\theta} = \dfrac{\cos^2\theta + (1+\sin\theta)^2}{(1+\sin\theta)\cos\theta}$

$= \dfrac{\cos^2\theta + 1 + 2\sin\theta + \sin^2\theta}{(1+\sin\theta)\cos\theta}$ **❷**

$= \dfrac{1 + 2\sin\theta + \cos^2\theta + \sin^2\theta}{(1+\sin\theta)\cos\theta}$

$= \dfrac{2 + 2\sin\theta}{(1+\sin\theta)\cos\theta}$

$= \dfrac{2(1+\sin\theta)}{(1+\sin\theta)\cos\theta}$

$= \dfrac{2}{\cos\theta}$ **❸**

❷ 곱셈 공식
$(a+b)^2 = a^2 + 2ab + b^2$을 이용한다.

❸ $1+\sin\theta$를 약분한다.

답 (1) -1 (2) $\dfrac{2}{\cos\theta}$

풍쌤 강의 NOTE

삼각함수 사이의 관계를 이용하여 식을 간단히 하는 문제는 $\sin\theta$, $\cos\theta$, $\tan\theta$를 문자로 생각하여 유리식의 계산과 같이 통분, 약분, 곱셈 공식, 인수분해 공식 등을 이용할 수 있다.

① $\tan\theta = \dfrac{\sin\theta}{\cos\theta}$임을 이용

② $\sin^2\theta + \cos^2\theta = 1$에서 $\sin^2\theta = 1 - \cos^2\theta$, $\cos^2\theta = 1 - \sin^2\theta$임을 이용

07-1 유사

다음 식을 간단히 하여라.

(1) $(\sin\theta + \cos\theta)^2 + (\sin\theta - \cos\theta)^2$

(2) $\dfrac{1}{1+\sin\theta} + \dfrac{1}{1-\sin\theta}$

07-2 유사

$\left(1 - \dfrac{1}{\sin\theta}\right)\left(1 - \dfrac{1}{\cos\theta}\right)\left(1 + \dfrac{1}{\sin\theta}\right)\left(1 + \dfrac{1}{\cos\theta}\right)$

을 간단히 하여라.

07-3 유사

$\dfrac{1-\tan\theta}{1+\tan\theta} + \dfrac{\sin^2\theta - \cos^2\theta}{1+2\sin\theta\cos\theta}$ 를 간단히 하여라.

07-4 변형

함수 $f(\theta)$에 대하여

$$\frac{\sin\theta\tan\theta}{\tan\theta - \sin\theta} - \frac{1}{\sin\theta} = \frac{1}{f(\theta)}$$

이 성립할 때, $f\left(\dfrac{\pi}{3}\right)$의 값을 구하여라.

07-5 변형

다음 등식이 성립함을 보여라.

(1) $\cos^4\theta + 2\sin^2\theta - \sin^4\theta = 1$

(2) $\dfrac{1}{\cos\theta} - \dfrac{\cos\theta}{1+\sin\theta} = \tan\theta$

07-6 실력

옳은 것만을 |보기에서 있는 대로 골라라.

┤보기├
> ㄱ. $\tan^2\theta + \cos^2\theta - \cos^2\theta\tan^4\theta = 1$
>
> ㄴ. $\dfrac{1}{\cos^2\theta} + \dfrac{\tan\theta}{\cos\theta} = \dfrac{1}{1-\sin\theta}$
>
> ㄷ. $\sin^2\theta - \tan^2\theta = \sin^2\theta\tan^2\theta$

θ가 제2사분면의 각이고 $\dfrac{1+\cos\theta}{1-\cos\theta}=\dfrac{1}{5}$일 때, $\sin\theta+\tan\theta$의 값을 구하여라.

풍쌤 POINT

주어진 등식에서 $\cos\theta$의 값을 구한 후 삼각함수 사이의 관계를 이용하여 $\sin\theta$와 $\tan\theta$의 값을 구해. 이때 삼각함수의 부호를 주의해!

풀이

STEP1 $\cos\theta$의 값 구하기

$\dfrac{1+\cos\theta}{1-\cos\theta}=\dfrac{1}{5}$에서

$5(1+\cos\theta)=1-\cos\theta$

$5+5\cos\theta=1-\cos\theta$

$6\cos\theta=-4$ $\qquad \therefore \cos\theta=-\dfrac{2}{3}$

STEP2 $\sin\theta$의 값 구하기

이때 θ가 제2사분면의 각이므로

$\sin\theta>0,\ \tan\theta<0$ ❶

$\sin^2\theta+\cos^2\theta=1$에서

$\sin^2\theta=1-\cos^2\theta=1-\left(-\dfrac{2}{3}\right)^2$

$\qquad =1-\dfrac{4}{9}=\dfrac{5}{9}$

$\therefore \sin\theta=\dfrac{\sqrt{5}}{3}$ ❷

STEP3 $\tan\theta$의 값 구하기

$\tan\theta=\dfrac{\sin\theta}{\cos\theta}$이므로

$\tan\theta=\dfrac{\dfrac{\sqrt{5}}{3}}{-\dfrac{2}{3}}=-\dfrac{\sqrt{5}}{2}$

STEP4 $\sin\theta+\tan\theta$의 값 구하기

$\therefore \sin\theta+\tan\theta=\dfrac{\sqrt{5}}{3}-\dfrac{\sqrt{5}}{2}=-\dfrac{\sqrt{5}}{6}$

답 $-\dfrac{\sqrt{5}}{6}$

❶ θ가 제2사분면의 각이면 삼각함수 중 사인함수만 양수이다.

❷ $\sin^2\theta=\dfrac{5}{9}$에서
$\sin\theta=\pm\sqrt{\dfrac{5}{9}}=\pm\dfrac{\sqrt{5}}{3}$
이때 $\sin\theta>0$이므로
$\sin\theta=\dfrac{\sqrt{5}}{3}$

풍쌤 강의 NOTE

• 삼각함수가 포함된 등식이 주어지고 식의 값을 구하는 문제는 먼저 주어진 등식에서 $\sin\theta$, $\cos\theta$, $\tan\theta$ 중 어느 하나의 값을 구한 후 삼각함수 사이의 관계를 이용하여 나머지 두 삼각함수의 값을 구한다. 이때 θ가 제몇 사분면의 각인지 유의하여 삼각함수의 부호를 정한다.

• $\sin\theta\pm\cos\theta$의 값 또는 $\sin\theta\cos\theta$의 값이 주어진 경우
➡ $(\sin\theta\pm\cos\theta)^2=1\pm2\sin\theta\cos\theta$ (복부호동순)임을 이용

08-1 ⦿유사

θ가 제3사분면의 각이고 $\dfrac{\sin\theta}{1+\cos\theta}+\dfrac{1}{\tan\theta}=-\dfrac{5}{4}$

일 때, $\cos\theta-\tan\theta$의 값을 구하여라.

08-2 ⦿유사

θ가 제4사분면의 각이고

$$\frac{1+\cos\theta}{\sin\theta}+\frac{\sin\theta}{1+\cos\theta}=-4$$

일 때, $\tan\theta$의 값을 구하여라.

08-3 ⦿변형

$\sin\theta+\cos\theta=\dfrac{1}{2}$일 때, 다음 식의 값을 구하여라.

(1) $\sin\theta\cos\theta$

(2) $\sin^3\theta+\cos^3\theta$

08-4 ⦿변형

$\tan\theta+\dfrac{1}{\tan\theta}=-\dfrac{5}{2}$일 때, $\dfrac{1}{\sin^2\theta}+\dfrac{1}{\cos^2\theta}$의 값

을 구하여라.

08-5 ⦿변형   기출

$\sin\theta+\cos\theta=\dfrac{1}{3}$일 때, $\dfrac{1}{\cos\theta}\left(\tan\theta+\dfrac{1}{\tan^2\theta}\right)$

의 값을 구하여라.

08-6 ⦿실력

직선 $y=-\dfrac{\sqrt{3}}{3}x$가 x축의 양의 방향과 이루는 각의

크기를 θ라고 할 때, $\sin\theta-\cos\theta$의 값을 구하여라.

이차방정식 $2x^2-x+k=0$의 두 근이 $\sin\theta$, $\cos\theta$일 때, 상수 k의 값을 구하여라.

풍쌤 POINT

이차방정식의 근과 계수의 관계를 이용하여 $\sin\theta+\cos\theta$, $\sin\theta\cos\theta$의 값을 구하고, $\sin^2\theta+\cos^2\theta=1$임을 이용하여 상수 k의 값을 구해.

풀이

STEP1 이차방정식의 근과 계수의 관계를 이용하여 $\sin\theta+\cos\theta$, $\sin\theta\cos\theta$의 값 구하기

이차방정식 $2x^2-x+k=0$의 두 근이 $\sin\theta$, $\cos\theta$이므로 이차방정식의 근과 계수의 관계에 의하여❶

$$\sin\theta+\cos\theta=\frac{1}{2} \qquad \cdots\cdots ㉠$$

$$\sin\theta\cos\theta=\frac{k}{2} \qquad \cdots\cdots ㉡$$

❶ 이차방정식의 근과 계수의 관계는 이차방정식의 두 근이 $\sin\theta$, $\cos\theta$일 때에도 성립한다.

STEP2 ㉠에서 $\sin\theta\cos\theta$의 값 구하기

㉠의 양변을 제곱하면

$$(\sin\theta+\cos\theta)^2=\frac{1}{4}$$

$$\sin^2\theta+2\sin\theta\cos\theta+\cos^2\theta=\frac{1}{4}$$

$$1+2\sin\theta\cos\theta=\frac{1}{4}❷$$

$$2\sin\theta\cos\theta=-\frac{3}{4}$$

$$\therefore \sin\theta\cos\theta=-\frac{3}{8}$$

❷ $\sin^2\theta+\cos^2\theta=1$임을 이용

STEP3 상수 k의 값 구하기

㉡에서 $\sin\theta\cos\theta=\dfrac{k}{2}$이므로

$$\frac{k}{2}=-\frac{3}{8} \qquad \therefore k=-\frac{3}{4}$$

답 $-\dfrac{3}{4}$

풍쌤 강의 NOTE

삼각함수를 근으로 하는 이차방정식에서 미정계수를 구할 때 θ의 값을 알 수 없으면 삼각함수를 대입하여 미정계수를 구할 수 없다. 따라서 이차방정식의 두 근이 주어지고 미정계수를 구하는 문제는 이차방정식의 근과 계수의 관계를 이용한다.

> 이차방정식 $ax^2+bx+c=0$의 두 근을 α, β라고 하면
> $$\alpha+\beta=-\frac{b}{a}, \ \alpha\beta=\frac{c}{a}$$

09-1 기본

이차방정식 $3x^2+2x+k=0$의 두 근이 $\sin\theta$, $\cos\theta$ 일 때, 상수 k의 값을 구하여라.

09-2 유사

이차방정식 $4x^2+kx+7=0$의 두 근이 $\dfrac{1}{\sin\theta}$, $\dfrac{1}{\cos\theta}$ 일 때, k^2의 값을 구하여라. (단, k는 상수이다.)

09-3 변형

이차방정식 $8x^2-12x+k=0$의 두 근이 $\sin\theta+\cos\theta$, $\sin\theta-\cos\theta$일 때, 상수 k의 값을 구하여라.

09-4 변형

이차방정식 $5x^2-3x+k=0$의 두 근이 $\sin\theta$, $\cos\theta$ 일 때, $\tan\theta$, $\dfrac{1}{\tan\theta}$을 두 근으로 하고 x^2의 계수가 8 인 이차방정식을 구하여라. (단, k는 상수이다.)

09-5 변형

기출

x에 대한 이차방정식 $x^2-px+q=0$의 서로 다른 두 실근이 $\cos\alpha$, $\cos\beta$이고, $x^2-rx+s=0$의 두 근이 $\dfrac{1}{\cos\alpha}$, $\dfrac{1}{\cos\beta}$이다. rs를 p, q를 사용한 식으로 나타 내어라. (단, $pq\neq0$)

09-6 실력

제2사분면의 각 θ에 대하여 이차방정식 $2x^2-\sqrt{3}x+k=0$의 두 근이 $\sin\theta$, $\cos\theta$일 때, $\sin\theta-\cos\theta$의 값을 구하여라. (단, k는 상수이다.)

실전 연습 문제

01

다음 중 옳지 <u>않은</u> 것은?

① $-150° = -\dfrac{5}{6}\pi$　　② $48° = \dfrac{4}{15}\pi$

③ $-\dfrac{11}{12}\pi = -330°$　　④ $\dfrac{3}{10}\pi = 54°$

⑤ $\dfrac{3}{2}\pi = 270°$

02

$-880°$는 제m사분면의 각이고, $1100°$는 제n사분면의 각이다. $m+n$의 값은?

① 3　　　② 4　　　③ 5

④ 6　　　⑤ 7

03

시초선 OX와 동경 OP의 위치가 오른쪽 그림과 같을 때, 다음 중 동경 OP를 나타내는 각이 될 수 <u>없는</u> 것은?

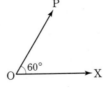

① $-660°$　　② $-300°$　　③ $330°$

④ $780°$　　　⑤ $1140°$

04 서술형 ✏️

θ가 제1사분면의 각이고, θ와 5θ가 원점에 대하여 대칭일 때, θ의 크기를 구하여라.

05

다음 조건을 만족시키는 모든 θ의 크기의 합은?

(단, $0 \le \theta < 2\pi$)

> (가) $\cos \theta \tan \theta < 0$
> (나) 각 θ를 나타내는 동경과 각 6θ를 나타내는 동경이 일치한다.

① 2π　　② $\dfrac{12}{5}\pi$　　③ $\dfrac{14}{5}\pi$

④ $\dfrac{16}{5}\pi$　　⑤ $\dfrac{18}{5}\pi$

06 서술형 ✏️

중심각의 크기가 $\dfrac{3}{4}\pi$이고, 호의 길이가 9π인 부채꼴의 넓이를 구하여라.

07

반지름의 길이가 8인 부채꼴의 둘레의 길이와 넓이가 같을 때, 중심각의 크기는?

① $\dfrac{1}{6}$　　② $\dfrac{1}{3}$　　③ $\dfrac{1}{2}$

④ $\dfrac{2}{3}$　　⑤ $\dfrac{5}{6}$

08　기출

다음 그림과 같이 길이가 12인 선분 AB를 지름으로 하는 반원이 있다. 반원 위에서 호 BC의 길이가 4π인 점 C를 잡고 점 C에서 선분 AB에 내린 수선의 발을 H라고 하자. $\overline{CH}^2$의 값을 구하여라.

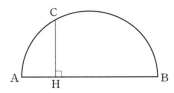

09

반지름의 길이가 4이고 중심각의 크기가 $\dfrac{\pi}{2}$인 부채꼴로 원뿔의 옆면을 만들 때, 이 원뿔의 부피는?

① $\dfrac{2\sqrt{3}}{3}\pi$　　② $\dfrac{\sqrt{13}}{3}\pi$　　③ $\dfrac{\sqrt{14}}{3}\pi$

④ $\dfrac{\sqrt{15}}{3}\pi$　　⑤ $\dfrac{4}{3}\pi$

10

원점 O와 점 P(4, -3)을 지나는 동경 OP가 나타내는 각의 크기를 θ라고 할 때, $10(\sin\theta+\cos\theta)$의 값은?

① 1　　② 2　　③ 3

④ 4　　⑤ 5

11　기출

$\dfrac{\pi}{2}<\theta<\pi$인 θ에 대하여 $\sin\theta=\dfrac{\sqrt{21}}{7}$일 때, $\tan\theta$의 값은?

① $-\dfrac{\sqrt{3}}{2}$　　② $-\dfrac{\sqrt{3}}{4}$　　③ 0

④ $\dfrac{\sqrt{3}}{4}$　　⑤ $\dfrac{\sqrt{3}}{2}$

12

각 θ가 $\dfrac{\sqrt{\sin\theta}}{\sqrt{\cos\theta}}=-\sqrt{\dfrac{\sin\theta}{\cos\theta}}$를 만족시킬 때, θ는 제 몇 사분면의 각인지 구하여라.

（단, $\sin\theta\neq0$, $\cos\theta\neq0$）

13 서술형 ✏

다음 등식이 성립함을 보여라.

$$\tan^2\theta - \sin^2\theta = \sin^2\theta\,\tan^2\theta$$

14

옳은 것만을 |보기|에서 있는 대로 고른 것은?

|보기|

ㄱ. $\sin\theta\,\tan\theta = \cos\theta$

ㄴ. $1 + \tan^2\theta = \dfrac{1}{\cos^2\theta}$

ㄷ. $1 + \dfrac{1}{\tan^2\theta} = \dfrac{1}{\sin^2\theta}$

① ㄱ   ② ㄴ   ③ ㄱ, ㄷ

④ ㄴ, ㄷ   ⑤ ㄱ, ㄴ, ㄷ

15 기출

$\sin\theta - \cos\theta = \dfrac{1}{2}$일 때, $8\sin\theta\cos\theta$의 값을 구하여라.

16 서술형 ✏

$\sin\theta + \cos\theta = \dfrac{\sqrt{3}}{3}$일 때, $\dfrac{1}{\cos\theta}\left(\tan\theta + \dfrac{1}{\tan^2\theta}\right)$

의 값을 구하여라.

17

이차방정식 $x^2 + ax + b = 0$의 두 근이 $\sin\theta$, $\cos\theta$이고 $\sin\theta + \cos\theta = \dfrac{1}{2}$일 때, $8(b-a)$의 값을 구하여라. (단, a, b는 상수이다.)

18

이차방정식 $4x^2 + 2\sqrt{2}x + k = 0$의 두 근이 $\sin\theta$, $\cos\theta$일 때, $\dfrac{1}{\sin\theta}$, $\dfrac{1}{\cos\theta}$을 두 근으로 하고 x^2의 계수가 1인 이차방정식은 $x^2 + ax + b = 0$이다. 상수 a, b에 대하여 ab의 값은? (단, k는 상수이다.)

① $\dfrac{\sqrt{2}}{4}$ ② $\dfrac{\sqrt{2}}{2}$ ③ $2\sqrt{2}$

④ $4\sqrt{2}$ ⑤ $8\sqrt{2}$

상위권 도약 문제

01

중심이 O이고 반지름의 길이가 $2\sqrt{6}$인 원 위에 점 A가 있다. 반직선 OA를 시초선으로 했을 때, 두 각 $\dfrac{\pi}{3}$, $-\dfrac{9}{4}\pi$를 나타내는 동경이 이 원과 만나는 점을 각각 P, Q라고 하자. 선분 PQ를 포함한 부채꼴 OPQ의 넓이는?

① 5π ② 6π ③ 7π
④ 8π ⑤ 9π

02 〔기출〕

다음 그림과 같이 넓이가 100π이고 중심이 O인 원 위의 두 점 A, B에 대하여 호 AB의 길이는 반지름의 길이의 2배이다. 선분 AB의 길이는?
(단, 호 AB에 대한 중심각 θ의 크기는 $0<\theta<\pi$이다.)

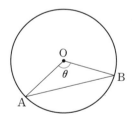

① $18\sin 1$ ② $20\sin 1$ ③ $22\sin 1$
④ $18\sin 2$ ⑤ $20\sin 2$

03 〔기출〕

좌표평면에서 제1사분면에 점 P가 있다. 점 P를 직선 $y=x$에 대하여 대칭이동한 점을 Q라 하고, 점 Q를 원점에 대하여 대칭이동한 점을 R라고 할 때, 세 동경 OP, OQ, OR가 나타내는 각을 각각 α, β, γ라고 하자. $\sin \alpha=\dfrac{1}{3}$일 때, $9(\sin^2 \beta+\tan^2 \gamma)$의 값을 구하여라. (단, O는 원점이고, 시초선은 x축의 양의 방향이다.)

04

오른쪽 그림과 같이 직선 $y=\dfrac{1}{2}x+3$이 x축, y축과 만나는 점을 각각 A, B라 하고, 선분 AB를 $2:1$로 내분하는 점을 P라고 하자. 원점 O에 대하여 동경 OP가 나타내는

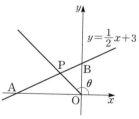

각의 크기를 θ라고 할 때, $\sin \theta \cos \theta$의 값을 구하여라.

05

$\sin \theta + \cos \theta = \dfrac{1}{2}$ 을 만족시키는 각 θ를 나타내는 동경이 존재하는 사분면을 모두 구하여라.

06

두 식

$$\sin \theta + a\cos \theta = \frac{\sqrt{30}}{5}, \quad a\sin \theta - \cos \theta = \frac{2\sqrt{5}}{5}$$

가 성립하도록 하는 양수 a의 값은?

① 1   ② $\sqrt{2}$ ③ $\sqrt{3}$

④ 2   ⑤ $\sqrt{5}$

07

$\tan \theta = \sqrt{\dfrac{1-a}{a}}$ 일 때, $\dfrac{\sin^2 \theta}{a-\cos \theta} + \dfrac{1-\cos^2 \theta}{a+\cos \theta}$ 의 값을 구하여라. (단, $0 < a < 1$)

08

$\tan \theta + \dfrac{1}{\tan \theta} = 3$ 을 만족시키는 θ에 대하여 이차방정식 $x^2 - ax + b = 0$의 두 근이 $2\sin^2 \theta$, $2\cos^2 \theta$일 때, 상수 a, b에 대하여 ab의 값을 구하여라.

08

삼각함수의 그래프

08 삼각함수의 그래프

개념 01 주기함수

함수 $f(x)$의 정의역에 속하는 모든 실수 x에 대하여

$$f(x+p)=f(x)$$

를 만족시키는 0이 아닌 상수 p가 존재할 때, 함수 $f(x)$를 주기함수라 하고, 이 상수 p 중에서 가장 작은 양수를 함수 $f(x)$의 주기라고 한다.

▶ **주의** (1) 함수 $f(x)$가 주기가 p인 주기함수이면
$$f(x)=f(x+p)=f(x+2p)=f(x+3p)=\cdots=f(x+np) \text{ (단, } n \text{은 정수이다.)}$$

(2) 모든 실수 x에 대하여 $f(x+a)=f(x)$를 만족시키는 함수 $f(x)$의 주기를 p라고 하면 $a=p$일 수도 있지만 $a=2p$, $a=3p$, $\cdots$, $a=np$, $\cdots$일 수도 있으므로 주기 p가 최소의 양수 임에 주의한다. (단, $a>0$)

[예] 함수 $f(x)$가 주기가 3인 주기함수이면 $f(x+3)=f(x)$이므로
$$f(-5)=f(-2)=f(1)=f(4)=f(7)=\cdots$$

확인 **01** $-1 \leq x \leq 1$에서 $f(x)=x^2$이고 모든 실수 x에 대하여 $f(x-2)=f(x)$ 를 만족시키는 함수 $f(x)$의 주기를 구하여라.

확인 **02** 함수 $f(x)$의 주기가 4이고 $f(-3)=5$일 때, $f(13)$의 값을 구하여라.

▶ 함수의 그래프에서 반복되는 최소 의 폭이 주기이다.

개념 02 우함수와 기함수

함수 $y=f(x)$의 정의역의 임의의 원소 x에 대하여

(1) **우함수(짝함수)**: $f(-x)=f(x)$, 즉 함수 $y=f(x)$의 그래프가 y축에 대하 여 대칭인 함수를 우함수라고 한다. 일반적으로 다항함수에서 우함수는 짝 수 차수의 항으로만 이루어져 있다.

[예] $f(x)=a$ (단, a는 상수), $f(x)=-x^2$, $f(x)=3x^4-x^2+1$

(2) **기함수(홀함수)**: $f(-x)=-f(x)$, 즉 함수 $y=f(x)$의 그래프가 원점에 대 하여 대칭인 함수를 기함수라고 한다. 일반적으로 다항함수에서 기함수는 홀수 차수의 항으로만 이루어져 있다.

[예] $f(x)=x$, $f(x)=-2x^3+x$

▶ (우함수)×(우함수)=(우함수)
(우함수)×(기함수)=(기함수)
(기함수)×(우함수)=(기함수)
(기함수)×(기함수)=(우함수)

확인 **03** 다음 함수가 우함수이면 '우', 기함수이면 '기'를 ( ) 안에 써넣어라.

(1) $f(x)=-3x^4+\dfrac{1}{2}x^2+5$ (   )

(2) $f(x)=5x^3-2x$ (   )

(3) $f(x)=\sqrt{x^2}$ (   )

(4) $f(x)=x|x|$ (   )

개념03 삼각함수의 그래프

(1) 함수 $y = \sin x$의 그래프와 성질

① 정의역은 실수 전체의 집합이다.

② 치역은 $\{y \mid -1 \le y \le 1\}$이다.

③ 그래프는 원점에 대하여 대칭이다.

➡ $\sin(-x) = -\sin x$

④ 주기가 2π인 주기함수이다.

➡ $\sin(2n\pi + x) = \sin x$ (단, n은 정수이다.)

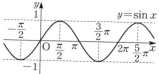

(2) 함수 $y = \cos x$의 그래프와 성질

① 정의역은 실수 전체의 집합이다.

② 치역은 $\{y \mid -1 \le y \le 1\}$이다.

③ 그래프는 y축에 대하여 대칭이다.

➡ $\cos(-x) = \cos x$

④ 주기가 2π인 주기함수이다.

➡ $\cos(2n\pi + x) = \cos x$ (단, n은 정수이다.)

(3) 함수 $y = \tan x$의 그래프와 성질

① 정의역은 $n\pi + \dfrac{\pi}{2}$ (n은 정수)를 제외한 실수 전체의 집합이고, 치역은 실수 전체의 집합이다.

② 그래프는 원점에 대하여 대칭이다.

➡ $\tan(-x) = -\tan x$

③ 주기가 π인 주기함수이다.

➡ $\tan(n\pi + x) = \tan x$ (단, n은 정수이다.)

④ 그래프의 점근선은 직선 $x = n\pi + \dfrac{\pi}{2}$ (n은 정수)이다.

확인 04 다음 중 옳은 것에는 ○표, 옳지 않은 것에는 ×표를 ( ) 안에 써넣어라.

(1) 함수 $y = \sin x$의 최댓값은 1이다. ( )

(2) 함수 $y = \cos x$의 그래프는 y축에 대하여 대칭이다. ( )

(3) 함수 $y = \tan x$의 주기는 2π이다. ( )

개념+ 삼각함수의 그래프의 대칭성

(1) $f(x) = \sin x$ $(0 \le x \le \pi)$에서 $f(a) = f(b) = k$ (k는 상수)이면

➡ $\dfrac{a+b}{2} = \dfrac{\pi}{2}$ ➡ $a + b = \pi$ (단, $a \ne b$)

(2) $f(x) = \cos x$ $(0 \le x \le 2\pi)$에서 $f(a) = f(b) = k$ (k는 상수)이면

➡ $\dfrac{a+b}{2} = \pi$ ➡ $a + b = 2\pi$ (단, $a \ne b$)

(3) $f(x) = \tan x$에서 $f(a) = f(b) = k$ (k는 상수)이면

➡ $a - b = n\pi$ (단, n은 정수이다.)

▶ 함수 $y = \sin x$는 기함수이다.

高1 수학) 도형의 대칭이동

방정식 $f(x, y) = 0$이 나타내는 도형을 대칭이동한 도형의 방정식은

(1) x축에 대하여 대칭이동하면 $f(x, -y) = 0$

(2) y축에 대하여 대칭이동하면 $f(-x, y) = 0$

(3) 원점에 대하여 대칭이동하면 $f(-x, -y) = 0$

(4) 직선 $y = x$에 대하여 대칭이동하면 $f(y, x) = 0$

▶ 함수 $y = \cos x$의 그래프는 함수 $y = \sin x$의 그래프를 x축의 방향으로 $-\dfrac{\pi}{2}$만큼 평행이동한 것과 같다.

▶ 함수 $y = \cos x$는 우함수이다.

▶ 함수 $y = \tan x$는 기함수이다.

▶ $y = \sin x$ $(0 \le x \le \pi)$의 그래프는 직선 $x = \dfrac{\pi}{2}$에 대하여 대칭이고, $y = \cos x$ $(0 \le x \le 2\pi)$의 그래프는 직선 $x = \pi$에 대하여 대칭이다.

개념 04 삼각함수의 최대 · 최소와 주기

(1) $y=a\sin bx$, $y=a\cos bx$, $y=a\tan bx$의 그래프는 각각 $y=\sin x$, $y=\cos x$, $y=\tan x$의 그래프를 x축의 방향으로 $\dfrac{1}{|b|}$배, y축의 방향으로 $|a|$배한 것이므로 최댓값, 최솟값, 주기는 다음과 같다.

삼각함수	최댓값	최솟값	주기
$y=a\sin bx$	$\lvert a\rvert$	$-\lvert a\rvert$	$\dfrac{2\pi}{\lvert b\rvert}$
$y=a\cos bx$	$\lvert a\rvert$	$-\lvert a\rvert$	$\dfrac{2\pi}{\lvert b\rvert}$
$y=a\tan bx$	없다.	없다.	$\dfrac{\pi}{\lvert b\rvert}$

▶ **주의** (1) $y=a\sin x$ ➡ $y=\sin x$의 그래프를 $|a|>1$이면 y축의 방향으로 $|a|$배 확대하고, $0<a<1$이면 $|a|$배 축소한 그래프이다. 이때 주기는 2π로 변하지 않는다. ➡ a는 치역을 변하게 한다.

(2) $y=\sin bx$ ➡ $y=\sin x$의 그래프를 $|b|>1$이면 x축의 방향으로 $\dfrac{1}{|b|}$배 축소하고, $0<b<1$이면 $\dfrac{1}{|b|}$배 확대한 그래프이다. 이때 주기는 $\dfrac{2\pi}{|b|}$로 변한다. ➡ b는 주기를 변하게 한다.

(2) $y=a\sin(bx+c)+d$, $y=a\cos(bx+c)+d$, $y=a\tan(bx+c)+d$의 그래프는 각각 $y=a\sin bx$, $y=a\cos bx$, $y=a\tan bx$의 그래프를 x축의 방향으로 $-\dfrac{c}{b}$만큼, y축의 방향으로 d만큼 평행이동한 것이므로 최댓값, 최솟값, 주기는 다음과 같다.

삼각함수	최댓값	최솟값	주기
$y=a\sin(bx+c)+d$	$\lvert a\rvert+d$	$-\lvert a\rvert+d$	$\dfrac{2\pi}{\lvert b\rvert}$
$y=a\cos(bx+c)+d$	$\lvert a\rvert+d$	$-\lvert a\rvert+d$	$\dfrac{2\pi}{\lvert b\rvert}$
$y=a\tan(bx+c)+d$	없다.	없다.	$\dfrac{\pi}{\lvert b\rvert}$

확인 05 다음 함수의 최댓값, 최솟값, 주기를 구하여라.

(1) $y=2\sin x$ (2) $y=\cos 2x+1$ (3) $\tan\left(x-\dfrac{\pi}{2}\right)$

개념＋ **절댓값 기호를 포함한 삼각함수의 그래프**

(1) $y=|a\sin bx|$, $y=|a\cos bx|$의 그래프

➡ 최댓값: $|a|$, 최솟값: 0, 주기: $\dfrac{\pi}{|b|}$

(2) $y=|\tan bx|$의 그래프

➡ 최댓값: 없다, 최솟값: 0, 주기: $\dfrac{\pi}{|b|}$

▶ $y=a\tan bx$의 점근선의 방정식은 $bx=n\pi+\dfrac{\pi}{2}$에서
$$x=\dfrac{1}{b}\left(n\pi+\dfrac{\pi}{2}\right)$$
(단, n은 정수이다.)

고1 수학 도형의 평행이동

방정식 $f(x,y)=0$이 나타내는 도형을 x축의 방향으로 m만큼, y축의 방향으로 n만큼 평행이동한 도형의 방정식은
$$f(x-m,\,y-n)=0$$

▶ $y=a\sin(bx+c)+d$
$=a\sin b\left(x+\dfrac{c}{b}\right)+d$

개념 05 여러 가지 각의 삼각함수

각 x에 대하여 각 $2n\pi+x$ (n은 정수), $-x$, $\pi\pm x$, $\dfrac{\pi}{2}\pm x$의 삼각함수는 다음과 같은 성질을 갖는다.

(1) $2n\pi+x$ (n은 정수)의 삼각함수

$\sin(2n\pi+x)=\sin x$, $\cos(2n\pi+x)=\cos x$, $\tan(2n\pi+x)=\tan x$

(2) $-x$의 삼각함수

$\sin(-x)=-\sin x$, $\cos(-x)=\cos x$, $\tan(-x)=-\tan x$

(3) $\pi\pm x$의 삼각함수

$\sin(\pi+x)=-\sin x$, $\cos(\pi+x)=-\cos x$, $\tan(\pi+x)=\tan x$

$\sin(\pi-x)=\sin x$, $\cos(\pi-x)=-\cos x$, $\tan(\pi-x)=-\tan x$

(4) $\dfrac{\pi}{2}\pm x$의 삼각함수

$\sin\left(\dfrac{\pi}{2}+x\right)=\cos x$, $\cos\left(\dfrac{\pi}{2}+x\right)=-\sin x$, $\tan\left(\dfrac{\pi}{2}+x\right)=-\dfrac{1}{\tan x}$

$\sin\left(\dfrac{\pi}{2}-x\right)=\cos x$, $\cos\left(\dfrac{\pi}{2}-x\right)=\sin x$, $\tan\left(\dfrac{\pi}{2}-x\right)=\dfrac{1}{\tan x}$

> 각을 $\dfrac{n}{2}\pi\pm x$ (n은 정수) 꼴로 나타냈을 때, n이 짝수이면 삼각함수는 그대로, n이 홀수이면 $\sin \Rightarrow \cos$, $\cos \Rightarrow \sin$, $\tan \Rightarrow \dfrac{1}{\tan}$ 로 고친 후 x를 예각으로 생각하여 $\dfrac{n}{2}\pi\pm x$를 나타내는 동경의 위치를 찾아 부호를 결정한다.

확인 06 다음 삼각함수의 값을 구하여라.

(1) $\sin\dfrac{9}{4}\pi$ (2) $\cos\dfrac{13}{3}\pi$ (3) $\tan\dfrac{7}{6}\pi$

(4) $\sin\left(-\dfrac{\pi}{3}\right)$ (5) $\cos\left(-\dfrac{\pi}{6}\right)$ (6) $\tan\left(-\dfrac{\pi}{4}\right)$

개념 06 삼각함수표를 이용한 삼각함수의 값 구하기

삼각함수의 성질을 이용하면 일반각에 대한 삼각함수를 $0°$에서 $90°$까지의 각에 대한 삼각함수로 나타낼 수 있다. $0°$에서 $90°$까지 $1°$ 단위로 삼각비의 값을 반올림하여 소수점 아래 넷째 자리까지 나타낸 표를 삼각함수표라고 한다.

이 책의 부록에 있는 삼각함수표를 이용하면 일반각에 대한 삼각함수의 값을 알 수 있다.

예 ① $\sin 416°=\sin(360°+56°)$

$\qquad\quad =\sin 56°=0.8290$

② $\cos 238°=\cos(180°+58°)$

$\qquad\quad =-\cos 58°=-0.5299$

각	sin	cos	tan
56°	0.8290	0.5592	1.4826
57°	0.8387	0.5446	1.5399
58°	0.8480	0.5299	1.6003

확인 07 오른쪽 삼각함수표를 이용하여 다음 값을 구하여라.

(1) $\sin 169°$

(2) $\cos 372°$

(3) $\tan 190°$

각	sin	cos	tan
10°	0.1736	0.9848	0.1763
11°	0.1908	0.9816	0.1944
12°	0.2079	0.9781	0.2126

사인함수, 코사인함수, 탄젠트함수의 그래프

다음 함수의 그래프를 그리고, 최댓값, 최솟값, 주기를 구하여라.

(1) $y = 3 \sin x$ (2) $y = \cos 2x$ (3) $y = 2 \tan 2x$

풍쌤 POINT

함수 $y = a \sin bx$의 그래프는 함수 $y = \sin x$의 그래프를 x축의 방향으로 $\dfrac{1}{|b|}$배, y축의 방향으로 $|a|$배한 것이야. 함수 $y = a \cos bx$, $y = a \tan bx$의 그래프도 같은 방법으로 그릴 수 있어.

풀이

(1) $y = 3 \sin x$의 그래프는 $y = \sin x$의 그래프를 y축의 방향으로 3배한 것❶이므로 다음 그림과 같다.

❶ $y = \sin x$의 그래프를 위아래로 3배만큼 확대한다.

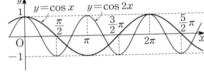

따라서 최댓값은 3, 최솟값은 -3이고 주기는 2π이다.

(2) $y = \cos 2x$의 그래프는 $y = \cos x$의 그래프를 x축의 방향으로 $\dfrac{1}{2}$배한 것❷이므로 다음 그림과 같다.

❷ $y = \cos x$의 그래프를 좌우로 $\dfrac{1}{2}$배만큼 축소한다.

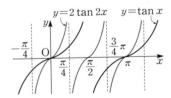

따라서 최댓값은 1, 최솟값은 -1이고 주기는 π이다.

(3) $y = 2 \tan 2x$의 그래프는 $y = \tan x$의 그래프를 x축의 방향으로 $\dfrac{1}{2}$배, y축의 방향으로 2배한 것❸이므로 다음 그림과 같다.

❸ $y = \tan x$의 그래프를 위아래로 2배만큼 확대하고, 좌우로 $\dfrac{1}{2}$배만큼 축소한다.

따라서 최댓값과 최솟값은 없고, 주기는 $\dfrac{\pi}{2}$이다.

📖 풀이 참조

풍쌤 강의 NOTE

· $y = a \sin bx$, $y = a \cos bx$ ➡ 최댓값: $|a|$, 최솟값: $-|a|$, 주기: $\dfrac{2\pi}{|b|}$

· $y = a \tan bx$ ➡ 최댓값과 최솟값은 없다., 주기: $\dfrac{\pi}{|b|}$

01-1 (유사)

다음 함수의 그래프를 그리고, 최댓값, 최솟값, 주기를 구하여라.

(1) $y = 3\sin\dfrac{x}{2}$

(2) $y = 2\cos 3x$

(3) $y = \tan\dfrac{x}{2}$

01-2 (변형)

모든 실수 x에 대하여 $f(x+2) = f(x)$를 만족시키는 함수인 것만을 |보기|에서 있는 대로 골라라.

┤보기├
ㄱ. $f(x) = \sqrt{2}\sin\dfrac{\pi}{2}x$

ㄴ. $f(x) = \sin \pi x$

ㄷ. $f(x) = \dfrac{1}{3}\sin 4\pi x$

01-3 (변형)

함수 $y = a\cos bx$의 최댓값이 5, 주기가 $\dfrac{\pi}{2}$일 때, 양수 a, b에 대하여 $a+b$의 값을 구하여라.

01-4 (변형)

세 수 $\sin 10°$, $\sin 20°$, $\sin 30°$의 대소를 비교하여라.

01-5 (변형)

세 수 $A = \sin 70°$, $B = \cos 70°$, $C = \tan 45°$에 대하여 다음 중 옳은 것은?

① $A < B < C$ ② $A < C < B$

③ $B < A < C$ ④ $B < C < A$

⑤ $C < B < A$

01-6 (실력) (기출)

두 함수 $y = 4\sin 3x$, $y = 3\cos 2x$의 그래프가 x축과 만나는 점을 각각

$$A(a, 0), B(b, 0) \left(단, 0 < a < \dfrac{\pi}{2} < b < \pi\right)$$

라고 하자. $y = 4\sin 3x$의 그래프 위의 임의의 점 P에 대하여 삼각형 ABP의 넓이의 최댓값을 구하여라.

다음 물음에 답하여라.

(1) 함수 $y=2\sin \pi x$의 그래프를 x축의 방향으로 m만큼, y축의 방향으로 n만큼 평행이동한 그래프의 식은 $y=2\sin\left(\pi x+\dfrac{\pi}{4}\right)-3$이다. $m+n$의 값을 구하여라.

$$\text{(단, } -1<m<1)$$

(2) 함수 $y=a\cos bx$의 그래프는 함수 $y=\cos 3x$의 그래프를 x축에 대하여 대칭이동한 것이다. 두 상수 a, b에 대하여 $a+b$의 값을 구하여라. (단, $b>0$)

풍쌤 POINT

(1) $y=a\sin (bx+c)+d=a\sin b\left(x+\dfrac{c}{b}\right)+d$의 그래프는 $y=a\sin bx$의 그래프를 x축의 방향으로 $-\dfrac{c}{b}$만큼, y축의 방향으로 d만큼 평행이동한 것이야.

(2) $y=-\cos px$의 그래프는 $y=\cos px$의 그래프를 x축에 대하여 대칭이동한 것이야.

풀이

(1) $y=2\sin\left(\pi x+\dfrac{\pi}{4}\right)-3=2\sin \pi\left(x+\dfrac{1}{4}\right)-3$

즉, $y=2\sin\left(\pi x+\dfrac{\pi}{4}\right)-3$의 그래프는 $y=2\sin \pi x$의 그래프를 x축의 방향으로 $-\dfrac{1}{4}$❶만큼, y축의 방향으로 -3만큼 평행이동한 것이다.

따라서 $m=-\dfrac{1}{4}$, $n=-3$이므로

$$m+n=-\dfrac{13}{4}$$

❶ $x+\dfrac{1}{4}=x-\left(-\dfrac{1}{4}\right)$이므로 x축의 방향으로 $-\dfrac{1}{4}$만큼 평행이동한 것이다.

(2) $y=\cos 3x$의 그래프를 x축에 대하여 대칭이동한 그래프의 식은

$-y=\cos 3x$❷ $\quad\therefore y=-\cos 3x$

따라서 $a=-1$, $b=3$❸이므로

$a+b=2$

❷ y 대신 $-y$를 대입한다.

❸ $y=a\cos bx$와 $y=-\cos 3x$가 일치한다.

$$\boxed{\text{답}} \text{ (1) } -\dfrac{13}{4} \quad \text{(2) } 2$$

풍쌤 강의 NOTE

방정식 $f(x, y)=0$이 나타내는 도형을

① x축의 방향으로 a만큼, y축의 방향으로 b만큼 평행이동한 도형의 방정식은
　➡ $f(x-a, y-b)=0$

② x축에 대하여 대칭이동한 도형의 방정식은 ➡ $f(x, -y)=0$

③ y축에 대하여 대칭이동한 도형의 방정식은 ➡ $f(-x, y)=0$

④ 원점에 대하여 대칭이동한 도형의 방정식은 ➡ $f(-x, -y)=0$

02-1 ◉ 유사

함수 $y=\sin 2x$의 그래프를 x축의 방향으로 m만큼, y축의 방향으로 n만큼 평행이동한 그래프의 식은 $y=\sin(2x-4)+1$이다. $m+n$의 값을 구하여라.

(단, $0 < m < 3$)

02-2 ◉ 유사

함수 $y=\cos(ax-3)$의 그래프는 함수 $y=\cos x$의 그래프를 y축에 대하여 대칭이동한 후 x축의 방향으로 b만큼 평행이동한 것이다. 상수 a, b에 대하여 $b-a$의 값을 구하여라. (단, $a<0$)

02-3 ◉ 변형

함수 $y=\tan 2x-3$의 그래프를 x축의 방향으로 $\dfrac{\pi}{4}$만큼 평행이동한 후 y축에 대하여 대칭이동한 그래프의 식은 $y=\tan\left(ax-\dfrac{\pi}{2}\right)+b$이다. 상수 a, b에 대하여 ab의 값을 구하여라.

02-4 ◉ 변형

다음 함수의 그래프 중 평행이동 또는 대칭이동에 의하여 나머지 넷과 겹쳐지지 <u>않은</u> 것은?

① $y=3\sin 3x-1$

② $y=\sin 3(x-\pi)$

③ $y=\sin 3(x+5\pi)+2$

④ $y=-\sin 3x+4$

⑤ $y=\sin(-3x+2\pi)$

02-5 ◉ 변형 기출

함수 $f(x)=a\sin x+1$의 최댓값을 M, 최솟값을 m이라고 하자. $M-m=6$일 때, 양수 a의 값을 구하여라.

02-6 ◉ 실력

다음 함수의 그래프 중 함수 $y=2\sin x$의 그래프를 x축의 방향으로 $\dfrac{\pi}{2}$만큼 평행이동한 후 y축에 대하여 대칭이동한 그래프와 일치하는 것은?

① $y=-2\sin x$　　② $y=-2\cos x$

③ $y=2\sin x$　　④ $y=\cos x$

⑤ $y=2\cos x$

함수 $f(x)=2\sin(4x-\pi)+1$에 대한 설명으로 옳은 것만을 |보기|에서 있는 대로 골라라.

┤보기├

ㄱ. 모든 실수 x에 대하여 $f\left(x+\dfrac{\pi}{2}\right)=f(x)$이다.

ㄴ. 함수 $f(x)$의 최댓값은 3, 최솟값은 -3이다.

ㄷ. 그래프는 점 $(\pi, -1)$을 지난다.

ㄹ. 그래프는 $y=2\sin 4x$의 그래프를 x축의 방향으로 $\dfrac{\pi}{4}$만큼, y축의 방향으로 1만 큼 평행이동한 것이다.

풍쌤 POINT 삼각함수의 그래프의 성질을 이용하여 보기의 참, 거짓을 판별해 봐!

풀이

STEP1 함수 $y=f(x)$의 주기를 구하여 ㄱ의 참, 거짓 판별하기

ㄱ. 함수 $f(x)=2\sin(4x-\pi)+1$의 주기는 $\dfrac{2\pi}{|4|}=\dfrac{\pi}{2}$이므로

　모든 실수 x에 대하여

　$f\left(x+\dfrac{\pi}{2}\right)=f(x)$ ❶ (참)

❶ 함수 $f(x)$는 주기가 $\dfrac{\pi}{2}$인 주기 함수이다.

STEP2 $\sin(4x-\pi)$의 범위를 이용하여 ㄴ의 참, 거짓 판별하기

ㄴ. $-1\le\sin(4x-\pi)\le1$에서 $-2\le2\sin(4x-\pi)\le2$이므로

　$-1\le2\sin(4x-\pi)+1\le3$ ∴ $-1\le f(x)\le3$

　따라서 함수 $f(x)$의 최댓값은 3, 최솟값은 -1이다.❷ (거짓)

❷ 함수 $y=a\sin(bx+c)+d$의 최댓값은 $|a|+d$, 최솟값은 $-|a|+d$임을 이용하여 구할 수도 있다.

STEP3 $x=\pi$를 대입하여 ㄷ의 참, 거짓 판별하기

ㄷ. $f(x)=2\sin(4x-\pi)+1$에 $x=\pi$를 대입하면

　$f(\pi)=2\sin 3\pi+1=1$

　따라서 $y=f(x)$의 그래프는 점 $(\pi, -1)$을 지나지 않는다.

　　　　　　　　　　　　　　　　　　　(거짓)

STEP4 함수식을 변형하여 ㄹ의 참, 거짓 판별하기

ㄹ. $f(x)=2\sin(4x-\pi)+1=2\sin 4\left(x-\dfrac{\pi}{4}\right)+1$

　이므로 $y=f(x)$의 그래프는 $y=2\sin 4x$의 그래프를 x축의

　방향으로 $\dfrac{\pi}{4}$만큼, y축의 방향으로 1만큼 평행이동한 것이다.

　　　　　　　　　　　　　　　　　　　(참)

따라서 옳은 것은 ㄱ, ㄹ이다.

답 ㄱ, ㄹ

풍쌤 강의 NOTE 삼각함수는 주기함수이다. 주기, 최댓값과 최솟값, 그래프의 대칭성으로 삼각함수의 그래프의 특징을 파악할 수 있다.

03-1 유사

함수 $f(x)=\sin\left(2x+\dfrac{\pi}{3}\right)-1$에 대한 설명으로 옳은 것만을 |보기|에서 있는 대로 골라라.

┌보기┐
ㄱ. 주기는 π이다.

ㄴ. 최댓값은 0, 최솟값은 -1이다.

ㄷ. 그래프는 점 $\left(\dfrac{\pi}{3},\ -1\right)$을 지난다.

ㄹ. 그래프는 $y=\sin 2x$의 그래프를 x축의 방향으로 $\dfrac{\pi}{3}$만큼, y축의 방향으로 -1만큼 평행이동한 것이다.
└─────────────────┘

03-2 유사 기출

함수 $f(x)=2\cos\left(3x-\dfrac{\pi}{3}\right)+1$에 대한 설명으로 옳은 것만을 |보기|에서 있는 대로 골라라.

┌보기┐
ㄱ. $-1\leq f(x)\leq 3$이다.

ㄴ. 임의의 실수 x에 대하여 $f\left(x+\dfrac{\pi}{3}\right)=f(x)$이다.

ㄷ. $y=f(x)$의 그래프는 직선 $x=\dfrac{\pi}{9}$에 대하여 대칭이다.
└─────────────────┘

03-3 유사

함수 $f(x)=-\tan\left(\dfrac{x}{2}+\pi\right)+2$에 대한 설명으로 옳은 것만을 |보기|에서 있는 대로 골라라.

┌보기┐
ㄱ. 모든 실수 x에 대하여 $f(x+2\pi)=f(x)$이다.

ㄴ. 함수 $f(x)$의 최댓값은 3, 최솟값은 1이다.

ㄷ. 그래프는 점 $\left(-\dfrac{3}{2}\pi,\ 2\right)$를 지난다.

ㄹ. 그래프의 점근선의 방정식은 $x=2n\pi-\pi$ (n은 정수)이다.
└─────────────────┘

03-4 변형

다음 그림과 같이 함수 $y=\cos x$ $(0\leq x\leq 2\pi)$의 그래프와 직선 $y=k$ $(0<k<1)$의 교점의 x좌표를 작은 것부터 차례대로 a, b라고 할 때, $\sin\dfrac{a+b}{4}$의 값을 구하여라.

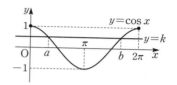

03-5 변형

다음 그림과 같이 함수 $y=\sin x$의 그래프와 직선 $y=\dfrac{1}{3}$의 교점의 x좌표를 각각 α, β, γ라고 할 때, $\sin(\alpha+\beta+\gamma)$의 값을 구하여라.

$$\left(\text{단},\ 0<\alpha<\beta<\gamma<\dfrac{5}{2}\pi\right)$$

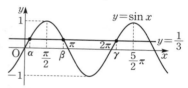

03-6 변형

다음 그림과 같이 함수 $y=2\sin x$ $(x\geq 0)$의 그래프와 직선 $y=1$의 교점의 x좌표를 작은 것부터 차례대로 x_1, x_2, x_3, x_4라고 할 때, $x_1+x_2+x_3+x_4$의 값을 구하여라.

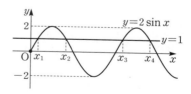

다음 함수의 그래프를 그리고, 최댓값, 최솟값, 주기를 구하여라.

(1) $y=|\sin x|$　　　　(2) $y=\cos |2x|$　　　　(3) $y=|2\tan x|$

풍쌤 POINT

절댓값 기호를 포함한 삼각함수의 그래프는 절댓값 기호를 없앤 삼각함수의 그래프를 그린 후 절댓값 기호의 위치에 따라 x축 또는 y축에 대하여 대칭이동하여 그려.

풀이

(1) $y=|\sin x|$의 그래프는
$y=\sin x$의 그래프에서
$y\geq 0$인 부분은 그대로 두
고, $y<0$인 부분을 x축에

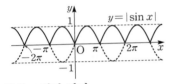

대하여 대칭이동한 것이므로 위의 그림과 같다.
따라서 최댓값은 1, 최솟값은 0, 주기는 π이다.

(2) $y=\cos |2x|$의 그래프는
$y=\cos 2x$의 그래프에서
$2x\geq 0$, 즉 $x\geq 0$인 부분만
남기고, $x<0$인 부분은

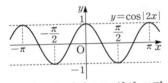

$x\geq 0$인 부분을 y축에 대하여 대칭이동한 것이므로 위의 그림
과 같다.
따라서 최댓값은 1, 최솟값은 -1, 주기는 π이다. ❶

❶ $y=\cos |2x|$의 주기는
$y=\cos 2x$의 주기와 같다.

(3) $y=|2\tan x|$의 그래프는
$y=2\tan x$의 그래프에서
$y\geq 0$인 부분은 그대로 두고,
$y<0$인 부분을 x축에 대하여
대칭이동한 것이므로 오른쪽
그림과 같다.

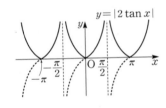

따라서 최댓값은 없고, 최솟값은 0, 주기는 π이다.

目 (1) 풀이 참조, 최댓값: 1, 최솟값: 0, 주기: π
　　(2) 풀이 참조, 최댓값: 1, 최솟값: -1, 주기: π
　　(3) 풀이 참조, 최댓값: 없다, 최솟값: 0, 주기: π

풍쌤 강의 NOTE

절댓값 기호를 포함한 함수의 그래프는 다음과 같은 방법으로 그린다.
① $y=f(|x|)$의 그래프
➡ $y=f(x)$의 그래프에서 $x\geq 0$인 부분만 그대로 두고 이 부분을 y축에 대하여 대칭이동한다.
② $y=|f(x)|$의 그래프
➡ $y=f(x)$의 그래프에서 $y\geq 0$인 부분은 그대로 두고 $y<0$인 부분은 x축에 대하여 대칭이동
한다.

04-1 ⊙ 유사

다음 함수의 그래프를 그리고, 최댓값과 최솟값을 구하여라.

(1) $y = \sin |x|$

(2) $y = |\cos 2x|$

(3) $y = \left| \tan \dfrac{x}{2} \right|$

04-2 ⊙ 유사

다음 함수의 최댓값, 최솟값, 주기를 구하여라.

(1) $y = \sin x + |\sin x|$

(2) $y = \cos x + |\cos x|$

04-3 ⊙ 변형

함수 $y = 2|\cos (x+\pi)| - 1$의 최댓값을 M, 최솟값을 m, 주기를 p라고 할 때, $M+m+p$의 값을 구하여라.

04-4 ⊙ 변형 기출

두 함수

$$f(x) = \cos (ax) + 1, \ g(x) = |\sin 3x|$$

의 주기가 서로 같을 때, 양수 a의 값을 구하여라.

04-5 ⊙ 변형

두 함수의 그래프가 일치하는 것만을 |보기|에서 있는 대로 골라라.

┌ |보기|
│ ㄱ. $y = \sin |x|$, $y = |\sin x|$
│ ㄴ. $y = \cos x$, $y = \cos |x|$
│ ㄷ. $y = \left| \sin \left(\dfrac{\pi}{2} - x \right) \right|$, $y = |\cos x|$
└

04-6 ⊙ 실력

$0 \le x \le 4$에서 함수 $y = 2|\cos \pi x|$의 그래프 위의 점 중에서 y좌표가 정수인 점의 개수를 구하여라.

함수 $f(x)=a\cos(bx+c)+d$가 다음 조건을 만족시킬 때, 상수 a, b, c, d에 대하여 $ab+cd$의 값을 구하여라. (단, $a>0$, $b>0$, $-\pi<c<0$)

(가) 함수 $y=f(x)$의 그래프는 점 $\left(2, \dfrac{1}{2}\right)$을 지난다.

(나) 주기가 3인 주기함수이다.

(다) 최댓값은 8, 최솟값은 -2이다.

풍쌤 POINT

식이 주어진 삼각함수의 미정계수는 각 상수가 결정하는 조건을 이용하여 구할 수 있어.

풀이

STEP 1 조건 (나)를 이용하여 b의 값 구하기

조건 (나)에서 함수 $y=f(x)$의 주기가 3이고, $b>0$이므로

$\dfrac{2\pi}{b}=3$에서 $b=\dfrac{2}{3}\pi$

STEP 2 조건 (다)를 이용하여 a, d의 값 구하기

함수 $y=f(x)$의 최댓값은 8, 최솟값은 -2이고, $a>0$이므로

$a+d=8$, $-a+d=-2$

위의 두 식을 연립하여 풀면❶ $a=5$, $d=3$

STEP 3 조건 (가)를 이용하여 c의 값 구하기

즉, $f(x)=5\cos\left(\dfrac{2}{3}\pi x+c\right)+3$이고 조건 (가)에서 $f(2)=\dfrac{1}{2}$이

므로

$5\cos\left(\dfrac{4}{3}\pi+c\right)+3=\dfrac{1}{2}$, $\cos\left(\dfrac{4}{3}\pi+c\right)=-\dfrac{1}{2}$

$\dfrac{4}{3}\pi+c=\dfrac{2}{3}\pi$ ❷ ($\because -\pi<c<0$) ❸

$\therefore c=\dfrac{2}{3}\pi-\dfrac{4}{3}\pi=-\dfrac{2}{3}\pi$

STEP 4 $ab+cd$의 값 구하기

따라서 $a=5$, $b=\dfrac{2}{3}\pi$, $c=-\dfrac{2}{3}\pi$, $d=3$이므로

$ab+cd=\dfrac{10}{3}\pi-2\pi=\dfrac{4}{3}\pi$

❶ 두 식을 변끼리 더하면
  $2d=6$ $\therefore d=3$
  $d=3$을 $a+d=8$에 대입하면
  $a=5$

❷ $\cos\dfrac{2}{3}\pi=-\dfrac{1}{2}$

❸ $-\pi<c<0$에서
  $\dfrac{\pi}{3}<\dfrac{4}{3}\pi+c<\dfrac{4}{3}\pi$
  이다.

답 $\dfrac{4}{3}\pi$

풍쌤 강의 NOTE

① $y=a\sin(bx+c)+d$
   또는 $y=a\cos(bx+c)+d$
   ➡ a, d: 최댓값과 최솟값 결정 → 최댓값: $|a|+d$, 최솟값: $-|a|+d$
   ➡ b: 주기 결정 → $\dfrac{2\pi}{|b|}$
   ➡ b, c, d: 평행이동 결정

② $y=a\tan(bx+c)+d$
   ➡ b: 주기 결정 → $\dfrac{\pi}{|b|}$
   ➡ b, c: 점근선의 방정식 결정
   ➡ b, c, d: 평행이동 결정

05-1 유사

함수 $f(x) = a\sin(bx+c)+d$가 다음 조건을 만족시킬 때, 상수 a, b, c, d에 대하여 $a+b+c+d$의 값을 구하여라. (단, $a<0, b>0, -\pi<c<0$)

> ㈎ $y=f(x)$의 그래프는 $y=a\sin bx$의 그래프를 x축의 방향으로 $\dfrac{\pi}{2}$만큼, y축의 방향으로 -1만큼 평행이동한 것이다.
> ㈏ 주기가 4π인 주기함수이다.
> ㈐ 최솟값은 -4이다.

05-2 유사

함수 $f(x) = a\cos\left(bx+\dfrac{\pi}{3}\right)+c$의 최댓값이 4, 최솟값이 -2이고 주기가 π일 때, 상수 a, b, c에 대하여 abc의 값을 구하여라. (단, $a>0, b>0$)

05-3 유사

함수 $f(x) = a\tan bx$의 주기가 $\dfrac{\pi}{2}$이고, $f\left(\dfrac{\pi}{8}\right)=7$일 때, 상수 a, b에 대하여 a^2+b^2의 값을 구하여라. (단, $b>0$)

05-4 변형

함수 $f(x) = a|\cos bx|+c$가 다음 조건을 만족시킬 때, 상수 a, b, c에 대하여 $a+b-c$의 값을 구하여라. (단, $a>0, b>0$)

> ㈎ 주기가 $\dfrac{\pi}{3}$인 주기함수이다.
> ㈏ 함수 $f(x)$의 최댓값은 3이다.
> ㈐ $f\left(\dfrac{\pi}{9}\right)=\dfrac{5}{2}$

05-5 변형

함수 $y=3\tan(ax-b)+2$의 주기는 4π이고 그래프의 점근선의 방정식이 $x=4n\pi$ (n은 정수)일 때, 상수 a, b에 대하여 ab의 값을 구하여라. (단, $a>0, -\pi<b<0$)

05-6 실력

함수 $f(x) = a|\sin bx|+c$의 최댓값이 5, 주기가 $\dfrac{\pi}{3}$, $f\left(\dfrac{\pi}{18}\right)=\dfrac{7}{2}$일 때, $f(\pi)$의 값을 구하여라. (단, a, b, c는 상수이고, $a>0, b>0$)

함수 $y=a\sin(bx+c)$의 그래프가 오른쪽 그림과 같을 때, 상수 a, b, c에 대하여 $a+b+c$의 값을 구하여라.

(단, $a>0$, $b>0$, $0<c\le\pi$)

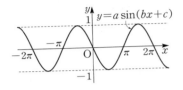

풍쌤 POINT

그래프가 주어진 삼각함수의 미정계수는 주어진 그래프에서 최댓값, 최솟값, 주기를 찾아 구할 수 있어.

풀이

STEP 1 최댓값, 최솟값을 이용하여 a의 값 구하기

주어진 그래프에서 함수 $y=a\sin(bx+c)$의 최댓값이 1, 최솟값이 -1이고 $a>0$이므로

$a=1$

STEP 2 주기를 이용하여 b의 값 구하기

주기가 $\pi-(-\pi)=2\pi$❶이고 $b>0$이므로

$\dfrac{2\pi}{b}=2\pi$

$\therefore b=1$

STEP 3 지나는 한 점을 찾아 c의 값 구하기

주어진 함수의 식은 $y=\sin(x+c)$이고, 그래프가 점 $(\pi, 0)$❷을 지나므로

$0=\sin(\pi+c)$

이때 $0<c\le\pi$이므로

$c=\pi$

STEP 4 $a+b+c$의 값 구하기

따라서 $a=1$, $b=1$, $c=\pi$❸이므로

$a+b+c=\pi+2$

❶ 함수의 그래프에서 반복되는 최소의 폭이 주기이다.

❷ 그래프가 지나는 점의 좌표는 $(-\pi, 0)$, $(2\pi, 0)$ 등을 대입해도 된다.

❸ 주어진 함수의 식은 $y=\sin(x+\pi)$

답 $\pi+2$

풍쌤 강의 NOTE

함수 $y=a\sin(bx+c)+d$의 그래프가 주어진 경우에는 그래프에서

① 최댓값, 최솟값을 찾아 a, d의 값

② 주기를 찾아 b의 값

③ 그래프가 지나는 점의 좌표를 이용하여 c의 값

을 구한다. 이때 함수 $y=a\sin(bx+c)+d$의 최댓값은 $|a|+d$, 최솟값은 $-|a|+d$, 주기는

$\dfrac{2\pi}{|b|}$임을 이용한다.

06-1 유사

함수 $y=a\sin(bx+c)+d$의 그래프가 다음 그림과 같을 때, 상수 a, b, c, d에 대하여 $ab+cd$의 값을 구하여라. (단, $a>0$, $b>0$, $0<c<\pi$)

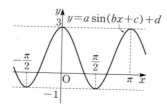

06-2 유사　기출

다음 그림은 함수 $y=\cos a(x+b)+1$의 그래프이다. 상수 a, b에 대하여 ab의 값을 구하여라.

(단, $a>0$, $0<b<\pi$)

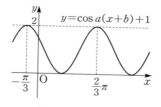

06-3 유사

함수 $y=a\tan bx+c$의 그래프가 다음 그림과 같을 때, 상수 a, b, c에 대하여 $a+b+c$의 값을 구하여라.

(단, $a>0$, $b>0$)

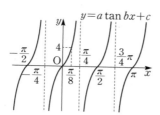

06-4 변형

함수 $f(x)=a\sin(bx+c)+d$의 그래프가 다음 그림과 같을 때, $f\left(-\dfrac{\pi}{2}\right)$의 값을 구하여라.

(단, a, b, c, d는 상수이고, $a>0$, $b>0$, $0<c<\pi$이다.)

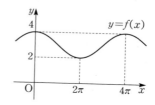

06-5 실력

다음 중 함수 $y=f(x)$의 그래프가 아래 그림과 같은 것은?

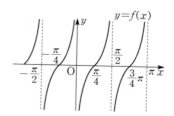

① $f(x)=\tan\left(x-\dfrac{\pi}{2}\right)$

② $f(x)=\tan\left(x-\dfrac{\pi}{4}\right)$

③ $f(x)=\tan\left(2x-\dfrac{\pi}{2}\right)$

④ $f(x)=\tan\left(2x-\dfrac{\pi}{4}\right)$

⑤ $f(x)=\tan 2x$

다음 식의 값을 구하여라.

(1) $\sin\left(\dfrac{\pi}{2}-\theta\right)+\sin\left(\dfrac{3}{2}\pi+\theta\right)+\cos\left(\pi-\theta\right)-\cos\left(3\pi+\theta\right)$

(2) $\sin^2 10°+\sin^2 20°+\cdots+\sin^2 80°+\sin^2 90°$

풍쌤 POINT

(1) 여러 가지 각에 대한 삼각함수의 성질을 이용하여 θ에 대한 삼각함수로 변형해.

(2) 적당히 짝을 지어 같은 각의 삼각함수가 되도록 변형해.

풀이

(1) $\sin\left(\dfrac{\pi}{2}-\theta\right)=\cos\theta$ ❶, $\sin\left(\dfrac{3}{2}\pi+\theta\right)=-\cos\theta,$

❶ $\sin\left(\dfrac{\pi}{2}\pm x\right)=\cos x$

$\cos\left(\pi-\theta\right)=-\cos\theta,\ \cos\left(3\pi+\theta\right)=-\cos\theta$

$\therefore\ \sin\left(\dfrac{\pi}{2}-\theta\right)+\sin\left(\dfrac{3}{2}\pi+\theta\right)+\cos\left(\pi-\theta\right)-\cos\left(3\pi+\theta\right)$

$=\cos\theta-\cos\theta-\cos\theta-(-\cos\theta)$

$=0$

(2) $\sin\left(90°-\theta\right)=\cos\theta$이므로

$\sin 80°=\sin\left(90°-10°\right)=\cos 10°,$

$\sin 70°=\sin\left(90°-20°\right)=\cos 20°,$

$\sin 60°=\sin\left(90°-30°\right)=\cos 30°,$

$\sin 50°=\sin\left(90°-40°\right)=\cos 40°$

$\therefore\ \sin^2 10°+\sin^2 20°+\cdots+\sin^2 80°+\sin^2 90°$

$=(\sin^2 10°+\sin^2 80°)+(\sin^2 20°+\sin^2 70°)$

$\quad+(\sin^2 30°+\sin^2 60°)+(\sin^2 40°+\sin^2 50°)$

$\quad+\sin^2 90°$

$=(\sin^2 10°+\cos^2 10°)+(\sin^2 20°+\cos^2 20°)$

$\quad+(\sin^2 30°+\cos^2 30°)+(\sin^2 40°+\cos^2 40°)$

$\quad+\sin^2 90°$

$=1+1+1+1+1$ ❷ $=5$

❷ $\sin^2\theta+\cos^2\theta=1$

📘 (1) 0 (2) 5

풍쌤 강의 NOTE

여러 가지 각에 대한 삼각함수는 다음과 같은 순서로 변형하여 θ에 대한 삼각함수로 나타낼 수 있다.

❶ 각을 변형한다. ➡ 주어진 각을 $90°\times n\pm\theta$ 또는 $\dfrac{\pi}{2}\times n\pm\theta$ (n은 정수) 꼴로 고친다.

❷ 삼각함수를 정한다. ➡ (i) n이 짝수이면 $\sin \longrightarrow \sin,\ \cos \longrightarrow \cos,\ \tan \longrightarrow \tan$

(ii) n이 홀수이면 $\sin \longrightarrow \cos,\ \cos \longrightarrow \sin,\ \tan \longrightarrow \dfrac{1}{\tan}$

❸ 부호를 정한다. ➡ θ를 예각으로 생각하여 $90°\times n\pm\theta$ 또는 $\dfrac{\pi}{2}\times n\pm\theta$를 나타내는 동경이 속한

사분면에서 원래 삼각함수의 부호가 양이면 $+$, 음이면 $-$의 부호를 붙인다.

07-1 ⊙기본

다음 식의 값을 구하여라.

(1) $\sin \dfrac{3}{4}\pi + \cos \dfrac{15}{4}\pi$

(2) $\sin 50° + \cos 140° + \tan 10° \times \tan 100°$

07-2 ⊙유사

다음 식의 값을 구하여라

(1) $\cos \theta - \sin \left(\dfrac{\pi}{2} - \theta \right) + \cos(\pi - \theta)$
$$- \sin \left(\dfrac{3}{2}\pi + \theta \right)$$

(2) $\sin^2 (\pi + \theta) + \sin^2 \left(\dfrac{\pi}{2} + \theta \right)$
$$+ \sin^2 \left(\dfrac{\pi}{2} - \theta \right) + \sin^2 (\pi - \theta)$$

(3) $\cos^2 10° + \cos^2 20° + \cdots + \cos^2 80° + \cos^2 90°$

07-3 ⊙유사

$\dfrac{\sin \left(\dfrac{3}{2}\pi - \theta \right) \tan \theta}{\cos \left(\dfrac{\pi}{2} + \theta \right) \cos \theta} - \sin (\pi + \theta) \tan (\pi - \theta)$를

간단히 하여라.

07-4 ⊙변형

$\sin \left(\dfrac{\pi}{2} + \theta \right) \tan (\pi - \theta) = \dfrac{3}{4}$일 때, $20(1 + \sin \theta)$
의 값을 구하여라.

07-5 ⊙변형

직선 $x - 3y + 3 = 0$이 x축의 양의 방향과 이루는 각의
크기를 θ라고 할 때,
$$\cos (\pi + \theta) + \sin \left(\dfrac{\pi}{2} - \theta \right) + \tan (-\theta)$$
의 값을 구하여라.

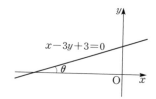

07-6 ⊙실력

직선 $y = ax + 1$이 x축의 양의 방향과 이루는 각의 크
기를 θ라고 할 때,
$$\dfrac{1 - \cos (\pi + \theta)}{\sin (\pi - \theta)} + \dfrac{1 + \sin \left(\dfrac{3}{2}\pi - \theta \right)}{\cos \left(\dfrac{\pi}{2} + \theta \right)} = 2$$
가 성립한다. 상수 a의 값을 구하여라. (단, $a \neq 0$)

오른쪽 그림과 같이 선분 AB를 지름으로 하는 원 O 위의 한 점 C에 대하여 $\overline{AC}=5$, $\overline{BC}=12$이다. $\angle CAB=\alpha$, $\angle CBA=\beta$라고 할 때, $\sin(2\alpha+\beta)-\cos(\alpha+2\beta)$의 값을 구하여라.

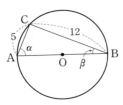

풍쌤 POINT

선분 AB가 원의 지름임을 이용하여 선분 AB의 길이와 α, β 사이의 관계식을 구해 봐!

풀이

STEP 1 α, β 사이의 관계식 구하기

$\overline{AB}$가 원의 지름이므로 $\angle ACB=90°$❶

$\therefore \alpha+\beta=90°$❷

STEP 2 $\overline{AB}$의 길이 구하기

삼각형 ABC는 직각삼각형이므로 피타고라스 정리에 의하여

$\overline{AB}=\sqrt{5^2+12^2}=13$

STEP 3 $\sin(2\alpha+\beta)-\cos(\alpha+2\beta)$의 값 구하기

$$\begin{aligned}\sin(2\alpha+\beta)&=\sin\{(\alpha+\beta)+\alpha\}\\&=\sin(90°+\alpha)\\&=\cos\alpha\\&=\frac{\overline{AC}}{\overline{AB}}=\frac{5}{13}❸\end{aligned}$$

$$\begin{aligned}\cos(\alpha+2\beta)&=\cos\{(\alpha+\beta)+\beta\}\\&=\cos(90°+\beta)\\&=-\sin\beta\\&=-\frac{\overline{AC}}{\overline{AB}}=-\frac{5}{13}\end{aligned}$$

$\therefore \sin(2\alpha+\beta)-\cos(\alpha+2\beta)=\dfrac{5}{13}-\left(-\dfrac{5}{13}\right)=\dfrac{10}{13}$

❶ $\angle ACB$는 호 AB에 대한 원주각이므로 90°이다.

❷ $\triangle ABC$에서 $\angle C=90°$이므로 나머지 두 각의 크기 α, β의 합이 90°이다.

❸ $\cos\alpha=\dfrac{(밑변의 길이)}{(빗변의 길이)}$

답 $\dfrac{10}{13}$

풍쌤 강의 NOTE

삼각함수의 도형에의 활용 문제는 여러 가지 각에 대한 삼각함수의 성질과 도형의 성질을 이용하여 해결할 수 있다.

특히, 원주각과 중심각 사이의 관계, 원에 내접하는 사각형의 성질 등 중학교에서 배웠던 도형의 성질을 다시 한번 정리해 보도록 하자.

① 반원에 대한 원주각의 크기는 90°이다.

　또, 원주각의 크기가 90°이면 그에 대한 호는 반원이다.

② 원에 내접하는 사각형에서 한 쌍의 대각의 크기의 합은 180°이다.

08-1 유사

오른쪽 그림과 같이 선분 AB를 지름으로 하는 원 O 위의 한 점 C에 대하여 $\overline{AC}=6$, $\overline{BC}=\sqrt{13}$이다. $\angle CAB=\alpha$, $\angle CBA=\beta$라 고 할 때, $\sin(\alpha+2\beta)$의 값을 구하여라.

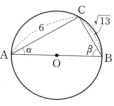

08-2 유사

오른쪽 그림과 같이 선분 AB를 지름으로 하는 원 O 위의 한 점 C에 대하여 $\overline{AB}=10$, $\overline{AC}=8$이다. $\angle CAB=\alpha$, $\angle CBA=\beta$라 고 할 때, $\tan(2\alpha+\beta+90°)$의 값을 구하여라.

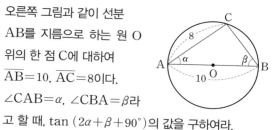

08-3 변형

오른쪽 그림과 같이 원에 내접 하는 사각형 ABCD에서 $\angle BAD=\alpha$, $\angle BCD=\beta$, $\cos\alpha=\dfrac{2}{3}$일 때, $\tan^2\beta$의 값 을 구하여라.

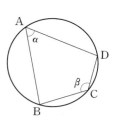

08-4 변형

오른쪽 그림과 같이 함수 $y=\sin x$ $(0\le x\le\pi)$의 그 래프와 x축으로 둘러싸인 도 형에 직사각형 ABCD가 내 접하고 있다. 변 AB의 길이 가 $\dfrac{2}{3}\pi$일 때, 직사각형 ABCD의 넓이를 구하여라.

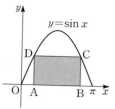

08-5 변형 ^{기출}

오른쪽 그림과 같이 사각형 ABCD는 선분 BC를 지름으 로 하는 원 O에 내접하고 있 다. $\overline{BC}=13$이고 $\overline{CD}=5$일 때, $\sin A$의 값을 구하여라.

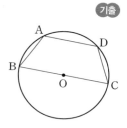

08-6 실력

오른쪽 그림과 같이 반지 름의 길이가 1인 원을 20 등분한 점을 차례대로 P_1, P_2, P_3, $\cdots$, P_{20}이라고 하 자. $P_1(1, 0)$, $\angle P_1OP_2=\theta$일 때, $\sin^2\theta+\sin^2 2\theta+\sin^2 3\theta+\cdots+\sin^2 20\theta$의 값을 구하여라.

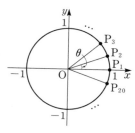

다음 함수의 최댓값과 최솟값을 구하여라.

(1) $y=5\sin x+\cos\left(x-\dfrac{\pi}{2}\right)-1$ (2) $y=|2\sin x-1|+1$

풍쌤 POINT

(1) $-1\le\sin x\le1$임을 이용하여 y의 값의 범위를 구해 봐.

(2) $\sin x=t$로 치환하여 t에 대한 함수의 최댓값과 최솟값을 구해 봐.

풀이

(1) **STEP 1** 식 변형하기

$\cos\left(x-\dfrac{\pi}{2}\right)=\cos\left(\dfrac{\pi}{2}-x\right)^{❶}=\sin x$이므로

❶ $\cos\alpha=\cos(-\alpha)$

$y=5\sin x+\cos\left(x-\dfrac{\pi}{2}\right)-1$

$\quad=5\sin x+\sin x-1$

$\quad=6\sin x-1$

STEP 2 $\sin x$의 범위를 이용하여 y의 값의 범위 구하기

이때 $-1\le\sin x\le1$이므로 $-6\le6\sin x\le6$

$-7\le6\sin x-1\le5$ $\therefore -7\le y\le5$ ❷

❷ $-1\le\sin x\le1$임을 이용하여 $y=6\sin x-1$의 값의 범위를 구한다.

STEP 3 함수의 최댓값과 최솟값 구하기

따라서 주어진 함수의 최댓값은 5, 최솟값은 -7이다.

(2) **STEP 1** $\sin x=t$로 치환하여 t에 대한 식으로 나타내기

$y=|2\sin x-1|+1$에서 $\sin x=t\ (-1\le t\le1)$로 놓으면

$y=|2t-1|+1$

(i) $-1\le t<\dfrac{1}{2}$ ❸일 때, $y=-(2t-1)+1=-2t+2$

(ii) $\dfrac{1}{2}\le t\le1$ ❸일 때, $y=2t-1+1=2t$

❸ 절댓값 기호 안의 식의 값이 0이 되는 t의 값을 기준으로 범위를 나눈다.

STEP 2 함수의 최댓값과 최솟값 구하기

따라서 함수 $y=|2t-1|+1$의 그래프는 오른쪽 그림과 같으므로 $t=-1$일 때 최댓값은 4, $t=\dfrac{1}{2}$일 때 최솟값은 1이다.

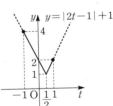

답 (1) 최댓값: 5, 최솟값: -7 (2) 최댓값: 4, 최솟값: 1

풍쌤 강의 NOTE

• 두 종류의 삼각함수를 포함한 식은
 ➡ 삼각함수의 성질을 이용하여 한 종류의 삼각함수로 변형한다.

• 절댓값 기호가 있는 일차식 꼴의 삼각함수를 포함한 식은
 ➡ 삼각함수를 t로 치환한 후 절댓값의 성질을 이용한다.

09-1 유사

함수 $y=\sin(x+\pi)+3\cos\left(x+\dfrac{\pi}{2}\right)+2$의 최댓값과 최솟값을 구하여라.

09-4 변형

함수 $y=2\cos x-\sin\left(x-\dfrac{\pi}{2}\right)+k$의 최댓값과 최솟값의 합이 2일 때, 상수 k의 값을 구하여라.

09-2 유사

함수 $y=5-|3\sin x+2|$의 최댓값과 최솟값을 구하여라.

09-5 변형

함수 $y=a|\sin 2x-1|+b$의 최댓값이 6, 최솟값이 -2일 때, 상수 a, b에 대하여 $a+b$의 값을 구하여라.

(단, $a>0$)

09-3 변형

함수 $f(x)=-|\cos(-x)+2|+a$의 최댓값이 5일 때, $f(x)$의 최솟값을 구하여라. (단, a는 상수이다.)

09-6 실력

두 양수 a, b에 대하여 $\cos x=\dfrac{a^2+b^2}{3ab}$일 때, 함수 $y=-6|\cos x-1|+5$의 최댓값과 최솟값의 곱을 구하여라.

다음 함수의 최댓값을 M, 최솟값을 m이라고 할 때, $M+m$의 값을 구하여라.

(1) $y=\cos^2 x+2\sin x+3$

(2) $y=\dfrac{3\tan x+1}{\tan x+1}\ \left(\text{단},\ 0\le x\le\dfrac{\pi}{4}\right)$

풍쌤 POINT

이차식 또는 분수식 꼴로 주어진 삼각함수를 포함한 함수의 최대 · 최소는 한 종류의 삼각함수로 변형한 후 t로 치환하여 t에 대한 함수의 최댓값과 최솟값을 구해 봐.

풀이

(1) **STEP 1** 식 변형하기

$\sin^2 x+\cos^2 x=1$이므로

$y=\cos^2 x+2\sin x+3=(1-\sin^2 x)+2\sin x+3$

$\quad =-\sin^2 x+2\sin x+4$

STEP 2 $\sin x=t$로 치환하여 함수의 최댓값과 최솟값 구하기

이때 $\sin x=t$로 놓으면

$-1\le t\le 1$이고 주어진 함수는

$y=-t^2+2t+4=-(t-1)^2+5$❶

이므로 오른쪽 그림에서

$t=1$일 때 최댓값은 5, $t=-1$일

때 최솟값은 1이다.

❶ 이차함수 $y=-t^2+2t+4$의 그래프의 꼭짓점의 좌표는 $(1,\,5)$이다.

STEP 3 $M+m$의 값 구하기

따라서 $M=5$, $m=1$이므로 $M+m=6$

(2) **STEP 1** $\tan x=t$로 치환하여 t의 값의 범위와 함수식 나타내기

$y=\dfrac{3\tan x+1}{\tan x+1}$에서 $\tan x=t$로 놓으면

$0\le x\le\dfrac{\pi}{4}$에서 $0\le t\le 1$이고❷ 주어진 함수는

$y=\dfrac{3t+1}{t+1}=\dfrac{3(t+1)-2}{t+1}=-\dfrac{2}{t+1}+3$

❷ 함수 $y=\tan x$는 $0\le x\le\dfrac{\pi}{4}$에서 x의 값이 증가하면 y의 값도 증가하고 $\tan 0=0$, $\tan\dfrac{\pi}{4}=1$이므로 $0\le t\le 1$이다.

STEP 2 함수의 최댓값과 최솟값 구하기

오른쪽 그림에서 $t=1$일 때 최댓값은

2, $t=0$일 때 최솟값은 1이다.

STEP 3 $M+m$의 값 구하기

따라서 $M=2$, $m=1$이므로

$M+m=3$

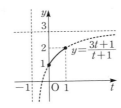

📋 (1) 6 　(2) 3

풍쌤 강의 NOTE

· 삼각함수를 포함한 식에 $\sin^2 x$ 또는 $\cos^2 x$가 포함되어 있을 때는 $\sin^2 x+\cos^2 x=1$임을 이용하여 한 종류의 삼각함수의 식으로 나타낸 후 한 문자로 치환하여 이차함수로 나타낸다.

· 삼각함수를 포함한 식이 분수식 꼴일 때는 삼각함수를 한 문자로 치환하여 유리함수로 변형한다.

10-1 유사

함수 $y = \cos^2 x - \sin^2 x - 2\cos x$의 최댓값을 M, 최솟값을 m이라고 할 때, $M+m$의 값을 구하여라.

10-4 변형

함수 $y = a\sin^2 x - a\cos x + b$의 최댓값이 7, 최솟값이 -2일 때, 상수 a, b에 대하여 ab의 값을 구하여라.

(단, $a > 0$)

10-2 유사

함수 $y = \dfrac{3\sin x + 12}{\sin x + 2}$의 최댓값을 M, 최솟값을 m이라고 할 때, $M-m$의 값을 구하여라.

10-5 변형   기출

실수 k에 대하여 함수
$$f(x) = \cos^2\left(x - \frac{3}{4}\pi\right) - \cos\left(x - \frac{\pi}{4}\right) + k$$
의 최댓값은 3, 최솟값은 m이다. $k+m$의 값을 구하여라.

10-3 변형

정의역이 $\left\{ x \mid -\dfrac{\pi}{3} \le x \le \dfrac{\pi}{3} \right\}$인 함수

$y = \dfrac{\cos x + 4}{\cos x - 2}$의 치역이 $\{ y \mid a \le y \le b \}$일 때, $a+b$의 값을 구하여라.

10-6 실력

$0 \le x \le \dfrac{\pi}{4}$에서 함수 $y = -\dfrac{\cos x}{\sin x + 2\cos x} + k$의 최댓값과 최솟값의 합이 $-\dfrac{5}{6}$일 때, 상수 k의 값을 구하여라.

주기함수

$f(x+p)=f(x)$를 만족시키는 함수는 주기가 p인 주기함수일까?
주기함수의 개념을 다시 한번 확인해 보자.

▶ 명제 '$f(x+p)=f(x)$를 만족시키는 함수 $f(x)$는 주기가 p인 함수이다.'는 참일까? 거짓일까?

$f(x+2)=f(x)$를 만족시키는 함수 $f(x)$는 주기가 2인 함수라고 할 수 있을까? 예를 들어 '매달 1일에 해가 뜬다.'는 참이지만 해는 매일 뜨므로 해가 뜨는 주기는 한 달이 아니고, 하루이다.

이와 같은 원리로 생각하면 $f(x+2)=f(x)$를 만족시키는 함수 $f(x)$가 주기가 2인 함수라고 말할 수 없다. 따라서 명제 '$f(x+p)=f(x)$를 만족시키는 함수는 주기가 p인 함수이다.'는 거짓이다.

한편, 함수 $f(x)$가 모든 실수 x에 대하여 $f(x+4)=f(x)$를 만족시킬 때, 함수 $f(x)$의 주기가 될 수 있는 값은 $\dfrac{4}{n}$ (n은 자연수)이다. 이로부터 다음을 알 수 있다.

함수 $f(x)$의 주기가 p인 주기함수이면
$$\begin{aligned} f(x)&=f(x+p)\\ &=f(x+2p)\\ &=f(x+3p)\\ &=\cdots\\ &=f(x+np) \end{aligned}$$
(단, n은 정수)

| 주기가 p인 주기함수 | $\rightarrow\kern-8pt/$ $\kern-8pt\leftarrow$ | $f(x+p)=f(x)$ |

| 주기가 $\dfrac{p}{n}$ (n은 자연수)인 주기함수 | $\longleftarrow$ | $f(x+p)=f(x)$ |

▶ 사인함수의 주기는 왜 2π일까?

함수 $y=\sin\theta$의 주기가 2π인 이유는 사인함수가 각의 크기 θ에 대한 함수이기 때문이다.

각 θ를 나타내는 동경과 단위원의 교점을 $P(x, y)$라고 하면
$\cos\theta=\dfrac{x}{1}=x$이므로 점 P가 단위원 위를 움직일 때, $\cos\theta$의 값은 점 P의 x좌표에 의하여 정해진다.

오른쪽 그림과 같이 각 θ를 나타내는 동경과 단위원의 교점을 $P(x, y)$라고 하면 $\sin\theta=\dfrac{y}{1}=y$이므로 점 P가 단위원 위를 움직일 때, $\sin\theta$의 값은 점 P의 y좌표에 의하여 정해진다. 따라서 단위원을 이용하여 각 θ의 크기의 변화에 따른 $\sin\theta$의 값의 변화를 좌표평면 위에 나타내어 함수 $y=\sin\theta$의 그래프를 얻을 수 있다.

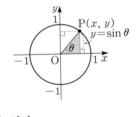

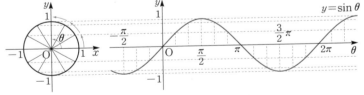

▶ 주기함수는 어떻게 표현할까?

함수 $y=\sin x$의 그래프는 오른쪽 그림과 같다. 오른쪽 그림에서 사인함수의 주기는 2π이고, $f(x)=\sin x$라고 하면

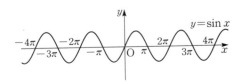

① $f(x+2\pi)=f(x)$

② $f(x-2\pi)=f(x)$

③ $f(x-\pi)=f(x+\pi)$ ← $x-\pi=t$로 놓으면 $x=t+\pi$이므로 $f(t)=f(t+2\pi)$

임을 알 수 있다. 이와 같이 주기함수를 표현하는 방법은 여러 가지가 있음을 알
수 있다.

예시 1 주기함수의 성질을 이용한 삼각함수의 함숫값

함수 $f(x)$가 다음 조건을 만족시킬 때, 다음 값을 구하여라.

> (가) $-\dfrac{1}{2}\leq x<\dfrac{5}{2}$일 때, $f(x)=\cos \pi x$
>
> (나) 모든 실수 x에 대하여 $f(x+3)=f(x)$

(1) $f(14)$　　　　(2) $f\left(\dfrac{17}{2}\right)$　　　　(3) $f\left(\dfrac{25}{4}\right)$

문제 푸는 key point

삼각함수의 주기를 찾아
주기함수의 성질 이용

(1) 조건 (나)에 의하여 $f(14)=f(11)=f(8)=f(5)=f(2)$
조건 (가)에 의하여 $f(14)=f(2)=\cos 2\pi=1$

(2) 조건 (나)에 의하여 $f\left(\dfrac{17}{2}\right)=f\left(3+\dfrac{11}{2}\right)=f\left(\dfrac{11}{2}\right)=f\left(3+\dfrac{5}{2}\right)=f\left(\dfrac{5}{2}\right)$
$=f\left(3-\dfrac{1}{2}\right)=f\left(-\dfrac{1}{2}\right)$

조건 (가)에 의하여 $f\left(\dfrac{17}{2}\right)=f\left(-\dfrac{1}{2}\right)=\cos\left(-\dfrac{\pi}{2}\right)=0$

(3) 조건 (나)에 의하여 $f\left(\dfrac{25}{4}\right)=f\left(3+\dfrac{13}{4}\right)=f\left(\dfrac{13}{4}\right)=f\left(3+\dfrac{1}{4}\right)=f\left(\dfrac{1}{4}\right)$

조건 (가)에 의하여 $f\left(\dfrac{25}{4}\right)=f\left(\dfrac{1}{4}\right)=\cos\dfrac{\pi}{4}=\dfrac{\sqrt{2}}{2}$

$-\dfrac{1}{2}\leq x<\dfrac{5}{2}$일 때, 함수
$y=\cos \pi x$의 그래프는 다음 그림과 같다.

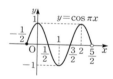

✓ 확인

정답과 풀이 **183**쪽

1. 함수 $f(x)$가 다음 조건을 만족시킬 때, 다음 값을 구하여라.

> (가) $0\leq x<6$일 때, $f(x)=\sin\dfrac{\pi}{2}x$
>
> (나) 모든 실수 x에 대하여 $f(x-2)=f(x+4)$

(1) $f(7)$　　　　(2) $f(-8)$　　　　(3) $f\left(\dfrac{53}{3}\right)$

2. 함수 $f(x)$가 다음 조건을 만족시킬 때, $f\left(\dfrac{13}{4}\pi\right)$의 값을 구하여라.

> (가) $0\leq x<\pi$일 때, $f(x)=\sin 2x+\cos 2x$
>
> (나) 모든 실수 x에 대하여 $f(x+\pi)=f(x)$

01

함수 $f(x)=\sin\dfrac{x}{2}+\cos 2x$의 주기를 p라고 할 때, $f(p)$의 값은?

① -2 ② -1 ③ 0

④ 1 ⑤ 2

02 서술형✎

함수 $y=\sin\dfrac{\pi}{2}x$의 그래프를 x축의 방향으로 $\dfrac{1}{2}$만큼 평행이동하면 점 $\left(\dfrac{5}{6},\,a\right)$를 지난다. a의 값을 구하여라.

03

오른쪽 그림과 같이 두 곡선 $y=\tan x$, $y=\tan x+1$과 y축 및 직선 $x=\dfrac{\pi}{4}$로 둘러싸인 도형의 넓이는?

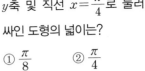

① $\dfrac{\pi}{8}$ ② $\dfrac{\pi}{4}$

③ $\dfrac{\pi}{2}$ ④ $\dfrac{3}{8}\pi$

⑤ $\dfrac{5}{8}\pi$

04

다음 중 함수 $f(x)=3\cos\dfrac{x}{2}$에 대한 설명으로 옳지 <u>않은</u> 것은?

① 주기는 4π이다.

② $-3\le f(x)\le 3$

③ 그래프는 원점을 지난다.

④ $f(0)+f(\pi)=3$

⑤ 모든 실수 x에 대하여 $f(x)=f(-x)$이다.

05 기출

함수 $f(x)=\cos x$의 그래프와 직선 $y=k\ (0<k<1)$가 만나는 점의 x좌표를 다음 그림과 같이 x_1, x_2라고 할 때, $f\left(\dfrac{x_1+x_2}{2}\right)$의 값은?

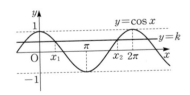

① 1 ② -1 ③ 0

④ k ⑤ $-k$

06 기출

좌표평면에서 곡선 $y=4\sin\left(\dfrac{\pi}{2}x\right)\ (0\le x\le 2)$ 위의 점 중 y좌표가 정수인 점의 개수를 구하여라.

07

다음 중 주기함수가 <u>아닌</u> 것은?

① $y=|\sin x|$ ② $y=|\cos x|$

③ $y=|\tan x|$ ④ $y=\sin|x|$

⑤ $y=\cos|x|$

08

함수 $y=|\sin ax|$의 주기와 함수 $y=3\tan 2x$의 주기가 같을 때, 양수 a의 값은?

① $\dfrac{1}{3}$ ② $\dfrac{1}{2}$ ③ $\dfrac{2}{3}$

④ $\dfrac{3}{2}$ ⑤ 2

09   기출

두 양수 a, b에 대하여 함수 $f(x)=a\cos bx+30$이 있다. 함수 $f(x)$는 주기가 4π이고 최솟값이 -1일 때, $a+b$의 값은?

① $\dfrac{9}{2}$ ② $\dfrac{11}{2}$ ③ $\dfrac{13}{2}$

④ $\dfrac{15}{2}$ ⑤ $\dfrac{17}{2}$

10

함수 $y=\tan(ax+b)+2$의 주기가 2π이고 그래프의 점근선의 방정식이 $x=2n\pi$ (n은 정수)일 때, 양수 a, b에 대하여 $2ab$의 값은? (단, $0<b<\pi$)

① $\dfrac{\pi}{4}$ ② $\dfrac{\pi}{2}$ ③ π

④ 2π ⑤ 4π

11

$0 \le x \le 2\pi$에서 정의된 함수 $y=a\sin 3x+b$의 그래프가 두 직선 $y=9$, $y=2$와 만나는 점의 개수가 각각 3, 7이 되도록 하는 양수 a, b에 대하여 ab의 값을 구하여라.

12   서술형 ✏

함수 $y=a\cos(bx+c)+d$의 그래프가 다음 그림과 같을 때, 상수 a, b, c, d에 대하여 $a+b+c+d$의 값을 구하여라. $\left(\text{단, } a>0,\ b>0,\ -\dfrac{\pi}{2} \le c \le 0\right)$

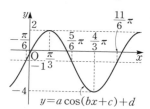

$$y=a\cos(bx+c)+d$$

13 서술형 ✏️

$\tan 1° \times \tan 2° \times \cdots \times \tan 88° \times \tan 89°$의 값을 구하여라.

14

다음 삼각함수표를 이용하여

$$\sin(-100°) + \cos 192° + \tan 371°$$

의 값을 구하여라.

각	sin	cos	tan
10°	0.1736	0.9848	0.1763
11°	0.1908	0.9816	0.1944
12°	0.2079	0.9781	0.2126

15 기출

다음 그림과 같이 직사각형 ABCD가 중심이 원점이고 반지름의 길이가 1인 원에 내접해 있다. x축과 선분 OA가 이루는 각을 θ라고 할 때, $\cos(\pi - \theta)$와 같은 것은? $\left(단, 0 < \theta < \dfrac{\pi}{4}\right)$

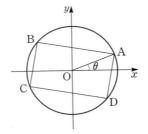

① A의 x좌표
② B의 y좌표
③ C의 x좌표
④ C의 y좌표
⑤ D의 x좌표

16 서술형 ✏️

함수 $y = 2\sin\left(x - \dfrac{\pi}{2}\right) + 3\cos x + k$의 최댓값과 최솟값의 합이 8일 때, 상수 k의 값을 구하여라.

17

$\dfrac{1}{2} \le \cos x \le 1$일 때, $\sin^2 x$의 최댓값은?

① $\dfrac{1}{4}$
② $\dfrac{1}{2}$
③ $\dfrac{\sqrt{2}}{2}$
④ $\dfrac{3}{4}$
⑤ 1

18

함수 $f(x) = \sin^2 x + \cos x + 3k - 1$의 최솟값이 $-\dfrac{1}{4}$일 때, $f(x)$의 최댓값은? (단, k는 상수이다.)

① $\dfrac{1}{4}$
② $\dfrac{1}{2}$
③ 1
④ $\dfrac{3}{2}$
⑤ 2

상위권 도약 문제

01

함수 $f(x) = \sqrt{1+\sin x} + \sqrt{1-\sin x}$의 주기가 p일 때, $\cos \dfrac{p}{3}$의 값은?

① $-\dfrac{\sqrt{3}}{2}$ ② $-\dfrac{1}{2}$ ③ 0

④ $\dfrac{1}{2}$ ⑤ $\dfrac{\sqrt{3}}{2}$

02 `기출`

함수 $f(x) = \sin \pi x \ (x \geq 0)$의 그래프와 직선 $y = \dfrac{2}{3}$가 만나는 점의 x좌표를 작은 것부터 순서대로 α, β, γ라고 할 때, $f(\alpha+\beta+\gamma+1) + f\left(\alpha+\beta+\dfrac{1}{2}\right)$의 값은?

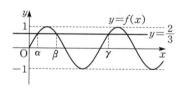

① $-\dfrac{2}{3}$ ② $-\dfrac{1}{3}$ ③ 0

④ $\dfrac{1}{3}$ ⑤ $\dfrac{2}{3}$

03 `기출`

함수 $f(x) = 3\sin \dfrac{\pi(x+a)}{2} + b$의 그래프가 다음 그림과 같다. 양수 a, b에 대하여 ab의 최솟값을 구하여라.

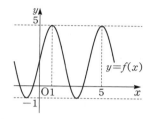

04

$x \geq 0$에서 함수 $y = 3\left|\cos \dfrac{\pi}{2}x\right|$의 그래프와 직선 $y = 2$가 만나는 교점의 x좌표를 작은 것부터 순서대로 x_1, x_2, x_3, $\cdots$, x_n이라고 할 때, $x_2 + x_5 + x_6 + x_9$의 값을 구하여라.

05 `기출`

좌표평면 위에 두 점 A$(0, 4)$, B$(0, -4)$가 있다. 한 개의 주사위를 두 번 던질 때 나오는 눈의 수를 차례로 m, n이라고 하자. 점 C$\left(m\cos\dfrac{n\pi}{3}, m\sin\dfrac{n\pi}{3}\right)$에 대하여 삼각형 ABC의 넓이가 12보다 작을 확률은?

① $\dfrac{1}{2}$ ② $\dfrac{5}{9}$ ③ $\dfrac{11}{18}$

④ $\dfrac{2}{3}$ ⑤ $\dfrac{3}{18}$

06

다음 그림과 같이 좌표평면 위의 반지름의 길이가 1인 사분원의 호 AB를 100등분하는 각 점을 $P_n(n=1, 2, 3, \cdots, 99)$이라고 하자. 점 P_n의 y좌표를 $f(n)$이라고 할 때,

$$\{f(1)\}^2 + \{f(2)\}^2 + \{f(3)\}^2 + \cdots + \{f(99)\}^2$$

의 값을 구하여라.

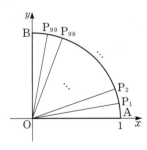

07

$-\dfrac{\pi}{4} \leq x \leq \dfrac{\pi}{4}$에서 함수 $y = \tan x - \dfrac{1}{\cos^2 x}$은 $x = a$일 때 최솟값 b를 갖는다. 상수 a, b에 대하여 ab의 값을 구하여라.

08 `기출`

a, b는 양수이고 $\alpha + \beta + \gamma = \pi$이다.
$a^2 + b^2 = 3ab\cos\gamma$일 때,
$9\sin^2(\pi + \alpha + \beta) + 9\cos\gamma$의 최댓값을 구하여라.

09

삼각방정식과 삼각부등식

09 삼각방정식과 삼각부등식

개념01 삼각방정식

(1) **삼각방정식**: 삼각함수의 각의 크기에 미지수가 있는 방정식
(2) **삼각방정식의 풀이**

삼각방정식은 삼각함수의 그래프를 이용하여 다음과 같은 순서로 풀 수 있다.

❶ 주어진 방정식을 $\sin x = k$ (또는 $\cos x = k$ 또는 $\tan x = k$) 꼴로 나타 낸다.

❷ 좌표평면 위에 함수 $y = \sin x$ (또는 $y = \cos x$ 또는 $y = \tan x$)의 그래 프와 직선 $y = k$를 그린다.

❸ 주어진 범위에서 삼각함수의 그래프와 직선의 교점의 x좌표를 찾아 방 정식의 해를 구한다.

> ▶ 방정식 $f(x) = g(x)$의 실근은 함 수 $y = f(x)$의 그래프와 함수 $y = g(x)$의 그래프의 교점의 x좌 표와 같다.

> ▶ 두 종류 이상의 삼각함수를 포함 하고 있는 삼각방정식의 경우 한 종류의 삼각함수에 대한 삼각방정 식으로 변형한 후 해결한다.

[예] $0 \le x < 2\pi$일 때, 방정식 $\sin x = \dfrac{1}{2}$의 해를 구해 보자.

함수 $y = \sin x$ $(0 \le x < 2\pi)$의 그래프와 직선 $y = \dfrac{1}{2}$은

오른쪽 그림과 같고, 교점의 x좌표는 $\dfrac{\pi}{6}$, $\dfrac{5}{6}\pi$이다.

따라서 방정식 $\sin x = \dfrac{1}{2}$의 해는 $x = \dfrac{\pi}{6}$ 또는 $x = \dfrac{5}{6}\pi$

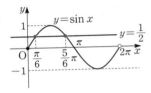

확인 **01** $0 \le x < 2\pi$일 때, 다음 방정식을 풀어라.

(1) $\sin x = \dfrac{\sqrt{3}}{2}$　　(2) $\cos x = -\dfrac{1}{2}$　　(3) $\tan x = 1$

개념02 삼각부등식

(1) **삼각부등식**: 삼각함수의 각의 크기에 미지수가 있는 부등식
(2) **삼각부등식의 풀이**

삼각부등식은 삼각함수의 그래프를 이용하여 다음과 같은 순서로 풀 수 있다.

❶ 부등호를 등호로 바꾼 후, 삼각함수의 그래프를 이용하여 삼각방정식을 푼다.

❷ ❶에서 그린 삼각함수의 그래프에서 주어진 부등식을 만족시키는 x의 값의 범위를 구한다.

(ⅰ) $\sin x > k$ (또는 $\cos x > k$ 또는 $\tan x > k$) 꼴의 부등식

➡ 함수 $y = \sin x$ (또는 $y = \cos x$ 또는 $y = \tan x$)의 그래프가 직 선 $y = k$보다 위쪽에 있는 부분의 x의 값의 범위를 구한다.

(ⅱ) $\sin x < k$ (또는 $\cos x < k$ 또는 $\tan x < k$) 꼴의 부등식

➡ 함수 $y = \sin x$ (또는 $y = \cos x$ 또는 $y = \tan x$)의 그래프가 직 선 $y = k$보다 아래쪽에 있는 부분의 x의 값의 범위를 구한다.

> ▶ 부등식 $f(x) > g(x)$의 해는 함수 $y = f(x)$의 그래프가 함수 $y = g(x)$의 그래프보다 위쪽에 있는 부분의 x의 값의 범위이다.

> ▶ 두 종류 이상의 삼각함수를 포함 하고 있는 삼각부등식의 경우 한 종류의 삼각함수에 대한 삼각부등 식으로 변형한 후 해결한다.

예 $0 \leq x < 2\pi$일 때, 부등식 $\cos x \leq \dfrac{1}{2}$의 해를 구해 보자.

부등식 $\cos x \leq \dfrac{1}{2}$을 풀기 위하여 함수

$y = \cos x \ (0 \leq x < 2\pi)$의 그래프와 직선 $y = \dfrac{1}{2}$을 그리

면 오른쪽 그림과 같고, 교점의 x좌표는 $\dfrac{\pi}{3}$, $\dfrac{5}{3}\pi$이다.

이때 부등식 $\cos x \leq \dfrac{1}{2}$의 해는 함수 $y = \cos x$의 그래프

가 직선 $y = \dfrac{1}{2}$과 만나거나 아래쪽에 있는 부분의 x의 값의 범위와 같으므로 $\dfrac{\pi}{3} \leq x \leq \dfrac{5}{3}\pi$

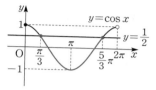

확인 02 $0 \leq x < 2\pi$일 때, 다음 부등식을 풀어라.

(1) $\sin x \geq \dfrac{\sqrt{3}}{2}$　　　　(2) $\cos x < \dfrac{\sqrt{2}}{2}$　　　　(3) $\tan x > \sqrt{3}$

개념+ **단위원(동경)을 이용한 삼각방정식의 풀이**

① $\sin \theta = k$ 꼴의 방정식: [그림 1]과 같이 직선 $y = k$와 단위원의 교점을 P, Q라고 하면 두 동경 OP, OQ가 나타내는 각의 크기 α, β가 방정식의 해이다.

② $\cos \theta = k$ 꼴의 방정식: [그림 2]와 같이 직선 $x = k$와 단위원의 교점을 P, Q라고 하면 두 동경 OP, OQ가 나타내는 각의 크기 α, β가 방정식의 해이다.

③ $\tan \theta = k$ 꼴의 방정식: [그림 3]과 같이 원점과 점 $(1, k)$를 지나는 직선과 단위원의 교점을 P, Q라고 하면 두 동경 OP, OQ가 나타내는 각의 크기 α, β가 방정식의 해이다.

> $\sin \theta > k$ 꼴의 부등식의 해는 [그림 4]에서
> $\alpha < \theta < \beta$
> 이고, $\sin \theta < k$ 꼴의 부등식의 해는 [그림 5]에서
> $0 < \theta < \alpha$ 또는 $\beta < \theta < 2\pi$
> 이다.

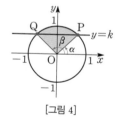

[그림 4]

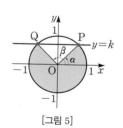

[그림 5]

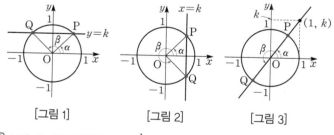

[그림 1]　　　　[그림 2]　　　　[그림 3]

예 $0 \leq \theta < 2\pi$일 때, 방정식 $\cos \theta = \dfrac{1}{2}$의 해를 단위원을 이용하여 구해 보자.

오른쪽 그림에서 직선 $x = \dfrac{1}{2}$과 원 $x^2 + y^2 = 1$의 교점

P, Q에 대하여 동경 OP, OQ가 나타내는 각의 크기는

$\dfrac{\pi}{3}$, $\dfrac{5}{3}\pi$이다. 따라서 방정식 $\cos \theta = \dfrac{1}{2}$의 해는 $\theta = \dfrac{\pi}{3}$

또는 $\theta = \dfrac{5}{3}\pi$이다.

$0 \le x < \pi$일 때, 방정식 $\cos\left(2x+\dfrac{\pi}{3}\right)=\dfrac{\sqrt{3}}{2}$의 모든 근의 합을 구하여라.

풍쌤 POINT

$2x+\dfrac{\pi}{3}=t$로 놓고 t에 대한 삼각방정식 $\cos t=\dfrac{\sqrt{3}}{2}$의 해를 구해.

풀이

STEP 1 $2x+\dfrac{\pi}{3}=t$로 놓고 t의 값의 범위 구하기

$2x+\dfrac{\pi}{3}=t$로 놓으면 $0 \le x < \pi$에서 $\dfrac{\pi}{3} \le 2x+\dfrac{\pi}{3} < 2\pi+\dfrac{\pi}{3}$ **❶**

$\therefore \dfrac{\pi}{3} \le t < \dfrac{7}{3}\pi$

❶ $0 \le x < \pi$의 각 변에 2를 곱한 다음 $\dfrac{\pi}{3}$를 더한다.

STEP 2 방정식 $\cos t=\dfrac{\sqrt{3}}{2}$을 만족시키는 t의 값 구하기

주어진 방정식은 $\cos t=\dfrac{\sqrt{3}}{2}$

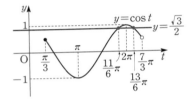

위의 그림과 같이 $\dfrac{\pi}{3} \le t < \dfrac{7}{3}\pi$에서 함수 $y=\cos t$의 그래프와

직선 $y=\dfrac{\sqrt{3}}{2}$의 교점의 t좌표가 $\dfrac{11}{6}\pi$, $\dfrac{13}{6}\pi$이므로

$t=\dfrac{11}{6}\pi$ 또는 $t=\dfrac{13}{6}\pi$

STEP 3 주어진 방정식의 모든 근의 합 구하기

즉, $2x+\dfrac{\pi}{3}=\dfrac{11}{6}\pi$ 또는 $2x+\dfrac{\pi}{3}=\dfrac{13}{6}\pi$이므로 **❷**

$2x=\dfrac{3}{2}\pi$ 또는 $2x=\dfrac{11}{6}\pi$

$\therefore x=\dfrac{3}{4}\pi$ 또는 $x=\dfrac{11}{12}\pi$

따라서 구하는 모든 근의 합은 $\dfrac{3}{4}\pi+\dfrac{11}{12}\pi=\dfrac{5}{3}\pi$

❷ 삼각방정식의 해를 구할 때는 치환한 식을 원래의 식으로 변형하여 x의 값을 구해야 한다.

답 $\dfrac{5}{3}\pi$

풍쌤 강의 NOTE

• 각이 복잡한 삼각방정식은 각을 한 문자로 치환한 후 삼각함수의 그래프를 이용하여 해를 구한다. 이때 치환한 값의 범위에 유의한다.
• 삼각함수의 그래프를 이용한 삼각방정식의 풀이
 ① $\sin x=k$의 해 ➡ 함수 $y=\sin x$의 그래프와 직선 $y=k$의 교점의 x좌표
 ② $\cos x=k$의 해 ➡ 함수 $y=\cos x$의 그래프와 직선 $y=k$의 교점의 x좌표
 ③ $\tan x=k$의 해 ➡ 함수 $y=\tan x$의 그래프와 직선 $y=k$의 교점의 x좌표

01-1 (유사)

$0 \leq x < \dfrac{\pi}{2}$일 때, 방정식 $\sin\left(2x - \dfrac{\pi}{6}\right) = \dfrac{\sqrt{3}}{2}$의 모든 근의 합을 구하여라.

01-4 (변형)

$0 \leq x < 2\pi$일 때, 방정식 $\sin x = \dfrac{\sqrt{3}}{3}$의 두 근을 α, β라고 할 때, $\cos(\alpha + \beta)$의 값을 구하여라.

01-2 (유사)

$0 \leq x < 2\pi$일 때, 방정식 $2\cos\left(x + \dfrac{\pi}{2}\right) = \sqrt{2}$의 모든 근의 합을 구하여라.

01-5 (변형)

$0 \leq x \leq \dfrac{3}{2}\pi$일 때, 방정식 $\cos(\pi \sin x) = 0$의 모든 근의 합을 구하여라.

01-3 (유사)

$0 \leq x < 2\pi$일 때, 방정식 $\tan\left(x - \dfrac{\pi}{6}\right) = \sqrt{3}$의 모든 근의 합을 구하여라.

01-6 (실력)   (기출)

$0 \leq x < 2\pi$일 때, 방정식 $|\sin 2x| = \dfrac{1}{2}$의 모든 실근의 개수를 구하여라.

다음 물음에 답하여라.

(1) $0 \leq x < 2\pi$일 때, 방정식 $2\cos^2 x - 3\sin x = 0$의 모든 근의 합을 구하여라.

(2) $0 \leq x < 2\pi$일 때, 방정식 $\tan^2 x - 2\sqrt{3}\tan x + 3 = 0$의 모든 근의 합을 구하여라.

풍쌤 POINT

(1) 두 종류의 삼각함수를 포함하고 있는 삼각방정식은 한 종류의 삼각함수에 대한 식으로 변형해.

(2) 인수분해를 이용하여 $\tan x$의 값을 구해.

풀이

(1) STEP 1 식 변형하기

$2\cos^2 x - 3\sin x = 0$에서 $2(1 - \sin^2 x) - 3\sin x = 0$ ❶

$\therefore 2\sin^2 x + 3\sin x - 2 = 0$

STEP 2 $\sin x = t$로 놓고 t의 값 구하기

$\sin x = t$로 놓으면 $0 \leq x < 2\pi$에서 $-1 \leq t \leq 1$이고,

주어진 방정식은 $2t^2 + 3t - 2 = 0$

$(2t - 1)(t + 2) = 0$ $\therefore t = -2$ 또는 $t = \dfrac{1}{2}$

그런데 $-1 \leq t \leq 1$이므로 $t = \dfrac{1}{2}$ ❷

STEP 3 주어진 방정식의 모든 근의 합 구하기

즉, $\sin x = \dfrac{1}{2}$이므로 오른쪽 그림에서 $x = \dfrac{\pi}{6}$ 또는 $x = \dfrac{5}{6}\pi$

따라서 모든 근의 합은

$\dfrac{\pi}{6} + \dfrac{5}{6}\pi = \pi$

(2) STEP 1 $\tan x$의 값 구하기

$\tan^2 x - 2\sqrt{3}\tan x + 3 = 0$에서 $(\tan x - \sqrt{3})^2 = 0$ ❸

$\therefore \tan x = \sqrt{3}$

STEP 2 주어진 방정식의 모든 근의 합 구하기

$0 \leq x < 2\pi$일 때, 오른쪽 그림에서 $x = \dfrac{\pi}{3}$ 또는 $x = \dfrac{4}{3}\pi$

따라서 모든 근의 합은

$\dfrac{\pi}{3} + \dfrac{4}{3}\pi = \dfrac{5}{3}\pi$

❶ $\sin^2 x + \cos^2 x = 1$에서 $\cos^2 x = 1 - \sin^2 x$이므로 주어진 방정식에 대입한다.

❷ 주어진 방정식의 해를 $x = \dfrac{1}{2}$로 생각하지 않도록 유의한다.

❸ (1)의 풀이와 같이 $\tan x = t$로 놓고 $(t - \sqrt{3})^2 = 0$, $t = \sqrt{3}$ 으로 풀 수도 있다.

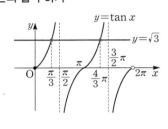

답 (1) π (2) $\dfrac{5}{3}\pi$

풍쌤 강의 NOTE

이차식 꼴로 주어진 삼각방정식은 다음과 같은 순서로 푼다.

❶ $\sin^2 x + \cos^2 x = 1$임을 이용하여 한 종류의 삼각함수에 대한 방정식으로 변형한다.

❷ 삼각함수를 t로 치환하여 t에 대한 이차방정식을 얻는다.

❸ ❷의 해를 구한 후 치환한 식에 대입하여 x의 값을 구한다.

02-1 유사

$0 \leq x < 2\pi$일 때, 방정식 $2\sin^2 x - 5\cos x + 1 = 0$의 모든 근의 합을 구하여라.

02-2 유사

$0 \leq x < 2\pi$일 때, 방정식 $2\cos^2 x + 3\sin x = 3$의 모든 근의 합을 구하여라.

02-3 유사

$0 \leq x < 2\pi$일 때, 다음 중 방정식
$2\sin^2 x + \sqrt{2}\cos x - 2 = 0$의 해가 <u>아닌</u> 것은?

① $\dfrac{\pi}{4}$　　　　② $\dfrac{\pi}{2}$　　　　③ $\dfrac{3}{4}\pi$

④ $\dfrac{3}{2}\pi$　　　　⑤ $\dfrac{7}{4}\pi$

02-4 변형

$\pi < x < 2\pi$일 때, 방정식 $\tan x + \dfrac{\sqrt{3}}{\tan x} = 1 + \sqrt{3}$의 실근의 개수를 구하여라.

02-5 변형 기출

$0 \leq x < 4\pi$일 때, 방정식
$$4\sin^2 x - 4\cos\left(\dfrac{\pi}{2} + x\right) - 3 = 0$$
의 모든 해의 합을 구하여라.

02-6 실력

$0 \leq x < 2\pi$일 때, 방정식 $\tan^2 x = 2\sin^2 x$의 해 중 최댓값을 M, 최솟값을 m이라고 하자. $M - m$의 값을 구하여라.

방정식 $\sin^2 x + 2\sin\left(x+\dfrac{\pi}{2}\right)+k=0$이 실근을 가질 때, 실수 k의 값의 범위를 구하여라.

풍쌤
POINT

주어진 방정식을 $f(x)=k$ 꼴로 변형한 후 방정식 $f(x)=k$가 실근을 가지면 함수 $y=f(x)$의 그래프와 직선 $y=k$의 교점이 존재함을 이용해.

풀이

STEP 1 방정식이 실근을 가질 조건 알기

방정식 $\sin^2 x + 2\sin\left(x+\dfrac{\pi}{2}\right)+k=0$, 즉

$-\sin^2 x - 2\sin\left(x+\dfrac{\pi}{2}\right)=k$가 실근을 가지려면

함수 $y=-\sin^2 x - 2\sin\left(x+\dfrac{\pi}{2}\right)$의 그래프와 직선 $y=k$가 교

점을 가져야 한다.

STEP 2 $y=-\sin^2 x - 2\sin\left(x+\dfrac{\pi}{2}\right)$의 식 변형하기

$y=-\sin^2 x - 2\sin\left(x+\dfrac{\pi}{2}\right)$❶

$\quad =-(1-\cos^2 x)-2\cos x$

$\quad =\cos^2 x - 2\cos x - 1$

이때 $\cos x=t$로 놓으면 $-1 \le t \le 1$이고

$y=t^2 - 2t - 1 = (t-1)^2 - 2$

❶ $\sin\left(x+\dfrac{\pi}{2}\right)=\sin\left(\dfrac{\pi}{2}+x\right)$
$\qquad =\cos x$

STEP 3 k의 값의 범위 구하기

오른쪽 그림에서

$t=-1$일 때, $y=2$

$t=1$일 때, $y=-2$

이므로 $-2 \le y \le 2$

따라서 주어진 방정식이 실근을 가지
려면❷

$-2 \le k \le 2$

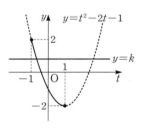

❷ 함수 $y=t^2 - 2t - 1$의 그래프
와 직선 $y=k$가 교점을 갖는 k
의 값의 범위를 구한다.

답 $-2 \le k \le 2$

풍쌤 강의
NOTE

· 방정식 $f(x)=k$의 실근은 함수 $y=f(x)$의 그래프와 직선 $y=k$의 교점의 x좌표이므로 방정식 $f(x)=k$가 실근을 갖기 위해서는 함수 $y=f(x)$의 그래프와 직선 $y=k$의 교점이 존재해야 한다.

· 삼각방정식이 실근을 가질 조건을 구할 때는 주어진 방정식을 $f(x)=k$ 꼴로 변형한 후 함수 $y=f(x)$의 그래프와 직선 $y=k$가 만나도록 하는 k의 값의 범위를 구한다.

03-1 ◉유사

방정식 $\cos^2 x + 2\sin x - k = 0$이 실근을 가질 때, 실수 k의 값의 범위를 구하여라.

03-4 ◉변형

방정식 $2\sin^2 x + 4\cos x + n - 1 = 0$을 만족시키는 실수 x가 존재하도록 하는 정수 n의 개수를 구하여라.

03-2 ◉유사

방정식 $\sin^2 x - \sin x + k - 1 = 0$이 실근을 가질 때, 실수 k의 값의 범위를 구하여라.

03-5 ◉변형

$-\dfrac{\pi}{2} \le x \le \dfrac{\pi}{2}$일 때, 방정식

$$2\sin^2 x + 2\cos\left(x + \frac{\pi}{2}\right) + \frac{a}{4} = 0$$

이 서로 다른 2개의 실근을 갖도록 하는 실수 a의 최솟값을 구하여라.

03-3 ◉변형

방정식 $4\sin^2 x - 4\cos x - k = 0$이 실근을 가질 때, 실수 k의 값의 범위는 $\alpha \le k \le \beta$이다. $\alpha + \beta$의 값을 구하여라.

03-6 ◉실력 〔기출〕

x에 대한 방정식 $\left| \cos x + \dfrac{1}{4} \right| = k$가 서로 다른 3개의 실근을 갖도록 하는 실수 k의 값을 α라고 할 때, 40α의 값을 구하여라. (단, $0 \le x \le 2\pi$)

$0 \leq x \leq \pi$일 때, 다음 부등식의 해를 구하여라.

(1) $\sin\left(x+\dfrac{\pi}{6}\right) > \dfrac{\sqrt{2}}{2}$

(2) $\sqrt{3}\tan 2x \leq -1$

풍쌤 POINT

(1) $x+\dfrac{\pi}{6}=t$로 놓고 삼각함수의 그래프를 이용해.

(2) $2x=t$로 놓고 삼각함수의 그래프를 이용해.

풀이

(1) **STEP 1** $x+\dfrac{\pi}{6}=t$로 놓고 t에 대한 삼각부등식으로 나타내기

$x+\dfrac{\pi}{6}=t$로 놓으면 $0 \leq x \leq \pi$에서 $\dfrac{\pi}{6} \leq t \leq \dfrac{7}{6}\pi$❶이고

주어진 부등식은 $\sin t > \dfrac{\sqrt{2}}{2}$

STEP 2 부등식의 해 구하기

오른쪽 그림과 같이 $\dfrac{\pi}{6} \leq t \leq \dfrac{7}{6}\pi$에

서 부등식 $\sin t > \dfrac{\sqrt{2}}{2}$❷의 해는

$\dfrac{\pi}{4} < t < \dfrac{3}{4}\pi$❸

즉, $\dfrac{\pi}{4} < x+\dfrac{\pi}{6} < \dfrac{3}{4}\pi$이므로 $\dfrac{\pi}{12} < x < \dfrac{7}{12}\pi$❹

(2) **STEP 1** $2x=t$로 놓고 t에 대한 삼각부등식으로 나타내기

$2x=t$로 놓으면 $0 \leq x \leq \pi$에서 $0 \leq t \leq 2\pi$

주어진 부등식은 $\sqrt{3}\tan t \leq -1$ ∴ $\tan t \leq -\dfrac{1}{\sqrt{3}}$

STEP 2 부등식의 해 구하기

오른쪽 그림과 같이

$0 \leq t \leq 2\pi$에서 부등식

$\tan t \leq -\dfrac{1}{\sqrt{3}}$❺의 해는

$\dfrac{\pi}{2} < t \leq \dfrac{5}{6}\pi$

또는 $\dfrac{3}{2}\pi < t \leq \dfrac{11}{6}\pi$❻

즉, $\dfrac{\pi}{2} < 2x \leq \dfrac{5}{6}\pi$ 또는 $\dfrac{3}{2}\pi < 2x \leq \dfrac{11}{6}\pi$이므로

$\dfrac{\pi}{4} < x \leq \dfrac{5}{12}\pi$ 또는 $\dfrac{3}{4}\pi < x \leq \dfrac{11}{12}\pi$

❶ $0 \leq x \leq \pi$의 각 변에 $\dfrac{\pi}{6}$를 더하

면 $\dfrac{\pi}{6} \leq x+\dfrac{\pi}{6} \leq \dfrac{7}{6}\pi$이므로

$\dfrac{\pi}{6} \leq t \leq \dfrac{7}{6}\pi$

❷ 방정식 $\sin t=\dfrac{\sqrt{2}}{2}$를 만족시

키는 t의 값은 $t=\dfrac{\pi}{4}$ 또는

$t=\dfrac{3}{4}\pi$이다.

❸ 부등식 $\sin t > \dfrac{\sqrt{2}}{2}$의 해는

$y=\sin t$의 그래프가 직선

$y=\dfrac{\sqrt{2}}{2}$보다 위쪽에 있는 부분

의 t의 값의 범위와 같다.

❹ 부등식의 해를 구해야 하므로

x의 값의 범위를 구한다.

❺ 방정식 $\tan t=-\dfrac{1}{\sqrt{3}}$을 만족

시키는 t의 값은 $t=\dfrac{5}{6}\pi$ 또는

$t=\dfrac{11}{6}\pi$이다.

❻ 부등식 $\tan t \leq -\dfrac{1}{\sqrt{3}}$의 해는

$y=\tan t$의 그래프가 직선

$y=-\dfrac{1}{\sqrt{3}}$과 만나거나 직선보

다 아래쪽에 있는 부분의 t의

값의 범위와 같다.

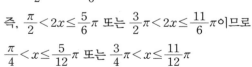

目 (1) $\dfrac{\pi}{12} < x < \dfrac{7}{12}\pi$ (2) $\dfrac{\pi}{4} < x \leq \dfrac{5}{12}\pi$ 또는 $\dfrac{3}{4}\pi < x \leq \dfrac{11}{12}\pi$

풍쌤 강의 NOTE

각이 복잡한 삼각부등식은 각을 한 문자로 놓고, 삼각함수의 그래프와 직선의 위치 관계를 이용하여 푼다.

04-1 ⊙ 유사

$0 \leq x < \pi$일 때, 부등식 $\sin\left(2x - \dfrac{\pi}{3}\right) > \dfrac{\sqrt{3}}{2}$의 해를 구하여라.

04-4 ⊙ 변형

$0 \leq x < 2\pi$에서 부등식 $2\sin x + 1 < 0$의 해가 $\alpha < x < \beta$일 때, $\cos(\beta - \alpha)$의 값을 구하여라.

04-2 ⊙ 유사

$0 < x < \pi$일 때, 부등식 $\tan\left(x + \dfrac{\pi}{4}\right) < 1$의 해를 구하여라.

04-5 ⊙ 변형

$-\pi \leq x < \pi$일 때, 부등식 $\sin x < \cos x$의 해가 $\alpha < x < \beta$이다. $\alpha + \beta$의 값을 구하여라.

04-3 ⊙ 변형

$\pi \leq x < 2\pi$일 때, 부등식 $\dfrac{1}{2} \leq \cos x < \dfrac{\sqrt{2}}{2}$의 해를 구하여라.

04-6 ⊙ 실력

실수 α, β에 대하여 $\alpha + \beta = \dfrac{\pi}{2}$일 때, 부등식 $\cos \alpha + \sin \beta < -\sqrt{3}$을 만족시키는 α의 값의 범위를 구하여라. (단, $0 < \alpha < \pi$)

$0 \le x < 2\pi$일 때, 다음 부등식의 해를 구하여라.

(1) $2\sin^2 x + \sin\left(x + \dfrac{\pi}{2}\right) - 2 > 0$　　　(2) $\sqrt{3}\tan^2 x - (\sqrt{3} + 1)\tan x + 1 < 0$

풍쌤 POINT

(1) 주어진 부등식을 x에 대한 식으로 변형한 후 $\sin^2 x + \cos^2 x = 1$임을 이용하여 한 종류의 삼각함수에 대한 식으로 변형해.

(2) 주어진 부등식을 $(\tan x - a)(\tan x - b) < 0$ 꼴로 변형해.

풀이

(1) STEP1 식 변형하기

$\sin\left(x + \dfrac{\pi}{2}\right) = \cos x$이므로 주어진 부등식은

$2\sin^2 x + \cos x - 2 > 0$, $2(1 - \cos^2 x) + \cos x - 2 > 0$

$2\cos^2 x - \cos x < 0$❶

$\cos x(2\cos x - 1) < 0$　　$\therefore 0 < \cos x < \dfrac{1}{2}$

❶ $\sin^2 x + \cos^2 x = 1$에서 $\sin^2 x = 1 - \cos^2 x$임을 이용하여 $\cos x$에 대한 부등식으로 변형하였다.

STEP2 부등식의 해 구하기

오른쪽 그림과 같이 $0 \le x < 2\pi$에서 부등식 $0 < \cos x < \dfrac{1}{2}$의 해는 $\dfrac{\pi}{3} < x < \dfrac{\pi}{2}$ 또는 $\dfrac{3}{2}\pi < x < \dfrac{5}{3}\pi$❷

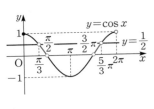

❷ 부등식 $0 < \cos x < \dfrac{1}{2}$의 해는 $y = \cos x$의 그래프가 직선 $y = 0$보다 위쪽에 있고, 직선 $y = \dfrac{1}{2}$보다 아래쪽에 있는 부분의 x의 값의 범위와 같다.

(2) STEP1 식 변형하기

$\sqrt{3}\tan^2 x - (\sqrt{3} + 1)\tan x + 1 < 0$에서

$(\sqrt{3}\tan x - 1)(\tan x - 1) < 0$　　$\therefore \dfrac{\sqrt{3}}{3} < \tan x < 1$

STEP2 부등식의 해 구하기

오른쪽 그림과 같이 $0 \le x < 2\pi$에서 부등식 $\dfrac{\sqrt{3}}{3} < \tan x < 1$의 해는 $\dfrac{\pi}{6} < x < \dfrac{\pi}{4}$ 또는 $\dfrac{7}{6}\pi < x < \dfrac{5}{4}\pi$❸

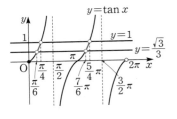

❸ 부등식 $\dfrac{\sqrt{3}}{3} < \tan x < 1$의 해는 $y = \tan x$의 그래프가 직선 $y = \dfrac{\sqrt{3}}{3}$보다 위쪽에 있고, 직선 $y = 1$보다 아래쪽에 있는 부분의 x의 값의 범위와 같다.

답 (1) $\dfrac{\pi}{3} < x < \dfrac{\pi}{2}$ 또는 $\dfrac{3}{2}\pi < x < \dfrac{5}{3}\pi$ (2) $\dfrac{\pi}{6} < x < \dfrac{\pi}{4}$ 또는 $\dfrac{7}{6}\pi < x < \dfrac{5}{4}\pi$

풍쌤 강의 NOTE

이차식 꼴로 주어진 삼각부등식은 식을 변형하여 주어진 부등식을 만족시키는 미지수의 값의 범위를 구한다.

05-1 ◉ 유사

$0 \leq x < 2\pi$일 때, 부등식 $2\sin^2 x - 7\cos x - 5 \geq 0$의 해를 구하여라.

05-2 ◉ 유사

$0 \leq x < 2\pi$일 때, 부등식 $4\cos^2 x - 8\sin x - 7 < 0$의 해를 구하여라.

05-3 ◉ 변형

$0 \leq x < 2\pi$일 때, 부등식 $2\sin^2 x + 5\cos x < 4$의 해가 $\alpha < x < \beta$이다. $\beta - \alpha$의 값을 구하여라.

05-4 ◉ 변형

$0 \leq x < 2\pi$일 때, 부등식 $2\cos^2 x - 3\sin x < 0$의 해가 $\alpha < x < \beta$이다. $\cos(\alpha + \beta)$의 값을 구하여라.

05-5 ◉ 변형　　　　　　　　기출

부등식 $2\sin^2 \theta > 1 + \sin \theta$의 해가 $\dfrac{m}{6}\pi < \theta < \dfrac{n}{6}\pi$ 일 때, $m+n$의 값을 구하여라. (단, $0 \leq \theta < 2\pi$)

05-6 ◉ 실력

$-\dfrac{\pi}{2} < x < \dfrac{\pi}{2}$에서 부등식

$$\tan^2 x - (\sqrt{3}+1)|\tan x| + \sqrt{3} \leq 0$$

을 만족시키는 x의 최댓값과 최솟값의 합을 구하여라.

다음 물음에 답하여라. (단, $0 \leq \theta < 2\pi$)

(1) x에 대한 이차방정식 $2x^2 + 2x + \sin\theta = 0$이 중근을 갖도록 하는 θ의 값을 구하여라.

(2) 모든 실수 x에 대하여 부등식 $2x^2 + 4x\cos\theta + \cos\theta > 0$이 성립하도록 하는 θ의 값의 범위를 구하여라.

풍쌤 POINT

(1) x에 대한 이차방정식이 중근을 가지려면 이차방정식의 판별식 D가 $D=0$이어야 해.

(2) 주어진 부등식이 항상 성립하려면 이차방정식 $2x^2 + 4x\cos\theta + \cos\theta = 0$이 실근을 갖지 않아.

풀이

(1) **STEP 1** $\sin\theta$의 값 구하기

이차방정식 $2x^2 + 2x + \sin\theta = 0$의 판별식을 D라고 하면

$$\frac{D}{4} = 1 - 2\sin\theta = 0^{①} \qquad \therefore \sin\theta = \frac{1}{2}$$

❶ 이차방정식 $ax^2 + bx + c = 0$이 중근을 가지면 $b^2 - 4ac = 0$

STEP 2 θ의 값 구하기

오른쪽 그림에서 구하는 θ의 값은^{②}

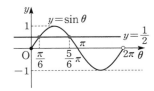

$$\theta = \frac{\pi}{6} \text{ 또는 } \theta = \frac{5}{6}\pi$$

❷ 함수 $y = \sin\theta$의 그래프와 직선 $y = \frac{1}{2}$을 그려 방정식의 해를 생각한다.

(2) **STEP 1** $\cos\theta$의 값의 범위 구하기

모든 실수 x에 대하여 주어진 부등식이 성립하려면 이차방정식 $2x^2 + 4x\cos\theta + \cos\theta = 0$이 실근을 갖지 않으므로 이 이차방정식의 판별식을 D라고 하면

$$\frac{D}{4} = (2\cos\theta)^2 - 2\cos\theta < 0^{③}, \ 4\cos^2\theta - 2\cos\theta < 0$$

$$\cos\theta(2\cos\theta - 1) < 0 \qquad \therefore 0 < \cos\theta < \frac{1}{2}$$

❸ 이차부등식 $ax^2 + bx + c > 0$이 모든 실수 x에 대하여 성립하려면 $a > 0$, $b^2 - 4ac < 0$

STEP 2 θ의 값의 범위 구하기

오른쪽 그림에서 구하는 θ의 값의 범위는^{④}

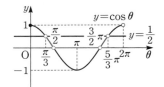

$$\frac{\pi}{3} < \theta < \frac{\pi}{2} \text{ 또는}$$

$$\frac{3}{2}\pi < \theta < \frac{5}{3}\pi$$

❹ 함수 $y = \cos\theta$의 그래프와 두 직선 $y = 0$, $y = \frac{1}{2}$을 그려 부등식의 해를 생각한다.

달 (1) $\theta = \dfrac{\pi}{6}$ 또는 $\theta = \dfrac{5}{6}\pi$ (2) $\dfrac{\pi}{3} < \theta < \dfrac{\pi}{2}$ 또는 $\dfrac{3}{2}\pi < \theta < \dfrac{5}{3}\pi$

풍쌤 강의 NOTE

이차방정식 $f(x) = 0$ 또는 이차부등식 $f(x) > 0$의 근에 대한 조건이 주어지면 이차방정식 $f(x) = 0$의 판별식을 이용한다. 이때 이차방정식의 판별식은 다음과 같다.

a, b, c가 실수인 이차방정식 $ax^2 + bx + c = 0$에서 $D = b^2 - 4ac$라고 하면

① $D > 0 \iff$ 서로 다른 두 실근

② $D = 0 \iff$ 중근

③ $D < 0 \iff$ 서로 다른 두 허근

06-1 ◉유사

모든 실수 x에 대하여 부등식
$$x^2 - 2x\sin\theta - \cos\theta + 1 > 0$$
이 항상 성립할 때, θ의 값의 범위를 구하여라.

(단, $0 \le \theta < 2\pi$)

06-2 ◉유사

모든 실수 x에 대하여 부등식
$$3x^2 - 2\sqrt{2}x\cos\theta + \sin\theta > 0$$
이 항상 성립할 때, θ의 값의 범위를 구하여라.

(단, $0 \le \theta < 2\pi$)

06-3 ◉변형

모든 θ에 대하여 부등식
$$\cos^2\theta - 3\cos\theta - a + 9 \ge 0$$
이 항상 성립하도록 하는 실수 a의 최댓값을 구하여라.

06-4 ◉변형 〈기출〉

$0 \le \theta < 2\pi$일 때, x에 대한 이차방정식
$$6x^2 + (4\cos\theta)x + \sin\theta = 0$$
이 실근을 갖지 않도록 하는 모든 θ의 값의 범위는 $\alpha < \theta < \beta$이다. $3\alpha + \beta$의 값을 구하여라.

06-5 ◉변형

x에 대한 이차방정식
$$x^2 + 2x\cos\theta + 1 - \sin\theta = 0$$
이 서로 다른 두 실근을 가지도록 하는 θ의 값의 범위를 구하여라. (단, $0 \le \theta < 2\pi$)

06-6 ◉실력

x에 대한 이차방정식
$$2x^2 + 3x\cos\theta - 2\sin^2\theta + 1 = 0$$
의 두 근 사이에 1이 존재하도록 하는 θ의 값의 범위를 구하여라. (단, $0 \le \theta < 2\pi$)

실전 연습 문제

01

$0 \leq x < 2\pi$일 때, 방정식 $3\sin x + \cos\left(\dfrac{3}{2}\pi - x\right) = 1$

의 모든 근의 합은?

① $\dfrac{5}{6}\pi$ ② π ③ $\dfrac{7}{6}\pi$

④ $\dfrac{4}{3}\pi$ ⑤ $\dfrac{3}{2}\pi$

02 서술형 ✏

$0 \leq x < \pi$일 때, 방정식 $\sin x + \sqrt{3}\cos x = 0$의 실근의 개수를 구하여라.

03 기출

$0 < x < 2\pi$일 때, 방정식 $\cos^2 x - \sin x = 1$의 모든 실근의 합은 $\dfrac{q}{p}\pi$이다. $p + q$의 값을 구하여라.

(단, p, q는 서로소인 자연수이다.)

04

$\dfrac{\pi}{2} < x < \pi$일 때, 방정식

$$4\sin^2 x - 3\sin x \cos x - \cos^2 x = 0$$

의 해를 α라고 할 때, $\tan \alpha$의 값은?

① -1 ② $-\dfrac{1}{2}$ ③ $-\dfrac{1}{3}$

④ $-\dfrac{1}{4}$ ⑤ $-\dfrac{1}{5}$

05 서술형 ✏

방정식 $\sin^2 x + 2\cos\left(x + \dfrac{\pi}{2}\right) - 1 - k = 0$이 실근을 가질 때, 실수 k의 최댓값을 구하여라.

06

$-\dfrac{\pi}{2} \leq x \leq \dfrac{\pi}{2}$일 때, 부등식 $\cos x \geq |\sin x|$를 만족시키는 x의 최솟값은?

① $-\dfrac{\pi}{2}$ ② $-\dfrac{\pi}{3}$ ③ $-\dfrac{\pi}{4}$

④ $-\dfrac{\pi}{6}$ ⑤ 0

07

$0 \le x < 2\pi$일 때, 두 부등식 $\sin x \ge \dfrac{1}{2}$, $\cos x \le \dfrac{\sqrt{2}}{2}$ 를 동시에 만족시키는 x의 최댓값을 θ_1, 최솟값을 θ_2라고 하자. $\theta_1 - \theta_2$의 값은?

① $\dfrac{\pi}{12}$ ② $\dfrac{\pi}{4}$ ③ $\dfrac{5}{12}\pi$

④ $\dfrac{7}{12}\pi$ ⑤ $\dfrac{3}{4}\pi$

08 기출

$0 < x < \pi$에서 부등식
$$(2^x - 8)\left(\cos x - \frac{1}{2}\right) < 0$$
의 해가 $a < x < b$ 또는 $c < x < d$일 때, $(b-a) + (d-c)$의 값은? (단, $b < c$)

① $\pi - 3$ ② $\dfrac{7}{6}\pi - 3$ ③ $\dfrac{4}{3}\pi - 3$

④ $3 - \dfrac{\pi}{3}$ ⑤ $3 - \dfrac{\pi}{6}$

09 서술형

$0 \le x < \pi$일 때, 부등식
$$2\sin^2\left(x + \frac{\pi}{2}\right) + 3\sin x - 3 \ge 0$$
의 해가 $\alpha \le x \le \beta$이다. $\alpha + \beta$의 값을 구하여라.

10

모든 θ에 대하여 부등식 $\sin^2\theta - 4\sin\theta - k \ge 0$이 성립하도록 하는 실수 k의 최댓값은?

① -5 ② -4 ③ -3

④ -2 ⑤ -1

11

x에 대한 이차방정식 $x^2 - 4(\sin\theta - 1)x + 1 = 0$이 중근을 갖도록 하는 θ의 값은? $\left(\text{단, } 0 \le \theta \le \dfrac{\pi}{2}\right)$

① 0 ② $\dfrac{\pi}{6}$ ③ $\dfrac{\pi}{4}$

④ $\dfrac{\pi}{3}$ ⑤ $\dfrac{\pi}{2}$

12 기출

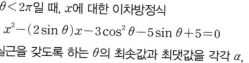

$0 \le \theta < 2\pi$일 때, x에 대한 이차방정식
$$x^2 - (2\sin\theta)x - 3\cos^2\theta - 5\sin\theta + 5 = 0$$
이 실근을 갖도록 하는 θ의 최솟값과 최댓값을 각각 α, β라고 하자. $4\beta - 2\alpha$의 값은?

① 3π ② 4π ③ 5π

④ 6π ⑤ 7π

정답과 풀이 **206**쪽

상위권 도약 문제

01

방정식 $\cos \pi x = \dfrac{1}{5}x$의 서로 다른 양의 실근의 개수는?

① 4 　　　　 ② 5 　　　　 ③ 6

④ 7 　　　　 ⑤ 8

02

포물선 $y = x^2 - 2x\cos\theta - \sin^2\theta$의 꼭짓점이 직선 $y = 2x$ 위에 있기 위한 θ의 값들의 합은?

(단, $0 \le \theta < 2\pi$)

① π 　　　　 ② $\dfrac{3}{2}\pi$ 　　　　 ③ 2π

④ $\dfrac{5}{2}\pi$ 　　　　 ⑤ 3π

03

다음은 n이 자연수일 때, x에 대한 방정식 $x^n = 2\cos\theta + 1$의 실근의 개수에 대한 설명이다.

> (가) n이 짝수이고 $\dfrac{2\pi}{3} < \theta < \dfrac{4\pi}{3}$이면 a개
>
> (나) n이 짝수이고 $\dfrac{3\pi}{2} < \theta < 2\pi$이면 b개
>
> (다) n이 홀수이고 $\dfrac{\pi}{3} < \theta < \dfrac{3\pi}{2}$이면 c개

$a + 2b + 3c$의 값은?

① 3 　　　　 ② 4 　　　　 ③ 5

④ 6 　　　　 ⑤ 7

04

세 변의 길이가 1, 2, $2\cos x$인 삼각형 ABC가 둔각삼각형이 되도록 하는 x의 값의 범위가 $\alpha < x < \beta$일 때, $\beta - \alpha$의 값을 구하여라. $\left(\text{단, } \dfrac{3}{2}\pi < x < 2\pi\right)$

10

삼각함수의 활용

10 삼각함수의 활용

개념01 사인법칙

삼각형 ABC의 외접원의 반지름의 길이를 R라고 하면

(1) 사인법칙

$$\frac{a}{\sin A}=\frac{b}{\sin B}=\frac{c}{\sin C}=2R$$

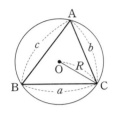

> 삼각형 ABC에서 ∠A, ∠B, ∠C
> 의 크기를 각각 A, B, C로 나타
> 내고, 이들의 대변 BC, CA, AB
> 의 길이를 각각 a, b, c로 나타내
> 기로 한다. 이때 삼각형의 세 각의
> 크기 A, B, C와 세 변의 길이 a,
> b, c를 삼각형 ABC의 6요소라고
> 한다.

(2) 사인법칙의 변형

① $\sin A=\dfrac{a}{2R}$, $\sin B=\dfrac{b}{2R}$, $\sin C=\dfrac{c}{2R}$

② $a=2R\sin A$, $b=2R\sin B$, $c=2R\sin C$

③ $a:b:c=\sin A:\sin B:\sin C$

> **주의** 세 변과 이들의 대각에 대하여 세 변의 길이의 비와 세 대각의 sin의 비는 같지만 세 대각의
> 크기의 비는 다르다.

확인 01 삼각형 ABC에서 $a=2$, $A=30°$, $B=45°$일 때, b의 값을 구하여라.

확인 02 삼각형 ABC에서 $a=6$, $A=45°$, $B=60°$일 때, 외접원의 반지름의 길이
를 구하여라.

개념02 코사인법칙

삼각형 ABC에 대하여

(1) 코사인법칙

$$a^2=b^2+c^2-2bc\cos A$$
$$b^2=c^2+a^2-2ca\cos B$$
$$c^2=a^2+b^2-2ab\cos C$$

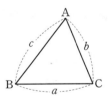

> 삼각형의 두 변의 길이와 그 끼인
> 각의 크기가 주어지면 코사인법칙
> 을 이용하여 나머지 한 변의 길이
> 를 구할 수 있다.

(2) 코사인법칙의 변형

$$\cos A=\frac{b^2+c^2-a^2}{2bc} \quad \leftarrow a^2=b^2+c^2-2bc\cos A 의 변형$$

$$\cos B=\frac{c^2+a^2-b^2}{2ca} \quad \leftarrow b^2=c^2+a^2-2ca\cos B 의 변형$$

$$\cos C=\frac{a^2+b^2-c^2}{2ab} \quad \leftarrow c^2=a^2+b^2-2ab\cos C 의 변형$$

확인 03 삼각형 ABC에서 $b=8$, $c=10$, $A=60°$일 때, a의 값을 구하여라.

확인 04 삼각형 ABC에서 $a=7$, $b=3$, $c=8$일 때, A의 크기를 구하여라.

개념03 삼각형의 넓이

삼각형 ABC의 넓이를 S라고 하면

(1) 두 변의 길이와 그 끼인각의 크기가 주어질 때

$$S=\frac{1}{2}ab\sin C=\frac{1}{2}bc\sin A=\frac{1}{2}ca\sin B$$

(2) 외접원의 반지름의 길이 R가 주어질 때

$$S=\frac{abc}{4R}=2R^2\sin A\sin B\sin C$$

(3) 내접원의 반지름의 길이 r가 주어질 때

$$S=\frac{1}{2}r(a+b+c)$$

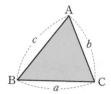

> $\sin A=\dfrac{a}{2R}$이므로
>
> $S=\dfrac{1}{2}bc\sin A$
>
> $=\dfrac{1}{2}bc\times\dfrac{a}{2R}$
>
> $=\dfrac{abc}{4R}$

확인 05 다음 조건을 만족시키는 삼각형 ABC의 넓이를 구하여라.

(1) $a=4$, $b=\sqrt{3}$, $C=60°$

(2) $b=4\sqrt{2}$, $c=4\sqrt{2}$, $A=135°$

개념+ 헤론의 공식

세 변의 길이가 a, b, c인 삼각형 ABC의 넓이를 S라고 하면

$$S=\sqrt{s(s-a)(s-b)(s-c)}\left(단, s=\frac{a+b+c}{2}\right)$$

> 삼각형의 세 변의 길이가 주어진 경우는 헤론의 공식을 이용한다.

개념04 사각형의 넓이

(1) **평행사변형의 넓이**

이웃하는 두 변의 길이가 a, b이고 그 끼인각의 크기가 θ인 평행사변형의 넓이를 S라고 하면

$$S=ab\sin\theta$$

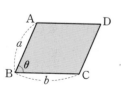

> 사각형의 넓이는 사각형을 두 개의 삼각형으로 나누어 구할 수도 있다.

(2) **사각형의 넓이**

두 대각선의 길이가 a, b이고 두 대각선이 이루는 각의 크기가 θ인 사각형의 넓이를 S라고 하면

$$S=\frac{1}{2}ab\sin\theta$$

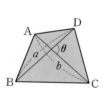

확인 06 다음 그림과 같은 사각형 ABCD의 넓이를 구하여라.

(1)

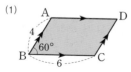

(2)

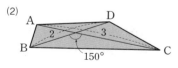

삼각형 ABC에서 $a=2\sqrt{3}$, $b=2$, $B=30°$일 때, 다음 물음에 답하여라.

(1) 삼각형 ABC의 외접원의 반지름의 길이를 구하여라.

(2) $\sin C$의 값을 구하여라. (단, $0°<C<90°$)

풍쌤 POINT

(1) 사인법칙을 이용하면 삼각형의 외접원의 반지름의 길이를 구할 수 있어.

(2) 사인법칙을 이용하여 A의 크기를 구하고 삼각형의 내각의 크기의 합이 180°임을 이용해.

풀이

(1) 삼각형 ABC의 외접원의 반지름의 길이를 R라고 하면 사인 법칙에 의하여

$$\frac{2}{\sin 30°}=2R$$

$$\therefore R=\frac{1}{\sin 30°}=2$$

따라서 삼각형 ABC의 외접원의 반지름의 길이는 2이다.

(2) **STEP 1 A의 크기 구하기**

사인법칙에 의하여 $\dfrac{2\sqrt{3}}{\sin A}=\dfrac{2}{\sin 30°}$이므로

$2\sin A=2\sqrt{3}\sin 30°$

$\therefore \sin A=2\sqrt{3}\sin 30°\times\dfrac{1}{2}=2\sqrt{3}\times\dfrac{1}{2}\times\dfrac{1}{2}=\dfrac{\sqrt{3}}{2}$

이때 $0°<A<150°$이므로❶

$A=60°$ 또는 $A=120°$

STEP 2 $\sin C$의 값 구하기

$A+B+C=180°$❷이므로 $C=180°-(A+B)$

(i) $A=60°$일 때, $C=180°-(60°+30°)=90°$

(ii) $A=120°$일 때, $C=180°-(120°+30°)=30°$

이때 $0°<C<90°$이므로 $C=30°$

$\therefore \sin C=\sin 30°=\dfrac{1}{2}$

❶ 삼각형의 한 내각의 크기가 $B=30°$이므로 A의 크기는 150°보다 작다.

❷ 삼각형의 내각의 크기의 합은 180°이다.

답 (1) 2 (2) $\dfrac{1}{2}$

풍쌤 강의 NOTE

삼각형 ABC에서

① 한 변의 길이와 두 각의 크기가 주어질 때, 나머지 두 변의 길이는 사인법칙을 이용하여 구한다.

② 두 변의 길이와 그 끼인각이 아닌 한 각의 크기가 주어질 때, 나머지 두 각의 크기는 사인법칙을 이용하여 구한다.

③ 외접원의 반지름의 길이와 한 변의 길이(또는 한 각의 크기)가 주어질 때, 대각의 크기(또는 대변의 길이)는 사인법칙을 이용하여 구한다.

01-1 유사

오른쪽 그림과 같은 예각삼
각형 ABC에서 $\overline{BC}=12$,
$\overline{AC}=4\sqrt{6}$, $B=45°$일 때,
다음 물음에 답하여라.

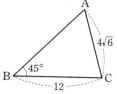

(1) 삼각형 ABC의 외접원
의 반지름의 길이를 구하여라.
(2) C의 크기를 구하여라.

01-2 변형 기출

반지름의 길이가 15인 원에 내접하는 삼각형 ABC에
서 $\sin B=\dfrac{7}{10}$일 때, 변 AC의 길이를 구하여라.

01-3 변형

변 BC의 길이가 6이고, $\angle BAC=\dfrac{\pi}{3}$인 삼각형
ABC에서 외접원의 넓이를 구하여라.

01-4 변형

둘레의 길이가 12인 삼각형 ABC가 반지름의 길이가
$3\sqrt{2}$인 원에 내접할 때, $\sin A+\sin B+\sin C$의 값
을 구하여라.

01-5 변형

오른쪽 그림과 같이 원 위의
네 점 A, B, C, D에 대하여
$\overline{BC}=8\sqrt{2}$이고 $\angle ACB=30°$,
$\angle BDC=45°$일 때, $\overline{AB}$의 길
이를 구하여라.

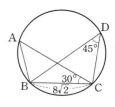

01-6 실력

오른쪽 그림과 같이 $\overline{AB}=5$,
$\overline{BC}=3$, $\overline{CA}=4$인 직각삼각형
ABC와 그 삼각형의 내부에
$\overline{AP}=3$인 점 P가 있다. 점 P에
서 변 AB와 변 AC에 내린 수
선의 발을 각각 Q, R라고 할 때,
선분 QR의 길이를 구하여라.

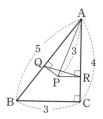

삼각형 ABC에 대하여 다음 물음에 답하여라.

(1) $\sin A : \sin B : \sin C = 4 : 5 : 6$일 때, $(a+b) : (b+c) : (c+a)$를 구하여라.

(2) $A : B : C = 1 : 1 : 2$일 때, $a : b : c$를 구하여라.

풍쌤 POINT

(1) 외접원의 반지름의 길이를 R로 놓고 사인법칙을 이용하여 a, b, c를 각각 $\sin A$, $\sin B$, $\sin C$에 대한 식으로 나타내.

(2) 삼각형의 내각의 크기의 합은 $180°$임을 이용하여 $\sin A$, $\sin B$, $\sin C$를 구해.

풀이

(1) **STEP 1** $a : b : c$ 구하기

삼각형 ABC의 외접원의 반지름의 길이를 R라고 하면 사인법칙에 의하여

$a : b : c = 2R \sin A : 2R \sin B : 2R \sin C$ ❶

$\qquad = \sin A : \sin B : \sin C$

$\qquad = 4 : 5 : 6$

❶ $a = 2R \sin A$, $b = 2R \sin B$, $c = 2R \sin C$를 대입한다.

STEP 2 $(a+b) : (b+c) : (c+a)$ 구하기

$a = 4k$, $b = 5k$, $c = 6k$ $(k>0)$ ❷로 놓으면

$a+b = 4k+5k = 9k$, $b+c = 5k+6k = 11k$

$c+a = 6k+4k = 10k$

$\therefore (a+b) : (b+c) : (c+a) = 9k : 11k : 10k$

$\qquad\qquad\qquad\qquad\qquad = 9 : 11 : 10$ ❸

❷ a, b, c는 삼각형의 변의 길이이므로 양수이다.

❸ 비례식은 가장 간단한 수의 비로 나타낸다.

(2) **STEP 1** A, B, C의 크기 구하기

$A+B+C = 180°$이고 $A : B : C = 1 : 1 : 2$이므로

$A = 180° \times \dfrac{1}{4} = 45°$, $B = 180° \times \dfrac{1}{4} = 45°$,

$C = 180° \times \dfrac{2}{4} = 90°$

STEP 2 $a : b : c$ 구하기

따라서 사인법칙에 의하여

$a : b : c = \sin A : \sin B : \sin C$

$\qquad = \sin 45° : \sin 45° : \sin 90°$

$\qquad = \dfrac{\sqrt{2}}{2} : \dfrac{\sqrt{2}}{2} : 1 = \sqrt{2} : \sqrt{2} : 2$

답 (1) $9 : 11 : 10$ (2) $\sqrt{2} : \sqrt{2} : 2$

풍쌤 강의 NOTE

삼각형 ABC에서 외접원의 반지름의 길이가 R일 때,

$$\sin A : \sin B : \sin C = \dfrac{a}{2R} : \dfrac{b}{2R} : \dfrac{c}{2R} = a : b : c$$

가 성립함을 이용하여 삼각형의 변의 길이의 비를 구할 수 있다.

02-1 유사

삼각형 ABC에서

$$\sin A : \sin B : \sin C = 2 : 4 : 5$$

일 때, $ab : bc : ca$를 구하여라.

02-2 유사

삼각형 ABC에서 $A : B : C = 1 : 2 : 3$일 때, $a : b : c$를 구하여라.

02-3 변형

삼각형 ABC에서

$$\sin (A+B) : \sin (B+C) : \sin (C+A)$$
$$= 5 : 6 : 3$$

일 때, $a : b : c$를 구하여라.

02-4 변형

삼각형 ABC에서

$$\frac{a+b}{3} = \frac{b+c}{5} = \frac{c+a}{4}$$

일 때, $\sin A : \sin B : \sin C$를 구하여라.

02-5 변형

삼각형 ABC에서

$$a+b-2c=0, \ a-3b+c=0$$

일 때, $\dfrac{\sin B + \sin C}{\sin A}$의 값을 구하여라.

02-6 실력

삼각형 ABC의 세 꼭짓점 A, B, C에서 각각 $\overline{BC}$, $\overline{CA}$, $\overline{AB}$에 내린 수선의 길이를 h_1, h_2, h_3이라고 하자. $h_1 : h_2 : h_3 = 3 : 5 : 9$일 때, $\sin A : \sin B : \sin C$를 구하여라.

다음 물음에 답하여라.

(1) 오른쪽 그림과 같이 원 모양의 호수의 세 지점 A, B, C를 잡아 측량하였더니 $\overline{AB}=200$ m, $\angle BAC=30°$, $\angle ABC=105°$일 때, 이 호수의 지름의 길이는 몇 m인지 구하여라.

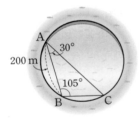

(2) 오른쪽 그림과 같이 40 m 떨어진 두 지점 A, B에서 강 건너편 P 지점을 바라보고 측량하였더니 $\angle PAB=75°$, $\angle PBA=60°$일 때, 두 지점 A, P 사이의 거리는 몇 m인지 구하여라.

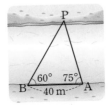

풍쌤 POINT

삼각형의 내각의 크기의 합이 180°임을 이용하여 각의 크기를 구한 후 사인법칙을 이용해.

풀이

(1) **STEP1** C의 크기 구하기

$\triangle ABC$에서 $A+B+C=180°$❶이므로

$C=180°-(A+B)=180°-(30°+105°)=45°$

STEP2 호수의 반지름의 길이 구하기

이때 $\overline{AB}=200$ m이고 호수의 반지름의 길이를 R m라고 하면 사인법칙에 의하여 $\dfrac{\overline{AB}}{\sin C}=2R$에서 $\dfrac{200}{\sin 45°}=2R$

$\therefore R=\dfrac{100}{\sin 45°}=100\sqrt{2}$ ❷

따라서 이 호수의 지름의 길이❸는 $200\sqrt{2}$ m이다.

❶ 삼각형의 내각의 크기의 합은 180°이다.

❷ $\sin 45°=\dfrac{\sqrt{2}}{2}$

❸ 호수의 지름의 길이는 $2R$이다.

(2) **STEP1** P의 크기 구하기

$\triangle APB$에서 $A+B+P=180°$이므로

$P=180°-(A+B)=180°-(75°+60°)=45°$

STEP2 두 지점 A, P 사이의 거리 구하기

이때 $\overline{AB}=40$ m이므로 사인법칙에 의하여

$\dfrac{\overline{AP}}{\sin B}=\dfrac{\overline{AB}}{\sin P}$에서 $\dfrac{\overline{AP}}{\sin 60°}=\dfrac{40}{\sin 45°}$

$\therefore \overline{AP}=\dfrac{40}{\sin 45°}\times\sin 60°$❹$=40\times\sqrt{2}\times\dfrac{\sqrt{3}}{2}=20\sqrt{6}$ (m)

따라서 두 지점 A, P 사이의 거리는 $20\sqrt{6}$ m이다.

❹ $\sin 45°=\dfrac{\sqrt{2}}{2}$, $\sin 60°=\dfrac{\sqrt{3}}{2}$

🔑 (1) $200\sqrt{2}$ m (2) $20\sqrt{6}$ m

풍쌤 강의 NOTE

실생활 문제는 문제를 도형으로 단순화하여 생각한다. 주어진 조건을 도형의 변의 길이와 각의 크기로 표현한 후 사인법칙을 이용한다.

03-1 유사

다음 그림과 같이 120 m 떨어진 두 지점 A, B에서 집이 있는 C 지점을 바라보고 측량하였더니 $\angle CAB=75°$, $\angle CBA=45°$일 때, 두 지점 A, C 사이의 거리는 몇 m인지 구하여라.

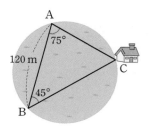

03-2 유사

다음 그림과 같이 원 모양의 호수 주변의 세 지점 A, B, C에 의자를 설치하려고 한다. $\overline{AB}=6$ km, $\angle ACB=135°$일 때, 이 호수의 넓이를 구하여라.

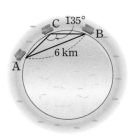

03-3 변형

다음 그림과 같이 64 m만큼 떨어진 두 지점 A, B에서 애드벌룬이 떠 있는 C 지점을 올려다본 각의 크기가 각각 30°, 75°일 때, 애드벌룬의 높이는 몇 m인지 구하여라. $\left($단, $\sin 75°=\dfrac{\sqrt{2}+\sqrt{6}}{4}\right)$

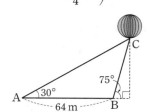

03-4 실력

다음 그림과 같이 30 m 떨어진 두 지점 A, B에서 지면에 수직으로 서 있는 나무를 보고 측량하였더니 $\angle BAQ=75°$, $\angle ABQ=45°$, $\angle PAQ=30°$일 때, 나무의 높이는 몇 m인지 구하여라.

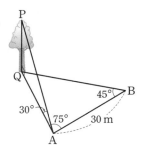

삼각형 ABC에서 다음이 성립할 때, 이 삼각형은 어떤 삼각형인지 구하여라.

(1) $a \sin A = b \sin B + c \sin C$

(2) $b \sin^2 A = a \sin^2 B$

풍쌤 POINT

사인법칙의 변형을 이용하여 각의 관계를 변의 관계로 바꾸면 어떤 모양의 삼각형인지 알 수 있어.

풀이

(1) 삼각형 ABC의 외접원의 반지름의 길이를 R라고 하면 사인법칙에 의하여

$$\sin A = \frac{a}{2R}, \ \sin B = \frac{b}{2R}, \ \sin C = \frac{c}{2R}$$

위의 식을 $a \sin A = b \sin B + c \sin C$에 대입하면

$$a \times \frac{a}{2R} = b \times \frac{b}{2R} + c \times \frac{c}{2R}$$

$$\frac{a^2}{2R} = \frac{b^2}{2R} + \frac{c^2}{2R}$$

$$\therefore a^2 = b^2 + c^2 \ ❶$$

따라서 삼각형 ABC는 $A = 90°$인 직각삼각형이다.

(2) 삼각형 ABC의 외접원의 반지름의 길이를 R라고 하면 사인법칙에 의하여

$$\sin A = \frac{a}{2R}, \ \sin B = \frac{b}{2R}$$

위의 식을 $b \sin^2 A = a \sin^2 B$에 대입하면

$$b \times \left(\frac{a}{2R}\right)^2 = a \times \left(\frac{b}{2R}\right)^2$$

$$\frac{a^2 b}{4R^2} = \frac{ab^2}{4R^2}$$

$$\therefore a = b \ ❷$$

따라서 삼각형 ABC는 $a = b$인 이등변삼각형이다.

❶ $a^2 = b^2 + c^2$이 성립하므로 빗변의 길이가 a, 즉 $A = 90°$인 직각삼각형이다.

❷ $\frac{a^2 b}{4R^2} = \frac{ab^2}{4R^2}$에서 양변에 $\frac{4R^2}{ab}$을 곱하면 $a = b$

🖅 (1) $A = 90°$인 직각삼각형 (2) $a = b$인 이등변삼각형

풍쌤 강의 NOTE

삼각형의 모양을 판별할 때는 사인법칙의 변형 공식을 이용하여 각에 대한 식을 변에 대한 식으로 변형하여 변의 길이 사이의 관계를 조사한다.
이때 세 변의 길이가 모두 같으면 정삼각형, 두 변의 길이가 같으면 이등변삼각형, 피타고라스 정리가 성립하면 직각삼각형이다.

04-1 유사

삼각형 ABC에서

$$\sin^2 A = \sin^2 B + \sin^2 C$$

가 성립할 때, 이 삼각형은 어떤 삼각형인지 구하여라.

04-2 유사

삼각형 ABC에서

$$a \sin A + b \sin B = c \sin (A+B)$$

가 성립할 때, 이 삼각형은 어떤 삼각형인지 구하여라.

04-3 유사

삼각형 ABC에서

$$c \sin C - a \sin A = (c-a) \sin B$$

가 성립할 때, 이 삼각형은 어떤 삼각형인지 구하여라.

04-4 유사

삼각형 ABC에서

$$\cos^2 (A+B) + (\sin A + \cos B)(\sin A - \cos B) = 0$$

이 성립할 때, 이 삼각형은 어떤 삼각형인지 구하여라.

04-5 변형

삼각형 ABC의 한 변의 길이가 4이고,

$$a \sin A = b \sin B = c \sin C$$

가 성립할 때, 삼각형 ABC의 넓이를 구하여라.

04-6 실력

이차함수

$$y = (\cos A + \cos C)x^2 - x \sin B + (\cos A - \cos C)$$

의 그래프와 직선 $y = x \sin B$가 접할 때, 삼각형 ABC는 어떤 삼각형인지 구하여라.

다음 물음에 답하여라.

(1) 삼각형 ABC에서 $\overline{AB}=2\sqrt{3}$, $\overline{BC}=2\sqrt{13}$, $A=150°$일 때, $\overline{AC}$의 길이를 구하여라.

(2) 오른쪽 그림과 같이 원에 내접하는 사각형 ABCD에서 $A=60°$, $\overline{AB}=3$, $\overline{AD}=5$이고 $\overline{BC}:\overline{CD}=3:2$일 때, $\overline{CD}$의 길이를 구하여라.

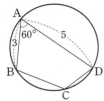

풍쌤 POINT

(1) $\overline{AC}=x$로 놓고 코사인법칙을 이용해.

(2) $\overline{BC}=3a$, $\overline{CD}=2a$ ($a>0$)로 놓고 삼각형 BCD에서 코사인법칙을 이용해.

풀이

(1) $\overline{AC}=x$로 놓으면 삼각형 ABC❶에서 코사인법칙에 의하여
$$(2\sqrt{13})^2=(2\sqrt{3})^2+x^2-2\times 2\sqrt{3}\times x\times\cos 150°❷$$
$$52=12+x^2-2\times 2\sqrt{3}\times x\times\left(-\frac{\sqrt{3}}{2}\right)$$
$$x^2+6x-40=0,\ (x+10)(x-4)=0$$
$$\therefore x=4\ (\because x>0)$$
따라서 $\overline{AC}$의 길이는 4이다.

(2) STEP1 $\overline{BD}^2$의 값 구하기

$\overline{BD}$를 그으면 삼각형 ABD에서 코사인법칙에 의하여
$$\overline{BD}^2=3^2+5^2-2\times 3\times 5\times\cos 60°❸$$
$$=19 \qquad\qquad \cdots\cdots\ \text{㉠}$$

STEP2 $\overline{BC}=3a$, $\overline{CD}=2a$로 놓고 $\overline{CD}$의 길이 구하기

사각형 ABCD가 원에 내접하므로 $A+C=180°$❹
$$\therefore C=180°-60°=120°$$
$\overline{BC}:\overline{CD}=3:2$이므로 $\overline{BC}=3a$, $\overline{CD}=2a$ ($a>0$)로 놓으면
삼각형 BCD에서 코사인법칙에 의하여
$$\overline{BD}^2=(3a)^2+(2a)^2-2\times 3a\times 2a\times\cos 120°❺$$
$$=19a^2 \qquad\qquad \cdots\cdots\ \text{㉡}$$
㉠, ㉡이 같아야 하므로 $19=19a^2$, $a^2=1$
$$\therefore a=1\ (\because a>0)$$
$$\therefore \overline{CD}=2a=2$$

❶ 삼각형 ABC는 다음 그림과 같다.

$$B \overset{2\sqrt{3}}{\underset{2\sqrt{13}}{\diagdown}} \overset{A\ 150°}{} C$$

❷ $\cos 150°$
$$=\cos(90°+60°)$$
$$=-\sin 60°=-\frac{\sqrt{3}}{2}$$

❸ $\cos 60°=\dfrac{1}{2}$

❹ 원에 내접한 사각형의 대각의 크기의 합은 180°이다.

❺ $\cos 120°$
$$=\cos(90°+30°)$$
$$=-\sin 30°=-\frac{1}{2}$$

답 (1) 4 (2) 2

풍쌤 강의 NOTE

삼각형 ABC에서 두 변의 길이와 그 끼인각의 크기가 주어질 때, 나머지 한 변의 길이는 코사인법칙을 이용하여 구한다.

05-1 ⦿ 유사

오른쪽 그림과 같은 삼각형
ABC에서 $\overline{AB}=2\sqrt{7}$,
$\overline{BC}=2$, $C=120°$일 때,
$\overline{AC}$의 길이를 구하여라.

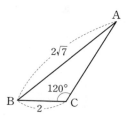

05-2 ⦿ 유사

오른쪽 그림과 같이 원에 내
접하는 사각형 ABCD에서
$B=60°$, $\overline{AD}=3$, $\overline{CD}=6$이
고 $\overline{AB}:\overline{BC}=1:2$일 때,
$\overline{AB}$의 길이를 구하여라.

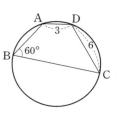

05-3 ⦿ 변형

오른쪽 그림과 같이 원에 내
접하는 삼각형 ABC에서
$\overline{AC}=1$, $\overline{BC}=2$, $C=60°$일
때, 삼각형 ABC의 외접원의
넓이를 구하여라.

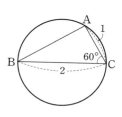

05-4 ⦿ 실력

다음 그림과 같이 $\overline{AB}=\overline{AC}$인 이등변삼각형 ABC에
서 $A=120°$, $\overline{BC}=6$이다. 점 P가 변 AC 위를 움직
일 때, $\overline{BP}^2+\overline{CP}^2$의 최솟값을 구하여라.

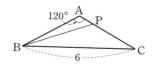

05-5 ⦿ 실력   기출

다음 그림과 같이 평면 위에 한 변의 길이가 3인 정사
각형 ABCD와 한 변의 길이가 4인 정사각형 CEFG
가 있다. $\angle DCG=\theta\,(0<\theta<\pi)$라고 할 때,
$\sin\theta=\dfrac{\sqrt{11}}{6}$이다. $\overline{DG}\times\overline{BE}$의 값을 구하여라.

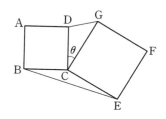

오른쪽 그림과 같이 한 변의 길이가 2인 정사각형 ABCD의 두 변 BC, CD의 중점이 각각 E, F이고 ∠EAF$=\theta$일 때, $\sin \theta$의 값을 구하여라.

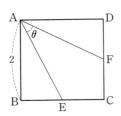

풍쌤 POINT

삼각형 AEF에서 $\cos \theta$의 값을 구한 후 삼각함수 사이의 관계를 이용하여 $\sin \theta$의 값을 구해.

풀이

STEP1 선분의 길이 구하기

정사각형 ABCD의 한 변의 길이가 2이므로

$\overline{AD}=2$, $\overline{DF}=\overline{CF}=1$, $\overline{BE}=\overline{EC}=1$ ❶

$\therefore \overline{AE}=\overline{AF}=\sqrt{\overline{AD}^2+\overline{DF}^2}$

$\qquad =\sqrt{2^2+1^2}=\sqrt{5}$ ❷

$\overline{EF}=\sqrt{\overline{EC}^2+\overline{CF}^2}$

$\qquad =\sqrt{1^2+1^2}=\sqrt{2}$

STEP2 $\sin \theta$의 값 구하기

삼각형 AEF에서 코사인법칙의 변형에 의하여

$\cos \theta = \dfrac{(\sqrt{5})^2+(\sqrt{5})^2-(\sqrt{2})^2}{2\times\sqrt{5}\times\sqrt{5}}$

$\qquad =\dfrac{8}{10}=\dfrac{4}{5}$

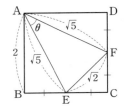

이때 $\cos \theta > 0$이므로 $0 < \theta < \dfrac{\pi}{2}$

$\therefore \sin \theta = \sqrt{1-\cos^2 \theta}$ ❸

$\qquad =\sqrt{1-\left(\dfrac{4}{5}\right)^2}=\dfrac{3}{5}$

目 $\dfrac{3}{5}$

❶ 두 점 E, F가 각각 두 변 BC, CD의 중점이므로
$\overline{BE}=\overline{CE}=1$
$\overline{CF}=\overline{DF}=1$

❷ 삼각형 ABE와 삼각형 ADF는 모두 직각삼각형이므로 피타고라스 정리를 이용할 수 있다.

❸ $\sin^2 \theta + \cos^2 \theta = 1$에서 $\sin^2 \theta = 1-\cos^2 \theta$임을 이용한다.

풍쌤 강의 NOTE

삼각형 ABC에서 세 변의 길이가 주어질 때, 각의 크기는 코사인법칙의 변형을 이용하여 구한다.
즉, 코사인법칙의 변형을 이용하여 삼각형의 각에 대한 코사인 값을 구할 수 있다. 이때 삼각함수 사이의 관계

$$\sin^2 \theta + \cos^2 \theta = 1, \quad \tan \theta = \dfrac{\sin \theta}{\cos \theta}$$

를 이용하면 사인 값과 탄젠트 값도 구할 수 있다.

06-1 ⦿유사

오른쪽 그림과 같이 한 변의 길이가 3인 정사각형 ABCD의 두 변 BC, CD의 삼등분점 중에서 점 B, D에 가까운 점을 각각 E, F라고 하자.
∠EAF=θ일 때, $\cos\theta$의 값을 구하여라.

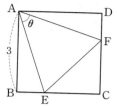

06-4 ⦿변형

오른쪽 그림과 같은 삼각형 ABD에서 $\overline{AB}=4$, $\overline{AD}=2$, $\overline{BD}=3$이고 변 BC 위의 한 점 D에 대하여 $\overline{DC}=2$일 때, 삼각형 ABC에서 $\overline{AC}$의 길이를 구하여라.

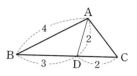

06-2 ⦿변형

세 변의 길이가 3, 5, 7인 삼각형에서 가장 큰 각의 크기를 구하여라.

06-5 ⦿변형 〔기출〕

$\overline{AB}=6$, $\overline{AC}=10$인 삼각형 ABC가 있다. 선분 AC 위에 점 D를 $\overline{AB}=\overline{AD}$가 되도록 잡는다. $\overline{BD}=\sqrt{15}$일 때, 선분 BC의 길이를 k라고 하자. k^2의 값을 구하여라.

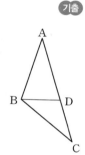

06-3 ⦿변형

삼각형 ABC에서 $\dfrac{3}{\sin A}=\dfrac{4}{\sin B}=\dfrac{5}{\sin C}$일 때, C의 크기를 구하여라.

06-6 ⦿실력

두 직선 $y=3x$와 $y=\dfrac{1}{3}x$가 이루는 예각의 크기를 θ라고 할 때, $\cos\theta$의 값을 구하여라.

다음 물음에 답하여라.

(1) 오른쪽 그림과 같이 두 마을 A, B를 직선으로 연결하는 도로가 있다. C 지점에서 도로의 양 끝 A, B까지의 거리와 각의 크기를 측량하였더니 $\overline{AC}=30$ m, $\overline{BC}=40$ m, $\angle ACB=60°$일 때, 도로 $\overline{AB}$의 길이는 몇 m인지 구하여라.

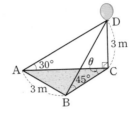

(2) 오른쪽 그림과 같이 지면 위의 C 지점에서 3 m 높이에 떠 있는 풍선 D를 두 지점 A, B에서 올려다본 각의 크기가 각각 30°, 45°이고, 두 지점 A, B 사이의 거리는 3 m이었다. $\angle ACB=\theta$라고 할 때, $\cos\theta$의 값을 구하여라.

풍쌤 POINT

삼각형 ABC에서 코사인법칙을 이용해.

풀이

(1) 삼각형 ABC에서 코사인법칙에 의하여
$$\overline{AB}^2=30^2+40^2-2\times30\times40\times\cos60°\text{❶}$$
$$=1300$$
그런데 $\overline{AB}>0$이므로 $\overline{AB}=10\sqrt{13}$ (m)
따라서 도로 $\overline{AB}$의 길이는 $10\sqrt{13}$ m이다.

❶ $\cos60°=\dfrac{1}{2}$

(2) **STEP1** 두 선분 BC, AC의 길이 구하기
삼각형 BCD❷가 직각이등변삼각형이므로
$$\overline{BC}=\overline{DC}=3 \text{ (m)}$$
삼각형 ACD에서 $\angle DAC=30°$이므로
$$\overline{AC}=\frac{\overline{CD}}{\tan30°}=3\times\sqrt{3}\text{❸}=3\sqrt{3} \text{ (m)}$$

❷ 직각삼각형 BCD에서
$\angle CBD=45°$이므로
$\angle BDC=45°$

❸ $\tan30°=\dfrac{\sqrt{3}}{3}$

STEP2 $\cos\theta$의 값 구하기
따라서 삼각형 ABC에서 코사인법칙의 변형에 의하여
$$\cos\theta=\frac{3^2+(3\sqrt{3})^2-3^2}{2\times3\times3\sqrt{3}}=\frac{\sqrt{3}}{2}$$

답 (1) $10\sqrt{13}$ m (2) $\dfrac{\sqrt{3}}{2}$

풍쌤 강의 NOTE

세 지점 중 어느 한 지점으로부터 두 지점 사이의 거리와 그 끼인각의 크기가 주어지면 세 지점을 꼭짓점으로 하는 삼각형에서 코사인법칙을 이용하여 나머지 두 지점 사이의 거리를 구할 수 있다.

07-1 (유사)

다음 그림과 같이 두 지점 A, B 사이에 호수가 있다. 다른 한 지점 C에 대하여 $\overline{AC}=30$ m, $\overline{BC}=50$ m, $\angle ACB=120°$일 때, 두 지점 A, B 사이의 거리는 몇 m인지 구하여라.

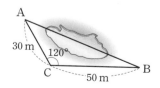

07-2 (유사)

오른쪽 그림과 같이 해수면 위의 C 지점에서 30 m 높이의 등대 꼭대기 D를 두 지점 A, B에서 올려다본 각의 크기가 각각 45°, 60°이고, 두 지점 A, B 사이의 거리는 40 m 이다. $\angle ACB=\theta$라고 할 때, $\cos\theta$의 값을 구하여라.

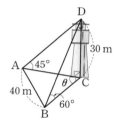

07-3 (변형)

다음 그림과 같이 높이가 각각 45 m, 30 m인 2개의 건물이 있다. P 지점에서 두 건물의 꼭대기 A, B를 각각 올려다본 각의 크기가 모두 30°일 때, 두 지점 A, B 사이의 거리는 몇 m인지 구하여라.

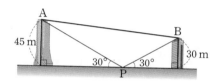

07-4 (변형)

오른쪽 그림과 같이 강 주변에 네 지점 A, B, C, D가 있다. 두 지점 C, D 사이의 거리를 구하기 위하여 측량하였더니

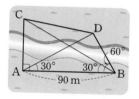

$\overline{AB}=90$ m, $\angle CAB=90°$, $\angle DAB=\angle CBA=30°$, $\angle DBA=60°$일 때, 두 지점 C, D 사이의 거리는 몇 m인지 구하여라.

07-5 (실력) (기출)

다음 그림과 같이 $\angle ABC=120°$, $\overline{AB}=3$ km, $\overline{BD}=6$ km인 산책로에는 다음과 같은 두 가지 코스가 있다.

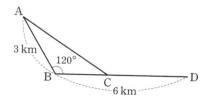

[코스1] A $\longrightarrow$ B $\longrightarrow$ C $\longrightarrow$ D

[코스2] A $\longrightarrow$ C $\longrightarrow$ D

승기가 시속 3 km의 일정한 속력으로 산책할 경우, [코스1]을 따라갈 때 소요되는 시간이 [코스2]를 따라가는 것보다 10분 더 걸린다고 한다. 이때 $\overline{BC}$의 길이를 구하여라.

삼각형 ABC에서 다음이 성립할 때, 이 삼각형은 어떤 삼각형인지 구하여라.

(1) $a\cos B = b\cos A$

(2) $\sin A = \sin B\cos C$

풍쌤 POINT 코사인법칙의 변형을 이용하여 각의 관계를 변의 관계로 바꾸면 어떤 모양의 삼각형인지 알 수 있어.

풀이

(1) 삼각형 ABC에서 코사인법칙의 변형에 의하여

$$\cos B = \frac{c^2+a^2-b^2}{2ca}, \ \cos A = \frac{b^2+c^2-a^2}{2bc}$$

위의 식을 $a\cos B = b\cos A$에 대입하면

$$a \times \frac{c^2+a^2-b^2}{2ca} = b \times \frac{b^2+c^2-a^2}{2bc}$$

$$c^2+a^2-b^2 = b^2+c^2-a^2, \ a^2 = b^2$$

$$\therefore a = b \ (\because a>0, \ b>0)$$

따라서 삼각형 ABC는 $a=b$인 이등변삼각형이다. ❶

❶ $a^2=b^2$에서
  $a=b$ 또는 $a=-b$
  이때 $a>0$, $b>0$이므로 a, b의 부호가 같다.
  $\therefore a=b$

(2) **STEP1 $\sin A$, $\sin B$, $\cos C$를 변의 길이로 나타내기**

삼각형 ABC의 외접원의 반지름의 길이를 R라고 하면 사인법칙에 의하여

$$\sin A = \frac{a}{2R}, \ \sin B = \frac{b}{2R} \qquad \cdots\cdots ㉠$$

코사인법칙의 변형에 의하여

$$\cos C = \frac{a^2+b^2-c^2}{2ab} \qquad \cdots\cdots ㉡$$

STEP2 삼각형 ABC가 어떤 삼각형인지 구하기

㉠, ㉡을 $\sin A = \sin B\cos C$에 대입하면

$$\frac{a}{2R} = \frac{b}{2R} \times \frac{a^2+b^2-c^2}{2ab}$$

$$2a^2 = a^2+b^2-c^2$$

$$\therefore a^2+c^2 = b^2 ❷$$

따라서 삼각형 ABC는 $B=90°$인 직각삼각형이다.

❷ $a^2+c^2=b^2$이 성립하므로 빗변의 길이가 b, 즉 $B=90°$인 직각삼각형이다.

📋 (1) $a=b$인 이등변삼각형 (2) $B=90°$인 직각삼각형

풍쌤 강의 NOTE 삼각형의 모양을 판별할 때는 코사인법칙의 변형 공식을 이용하여 각에 대한 식을 변에 대한 식으로 변형하여 변의 길이 사이의 관계를 조사한다.
이때 세 변의 길이가 모두 같으면 정삼각형, 두 변의 길이만 같으면 이등변삼각형, 피타고라스 정리가 성립하면 직각삼각형이다.

08-1 유사

삼각형 ABC에서 $a\cos B=b\cos A+c$가 성립할 때, 이 삼각형은 어떤 삼각형인지 구하여라.

08-4 변형

$A=80°$인 삼각형 ABC에서

$$2\sin A\cos B=\sin A-\sin B+\sin C$$

가 성립할 때, B의 크기를 구하여라.

08-2 유사

삼각형 ABC에서

$$\sin A=2\sin\left(\frac{A+B-C}{2}\right)\sin B$$

가 성립할 때, 이 삼각형은 어떤 삼각형인지 구하여라.

08-5 변형

삼각형 ABC에서 $a^2\tan B=b^2\tan A$가 성립할 때, 삼각형 ABC의 모양이 될 수 있는 것을 |보기|에서 있는 대로 골라라.

┌─보기────────────────┐
ㄱ. 정삼각형
ㄴ. $B=90°$인 직각삼각형
ㄷ. $C=90°$인 직각삼각형
ㄹ. $a=b$인 이등변삼각형
ㅁ. $b=c$인 이등변삼각형
└──────────────────────┘

08-3 유사

삼각형 ABC에서

$$\cos\left(\frac{\pi}{2}-B\right)=2\sin(\pi-C)\cos A$$

가 성립할 때, 이 삼각형은 어떤 삼각형인지 구하여라.

08-6 실력

삼각형 ABC에서

$$\frac{\sin B+\sin C}{\sin A}=\cos B+\cos C$$

가 성립할 때, 이 삼각형은 어떤 삼각형인지 구하여라.

다음 물음에 답하여라.

(1) 오른쪽 그림과 같은 삼각형 ABC에서 $A=120°$이고
$\overline{AB}=8$, $\overline{BC}=13$일 때, 삼각형 ABC의 넓이를 구하여라.

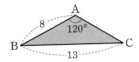

(2) 예각삼각형 ABC에서 $\overline{AB}=5$, $\overline{AC}=6$이고 넓이가 10일 때, $\cos A$의 값을 구하여라.

풍쌤 POINT

(1) 선분 AC의 길이를 구한 다음 삼각형의 넓이를 구해.

(2) 삼각형에서 두 변의 길이와 넓이가 주어지면 그 끼인각의 사인값을 구할 수 있어.

풀이

(1) **STEP1 $\overline{AC}$의 길이 구하기**

$\overline{AC}=x$라고 하면 코사인법칙에 의하여

$13^2=8^2+x^2-2\times 8\times x\times\cos 120°$

$x^2+8x-105=0$, $(x+15)(x-7)=0$

$\therefore x=7$ $(\because x>0)$ ❶

STEP2 삼각형 ABC의 넓이 구하기

즉, $\overline{AC}=7$이므로

$\triangle ABC=\dfrac{1}{2}\times\overline{AB}\times\overline{AC}\times\sin 120°$

$=\dfrac{1}{2}\times 8\times 7\times\sin 120°$ ❷

$=14\sqrt{3}$

(2) **STEP1 $\sin A$의 값 구하기**

$\triangle ABC$의 넓이가 10이므로

$\dfrac{1}{2}\times 5\times 6\times\sin A=10$ ❸ $\therefore \sin A=\dfrac{2}{3}$

STEP2 $\cos A$의 값 구하기

$\cos^2 A=1-\sin^2 A=1-\left(\dfrac{2}{3}\right)^2=\dfrac{5}{9}$ $\therefore \cos A=\pm\dfrac{\sqrt{5}}{3}$

그런데 $0<A<\dfrac{\pi}{2}$이므로 $\cos A=\dfrac{\sqrt{5}}{3}$ ❹

❶ x는 변의 길이이므로 양수이다.

❷ $\sin 120°=\sin(180°-60°)$
$=\sin 60°=\dfrac{\sqrt{3}}{2}$

❸ $\triangle ABC$
$=\dfrac{1}{2}\times\overline{AB}\times\overline{AC}\times\sin A$

❹ $0<A<\dfrac{\pi}{2}$에서
$\cos A>0$

답 (1) $14\sqrt{3}$ (2) $\dfrac{\sqrt{5}}{3}$

풍쌤 강의 NOTE

• 삼각함수를 이용하여 삼각형의 넓이를 구할 때, 삼각형의 두 변의 길이와 끼인각의 크기를 알아야 한다. 이때 주어진 각이 길이가 주어진 두 변의 끼인각이 아닌 경우에는 코사인법칙을 이용하여 길이가 주어지지 않은 다른 한 변의 길이를 구한 다음 삼각형의 넓이를 구한다.

• 두 변의 길이와 넓이가 주어진 삼각형에서는 넓이 공식을 이용하여 두 변의 끼인각의 사인 값을 먼저 구한다.

09-1 ◉ 유사

오른쪽 그림과 같은 삼각형 ABC에서 $\overline{AB}=3$, $\overline{AC}=\sqrt{13}$, $B=60°$일 때, 삼각형 ABC의 넓이를 구하여라.

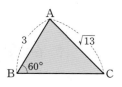

09-2 ◉ 유사

삼각형 ABC에서 $\overline{AB}=4$, $\overline{BC}=3$이고 넓이가 5일 때, $\cos B$의 값을 구하여라. $\left(\text{단, } \dfrac{\pi}{2} < B < \pi\right)$

09-3 ◉ 변형 　　　　　　　　　 기출

$\overline{AB}=2$, $\overline{AC}=\sqrt{7}$인 예각삼각형 ABC의 넓이가 $\sqrt{6}$이다. $\angle A=\theta$일 때, $\sin\left(\dfrac{\pi}{2}+\theta\right)$의 값을 구하여라.

09-4 ◉ 변형

오른쪽 그림과 같이 삼각형 ABC가 반지름의 길이가 10인 원 O에 내접하고 있다. $\widehat{AB} : \widehat{BC} : \widehat{CA}=4 : 3 : 5$일 때, 삼각형 ABC의 넓이를 구하여라.

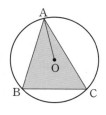

09-5 ◉ 변형

오른쪽 그림과 같은 삼각형 ABC에서 $\overline{AB}=12$, $\overline{AC}=16$, $\angle BAC=60°$이다. $\angle A$의 이등분선이 변 BC와 만나는 점을 D라고 할 때, $\overline{AD}$의 길이를 구하여라.

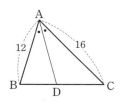

09-6 ◉ 실력

오른쪽 그림과 같이 반지름의 길이가 1인 원 O'이 반지름의 길이가 2인 원 O에 내접하고 있다. 두 원이 만나는 점 A를 한 꼭짓점으로 하고 원 O에 내접하는 △ABC가 원 O'과 만나는 점을 D, E라고 하자. △ADE와 △ABC의 넓이를 각각 S_1, S_2라고 할 때, $\dfrac{S_2}{S_1}$의 값을 구하여라.

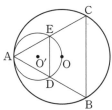

삼각형 ABC에서 $a=7$, $b=5$, $c=8$, $A=60°$일 때, 삼각형 ABC의 외접원의 넓이를 S_1, 내접원의 넓이를 S_2라고 하자. S_1-S_2의 값을 구하여라.

풍쌤
POINT

삼각형의 넓이를 이용하여 외접원과 내접원의 반지름의 길이를 각각 구해.

풀이

STEP1 삼각형 ABC의 넓이 구하기

삼각형 ABC의 넓이를 S라고 하면

$$S=\frac{1}{2}\times 5\times 8\times\sin 60°=10\sqrt{3}\ \text{❶}$$

❶ $S=\dfrac{1}{2}bc\sin A$

STEP2 삼각형 ABC의 외접원의 반지름의 길이 구하기

삼각형 ABC의 외접원의 반지름의 길이를 R라고 하면

$$S=\frac{abc}{4R}\text{이므로}\ \text{❷}$$

$$10\sqrt{3}=\frac{7\times 5\times 8}{4R}$$

$$\therefore R=\frac{7}{\sqrt{3}}=\frac{7\sqrt{3}}{3}$$

❷ 삼각형의 세 변의 길이가 주어졌고 외접원의 반지름의 길이를 구해야 하므로 $S=\dfrac{abc}{4R}$ 임을 이용한다.

STEP3 삼각형 ABC의 내접원의 반지름의 길이 구하기

삼각형 ABC의 내접원의 반지름의 길이를 r라고 하면

$$S=\frac{1}{2}r(a+b+c)\text{이므로}\ \text{❸}$$

$$10\sqrt{3}=\frac{1}{2}r(7+5+8)$$

$$\therefore r=\sqrt{3}$$

❸ 삼각형의 세 변의 길이가 주어졌고 내접원의 반지름의 길이를 구해야 하므로
$$S=\frac{1}{2}r(a+b+c)$$
임을 이용한다.

STEP4 S_1-S_2의 값 구하기

따라서

$$S_1=\pi R^2=\pi\times\left(\frac{7\sqrt{3}}{3}\right)^2=\frac{49}{3}\pi,\ S_2=\pi r^2=\pi\times(\sqrt{3})^2=3\pi$$

이므로

$$S_1-S_2=\frac{49}{3}\pi-3\pi=\frac{40}{3}\pi$$

답 $\dfrac{40}{3}\pi$

풍쌤 강의
NOTE

삼각형의 외접원의 반지름의 길이와 내접원의 반지름의 길이를 이용하여 삼각형의 넓이를 구할 수 있는 것처럼, 삼각형의 넓이를 이용하여 외접원의 반지름의 길이와 내접원의 반지름의 길이도 구할 수 있다. 따라서 삼각형의 외접원, 내접원의 반지름의 길이와 관련된 넓이 공식을 암기하여 문제에 적용한다.

10-1 ⊙유사

삼각형 ABC에서 $a=13$, $b=8$, $c=7$, $A=120°$일 때, 삼각형 ABC의 외접원의 넓이를 S_1, 내접원의 넓이를 S_2라고 하자. S_1-S_2의 값을 구하여라.

10-2 ⊙유사

삼각형 ABC에서 $a=6$, $b=6$, $c=4$, $\sin A=\dfrac{2\sqrt{2}}{3}$일 때, 삼각형 ABC의 외접원의 반지름의 길이를 R, 내접원의 반지름의 길이를 r라고 하자. $R-r$의 값을 구하여라.

10-3 ⊙변형

오른쪽 그림과 같이 $\overline{AB}=4$, $\overline{BC}=5$인 삼각형 ABC의 넓이가 $4\sqrt{6}$일 때, 이 삼각형의 내접원의 반지름의 길이를 구하여라. (단, $90°<B<180°$)

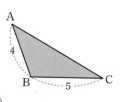

10-4 ⊙변형

오른쪽 그림과 같이 반지름의 길이가 4인 원 O에 내접하는 삼각형 ABC에서 $\overline{AC}=\overline{BC}$이고 $A=30°$일 때, 삼각형 ABC의 넓이를 구하여라.

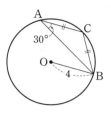

10-5 ⊙변형

세 변의 길이가 6, 10, 14인 삼각형 ABC의 내접원의 반지름의 길이가 $\sqrt{3}$일 때, 삼각형 ABC의 외접원의 반지름의 길이를 구하여라.

10-6 ⊙실력

반지름의 길이가 R인 원에 내접하는 삼각형 ABC의 내접원의 반지름의 길이가 r일 때,
$$\frac{\sin A+\sin B+\sin C}{\sin A \sin B \sin C}=\frac{kR}{r}$$
가 성립한다. 상수 k의 값을 구하여라.

다음 물음에 답하여라.

(1) 오른쪽 그림과 같은 평행사변형 ABCD에서 $\overline{AB}=4$, $\overline{BC}=8$, $C=135°$일 때, 사각형 ABCD의 넓이를 구하여라.

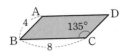

(2) 오른쪽 그림과 같이 두 대각선의 길이가 a, b이고 두 대각선이 이루는 각의 크기가 120°인 사각형 ABCD가 있다. 이 사각형의 넓이가 $3\sqrt{3}$이고 $a+b=8$일 때, a^2+b^2의 값을 구하여라.

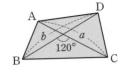

풍쌤 POINT

(1) B의 크기를 구한 후 평행사변형의 넓이 공식을 이용해.

(2) 사각형의 넓이 공식을 이용하여 ab의 값을 구한 후 곱셈 공식을 이용해.

풀이

(1) STEP1 **B의 크기 구하기**

평행사변형 ABCD에서

$B=180°-C=180°-135°=45°$❶

STEP2 **사각형 ABCD의 넓이 구하기**

$\therefore \square ABCD = 4 \times 8 \times \sin 45°$

$\qquad = 4 \times 8 \times \dfrac{\sqrt{2}}{2} = 16\sqrt{2}$

❶ 평행사변의 성질에 의하여 이웃하는 두 각의 크기의 합은 180°이다.

(2) STEP1 **ab의 값 구하기**

사각형 ABCD의 넓이가 $3\sqrt{3}$이므로

$\dfrac{1}{2}ab \sin 120° = 3\sqrt{3}$

$\dfrac{1}{2}ab \times \dfrac{\sqrt{3}}{2} = 3\sqrt{3}$❷

$\therefore ab=12$

STEP2 **a^2+b^2의 값 구하기**

이때 $a+b=8$이므로

$a^2+b^2=(a+b)^2-2ab=8^2-2\times 12=40$

❷ $\sin 120°$
$= \sin(180°-60°)$
$= \sin 60°$
$= \dfrac{\sqrt{3}}{2}$

답 (1) $16\sqrt{2}$ (2) 40

풍쌤 강의 NOTE

삼각형과 마찬가지로 사각형의 넓이도 공식을 이용하여 구할 수 있다. 이때 길이가 주어진 선분이 사각형의 변인지, 대각선인지를 구분하여 공식을 적용한다.

또, 공식을 이용하기 어려울 때는 사각형을 두 개의 삼각형으로 나눈 후 각각의 삼각형의 넓이를 구한 다음 두 삼각형의 넓이의 합으로 구한다.

11-1 (유사)

오른쪽 그림과 같이 평행사변형 ABCD에서 $\overline{AB}=2$, $\overline{AC}=\sqrt{7}$, $B=60°$일 때, 평행사변형 ABCD의 넓이를 구하여라.

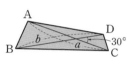

11-2 (유사)

오른쪽 그림과 같이 두 대각선의 길이가 a, b이고 두 대각선이 이루는 각의 크기가 30°인 사각형 ABCD가 있다. 이 사각형의 넓이가 120이고 $a+b=14$일 때, a^2+b^2의 값을 구하여라.

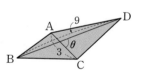

11-3 (변형)

오른쪽 그림과 같이 두 대각선의 길이가 3, 9이고 두 대각선이 이루는 각의 크기가 θ인 사각형 ABCD에서 $\cos\theta=\dfrac{1}{3}$일 때, 사각형 ABCD의 넓이를 구하여라.

11-4 (변형)

사각형 ABCD가 다음 조건을 모두 만족시킬 때, 대각선 AC의 길이를 구하여라.

> (가) $\overline{AD} /\!/ \overline{BC}$이고 $\angle B = \angle C$이다.
> (나) 두 대각선이 이루는 예각의 크기는 45°이다.
> (다) 사각형 ABCD의 넓이는 $9\sqrt{2}$이다.

11-5 (변형)

오른쪽 그림과 같이 사각형 ABCD에서 $\overline{AB}=5$, $\overline{BC}=8$, $\overline{CD}=3$, $\overline{DA}=3$, $A=120°$일 때, 사각형 ABCD의 넓이를 구하여라.

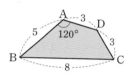

11-6 (실력) 〔기출〕

반지름의 길이가 3인 원의 둘레를 6등분하는 점 중에서 연속된 세 개의 점을 각각 A, B, C라고 하자. 점 B를 포함하지 않는 호 AC 위의 점 P에 대하여 $\overline{AP}+\overline{CP}=8$이다. 사각형 ABCP의 넓이를 구하여라.

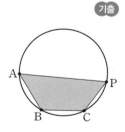

01

$\overline{AB}=8$이고 $\angle A=45°$, $\angle B=15°$인 삼각형 ABC에서 선분 BC의 길이는?

① $2\sqrt{6}$ ② $\dfrac{7\sqrt{6}}{3}$ ③ $\dfrac{8\sqrt{6}}{3}$

④ $3\sqrt{6}$ ⑤ $\dfrac{10\sqrt{6}}{3}$

02

오른쪽 그림과 같이 $\overline{AB}=3$, $\overline{BC}=4$, $\overline{CA}=6$인 삼각형 ABC에서 $\dfrac{\sin B}{\sin A}$의 값은?

① $\dfrac{2}{3}$ ② $\dfrac{3}{4}$ ③ $\dfrac{4}{5}$

④ $\dfrac{5}{4}$ ⑤ $\dfrac{3}{2}$

03

삼각형 ABC에서 $a:b:c=2:4:3$일 때, $\dfrac{\sin C}{\sin A+\sin B}$의 값은?

① $\dfrac{1}{4}$ ② $\dfrac{1}{3}$ ③ $\dfrac{1}{2}$

④ $\dfrac{3}{4}$ ⑤ $\dfrac{4}{5}$

04

오른쪽 그림과 같이 90 m 떨어진 두 지점 A, B에서 C 지점에 있는 조각상을 바라보고 측량하였더니 $\angle ABC=45°$, $\angle BAC=105°$이었다. 이때 두 지점 A, C 사이의 거리는 몇 m인지 구하여라.

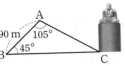

05

삼각형 ABC에서
$$\cos^2 A + \cos^2 B + \sin^2 C = 2$$
가 성립할 때, 이 삼각형은 어떤 삼각형인지 구하여라.

06

오른쪽 그림과 같이 $\angle A = \dfrac{\pi}{3}$이고 $\overline{AB} : \overline{AC} = 3 : 1$인 삼각형 ABC가 있다. 삼각형 ABC의 외접원의 반지름의 길이가 7일 때, 선분 AC의 길이를 k라고 하자. k^2의 값을 구하여라.

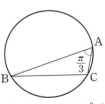

07

오른쪽 그림과 같이 원에 내접하는 사각형 ABCD에서 $\overline{AB}=6$, $\overline{BC}=3$, $\overline{CD}=5$, $\overline{AD}=1$이고 $\angle BAD=\theta$일 때, $\cos\theta$의 값은?

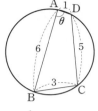

① $\dfrac{1}{14}$ ② $\dfrac{1}{12}$ ③ $\dfrac{1}{10}$

④ $\dfrac{1}{8}$ ⑤ $\dfrac{1}{6}$

08 서술형✏

삼각형 ABC에서

$\sin(A+B):\sin(B+C):\sin(C+A)=7:5:6$

일 때, A, B, C 중 최소인 각의 크기를 θ라고 하자. $\cos\theta$의 값을 구하여라.

09

오른쪽 그림과 같이 지점 O에서 수현이와 지수가 60°의 각을 이루며 동시에 출발하여 수현이는 매초 1.5 m의 속력으로, 지수는 매초 2 m의 속력으로 각각 전방을 향해 걸어가고 있다. 출발한 지 10초 후의 두 사람 사이의 거리는 몇 m인지 구하여라.

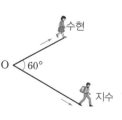

10 서술형✏

삼각형 ABC에서 $\overline{AB}=3$, $\overline{BC}=5$, $B=120°$일 때, 삼각형 ABC의 외접원의 넓이는 $\dfrac{q}{p}\pi$이다. $p+q$의 값을 구하여라. (단, p, q는 서로소인 자연수이다.)

11 기출

오른쪽 그림과 같이 밑면의 반지름의 길이가 2, 모선의 길이가 6, 꼭짓점이 O인 직원뿔에 대하여 밑면의 지름의 양 끝을 A, B라 하고 $\overline{OA}$의 중점을 A′라고 하자. 점 P가 점 B에서부터 직원뿔의 옆면을 따라 점 A′까지 움직인 최단 거리는?

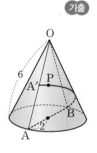

① $\sqrt{3}$ ② $2\sqrt{3}$ ③ $3\sqrt{3}$

④ $4\sqrt{3}$ ⑤ $5\sqrt{3}$

12

$\overline{AB}=5$, $\overline{AC}=8$인 삼각형 ABC에서 $\sin(B+C)=\dfrac{1}{4}$일 때, 삼각형 ABC의 넓이를 구하여라.

13

오른쪽 그림과 같이 △ABC 의 변 AB의 길이를 10 % 늘 리고, 변 AC의 길이를 10 % 줄여서 새로운 △AB'C'을 만들 때, △ABC의 넓이에 대한 △AB'C'의 넓이의 변화로 옳은 것은?

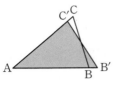

① 1 % 감소한다.　　② 1 % 증가한다.
③ 11 % 감소한다.　　④ 11 % 증가한다.
⑤ 변화가 없다.

14

삼각형 ABC에서 $a=5$, $b+c=7$, $A=60°$일 때, 삼각형 ABC의 넓이를 구하여라.

15 `기출`

오른쪽 그림과 같이 한 변의 길이가 1인 정삼각형 ABC에서 선분 AB의 연장선과 선분 AC의 연장선 위에 $\overline{AD}=\overline{CE}$가 되도록 두 점 D, E를 잡는다. $\overline{DE}=\sqrt{13}$일 때, 삼각형 BDE의 넓이는?

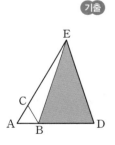

① $\sqrt{6}$　　　② $2\sqrt{2}$　　　③ $\sqrt{10}$
④ $2\sqrt{3}$　　　⑤ $\sqrt{14}$

16 서술형✏

반지름의 길이가 8인 원에 내접하고 있는 삼각형 ABC의 넓이가 40이고

$$\sin A+\sin B+\sin C=\frac{5}{4}$$

일 때, 삼각형 ABC의 내접원의 넓이를 구하여라.

17

두 대각선이 이루는 각의 크기가 30°이고, 넓이가 36인 등변사다리꼴 ABCD의 한 대각선의 길이는?

① 10　　　② 11　　　③ 12
④ 13　　　⑤ 14

18

오른쪽 그림의 사각형 ABCD는
$\overline{AB}=\overline{AD}=1$,
$\overline{BC}=\overline{CD}=\overline{DB}$
를 만족시킨다. $\angle DAB=\theta$라고 할 때, 사각형 ABCD의 넓이를 $S(\theta)$라고 하자.

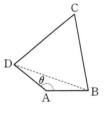

$4\left\{S\left(\dfrac{\pi}{6}\right)+S\left(\dfrac{\pi}{3}\right)\right\}$의 값은?

① $3\sqrt{3}-2$　　② $3\sqrt{3}-1$　　③ $4\sqrt{3}-3$
④ $4\sqrt{3}-2$　　⑤ $4\sqrt{3}-1$

01

다음 그림과 같이 길이가 8인 선분 AB 위에 반지름의 길이가 각각 3, 1인 두 원 O_1, O_2가 서로 외접하고 있다. 두 점 A, C는 원 O_1 위에, 점 B는 원 O_2 위에 있고 $\overline{AC}=3$일 때, 삼각형 ABC의 외접원의 넓이를 구하여라.

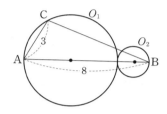

02

기출

다음 그림과 같이 한 변의 길이가 $2\sqrt{3}$이고 $\angle B=120°$인 마름모 ABCD의 내부에 $\overline{EF}=\overline{EG}=2$이고 $\angle EFG=30°$인 이등변삼각형 EFG가 있다. 점 F는 선분 AB 위에, 점 G는 선분 BC 위에 있도록 삼각형 EFG를 움직일 때, $\angle BGF=\theta$라고 하자.
옳은 것만을 |보기|에서 있는 대로 고른 것은?

(단, $0°<\theta<60°$)

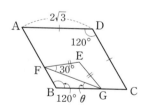

┌─|보기|─────────────────────
│ ㄱ. $\angle BFE=90°-\theta$
│ ㄴ. $\overline{BF}=4\sin\theta$
│ ㄷ. 선분 BE의 길이는 항상 일정하다.
└──────────────────────────

① ㄱ   ② ㄱ, ㄴ   ③ ㄱ, ㄷ
④ ㄴ, ㄷ   ⑤ ㄱ, ㄴ, ㄷ

03

기출

오른쪽 그림과 같이 $\overline{AB}=7$, $\overline{BC}=8$, $\overline{CA}=9$인 삼각형 ABC에 내접하는 원이 선분 BC와 만나는 점을 P, 선분 CA와 만나는 점을 Q라고 할 때, 선분 PQ의 길이를 구하여라.

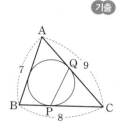

04

오른쪽 그림과 같이 원 모양의 접시가 깨져서 일부만 남아 있다. 이 접시의 가장자리에 세 점 A, B, C를 정하여 각 점 사이의 길이를 재었더니 $\overline{AB}=16\ cm$, $\overline{BC}=12\ cm$, $\overline{CA}=8\ cm$이었을 때, 이 접시의 반지름의 길이를 구하여라.

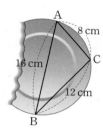

05

길이가 각각 10, a, b인 세 선분 AB, BC, CA를 각 변으로 하는 예각삼각형 ABC가 있다. 삼각형 ABC의 세 꼭짓점을 지나는 원의 반지름의 길이가 $3\sqrt{5}$이고

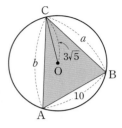

$\dfrac{a^2+b^2-ab\cos C}{ab}=\dfrac{4}{3}$일 때, ab의 값은?

① 140   ② 150   ③ 160

④ 170   ⑤ 180

06

오른쪽 그림과 같이 A 지점에 전망대가 있다. B 지점에서 전망대의 꼭대기를 올려다본 각의 크기는 45°이고, 선분 AB와 60°의 각을 이루면서 B

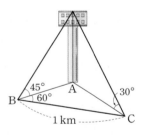

지점으로부터 1 km 떨어진 C 지점에서 전망대의 꼭대기를 올려다본 각의 크기는 30°이다. 세 지점 A, B, C가 한 평면 위의 점일 때, 전망대의 높이는 몇 m인지 구하여라.

07

다음 그림과 같이 세 정사각형 OABC, ODEF, OGHI와 세 삼각형 OCD, OFG, OIA는 한 점 O에서 만나고, ∠COD = ∠FOG = ∠IOA = 30°이다.

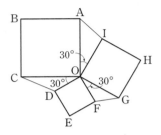

세 삼각형의 넓이의 합이 26이고, 세 정사각형의 둘레의 길이의 합이 72일 때, 세 정사각형의 넓이의 합을 구하여라.

08

세 변의 길이가 4, $x+1$, $5-x$인 삼각형 ABC의 넓이의 최댓값을 구하여라.

11
등차수열

11 등차수열

개념01 수열

(1) **수열**: 차례로 나열된 수의 열

(2) **항**: 수열을 이루고 있는 각각의 수

(3) **수열의 일반항**: 수열을 $a_1, a_2, a_3, \cdots, a_n, \cdots$과 같이 나타낼 때, 각 항은 앞에 서부터 차례로 첫째항, 둘째항, $\cdots$, n째항, $\cdots$ 또는 제1항, 제2항, $\cdots$, 제n항, $\cdots$이라고 한다. 이때 n의 식으로 나타낸 제n항 a_n을 수열의 일반항이라고 하며, 일반항이 a_n인 수열을 간단히 $\{a_n\}$과 같이 나타낸다.

> 항이 유한개인 수열에서 항의 개수를 항수, 마지막 항을 끝항이라고 한다.

[예] 수열 $\{a_n\}$의 일반항이 $a_n=2n$일 때, $a_1=2\times1=2, a_3=2\times3=6, a_6=2\times6=12$

확인 **01** 수열 $\{a_n\}$의 일반항이 다음과 같을 때, 제2항과 제5항을 구하여라.

(1) $a_n=4n-10$　　　　　　　(2) $a_n=3^{n-1}$

개념＋ | **수열과 함수**

수열 $\{a_n\}$은 자연수 1, 2, 3, $\cdots$에 수열의 각 항 $a_1, a_2, a_3, \cdots$을 차례로 대응시킨 것이 므로 자연수 전체의 집합을 정의역으로 하는 함수로 생각할 수 있다. 즉, 정의역이 자연수 전체의 집합 N, 공역이 실수 전체의 집합 R인 함수 $f : N \longrightarrow R$를 $f(n)=a_n$으로 정의하면

$$f(1)=a_1, f(2)=a_2, f(3)=a_3, \cdots$$

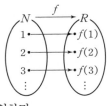

이다. 따라서 일반항 a_n이 n에 대한 식 $f(n)$으로 주어지면 n에 1, 2, 3, $\cdots$을 차례로 대입하여 수열 $\{a_n\}$의 모든 항을 구할 수 있다.

개념02 등차수열

(1) **등차수열**: 첫째항부터 차례로 일정한 수를 더하여 만든 수열

(2) **공차**: 등차수열에서 더하는 일정한 수

(3) **등차수열의 일반항**: 첫째항이 a, 공차가 d인 등차수열의 일반항 a_n은

$$a_n=a+(n-1)d \ (n=1, 2, 3, \cdots)$$

[예] ① 첫째항이 2, 공차가 3인 등차수열의 일반항 a_n은 $a_n=2+(n-1)\times3=3n-1$
② 등차수열 4, 9, 14, 19, 24, $\cdots$에서 첫째항이 4, 공차가 5이므로 일반항 a_n은
$a_n=4+(n-1)\times5=5n-1$

> 공차가 d인 등차수열 $\{a_n\}$에서 제n항에 공차 d를 더하면 제$(n+1)$항이 되므로
> $$a_{n+1}=a_n+d$$
> 즉, $a_{n+1}-a_n=d$ (일정)
> 　　　　(단, $n=1, 2, 3, \cdots$)

확인 **02** 다음 등차수열의 일반항 a_n을 구하여라.

(1) 첫째항이 6, 공차가 -5인 수열

(2) $-7, -3, 1, 5, 9, \cdots$

> $d \neq 0$일 때
> $$a_n=a+(n-1)d$$
> $$=dn+(a-d)$$
> 에서 일반항 a_n은 n에 대한 일차식이다. 이때 n의 계수는 등차수열 $\{a_n\}$의 공차이다.

개념 03 등차중항

세 수 a, b, c가 이 순서대로 등차수열을 이룰 때, b를 a와 c의 등차중항이라고
한다.

$$b-a=c-b \iff b=\frac{a+c}{2}$$

예 세 수 2, x, 10이 이 순서대로 등차수열을 이루면 x는 2와 10의 등차중항이므로
$$x=\frac{2+10}{2}=6$$

확인 03 다음 세 수가 나열된 순서대로 등차수열을 이룰 때, x의 값을 구하여라.

(1) 3, x, 11

(2) -5, x, $3x$

> 수열 $\{a_n\}$이 등차수열을 이루기
> 위한 필요충분조건은
> $$a_{n+1}=\frac{a_n+a_{n+2}}{2}$$
> 즉, $2a_{n+1}=a_n+a_{n+2}$

개념 04 등차수열의 합

등차수열의 첫째항부터 제n항까지의 합 S_n은

(1) 첫째항이 a, 제n항이 l일 때, $S_n=\dfrac{n(a+l)}{2}$

(2) 첫째항이 a, 공차가 d일 때, $S_n=\dfrac{n\{2a+(n-1)d\}}{2}$

확인 04 다음 수열의 첫째항부터 제**20**항까지의 합을 구하여라.

(1) 첫째항이 6, 제20항이 44인 등차수열

(2) 첫째항이 -4, 공차가 3인 등차수열

> 수열 $\{a_n\}$에서 첫째항부터
> 제n항까지의 합은 기호
> S_n으로 나타낸다. 즉,
> $$S_n=a_1+a_2+a_3+\cdots+a_n$$

> $d \neq 0$일 때
> $$S_n=\frac{n\{2a+(n-1)d\}}{2}$$
> $$=\frac{d}{2}n^2+\frac{2a-d}{2}n$$
> 이므로 등차수열의 합 S_n은 상수
> 항이 없는 n에 대한 이차식이다.

개념 05 등차수열의 합과 일반항 사이의 관계

등차수열 $\{a_n\}$의 첫째항부터 제n항까지의 합을 S_n이라고 하면
$$a_1=S_1, \ a_n=S_n-S_{n-1} \ (n \geq 2)$$

> **주의** $a_n=S_n-S_{n-1} \ (n \geq 2)$을 이용하여 구한 a_n이 $n=1$일 때 성립하지 않으면 수열 $\{a_n\}$의 일반
> 항은 $n \geq 2$일 때 성립하므로 $n=1$인 경우를 따로 써 준다.

확인 05 수열 $\{a_n\}$의 첫째항부터 제n항까지의 합 S_n이 다음과 같을 때, 수열의 일반
항 a_n을 구하여라.

(1) $S_n=n^2-3n$

(2) $S_n=n^2+n+2$

> 수열의 합과 일반항 사이의 관계
> 는 등차수열뿐만 아니라 일반적인
> 수열에서도 성립한다.

개념+ 등차수열 $\{a_n\}$의 첫째항부터 제n항까지의 합 S_n이
$S_n=An^2+Bn+C$ (A, B, C는 상수)일 때
① $C=0$이면 수열 $\{a_n\}$은 첫째항부터 등차수열을 이룬다.
② $C \neq 0$이면 수열 $\{a_n\}$은 둘째항부터 등차수열을 이룬다.

등차수열 $\{a_n\}$에서 $a_3=7$, $a_{10}=35$일 때, 다음 물음에 답하여라.

(1) 공차를 구하여라.

(2) a_{13}의 값을 구하여라.

(3) $a_m=75$를 만족시키는 자연수 m의 값을 구하여라.

풍쌤 POINT

$a_n=a+(n-1)d$임을 이용하여 $a_3=7$, $a_{10}=35$를 각각 a와 d에 대한 식으로 나타내.

풀이

(1) **STEP 1 첫째항과 공차에 대한 식으로 나타내기**

등차수열 $\{a_n\}$의 첫째항을 a, 공차를 d라고 하면

$a_3=a+2d=7$ ...... ㉠

$a_{10}=a+9d=35$ ...... ㉡

STEP 2 공차 구하기

㉠, ㉡을 연립하여 풀면

$a=-1$, $d=4$

따라서 수열의 공차는 4이다.

(2) 수열의 일반항 a_n은

$a_n=-1+(n-1)\times4=4n-5$

$\therefore a_{13}=4\times13-5=47$ ❶

(3) $a_m=4m-5=75$에서

$4m=80$ $\therefore m=20$

다른 풀이

(1) a_{10}은 a_3에서 7번째 뒤에 있는 항이므로

$a_3+7d=a_{10}$에서 $7+7d=35$

$7d=28$ $\therefore d=4$

(2) a_{13}은 a_{10}에서 3번째 뒤에 있는 항이므로

$a_{13}=a_{10}+3d=35+3\times4=47$

(3) $a_m-a_{10}=75-35=40$이고 $40=4\times10=10d$이므로

a_m은 a_{10}에서 10번째 뒤에 있는 항이다.

$\therefore m=10+10=20$

❶ 일반항 a_n을 구하지 않고 a_{13}의 값을 구하면

$a_{13}=a+12d$

$=-1+12\times4$

$=47$

답 (1) 4 (2) 47 (3) 20

풍쌤 강의 NOTE

등차수열에서는 첫째항 a와 공차 d를 찾는 것이 중요하다. 첫째항 a와 공차 d를 알면 일반항 $a_n=a+(n-1)d$를 구할 수 있고, 일반항 a_n을 알면 등차수열의 모든 항을 구할 수 있기 때문이다. 따라서 등차수열에 대한 문제는 주어진 조건을 a와 d에 대한 식으로 나타내어 a와 d의 값을 구한다.

01-1 ⊚ 유사

등차수열 $\{a_n\}$에서 $a_4=-2$, $a_9=-12$일 때, 다음 물음에 답하여라.

(1) 공차를 구하여라.

(2) a_{20}의 값을 구하여라.

(3) $a_m=-24$를 만족시키는 자연수 m의 값을 구하여라.

01-2 ⊚ 변형

등차수열 $\{a_n\}$에 대하여 $a_1=-2$, $3(a_5-a_3)=a_8$일 때, 이 수열의 공차를 구하여라.

01-3 ⊚ 변형

등차수열 $\{a_n\}$에 대하여 $a_2+a_4=14$, $a_7+a_8=41$일 때, a_{10}의 값을 구하여라.

01-4 ⊚ 변형

등차수열 $\{a_n\}$에 대하여 $a_4=25$이고 $a_6 : a_9=7 : 10$일 때, a_{12}의 값을 구하여라.

01-5 ⊚ 변형

첫째항이 같은 두 등차수열 $\{a_n\}$, $\{b_n\}$에 대하여 $a_4-b_4=-18$일 때, $a_{13}-b_{13}$의 값을 구하여라.

01-6 ⊚ 실력　　　　기출

공차가 -3인 등차수열 $\{a_n\}$에 대하여 $a_3a_7=64$, $a_8>0$일 때, a_2의 값을 구하여라.

다음 물음에 답하여라.

(1) 등차수열 $\{a_n\}$에서 $a_2=7$, $a_4=-1$일 때, 절댓값이 17인 항은 제몇 항인지 구하여라.

(2) 등차수열 $\{a_n\}$에서 $a_3=42$, $a_7=30$일 때, 처음으로 음수가 되는 항은 제몇 항인지 구하여라.

풍쌤 POINT

일반항 a_n을 구한 다음 문제의 조건에 알맞은 식을 세워.

풀이

(1) **STEP 1** 일반항 구하기

등차수열 $\{a_n\}$의 첫째항을 a, 공차를 d라고 하면

$a_2=a+d=7$ ...... ㉠

$a_4=a+3d=-1$ ...... ㉡

㉠, ㉡을 연립하여 풀면 $a=11$, $d=-4$

$\therefore a_n=11+(n-1)\times(-4)=-4n+15$

STEP 2 절댓값이 17인 항 구하기

따라서 $|a_n|=|-4n+15|=17$에서

$-4n+15=\pm17$ **❶**

$-4n+15=17$에서 $n=-\dfrac{1}{2}$

$-4n+15=-17$에서 $n=8$

이때 n은 자연수이므로 $n=8$

즉, 절댓값이 17인 항은 제8항이다.

❶ $|a|=k$(k는 양수)이면 $a=\pm k$

(2) **STEP 1** 일반항 구하기

등차수열 $\{a_n\}$의 첫째항을 a, 공차를 d라고 하면

$a_3=a+2d=42$ ...... ㉠

$a_7=a+6d=30$ ...... ㉡

㉠, ㉡을 연립하여 풀면 $a=48$, $d=-3$

$\therefore a_n=48+(n-1)\times(-3)=-3n+51$

STEP 2 처음으로 음수가 되는 항 구하기

항이 음수가 되려면 $a_n<0$에서

$-3n+51<0$ $\therefore n>17$ **❷**

따라서 처음으로 음수가 되는 항은 제18항이다.

❷ $a_{16}=3$, $a_{17}=0$, $a_{18}=-3$, $a_{19}=-6$, $\cdots$이므로 수열 $\{a_n\}$에서 음수인 항은 a_{18}, a_{19}, $\cdots$이다.

답 (1) 제8항 (2) 제18항

풍쌤 강의 NOTE

등차수열 $\{a_n\}$에서 항의 부호가 바뀌는 경우는 일반항 a_n에서 생각한다.

① 처음으로 양수가 되는 항 ➡ $a_n>0$을 만족시키는 자연수 n의 최솟값을 구한다.

② 처음으로 음수가 되는 항 ➡ $a_n<0$을 만족시키는 자연수 n의 최솟값을 구한다.

02-1 유사

등차수열 $\{a_n\}$에서 $a_3=-10$, $a_8=0$일 때, 절댓값이 16인 항은 제몇 항인지 구하여라.

02-2 유사

등차수열 $\{a_n\}$에서 $a_4=-49$, $a_6=-41$일 때, 처음으로 양수가 되는 항은 제몇 항인지 구하여라.

02-3 변형

등차수열 $\{a_n\}$에 대하여 $a_5=27$, $a_2+a_9=52$일 때, 처음으로 -10보다 작아지는 항은 제몇 항인지 구하여라.

02-4 변형

첫째항이 6이고 $a_2+a_5+a_6=88$인 등차수열 $\{a_n\}$이 있다. 200에 가장 가까운 항이 a_k일 때, 자연수 k의 값을 구하여라.

02-5 변형

등차수열 $\{a_n\}$에서 $a_{11}=11$이고 제4항과 제7항은 절댓값이 같고 부호가 반대이다. $a_n>50$을 만족시키는 자연수 n의 최솟값을 구하여라.

02-6 실력

등차수열 $\{a_n\}$에서 $a_5=-43$, $a_{10}=-23$일 때, 절댓값이 최소인 항은 제몇 항인지 구하여라.

다음 물음에 답하여라.

(1) 두 수 -5와 10 사이에 4개의 수를 넣어서 만든 수열

$$-5, \ x_1, \ x_2, \ x_3, \ x_4, \ 10$$

이 이 순서대로 등차수열을 이룰 때, 이 수열의 공차를 구하여라.

(2) 두 수 3과 39 사이에 8개의 수를 넣어서 만든 수열

$$3, \ x_1, \ x_2, \ \cdots, \ x_8, \ 39$$

가 이 순서대로 등차수열을 이룰 때, 이 수열의 제7항을 구하여라.

풍쌤 POINT

두 수 사이에 수를 넣어서 만든 등차수열은 첫째항과 끝항을 이용하면 돼.
이때 끝항이 제몇 항인지 알아봐.

풀이

(1) 두 수 사이에 4개의 수를 넣었으므로 항은 모두 6개이다.
즉, 등차수열의 첫째항이 -5, 제6항이 $10$❶이므로 공차를 d,
일반항을 a_n이라고 하면

$$a_6 = -5 + 5d = 10 \qquad \therefore d = 3$$

따라서 수열의 공차는 3이다.

❶ 10을 x_4 다음의 항인 a_5로 생각하지 않도록 한다.

(2) **STEP1 공차 구하기**

두 수 사이에 8개의 수를 넣었으므로 항은 모두 10개❷이다.
즉, 등차수열의 첫째항이 3, 제10항이 39이므로
공차를 d, 일반항을 a_n이라고 하면

$$a_{10} = 3 + 9d = 39 \qquad \therefore d = 4$$

❷ 8개의 수의 앞뒤로 수가 1개씩 더 있음에 주의한다.

STEP2 제7항 구하기

따라서 구하는 제7항은

$$a_7 = a_1 + 6d = 3 + 6 \times 4 = 27$$

다른 풀이

(1) 등차수열의 공차를 d라고 하면 10은 -5에서 5번째 뒤에 있
는 항이므로

$$-5 + 5d = 10 \qquad \therefore d = 3$$

답 (1) 3 (2) 27

풍쌤 강의 NOTE

두 수 a, b 사이에 n개의 수를 넣어서 등차수열을 만들면 항은 모두
$(n+2)$개이므로 a는 첫째항이고 b는 제$(n+2)$항이 된다.

$$\underbrace{a, \ \overbrace{x_1, \ x_2, \ \cdots, \ x_n}^{n개}, \ b}_{(n+2)개}$$

03-1 유사

두 수 8과 -12 사이에 9개의 수를 넣어서 만든 수열

$$8, x_1, x_2, \cdots, x_9, -12$$

가 이 순서대로 등차수열을 이룰 때, 이 수열의 제6항을 구하여라.

03-2 변형

두 수 -4와 20 사이에 7개의 수를 넣어서 만든 수열

$$-4, x_1, x_2, \cdots, x_7, 20$$

이 이 순서대로 등차수열을 이룰 때, $x_2 + x_7$의 값을 구하여라.

03-3 변형

두 수 5와 61 사이에 n개의 수를 넣어서 등차수열

$$5, a_1, a_2, \cdots, a_n, 61$$

을 만들었다. 이 수열의 공차가 7일 때, n의 값을 구하여라.

03-4 변형

등차수열 $\{a_n\}$이 다음과 같을 때, y_3의 값을 구하여라.

$$\{a_n\} : 15, x_1, x_2, \cdots, x_5, 3, y_1, y_2, y_3$$

03-5 변형

3과 88 사이에 $2n$개의 수 $a_1, a_2, \cdots, a_{2n}$을 넣어 만든 수열 전체가 공차가 5인 등차수열을 이룰 때, a_8의 값을 구하여라.

03-6 실력

공차가 같은 두 등차수열 $\{a_n\}$, $\{b_n\}$이 각각 다음과 같을 때, y_8의 값을 구하여라.

$$\{a_n\} : -1, x_1, x_2, \cdots, x_{10}, -23$$
$$\{b_n\} : 18, y_1, y_2, \cdots, y_n, -4$$

다음 물음에 답하여라.

(1) 세 수 6, x, -2와 세 수 x, y, 12가 이 순서대로 각각 등차수열을 이룰 때, y의 값을 구하여라.

(2) 세 수 2, $4a^2+3$, $7a+5$가 이 순서대로 등차수열을 이룰 때, 모든 실수 a의 값의 곱을 구하여라.

(3) 네 수 3, x, y, 21이 이 순서대로 등차수열을 이룰 때, xy의 값을 구하여라.

풍쌤 POINT

세 수 a, b, c가 이 순서대로 등차수열을 이루면 $2b=a+c$를 이용하여 해결해.

풀이 →

(1) **STEP1** x가 등차중항임을 이용하기

x는 6과 -2의 등차중항이므로

$2x=6+(-2)$❶ $\therefore x=2$

STEP2 y가 등차중항임을 이용하기

y는 x와 12의 등차중항이므로

$2y=x+12=14$ $\therefore y=7$

❶ 6, x, -2가 이 순서대로 등차수열을 이루므로 공차를 나타내는 식에서
$x-6=-2-x$
즉, $2x=6+(-2)$

(2) **STEP1** 등차중항의 조건을 나타내는 식 세우기

$4a^2+3$은 2와 $7a+5$의 등차중항이므로

$2(4a^2+3)=2+(7a+5)$ $\therefore 8a^2-7a-1=0$❷

STEP2 모든 a의 값의 곱 구하기

따라서 이차방정식의 근과 계수의 관계에 의하여 모든 a의 값의 곱❸은 $-\dfrac{1}{8}$이다.

❷ $8a^2-7a-1=0$에서
$(8a+1)(a-1)=0$
$\therefore a=-\dfrac{1}{8}$ 또는 $a=1$

❸ 이차방정식 $ax^2+bx+c=0$의 두 근을 α, β라고 하면
$\alpha+\beta=-\dfrac{b}{a}$, $\alpha\beta=\dfrac{c}{a}$

(3) **STEP1** 등차중항의 조건을 나타내는 식 세우기

x는 3과 y의 등차중항이므로

$2x=3+y$ $\therefore 2x-y=3$ ······ ㉠

y는 x와 21의 등차중항이므로

$2y=x+21$ $\therefore x-2y=-21$ ······ ㉡

STEP2 xy의 값 구하기

㉠, ㉡을 연립하여 풀면 $x=9$, $y=15$

$\therefore xy=9\times15=135$

답 (1) 7 (2) $-\dfrac{1}{8}$ (3) 135

풍쌤 강의 NOTE

a, x, b가 이 순서대로 등차수열 $\Longleftrightarrow 2x=a+b$

$\Longleftrightarrow x=\dfrac{a+b}{2}$

$\Longleftrightarrow x$는 a와 b의 산술평균

04-1 유사

세 수 $-a^2+13$, $a-4$, -6이 이 순서대로 등차수열을 이룰 때, 모든 실수 a의 값의 합을 구하여라.

04-2 유사

네 수 -5, x, y, 130이 이 순서대로 등차수열을 이룰 때, $\dfrac{x}{y}$의 값을 구하여라.

04-3 변형   기출

이차방정식 $x^2-24x+10=0$의 두 근 α, β에 대하여 세 수 α, k, β가 이 순서대로 등차수열을 이룬다. 상수 k의 값을 구하여라.

04-4 변형

다항식 x^2+ax+3을 일차식 $x-1$, $x+1$, $x+2$로 나누었을 때의 나머지가 이 순서대로 등차수열을 이룰 때, 실수 a의 값을 구하여라.

04-5 변형

세 수 -1, x, y는 등차수열 $\{a_n\}$의 연속한 세 항이고, 세 수 $2x$, $y-5$, -4는 등차수열 $\{b_n\}$의 연속한 세 항일 때, $x+y$의 값을 구하여라.

04-6 실력

등차수열 $\{a_n\}$이 $a_2+a_3+a_4=18$을 만족시킬 때, 세 수 -1, a_3, $5b+3$은 이 순서대로 등차수열을 이룬다. 실수 b의 값을 구하여라.

다음 물음에 답하여라.

(1) 등차수열을 이루는 세 수의 합이 21이고 곱이 168일 때, 이 세 수를 구하여라.

(2) 등차수열을 이루는 세 수의 합이 3이고 제곱의 합이 35일 때, 이 세 수를 구하여라.

풍쌤 POINT

등차수열을 이루는 세 수를 $a-d$, a, $a+d$로 놓고 식을 세워.

풀이

(1) **STEP 1 세 수 중 가운데 수 구하기**

등차수열을 이루는 세 수를 $a-d$, a, $a+d$❶로 놓으면 세 수의 합이 21이므로

$(a-d)+a+(a+d)=21$, $3a=21$　　$\therefore a=7$

STEP 2 공차 구하기

세 수의 곱이 168이므로

$(a-d)a(a+d)=168$, $a(a^2-d^2)=168$

$7(49-d^2)=168$, $d^2=25$　　$\therefore d=\pm5$

STEP 3 세 수 구하기

(i) $a=7$, $d=-5$일 때, 세 수는 12, 7, 2

(ii) $a=7$, $d=5$일 때, 세 수는 2, 7, 12

따라서 구하는 세 수는 2, 7, 12이다.

❶ 세 수를 a, $a+d$, $a+2d$로 놓고
$a+(a+d)+(a+2d)=21$
$a(a+d)(a+2d)=168$
을 풀어도 되지만 이 경우에는 계산이 간편하지 않다.

(2) **STEP 1 세 수 중 가운데 수 구하기**

등차수열을 이루는 세 수를 $a-d$, a, $a+d$로 놓으면 세 수의 합이 3이므로

$(a-d)+a+(a+d)=3$, $3a=3$　　$\therefore a=1$

STEP 2 공차 구하기

세 수의 제곱의 합이 35이므로

$(a-d)^2+a^2+(a+d)^2=35$, $3a^2+2d^2=35$

$3+2d^2=35$, $d^2=16$　　$\therefore d=\pm4$

STEP 3 세 수 구하기

(i) $a=1$, $d=-4$일 때, 세 수는 5, 1, -3

(ii) $a=1$, $d=4$일 때, 세 수는 -3, 1, 5

따라서 구하는 세 수는 -3, 1, 5이다.

답 (1) 2, 7, 12　(2) -3, 1, 5

풍쌤 강의 NOTE

등차수열을 이루는 수를 a와 d를 이용하여 다음과 같이 대칭형으로 놓으면 계산이 간편하다.

① 세 수가 등차수열을 이루면 ➡ $a-d$, a, $a+d$　← 이때의 공차는 d이다.

② 네 수가 등차수열을 이루면 ➡ $a-3d$, $a-d$, $a+d$, $a+3d$　← 이때의 공차는 $2d$이다.

③ 다섯 수가 등차수열을 이루면 ➡ $a-2d$, $a-d$, a, $a+d$, $a+2d$　← 이때의 공차는 d이다.

05-1 유사

다음 물음에 답하여라.

(1) 등차수열을 이루는 세 수의 합이 24이고 곱이 440일 때, 이 세 수를 구하여라.

(2) 등차수열을 이루는 세 수의 합이 6이고 제곱의 합이 62일 때, 이 세 수를 구하여라.

05-2 변형

세 내각의 크기가 등차수열을 이루는 삼각형이 있다. 세 내각 중 두 번째로 큰 각의 크기를 α라고 할 때, $\sin \alpha$의 값을 구하여라.

05-3 변형

등차수열을 이루는 네 수가 있다. 네 수의 합이 56이고 가장 큰 수가 23일 때, 나머지 세 수를 구하여라.

05-4 변형

삼차방정식 $x^3 - 9x^2 + kx + 21 = 0$의 세 실근이 등차수열을 이룰 때, 상수 k의 값을 구하여라.

05-5 변형

연속한 네 항의 합이 -4이고 제곱의 합이 24인 등차수열이 있다. 이 네 항의 절댓값의 합을 구하여라.

05-6 실력

어떤 직육면체의 밑면의 가로의 길이, 세로의 길이, 높이가 이 순서대로 등차수열을 이룬다고 한다. 이 직육면체의 모든 모서리의 길이의 합이 36이고 겉넓이가 46일 때, 이 직육면체의 부피를 구하여라.

다음 물음에 답하여라.

(1) 등차수열 9, 4, −1, ⋯, −31의 합을 구하여라.

(2) 첫째항이 −3, 끝항이 33인 등차수열의 합이 150일 때, 이 수열의 공차를 구하여라.

(3) 5와 18 사이에 n개의 수를 넣어 만든 등차수열 5, x_1, x_2, ⋯, x_n, 18의 합이 92일 때, 이 수열의 공차를 구하여라.

풍쌤 POINT

등차수열의 첫째항과 끝항이 주어졌으므로 합을 구하려면 항수를 알아야 해.

풀이

(1) STEP1 −31이 제몇 항인지 구하기

−31을 제n항이라고 하면 첫째항이 9, 공차가 −5❶이므로

$9+(n-1)\times(-5)=-31$, $-5n=-45$ ∴ $n=9$

❶ 공차는 $4-9=-5$이다.

STEP2 수열의 합 구하기

따라서 첫째항부터 제9항까지의 합❷은

$\dfrac{9\{9+(-31)\}}{2}=-99$

❷ 첫째항과 끝항이 주어진 경우에는 $\dfrac{n\{2a+(n-1)d\}}{2}$보다 $\dfrac{n(a+l)}{2}$을 이용한다.

(2) STEP1 수열의 항수 구하기

수열의 항수를 n이라고 하면 합이 150이므로

$\dfrac{n(-3+33)}{2}=150$ ∴ $n=10$

STEP2 공차 구하기

따라서 끝항인 33은 제10항이므로 공차를 d라고 하면

$-3+9d=33$ ∴ $d=4$

(3) STEP1 n의 값 구하기

첫째항이 5, 끝항이 18, 항수가 $n+2$이므로

$\dfrac{(n+2)(5+18)}{2}=92$ ∴ $n=6$

STEP2 공차 구하기

즉, 5와 18 사이에 6개의 수를 넣었으므로 18은 제8항이다.

공차를 d라고 하면 $5+7d=18$❸ ∴ $d=\dfrac{13}{7}$

❸ $a_n=a+(n-1)d$에서 $a_8=5+7d=18$

📋 (1) −99 (2) 4 (3) $\dfrac{13}{7}$

풍쌤 강의 NOTE

등차수열 $\{a_n\}$의 첫째항부터 제n항까지의 합을 S_n이라고 하면 $S_n=\dfrac{n(a_1+a_n)}{2}$으로 생각하여

(i) 첫째항이 a이고 끝항 l을 알면 a_n 대신 l을 대입한다. ➡ $S_n=\dfrac{n(a+l)}{2}$

(ii) 첫째항이 a이고 끝항 l을 알 수 없으면 a_n 대신 $a+(n-1)d$를 대입한다.

➡ $S_n=\dfrac{n\{a+a+(n-1)d\}}{2}=\dfrac{n\{2a+(n-1)d\}}{2}$

06-1 ◉ 유사
등차수열 $-5, -1, 3, \cdots, 71$의 합을 구하여라.

06-4 ◉ 변형
등차수열 $\{a_n\}$에서 $a_1+2a_{10}=34$, $a_1-a_{10}=-14$일 때, 첫째항부터 제10항까지의 합을 구하여라.

06-2 ◉ 유사
-2와 25 사이에 n개의 수를 넣어 만든 수열
$$-2, x_1, x_2, \cdots, x_n, 25$$
의 합이 115일 때, 이 수열의 공차를 구하여라.

06-5 ◉ 변형
등차수열 $\{a_n\}$의 공차가 -2이고 $a_5=2$일 때, $a_1+a_2+a_3+\cdots+a_n<0$을 만족시키는 자연수 n의 최솟값을 구하여라.

06-3 ◉ 변형
등차수열 $\{a_n\}$의 첫째항부터 제n항까지의 합을 S_n이라고 하자. $a_3=13$, $a_{10}=62$일 때, S_{16}의 값을 구하여라.

06-6 ◉ 실력
공차가 -6인 등차수열 $\{a_n\}$에서 $|a_3|=|a_7|$일 때, 제5항부터 제15항까지의 합을 구하여라.

다음 물음에 답하여라.

(1) 공차가 5인 등차수열의 첫째항부터 제8항까지의 합이 124일 때, 제10항을 구하여라.

(2) 등차수열 $\{a_n\}$의 첫째항부터 제n항까지의 합을 S_n이라고 하자. $a_3=-5$이고 $S_9=-81$일 때, S_{20}의 값을 구하여라.

풍쌤 POINT

부분의 합이 주어진 등차수열은 먼저 주어진 조건을 이용하여 첫째항이나 공차를 구해.

풀이

(1) **STEP 1 첫째항 구하기**

등차수열의 첫째항을 a라고 하면 첫째항부터 제8항까지의 합이 124이므로

$$\frac{8(2a+7\times5)}{2}=124$$

$2a+35=31$ $\therefore a=-2$

❶ $S_n=\dfrac{n\{2a+(n-1)d\}}{2}$에 $n=8, d=5$를 대입한다.

STEP 2 제10항 구하기

따라서 첫째항이 -2, 공차가 5이므로 제10항은

$-2+9\times5=43$

(2) **STEP 1 첫째항과 공차 구하기**

등차수열 $\{a_n\}$의 첫째항을 a, 공차를 d라고 하면

$a_3=a+2d=-5$ $\cdots\cdots$ ㉠

$S_9=\dfrac{9(2a+8d)}{2}=-81$에서

$a+4d=-9$ $\cdots\cdots$ ㉡

㉠, ㉡을 연립하여 풀면

$a=-1, d=-2$

STEP 2 S_{20}의 값 구하기

따라서 구하는 S_{20}의 값은

$$S_{20}=\frac{20\{2\times(-1)+19\times(-2)\}}{2}=-400$$

답 (1) 43 (2) -400

풍쌤 강의 NOTE

등차수열의 합 공식은 $S_n=\dfrac{n\{2a+(n-1)d\}}{2}$이므로 첫째항, 공차, 항수를 알면 등차수열의 합을 구할 수 있다. 따라서 등차수열의 부분의 합을 구할 때는 문제에서 주어진 조건을 이용하여 첫째항이나 공차를 먼저 구해야 한다.

07-1 (유사)

첫째항이 -2인 등차수열의 첫째항부터 제6항까지의 합이 48일 때, 제9항을 구하여라.

07-4 (변형) (기출)

등차수열 $\{a_n\}$의 첫째항부터 제n항까지의 합을 S_n이라고 하자. $a_2=7$, $S_7-S_5=50$일 때, a_{11}의 값을 구하여라.

07-2 (유사)

등차수열 $\{a_n\}$의 첫째항부터 제n항까지의 합을 S_n이라고 하자. $a_4=-7$이고 $S_{12}=-204$일 때, S_{16}의 값을 구하여라.

07-5 (변형)

공차가 2인 등차수열 $\{a_n\}$에서
$$a_1+a_3+a_5+\cdots+a_{19}=190$$
일 때, $a_2+a_4+a_6+\cdots+a_{20}$의 값을 구하여라.

07-3 (변형)

첫째항부터 제10항까지의 합이 120, 첫째항부터 제15항까지의 합이 255인 등차수열에서 첫째항부터 제20항까지의 합을 구하여라.

07-6 (실력)

등차수열 $\{a_n\}$에 대하여
$$a_1+a_2+a_3+\cdots+a_8=8,$$
$$a_9+a_{10}+a_{11}+\cdots+a_{16}=136$$
일 때, $a_{17}+a_{18}+a_{19}+\cdots+a_{24}$의 값을 구하여라.

다음 물음에 답하여라.

(1) 첫째항이 -34이고 제20항이 80인 등차수열에서 첫째항부터 제n항까지의 합이 최소가 될 때, n의 값을 구하여라.

(2) 제4항이 7, 제15항이 -15인 등차수열 $\{a_n\}$의 첫째항부터 제n항까지의 합을 S_n이라고 할 때, S_n의 최댓값을 구하여라.

풍쌤 POINT

제m항에서 처음으로 음수(양수)가 나오면 첫째항부터 제$(m-1)$항까지의 합이 최대(최소)가 돼.

풀이

(1) **STEP 1 일반항 구하기**

등차수열의 일반항을 a_n, 공차를 d라고 하면

$a_{20}=-34+19d=80$에서 $d=6$

$\therefore a_n=-34+(n-1)\times 6=6n-40$

STEP 2 n의 값 구하기

한편, $a_n=6n-40>0$에서 $n>6.6\cdots$이므로 처음으로 양수가 나오는 항은 제7항이다.

따라서 첫째항부터 제6항까지의 합이 최소이므로 $n=6$

(2) **STEP 1 일반항 구하기**

등차수열 $\{a_n\}$의 첫째항을 a, 공차를 d라고 하면

$a_4=a+3d=7$ $\cdots\cdots$ ㉠

$a_{15}=a+14d=-15$ $\cdots\cdots$ ㉡

㉠, ㉡을 연립하여 풀면 $a=13$, $d=-2$

$\therefore a_n=13+(n-1)\times(-2)=-2n+15$

STEP 2 처음으로 음수가 나오는 항 구하기

한편, $a_n=-2n+15<0$에서 $n>7.5$❶이므로 처음으로 음수가 나오는 항은 제8항이다.

STEP 3 S_n의 최댓값 구하기

따라서 S_n❷의 최댓값은 첫째항부터 제7항까지의 합이므로

$$S_7=\frac{7\{2\times 13+6\times(-2)\}}{2}=49$$

❶ n은 자연수이므로 $n=8, 9, 10, \cdots$일 때 $a_n<0$이다.

❷ S_n의 값은 $1\le n\le 7$일 때 증가하고, $n\ge 8$일 때 감소한다.

답 (1) 6 (2) 49

풍쌤 강의 NOTE

• 등차수열의 첫째항이 a, 공차가 d일 때, 합의 최댓값 또는 최솟값은

(i) $a>0$, $d<0$이면 합의 최댓값은 첫째항부터 마지막으로 양수인 항까지의 합이다.

(ii) $a<0$, $d>0$이면 합의 최솟값은 첫째항부터 마지막으로 음수인 항까지의 합이다.

• 등차수열의 합 S_n은 n에 대한 이차식이므로 완전제곱식 꼴로 나타내면 최댓값 또는 최솟값을 구할 수 있다.

08-1 유사

등차수열 $\{a_n\}$의 첫째항부터 제n항까지의 합을 S_n이라고 하자. $a_3 = -23$, $a_{13} = 17$일 때, S_n의 최솟값을 구하여라.

08-2 변형

제2항이 29이고 첫째항부터 제6항까지의 합이 147인 등차수열이 있다. 이 수열의 첫째항부터 제n항까지의 합의 최댓값을 구하여라.

08-3 변형

등차수열 $\{a_n\}$의 첫째항부터 제n항까지의 합을 S_n이라고 하자. $S_5 = 150$, $S_{12} = 192$일 때, S_n의 최댓값을 구하여라.

08-4 변형

등차수열 $\{a_n\}$의 첫째항부터 제n항까지의 합을 S_n이라고 하자. $a_2 = 31$, $S_6 = 168$이고 임의의 자연수 n에 대하여 $S_n \leq k$가 성립할 때, k의 최솟값을 구하여라.

08-5 변형

첫째항이 16이고 제6항이 6인 등차수열 $\{a_n\}$의 첫째항부터 제n항까지의 합을 S_n이라고 하자. $|S_n|$의 값이 최소일 때의 자연수 n의 값을 구하여라.

08-6 실력

등차수열 $\{a_n\}$의 첫째항부터 제n항까지의 합을 S_n이라고 하자. $a_4 + a_6 = -34$, $S_8 - S_6 = -19$일 때, S_n은 $n = k$에서 최솟값 l을 갖는다. $k + l$의 값을 구하여라.

다음 물음에 답하여라.

(1) 두 자리 자연수 중에서 3의 배수의 합을 구하여라.

(2) 두 자리 자연수 중에서 5로 나누었을 때 나머지가 2인 수들의 총합을 구하여라.

풍쌤
POINT

(1) 3의 배수를 작은 것부터 차례대로 나열하고 규칙을 찾아봐.

(2) 5로 나누었을 때 나머지가 2인 수를 작은 것부터 차례대로 나열하고 규칙을 찾아봐.

풀이

(1) **STEP1** 3의 배수의 규칙 알기

두 자리 자연수 중에서 3의 배수를 작은 것부터 차례대로 나

열하면

12, 15, 18, ···, 99

이므로 첫째항이 12, 공차가 3인 등차수열❶을 이룬다.

STEP2 총합 구하기

이때 $12+(n-1)\times 3=99$에서 $n=30$이므로 항수는 30이다.

따라서 구하는 총합은

$\dfrac{30(12+99)}{2}=1665$

❶ 이 수열의 일반항을 a_n이라고
하면
$a_n=12+(n-1)\times 3$
$=3n+9$

(2) **STEP1** 5로 나누었을 때 나머지가 2인 수의 규칙 알기

두 자리 자연수 중에서 5로 나누었을 때 나머지가 2인 수를

작은 것부터 차례대로 나열하면

12, 17, 22, ···, 97

이므로 첫째항이 12, 공차가 5인 등차수열❷을 이룬다.

STEP2 총합 구하기

이때 $12+(n-1)\times 5=97$에서 $n=18$이므로 항수는 18이다.

따라서 구하는 총합은

$\dfrac{18(12+97)}{2}=981$

❷ 이 수열의 일반항을 a_n이라고
하면
$a_n=12+(n-1)\times 5$
$=5n+7$

🅰 (1) 1665 (2) 981

풍쌤 강의
NOTE

① 자연수 d의 양의 배수를 작은 것부터 차례대로 나열하면

$d, 2d, 3d, \cdots$

로 첫째항과 공차가 모두 d인 등차수열이 된다.

② 자연수 d로 나누었을 때 나머지가 $a\ (0<a<d)$인 수를 작은 것부터 차례대로 나열하면

$a, a+d, a+2d, \cdots$

로 첫째항이 a, 공차가 d인 등차수열이 된다.

09-1 유사

다음 물음에 답하여라.

(1) 100보다 작은 자연수 중에서 7의 배수의 합을 구하여라.

(2) 100보다 작은 자연수 중에서 6으로 나누었을 때 나머지가 5인 수들의 총합을 구하여라.

09-2 변형

다음 그림과 같이 블록으로 탑 모양을 쌓고 있다. 블록 150개로 탑 모양을 최대 몇 층까지 쌓을 수 있는지 구하여라.

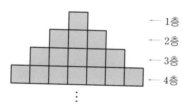

09-3 변형

60보다 작은 자연수 중에서 3의 배수 또는 5의 배수의 총합을 구하여라.

09-4 변형

어떤 n각형의 내각의 크기는 공차가 $20°$인 등차수열을 이룬다. 이 n각형의 가장 작은 내각의 크기가 $70°$일 때, 가장 큰 내각의 크기를 구하여라.

09-5 실력

오른쪽 그림과 같이 중심각의 크기가 $\dfrac{\pi}{2}$인 부채꼴 OAB에서 두 선분 OA, OB를 각각 20등분하여 19개의 호를 새로 만들었다. 부채꼴 OAB의 넓이가 π일 때, 20개의 호의 길이의 총합이 $\dfrac{q}{p}\pi$이다. 서로소인 두 자연수 p, q에 대하여 $p+q$의 값을 구하여라.

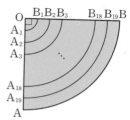

09-6 실력

함수 $y=\tan x$ $(x>0)$의 그래프와 직선 $y=1$의 교점의 x좌표를 작은 것부터 차례대로 a_1, a_2, a_3, $\cdots$이라고 하자. $a_1+a_2+a_3+\cdots+a_n=30\pi$일 때, 자연수 n의 값을 구하여라.

등차수열 $\{a_n\}$의 첫째항부터 제n항까지의 합 S_n이 $S_n = -n^2 + 10n$일 때, 다음을 구하여라.

(1) $a_1 + a_9$의 값

(2) $a_2 + a_4 + a_6 + \cdots + a_{100}$의 값

풍쌤 POINT

(1) $a_1 = S_1$, $a_n = S_n - S_{n-1}$ $(n \geq 2)$을 이용하여 a_1, a_9의 값을 구해.

(2) 구하는 값은 첫째항이 a_2, 끝항이 a_{100}, 항수가 50인 등차수열의 합이야.

풀이

(1) STEP1 a_1, a_9의 값 구하기

$a_1 = S_1 = -1 + 10 = 9$

$a_9 = S_9 - S_8{}^{❶} = 9 - 16 = -7$

STEP2 $a_1 + a_9$의 값 구하기

$\therefore a_1 + a_9 = 9 + (-7) = 2$

(2) STEP1 일반항 구하기

$n \geq 2$일 때

$a_n = S_n - S_{n-1}$

$\quad = -n^2 + 10n - \{-(n-1)^2 + 10(n-1)\}$

$\quad = -2n + 11$ $\qquad \cdots\cdots$ ㉠

$a_1 = S_1 = 9$는 ㉠에 $n=1$을 대입한 값과 같으므로❷

$a_n = -2n + 11$ $(n \geq 1)$

STEP2 $a_2 + a_4 + a_6 + \cdots + a_{100}$의 값 구하기

한편, $a_2 + a_4 + a_6 + \cdots + a_{100}$의 값은 첫째항이

$a_2 = -2 \times 2 + 11 = 7$, 끝항이 $a_{100} = -2 \times 100 + 11 = -189$❸,

항수가 50인 등차수열의 합이므로

$a_2 + a_4 + a_6 + \cdots + a_{100} = \dfrac{50\{7 + (-189)\}}{2} = -4550$

❶ $S_9 - S_8$
$= (a_1 + a_2 + \cdots + a_8 + a_9)$
$\qquad - (a_1 + a_2 + \cdots + a_8)$
$= a_9$

❷ $a_n = S_n - S_{n-1}$을 이용하여 구한 일반항 a_n에 $n=1$을 대입한 값과 $a_1 = S_1$이 일치하는지 반드시 확인한다.

❸ $S_n = -n^2 + 10n$에서
$a_2 = S_2 - S_1 = 16 - 9 = 7$,
$a_{100} = S_{100} - S_{99}$
$\qquad = -100^2 + 99^2 + 1000 - 990$
$\qquad = -199 + 10 = -189$
를 구해도 된다.

답 (1) 2　(2) -4550

풍쌤 강의 NOTE

수열 $\{a_n\}$의 첫째항부터 제n항까지의 합 S_n이 주어질 때, 일반항 a_n은

$\quad a_1 = S_1$, $a_n = S_n - S_{n-1}$ $(n \geq 2)$

을 이용하여 구한다. 이때 일반항 a_n은 $a_1 = S_1$의 값이 a_n의 식에 $n=1$을 대입한 값과

(i) 같으면 $a_n = (n$에 대한 식$)$ $(n \geq 1)$으로 나타낸다.

(ii) 같지 않으면 $a_1 = S_1$, $a_n = (n$에 대한 식$)$ $(n \geq 2)$으로 나타낸다.

10-1 ⊙유사

등차수열 $\{a_n\}$의 첫째항부터 제n항까지의 합 S_n이 $S_n=n^2+5n$일 때, 다음을 구하여라.

(1) $a_1+a_{10}+a_{11}$의 값

(2) $a_3+a_6+a_9+\cdots+a_{90}$의 값

10-2 ⊙변형

수열 $\{a_n\}$의 첫째항부터 제n항까지의 합 S_n이 $S_n=-n^2+3n+k$이다. 이 수열이 첫째항부터 등차수열을 이룰 때, 상수 k의 값을 구하여라.

10-3 ⊙변형

수열 $\{a_n\}$의 첫째항부터 제n항까지의 합 S_n이 $S_n=n^2-11n$일 때, 방정식 $a_n+n=0$을 만족시키는 자연수 n의 값을 구하여라.

10-4 ⊙변형

⊙기출

수열 $\{a_n\}$의 첫째항부터 제n항까지의 합을 S_n이라고 할 때, $S_n=2n^2-3n$이다. $a_n>100$을 만족시키는 자연수 n의 최솟값을 구하여라.

10-5 ⊙변형

등차수열 $\{a_n\}$의 첫째항부터 제n항까지의 합을 S_n이라고 하자. $a_8+a_9+a_{10}=420$이고 $S_n=2n^2+kn$일 때, S_{10}의 값을 구하여라. (단, k는 상수이다.)

10-6 ⊙변형

두 수열 $\{a_n\}$, $\{b_n\}$의 첫째항부터 제n항까지의 합이 각각 $2n^2-n$, n^2+kn-1이다. $a_4=b_4$일 때, b_1의 값을 구하여라. (단, k는 상수이다.)

01

첫째항이 -4인 등차수열 $\{a_n\}$에 대하여 $a_5 = a_3 + 12$일 때, a_8의 값은?

① 32   ② 34   ③ 36

④ 38   ⑤ 40

02   기출

등차수열 $\{a_n\}$에 대하여

$$a_1 + a_2 + a_3 = 15, \quad a_3 + a_4 + a_5 = 39$$

일 때, 수열 $\{a_n\}$의 공차는?

① 1   ② 2   ③ 3

④ 4   ⑤ 5

03   서술형 ✏️

등차수열 $\{a_n\}$에서 $a_2 = 2$, $a_7 = 32$일 때, $10a_3 = a_k$를 만족시키는 자연수 k의 값을 구하여라.

04

등차수열 $\{a_n\}$에 대하여

$$a_5 = 13a_2, \quad a_3 + a_5 + a_7 + a_9 + 16 = a_2 + a_4 + a_6 + a_8$$

이 성립할 때, $a_k = -29$를 만족시키는 자연수 k의 값은?

① 8   ② 9   ③ 10

④ 11   ⑤ 12

05

32와 -12 사이에 10개의 수를 넣어서 만든 수열

$$32, \ x_1, \ x_2, \ \cdots, \ x_{10}, \ -12$$

가 이 순서대로 등차수열을 이룰 때, 8은 이 수열의 제 몇 항인가?

① 제5항   ② 제6항   ③ 제7항

④ 제8항   ⑤ 제9항

06

세 수 $\log 2$, $\log x$, $5\log 2$가 이 순서대로 등차수열을 이룰 때, x의 값은?

① 6   ② 8   ③ 9

④ 10   ⑤ 12

07 기출

자연수 n에 대하여 x에 대한 이차방정식
$x^2 - nx + 4(n-4) = 0$이 서로 다른 두 실근 α, β
$(\alpha < \beta)$를 갖고, 세 수 1, α, β가 이 순서대로 등차수
열을 이룰 때, n의 값을 구하여라.

08 기출

물 800 mL를 5개의 컵 A, B, C, D, E에 적당히 나누
어 모두 부었더니 5개의 컵에 들어 있는 물의 양이 이
순서대로 등차수열을 이루었다. 컵 C에 들어 있는 물의
양(mL)은? (단, 5개의 컵 A, B, C, D, E에 들어 있
는 물의 양의 합은 800 mL이다.)

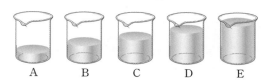

① 120   ② 140   ③ 160

④ 180   ⑤ 200

09

삼차방정식 $x^3 - 6x^2 + mx + n = 0$의 세 실근이 등차수
열을 이룰 때, $2m + n$의 값은? (단, m, n은 상수이다.)

① 12   ② 13   ③ 14

④ 15   ⑤ 16

10

18과 -9 사이에 8개의 수를 넣어서 만든 수열
$$18, x_1, x_2, \cdots, x_8, -9$$
가 이 순서대로 등차수열을 이룰 때,
$x_1 + x_2 + \cdots + x_8$의 값은?

① 36   ② 35   ③ 34

④ 33   ⑤ 32

11

등차수열 $\{a_n\}$의 첫째항부터 제n항까지의 합을 S_n이
라고 하자. $a_5 = 30$, $a_8 = 12$, $a_k = 0$일 때, S_k의 값은?

① 260   ② 265   ③ 270

④ 275   ⑤ 280

12 서술형

공차가 3인 등차수열 $\{a_n\}$의 첫째항부터 제n항까지의
합을 S_n이라고 하자. $S_{13} - S_3 = 195$일 때, S_{20}의 값을
구하여라.

13
기출

공차가 양수인 등차수열 $\{a_n\}$의 첫째항부터 제n항까지의 합을 S_n이라고 하자. $S_9=|S_3|=27$일 때, a_{10}의 값은?

① 23   ② 24   ③ 25

④ 26   ⑤ 27

14
기출

등차수열 $\{a_n\}$에 대하여 $a_3=26$, $a_9=8$일 때, 첫째항부터 제 n항까지의 합이 최대가 되도록 하는 자연수 n의 값은?

① 11   ② 12   ③ 13

④ 14   ⑤ 15

15

등차수열 $\{a_n\}$의 첫째항부터 제n항까지의 합을 S_n이라고 하자. $a_2+a_3=50$, $a_4+a_5=34$일 때, S_n의 최댓값은?

① 132   ② 133   ③ 134

④ 135   ⑤ 136

16

집합 $A=\{x\,|\,x=4k+3,\ k$는 자연수$\}$의 원소 중 100보다 작은 모든 원소의 합은?

① 1242   ② 1252   ③ 1262

④ 1272   ⑤ 1282

17 서술형 ✏

등차수열 $\{a_n\}$의 첫째항부터 제n항까지의 합 S_n이 $S_n=2n^2+n$일 때, $a_n>44$를 만족시키는 자연수 n의 최솟값을 구하여라.

18

등차수열 $\{a_n\}$의 첫째항부터 제n항까지의 합을 S_n이라고 하자. 모든 자연수 n에 대하여 $S_{n+2}-S_n=8n$일 때, 수열 $\{a_n\}$의 공차는?

① -2 ② 2   ③ 4

④ 6   ⑤ 8

01

기울기가 m, y절편이 200인 직선 l이 있다. 자연수 n에 대하여 직선 l 위의 점 P_n의 좌표를 (n, a_n)이라고 하면 수열 $\{a_n\}$은 공차가 -6인 등차수열을 이룬다. 점 P_n이 제4사분면 위의 점일 때, n의 최솟값을 구하여라.

02 〔기출〕

공차가 양수인 등차수열 $\{a_n\}$이 다음 조건을 만족시킬 때, a_2의 값은?

> (가) $a_6 + a_8 = 0$
> (나) $|a_6| = |a_7| + 3$

① -15 ② -13 ③ -11
④ -9 ⑤ -7

03

-2와 12 사이에 m개의 수를, 12와 30 사이에 8개의 수를 넣어서 만든 수열

$$-2, \ x_1, \ x_2, \ \cdots, \ x_m, \ 12, \ y_1, \ y_2, \ \cdots, \ y_8, \ 30$$

이 이 순서대로 등차수열을 이룰 때, x_m의 값을 구하여라.

04 〔기출〕

세 실수 a, b, c가 이 순서대로 등차수열을 이루고 다음 조건을 만족시킬 때, abc의 값을 구하여라.

> (가) $\dfrac{2^a \times 2^c}{2^b} = 32$
> (나) $a + c + ca = 26$

05

첫째항이 같은 두 등차수열 $\{a_n\}$, $\{b_n\}$에 대하여

$$a_6-a_4=b_7-b_3=8,\ a_5=2b_8$$

일 때, $a_6+b_6+a_7+b_7+a_8+b_8+\cdots+a_{15}+b_{15}$의

값을 구하여라.

06

공차가 음수인 등차수열 $\{a_n\}$의 첫째항부터 제n항까지의 합을 S_n이라고 할 때, $S_{36}=0$이다. $S_l=S_m$을 만족시키는 서로 다른 두 자연수 l, m $(l<m)$의 순서쌍 (l, m)의 개수를 구하여라.

07

등차수열 $\{a_n\}$의 첫째항부터 제n항까지의 합을 S_n이라고 하자. $a_3=42$일 때, 다음 조건을 만족시키는 4 이상의 자연수 k의 값은?

⑺ $a_{k-3}+a_{k-1}=-24$
⒩ $S_k=k^2$

① 13 ② 14 ③ 15
④ 16 ⑤ 17

08

등차수열 $\{a_n\}$에 대하여

$$a_1+a_3+a_5+\cdots+a_{2n-1}=2n^2-n\ (n\geq1)$$

이 성립할 때, $a_2+a_4+a_6+\cdots+a_{100}$의 값을 구하여라.

12

등비수열

12 등비수열

개념 01 등비수열

(1) **등비수열**: 첫째항부터 차례로 일정한 수를 곱하여 만든 수열

(2) **공비**: 등비수열에서 곱하는 일정한 수

(3) **등비수열의 일반항**: 첫째항이 a, 공비가 $r(r \neq 0)$인 등비수열의 일반항 a_n은

$$a_n = ar^{n-1} \ (n=1, 2, 3, \cdots)$$

> 공비가 r인 등비수열 $\{a_n\}$에서 제n항에 공비 r를 곱하면 제$(n+1)$항이 되므로
> $$a_{n+1} = ra_n$$
> 즉, $\dfrac{a_{n+1}}{a_n} = r$ (일정)
> $$(n=1, 2, 3, \cdots)$$

[예] ① 첫째항이 2, 공비가 3인 등비수열의 일반항 a_n은 $a_n = 2 \times 3^{n-1}$

② 등비수열 32, 16, 8, 4, 2, $\cdots$에서 첫째항이 32, 공비가 $\dfrac{1}{2}$이므로 일반항 a_n은

$$a_n = 32 \times \left(\dfrac{1}{2}\right)^{n-1} = \left(\dfrac{1}{2}\right)^{n-6}$$

확인 01 다음 등비수열의 일반항 a_n을 구하여라.

    (1) 첫째항이 -5, 공비가 2인 수열

    (2) 3, 6, 12, 24, 48, $\cdots$

> **高 수학 I** 지수법칙
> $a > 0$, $b > 0$이고 x, y가 실수일 때
> (1) $a^x \times a^y = a^{x+y}$
> (2) $a^x \div a^y = a^{x-y}$
> (3) $(a^x)^y = a^{xy}$
> (4) $(ab)^x = a^x b^x$

개념 + 등차수열과 등비수열의 비교

	등차수열	등비수열
규칙	일정한 수를 더한다.	일정한 수를 곱한다.
일반항	첫째항을 a, 공차를 d라고 하면 $a_n = a + (n-1)d$	첫째항을 a, 공비를 r라고 하면 $a_n = a \times r^{n-1}$
관계식	$a_{n+1} = a_n + d$ $\Longleftrightarrow a_{n+1} - a_n = d$	$a_{n+1} = ra_n$ $\Longleftrightarrow \dfrac{a_{n+1}}{a_n} = r$
식의 형태	$a_n = An + B$ (A, B는 상수) ➡ n에 대한 일차식 꼴	$a_n = A \times B^n$ (A, B는 상수) ➡ n에 대한 지수식 꼴

개념 02 등비중항

0이 아닌 세 수 a, b, c가 이 순서대로 등비수열을 이룰 때, b를 a와 c의 등비중항이라고 한다.

$$\dfrac{b}{a} = \dfrac{c}{b} \Longleftrightarrow b^2 = ac$$

> 수열 $\{a_n\}$이 등비수열을 이루기 위한 필요충분조건은
> $${a_{n+1}}^2 = a_n a_{n+2}$$

[예] 세 수 2, x, 8이 이 순서대로 등비수열을 이루면 x는 2와 8의 등비중항이므로 $x^2 = 2 \times 8 = 16$

즉, $x = -4$ 또는 $x = 4$

확인 02 다음 세 수가 나열된 순서대로 등비수열을 이룰 때, x의 값을 모두 구하여라.

    (1) 4, x, 36   (2) $\dfrac{1}{4}$, x, $\dfrac{1}{25}$

개념 03 등비수열의 합

첫째항이 a, 공비가 $r\,(r \neq 0)$인 등비수열 $\{a_n\}$의 첫째항부터 제n항까지의 합 S_n은

(1) $r \neq 1$일 때, $S_n = \dfrac{a(1-r^n)}{1-r} = \dfrac{a(r^n-1)}{r-1}$ ← $r<1$이면 $S_n = \dfrac{a(1-r^n)}{1-r}$,
$r>1$이면 $S_n = \dfrac{a(r^n-1)}{r-1}$ 을 이용

(2) $r=1$일 때, $S_n = na$

[예] ① 첫째항이 2, 공비가 3인 등비수열의 첫째항부터 제20항까지의 합 S_{20}은

$$S_{20} = \frac{2(3^{20}-1)}{3-1} = 3^{20}-1$$

② 첫째항이 $\dfrac{1}{2}$, 공비가 $\dfrac{1}{2}$인 등비수열의 첫째항부터 제20항까지의 합 S_{20}은

$$S_{20} = \frac{\dfrac{1}{2}\left\{1-\left(\dfrac{1}{2}\right)^{20}\right\}}{1-\dfrac{1}{2}} = 1-\left(\frac{1}{2}\right)^{20}$$

③ 첫째항이 3, 공비가 1인 등비수열의 첫째항부터 제20항까지의 합 S_{20}은

$$S_{20} = 20 \times 3 = 60$$

확인 03 첫째항이 5, 공비가 2인 등비수열의 제10항까지의 합을 구하여라.

확인 04 다음 등비수열에서 첫째항부터 제n항까지의 합 S_n을 구하여라.

(1) $80,\ 40,\ 20,\ \cdots$

(2) $3,\ 12,\ 48,\ \cdots$

> 공비가 1이 아닌 등비수열의 합은
> $$S_n = \frac{a(r^n-1)}{r-1}$$
> $$= \frac{a}{r-1} \times r^n - \frac{a}{r-1}$$
> 이므로 $S_n = k \times r^n - k$ 꼴이다.
> (단, k는 상수이다.)

개념 04 등비수열의 합과 일반항 사이의 관계

등비수열 $\{a_n\}$의 첫째항부터 제n항까지의 합을 S_n이라고 하면
$$a_1 = S_1, \ a_n = S_n - S_{n-1} \ (n \geq 2)$$

> **주의** $a_n = S_n - S_{n-1}\,(n \geq 2)$을 이용하여 구한 a_n이 $n=1$일 때 성립하지 않으면 수열 $\{a_n\}$의 일반항은 $n \geq 2$일 때 성립하므로 $n=1$인 경우를 따로 써 준다.

확인 05 수열 $\{a_n\}$의 첫째항부터 제n항까지의 합 S_n이 다음과 같을 때, 수열의 일반항 a_n을 구하여라.

(1) $S_n = 2^n - 1$

(2) $S_n = 4 \times 3^n - 1$

개념+
> 등비수열 $\{a_n\}$의 첫째항부터 제n항까지의 합 S_n이
> $S_n = Ar^n + B$ (A, B는 상수)일 때
> ① $A+B=0$이면 수열 $\{a_n\}$은 첫째항부터 등비수열을 이룬다.
> ② $A+B \neq 0$이면 수열 $\{a_n\}$은 둘째항부터 등비수열을 이룬다.

공비가 실수인 등비수열 $\{a_n\}$에서 $a_3=6$, $a_6=162$일 때, 다음 물음에 답하여라.

(1) a_2+a_5의 값을 구하여라.

(2) 486은 제몇 항인지 구하여라.

풍쌤 POINT

$a_n=ar^{n-1}$임을 이용하여 주어진 두 항을 각각 첫째항과 공비에 대한 식으로 나타내.

풀이

(1) STEP 1 **공비 구하기**

등비수열 $\{a_n\}$의 첫째항을 a, 공비를 r라고 하면

$a_3=ar^2=6$ ...... ㉠

$a_6=ar^5=162$ ...... ㉡

㉡÷㉠을 하면 **❶**

$\dfrac{ar^5}{ar^2}=\dfrac{162}{6}$, 즉 $r^3=27$ **❷**

이때 r는 실수이므로 $r=3$

STEP 2 **일반항 구하기**

$r=3$을 ㉠에 대입하면 $9a=6$ ∴ $a=\dfrac{2}{3}$

∴ $a_n=\dfrac{2}{3}\times3^{n-1}=2\times3^{n-2}$

STEP 3 **a_2+a_5의 값 구하기**

따라서 $a_2=2\times1=2$, $a_5=2\times3^3=54$이므로

$a_2+a_5=2+54=56$

(2) STEP 1 **486을 제k항으로 놓고 식 세우기**

486을 제k항이라고 하면

$a_k=2\times3^{k-2}=486$에서

$3^{k-2}=243=3^5$ **❸**

STEP 2 **k의 값 구하기**

$k-2=5$ ∴ $k=7$

따라서 486은 제7항이다.

❶ 등비수열에서는 a와 r에 대한 식을 변끼리 나누어서 미지수 a를 소거한다.

❷ $r^3=27$에서 $r^3-27=0$

$(r-3)(r^2+3r+9)=0$

이때

r^2+3r+9

$=\left(r+\dfrac{3}{2}\right)^2+\dfrac{27}{4}>0$

이므로 $r-3=0$

∴ $r=3$

❸ $a^{f(x)}=a^{g(x)}$ $(a>0, a\neq1)$

$\Longleftrightarrow f(x)=g(x)$

답 (1) 56 (2) 제7항

풍쌤 강의 NOTE

등비수열에서도 첫째항 a와 공비 r를 찾는 것이 중요하다. 첫째항 a와 공비 r를 알면 일반항 $a_n=ar^{n-1}$을 구할 수 있고, 일반항 a_n을 알면 등비수열의 모든 항을 구할 수 있기 때문이다. 따라서 등비수열에 대한 문제는 먼저 주어진 조건으로부터 첫째항과 공비를 구한다.

01-1 유사

공비가 양수인 등비수열 $\{a_n\}$에서 $a_3=4$, $a_5=16$일 때, 다음 물음에 답하여라.

(1) a_6-a_2의 값을 구하여라.

(2) 128은 제몇 항인지 구하여라.

01-4 변형

모든 항이 양수인 등비수열 $\{a_n\}$에 대하여 $\dfrac{a_8}{a_6}=16$, $a_2+a_3=60$일 때, 첫째항과 공비의 합을 구하여라.

01-2 변형

첫째항이 2, 공비가 $\dfrac{1}{8}$인 등비수열 $\{a_n\}$에 대하여 수열 $\{a_n{}^2\}$도 등비수열을 이룬다. 수열 $\{a_n{}^2\}$의 첫째항과 공비의 곱을 구하여라.

01-5 변형

공비가 양수인 등비수열 $\{a_n\}$에 대하여 $a_3=\dfrac{3}{2}$, $a_4 : a_5=1 : 2$일 때, $a_k=12$를 만족시키는 자연수 k의 값을 구하여라.

01-3 변형

모든 항이 양수인 등비수열 $\{a_n\}$에 대하여 $4a_3+5a_2=a_4$일 때, $\dfrac{a_8}{a_5}$의 값을 구하여라.

01-6 실력 기출

모든 항이 실수인 등비수열 $\{a_n\}$에 대하여 $a_3+a_2=1$, $a_6-a_4=18$일 때, $\dfrac{1}{a_1}$의 값을 구하여라.

다음 물음에 답하여라.

(1) 등비수열 128, 64, 32, ⋯에서 처음으로 $\dfrac{1}{5}$보다 작아지는 항은 제몇 항인지 구하여라.

(2) 모든 항이 실수인 등비수열 $\{a_n\}$에서 $a_3=12$, $a_6=96$일 때, 처음으로 300보다 커지는 항은 제몇 항인지 구하여라.

풍쌤 POINT

일반항 a_n을 구한 다음 문제의 조건에 알맞은 식을 세워.

풀이

(1) **STEP 1** **일반항 구하기**

첫째항이 128, 공비가 $\dfrac{1}{2}$인 등비수열의 일반항 a_n은

$$a_n=128\times\left(\dfrac{1}{2}\right)^{n-1}=\left(\dfrac{1}{2}\right)^{n-8}$$

STEP 2 **처음으로 $\dfrac{1}{5}$보다 작아지는 항 구하기**

제n항에서 처음으로 $\dfrac{1}{5}$보다 작아진다고 하면 $a_n=\left(\dfrac{1}{2}\right)^{n-8}<\dfrac{1}{5}$

이때 $\left(\dfrac{1}{2}\right)^2=\dfrac{1}{4}$, $\left(\dfrac{1}{2}\right)^3=\dfrac{1}{8}$이므로 $n-8\geq3$　∴ $n\geq11$

따라서 처음으로 $\dfrac{1}{5}$보다 작아지는 항은 제11항**❶**이다.

❶ $a_n=\left(\dfrac{1}{2}\right)^{n-8}$에서

$a_{10}=\left(\dfrac{1}{2}\right)^2=\dfrac{1}{4}>\dfrac{1}{5}$

$a_{11}=\left(\dfrac{1}{2}\right)^3=\dfrac{1}{8}<\dfrac{1}{5}$

(2) **STEP 1** **일반항 구하기**

등비수열 $\{a_n\}$의 첫째항을 a, 공비를 r라고 하면

$a_3=ar^2=12$　　　　　⋯⋯ ㉠

$a_6=ar^5=96$　　　　　⋯⋯ ㉡

㉡÷㉠을 하면 $\dfrac{ar^5}{ar^2}=\dfrac{96}{12}$, 즉 $r^3=8$**❷**

∴ $r=2$ (∵ r는 실수)

$r=2$를 ㉠에 대입하면 $4a=12$　　∴ $a=3$

∴ $a_n=3\times2^{n-1}$

❷ $r^3=8$에서

$r^3-8=0$

$(r-2)(r^2+2r+4)=0$

이때

$r^2+2r+4=(r+1)^2+3>0$

이므로 $r-2=0$　　∴ $r=2$

STEP 2 **처음으로 300보다 커지는 항 구하기**

제n항에서 처음으로 300보다 커진다고 하면

$a_n=3\times2^{n-1}>300$에서 $2^{n-1}>100$

이때 $2^6=64$, $2^7=128$이므로 $n-1\geq7$　　∴ $n\geq8$

따라서 처음으로 300보다 커지는 항은 제8항**❸**이다.

❸ $a_n=3\times2^{n-1}$에서

$a_7=3\times2^6=192<300$

$a_8=3\times2^7=384>300$

답 (1) 제11항　(2) 제8항

풍쌤 강의 NOTE

등비수열 $\{a_n\}$에서 처음으로 k보다 커지는 항 또는 작아지는 항을 구할 때는
$ar^{n-1}>k$ 또는 $ar^{n-1}<k$를 만족시키는 자연수 n의 최솟값을 구한다.

02-1 ◉유사

등비수열 $\dfrac{1}{81}$, $\dfrac{1}{27}$, $\dfrac{1}{9}$, $\cdots$에서 처음으로 200보다 커지는 항은 제몇 항인지 구하여라.

02-4 ◉변형

공비가 음수인 등비수열 $\{a_n\}$에 대하여 $\dfrac{a_9}{a_7}=4$, $a_4-a_2=-24$일 때, 항의 절댓값이 두 자리 수인 것의 개수를 구하여라.

02-2 ◉유사

모든 항이 실수인 등비수열 $\{a_n\}$에서 $a_2=\dfrac{5}{4}$, $a_5=\dfrac{5}{32}$일 때, 처음으로 $\dfrac{1}{20}$보다 작아지는 항은 제몇 항인지 구하여라.

02-5 ◉변형

모든 항이 실수인 등비수열 $\{a_n\}$에 대하여 $a_4-a_2=6$, $a_7-a_5=48$일 때, 100에 가장 가까운 항은 제몇 항인지 구하여라.

02-3 ◉변형

공비가 양수인 등비수열 $\{a_n\}$에서 $a_3=\dfrac{1}{6}$, $a_5=\dfrac{1}{54}$일 때, $8a_k=\dfrac{4}{9}$를 만족시키는 자연수 k의 값을 구하여라.

02-6 ◉실력

첫째항이 양수이고 공비가 1보다 큰 등비수열 $\{a_n\}$에 대하여 $a_1a_2=12$, $\dfrac{a_5+a_7}{a_6}=\dfrac{10}{3}$일 때, $200<a_{k+1}<500$을 만족시키는 자연수 k의 값을 구하여라.

다음 물음에 답하여라.

(1) 두 수 $\frac{3}{2}$과 48 사이에 4개의 수를 넣어서 만든 수열 $\frac{3}{2}$, x_1, x_2, x_3, x_4, 48이 이 순서 대로 등비수열을 이룰 때, x_3의 값을 구하여라.

(2) 두 수 81과 1 사이에 3개의 수를 넣어서 만든 수열 81, x_1, x_2, x_3, 1이 이 순서대로 등비수열을 이룰 때, 이 세 수를 구하여라.

풍쌤 POINT

두 수 사이에 수를 넣어서 만든 등비수열은 첫째항과 끝항을 이용하면 돼.
이때 끝항이 제몇 항인지 알아봐!

풀이

(1) STEP1 **공비 구하기**

두 수 사이에 4개의 수를 넣었으므로 항은 모두 6개이다.
등비수열의 공비를 r라고 하면 48은 제6항**❶**이므로

$$\frac{3}{2}r^5 = 48,\ r^5 = 32 \qquad \therefore r = 2$$

STEP2 x_3**의 값 구하기**

이때 x_3은 제4항이므로 $x_3 = \frac{3}{2} \times 2^3 = 12$

❶ 48을 x_4 다음의 항이라고 제5 항으로 생각하지 않도록 한다.

(2) STEP1 **공비 구하기**

두 수 사이에 3개의 수를 넣었으므로 항은 모두 5개이다.
등비수열의 공비를 r라고 하면 1은 제5항이므로

$$81r^4 = 1,\ r^4 = \frac{1}{81} \qquad \therefore r = \pm\frac{1}{3}\ \textbf{❷}$$

STEP2 **세 수 구하기**

(i) $r = \frac{1}{3}$일 때

$$x_1 = 81 \times \frac{1}{3} = 27,\ x_2 = 27 \times \frac{1}{3} = 9,\ x_3 = 9 \times \frac{1}{3} = 3$$

(ii) $r = -\frac{1}{3}$일 때

$$x_1 = 81 \times \left(-\frac{1}{3}\right) = -27,\ x_2 = -27 \times \left(-\frac{1}{3}\right) = 9,$$

$$x_3 = 9 \times \left(-\frac{1}{3}\right) = -3$$

(i), (ii)에 의하여 구하는 세 수는 27, 9, 3 또는 -27, 9, -3

❷ 공비에 대한 특별한 조건이 없 으므로 $r = \frac{1}{3}$, $r = -\frac{1}{3}$일 때 등비수열을 각각 알아본다.

답 (1) 12 (2) 27, 9, 3 또는 -27, 9, -3

풍쌤 강의 NOTE

두 수 a, b 사이에 n개의 수를 넣어서 등비수열을 만들면 항수는 $n+2$이므로 a는 첫째항, b는 제$(n+2)$항이 된다. 이때 공비를 r라고 하면
➡ $b = a \times r^{(n+2)-1} = a \times r^{n+1}$

03-1 유사

두 수 3과 48 사이에 3개의 수를 넣어서 만든 수열

$$3, x_1, x_2, x_3, 48$$

이 이 순서대로 등비수열을 이룰 때, 이 세 수를 구하여라.

03-4 변형

등비수열 $\{a_n\}$이 다음과 같을 때, $a_n > 300$을 만족시키는 자연수 n의 최솟값을 구하여라.

(단, x_1, x_2, x_3, x_4는 실수이다.)

$$3, x_1, x_2, x_3, x_4, 96, \cdots$$

03-2 변형

두 수 1과 -32 사이에 4개의 수를 넣어서 만든 수열

$$1, x_1, x_2, x_3, x_4, -32$$

가 이 순서대로 등비수열을 이룰 때, $\dfrac{x_3 x_4}{x_2}$의 값을 구하여라.

03-5 실력

등비수열 $\{a_n\}$이

$$\frac{16}{27}, x_1, x_2, 2, y_1, y_2, \cdots, y_n, \frac{243}{16}$$

일 때, 자연수 n의 값을 구하여라.

(단, $x_1, x_2, y_1, y_2, \cdots y_n$은 실수이다.)

03-3 변형

64와 $\dfrac{1}{4}$ 사이에 n개의 수를 넣어서 등비수열

$$64, x_1, x_2, \cdots, x_n, \frac{1}{4}$$

을 만들었다. 이 등비수열의 공비가 $\dfrac{1}{2}$일 때, n의 값을 구하여라.

03-6 실력

a와 4 사이에 3개의 수 x_1, x_2, x_3을, 4와 -32 사이에 2개의 수 x_4, x_5를 넣어서 만든 수열이 이 순서대로 등비수열을 이룰 때, $\log_2 |x_4 x_5|$의 값을 구하여라.

(단, 수열의 모든 항은 실수이다.)

다음 물음에 답하여라.

(1) 네 양수 x, $\dfrac{3}{2}$, y, 6이 이 순서대로 등비수열을 이룰 때, $x-y$의 값을 구하여라.

(2) 세 수 $x+1$, $3x$, $5x+2$가 이 순서대로 등비수열을 이룰 때, 음수 x의 값을 구하여라.

풍쌤 POINT

세 수 a, b, c가 이 순서대로 등비수열을 이루면 $b^2=ac$임을 이용하여 해결해.

풀이

(1) **STEP 1 등비중항을 이용하여 식 세우기**

$\dfrac{3}{2}$은 x와 y의 등비중항이므로

$\left(\dfrac{3}{2}\right)^2=xy$, 즉 $xy=\dfrac{9}{4}$ …… ㉠

y는 $\dfrac{3}{2}$과 6의 등비중항이므로 $y^2=\dfrac{3}{2}\times6$ **❶**

STEP 2 x, y의 값 구하기

$y^2=9$ $\therefore y=3\ (\because y>0)$

$y=3$을 ㉠에 대입하면

$3x=\dfrac{9}{4}$ $\therefore x=\dfrac{3}{4}$

STEP 3 $x-y$의 값 구하기

$\therefore x-y=\dfrac{3}{4}-3=-\dfrac{9}{4}$

(2) **STEP 1 등비중항을 이용하여 식 세우기**

$3x$는 $x+1$과 $5x+2$의 등비중항이므로

$(3x)^2=(x+1)(5x+2)$

STEP 2 x의 값 구하기

$9x^2=5x^2+7x+2$, $4x^2-7x-2=0$

$(x-2)(4x+1)=0$ $\therefore x=-\dfrac{1}{4}\ (\because x<0)$

❶ $\dfrac{3}{2}$, y, 6이 이 순서대로 등비수열을 이루므로 공비를 나타내는 식에서

$\dfrac{y}{\frac{3}{2}}=\dfrac{6}{y}$, 즉 $y^2=\dfrac{3}{2}\times6$

답 (1) $-\dfrac{9}{4}$ (2) $-\dfrac{1}{4}$

풍쌤 강의 NOTE

0이 아닌 세 수 a, x, b가 이 순서대로 등비수열 $\Longleftrightarrow \dfrac{x}{a}=\dfrac{b}{x}$

$\Longleftrightarrow x^2=ab$

$\Longleftrightarrow x$는 a와 b의 기하평균

04-1 유사

네 양수 10, x, $\dfrac{5}{2}$, y가 이 순서대로 등비수열을 이룰 때, $x+y$의 값을 구하여라.

04-2 유사

세 수 x, $-x+2$, $5x+2$가 이 순서대로 등비수열을 이룰 때, 실수 x의 값을 모두 구하여라.

04-3 변형

이차방정식 $x^2-5x+1=0$의 두 근이 α, β일 때, 세 수 $\alpha+1$, k, $\beta+1$이 이 순서대로 등비수열을 이룬다. 양수 k의 값을 구하여라.

04-4 변형

세 양수 1, $2\cos\theta$, $15\sin\theta$가 이 순서대로 등비수열을 이룰 때, $\tan\theta$의 값을 구하여라.

04-5 변형

첫째항이 음수이고 공비가 2인 등비수열 $\{a_n\}$에 대하여 세 수 a_2, 6, a_6이 이 순서대로 등비수열을 이룰 때, a_7의 값을 구하여라.

04-6 실력 　　　　　　　　　　　　　　기출

서로 다른 두 실수 a, b에 대하여 세 수 a, b, 6이 이 순서대로 등차수열을 이루고, 세 수 a, 6, b가 이 순서대로 등비수열을 이룬다. $a+b$의 값을 구하여라.

등비수열을 이루는 세 실수가 있다. 세 수의 합이 26이고 곱이 216일 때, 이 세 수를 구하여라.

풍쌤 POINT

등비수열을 이루는 세 수를 a, ar, ar^2으로 놓고 식을 세워.

풀이

STEP1 공비 구하기

등비수열을 이루는 세 수를 a, ar, $ar^2$❶으로 놓으면 세 수의 합

이 26이므로

$a+ar+ar^2=26$, 즉 $a(1+r+r^2)=26$ ······ ㉠

세 수의 곱이 216이므로

$a \times ar \times ar^2=216$, $(ar)^3=216$

$\therefore ar=6$ ($\because ar$는 실수)   ······ ㉡

㉠÷㉡을 하면

$\dfrac{a(1+r+r^2)}{ar}=\dfrac{26}{6}$, 즉 $\dfrac{1+r+r^2}{r}=\dfrac{13}{3}$

$3r^2-10r+3=0$, $(3r-1)(r-3)=0$

$\therefore r=\dfrac{1}{3}$ 또는 $r=3$

STEP 2 세 수 구하기

이것을 ㉡에 대입하면

$r=\dfrac{1}{3}$일 때 $a=18$, $r=3$일 때 $a=2$

(ⅰ) $a=18$, $r=\dfrac{1}{3}$일 때 세 수는 18, 6, 2

(ⅱ) $a=2$, $r=3$일 때 세 수는 2, 6, 18

(ⅰ), (ⅱ)에 의하여 세 수는 2, 6, 18이다.

❶ 세 수를 $\dfrac{a}{r}$, a, ar로 놓고

$\dfrac{a}{r}+a+ar=26$

$\dfrac{a}{r} \times a \times ar=216$

을 풀어도 된다.

🖹 2, 6, 18

풍쌤 강의 NOTE

등차수열과 마찬가지로 등비수열도 항이 주어지지 않은 경우에는 등비수열을 이루는 각 항을 적당한 문자로 놓고 문제를 해결한다.

일반적으로 등비수열을 이루는 세 수는 a, ar, ar^2으로 놓지만 위의 필수유형과 같이 세 수의 곱이 주어진 경우에는 세 수를 $\dfrac{a}{r}$, a, ar로 놓고 a를 소거하여 풀 수도 있다.

05-1 (유사)

등비수열을 이루는 세 실수가 있다. 세 수의 합이 140이고 곱이 64일 때, 세 수의 제곱의 합을 구하여라.

05-2 (유사)

연속한 세 항의 합이 $-\dfrac{3}{2}$이고 곱이 1인 등비수열이 있다. 세 항이 모두 실수일 때, 세 항의 절댓값의 합을 구하여라.

05-3 (변형)

등비수열을 이루는 세 양수가 있다. 세 수의 합이 30이고 가장 큰 수의 제곱이 가운데 수의 제곱의 4배와 같을 때, 세 수를 구하여라. (단, 공비는 1보다 크다.)

05-4 (변형)

삼차방정식 $8x^3+kx^2+7x-1=0$의 서로 다른 세 실근이 등비수열을 이룰 때, 상수 k의 값을 구하여라.

05-5 (실력)

세 변의 길이가 등비수열을 이루는 삼각형이 있다. 이 삼각형의 둘레의 길이가 19, 세 변의 길이의 제곱의 합이 133일 때, 두 번째로 긴 변의 길이를 구하여라.

05-6 (실력)

두 곡선 $y=x^3+x^2-6x$, $y=kx^2+8$이 서로 다른 세 점에서 만난다. 세 교점의 x좌표가 차례로 등비수열을 이룰 때, 실수 k의 값을 구하여라.

다음 물음에 답하여라.

(1) 등비수열 $\dfrac{1}{20}$, $\dfrac{1}{10}$, $\dfrac{1}{5}$, $\cdots$, $\dfrac{64}{5}$의 합을 구하여라.

(2) 공비가 양수인 등비수열 $\{a_n\}$에서 $a_2=6$, $a_4=54$일 때, 첫째항부터 제10항까지의 합을 구하여라.

풍쌤 POINT

(1) 먼저 주어진 등비수열의 항수를 구해.

(2) 등비수열의 두 항을 이용하여 첫째항과 공비를 구한 다음 합의 공식을 이용해.

풀이

(1) **STEP 1 항수 구하기**

$\dfrac{64}{5}$를 제n항이라고 하면 첫째항이 $\dfrac{1}{20}$, 공비가 2이므로

$$\dfrac{1}{20} \times 2^{n-1} = \dfrac{64}{5}, \quad 2^{n-1} = 256 = 2^8$$

$$n-1=8 \qquad \therefore n=9$$

STEP 2 합 구하기

따라서 항수가 9이므로 구하는 합은

$$\dfrac{1}{20} + \dfrac{1}{10} + \dfrac{1}{5} + \cdots + \dfrac{64}{5} = \dfrac{\dfrac{1}{20}(2^9-1)}{2-1} = \dfrac{1}{20}(2^9-1)$$

(2) **STEP 1 공비 구하기**

등비수열 $\{a_n\}$의 첫째항을 a, 공비를 r라고 하면

$$a_2 = ar = 6 \qquad\qquad \cdots\cdots\ \text{㉠}$$

$$a_4 = ar^3 = 54 \qquad\qquad \cdots\cdots\ \text{㉡}$$

㉡÷㉠을 하면

$$\dfrac{ar^3}{ar} = \dfrac{54}{6}, \ \ \text{즉}\ r^2 = 9$$

$$\therefore r=3\ (\because r>0)$$

STEP 2 첫째항 구하기

$r=3$을 ㉠에 대입하면 $3a=6$ $\qquad \therefore a=2$

STEP 3 첫째항부터 제10항까지의 합 구하기

$$\therefore a_1 + a_2 + \cdots + a_{10} = \dfrac{2(3^{10}-1)}{3-1} ^{\mathbf{\color{red}❶}} = 3^{10}-1$$

> **❶** $S_n = \dfrac{a(r^n-1)}{r-1}$에 $a=2$, $r=3$, $n=10$을 대입한다.

답 (1) $\dfrac{1}{20}(2^9-1)$ (2) $3^{10}-1$

풍쌤 강의 NOTE

등비수열의 첫째항부터 제n항까지의 합을 S_n이라고 하면

(i) $r>1$일 때, $S_n = \dfrac{a(r^n-1)}{r-1}$

(ii) $r<1$일 때, $S_n = \dfrac{a(1-r^n)}{1-r}$

으로 계산하는 것이 간편하다.

06-1 ⟨유사⟩

등비수열 32, 16, 8 $\cdots$, $\dfrac{1}{8}$의 합을 구하여라.

06-2 ⟨유사⟩

공비가 실수인 등비수열 $\{a_n\}$에서 $a_2 = -2$, $a_5 = 54$일 때, 첫째항부터 제12항까지의 합을 구하여라.

06-3 ⟨변형⟩

다음 수의 양의 약수의 총합을 구하여라.

(1) 512 (2) 576

06-4 ⟨변형⟩

공비가 3인 등비수열 $\{a_n\}$의 첫째항부터 제n항까지의 합을 S_n이라고 하자. $a_3 = 18$일 때, $S_k = 242$를 만족시키는 자연수 k의 값을 구하여라.

06-5 ⟨변형⟩

다음 식을 만족시키는 자연수 m, n에 대하여 $m+n$의 값을 구하여라. (단, n은 한 자리의 자연수이다.)

$$\log_2 8 + \log_2 8^2 + \log_2 8^4 + \cdots + \log_2 8^{64}$$
$$= 3 \times 2^m - n$$

06-6 ⟨실력⟩

모든 항이 양수인 등비수열 $\{a_n\}$에 대하여 $a_2 a_3 = a_8$, $a_1 + a_5 = 20$일 때, $a_1 + a_3 + a_5 + \cdots + a_{13}$의 값을 구하여라.

등비수열 $\{a_n\}$의 첫째항부터 제n항까지의 합을 S_n이라고 할 때, 다음 물음에 답하여라.

(1) $S_5=3$, $S_{10}=-93$일 때, 일반항 a_n을 구하여라.

(2) $S_3=14$, $S_6=126$일 때, S_9의 값을 구하여라.

풍쌤 POINT

$S_n=\dfrac{a(r^n-1)}{r-1}$임을 이용하여 주어진 두 부분의 합을 첫째항과 공비에 대한 식으로 나타내.

풀이

(1) **STEP 1 공비 구하기**

등비수열 $\{a_n\}$의 첫째항을 a, 공비를 r라고 하면

$S_5=\dfrac{a(r^5-1)}{r-1}=3$ ...... ㉠

$S_{10}=\dfrac{a(r^{10}-1)}{r-1}=-93$ ...... ㉡

㉡에서 $\dfrac{a(r^5-1)(r^5+1)}{r-1}=-93$

위의 식에 ㉠을 대입하면

$3(r^5+1)=-93$, $r^5=-32$ ∴ $r=-2$ ($\because r$는 실수)

STEP 2 일반항 구하기

$r=-2$를 ㉠에 대입하면 $a=\dfrac{3}{11}$ ❶ ∴ $a_n=\dfrac{3}{11}\times(-2)^{n-1}$

❶ $\dfrac{a\{(-2)^5-1\}}{-2-1}=3$에서

$\dfrac{-33a}{-3}=3$, $11a=3$

∴ $a=\dfrac{3}{11}$

(2) **STEP 1 r^3의 값 구하기**

등비수열 $\{a_n\}$의 첫째항을 a, 공비를 r라고 하면

$S_3=\dfrac{a(r^3-1)}{r-1}=14$ ...... ㉠

$S_6=\dfrac{a(r^6-1)}{r-1}=126$ ...... ㉡

㉡에서 $\dfrac{a(r^3-1)(r^3+1)}{r-1}=126$

위의 식에 ㉠을 대입하면

$14(r^3+1)=126$, $r^3+1=9$ ∴ $r^3=8$ ❷

STEP 2 S_9의 값 구하기

∴ $S_9=\dfrac{a(r^9-1)}{r-1}$ ❸ $=\dfrac{a(r^3-1)}{r-1}\times(r^6+r^3+1)$

$=14\times(8^2+8+1)=1022$

❷ 여기서는 r와 a의 값을 구하지 않아도 r^3과 S_3의 값을 이용하여 S_9의 값을 구할 수 있다.

❸ r^9-1
$=(r^3)^3-1$
$=(r^3-1)\{(r^3)^2+r^3+1\}$
$=(r^3-1)(r^6+r^3+1)$

답 (1) $a_n=\dfrac{3}{11}\times(-2)^{n-1}$ (2) 1022

풍쌤 강의 NOTE

$S_n=\dfrac{a(r^n-1)}{r-1}$이면 $S_{2n}=\dfrac{a(r^{2n}-1)}{r-1}=\dfrac{a(r^n-1)(r^n+1)}{r-1}=S_n\times(r^n+1)$

이므로 부분의 합이 주어진 등비수열의 합을 구할 때는 첫째항 a와 공비 r의 값을 구할 필요 없이 주어진 부분의 합에서 r^n의 값을 구하여 계산한다.

07-1 (유사)

공비가 양수인 등비수열 $\{a_n\}$의 첫째항부터 제n항까지의 합을 S_n이라고 할 때, 다음 물음에 답하여라.

(1) $S_4 = 5$, $S_8 = 85$일 때, 일반항 a_n을 구하여라.

(2) $S_2 = -3$, $S_4 = -15$일 때, S_6의 값을 구하여라.

07-2 (변형)

(기출)

등비수열 $\{a_n\}$의 첫째항부터 제n항까지의 합 S_n에 대하여 $S_3 = 21$, $S_6 = 189$일 때, a_5의 값을 구하여라.

07-3 (유사)

공비가 음수인 등비수열 $\{a_n\}$의 첫째항부터 제n항까지의 합을 S_n이라고 하자. $S_4 = 5$, $S_8 = 85$일 때, $a_3 + a_4 + a_5 + \cdots + a_{10}$의 값을 구하여라.

07-4 (변형)

공비가 1보다 큰 등비수열 $\{a_n\}$의 첫째항부터 제n항까지의 합을 S_n이라고 하자. $S_4 = 16S_2$일 때, $a_5 = ka_3$을 만족시키는 상수 k의 값을 구하여라.

07-5 (변형)

등비수열 $\{a_n\}$의 첫째항부터 제n항까지의 합을 S_n이라고 하자. $S_5 = -10$, $a_6 + a_7 + a_8 + a_9 + a_{10} = -50$일 때, S_{15}의 값을 구하여라.

07-6 (실력)

등비수열 $\{a_n\}$에 대하여

$$a_1 + a_3 + a_5 + a_7 + a_9 = -5,$$
$$a_2 + a_4 + a_6 + a_8 + a_{10} = 10$$

일 때, $a_{11} + a_{12} + a_{13} + \cdots + a_{20}$의 값을 구하여라.

발전유형 08 등비수열의 도형에의 활용

다음 그림과 같이 첫 번째 시행에서 넓이가 1인 정사각형을 4등분하여 그중 1조각을 버리고, 두 번째 시행에서 첫 번째 시행 후 남은 3조각을 각각 4등분하여 그중 1조각씩 버린다. 이와 같은 시행을 반복할 때, 8번째 시행 후 남은 도형의 넓이를 구하여라.

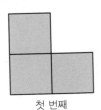 ⇨ 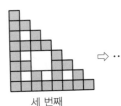 ⇨ ⋯

첫 번째   두 번째   세 번째

풍쌤 POINT

첫 번째, 두 번째, 세 번째 시행 후 남은 도형의 넓이를 각각 구해서 규칙을 찾아!

풀이

STEP 1 첫 번째, 두 번째, 세 번째 시행 후 남은 도형의 넓이 구하기

n번째 시행 후 남은 도형의 넓이를 a_n이라고 하면

$a_1 = 1 \times \dfrac{3}{4}\text{❶} = \dfrac{3}{4}$

$a_2 = \dfrac{3}{4} \times \dfrac{3}{4} = \left(\dfrac{3}{4}\right)^2 \text{❷}$

$a_3 = \left(\dfrac{3}{4}\right)^2 \times \dfrac{3}{4} = \left(\dfrac{3}{4}\right)^3$

STEP 2 8번째 시행 후 남은 도형의 넓이 구하기

즉, 각 시행 후 남은 도형의 넓이는 첫째항이 $\dfrac{3}{4}$, 공비가 $\dfrac{3}{4}$인 등비수열을 이루므로

$a_n = \dfrac{3}{4} \times \left(\dfrac{3}{4}\right)^{n-1} = \left(\dfrac{3}{4}\right)^n$

따라서 8번째 시행 후 남은 도형의 넓이는

$a_8 = \left(\dfrac{3}{4}\right)^8$

❶ 정사각형의 $\dfrac{1}{4}$을 버리므로 남은 도형의 넓이는 처음 넓이의 $1 - \dfrac{1}{4} = \dfrac{3}{4}$이다.

❷ 첫 번째 시행 후 남은 도형의 넓이는 $\dfrac{3}{4}$이고, 이 넓이의 $\dfrac{3}{4}$이 남았으므로 $\dfrac{3}{4} \times \dfrac{3}{4} = \left(\dfrac{3}{4}\right)^2$ 이다.

답 $\left(\dfrac{3}{4}\right)^8$

풍쌤 강의 NOTE

닮은 꼴이 반복되는 도형 문제, 즉 도형의 길이, 넓이, 부피 등이 일정한 비율로 변하는 문제는 등비수열을 이용하여 해결한다. 이때 처음 몇 개의 항을 직접 구하면 첫째항과 공비를 찾을 수 있다.

08-1 유사

다음 그림과 같이 첫 번째 시행에서 넓이가 100인 정사각형 ABCD의 각 변의 중점을 이어 만든 삼각형 4개에 색칠하고, 두 번째 시행에서 색칠하지 않은 정사각형 $A_1B_1C_1D_1$의 각 변의 중점을 이어 만든 삼각형 4개에 색칠한다. 이와 같은 시행을 계속할 때, 8번째 시행에서 색칠하는 삼각형 4개의 넓이의 합을 구하여라.

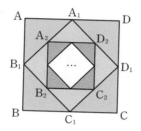

08-2 변형

다음 그림과 같이 한 변의 길이가 1인 정삼각형 ABC의 높이를 한 변으로 하는 정삼각형 AB_1C_1을 만들고, 다시 정삼각형 AB_1C_1의 높이를 한 변으로 하는 정삼각형 AB_2C_2를 만든다. 이와 같은 시행을 계속할 때, 정삼각형 AB_7C_7의 높이를 구하여라.

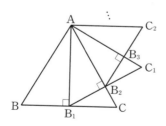

08-3 실력

다음 그림과 같이 $\overline{BC}=3$인 삼각형 ABC에서 점 B_1, C_1은 각각 변 AB, AC를 2 : 1로 내분하는 점이고, 점 B_2, C_2는 각각 변 AB_1, AC_1을 2 : 1로 내분하는 점이다. 이와 같이 변을 2 : 1로 내분하는 두 점을 계속 잡아나갈 때, $\overline{B_1C_1}+\overline{B_2C_2}+ \cdots +\overline{B_{10}C_{10}}$의 값을 구하여라.

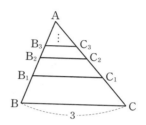

08-4 실력

다음 그림과 같이 첫 번째 시행에서 반지름의 길이가 2인 반원 안에 가장 큰 원을 그린 후 원의 외부에 색칠하고, 두 번째 시행에서 다시 그린 원의 반원에 가장 큰 원을 그린 후 원의 외부에 색칠한다. 이와 같은 시행을 계속할 때, 10번째 시행 후 색칠한 모든 부분의 넓이의 합을 구하여라.

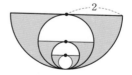

수열 $\{a_n\}$의 첫째항부터 제n항까지의 합을 S_n이라고 하자. $S_n = 2^n + k$일 때, 수열 $\{a_n\}$이 첫째항부터 등비수열을 이루도록 하는 상수 k의 값을 구하여라.

풍쌤 POINT

수열 $\{a_n\}$이 첫째항부터 등비수열을 이루려면 $a_1 = S_1$의 값이 $a_n = S_n - S_{n-1}(n \geq 2)$을 계산하여 얻은 a_n의 식에 $n=1$을 대입한 값과 같아야 해.

풀이

STEP1 a_1의 값과 $a_n (n \geq 2)$ 구하기

$a_1 = S_1 = 2 + k$

$n \geq 2$일 때

$a_n = S_n - S_{n-1} = (2^n + k) - (2^{n-1} + k)$ ❶
$\quad\quad = 2^n - 2^{n-1} = 2^{n-1}$ ...... ㉠

❶ $(2^n + k) - (2^{n-1} + k)$
$= 2^n - 2^{n-1}$
$= 2 \times 2^{n-1} - 2^{n-1}$
$= (2-1) \times 2^{n-1}$
$= 2^{n-1}$

STEP2 k의 값 구하기

이때 $a_1 = 2 + k$는 ㉠에 $n=1$을 대입한 값 1과 같아야 하므로

$2 + k = 1 \quad\quad \therefore k = -1$

다른 풀이1

$a_1 = S_1 = 2 + k$
$a_2 = S_2 - S_1 = (4+k) - (2+k) = 2$
$a_3 = S_3 - S_2 = (8+k) - (4+k) = 4$
$\quad \vdots$

수열 $\{a_n\}$이 첫째항부터 등비수열을 이루면 a_1, a_2, a_3도 이 순서대로 등비수열을 이루므로 a_2는 a_1과 a_3의 등비중항이다. 즉,

$a_2^2 = a_1 \times a_3$에서

$2^2 = (2+k) \times 4$, $2 + k = 1 \quad\quad \therefore k = -1$

다른 풀이2

$S_n = 2^n + k$에서 2^n의 계수가 1이므로 수열 $\{a_n\}$이 첫째항부터 등비수열을 이루려면 $1 + k = 0$, 즉 $k = -1$이어야 한다.

目 -1

풍쌤 강의 NOTE

• 합 S_n이 주어진 등비수열 $\{a_n\}$의 일반항 a_n을 구할 때는 $a_1 = S_1$, $a_n = S_n - S_{n-1}\ (n \geq 2)$임을 이용한다. 이때 $a_1 = S_1$의 값이 $a_n = S_n - S_{n-1}\ (n \geq 2)$을 계산하여 얻은 a_n의 식에 $n=1$을 대입한 값과 같으면 등비수열 $\{a_n\}$은 첫째항부터 성립한다.

• 등비수열 $\{a_n\}$의 합 S_n은
$$S_n = \frac{a(r^n - 1)}{r - 1} = \frac{a}{r-1} \times r^n - \frac{a}{r-1}$$
즉, $S_n = x \times r^n - x\ (x$는 실수$)$ 꼴이므로 등비수열 $\{a_n\}$이 첫째항부터 성립하려면 r^n의 계수와 상수항의 합이 0이 되어야 한다.

09-1 유사

등비수열 $\{a_n\}$의 첫째항부터 제n항까지의 합을 S_n이라고 하자. $S_n = 5^{n+k} - 5$일 때, 수열 $\{a_n\}$이 첫째항부터 등비수열을 이루도록 하는 상수 k의 값을 구하여라.

09-4 변형

등비수열 $\{a_n\}$의 첫째항부터 제n항까지의 합을 S_n이라고 하자. $\log_2(S_n + 2) = n + 1$일 때, $a_3 + a_5$의 값을 구하여라.

09-2 변형   기출

수열 $\{a_n\}$의 첫째항부터 제n항까지의 합 S_n이 $S_n = 3^n - 1$일 때, a_3의 값을 구하여라.

09-5 실력

등비수열 $\{a_n\}$의 첫째항부터 제n항까지의 합을 S_n이라고 하자. $S_n = 3^{n+2} - 9$일 때, $a_k - a_{k-1} = 324$를 만족시키는 자연수 k에 대하여 a_k의 값을 구하여라.

09-3 변형

수열 $\{a_n\}$의 첫째항부터 제n항까지의 합 S_n이 $S_n = 3 \times 2^n - 3$일 때, $a_n > 600$을 만족시키는 자연수 n의 최솟값을 구하여라.

09-6 실력

등비수열 $\{a_n\}$의 첫째항부터 제n항까지의 합을 S_n이라고 하자. $S_n = k \times 3^{n+2} - 18 \ (n \geq 1)$일 때, 상수 k에 대하여 a_k의 값을 구하여라.

정기적금의 원리합계

등비수열의 합을 이용하면 정기적금의 원리합계를 구할 수 있다.
정기적금의 원리합계를 구하는 방법을 알아보자.

▶ 정기적금의 원리합계는 무엇일까?

은행에 돈을 맡기면 은행은 일정 비율의 이자를 붙여서 되돌려 준다. 이때 원금과
이자를 합친 금액을 간단히 줄여 원리합계라고 한다.

(이자)＝(원금)×(이율)

또, 일정한 금액을 일정한 기간마다 적립하는 것을 적금이라고 한다.

이때 각 기간의 초에 적립하는 것을 기수불, 각 기간의 말에 적립하는 것을 기말불
이라고 한다.

a원씩 연이율 r로 n년 동안 예금할 때, 원리합계 S는

(1) 단리법: 원금에만 이자를 더하여 원리합계를 계산하는 방법

$S=a(1+rn)$ ← 공차가 ar인 등차수열

(2) 복리법: 일정한 기간마다 이자를 원금에 더하여 그 원리합계를 다음 기간의 원금으로 계산하는 방법, 즉 이자에 다시 이자가 붙는 방법

$S=a(1+r)^n$ ← 공비가 $1+r$인 등비수열

특강 1 정기적금의 원리합계

a원씩 연이율 r, 1년마다 복리로 n년 동안 적립했을 때, n년째 말의 정기적금의
원리합계 S는

(1) 매년 초에 적립하는 정기적금의 원리합계

$$S=\frac{a(1+r)\{(1+r)^n-1\}}{r}$$ ← 첫째항이 $a(1+r)$, 공비가 $1+r$인 등비수열의 합

(2) 매년 말에 적립하는 정기적금의 원리합계

$$S=\frac{a\{(1+r)^n-1\}}{r}$$ ← 첫째항이 a, 공비가 $1+r$인 등비수열의 합

정기적금의 원리합계 문제는 공식을 암기하는 것보다는 그림을 이용하면 실수를 줄일 수 있다.

a원씩 연이율 r인 복리로 n년 동안 적립했을 때, n년 말의 원리합계 S를 구해 보자.

(1) 매년 초에 적립하는 경우

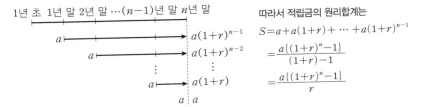

따라서 적립금의 원리합계는

$S=a(1+r)+a(1+r)^2+\cdots+a(1+r)^n$

$=\dfrac{a(1+r)\{(1+r)^n-1\}}{(1+r)-1}$

$=\dfrac{a(1+r)\{(1+r)^n-1\}}{r}$

(2) 매년 말에 적립하는 경우

1년 초 1년 말 2년 말 …$(n-1)$년 말 n년 말

$a(1+r)^{n-1}$
$a(1+r)^{n-2}$
⋮
$a(1+r)$
a

따라서 적립금의 원리합계는

$S=a+a(1+r)+\cdots+a(1+r)^{n-1}$

$=\dfrac{a\{(1+r)^n-1\}}{(1+r)-1}$

$=\dfrac{a\{(1+r)^n-1\}}{r}$

예시 1 정기적금의 원리합계

다음 물음에 답하여라.

(1) 연이율 5 %, 1년마다 복리로 매년 초에 30만 원씩 10년 동안 적립할 때, 10년째 말의 원리합계를 구하여라. (단, $1.05^{10}=1.6$으로 계산한다.)

(2) 연이율 4 %, 1년마다 복리로 매년 말에 40만 원씩 10년 동안 적립할 때, 10년째 말의 원리합계를 구하여라. (단, $1.04^{10}=1.5$로 계산한다.)

풍산자 풀이 흐름

❶ 주어진 상황을 그림으로 나타내기

❷ 등비수열의 합의 공식을 이용하여 원리합계 구하기

(1) ❶ 10년째 말의 원리합계를 S라고 하면

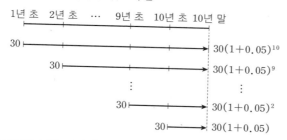

❷ $S = 30 \times 1.05 + 30 \times 1.05^2 + \cdots + 30 \times 1.05^9 + 30 \times 1.05^{10}$

$= \dfrac{30 \times 1.05 \times (1.05^{10}-1)}{1.05-1} = \dfrac{30 \times 1.05 \times (1.6-1)}{0.05} = 378\,(만\ 원)$

(2) ❶ 10년째 말의 원리합계를 S라고 하면

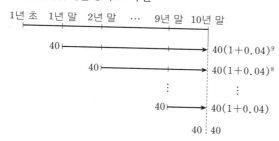

❷ $S = 40 + 40 \times 1.04 + \cdots + 40 \times 1.04^8 + 40 \times 1.04^9$

$= \dfrac{40 \times (1.04^{10}-1)}{1.04-1} = \dfrac{40 \times (1.5-1)}{0.04} = 500\,(만\ 원)$

'초'에 넣을 때에는 마지막에 넣는 돈은 1년 동안의 이자를 받는다.

(1) ❷에서 S는 첫째항이 30×1.05, 공비가 1.05인 등비수열의 첫째항부터 제10항까지의 합이다.

'말'에 넣을 때에는 마지막에 넣는 돈의 이자는 없다.

(2) ❷에서 S는 첫째항이 40, 공비가 1.04인 등비수열의 첫째항부터 제10항까지의 합이다.

✓ 확인

정답과 풀이 262쪽

1. 월이율 2 %, 1개월마다 복리로 매월 초에 3만 원씩 1년 동안 적립할 때, 1년째 말의 원리합계를 구하여라. (단, $1.02^{12}=1.27$로 계산한다.)

2. 월이율 1 %, 1개월마다 복리로 매월 말에 2만 원씩 3년 동안 적립할 때, 3년째 말의 원리합계를 구하여라. (단, $1.01^{36}=1.43$으로 계산한다.)

3. 매년 초에 일정 금액을 적립하여 10년째 연말까지의 원리합계가 1122만 원이 되게 하려고 한다. 연이율 2 %의 복리로 계산할 때, 매년 초에 적립해야 하는 금액을 구하여라.
(단, $1.02^{10}=1.22$로 계산한다.)

01

등비수열 $\{a_n\}$에 대하여 $a_2+a_5=4$, $a_3+a_6=8$일 때, a_4의 값은?

① $\dfrac{8}{9}$　　② $\dfrac{16}{9}$　　③ $\dfrac{22}{9}$

④ $\dfrac{26}{9}$　　⑤ $\dfrac{32}{9}$

02　기출

모든 항이 양수인 등비수열 $\{a_n\}$에 대하여

$\dfrac{a_{16}}{a_{14}}+\dfrac{a_8}{a_7}=12$일 때, $\dfrac{a_3}{a_1}+\dfrac{a_6}{a_3}$의 값을 구하여라.

03　서술형 ✎

공비가 양수인 등비수열 $\{a_n\}$에서 $a_2=-2$, $a_4 \times a_5=128$일 때, $a_n<-80$을 만족시키는 자연수 n의 최솟값을 구하여라.

04　기출

두 수 3과 768 사이에 세 양수 a_1, a_2, a_3을 넣어 3, a_1, a_2, a_3, 768이 이 순서대로 등비수열을 이루도록 할 때, $a_1+a_2+a_3$의 값은?

① 192　　② 238　　③ 252

④ 264　　⑤ 286

05

함수 $f(x)=\sqrt{x+3}$에 대하여 세 수 $f(1)$, $f(6)$, $f(k)$가 이 순서대로 등비수열을 이룰 때, 상수 k의 값은?

① $\dfrac{61}{4}$　　② $\dfrac{63}{4}$　　③ $\dfrac{65}{4}$

④ $\dfrac{67}{4}$　　⑤ $\dfrac{69}{4}$

06　기출

a, 10, 17, b는 이 순서대로 등차수열을 이루고 a, x, y, b는 이 순서대로 등비수열을 이루고 있다. xy의 값을 구하여라.

07

곡선 $y=3x^3+kx^2+x-3$이 x축과 만나는 세 점의 x 좌표가 차례로 등비수열을 이룰 때, 상수 k의 값은?

① 3   ② 2   ③ 1

④ -1 ⑤ -2

08

다음 그림과 같이 $\overline{AB}=\overline{BC}=1$인 직각이등변삼각형 ABC가 있다. 삼각형 ABC의 빗변 AC 위에 한 꼭짓점이 있도록 정사각형을 삼각형 내부에 계속 그려 나갈 때, 10번째에 그린 정사각형의 넓이는?

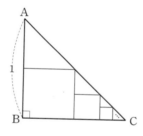

① $\dfrac{1}{2^{18}}$ ② $\dfrac{1}{2^{19}}$ ③ $\dfrac{1}{2^{20}}$

④ $\dfrac{1}{2^{21}}$ ⑤ $\dfrac{1}{2^{22}}$

09   서술형 ✏

등비수열 $\{a_n\}$에 대하여 첫째항부터 제 k항까지의 합이 $1+2+4+\cdots+a_k=511$일 때, a_k의 값을 구하여라.

10

공비가 양수인 등비수열 $\{a_n\}$에서 $a_3=4$, $a_4+a_5=24$ 일 때, $a_5+a_6+\cdots+a_{10}$의 값은?

① 1008   ② 1010   ③ 1012

④ 1014   ⑤ 1016

11

그림은 16개의 칸 중 3개의 칸에 다음 규칙을 만족시키도록 수를 써넣은 것이다.

> (가) 가로로 인접한 두 칸에서 오른쪽 칸의 수는 왼쪽 칸의 수의 2배이다.
> (나) 세로로 인접한 두 칸에서 아래쪽 칸의 수는 위쪽 칸의 수의 2배이다.

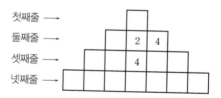

이 규칙을 만족시키도록 나머지 칸에 수를 써넣을 때, 넷째 줄에 있는 모든 수의 합은?

① 119   ② 127   ③ 135

④ 143   ⑤ 151

12 [기출]

모든 항이 양수인 등비수열 $\{a_n\}$의 첫째항부터 제n항까지의 합을 S_n이라고 하자. $S_4-S_3=2$, $S_6-S_5=50$일 때, a_5의 값을 구하여라.

13

공비가 음수인 등비수열 $\{a_n\}$의 첫째항부터 제n항까지의 합을 S_n이라고 하자. $S_4=\dfrac{15}{2}$, $S_3=3a_3$일 때, $a_2+a_4+a_6+\cdots+a_{20}$의 값은?

① $\dfrac{1}{2^{17}}+8$ ② $\dfrac{1}{2^{16}}+8$ ③ $\dfrac{1}{2^{15}}-8$

④ $\dfrac{1}{2^{16}}-8$ ⑤ $\dfrac{1}{2^{17}}-8$

14

수열 $\{a_n\}$의 첫째항부터 제n항까지의 합을 S_n이라고 하자. $\log_5(S_n+k)=n+2$를 만족시키는 수열 $\{a_n\}$이 첫째항부터 등비수열을 이룰 때, 상수 k의 값은?

① 25   ② 20   ③ 155

④ 10   ⑤ 5

15

등비수열 $\{a_n\}$의 첫째항부터 제n항까지의 합 S_n이 $S_n=2^{n+2}-4$일 때, $a_n<1000$을 만족시키는 항의 개수는?

① 5   ② 6   ③ 7

④ 8   ⑤ 9

16 서술형

등비수열 $\{a_n\}$의 첫째항부터 제n항까지의 합을 S_n이라고 하자. $S_n=2^{n+1}-2$ $(n\geq1)$일 때, $a_1+a_3+a_5+\cdots+a_{19}$의 값을 구하여라.

17

연이율 2 %, 1년마다 복리로 매년 초에 50만 원씩 10년 동안 적립할 때, 10년째 말의 원리합계는?

(단, $1.02^{10}=1.22$로 계산한다.)

① 561만 원   ② 562만 원   ③ 563만 원

④ 564만 원   ⑤ 565만 원

01

등차수열 $\{a_n\}$과 등비수열 $\{b_n\}$에 대하여 옳은 것만을 보기에서 있는 대로 고른 것은?

┤보기├

ㄱ. 수열 $\{2^{a_n}\}$은 등비수열이다.
ㄴ. 수열 $\{b_n + b_{n+1}\}$은 등비수열이다.
ㄷ. 수열 $\{b_{2n+1}\}$은 등비수열이다.

① ㄱ   ② ㄷ   ③ ㄱ, ㄴ

④ ㄴ, ㄷ   ⑤ ㄱ, ㄴ, ㄷ

02

기출

공비가 1보다 큰 등비수열 $\{a_n\}$이 다음 조건을 만족시킨다.

(가) $a_3 \times a_5 \times a_7 = 125$

(나) $\dfrac{a_4 + a_8}{a_6} = \dfrac{13}{6}$

a_9의 값은?

① 10   ② $\dfrac{45}{4}$ ③ $\dfrac{25}{2}$

④ $\dfrac{55}{4}$ ⑤ 15

03

첫째항이 각각 4인 등차수열 $\{a_n\}$과 등비수열 $\{b_n\}$에 대하여 $2a_2 = b_3$, $a_3 = b_2 + b_3$일 때, $a_k = b_6$을 만족시키는 자연수 k의 값을 구하여라.

04

다음 그림과 같이 좌표평면 위에 $\overline{OA_1} = 2\overline{A_1A_2}$, $\overline{A_1A_2} = 2\overline{A_2A_3}$, $\cdots$, $\overline{A_nA_{n+1}} = 2\overline{A_{n+1}A_{n+2}}$이고, 이웃한 선분이 서로 수직이 되도록 점 $A_n(x_n, y_n)$을 정한다. $\overline{OA_1} = 1$일 때, $\dfrac{y_{10}}{x_{10}}$의 값을 구하여라.

(단, O는 원점이다.)

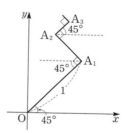

05

공비가 실수인 등비수열 $\{a_n\}$의 첫째항부터 제n항까지의 합을 S_n이라고 하자. $a_2=\dfrac{1}{4}$, $a_3a_4=\dfrac{1}{128}$일 때, $\left|S_n-1\right|<\dfrac{1}{500}$을 만족시키는 자연수 n의 최솟값을 구하여라.

06

모든 항이 양수인 등비수열 $\{a_n\}$에 대하여 $a_1a_2=a_{10}$, $a_1+a_9=20$일 때, $(a_1+a_3+a_5+a_7+a_9)(a_1-a_3+a_5-a_7+a_9)$의 값은?

① 494 ② 496 ③ 498

④ 500 ⑤ 502

07

등비수열 $\{a_n\}$의 첫째항부터 제n항까지의 합을 S_n이라고 하자. 모든 자연수 n에 대하여 $S_{n+3}-S_n=13\times3^{n-1}$일 때, a_4의 값을 구하여라.

08

등비수열 $\{a_n\}$의 첫째항부터 제n항까지의 합을 S_n이라고 하자. $S_n=2^n-1$일 때, 수열 $\{a_n+a_{n+1}\}$의 첫째항부터 제9항까지의 합을 구하여라.

13

여러 가지 수열의 합

13 여러 가지 수열의 합

개념01 **합의 기호 $\sum$**

수열 $\{a_n\}$의 첫째항부터 제n항까지의 합을 합의 기호 $\sum$를 사용하여

$$a_1+a_2+a_3+\cdots+a_n=\sum_{k=1}^{n}a_k$$

와 같이 나타낸다.

즉, $\sum_{k=1}^{n}a_k$는 일반항 a_k의 k에 $1, 2, 3, \cdots, n$을 차례대로 대입하여 얻은 항 $a_1, a_2, a_3, \cdots, a_n$의 합을 나타낸다.

$$\overset{n}{\underset{k=1}{\sum}}a_k$$ 제n항까지 ← 일반항 첫째항부터 a_k를 차례로 더한다.

> $\sum_{k=1}^{n}a_k$는 k 대신에 다른 문자를 사용하여 $\sum_{i=1}^{n}a_i$, $\sum_{m=1}^{n}a_m$ 등으로 나타낼 수 있다.
> 즉, $\sum_{k=1}^{n}a_k=\sum_{i=1}^{n}a_i=\sum_{m=1}^{n}a_m$

[예] $2+4+6+\cdots+20=\sum_{k=1}^{10}2k$

확인 01 다음을 합의 기호 $\sum$를 사용하여 나타내어라.

(1) $1^2+2^2+3^2+\cdots+20^2$

(2) $1\times2+2\times3+3\times4+\cdots+10\times11$

개념+ **합의 기호 $\sum$를 이용한 식의 변형**

수열 $\{a_n\}$의 제m항부터 제n항까지의 합 $a_m+a_{m+1}+a_{m+2}+\cdots+a_n$ $(m\le n)$은 기호 $\sum$를 사용하여 $\sum_{k=m}^{n}a_k$와 같이 나타낸다. 즉,

$$a_m+a_{m+1}+a_{m+2}+\cdots+a_n=\sum_{k=m}^{n}a_k$$

이다. 이것은 첫째항부터 제n항까지의 합에서 첫째항부터 제$(m-1)$항까지의 합을 뺀 것과 같으므로

$$\sum_{k=m}^{n}a_k=\sum_{k=1}^{n}a_k-\sum_{k=1}^{m-1}a_k\ (2\le m\le n)$$가 성립한다.

개념02 **합의 기호 $\sum$의 성질**

(1) $\displaystyle\sum_{k=1}^{n}(a_k+b_k)=\sum_{k=1}^{n}a_k+\sum_{k=1}^{n}b_k$

(2) $\displaystyle\sum_{k=1}^{n}(a_k-b_k)=\sum_{k=1}^{n}a_k-\sum_{k=1}^{n}b_k$

(3) $\displaystyle\sum_{k=1}^{n}ca_k=c\sum_{k=1}^{n}a_k$ (단, c는 상수)

(4) $\displaystyle\sum_{k=1}^{n}c=cn$ (단, c는 상수)

> **주의** $\displaystyle\sum_{k=1}^{n}a_kb_k\ne\sum_{k=1}^{n}a_k\sum_{k=1}^{n}b_k$, $\displaystyle\sum_{k=1}^{n}\frac{a_k}{b_k}\ne\frac{\sum_{k=1}^{n}a_k}{\sum_{k=1}^{n}b_k}$, $\displaystyle\sum_{k=1}^{n}(a_k)^2\ne\left(\sum_{k=1}^{n}a_k\right)^2$

> $\sum$의 성질은 시작 항과 끝항이 같을 때 이용할 수 있다. 시작 항이나 끝항이 다르면 같게 맞춰야 한다. 예를 들면
> $\displaystyle\sum_{k=1}^{n}a_k+\sum_{k=3}^{n}b_k$
> $=\displaystyle\sum_{k=1}^{n}a_k+\sum_{k=1}^{n}b_k-b_1-b_2$
> $=\displaystyle\sum_{k=1}^{n}(a_k+b_k)-b_1-b_2$

확인 02 $\displaystyle\sum_{k=1}^{6}a_k=10$, $\displaystyle\sum_{k=1}^{6}b_k=7$일 때, $\displaystyle\sum_{k=1}^{6}(3a_k-2b_k)$의 값을 구하여라.

개념 03 **자연수의 거듭제곱의 합**

(1) $1+2+3+\cdots+n=\sum\limits_{k=1}^{n}k=\dfrac{n(n+1)}{2}$

(2) $1^2+2^2+3^2+\cdots+n^2=\sum\limits_{k=1}^{n}k^2=\dfrac{n(n+1)(2n+1)}{6}$

(3) $1^3+2^3+3^3+\cdots+n^3=\sum\limits_{k=1}^{n}k^3=\left\{\dfrac{n(n+1)}{2}\right\}^2$

예 ① $1+2+3+\cdots+10=\sum\limits_{k=1}^{10}k=\dfrac{10\times11}{2}=55$

② $1^2+2^2+3^2+\cdots+10^2=\sum\limits_{k=1}^{10}k^2=\dfrac{10\times11\times21}{6}=385$

③ $1^3+2^3+3^3+\cdots+10^3=\sum\limits_{k=1}^{10}k^3=\left(\dfrac{10\times11}{2}\right)^2=3025$

확인 03 다음 식의 값을 구하여라.

(1) $\sum\limits_{k=1}^{10}4k$ 　　　　　　　　　　(2) $\sum\limits_{k=1}^{6}(k^3-k^2)$

> $1+2+3+\cdots+n$은 첫째항이 1, 끝항이 n인 등차수열의 첫째항부터 제n항까지의 합이므로
> $$\sum\limits_{k=1}^{n}k=\dfrac{n(1+n)}{2}=\dfrac{n(n+1)}{2}$$
> $\sum\limits_{k=1}^{n}k^3=\left(\sum\limits_{k=1}^{n}k\right)^2$

개념 04 **분수 꼴로 주어진 수열의 합**

(1) 분모가 곱으로 표현된 수열의 합은 부분분수로 변형하여 구한다.

① $\sum\limits_{k=1}^{n}\dfrac{1}{k(k+a)}=\dfrac{1}{a}\sum\limits_{k=1}^{n}\left(\dfrac{1}{k}-\dfrac{1}{k+a}\right)$

② $\sum\limits_{k=1}^{n}\dfrac{1}{(k+a)(k+b)}=\dfrac{1}{b-a}\sum\limits_{k=1}^{n}\left(\dfrac{1}{k+a}-\dfrac{1}{k+b}\right)$ (단, $a\neq b$)

예 $\sum\limits_{k=1}^{20}\dfrac{1}{(k+1)(k+2)}=\sum\limits_{k=1}^{20}\left(\dfrac{1}{k+1}-\dfrac{1}{k+2}\right)$

$=\left(\dfrac{1}{2}-\dfrac{1}{3}\right)+\left(\dfrac{1}{3}-\dfrac{1}{4}\right)+\left(\dfrac{1}{4}-\dfrac{1}{5}\right)+\cdots+\left(\dfrac{1}{21}-\dfrac{1}{22}\right)$

$=\dfrac{1}{2}-\dfrac{1}{22}=\dfrac{5}{11}$ ― 앞에서 남는 항과 뒤에서 남는 항은 서로 대칭이 되는 위치에 있다.

(2) 분모에 근호가 포함된 수열의 합은 분모를 유리화하여 합을 구한다.

$\sum\limits_{k=1}^{n}\dfrac{1}{\sqrt{k+a}+\sqrt{k+b}}=\sum\limits_{k=1}^{n}\dfrac{\sqrt{k+a}-\sqrt{k+b}}{(\sqrt{k+a}+\sqrt{k+b})(\sqrt{k+a}-\sqrt{k+b})}$

$=\sum\limits_{k=1}^{n}\dfrac{\sqrt{k+a}-\sqrt{k+b}}{a-b}$

예 $\sum\limits_{k=1}^{20}\dfrac{1}{\sqrt{k+1}+\sqrt{k}}=\sum\limits_{k=1}^{20}(\sqrt{k+1}-\sqrt{k})$

$=(\sqrt{2}-\sqrt{1})+(\sqrt{3}-\sqrt{2})+(\sqrt{4}-\sqrt{3})+\cdots+(\sqrt{21}-\sqrt{20})$

$=\sqrt{21}-1$

확인 04 다음 식의 값을 구하여라.

(1) $\sum\limits_{k=1}^{8}\dfrac{1}{(k+1)(k+3)}$ 　　　　(2) $\sum\limits_{k=1}^{9}\dfrac{1}{\sqrt{k+2}+\sqrt{k+1}}$

> 부분분수의 변형은 다음과 같다.
> $$\dfrac{1}{AB}=\dfrac{1}{B-A}\left(\dfrac{1}{A}-\dfrac{1}{B}\right)$$
> (단, $A\neq B$)

다음 물음에 답하여라.

(1) $\displaystyle\sum_{k=1}^{30} 2^k - \sum_{k=4}^{30} 2^k$의 값을 구하여라.

(2) $\displaystyle\sum_{k=1}^{25} a_k = 10$, $\displaystyle\sum_{k=2}^{26} a_k = 7$일 때, $a_1 - a_{26}$의 값을 구하여라.

(3) 수열 $\{a_n\}$에 대하여 $a_2 = 5$이고 $\displaystyle\sum_{k=3}^{20} a_k - \sum_{k=1}^{18} a_{k+1} = 16$일 때, a_{20}의 값을 구하여라.

풍쌤 POINT

$\sum$로 주어진 식을 시작 항부터 끝항까지의 합으로 나타내어 계산해.

풀이

(1) $\displaystyle\sum_{k=1}^{30} 2^k - \sum_{k=4}^{30} 2^k$ ❶

$= (2 + 2^2 + 2^3 + \cdots + 2^{30}) - (2^4 + 2^5 + 2^6 + \cdots + 2^{30})$

$= 2 + 2^2 + 2^3 = 14$

❶ $\displaystyle\sum_{k=1}^{30} 2^k$에서 시작 항은 2^k에 $k=1$을 대입한 값이고, $\displaystyle\sum_{k=4}^{30} 2^k$에서 시작 항은 2^k에 $k=4$를 대입한 값이다.

(2) **STEP 1** $\displaystyle\sum_{k=1}^{25} a_k$, $\displaystyle\sum_{k=2}^{26} a_k$를 덧셈식으로 나타내기

$\displaystyle\sum_{k=1}^{25} a_k = 10$에서 $a_1 + a_2 + a_3 + \cdots + a_{25} = 10$ $\qquad$ …… ㉠

$\displaystyle\sum_{k=2}^{26} a_k = 7$에서 $a_2 + a_3 + a_4 + \cdots + a_{26} = 7$ $\qquad$ …… ㉡

STEP 2 $a_1 - a_{26}$의 값 구하기

㉠$-$㉡을 하면 $a_1 - a_{26} = 3$

(3) **STEP 1** $\displaystyle\sum_{k=3}^{20} a_k - \sum_{k=1}^{18} a_{k+1}$을 간단히 하기

$\displaystyle\sum_{k=3}^{20} a_k - \sum_{k=1}^{18} a_{k+1}$ ❷

$= (a_3 + a_4 + a_5 + \cdots + a_{20}) - (a_2 + a_3 + a_4 + \cdots + a_{19})$

$= a_{20} - a_2$

STEP 2 a_{20}의 값 구하기

$\displaystyle\sum_{k=3}^{20} a_k - \sum_{k=1}^{18} a_{k+1} = 16$이므로 $a_{20} - a_2 = 16$

$a_{20} - 5 = 16$ $\qquad$ $\therefore a_{20} = 21$

❷ $\displaystyle\sum_{k=3}^{20} a_k$의 a_k에 $k=3$, 4, 5, $\cdots$, 20을 대입하면 시작 항은 a_3, 끝항은 a_{20}이다.
$\displaystyle\sum_{k=1}^{18} a_{k+1}$의 a_{k+1}에 $k=1$, 2, 3, $\cdots$, 18을 대입하면 시작 항은 a_2, 끝항은 a_{19}이다.

답 (1) 14 (2) 3 (3) 21

풍쌤 강의 NOTE

$\sum$의 정의를 이용하는 문제는 $\displaystyle\sum_{k=m}^{n} a_k$를 덧셈식으로 고쳐서 계산한다. 즉, a_k에 $k = m$, $m+1$, $m+2$, $\cdots$, n을 차례대로 대입하여 얻은 항의 합 $a_m + a_{m+1} + a_{m+2} + \cdots + a_n$으로 나타낸다. 이때 덧셈식의 시작 항과 끝항에 주의한다.

01-1 ⊛ 유사

다음 물음에 답하여라.

(1) $\sum\limits_{k=1}^{20} 3k - \sum\limits_{k=3}^{19} 3k$의 값을 구하여라.

(2) $\sum\limits_{k=2}^{40} a_k = 25$, $\sum\limits_{k=1}^{38} a_k = 20$일 때, $a_{39} + a_{40} - a_1$의 값을 구하여라.

(3) 수열 $\{a_n\}$에 대하여 $a_3 = 4$이고 $\sum\limits_{k=2}^{15} a_{k+1} - \sum\limits_{k=4}^{17} a_k = 10$일 때, a_{17}의 값을 구하여라.

01-2 ⊛ 변형

수열 $\{a_n\}$에 대하여 $a_1 = 3$, $a_{16} = 14$일 때, $\sum\limits_{k=1}^{15} a_{k+1} - \sum\limits_{k=3}^{17} a_{k-2}$의 값을 구하여라.

01-3 ⊛ 변형

수열 $\{a_n\}$에 대하여 $a_1 + a_{10} = 28$이고 $\sum\limits_{k=2}^{10} a_k = \sum\limits_{k=1}^{9} (a_k + 2)$일 때, a_{10}의 값을 구하여라.

01-4 ⊛ 변형

$\sum\limits_{k=1}^{n} (a_{2k-1} + a_{2k}) = n^2 - 2n$일 때, $\sum\limits_{k=1}^{16} a_k$의 값을 구하여라.

01-5 ⊛ 변형 [기출]

수열 $\{a_n\}$은 $a_1 = 1$이고, 모든 자연수 n에 대하여 $\sum\limits_{k=1}^{n} (a_k - a_{k+1}) = -n^2 + n$을 만족시킨다. a_{11}의 값을 구하여라.

01-6 ⊛ 실력

등차수열 $\{a_n\}$에 대하여 $a_2 = 5$이고 $\sum\limits_{k=1}^{5} (a_{2k} + a_{2k+1}) - \sum\limits_{i=2}^{5} (a_{2i-1} + a_{2i}) = 14$ 일 때, 이 수열 $\{a_n\}$의 공차를 구하여라.

다음 물음에 답하여라.

(1) $\displaystyle\sum_{k=1}^{8} a_k^2 = 40$, $\displaystyle\sum_{k=1}^{8} a_k = 3$일 때, $\displaystyle\sum_{k=1}^{8} (a_k-1)(a_k+4)$의 값을 구하여라.

(2) $\displaystyle\sum_{k=1}^{20} (a_k+b_k)^2 = 200$, $\displaystyle\sum_{k=1}^{20} a_k b_k = 60$일 때, $\displaystyle\sum_{k=1}^{20} (a_k^2+b_k^2)$의 값을 구하여라.

(3) $\displaystyle\sum_{k=1}^{10} a_k = 6$, $\displaystyle\sum_{k=1}^{10} (a_k-2b_k) = -2$일 때, $\displaystyle\sum_{k=1}^{10} (2a_k+3b_k)$의 값을 구하여라.

풍쌤 POINT

(1) $(a_k-1)(a_k+4)$를 전개한 후 $\sum$의 성질을 이용해.

(2) $(a_k+b_k)^2$을 전개한 후 $\sum$의 성질을 이용해.

(3) 먼저 주어진 식에서 $\displaystyle\sum_{k=1}^{10} b_k$의 값을 구해야 해.

풀이

(1) $\displaystyle\sum_{k=1}^{8} (a_k-1)(a_k+4) = \sum_{k=1}^{8} (a_k^2+3a_k-4)$

$\qquad = \displaystyle\sum_{k=1}^{8} a_k^2 + 3\sum_{k=1}^{8} a_k - \sum_{k=1}^{8} 4$

$\qquad = 40 + 3 \times 3 - 4 \times 8 = 17$

(2) $\displaystyle\sum_{k=1}^{20} (a_k+b_k)^2 = \sum_{k=1}^{20} (a_k^2+2a_kb_k+b_k^2)$ ❶

$\qquad = \displaystyle\sum_{k=1}^{20} (a_k^2+b_k^2) + 2\sum_{k=1}^{20} a_kb_k$

이므로 $\displaystyle\sum_{k=1}^{20} (a_k^2+b_k^2) + 2 \times 60 = 200$

$\therefore \displaystyle\sum_{k=1}^{20} (a_k^2+b_k^2) = 80$

❶ $\displaystyle\sum_{k=1}^{20} (a_k+b_k)^2 = 200$, $\displaystyle\sum_{k=1}^{20} a_kb_k = 60$을 이용할 수 있도록 식을 변형한다.

(3) **STEP 1** $\displaystyle\sum_{k=1}^{10} b_k$의 값 구하기

$\displaystyle\sum_{k=1}^{10} (a_k-2b_k) = \sum_{k=1}^{10} a_k - 2\sum_{k=1}^{10} b_k = -2$에서

$6 - 2\displaystyle\sum_{k=1}^{10} b_k = -2$ $\quad \therefore \displaystyle\sum_{k=1}^{10} b_k = 4$

STEP 2 $\displaystyle\sum_{k=1}^{10} (2a_k+3b_k)$의 값 구하기

$\therefore \displaystyle\sum_{k=1}^{10} (2a_k+3b_k) = 2\sum_{k=1}^{10} a_k + 3\sum_{k=1}^{10} b_k$

$\qquad = 2 \times 6 + 3 \times 4 = 24$

📋 (1) 17 (2) 80 (3) 24

풍쌤 강의 NOTE

$\sum$를 포함한 식을 계산할 때는 $\sum$의 시작 항과 끝항이 각각 같은지 확인한 다음 $\sum$의 성질을 이용하여 계산한다.

02-1 ◉ 유사

다음 물음에 답하여라.

(1) $\displaystyle\sum_{k=1}^{10} a_k{}^2 = 15$, $\displaystyle\sum_{k=1}^{10} b_k{}^2 = 9$일 때,

$\displaystyle\sum_{k=1}^{10} (2a_k + b_k)(2a_k - b_k)$의 값을 구하여라.

(2) $\displaystyle\sum_{k=1}^{12} (a_k - b_k)^2 = 120$, $\displaystyle\sum_{k=1}^{12} a_k b_k = 30$일 때,

$\displaystyle\sum_{k=1}^{12} (a_k{}^2 + b_k{}^2)$의 값을 구하여라.

(3) $\displaystyle\sum_{k=1}^{16} a_k = 5$, $\displaystyle\sum_{k=1}^{16} (2a_k + b_k) = 13$일 때,

$\displaystyle\sum_{k=1}^{16} (5a_k - 4b_k)$의 값을 구하여라.

02-2 ◉ 변형

수열 $\{a_n\}$에 대하여 $\displaystyle\sum_{k=1}^{20} a_k = 8$, $\displaystyle\sum_{k=1}^{20} (a_k - 3)^2 = 12$일 때,

$\displaystyle\sum_{k=1}^{20} a_k{}^2$의 값을 구하여라.

02-3 ◉ 변형

$\displaystyle\sum_{k=1}^{15} a_k = 32$, $\displaystyle\sum_{k=1}^{30} a_k = 90$일 때, $\displaystyle\sum_{k=16}^{30} (4a_k - 5)$의 값을 구하여라.

02-4 ◉ 변형

두 수열 $\{a_n\}$, $\{b_n\}$에 대하여

$$\sum_{k=1}^{12} (a_k + 3) = 50, \quad \sum_{k=1}^{12} (a_k - 2b_k) = 4$$

일 때, $\displaystyle\sum_{k=1}^{12} (3a_k + b_k)$의 값을 구하여라.

02-5 ◉ 변형

$\displaystyle\sum_{k=1}^{12} (2a_k + b_k) = 26$, $\displaystyle\sum_{k=1}^{12} (3a_k - b_k) = 14$일 때,

$\displaystyle\sum_{k=1}^{12} \left(\frac{1}{2} a_k + \frac{1}{5} b_k\right)$의 값을 구하여라.

02-6 ◉ 실력   기출

수열 $\{a_n\}$에 대하여

$$\sum_{k=1}^{10} (a_k + 1)^2 = 28, \quad \sum_{k=1}^{10} a_k(a_k + 1) = 16$$

일 때, $\displaystyle\sum_{k=1}^{10} a_k{}^2$의 값을 구하여라.

다음 식의 값을 구하여라.

(1) $\displaystyle\sum_{k=1}^{8}(k-1)^2 - \sum_{k=1}^{8}(k+1)^2$

(2) $\displaystyle 6\sum_{k=1}^{9}\frac{1^2+2^2+3^2+\cdots+k^2}{2k+1}$

풍쌤 POINT

(1) 먼저 $\sum$의 성질을 이용하여 식을 간단히 해.

(2) $1^2+2^2+3^3+\cdots+k^2$을 계산한 다음 주어진 식을 계산해.

풀이

(1) $\displaystyle\sum_{k=1}^{8}(k-1)^2 - \sum_{k=1}^{8}(k+1)^2 = \sum_{k=1}^{8}\left\{(k-1)^2-(k+1)^2\right\}$ **❶**

$\displaystyle = \sum_{k=1}^{8}(-4k) = -4\sum_{k=1}^{8}k$

$\displaystyle = -4\times\frac{8\times9}{2} = -144$

❶ $(k-1)^2-(k+1)^2$
$= (k^2-2k+1)$
$\qquad\qquad -(k^2+2k+1)$
$= -4k$

(2) **STEP 1** $\dfrac{1^2+2^2+3^2+\cdots+k^2}{2k+1}$을 간단히 하기

$1^2+2^2+3^2+\cdots+k^2 = \displaystyle\sum_{i=1}^{k}i^2 = \frac{k(k+1)(2k+1)}{6}$

이므로

$\dfrac{1^2+2^2+3^2+\cdots+k^2}{2k+1} = \dfrac{k(k+1)(2k+1)}{6(2k+1)} = \dfrac{k(k+1)}{6}$

STEP 2 주어진 식의 값 구하기

$\therefore 6\displaystyle\sum_{k=1}^{9}\frac{1^2+2^2+3^2+\cdots+k^2}{2k+1}$

$\displaystyle = 6\sum_{k=1}^{9}\frac{k(k+1)}{6}$ **❷** $\displaystyle = \sum_{k=1}^{9}(k^2+k) = \sum_{k=1}^{9}k^2 + \sum_{k=1}^{9}k$

$\displaystyle = \frac{9\times10\times19}{6} + \frac{9\times10}{2} = 330$

❷ $6\displaystyle\sum_{k=1}^{9}\frac{k(k+1)}{6}$
$\displaystyle = 6\times\frac{1}{6}\sum_{k=1}^{9}k(k+1)$
$\displaystyle = \sum_{k=1}^{9}(k^2+k)$

답 (1) -144 (2) 330

풍쌤 강의 NOTE

· 시작 항과 끝항이 같은 $\sum$가 있는 식이 두 개일 때는 먼저 $\sum$의 성질을 이용하여 하나의 식으로 간단히 정리한다.

· $\displaystyle\sum_{k=1}^{n}a_k$에서 일반항 a_k에 자연수의 거듭제곱의 합이 있을 때는 거듭제곱의 합을 먼저 계산하여 식을 간단히 정리한다.

03-1 ◉ 유사

다음 식의 값을 구하여라.

(1) $\displaystyle\sum_{k=1}^{7}(k+2)(k-3)$

(2) $\displaystyle\sum_{k=1}^{10}\frac{k^3+k^2}{1+2+3+\cdots+k}$

03-2 ◉ 변형

다음 식의 값을 구하여라.

$$\sum_{k=1}^{9}(k-1)(k-2)-\sum_{i=1}^{9}(i^2+3i)$$

03-3 ◉ 변형

$\displaystyle\sum_{k=1}^{8}(2^k+ak)=870$을 만족시키는 상수 a의 값을 구하여라.

03-4 ◉ 변형

자연수 n에 대하여 다항식 $3x^2+x+1$을 $x-n$으로 나누었을 때의 나머지를 a_n이라고 할 때, $\displaystyle\sum_{n=1}^{6}(a_n-2n^2-3n)$의 값을 구하여라.

03-5 ◉ 변형

수열 $\{a_n\}$의 일반항이 $a_n=2n-5$일 때, $\displaystyle\sum_{k=1}^{m}a_{k+1}=48$을 만족시키는 자연수 m의 값을 구하여라.

03-6 ◉ 실력

첫째항이 3인 등차수열 $\{a_n\}$에 대하여 $\displaystyle\sum_{k=1}^{5}a_k=55$일 때, $\displaystyle\sum_{k=1}^{5}k(a_k-3)$의 값을 구하여라.

다음 식의 값을 구하여라.

(1) $\displaystyle\sum_{i=1}^{10}\left(\sum_{j=1}^{i}2i\right)$　　　　　　(2) $\displaystyle\sum_{n=1}^{7}\left(\sum_{k=1}^{4}nk^2\right)$

(3) $\displaystyle\sum_{k=1}^{6}\left\{\sum_{m=1}^{5}(k+m)\right\}$　　　　(4) $\displaystyle\sum_{m=1}^{6}\left(\sum_{n=1}^{m}2mn\right)$

풍쌤 POINT

$\sum(\sum a_k)$ 꼴은 변수인 문자와 상수인 문자를 잘 구별해서 괄호 안의 $\sum a_k$부터 계산해.

풀이

(1) $\displaystyle\sum_{i=1}^{10}\left(\sum_{j=1}^{i}2i^{\text{❶}}\right)=\sum_{i=1}^{10}2i^2=2\times\frac{10\times11\times21}{6}=770$

(2) STEP1 $\displaystyle\sum_{k=1}^{4}nk^2$ 계산하기

$\displaystyle\sum_{k=1}^{4}nk^2=n\sum_{k=1}^{4}k^2=n\times\frac{4\times5\times9}{6}=30n$

STEP2 주어진 식의 값 구하기

$\displaystyle\therefore\sum_{n=1}^{7}\left(\sum_{k=1}^{4}nk^2\right)=\sum_{n=1}^{7}30n=30\times\frac{7\times8}{2}=840$

(3) STEP1 $\displaystyle\sum_{m=1}^{5}(k+m)$ 계산하기

$\displaystyle\sum_{m=1}^{5}(k+m)^{\text{❷}}=\sum_{m=1}^{5}k+\sum_{m=1}^{5}m=5k+\frac{5\times6}{2}=5k+15$

STEP2 주어진 식의 값 구하기

$\displaystyle\therefore\sum_{k=1}^{6}\left\{\sum_{m=1}^{5}(k+m)\right\}=\sum_{k=1}^{6}(5k+15)=5\sum_{k=1}^{6}k+\sum_{k=1}^{6}15$

$\displaystyle=5\times\frac{6\times7}{2}+15\times6=195$

(4) STEP1 $\displaystyle\sum_{n=1}^{m}2mn$ 계산하기

$\displaystyle\sum_{n=1}^{m}2mn=2m\sum_{n=1}^{m}n=2m\times\frac{m(m+1)}{2}=m^3+m^2$

STEP2 주어진 식의 값 구하기

$\displaystyle\therefore\sum_{m=1}^{6}\left(\sum_{n=1}^{m}2mn\right)=\sum_{m=1}^{6}(m^3+m^2)$

$\displaystyle=\left(\frac{6\times7}{2}\right)^2+\frac{6\times7\times13}{6}=532$

❶ $\displaystyle\sum_{j=1}^{i}2i$에서 j는 변수, i는 상수이다. 즉,

$\displaystyle\sum_{j=1}^{i}2i=\underbrace{2i+2i+\cdots+2i}_{i개}$

$=2i\times i=2i^2$

❷ $\displaystyle\sum_{m=1}^{5}(k+m)$에서 k는 상수, m은 변수이다. 즉,

$\displaystyle\sum_{m=1}^{5}(k+m)$

$=(k+1)+(k+2)$

$\qquad+\cdots+(k+5)$

$=5k+(1+2+3+4+5)$

$=5k+15$

답 (1) 770　(2) 840　(3) 195　(4) 532

풍쌤 강의 NOTE

$\sum$에서 항을 나타내는 문자는 변수이고, 그 외의 문자는 모두 상수이므로 여러 개의 $\sum$를 포함한 식에서는 변수와 상수를 잘 구분해야 한다.

$\displaystyle\sum_{k=1}^{n}\left(\sum_{i=1}^{m}ka_i\right)\Rightarrow\sum_{i=1}^{m}ka_i$에서 i는 변수, k는 상수

$\displaystyle\qquad\qquad\Rightarrow\sum_{k=1}^{n}\left(k\sum_{i=1}^{m}a_i\right)$에서 k는 변수

04-1 ◉ 유사

다음 식의 값을 구하여라.

(1) $\sum\limits_{k=1}^{4}\left(\sum\limits_{m=1}^{k}4k^2\right)$

(2) $\sum\limits_{m=1}^{5}\left(\sum\limits_{n=1}^{5}mn\right)$

(3) $\sum\limits_{i=1}^{10}\left\{\sum\limits_{j=1}^{4}(i-j)\right\}$

(4) $\sum\limits_{i=1}^{6}\left(\sum\limits_{k=1}^{i}2ik\right)$

04-2 ◉ 유사

$\sum\limits_{m=1}^{n}\left(\sum\limits_{k=1}^{m}\dfrac{6k^2}{2m+1}\right)$을 n에 대한 식으로 나타내어라.

04-3 ◉ 변형

임의의 자연수 m, n에 대하여

$$\sum\limits_{k=1}^{m}\left\{\sum\limits_{i=1}^{n}(k-i)\right\}$$

의 값이 항상 0이 될 조건을 구하여라.

04-4 ◉ 변형

$\sum\limits_{k=1}^{n}\left\{\sum\limits_{i=1}^{k}(4i-2k)\right\}=72$를 만족시키는 자연수 n의 값을 구하여라.

04-5 ◉ 변형

두 수열 $\{a_n\}$, $\{b_n\}$의 일반항이 각각 $a_n=2^{n-1}$, $b_n=4n$일 때, $\sum\limits_{k=1}^{5}\left(\sum\limits_{l=1}^{5}a_kb_l\right)$의 값을 구하여라.

04-6 ◉ 실력

$f(n)=\sum\limits_{i=1}^{n}\left\{\sum\limits_{j=1}^{i}\left(\sum\limits_{k=1}^{j}2\right)\right\}$일 때, $f(n)=70$을 만족시키는 자연수 n의 값을 구하여라.

다음 수열의 첫째항부터 제n항까지의 합을 구하여라.

(1) 1×5, 2×6, 3×7, 4×8, $\cdots$

(2) 1, $1+3$, $1+3+5$, $1+3+5+7$, $\cdots$

풍쌤 POINT

수열의 일반항 a_n을 구한 다음 $S_n = \sum\limits_{k=1}^{n} a_k$를 계산해.

풀이

(1) **STEP 1** 일반항 구하기

주어진 수열의 일반항을 a_n이라고 하면

$a_n = n \times (n+4)$❶ $= n^2 + 4n$

STEP 2 첫째항부터 제n항까지의 합 구하기

$\therefore \sum\limits_{k=1}^{n} a_k = \sum\limits_{k=1}^{n} (k^2 + 4k) = \sum\limits_{k=1}^{n} k^2 + 4 \sum\limits_{k=1}^{n} k$

$= \dfrac{n(n+1)(2n+1)}{6} + 4 \times \dfrac{n(n+1)}{2}$

$= \dfrac{n(n+1)(2n+13)}{6}$

❶ 두 수의 곱으로 나타낸 수열이므로 앞의 수들과 뒤의 수들의 규칙을 따로 찾아서 일반항을 구한다.

(2) **STEP 1** 일반항 구하기

주어진 수열의 일반항을 a_n이라고 하면

$a_n = 1 + 3 + 5 + \cdots + (2n-1)$❷

$= \dfrac{n\{1 + (2n-1)\}}{2}$❸

$= n^2$

STEP 2 첫째항부터 제n항까지의 합 구하기

$\therefore \sum\limits_{k=1}^{n} a_k = \sum\limits_{k=1}^{n} k^2 = \dfrac{n(n+1)(2n+1)}{6}$

❷ n번째 항은 홀수 1, 3, 5, 7, $\cdots$에서 1부터 n번째 홀수인 $(2n-1)$까지의 합을 나타낸다.

❸ 첫째항이 1, 끝항이 $2n-1$인 등차수열의 첫째항부터 제n항까지의 합이다.

답 (1) $\dfrac{n(n+1)(2n+13)}{6}$ (2) $\dfrac{n(n+1)(2n+1)}{6}$

풍쌤 강의 NOTE

등차수열이나 등비수열이 아닌, 즉 합의 공식을 알 수 없는 수열의 합은 다음 순서로 구한다.

❶ 수열의 항의 규칙을 파악하여 일반항 a_n을 구한다.

❷ ❶에서 구한 일반항에 $\sum$를 붙여 $\sum\limits_{k=1}^{n} a_k$ 꼴로 나타낸다.

❸ $\sum$의 성질과 자연수의 거듭제곱의 합을 이용하여 $\sum\limits_{k=1}^{n} a_k$를 계산한다.

05-1 (유사)

다음 수열의 첫째항부터 제n항까지의 합을 구하여라.

(1) 2×1^2, 3×2^2, 4×3^2, 5×4^2, $\cdots$

(2) 2, $2+4$, $2+4+6$, $2+4+6+8$, $\cdots$

05-2 (변형)

다음 수열의 첫째항부터 제12항까지의 합을 구하여라.

$$1^2, 3^2, 5^2, 7^2, \cdots$$

05-3 (변형)

다음 식의 값을 구하여라.

$$1 \times 3 + 3 \times 5 + 5 \times 7 + \cdots + 19 \times 21$$

05-4 (변형)

수열 1, $1+2$, $1+2+4$, $1+2+4+8$, $\cdots$의 첫째항부터 제n항까지의 합을 S_n이라고 하자. $S_n > 500$을 만족시키는 자연수 n의 최솟값을 구하여라.

05-5 (변형)

수열 $\dfrac{3n+1}{n}$, $\dfrac{3n+2}{n}$, $\dfrac{3n+3}{n}$, $\cdots$의 첫째항부터 제 n항까지의 합을 S_n이라고 할 때, $S_n = \dfrac{85}{2}$를 만족시키는 자연수 n의 값을 구하여라.

05-6 (실력)

수열 3, 33, 333, 3333, $\cdots$의 첫째항부터 제10항까지의 합이 $\dfrac{10^{11} - a}{27}$일 때, 자연수 a의 값을 구하여라.

수열 $\{a_n\}$에 대하여 다음 물음에 답하여라.

(1) $\sum\limits_{k=1}^{n} a_k = n^2 - n$일 때, $a_1 + a_{10}$의 값을 구하여라.

(2) $\sum\limits_{k=1}^{n} a_k = n^2 + 2n$일 때, $\sum\limits_{k=1}^{n}(2k-1)a_k$를 구하여라.

풍쌤 POINT

$S_n = \sum\limits_{k=1}^{n} a_k$로 놓고 $a_1 = S_1$, $a_n = S_n - S_{n-1}\ (n \geq 2)$임을 이용해.

풀이

(1) 수열 $\{a_n\}$의 첫째항부터 제n항까지의 합을 S_n이라고 하면

$$S_n = \sum_{k=1}^{n} a_k = n^2 - n$$

$$a_1 = S_1 = 0$$

$$a_{10} = S_{10} - S_9 = 90 - 72 = 18$$

$$\therefore a_1 + a_{10} = 18$$

(2) **STEP 1** a_n 구하기

수열 $\{a_n\}$의 첫째항부터 제n항까지의 합을 S_n이라고 하면

$$S_n = \sum_{k=1}^{n} a_k = n^2 + 2n$$

$n=1$일 때 $a_1 = S_1 = 3$

$n \geq 2$일 때

$$a_n = S_n - S_{n-1} = n^2 + 2n - \{(n-1)^2 + 2(n-1)\}$$
$$= 2n + 1$$
$$\therefore a_n = 2n + 1\ (n \geq 1) \text{❶}$$

STEP 2 $\sum\limits_{k=1}^{n}(2k-1)a_k$ 구하기

$$\therefore \sum_{k=1}^{n}(2k-1)a_k = \sum_{k=1}^{n}(2k-1)(2k+1) = \sum_{k=1}^{n}(4k^2-1)\text{❷}$$
$$= 4 \times \frac{n(n+1)(2n+1)}{6} - n$$
$$= \frac{n(4n^2+6n-1)}{3}$$

❶ $a_1 = S_1 = 3$은 $a_n = 2n+1$에 $n=1$을 대입한 값과 같으므로 $a_n = 2n+1$은 첫째항부터 성립한다.

❷ $\sum\limits_{k=1}^{n}(4k^2-1) = 4\sum\limits_{k=1}^{n}k^2 - \sum\limits_{k=1}^{n}1$

답 (1) 18 (2) $\dfrac{n(4n^2+6n-1)}{3}$

풍쌤 강의 NOTE

$\sum\limits_{k=1}^{n} a_k$ 꼴이 주어진 문제는 $S_n = \sum\limits_{k=1}^{n} a_k$로 놓고 수열의 합 S_n과 일반항 a_n 사이의 관계를 이용하여 일반항 a_n을 구한다.

➡ $a_1 = S_1 = \sum\limits_{k=1}^{1} a_k$, $a_n = S_n - S_{n-1} = \sum\limits_{k=1}^{n} a_k - \sum\limits_{k=1}^{n-1} a_k\ (n \geq 2)$

06-1 ◉ 유사

수열 $\{a_n\}$에 대하여 다음 물음에 답하여라.

(1) $\displaystyle\sum_{k=1}^{n} a_k = n^3 - 5$일 때, $a_1 + a_4$의 값을 구하여라.

(2) $\displaystyle\sum_{k=1}^{n} a_k = n(n+1)(2n-1)$일 때, $\displaystyle\sum_{k=1}^{n} \frac{a_k}{k}$를 구하여라.

06-2 ◉ 변형

수열 $\{a_n\}$에 대하여 $\displaystyle\sum_{k=1}^{n} a_k = 2^n - 1$일 때, $\displaystyle\sum_{k=1}^{8} a_{k+2}$의 값을 구하여라.

06-3 ◉ 변형

수열 $\{a_n\}$에 대하여 $\displaystyle\sum_{k=1}^{n} ka_k = n(n+1)(n+2)$일 때, $\displaystyle\sum_{k=1}^{10} a_{2k}$의 값을 구하여라.

06-4 ◉ 변형

수열 $\{a_n\}$에 대하여 $\displaystyle\sum_{k=1}^{n} a_k = \frac{n}{n+1}$일 때, $\displaystyle\sum_{k=1}^{m} \frac{1}{a_k} = 330$을 만족시키는 자연수 m의 값을 구하여라.

06-5 ◉ 실력 〔기출〕

등차수열 $\{a_n\}$이 $\displaystyle\sum_{k=1}^{n} a_{2k-1} = 3n^2 + n$을 만족시킬 때, a_8의 값을 구하여라.

06-6 ◉ 실력

수열 $\{a_n\}$에 대하여 $\displaystyle\sum_{k=1}^{n} a_k = \log_3 (n^2 + n)$일 때, $\displaystyle\sum_{k=1}^{n} a_{2k+1} > 3$을 만족시키는 자연수 n의 최솟값을 구하여라.

다음 수열의 첫째항부터 제n항까지의 합을 구하여라.

(1) $\dfrac{1}{3\times4}$, $\dfrac{1}{4\times5}$, $\dfrac{1}{5\times6}$, $\dfrac{1}{6\times7}$, $\cdots$

(2) 1, $\dfrac{1}{1+2}$, $\dfrac{1}{1+2+3}$, $\dfrac{1}{1+2+3+4}$, $\cdots$

풍쌤 POINT

일반항이 분수 꼴이면 일반항을 부분분수로 고쳐서 계산해.

풀이

(1) **STEP 1** 일반항을 부분분수로 나타내기

주어진 수열의 일반항을 a_n이라고 하면

$$a_n=\frac{1}{(n+2)(n+3)}=\frac{1}{n+2}-\frac{1}{n+3}$$

STEP 2 첫째항부터 제n항까지의 합 구하기

$$\therefore \sum_{k=1}^{n}a_k=\sum_{k=1}^{n}\left(\frac{1}{k+2}-\frac{1}{k+3}\right)$$
$$=\left(\frac{1}{3}-\frac{1}{4}\right)+\left(\frac{1}{4}-\frac{1}{5}\right)+\cdots+\left(\frac{1}{n+2}-\frac{1}{n+3}\right)$$
$$=\frac{1}{3}-\frac{1}{n+3}\ \textbf{❶}=\frac{n}{3(n+3)}$$

❶ 앞에서 첫 번째 항 $\dfrac{1}{3}$이 남으면 뒤에서 첫 번째 항 $-\dfrac{1}{n+3}$이 남는다.

(2) **STEP 1** 일반항을 부분분수로 나타내기

주어진 수열의 일반항을 a_n이라고 하면

$$a_n=\frac{1}{1+2+3+\cdots+n}\textbf{❷}=\frac{1}{\dfrac{n(n+1)}{2}}$$
$$=\frac{2}{n(n+1)}=2\left(\frac{1}{n}-\frac{1}{n+1}\right)$$

❷ $1+2+3+\cdots+n$
$=\displaystyle\sum_{k=1}^{n}k=\dfrac{n(n+1)}{2}$

STEP 2 첫째항부터 제n항까지의 합 구하기

$$\therefore \sum_{k=1}^{n}a_k=\sum_{k=1}^{n}2\left(\frac{1}{k}-\frac{1}{k+1}\right)$$
$$=2\left\{\left(1-\frac{1}{2}\right)+\left(\frac{1}{2}-\frac{1}{3}\right)+\cdots+\left(\frac{1}{n}-\frac{1}{n+1}\right)\right\}$$
$$=2\left(1-\frac{1}{n+1}\right)=\frac{2n}{n+1}$$

답 (1) $\dfrac{n}{3(n+3)}$　　(2) $\dfrac{2n}{n+1}$

풍쌤 강의 NOTE

분수 꼴인 수열의 합은 다음 순서로 구한다.

❶ 일반항을 부분분수로 고친다.

❷ $\displaystyle\sum_{k=1}^{n}a_k$를 덧셈식으로 나타낸다.

❸ 덧셈식에서 항을 연쇄적으로 소거하고 남는 항을 계산한다. 이때 앞에 남는 항과 뒤에 남는 항은 서로 대칭되는 위치에 있다.

07-1 ⊚ 유사

다음 수열의 첫째항부터 제n항까지의 합을 구하여라.

$$\frac{1}{2^2-1}, \ \frac{1}{4^2-1}, \ \frac{1}{6^2-1}, \ \frac{1}{8^2-1}, \ \cdots$$

07-4 ⊚ 변형

기출

수열 $\{a_n\}$이 모든 자연수 n에 대하여

$a_n={}_{n+1}\mathrm{C}_2$를 만족시킬 때, $\displaystyle\sum_{n=1}^{9}\frac{1}{a_n}$의 값을 구하여라.

07-2 ⊚ 변형

다음 식의 값을 구하여라.

$$\frac{1}{1\times 4}+\frac{1}{4\times 7}+\frac{1}{7\times 10}+\cdots+\frac{1}{28\times 31}$$

07-5 ⊚ 실력

$\displaystyle\sum_{k=1}^{n}a_k=n(n+3)$일 때, $\displaystyle\sum_{k=1}^{n}\frac{1}{a_ka_{k+1}}$을 구하여라.

07-6 ⊚ 실력

x에 대한 이차방정식 $x^2-x+(n+1)(n+2)=0$의

서로 다른 두 실근을 α_n, β_n이라고 할 때,

$\displaystyle\sum_{n=1}^{k}\left(\frac{1}{\alpha_n}+\frac{1}{\beta_n}\right)=\frac{3}{7}$을 만족시키는 자연수 k의 값을

구하여라.

07-3 ⊚ 변형

등식 $\displaystyle\sum_{k=1}^{n}\frac{1}{(4k-3)(4k+1)}=\frac{9}{37}$를 만족시키는 자연

수 n의 값을 구하여라.

다음 수열의 첫째항부터 제n항까지의 합을 구하여라.

(1) $\dfrac{1}{\sqrt{3}+2}$, $\dfrac{1}{\sqrt{4}+\sqrt{5}}$, $\dfrac{1}{\sqrt{5}+\sqrt{6}}$, $\cdots$

(2) $\dfrac{2}{1+\sqrt{3}}$, $\dfrac{2}{\sqrt{2}+\sqrt{4}}$, $\dfrac{2}{\sqrt{3}+\sqrt{5}}$, $\cdots$

풍쌤 POINT

분모에 근호가 포함되어 있으므로 일반항의 분모를 유리화하여 계산해.

풀이

(1) **STEP 1** 일반항의 분모를 유리화하여 나타내기

주어진 수열의 일반항을 a_n이라고 하면

$$a_n = \dfrac{1}{\sqrt{n+2}+\sqrt{n+3}} = \dfrac{\sqrt{n+2}-\sqrt{n+3}}{(n+2)-(n+3)} \quad ❶$$
$$= \sqrt{n+3}-\sqrt{n+2}$$

❶ 분모를 유리화하기 위해 분모, 분자에 각각 $\sqrt{n+2}-\sqrt{n+3}$ 을 곱한다.

STEP 2 첫째항부터 제n항까지의 합 구하기

$$\therefore \sum_{k=1}^{n} a_k = \sum_{k=1}^{n} (\sqrt{k+3}-\sqrt{k+2})$$
$$= (\sqrt{4}-\sqrt{3})+(\sqrt{5}-\sqrt{4})+(\sqrt{6}-\sqrt{5})+\cdots$$
$$+(\sqrt{n+3}-\sqrt{n+2}) \quad ❷$$
$$= \sqrt{n+3}-\sqrt{3}$$

❷ 항끼리 소거했을 때 앞에서 2 번째 항이 남으므로 뒤에서도 2번째 항이 남는다.

(2) **STEP 1** 일반항의 분모를 유리화하여 나타내기

주어진 수열의 일반항을 a_n이라고 하면

$$a_n = \dfrac{2}{\sqrt{n}+\sqrt{n+2}} = \dfrac{2(\sqrt{n}-\sqrt{n+2})}{n-(n+2)} \quad ❸$$
$$= \sqrt{n+2}-\sqrt{n}$$

❸ 분모를 유리화하기 위해 분모, 분자에 각각 $\sqrt{n}-\sqrt{n+2}$를 곱한다.

STEP 2 첫째항부터 제n항까지의 합 구하기

$$\therefore \sum_{k=1}^{n} a_k = \sum_{k=1}^{n} (\sqrt{k+2}-\sqrt{k})$$
$$= (\sqrt{3}-\sqrt{1})+(\sqrt{4}-\sqrt{2})+(\sqrt{5}-\sqrt{3})+\cdots$$
$$+(\sqrt{n+1}-\sqrt{n-1})+(\sqrt{n+2}-\sqrt{n})$$
$$= \sqrt{n+1}+\sqrt{n+2}-1-\sqrt{2} \quad ❹$$

❹ 항끼리 소거했을 때 앞에서 2 번째, 4번째 항이 남으므로 뒤 에서도 2번째, 4번째 항이 남는 다.

📖 (1) $\sqrt{n+3}-\sqrt{3}$ (2) $\sqrt{n+1}+\sqrt{n+2}-1-\sqrt{2}$

풍쌤 강의 NOTE

분모가 무리수 꼴인 수열의 합은 다음 순서로 구한다.

❶ 일반항의 분모를 유리화한다.

❷ $\sum_{k=1}^{n} a_k$를 덧셈식으로 나타낸다.

❸ 덧셈식에서 항을 연쇄적으로 소거하고 남는 항을 계산한다. 이때 앞에 남는 항과 뒤에 남는 항은 서로 대칭되는 위치에 있다.

08-1 ◉ 유사

다음 수열의 첫째항부터 제n항까지의 합을 구하여라.

(1) $\dfrac{1}{1+\sqrt{3}}$, $\dfrac{1}{\sqrt{3}+\sqrt{5}}$, $\dfrac{1}{\sqrt{5}+\sqrt{7}}$, $\cdots$

(2) $\dfrac{4}{\sqrt{2}+\sqrt{6}}$, $\dfrac{4}{\sqrt{4}+\sqrt{8}}$, $\dfrac{4}{\sqrt{6}+\sqrt{10}}$, $\cdots$

08-2 ◉ 변형

등식 $\displaystyle\sum_{k=1}^{17}\dfrac{1}{\sqrt{2k}+\sqrt{2k+2}}=a+b\sqrt{2}$를 만족시키는 유리수 a, b에 대하여 ab의 값을 구하여라.

08-3 ◉ 변형

등식 $\displaystyle\sum_{k=1}^{n}\dfrac{6}{\sqrt{3k+1}+\sqrt{3k+4}}=10$을 만족시키는 자연수 n의 값을 구하여라.

08-4 ◉ 변형

등차수열 $\{a_n\}$에 대하여 $a_3=6$, $a_8=11$일 때, $\displaystyle\sum_{k=1}^{12}\dfrac{1}{\sqrt{a_{k+1}}+\sqrt{a_k}}$의 값을 구하여라.

08-5 ◉ 변형   기출

n이 자연수일 때 x에 대한 이차방정식 $x^2-(2n-1)x+n(n-1)=0$의 두 근을 α_n, β_n이라고 하자. $\displaystyle\sum_{n=1}^{81}\dfrac{1}{\sqrt{\alpha_n}+\sqrt{\beta_n}}$의 값을 구하여라.

08-6 ◉ 실력

모든 항이 양수인 수열 $\{a_n\}$에 대하여 $\displaystyle\sum_{k=1}^{n}a_k^2=(n+1)^2$일 때, $\displaystyle\sum_{k=1}^{12}\dfrac{1}{a_k+a_{k+1}}$의 값을 구하여라.

다음 물음에 답하여라.

(1) 수열 $\{a_n\}$에서 a_n이 3^n을 10으로 나누었을 때의 나머지일 때, $\sum\limits_{k=1}^{30} a_k$의 값을 구하여라.

(2) 수열 $\{a_n\}$이 1, 2, 2, 3, 3, 3, 4, 4, 4, 4, …일 때, $\sum\limits_{k=1}^{50} a_k$의 값을 구하여라.

풍쌤 POINT

(1) a_1, a_2, a_3, …을 차례로 구하여 수열 $\{a_n\}$에서 반복되는 항을 찾아봐.

(2) 같은 수끼리 항을 묶어서 생각해.

풀이

(1) **STEP 1** 수열 $\{a_n\}$에서 반복되는 항 알아보기

3, 3^2, 3^3, 3^4, 3^5, 3^6, 3^7, 3^8, …을 10으로 나누었을 때의 나머지❶는 일의 자리 숫자와 같으므로 각각 3, 9, 7, 1, 3, 9, 7, 1, …이다. 즉, 수열 $\{a_n\}$은 3, 9, 7, 1이 반복된다.

STEP 2 $\sum\limits_{k=1}^{30} a_k$의 값 구하기

$\therefore \sum\limits_{k=1}^{30} a_k = (a_1 + a_2 + a_3 + a_4) + (a_5 + a_6 + a_7 + a_8) + \cdots$
$$+ (a_{25} + a_{26} + a_{27} + a_{28}) + a_{29} + a_{30}$$
$$= (3 + 9 + 7 + 1) \times 7 + 3 + 9 = 152$$

> ❶ 3^n의 일의 자리 숫자는
> 3, $3^2 = 9$, $3^3 = 27$, $3^4 = 81$,
> $3^5 = 243$, …에서 3, 9, 7, 1이
> 반복되므로 3^n을 10으로 나누
> 었을 때의 나머지는 3, 9, 7, 1
> 이 반복된다.

(2) **STEP 1** a_{50} 알아보기

수열의 항을 같은 수끼리 묶고 n번째 묶음을 제n군이라고 하면
(1), $(2, 2)$, $(3, 3, 3)$, $(4, 4, 4, 4)$, …
제1군부터 제n군까지의 항의 개수는
$$1 + 2 + 3 + \cdots + n = \frac{n(n+1)}{2}$$
이고 $\dfrac{9 \times 10}{2} = 45$, $\dfrac{10 \times 11}{2} = 55$에서 a_{50}은 제10군의 5번째 항이다.

STEP 2 $\sum\limits_{k=1}^{50} a_k$의 값 구하기

따라서 제n군의 항의 합은 $\underbrace{n + n + \cdots + n}_{n\text{개}} = n^2$이므로

$$\sum_{k=1}^{50} a_k = \sum_{k=1}^{9} k^2 + \sum_{k=1}^{5} 10^{❷} = \frac{9 \times 10 \times 19}{6} + 10 \times 5 = 335$$

> ❷ (제1군부터 제9군까지의 합)
> + (제10군의 첫째항부터 5번
> 째항까지의 합)

답 (1) 152 (2) 335

풍쌤 강의 NOTE

새로운 형태의 수열은 a_1, a_2, a_3, …을 구하여 항 사이의 규칙을 찾거나 각 항이 갖는 규칙에 따라 묶어서 해결한다.

09-1 ◉ 유사

수열 $\{a_n\}$에서 a_n이 2^n을 5로 나누었을 때의 나머지일 때, $\sum_{k=1}^{35} a_k$의 값을 구하여라.

09-4 ◉ 변형

9^n을 10으로 나누었을 때의 나머지를 a_n, 4^n을 5로 나누었을 때의 나머지를 b_n이라고 할 때, $\sum_{k=1}^{20} (a_k + b_k)$의 값을 구하여라.

09-2 ◉ 유사

수열 $\{a_n\}$이 1, 1, 2, 1, 2, 3, 1, 2, 3, 4, $\cdots$일 때, $\sum_{k=1}^{40} a_k$의 값을 구하여라.

09-5 ◉ 실력

수열 1, $\dfrac{1}{2}$, $\dfrac{2}{2}$, $\dfrac{1}{3}$, $\dfrac{2}{3}$, $\dfrac{3}{3}$, $\dfrac{1}{4}$, $\dfrac{2}{4}$, $\dfrac{3}{4}$, $\dfrac{4}{4}$, $\cdots$의 첫째항부터 제35항까지의 합을 구하여라.

09-3 ◉ 변형

수열 $\{a_n\}$에서 a_n이 7^n의 일의 자리 숫자일 때, $\sum_{k=1}^{n} a_k = 96$을 만족시키는 자연수 n의 값을 구하여라.

09-6 ◉ 실력

수열 $\{a_n\}$에서 a_n이 $n! + 1$의 일의 자리 숫자일 때, $\sum_{k=1}^{m} a_k = 24$를 만족시키는 자연수 m의 값을 구하여라.

(단, $n! = 1 \times 2 \times 3 \times \cdots \times n$)

+ 발전유형 ⑩ (등차수열)×(등비수열) 꼴로 이루어진 수열의 합

다음 수열의 첫째항부터 제n항까지의 합을 구하여라.

$$1 \times 3,\ 2 \times 3^2,\ 3 \times 3^3,\ 4 \times 3^4,\ \cdots$$

풍쌤 POINT

등차수열을 이루는 수와 등비수열을 이루는 수의 곱으로 이루어진 수열이므로 구하는 합을 S로 놓고 양변에 등비수열의 공비를 곱해서 계산해.

풀이

STEP 1 구하는 합을 S로 놓고 $3S$를 식으로 나타내기

첫째항부터 제n항까지의 합을 S라고 하면

$$S = 1 \times 3 + 2 \times 3^2 + 3 \times 3^3 + \cdots + n \times 3^n \qquad \cdots\cdots ㉠$$

등비수열 $3,\ 3^2,\ 3^3,\ 3^4,\ \cdots$의 공비가 3이므로 ㉠의 양변에 $3^{❶}$을 곱하면

$$3S = 1 \times 3^2 + 2 \times 3^3 + 3 \times 3^4 + \cdots + (n-1) \times 3^n + n \times 3^{n+1} \qquad \cdots\cdots ㉡$$

❶ S에 등비수열의 공비 r를 곱하여 $S - rS$를 등비수열의 합으로 나타낸다.

STEP 2 첫째항부터 제n항까지의 합 구하기

㉠ − ㉡을 하면

$$
\begin{aligned}
S &= 1 \times 3 + 2 \times 3^2 + 3 \times 3^3 + \cdots + n \times 3^n \\
-)\ 3S &= \qquad\quad 1 \times 3^2 + 2 \times 3^3 + \cdots + (n-1) \times 3^n + n \times 3^{n+1} \\
\hline
-2S &= 1 \times 3 + 1 \times 3^2 + 1 \times 3^3 + \cdots + 1 \times 3^n - n \times 3^{n+1} \\
&= (3 + 3^2 + 3^3 + \cdots + 3^n) - n \times 3^{n+1} \\
&= \frac{3(3^n - 1)}{3 - 1} - n \times 3^{n+1} \\
&= \left(\frac{1}{2} - n\right) \times 3^{n+1} - \frac{3}{2}
\end{aligned}
$$

$$\therefore S = \left(\frac{n}{2} - \frac{1}{4}\right) \times 3^{n+1} + \frac{3}{4}$$

답 $\left(\dfrac{n}{2} - \dfrac{1}{4}\right) \times 3^{n+1} + \dfrac{3}{4}$

풍쌤 강의 NOTE

등차수열과 등비수열의 각 항의 곱으로 이루어진 수열의 합은 다음 순서로 구한다.
❶ 주어진 수열의 합을 S로 놓는다.
❷ ❶의 식의 양변에 등비수열의 공비 r를 곱한다.
❸ $S - rS$를 계산하여 S의 값을 구한다.

10-1 유사

다음 수열의 첫째항부터 제n항까지의 합을 구하여라.

$$1 \times 1, \ 2 \times 2, \ 3 \times 2^2, \ 4 \times 2^3, \ \cdots$$

10-2 변형

다음 식의 값을 구하여라.

$$1 \times 3 - 2 \times 3^2 + 3 \times 3^3 - 4 \times 3^4 + \cdots - 10 \times 3^{10}$$

10-3 변형

$\displaystyle\sum_{k=1}^{12}(k+1)2^k$의 값을 구하여라.

10-4 변형

다음 등식을 만족시키는 자연수 $a,\ b$의 값을 구하여라.

$$\frac{1}{1} + \frac{2}{2} + \frac{3}{2^2} + \cdots + \frac{10}{2^9} = a - \frac{3}{2^b}$$

10-5 변형

함수 $f(x) = 1 + 4x + 7x^2 + \cdots + 22x^7$에 대하여 $f(4)$의 값을 구하여라.

10-6 실력

다항식 $2x + 4x^2 + 6x^3 + \cdots + 2n \times x^n$을 $x - 2$로 나누었을 때의 나머지가 $15 \times 2^{18} + 4$일 때, 자연수 n의 값을 구하여라.

실전 연습 문제

01

첫째항이 3인 수열 $\{a_n\}$에 대하여

$$\sum_{k=1}^{n} (a_k - a_{k+1}) = 4n - 5 \ (n \geq 1)$$

가 성립할 때, a_7의 값은?

① -16 ② -18 ③ -20

④ -22 ⑤ -24

02 기출

좌표평면에서 자연수 n에 대하여 두 곡선 $y = \log_2 x$, $y = \log_2 (2^n - x)$가 만나는 점의 x좌표를 a_n이라고 할 때, $\sum_{n=1}^{5} a_n$의 값은?

① 31   ② 32   ③ 33

④ 34   ⑤ 35

03

두 수열 $\{a_n\}$, $\{b_n\}$에 대하여 $\sum_{k=1}^{14} (a_k + b_k) = 5$, $\sum_{k=1}^{14} a_k b_k = 9$가 성립할 때, $\sum_{k=1}^{14} (a_k - 3)(b_k - 3)$의 값은?

① 110   ② 120   ③ 130

④ 140   ⑤ 150

04 기출

두 수열 $\{a_n\}$, $\{b_n\}$에 대하여 $\sum_{n=1}^{5} (a_n - b_n) = 10$, $\sum_{n=1}^{6} (2a_n - 2b_n) = 56$일 때, $a_6 - b_6$의 값을 구하여라.

05

두 수열 $\{a_n\}$, $\{b_n\}$에서 임의의 자연수 n에 대하여 $a_n - b_n = 3$이다. $\sum_{k=1}^{15} (a_k - 3b_k) = 25$일 때, $\sum_{k=1}^{15} b_k$의 값은?

① 7   ② 8   ③ 9

④ 10   ⑤ 11

06 서술형

이차방정식 $x^2 - 2kx + k = 0$의 두 근을 α_k, β_k라고 할 때, $\sum_{k=1}^{9} (\alpha_k - \beta_k)^2$의 값을 구하여라.

(단, k는 자연수이다.)

07 기출

자연수 n에 대하여 $f(n)$이 다음과 같다.

$$f(n)=\begin{cases} \log_3 n & (n \text{이 홀수}) \\ \log_2 n & (n \text{이 짝수}) \end{cases}$$

수열 $\{a_n\}$이 $a_n=f(6^n)-f(3^n)$일 때, $\displaystyle\sum_{n=1}^{15} a_n$의 값은?

① $120(\log_2 3-1)$　　② $105\log_3 2$

③ $105\log_2 3$　　④ $120\log_2 3$

⑤ $120(\log_3 2+1)$

08

$\displaystyle\sum_{i=1}^{6}\left\{\sum_{j=1}^{i}(4j-i)\right\}$의 값은?

① 127　　② 128　　③ 130

④ 132　　⑤ 133

09 서술형 ✎

다음 수열의 첫째항부터 제8항까지의 합이 $\dfrac{3^9-a}{4}$일 때, 자연수 a의 값을 구하여라.

$$1,\ 1+3,\ 1+3+3^2,\ 1+3+3^2+3^3,\ \cdots$$

10 기출

첫째항이 $\dfrac{1}{5}$이고 공비가 양수인 등비수열 $\{a_n\}$에 대하여 $a_4=4a_2$일 때, $\displaystyle\sum_{k=1}^{n} a_k=\dfrac{3}{13}\sum_{k=1}^{n} a_k{}^2$을 만족시키는 자연수 n의 값은?

① 5　　② 6　　③ 7

④ 8　　⑤ 9

11

수열 $\{a_n\}$에 대하여 $\displaystyle\sum_{k=1}^{n} a_k=\log n$일 때, $a_4+a_5+a_9+a_{16}$의 값을 구하여라.

12 기출

수열 $\{a_n\}$에 대하여 $\displaystyle\sum_{k=1}^{n} a_k=n^2-n$ $(n\geq 1)$일 때, $\displaystyle\sum_{k=1}^{10} ka_{4k+1}$의 값은?

① 2960　　② 3000　　③ 3040

④ 3080　　⑤ 3120

13

직선 $y=x-2n-1$의 x절편을 a_n이라고 할 때,

$\sum\limits_{n=1}^{15}\dfrac{1}{a_na_{n+1}}$의 값은?

① $\dfrac{1}{11}$　　② $\dfrac{4}{33}$　　③ $\dfrac{5}{33}$

④ $\dfrac{2}{11}$　　⑤ $\dfrac{7}{33}$

14 서술형 ✏

x에 대한 다항식 $x^2+(1-2n)x+4n$을 $x+n$으로 나눈 나머지를 a_n이라고 할 때, $\sum\limits_{n=1}^{30}\dfrac{1}{a_n}$의 값을 구하여라. (단, n은 자연수이다.)

15

함수 $f(x)=\sqrt{x+3}+\sqrt{x+4}$에 대하여 $\sum\limits_{k=1}^{n}\dfrac{1}{f(k)}=2$를 만족시키는 자연수 n의 값은?

① 8　　② 9　　③ 10

④ 11　　⑤ 12

16

수열 $\{a_n\}$에서 a_n이 8^n을 10으로 나누었을 때의 나머지일 때, $\sum\limits_{k=1}^{25}(a_k+k)$의 값은?

① 449　　② 451　　③ 453

④ 457　　⑤ 459

17

함수 $f(x)=x+2x^2+3x^3+\cdots+10x^{10}$에 대하여 $f(2)=a\times2^{11}+b$일 때, 자연수 a, b에 대하여 $a-b$의 값은?

① 6　　② 7　　③ 8

④ 9　　⑤ 10

18

모든 항이 양수이고 첫째항이 각각 1인 등차수열 $\{a_n\}$과 등비수열 $\{b_n\}$이 있다. $a_7=13$이고 $a_5=b_3$일 때, $\sum\limits_{k=1}^{10}a_kb_k$의 값은?

① 3^9+1　　② $3^{10}-1$　　③ $3^{10}+1$

④ $3^{12}-1$　　⑤ $3^{12}+1$

01

수열 $\{a_n\}$이 모든 자연수 n에 대하여 $a_{2n-1}=4n-1$, $a_{2n}=2n+1$을 만족시킬 때, $\sum\limits_{k=1}^{19}(a_k+a_{k+1})$의 값을 구하여라.

03 기출

수열 $\{a_n\}$의 각 항이

$a_1=1$

$a_2=1+3$

$a_3=1+3+5$

$\vdots$

$a_n=1+3+5+\cdots+(2n-1)$

$\vdots$

일 때, $\log_4{(2^{a_1}\times 2^{a_2}\times 2^{a_3}\times \cdots \times 2^{a_{12}})}$의 값은?

① 315   ② 320   ③ 325

④ 330   ⑤ 335

02 기출

수열 $\{a_n\}$이 모든 자연수 n에 대하여

$$\sum_{k=1}^{n}a_{2k-1}=3n^2-n, \ \sum_{k=1}^{2n}a_k=6n^2+n$$

을 만족시킬 때, $\sum\limits_{k=1}^{24}(-1)^k a_k$의 값은?

① 18   ② 24   ③ 30

④ 36   ⑤ 42

04

공차가 2인 등차수열 $\{a_n\}$에 대하여 이차방정식 $x^2+(a_{n+1}-a_n)x+a_{n+2}=0$의 서로 다른 두 실근을 α_n, β_n이라고 하자. $\sum\limits_{n=1}^{12}(\alpha_n-1)(\beta_n-1)=276$일 때, $\sum\limits_{n=1}^{20}a_n$의 값을 구하여라.

05

첫째항이 양수인 등차수열 $\{a_n\}$에 대하여

$$\sum_{k=1}^{20}(-1)^k a_k=20, \quad \sum_{k=1}^{5}\frac{1}{a_k a_{k+1}}=\frac{1}{15}$$

일 때, $\sum_{k=1}^{10}k a_k$의 값을 구하여라.

06

모든 항이 양수인 수열 $\{a_n\}$에 대하여 $\sum_{k=1}^{n}a_k{}^2=n^2$일 때, $\sum_{k=1}^{m}\frac{1}{a_k+a_{k+1}}=4$를 만족시키는 자연수 m의 값을 구하여라.

07

자연수 n에 대하여 $0<x<n\pi$일 때, 방정식 $\sin x=\dfrac{3}{n}$의 모든 실근의 개수를 a_n이라고 하자. $\sum_{n=1}^{7}a_n$의 값은?

① 26   ② 27   ③ 28

④ 29   ⑤ 30

08

다음 그림과 같이 $\angle B=90°$, $\overline{AC}=1$인 직각삼각형 ABC에 대하여 $\overline{AC}$를 10등분한 점을 순서대로 P_1, P_2, P_3, $\cdots$, P_9라고 하자. $\overline{BP_1}^2+\overline{BP_2}^2+\overline{BP_3}^2+\cdots+\overline{BP_9}^2=\dfrac{q}{p}$일 때, $p+q$의 값을 구하여라. (단, p, q는 서로소인 자연수이다.)

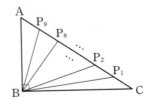

14

수학적 귀납법

14 수학적 귀납법

개념01 수열의 귀납적 정의

수열 $\{a_n\}$을

(ⅰ) 첫째항 a_1의 값

(ⅱ) 이웃하는 항 a_n과 a_{n+1} 사이의 관계식

으로 정의하는 것을 수열의 귀납적 정의라고 한다.

이때 (ⅱ)의 관계식에 $n=1, 2, 3, \cdots$을 대입하면 수열 $\{a_n\}$의 모든 항을 구할 수 있다.

> $a_{n+1}=a_n+2$와 같이 수열에서 이웃하는 항들 사이의 관계식을 점화식이라고 한다.

[예] 첫째항이 1, 공차가 2인 등차수열 $\{a_n\}$을 나타내는 방법

① 항을 나열하여 나타내기 ➡ 1, 3, 5, 7, $\cdots$

② 일반항으로 나타내기 ➡ $a_n=2n-1$

③ 수열의 귀납적 정의로 나타내기 ➡ $a_1=1,\ a_{n+1}=a_n+2$

확인01 다음과 같이 정의된 수열 $\{a_n\}$의 첫째항부터 제4항까지 차례로 나열하여라.

(1) $a_1=2,\ a_{n+1}=3a_n-1$

(2) $a_1=1,\ a_2=4,\ a_{n+2}=a_n+a_{n+1}$

개념02 등차수열과 등비수열의 귀납적 정의

(1) 등차수열의 귀납적 정의

첫째항이 a, 공차가 d인 등차수열 $\{a_n\}$의 귀납적 정의는

① $a_1=a,\ a_{n+1}=a_n+d\ (n\geq1)$

② $a_1=a,\ a_2=b,\ 2a_{n+1}=a_n+a_{n+2}\ (n\geq1)$

> 등차수열 $\{a_n\}$에서
> $a_{n+1}-a_n=a_{n+2}-a_{n+1}$
> $2a_{n+1}=a_n+a_{n+2}$
> $\Longleftrightarrow a_{n+1}$은 a_n과 a_{n+2}의 등차중항

[예] $a_1=2,\ a_{n+1}=a_n+3\ (n=1, 2, 3, \cdots)$으로 정의된 수열 $\{a_n\}$에서 $a_{n+1}-a_n=3$이므로 수열 $\{a_n\}$은 첫째항이 2이고, 공차가 3인 등차수열이다.

(2) 등비수열의 귀납적 정의

첫째항이 a, 공비가 $r\ (r\neq0)$인 등비수열 $\{a_n\}$의 귀납적 정의는

① $a_1=a,\ a_{n+1}=ra_n\ (n\geq1)$

② $a_1=a,\ a_2=b,\ a_{n+1}^{\,2}=a_na_{n+2}\ (n\geq1)$

> 등비수열 $\{a_n\}$에서
> $\dfrac{a_{n+1}}{a_n}=\dfrac{a_{n+2}}{a_{n+1}}$
> $\Longleftrightarrow a_{n+1}^{\,2}=a_na_{n+2}$
> $\Longleftrightarrow a_{n+1}$은 a_n과 a_{n+2}의 등비중항

[예] $a_1=1,\ a_{n+1}=3a_n(n=1, 2, 3, \cdots)$으로 정의된 수열 $\{a_n\}$에서 $\dfrac{a_{n+1}}{a_n}=3$이므로 수열 $\{a_n\}$은 첫째항이 1이고, 공비가 3인 등비수열이다.

확인02 다음과 같이 정의된 수열의 일반항을 구하여라.

(1) $a_1=5,\ a_{n+1}=a_n+4\ (n\geq1)$

(2) $a_1=3,\ a_{n+1}=2a_n\ (n\geq1)$

개념 03 여러 가지 수열의 귀납적 정의

(1) $a_{n+1}=a_n+f(n)$ 꼴로 정의된 수열

n에 1, 2, 3, $\cdots$, $n-1$을 차례로 대입하여 변끼리 더한다.

$\Rightarrow a_n=a_1+f(1)+f(2)+\cdots+f(n-1)$

$\qquad =a_1+\displaystyle\sum_{k=1}^{n-1}f(k)$

$$\begin{aligned}
\cancel{a_2}&=a_1+f(1)\\
\cancel{a_3}&=\cancel{a_2}+f(2)\\
\cancel{a_4}&=\cancel{a_3}+f(3)\\
&\ \vdots\\
+\,)\ \ a_n&=\cancel{a_{n-1}}+f(n-1)\\
\hline
a_n&=a_1+f(1)+f(2)+f(3)\\
&\qquad\quad +\cdots+f(n-1)
\end{aligned}$$

(2) $a_{n+1}=a_n f(n)$ 꼴로 정의된 수열

n에 1, 2, 3, $\cdots$, $n-1$을 차례로 대입하여 변끼리 곱한다.

$\Rightarrow a_n=a_1 f(1)f(2)\cdots f(n-1)$

$$\begin{aligned}
\cancel{a_2}&=a_1 f(1)\\
\cancel{a_3}&=\cancel{a_2}f(2)\\
\cancel{a_4}&=\cancel{a_3}f(3)\\
&\ \vdots\\
\times\,)\ \ a_n&=\cancel{a_{n-1}}f(n-1)\\
\hline
a_n&=a_1 f(1)f(2)\cdots f(n-1)
\end{aligned}$$

확인 03 다음과 같이 정의된 수열 $\{a_n\}$의 제4항을 구하여라.

  (1) $a_1=3$, $a_{n+1}=a_n+2n$

  (2) $a_1=2$, $a_{n+1}=3^n a_n$

개념 04 수학적 귀납법

자연수 n에 대한 명제 $p(n)$이 모든 자연수 n에 대하여 성립함을 증명하려면 다음 두 가지를 보이면 된다.

(ⅰ) $n=1$일 때 명제 $p(n)$이 성립한다.

(ⅱ) $n=k$일 때 명제 $p(n)$이 성립한다고 가정하면 $n=k+1$일 때도 명제 $p(n)$이 성립한다.

이와 같은 방법으로 모든 자연수 n에 대하여 명제 $p(n)$이 성립함을 증명하는 것을 수학적 귀납법이라고 한다.

▶**주의** 자연수 n에 대한 명제 $p(n)$이 m ($m\geq2$인 자연수) 이상인 모든 자연수에 대하여 성립함을 증명하려면 위의 (ⅰ)에서 $n=1$이 아닌 $n=m$일 때 명제 $p(n)$이 성립함을 보여야 한다.

확인 04 자연수 n에 대한 명제 $p(n)$에 대하여 알맞은 것에 ○표 하여라.

  명제 $p(n)$이 2 이상의 모든 자연수 n에 대하여 성립함을 보이려면

  ($p(1)$, $p(2)$)(이)가 성립함을 보이고, $p(k)$가 성립한다고 가정하면

  ($p(k+1)$, $p(k+2)$)(이)가 성립함을 보인다.

▶(ⅰ)에 의하여 $p(1)$은 참이다.

$\Rightarrow$ (ⅱ)에 의하여 $p(1)$이 참이므로 $p(2)$도 참이다.

$\Rightarrow$ (ⅱ)에 의하여 $p(2)$가 참이므로 $p(3)$도 참이다.

$\quad\vdots$

따라서 (ⅰ), (ⅱ)가 성립하면 모든 자연수 n에 대하여 명제 $p(n)$이 참임을 알 수 있다.

다음 물음에 답하여라.

(1) 수열 $\{a_n\}$이 $a_1 = 25$, $a_{n+1} = a_n - 3$ $(n \geq 1)$으로 정의될 때, 처음으로 음수가 나오는 항은 제몇 항인지 구하여라.

(2) 수열 $\{a_n\}$이 $a_1 = 1$, $a_5 = 9$, $2a_{n+1} = a_n + a_{n+2}$ $(n \geq 1)$로 정의될 때, a_{15}의 값을 구하여라.

풍쌤 POINT

(1) $a_{n+1} = a_n + d$로 정의된 수열 $\{a_n\}$은 공차가 d인 등차수열이야.

(2) $2a_{n+1} = a_n + a_{n+2}$에서 a_{n+1}은 a_n과 a_{n+2}의 등차중항이므로 등차수열을 나타내는 식이야.

풀이

(1) **STEP 1 일반항 구하기**

$a_{n+1} = a_n - 3$에서 수열 $\{a_n\}$은 공차가 -3인 등차수열이므로

$a_n = 25 + (n-1) \times (-3) = -3n + 28$

STEP 2 처음으로 음수가 나오는 항 구하기

$a_n = -3n + 28 < 0$에서 $-3n < -28$

$\therefore n > 9.3 \times \times$

따라서 처음으로 음수가 나오는 항은 제10항❶이다.

(2) **STEP 1 일반항 구하기**

$2a_{n+1} = a_n + a_{n+2}$❷에서 수열 $\{a_n\}$은 등차수열이다.

등차수열 $\{a_n\}$의 공차를 d라고 하면

$a_5 = 1 + 4d = 9$에서

$4d = 8$ $\quad \therefore d = 2$

$\therefore a_n = 1 + (n-1) \times 2 = 2n - 1$

STEP 2 a_{15}의 값 구하기

$\therefore a_{15} = 2 \times 15 - 1 = 29$

❶ $a_n = -3n + 28$에서 공차가 음수이고 $a_9 = 1 > 0$, $a_{10} = -2 < 0$이므로 수열 $\{a_n\}$은 제10항부터 음수이다.

❷ $2a_{n+1} = a_n + a_{n+2}$에서 $a_{n+1} - a_n = a_{n+2} - a_{n+1}$ 즉, 수열 $\{a_n\}$은 등차수열이다.

답 (1) 제10항 (2) 29

풍쌤 강의 NOTE

등차수열의 귀납적 정의는 등차수열의 정의 또는 등차중항을 이용하여 나타낸다.

① 등차수열의 정의를 이용 ➡ $a_1 = a$, $a_{n+1} = a_n + d$ $(n \geq 1)$

② 등차중항을 이용 ➡ $a_{n+1} - a_n = a_{n+2} - a_{n+1}$

$\iff 2a_{n+1} = a_n + a_{n+2}$

$\iff a_{n+1} = \dfrac{a_n + a_{n+2}}{2}$

01-1 유사

수열 $\{a_n\}$이 $a_1=-40$, $a_{n+1}-6=a_n$ $(n \geq 1)$으로 정의될 때, 처음으로 양수가 나오는 항은 제몇 항인지 구하여라.

01-4 변형

$a_1=2$, $a_{n+1}=\dfrac{a_n+a_{n+2}}{2}$ $(n \geq 1)$로 정의되는 수열 $\{a_n\}$에 대하여 $a_{n+5}-a_{n+2}=-9$일 때, $\displaystyle\sum_{k=1}^{10} a_k$의 값을 구하여라.

01-2 유사

수열 $\{a_n\}$이 $a_3=9$, $a_7=25$, $a_{n+2}-2a_{n+1}+a_n=0$ $(n \geq 1)$으로 정의될 때, a_9의 값을 구하여라.

01-5 실력

첫째항이 5보다 작고 $a_{n+2}-a_{n+1}=a_{n+1}-a_n$을 만족시키는 수열 $\{a_n\}$에 대하여 $a_4-a_2=-4$, $a_2a_4=-3$일 때, $a_2+a_4+a_6+ \cdots +a_{20}$의 값을 구하여라.

01-3 변형

수열 $\{a_n\}$이 $a_1+a_3=8$, $a_{n+1}=a_n+5$ $(n \geq 1)$로 정의될 때, $a_k=39$를 만족시키는 자연수 k의 값을 구하여라.

01-6 실력

수열 $\{a_n\}$이 모든 자연수 n에 대하여 $2a_{n+1}=a_n+a_{n+2}$를 만족시킨다. $a_2+a_5=32$, $a_3=9a_7$일 때, $\displaystyle\sum_{k=1}^{n} a_k$의 값은 $n=\alpha$에서 최댓값 β를 갖는다. 이때 $\alpha+\beta$의 값을 구하여라.

다음 물음에 답하여라.

(1) 수열 $\{a_n\}$이 $a_1 = 2$, $a_{n+1} = 3a_n$ $(n \geq 1)$으로 정의될 때, $a_5 a_8$의 값을 구하여라.

(2) 수열 $\{a_n\}$이 $a_1 = \dfrac{1}{8}$, $a_6 = -4$, $a_{n+1}{}^2 = a_n a_{n+2}$ $(n \geq 1)$로 정의될 때, $\displaystyle\sum_{k=1}^{5} a_k$의 값을 구하여라.

풍쌤 POINT

(1) $a_{n+1} = r a_n$으로 정의된 수열 $\{a_n\}$은 공비가 r인 등비수열이야.

(2) $a_{n+1}{}^2 = a_n a_{n+2}$에서 a_{n+1}은 a_n과 a_{n+2}의 등비중항이므로 등비수열을 나타내는 식이야.

풀이

(1) **STEP 1 일반항 구하기**

$a_{n+1} = 3a_n$❶에서 수열 $\{a_n\}$은 공비가 3인 등비수열이므로

$a_n = 2 \times 3^{n-1}$

STEP 2 $a_5 a_8$의 값 구하기

따라서 $a_5 = 2 \times 3^4$, $a_8 = 2 \times 3^7$이므로

$a_5 a_8 = (2 \times 3^4) \times (2 \times 3^7) = 2^2 \times 3^{11}$

(2) **STEP 1 일반항 구하기**

$a_{n+1}{}^2 = a_n a_{n+2}$❷에서 수열 $\{a_n\}$은 등비수열이다.

등비수열 $\{a_n\}$의 공비를 r라고 하면

$a_6 = \dfrac{1}{8} \times r^5 = -4$에서 $r^5 = -32$ $\quad \therefore r = -2$

$\therefore a_n = \dfrac{1}{8} \times (-2)^{n-1}$

STEP 2 $\displaystyle\sum_{k=1}^{5} a_k$의 값 구하기

$\therefore \displaystyle\sum_{k=1}^{5} a_k = \dfrac{\dfrac{1}{8}\{1 - (-2)^5\}}{1 - (-2)} = \dfrac{11}{8}$

❶ $a_{n+1} = 3a_n$에서

$\dfrac{a_{n+1}}{a_n} = 3$, 즉

$\dfrac{a_2}{a_1} = \dfrac{a_3}{a_2} = \dfrac{a_4}{a_3} = \cdots = 3$이

므로 수열 $\{a_n\}$은 공비가 3인

등비수열이다.

❷ $a_{n+1}{}^2 = a_n a_{n+2}$의 양변을

$a_n a_{n+1}$로 나누면

$\dfrac{a_{n+1}{}^2}{a_n a_{n+1}} = \dfrac{a_n a_{n+2}}{a_n a_{n+1}}$

즉, $\dfrac{a_{n+1}}{a_n} = \dfrac{a_{n+2}}{a_{n+1}}$이므로 수열

$\{a_n\}$은 등비수열이다.

답 (1) $2^2 \times 3^{11}$ (2) $\dfrac{11}{8}$

풍쌤 강의 NOTE

등비수열의 귀납적 정의는 등비수열의 정의 또는 등비중항을 이용하여 나타낸다.

① 등비수열의 정의를 이용 ➡ $a_1 = a$, $a_{n+1} = r a_n$ $(n \geq 1)$

② 등비중항을 이용 ➡ $\dfrac{a_{n+1}}{a_n} = \dfrac{a_{n+2}}{a_{n+1}}$

$\iff a_{n+1}{}^2 = a_n a_{n+2}$

$\iff a_{n+1} = \pm\sqrt{a_n a_{n+2}}$

02-1 ◉ 유사

수열 $\{a_n\}$이 $a_2=1$, $a_{n+1}=5a_n$ $(n\geq1)$으로 정의될 때, $\dfrac{a_5a_7}{a_3}$의 값을 구하여라.

02-2 ◉ 유사

수열 $\{a_n\}$이 모든 자연수 n에 대하여 $a_{n+1}^{\ 2}=a_na_{n+2}$를 만족시킨다. $a_1=3$, $a_4=24$일 때, $\displaystyle\sum_{k=1}^{7}a_k$의 값을 구하여라.

02-3 ◉ 변형

수열 $\{a_n\}$이 $a_3=35$, $2a_{n+1}-a_n=0$ $(n\geq1)$으로 정의될 때, 처음으로 1보다 작아지는 항은 제몇 항인지 구하여라.

02-4 ◉ 변형

모든 항이 양수인 수열 $\{a_n\}$이

$$a_3=1,\ 4a_4=a_6,\ \frac{a_{n+2}}{a_{n+1}}=\frac{a_{n+1}}{a_n}\ (n\geq1)$$

로 정의될 때, $\displaystyle\sum_{k=1}^{8}\frac{1}{a_k}$의 값을 구하여라.

02-5 ◉ 변형

수열 $\{a_n\}$이 임의의 자연수 n에 대하여 $a_{n+1}^{\ 2}-a_na_{n+2}=0$을 만족시킨다. $a_4=27$, $\dfrac{a_2a_{10}}{a_7}=81$일 때, $a_k=3^8$을 만족시키는 자연수 k의 값을 구하여라.

02-6 ◉ 실력   기출

모든 항이 양수인 수열 $\{a_n\}$이 $a_1=2$이고 $\log_2 a_{n+1}=1+\log_2 a_n$ $(n\geq1)$을 만족시킨다. $a_1\times a_2\times a_3\times\cdots\times a_8=2^k$일 때, 상수 k의 값을 구하여라.

다음과 같이 정의된 수열 $\{a_n\}$에서 a_{20}의 값을 구하여라.

(1) $a_1=5$, $a_{n+1}=a_n-2n$ $(n\geq1)$ (2) $a_1=1$, $a_{n+1}=a_n+2^n$ $(n\geq1)$

풍쌤 POINT

주어진 식에 $n=1, 2, 3, \cdots, n-1$을 차례로 대입한 후 변끼리 더해.

풀이

(1) **STEP 1** $n=1, 2, 3, \cdots, n-1$을 대입하여 a_n 구하기

$a_{n+1}=a_n-2n$에 $n=1, 2, 3, \cdots, n-1$을 차례로 대입하면

$a_2=a_1-2\times1$

$a_3=a_2-2\times2$

$a_4=a_3-2\times3$

    $\vdots$

$a_n=a_{n-1}-2\times(n-1)$

위의 식을 변끼리 더하여 정리하면

$a_n=a_1-2\{1+2+3+\cdots+(n-1)^{❶}\}$

$=5-2\times\dfrac{(n-1)n}{2}=-n^2+n+5$

STEP 2 a_{20}의 값 구하기

$\therefore a_{20}=-20^2+20+5=-375$

❶ $1+2+3+\cdots+(n-1)$
$=\displaystyle\sum_{k=1}^{n-1}k=\dfrac{(n-1)n}{2}$

(2) **STEP 1** $n=1, 2, 3, \cdots, n-1$을 대입하여 a_n 구하기

$a_{n+1}=a_n+2^n$에 $n=1, 2, 3, \cdots, n-1$을 차례로 대입하면

$a_2=a_1+2$

$a_3=a_2+2^2$

$a_4=a_3+2^3$

    $\vdots$

$a_n=a_{n-1}+2^{n-1}$

위의 식을 변끼리 더하여 정리하면

$a_n=a_1+2+2^2+2^3+\cdots+2^{n-1}{}^{❷}$

$=1+\displaystyle\sum_{k=1}^{n-1}2^k=1+\dfrac{2(2^{n-1}-1)}{2-1}=2^n-1$

STEP 2 a_{20}의 값 구하기

$\therefore a_{20}=2^{20}-1$

❷ $2+2^2+2^3+\cdots+2^{n-1}$은 첫째항이 2, 공비가 2인 등비수열의 첫째항부터 제$(n-1)$항까지의 합이다.

답 (1) -375 (2) $2^{20}-1$

풍쌤 강의 NOTE

$a_{n+1}=a_n+f(n)$ 꼴로 정의된 수열의 일반항 a_n은

$a_n=a_1+f(1)+f(2)+f(3)+\cdots+f(n-1)=a_1+\displaystyle\sum_{k=1}^{n-1}f(k)$

03-1 유사

다음과 같이 정의된 수열 $\{a_n\}$에서 a_{10}의 값을 구하여라.

(1) $a_1 = 3,\ a_{n+1} = a_n + 4n\ (n \geq 1)$

(2) $a_1 = 2,\ a_{n+1} = a_n - 5^n\ (n \geq 1)$

03-4 변형

수열 $\{a_n\}$이

$$a_1 = -\frac{1}{2},\ a_{n+1} = a_n + \frac{1}{(n+1)(n+2)}\ (n \geq 1)$$

로 정의될 때, $\displaystyle\sum_{k=1}^{12} \frac{1}{a_k}$의 값을 구하여라.

03-2 변형

수열 $\{a_n\}$이 $a_1 = -2,\ a_{n+1} - a_n = n^2\ (n \geq 1)$으로 정의될 때, $a_7 + a_8$의 값을 구하여라.

03-5 변형

이차방정식 $x^2 - (a_{n+1} - a_n)x - a_n a_{n+1} = 0$의 두 실근의 합이 2^{n-2}일 때, $a_k = \dfrac{257}{2}$을 만족시키는 자연수 k의 값을 구하여라. (단, $a_1 = 1,\ n \geq 1$)

03-3 변형   기출

수열 $\{a_n\}$이 모든 자연수 n에 대하여 $a_{n+1} = a_n + 3n$을 만족시킨다. $2a_1 = a_2 + 3$일 때, a_{10}의 값을 구하여라.

03-6 실력

수열 $\{a_n\}$이 $a_1 = 2,\ a_{n+1} - a_n = f(n)\ (n \geq 1)$으로 정의되고 $\displaystyle\sum_{k=1}^{n} f(k) = n(n+3)$일 때, $a_n < 400$을 만족시키는 자연수 n의 최댓값을 구하여라.

다음과 같이 정의된 수열 $\{a_n\}$에서 a_{12}의 값을 구하여라.

(1) $a_1=5$, $a_{n+1}=\dfrac{n+1}{n}a_n$ $(n\geq 1)$ (2) $a_1=3$, $a_{n+1}=2^n a_n$ $(n\geq 1)$

풍쌤 POINT

주어진 식에 $n=1, 2, 3, \cdots, n-1$을 차례로 대입한 후 변끼리 곱해.

풀이

(1) **STEP 1** $n=1, 2, 3, \cdots, n-1$을 대입하여 a_n 구하기

$a_{n+1}=\dfrac{n+1}{n}a_n$에 $n=1, 2, 3, \cdots, n-1$을 차례로 대입하면

$a_2=\dfrac{2}{1}a_1$

$a_3=\dfrac{3}{2}a_2$

$a_4=\dfrac{4}{3}a_3$

$\vdots$

$a_n=\dfrac{n}{n-1}a_{n-1}$

위의 식을 변끼리 곱하여 정리하면❶

$a_n=\dfrac{2}{1}\times\dfrac{3}{2}\times\dfrac{4}{3}\times\cdots\times\dfrac{n}{n-1}\times a_1=na_1=5n$

STEP 2 a_{12}의 값 구하기

$\therefore a_{12}=5\times 12=60$

❶ 변끼리 곱하면 좌변과 우변에 있는 $a_2 a_3 a_4 \times \cdots \times a_{n-1}$이 약분된다.

(2) **STEP 1** $n=1, 2, 3, \cdots, n-1$을 대입하여 a_n 구하기

$a_{n+1}=2^n a_n$에 $n=1, 2, 3, \cdots, n-1$을 차례로 대입하면

$a_2=2a_1$

$a_3=2^2 a_2$

$a_4=2^3 a_3$

$\vdots$

$a_n=2^{n-1}a_{n-1}$

위의 식을 변끼리 곱하여 정리하면

$a_n=2\times 2^2 \times 2^3 \times \cdots \times 2^{n-1}❷\times a_1$

$=2^{1+2+3+\cdots+(n-1)}\times a_1=3\times 2^{\frac{(n-1)n}{2}}$

STEP 2 a_{12}의 값 구하기

$\therefore a_{12}=3\times 2^{\frac{11\times 12}{2}}=3\times 2^{66}$

❷ 지수법칙 $a^x \times a^y = a^{x+y}$을 이용하여 계산한다.

🔲 (1) 60   (2) 3×2^{66}

풍쌤 강의 NOTE

$a_{n+1}=a_n f(n)$ 꼴로 정의된 수열의 일반항 a_n은
$a_n=a_1 f(1)f(2)f(3)\times\cdots\times f(n-1)$

04-1 (유사)

다음과 같이 정의된 수열 $\{a_n\}$에서 a_{16}의 값을 구하여라.

(1) $a_1=8$, $a_{n+1}=\left(1-\dfrac{1}{n+1}\right)a_n$ $(n\geq 1)$

(2) $a_1=2$, $a_{n+1}=3^n a_n$ $(n\geq 1)$

04-2 (변형) (기출)

수열 $\{a_n\}$이 모든 자연수 n에 대하여

$a_{n+1}=\dfrac{n+4}{2n-1}a_n$을 만족시킨다. $a_1=1$일 때, a_5의 값을 구하여라.

04-3 (변형)

수열 $\{a_n\}$이 $a_1=1$, $a_{n+1}=5^n a_n$ $(n\geq 1)$으로 정의될 때, $\log_5 a_8+\log_5 a_{10}$의 값을 구하여라.

04-4 (변형)

수열 $\{a_n\}$이 $a_1=7$, $(n+1)a_{n+1}=na_n$ $(n\geq 1)$으로 정의될 때, $\displaystyle\sum_{k=1}^{10}\dfrac{k}{a_k}$의 값을 구하여라.

04-5 (실력)

수열 $\{a_n\}$이 모든 자연수 n에 대하여 $a_1=8$, $2^n a_{n+1}=na_n$을 만족시킨다. $a_{10}=x!\times 2^y$일 때, 정수 x, y에 대하여 $x+y$의 값을 구하여라.

(단, $x!=1\times 2\times 3\times \cdots \times(x-1)\times x$)

04-6 (실력)

수열 $\{a_n\}$에 대하여 $a_1=2$,

$\log a_n+2\log n=\log a_{n-1}+\log(n^2-1)$ $(n\geq 2)$

이 성립할 때, $\displaystyle\sum_{k=1}^{n}ka_k=27$을 만족시키는 자연수 n의 값을 구하여라.

다음과 같이 귀납적으로 정의된 수열 $\{a_n\}$의 제6항을 구하여라.

(1) $a_1=1$, $a_{n+1}=5a_n-2$

(2) $a_1=5$, $a_2=2$, $a_{n+2}-a_{n+1}+2a_n=0$

(3) $a_1=3$, $a_{n+1}=\begin{cases} 3a_n & (n\text{이 짝수인 경우}) \\ a_n-1 & (n\text{이 홀수인 경우}) \end{cases}$

풍쌤 POINT

주어진 식에 $n=1, 2, 3, 4, 5$를 차례로 대입하여 a_6까지의 항을 순서대로 구해.

풀이

(1) $a_{n+1}=5a_n-2$에 $n=1, 2, 3, 4, 5$를 차례로 대입하면

$a_2=5a_1-2=5\times1-2=3$

$a_3=5a_2-2=5\times3-2=13$

$a_4=5a_3-2=5\times13-2=63$

$a_5=5a_4-2=5\times63-2=313$

$a_6=5a_5-2=5\times313-2=1563$

(2) $a_{n+2}-a_{n+1}+2a_n=0$에서 $a_{n+2}=a_{n+1}-2a_n$

이 식에 $n=1, 2, 3, 4$를 차례로 대입하면

$a_3=a_2-2a_1=2-2\times5=-8$

$a_4=a_3-2a_2=-8-2\times2=-12$

$a_5=a_4-2a_3=-12-2\times(-8)=4$

$a_6=a_5-2a_4=4-2\times(-12)=28$

(3) 주어진 조건❶에 $n=1, 2, 3, 4, 5$를 차례로 대입하면

$n=1$은 홀수이므로 $a_2=a_1-1=3-1=2$

$n=2$는 짝수이므로 $a_3=3a_2=3\times2=6$

$n=3$은 홀수이므로 $a_4=a_3-1=6-1=5$

$n=4$는 짝수이므로 $a_5=3a_4=3\times5=15$

$n=5$는 홀수이므로 $a_6=a_5-1=15-1=14$

❶ 홀수 번째 항은 n이 짝수일 때이므로 $a_{n+1}=3a_n$, 짝수 번째 항은 n이 홀수일 때이므로 $a_{n+1}=a_n-1$의 관계식을 만족시킨다.

圍 (1) 1563 (2) 28 (3) 14

풍쌤 강의 NOTE

등차수열이나 등비수열이 아닌 복합된 형태로 정의된 수열의 특정 항을 구할 때는 일반항을 구하지 않고 $n=1, 2, 3, \cdots$을 차례로 대입하여 각 항을 직접 구한다.

05-1 유사

다음과 같이 귀납적으로 정의된 수열 $\{a_n\}$의 제5항을 구하여라.

(1) $a_1 = -3$, $a_{n+1} - 2a_n = 4n$

(2) $a_1 = 4$, $a_2 = 1$, $a_{n+2} + a_{n+1} - a_n = 0$

(3) $a_1 = 10$, $a_{n+1} = \begin{cases} a_n + n^2 & (n\text{이 짝수인 경우}) \\ a_n - 5 & (n\text{이 홀수인 경우}) \end{cases}$

05-2 변형

수열 $\{a_n\}$은 $a_1 = -1$이고 모든 자연수 n에 대하여 $a_{n+1} - 2a_n a_{n+1} + 3a_n = 0$을 만족시킨다. a_4의 값을 구하여라.

05-3 변형

수열 $\{a_n\}$은 $a_2 = 5$, $a_5 = 21$이고 모든 자연수 n에 대하여 $a_{n+2} = a_{n+1} + a_n$을 만족시킨다. $a_3 + a_6$의 값을 구하여라.

05-4 변형

수열 $\{a_n\}$은 $a_1 = -1$이고 모든 자연수 n에 대하여 $a_{n+1} = \dfrac{3k}{2a_n - 1}$를 만족시킨다. $a_3 = -\dfrac{4}{3}$일 때, a_2의 값을 구하여라. (단, k는 상수이다.)

05-5 실력

수열 $\{a_n\}$은 $a_1 = 4$, $a_4 = 18$이고 모든 자연수 n에 대하여

$$a_{n+1} = \begin{cases} a_n + n + 1 & (a_n\text{이 짝수인 경우}) \\ ka_n & (a_n\text{이 홀수인 경우}) \end{cases}$$

을 만족시킬 때, a_6의 값을 구하여라.

05-6 실력 기출

수열 $\{a_n\}$은 $a_1 = 12$이고 모든 자연수 n에 대하여 $a_{n+1} + a_n = (-1)^{n+1} \times n$을 만족시킨다. $a_k > a_1$인 자연수 k의 최솟값을 구하여라.

다음 물음에 답하여라.

(1) 수열 $\{a_n\}$은 $a_1=3$, $a_2=-1$이고 모든 자연수 n에 대하여 $a_{n+2}+a_n=a_{n+1}$을 만족시킨다. 수열 $\{a_n\}$에서 반복되는 항을 순서대로 모두 구하여라.

(2) 수열 $\{a_n\}$이 다음과 같이 정의될 때, a_{50}의 값을 구하여라.

> (가) $a_1=1$, $a_2=2$ (나) a_{n+2}는 $a_n \times a_{n+1}$을 3으로 나눈 나머지 $(n \geq 1)$

풍쌤 POINT

a_3, a_4, a_5, …의 값을 차례로 구하여 수열에서 반복되는 항을 찾아.

풀이

(1) $a_{n+2}+a_n=a_{n+1}$에서 $a_{n+2}=a_{n+1}-a_n$

이 식에 $n=1$, 2, 3, …을 차례로 대입하면

$a_3=a_2-a_1=-1-3=-4$

$a_4=a_3-a_2=-4-(-1)=-3$

$a_5=a_4-a_3=-3-(-4)=1$

$a_6=a_5-a_4=1-(-3)=4$

$a_7=a_6-a_5=4-1=3$

$a_8=a_7-a_6=3-4=-1$

$\vdots$

따라서 수열 $\{a_n\}$은 3, -1, -4, -3, 1, 4가 이 순서대로 반복된다.

(2) STEP 1 수열에서 반복되는 항 구하기

a_3은 $a_1 \times a_2=1 \times 2=2$를 3으로 나눈 나머지이므로 $a_3=2$

a_4는 $a_2 \times a_3=2 \times 2=4$를 3으로 나눈 나머지이므로 $a_4=1$

a_5는 $a_3 \times a_4=2 \times 1=2$를 3으로 나눈 나머지이므로 $a_5=2$

a_6은 $a_4 \times a_5=1 \times 2=2$를 3으로 나눈 나머지이므로 $a_6=2$

a_7은 $a_5 \times a_6=2 \times 2=4$를 3으로 나눈 나머지이므로 $a_7=1$

$\vdots$

따라서 수열 $\{a_n\}$은 3개의 수 1, 2, 2❶가 이 순서대로 반복된다.

STEP 2 a_{50}의 값 구하기

이때 $50=3 \times 16+2$이므로 $a_{50}=a_2=2$

❶ 수열 $\{a_n\}$은
$$a_n = \begin{cases} 1 & (n=3k+1\text{인 경우}) \\ 2 & (n \neq 3k+1\text{인 경우}) \end{cases}$$

답 (1) 3, -1, -4, -3, 1, 4 (2) 2

풍쌤 강의 NOTE

수열의 귀납적 정의가 나머지로 정의되거나 $n \geq 10$인 a_n의 값을 구하는 문제는 같은 수가 반복되는 수열이 대부분이다. 따라서 반복되는 항이 나올 때까지 $n=1$, 2, 3, …을 차례로 대입해 본다.

06-1 ⦿ 유사

수열 $\{a_n\}$이 다음과 같이 정의될 때, a_{30}의 값을 구하여라.

> (가) $a_1=3$, $a_2=1$
> (나) a_{n+2}는 a_n과 a_{n+1}의 합을 4로 나눈 나머지이다.
> $(n \geq 1)$

06-2 ⦿ 변형

수열 $\{a_n\}$이 $a_1=2$이고 $a_{n+1}=(-1)^n+a_n$ $(n \geq 1)$ 으로 정의될 때, $\sum\limits_{k=1}^{30} a_k$의 값을 구하여라.

06-3 ⦿ 변형

수열 $\{a_n\}$이 $a_1=\dfrac{1}{2}$이고 $a_{n+1}-a_na_{n+1}=1$ $(n \geq 1)$ 을 만족시킬 때, $a_{15}+a_{20}$의 값을 구하여라.

06-4 ⦿ 변형

수열 $\{a_n\}$이 $a_1=4$, $a_2=2$이고 모든 자연수 n에 대하여 $a_{n+2}+a_n=a_{n+1}$을 만족시킬 때, $a_k=-2$인 50 이하의 자연수 k의 개수를 구하여라.

06-5 ⦿ 실력

수열 $\{a_n\}$이 $a_1=1$이고 모든 자연수 n에 대하여
$$a_{n+1}=\begin{cases}\dfrac{1-2a_n}{a_n} & (n\text{이 홀수인 경우}) \\ a_n+2 & (n\text{이 짝수인 경우})\end{cases}$$
를 만족시킬 때, $\sum\limits_{k=1}^{10} a_{2k}$의 값을 구하여라.

06-6 ⦿ 실력 기출

수열 $\{a_n\}$이 $a_1=1$이고 모든 자연수 n에 대하여
$$a_{n+1}=\begin{cases}2^{a_n} & (a_n \leq 1) \\ \log_{a_n}\sqrt{2} & (a_n > 1)\end{cases}$$
를 만족시킬 때, $a_{12} \times a_{13}$의 값을 구하여라.

수열 $\{a_n\}$의 첫째항부터 제n항까지의 합을 S_n이라고 하자. $a_1=2$, $3S_n=(n+2)a_n$일 때, 다음을 구하여라.

(1) a_7의 값

(2) S_7의 값

풍쌤 POINT

(1) 주어진 식에서 S_{n+1}과 a_{n+1} 사이의 관계식을 이용하여 a_n과 a_{n+1}의 관계식을 구해.

(2) 주어진 식에 $a_n=S_n-S_{n-1}$을 대입하면 S_n의 관계식으로 나타낼 수 있어.

풀이

(1) **STEP 1** a_n과 a_{n+1} 사이의 관계식 구하기

$3S_n=(n+2)a_n$ $\qquad$ ...... ㉠

$3S_{n+1}=(n+3)a_{n+1}$ $\qquad$ ...... ㉡

㉡$-$㉠을 하면

$3(S_{n+1}-S_n)=(n+3)a_{n+1}-(n+2)a_n$

$3a_{n+1}=(n+3)a_{n+1}-(n+2)a_n$

$na_{n+1}=(n+2)a_n$

$\therefore a_{n+1}=\dfrac{n+2}{n}a_n$ ❶

STEP 2 a_7의 값 구하기

이 식에 $n=1$, 2, 3, $\cdots$, 6을 차례로 대입하여 변끼리 곱하면

$a_7=\dfrac{3}{1}\times\dfrac{4}{2}\times\dfrac{5}{3}\times\cdots\times\dfrac{8}{6}\times a_1=\dfrac{7\times8}{1\times2}\times2=56$

(2) **STEP 1** S_n과 S_{n-1} 사이의 관계식 구하기

$n\geq2$일 때, $3S_n=(n+2)a_n$에 $a_n=S_n-S_{n-1}$을 대입하면

$3S_n=(n+2)(S_n-S_{n-1})$, $3S_n=(n+2)S_n-(n+2)S_{n-1}$

$(n-1)S_n=(n+2)S_{n-1}$ $\qquad\therefore S_n=\dfrac{n+2}{n-1}S_{n-1}$

STEP 2 S_7의 값 구하기

이 식에 $n=2$, 3, 4, $\cdots$, 7을 차례로 대입하여 변끼리 곱하면

$S_7=\dfrac{4}{1}\times\dfrac{5}{2}\times\dfrac{6}{3}\times\dfrac{7}{4}\times\dfrac{8}{5}\times\dfrac{9}{6}\times S_1$

$\quad=\dfrac{7\times8\times9}{1\times2\times3}\times2\ (\because S_1=a_1)$

$\quad=168$

❶ $a_{n+1}=f(n)a_n$ 꼴이므로 $n=1$, 2, 3, $\cdots$, $n-1$을 차례로 대입하여 변끼리 곱하면 양변의 $a_2a_3\times\cdots\times a_{n-1}$이 약분된다.

冒 (1) 56 (2) 168

풍쌤 강의 NOTE

수열의 귀납적 정의에 합 S_n이 포함될 때는 $a_n=S_n-S_{n-1}$을 이용하여 a_n의 관계식 또는 S_n의 관계식을 구하여 해결한다.

07-1 ⦿유사

수열 $\{a_n\}$의 첫째항부터 제n항까지의 합을 S_n이라고 하자. $a_1=4$, $2S_n=(n+1)a_n$일 때, 다음을 구하여라.

(1) a_{10}의 값

(2) S_{10}의 값

07-2 ⦿변형

수열 $\{a_n\}$의 첫째항부터 제n항까지의 합을 S_n이라고 하자. $a_1=5$, $S_n-\dfrac{1}{2}a_{n+1}=0$일 때, 수열 $\{a_n\}$의 일반항을 구하여라.

07-3 ⦿변형

수열 $\{a_n\}$의 첫째항부터 제n항까지의 합을 S_n이라고 하자. $a_1=1$, $a_{n+1}=4S_n+1$일 때, S_{10}의 값을 구하여라.

07-4 ⦿변형

수열 $\{a_n\}$의 첫째항부터 제n항까지의 합을 S_n이라고 하자. $a_1=3$, $S_n-n^2a_n=0$일 때, S_3+S_7의 값을 구하여라.

07-5 ⦿실력

수열 $\{a_n\}$의 첫째항부터 제n항까지의 합을 S_n이라고 하자. $a_1=4$, $2S_n=(n+3)a_{n+1}$일 때, $a_ka_{k+1}=72$를 만족시키는 자연수 k의 값을 구하여라.

07-6 ⦿실력

수열 $\{a_n\}$의 첫째항부터 제n항까지의 합을 S_n이라고 하자. $a_1=2$, $a_{11}=7$, $S_n=a_na_{n+1}$일 때, $a_{12}-a_2$의 값을 구하여라. (단, $S_n\neq0$)

어떤 미생물은 1시간이 지날 때마다 5마리만 죽고 나머지는 각각 2마리로 분열한다고 한다. 처음 미생물의 수가 15이고 n시간 후의 미생물의 수를 a_n이라고 할 때, 다음 물음에 답하여라.

(1) a_1의 값을 구하여라.

(2) a_n과 a_{n+1} 사이의 관계식을 구하여라.

(3) 6시간 후의 미생물의 수를 구하여라.

풍쌤 POINT

미생물이 각각 2마리로 분열하면 미생물의 수는 남은 수의 2배가 돼.

풀이

(1) $a_1=(15-5)\times2=20$

(2) $(n+1)$시간 후의 미생물의 수 a_{n+1}은 n시간 후의 미생물의 수 a_n에서 5마리가 죽고 남은 수의 2배가 되므로

$a_{n+1}=(a_n-5)\times2$

$\therefore a_{n+1}=2a_n-10$ ❶

(3) $a_{n+1}=2a_n-10$에 $n=1,\ 2,\ 3,\ 4,\ 5$를 차례로 대입하면

$a_2=2a_1-10=2\times20-10=30$

$a_3=2a_2-10=2\times30-10=50$

$a_4=2a_3-10=2\times50-10=90$

$a_5=2a_4-10=2\times90-10=170$

$a_6=2a_5-10=2\times170-10=330$

따라서 6시간 후의 미생물의 수는 330 ❷ 이다.

❶ 400쪽의 [풍산자 유형 특강] 학습 후에는 다음을 알 수 있다.

$a_{n+1}=2a_n-10$에서

$a_{n+1}-10=2a_n-20$

$a_{n+1}-10=2(a_n-10)$

즉, 수열 $\{a_n-10\}$은 첫째항이 $a_1-10=10$이고 공비가 2인 등비수열이므로

$a_n-10=10\times2^{n-1}$

$\therefore a_n=10\times2^{n-1}+10$

❷ $a_n=10\times2^{n-1}+10$에서

$a_6=10\times2^5+10$

$=330$

📘 (1) 20 (2) $a_{n+1}=2a_n-10$ (3) 330

풍쌤 강의 NOTE

수열의 귀납적 정의의 활용 문제는 주어진 조건을 파악하여 제n항과 제$(n+1)$항 사이의 관계를 식으로 나타낸다.

08-1 유사

어떤 미생물은 하루가 지나면 전체의 50 %가 죽고 나머지는 각각 3마리로 분열한다고 한다. 처음 미생물의 수가 20이고 n일 후의 미생물의 수를 a_n이라고 할 때, 다음 물음에 답하여라.

(1) a_1의 값을 구하여라.

(2) a_n과 a_{n+1} 사이의 관계식을 구하여라.

(3) 10일 후의 미생물의 수가 $2^x \times 3^y \times 5$일 때, 정수 x, y에 대하여 $x+y$의 값을 구하여라.

08-2 변형

물이 1000 L 들어 있는 수조가 있다. 이 수조의 물이 전체의 $\dfrac{3}{10}$만큼 줄어들면 100 L의 물을 더 넣는다고 한다. 물을 넣는 시행을 n번 했을 때의 수조의 물의 양을 a_n이라고 할 때, $a_n < 500$을 만족시키는 자연수 n의 최솟값을 구하여라.

08-3 변형

어떤 회사에서는 직원들에게 근무 수당을 주는데 1년이 지날 때마다 바로 전해의 근무 수당에 첫해의 근무 수당과 근속연한을 곱한 금액을 합하여 준다고 한다. 첫해의 근무 수당이 2만 원일 때, 10년이 지난 후의 근무 수당을 구하여라.

08-4 실력

서영이는 계단을 오를 때마다 한 번에 한 계단 또는 두 계단씩 오른다고 한다. n개의 계단을 오르는 서로 다른 방법의 수를 a_n이라고 할 때, 다음 물음에 답하여라.

(1) a_1, a_2, a_3의 값을 구하여라.

(2) a_n, a_{n+1}, a_{n+2} 사이의 관계식을 구하여라.

(3) 9개의 계단을 오르는 서로 다른 방법의 수를 구하여라.

다음 그림과 같이 합동인 작은 정삼각형을 변끼리 붙여서 큰 정삼각형을 만들어 나간다. n번째 정삼각형을 만드는 데 필요한 작은 정삼각형의 수를 a_n이라고 할 때, 물음에 답하여라.

   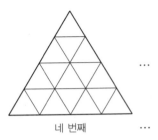

첫 번째 · · · · · · 두 번째 · · · · · · · 세 번째 · · · · · · · · · · · 네 번째 · · ·

(1) a_n과 a_{n+1} 사이의 관계식을 구하여라.

(2) $a_{21}-a_{20}$의 값을 구하여라.

풍쌤 POINT

시행 횟수가 늘어날 때마다 작은 정삼각형의 수는 바로 전 시행에서의 작은 정삼각형의 수보다 몇 개씩 더 늘어나는지 살펴봐.

풀이

(1) $a_1=1$

$a_2=a_1+3$

$a_3=a_2+5$

$a_4=a_3+7$

$\vdots$

$a_n=a_{n-1}+2n-1$

$\therefore a_{n+1}=a_n+2(n+1)-1=a_n+2n+1$

(2) $a_{n+1}=a_n+2n+1$에 $n=20$을 대입하면

$a_{21}=a_{20}+2\times20+1=a_{20}+41$

$\therefore a_{21}-a_{20}=41$ ❶

다른 풀이

(2) $a_n=1+3+5+\cdots+(2n-1)$

$\qquad =\sum_{k=1}^{n}(2k-1)=2\times\dfrac{n(n+1)}{2}-n=n^2$

$\therefore a_{21}-a_{20}=21^2-20^2=441-400=41$

❶ 이웃한 두 항의 차는 a_{n+1}과 a_n 사이의 관계식을 이용하면 간편하다.

🔑 (1) $a_{n+1}=a_n+2n+1$ (2) 41

풍쌤 강의 NOTE

수열의 귀납적 정의의 도형에의 활용 문제는 먼저 a_1, a_2, a_3, $\cdots$을 차례로 구하여 규칙을 파악한 다음 a_n과 a_{n+1} 사이의 관계식을 구하여 해결한다.

09-1 유사

다음 그림과 같이 성냥개비로 도형을 만들어 나간다. n 번째 도형을 만드는 데 필요한 성냥개비의 수를 a_n이라고 할 때, 물음에 답하여라.

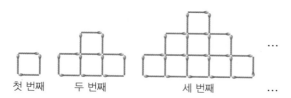

첫 번째　　두 번째　　　　세 번째

(1) a_n과 a_{n+1} 사이의 관계식을 구하여라.
(2) $a_{30}-a_{29}$의 값을 구하여라.

09-2 변형 기출

다음 [단계]에 따라 반지름의 길이가 같은 원들을 외접하도록 그린다.

> [단계 1] 3개의 원을 외접하게 그려서 [그림 1]을 얻는다.
> [단계 2] [그림 1]의 아래에 3개의 원을 외접하게 그려서 [그림 2]를 얻는다.
> [단계 3] [그림 2]의 아래에 4개의 원을 외접하게 그려서 [그림 3]을 얻는다.
> $\vdots$
> [단계 m] [그림 $m-1$]의 아래에 $(m+1)$개의 원을 외접하게 그려서 [그림 m]을 얻는다.
> $(m \geq 2)$

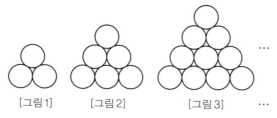

[그림 1]　　　[그림 2]　　　　[그림 3]

[그림 n]에 그려진 원의 모든 접점의 개수를 a_n $(n=1,\ 2,\ 3,\ \cdots)$이라고 하자. 예를 들어, $a_1=3$, $a_2=9$이다. a_{10}의 값을 구하여라.

09-3 변형

자연수 n에 대하여 점 $\mathrm{P}_n(x_n,\ y_n)$을 다음 조건에 따라 정할 때, 점 P_{30}의 좌표를 구하여라.

> (가) 점 P_1의 좌표는 $(2,\ 2)$이다.
> (나) n이 홀수이면 $(x_{n+1},\ y_{n+1})=\left(\dfrac{1}{x_n},\ y_n\right)$
> n이 짝수이면 $(x_{n+1},\ y_{n+1})=\left(x_n,\ \dfrac{1}{y_n}\right)$

09-4 실력

평면 위에 어느 두 직선도 평행하지 않고 어느 세 직선도 한 점에서 만나지 않도록 n개의 직선을 그을 때, 다음 물음에 답하여라.

(1) n개의 직선들의 교점의 개수를 a_n이라고 할 때, a_n과 a_{n+1} 사이의 관계식을 구하여라.
(2) n개의 직선들에 의하여 분할된 평면의 개수를 b_n이라고 할 때, b_n과 b_{n+1} 사이의 관계식을 구하여라.
(3) $a_{11}+b_{11}$의 값을 구하여라.

모든 자연수 n에 대하여 등식

$$1 \times 2 + 2 \times 3 + 3 \times 4 + \cdots + n(n+1) = \frac{n(n+1)(n+2)}{3}$$

가 성립함을 수학적 귀납법으로 증명하여라.

풍쌤 POINT

$n=1$일 때 등식이 성립함을 보이고, $n=k$일 때 등식이 성립하면 $n=k+1$일 때도 등식이 성립함을 보이면 돼.

풀이

STEP1 $n=1$일 때 등식이 성립함을 보이기

(i) $n=1$일 때❶

$$(좌변) = 1 \times 2 = 2, \quad (우변) = \frac{1 \times 2 \times 3}{3} = 2$$

이므로 주어진 등식이 성립한다.

STEP2 $n=k$일 때 등식이 성립한다고 가정하고 $n=k+1$일 때 등식이 성립함을 보이기

(ii) $n=k$일 때 주어진 등식이 성립한다고 가정하면

$$1 \times 2 + 2 \times 3 + 3 \times 4 + \cdots + k(k+1) = \frac{k(k+1)(k+2)}{3}$$

위 등식에 $(k+1)(k+2)$❷를 더하면

$$1 \times 2 + 2 \times 3 + \cdots + k(k+1) + (k+1)(k+2)$$

$$= \frac{k(k+1)(k+2)}{3} + (k+1)(k+2)$$

$$= \frac{k(k+1)(k+2) + 3(k+1)(k+2)}{3}$$

$$= \frac{(k+1)(k+2)(k+3)}{3}$$ ❸

따라서 $n=k+1$일 때도 주어진 등식이 성립한다.

(i), (ii)에 의하여 모든 자연수 n에 대하여 주어진 등식이 성립한다.

❶ n은 자연수이므로 $n=1$일 때 등식이 성립함을 보인다.

❷ $n=k+1$일 때도 등식이 성립함을 보여야 하므로 등식의 좌변에 $(k+1)(k+2)$를 더하여 계산한다.

❸ $f(k) = \dfrac{k(k+1)(k+2)}{3}$ 라고 하면

$f(k+1)$

$= \dfrac{(k+1)(k+2)(k+3)}{3}$

📖 풀이 참조

풍쌤 강의 NOTE

수학적 귀납법의 원리는 도미노 게임의 원리와 같다.

수학적 귀납법을 이용하여 등식을 증명할 때는 다음 2가지를 보이면 된다.

➡ (i) $n=1$일 때 등식이 성립

(ii) $n=k$일 때 등식이 성립하면 $n=k+1$일 때도 등식이 성립

10-1 유사

모든 자연수 n에 대하여 등식

$$\frac{1}{1\times 2}+\frac{1}{2\times 3}+\frac{1}{3\times 4}+\cdots+\frac{1}{n(n+1)}=\frac{n}{n+1}$$

이 성립함을 수학적 귀납법으로 증명하여라.

10-2 변형

다음은 모든 자연수 n에 대하여 $2^{3n}-1$이 7의 배수임을 증명한 것이다.

증명

(i) $n=1$일 때, $2^3-1=7$이므로 $2^{3n}-1$은 7의 배수이다.

(ii) $n=k$일 때, $2^{3k}-1$이 7의 배수라고 가정하면
$$2^{3k}-1=7m \quad (m\text{은 자연수})$$
으로 놓을 수 있다.
$n=k+1$일 때
$$2^{3(k+1)}-1=2^{3k+3}-1=8\times 2^{3k}-1$$
$$=8(\boxed{\text{(가)}})-1$$
$$=7(\boxed{\text{(나)}})$$
따라서 $n=k+1$일 때도 $2^{3n}-1$은 7의 배수이다.

(i), (ii)에 의하여 모든 자연수 n에 대하여 $2^{3n}-1$은 7의 배수이다.

위의 (가), (나)에 알맞은 식을 각각 $f(m)$, $g(m)$이라고 할 때, $f(1)+g(1)$의 값을 구하여라.

10-3 변형

기출

다음은 모든 자연수 n에 대하여

$$\frac{4}{3}+\frac{8}{3^2}+\frac{12}{3^3}+\cdots+\frac{4n}{3^n}=3-\frac{2n+3}{3^n} \quad \cdots\cdots(*)$$

이 성립함을 수학적 귀납법으로 증명한 것이다.

증명

(i) $n=1$일 때, $(\text{좌변})=\dfrac{4}{3}$, $(\text{우변})=3-\dfrac{5}{3}=\dfrac{4}{3}$
이므로 $(*)$이 성립한다.

(ii) $n=k$일 때, $(*)$이 성립한다고 가정하면
$$\frac{4}{3}+\frac{8}{3^2}+\frac{12}{3^3}+\cdots+\frac{4k}{3^k}=3-\frac{2k+3}{3^k}$$
이다. 위 등식의 양변에 $\dfrac{4(k+1)}{3^{k+1}}$을 더하여 정리하면
$$\frac{4}{3}+\frac{8}{3^2}+\frac{12}{3^3}+\cdots+\frac{4k}{3^k}+\frac{4(k+1)}{3^{k+1}}$$
$$=3-\frac{1}{3^k}\{(2k+3)-(\boxed{\text{(가)}})\}$$
$$=3-\frac{\boxed{\text{(나)}}}{3^{k+1}}$$
따라서 $n=k+1$일 때도 $(*)$이 성립한다.

(i), (ii)에 의하여 모든 자연수 n에 대하여 $(*)$이 성립한다.

위의 (가), (나)에 알맞은 식을 각각 $f(k)$, $g(k)$라고 할 때, $f(3)\times g(2)$의 값을 구하여라.

10-4 변형

모든 자연수 n에 대하여

$$\sum_{k=1}^{n}(2^{k-1}+1)=2^n+n-1$$

이 성립함을 수학적 귀납법으로 증명하여라.

2 이상의 모든 자연수 n에 대하여 부등식

$$1+\frac{1}{2}+\frac{1}{3}+\cdots+\frac{1}{n}>\frac{2n}{n+1}$$

이 성립함을 수학적 귀납법으로 증명하여라.

풍쌤 POINT

$n=2$일 때 부등식이 성립함을 보이고, $n=k$일 때 부등식이 성립하면 $n=k+1$일 때도 부등식이 성립함을 보이면 돼.

풀이

STEP 1 $n=2$일 때 부등식이 성립함을 보이기

(i) $n=2$일 때

$$(좌변)=1+\frac{1}{2}=\frac{3}{2},\ (우변)=\frac{4}{3}이므로\ (좌변)>(우변)$$

즉, $n=2$일 때[1] 주어진 부등식이 성립한다.

STEP 2 $n=k$일 때 부등식이 성립한다고 가정하고 $n=k+1$일 때 부등식이 성립함을 보이기

(ii) $n=k\ (k\geq2)$일 때 주어진 부등식이 성립한다고 가정하면

$$1+\frac{1}{2}+\frac{1}{3}+\cdots+\frac{1}{k}>\frac{2k}{k+1}$$

$n=k+1$일 때

$$1+\frac{1}{2}+\frac{1}{3}+\cdots+\frac{1}{k}+\frac{1}{k+1}>\frac{2k}{k+1}+\frac{1}{k+1}=\frac{2k+1}{k+1}$$

$$\cdots\cdots\ \text{㉠}$$

이때 $\dfrac{2k+1}{k+1}-\dfrac{2(k+1)}{k+2}=\dfrac{(2k+1)(k+2)-2(k+1)^2}{(k+1)(k+2)}$

$$=\frac{k}{(k+1)(k+2)}>0$$

이므로 $\dfrac{2k+1}{k+1}>\dfrac{2(k+1)}{k+2}$ $\cdots\cdots$ ㉡

㉠, ㉡에서

$$1+\frac{1}{2}+\frac{1}{3}+\cdots+\frac{1}{k+1}>\frac{2(k+1)}{k+2}\text{[2]}$$

이므로 $n=k+1$일 때도 주어진 부등식이 성립한다.

(i), (ii)에 의하여 2 이상의 모든 자연수 n에 대하여 주어진 부등식이 성립한다.

📖 풀이 참조

[1] n은 2 이상의 모든 자연수이므로 $n=1$이 아닌 $n=2$일 때 부등식이 성립함을 보인다.

[2] $f(k)=\dfrac{2k}{k+1}$라고 하면
$$f(k+1)=\frac{2(k+1)}{k+2}$$

풍쌤 강의 NOTE

수학적 귀납법을 이용하여 부등식을 증명할 때도 다음 2가지를 보이면 된다.

➡ (i) $n=1$일 때 부등식이 성립

(ii) $n=k$일 때 부등식이 성립하면 $n=k+1$일 때도 부등식이 성립

11-1 (유사)

2 이상의 모든 자연수 n에 대하여 부등식

$$1+\frac{1}{2^2}+\frac{1}{3^2}+\cdots+\frac{1}{n^2}<2-\frac{1}{n}$$

이 성립함을 수학적 귀납법으로 증명하여라.

11-2 (변형)

다음은 $x>0$일 때 2 이상의 모든 자연수 n에 대하여 $(1+x)^n>1+nx$가 성립함을 증명한 것이다.

• 증명 •

(i) $n=2$일 때
(좌변)$=(1+x)^2=1+2x+x^2$,
(우변)$=1+2x$
이므로 (좌변)$>$(우변)
즉, 주어진 부등식이 성립한다.

(ii) $n=k$ $(k\ge 2)$일 때 주어진 부등식이 성립한다
고 가정하면 $(1+x)^k>1+kx$
부등식의 양변에 $\boxed{(가)}$를 곱하면
$(1+x)^{\boxed{(나)}}>(1+kx)(\boxed{(가)})$
이때
$(1+kx)(\boxed{(가)})=1+(k+1)x+kx^2$
$\qquad\qquad\qquad\quad>1+(k+1)x$
이므로
$(1+x)^{\boxed{(나)}}>1+(k+1)x$
따라서 $n=k+1$일 때도 주어진 부등식은 성립
한다.

(i), (ii)에 의하여 2 이상의 모든 자연수 n에 대하
여 주어진 부등식이 성립한다.

위의 (가), (나)에 알맞은 식을 각각 $f(x)$, $g(k)$라고 할 때 $f(3)-g(1)$의 값을 구하여라.

11-3 (변형)

2 이상의 모든 자연수 n에 대하여 부등식 $3^n>n+3$이 성립함을 수학적 귀납법으로 증명하여라.

11-4 (변형) (기출)

다음은 모든 자연수 n에 대하여

$$\frac{1}{2}\times\frac{3}{4}\times\frac{5}{6}\times\cdots\times\frac{2n-1}{2n}\le\frac{1}{\sqrt{3n+1}}\quad\cdots\cdots(\ast)$$

이 성립함을 증명하는 과정이다.

• 증명 •

(i) $n=1$일 때
$\dfrac{1}{2}\le\dfrac{1}{\sqrt{4}}$이므로 $(\ast)$이 성립한다.

(ii) $n=k$일 때 $(\ast)$이 성립한다고 가정하면

$\dfrac{1}{2}\times\dfrac{3}{4}\times\dfrac{5}{6}\times\cdots\times\dfrac{2k-1}{2k}\times\dfrac{2k+1}{2k+2}$

$\le\dfrac{1}{\sqrt{3k+1}}\times\dfrac{2k+1}{2k+2}$

$=\dfrac{1}{\sqrt{3k+1}}\times\dfrac{1}{1+\boxed{(가)}}$

$=\dfrac{1}{\sqrt{3k+1}}\times\dfrac{1}{\sqrt{\left(1+\boxed{(가)}\right)^2}}$

$=\dfrac{1}{\sqrt{3k+1+2(3k+1)\times\left(\boxed{(가)}\right)+(3k+1)\times\left(\boxed{(가)}\right)^2}}$

$<\dfrac{1}{\sqrt{3k+1+2(3k+1)\times\left(\boxed{(가)}\right)+\left(\boxed{(나)}\right)\times\left(\boxed{(가)}\right)^2}}$

$=\dfrac{1}{\sqrt{3(k+1)+1}}$

따라서 $n=k+1$일 때도 $(\ast)$이 성립한다.
그러므로 (i), (ii)에 의하여 모든 자연수 n에 대하
여 $(\ast)$이 성립한다.

위의 증명에서 (가), (나)에 알맞은 식을 각각 $f(k)$, $g(k)$라고 할 때, $f(4)\times g(13)$의 값을 구하여라.

여러 가지 수열의 귀납적 정의

다양한 형태의 수열의 귀납적 정의에서 특정항을 구해 보자.

다음 문제들은 풀이 원리를 이해하면 의외로 간단하게 해결할 수 있다.

풍산자 풀이 흐름

❶ $a_{n+1}=pa_n+q$를
$a_{n+1}-\alpha=p(a_n-\alpha)$
꼴로 변형하기

❷ 수열 $\{a_n-\alpha\}$는 첫째
항이 $a_1-\alpha$, 공비가 p
인 등비수열임을 이용
하기

$a_n+1=b_n$으로 놓으면
$b_{n+1}=2b_n$이므로 수열 $\{b_n\}$은
공비가 2인 등비수열이다.

유형 특강의 수열의 귀납적 정의
는 모두 교과과정 외의 내용이다.

예시 1 $\quad a_{n+1}=pa_n+q \ (p \neq 1, \ q \neq 0)$ 꼴

$a_1=1$, $a_{n+1}=2a_n+1 \ (n=1, 2, 3, \cdots)$과 같이 정의된 수열 $\{a_n\}$에서 a_{20}의 값을 구하여라.

❶ $a_{n+1}=2a_n+1$을 $a_{n+1}-\alpha=2(a_n-\alpha)$ 꼴로 변형하여 정리하면

$a_{n+1}=2a_n-\alpha$이므로 $-\alpha=1$ $\therefore \alpha=-1$

❷ $a_{n+1}+1=2(a_n+1)$에서 수열 $\{a_n+1\}$은 첫째항이 $a_1+1=2$, 공비가 2인 등
비수열이므로

$a_n+1=2 \times 2^{n-1}$

$\therefore a_n=2^n-1$

$\therefore a_{20}=2^{20}-1$

▶ $a_{n+1}=pa_n+q \ (p \neq 1, \ q \neq 0)$ 꼴에 대하여 정리해 보자.

$a_{n+1}=pa_n+q \iff a_{n+1}-\alpha=p(a_n-\alpha)$

$\qquad\qquad\qquad \iff a_{n+1}=pa_n-p\alpha+\alpha$

이때 $q=-p\alpha+\alpha$이므로

$\alpha=\dfrac{q}{1-p}$

한편, 수열 $\{a_n-\alpha\}$는 첫째항이

$a_1-\alpha$, 공비가 p인 등비수열이므

로 수열 $\{a_n\}$의 일반항은

$a_n-\alpha=(a_1-\alpha) \times p^{n-1}$

$\therefore a_n=(a_1-\alpha) \times p^{n-1}+\alpha$

$$-\alpha \begin{pmatrix} a_1, & a_2, & a_3, & \cdots, & a_n \\ a_1-\alpha, & a_2-\alpha, & a_3-\alpha, & \cdots, & a_n-\alpha \end{pmatrix} +\alpha$$
$$\qquad\qquad \times p \qquad \times p \qquad \cdots \qquad \times p$$

➡ $\{a_n-\alpha\}$: 공비가 p인 등비수열

▶**주의** $a_{n+1}=pa_n+q$ 꼴에서

    (i) $p=1$이면 $a_{n+1}=a_n+q$이므로 수열 $\{a_n\}$은 등차수열이다.

    (ii) $q=0$이면 $a_{n+1}=pa_n$이므로 수열 $\{a_n\}$은 등비수열이다.

    (iii) $p \neq 1$, $q \neq 0$이면 수열 $\{a_n\}$은 등차수열도 등비수열도 아니다.

✔ **확인**

정답과 풀이 307쪽

1. 다음과 같이 정의된 수열 $\{a_n\}$에서 a_{10}의 값을 구하여라.

(1) $a_1=1$, $a_{n+1}=\dfrac{1}{2}a_n+1 \ (n=1, 2, 3, \cdots)$

(2) $a_1=3$, $a_{n+1}=3a_n-4 \ (n=1, 2, 3, \cdots)$

다음과 같이 정의된 수열 $\{a_n\}$에서 a_{20}의 값을 구하여라.

(1) $a_1=1$, $a_{n+1}=\dfrac{a_n}{2a_n+1}$ $(n=1, 2, 3, \cdots)$

(2) $a_1=1$, $a_{n+1}=\dfrac{a_n}{a_n+3}$ $(n=1, 2, 3, \cdots)$

풍산자 풀이 흐름

❶ $a_{n+1}=\dfrac{ra_n}{pa_n+q}$ 의 양변에 역수를 취하여
$$\dfrac{1}{a_{n+1}}=\dfrac{q}{r}\times\dfrac{1}{a_n}+\dfrac{p}{r}$$
꼴로 변형하기

❷ $\dfrac{1}{a_n}=b_n$으로 놓고 b_n을 구한 다음 a_n을 구하기

(1) ❶ $a_{n+1}=\dfrac{a_n}{2a_n+1}$의 양변에 역수를 취하면 $\dfrac{1}{a_{n+1}}=\dfrac{2a_n+1}{a_n}=\dfrac{1}{a_n}+2$

❷ $\dfrac{1}{a_n}=b_n$으로 놓으면 $b_{n+1}=b_n+2$

따라서 수열 $\{b_n\}$은 첫째항이 $b_1=\dfrac{1}{a_1}=1$, 공차가 2인 등차수열이므로

$b_n=1+(n-1)\times2=2n-1$

$\therefore a_n=\dfrac{1}{b_n}=\dfrac{1}{2n-1}$ $\therefore a_{20}=\dfrac{1}{39}$

(2) ❶ $a_{n+1}=\dfrac{a_n}{a_n+3}$의 양변에 역수를 취하면 $\dfrac{1}{a_{n+1}}=\dfrac{a_n+3}{a_n}=\dfrac{3}{a_n}+1$

❷ $\dfrac{1}{a_n}=b_n$으로 놓으면 $b_{n+1}=3b_n+1$에서

$b_{n+1}+\dfrac{1}{2}=3\left(b_n+\dfrac{1}{2}\right)$

따라서 수열 $\left\{b_n+\dfrac{1}{2}\right\}$은 첫째항이 $b_1+\dfrac{1}{2}=\dfrac{1}{a_1}+\dfrac{1}{2}=\dfrac{3}{2}$, 공비가 3인 등비

수열이므로

$b_n+\dfrac{1}{2}=\dfrac{3}{2}\times3^{n-1}$ $\therefore b_n=\dfrac{3}{2}\times3^{n-1}-\dfrac{1}{2}=\dfrac{1}{2}(3^n-1)$

$\therefore a_n=\dfrac{1}{b_n}=\dfrac{2}{3^n-1}$ $\therefore a_{20}=\dfrac{2}{3^{20}-1}$

$b_{n+1}=3b_n+1$을
$b_{n+1}-\alpha=3(b_n-\alpha)$ 꼴로 변형
하여 정리하면
$b_{n+1}=3b_n-2\alpha$
이므로 $-2\alpha=1$
$\therefore \alpha=-\dfrac{1}{2}$

▶ **주의** $a_{n+1}=\dfrac{ra_n}{pa_n+q}$의 양변에 역수를 취하고 $\dfrac{1}{a_n}=b_n$으로 놓으면

$b_{n+1}=\dfrac{q}{r}\times b_n+\dfrac{p}{r}$

(ⅰ) $\dfrac{q}{r}=1$일 때, $b_{n+1}=b_n+\dfrac{p}{r}$이므로 수열 $\{b_n\}$은 공차가 $\dfrac{p}{r}$인 등차수열이다.

(ⅱ) $\dfrac{q}{r}\neq1$일 때, $b_{n+1}=\dfrac{q}{r}\times b_n+\dfrac{p}{r}$은 [예시 1]의 $c_{n+1}=sc_n+t$ $(s\neq1, t\neq0)$ 꼴이다.

✔ **확인**   정답과 풀이 307쪽

2. 다음과 같이 정의된 수열 $\{a_n\}$에서 a_{10}의 값을 구하여라.

(1) $a_1=1$, $a_{n+1}=\dfrac{a_n}{1-3a_n}$ $(n=1, 2, 3, \cdots)$

(2) $a_1=\dfrac{1}{2}$, $a_{n+1}=\dfrac{a_n}{2a_n+3}$ $(n=1, 2, 3, \cdots)$

실전 연습 문제

01

수열 $\{a_n\}$의 첫째항부터 제n항까지의 합을 S_n이라고 하자. 수열 $\{S_n\}$이 $S_1=7$, $S_{n+1}=S_n-2$로 정의될 때, $a_7+a_8+a_9$의 값은?

① -4 ② -6 ③ -8

④ -10 ⑤ -12

02

수열 $\{a_n\}$이 $a_1=14$, $a_2=10$, $2a_{n+1}=a_n+a_{n+2}$로 정의될 때, $|a_7|=a_k$를 만족시키는 자연수 k의 값은?

① 2   ② 3   ③ 4

④ 5   ⑤ 6

03 서술형 ✏️

모든 항이 양수인 수열 $\{a_n\}$이 $a_1=2$, $a_2=4$, $2\log a_{n+1}=\log a_n+\log a_{n+2}$ $(n\geq1)$로 정의될 때, a_5a_6의 값을 구하여라.

04 `기출`

첫째항이 2이고 모든 항이 양수인 수열 $\{a_n\}$이 있다. x에 대한 이차방정식 $a_nx^2-a_{n+1}x+a_n=0$이 모든 자연수 n에 대하여 중근을 가질 때, $\sum_{k=1}^{8}a_k$의 값을 구하여라.

05 `기출`

수열 $\{a_n\}$에 대하여 $a_1=6$, $a_{n+1}=a_n+3^n$ $(n=1, 2, 3, \cdots)$일 때, a_4의 값은?

① 39   ② 42   ③ 45

④ 48   ⑤ 51

06

첫째항이 5인 수열 $\{a_n\}$이 있다. x에 대한 이차방정식 $x^2+(a_{n+1}-a_n)x-4(n+1)=0$의 한 근이 2일 때, $\sum_{k=1}^{5}a_k$의 값은?

① 30   ② 50   ③ 60

④ 65   ⑤ 105

07

수열 $\{a_n\}$이 $a_{10}=57$이고 모든 자연수 n에 대하여 $(2n-1)a_{n+1}=(2n+1)a_n$을 만족시킬 때, a_1의 값은?

① 1　　　　② 2　　　　③ 3

④ 4　　　　⑤ 5

08

기출

첫째항이 4인 수열 $\{a_n\}$이 모든 자연수 n에 대하여 $a_{n+2}=a_{n+1}+a_n$을 만족시킨다. $a_4=34$일 때, a_2의 값을 구하여라.

09

수열 $\{a_n\}$이 $a_1=2$, $a_2=4$, $a_{n+2}-a_{n+1}=2a_n$ $(n\geq1)$으로 정의될 때, a_9의 값은?

① 64　　　　② 128　　　　③ 256

④ 512　　　　⑤ 1024

10

수열 $\{a_n\}$이 $a_1=1$이고 모든 자연수 n에 대하여

$$a_{n+1}=\begin{cases} a_n+3 & (a_n\text{이 홀수인 경우}) \\ \dfrac{a_n}{2} & (a_n\text{이 짝수인 경우}) \end{cases}$$

을 만족시킬 때, $a_{20}-a_{15}$의 값은?

① 1　　　　② 2　　　　③ 3

④ 4　　　　⑤ 5

11

기출

수열 $\{a_n\}$은 $a_1=2$이고 모든 자연수 n에 대하여

$$a_{n+1}=\begin{cases} \dfrac{a_n}{2-3a_n} & (n\text{이 홀수인 경우}) \\ 1+a_n & (n\text{이 짝수인 경우}) \end{cases}$$

를 만족시킨다. $\sum\limits_{n=1}^{40} a_n$의 값은?

① 30　　　　② 35　　　　③ 40

④ 45　　　　⑤ 50

12

수열 $\{a_n\}$의 첫째항부터 제n항까지의 합을 S_n이라고 하자. $a_1=1$, $4S_n=a_{n+1}+5$ $(n\geq1)$일 때, S_6의 값은?

① 780　　　　② 185　　　　③ -155

④ -185　　　　⑤ -780

13 서술형 ✎

수열 $\{a_n\}$의 첫째항부터 제n항까지의 합을 S_n이라고 하자. $S_n=2a_n+3n$일 때, a_1+a_4의 값을 구하여라.

14

미생물 3마리가 들어 있는 용기에 배양액을 넣었더니 이 미생물은 배양액을 넣은 지 1시간, 2시간, 3시간, 4시간, … 후 각각 1시간 전보다 2마리, 4마리, 8마리, 16마리, … 늘어났다고 한다. 배양액을 넣은 지 15시간이 지난 후의 미생물의 수는?

① $2^{14}+2$ ② $2^{15}-1$ ③ $2^{15}+1$

④ $2^{16}-1$ ⑤ $2^{16}+1$

15

수직선 위의 세 점 P_n, P_{n+1}, P_{n+2}에 대하여 점 P_{n+2}는 선분 P_nP_{n+1}을 3 : 2로 외분하는 점이다. $P_1(1)$, $P_2(3)$일 때, P_6의 좌표는?

① $P_6(61)$ ② $P_6(63)$ ③ $P_6(65)$

④ $P_6(67)$ ⑤ $P_6(69)$

16 기출

일반항이 $a_n=n^2$인 수열 $\{a_n\}$의 첫째항부터 제n항까지의 합을 S_n이라고 하자. 다음은 모든 자연수 n에 대하여

$$(n+1)S_n-\sum_{k=1}^{n}S_k=\sum_{k=1}^{n}k^3 \qquad \cdots\cdots (*)$$

이 성립함을 수학적 귀납법으로 증명한 것이다.

• 증명 •

(ⅰ) $n=1$일 때,

(좌변)$=2S_1-S_1=1$, (우변)$=1$이므로 ($*$)이 성립한다.

(ⅱ) $n=m$일 때 ($*$)이 성립한다고 가정하면

$$(m+1)S_m-\sum_{k=1}^{m}S_k=\sum_{k=1}^{m}k^3$$이다.

$n=m+1$일 때 ($*$)이 성립함을 보이자.

$$(m+2)S_{m+1}-\sum_{k=1}^{m+1}S_k$$

$$=\boxed{\text{(가)}}S_{m+1}-\sum_{k=1}^{m}S_k$$

$$=\boxed{\text{(가)}}S_m+\boxed{\text{(나)}}-\sum_{k=1}^{m}S_k$$

$$=\sum_{k=1}^{m+1}k^3$$이다.

따라서 $n=m+1$일 때도 ($*$)이 성립한다.

(ⅰ), (ⅱ)에 의하여 주어진 식은 모든 자연수 n에 대하여 성립한다.

위의 (가), (나)에 알맞은 식을 각각 $f(m)$, $g(m)$이라고 할 때, $f(2)+g(1)$의 값은?

① 7   ② 8   ③ 9

④ 10   ⑤ 11

17 서술형 ✎

2 이상의 모든 자연수 n에 대하여 부등식

$$3^n>n(n+1)$$

이 성립함을 수학적 귀납법으로 증명하여라.

01

자연수 전체의 집합을 정의역으로 하는 함수 $f(x)$가
$$f(1)=3, f(m+n)=f(m)+f(n)$$
을 만족시킨다. 이 함수 $f(x)$에 대하여 수열 $\{a_n\}$이
$$a_1=7, a_{n+1}-a_n=f(n)$$
으로 정의될 때, a_{20}의 값을 구하여라.

02

수열 $\{a_n\}$이 $a_6=\dfrac{21}{2}$, $a_n=\left(1-\dfrac{1}{n^2}\right)a_{n-1}$ $(n\geq2)$로 정의될 때, $a_9=ka_3$을 만족시키는 상수 k의 값을 구하여라.

03

기출

수열 $\{a_n\}$이 모든 자연수 n에 대하여 $a_{n+1}=\displaystyle\sum_{k=1}^{n}ka_k$를 만족시킨다. $a_1=2$일 때, $a_2+\dfrac{a_{51}}{a_{50}}$의 값은?

① 47　　　② 49　　　③ 51

④ 53　　　⑤ 55

04

흰 바둑돌과 검은 바둑돌이 합하여 n개 있는데 이 바둑돌을 흰 바둑돌이 서로 이웃하지 않도록 한 줄로 늘어놓으려고 한다. n개의 바둑돌을 늘어놓는 방법의 수를 a_n이라고 할 때, a_n, a_{n+1}, a_{n+2} 사이의 관계식을 구하고, a_8의 값을 구하여라.

수	0	1	2	3	4	5	6	7	8	9
1.0	.0000	.0043	.0086	.0128	.0170	.0212	.0253	.0294	.0334	.0374
1.1	.0414	.0453	.0492	.0531	.0569	.0607	.0645	.0682	.0719	.0755
1.2	.0792	.0828	.0864	.0899	.0934	.0969	.1004	.1038	.1072	.1106
1.3	.1139	.1173	.1206	.1239	.1271	.1303	.1335	.1367	.1399	.1430
1.4	.1461	.1492	.1523	.1553	.1584	.1614	.1644	.1673	.1703	.1732
1.5	.1761	.1790	.1818	.1847	.1875	.1903	.1931	.1959	.1987	.2014
1.6	.2041	.2068	.2095	.2122	.2148	.2175	.2201	.2227	.2253	.2279
1.7	.2304	.2330	.2355	.2380	.2405	.2430	.2455	.2480	.2504	.2529
1.8	.2553	.2577	.2601	.2625	.2648	.2672	.2695	.2718	.2742	.2765
1.9	.2788	.2810	.2833	.2856	.2878	.2900	.2923	.2945	.2967	.2989
2.0	.3010	.3032	.3054	.3075	.3096	.3118	.3139	.3160	.3181	.3201
2.1	.3222	.3243	.3263	.3284	.3304	.3324	.3345	.3365	.3385	.3404
2.2	.3424	.3444	.3464	.3483	.3502	.3522	.3541	.3560	.3579	.3598
2.3	.3617	.3636	.3655	.3674	.3692	.3711	.3729	.3747	.3766	.3784
2.4	.3802	.3820	.3838	.3856	.3874	.3892	.3909	.3927	.3945	.3962
2.5	.3979	.3997	.4014	.4031	.4048	.4065	.4082	.4099	.4116	.4133
2.6	.4150	.4166	.4183	.4200	.4216	.4232	.4249	.4265	.4281	.4298
2.7	.4314	.4330	.4346	.4362	.4378	.4393	.4409	.4425	.4440	.4456
2.8	.4472	.4487	.4502	.4518	.4533	.4548	.4564	.4579	.4594	.4609
2.9	.4624	.4639	.4654	.4669	.4683	.4698	.4713	.4728	.4742	.4757
3.0	.4771	.4786	.4800	.4814	.4829	.4843	.4857	.4871	.4886	.4900
3.1	.4914	.4928	.4942	.4955	.4969	.4983	.4997	.5011	.5024	.5038
3.2	.5051	.5065	.5079	.5092	.5105	.5119	.5132	.5145	.5159	.5172
3.3	.5185	.5198	.5211	.5224	.5237	.5250	.5263	.5276	.5289	.5302
3.4	.5315	.5328	.5340	.5353	.5366	.5378	.5391	.5403	.5416	.5428
3.5	.5441	.5453	.5465	.5478	.5490	.5502	.5514	.5527	.5539	.5551
3.6	.5563	.5575	.5587	.5599	.5611	.5623	.5635	.5647	.5658	.5670
3.7	.5682	.5694	.5705	.5717	.5729	.5740	.5752	.5763	.5775	.5786
3.8	.5798	.5809	.5821	.5832	.5843	.5855	.5866	.5877	.5888	.5899
3.9	.5911	.5922	.5933	.5944	.5955	.5966	.5977	.5988	.5999	.6010
4.0	.6021	.6031	.6042	.6053	.6064	.6075	.6085	.6096	.6107	.6117
4.1	.6128	.6138	.6149	.6160	.6170	.6180	.6191	.6201	.6212	.6222
4.2	.6232	.6243	.6253	.6263	.6274	.6284	.6294	.6304	.6314	.6325
4.3	.6335	.6345	.6355	.6365	.6375	.6385	.6395	.6405	.6415	.6425
4.4	.6435	.6444	.6454	.6464	.6474	.6484	.6493	.6503	.6513	.6522
4.5	.6532	.6542	.6551	.6561	.6571	.6580	.6590	.6599	.6609	.6618
4.6	.6628	.6637	.6646	.6656	.6665	.6675	.6684	.6693	.6702	.6712
4.7	.6721	.6730	.6739	.6749	.6758	.6767	.6776	.6785	.6794	.6803
4.8	.6812	.6821	.6830	.6839	.6848	.6857	.6866	.6875	.6884	.6893
4.9	.6902	.6911	.6920	.6928	.6937	.6946	.6955	.6964	.6972	.6981
5.0	.6990	.6998	.7007	.7016	.7024	.7033	.7042	.7050	.7059	.7067
5.1	.7076	.7084	.7093	.7101	.7110	.7118	.7126	.7135	.7143	.7152
5.2	.7160	.7168	.7177	.7185	.7193	.7202	.7210	.7218	.7226	.7235
5.3	.7243	.7251	.7259	.7267	.7275	.7284	.7292	.7300	.7308	.7316
5.4	.7324	.7332	.7340	.7348	.7356	.7364	.7372	.7380	.7388	.7396

수	0	1	2	3	4	5	6	7	8	9
5.5	.7404	.7412	.7419	.7427	.7435	.7443	.7451	.7459	.7466	.7474
5.6	.7482	.7490	.7497	.7505	.7513	.7520	.7528	.7536	.7543	.7551
5.7	.7559	.7566	.7574	.7582	.7589	.7597	.7604	.7612	.7619	.7627
5.8	.7634	.7642	.7649	.7657	.7664	.7672	.7679	.7686	.7694	.7701
5.9	.7709	.7716	.7723	.7731	.7738	.7745	.7752	.7760	.7767	.7774
6.0	.7782	.7789	.7796	.7803	.7810	.7818	.7825	.7832	.7839	.7846
6.1	.7853	.7860	.7868	.7875	.7882	.7889	.7896	.7903	.7910	.7917
6.2	.7924	.7931	.7938	.7945	.7952	.7959	.7966	.7973	.7980	.7987
6.3	.7993	.8000	.8007	.8014	.8021	.8028	.8035	.8041	.8048	.8055
6.4	.8062	.8069	.8075	.8082	.8089	.8096	.8102	.8109	.8116	.8122
6.5	.8129	.8136	.8142	.8149	.8156	.8162	.8169	.8176	.8182	.8189
6.6	.8195	.8202	.8209	.8215	.8222	.8228	.8235	.8241	.8248	.8254
6.7	.8261	.8267	.8274	.8280	.8287	.8293	.8299	.8306	.8312	.8319
6.8	.8325	.8331	.8338	.8344	.8351	.8357	.8363	.8370	.8376	.8382
6.9	.8388	.8395	.8401	.8407	.8414	.8420	.8426	.8432	.8439	.8445
7.0	.8451	.8457	.8463	.8470	.8476	.8482	.8488	.8494	.8500	.8506
7.1	.8513	.8519	.8525	.8531	.8537	.8543	.8549	.8555	.8561	.8567
7.2	.8573	.8579	.8585	.8591	.8597	.8603	.8609	.8615	.8621	.8627
7.3	.8633	.8639	.8645	.8651	.8657	.8663	.8669	.8675	.8681	.8686
7.4	.8692	.8698	.8704	.8710	.8716	.8722	.8727	.8733	.8739	.8745
7.5	.8751	.8756	.8762	.8768	.8774	.8779	.8785	.8791	.8797	.8802
7.6	.8808	.8814	.8820	.8825	.8831	.8837	.8842	.8848	.8854	.8859
7.7	.8865	.8871	.8876	.8882	.8887	.8893	.8899	.8904	.8910	.8915
7.8	.8921	.8927	.8932	.8938	.8943	.8949	.8954	.8960	.8965	.8971
7.9	.8976	.8982	.8987	.8993	.8998	.9004	.9009	.9015	.9020	.9025
8.0	.9031	.9036	.9042	.9047	.9053	.9058	.9063	.9069	.9074	.9079
8.1	.9085	.9090	.9096	.9101	.9106	.9112	.9117	.9122	.9128	.9133
8.2	.9138	.9143	.9149	.9154	.9159	.9165	.9170	.9175	.9180	.9186
8.3	.9191	.9196	.9201	.9206	.9212	.9217	.9222	.9227	.9232	.9238
8.4	.9243	.9248	.9253	.9258	.9263	.9269	.9274	.9279	.9284	.9289
8.5	.9294	.9299	.9304	.9309	.9315	.9320	.9325	.9330	.9335	.9340
8.6	.9345	.9350	.9355	.9360	.9365	.9370	.9375	.9380	.9385	.9390
8.7	.9395	.9400	.9405	.9410	.9415	.9420	.9425	.9430	.9435	.9440
8.8	.9445	.9450	.9455	.9460	.9465	.9469	.9474	.9479	.9484	.9489
8.9	.9494	.9499	.9504	.9509	.9513	.9518	.9523	.9528	.9533	.9538
9.0	.9542	.9547	.9552	.9557	.9562	.9566	.9571	.9576	.9581	.9586
9.1	.9590	.9595	.9600	.9605	.9609	.9614	.9619	.9624	.9628	.9633
9.2	.9638	.9643	.9647	.9652	.9657	.9661	.9666	.9671	.9675	.9680
9.3	.9685	.9689	.9694	.9699	.9703	.9708	.9713	.9717	.9722	.9727
9.4	.9731	.9736	.9741	.9745	.9750	.9754	.9759	.9763	.9768	.9773
9.5	.9777	.9782	.9786	.9791	.9795	.9800	.9805	.9809	.9814	.9818
9.6	.9823	.9827	.9832	.9836	.9841	.9845	.9850	.9854	.9859	.9863
9.7	.9868	.9872	.9877	.9881	.9886	.9890	.9894	.9899	.9903	.9908
9.8	.9912	.9917	.9921	.9926	.9930	.9934	.9939	.9943	.9948	.9952
9.9	.9956	.9961	.9965	.9969	.9974	.9978	.9983	.9987	.9991	.9996

삼각함수표

각	라디안	sin	cos	tan
0°	0.0000	0.0000	1.0000	0.0000
1°	0.0175	0.0175	0.9998	0.0175
2°	0.0349	0.0349	0.9994	0.0349
3°	0.0524	0.0523	0.9986	0.0524
4°	0.0698	0.0698	0.9976	0.0699
5°	0.0873	0.0872	0.9962	0.0875
6°	0.1047	0.1045	0.9945	0.1051
7°	0.1222	0.1219	0.9925	0.1228
8°	0.1396	0.1392	0.9903	0.1405
9°	0.1571	0.1564	0.9877	0.1584
10°	0.1745	0.1736	0.9848	0.1763
11°	0.1920	0.1908	0.9816	0.1944
12°	0.2094	0.2079	0.9781	0.2126
13°	0.2269	0.2250	0.9744	0.2309
14°	0.2443	0.2419	0.9703	0.2493
15°	0.2618	0.2588	0.9659	0.2679
16°	0.2793	0.2756	0.9613	0.2867
17°	0.2967	0.2924	0.9563	0.3057
18°	0.3142	0.3090	0.9511	0.3249
19°	0.3316	0.3256	0.9455	0.3443
20°	0.3491	0.3420	0.9397	0.3640
21°	0.3665	0.3584	0.9336	0.3839
22°	0.3840	0.3746	0.9272	0.4040
23°	0.4014	0.3907	0.9205	0.4245
24°	0.4189	0.4067	0.9135	0.4452
25°	0.4363	0.4226	0.9063	0.4663
26°	0.4538	0.4384	0.8988	0.4877
27°	0.4712	0.4540	0.8910	0.5095
28°	0.4887	0.4695	0.8829	0.5317
29°	0.5061	0.4848	0.8746	0.5543
30°	0.5236	0.5000	0.8660	0.5774
31°	0.5411	0.5150	0.8572	0.6009
32°	0.5585	0.5299	0.8480	0.6249
33°	0.5760	0.5446	0.8387	0.6494
34°	0.5934	0.5592	0.8290	0.6745
35°	0.6109	0.5736	0.8192	0.7002
36°	0.6283	0.5878	0.8090	0.7265
37°	0.6458	0.6018	0.7986	0.7536
38°	0.6632	0.6157	0.7880	0.7813
39°	0.6807	0.6293	0.7771	0.8098
40°	0.6981	0.6428	0.7660	0.8391
41°	0.7156	0.6561	0.7547	0.8693
42°	0.7330	0.6691	0.7431	0.9004
43°	0.7505	0.6820	0.7314	0.9325
44°	0.7679	0.6947	0.7193	0.9657
45°	0.7854	0.7071	0.7071	1.0000

각	라디안	sin	cos	tan
45°	0.7854	0.7071	0.7071	1.0000
46°	0.8029	0.7193	0.6947	1.0355
47°	0.8203	0.7314	0.6820	1.0724
48°	0.8378	0.7431	0.6691	1.1106
49°	0.8552	0.7547	0.6561	1.1504
50°	0.8727	0.7660	0.6428	1.1918
51°	0.8901	0.7771	0.6293	1.2349
52°	0.9076	0.7880	0.6157	1.2799
53°	0.9250	0.7986	0.6018	1.3270
54°	0.9425	0.8090	0.5878	1.3764
55°	0.9599	0.8192	0.5736	1.4281
56°	0.9774	0.8290	0.5592	1.4826
57°	0.9948	0.8387	0.5446	1.5399
58°	1.0123	0.8480	0.5299	1.6003
59°	1.0297	0.8572	0.5150	1.6643
60°	1.0472	0.8660	0.5000	1.7321
61°	1.0647	0.8746	0.4848	1.8040
62°	1.0821	0.8829	0.4695	1.8807
63°	1.0996	0.8910	0.4540	1.9626
64°	1.1170	0.8988	0.4384	2.0503
65°	1.1345	0.9063	0.4226	2.1445
66°	1.1519	0.9135	0.4067	2.2460
67°	1.1694	0.9205	0.3907	2.3559
68°	1.1868	0.9272	0.3746	2.4751
69°	1.2043	0.9336	0.3584	2.6051
70°	1.2217	0.9397	0.3420	2.7475
71°	1.2392	0.9455	0.3256	2.9042
72°	1.2566	0.9511	0.3090	3.0777
73°	1.2741	0.9563	0.2924	3.2709
74°	1.2915	0.9613	0.2756	3.4874
75°	1.3090	0.9659	0.2588	3.7321
76°	1.3265	0.9703	0.2419	4.0108
77°	1.3439	0.9744	0.2250	4.3315
78°	1.3614	0.9781	0.2079	4.7046
79°	1.3788	0.9816	0.1908	5.1446
80°	1.3963	0.9848	0.1736	5.6713
81°	1.4137	0.9877	0.1564	6.3138
82°	1.4312	0.9903	0.1392	7.1154
83°	1.4486	0.9925	0.1219	8.1443
84°	1.4661	0.9945	0.1045	9.5144
85°	1.4835	0.9962	0.0872	11.4301
86°	1.5010	0.9976	0.0698	14.3007
87°	1.5184	0.9986	0.0523	19.0811
88°	1.5359	0.9994	0.0349	28.6363
89°	1.5533	0.9998	0.0175	57.2900
90°	1.5708	1.0000	0.0000	—

01 지수

개념확인

01 (1) -3, $\dfrac{3+3\sqrt{3}i}{2}$, $\dfrac{3-3\sqrt{3}i}{2}$, 1개

(2) 3, -3, $3i$, $-3i$, 2개

02 (1) 4 (2) $\dfrac{1}{2}$ (3) 6

03 (1) 1 (2) $\dfrac{9}{4}$

04 (1) 8 (2) $\dfrac{5^5}{3^9}$ (3) 1 (4) $\dfrac{\sqrt{3}}{3}$ (5) $3^{3\sqrt{3}}$ (6) $\dfrac{27}{2}$

유형

01-1 ③　　　　　　　**01-2** ⑤
01-3 6　　　　　　　**01-4** 8
01-5 ㄱ, ㄷ　　　　　**01-6** 31
02-1 (1) 5 (2) 3 (3) 2 (4) $\sqrt[6]{5^5}$
02-2 (1) 3 (2) 25 (3) 3 (4) 8
02-3 $2\sqrt[3]{2}$　　　　　　**02-4** 4
02-5 3　　　　　　　**02-6** 36
03-1 (1) $\sqrt[8]{a}$ (2) $\sqrt[5]{a}$ (3) $\sqrt[12]{a^7}$

03-2 1　　　　　　　**03-3** $\sqrt[4]{\dfrac{a^5}{b}}$

03-4 $\sqrt[3]{\dfrac{a}{b}}$　　　　　**03-5** 24

03-6 31
04-1 4
04-2 (1) 100 (2) 16 (3) 1 (4) 5
04-3 3　　　　　　　**04-4** 1
04-5 ab^5　　　　　　**04-6** 3
05-1 $B<C<A$　　　　**05-2** $A<C<B$
05-3 ④　　　　　　　**05-4** ③
05-5 $\sqrt{B}<\sqrt{A}<\sqrt{C}$　　**05-6** $C<A<B$
06-1 11　　　　　　　**06-2** 17

06-3 47　　　　　　　**06-4** $3^{\frac{3}{2}}$

06-5 3　　　　　　　**06-6** 2

07-1 (1) $a-b$ (2) a^2+b^2 (3) $a^{\frac{2}{3}}+a^{\frac{1}{3}}b^{\frac{1}{3}}+b^{\frac{2}{3}}$
07-2 $2(a^2+3)$　　　　**07-3** ②

07-4 $\dfrac{80}{9}$　　　　　　**07-5** -2

07-6 15
08-1 (1) 62 (2) 488　　**08-2** 110

08-3 5　　　　　　　**08-4** $\dfrac{\sqrt{6}}{4}$

08-5 6　　　　　　　**08-6** 11

09-1 (1) $\dfrac{2}{3}$ (2) $\dfrac{62}{15}$　　**09-2** $\dfrac{43}{6}$

09-3 $\dfrac{20}{63}$　　　　　　**09-4** 16

09-5 16　　　　　　　**09-6** $\dfrac{13}{6}$

10-1 (1) 4 (2) 2　　　**10-2** -3

10-3 $\dfrac{b^3}{a^2}$　　　　　　**10-4** 8

10-5 15　　　　　　　**10-6** 80
11-1 (1) 2 (2) 0　　　**11-2** 5

11-3 $\dfrac{3}{4}$　　　　　　**11-4** $\sqrt{42}$

11-5 49　　　　　　　**11-6** 12
12-1 64　　　　　　　**12-2** 32배
12-3 40　　　　　　　**12-4** 0.35
12-5 27

실전 연습 문제

01 ④　　**02** ③　　**03** -1　　**04** ③
05 ⑤　　**06** ⑤　　**07** $3\sqrt{3}$　　**08** ①
09 ②　　**10** ②　　**11** ④　　**12** 3
13 12　　**14** ⑤　　**15** 2　　**16** ①
17 9배

상위권 도약 문제

01 ④　　**02** $-5<a\le0$　　　**03** ①
04 ①　　**05** 125　　**06** ⑤　　**07** ④
08 ④

02 로그

개념확인

01 (1) $4=\log_3 81$　　　　(2) $0=\log_5 1$

(3) $-\dfrac{1}{2}=\log_{16}\dfrac{1}{4}$　　(4) $3=\log_{\frac{1}{5}}0.008$

02 (1) 8 (2) 2 (3) 7 (4) 25

03 (1) 3 (2) 2 (3) -2 (4) 2

04 (1) $\dfrac{3}{2}$ (2) 3 (3) 1 (4) 54

05 (1) 0.4829 (2) 0.4928 (3) 0.5051

(4) 0.5105 (5) 0.9938 (6) 3.5092

06 (1) 73800 (2) 0.0104

개념확인

01 (1) 2, 5, 14, 41 (2) 1, 4, 5, 9
02 (1) $a_n = 4n+1$ (2) $a_n = 3 \times 2^{n-1}$
03 (1) 15 (2) 2×3^6
04 $p(2)$, $p(k+1)$

유형

01-1 제8항 **01-2** 33
01-3 9 **01-4** -115
01-5 -170 **01-6** 105
02-1 5^7 **02-2** 381
02-3 제9항 **02-4** $\dfrac{255}{32}$
02-5 9 **02-6** 36
03-1 (1) 183 (2) $-\dfrac{1}{4} \times 5^{10} + \dfrac{13}{4}$
03-2 227 **03-3** 141
03-4 -90 **03-5** 9
03-6 19
04-1 (1) $\dfrac{1}{2}$ (2) 2×3^{120} **04-2** 16
04-3 73 **04-4** 55
04-5 -33 **04-6** 6
05-1 (1) 56 (2) 5 (3) 20 **05-2** $\dfrac{9}{5}$
05-3 42 **05-4** -4
05-5 46 **05-6** 8
06-1 2 **06-2** 45
06-3 1 **06-4** 16
06-5 -10 **06-6** $\sqrt{2}$
07-1 (1) 40 (2) 220 **07-2** $a_n = 5 \times 3^{n-1}$
07-3 $\dfrac{1}{4}(5^{10}-1)$ **07-4** $\dfrac{39}{4}$
07-5 5 **07-6** 5
08-1 (1) 30 (2) $a_{n+1} = \dfrac{3}{2}a_n$ (3) 2
08-2 4 **08-3** 112만 원
08-4 (1) $a_1=1$, $a_2=2$, $a_3=3$ (2) $a_{n+2}=a_{n+1}+a_n$ (3) 55
09-1 (1) $a_{n+1}=a_n+4n+5$ (2) 121
09-2 165 **09-3** $\left(\dfrac{1}{2}, 2\right)$
09-4 (1) $a_{n+1}=a_n+n$ (2) $b_{n+1}=b_n+n+1$ (3) 122
10-1 풀이 참조 **10-2** 17
10-3 48 **10-4** 풀이 참조
11-1 풀이 참조 **11-2** 2
11-3 풀이 참조 **11-4** 3

유형 특강

1 (1) $\dfrac{1023}{512}$ (2) 3^9+2 **2** (1) $-\dfrac{1}{26}$ (2) $\dfrac{1}{3^{10}-1}$

실전 연습 문제

01 ② **02** ① **03** 2^{11} **04** 510
05 ③ **06** ④ **07** ③ **08** 15
09 ④ **10** ② **11** ① **12** ⑤
13 -48 **14** ⑤ **15** ② **16** ⑤
17 풀이 참조

상위권 도약 문제

01 577 **02** $\dfrac{5}{6}$ **03** ④

04 $a_{n+2}=a_n+a_{n+1}$, $a_8=55$

고등 풍산자와 함께하면
개념부터 ~ 고난도 문제까지!
어떤 시험 문제도 익숙해집니다!

고등 풍산자 1등급 로드맵

고등 풍산자 교재		하	중하	중	상	최상
개념 기본서 1위	풍산자 수학(상) #강남구청 인터넷수능방송 강의교재	필수 문제로 개념 정복, 개념 학습 완성				
유형 기본서	풍산자 유형기본서 수학(상)		개념 정리부터 유형까지 모두 정복, 유형 학습 완성			
기초 반복 훈련서	풍산자 반복수학 수학(상)		개념 및 기본 연산 정복, 기본 실력 완성			
기본 유형 연습서	풍산자 라이트 유형 수학(상)		기본 및 대표 유형 연습, 중위권 실력 완성			
유형서 만족도 1위	풍산자 필수유형 수학(상) #강남구청 인터넷수능방송 강의교재			기출 문제로 유형 정복, 시험 준비 완료		
상위권 필독서	풍산자 일등급 유형 수학(상)				내신과 수능 1등급 도전, 상위권 실력 완성	
단기 특강서	풍산자 라이트 고등 수학(상)		개념 및 기본 체크, 단기 실력 점검			

유형 학습 비법서

풍산자

유형기본서

수학 I

발 행 인 권준구
발 행 처 (주)지학사 (등록번호 : 1957.3.18 제 13–11호) 04056 서울시 마포구 신촌로6길 5
발 행 일 2021년 12월 10일 [초판 1쇄]
구입 문의 TEL 02-330-5300 | FAX 02-325-8010 구입 후에는 철회되지 않으며, 잘못된 제품은 구입처에서 교환해 드립니다.
내용 문의 www.jihak.co.kr 전화번호는 홈페이지 〈고객센터 → 담당자 안내〉에 있습니다.

풍산자

유형기본서

수학 I

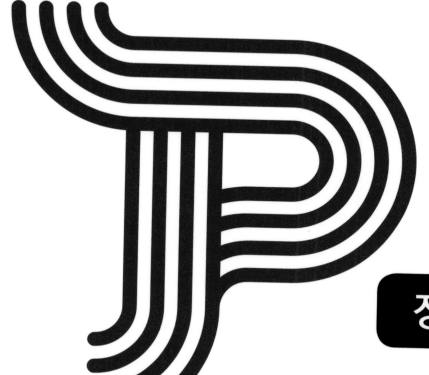

정답과 풀이

지학사

풍산자 속 모든 수학 개념,
풍쌤으로 가볍게 공부해봐!

초등학교 3학년 '분수' 부터 고등학교 '기하' 까지 10년간 배우는 수학의
모든 개념을 하나의 앱으로! 풍산자 기본 개념서 21책 속 831개의
개념 정리를 **풍쌤APP** 에서 만나보세요.

학년별 풍쌤 추천 개념부터 친구들에게 인기 있는 개념까지!

☑ **내가 선택한 학년과 교재에 따른 맞춤형 홈 화면**

정확한 공식 이름이 생각나지 않아도 괜찮아!

☑ **주요 키워드만으로도 빠르고 확실한 개념 검색**

자주 헷갈리는 파트, 그때마다 번번이 검색하기 귀찮지?

☑ **나만의 공간, 북마크에 저장**

친구와 톡 중에 개념을 전달하고 싶을때!

☑ **공유하기 버튼 하나로, 세상 쉬운 개념 공유**

개념 이해를 돕기 위한 동영상 탑재

☑ **수학 개념 유튜브 강의 연동**

▶ 지금 다운로드하기

안드로이드용 QR   아이폰용 QR

지학사

풍산자

유형기본서

수학 I

01 지수

개념확인

8~9쪽

01 답 (1) -3, $\dfrac{3+3\sqrt{3}i}{2}$, $\dfrac{3-3\sqrt{3}i}{2}$, 1개

(2) 3, -3, $3i$, $-3i$, 2개

(1) -27의 세제곱근을 x라고 하면 $x^3=-27$

즉, $x^3+27=0$이므로

$(x+3)(x^2-3x+9)=0$

$\therefore x=-3$ 또는 $x=\dfrac{3\pm3\sqrt{3}i}{2}$

따라서 -27의 세제곱근은 -3, $\dfrac{3+3\sqrt{3}i}{2}$, $\dfrac{3-3\sqrt{3}i}{2}$

이고 이 중에서 실수인 것은 -3뿐이므로 1개이다.

(2) 81의 네제곱근을 x라고 하면 $x^4=81$

즉, $x^4-81=0$이므로

$(x^2-9)(x^2+9)=0$

$x^2=9$ 또는 $x^2=-9$

$\therefore x=\pm3$ 또는 $x=\pm3i$

따라서 81의 네제곱근은 3, -3, $3i$, $-3i$이고 이 중에서 실수인 것은 3, -3으로 2개이다.

02 답 (1) 4 (2) $\dfrac{1}{2}$ (3) 6

03 답 (1) 1 (2) $\dfrac{9}{4}$

04 답 (1) 8 (2) $\dfrac{5^5}{3^9}$ (3) 1 (4) $\dfrac{\sqrt{3}}{3}$ (5) $3^{3\sqrt{3}}$ (6) $\dfrac{27}{2}$

(2) $(3^2 5^{-1})^{-3}\div 3^3 5^{-2}=3^{-6}5^3\div 3^3 5^{-2}$

$\qquad =3^{-6-3}5^{3-(-2)}$

$\qquad =3^{-9}5^5=\dfrac{5^5}{3^9}$

(4) $3^{\frac{7}{2}}\div(27^2)^{\frac{2}{3}}=3^{\frac{7}{2}}\div\{(3^3)^2\}^{\frac{2}{3}}$

$\qquad =3^{\frac{7}{2}}\div(3^6)^{\frac{2}{3}}$

$\qquad =3^{\frac{7}{2}}\div 3^4=3^{\frac{7}{2}-4}$

$\qquad =3^{-\frac{1}{2}}=\dfrac{1}{\sqrt{3}}=\dfrac{\sqrt{3}}{3}$

(5) $9^{\sqrt{3}}\times 3^{\sqrt{27}}\div 3^{\sqrt{12}}=(3^2)^{\sqrt{3}}\times 3^{3\sqrt{3}}\div 3^{2\sqrt{3}}$

$\qquad =3^{2\sqrt{3}+3\sqrt{3}-2\sqrt{3}}=3^{3\sqrt{3}}$

(6) $(2^{-\frac{1}{\sqrt{3}}}\times 3^{\sqrt{3}})^{\sqrt{3}}=(2^{-\frac{1}{\sqrt{3}}})^{\sqrt{3}}\times(3^{\sqrt{3}})^{\sqrt{3}}$

$\qquad =2^{-\frac{1}{\sqrt{3}}\times\sqrt{3}}\times 3^{\sqrt{3}\times\sqrt{3}}$

$\qquad =2^{-1}\times 3^3=\dfrac{27}{2}$

필수유형 01

11쪽

01-1 답 ③

해결전략 | a의 n제곱근 중 실수인 것의 개수는 a가 양수, 음수일 때, n이 짝수, 홀수일 때로 나누어 생각한다.

① $2^4=16$이므로 2는 16의 네제곱근이다.

② 27의 세제곱근은 방정식 $x^3=27$의 근이므로

$x^3-27=0$, 즉 $(x-3)(x^2+3x+9)=0$에서

3, $\dfrac{-3\pm3\sqrt{3}i}{2}$이다.

③ 4는 짝수이므로 5의 네제곱근 중 실수인 것은

$\sqrt[4]{5}$, $-\sqrt[4]{5}$의 2개이다.

④ n이 홀수이므로 3의 n제곱근 중 실수인 것은 1개이다.

⑤ n이 짝수이고 $-4<0$이므로 -4의 n제곱근 중 실수인 것은 없다.

01-2 답 ⑤

해결전략 | a의 n제곱근 중 실수인 것의 개수는 a가 양수, 음수일 때, n이 짝수, 홀수일 때로 나누어 생각한다.

① 네제곱근 81은 $\sqrt[4]{81}=\sqrt[4]{3^4}=3$이다.

② $\sqrt{(-4)^2}=\sqrt{16}=4$이므로 $\sqrt{(-4)^2}$의 제곱근은 ±2이다.

③ -20의 네제곱근 중 실수인 것은 방정식 $x^4=-20$의 실근이므로 존재하지 않는다.

④ -64의 세제곱근 중 실수인 것은 방정식 $x^3=-64$의 실근이다.

$x^3+64=0$에서 $(x+4)(x^2-4x+16)=0$

$\therefore x=-4$ 또는 $x=2\pm2\sqrt{3}i$

따라서 -64의 세제곱근 중 실수인 것은 -4이다.

⑤ 7의 세제곱근은 방정식 $x^3=7$의 근이므로 3개이다.

01-3 답 6

해결전략 | 실수 a의 n제곱근 중 실수인 것은 방정식 $x^n=a$의 근 중에서 실수인 것과 같다.

STEP1 거듭제곱근의 정의를 이용하여 a, b의 값 구하기

$\sqrt{256}=\sqrt{16^2}=16$의 네제곱근을 x라고 하면

$x^4=16$이므로

$x^4-16=0$, $(x^2-4)(x^2+4)=0$

$\therefore x=\pm2$ 또는 $x=\pm2i$

이 중에서 음의 실수는 -2이므로 $a=-2$

세제곱근 -27은

2 정답과 풀이

$\sqrt[3]{-27}=\sqrt[3]{(-3)^3}=-3$ $\quad\therefore b=-3$

STEP2 ab의 값 구하기

따라서 $a=-2$, $b=-3$이므로

$ab=(-2)\times(-3)=6$

> **🎯 풍쌤의 비법**
>
> 실수 a와 자연수 n에 대하여
> (1) a의 n제곱근 ➡ $x^n=a$를 만족시키는 x
> (2) n제곱근 a ➡ $\sqrt[n]{a}$

01-4 📄 8

해결전략 ┃ 실수 a의 n제곱근 중 실수인 것은 방정식 $x^n=a$의 근 중에서 실수인 것과 같다.

STEP1 거듭제곱근의 정의를 이용하여 a, b, c의 값 구하기

125의 세제곱근을 x라고 하면 $x^3=125$이므로

$x^3-125=0$, $(x-5)(x^2+5x+25)=0$

$\therefore x=5$ 또는 $x=\dfrac{-5\pm5\sqrt{3}i}{2}$

이 중에서 실수는 5이므로 $a=5$

81의 네제곱근 중 실수인 것은 방정식 $x^4=81$의 실근이므로 $x=\pm3$으로 그 개수는 2이다. $\quad\therefore b=2$

-12의 세제곱근 중 실수인 것은 방정식 $x^3=-12$의 실근이므로 $x=-\sqrt[3]{12}$로 그 개수는 1이다. $\quad\therefore c=1$

STEP2 $a+b+c$의 값 구하기

따라서 $a=5$, $b=2$, $c=1$이므로

$a+b+c=5+2+1=8$

01-5 📄 ㄱ, ㄷ

해결전략 ┃ a가 실수일 때, $\sqrt[n]{a^n}=\begin{cases}a & (n\text{이 홀수})\\|a| & (n\text{이 짝수})\end{cases}$임을 이용한다.

ㄱ. n이 홀수일 때, $x^n=-8$을 만족시키는 실수는

$\quad x=\sqrt[n]{-8}=\sqrt[n]{8}\times\sqrt[n]{-1}=-\sqrt[n]{8}$

$\quad$로 1개뿐이다. (참)

ㄴ. n이 짝수일 때, $x^n=6$을 만족시키는 실수는

$\quad x=\pm\sqrt[n]{6}$으로 2개이다. (거짓)

ㄷ. n이 홀수일 때

$\quad\sqrt[n]{-13}=\sqrt[n]{13\times(-1)}=\sqrt[n]{13}\times\sqrt[n]{-1}=-\sqrt[n]{13}$ (참)

ㄹ. n이 짝수일 때

$\quad\sqrt[n]{(-5)^n}=\sqrt[n]{5^n}=5$ (거짓)

따라서 옳은 것은 ㄱ, ㄷ이다.

01-6 📄 31

해결전략 ┃ 거듭제곱근의 정의를 이용하여 조건을 만족시키는 모든 n의 값을 구한다.

STEP1 $-n^2+9n-18$의 값을 양수, 0, 음수일 때로 나누어 n의 값 구하기

자연수 n이 $2\le n\le11$일 때 $-n^2+9n-18$의 n제곱근 중 음의 실수가 존재하기 위해서는

(ⅰ) $-n^2+9n-18<0$일 때

$\quad n^2-9n+18>0$, $(n-3)(n-6)>0$

$\quad n<3$ 또는 $n>6$이고 $2\le n\le11$이므로

$\quad 2\le n<3$ 또는 $6<n\le11$

$\quad$이때 n은 홀수이어야 하므로 가능한 n의 값은

$\quad 7,\ 9,\ 11$

(ⅱ) $-n^2+9n-18=0$일 때

$\quad$0의 n제곱근은 항상 0이므로 만족시키는 음의 실수는 존재하지 않는다.

(ⅲ) $-n^2+9n-18>0$일 때

$\quad n^2-9n+18<0$, $(n-3)(n-6)<0$

$\quad 3<n<6$이고 $2\le n\le11$이므로

$\quad 3<n<6$

$\quad$이때 n은 짝수이어야 하므로

$\quad n=4$

STEP2 n의 값의 합 구하기

(ⅰ)~(ⅲ)에 의하여 조건을 만족시키는 모든 n의 값의 합은

$4+7+9+11=31$

필수유형 02 13쪽

02-1 📄 (1) 5 (2) 3 (3) 2 (4) $\sqrt[6]{5^5}$

해결전략 ┃ 근호 안의 수를 소인수분해한 다음 거듭제곱근의 성질을 이용해서 식을 간단히 한다.

(1) $\sqrt[3]{(-5)^2}\times\sqrt[3]{5}=\sqrt[3]{5^2}\times\sqrt[3]{5}=\sqrt[3]{5^2\times5}=\sqrt[3]{5^3}=5$

(2) $\sqrt[3]{\sqrt{9}\times\sqrt{81}}=\sqrt[3]{\sqrt{3^2}\times\sqrt{3^4}}=\sqrt[3]{\sqrt{3^2\times3^4}}$

$\qquad\qquad\qquad =\sqrt[3]{\sqrt{3^6}}=\sqrt[6]{3^6}=3$

(3) $\dfrac{\sqrt[5]{96}}{\sqrt[5]{3}}=\sqrt[5]{\dfrac{96}{3}}=\sqrt[5]{32}=\sqrt[5]{2^5}=2$

(4) $\sqrt{125}\times\dfrac{1}{\sqrt[6]{625}}=\sqrt{5^3}\times\sqrt[6]{\dfrac{1}{5^4}}=\sqrt[6]{5^9}\times\sqrt[6]{\dfrac{1}{5^4}}$

$\qquad\qquad\qquad\qquad =\sqrt[6]{5^9\times\dfrac{1}{5^4}}=\sqrt[6]{5^5}$

02-2 답 (1) 3 (2) 25 (3) 3 (4) 8

해결전략 | 근호 안의 수를 소인수분해한 다음 거듭제곱근의 성질을 이용해서 식을 간단히 한다.

(1) $(\sqrt[8]{81})^2=(\sqrt[8]{3^4})^2=(\sqrt{3})^2=3$

(2) $\sqrt[3]{25}\times\sqrt[3]{625}=\sqrt[3]{5^2}\times\sqrt[3]{5^4}$
$\qquad\qquad\qquad\quad=\sqrt[3]{5^2\times5^4}$
$\qquad\qquad\qquad\quad=\sqrt[3]{5^6}=5^2=25$

(3) $\dfrac{\sqrt[4]{162}}{\sqrt[4]{2}}=\sqrt[4]{\dfrac{162}{2}}=\sqrt[4]{81}=\sqrt[4]{3^4}=3$

(4) $\sqrt[3]{\sqrt{64}}\times\sqrt{\sqrt[4]{256}}=\sqrt[6]{64}\times\sqrt[4]{256}$
$\qquad\qquad\qquad\qquad\quad=\sqrt[6]{2^6}\times\sqrt[4]{2^8}$
$\qquad\qquad\qquad\qquad\quad=2\times2^2=8$

02-3 답 $2\sqrt[3]{2}$

해결전략 | 근호 안의 분수를 약분한 다음 거듭제곱근의 성질을 이용하여 간단히 한다.

$\sqrt[6]{\dfrac{8^{10}+4^{10}}{8^4+4^{11}}}=\sqrt[6]{\dfrac{(2^3)^{10}+(2^2)^{10}}{(2^3)^4+(2^2)^{11}}}=\sqrt[6]{\dfrac{2^{30}+2^{20}}{2^{12}+2^{22}}}$
$\qquad\qquad\qquad=\sqrt[6]{\dfrac{2^{20}(2^{10}+1)}{2^{12}(2^{10}+1)}}$
$\qquad\qquad\qquad=\sqrt[6]{2^8}=\sqrt[3]{2^4}=2\sqrt[3]{2}$

02-4 답 4

해결전략 | $a>0$이고 m이 2 이상의 정수일 때 $\sqrt[m]{a}$와 같이 근호 앞의 수와 안의 수가 같은 것끼리 동류항처럼 생각하여 계산한다.

STEP1 주어진 등식의 좌변을 간단히 하기

$\sqrt[3]{24}+\sqrt[3]{81}-\sqrt[3]{3}=\sqrt[3]{2^3\times3}+\sqrt[3]{3^3\times3}-\sqrt[3]{3}$
$\qquad\qquad\qquad\qquad=2\sqrt[3]{3}+3\sqrt[3]{3}-\sqrt[3]{3}$
$\qquad\qquad\qquad\qquad=4\sqrt[3]{3}$

STEP2 a의 값 구하기

따라서 $4\sqrt[3]{3}=a\times\sqrt[3]{3}$이므로
$a=4$

02-5 답 3

해결전략 | 거듭제곱근의 성질을 이용하여 등식이 성립하도록 하는 n의 값을 구한다.

STEP1 주어진 등식의 좌변을 거듭제곱근의 성질을 이용하여 정리하기

$\sqrt[4]{\dfrac{\sqrt{3^5}}{\sqrt[n]{2}}}\times\sqrt[6]{\dfrac{\sqrt{2}}{\sqrt[4]{3^9}}}=\dfrac{\sqrt[4]{\sqrt{3^5}}}{\sqrt[4]{\sqrt[n]{2}}}\times\dfrac{\sqrt[6]{\sqrt{2}}}{\sqrt[6]{\sqrt[4]{3^9}}}$
$\qquad\qquad\qquad\qquad=\dfrac{\sqrt[8]{3^5}}{\sqrt[4n]{2}}\times\dfrac{\sqrt[12]{2}}{\sqrt[24]{3^9}}$

$\qquad\qquad\qquad\quad=\dfrac{\sqrt[8]{3^5}}{\sqrt[4n]{2}}\times\dfrac{\sqrt[12]{2}}{\sqrt[8]{3^3}}=\sqrt{\dfrac{\sqrt[8]{3^5}}{\sqrt[8]{3^3}}}\times\dfrac{\sqrt[12]{2}}{\sqrt[4n]{2}}$

$\qquad\qquad\qquad\quad=\sqrt[8]{3^2}\times\dfrac{\sqrt[12]{2}}{\sqrt[4n]{2}}=\sqrt[8]{9}\times\dfrac{\sqrt[12]{2}}{\sqrt[4n]{2}}$

STEP2 정리한 식이 우변과 같게 하는 n의 값 구하기

즉, $\sqrt[8]{9}\times\dfrac{\sqrt[12]{2}}{\sqrt[4n]{2}}=\sqrt[8]{9}$이므로

$\dfrac{\sqrt[12]{2}}{\sqrt[4n]{2}}=1$

따라서 $4n=12$이므로 $n=3$

02-6 답 36

해결전략 | 거듭제곱근의 성질을 이용하여 $\sqrt{\dfrac{3}{2}}\times\sqrt[4]{a}$를 간단히 한 다음 a가 될 수 있는 수의 조건을 찾는다.

STEP1 주어진 거듭제곱근의 곱을 하나의 거듭제곱근으로 나타내기

$\sqrt{\dfrac{3}{2}}\times\sqrt[4]{a}=\sqrt[4]{\left(\dfrac{3}{2}\right)^2}\times\sqrt[4]{a}=\sqrt[4]{\left(\dfrac{3}{2}\right)^2\times a}$

STEP2 $\sqrt[4]{n}$이 자연수가 되려면 n이 어떤 자연수의 네제곱이 어야 함을 이해하여 a의 값 구하기

$\sqrt[4]{\left(\dfrac{3}{2}\right)^2\times a}$가 자연수가 되려면 $\left(\dfrac{3}{2}\right)^2\times a$가 자연수의 네제곱이어야 한다.

따라서 a의 최솟값은 $2^2\times3^2=36$

▶참고 $\left(\dfrac{3}{2}\right)^2\times a$가 자연수의 네제곱이어야 하고 a도 자연수이므로 $a=2^2\times3^2\times k^4$ (k는 자연수) 꼴이다.

필수유형 03   15쪽

03-1 답 (1) $\sqrt[8]{a}$ (2) $\sqrt[5]{a}$ (3) $\sqrt[12]{a^7}$

해결전략 | 거듭제곱근의 성질을 이용하여 간단히 한다.

(1) $\sqrt[4]{\dfrac{\sqrt[3]{a^2}}{\sqrt{a}}}\times\sqrt[3]{\dfrac{\sqrt[4]{a^3}}{\sqrt{a}}}=\dfrac{\sqrt[4]{\sqrt[3]{a^2}}}{\sqrt[4]{\sqrt{a}}}\times\dfrac{\sqrt[3]{\sqrt[4]{a^3}}}{\sqrt[3]{\sqrt{a}}}$

$\qquad\qquad\qquad\qquad=\dfrac{\sqrt[12]{a^2}}{\sqrt[8]{a}}\times\dfrac{\sqrt[12]{a^3}}{\sqrt[6]{a}}=\dfrac{\sqrt[6]{a}}{\sqrt[8]{a}}\times\dfrac{\sqrt[4]{a}}{\sqrt[6]{a}}$

$\qquad\qquad\qquad\qquad=\dfrac{\sqrt[4]{a}}{\sqrt[8]{a}}=\dfrac{\sqrt[8]{a^2}}{\sqrt[8]{a}}$

$\qquad\qquad\qquad\qquad=\sqrt[8]{\dfrac{a^2}{a}}=\sqrt[8]{a}$

(2) $\sqrt{\dfrac{\sqrt{a}}{\sqrt[3]{a}}}\div\sqrt[4]{\dfrac{\sqrt[5]{a}}{\sqrt[3]{a^2}}}=\dfrac{\sqrt{\sqrt{a}}}{\sqrt{\sqrt[3]{a}}}\div\dfrac{\sqrt[4]{\sqrt[5]{a}}}{\sqrt[4]{\sqrt[3]{a^2}}}$

$\qquad\qquad\qquad\qquad=\dfrac{\sqrt[4]{a}}{\sqrt[6]{a}}\div\dfrac{\sqrt[20]{a}}{\sqrt[12]{a^2}}$

---

4   정답과 풀이

$$= \frac{\sqrt[4]{a}}{\sqrt[6]{a}} \times \frac{\sqrt[6]{a}}{\sqrt[20]{a}}$$

$$= \frac{\sqrt[4]{a}}{\sqrt[20]{a}} = \frac{\sqrt[20]{a^5}}{\sqrt[20]{a}}$$

$$= \sqrt[20]{\frac{a^5}{a}} = \sqrt[20]{a^4} = \sqrt[5]{a}$$

(3) $\sqrt{\frac{\sqrt[3]{a^7}}{\sqrt{a}}} \times \sqrt[4]{\frac{\sqrt[3]{a}}{a}} \div \sqrt{\frac{\sqrt[6]{a^5}}{\sqrt{a}}}$

$$= \frac{\sqrt{\sqrt[3]{a^7}}}{\sqrt{\sqrt{a}}} \times \frac{\sqrt[4]{\sqrt[3]{a}}}{\sqrt[4]{a}} \div \frac{\sqrt{\sqrt[6]{a^5}}}{\sqrt{\sqrt{a}}}$$

$$= \frac{\sqrt[6]{a^7}}{\sqrt[4]{a}} \times \frac{\sqrt[12]{a}}{\sqrt[4]{a}} \div \frac{\sqrt[12]{a^5}}{\sqrt[4]{a}} = \frac{\sqrt[6]{a^7}}{\sqrt[4]{a}} \times \frac{\sqrt[12]{a}}{\sqrt[4]{a}} \times \frac{\sqrt[4]{a}}{\sqrt[12]{a^5}}$$

$$= \frac{\sqrt[6]{a^7}}{\sqrt[4]{a}} \times \sqrt[12]{\frac{a}{a^5}}$$

$$= \frac{\sqrt[12]{a^{14}}}{\sqrt[12]{a^3}} \times \sqrt[12]{\frac{a}{a^5}} = \sqrt[12]{\frac{a^{14} \times a}{a^3 \times a^5}}$$

$$= \sqrt[12]{\frac{a^{15}}{a^8}} = \sqrt[12]{a^7}$$

03-2 답 1

해결전략 | 거듭제곱근의 성질을 이용하여 간단히 한다.

$$\sqrt[3]{\frac{\sqrt[8]{a}}{\sqrt{a}}} \times \sqrt{\frac{\sqrt[3]{a}}{\sqrt[6]{a}}} \times \sqrt[4]{\frac{\sqrt[3]{a}}{\sqrt[6]{a}}} = \frac{\sqrt[24]{a}}{\sqrt[6]{a}} \times \frac{\sqrt[6]{a}}{\sqrt[12]{a}} \times \frac{\sqrt[12]{a}}{\sqrt[24]{a}} = 1$$

03-3 답 $\sqrt[4]{\dfrac{a^5}{b}}$

해결전략 | 근호 앞의 수 4, 6, 3을 이들의 최소공배수인 12로 통일한다.

$$\sqrt[4]{81a^3b} \times \sqrt[6]{a^3b} \div \sqrt[3]{27b^2}$$

$$= \sqrt[4]{81} \sqrt[4]{a^3b} \times \sqrt[6]{a^3b} \div \sqrt[3]{27} \sqrt[3]{b^2}$$

$$= \sqrt[4]{3^4} \sqrt[4]{a^3b} \times \sqrt[6]{a^3b} \div \sqrt[3]{3^3} \sqrt[3]{b^2}$$

$$= 3 \sqrt[12]{a^9b^3} \times \sqrt[12]{a^6b^2} \div 3 \sqrt[12]{b^8}$$ — 근호 앞의 수 4, 6, 3을 12로 통일

$$= \sqrt[12]{\frac{a^9b^3 \times a^6b^2}{b^8}}$$

$$= \sqrt[12]{\frac{a^{15}}{b^3}} = \sqrt[4]{\frac{a^5}{b}}$$

03-4 답 $\sqrt[3]{\dfrac{a}{b}}$

해결전략 | 거듭제곱근의 성질을 이용하여 간단히 한다.

$$\sqrt[3]{\frac{b\sqrt{b}}{\sqrt[4]{a}}} \times \sqrt{\frac{\sqrt[3]{a^2}}{\sqrt[3]{b}}} \div \frac{\sqrt[3]{b^2}}{\sqrt[6]{a}}$$

$$= \frac{\sqrt[3]{b\sqrt{b}}}{\sqrt[3]{\sqrt[4]{a}}} \times \frac{\sqrt{\sqrt[3]{a^2}}}{\sqrt{\sqrt[3]{b}}} \times \frac{\sqrt[6]{a}}{\sqrt[3]{b^2}}$$

$$= \frac{\sqrt[6]{b^3}}{\sqrt[12]{a}} \times \frac{\sqrt[6]{a^2}}{\sqrt[6]{b}} \times \frac{\sqrt[12]{a}}{\sqrt[3]{b^2}}$$

$$= \frac{\sqrt[6]{b^3} \times \sqrt[6]{a^2}}{\sqrt[6]{b} \times \sqrt[6]{b^4}} = \sqrt[6]{\frac{a^2}{b^2}} = \sqrt[3]{\frac{a}{b}}$$

03-5 답 24

해결전략 | 거듭제곱근의 성질을 이용하여 간단히 한 다음 k의 값을 구한다.

$$\sqrt[4]{\frac{\sqrt[6]{a}}{\sqrt[3]{a}}} \times \sqrt[4]{\frac{\sqrt[3]{a}}{\sqrt{a}}} \times \sqrt[3]{\frac{\sqrt{a}}{\sqrt[8]{a}}}$$

$$= \frac{\sqrt[4]{\sqrt[6]{a}}}{\sqrt[4]{\sqrt[3]{a}}} \times \frac{\sqrt[4]{\sqrt[3]{a}}}{\sqrt[4]{\sqrt{a}}} \times \frac{\sqrt[3]{\sqrt{a}}}{\sqrt[3]{\sqrt[8]{a}}}$$

$$= \frac{\sqrt[24]{a}}{\sqrt[12]{a}} \times \frac{\sqrt[12]{a}}{\sqrt[8]{a}} \times \frac{\sqrt[6]{a}}{\sqrt[24]{a}}$$

$$= \frac{\sqrt[6]{a}}{\sqrt[8]{a}} = \frac{\sqrt[24]{a^4}}{\sqrt[24]{a^3}} = \sqrt[24]{a}$$

$$\therefore k = 24$$

03-6 답 31

해결전략 | 거듭제곱근의 성질을 이용하여 간단히 한 다음 $m+n$의 값을 구한다.

STEP 1 $\dfrac{\sqrt[3]{a^2 \sqrt[4]{a^3 \sqrt{a}}}}{\sqrt{a \sqrt[4]{a^3 \sqrt[3]{a}}}}$를 간단히 하기

$$\frac{\sqrt[3]{a^2 \sqrt[4]{a^3 \sqrt{a}}}}{\sqrt{a \sqrt[4]{a^3 \sqrt[3]{a}}}} = \frac{\sqrt[3]{a^2} \times \sqrt[3]{\sqrt[4]{a^3}} \times \sqrt[3]{\sqrt[4]{\sqrt{a}}}}{\sqrt{a} \times \sqrt{\sqrt[4]{a^3}} \times \sqrt{\sqrt[4]{\sqrt[3]{a}}}}$$

$$= \frac{\sqrt[3]{a^2} \times \sqrt[12]{a^3} \times \sqrt[24]{a}}{\sqrt{a} \times \sqrt[8]{a^3} \times \sqrt[24]{a}}$$

$$= \frac{\sqrt[3]{a^2} \times \sqrt[12]{a^3}}{\sqrt{a} \times \sqrt[8]{a^3}}$$

$$= \frac{\sqrt[24]{a^{16}} \times \sqrt[24]{a^6}}{\sqrt[24]{a^{12}} \times \sqrt[24]{a^3}}$$

$$= \frac{\sqrt[24]{a^{16} \times a^6}}{\sqrt[24]{a^{12} \times a^3}}$$

$$= \sqrt[24]{\frac{a^{22}}{a^{15}}} = \sqrt[24]{a^7}$$

STEP 2 $m+n$의 값 구하기

따라서 $m=24$, $n=7$이므로
$$m+n = 24+7 = 31$$

필수유형 **04**　　　　17쪽

04-1 답 4

해결전략 | $a \neq 0$일 때 $a^0 = 1$이다.

$$3^0 \times 8^{\frac{2}{3}} = 3^0 \times (2^3)^{\frac{2}{3}} = 1 \times 2^2 = 4$$

04-2 답 (1) **100** (2) **16** (3) **1** (4) **5**

해결전략 | 밑을 소인수분해한 다음 지수법칙을 적용한다.

(1) $25^{\frac{1}{2}} \times 32^{\frac{2}{5}} \div 125^{-\frac{1}{3}}$

$= (5^2)^{\frac{1}{2}} \times (2^5)^{\frac{2}{5}} \div (5^3)^{-\frac{1}{3}}$

$= 5 \times 2^2 \div 5^{-1} = 2^2 \times 5 \div 5^{-1}$

$= 2^2 \times 5^{1-(-1)} = 100$

(2) $2^{-\frac{1}{2}} 3^{\frac{2}{3}} \times (4^{\frac{9}{4}} 9^2)^{\frac{1}{3}} \div (2^{-\frac{1}{2}} 3^{\frac{1}{3}})^6$

$= 2^{-\frac{1}{2}} 3^{\frac{2}{3}} \times (2^{\frac{9}{2}} 3^4)^{\frac{1}{3}} \div (2^{-\frac{1}{2}} 3^{\frac{1}{3}})^6$

$= 2^{-\frac{1}{2}} 3^{\frac{2}{3}} \times 2^{\frac{3}{2}} 3^{\frac{4}{3}} \div 2^{-3} 3^2$

$= 2^{-\frac{1}{2}+\frac{3}{2}-(-3)} \times 3^{\frac{2}{3}+\frac{4}{3}-2}$

$= 2^4 \times 3^0 = 16$

(3) $7^{\sqrt{18}} \div 7^{\sqrt{50}} \times 49^{\sqrt{2}}$

$= 7^{3\sqrt{2}} \div 7^{5\sqrt{2}} \times 7^{2\sqrt{2}}$

$= 7^{3\sqrt{2}-5\sqrt{2}+2\sqrt{2}}$

$= 7^0 = 1$

(4) $(5^3)^{\sqrt{2}-1} \times (5^{\sqrt{2}})^{3\sqrt{2}-5} \div 25^{1-\sqrt{2}}$

$= 5^{3\sqrt{2}-3} \times 5^{6-5\sqrt{2}} \div 5^{2-2\sqrt{2}}$

$= 5^{3\sqrt{2}-3+6-5\sqrt{2}-(2-2\sqrt{2})}$

$= 5^1 = 5$

04-3 답 **3**

해결전략 | 지수법칙을 이용하여 지수를 간단히 한다.

$\left\{\left(\frac{3}{7}\right)^{-\frac{5}{2}}\right\}^{\frac{1}{5}} \times \left\{\left(\frac{27}{7}\right)^{\frac{3}{4}}\right\}^{\frac{2}{3}} = \left(\frac{3}{7}\right)^{-\frac{1}{2}} \times \left(\frac{27}{7}\right)^{\frac{1}{2}}$

$= \left(\frac{7}{3}\right)^{\frac{1}{2}} \times \left(\frac{27}{7}\right)^{\frac{1}{2}}$

$= \left(\frac{7}{3} \times \frac{27}{7}\right)^{\frac{1}{2}}$

$= 9^{\frac{1}{2}} = 3$

04-4 답 **1**

해결전략 | 지수법칙을 적용할 수 있도록 밑을 a로 만든 후 간단히 한다.

$(a^3)^{-1} \div \left(\frac{1}{a^2} \times \sqrt[3]{a^4}\right)^{\frac{9}{2}} = a^{-3} \div (a^{-2} \times a^{\frac{4}{3}})^{\frac{9}{2}}$

$= a^{-3} \div (a^{-2+\frac{4}{3}})^{\frac{9}{2}}$

$= a^{-3} \div (a^{-\frac{2}{3}})^{\frac{9}{2}}$

$= a^{-3} \div a^{-3}$

$= a^{-3-(-3)} = a^0 = 1$

04-5 답 ab^5

해결전략 | $27^{2x+y} = 3^{6x+3y}$이므로 3^{3x}과 3^{3y}을 a, b로 나타낸 후 구한다.

STEP 1 3^{3x}, 3^{3y}을 a, b를 이용하여 나타내기

$3^{3x} = 3^{x-2y} \times (3^{x+y})^2 = ab^2$

$3^{3y} = \frac{3^{x+y}}{3^{x-2y}} = \frac{b}{a}$

STEP 2 27^{2x+y}을 a, b로 나타내기

$\therefore 27^{2x+y} = (3^3)^{2x+y}$

$= (3^{3x})^2 \times 3^{3y}$

$= (ab^2)^2 \times \frac{b}{a} = ab^5$

04-6 답 **3**

해결전략 | a는 $\sqrt{3}$의 5제곱근 중 실수이므로 $a^5 = \sqrt{3}$이다.

STEP 1 거듭제곱근의 정의 이용하기

$\sqrt{3}$의 5제곱근 중 실수인 것이 a이므로

$a^5 = \sqrt{3}$

STEP 2 지수법칙을 이용하여 주어진 식 간단히 하기

$\therefore \left(a^{-\frac{\sqrt{2}}{4}}\right)^{\sqrt{2}} \times (a^{-3})^{-\frac{5}{2}} \times a^3$

$= a^{-\frac{\sqrt{2}}{4} \times \sqrt{2}} \times a^{-3 \times \left(-\frac{5}{2}\right)} \times a^3$

$= a^{-\frac{1}{2}+\frac{15}{2}+3}$

$= a^{10}$

STEP 3 $a^5 = \sqrt{3}$을 대입하여 식의 값 구하기

$\therefore a^{10} = (a^5)^2 = (\sqrt{3})^2 = 3$

필수유형 05 19쪽

05-1 답 $B < C < A$

해결전략 | 세 수를 같은 거듭제곱근으로 통일한 다음 근호 안의 수의 대소를 비교한다.

STEP 1 거듭제곱근 정리하기

주어진 거듭제곱근을 정리하면

$A = \sqrt[5]{\sqrt[3]{2^4}} = \sqrt[15]{2^4}$

$B = \sqrt[3]{\sqrt[5]{3^2}} = \sqrt[15]{3^2}$

$C = \sqrt[5]{\sqrt{5}} = \sqrt[10]{5}$

STEP 2 거듭제곱근 통일하기

15와 10의 최소공배수가 30이므로 30제곱근으로 만들면

$A = \sqrt[15]{2^4} = \sqrt[30]{2^8}$

$B = \sqrt[15]{3^2} = \sqrt[30]{3^4}$

$C = \sqrt[10]{5} = \sqrt[30]{5^3}$

STEP3 세 수 A, B, C의 대소 관계 구하기

$2^8=256$, $3^4=81$, $5^3=125$이므로 근호 안의 수끼리 비교하면

$3^4 < 5^3 < 2^8$

$\therefore B < C < A$

05-2 답 $A < C < B$

해결전략 ┃ 세 수를 같은 거듭제곱근으로 통일한 다음 근호 안의 수의 대소를 비교한다.

STEP1 거듭제곱근 정리하기

주어진 거듭제곱근을 정리하면

$B=\sqrt[3]{5^4}=\sqrt[6]{5^4}$

$C=\sqrt[3]{2^4 \times 5^2}=\sqrt[6]{2^4 \times 5^2}$

STEP2 거듭제곱근 통일하기

세 수 A, B, C를 2와 6의 최소공배수인 6제곱근으로 만들면

$A=\sqrt{5}=\sqrt[6]{5^3}$

$B=\sqrt[6]{5^4}$

$C=\sqrt[3]{2^4 \times 5^2}=\sqrt[6]{2^4 \times 5^2}$

STEP3 세 수 A, B, C의 대소 관계 구하기

$5^3=125$, $5^4=625$, $2^4 \times 5^2=400$이므로 근호 안의 수끼리 비교하면

$5^3 < 2^4 \times 5^2 < 5^4$

$\therefore A < C < B$

05-3 답 ④

해결전략 ┃ 거듭제곱근의 성질을 이용하여 간단히 한 다음 대소를 비교한다.

STEP1 거듭제곱근의 성질을 이용하여 간단히 하기

$A=\{(\sqrt{5})^{\sqrt{2}}\}^{\sqrt{2}}=(\sqrt{5})^{\sqrt{2} \times \sqrt{2}}=(\sqrt{5})^2=5$

$B=\sqrt{\sqrt{(5^{\sqrt{2}})^{\sqrt{2}}}}=\sqrt{\sqrt{5^{\sqrt{2} \times \sqrt{2}}}}=\sqrt{\sqrt{5^2}}=\sqrt[4]{5^2}=\sqrt{5}$

$C=\{\sqrt{(\sqrt{5})^{\sqrt{2}}}\}^{\sqrt{2}}=(\sqrt{\sqrt{5}})^{\sqrt{2} \times \sqrt{2}}=(\sqrt[4]{5})^2=\sqrt{5}$

STEP2 세 수 A, B, C의 대소 관계 구하기

$\therefore B=C < A$

05-4 답 ③

해결전략 ┃ 세 수를 같은 거듭제곱근으로 통일한 다음 근호 안의 수의 대소를 비교한다.

STEP1 거듭제곱근 통일하기

$\sqrt{2\sqrt{2}}=\sqrt{\sqrt{8}}=\sqrt[4]{8}=\sqrt[4]{2^3}$

$\sqrt{2^{\sqrt{2}}}=\sqrt[4]{(2^{\sqrt{2}})^2}=\sqrt[4]{2^{2\sqrt{2}}}$

$(\sqrt{2})^{\sqrt{2}}=\sqrt{2^{\sqrt{2}}}=\sqrt[4]{(2^{\sqrt{2}})^2}=\sqrt[4]{2^{2\sqrt{2}}}$

STEP2 세 수의 대소 관계 구하기

근호 안의 수끼리 비교하면

$2^{2\sqrt{2}}=2^{2\sqrt{2}} < 2^3$

$\therefore \sqrt{2^{\sqrt{2}}}=(\sqrt{2})^{\sqrt{2}} < \sqrt{2\sqrt{2}}$

05-5 답 $\sqrt{B} < \sqrt{A} < \sqrt{C}$

해결전략 ┃ $x < y < z$이고 $x > 0$, $y > 0$, $z > 0$이면 $\sqrt{x} < \sqrt{y} < \sqrt{z}$이다.

STEP1 거듭제곱근 통일하기

2, 3, 6의 최소공배수가 6이므로

$A=\sqrt{5}=\sqrt[6]{5^3}=\sqrt[6]{125}$

$B=\sqrt[3]{11}=\sqrt[6]{11^2}=\sqrt[6]{121}$

$C=\sqrt[6]{130}$

STEP2 세 수 $\sqrt{A}$, $\sqrt{B}$, $\sqrt{C}$의 대소 관계 구하기

따라서 $B < A < C$이고 $A > 0$, $B > 0$, $C > 0$이므로

$\sqrt{B} < \sqrt{A} < \sqrt{C}$

05-6 답 $C < A < B$

해결전략 ┃ 세 수를 같은 거듭제곱근으로 통일한 다음 근호 안의 수의 대소를 비교한다.

STEP1 거듭제곱근 통일하기

세 수 A, B, C를 $n(n-1)$제곱근으로 만들면

$A=\sqrt[n-1]{a^n}=\sqrt[n(n-1)]{(a^n)^n}=\sqrt[n(n-1)]{a^{n^2}}$

$B=\sqrt[n-1]{a^{n+1}}=\sqrt[n(n-1)]{(a^{n+1})^n}=\sqrt[n(n-1)]{a^{n^2+n}}$

$C=\sqrt[n]{a^{n+1}}=\sqrt[n(n-1)]{(a^{n+1})^{n-1}}=\sqrt[n(n-1)]{a^{n^2-1}}$

STEP2 세 수 A, B, C의 대소 관계 구하기

이때 n이 3 이상의 자연수이므로

$n^2+n > n^2 > n^2-1$ ← $n-1 \geq 2$이므로 $n \geq 3$

따라서 $a > 1$이므로

$C < A < B$

필수유형 06   21쪽

06-1 답 11

해결전략 ┃ 거듭제곱근의 성질을 이용하여 정리한 다음 분수인 지수로 변환한다.

STEP1 $\sqrt[4]{a\sqrt[3]{a\sqrt{a}}}$ 간단히 하기

$$\sqrt[4]{a\sqrt[3]{a\sqrt{a}}}=\sqrt[4]{a}\times\sqrt[4]{\sqrt[3]{a}}\times\sqrt[4]{\sqrt[3]{\sqrt{a}}}$$
$$=\sqrt[4]{a}\times\sqrt[12]{a}\times\sqrt[24]{a}$$

STEP 2 분수인 지수로 나타내기
$$\sqrt[4]{a}\times\sqrt[12]{a}\times\sqrt[24]{a}=a^{\frac{1}{4}}\times a^{\frac{1}{12}}\times a^{\frac{1}{24}}$$
$$=a^{\frac{1}{4}+\frac{1}{12}+\frac{1}{24}}=a^{\frac{9}{24}}=a^{\frac{3}{8}}$$

STEP 3 $m+n$의 값 구하기
따라서 $m=8$, $n=3$이므로
$$m+n=11$$

06-2 탑 **17**

해결전략 | 거듭제곱근의 성질을 이용하여 정리한 다음 분수인 지수로 변환한다.

STEP 1 $\sqrt{a\sqrt[3]{a\sqrt[4]{a}}}\times\sqrt[6]{a\sqrt{a^3}}$ 간단히 하기
$$\sqrt{a\sqrt[3]{a\sqrt[4]{a}}}\times\sqrt[6]{a\sqrt{a^3}}$$
$$=\sqrt{a}\times\sqrt{\sqrt[3]{a}}\times\sqrt{\sqrt[3]{\sqrt[4]{a}}}\times\sqrt[6]{a}\times\sqrt[6]{\sqrt{a^3}}$$
$$=\sqrt{a}\times\sqrt[6]{a}\times\sqrt[24]{a}\times\sqrt[6]{a}\times\sqrt[12]{a^3}$$

STEP 2 분수인 지수로 나타내기
$$\sqrt{a}\times\sqrt[6]{a}\times\sqrt[24]{a}\times\sqrt[6]{a}\times\sqrt[12]{a^3}$$
$$=a^{\frac{1}{2}}\times a^{\frac{1}{6}}\times a^{\frac{1}{24}}\times a^{\frac{1}{6}}\times a^{\frac{1}{4}}$$
$$=a^{\frac{1}{2}+\frac{1}{6}+\frac{1}{24}+\frac{1}{6}+\frac{1}{4}}=a^{\frac{27}{24}}=a^{\frac{9}{8}}$$

STEP 3 $m+n$의 값 구하기
따라서 $m=8$, $n=9$이므로
$$m+n=17$$

06-3 탑 **47**

해결전략 | 거듭제곱근의 성질을 이용하여 정리한 다음 분수인 지수로 변환한다.

STEP 1 $\sqrt[3]{2^2\sqrt[4]{2\sqrt[5]{2^4}}}\div\sqrt[5]{2\sqrt[4]{2}}$ 간단히 하기
$$\sqrt[3]{2^2\sqrt[4]{2\sqrt[5]{2^4}}}\div\sqrt[5]{2\sqrt[4]{2}}$$
$$=(\sqrt[3]{2^2}\times\sqrt[3]{\sqrt[4]{2}}\times\sqrt[3]{\sqrt[4]{\sqrt[5]{2^4}}})\div(\sqrt[5]{2}\times\sqrt[5]{\sqrt[4]{2}})$$
$$=(\sqrt[3]{2^2}\times\sqrt[12]{2}\times\sqrt[60]{2^4})\div(\sqrt[5]{2}\times\sqrt[20]{2})$$

STEP 2 분수인 지수로 나타내기
$$(\sqrt[3]{2^2}\times\sqrt[12]{2}\times\sqrt[60]{2^4})\div(\sqrt[5]{2}\times\sqrt[20]{2})$$
$$=(2^{\frac{2}{3}}\times2^{\frac{1}{12}}\times2^{\frac{1}{15}})\div(2^{\frac{1}{5}}\times2^{\frac{1}{20}})$$
$$=2^{\left(\frac{2}{3}+\frac{1}{12}+\frac{1}{15}\right)-\left(\frac{1}{5}+\frac{1}{20}\right)}=2^{\frac{34}{60}}=2^{\frac{17}{30}}$$

STEP 3 $m+n$의 값 구하기
따라서 $m=30$, $n=17$이므로
$$m+n=47$$

06-4 탑 $3^{\frac{3}{2}}$

해결전략 | 거듭제곱근의 성질을 이용하여 정리한 다음 분수인 지수로 변환한다.

STEP 1 주어진 식 간단히 하기
$$\sqrt[3]{3^2\sqrt[4]{3\sqrt{3^3}}}\times\sqrt[4]{\sqrt{3^5}}=\sqrt[3]{3^2}\times\sqrt[3]{\sqrt[4]{3}}\times\sqrt[3]{\sqrt[4]{\sqrt{3^3}}}\times\sqrt[8]{3^5}$$
$$=\sqrt[3]{3^2}\times\sqrt[12]{3}\times\sqrt[24]{3^3}\times\sqrt[8]{3^5}$$

STEP 2 분수인 지수로 나타내기
$$\sqrt[3]{3^2}\times\sqrt[12]{3}\times\sqrt[24]{3^3}\times\sqrt[8]{3^5}=3^{\frac{2}{3}}\times3^{\frac{1}{12}}\times3^{\frac{1}{8}}\times3^{\frac{5}{8}}$$
$$=3^{\frac{2}{3}+\frac{1}{12}+\frac{1}{8}+\frac{5}{8}}$$
$$=3^{\frac{36}{24}}=3^{\frac{3}{2}}$$

06-5 탑 **3**

해결전략 | 거듭제곱근의 성질을 이용하여 정리한 다음 분수인 지수로 변환한다.

STEP 1 P, Q를 분수인 지수로 나타내기
$$P=\sqrt[3]{a\sqrt[4]{a\sqrt[6]{a}}}=a^{\frac{1}{3}}\times a^{\frac{1}{4}}\times a^{\frac{1}{6}}$$
$$=a^{\frac{1}{3}+\frac{1}{4}+\frac{1}{6}}=a^{\frac{9}{12}}=a^{\frac{3}{4}}$$
$$Q=a\sqrt[5]{a\sqrt{a^k}}=a\times\sqrt[5]{a}\times\sqrt[5]{\sqrt{a^k}}$$
$$=a\times a^{\frac{1}{5}}\times a^{\frac{k}{10}}=a^{1+\frac{1}{5}+\frac{k}{10}}=a^{\frac{12+k}{10}}$$

STEP 2 $P=\sqrt{Q}$를 만족시키는 k의 값 구하기
$P=\sqrt{Q}$에서 $P=Q^{\frac{1}{2}}$
즉, $a^{\frac{3}{4}}=\left(a^{\frac{12+k}{10}}\right)^{\frac{1}{2}}$이므로
$$\frac{3}{4}=\frac{12+k}{20},\ \frac{15}{20}=\frac{12+k}{20}$$
$$\therefore\ k=3$$

06-6 탑 **2**

해결전략 | 거듭제곱근의 성질을 이용하여 정리한 다음 분수인 지수로 변환한다.

STEP 1 주어진 식의 좌변과 우변을 각각 분수인 지수로 나타내기
$$\sqrt[3]{a\sqrt[4]{a^3\sqrt{a^k}}}=\sqrt[3]{a}\times\sqrt[3]{\sqrt[4]{a^3}}\times\sqrt[3]{\sqrt[4]{\sqrt{a^k}}}$$
$$=\sqrt[3]{a}\times\sqrt[4]{a}\times\sqrt[24]{a^k}$$
$$=a^{\frac{1}{3}}\times a^{\frac{1}{4}}\times a^{\frac{k}{24}}=a^{\frac{1}{3}+\frac{1}{4}+\frac{k}{24}}=a^{\frac{14+k}{24}}$$
$$\sqrt[5]{a^3\sqrt[3]{a\sqrt{a}}}=\sqrt[5]{a^3}\times\sqrt[5]{\sqrt[3]{a\sqrt{a}}}=\sqrt[5]{a^3}\times\sqrt[15]{a}$$
$$=a^{\frac{3}{5}}\times a^{\frac{1}{15}}=a^{\frac{3}{5}+\frac{1}{15}}=a^{\frac{10}{15}}=a^{\frac{2}{3}}$$

STEP 2 지수끼리 비교하여 k의 값 구하기
따라서 $a^{\frac{14+k}{24}}=a^{\frac{2}{3}}$이므로

$$\frac{14+k}{24}=\frac{2}{3}, \ \frac{14+k}{24}=\frac{16}{24}$$

$$\therefore k=2$$

$$(a^{\frac{2}{3}}+a^{-\frac{1}{3}})^3+(a^{\frac{2}{3}}-a^{-\frac{1}{3}})^3$$

$$=(a^{\frac{2}{3}})^3+3\times(a^{\frac{2}{3}})^2\times a^{-\frac{1}{3}}+3\times a^{\frac{2}{3}}\times(a^{-\frac{1}{3}})^2+(a^{-\frac{1}{3}})^3$$
$$\quad+(a^{\frac{2}{3}})^3-3\times(a^{\frac{2}{3}})^2\times a^{-\frac{1}{3}}+3\times a^{\frac{2}{3}}\times(a^{-\frac{1}{3}})^2-(a^{-\frac{1}{3}})^3$$

$$=a^2+3a+3+a^{-1}+a^2-3a+3-a^{-1}$$

$$=2(a^2+3)$$

07-1 답 (1) $a-b$ (2) a^2+b^2 (3) $a^{\frac{2}{3}}+a^{\frac{1}{3}}b^{\frac{1}{3}}+b^{\frac{2}{3}}$

해결전략 | 곱셈 공식 또는 인수분해 공식을 이용하여 주어진 식을 간단히 한다.

(1) $(a^{\frac{1}{8}}-b^{\frac{1}{8}})(a^{\frac{1}{8}}+b^{\frac{1}{8}})(a^{\frac{1}{4}}+b^{\frac{1}{4}})(a^{\frac{1}{2}}+b^{\frac{1}{2}})$

$\quad=\{(a^{\frac{1}{8}})^2-(b^{\frac{1}{8}})^2\}(a^{\frac{1}{4}}+b^{\frac{1}{4}})(a^{\frac{1}{2}}+b^{\frac{1}{2}})$

$\quad=(a^{\frac{1}{4}}-b^{\frac{1}{4}})(a^{\frac{1}{4}}+b^{\frac{1}{4}})(a^{\frac{1}{2}}+b^{\frac{1}{2}})$

$\quad=\{(a^{\frac{1}{4}})^2-(b^{\frac{1}{4}})^2\}(a^{\frac{1}{2}}+b^{\frac{1}{2}})$

$\quad=(a^{\frac{1}{2}}-b^{\frac{1}{2}})(a^{\frac{1}{2}}+b^{\frac{1}{2}})=a-b$

(2) $(a^{\frac{2}{3}}+b^{\frac{2}{3}})(a^{\frac{4}{3}}-a^{\frac{2}{3}}b^{\frac{2}{3}}+b^{\frac{4}{3}})=(a^{\frac{2}{3}})^3+(b^{\frac{2}{3}})^3$
$$\qquad\qquad\qquad\qquad\qquad\qquad =a^2+b^2$$

(3) $(a-b)\div(a^{\frac{1}{3}}-b^{\frac{1}{3}})$

$\quad=\{(a^{\frac{1}{3}})^3-(b^{\frac{1}{3}})^3\}\div(a^{\frac{1}{3}}-b^{\frac{1}{3}})$

$\quad=(a^{\frac{1}{3}}-b^{\frac{1}{3}})(a^{\frac{2}{3}}+a^{\frac{1}{3}}b^{\frac{1}{3}}+b^{\frac{2}{3}})\div(a^{\frac{1}{3}}-b^{\frac{1}{3}})$

$\quad=a^{\frac{2}{3}}+a^{\frac{1}{3}}b^{\frac{1}{3}}+b^{\frac{2}{3}}$

◎ 풍쌤의 비법

곱셈 공식을 이용한 식의 계산

$a>0$, $b>0$이고 x, y가 실수일 때

(1) $(a^x+b^y)(a^x-b^y)=a^{2x}-b^{2y}$

(2) $(a^x+b^y)^2=a^{2x}+2a^xb^y+b^{2y}$
$\quad\ (a^x-b^y)^2=a^{2x}-2a^xb^y+b^{2y}$

(3) $(a^x+b^y)^3=a^{3x}+3a^{2x}b^y+3a^xb^{2y}+b^{3y}$
$\quad\ (a^x-b^y)^3=a^{3x}-3a^{2x}b^y+3a^xb^{2y}-b^{3y}$

(4) $(a^x+b^y)(a^{2x}-a^xb^y+b^{2y})=a^{3x}+b^{3y}$
$\quad\ (a^x-b^y)(a^{2x}+a^xb^y+b^{2y})=a^{3x}-b^{3y}$

07-2 답 $2(a^2+3)$

해결전략 | 곱셈 공식

$(A+B)^3=A^3+3A^2B+3AB^2+B^3$

$(A-B)^3=A^3-3A^2B+3AB^2-B^3$

을 이용하여 주어진 식을 간단히 한다.

07-3 답 ②

해결전략 | 인수분해 공식 $A^2-B^2=(A+B)(A-B)$를 이용하여 주어진 식을 간단히 한다.

주어진 식을 인수분해하면

$(2^{x+y}+2^{x-y})^2-(2^{x+y}-2^{x-y})^2$

$=\{(2^{x+y}+2^{x-y})+(2^{x+y}-2^{x-y})\}$
$$\qquad\qquad\quad \times\{(2^{x+y}+2^{x-y})-(2^{x+y}-2^{x-y})\}$$

$=2^{x+y+1}\times2^{x-y+1}=2^{2x+2}$

◉→ 다른 풀이

$2^{x+y}=A$, $2^{x-y}=B$로 놓으면

$(A+B)^2-(A-B)^2=4AB$
$$\qquad\qquad\qquad\quad =4\times2^{x+y}\times2^{x-y}$$
$$\qquad\qquad\qquad\quad =2^{2x+2}$$

07-4 답 $\dfrac{80}{9}$

해결전략 | 곱셈 공식을 이용하여 주어진 식의 값을 구한다.

STEP 1 거듭제곱근을 분수인 지수로 나타내기

$\left(\sqrt[4]{3}-\dfrac{1}{\sqrt[4]{3}}\right)\left(\sqrt[4]{3}+\dfrac{1}{\sqrt[4]{3}}\right)\left(\sqrt{3}+\dfrac{1}{\sqrt{3}}\right)\left(3+\dfrac{1}{3}\right)$

$=(3^{\frac{1}{4}}-3^{-\frac{1}{4}})(3^{\frac{1}{4}}+3^{-\frac{1}{4}})(3^{\frac{1}{2}}+3^{-\frac{1}{2}})(3+3^{-1})$

STEP 2 곱셈 공식 $(A+B)(A-B)=A^2-B^2$을 이용하여 식의 값 구하기

$(3^{\frac{1}{4}}-3^{-\frac{1}{4}})(3^{\frac{1}{4}}+3^{-\frac{1}{4}})(3^{\frac{1}{2}}+3^{-\frac{1}{2}})(3+3^{-1})$

$=(3^{\frac{1}{2}}-3^{-\frac{1}{2}})(3^{\frac{1}{2}}+3^{-\frac{1}{2}})(3+3^{-1})$

$=(3-3^{-1})(3+3^{-1})$

$=3^2-3^{-2}=3^2-\dfrac{1}{3^2}=9-\dfrac{1}{9}=\dfrac{80}{9}$

07-5 답 -2

해결전략 | 두 항씩 통분하여 곱셈 공식을 적용하며 식을 간단히 한다.

STEP 1 곱셈 공식 $(A+B)(A-B)=A^2-B^2$을 이용하여 앞의 두 식 간단히 하기

$$\frac{1}{1-x^{\frac{1}{4}}}+\frac{1}{1+x^{\frac{1}{4}}}=\frac{1+x^{\frac{1}{4}}+1-x^{\frac{1}{4}}}{(1-x^{\frac{1}{4}})(1+x^{\frac{1}{4}})}$$
$$=\frac{2}{1^2-(x^{\frac{1}{4}})^2}$$
$$=\frac{2}{1-x^{\frac{1}{2}}}\qquad\cdots\cdots\ \ominus$$

STEP 2 곱셈 공식을 연속적으로 적용하여 주어진 식 간단히 하기

㉠에 의하여

(주어진 식)
$$=\frac{2}{1-x^{\frac{1}{2}}}+\frac{2}{1+x^{\frac{1}{2}}}+\frac{4}{1+x}$$
$$=\frac{2(1+x^{\frac{1}{2}})+2(1-x^{\frac{1}{2}})}{(1-x^{\frac{1}{2}})(1+x^{\frac{1}{2}})}+\frac{4}{1+x}$$
$$=\frac{4}{1^2-(x^{\frac{1}{2}})^2}+\frac{4}{1+x}$$
$$=\frac{4}{1-x}+\frac{4}{1+x}$$
$$=\frac{4(1+x)+4(1-x)}{(1-x)(1+x)}=\frac{8}{1-x^2}$$

STEP 3 $x^2=5$를 대입하여 주어진 식의 값 구하기

이때 $x^2=5$이므로
$$\frac{8}{1-x^2}=\frac{8}{1-5}=-2$$

07-6 답 15

해결전략 | $x=2^{\frac{1}{3}}+2^{-\frac{1}{3}}$의 양변을 세제곱하여 식을 적절히 변형한다.

STEP 1 곱셈 공식 $(A+B)^3=A^3+3A^2B+3AB^2+B^3$을 이용하여 x^3을 구하고 x에 대한 식으로 나타내기

$$x^3=(2^{\frac{1}{3}}+2^{-\frac{1}{3}})^3$$
$$=(2^{\frac{1}{3}})^3+(2^{-\frac{1}{3}})^3+3\times2^{\frac{1}{3}}\times2^{-\frac{1}{3}}\times(2^{\frac{1}{3}}+2^{-\frac{1}{3}})$$
$$=2+2^{-1}+3(2^{\frac{1}{3}}+2^{-\frac{1}{3}})$$
$$=\frac{5}{2}+3x$$

STEP 2 STEP 1에서 구한 식 변형하기

즉, $x^3-3x=\dfrac{5}{2}$에서

$$2x^3-6x=5$$
$$\therefore\ 2x^3-6x+10=5+10=15$$

08-1 답 (1) **62**　(2) **488**

해결전략 | 곱셈 공식을 변형하고 $a^x\times a^{-x}=1$을 이용하여 구한다.

STEP 1 $a+a^{-1}$의 값 구하기

$a^{\frac{1}{2}}+a^{-\frac{1}{2}}=\sqrt{10}$이므로

$$a+a^{-1}=(a^{\frac{1}{2}}+a^{-\frac{1}{2}})^2-2$$
$$=(\sqrt{10})^2-2=8$$

(1) **STEP 2** a^2+a^{-2}의 값 구하기
$$a^2+a^{-2}=(a+a^{-1})^2-2$$
$$=8^2-2=62$$

(2) **STEP 3** a^3+a^{-3}의 값 구하기
$$a^3+a^{-3}=(a+a^{-1})^3-3(a+a^{-1})$$
$$=8^3-3\times8=488$$

◉→ 다른 풀이

$a^{\frac{1}{2}}+a^{-\frac{1}{2}}=\sqrt{10}$의 양변을 제곱하면

$a+a^{-1}+2=10$　$\therefore\ a+a^{-1}=8$

(1) $a+a^{-1}=8$의 양변을 제곱하면

　$a^2+a^{-2}+2=64$　　$\therefore\ a^2+a^{-2}=62$

(2) $a+a^{-1}=8$의 양변을 세제곱하면

　$a^3+a^{-3}+3\times a\times a^{-1}\times(a+a^{-1})=512$

　$a^3+a^{-3}+3(a+a^{-1})=512$

　$a^3+a^{-3}+3\times8=512$

　$\therefore\ a^3+a^{-3}=488$

08-2 답 110

해결전략 | $x^3+y^3=(x+y)^3-3xy(x+y)$임을 이용한다.

$$x^{\frac{3}{2}}+x^{-\frac{3}{2}}=(x^{\frac{1}{2}})^3+(x^{-\frac{1}{2}})^3$$
$$=(x^{\frac{1}{2}}+x^{-\frac{1}{2}})^3-3\times x^{\frac{1}{2}}\times x^{-\frac{1}{2}}\times(x^{\frac{1}{2}}+x^{-\frac{1}{2}})$$
$$=5^3-3\times1\times5\ \leftarrow\ x^{\frac{1}{2}}+x^{-\frac{1}{2}}=5$$
$$=110$$

◉→ 다른 풀이

$x^{\frac{1}{2}}+x^{-\frac{1}{2}}=5$의 양변을 세제곱하면

$$(x^{\frac{1}{2}})^3+(x^{-\frac{1}{2}})^3+3\times x^{\frac{1}{2}}\times x^{-\frac{1}{2}}\times(x^{\frac{1}{2}}+x^{-\frac{1}{2}})=125$$
$$x^{\frac{3}{2}}+x^{-\frac{3}{2}}+3\times1\times5=125\qquad\therefore\ x^{\frac{3}{2}}+x^{-\frac{3}{2}}=110$$

08-3 답 5

해결전략 | 곱셈 공식을 변형하여 $x+x^{-1}$, x^2+x^{-2}의 값을 구한다.

STEP1 $x+x^{-1}$의 값 구하기

$\sqrt{x}+\dfrac{1}{\sqrt{x}}=\sqrt{7}$이므로

$x+\dfrac{1}{x}=\left(\sqrt{x}+\dfrac{1}{\sqrt{x}}\right)^2-2=(\sqrt{7})^2-2=5$

즉, $x+x^{-1}=5$

STEP2 x^2+x^{-2}의 값 구하기

또, $x^2+\dfrac{1}{x^2}=\left(x+\dfrac{1}{x}\right)^2-2=5^2-2=23$

즉, $x^2+x^{-2}=23$

STEP3 식의 값 구하기

$\therefore \dfrac{x^2+x^{-2}+7}{x+x^{-1}+1}=\dfrac{23+7}{5+1}=5$

◉→ 다른 풀이

$\left(\sqrt{x}+\dfrac{1}{\sqrt{x}}\right)^2=x+\dfrac{1}{x}+2$에서

$7=x+\dfrac{1}{x}+2$

$\therefore x+\dfrac{1}{x}=5$ ...... ㉠

또, $\left(x+\dfrac{1}{x}\right)^2=x^2+\dfrac{1}{x^2}+2$에서

$25=x^2+\dfrac{1}{x^2}+2$

$\therefore x^2+\dfrac{1}{x^2}=23$ ...... ㉡

㉠, ㉡에 의하여

$\dfrac{x^2+x^{-2}+7}{x+x^{-1}+1}=\dfrac{23+7}{5+1}=5$

08-4 답 $\dfrac{\sqrt{6}}{4}$

해결전략 | 곱셈 공식을 이용하여 $x+x^{-1}$, $x^{\frac{1}{2}}+x^{-\frac{1}{2}}$의 값을 구한다.

STEP1 $x+x^{-1}$의 값 구하기

$(x+x^{-1})^2=\underline{x^2+x^{-2}}+2=14+2=16$
$\qquad\qquad\qquad\; {\scriptstyle x^2+x^{-2}=14}$

이때 $x+x^{-1}>0$이므로

$x+x^{-1}=4$ ...... ㉠

STEP2 $x^{\frac{1}{2}}+x^{-\frac{1}{2}}$의 값 구하기

$\left(x^{\frac{1}{2}}+x^{-\frac{1}{2}}\right)^2=x+x^{-1}+2=4+2=6$

이때 $x^{\frac{1}{2}}+x^{-\frac{1}{2}}>0$이므로

$x^{\frac{1}{2}}+x^{-\frac{1}{2}}=\sqrt{6}$ ...... ㉡

STEP3 식의 값 구하기

㉠, ㉡에 의하여

$\dfrac{x^{\frac{1}{2}}+x^{-\frac{1}{2}}}{x+x^{-1}}=\dfrac{\sqrt{6}}{4}$

08-5 답 6

해결전략 | $3^{2x}-3^{x+1}=-1$의 양변을 3^x으로 나눈 후 곱셈 공식의 변형을 이용한다.

STEP1 $3^{2x}+3^{-2x}$, $3^{4x}+3^{-4x}$의 값 구하기

$3^{2x}-3^{x+1}=-1$의 양변을 3^x으로 나누면

$3^x-3=-\dfrac{1}{3^x}$

$3^x+3^{-x}=3$

$3^{2x}+3^{-2x}=(3^x+3^{-x})^2-2$
$\qquad\qquad\quad=3^2-2=7$ ...... ㉠

$3^{4x}+3^{-4x}=(3^{2x}+3^{-2x})^2-2$
$\qquad\qquad\quad=7^2-2=47$ ...... ㉡

STEP2 식의 값 구하기

㉠, ㉡에 의하여

$\dfrac{3^{4x}+3^{-4x}+1}{3^{2x}+3^{-2x}+1}=\dfrac{47+1}{7+1}=6$

08-6 답 11

해결전략 | 먼저 $a^x-a^{-x}=t$ $(t>0)$로 치환하여 t의 값을 구한다.

STEP1 a^x-a^{-x}의 값 구하기

$a^{3x}-a^{-3x}=(a^x-a^{-x})^3+3(a^x-a^{-x})=36$

이때 $a^x-a^{-x}=t$ $(t>0)$로 놓으면

$t^3+3t=36$, $t^3+3t-36=0$

$(t-3)(t^2+3t+12)=0$

이때 $t^2+3t+12=\left(t+\dfrac{3}{2}\right)^2+\dfrac{39}{4}>0$이므로

$t=3$, 즉 $a^x-a^{-x}=3$

STEP2 $a^{2x}+a^{-2x}$의 값 구하기

$\therefore a^{2x}+a^{-2x}=(a^x-a^{-x})^2+2$
$\qquad\qquad\quad=3^2+2=11$

필수유형 **09** 27쪽

09-1 답 (1) $\dfrac{2}{3}$ (2) $\dfrac{62}{15}$

해결전략 | 주어진 식의 값을 이용할 수 있도록 분모와 분자에 a^x을 곱하여 식에 대입한다.

(1) **STEP1** 분모와 분자에 a^x 곱하기

$\dfrac{a^x-a^{-x}}{a^x+a^{-x}}$의 분모와 분자에 a^x을 곱하면

$\dfrac{a^x-a^{-x}}{a^x+a^{-x}}=\dfrac{a^x(a^x-a^{-x})}{a^x(a^x+a^{-x})}=\dfrac{a^{2x}-1}{a^{2x}+1}$

STEP 2 $\dfrac{a^x-a^{-x}}{a^x+a^{-x}}$의 값 구하기

$\therefore \dfrac{a^x-a^{-x}}{a^x+a^{-x}}=\dfrac{a^{2x}-1}{a^{2x}+1}=\dfrac{5-1}{5+1}=\dfrac{2}{3}$

(2) STEP 1 분모와 분자에 a^x 곱하기

$\dfrac{a^{3x}-a^{-3x}}{a^x+a^{-x}}$의 분모와 분자에 a^x을 곱하면

$\dfrac{a^{3x}-a^{-3x}}{a^x+a^{-x}}=\dfrac{a^x(a^{3x}-a^{-3x})}{a^x(a^x+a^{-x})}=\dfrac{a^{4x}-a^{-2x}}{a^{2x}+1}$

STEP 2 $\dfrac{a^{3x}-a^{-3x}}{a^x+a^{-x}}$의 값 구하기

$\therefore \dfrac{a^{3x}-a^{-3x}}{a^x+a^{-x}}=\dfrac{a^{4x}-a^{-2x}}{a^{2x}+1}$

$=\dfrac{(a^{2x})^2-(a^{2x})^{-1}}{a^{2x}+1}$

$=\dfrac{5^2-\dfrac{1}{5}}{5+1}=\dfrac{62}{15}$

09-2 답 $\dfrac{43}{6}$

해결전략 | $2^{8x}=36$에서 2^{4x}의 값을 구한 다음 식을 변형하여 값을 구한다.

STEP 1 2^{4x}의 값 구하기

$2^{8x}=36$에서 $(2^{4x})^2=36$

이때 $2^{4x}>0$이므로

$2^{4x}=6$

STEP 2 분모와 분자에 2^{2x}을 곱하여 식의 값 구하기

$\therefore \dfrac{2^{6x}-2^{-6x}}{2^{2x}-2^{-2x}}=\dfrac{2^{2x}(2^{6x}-2^{-6x})}{2^{2x}(2^{2x}-2^{-2x})}$

$=\dfrac{2^{8x}-2^{-4x}}{2^{4x}-1}=\dfrac{(2^{4x})^2-(2^{4x})^{-1}}{2^{4x}-1}$

$=\dfrac{6^2-\dfrac{1}{6}}{6-1}=\dfrac{43}{6}$

09-3 답 $\dfrac{20}{63}$

해결전략 | 주어진 식의 값을 이용할 수 있도록 구하는 식의 분모와 분자에 3^x을 곱한다.

STEP 1 주어진 식과 구하는 식을 3^{nx} 꼴로 나타내기

$9^x=3^{2x}=4$이고

$\dfrac{3^x+3^{-x}}{27^x-27^{-x}}=\dfrac{3^x+3^{-x}}{3^{3x}-3^{-3x}}$

STEP 2 구하는 식의 분모와 분자에 3^x을 곱하여 값 구하기

$\dfrac{3^x+3^{-x}}{3^{3x}-3^{-3x}}=\dfrac{3^x(3^x+3^{-x})}{3^x(3^{3x}-3^{-3x})}$

$=\dfrac{3^{2x}+1}{3^{4x}-3^{-2x}}=\dfrac{3^{2x}+1}{(3^{2x})^2-(3^{2x})^{-1}}$

$=\dfrac{4+1}{4^2-\dfrac{1}{4}}=\dfrac{20}{63}$

09-4 답 16

해결전략 | 주어진 식의 값을 이용할 수 있도록 구하는 식의 분모와 분자에 3^a을 곱한다.

STEP 1 3^{2a}의 값 구하기

$9^a=3^{2a}=8$

STEP 2 구하는 식의 분모와 분자에 3^a을 곱하여 값 구하기

$\dfrac{3^a-3^{-a}}{3^a+3^{-a}}=\dfrac{3^a(3^a-3^{-a})}{3^a(3^a+3^{-a})}=\dfrac{3^{2a}-1}{3^{2a}+1}=\dfrac{8-1}{8+1}=\dfrac{7}{9}$

STEP 3 $p+q$의 값 구하기

따라서 $p=9$, $q=7$이므로

$p+q=16$

09-5 답 16

해결전략 | 주어진 식의 좌변의 분모, 분자에 a^x 을 곱하여 a^{2x} 을 값을 구한다.

STEP 1 $a^{4x}=(a^{2x})^2$이므로 주어진 식의 좌변의 분모와 분자에 a^x을 곱하기

$\dfrac{a^x+a^{-x}}{a^x-a^{-x}}$의 분모, 분자에 a^x을 곱하면

$\dfrac{a^x+a^{-x}}{a^x-a^{-x}}=\dfrac{a^x(a^x+a^{-x})}{a^x(a^x-a^{-x})}=\dfrac{a^{2x}+1}{a^{2x}-1}$

STEP 2 주어진 식을 변형하여 a^{2x}의 값 구하기

즉, $\dfrac{a^{2x}+1}{a^{2x}-1}=\dfrac{5}{3}$에서 $3(a^{2x}+1)=5(a^{2x}-1)$이므로

$2a^{2x}=8$, $a^{2x}=4$

STEP 3 a^{4x}의 값 구하기

$\therefore a^{4x}=(a^{2x})^2=4^2=16$

09-6 답 $\dfrac{13}{6}$

해결전략 | 주어진 식의 좌변의 분모, 분자에 5^x을 곱하여 25^x의 값을 구한다.

STEP 1 주어진 식의 좌변의 분모와 분자에 a^x을 곱하기

$\dfrac{5^x+5^{-x}}{5^x-5^{-x}}$의 분모, 분자에 5^x을 곱하면

$\dfrac{5^x+5^{-x}}{5^x-5^{-x}}=\dfrac{5^x(5^x+5^{-x})}{5^x(5^x-5^{-x})}=\dfrac{25^x+1}{25^x-1}$

STEP2 주어진 식을 변형하여 25^x의 값 구하기

즉, $\dfrac{25^x+1}{25^x-1}=5$이므로

$25^x+1=5(25^x-1)$, $4\times 25^x=6$

$\therefore 25^x=\dfrac{3}{2}$

STEP3 25^x+25^{-x}의 값 구하기

$\therefore 25^x+25^{-x}=\dfrac{3}{2}+\dfrac{2}{3}=\dfrac{13}{6}$

필수유형 ⑩　　　　　　　　　　　29쪽

10-1　답 (1) 4　(2) 2

해결전략 | 값을 구해야 하는 식을 주어진 조건을 사용할 수 있도록 변형하거나 주어진 조건을 이용하여 구하는 식이 나오도록 만든다.

(1) **STEP1 구하는 식을 주어진 식을 이용하여 나타내기**

$\left(\dfrac{1}{9}\right)^{-\frac{x}{3}}=(3^{-2})^{-\frac{x}{3}}=(3^x)^{\frac{2}{3}}$

STEP2 주어진 식의 값 대입하기

$(3^x)^{\frac{2}{3}}$에 $3^x=8$을 대입하면

$(3^x)^{\frac{2}{3}}=8^{\frac{2}{3}}=(2^3)^{\frac{2}{3}}=2^2=4$

(2) **STEP1 주어진 식을 변형하여 나타내기**

$45^x=81$에서

$45=81^{\frac{1}{x}}=(3^4)^{\frac{1}{x}}=3^{\frac{4}{x}}$　　　　　$\cdots\cdots$ ㉠

$5^y=27$에서

$5=27^{\frac{1}{y}}=(3^3)^{\frac{1}{y}}=3^{\frac{3}{y}}$　　　　　$\cdots\cdots$ ㉡

STEP2 구하는 식의 값이 나오도록 변형한 식 이용하기

㉠÷㉡을 하면

$\dfrac{45}{5}=3^{\frac{4}{x}}\div 3^{\frac{3}{y}}$

$9=3^{\frac{4}{x}-\frac{3}{y}}$, $3^2=3^{\frac{4}{x}-\frac{3}{y}}$

$\therefore \dfrac{4}{x}-\dfrac{3}{y}=2$

10-2　답 -3

해결전략 | 주어진 식을 지수법칙을 이용하여 구하는 식이 나오도록 변형한다.

STEP1 주어진 식을 변형하여 나타내기

$7^x=9$에서

$7=9^{\frac{1}{x}}=(3^2)^{\frac{1}{x}}=3^{\frac{2}{x}}$　　　　　$\cdots\cdots$ ㉠

$189^y=81$에서

$189=81^{\frac{1}{y}}=(3^4)^{\frac{1}{y}}=3^{\frac{4}{y}}$　　　　　$\cdots\cdots$ ㉡

STEP2 구하는 식의 값이 나오도록 변형한 식 이용하기

㉠÷㉡을 하면

$\dfrac{7}{189}=3^{\frac{2}{x}}\div 3^{\frac{4}{y}}$

$\dfrac{1}{27}=3^{\frac{2}{x}}\div 3^{\frac{4}{y}}$, $3^{-3}=3^{\frac{2}{x}-\frac{4}{y}}$

$\therefore \dfrac{2}{x}-\dfrac{4}{y}=-3$

10-3　답 $\dfrac{b^3}{a^2}$

해결전략 | 구하는 식을 주어진 식을 이용하여 나타낸다.

STEP1 $\left(\dfrac{1}{5}\right)^{2x-3y}$을 주어진 식 5^x, 5^y을 이용하여 나타내기

$\left(\dfrac{1}{5}\right)^{2x-3y}=(5^{-1})^{2x-3y}=(5^x)^{-2}\times(5^y)^3$

STEP2 주어진 식의 값 대입하기

$5^x=a$, $5^y=b$이므로

$\left(\dfrac{1}{5}\right)^{2x-3y}=(5^x)^{-2}\times(5^y)^3=a^{-2}\times b^3=\dfrac{b^3}{a^2}$

10-4　답 8

해결전략 | 주어진 식을 지수법칙을 이용하여 구하는 식이 나오도록 변형한다.

STEP1 주어진 식을 변형하여 나타내기

$24^a=32$에서

$24=32^{\frac{1}{a}}=(2^5)^{\frac{1}{a}}=2^{\frac{5}{a}}$　　　　　$\cdots\cdots$ ㉠

$3^b=2$에서

$3=2^{\frac{1}{b}}$　　　　　$\cdots\cdots$ ㉡

STEP2 구하는 식의 값이 나오도록 변형한 식 이용하기

㉠÷㉡을 하면

$\dfrac{24}{3}=2^{\frac{5}{a}}\div 2^{\frac{1}{b}}$

$\therefore 2^{\frac{5}{a}-\frac{1}{b}}=8$

10-5　답 15

해결전략 | 2^{ab+a+b}을 2^a, 6^b을 이용하여 나타내고, $2^a=3$, $6^b=5$를 대입한다.

$2^{ab+a+b}=(2^a)^b\times 2^a\times 2^b$
$=3^b\times 3\times 2^b$ $(\because 2^a=3)$
$=(3\times 2)^b\times 3$
$=6^b\times 3$

$$=5\times3\ (\because 6^b=5)$$
$$=15$$

◉→ 다른 풀이
$6^b=(2\times3)^b=(2\times2^a)^b=2^{ab+b}$이므로
$$2^{ab+a+b}=2^{ab+b}\times2^a$$
$$=6^b\times2^a$$
$$=5\times3=15$$

10-6 답 80

해결전략 | 구하는 식을 주어진 식의 값을 이용할 수 있도록 변형한다.

STEP1 구하는 식을 주어진 식을 이용하여 나타내기
$$3=\frac{60}{20}=\frac{60}{60^b}=60^{1-b}$$

STEP2 주어진 식의 값 대입하기
$$\therefore 3^{\frac{a+b}{1-b}}=(60^{1-b})^{\frac{a+b}{1-b}}$$
$$=60^{a+b}$$
$$=60^a\times60^b$$
$$=4\times20=80$$

필수유형 11
31쪽

11-1 답 (1) 2 (2) 0

해결전략 | 주어진 조건식을 밑을 통일하여 식을 변형한다.

(1) **STEP1** 16과 2를 a^r 꼴로 나타내기
$16^x=a$에서 $(16^x)^{\frac{1}{x}}=a^{\frac{1}{x}}$
$$\therefore a^{\frac{1}{x}}=16 \qquad\qquad \cdots\cdots ㉠$$
$2^y=a$에서 $(2^y)^{\frac{1}{y}}=a^{\frac{1}{y}}$
$$\therefore a^{\frac{1}{y}}=2 \qquad\qquad \cdots\cdots ㉡$$

STEP2 지수법칙을 이용하여 a의 값 구하기
㉠÷㉡을 하면
$$a^{\frac{1}{x}}\div a^{\frac{1}{y}}=\frac{16}{2},\ a^{\frac{1}{x}-\frac{1}{y}}=8$$
이때 $\frac{1}{x}-\frac{1}{y}=3$이므로 $a^3=8$
$$\therefore a=2\ (\because a>0)$$

(2) **STEP1** 2, 10, 5를 k^r 꼴로 나타내기
$2^x=10^y=5^z=k$로 놓으면 $k>0$이고,
$xyz\neq0$에서 $k\neq1$이다.
$2^x=k$에서 $2=k^{\frac{1}{x}}$ $\qquad\qquad \cdots\cdots ㉠$

$10^y=k$에서 $10=k^{\frac{1}{y}}$ $\qquad\qquad \cdots\cdots ㉡$
$5^z=k$에서 $5=k^{\frac{1}{z}}$ $\qquad\qquad \cdots\cdots ㉢$

STEP2 지수법칙을 이용하여 $\frac{1}{x}-\frac{1}{y}+\frac{1}{z}$의 값 구하기
㉠÷㉡×㉢을 하면
$$2\div10\times5=k^{\frac{1}{x}}\div k^{\frac{1}{y}}\times k^{\frac{1}{z}}$$
$1=k^{\frac{1}{x}-\frac{1}{y}+\frac{1}{z}}$에서 $k>0$이고, $k\neq1$이므로
$$\frac{1}{x}-\frac{1}{y}+\frac{1}{z}=0$$

11-2 답 5

해결전략 | 주어진 조건식을 밑이 같게 되도록 식을 변형한다.

STEP1 5, 25를 k^r 꼴로 나타내기
$5^x=k$에서 $5=k^{\frac{1}{x}}$ $\qquad\qquad \cdots\cdots ㉠$
$25^y=k$에서 $25=k^{\frac{1}{y}}$ $\qquad\qquad \cdots\cdots ㉡$

STEP2 지수법칙을 이용하여 a의 값 구하기
㉠×㉡을 하면
$$5\times25=k^{\frac{1}{x}}\times k^{\frac{1}{y}},\ 5^3=k^{\frac{1}{x}+\frac{1}{y}}$$
이때 $\frac{1}{x}+\frac{1}{y}=3$이므로 $k^3=5^3$
$$\therefore k=5$$

11-3 답 $\frac{3}{4}$

해결전략 | 주어진 조건식을 3을 밑으로 하는 식으로 변형한다.

STEP1 a와 b를 3^r 꼴로 나타내기
$a^x=81=3^4$에서 $a=3^{\frac{4}{x}}$ $\qquad\qquad \cdots\cdots ㉠$
$b^y=81=3^4$에서 $b=3^{\frac{4}{y}}$ $\qquad\qquad \cdots\cdots ㉡$

STEP2 지수법칙을 이용하여 $\frac{1}{x}+\frac{1}{y}$의 값 구하기
㉠×㉡을 하면
$$ab=3^{\frac{4}{x}+\frac{4}{y}}=3^{4\left(\frac{1}{x}+\frac{1}{y}\right)}$$
이때 $ab=27=3^3$이므로 $3^3=3^{4\left(\frac{1}{x}+\frac{1}{y}\right)}$
$$4\left(\frac{1}{x}+\frac{1}{y}\right)=3$$
$$\therefore \frac{1}{x}+\frac{1}{y}=\frac{3}{4}$$

11-4 답 $\sqrt{42}$

해결전략 | 주어진 조건식을 밑이 같게 되도록 식을 변형한다.
STEP1 2, 3, 7을 a^r 꼴로 나타내기

$2^x = a$에서 $2 = a^{\frac{1}{x}}$ $\cdots\cdots$ ㉠

$3^y = a$에서 $3 = a^{\frac{1}{y}}$ $\cdots\cdots$ ㉡

$7^z = a$에서 $7 = a^{\frac{1}{z}}$ $\cdots\cdots$ ㉢

STEP 2 지수법칙을 이용하여 $\dfrac{1}{x} + \dfrac{1}{y} + \dfrac{1}{z}$의 값 구하기

㉠ $\times$ ㉡ $\times$ ㉢을 하면

$2 \times 3 \times 7 = a^{\frac{1}{x}} \times a^{\frac{1}{y}} \times a^{\frac{1}{z}}$, $42 = a^{\frac{1}{x} + \frac{1}{y} + \frac{1}{z}}$

이때 $\dfrac{1}{x} + \dfrac{1}{y} + \dfrac{1}{z} = 2$이므로 $a^2 = 42$

$\therefore a = \sqrt{42}$ ($\because a > 0$)

11-5 답 49

해결전략 | 주어진 조건식을 밑이 같게 되도록 식을 변형한다.

STEP 1 a, b, 7를 k^r 꼴로 나타내기

$a^x = b^y = 7^z = k$ ($k > 0$)로 놓으면 $xyz \neq 0$이므로 $k \neq 1$이다.

$a^x = k$에서 $a = k^{\frac{1}{x}}$ $\cdots\cdots$ ㉠

$b^y = k$에서 $b = k^{\frac{1}{y}}$ $\cdots\cdots$ ㉡

$7^z = k$에서 $7 = k^{\frac{1}{z}}$ $\cdots\cdots$ ㉢

STEP 2 지수법칙을 이용하여 ab의 값 구하기

이때 $\dfrac{1}{x} + \dfrac{1}{y} = \dfrac{2}{z}$이므로

$k^{\frac{1}{x} + \frac{1}{y}} = k^{\frac{2}{z}}$

$\therefore k^{\frac{1}{x}} \times k^{\frac{1}{y}} = (k^{\frac{1}{z}})^2$

㉠, ㉡, ㉢을 대입하면

$ab = 7^2 = 49$

11-6 답 12

해결전략 | 주어진 조건식을 지수를 같게 하여 변형한다.

STEP 1 $abc = 49$를 이용할 수 있도록 a^x, b^{2y}, c^{3z}의 지수를 $6xyz$로 변형하기

$a^x = b^{2y} = c^{3z} = 7$에서 지수를 $6xyz$로 같게 하면

$a^{6xyz} = 7^{6yz}$ $\cdots\cdots$ ㉠

$b^{6xyz} = 7^{3xz}$ $\cdots\cdots$ ㉡

$c^{6xyz} = 7^{2xy}$ $\cdots\cdots$ ㉢

STEP 2 지수법칙을 이용하여 $\dfrac{6}{x} + \dfrac{3}{y} + \dfrac{2}{z}$의 값 구하기

㉠ $\times$ ㉡ $\times$ ㉢을 하면

$a^{6xyz} \times b^{6xyz} \times c^{6xyz} = 7^{6yz} \times 7^{3xz} \times 7^{2xy}$

$(abc)^{6xyz} = 7^{6yz + 3xz + 2xy}$

이때 $abc = 49 = 7^2$이므로

$(7^2)^{6xyz} = 7^{6yz + 3xz + 2xy}$

$7^{12xyz} = 7^{6yz + 3xz + 2xy}$

지수끼리 비교하면

$12xyz = 6yz + 3xz + 2xy$

양변을 xyz로 나누면

$\dfrac{6}{x} + \dfrac{3}{y} + \dfrac{2}{z} = 12$

필수유형 12　　　　　　　　33쪽

12-1 답 64

해결전략 | 주어진 관계식에 제시된 수를 대입한 후 지수법칙을 이용한다.

$m_S = 2^{1000} m_P$, $d = 2^{406}$을 주어진 식에 대입하면

$r = d \times \left(\dfrac{m_P}{m_S}\right)^{\frac{2}{5}}$

$\quad = 2^{406} \times \left(\dfrac{m_P}{2^{1000} m_P}\right)^{\frac{2}{5}}$

$\quad = 2^{406} \times (2^{-1000})^{\frac{2}{5}}$

$\quad = 2^{406} \times 2^{-400}$

$\quad = 2^6$

즉, r의 값은 64이다.

12-2 답 32배

해결전략 | 주어진 관계식에 제시된 수를 대입한 후 지수법칙을 이용하여 식을 정리하고 문제에서 묻는 값을 구한다.

STEP 1 주어진 관계식에 각 문자에 해당하는 값을 대입하여 k^4의 값 구하기

t시간이 지난 후의 세균의 개체 수 m은

$m = m_0 \times k^t$

이때 4시간이 지난 후의 세균의 개체 수는 처음 수의 2배이므로

$2m_0 = m_0 \times k^4$

$\therefore k^4 = 2$

STEP 2 구하는 값을 주어진 식에 대입하기

따라서 20시간이 지난 후의 개체 수는

$m = m_0 \times k^{20} = m_0 \times (k^4)^5$

$\quad = m_0 \times 2^5 = 32 m_0$

이므로 처음 수의 32배가 된다.

12-3 답 40

해결전략 | 주어진 상황을 a에 대한 식으로 나타낸 다음 지수 법칙을 이용한다.

STEP 1 4일이 지난 후 인체에 남아 있는 진통제의 양을 a에 대한 식으로 나타내기

10 mg의 진통제가 흡수되고 1일, 2일, 3일, 4일이 지난 후 인체에 남은 진통제의 양은 각각

$$10 \times \frac{a}{100}, \ 10 \times \left(\frac{a}{100}\right)^2, \ 10 \times \left(\frac{a}{100}\right)^3, \ 10 \times \left(\frac{a}{100}\right)^4$$

4일이 지난 후 인체에 남은 진통제의 양이 0.256 mg이 므로

$$10 \times \left(\frac{a}{100}\right)^4 = 0.256$$

STEP 2 a의 값 구하기

$$\frac{a^4}{10^7} = 0.256$$

$$a^4 = \frac{256}{1000} \times 10^7 = 4^4 \times 10^4 = 40^4$$

$$\therefore a = 40$$

12-4 답 0.35

해결전략 | $\dfrac{Q_A}{Q_B}$를 구하고 제시된 수를 대입한 다음 지수법칙을 이용한다.

STEP 1 주어진 관계식에 각 문자에 해당하는 값 대입하기

$$\frac{Q_A}{Q_B} = \frac{0.01 t^{1.25} w^{0.25}}{0.05 t^{0.75} w^{0.30}} = \frac{t^{0.5}}{5 w^{0.05}} \qquad \cdots\cdots \text{㉠}$$

이고, 수온이 20 ℃이므로 $t=20$, A, B 조개의 개체중량이 8 g이므로 $w=8$을 ㉠에 대입하면

$$\frac{Q_A}{Q_B} = \frac{20^{0.5}}{5 \times 8^{0.05}} = \frac{(4 \times 5)^{0.5}}{5 \times 2^{0.15}} = \frac{2 \times 5^{0.5}}{2^{0.15} \times 5} = 2^{0.85} \times 5^{-0.5}$$

STEP 2 $a+b$의 값 구하기

따라서 $a=0.85$, $b=-0.5$이므로

$$a+b = 0.35$$

12-5 답 27

해결전략 | v_A, v_B를 구한 다음 지수법칙을 이용한다.

STEP 1 v_A, v_B에 각 문자에 해당하는 값 대입하기

$$v_A = c\left(\frac{\pi a^2}{2\pi a}\right)^{\frac{2}{3}} \times \underline{(0.04)^{\frac{1}{2}}} = \frac{2c}{10}\left(\frac{a}{2}\right)^{\frac{2}{3}} \quad \left(\frac{4}{100}\right)^{\frac{1}{2}} = \frac{2}{10}$$

$$v_B = c\left(\frac{\pi b^2}{2\pi b}\right)^{\frac{2}{3}} \times \underline{(0.09)^{\frac{1}{2}}} = \frac{3c}{10}\left(\frac{b}{2}\right)^{\frac{2}{3}} \quad \left(\frac{9}{100}\right)^{\frac{1}{2}} = \frac{3}{10}$$

STEP 2 $\dfrac{v_A}{v_B}$의 값 구하기

$$\frac{v_A}{v_B} = 6$$이므로

$$\frac{v_A}{v_B} = \frac{\dfrac{2c}{10}\left(\dfrac{a}{2}\right)^{\frac{2}{3}}}{\dfrac{3c}{10}\left(\dfrac{b}{2}\right)^{\frac{2}{3}}} = \frac{2}{3}\left(\frac{a}{b}\right)^{\frac{2}{3}} = 6$$

STEP 3 $\dfrac{a}{b}$의 값 구하기

이때 $\left(\dfrac{a}{b}\right)^{\frac{2}{3}} = 9$이므로

$$\frac{a}{b} = 9^{\frac{3}{2}} = (3^2)^{\frac{3}{2}} = 27$$

실전 연습 문제   34~36쪽

01 ④	02 ③	03 −1	04 ③	05 ⑤
06 ⑤	07 $3\sqrt{3}$	08 ①	09 ②	10 ②
11 ④	12 3	13 12	14 ⑤	15 2
16 ①	17 9배			

01

해결전략 | 거듭제곱근의 정의를 이용하여 옳은 것을 찾는다.

① n이 홀수일 때, $\sqrt[n]{a^n} = a$이므로 $\sqrt[n]{(-5)^n} = -5$

② -81의 네제곱근을 x라고 하면

$$x^4 = -81, \ x^4 + 81 = 0$$

$$(x^2 - 9i)(x^2 + 9i) = 0 \qquad \cdots\cdots \text{㉠}$$

그런데 ㉠을 만족시키는 실수 x는 존재하지 않으므로 -81의 네제곱근 중 실수인 것은 없다.

③ 8의 세제곱근을 x라고 하면

$$x^3 = 8, \ x^3 - 8 = 0, \ (x-2)(x^2 + 2x + 4) = 0$$

$$\therefore x = 2 \ \text{또는} \ x = -1 \pm \sqrt{3}i$$

④ 제곱근 36은 $\sqrt{36}$이므로 $\sqrt{36} = 6$

⑤ 4의 n제곱근 중 실수인 것은 $x^n = 4$를 만족시키는 실근 x이다. 이때 n이 홀수이므로 $x = \sqrt[n]{4}$의 1개이다.

02

해결전략 | a의 n제곱근 중 실수인 것의 개수는 a가 양수, 음수일 때, n이 짝수, 홀수일 때로 나누어 생각한다.

STEP 1 $a = -5$일 때, $R(-5, 6)$, $R(-5, 7)$의 값 구하기

-5의 n제곱근 중에서 실수인 것의 개수는

n이 짝수이면 없다. $\Rightarrow R(-5, 6) = 0$

n이 홀수이면 1개 $\Rightarrow R(-5, 7) = 1$

STEP2 $a=8$일 때, $R(8, 4)$, $R(8, 5)$의 값 구하기

8의 n제곱근 중에서 실수인 것의 개수는

n이 짝수이면 2개 $\Rightarrow R(8, 4)=2$

n이 홀수이면 1개 $\Rightarrow R(8, 5)=1$

STEP3 $R(-5, 6)+R(-5, 7)+R(8, 4)+R(8, 5)$의 값 구하기

$\therefore R(-5, 6)+R(-5, 7)+R(8, 4)+R(8, 5)$
$\quad=0+1+2+1=4$

03

해결전략 | a의 n제곱근은 방정식 $x^n=a$의 해임을 이용한다.

STEP1 a의 값 구하기

-216의 세제곱근은 방정식 $x^3=-216$의 근이므로

$x^3+216=0$, $(x+6)(x^2-6x+36)=0$

$\therefore x=-6$ 또는 $x=3\pm3\sqrt{3}i$

이 중에서 실수인 것은 -6이므로

$a=-6$ ······ ❶

STEP2 b의 값 구하기

또, 25의 네제곱근은 방정식 $x^4=25$의 근이므로

$x^4-25=0$, $(x^2-5)(x^2+5)=0$

$\therefore x=\pm\sqrt{5}$ 또는 $x=\pm\sqrt{5}i$

이 중에서 실수인 것은 $\pm\sqrt{5}$이므로

$b=\pm\sqrt{5}$ ······ ❷

STEP3 $a+b^2$의 값 구하기

$\therefore a+b^2=-6+5=-1$ ······ ❸

채점 요소	배점
❶ a의 값 구하기	40 %
❷ b의 값 구하기	40 %
❸ $a+b^2$의 값 구하기	20 %

04

해결전략 | 거듭제곱근의 성질을 이용하여 식을 계산한다.

$\sqrt{\sqrt[3]{a}\times\dfrac{1}{4\sqrt[5]{a}}}\div\sqrt[3]{\sqrt{a}\times\dfrac{1}{8\sqrt[5]{a}}}\times\sqrt[5]{\sqrt{a}\times\dfrac{32}{\sqrt[3]{a}}}$

$=\sqrt{\sqrt[3]{a}\times\dfrac{1}{4\sqrt{\sqrt[5]{a}}}}\div\left(\sqrt[3]{\sqrt{a}}\times\dfrac{1}{\sqrt[3]{8\sqrt[5]{a}}}\right)\times\sqrt[5]{\sqrt{a}}\times\dfrac{\sqrt[5]{32}}{\sqrt[5]{\sqrt[3]{a}}}$

$=\dfrac{\sqrt[6]{a}}{\sqrt{2^2\sqrt[10]{a}}}\div\dfrac{\sqrt[6]{a}}{\sqrt[3]{2^3\sqrt[15]{a}}}\times\dfrac{\sqrt[5]{2^5\sqrt[10]{a}}}{\sqrt[15]{a}}$

$=\dfrac{\sqrt[6]{a}}{2\sqrt[10]{a}}\times\dfrac{2\sqrt[15]{a}}{\sqrt[6]{a}}\times\dfrac{2\sqrt[10]{a}}{\sqrt[15]{a}}$

$=2$

05

해결전략 | $\sqrt[3]{2m}$, $\sqrt{n^3}$을 분수인 지수로 나타내어 $\sqrt[3]{2m}\times\sqrt{n^3}$의 값이 자연수가 될 조건을 찾는다.

STEP1 m이 될 수 있는 값 구하기

$\sqrt[3]{2m}=(2m)^{\frac{1}{3}}$이 자연수이므로 $m=2^2\times k^3$ (k는 자연수) 꼴이다. 135 이하의 자연수 중 m이 될 수 있는 값은 $2^2\times1^3$, $2^2\times2^3$, $2^2\times3^3$뿐이다.

STEP2 n이 될 수 있는 값 구하기

또, $\sqrt{n^3}=n^{\frac{3}{2}}$이 자연수이므로 $n=l^2$ (l은 자연수) 꼴이다. 9 이하의 자연수 중 n이 될 수 있는 값은 1^2, 2^2, 3^2뿐이다.

STEP3 $m+n$의 최댓값 구하기

따라서 $m+n$의 최댓값은

$2^2\times3^3+3^2=117$

06

해결전략 | 거듭제곱근의 성질을 이용하여 간단히 한다.

STEP1 거듭제곱근의 성질을 이용하여 간단히 하기

① $\sqrt[3]{64}=\sqrt[3]{4^3}=4$

② $\sqrt[4]{3}\sqrt[4]{27}=\sqrt[4]{81}=\sqrt[4]{3^4}=3$

③ $\sqrt{\sqrt{36}}=\sqrt[4]{36}=\sqrt[4]{6^2}=\sqrt{6}$

④ $\dfrac{\sqrt[3]{250}}{\sqrt[3]{2}}=\sqrt[3]{125}=\sqrt[3]{5^3}=5$

⑤ $(\sqrt[4]{49})^2=\sqrt[4]{49^2}=\sqrt[4]{(7^2)^2}=\sqrt[4]{7^4}=7$

STEP2 대소 비교하기

따라서 $\sqrt{6}<3<4<5<7$이므로 값이 가장 큰 것은 ⑤이다.

07

해결전략 | $a-b>0$이면 $a>b$이고 $a-b<0$이면 $a<b$임을 이용하여 네 수 A, B, C, D의 대소 관계를 구한다.

STEP1 두 수의 차를 이용하여 A, B, C, D의 대소 관계 구하기

(i) $A-B=(3\sqrt{3}+\sqrt[3]{6})-(\sqrt{3}+3\sqrt[3]{6})$
$\qquad\quad=2(\sqrt{3}-\sqrt[3]{6})=2(\sqrt[6]{27}-\sqrt[6]{36})<0$

$\qquad\therefore A<B$

(ii) $C-D=(2\sqrt[3]{6}-3\sqrt{3})-(2\sqrt{3}-3\sqrt[3]{6})$
$\qquad\quad=5(\sqrt[3]{6}-\sqrt{3})=5(\sqrt[6]{36}-\sqrt[6]{27})>0$

$\qquad\therefore C>D$

(iii) $A-C=(3\sqrt{3}+\sqrt[3]{6})-(2\sqrt[3]{6}-3\sqrt{3})$
$\qquad\quad=6\sqrt{3}-\sqrt[3]{6}$
$\qquad\quad=4\sqrt{3}+(2\sqrt{3}-\sqrt[3]{6})$

$$= 4\sqrt{3} + (\sqrt{12} - \sqrt[3]{6})$$
$$= 4\sqrt{3} + (\sqrt[6]{12^3} - \sqrt[6]{36}) > 0$$
$$\therefore A > C \qquad \cdots\cdots \text{❶}$$

STEP2 가장 큰 수와 가장 작은 수 구하기

(i)~(iii)에서 $D < C < A < B$이므로 가장 큰 수는 B이고 가장 작은 수 D이다. $\qquad \cdots\cdots$ ❷

STEP3 가장 큰 수와 가장 작은 수의 합 구하기

따라서 가장 큰 수 B와 가장 작은 수 D의 합은

$$B + D = (\sqrt{3} + 3\sqrt[3]{6}) + (2\sqrt{3} - 3\sqrt[3]{6}) = 3\sqrt{3} \qquad \cdots\cdots \text{❸}$$

채점 요소	배점
❶ A, B, C, D의 대소 관계 구하기	60 %
❷ 가장 큰 수와 가장 작은 수 구하기	20 %
❸ 가장 큰 수와 가장 작은 수의 합 구하기	20 %

> **◎ 풍쌤의 비법**
>
> **두 수의 대소 관계 판정**
>
> [방법1] 차의 부호를 조사
> $A - B > 0$이면 $A > B$
>
> [방법2] 제곱의 차의 부호를 조사
> $A > 0$, $B > 0$일 때,
> $A^2 - B^2 > 0$이면 $A > B$
>
> [방법3] 비를 조사
> $A > 0$, $B > 0$일 때,
> $\dfrac{A}{B} > 1$이면 $A > B$

08

해결전략 | 거듭제곱근을 분수 지수로 고쳐 계산한다.

STEP1 나누는 식과 나누어지는 식을 각각 분수 지수로 나타내기

$$\sqrt[4]{\sqrt{a} \times \frac{a}{\sqrt[3]{a}}} = \left(a^{\frac{1}{2}} \times a \times a^{-\frac{1}{3}}\right)^{\frac{1}{4}}$$
$$= \left(a^{\frac{1}{2} + 1 - \frac{1}{3}}\right)^{\frac{1}{4}}$$
$$= \left(a^{\frac{7}{6}}\right)^{\frac{1}{4}} = a^{\frac{7}{24}}$$

$$\frac{\sqrt{\sqrt[4]{a}\sqrt[3]{a}}}{\sqrt[4]{\sqrt[3]{a^2}}} = \frac{\left(a^{\frac{1}{4}} \times a^{\frac{1}{3}}\right)^{\frac{1}{2}}}{\left(a^{\frac{2}{3}}\right)^{\frac{1}{4}}} = \frac{\left(a^{\frac{1}{4} + \frac{1}{3}}\right)^{\frac{1}{2}}}{a^{\frac{1}{6}}} = \frac{a^{\frac{7}{24}}}{a^{\frac{1}{6}}} = a^{\frac{1}{8}}$$

STEP2 m의 값 구하기

따라서 $\sqrt[4]{\sqrt{a} \times \dfrac{a}{\sqrt[3]{a}}} \div \dfrac{\sqrt{\sqrt[4]{a}\sqrt[3]{a}}}{\sqrt[4]{\sqrt[3]{a^2}}} = a^{\frac{7}{24} - \frac{1}{8}} = a^{\frac{1}{6}}$이므로

$$m = \frac{1}{6}$$

09

해결전략 | 지수법칙을 이용하여 식을 변형한다.

STEP1 3^x, 5^x을 각각 a, b에 대한 식으로 나타내기

$$3^{x+1} - 3^x = 2 \times 3^x = a$$
$$\therefore 3^x = \frac{a}{2}$$
$$5^{x+1} + 5^x = 6 \times 5^x = b$$
$$\therefore 5^x = \frac{b}{6}$$

STEP2 45를 소인수분해하고 3^x, 5^x의 값 대입하기

$$\therefore 45^x = (3^2 \times 5)^x = 3^{2x} \times 5^x$$
$$= (3^x)^2 \times 5^x$$
$$= \left(\frac{a}{2}\right)^2 \times \frac{b}{6} = \frac{a^2 b}{24}$$

10

해결전략 | 부분분수를 이용하여 지수를 간단히 하여 구한다.

STEP1 부분분수 이용하기

$$\frac{1}{n(n+1)} = \frac{1}{n} - \frac{1}{n+1}$$이므로

$$7^{\frac{1}{n(n+1)}} = 7^{\frac{1}{n} - \frac{1}{n+1}}$$

STEP2 주어진 식을 간단히 하여 k의 값 구하기

$$P_1 \times P_2 \times P_3 \times \cdots \times P_{2021}$$
$$= 7^{\left(1 - \frac{1}{2}\right) + \left(\frac{1}{2} - \frac{1}{3}\right) + \cdots + \left(\frac{1}{2021} - \frac{1}{2022}\right)}$$
$$= 7^{1 - \frac{1}{2022}} = 7^{\frac{2021}{2022}}$$
$$\therefore k = \frac{2021}{2022}$$

11

해결전략 | 곱셈 공식과 지수법칙을 이용하여 $27^x + 27^{-y}$의 값을 구한다.

STEP1 $A^3 + B^3 = (A+B)^3 - 3AB(A+B)$를 이용하여 $27^x + 27^{-y}$ 변형하기

$$27^x + 27^{-y} = 3^{3x} + 3^{-3y}$$
$$= (3^x + 3^{-y})^3 - 3 \times 3^x \times 3^{-y}(3^x + 3^{-y})$$
$$= (3^x + 3^{-y})^3 - 3 \times 3^{x-y}(3^x + 3^{-y}) \qquad \cdots\cdots \text{㉠}$$

STEP2 ㉠에 $x - y = 1$, $3^x + 3^{-y} = 4$를 대입하여 값 구하기

㉠에 $x - y = 1$, $3^x + 3^{-y} = 4$를 대입하면

$$4^3 - 3 \times 3 \times 4 = 28$$

12

해결전략 | 곱셈 공식과 지수법칙을 이용하여 $(x+\sqrt{x^2-1})^4$의 값을 구한다.

STEP1 곱셈 공식 $(A+B)^2=A^2+2AB+B^2$을 이용하여 x^2-1의 값 구하기

$x=\dfrac{3^{\frac{1}{4}}+3^{-\frac{1}{4}}}{2}$이므로

$$x^2-1=\left(\dfrac{3^{\frac{1}{4}}+3^{-\frac{1}{4}}}{2}\right)^2-1$$

$$=\dfrac{3^{\frac{1}{2}}+2\times 3^{\frac{1}{4}}\times 3^{-\frac{1}{4}}+3^{-\frac{1}{2}}}{4}-1$$

$$=\dfrac{3^{\frac{1}{2}}+2+3^{-\frac{1}{2}}-4}{4}=\dfrac{3^{\frac{1}{2}}-2+3^{-\frac{1}{2}}}{4}$$

$$=\left(\dfrac{3^{\frac{1}{4}}-3^{-\frac{1}{4}}}{2}\right)^2 \quad \leftarrow 3^{\frac{1}{4}}>3^{-\frac{1}{4}}\text{이므로 } \dfrac{3^{\frac{1}{4}}-3^{-\frac{1}{4}}}{2}>0$$

STEP2 $(x+\sqrt{x^2-1})^4$의 값 구하기

따라서 $\sqrt{x^2-1}=\dfrac{3^{\frac{1}{4}}-3^{-\frac{1}{4}}}{2}$이므로

$$(x+\sqrt{x^2-1})^4=\left(\dfrac{3^{\frac{1}{4}}+3^{-\frac{1}{4}}}{2}+\dfrac{3^{\frac{1}{4}}-3^{-\frac{1}{4}}}{2}\right)^4$$

$$=(3^{\frac{1}{4}})^4=3$$

13

해결전략 | 먼저 $2^{2x}-3\times 2^x-1=0$의 양변에 2^{-x}을 곱하여 2^x-2^{-x}의 값을 구한다.

STEP1 2^x-2^{-x}의 값 구하기

$2^{2x}-3\times 2^x-1=0$의 양변에 2^{-x}을 곱하면

$2^x-3-2^{-x}=0$

$2^x-2^{-x}=3$

STEP2 $\dfrac{2^{3x}-2^{-3x}}{2^x-2^{-x}}$의 값 구하기

$$\therefore \dfrac{2^{3x}-2^{-3x}}{2^x-2^{-x}}=\dfrac{(2^x-2^{-x})^3+3(2^x-2^{-x})}{2^x-2^{-x}}$$

$$=\dfrac{3^3+3\times 3}{3}=12$$

14

해결전략 | $f(\alpha), f(\beta)$의 값을 이용하여 $2^{2\alpha}, 2^{2\beta}$의 값을 구한다.

STEP1 $f(x)$에 $x=\alpha+\beta$를 대입하여 $f(\alpha+\beta)$를 2^α, 2^β를 포함한 식으로 나타내기

$$f(\alpha+\beta)=\dfrac{2^{\alpha+\beta}-2^{-(\alpha+\beta)}}{2^{\alpha+\beta}+2^{-(\alpha+\beta)}}=\dfrac{2^{\alpha+\beta}(2^{\alpha+\beta}-2^{-(\alpha+\beta)})}{2^{\alpha+\beta}(2^{\alpha+\beta}+2^{-(\alpha+\beta)})}$$

$$=\dfrac{2^{2\alpha+2\beta}-1}{2^{2\alpha+2\beta}+1}$$

$$=\dfrac{2^{2\alpha}\times 2^{2\beta}-1}{2^{2\alpha}\times 2^{2\beta}+1}$$

STEP2 $f(\alpha)=\dfrac{2}{3}$에서 $2^{2\alpha}$의 값 구하기

$f(\alpha)=\dfrac{2^\alpha-2^{-\alpha}}{2^\alpha+2^{-\alpha}}=\dfrac{2}{3}$에서

$3(2^\alpha-2^{-\alpha})=2(2^\alpha+2^{-\alpha})$

$2^\alpha=5\times 2^{-\alpha} \qquad \therefore 2^{2\alpha}=5$

STEP3 $f(\beta)=\dfrac{4}{5}$에서 $2^{2\beta}$의 값 구하기

$f(\beta)=\dfrac{2^\beta-2^{-\beta}}{2^\beta+2^{-\beta}}=\dfrac{4}{5}$에서

$5(2^\beta-2^{-\beta})=4(2^\beta+2^{-\beta})$

$2^\beta=9\times 2^{-\beta} \qquad \therefore 2^{2\beta}=9$

STEP4 $f(\alpha+\beta)$의 값 구하기

$$\therefore f(\alpha+\beta)=\dfrac{2^{2\alpha}\times 2^{2\beta}-1}{2^{2\alpha}\times 2^{2\beta}+1}=\dfrac{5\times 9-1}{5\times 9+1}=\dfrac{22}{23}$$

15

해결전략 | 주어진 조건식을 10을 밑으로 하는 식으로 변형한다.

STEP1 $3.28, 0.0328$을 10^k 꼴로 나타내기

$3.28^x=10$에서

$3.28=10^{\frac{1}{x}}$ ...... ㉠

$0.0328^y=10$에서

$0.0328=10^{\frac{1}{y}}$ ...... ㉡ ...... ❶

STEP2 지수법칙을 이용하여 $\dfrac{1}{x}-\dfrac{1}{y}$의 값 구하기

㉠÷㉡을 하면

$$\dfrac{3.28}{0.0328}=\dfrac{10^{\frac{1}{x}}}{10^{\frac{1}{y}}}, \ 10^2=10^{\frac{1}{x}-\frac{1}{y}}$$

$$\therefore \dfrac{1}{x}-\dfrac{1}{y}=2$$ ...... ❷

채점 요소	배점
❶ 3.28과 0.0328을 10^k으로 나타내기	각 20 %
❷ $\dfrac{1}{x}-\dfrac{1}{y}$의 값 구하기	60 %

16

해결전략 | 주어진 조건식을 밑이 같게 되도록 식을 변형한다.

STEP1 $2, 5, 10$을 k^r 꼴로 나타내기

$2^x=5^y=10^z=k\ (k>0)$로 놓으면 $xyz\neq0$이므로 $k\neq1$

$2^x=k$에서 $2=k^{\frac{1}{x}}$ ⋯⋯ ㉠

$5^y=k$에서 $5=k^{\frac{1}{y}}$ ⋯⋯ ㉡

$10^z=k$에서 $10=k^{\frac{1}{z}}$ ⋯⋯ ㉢

STEP2 지수법칙을 이용하여 $xy-yz-zx$의 값 구하기

$2\times5=10$, 즉 ㉠ $\times$ ㉡ $=$ ㉢이므로

$k^{\frac{1}{x}}\times k^{\frac{1}{y}}=k^{\frac{1}{z}},\ k^{\frac{1}{x}+\frac{1}{y}}=k^{\frac{1}{z}}$

그런데 $k>0$이고 $k\neq1$이므로

$\dfrac{1}{x}+\dfrac{1}{y}=\dfrac{1}{z}$

위의 식의 양변에 xyz를 곱하면

$yz+zx=xy$

$\therefore xy-yz-zx=0$

17

해결전략 | 주어진 관계식에 제시된 수를 대입한 후 지수법칙을 이용하여 식을 정리하고 문제에서 묻는 값을 구한다.

STEP1 주어진 관계식에 각 문자에 해당하는 값 대입하기

초기 혈중 농도 x_0와 t시간 후의 혈중 농도 x 사이의 관계식은

$x=x_0\left(\dfrac{1}{2}\right)^{kt}$

이때 초기 혈중 농도를 $3a$로 하면 10시간의 효력이 있고, 10시간 후에는 혈중 농도가 a가 되므로

$a=3a\left(\dfrac{1}{2}\right)^{10k}$

$\therefore \left(\dfrac{1}{2}\right)^{10k}=\dfrac{1}{3}$ ⋯⋯ ㉠

STEP2 구한 식을 이용하여 몇 배인지 구하기

그런데 이 약이 20시간의 효력이 있게 하기 위한 초기 혈중 농도를 a_1이라고 하면

$a=a_1\left(\dfrac{1}{2}\right)^{20k}$

$\quad=a_1\left\{\left(\dfrac{1}{2}\right)^{10k}\right\}^2$

$\quad=a_1\left(\dfrac{1}{3}\right)^2\ (\because ㉠)$

$\quad=\dfrac{a_1}{9}$

$\therefore a_1=9a$

따라서 약이 20시간의 효력이 있으려면 초기 혈중 농도는 a의 9배가 되게 해야 한다.

01 ④	02 $-5<a\leq0$	03 ①	04 ①
05 125	06 ⑤	07 ④	08 ④

01

해결전략 | 거듭제곱근의 정의를 이용하여 참, 거짓을 판단한다.

STEP1 a가 양수, m, n이 홀수임을 알고 p, q를 a의 거듭제곱근 형태로 나타내기

p는 a의 m제곱근 중 실수인 것이므로 $p=\sqrt[m]{a}$

q는 a의 n제곱근 중 실수인 것이므로 $q=\sqrt[n]{a}$

STEP2 거듭제곱근의 성질을 이용하여 ㄱ, ㄴ, ㄷ의 참, 거짓 판별하기

ㄱ. p의 n제곱근 중 실수인 것은 $\sqrt[n]{p}=\sqrt[n]{\sqrt[m]{a}}=\sqrt[mn]{a}$

q의 m제곱근 중 실수인 것은 $\sqrt[m]{q}=\sqrt[m]{\sqrt[n]{a}}=\sqrt[mn]{a}$

$\therefore \sqrt[n]{p}=\sqrt[m]{q}$ (참)

ㄴ. a^n의 m제곱근 중 실수인 것은 $\sqrt[m]{a^n}=a^{\frac{n}{m}}$

a^m의 n제곱근 중 실수인 것은 $\sqrt[n]{a^m}=a^{\frac{m}{n}}$

[반례] $m=3$, $n=9$, $a=\dfrac{1}{2}$이면 ← 반례로 $0<a<1$인 것을 찾는다.

$a^{\frac{n}{m}}=\left(\dfrac{1}{2}\right)^{\frac{9}{3}}=\left(\dfrac{1}{2}\right)^3=\dfrac{1}{8}=\dfrac{1}{\sqrt[3]{512}}$

$a^{\frac{m}{n}}=\left(\dfrac{1}{2}\right)^{\frac{3}{9}}=\left(\dfrac{1}{2}\right)^{\frac{1}{3}}=\dfrac{1}{\sqrt[3]{2}}$

이므로 $a^{\frac{n}{m}}<a^{\frac{m}{n}}$, 즉 $\sqrt[m]{a^n}<\sqrt[n]{a^m}$ (거짓)

ㄷ. pq의 $m+n$제곱근 중 양수인 것은

$\sqrt[m+n]{pq}=(pq)^{\frac{1}{m+n}}=\left(a^{\frac{1}{m}}\times a^{\frac{1}{n}}\right)^{\frac{1}{m+n}}$

$=\left(a^{\frac{1}{m}+\frac{1}{n}}\right)^{\frac{1}{m+n}}=\left(a^{\frac{m+n}{mn}}\right)^{\frac{1}{m+n}}=a^{\frac{1}{mn}}$

a의 mn제곱근 중 실수인 것은

$\sqrt[mn]{a}=a^{\frac{1}{mn}}$

$\therefore \sqrt[m+n]{pq}=\sqrt[mn]{a}$ (참)

따라서 옳은 것은 ㄱ, ㄷ이다.

02

해결전략 | $\sqrt[n]{A}$가 음수가 되려면 n이 홀수이고 $A<0$이어야 한다.

STEP1 $\sqrt[7]{ax^2+2ax-5}$가 음수가 되는 조건 알기

모든 실수 x에 대하여 $\sqrt[7]{ax^2+2ax-5}$가 음수가 되려면 7이 홀수이므로 (근호 안의 값) <0이어야 한다.

STEP2 a의 값을 나누어 가능한 범위 구하기

따라서 모든 실수 x에 대하여

$$ax^2+2ax-5<0 \qquad \cdots\cdots \text{㉠}$$

이 성립해야 하므로 이차항의 계수 a가 $a=0$일 때와 $a\neq0$일 때로 나누어 생각한다.

(i) $a=0$일 때

$$0\times x^2+2\times0\times x-5<0$$

$\therefore -5<0 \Rightarrow$ 항상 성립

(ii) $a\neq0$일 때

부등식 ㉠이 모든 실수 x에 대하여 성립하려면

이차방정식 $ax^2+2ax-5=0$에서

(이차항의 계수)<0이어야 하므로

$$a<0 \qquad \cdots\cdots \text{㉡}$$

또, (판별식 D)<0이어야 하므로

$$\frac{D}{4}=a^2-a\times(-5)<0$$

$$a(a+5)<0 \qquad \therefore -5<a<0 \qquad \cdots\cdots \text{㉢}$$

㉡, ㉢에서 $-5<a<0$

(i), (ii)에 의하여 구하는 실수 a의 값의 범위는

$$-5<a\leq0$$

03

해결전략 | $\sqrt[n]{A}$가 자연수 또는 유리수일 때 A가 될 수 있는 수의 조건을 이용한다.

STEP1 $\sqrt{\dfrac{2^a\times5^b}{2}}$이 자연수일 때 a, b의 값 구하기

(i) $\sqrt{\dfrac{2^a\times5^b}{2}}=2^{\frac{a-1}{2}}\times5^{\frac{b}{2}}$이 자연수이므로

$a-1=2m$, $a=2m+1$ (m은 음이 아닌 정수)

$\therefore a=1,\ 3,\ 5,\ \cdots$

$b=2n$ (n은 자연수), 즉 $b=2,\ 4,\ 6,\ \cdots$

STEP2 $\sqrt[3]{\dfrac{3^b}{2^{a+1}}}$이 유리수일 때 a, b의 값 구하기

(ii) $\sqrt[3]{\dfrac{3^b}{2^{a+1}}}=\dfrac{3^{\frac{b}{3}}}{2^{\frac{a+1}{3}}}$이 유리수이므로

$a+1=3k$, $a=3k-1$ (k는 자연수)

$\therefore a=2,\ 5,\ 8,\ \cdots$

$b=3l$ (l은 자연수), 즉 $b=3,\ 6,\ 9,\ \cdots$

STEP3 $a+b$의 최솟값 구하기

(i), (ii)에 의하여 a의 최솟값은 5, b의 최솟값은 6이므로 $a+b$의 최솟값은 $5+6=11$이다.

04

해결전략 | 두 수의 비를 이용하여 두 수의 대소 관계를 구한다.

STEP1 $n-5$, $m-8$의 부호 알기

m, n이 자연수이므로

$$1<m^{n-5}에서 \ n-5>0 \qquad \cdots\cdots \text{㉠}$$

$$1<n^{m-8}에서 \ m-8>0 \qquad \cdots\cdots \text{㉡}$$

또, $m^{n-5}<n^{m-8}$에서 $\dfrac{n^{m-8}}{m^{n-5}}>1 \qquad \cdots\cdots \text{㉢}$

STEP2 $\dfrac{A}{B}$, $\dfrac{A}{C}$, $\dfrac{B}{C}$로 A, B, C의 대소 관계 파악하기

$$\frac{A}{B}=\frac{m^{\frac{1}{m-8}}\times n^{\frac{1}{n-5}}}{m^{-\frac{1}{m-8}}\times n^{\frac{1}{n-5}}}=m^{\frac{2}{m-8}}>1\ (\because \text{㉡})$$

$\therefore A>B$

$$\frac{A}{C}=\frac{m^{\frac{1}{m-8}}\times n^{\frac{1}{n-5}}}{m^{\frac{1}{m-8}}\times n^{-\frac{1}{n-5}}}=n^{\frac{2}{n-5}}>1\ (\because \text{㉠})$$

$\therefore A>C$

$$\frac{B}{C}=\frac{m^{-\frac{1}{m-8}}\times n^{\frac{1}{n-5}}}{m^{\frac{1}{m-8}}\times n^{-\frac{1}{n-5}}}$$

$$=m^{-\frac{2}{m-8}}\times n^{\frac{2}{n-5}}$$

$$=(m^{-(n-5)}\times m^{m-8})^{\frac{2}{(m-8)(n-5)}}$$

$$=\left(\frac{n^{m-8}}{m^{n-5}}\right)^{\frac{2}{(m-8)(n-5)}}>1\ (\because \text{㉢})$$

$\therefore B>C$

$\therefore A>B>C$

05

해결전략 | $4^{\frac{a+b}{ab}}=4^{\frac{1}{a}+\frac{1}{b}}$이므로 주어진 두 식을 이용하여 $4^{\frac{1}{a}}$, $4^{\frac{1}{b}}$의 값을 구한다.

STEP1 주어진 두 등식을 2를 밑으로 하는 등식으로 변형하여 $4^{\frac{1}{a}}$, $2^{\frac{1}{b}}$의 값 구하기

$$5^{2a+b}=2^5 \qquad \cdots\cdots \text{㉠}$$

$$5^{a-b}=2 \qquad \cdots\cdots \text{㉡}$$

㉠$\times$㉡을 하면

$$5^{2a+b}\times5^{a-b}=2^5\times2$$

$$5^{(2a+b)+(a-b)}=2^6,\ 5^{3a}=4^3$$

$$5^a=4 \qquad \therefore 4^{\frac{1}{a}}=5$$

$5^{a-b}=2$에서 $\dfrac{5^a}{5^b}=2$, $\dfrac{4}{5^b}=2$이므로

$$5^b=2 \qquad \therefore 2^{\frac{1}{b}}=5$$

$$\therefore 4^{\frac{a+b}{ab}}=4^{\frac{1}{a}+\frac{1}{b}}=4^{\frac{1}{a}}\times 4^{\frac{1}{b}}$$
$$=5\times(2^{\frac{1}{b}})^2=5\times 5^2=125$$

06

해결전략 | $3^a=x$, $3^b=y$, $3^c=z$로 놓고 $9^a+9^b+9^c$을 x, y, z를 이용하여 나타낸다.

STEP 1 $3^a=x$, $3^b=y$, $3^c=z$로 놓고 xyz, $x+y+z$, $xy+yz+zx$의 값 구하기

$3^a=x$, $3^b=y$, $3^c=z$로 놓으면

$$xyz=3^a\times 3^b\times 3^c=3^{a+b+c}=3^{-2}=\frac{1}{9} \qquad \cdots\cdots \text{㉠}$$

$$x+y+z=3^a+3^b+3^c=\frac{4}{3} \qquad \cdots\cdots \text{㉡}$$

또, $\dfrac{1}{x}+\dfrac{1}{y}+\dfrac{1}{z}=3^{-a}+3^{-b}+3^{-c}=\dfrac{11}{3}$이므로

$$\frac{1}{x}+\frac{1}{y}+\frac{1}{z}=\frac{xy+yz+zx}{xyz}$$
$$=9(xy+yz+zx) \ (\because \text{㉠})$$
$$=\frac{11}{3}$$

$$\therefore xy+yz+zx=\frac{11}{27} \qquad \cdots\cdots \text{㉢}$$

STEP 2 곱셈 공식의 변형과 지수법칙을 이용하여 $9^a+9^b+9^c$의 값 구하기

㉡, ㉢에서

$$9^a+9^b+9^c=x^2+y^2+z^2$$
$$=(x+y+z)^2-2(xy+yz+zx)$$
$$=\left(\frac{4}{3}\right)^2-\frac{22}{27}=\frac{26}{27}$$

07

해결전략 | 12, k, 6을 밑이 같은 지수의 식으로 바꾼 다음 주어진 식 $\dfrac{3}{a}+\dfrac{2}{b}=\dfrac{6}{c}$을 이용할 수 있도록 식을 변형한다.

STEP 1 12, k, 6을 p^r 꼴로 나타내기

$12^a=k^b=6^c=p\ (p>0)$로 놓으면

$12=p^{\frac{1}{a}}$에서 $12^3=p^{\frac{3}{a}}$ $\qquad \cdots\cdots \text{㉠}$

$k=p^{\frac{1}{b}}$에서 $k^2=p^{\frac{2}{b}}$ $\qquad \cdots\cdots \text{㉡}$

$6=p^{\frac{1}{c}}$에서 $6^6=p^{\frac{6}{c}}$

STEP 2 지수법칙을 이용하여 k의 값 구하기

㉠×㉡을 하면

$$12^3\times k^2=p^{\frac{3}{a}}\times p^{\frac{2}{b}}=p^{\frac{3}{a}+\frac{2}{b}}=p^{\frac{6}{c}}\left(\because \frac{3}{a}+\frac{2}{b}=\frac{6}{c}\right)$$
$$=6^6$$

$$k^2=\frac{6^6}{12^3}=\frac{2^6\times 3^6}{2^6\times 3^3}=3^3=27$$

$$\therefore k=\sqrt{27}=3\sqrt{3} \ (\because k>0)$$

08

해결전략 | 두 물체 A, B의 질량 m_A, m_B 사이의 관계와 단면적 S_A, S_B 사이의 관계식을 구하여 문제에 주어진 식에 대입하여 지수법칙을 이용한다.

STEP 1 주어진 상황을 식으로 나타내기

두 물체 A, B의 질량을 각각 m_A, m_B라 하고, 단면적을 각각 S_A, S_B라고 하자.

$m_A : m_B=1 : 2\sqrt{2}$, $S_A : S_B=1 : 8$이므로

$m_B=2\sqrt{2}\,m_A$, $S_B=8S_A$

STEP 2 주어진 관계식에 STEP 1에서 구한 식 대입하기

$$v_A{}^2=\frac{2m_A g}{D\rho S_A}$$

$$v_B{}^2=\frac{2m_B g}{D\rho S_B}=\frac{2\times 2\sqrt{2}\,m_A g}{D\rho\times 8S_A}=\frac{4\sqrt{2}\,m_A g}{8D\rho S_A}$$

STEP 3 지수법칙을 이용하여 $\left(\dfrac{v_A}{v_B}\right)^3$의 값 구하기

$$\frac{v_A{}^2}{v_B{}^2}=\frac{\dfrac{2m_A g}{D\rho S_A}}{\dfrac{4\sqrt{2}\,m_A g}{8D\rho S_A}}=2\sqrt{2}$$

$$\left(\frac{v_A}{v_B}\right)^2=2^{\frac{3}{2}}, \ \left\{\left(\frac{v_A}{v_B}\right)^2\right\}^{\frac{3}{2}}=(2^{\frac{3}{2}})^{\frac{3}{2}}$$

$$\therefore \left(\frac{v_A}{v_B}\right)^3=2^{\frac{9}{4}}$$

02 로그

01 답 (1) $4=\log_3 81$ (2) $0=\log_5 1$

(3) $-\dfrac{1}{2}=\log_{16}\dfrac{1}{4}$ (4) $3=\log_{\frac{1}{5}} 0.008$

02 답 (1) **8** (2) **2** (3) **7** (4) **25**

(1) $\log_2 x=3$에서 $x=2^3=8$

(2) $\log_{16} x=\dfrac{1}{4}$에서 $x=16^{\frac{1}{4}}=(2^4)^{\frac{1}{4}}=2$

(3) $\log_x 49=2$에서 $49=x^2$ $\therefore x=7$

(4) $\log_x 5=\dfrac{1}{2}$에서 $5=x^{\frac{1}{2}}$ $\therefore x=25$

03 답 (1) **3** (2) **2** (2) **−2** (4) **2**

(1) $\log_4 2+\log_4 32=\log_4 (2\times 32)=\log_4 64$
$$=\log_4 4^3=3\log_4 4=3$$

(2) $\log_2 12-\log_2 3=\log_2 \dfrac{12}{3}=\log_2 4=\log_2 2^2$
$$=2\log_2 2=2$$

(3) $\log_3 \dfrac{1}{9}=\log_3 3^{-2}=-2\log_3 3=-2$

(4) $\log_6 4+2\log_6 3=\log_6 4+\log_6 3^2=\log_6 (4\times 3^2)$
$$=\log_6 36=\log_6 6^2=2\log_6 6=2$$

04 답 (1) $\dfrac{3}{2}$ (2) **3** (3) **1** (4) **54**

(1) $\log_{25} 125=\log_{5^2} 5^3=\dfrac{3}{2}\log_5 5=\dfrac{3}{2}$

(2) $5^{\log_5 3}=3$

(3) $\log_2 9\times \log_3 \sqrt{2}=\log_2 3^2\times \log_3 2^{\frac{1}{2}}$
$$=2\log_2 3\times \dfrac{1}{2}\log_3 2=1$$

(4) $7^{\log_7 2}\times 8^{\log_2 3}=2^{\log_7 7}\times 3^{\log_2 8}=2^{\log_7 7}\times 3^{\log_2 2^3}$
$$=2\times 27=54$$

05 답 (1) **0.4829** (2) **0.4928** (3) **0.5051**
(4) **0.5105** (5) **0.9938** (6) **3.5092**

(5) $\log 3.14^2=2\log 3.14=2\times 0.4969=0.9938$

(6) $\log 3230=\log (10^3\times 3.23)=\log 10^3+\log 3.23$
$$=3+0.5092=3.5092$$

06 답 (1) **73800** (2) **0.0104**

(1) $\log x=4+0.8681$
$$=\log 10^4+\log 7.38$$
$$=\log (10^4\times 7.38)$$
$$=\log 73800$$
$$\therefore x=73800$$

(2) $\log 104=\log (10^2\times 1.04)=\log 10^2+\log 1.04$
$$=2+0.0170$$

이므로 $\log 1.04=0.0170$

$\log x=-1.9830=-1-0.9830$
$$=(-1-1)+(1-0.9830)$$
$$=-2+0.0170$$
$$=\log 10^{-2}+\log 1.04$$
$$=\log (10^{-2}\times 1.04)$$
$$=\log 0.0104$$
$$\therefore x=0.0104$$

01-1 답 (1) **6** (2) **2** (3) **81** (4) **256**

해결전략 | 로그의 정의를 이용하여 식을 세운다.

(1) $\log_{2\sqrt{2}} 512=a$에서 $(2\sqrt{2})^a=512$

$(2^{\frac{3}{2}})^a=2^9,\ 2^{\frac{3}{2}a}=2^9,\ \dfrac{3}{2}a=9$ $\therefore a=6$

(2) $\log_{16} a=0.25$에서

$a=16^{0.25}=16^{\frac{1}{4}}=(2^4)^{\frac{1}{4}}=2^1=2$

(3) **STEP1** 로그의 정의 이용하기

$\log_a 3\sqrt{3}=\dfrac{3}{8}$에서 $a^{\frac{3}{8}}=3\sqrt{3}$

STEP2 좌변에 a만 남도록 변형하기

$(a^{\frac{3}{8}})^{\frac{8}{3}}=(3^{\frac{3}{2}})^{\frac{8}{3}}$ $\therefore a=3^4=81$

(4) **STEP1** 로그의 정의 이용하기

$\log_{\frac{1}{2}}(\log_{16} a)=-1$에서 $\log_{16} a=\left(\dfrac{1}{2}\right)^{-1}=2$

STEP2 로그의 정의 이용하여 a의 값 구하기

$\log_{16} a=2$에서 $a=16^2=256$

01-2 답 **4**

해결전략 | 로그의 정의를 이용하여 a, b의 값을 각각 구한다.

$\log_{\sqrt{3}} a=4$에서 $a=(\sqrt{3})^4=3^2=9$

$\log_2 \dfrac{1}{32}=b$에서 $2^b=\dfrac{1}{32}=2^{-5}$ $\therefore b=-5$

$\therefore a+b=9+(-5)=4$

01-3 답 **243**

해결전략 | 로그의 정의를 이용하여 a, b의 값을 각각 구한다.

$\log_9 a=\dfrac{7}{2}$에서 $a=9^{\frac{7}{2}}=(3^2)^{\frac{7}{2}}=3^7$

$\log_b 81 = \frac{1}{3}$에서 $b^{\frac{1}{3}} = 81$

$\therefore b = (81)^3 = (3^4)^3 = 3^{12}$

$\therefore \dfrac{b}{a} = \dfrac{3^{12}}{3^7} = 3^5 = 243$

01-4 🖹 $\dfrac{1}{4}$

해결전략 | 로그의 정의를 이용하여 식의 값을 구한다.

$\log_2 \dfrac{a}{4} = b$에서 $\dfrac{a}{4} = 2^b$ $\therefore a = 4 \times 2^b$

$\therefore \dfrac{2^b}{a} = \dfrac{2^b}{4 \times 2^b} = \dfrac{1}{4}$

01-5 🖹 32

해결전략 | 로그의 정의를 이용하여 a, b의 값을 각각 구한다.

STEP1 로그의 정의를 이용하여 a의 값 구하기

$\log_2 (\log_a 2) = -1$에서 $\log_a 2 = 2^{-1} = \dfrac{1}{2}$

$a^{\frac{1}{2}} = 2$ $\therefore a = 2^2 = 4$

STEP2 로그의 정의를 이용하여 b의 값 구하기

$\log_2 \{\log_3 (\log_2 b)\} = 0$에서 $\log_3 (\log_2 b) = 1$

$\log_2 b = 3^1 = 3$ $\therefore b = 2^3 = 8$

$\therefore ab = 4 \times 8 = 32$

01-6 🖹 16

해결전략 | 두 직선이 평행할 조건을 식으로 나타낸다.

STEP1 두 직선이 평행할 조건을 이용하여 식 세우기

두 직선이 평행하므로

$\dfrac{1}{2} = \dfrac{-2}{-\log_2 a} \neq \dfrac{4}{6}$

STEP2 로그의 정의를 이용하여 a의 값 구하기

이때 $\log_2 a = 4$이므로 $a = 2^4 = 16$

> **🎯 풍쌤의 비법**
>
> **두 직선의 평행 조건**
> 두 직선 $ax + by + c = 0$, $a'x + b'y + c' = 0$이 평행
> $\iff \dfrac{a}{a'} = \dfrac{b}{b'} \neq \dfrac{c}{c'}$

필수유형 02   47쪽

02-1 🖹 2

해결전략 | 밑은 1이 아닌 양수, 진수는 양수일 x의 값의 범위를 구한다.

STEP1 (밑) > 0, (밑) ≠ 1인 범위 구하기

밑은 1이 아닌 양수이어야 하므로

$x > 0$, $x \neq 1$ ······ ㉠

STEP2 (진수) > 0인 범위 구하기

진수는 양수이어야 하므로

$-x^2 + 3x + 4 > 0$

$x^2 - 3x - 4 < 0$, $(x+1)(x-4) < 0$

$\therefore -1 < x < 4$ ······ ㉡

STEP3 공통 범위를 구하여 정수 x의 개수 구하기

㉠, ㉡을 동시에 만족시키는 x의 값의 범위는

$0 < x < 1$ 또는 $1 < x < 4$

따라서 정수 x의 개수는 2, 3의 2이다.

02-2 🖹 8

해결전략 | 밑은 1이 아닌 양수, 진수는 양수일 x의 값의 범위를 구한다.

STEP1 (밑) > 0, (밑) ≠ 1인 범위 구하기

밑은 1이 아닌 양수이어야 하므로

$a + 3 > 0$, $a + 3 \neq 1$

즉, $a > -3$, $a \neq -2$ ······ ㉠

STEP2 (진수) > 0인 범위 구하기

진수는 양수이어야 하므로

$-a^2 + 3a + 28 > 0$, $a^2 - 3a - 28 < 0$

$(a+4)(a-7) < 0$ $\therefore -4 < a < 7$ ······ ㉡

STEP3 공통 범위를 구하여 정수 x의 개수 구하기

㉠, ㉡을 동시에 만족시키는 a의 값의 범위는

$-3 < a < -2$ 또는 $-2 < a < 7$

따라서 정수 a의 개수는 -1, 0, 1, 2, 3, 4, 5, 6의 8이다.

02-3 🖹 4

해결전략 | 밑은 1이 아닌 양수, 진수는 양수일 x의 값의 범위를 구한다.

STEP1 (밑) > 0, (밑) ≠ 1인 범위 구하기

밑은 1이 아닌 양수이어야 하므로

$a - 2 > 0$, $a - 2 \neq 1$, 즉 $a > 2$, $a \neq 3$ ······ ㉠

STEP2 (진수) > 0인 범위 구하기

진수는 양수이어야 하므로

$x^2 - 4ax + 20a > 0$

모든 실수 x에 대하여 위 식이 성립하려면 이차방정식

$x^2 - 4ax + 20a = 0$의 판별식을 D라고 할 때

$\dfrac{D}{4} = (-2a)^2 - 20a = 4a(a-5) < 0$

$\therefore 0<a<5$ ...... ㉡

STEP 3 a의 값의 범위 구하기

㉠, ㉡을 동시에 만족시키는 a의 값의 범위는

$2<a<3$ 또는 $3<a<5$

따라서 정수 a의 값은 4이다.

02-4 달 4

해결전략 | 두 식에 대하여 밑은 1이 아닌 양수, 진수는 양수일 x의 값의 범위를 각각 구한다.

STEP 1 $\log_3(6-x)$가 정의되기 위한 조건 구하기

$\log_3(6-x)$가 정의되기 위한 조건은 진수가 양수이어야 하므로

$6-x>0$

$\therefore x<6$ ...... ㉠

STEP 2 $\log_x(-2x+14)$가 정의되기 위한 조건 구하기

$\log_x(-2x+14)$가 정의되기 위한 조건은 밑이 1이 아닌 양수이고, 진수가 양수이어야 하므로

$x>0$, $x\neq1$이고 $-2x+14>0$에서 $x<7$

$\therefore 0<x<1$ 또는 $1<x<7$ ...... ㉡

STEP 3 공통 범위를 구하여 정수 x의 개수 구하기

㉠, ㉡을 동시에 만족시키는 x의 값의 범위는

$0<x<1$ 또는 $1<x<6$

따라서 정수 x의 개수는 2, 3, 4, 5의 4이다.

02-5 달 4

해결전략 | 진수인 이차식이 모든 실수 x에 대하여 양수일 a의 값의 범위를 구한다.

STEP 1 $\log_{10}(ax^2-ax+1)$이 정의되기 위한 조건 이용하기

모든 실수 x에 대하여 $\log_{10}(ax^2-ax+1)$의 값이 정의되기 위해서는 진수가 양수이어야 하므로 모든 실수 x에 대하여 $ax^2-ax+1>0$이어야 한다.

STEP 2 $a=0$일 때와 $a\neq0$일 때로 나누어 a의 값의 범위 구하기

(ⅰ) $a=0$일 때

$1>0$이므로 성립한다.

(ⅱ) $a\neq0$일 때

$a>0$이고 이차방정식 $ax^2-ax+1=0$의 판별식을 D라고 하면 $D<0$이어야 하므로

$D=a^2-4a=a(a-4)<0$

$\therefore 0<a<4$

(ⅰ), (ⅱ)에 의하여 $0\le a<4$

STEP 3 $m+n$의 값 구하기

따라서 $m=0$, $n=4$이므로 $m+n=4$

02-6 달 5

해결전략 | 밑은 1이 아닌 양수이고, 진수인 이차식이 모든 실수 x에 대하여 양수일 a의 값의 공통 범위를 구한다.

STEP 1 (밑)>0, (밑)$\neq1$인 범위 구하기

밑은 1이 아닌 양수이어야 하므로

$(a-2)^2>0$, $(a-2)^2\neq1$

즉, $a\neq1$, $a\neq2$, $a\neq3$ ...... ㉠

STEP 2 (진수)>0인 범위 확인하기

진수는 양수이어야 하므로

모든 실수 x에 대하여 $ax^2+ax+2>0$이어야 한다.

STEP 3 $a=0$일 때와 $a\neq0$일 때로 나누어 a의 값의 범위 구하기

(ⅰ) $a=0$일 때

$2>0$이므로 성립한다.

(ⅱ) $a\neq0$일 때

$a>0$이고 이차방정식 $ax^2+ax+2=0$의 판별식을 D라고 하면 $D<0$이어야 하므로

$D=a^2-8a=a(a-8)<0$

$\therefore 0<a<8$

(ⅰ), (ⅱ)에 의하여 $0\le a<8$ ...... ㉡

STEP 4 공통 범위를 구하여 정수 a의 개수 구하기

㉠, ㉡을 동시에 만족시키는 a의 값의 범위는

$0\le a<1$ 또는 $1<a<2$ 또는 $2<a<3$ 또는 $3<a<8$

따라서 정수 a의 개수는 0, 4, 5, 6, 7의 5이다.

필수유형 03　　　　　　　　　　　　　　49쪽

03-1 달 (1) 0　(3) $3\log_3 5$

해결전략 | 로그의 성질을 이용하여 식을 간단히 한다.

(1) $4\log_5\sqrt[4]{3}-\dfrac{1}{2}\log_5 75+\dfrac{1}{2}\log_5\dfrac{25}{3}$

$=\log_5(\sqrt[4]{3})^4-\log_5\sqrt{75}+\log_5\sqrt{\dfrac{25}{3}}$

$=\log_5 3-\log_5 5\sqrt{3}+\log_5\dfrac{5\sqrt{3}}{3}$

$=\log_5\left(3\times\dfrac{1}{5\sqrt{3}}\times\dfrac{5\sqrt{3}}{3}\right)$

$=\log_5 1=0$

(2) $\log_3(6-\sqrt{11})+\log_3(6+\sqrt{11})-\dfrac{1}{2}\log_3\dfrac{1}{25}$

$=\log_3(6-\sqrt{11})(6+\sqrt{11})-\log_3\sqrt{\dfrac{1}{25}}$

$=\log_3 25-\log_3\dfrac{1}{5}$

$=\log_3 5^2-\log_3 5^{-1}$

$=2\log_3 5+\log_3 5=3\log_3 5$

03-2 답 -2

해결전략 | 로그의 성질을 이용하여 식을 간단히 한다.

$\log_3\left(1-\dfrac{1}{2}\right)+\log_3\left(1-\dfrac{1}{3}\right)+\log_3\left(1-\dfrac{1}{4}\right)$
$\qquad\qquad\qquad +\cdots+\log_3\left(1-\dfrac{1}{9}\right)$

$=\log_3\dfrac{1}{2}+\log_3\dfrac{2}{3}+\log_3\dfrac{3}{4}+\cdots+\log_3\dfrac{8}{9}$

$=\log_3\left(\dfrac{1}{2}\times\dfrac{2}{3}\times\dfrac{3}{4}\times\cdots\times\dfrac{8}{9}\right)$

$=\log_3\dfrac{1}{9}$

$=\log_3 3^{-2}$

$=-2$

03-3 답 45

해결전략 | 로그의 성질을 이용하여 식을 간단히 한다.

$\dfrac{1}{2}\log_2 4+\dfrac{2}{3}\log_2 8+\dfrac{3}{4}\log_2 16+\cdots+\dfrac{9}{10}\log_2 1024$

$=\dfrac{1}{2}\log_2 2^2+\dfrac{2}{3}\log_2 2^3+\dfrac{3}{4}\log_2 2^4+\cdots+\dfrac{9}{10}\log_2 2^{10}$

$=\dfrac{1}{2}\times2+\dfrac{2}{3}\times3+\dfrac{3}{4}\times4+\cdots+\dfrac{9}{10}\times10$

$=1+2+3+\cdots+9$

$=45$

03-4 답 23

해결전략 | 로그의 성질을 이용하여 각각의 식을 간단히 하여 a, b의 값을 구한다.

STEP1 a의 값 구하기

$\log_4(2\times2^2\times2^3\times2^4)=\log_4 2^{1+2+3+4}$
$\qquad\qquad\qquad\qquad =\log_4 2^{10}=\log_4 4^5=5$

$\therefore a=5$

STEP2 b의 값 구하기

$\log_2 2^2+\log_3 3^2+\cdots+\log_{10} 10^2$
$=\underbrace{2+2+\cdots+2}_{9개}=2\times9=18$

$\therefore b=18$

STEP3 $a+b$의 값 구하기

따라서 $a=5$, $b=18$이므로 $a+b=23$

03-5 답 512

해결전략 | 로그의 성질을 이용하여 식을 간단히 한다.

STEP1 주어진 식 정리하기

$\log_2 A=a$라고 하면 $A=2^a$이므로

$\log_2 1+\log_2 2+\log_2 4+\log_2 8+\cdots+\log_2 A$
$=\log_2 1+\log_2 2+\log_2 2^2+\log_2 2^3+\cdots+\log_2 2^a$
$=\log_2(1\times2\times2^2\times2^3\times\cdots\times2^a)$
$=\log_2 2^{0+1+2+3+\cdots+a}$
$=0+1+2+3+\cdots+a=45$

STEP2 A의 값 구하기

1부터 9까지의 자연수의 합이 45이므로 $a=9$

$\therefore A=2^a=2^9=512$

03-6 답 56

해결전략 | 로그의 정의와 로그의 성질을 이용하여 주어진 식을 변형한다.

STEP1 주어진 두 식을 x, y에 대한 식으로 나타내기

$\log_2(x+2y)=3$에서

$x+2y=2^3=8$ $\qquad\qquad\cdots\cdots$ ㉠

$\log_2 x+\log_2 y=1$에서

$\log_2 xy=1$이므로 $xy=2$ $\qquad\cdots\cdots$ ㉡

STEP2 x^2+4y^2의 값 구하기

㉠, ㉡에 의하여
$x^2+4y^2=(x+2y)^2-4xy=8^2-4\times2=56$

필수유형 04   51쪽

04-1 답 ④

해결전략 | $\dfrac{1}{a}-\dfrac{1}{b}$을 통분하여 주어진 식의 값을 대입한다.

$ab=\log_3 5$, $b-a=\log_2 5$이므로

$\dfrac{1}{a}-\dfrac{1}{b}=\dfrac{b-a}{ab}=\dfrac{\log_2 5}{\log_3 5}=\dfrac{\dfrac{1}{\log_5 2}}{\dfrac{1}{\log_5 3}}=\dfrac{\log_5 3}{\log_5 2}$

$\qquad\quad =\log_2 3$

04-2 답 (1) -1 (2) 0

해결전략 | 로그의 성질과 로그의 밑의 변환 공식을 이용하여 식의 값을 구한다.

(1) $\log_2(\log_3 2 \times \log_4 3)$

$= \log_2\left(\dfrac{\log_{10} 2}{\log_{10} 3} \times \dfrac{\log_{10} 3}{2\log_{10} 2}\right)$

$= \log_2 \dfrac{1}{2} = \log_2 2^{-1} = -1$

(2) $(\log_{12} 7)(\log_5 \sqrt{6} + \log_5 \sqrt{24}) - \dfrac{1}{\log_7 5}$

$= \log_{12} 7 \times \log_5 \sqrt{144} - \log_5 7$

$= \log_{12} 7 \times \log_5 12 - \log_5 7$

$= \log_{12} 7 \times \dfrac{1}{\log_{12} 5} - \log_5 7$

$= \dfrac{\log_{12} 7}{\log_{12} 5} - \log_5 7$

$= \log_5 7 - \log_5 7 = 0$

04-3 답 6

해결전략 | 로그의 성질을 이용하여 a의 값을 구하여 대입한다.

STEP1 a의 값 구하기

$a = \log_2 40 - \dfrac{1}{\log_5 2}$

$\quad = \log_2 40 - \log_2 5 = \log_2 8 = 3$

STEP2 식의 값 구하기

따라서 $a=3$을 대입하여 정리하면

$(\log_2 a + \log_4 a^2) \times \log_a 8$

$= (\log_2 3 + \log_4 3^2) \times \log_3 8$

$= \left(\dfrac{\log_{10} 3}{\log_{10} 2} + \dfrac{\log_{10} 3^2}{\log_{10} 4}\right) \times \dfrac{\log_{10} 2^3}{\log_{10} 3}$

$= \left(\dfrac{\log_{10} 3}{\log_{10} 2} + \dfrac{2\log_{10} 3}{2\log_{10} 2}\right) \times \dfrac{3\log_{10} 2}{\log_{10} 3}$

$= \dfrac{2\log_{10} 3}{\log_{10} 2} \times \dfrac{3\log_{10} 2}{\log_{10} 3} = 6$

04-4 답 $4\log_3 2$

해결전략 | 로그의 성질과 로그의 밑의 변환 공식을 이용하여 $a+b$의 값을 구한다.

STEP1 a의 값 구하기

$\dfrac{\log_5 2}{a} = \log_5 3$에서 $a = \dfrac{\log_5 2}{\log_5 3} = \log_3 2$

STEP2 b의 값 구하기

$\dfrac{\log_5 8}{b} = \log_5 3$에서 $b = \dfrac{\log_5 8}{\log_5 3} = \log_3 8$

STEP3 $a+b$의 값 구하기

따라서 $a = \log_3 2$, $b = \log_3 8$이므로

$a+b = \log_3 2 + \log_3 8$

$\quad = \log_3(2 \times 8)$

$\quad = \log_3 2^4 = 4\log_3 2$

04-5 답 5

해결전략 | 로그의 성질과 로그의 밑의 변환 공식을 이용하여 abc의 값을 구한다.

STEP1 a, b, c의 값 구하기

$\dfrac{\log_2 5}{a} = 2$에서 $a = \dfrac{1}{2}\log_2 5$

$\dfrac{\log_5 7}{b} = 2$에서 $b = \dfrac{1}{2}\log_5 7$

$\dfrac{\log_7 16}{c} = 2$에서 $c = \dfrac{1}{2}\log_7 16$

STEP2 abc의 값 구하기

$abc = \dfrac{1}{2}\log_2 5 \times \dfrac{1}{2}\log_5 7 \times \dfrac{1}{2}\log_7 16$

$\quad = \left(\dfrac{1}{2}\right)^3 \times \log_2 5 \times \log_5 7 \times \log_7 16$

$\quad = \dfrac{1}{8}\log_2 16 = \dfrac{1}{8}\log_2 2^4 = \dfrac{1}{2}$

STEP3 $(5^{ab})^{2c}$의 값 구하기

$\therefore (5^{ab})^{2c} = (5^2)^{abc} = 25^{abc} = 25^{\frac{1}{2}} = 5$

04-6 답 $\dfrac{1}{9}$

해결전략 | 로그의 성질과 밑의 변환 공식을 이용하여 주어진 식의 좌변을 간단히 한다.

STEP1 주어진 식의 좌변 간단히 하기

$\log_a(\log_2 3) + \log_a(\log_3 4) + \cdots + \log_a(\log_7 8)$

$= \log_a(\log_2 3 \times \log_3 4 \times \log_4 5 \times \cdots \times \log_7 8)$

$= \log_a\left(\dfrac{\log_2 3}{\log_2 2} \times \dfrac{\log_2 4}{\log_2 3} \times \dfrac{\log_2 5}{\log_2 4} \times \cdots \times \dfrac{\log_2 8}{\log_2 7}\right)$

$= \log_a\left(\dfrac{\log_2 8}{\log_2 2}\right)$

$= \log_a 3 = -\dfrac{1}{2}$

STEP2 a의 값 구하기

로그의 정의에 의하여 $a^{-\frac{1}{2}} = 3$

$\therefore a = 3^{-2} = \dfrac{1}{9}$

필수유형 05　　　　　　　　　53쪽

05-1 답 (1) $\dfrac{1}{4}$ (2) 8 (3) $\dfrac{1}{5}$

해결전략 | 로그의 여러 가지 성질과 밑의 변환 공식을 이용하여 식을 간단히 한다.

(1) $\left(\log_2 5 + \log_4 \dfrac{1}{5}\right)\left(\log_5 2 + \log_{25} \dfrac{1}{2}\right)$

$\quad = (\log_2 5 + \log_{2^2} 5^{-1})(\log_5 2 + \log_{5^2} 2^{-1})$

$\quad = \left(\log_2 5 - \dfrac{1}{2}\log_2 5\right)\left(\log_5 2 - \dfrac{1}{2}\log_5 2\right)$

$\quad = \dfrac{1}{2}\log_2 5 \times \dfrac{1}{2}\log_5 2 = \dfrac{1}{4}$

(2) $\log_2 9 \times \log_5 4 \times (\log_3 5 + \log_9 25)$

$\quad = \log_2 3^2 \times \log_5 2^2 \times (\log_3 5 + \log_{3^2} 5^2)$

$\quad = 2\log_2 3 \times 2\log_5 2 \times 2\log_3 5$

$\quad = 2^3 \times \dfrac{\log_{10} 3}{\log_{10} 2} \times \dfrac{\log_{10} 2}{\log_{10} 5} \times \dfrac{\log_{10} 5}{\log_{10} 3} = 8$

(3) $2^{3\log_2 5 - 2\log_{\frac{1}{2}} 4 - 4\log_2 10}$의 지수를 간단히 하면

$\quad 3\log_2 5 - 2\log_{\frac{1}{2}} 4 - 4\log_2 10$

$\quad = 3\log_2 5 - 2\log_{2^{-1}} 2^2 - 4\log_2 10$

$\quad = 3\log_2 5 + 4\log_2 2 - 4(\log_2 2 + \log_2 5)$

$\quad = 3\log_2 5 + 4 - 4 - 4\log_2 5$

$\quad = -\log_2 5$

$\quad \therefore 2^{3\log_2 5 - 2\log_{\frac{1}{2}} 4 - 4\log_2 10} = 2^{-\log_2 5} = 2^{\log_2 \frac{1}{5}} = \dfrac{1}{5}$

05-2 📋 $3\sqrt{10}$

해결전략 | 로그의 여러 가지 성질과 밑의 변환 공식을 이용하여 a의 값을 구한 다음 대입한다.

STEP1 주어진 식 간단히 하기

$\dfrac{4}{\log_3 25} + \log_{25} 10 - \dfrac{\log_{\sqrt{7}} 3}{\log_{\sqrt{7}} 5}$

$= 4\log_{25} 3 + \log_{25} 10 - \log_5 3$

$= 2\log_5 3 + \dfrac{1}{2}\log_5 10 - \log_5 3$

$= \log_5 3 + \log_5 \sqrt{10}$

$= \log_5 3\sqrt{10}$

STEP2 5^a의 값 구하기

따라서 $a = \log_5 3\sqrt{10}$이므로

$5^a = 5^{\log_5 3\sqrt{10}} = 3\sqrt{10}$

05-3 📋 16

해결전략 | $\log_a b \times \log_b a = 1$임을 이용하여 ab의 값을 구한다.

STEP1 $\log_a b$, $\log_b a$의 값을 a, b로 나타내기

$\dfrac{\log_a b}{2a} = \dfrac{3}{4}$에서 $\log_a b = \dfrac{3}{2}a$

$\dfrac{18\log_b a}{b} = \dfrac{3}{4}$에서 $\log_b a = \dfrac{b}{24}$

STEP2 ab의 값 구하기

$\log_a b \times \log_b a = \log_a b \times \dfrac{1}{\log_a b} = 1$이므로

$\log_a b \times \log_b a = \dfrac{3}{2}a \times \dfrac{b}{24} = 1$, $\dfrac{ab}{16} = 1$

$\therefore ab = 16$

05-4 📋 25

해결전략 | 밑의 변환 공식을 이용하여 a, b를 밑이 2인 로그로 나타낸 후 대입한다.

STEP1 a, b의 값 구하기

$8^a = 9$에서 $a = \log_8 9 = \dfrac{\log_2 9}{\log_2 8} = \dfrac{2\log_2 3}{3}$

$b = \log_{27} 125 = \dfrac{\log_2 125}{\log_2 27} = \dfrac{3\log_2 5}{3\log_2 3} = \dfrac{\log_2 5}{\log_2 3}$

STEP2 ab의 값 구하기

$ab = \dfrac{2\log_2 3}{3} \times \dfrac{\log_2 5}{\log_2 3} = \dfrac{2\log_2 5}{3} = \dfrac{2}{3}\log_2 5$

STEP3 8^{ab}의 값 구하기

$\therefore 8^{ab} = 8^{\frac{2}{3}\log_2 5} = 2^{\log_2 25} = 25$

05-5 📋 $b < c < a$

해결전략 | 로그의 여러 가지 성질과 밑의 변환 공식을 이용하여 식을 간단히 한 다음 대입한다.

STEP1 밑을 2로 하여 a, b, c 간단히 하기

$a = \log_{\frac{1}{4}} 5 = \log_{2^{-2}} 5 = -\dfrac{1}{2}\log_2 5$ $\qquad \cdots\cdots$ ㉠

$b = 2\log_{\frac{1}{2}} \sqrt{5} = \log_{\frac{1}{2}} 5 = \log_{2^{-1}} 5 = -\log_2 5$

또, $2^{ac} = 5$에서 $ac = \log_2 5$이므로 ㉠을 대입하면

$\left(-\dfrac{1}{2}\log_2 5\right) \times c = \log_2 5$ $\qquad \therefore c = -2$

STEP2 a, b, c의 크기 비교하기

한편, $\log_2 4 < \log_2 5 < \log_2 8$, 즉 $2 < \log_2 5 < 3$이므로

$-\dfrac{3}{2} < -\dfrac{1}{2}\log_2 5 < -1$, $-3 < -\log_2 5 < -2$

즉, $-\log_2 5 < -2 < -\dfrac{1}{2}\log_2 5$이므로

$b < c < a$

05-6 📋 99

해결전략 | 로그의 여러 가지 성질을 이용하여 $f(n)$을 간단히 한 다음 식의 값을 구한다.

STEP1 주어진 식 간단히 하기

$f(n) = \dfrac{1}{\log_{\left(\frac{n+3}{n+2}\right)^2} 3^2} = \log_3 \dfrac{n+3}{n+2}$

STEP2 식의 값 구하기

$$\therefore f(1)+f(2)+f(3)+\cdots+f(3^{100}-3)$$
$$=\log_3\frac{4}{3}+\log_3\frac{5}{4}+\log_3\frac{6}{5}+\cdots+\log_3\frac{3^{100}}{3^{100}-1}$$
$$=\log_3\left(\frac{4}{3}\times\frac{5}{4}\times\frac{6}{5}\times\cdots\times\frac{3^{100}}{3^{100}-1}\right)$$
$$=\log_3\frac{3^{100}}{3}=\log_3 3^{99}=99$$

필수유형 06   55쪽

06-1 답 $2a-b-1$

해결전략 | 로그의 성질을 이용하여 $\log_5\frac{4}{15}$ 를 $\log_5 2$, $\log_5 3$ 으로 나타낸다.

$$\log_5\frac{4}{15}=\log_5 4-\log_5 15$$
$$=\log_5 2^2-(\log_5 3+\log_5 5)$$
$$=2\log_5 2-\log_5 3-1 \;\leftarrow\log_5 2=a,\,\log_5 3=b$$
$$=2a-b-1$$

06-2 답 $\dfrac{5a-b}{3}$

해결전략 | 로그의 성질을 이용하여 $\log_{10} 45$를 $\log_{10} 3$, $\log_{10} 5$로 나타낸다.

STEP1 a, b를 $\log_{10} 3$, $\log_{10} 5$의 합 또는 차로 나타내기

$a=\log_{10} 15=\log_{10} 3+\log_{10} 5$

$b=\log_{10}\dfrac{25}{3}=\log_{10} 25-\log_{10} 3=2\log_{10} 5-\log_{10} 3$

STEP2 $\log_{10} 3$, $\log_{10} 5$를 a, b를 사용한 식으로 나타내기

$a+b=3\log_{10} 5$이므로 $\log_{10} 5=\dfrac{a+b}{3}$

$2a-b=3\log_{10} 3$이므로 $\log_{10} 3=\dfrac{2a-b}{3}$

STEP3 $\log_{10} 45$를 a, b를 사용한 식으로 나타내기

$$\therefore \log_{10} 45=\log_{10}(3^2\times 5)=2\log_{10} 3+\log_{10} 5$$
$$=\frac{4a-2b}{3}+\frac{a+b}{3}=\frac{5a-b}{3}$$

06-3 답 $\dfrac{3a+2b}{3}$

해결전략 | 로그의 성질을 이용하여 $\log_3 20$을 $\log_3 2$, $\log_3 5$ 로 나타낸다.

STEP1 $\log_3 2$, $\log_3 5$를 a, b를 사용한 식으로 나타내기

$3^a=5$에서 $a=\log_3 5$

$3^b=8$에서 $b=\log_3 8=\log_3 2^3=3\log_3 2$

$$\therefore \log_3 2=\frac{b}{3}$$

STEP2 $\log_3 20$을 a, b를 사용한 식으로 나타내기

$$\therefore \log_3 20=\log_3(2^2\times 5)=2\log_3 2+\log_3 5$$
$$=\frac{2b}{3}+a=\frac{3a+2b}{3}$$

06-4 답 $\dfrac{2}{a-1}$

해결전략 | $\log_2 3$을 a로 나타낸 후 $\log_6 4$를 a로 나타낸다.

STEP1 $\log_2 3$을 a를 사용한 식으로 나타내기

$\log_2 12=\log_2(2^2\times 3)=\log_2 2^2+\log_2 3=2+\log_2 3=a$ 이므로

$\log_2 3=a-2$

STEP2 $\log_6 4$를 a를 사용한 식으로 나타내기

$$\therefore \log_6 4=\frac{\log_2 4}{\log_2 6}=\frac{\log_2 2^2}{\log_2(2\times 3)}=\frac{\log_2 2^2}{\log_2 2+\log_2 3}$$
$$=\frac{2}{1+(a-2)}=\frac{2}{a-1}$$

06-5 답 $1-m$

해결전략 | $3\sqrt{2}-3=\dfrac{(3\sqrt{2}-3)(3\sqrt{2}+3)}{3\sqrt{2}+3}$ 임을 이용하여 $\log_9(3\sqrt{2}-3)$을 m을 사용한 식으로 나타낸다.

$$\log_9(3\sqrt{2}-3)=\log_9\frac{(3\sqrt{2}-3)(3\sqrt{2}+3)}{3\sqrt{2}+3}$$
$$=\log_9\frac{(3\sqrt{2})^2-3^2}{3\sqrt{2}+3}$$
$$=\log_9\frac{9}{3\sqrt{2}+3}$$
$$=\log_9 9-\log_9(3\sqrt{2}+3)$$
$$=1-m \quad\longrightarrow \log_9(3\sqrt{2}+3)=m$$

06-6 답 $\dfrac{a+2b}{2a+b}$

해결전략 | 로그의 성질을 이용하여 $f(\log_3 6)$의 값을 $\log_{10} 2$, $\log_{10} 3$으로 나타낸다.

STEP1 $f(\log_3 6)$의 값 구하기

$f(\log_3 6)=\dfrac{\log_3 6+1}{2\log_3 6-1}$ 에서

$\log_3 6+1=\log_3 6+\log_3 3=\log_3 18$

$2\log_3 6-1=\log_3 6^2-\log_3 3=\log_3 12$

이므로 $f(\log_3 6)=\dfrac{\log_3 18}{\log_3 12}$ $\longrightarrow \log_3\dfrac{6^2}{3}=\log_3 12$

STEP2 $f(\log_3 6)$의 값을 a, b로 나타내기

$$\therefore f(\log_3 6) = \frac{\log_3 18}{\log_3 12} = \frac{\dfrac{\log_{10} 18}{\log_{10} 3}}{\dfrac{\log_{10} 12}{\log_{10} 3}} = \frac{\log_{10} 18}{\log_{10} 12}$$

$$= \frac{\log_{10}(2 \times 3^2)}{\log_{10}(2^2 \times 3)} = \frac{\log_{10} 2 + 2\log_{10} 3}{2\log_{10} 2 + \log_{10} 3}$$

$$= \frac{a + 2b}{2a + b}$$

◉→ 다른 풀이

STEP1 $\log_3 6$을 a, b에 대한 식으로 나타내기

$$\log_3 6 = \frac{\log_{10} 6}{\log_{10} 3} = \frac{\log_{10}(2 \times 3)}{\log_{10} 3}$$

$$= \frac{\log_{10} 2 + \log_{10} 3}{\log_{10} 3} = \frac{a + b}{b}$$

STEP2 $f(\log_3 6)$의 값을 a, b로 나타내기

$$\therefore f(\log_3 6) = f\left(\frac{a+b}{b}\right) = \frac{\dfrac{a+b}{b} + 1}{2 \times \dfrac{a+b}{b} - 1}$$

$$= \frac{\dfrac{a+2b}{b}}{\dfrac{2a+b}{b}} = \frac{a+2b}{2a+b}$$

필수유형 07 57쪽

07-1 답 $\dfrac{2}{3}$

해결전략 | 주어진 조건에서 $\log_a b$의 값을 구하여 대입한다.

STEP1 $\log_a b$의 값 구하기

$a^3 = b^4$에서 양변에 a를 밑으로 하는 로그를 취하면

$$\log_a a^3 = \log_a b^4$$

$$3 = 4\log_a b$$

$$\therefore \log_a b = \frac{3}{4}$$

STEP2 대입하여 식의 값 구하기

$$\therefore \frac{8}{9}\log_a b = \frac{8}{9} \times \frac{3}{4} = \frac{2}{3}$$

07-2 답 $\dfrac{3}{2}$

해결전략 | 주어진 조건에서 a, c 사이의 관계식을 구하여 대입한다.

STEP1 a, c 사이의 관계 알기

$\log_a b : \log_c b = 2 : 1$이므로 $\log_a b = 2\log_c b$

밑의 변환 공식에 의하여

$$\frac{1}{\log_b a} = \frac{2}{\log_b c}, \ 2\log_b a = \log_b c$$

$$\therefore c = a^2 \qquad \cdots\cdots \ \bigcirc$$

STEP2 대입하여 식의 값 구하기

$\bigcirc$을 $\log_a c - \log_c a$에 대입하면

$$\log_a c - \log_c a = \log_a a^2 - \log_{a^2} a$$

$$= 2\log_a a - \frac{1}{2}\log_a a$$

$$= 2 - \frac{1}{2} = \frac{3}{2}$$

07-3 답 0

해결전략 | x, y, z를 밑이 3인 로그로 나타내어 대입한다.

STEP1 x, y, z를 로그를 이용하여 나타내기

$3^x = 2^y = 6^z = k \, (k > 0)$로 놓으면 $xyz \neq 0$이므로 $k \neq 1$

$3^x = k$, $2^y = k$, $6^z = k$에서 로그의 정의에 의하여

$$x = \log_3 k, \ y = \log_2 k, \ z = \log_6 k \qquad \begin{array}{l} a^x = k \\ \Leftrightarrow x = \log_a k \end{array}$$

STEP2 x, y, z를 대입하여 식의 값 구하기

$$\therefore \frac{1}{x} + \frac{1}{y} - \frac{1}{z} = \frac{1}{\log_3 k} + \frac{1}{\log_2 k} - \frac{1}{\log_6 k}$$

$$= \log_k 3 + \log_k 2 - \log_k 6$$

$$= \log_k \frac{3 \times 2}{6} = \log_k 1 = 0$$

◉→ 다른 풀이

STEP1 3, 2, 6을 k^r 꼴로 나타내기

$3^x = 2^y = 6^z = k \, (k > 0)$로 놓으면 $xyz \neq 0$이므로 $k \neq 1$

$3^x = k$에서 $3 = k^{\frac{1}{x}}$ $\qquad \cdots\cdots \ \bigcirc$

$2^y = k$에서 $2 = k^{\frac{1}{y}}$ $\qquad \cdots\cdots \ \bigcirc$

$6^z = k$에서 $6 = k^{\frac{1}{z}}$ $\qquad \cdots\cdots \ \bigcirc$

STEP2 지수법칙을 이용하여 식의 값 구하기

$\bigcirc \times \bigcirc \div \bigcirc$을 하면 $1 = k^{\frac{1}{x} + \frac{1}{y} - \frac{1}{z}}$

이때 $k \neq 1$이므로 $\dfrac{1}{x} + \dfrac{1}{y} - \dfrac{1}{z} = 0$

07-4 답 28

해결전략 | a, b, c를 한 문자에 대하여 나타낸 후 대입한다.

STEP1 a, b, c를 k에 대하여 나타내기

$\log_{27} a = \log_{\sqrt{3}} b = \log_{81} c = k$로 놓으면 로그의 정의에 의하여

$$a = 27^k = 3^{3k}$$

$$b = (\sqrt{3})^k = \sqrt{3^k} = 3^{\frac{1}{2}k}$$

$$c = 81^k = 3^{4k}$$

STEP2 a, b, c를 대입하여 식의 값 구하기

$$\therefore \frac{1}{\log_{ac}\sqrt{b}} = \log_{\sqrt{b}} ac$$
$$= 2\log_b ac = 2\log_{3^{\frac{1}{2}k}}(3^{3k} \times 3^{4k})$$
$$= 2\log_{3^{\frac{1}{2}k}} 3^{7k}$$
$$= 2 \times \frac{2}{k} \times 7k$$
$$= 28$$

07-5 답 75

해결전략 | a, b, c를 로그로 나타내어 대입한다.

STEP1 조건 ㈎에서 a, b, c를 로그를 이용하여 나타내기

조건 ㈎에서 $3^a = 5^b = k^c = d$ $(d > 1)$로 놓으면

$$a = \log_3 d, \quad b = \log_5 d, \quad c = \log_k d \qquad \cdots\cdots ㉠$$

STEP2 조건 ㈏를 이용하여 a, b, c 사이의 관계식 구하기

조건 ㈏에서

$$\log c = \log(2ab) - \log(2a+b) = \log \frac{2ab}{2a+b}$$

이므로 $c = \dfrac{2ab}{2a+b}$

$$\therefore c(2a+b) = 2ab \qquad \cdots\cdots ㉡$$

STEP3 k^2의 값 구하기

㉠을 ㉡에 대입하면

$$\log_k d(2\log_3 d + \log_5 d) = 2\log_3 d \times \log_5 d$$

$$\frac{1}{\log_d k}\left(\frac{2}{\log_d 3} + \frac{1}{\log_d 5}\right) = \frac{2}{\log_d 3} \times \frac{1}{\log_d 5}$$

$$\frac{1}{\log_d k} \times \frac{2}{\log_d 3} + \frac{1}{\log_d k} \times \frac{1}{\log_d 5}$$

$$= \frac{2}{\log_d 3} \times \frac{1}{\log_d 5}$$

양변에 $\log_d k \times \log_d 3 \times \log_d 5$를 곱하면

$2\log_d 5 + \log_d 3 = 2\log_d k$이므로

$$\log_d(5^2 \times 3) = \log_d k^2$$

$$\therefore k^2 = 75$$

◉→ 다른 풀이

STEP1 조건 ㈏를 이용하여 a, b, c 사이의 관계식 구하기

조건 ㈏에서

$$\log c = \log(2ab) - \log(2a+b) = \log\frac{2ab}{2a+b}$$

이므로

$$c = \frac{2ab}{2a+b}, \quad \frac{1}{c} = \frac{2a+b}{2ab}$$

따라서 $\dfrac{1}{c} = \dfrac{1}{b} + \dfrac{1}{2a}$이므로

$$1 = \frac{c}{b} + \frac{c}{2a}$$

STEP2 STEP1과 조건 ㈎를 이용하여 k^2의 값 구하기

조건 ㈎에 의하여 $3 = k^{\frac{c}{a}}$, $5 = k^{\frac{c}{b}}$ $\qquad \cdots\cdots ㉠$

이때

$$k^{\frac{c}{b}+\frac{c}{2a}} = k^{\frac{c}{b}} \times k^{\frac{c}{2a}} = k^{\frac{c}{b}} \times (k^{\frac{c}{a}})^{\frac{1}{2}} = k^{\frac{c}{b}} \times \sqrt{k^{\frac{c}{a}}}$$

이므로 $k^1 = 5\sqrt{3}$ $(\because ㉠)$

$$\therefore k^2 = (5\sqrt{3})^2 = 75$$

07-6 답 $\dfrac{34}{25}$

해결전략 | 구하는 식을 밑의 변환 공식을 이용하여 밑이 a, b, c인 로그로 나타낸 후 주어진 식의 값을 대입한다.

STEP1 $\log_a b = \alpha$, $\log_b c = \beta$, $\log_c a = \gamma$로 놓고 $\alpha\beta\gamma$, $\alpha+\beta+\gamma$, $\alpha\beta+\beta\gamma+\gamma\alpha$의 값 구하기

$\log_a b = \alpha$, $\log_b c = \beta$, $\log_c a = \gamma$라고 하면

$$\alpha\beta\gamma = \log_a b \times \log_b c \times \log_c a = 1$$

$$\log_a b + \log_b c + \log_c a = \alpha + \beta + \gamma = \frac{7}{2}$$

$$\log_{b^2} a + \log_{c^2} b + \log_{a^2} c$$

$$= \frac{1}{2}\left(\frac{1}{\log_a b} + \frac{1}{\log_b c} + \frac{1}{\log_c a}\right) = \frac{1}{2}\left(\frac{1}{\alpha} + \frac{1}{\beta} + \frac{1}{\gamma}\right)$$

$$= \frac{\alpha\beta + \beta\gamma + \gamma\alpha}{2\alpha\beta\gamma} = \frac{\alpha\beta + \beta\gamma + \gamma\alpha}{2} = \frac{7}{2}$$

이므로 $\alpha\beta + \beta\gamma + \gamma\alpha = 7$

STEP2 식의 값 구하기

$$\therefore \log_{ab} a + \log_{bc} b + \log_{ca} c$$

$$= \frac{1}{\log_a ab} + \frac{1}{\log_b bc} + \frac{1}{\log_c ca}$$

$$= \frac{1}{1+\alpha} + \frac{1}{1+\beta} + \frac{1}{1+\gamma}$$

$$= \frac{(1+\alpha)(1+\beta) + (1+\beta)(1+\gamma) + (1+\gamma)(1+\alpha)}{(1+\alpha)(1+\beta)(1+\gamma)}$$

$$= \frac{(\alpha\beta+\beta\gamma+\gamma\alpha) + 2(\alpha+\beta+\gamma) + 3}{1 + (\alpha+\beta+\gamma) + (\alpha\beta+\beta\gamma+\gamma\alpha) + \alpha\beta\gamma}$$

$$= \frac{7+7+3}{1+\frac{7}{2}+7+1} = \frac{34}{25}$$

필수유형 08 59쪽

08-1 답 -1

해결전략 | 이차방정식의 근과 계수의 관계를 이용하여 두 근의 합과 곱을 구한 다음 식에 대입한다.

STEP1 두 근의 합과 곱 구하기

이차방정식의 근과 계수의 관계에 의하여

$\alpha+\beta=18$, $\alpha\beta=6$

STEP 2 식에 대입하기

$\therefore \log_2(\alpha+\beta)-2\log_2\alpha\beta=\log_2 18-2\log_2 6$

$$=\log_2 18-\log_2 6^2$$

$$=\log_2\frac{18}{36}=\log_2\frac{1}{2}=-1$$

08-2 답 $-\dfrac{1}{2}$

해결전략 | 이차방정식의 근과 계수의 관계를 이용하여 두 근의 합과 곱을 구한 다음 변형한 식에 대입한다.

STEP 1 두 근의 합과 곱 구하기

이차방정식의 근과 계수의 관계에 의하여

$\alpha+\beta=4$, $\alpha\beta=2$

STEP 2 식에 대입하기

$\therefore \log_{\alpha+\beta}\left(\alpha-\dfrac{3}{\beta}\right)+\log_{\alpha+\beta}\left(\beta-\dfrac{3}{\alpha}\right)$

$$=\log_{\alpha+\beta}\left(\alpha-\dfrac{3}{\beta}\right)\left(\beta-\dfrac{3}{\alpha}\right)$$

$$=\log_{\alpha+\beta}\left(\alpha\beta-3-3+\dfrac{9}{\alpha\beta}\right)$$

$$=\log_4\left(2-3-3+\dfrac{9}{2}\right)$$

$$=\log_4\dfrac{1}{2}=\log_{2^2}2^{-1}=-\dfrac{1}{2}$$

08-3 답 1000

해결전략 | 이차방정식의 근과 계수의 관계를 이용하여 a, b에 대한 식을 구한다.

STEP 1 두 근의 합과 곱 구하기

이차방정식의 근과 계수의 관계에 의하여

$\log_a 10+\log_b 10=3$, $\log_a 10\times\log_b 10=1$

STEP 2 $\log_{10}a+\log_{10}b$의 값 구하기

$\log_a 10\times\log_b 10=1$에서 밑의 변환 공식에 의하여

$$\frac{1}{\log_{10}a}\times\frac{1}{\log_{10}b}=1,\ \log_{10}a\times\log_{10}b=1$$

$\log_a 10+\log_b 10=3$에서 밑의 변환 공식에 의하여

$$\frac{1}{\log_{10}a}+\frac{1}{\log_{10}b}=3,\ \frac{\log_{10}a+\log_{10}b}{\log_{10}a\times\log_{10}b}=3$$

이때 $\log_{10}a\times\log_{10}b=1$이므로

$$\log_{10}a+\log_{10}b=3$$

STEP 3 ab의 값 구하기

$\log_{10}ab=3$

$\therefore ab=10^3=1000$

08-4 답 2

해결전략 | 이차방정식의 근과 계수의 관계를 이용하여 두 근의 합과 곱을 구한 다음 a의 값을 구한다.

STEP 1 두 근의 합과 곱 구하기

이차방정식의 근과 계수의 관계에 의하여

$\alpha+\beta=5$, $\alpha\beta=5$

STEP 2 a의 값 구하기

$(\alpha-\beta)^2=(\alpha+\beta)^2-4\alpha\beta=5^2-20=5$에서

$a=\alpha-\beta=\sqrt{5}\ (\because \alpha>\beta)$

STEP 3 식에 대입하기

$\therefore \log_a\alpha+\log_a\beta=\log_a\alpha\beta=\log_{\sqrt{5}}5$

$$=\log_{5^{\frac{1}{2}}}5=2$$

08-5 답 -5

해결전략 | 이차방정식의 근과 계수의 관계를 이용하여 a, b 사이의 관계를 파악하고 대입하여 값을 구한다.

STEP 1 두 근의 합과 곱 구하기

이차방정식의 근과 계수의 관계에 의하여

$\log_3 a+\log_b 9=-p$ ...... ㉠

$\log_3 a\times\log_b 9=4$

$\log_3 a\times\log_b 9=\dfrac{\log_{10}a}{\log_{10}3}\times\dfrac{\log_{10}9}{\log_{10}b}$

$$=\frac{\log_{10}a}{\log_{10}3}\times\frac{2\log_{10}3}{\log_{10}b}$$

$$=\frac{2\log_{10}a}{\log_{10}b}=2\log_b a=4$$

이므로 $\log_b a=2$ $\therefore a=b^2$

STEP 2 대입하여 a, b의 값 구하기

$a=b^2$을 $a+b=90$에 대입하면

$b^2+b-90=0$, $(b+10)(b-9)=0$

a, b는 진수와 밑의 조건에 의하여 양수이므로

$a=81$, $b=9$

STEP 3 p의 값 구하기

㉠에서 $\log_3 81+\log_9 9=-p$

$4+1=-p$

$\therefore p=-5$

08-6 답 24

해결전략 | 이차방정식의 근과 계수의 관계를 이용하여 α, β 사이의 관계를 파악하고 대입하여 값을 구한다.

STEP 1 두 근의 합과 곱 구하기

이차방정식의 근과 계수의 관계에 의하여

$\alpha+\beta=p$, $\alpha\beta=q$

STEP2 p, q에 대한 식 구하기

$\underline{\log_2(\alpha+\beta)=\log_2\alpha+\log_2\beta-1}$에서

$\log_2(\alpha+\beta)=\log_2\dfrac{\alpha\beta}{2}$이므로 ⟶ 진수의 조건에 의하여
$\alpha+\beta>0, \alpha>0, \beta>0$
$\therefore p>0, q>0$

$\alpha+\beta=\dfrac{\alpha\beta}{2}$

이때 $\alpha+\beta=p$, $\alpha\beta=q$이므로

$p=\dfrac{q}{2}$ $\quad\therefore q=2p$

STEP3 이차방정식의 판별식을 이용하여 $p+q$의 최솟값 구하기

한편, 이차방정식 $x^2-px+q=0$이 실근을 가지므로 판별식을 D라고 하면

$D=(-p)^2-4q=p^2-8p=p(p-8)\geq 0$

$\therefore p\leq 0$ 또는 $p\geq 8$

그런데 진수는 양수이어야 하므로 $p\geq 8$

따라서 $p+q=3p\geq 24$이므로 최솟값은 24이다.

◎ 풍쌤의 비법

이차방정식의 근의 판별

이차방정식 $ax^2+bx+c=0$의 판별식을 $D=b^2-4ac$라고 할 때

① $D>0$이면 서로 다른 두 실근을 갖는다.
② $D=0$이면 중근(서로 같은 두 실근)을 갖는다.
③ $D<0$이면 허근을 갖는다.

필수유형 09

61쪽

09-1 답 $\dfrac{21}{4}$

해결전략 | $\log_2 5$의 정수 부분과 소수 부분을 구한 다음 대입한다.

STEP1 x, y의 값 구하기

$2^2<5<2^3$이므로 $\log_2 2^2<\log_2 5<\log_2 2^3$

$\therefore 2<\log_2 5<3$

$\log_2 5$의 정수 부분은 2이므로 $x=2$

소수 부분은 $\log_2 5-2=\log_2 5-\log_2 4=\log_2\dfrac{5}{4}$이므로

$y=\log_2\dfrac{5}{4}$

STEP2 대입하여 식의 값 구하기

$\therefore 2^x+2^y=2^2+2^{\log_2\frac{5}{4}}=4+\dfrac{5}{4}=\dfrac{21}{4}$

09-2 답 $\dfrac{3}{2}$

해결전략 | $\log_3 54$의 정수 부분과 소수 부분을 구한 다음 대입한다.

STEP1 x의 값 구하기

$3^3<54<3^4$이므로 $\log_3 27<\log_3 54<\log_3 81$

$\therefore 3<\log_3 54<4$

즉, $\log_3 54$의 정수 부분은 3이므로 소수 부분은

$\log_3 54-3=\log_3 54-\log_3 27=\log_3\dfrac{54}{27}=\log_3 2$

$\therefore x=\log_3 2$

STEP2 대입하여 식의 값 구하기

$\therefore 3^x-3^{-x}=3^{\log_3 2}-3^{-\log_3 2}=2-\dfrac{1}{2}=\dfrac{3}{2}$

09-3 답 $\dfrac{21}{2}$

해결전략 | $\log_3 18$과 $\log_4 9$의 정수 부분과 소수 부분을 각각 구한 다음 대입한다.

STEP1 a의 값 구하기

$3^2<18<3^3$이므로 $\log_3 9<\log_3 18<\log_3 27$

$\therefore 2<\log_3 18<3$

즉, $\log_3 18$의 정수 부분은 2이므로 $a=2$

STEP2 b의 값 구하기

$\log_4 9=\log_{2^2} 3^2=\log_2 3$이고 $2<3<2^2$이므로

$\log_2 2<\log_2 3<\log_2 4$

$\therefore 1<\log_2 3<2$

즉, $\log_2 3$의 정수 부분은 1이고

소수 부분은 $\log_2 3-1$이므로 $b=\log_2 3-1$

STEP3 3^a+2^b의 값 구하기

$\therefore 3^a+2^b=3^2+2^{\log_2 3-1}$

$\qquad\qquad =9+2^{\log_2\frac{3}{2}}=9+\dfrac{3}{2}=\dfrac{21}{2}$

09-4 답 $\dfrac{7}{2}$

해결전략 | $\log_6 15$의 정수 부분과 소수 부분을 구한 다음 대입한다.

STEP1 n, α의 값 구하기

$6<15<6^2$이므로 $\log_6 6<\log_6 15<\log_6 36$

$\therefore 1<\log_6 15<2$

$\log_6 15$의 정수 부분은 1이므로 $n=1$

소수 부분은 $\log_6 15-1=\log_6 15-\log_6 6=\log_6\dfrac{15}{6}$

이므로

$a = \log_6 \frac{15}{6}$

STEP 2 대입하여 식의 값 구하기

$\therefore 6^n - 6^a = 6^1 - 6^{\log_6 \frac{15}{6}} = 6 - \frac{15}{6} = \frac{7}{2}$

09-5 답 8

해결전략 | a, b의 값을 구하여 주어진 지수식에 대입한 후 100의 배수가 될 조건을 생각한다.

STEP 1 a, b를 로그를 이용하여 나타내기

$2^6 < 65 < 2^7$이므로 $6 < \log_2 65 < 7$

즉, $\log_2 65$의 정수 부분은 6이므로

$a = \log_2 65 - 6 = \log_2 65 - \log_2 64 = \log_2 \frac{65}{64}$

$5^2 < 72 < 5^3$이므로 $2 < \log_5 72 < 3$

즉, $\log_5 72$의 정수 부분은 2이므로

$b = \log_5 72 - 2 = \log_5 72 - \log_5 25 = \log_5 \frac{72}{25}$

STEP 2 a, b의 값을 $2^{p+a} \times 5^{q+b}$에 대입하여 정리하기

$\therefore 2^{p+a} \times 5^{q+b} = 2^p \times 2^a \times 5^q \times 5^b$

$\qquad = 2^p \times 2^{\log_2 \frac{65}{64}} \times 5^q \times 5^{\log_5 \frac{72}{25}}$

$\qquad = 2^p \times \frac{5 \times 13}{2^6} \times 5^q \times \frac{2^3 \times 3^2}{5^2}$

$\qquad = 13 \times 3^2 \times 2^{p-3} \times 5^{q-1}$

STEP 3 STEP 2의 식이 100의 배수가 될 조건을 파악하여 $p+q$의 최솟값 구하기

$100 = 2^2 \times 5^2$이므로 $2^{p+a} \times 5^{q+b}$의 값이 100의 배수가 되기 위해서는

$p - 3 \geq 2$, $q - 1 \geq 2$

즉, $p \geq 5$, $q \geq 3$

따라서 $p + q$의 최솟값은 8이다.

09-6 답 21

해결전략 | α, β를 식으로 나타낸 다음 3^p이 최솟값을 갖는 경우를 생각한다.

STEP 1 α, β를 식으로 나타내기

$\log_a b = \alpha + \beta$이고

$x^2 - px + 2\log_3 7 = 2$에서

$x^2 - px + 2\log_3 7 - 2 = 0$

이 이차방정식의 해가 α, β이므로 근과 계수의 관계에 의하여

$\alpha + \beta = p = \log_a b$

$\alpha\beta = 2\log_3 7 - 2 = 2(\log_3 7 - 1) = 2\log_3 \frac{7}{3}$ ...... ㉠

STEP 2 3^p이 최솟값을 갖기 위한 조건 알아보기

3^p이 최솟값을 갖기 위해서는 p가 최솟값을 가져야 하고, $p = \log_a b$이므로 $\log_a b$의 최솟값을 구하면 된다.

또, $\log_a b$가 최솟값을 갖기 위해서는 정수 부분이 가장 작아야 하고 $a < b$이므로 정수 부분은 1 이상의 자연수이다.

STEP 3 α의 값에 따라 β가 소수 부분을 만족시키는지 확인하기

(i) $\alpha = 1$이면 ㉠에서 $\beta = 2\log_3 \frac{7}{3}$

이때 $2\log_3 \frac{7}{3} = \log_3 \frac{49}{9} > 1$이므로 β가 소수 부분이라는 조건을 만족시키지 못한다.

(ii) $\alpha = 2$이면 ㉠에서 $\beta = \log_3 \frac{7}{3}$이고 $0 < \log_3 \frac{7}{3} < 1$이므로 소수 부분의 조건을 만족시킨다.

STEP 4 최솟값 구하기

따라서 $\log_a b$의 최솟값은

$2 + \log_3 \frac{7}{3} = \log_3 9 + \log_3 \frac{7}{3} = \log_3 21$

이고 3^p의 최솟값은 $3^{\log_3 21} = 21$

필수유형 ⑩ 63쪽

10-1 답 -0.6628

해결전략 | 로그의 성질을 이용하여 구하는 상용로그의 진수를 6.04를 사용하여 나타낸다.

STEP 1 로그의 값 각각 구하기

$\log 0.0604 = \log \frac{6.04}{100}$

$\qquad = \log 6.04 - \log 100$

$\qquad = 0.7810 - 2 = -1.219$

$\log \sqrt[5]{604} = \frac{1}{5}\log(100 \times 6.04)$

$\qquad = \frac{1}{5}(\log 100 + \log 6.04)$

$\qquad = \frac{1}{5}(2 + 0.7810) = 0.5562$

STEP 2 로그의 값의 합 구하기

$\therefore \log 0.0604 + \log \sqrt[5]{604} = -1.219 + 0.5562$

$\qquad = -0.6628$

10-2 답 -0.0485

해결전략 | 로그의 성질을 이용하여 구하는 상용로그의 진수를 2를 사용하여 나타낸다.

STEP1 조건을 이용할 수 있도록 식 변형하기

$$\log \frac{\sqrt{20}}{5} = \log \sqrt{20} - \log 5$$

$$= \frac{1}{2}\log 20 - \log 5$$

$$= \frac{1}{2}\log(2^2 \times 5) - \log 5$$

$$= \frac{1}{2}(2\log 2 + \log 5) - \log 5$$

$$= \log 2 - \frac{1}{2}\log 5 = \log 2 - \frac{1}{2}(1 - \log 2)$$

$$= \frac{3}{2}\log 2 - \frac{1}{2} \quad \underset{\rightarrow}{\underline{}}\ \log 5 = \log \frac{10}{2}$$

$$= \log 10 - \log 2$$
$$= 1 - \log 2$$

STEP2 대입하여 식의 값 구하기

위의 식에 $\log 2 = 0.3010$을 대입하면

$$\frac{3}{2} \times 0.3010 - \frac{1}{2} = 0.4515 - 0.5 = -0.0485$$

10-3 🔖 1.3111

해결전략 | 상용로그표를 이용할 수 있도록 진수 $\sqrt{419}$를 4.19를 사용하여 나타낸다.

STEP1 $\log \sqrt{419}$를 간단히 하기

$$\log \sqrt{419} = \frac{1}{2}\log 419$$

$$= \frac{1}{2}\log(4.19 \times 100)$$

$$= \frac{1}{2}(\log 4.19 + \log 100)$$

$$= \frac{1}{2}(\log 4.19 + 2)$$

STEP2 상용로그표에서 로그값 구하기

상용로그표에서 $\log 4.19 = 0.6222$이므로

$$\log \sqrt{419} = \frac{1}{2} \times (0.6222 + 2)$$

$$= \frac{1}{2} \times 2.6222 = 1.3111$$

10-4 🔖 41.9

해결전략 | $\log 0.419$의 값을 이용하여 $\log 4.19$의 값을 구하고, 이를 이용하여 x의 값을 구한다.

STEP1 $\log 4.19$의 값 구하기

$\log 0.419 = -1 + 0.6222$이므로

$\log 0.419 + 1 = 0.6222$

$\log 0.419 + \log 10 = 0.6222$

$\log(0.419 \times 10) = 0.6222$

$\therefore \log 4.19 = 0.6222$

STEP2 x의 값 구하기

$$\log x = 1 + 0.6222 = 1 + \log 4.19$$

$$= \log 10 + \log 4.19$$

$$= \log 41.9$$

$$\therefore x = 41.9$$

10-5 🔖 0.0322

해결전략 | $\log x$의 값을 구하여 상용로그표를 이용할 수 있도록 변형한다.

STEP1 $\log x$의 값 구하기

$\log \dfrac{1}{x} = -\log x = 1.4921$에서

$$\log x = -1.4921 = -2 + (1 - 0.4921)$$

$$= -2 + 0.5079$$

STEP2 상용로그표에서 0.5079인 로그값 구하기

상용로그표에서 $\log 3.22 = 0.5079$이므로

$$\log x = \log \frac{1}{100} + \log 3.22$$

$$= \log\left(\frac{1}{100} \times 3.22\right)$$

$$= \log 0.0322$$

STEP3 x의 값 구하기

$\therefore x = 0.0322$

10-6 🔖 0.471

해결전략 | $\log k$의 값을 구하여 상용로그표를 이용할 수 있도록 변형한다.

STEP1 $\log k$의 값 구하기

$\log(453 \times k) = 2.3291$에서

$\log 453 + \log k = 2.3291$

STEP2 $\log k$의 값 변형하기

$$\log k = 2.3291 - \log 453$$

$$= 2.3291 - \log(4.53 \times 10^2)$$

$$= 2.3291 - (\log 4.53 + 2)$$

$$= 2.3291 - 0.6561 - 2$$

$$= -0.3270$$

$$= -1 + 0.6730$$

STEP3 상용로그표를 이용하여 k의 값 구하기

상용로그표에서 $\log 4.71 = 0.6730$이므로

$\log k = -1 + \log 4.71$

$$= \log(4.71 \times 10^{-1})$$

$$= \log 0.471$$

$\therefore k = 0.471$

11-1 🖪 정수 부분: 9, 소수 부분: 0.35

해결전략 | $\log x^2 + \log \sqrt[4]{x^3}$의 값을 구하여 정수 부분과 소수 부분을 구한다.

STEP1 $\log x^2 + \log \sqrt[4]{x^3}$의 값 구하기

$$\log x^2 + \log \sqrt[4]{x^3} = 2\log x + \frac{3}{4}\log x$$

$$= \frac{11}{4}\log x$$

$$= \frac{11}{4} \times 3.4 = 9.35$$

STEP2 $\log x^2 + \log \sqrt[4]{x^3}$의 정수 부분과 소수 부분 구하기

$\log x^2 + \log \sqrt[4]{x^3} = 9 + 0.35$이므로 $\log x^2 + \log \sqrt[4]{x^3}$의 정수 부분은 9, 소수 부분은 0.35이다.

11-2 🖪 -9

해결전략 | $\log x$의 값을 구하여 정수 부분과 소수 부분을 구한다.

STEP1 $\log x$의 값 구하기

$\log \sqrt{x} = \frac{1}{2}\log x = -\frac{8}{3}$이므로 $\log x = -\frac{16}{3}$

STEP2 $\log x$의 정수 부분과 소수 부분 구하기

$$\log x = -\frac{16}{3} = -5 - \frac{1}{3} = (-5-1) + \left(1 - \frac{1}{3}\right)$$

$$= -6 + \frac{2}{3}$$

따라서 $n = -6$, $\alpha = \frac{2}{3}$이므로 $\frac{n}{\alpha} = -9$

11-3 🖪 $\dfrac{4-4\alpha}{5}$

해결전략 | $\log A = 4 + \alpha$ $(0 \leq \alpha < 1)$임을 이용하여 $\log \dfrac{1}{\sqrt[5]{A^4}}$을 구한다.

STEP1 $\log \dfrac{1}{\sqrt[5]{A^4}}$을 α에 대한 식으로 나타내기

$\log A$의 정수 부분이 4, 소수 부분이 α이므로

$\log A = 4 + \alpha$ $(0 < \alpha < 1)$

$$\therefore \log \frac{1}{\sqrt[5]{A^4}} = \log A^{-\frac{4}{5}} = -\frac{4}{5}\log A$$

$$= -\frac{4}{5}(4+\alpha) = -\frac{16}{5} - \frac{4}{5}\alpha$$

STEP2 $\log \dfrac{1}{\sqrt[5]{A^4}}$의 정수 부분 구하기

이때 $0 < \alpha < 1$이므로

$$-\frac{4}{5} < -\frac{4}{5}\alpha < 0, \quad -4 < -\frac{16}{5} - \frac{4}{5}\alpha < -\frac{16}{5}$$

즉, $\log \dfrac{1}{\sqrt[5]{A^4}}$의 정수 부분은 -4이다.

STEP3 $\log \dfrac{1}{\sqrt[5]{A^4}}$의 소수 부분을 α에 대한 식으로 나타내기

따라서 $\log \dfrac{1}{\sqrt[5]{A^4}}$의 소수 부분은

$$\log \frac{1}{\sqrt[5]{A^4}} - (-4) = -\frac{16}{5} - \frac{4}{5}\alpha - (-4) = \frac{4-4\alpha}{5}$$

▶참고 $0 < \alpha < 1$이므로

$$0 < 4 - 4\alpha < 4 \qquad \therefore 0 < \frac{4-4\alpha}{5} < \frac{4}{5}$$

11-4 🖪 900

해결전략 | $\log A$의 정수 부분이 n이면 $n \leq \log A < n+1$로 나타낼 수 있다.

STEP1 A의 값의 범위 구하기

$\log A$의 정수 부분이 2이므로

$2 \leq \log A < 3$, $10^2 \leq A < 10^3$

즉, $100 \leq A < 1000$

STEP2 자연수 A의 개수 구하기

따라서 A가 될 수 있는 자연수는 100부터 999까지이므로 자연수 A의 개수는 900이다.

▶참고 a부터 b까지의 자연수의 개수는 $b-a+1$이다. (단, $a < b$)

11-5 🖪 4962

해결전략 | $\log x$의 정수 부분의 규칙을 찾는다.

STEP1 x의 값의 범위에 따라 $f(x)$의 값 구하기

$1 \leq x < 10$일 때, $f(x) = 0$

$10 \leq x < 100$일 때, $f(x) = 1$

$100 \leq x < 1000$일 때, $f(x) = 2$

$1000 \leq x \leq 2023$일 때, $f(x) = 3$

STEP2 식의 값 구하기

$$\therefore f(1) + f(2) + f(3) + \cdots + f(2023)$$

$$= 0 \times 9 + 1 \times 90 + 2 \times 900 + 3 \times 1024$$

$$= 4962$$

11-6 🖪 68

해결전략 | $f(n)$을 α에 대한 식으로 나타내고 2α의 값의 범위를 구한 후 조건을 만족시키는 식을 세운다.

STEP1 α의 값의 범위 구하기

$f(n)$의 정수 부분이 1, 소수 부분이 α이므로

$\log n = 1 + \alpha$ $(0 \leq \alpha < 1)$

2α의 정수 부분이 1이므로 $1 \le 2\alpha < 2$

$\therefore \dfrac{1}{2} \le \alpha < 1$

STEP2 $\log n$의 값의 범위 구하기

이때 $\dfrac{3}{2} \le 1+\alpha < 2$이므로

$\dfrac{3}{2} \le \log n < 2$

STEP3 자연수 n의 개수 구하기

$10^{\frac{3}{2}} \le n < 10^2$, $10\sqrt{10} \le n < 100$

$3.1 < \sqrt{10} < 3.2$에서 $31 < 10\sqrt{10} < 32$이므로 자연수 n은 $32, 33, \cdots, 99$이다.

따라서 자연수 n의 개수는 68이다.

🧩 발전유형 12

67쪽

12-1 🗒 (1) 8자리 (2) 26자리

해결전략 | $\log N$의 정수 부분이 n이면 N은 $(n+1)$자리의 수이다.

(1) **STEP1 $\log 6^{10}$의 값 구하기**

$\log 6^{10} = 10\log 6 = 10\log(2 \times 3)$
$= 10(\log 2 + \log 3)$
$= 10(0.3010 + 0.4771)$
$= 7.781$

STEP2 몇 자리의 정수인지 구하기

따라서 $\log 6^{10}$의 정수 부분이 7이므로 6^{10}은 8자리의 정수이다.

(2) **STEP1 $\log 18^{20}$의 값 구하기**

$\log 18^{20} = 20\log 18 = 20\log(2 \times 3^2)$
$= 20(\log 2 + 2\log 3)$
$= 20(0.3010 + 2 \times 0.4771)$
$= 25.104$

STEP2 몇 자리의 정수인지 구하기

따라서 $\log 18^{20}$의 정수 부분이 25이므로 18^{20}은 26자리의 정수이다.

12-2 🗒 (1) 10째 자리 (2) 7째 자리

해결전략 | $\log N$의 정수 부분이 $-n$이면 N은 소수점 아래 n째 자리에서 처음으로 0이 아닌 숫자가 나타난다.

(1) **STEP1 $\log\left(\dfrac{1}{4}\right)^{15}$의 값 구하기**

$\log\left(\dfrac{1}{4}\right)^{15} = -15\log 4 = -15\log 2^2 = -30\log 2$

$= -30 \times \log 2 = -30 \times 0.3010$
$= -9.03 = -10 + 0.97$

STEP2 처음으로 0이 아닌 숫자가 나타나는 자리 구하기

따라서 $\log\left(\dfrac{1}{4}\right)^{15}$의 정수 부분이 -10이므로 $\left(\dfrac{1}{4}\right)^{15}$은 소수점 아래 10째 자리에서 처음으로 0이 아닌 숫자가 나타난다.

(2) **STEP1 $\log\left(\dfrac{1}{5}\right)^{9}$의 값 구하기**

$\log\left(\dfrac{1}{5}\right)^{9} = -9\log 5 = -9\log\dfrac{10}{2}$
$= -9 \times (1 - \log 2)$
$= -9 \times (1 - 0.3010)$
$= -6.291 = -7 + 0.709$

STEP2 처음으로 0이 아닌 숫자가 나타나는 자리 구하기

따라서 $\log\left(\dfrac{1}{5}\right)^{9}$의 정수 부분이 -7이므로 $\left(\dfrac{1}{5}\right)^{9}$은 소수점 아래 7째 자리에서 처음으로 0이 아닌 숫자가 나타난다.

12-3 🗒 (1) 3 (2) 1

해결전략 | 상용로그를 취한 값의 정수 부분과 소수 부분을 구한다.

(1) **STEP1 $\log 6^{20}$의 값 구하기**

$\log 6^{20} = 20\log 6 = 20(\log 2 + \log 3)$
$= 20(0.3010 + 0.4771)$
$= 15.562$

STEP2 최고 자리의 숫자 구하기

이때 $\log 4 = 2\log 2 = 2 \times 0.3010 = 0.6020$이므로
$\log 3 < 0.562 < \log 4$
$15 + \log 3 < 15.562 < 15 + \log 4$
$\log(3 \times 10^{15}) < \log 6^{20} < \log(4 \times 10^{15})$
$\therefore 3 \times 10^{15} < 6^{20} < 4 \times 10^{15}$
따라서 6^{20}의 최고 자리의 숫자는 3이다.

(2) **STEP1 $\log 9^{20}$의 값 구하기**

$\log 9^{20} = 20\log 9 = 20\log 3^2 = 40\log 3$
$= 40 \times 0.4771 = 19.084$

STEP2 최고 자리의 숫자 구하기

이때 $\log 1 = 0 < 0.084 < \log 2 = 0.3010$이므로
$\log 1 < 0.084 < \log 2$
$19 + \log 1 < 19.084 < 19 + \log 2$
$\log(1 \times 10^{19}) < \log 9^{20} < \log(2 \times 10^{19})$
$\therefore 1 \times 10^{19} < 9^{20} < 2 \times 10^{19}$
따라서 9^{20}의 최고 자리의 숫자는 1이다.

12-4 目 17자리

해결전략 | $\log N$의 정수 부분이 n이면 N은 $(n+1)$자리의 수이다.

STEP1 $\log A^3B$의 값 구하기

$$\begin{aligned}\log A^3B &= \log(2^{30} \times 5^{10}) \\ &= \log(2^{20} \times 10^{10}) \\ &= 20\log 2 + 10 \\ &= 20 \times 0.3010 + 10 \\ &= 16.02 \end{aligned}$$

STEP2 몇 자리의 정수인지 구하기

따라서 $\log A^3B$의 정수 부분이 16이므로 A^3B는 17자리의 정수이다.

12-5 目 68째 자리

해결전략 | $\log N$의 정수 부분이 $-n$이면 N은 소수점 아래 n째 자리에서 처음으로 0이 아닌 숫자가 나타난다.

STEP1 $\log A^{20}$의 값 구하기

$\log A = -3.36$이므로

$$\begin{aligned}\log A^{20} &= 20\log A \\ &= 20 \times (-3.36) \\ &= -67.2 = -68 + 0.8 \end{aligned}$$

STEP2 처음으로 0이 아닌 숫자가 나타나는 자리 구하기

따라서 $\log A^{20}$의 정수 부분이 -68이므로 A^{20}은 소수점 아래 68째 자리에서 처음으로 0이 아닌 숫자가 나타난다.

12-6 目 195

해결전략 | N이 n자리의 수이면 $\log N$의 정수 부분은 $n-1$이다.

STEP1 $\log 2^n$의 값의 범위를 이용하여 n의 값의 범위 구하기

2^n이 20자리의 수가 되어야 하므로 $\log 2^n$의 정수 부분은 19이어야 한다.

즉, $19 \le \log 2^n < 20$

$$19 \le n\log 2 < 20$$
$$19 \le 0.3n < 20$$
$$\therefore \frac{190}{3} \le n < \frac{200}{3}$$

STEP2 자연수 n의 값의 합 구하기

따라서 이를 만족시키는 자연수 n은 64, 65, 66이므로 구하는 합은

$$64 + 65 + 66 = 195$$

13-1 目 ㄹ

해결전략 | $\log A$의 소수 부분은 0 이상 1 미만인 수이다.

STEP1 $\log A$의 정수 부분과 소수 부분에 대한 식 세우기

$\log A = n + \alpha$ (n은 정수, $0 \le \alpha < 1$)라고 하면

STEP2 각 보기의 소수 부분 구하기

ㄱ. $\log 100A = \log 100 + \log A = (n+2) + \alpha$

ㄴ. $\log 0.1A = \log A - \log 10 = (n-1) + \alpha$

ㄷ. $1 + \log A = 1 + (n+\alpha) = (1+n) + \alpha$

ㄹ. $2\log A = 2n + 2\alpha$

따라서 $\log A$와 소수 부분이 항상 같지는 않은 것은 ㄹ이다.

▶참고 ㄹ에서 $\alpha = 0$이면 $\log A$와 소수 부분이 같지만 $0 < \alpha < 1$이면 $\log A$와 소수 부분이 같지 않다.

13-2 目 100

해결전략 | $\log x$의 값의 범위를 구하고, 조건을 만족시키는 식을 세운다.

STEP1 $\log x$의 값의 범위 구하기

$100 \le x < 1000$에서 $\log 100 \le \log x < \log 1000$

$$\therefore 2 \le \log x < 3$$

STEP2 소수 부분이 같음을 이용하여 x의 값 구하기

$\log x^4$의 소수 부분과 $\log x^3$의 소수 부분이 같으므로

$$\log x^4 - \log x^3 = 4\log x - 3\log 3 = \log x$$

이때 $\log x$는 정수이므로 $\log x = 2$

$$\therefore x = 100$$

13-3 目 $\sqrt[4]{10^{15}}$

해결전략 | $\log x$의 값의 범위를 구하고, 조건을 만족시키는 식을 세운다.

STEP1 $\log x$의 값의 범위 구하기

$1000 < x < 10000$에서 $\log 10^3 < \log x < \log 10^4$

$$\therefore 3 < \log x < 4 \qquad \cdots\cdots ㉠$$

STEP2 소수 부분의 합이 1임을 이용하여 x의 값 구하기

$$\log x + \log \sqrt[3]{x} = \log x + \frac{1}{3}\log x = \frac{4}{3}\log x$$

㉠에 의하여 $4 < \frac{4}{3}\log x < \frac{16}{3}$

$\log x$의 소수 부분과 $\log \sqrt[3]{x}$의 소수 부분의 합이 1이므로 $\frac{4}{3}\log x$는 정수이다.

즉, $\frac{4}{3}\log x = 5$에서 $\log x = \frac{15}{4}$

STEP3 x의 값 구하기

$$\therefore x=10^{\frac{15}{4}}=\sqrt[4]{10^{15}}$$

13-4 답 16

해결전략 | $\log x$의 값의 범위를 구하고, 조건을 만족시키는 식을 세운다.

STEP1 $\log x$의 값의 범위 구하기

조건 ㈎에서 $\log x$의 정수 부분이 5이므로

$$5\leq\log x<6 \qquad \cdots\cdots \bigcirc$$

STEP2 소수 부분이 같음을 이용하여 $\log x$의 값 구하기

$$\log x^2-\log\frac{1}{x}=2\log x+\log x=3\log x$$

㉠에 의하여 $15\leq 3\log x<18$

조건 ㈏에서 $\log x^2$의 소수 부분과 $\log\frac{1}{x}$의 소수 부분은 같으므로 $3\log x$는 정수이다.

즉, $3\log x=15$, 16, 17에서 $\log x=5$, $\dfrac{16}{3}$, $\dfrac{17}{3}$

STEP3 $\log A$의 값 구하기

$$\therefore x=10^5,\ 10^{\frac{16}{3}},\ 10^{\frac{17}{3}}$$

따라서 실수 x의 곱 A는

$$A=10^5\times 10^{\frac{16}{3}}\times 10^{\frac{17}{3}}=10^{16}$$

$$\therefore \log A=\log 10^{16}=16$$

13-5 답 1000

해결전략 | $\log x$의 값의 범위를 구하고, 조건을 만족시키는 식을 세운다.

STEP1 $\log x$의 값의 범위 구하기

조건 ㈎의 $f(x)=1$에서

$$1\leq\log x<2 \qquad \cdots\cdots \bigcirc$$

STEP2 $\log x$의 값 구하기

$$\log x+\log x^2=\log x+2\log x=3\log x$$

㉠에 의하여 $3\leq 3\log x<6$

조건 ㈏에서 $g(x)+g(x^2)=1$이므로 $3\log x$는 정수이다.

즉, $3\log x=3$, 4, 5에서 $\log x=1$, $\dfrac{4}{3}$, $\dfrac{5}{3}$

STEP3 x의 값의 곱 구하기

그런데 $x=10$이면 $\log x=1$, $\log x^2=2$가 되어 조건 ㈏를 만족시키지 않는다.

$$\therefore x=10^{\frac{4}{3}},\ 10^{\frac{5}{3}}$$

따라서 모든 실수 x의 값의 곱은

$$10^{\frac{4}{3}}\times 10^{\frac{5}{3}}=10^3=1000$$

◉→ 다른 풀이

$f(x)=1$이므로 $\log x$의 소수 부분을 α라고 하면

$$\log x=1+\alpha\ (0\leq\alpha<1)$$

$$\therefore \log x^2=2\log x=2(1+\alpha)=2+2\alpha$$

(i) $0\leq\alpha<\dfrac{1}{2}$일 때

$0\leq 2\alpha<1$에서 $\log x^2$의 소수 부분은 2α이고 $g(x)+g(x^2)=1$이므로

$$\alpha+2\alpha=1,\ 3\alpha=1 \qquad \therefore \alpha=\frac{1}{3}$$

즉, $\log x=1+\dfrac{1}{3}=\dfrac{4}{3}$이므로 $x=10^{\frac{4}{3}}$

(ii) $\dfrac{1}{2}\leq\alpha<1$일 때

$1\leq 2\alpha<2$에서 $\log x^2$의 소수 부분은 $2\alpha-1$이고 $g(x)+g(x^2)=1$이므로

$$\alpha+(2\alpha-1)=1,\ 3\alpha=2 \qquad \therefore \alpha=\frac{2}{3}$$

즉, $\log x=1+\dfrac{2}{3}=\dfrac{5}{3}$이므로 $x=10^{\frac{5}{3}}$

(i), (ii)에 의하여 모든 실수 x의 값의 곱은

$$10^{\frac{4}{3}}\times 10^{\frac{5}{3}}=10^3=1000$$

13-6 답 6

해결전략 | $\log a$와 $\log b$의 합이 정수임을 이용하여 순서쌍을 찾는다.

STEP1 $\log ab$의 값 파악하기

$\log a=m+\alpha$ (단, m은 정수, $0<\alpha<1$)

$\log b=n+\beta$ (단, n은 정수, $0<\beta<1$)

라고 하면

$$\log a+\log b=\log ab=n+m+1\ (\because \alpha+\beta=1)$$

따라서 $\log ab$는 정수이다.

STEP2 ab의 값 찾기

100보다 작은 자연수 a, b에 대하여 ab는 10의 거듭제곱이므로 ab가 될 수 있는 값은 10, 10^2, 10^3이다.

STEP3 순서쌍 (a, b)의 개수 구하기

$a<b$이므로

(i) $ab=10$일 때, $(2, 5)$

(ii) $ab=100$일 때, $(2, 50)$, $(4, 25)$, $(5, 20)$

(iii) $ab=1000$일 때, $(20, 50)$, $(25, 40)$

(i)~(iii)에 의하여 순서쌍 (a, b)의 개수는 6이다.

▶참고 $ab=10$일 때 $(1, 10)$이면 $\log a=\log 1=0$, $\log b=\log 10=1$이 되어 $\log a$와 $\log b$의 소수 부분은 모두 0이므로 소수 부분의 합이 1이라는 조건을 만족시키지 않는다.

14-1 답 $10^{\frac{12}{5}}$ 배

해결전략 | 제시된 식에 주어진 조건을 대입하여 식을 세운다.

STEP1 I_4, I_{10}을 정하여 주어진 관계식에 각 문자에 해당하는 값 대입하기

별의 등급이 4등급인 별의 밝기를 I_4, 10등급인 별의 밝기를 I_{10}이라고 하면

$$4=-\frac{5}{2}\log I_4+C \qquad \cdots\cdots \text{㉠}$$

$$10=-\frac{5}{2}\log I_{10}+C \qquad \cdots\cdots \text{㉡}$$

STEP2 몇 배인지 구하기

㉡$-$㉠을 하면 $\frac{5}{2}(\log I_4-\log I_{10})=6$

$$\log\frac{I_4}{I_{10}}=\frac{12}{5} \qquad \therefore I_4=10^{\frac{12}{5}}I_{10}$$

따라서 4등급인 별의 밝기는 10등급인 별의 밝기의 $10^{\frac{12}{5}}$ 배이다.

14-2 답 20

해결전략 | 제시된 식에 주어진 조건을 대입하여 식을 세운다.

STEP1 주어진 관계식에 **A**, **B**에 대한 각각의 조건 대입하기

두 원본 사진 **A**, **B**를 압축했을 때 최대 신호 대 잡음비가 각각 P_A, P_B이고, 평균제곱오차가 각각 E_A, E_B이므로

$$P_A=20\log 255-10\log E_A \qquad \cdots\cdots \text{㉠}$$

$$P_B=20\log 255-10\log E_B \qquad \cdots\cdots \text{㉡}$$

STEP2 P_A-P_B의 값 구하기

㉠$-$㉡을 하면

$$P_A-P_B$$
$$=20\log 255-10\log E_A-(20\log 255-10\log E_B)$$
$$=10\log E_B-10\log E_A$$
$$=10\log\frac{E_B}{E_A}=10\log 100\ (\because E_B=100E_A)$$
$$=10\log 10^2=20$$

14-3 답 100만 원

해결전략 | 1000만 원이 매년 r %씩 감소하면 n년 후에 $1000\left(1-\dfrac{r}{100}\right)^n$만 원이 된다.

STEP1 주어진 상황을 식으로 나타내기

10년 전에 1000만 원인 자동차의 현재 보상 기준 가격은 $1000(1-0.2)^{10}=10^3\times0.8^{10}(만\ 원)$

STEP2 상용로그를 취하여 현재 보상 기준 가격 구하기

$10^3\times0.8^{10}$에 상용로그를 취하면

$$\log(10^3\times0.8^{10})=3+10\log 0.8=3+10\log\frac{8}{10}$$
$$=3+10(3\log 2-1)$$
$$=3+10(3\times0.30-1)=2$$

$$\therefore 10^3\times0.8^{10}=10^2$$

따라서 현재 보상 기준 가격은 100만 원이다.

14-4 답 3.8 %

해결전략 | 올해 매출을 a, 매년 r %씩 증가시킨다고 놓고 식을 세운다.

STEP1 주어진 상황을 식으로 나타내기

올해 매출을 a라 하고, 매출을 매년 r %씩 증가시킨다고 하면 30년 후의 매출은 $a\left(1+\dfrac{r}{100}\right)^{30}$

30년 후 올해 매출의 3배가 되려면

$$a\left(1+\frac{r}{100}\right)^{30}=3a$$

$$\therefore \left(1+\frac{r}{100}\right)^{30}=3 \qquad \cdots\cdots \text{㉠}$$

STEP2 상용로그를 취하여 r의 값 구하기

㉠의 양변에 상용로그를 취하면

$$\log\left(1+\frac{r}{100}\right)^{30}=\log 3,\ 30\log\left(1+\frac{r}{100}\right)=\log 3$$

$$\log\left(1+\frac{r}{100}\right)=\frac{\log 3}{30}=\frac{0.48}{30}=0.016$$

이때 $\log 1.038=0.016$이므로

$$1+\frac{r}{100}=1.038 \qquad \therefore r=3.8(\%)$$

따라서 매출을 매년 3.8 %씩 증가시켜야 한다.

14-5 답 4

해결전략 | 100만 원이 매년 a %씩 증가하면 n년 후에 $100\left(1+\dfrac{a}{100}\right)^n$만 원이 된다.

STEP1 주어진 상황을 식으로 나타내기

100만 원에 구입한 미술품의 가격이 매년 a %씩 증가하여 14년 후에는 173만 원이 되었으므로

$$100\times\left(1+\frac{a}{100}\right)^{14}=173$$

$$\therefore \left(1+\frac{a}{100}\right)^{14}=1.73 \qquad \cdots\cdots \text{㉠}$$

STEP2 상용로그를 취하여 a의 값 구하기

㉠의 양변에 상용로그를 취하면

$$14\log\left(1+\frac{a}{100}\right)=\log 1.73$$

상용로그표에서 $\log 1.73 = 0.238$이므로

$$\log\left(1 + \frac{a}{100}\right) = \frac{0.238}{14} = 0.017$$

이때 상용로그표에서 $\log 1.04 = 0.017$이므로

$$1 + \frac{a}{100} = 1.04 \qquad \therefore a = 4$$

실전 연습 문제 72~74쪽

01 ⑤	**02** $2 < x < 3$ 또는 $3 < x < 6$			**03** ③
04 ③	**05** ④	**06** ②	**07** ④	**08** ⑤
09 ①	**10** ④	**11** ③	**12** 16	**13** ④
14 ②	**15** ①	**16** 39	**17** 360	
18 0.0417				

01

해결전략 | 로그의 정의를 연속하여 이용한다.

$\log_2\{\log_3(\log_4 x)\} = 0$에서

로그의 정의에 의하여

$$\log_3(\log_4 x) = 1$$
$$\log_4 x = 3^1 = 3$$
$$\therefore x = 4^3 = 64$$

02

해결전략 | 밑의 조건과 진수의 조건을 모두 만족시키는 범위를 구한다.

STEP1 (밑)>0, (밑)≠1인 범위 구하기

밑은 1이 아닌 양수이어야 하므로

$$x - 2 \neq 1,\ x - 2 > 0$$

즉, $2 < x < 3$ 또는 $x > 3$ $\qquad \cdots\cdots$ ㉠ $\qquad \cdots\cdots$ ❶

STEP2 (진수)>0인 범위 구하기

진수는 양수이어야 하므로

$$-x^2 + 7x - 6 > 0$$
$$x^2 - 7x + 6 < 0,\ (x-1)(x-6) < 0$$
$$\therefore 1 < x < 6 \qquad \cdots\cdots ㉡ \qquad \cdots\cdots ❷$$

STEP3 공통 범위 구하기

㉠, ㉡을 동시에 만족시키는 x의 값의 범위는

$2 < x < 3$ 또는 $3 < x < 6$ $\qquad \cdots\cdots$ ❸

채점 요소	배점
❶ 밑의 조건으로 식 세우기	30 %
❷ 진수의 조건으로 식 세우기	30 %
❸ 공통 범위 구하기	40 %

03

해결전략 | 로그의 여러 가지 성질을 이용하여 식을 간단히 한다.

$$\log_2 12 - 2\log_{\frac{1}{2}} \sqrt{3} - \log_{\sqrt{2}} 3$$
$$= \log_2 12 - 2\log_{2^{-1}} \sqrt{3} - \log_{2^{\frac{1}{2}}} 3$$
$$= \log_2 12 + \log_2 (\sqrt{3})^2 - \log_2 3^2$$
$$= \log_2 \frac{12 \times 3}{9} = \log_2 4 = 2$$

04

해결전략 | 로그의 정의와 성질을 이용한다.

STEP1 로그의 성질을 이용하여 식 간단히 하기

$$f(1) + f(2) + \cdots + f(n)$$
$$= \log\left(1 + \frac{1}{1}\right) + \log\left(1 + \frac{1}{2}\right) + \cdots + \log\left(1 + \frac{1}{n}\right)$$
$$= \log 2 + \log \frac{3}{2} + \cdots + \log \frac{n+1}{n}$$
$$= \log\left(2 \times \frac{3}{2} \times \frac{4}{3} \times \cdots \times \frac{n}{n-1} \times \frac{n+1}{n}\right)$$
$$= \log(n+1)$$

STEP2 n의 값 구하기

따라서 $\log(n+1) = 2$이므로

$$n + 1 = 10^2 \qquad \therefore n = 99$$

05

해결전략 | 주어진 식을 밑의 변환 공식을 이용하여 변형한 후 a의 값을 구한다.

STEP1 로그의 성질을 이용하여 식 변형하기

밑의 변환 공식에 의하여 주어진 식을 변형하면

$$\log_x 4 + \log_x 9 = 2\log_x a$$
$$\log_x 36 = \log_x a^2$$

STEP2 진수를 비교하여 a의 값 구하기

즉, $a^2 = 36$

이때 a가 양수이므로 $a = 6$

06

해결전략 | p, q를 $\log_5 2$, $\log_5 3$을 사용한 식으로 나타낸 후 $\log_5 \frac{36}{5}$에 대입한다.

STEP1 p, q를 $\log_5 2$, $\log_5 3$을 사용하여 나타내기

$$p = \log_5 \frac{2}{3} = \log_5 2 - \log_5 3 \qquad \cdots\cdots ㉠$$

$$q = \log_5 \frac{3}{4} = \log_5 3 - 2\log_5 2 \qquad \cdots\cdots ㉡$$

STEP2 $\log_5 2$를 p, q를 사용한 식으로 나타내기

㉠, ㉡을 변끼리 더하면 $p+q=-\log_5 2$

$\therefore \log_5 2 = -p-q$

㉠에서

$\log_5 3 = \log_5 2 - p = (-p-q)-p = -2p-q$

STEP3 $\log_5 \dfrac{36}{5}$을 p, q를 사용한 식으로 나타내기

$\therefore \log_5 \dfrac{36}{5} = \log_5 \dfrac{2^2 \times 3^2}{5}$

$\qquad = 2\log_5 2 + 2\log_5 3 - 1$

$\qquad = 2(-p-q) + 2(-2p-q) - 1$

$\qquad = -6p-4q-1$

07

해결전략 | $\dfrac{1}{x}$, $\dfrac{1}{y}$을 로그로 나타내어 대입한다.

STEP1 로그의 정의를 이용하여 $\dfrac{1}{x}$의 값 구하기

$15^x = 25$이므로 $x = \log_{15} 25 = 2\log_{15} 5$

$\qquad\qquad\qquad\qquad \downarrow \log_{15} 25 = \log_{15} 5^2 = 2\log_{15} 5$

$\therefore \dfrac{1}{x} = \dfrac{1}{2}\log_5 15$

$3^y = 625$이므로 $y = \log_3 625 = 4\log_3 5$

$\qquad\qquad\qquad\qquad \downarrow \log_3 625 = \log_3 5^4 = 4\log_3 5$

$\therefore \dfrac{1}{y} = \dfrac{1}{4}\log_5 3$

STEP2 대입하여 식의 값 구하기

$\therefore \dfrac{1}{x} - \dfrac{2}{y} = \dfrac{1}{2}\log_5 15 - \dfrac{1}{2}\log_5 3$

$\qquad = \dfrac{1}{2}(\log_5 15 - \log_5 3)$

$\qquad = \dfrac{1}{2}\log_5 \dfrac{15}{3} = \dfrac{1}{2}\log_5 5 = \dfrac{1}{2}$

08

해결전략 | x, y, z를 밑이 2인 로그로 나타내어 대입한다.

STEP1 x, y, z를 밑이 2인 로그로 나타내기

$2^x = a$에서 $x = \log_2 a$

$2^y = b$에서 $y = \log_2 b$

$2^z = c$에서 $z = \log_2 c$

STEP2 $\log_a \sqrt{bc^2}$을 x, y, z로 나타내기

$\therefore \log_a \sqrt{bc^2} = \dfrac{\log_2 \sqrt{bc^2}}{\log_2 a} = \dfrac{\dfrac{1}{2}\log_2 bc^2}{\log_2 a} = \dfrac{\log_2 bc^2}{2\log_2 a}$

$\qquad = \dfrac{\log_2 b + \log_2 c^2}{2\log_2 a} = \dfrac{\log_2 b + 2\log_2 c}{2\log_2 a}$

$\qquad = \dfrac{y+2z}{2x}$

09

해결전략 | $a^2 = b^3 = c^4 = k$로 놓고 로그를 사용한 식으로 나타낸다.

STEP1 $\log_k a$, $\log_k b$, $\log_k c$의 값 구하기

$a^2 = b^3 = c^4 = k$로 놓으면

$a^2 = k$에서 $\log_a k = 2$ $\quad \therefore \log_k a = \dfrac{1}{2}$

$b^3 = k$에서 $\log_b k = 3$ $\quad \therefore \log_k b = \dfrac{1}{3}$

$c^4 = k$에서 $\log_c k = 4$ $\quad \therefore \log_k c = \dfrac{1}{4}$

STEP2 A, B, C의 값 구하기

로그의 밑의 변환 공식에 의하여

$A = \log_a b = \dfrac{\log_k b}{\log_k a} = \dfrac{\dfrac{1}{3}}{\dfrac{1}{2}} = \dfrac{2}{3}$

$B = \log_b c = \dfrac{\log_k c}{\log_k b} = \dfrac{\dfrac{1}{4}}{\dfrac{1}{3}} = \dfrac{3}{4}$

$C = \log_c a = \dfrac{\log_k a}{\log_k c} = \dfrac{\dfrac{1}{2}}{\dfrac{1}{4}} = 2$

STEP3 A, B, C의 대소 비교하기

$\dfrac{2}{3} < \dfrac{3}{4} < 2$이므로

$A < B < C$

10

해결전략 | $\sqrt[3]{a} = \sqrt{b} = \sqrt[4]{c} = k$로 놓고 밑이 2인 로그를 취한다.

STEP1 조건 ㈎의 식 변형하기

조건 ㈎에서 $\sqrt[3]{a} = \sqrt{b} = \sqrt[4]{c} = k$로 놓으면

$a^{\frac{1}{3}} = b^{\frac{1}{2}} = c^{\frac{1}{4}} = k$이므로 각각 밑이 2인 로그를 취하면

$\dfrac{1}{3}\log_2 a = \dfrac{1}{2}\log_2 b = \dfrac{1}{4}\log_2 c = \log_2 k$ $\quad$ …… ㉠

STEP2 조건 ㈏의 식을 이용하여 $\log_2 k$의 값 구하기

조건 ㈏에서 $\log_8 a + \log_4 b + \log_2 c = 2$이므로

$\dfrac{1}{3}\log_2 a + \dfrac{1}{2}\log_2 b + \log_2 c = 2$

㉠에 의하여

$\log_2 k + \log_2 k + 4\log_2 k = 2$

$6\log_2 k = 2$

$\therefore \log_2 k = \dfrac{1}{3}$

STEP 3 $\log_2 abc$의 값 구하기

따라서 $\log_2 a = 1$, $\log_2 b = \dfrac{2}{3}$, $\log_2 c = \dfrac{4}{3}$ 이므로

$$\log_2 abc = \log_2 a + \log_2 b + \log_2 c$$
$$= 1 + \frac{2}{3} + \frac{4}{3} = 3$$

11

해결전략 | 로그의 성질을 이용하여 주어진 식을 간단히 한 다음 a, b, c 사이의 관계를 파악한다.

STEP 1 로그의 성질을 이용하여 식 정리하기

$\log_9 (a+b) + \log_9 (a-b) = \log_3 c$ 에서

$\log_{3^2}(a+b) + \log_{3^2}(a-b) = \log_3 c$

$\dfrac{1}{2}\log_3 (a+b) + \dfrac{1}{2}\log_3 (a-b) = \log_3 c$

$\log_3 (a+b)(a-b) = 2\log_3 c$

$\log_3 (a^2 - b^2) = \log_3 c^2$

따라서 $a^2 - b^2 = c^2$ 이므로 $a^2 = b^2 + c^2$

STEP 2 삼각형의 모양 구하기

따라서 삼각형 ABC는 $\angle A = 90°$ 인 직각삼각형이다.

12

해결전략 | 이차방정식의 근과 계수의 관계를 이용하여 두 근의 합과 곱을 구한 다음 변형한 식에 대입한다.

STEP 1 이차방정식의 두 근의 합과 곱 구하기

이차방정식의 근과 계수의 관계에 의하여

$\log_3 a + \log_3 b = 6$, $\log_3 a \times \log_3 b = 2$ ······ ❶

STEP 2 밑의 변환 공식을 이용하여 식 변형하기

$$\log_a b + \log_b a = \frac{\log_3 b}{\log_3 a} + \frac{\log_3 a}{\log_3 b}$$
$$= \frac{(\log_3 b)^2 + (\log_3 a)^2}{\log_3 a \times \log_3 b} \quad ······ ❷$$

STEP 3 곱셈 공식을 이용하여 식 변형하기

$$= \frac{(\log_3 a + \log_3 b)^2 - 2\log_3 a \times \log_3 b}{\log_3 a \times \log_3 b}$$
$$······ ❸$$

STEP 4 대입하여 식의 값 구하기

$$= \frac{6^2 - 2 \times 2}{2} = 16 \quad ······ ❹$$

채점 요소	배점
❶ 이차방정식의 근과 계수의 관계 이용하기	20 %
❷ $\log_a b + \log_b a$ 를 밑이 3인 로그로 정리하기	30 %
❸ 곱셈 공식을 이용하여 식 변형하기	30 %
❹ $\log_a b + \log_b a$의 값 구하기	20 %

13

해결전략 | $\log_5 \dfrac{1}{3}$의 정수 부분과 소수 부분을 구한 다음 대입한다.

STEP 1 n, α의 값 구하기

$\dfrac{1}{5} < \dfrac{1}{3} < 1$ 이므로 $\log_5 \dfrac{1}{5} < \log_5 \dfrac{1}{3} < \log_5 1$

$\therefore -1 < \log_5 \dfrac{1}{3} < 0$

$\log_5 \dfrac{1}{3}$의 정수 부분은 -1이므로 $n = -1$

$\log_5 \dfrac{1}{3}$의 소수 부분은

$\log_5 \dfrac{1}{3} - (-1) = \log_5 \dfrac{1}{3} + 1 = \log_5 \dfrac{1}{3} + \log_5 5$
$$= \log_5 \frac{5}{3}$$

이므로

$\alpha = \log_5 \dfrac{5}{3}$

STEP 2 대입하여 식의 값 구하기

$\therefore 5^\alpha - 5^n = 5^{\log_5 \frac{5}{3}} - 5^{-1} = \dfrac{5}{3} - \dfrac{1}{5} = \dfrac{22}{15}$

14

해결전략 | 3^{16}에 상용로그를 취한 값의 정수 부분과 소수 부분을 구한다.

STEP 1 3^{16}의 자릿수 구하기

$\log 3^{16} = 16\log 3 = 16 \times 0.4771 = 7.6336$

즉, $\log 3^{16}$의 정수 부분이 7이므로 3^{16}은 8자리의 정수이다.

STEP 2 3^{16}의 최고 자리의 숫자 구하기

이때 $\log 4 = 2\log 2 = 2 \times 0.3010 = 0.6020$,

$\log 5 = 1 - \log 2 = 1 - 0.3010 = 0.6990$ 이므로

$\log 4 < 0.6336 < \log 5$

$7 + \log 4 < 7.6336 < 7 + \log 5$

$\log(4 \times 10^7) < \log 3^{16} < \log(5 \times 10^7)$

$\therefore 4 \times 10^7 < 3^{16} < 5 \times 10^7$

즉, 3^{16}의 최고 자리의 숫자는 4이다.

STEP 3 $m + n$의 값 구하기

따라서 $m = 8$, $n = 4$이므로

$m + n = 12$

15

해결전략 | $\log x$의 값의 범위를 구하고, 조건을 만족시키는 식을 세운다.

STEP1 $\log x$의 값의 범위 구하기

$100 \le x < 1000$에서 $\log 100 \le \log x < \log 1000$

$\therefore 2 \le \log x < 3$ ...... ㉠

STEP2 소수 부분이 같음을 이용하여 $\log x$의 값 구하기

$\log x^2$의 소수 부분과 $\log x^4$의 소수 부분이 같으므로

$\log x^4 - \log x^2 = 4 \log x - 2 \log x = 2 \log x$

㉠에 의하여 $4 \le 2 \log x < 6$

이때 $2 \log x$는 정수이므로

$2 \log x = 4$ 또는 $2 \log x = 5$

즉, $\log x = 2$ 또는 $\log x = \dfrac{5}{2}$

STEP3 $\dfrac{\beta}{\alpha}$의 값 구하기

$\therefore x = 100$ 또는 $x = 100\sqrt{10}$

따라서 $\alpha = 100$, $\beta = 100\sqrt{10}$이므로

$\dfrac{\beta}{\alpha} = \dfrac{100\sqrt{10}}{100} = \sqrt{10}$

16

해결전략 | $\log t$의 정수 부분이 $f(t)$이면 $\log t - f(t)$는 $\log t$의 소수 부분임을 이용한다.

STEP1 이차방정식의 근과 계수의 관계 이용하기

이차방정식 $3x^2 - 41x + k = 0$의 두 근이

$f(t)$, $\log t - f(t)$

이므로 이차방정식의 근과 계수의 관계에 의하여

$f(t) + \log t - f(t) = \dfrac{41}{3}$ ...... ㉠

$f(t)\{\log t - f(t)\} = \dfrac{k}{3}$ ...... ㉡   ❶

STEP2 $f(t)$, $\log t - f(t)$의 값 구하기

㉠에서 $f(t) + \log t - f(t) = \dfrac{41}{3} = 13 + \dfrac{2}{3}$이므로

$f(t) = 13$, $\log t - f(t) = \dfrac{2}{3}$ ← $f(t)$는   ...... ❷
                                   $\log t$의 정수 부분,
STEP3 k의 값 구하기 $\log t - f(t)$는

이를 ㉡에 대입하면 $\log t$의 소수 부분

$13 \times \dfrac{2}{3} = \dfrac{k}{3}$ $\therefore k = 26$ ...... ❸

STEP4 $f(t) + k$의 값 구하기

$\therefore f(t) + k = 13 + 26 = 39$ ...... ❹

채점 요소	배점
❶ 이차방정식의 근과 계수의 관계 이용하기	20 %
❷ $f(t)$, $\log t - f(t)$의 값 구하기	30 %
❸ k의 값 구하기	30 %
❹ $f(t) + k$의 값 구하기	20 %

17

해결전략 | $[\log N]$은 $\log N$의 정수 부분을 나타낸다.

STEP1 $\log N$의 정수 부분 구하기

조건 ㈎에서 $\log 100 < \log 256 < \log 1000$

$2 < \log 256 < 3$이므로 $[\log 256] = 2$

$\therefore [\log N] = 2$

STEP2 $\log N$의 값 구하기

조건 ㈏에서 $\log 10 < \log 24 < \log 100$

$1 < \log 24 < 2$이므로 $[\log 24] = 1$이고

$\log N - [\log N] = \log 36 - [\log 24]$에서

$\log N - 2 = \log 36 - 1$

$\log N = \log 36 + 1$

     $= \log 36 + \log 10 = \log 360$

STEP3 N의 값 구하기

$\therefore N = 360$

18

해결전략 | 주어진 상황의 규칙을 찾아 식을 세우고 상용로그를 이용하여 해결한다.

STEP1 제시된 내용을 유추하여 k의 값을 구한다.

이 호수의 현재 오염물질의 양을 a라고 하면

1년 후의 오염물질의 양은 $0.9a$,

2년 후의 오염물질의 양은 $0.9^2 a$,

    ⋮

30년 후의 오염물질의 양은 $0.9^{30} a$이다.

$\therefore k = 0.9^{30}$ ...... ㉠   ❶

STEP2 상용로그를 취하여 $\log k$의 값 구하기

㉠의 양변에 상용로그를 취하면

$\log k = \log 0.9^{30} = 30 \log 0.9$

     $= 30(2 \log 3 - 1) = 30(2 \times 0.477 - 1)$

     $= -1.38$

     $= -2 + 0.620$ ...... ❷

STEP3 표를 이용하여 k의 값 구하기

표에서 $\log 4.17 = 0.620$이므로

$\log k = \log 10^{-2} + \log 4.17$

     $= \log 0.0417$

$\therefore k = 0.0417$ ...... ❸

채점 요소	배점
❶ k를 지수를 사용하여 나타내기	30 %
❷ $\log k$의 값 구하기	40 %
❸ k의 값 구하기	30 %

01

해결전략 | 밑의 조건과 진수의 조건을 모두 만족시키는 a의 값의 범위를 구한다.

STEP1 밑의 조건으로 범위 구하기

(i) 밑의 조건에 의하여 $a+2>0$, $a+2\neq1$이므로

     $-2<a<-1$ 또는 $a>-1$

STEP2 진수의 조건으로 범위 구하기

(ii) 진수의 조건에 의하여 $ax^2-2ax-a+6>0$

     ㉠ $a=0$인 경우

        $ax^2-2ax-a+6=6>0$이므로 조건을 만족시킨다.

     ㉡ $a<0$인 경우

        모든 실수 x에 대하여 $ax^2-2ax-a+6>0$을 만족시키는 a의 값은 존재하지 않는다.

     ㉢ $a>0$인 경우

        $ax^2-2ax-a+6>0$을 만족시키기 위해서는 방정식 $ax^2-2ax-a+6=0$의 판별식을 D라고 할 때, $\dfrac{D}{4}<0$이어야 하므로

        $(-a)^2-a(-a+6)<0$

        $2a(a-3)<0$

        $\therefore 0<a<3$

STEP3 정수 a의 개수 구하기

(i), (ii)에 의하여 $0\leq a<3$이므로 조건을 만족시키는 정수 a는 0, 1, 2이고, 그 개수는 3이다.

02

해결전략 | 로그의 성질을 이용하여 식을 간단히 한다.

STEP1 A를 간단히 하기

밑의 변환 공식에 의하여

$A=3^{\frac{\log_{10}(\log_{10}3)}{\log_{10}3}}=3^{\log_3(\log_{10}3)}=(\log_{10}3)^{\log_3 3}=\log_{10}3$

STEP2 10^A의 값 구하기

$\therefore 10^A=10^{\log_{10}3}=3^{\log_{10}10}=3$

03

해결전략 | 주어진 식으로부터 a, b 사이의 관계를 구한 다음 산술평균과 기하평균의 관계를 이용하여 최솟값을 구한다.

STEP1 a, b 사이의 관계 구하기

$\log_a b=\log_b a$에서

$\log_a b=\dfrac{1}{\log_a b}$, $(\log_a b)^2=1$

$\log_a b=\pm1$

이때 a, b는 서로 다른 양수이므로

$\log_a b\neq1$ $\therefore \log_a b=-1$ ← $b=a^{-1}$

$\therefore b=\dfrac{1}{a}$

STEP2 $(a+1)(b+4)$의 최솟값 구하기

$(a+1)(b+4)=(a+1)\left(\dfrac{1}{a}+4\right)=5+4a+\dfrac{1}{a}$에서

$4a>0$, $\dfrac{1}{a}>0$이므로 산술평균과 기하평균의 관계에 의하여

$5+4a+\dfrac{1}{a}\geq5+2\sqrt{4a\times\dfrac{1}{a}}=9$

$\left(\text{단, 등호는 }4a=\dfrac{1}{a}, \text{ 즉 }a=\dfrac{1}{2}\text{일 때 성립한다.}\right)$

따라서 구하는 최솟값은 9이다.

04

해결전략 | 로그의 성질을 이용하여 $A-B$를 간단히 한 후 산술평균과 기하평균의 관계를 이용한다.

STEP1 B의 식 간단히 하기

$B=2+\dfrac{1}{2}(\log_2 a+\log_2 b)$

   $=2+\dfrac{1}{2}\log_2 ab$

   $=2+\log_2\sqrt{ab}$

   $=\log_2 4\sqrt{ab}$

STEP2 $A-B$ 간단히 하기

$\therefore A-B=\log_2(a+b)-\log_2 4\sqrt{ab}$

        $=\log_2\dfrac{a+b}{4\sqrt{ab}}$

STEP3 $\dfrac{b}{a}$의 값 구하기

$\log_2\dfrac{a+b}{4\sqrt{ab}}=-1$이므로   로그와 지수의 관계에 의하여 $\dfrac{a+b}{4\sqrt{ab}}=2^{-1}=\dfrac{1}{2}$

$\dfrac{a+b}{4\sqrt{ab}}=\dfrac{1}{2}$

$a-2\sqrt{ab}+b=0$

$a>0$, $b>0$이므로

$(\sqrt{a})^2-2\sqrt{a}\sqrt{b}+(\sqrt{b})^2=0$

$(\sqrt{a}-\sqrt{b})^2=0$ $\therefore \sqrt{a}=\sqrt{b}$, 즉 $a=b$

$\therefore \dfrac{b}{a}=1$

05

해결전략 | 밑의 변환 공식을 이용하여 주어진 식을 간단히 한다.

STEP1 로그의 성질을 이용하여 식 간단히 하기

밑의 변환 공식에 의하여

$$\frac{1}{\log_a(b+c)} + \frac{1}{\log_a(b-c)}$$

$$= \frac{2}{\log_a(b+c) \times \log_a(b-c)}$$

양변에 $\log_a(b+c) \times \log_a(b-c)$를 곱하면

$$\log_a(b-c) + \log_a(b+c) = 2$$

$$\log_a(b^2-c^2) = 2$$

로그의 정의에 의하여

$$a^2 = b^2 - c^2$$

STEP2 세 변 사이의 관계를 통해 삼각형의 종류 판단하기

따라서 $b^2 = a^2 + c^2$이므로 삼각형 ABC는 $\angle B = 90°$인 직각삼각형이다.

06

해결전략 | $10^a = 3A+2$ (A는 정수)로 놓고 a의 값의 범위를 이용하여 정수 A를 구한다.

STEP1 나눗셈식을 이용하여 a를 상용로그의 식으로 나타내기

$10^a = 3A+2$ (A는 정수)라고 하면

$$a = \log_{10}(3A+2)$$

STEP2 a의 값의 범위를 이용하여 정수 A의 값 구하기

$0 < a < 1$이므로

$$0 < \log_{10}(3A+2) < 1$$

$$1 < 3A+2 < 10, \ -\frac{1}{3} < A < \frac{8}{3}$$

이때 정수 A의 값은 0, 1, 2이다.

STEP3 a의 값의 합 구하기

따라서 $a = \log_{10} 2$, $\log_{10} 5$, $\log_{10} 8$이므로 모든 a의 값의 합은

$$\log_{10} 2 + \log_{10} 5 + \log_{10} 8 = 1 + 3\log_{10} 2$$

07

해결전략 | 이차방정식 $x^2 - 2nx - 1 = x - 2n$의 근과 계수의 관계를 이용하여 $f(n)$을 구한다.

STEP1 교점의 x좌표를 구하는 이차방정식 구하기

함수 $y = x^2 - 2nx - 1$의 그래프와 직선 $y = x - 2n$이 만나는 두 점의 x좌표 α_n, β_n은 방정식 $x^2 - 2nx - 1 = x - 2n$, 즉 $x^2 - (2n+1)x + 2n - 1 = 0$의 해와 같다.

STEP2 근과 계수의 관계 이용하기

이차방정식 $x^2 - (2n+1)x + 2n - 1 = 0$의 근과 계수의 관계에 의하여

$$\alpha_n + \beta_n = 2n+1, \ \alpha_n\beta_n = 2n-1$$

STEP3 $f(n)$ 구하기

$\dfrac{1}{\alpha_n} + \dfrac{1}{\beta_n} = \dfrac{\alpha_n + \beta_n}{\alpha_n\beta_n} = \dfrac{2n+1}{2n-1}$이므로

$$f(n) = \log\left(\frac{1}{\alpha_n} + \frac{1}{\beta_n}\right) = \log \frac{2n+1}{2n-1}$$

STEP4 $f(1) + f(2) + \cdots + f(10)$의 값 구하기

$$\therefore f(1) + f(2) + \cdots + f(10)$$

$$= \log \frac{3}{1} + \log \frac{5}{3} + \log \frac{7}{5} + \cdots + \log \frac{21}{19}$$

$$= \log\left(\frac{3}{1} \times \frac{5}{3} \times \frac{7}{5} \times \cdots \times \frac{21}{19}\right)$$

$$= \log 21$$

08

해결전략 | x가 분수일 때와 자연수일 때로 나누어 $\log x$의 정수 부분을 구한다.

STEP1 A의 값 구하기

$\dfrac{1}{99} \leq x \leq \dfrac{1}{11}$이면 x는 소수점 아래 둘째 자리에서 처음으로 0이 아닌 숫자가 나타나므로

$$(\log x의 정수 부분) = -2$$

$\dfrac{1}{10} \leq x \leq \dfrac{1}{2}$이면 x는 소수점 아래 첫째 자리에서 처음으로 0이 아닌 숫자가 나타나므로

$$(\log x의 정수 부분) = -1$$

$$\therefore A = N\left(\frac{1}{99}\right) + N\left(\frac{1}{98}\right) + \cdots + N\left(\frac{1}{11}\right) + N\left(\frac{1}{10}\right)$$

$$+ N\left(\frac{1}{9}\right) + \cdots + N\left(\frac{1}{2}\right)$$

$$= (-2) \times 89 + (-1) \times 9 = -187$$

STEP2 B의 값 구하기

또, $1 \leq x \leq 9$이면 x는 한 자리의 정수이므로

$$(\log x의 정수 부분) = 0$$

$10 \leq x \leq 99$이면 x는 두 자리의 정수이므로

$$(\log x의 정수 부분) = 1$$

$$\therefore B = N(1) + N(2) + \cdots + N(9) + N(10)$$

$$+ N(11) + \cdots + N(99)$$

$$= 0 \times 9 + 1 \times 90 = 90$$

STEP3 $|A| + |B|$의 값 구하기

$$\therefore |A| + |B| = 187 + 90 = 277$$

03 지수함수

개념확인

01 답 (1) **1** (2) $\dfrac{1}{2}$ (3) $\dfrac{1}{4}$ (4) **8**

(4) $f(-3)=\left(\dfrac{1}{2}\right)^{-3}=2^3=8$

02 답 (1) **실수, 양의 실수**

　　 (2) **<**

　　 (3) **>**

03 답 (1) **풀이 참조, 치역: $\{y\,|\,y>0\}$,**
　　　　　 점근선의 방정식: $y=0$
　　 (2) **풀이 참조, 치역: $\{y\,|\,y>0\}$,**
　　　　　 점근선의 방정식: $y=0$
　　 (3) **풀이 참조, 치역: $\{y\,|\,y>3\}$,**
　　　　　 점근선의 방정식: $y=3$
　　 (4) **풀이 참조, 치역: $\{y\,|\,y<0\}$,**
　　　　　 점근선의 방정식: $y=0$

(1) $y=\dfrac{1}{2^x}=\left(\dfrac{1}{2}\right)^x=2^{-x}$의 그래프는 $y=2^x$의 그래프를 y축에 대하여 대칭이동한 것이므로 오른쪽 그림과 같다. 따라서 치역은 $\{y\,|\,y>0\}$이고, 점근선의 방정식은 $y=0$이다.

(2) $y=2\times2^x=2^{x+1}$의 그래프는 $y=2^x$의 그래프를 x축의 방향으로 -1만큼 평행이동한 것이므로 오른쪽 그림과 같다. 따라서 치역은 $\{y\,|\,y>0\}$이고, 점근선의 방정식은 $y=0$이다.

(3) $y=2^x+3$의 그래프는 $y=2^x$의 그래프를 y축의 방향으로 3만큼 평행이동한 것이므로 다음 그림과 같다.

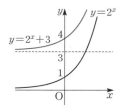

따라서 치역은 $\{y\,|\,y>3\}$이고, 점근선의 방정식은 $y=3$이다.

(4) $y=-2^x$의 그래프는 $y=2^x$의 그래프를 x축에 대하여 대칭이동한 것이므로 다음 그림과 같다.

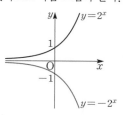

따라서 치역은 $\{y\,|\,y<0\}$이고, 점근선의 방정식은 $y=0$이다.

04 답 (1) **최댓값: 25, 최솟값: 5**

　　 (2) **최댓값: 4, 최솟값: $\dfrac{1}{4}$**

(1) 함수 $y=5^x$에서 밑이 5이고 $5>1$이므로 주어진 함수는 x의 값이 증가하면 y의 값도 증가한다.

따라서 $1\le x\le2$에서 함수 $y=5^x$은 $x=2$일 때 최대이고 최댓값은 $y=5^2=25$, $x=1$일 때 최소이고 최솟값은 $y=5$이다.

(2) 함수 $y=\left(\dfrac{1}{4}\right)^x$에서 밑이 $\dfrac{1}{4}$이고 $0<\dfrac{1}{4}<1$이므로 주어진 함수는 x의 값이 증가하면 y의 값은 감소하는 함수이다.

따라서 $-1\le x\le1$에서 함수 $y=\left(\dfrac{1}{4}\right)^x$은

$x=-1$일 때 최대이고 최댓값은 $y=\left(\dfrac{1}{4}\right)^{-1}=4$,

$x=1$일 때 최소이고 최솟값은 $y=\dfrac{1}{4}$이다.

필수유형 01

01-1 답 ③

해결전략 | 지수함수 $y=2^x$의 그래프를 그려서 지수함수의 성질을 파악한다.

함수 $y=2^x$의 그래프는 다음 그림과 같다.

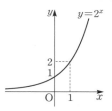

① $y=2^x$에 $x=1$을 대입하면 $y=2$이므로 그래프는 점 $(1,\,2)$를 지난다.

② 그래프는 제1, 2사분면을 지난다.

③ 그래프의 점근선의 방정식은 $y=0$, 즉 x축이므로 x축과 만나지 않는다.

④ 그래프가 점 $(0, 1)$을 지나므로 그래프와 y축의 교점의 좌표는 $(0, 1)$이다.

⑤ 밑 2가 $2>1$이므로 x의 값이 증가하면 y의 값도 증가한다.

01-2 답 5

해결전략 | 지수함수에서 x의 값이 증가할 때, y의 값도 증가하기 위한 밑의 조건을 식으로 나타낸다.

STEP 1 a에 대한 부등식 나타내기

지수함수에서 x의 값이 증가할 때, y의 값도 증가하기 위해서는 밑이 1보다 커야 한다.

$y=(-a^2+4a+5)^x$의 밑은 $-a^2+4a+5$이므로
$-a^2+4a+5>1$

STEP 2 부등식의 해 구하기

$a^2-4a-4<0$ $\quad \therefore 2-2\sqrt{2}<a<2+2\sqrt{2}$

STEP 3 정수 a의 개수 구하기

이때 $-1<2-2\sqrt{2}<0$, $4<2+2\sqrt{2}<5$이므로 주어진 조건을 만족시키는 정수 a는 0, 1, 2, 3, 4이므로 그 개수는 5이다.

01-3 답 $-2<a<-1$ 또는 $-1<a<0$

해결전략 | 지수함수에서 x의 값이 증가할 때, y의 값이 감소하기 위한 밑의 조건을 식으로 나타낸다.

STEP 1 a에 대한 부등식 나타내기

지수함수에서 x의 값이 증가할 때, y의 값이 감소하기 위해서는 $0<($밑$)<1$이어야 한다.

$y=(a^2+2a+1)^x$의 밑은 a^2+2a+1이므로
$0<a^2+2a+1<1$

STEP 2 부등식의 해 구하기

(i) $a^2+2a+1>0$, 즉 $(a+1)^2>0$에서
$a \neq -1$인 모든 실수

(ii) $a^2+2a+1<1$, 즉 $a^2+2a<0$에서
$a(a+2)<0$ $\quad \therefore -2<a<0$

STEP 3 a의 값의 범위 구하기

(i), (ii)에 의하여 $-2<a<-1$ 또는 $-1<a<0$

01-4 답 ㄱ, ㄷ

해결전략 | $a<b$일 때, $f(a)>f(b)$이기 위한 밑의 조건을 생각한다.

STEP 1 주어진 조건을 만족시키는 함수의 조건 찾기

$a<b$일 때, $f(a)>f(b)$를 만족시키는 함수는 x의 값이

증가하면 y의 값은 감소하는 함수이다. 따라서 지수함수에서 $0<($밑$)<1$을 만족시켜야 한다.

STEP 2 보기의 함수의 밑 찾기

ㄱ. $f(x)=\left(\dfrac{\sqrt{2}}{2}\right)^x$에서 밑 $\dfrac{\sqrt{2}}{2}$는 $0<\dfrac{\sqrt{2}}{2}<1$이므로
$a<b$이면 $f(a)>f(b)$

ㄴ. $f(x)=\dfrac{1}{3^{-x}}=3^x$에서 밑 3은 $3>1$이므로
$a<b$이면 $f(a)<f(b)$

ㄷ. $f(x)=\left(\dfrac{3}{2}\right)^{-x}=\left(\dfrac{2}{3}\right)^x$에서 밑 $\dfrac{2}{3}$는 $0<\dfrac{2}{3}<1$이므로
$a<b$이면 $f(a)>f(b)$

ㄹ. $f(x)=\left(\dfrac{1}{5}\right)^{-x}=5^x$에서 밑 5는 $5>1$이므로
$a<b$이면 $f(a)<f(b)$

따라서 $a<b$일 때, $f(a)>f(b)$를 만족시키는 것은 ㄱ, ㄷ이다.

> 참고 $a<b$일 때, $f(a)>f(b)$
➡ x의 값이 증가할 때, y의 값은 감소한다.
$a<b$일 때, $f(a)<f(b)$
➡ x의 값이 증가할 때, y의 값도 증가한다.

01-5 답 $b<a<d<c$

해결전략 | 먼저 주어진 지수함수의 그래프를 이용하여 함수의 밑의 범위를 파악한다.

STEP 1 c, d의 값의 범위를 구하여 c, d의 대소 비교하기

두 함수 $y=c^x$, $y=d^x$의 그래프는 x의 값이 증가하면 y의 값도 증가하므로 $c>1$, $d>1$

이때 밑이 1보다 큰 지수함수의 그래프는 $x>0$에서 밑이 커질수록 y축에 가까워지므로
$c>d>1$ …… ㉠

STEP 2 a, b의 값의 범위를 구하여 a, b의 대소 비교하기

두 함수 $y=a^x$, $y=b^x$의 그래프는 x의 값이 증가하면 y의 값은 감소하므로 $0<a<1$, $0<b<1$

이때 밑이 0보다 크고 1보다 작은 지수함수의 그래프는 $x>0$에서 밑이 작을수록 x축에 가까워지므로
$0<b<a<1$ …… ㉡

STEP 3 a, b, c, d의 대소 비교하기

㉠, ㉡에 의하여 $b<a<d<c$

01-6 답 ㄱ, ㄴ

해결전략 | 지수의 성질을 이용하여 주어진 등식이 성립하는지 알아본다.

STEP1 $f(-x)$를 구해 ㄱ의 참, 거짓 판별하기

ㄱ. $f(-x)=a^{-x}=\dfrac{1}{a^x}=\dfrac{1}{f(x)}$ (참)

STEP2 $\sqrt{f(2x)}$를 구해 ㄴ의 참, 거짓 판별하기

ㄴ. $f(2x)=a^{2x}=(a^x)^2$이므로

$$\sqrt{f(2x)}=\sqrt{(a^x)^2}=a^x=f(x) \text{ (참)}$$

STEP3 $f(x^3)$, $\{f(x)\}^3$을 구해 ㄷ의 참, 거짓 판별하기

ㄷ. $f(x^3)=a^{x^3}\neq a^{3x}=\{f(x)\}^3$ (거짓)

따라서 옳은 것은 ㄱ, ㄴ이다.

> **⊙ 풍쌤의 비법**
>
> 지수함수 $f(x)=a^x$ $(a>0,\ a\neq1)$에 대하여 다음 성질이 성립한다. (단, $p>0$, $q>0$)
> (1) $f(0)=1, f(1)=a$
> (2) $f(p+q)=f(p)f(q)$
> (3) $f(p-q)=f(p)\div f(q)$
> (4) $f(np)=\{f(p)\}^n$ (단, n은 실수이다.)

필수유형 02 83쪽

02-1 답 (1) 풀이 참조, 치역: $\{y|y>-2\}$,
　　　　　　점근선의 방정식: $y=-2$

　　　　(2) 풀이 참조, 치역: $\left\{y\middle|y<\dfrac{5}{2}\right\}$,

　　　　　　점근선의 방정식: $y=\dfrac{5}{2}$

　　　　(3) 풀이 참조, 치역: $\{y|y<1\}$,
　　　　　　점근선의 방정식: $y=1$

　　　　(4) 풀이 참조, 치역: $\{y|y>-1\}$,
　　　　　　점근선의 방정식: $y=-1$

해결전략 | 주어진 함수의 그래프는 $y=a^x$ $(a>0,\ a\neq1)$의 그래프를 평행이동 또는 대칭이동한 그래프이다.

(1) $y=3^{x-1}-2$의 그래프는 $y=3^x$의 그래프를 x축의 방향으로 1만큼, y축의 방향으로 -2만큼 평행이동한 것이므로 다음 그림과 같다.
→ $y=3^x$의 그래프 위의 점 $(0,\ 1)$은 이 평행이동에 의해 점 $(1,\ -1)$이 된다.

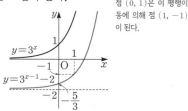

따라서 치역은 $\{y|y>-2\}$, 점근선의 방정식은 $y=-2$이다.

(2) $y=-4^x+\dfrac{5}{2}$의 그래프는 $y=4^x$의 그래프를 x축에 대하여 대칭이동한 후 y축의 방향으로 $\dfrac{5}{2}$만큼 평행이동한 것이므로 다음 그림과 같다.

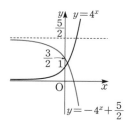

따라서 치역은 $\left\{y\middle|y<\dfrac{5}{2}\right\}$, 점근선의 방정식은 $y=\dfrac{5}{2}$이다.

(3) $y=-2^{-x}+1=-\left(\dfrac{1}{2}\right)^x+1$

즉, $y=-2^{-x}+1$의 그래프는 $y=\left(\dfrac{1}{2}\right)^x$의 그래프를 x축에 대하여 대칭이동한 후 y축의 방향으로 1만큼 평행이동한 것이므로 다음 그림과 같다.

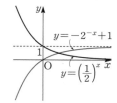

따라서 치역은 $\{y|y<1\}$, 점근선의 방정식은 $y=1$이다.

(4) $y=9\times3^{1-x}-1=3^2\times3^{1-x}-1$

$$=3^{3-x}-1=3^{-(x-3)}-1=\left(\dfrac{1}{3}\right)^{x-3}-1$$

즉, $y=9\times3^{1-x}-1$의 그래프는 $y=\left(\dfrac{1}{3}\right)^x$의 그래프를 x축의 방향으로 3만큼, y축의 방향으로 -1만큼 평행이동한 것이므로 다음 그림과 같다.

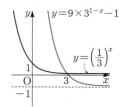

따라서 치역은 $\{y|y>-1\}$, 점근선의 방정식은 $y=-1$이다.

02-2 답 -2

해결전략 | 대칭이동과 평행이동한 그래프의 식을 구한 후 그래프의 점근선과 그래프가 지나는 점의 좌표를 이용한다.

STEP1 대칭이동과 평행이동한 그래프의 식 구하기

$y=3^x$의 그래프를 y축에 대하여 대칭이동한 그래프의 식은

$$y=3^{-x}=\left(\frac{1}{3}\right)^x$$

$y=\left(\frac{1}{3}\right)^x$의 그래프를 x축의 방향으로 m만큼, y축의 방향으로 n만큼 평행이동한 그래프의 식은

$$y=\left(\frac{1}{3}\right)^{x-m}+n$$

STEP2 그래프의 점근선을 이용하여 n의 값 구하기

이때 점근선은 직선 $y=-3$이므로

$$n=-3$$

STEP3 그래프가 지나는 점의 좌표를 이용하여 m의 값 구하기

함수 $y=\left(\frac{1}{3}\right)^{x-m}-3$의 그래프가 점 $(0, 0)$을 지나므로

$$0=\left(\frac{1}{3}\right)^{-m}-3$$

$$3^m=3 \qquad \therefore m=1$$

$$\therefore m+n=1+(-3)=-2$$

02-3 답 5

해결전략 | 주어진 함수식을 $y=3^{2(x-m)}+n$ 꼴로 정리한다.

STEP1 함수식 정리하기

$$y=9\times 3^{2x}-6=3^2\times 3^{2x}-6=3^{2x+2}-6$$
$$=3^{2(x+1)}-6 \qquad\qquad \cdots\cdots\ \text{㉠}$$

STEP2 $m-n$의 값 구하기

㉠의 그래프는 $y=3^{2x}$의 그래프를 x축의 방향으로 -1만큼, y축의 방향으로 -6만큼 평행이동한 것이다.

따라서 $m=-1$, $n=-6$이므로

$$m-n=5$$

02-4 답 3

해결전략 | $y=f(x)$의 그래프를 원점에 대하여 대칭이동한 그래프의 식은 $-y=f(-x)$이고, x축의 방향으로 m만큼, y축의 방향으로 n만큼 평행이동한 그래프의 식은 $y=f(x-m)+n$임을 이용한다.

STEP1 대칭이동과 평행이동한 그래프의 식 구하기

$y=a\times 3^x$의 그래프를 원점에 대하여 대칭이동한 그래프의 식은

$$y=-a\times 3^{-x}$$

$y=-a\times 3^{-x}$의 그래프를 x축의 방향으로 2만큼, y축의 방향으로 3만큼 평행이동한 그래프의 식은

$$y=-a\times 3^{-(x-2)}+3$$

즉, $y=-a\times 3^{-x+2}+3 \qquad\qquad \cdots\cdots\ \text{㉠}$

STEP2 a의 값 구하기

㉠의 그래프가 점 $(1, -6)$을 지나므로

$$-6=-a\times 3^{-1+2}+3$$

$$-6=-a\times 3+3, \ -3a=-9$$

$$\therefore a=3$$

02-5 답 ㄱ, ㄷ, ㄹ

해결전략 | 보기의 식을 변형하여 $y=5^x$의 그래프를 평행이동 또는 대칭이동을 할 수 있는지 파악한다.

STEP1 함수식 정리하여 이동 유추하기

ㄱ. $y=\left(\frac{1}{5}\right)^{x-2}=5^{-(x-2)}$

이므로 $y=\left(\frac{1}{5}\right)^{x-2}$의 그래프는 $y=5^x$의 그래프를 y축에 대하여 대칭이동한 후 x축의 방향으로 2만큼 평행이동한 것이다.

ㄴ. $y=5^{2x}+3=25^x+3$

이므로 $y=5^{2x}+3$의 그래프는 $y=5^x$의 그래프를 평행이동하거나 대칭이동하여 겹쳐질 수 없다.

ㄷ. $y=\sqrt{5}\times 5^x+1=5^{\frac{1}{2}}\times 5^x+1=5^{x+\frac{1}{2}}+1$

이므로 $y=\sqrt{5}\times 5^x+1$의 그래프는 $y=5^x$의 그래프를 x축의 방향으로 $-\frac{1}{2}$만큼, y축의 방향으로 1만큼 평행이동한 것이다.

ㄹ. $y=-\left(\frac{1}{5}\right)^x=-5^{-x}$

이므로 $y=-\left(\frac{1}{5}\right)^x$의 그래프는 $y=5^x$의 그래프를 원점에 대하여 대칭이동한 것이다.

따라서 $y=5^x$의 그래프를 평행이동 또는 대칭이동하여 겹쳐질 수 있는 그래프의 식은 ㄱ, ㄷ, ㄹ이다.

> **풍쌤의 비법**
>
> $y=c\times a^x$ $(a>0, a\neq 1, c$는 상수)의 그래프는
>
> $y=c\times a^x=a^{\log_a c}\times a^x=a^{x+\log_a c}$
>
> 이므로 $y=a^x$의 그래프를 x축의 방향으로 $-\log_a c$만큼 평행이동한 것이다.

02-6 답 0

해결전략 | 주어진 함수의 그래프의 개형을 그려 조건을 만족시키는 식을 세운다.

STEP1 $y=-2^{x-1}+n$의 그래프의 개형 그리기

$y=-2^{x-1}+n$의 그래프는 $y=-2^x$의 그래프를 x축의 방향으로 1만큼, y축의 방향으로 n만큼 평행이동한 것이므로 $y=-2^{x-1}+n$의 그래프는 다음 그림과 같다.

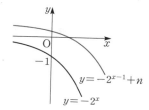

STEP2 정수 n의 최댓값 구하기

이때 $y=-2^{x-1}+n$의 그래프가 제1사분면을 지나지 않으려면 $x=0$일 때, $y\leq0$이면 된다. 즉,

$-2^{-1}+n\leq0$, $-\dfrac{1}{2}+n\leq0$

$\therefore n\leq\dfrac{1}{2}$

따라서 구하는 정수 n의 최댓값은 0이다.

필수유형 03   85쪽

03-1 📝 $\dfrac{26}{3}$

해결전략 | 점 A의 x좌표를 a로 놓고 B, C의 좌표를 구한다.

STEP1 세 점 A, B, C의 좌표를 a를 사용하여 나타내기

점 A의 좌표를 $(a,\ 3^{-a})$이라고 하자.

점 B는 함수 $y=9^x$의 그래프 위의 점이고, 점 B의 y좌표는 3^{-a}이므로 점 B의 x좌표를 구하면

$3^{-a}=9^x$에서 $3^{-a}=3^{2x}$, $2x=-a$ $\therefore x=-\dfrac{a}{2}$

$\therefore \mathrm{B}\left(-\dfrac{a}{2},\ 3^{-a}\right)$

또, 점 C는 함수 $y=3^{-x}$의 그래프 위의 점이고, 점 C의 x좌표가 $-\dfrac{a}{2}$이므로 점 C의 y좌표를 구하면

$y=3^{-\left(-\frac{a}{2}\right)}=3^{\frac{a}{2}}$

$\therefore \mathrm{C}\left(-\dfrac{a}{2},\ 3^{\frac{a}{2}}\right)$

STEP2 a의 값 구하기

$\overline{\mathrm{AB}}=3$이므로 $-\dfrac{a}{2}-a=3$

$-\dfrac{3}{2}a=3$ $\therefore a=-2$

STEP3 $\overline{\mathrm{BC}}$의 길이 구하기

따라서 $\overline{\mathrm{BC}}$의 길이는

$3^{-a}-3^{\frac{a}{2}}=3^2-3^{-1}=\dfrac{26}{3}$

03-2 📝 $\dfrac{6}{5}$

해결전략 | 점 P의 x좌표를 a로 놓고 Q의 좌표를 구한다.

STEP1 Q의 좌표를 한 문자로 나타내기

$\mathrm{A}(4,\ 0)$이고, 점 P의 좌표를 $(a,\ 2^{3a})$이라고 하면 선분 AP의 중점 Q의 좌표는

$\left(\dfrac{4+a}{2},\ \dfrac{2^{3a}}{2}\right)$

STEP2 점 P의 x좌표 구하기

점 Q가 함수 $y=2^x$의 그래프 위의 점이므로

$\dfrac{2^{3a}}{2}=2^{\frac{4+a}{2}}$에서 $2^{3a-1}=2^{\frac{4+a}{2}}$ → $y=2^x$에 x 대신 $\dfrac{4+a}{2}$, y 대신 $\dfrac{2^{3a}}{2}$을 대입

$3a-1=\dfrac{4+a}{2}$, $\dfrac{5}{2}a=3$ $\therefore a=\dfrac{6}{5}$

03-3 📝 9

해결전략 | 점 A의 x좌표를 구하고 $\overline{\mathrm{AC}}:\overline{\mathrm{CB}}=1:2$임을 이용한다.

STEP1 점 A의 좌표 구하기

점 A는 함수 $y=3^x$의 그래프 위에 있고 y좌표가 $\dfrac{1}{3}$이므로

$\dfrac{1}{3}=3^x$ $\therefore x=-1$

$\therefore \mathrm{A}\left(-1,\ \dfrac{1}{3}\right)$

STEP2 점 B의 y좌표 구하기

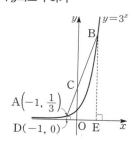

점 A에서 x축에 내린 수선의 발을 D, 점 B에서 x축에 내린 수선의 발을 E라고 하면 y축 위의 점 C에 대하여

$\overline{\mathrm{AC}}:\overline{\mathrm{CB}}=1:2$이므로

$\overline{\mathrm{DO}}:\overline{\mathrm{OE}}=1:2$ → $\overline{\mathrm{CO}}/\!/\overline{\mathrm{BE}}$이므로 $\overline{\mathrm{AC}}:\overline{\mathrm{CB}}=\overline{\mathrm{DO}}:\overline{\mathrm{OE}}$

또, 점 $\mathrm{E}(2,\ 0)$이므로

$\mathrm{B}(2,\ 3^2)$, 즉 $\mathrm{B}(2,\ 9)$

따라서 점 B의 y좌표는 9이다.

⊛→ 다른 풀이

STEP1 점 C의 좌표를 한 문자로 나타내기

점 $\mathrm{A}\left(-1,\ \dfrac{1}{3}\right)$이고 점 B의 x좌표를 b라고 하면 점 B의 좌표는 $(b,\ 3^b)$

선분 AB를 $1:2$로 내분하는 점 C의 좌표는

$$\left(\frac{b-2}{3},\ \frac{3^b+\frac{2}{3}}{3}\right)$$

STEP2 점 B의 y좌표 구하기

점 C는 y축 위에 있으므로 $\dfrac{b-2}{3}=0$ $\quad\therefore b=2$

$\underrightarrow{\qquad\qquad}$ (점 C의 x좌표)$=0$

따라서 점 B의 y좌표는 $3^2=9$

03-4 🗒 71

해결전략 | 넓이를 이용하여 점 A의 y좌표를 먼저 구한다.

STEP1 점 A의 x좌표 구하기

삼각형 AOB의 넓이가 16이고 $\overline{OB}=4$이므로 점 A의 y좌표는 8이다.

점 A는 곡선 $y=2^x-1$ 위의 점이므로 점 A의 x좌표를 α라고 하면

$2^\alpha-1=8$

$\therefore \alpha=\log_2 9$

STEP2 양수 a의 값 구하기

이때 점 $A(\log_2 9,\ 8)$은 곡선 $y=2^{-x}+\dfrac{a}{9}$ 위의 점이므로

$8=2^{-\log_2 9}+\dfrac{a}{9},\ 8=\dfrac{1}{9}+\dfrac{a}{9}$

$\therefore a=71$

➕**발전유형 04**   87쪽

04-1 🗒 (1) 18 (2) 16

해결전략 | 두 함수 $y=3^x$, $y=3^{x-2}$의 그래프는 한 그래프를 x축의 방향으로 평행이동하면 일치한다.

$y=3^{x-2}$의 그래프는 $y=3^x$의 그래프를 x축의 방향으로 2만큼 평행이동한 것이다.

(1) 두 함수 $y=3^x$, $y=3^{x-2}$의 그래프는 다음 그림과 같다.

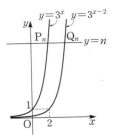

$\overline{P_1Q_1}=\overline{P_2Q_2}=\overline{P_3Q_3}=\cdots=\overline{P_9Q_9}=2$이므로

$\overline{P_1Q_1}+\overline{P_2Q_2}+\overline{P_3Q_3}+\cdots+\overline{P_9Q_9}=9\times2=18$

(2) 함수 $y=3^x$의 그래프와 두 직선 $x=2$, $y=1$로 둘러싸인 부분의 넓이는 함수 $y=3^{x-2}$의 그래프와 두 직선 $x=4$, $y=1$로 둘러싸인 부분의 넓이와 같다.

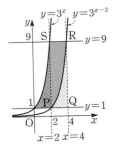

따라서 두 함수 $y=3^x$, $y=3^{x-2}$의 그래프와 두 직선 $y=1$, $y=9$로 둘러싸인 부분의 넓이는 위의 그림에서 직사각형 PQRS의 넓이와 같다.

직사각형 PQRS의 넓이는 $(4-2)\times(9-1)=16$이므로 구하는 넓이는 16이다.

04-2 🗒 2

해결전략 | 두 함수 $y=3^x$, $y=3^x+2$의 그래프는 한 그래프를 y축의 방향으로 평행이동하면 일치한다.

다음 그림에서 두 함수 $y=3^x$, $y=3^x+2$의 그래프와 두 직선 $x=0$, $x=1$로 둘러싸인 부분의 넓이는 $A+B$이다.

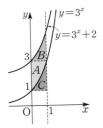

이때 $y=3^x+2$의 그래프는 $y=3^x$의 그래프를 y축의 방향으로 2만큼 평행이동한 것이므로 그림에서 B와 C의 넓이가 같다.

따라서 $A+B=A+C$이므로 구하는 넓이는 가로의 길이가 1이고 세로의 길이가 2인 직사각형의 넓이와 같으므로 $1\times2=2$이다.

04-3 🗒 6

해결전략 | 두 함수 $y=2^{x+2}$, $y=2^x-2$의 그래프는 한 그래프를 평행이동하면 일치한다.

STEP1 색칠한 부분과 넓이가 같은 부분 찾기

$y=2^{x+2}$의 그래프는 $y=2^x-2$의 그래프를 x축의 방향으

로 -2만큼, y축의 방향으로 2만큼 평행이동한 것이다.

함수 $y=2^{x+2}$의 그래프와 y축, 직선 $y=2$로 둘러싸인 부분의 넓이는 함수 $y=2^x-2$의 그래프와 x축, 직선 $x=2$로 둘러싸인 부분의 넓이와 같다.

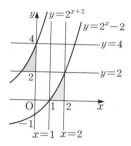

STEP2 넓이 구하기

따라서 S_1+S_2의 값은 가로의 길이가 1, 세로의 길이가 2인 직사각형 3개의 넓이와 같다.

$\therefore S_1+S_2=(1\times2)\times3=6$

▶**참고** $S_1=2\times2=4$, $S_2=2\times1=2$임을 이용할 수 있다.

04-4 🔲 **78**

해결전략 | 점 D의 좌표를 구하고, 색칠한 부분의 일부를 이동시켜 넓이를 구한다.

STEP1 색칠한 부분과 넓이가 같은 부분 찾기

$y=3^{x-3}$의 그래프는 $y=3^x$의 그래프를 x축의 방향으로 3만큼 평행이동한 것이므로 구하는 도형의 넓이는 평행사변형 ABDC의 넓이와 같고, 평행사변형 ABDC의 넓이는 직사각형 ABCF의 넓이와 같다.

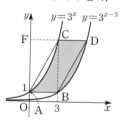

STEP2 점 B, C의 좌표 구하기

한편, 점 B와 C의 좌표를 구하면

$y=3^{x-3}$에서 $y=1$일 때, $1=3^{x-3}$ $\therefore x=3$

$\therefore$ B$(3, 1)$

점 B와 점 C는 x좌표가 같으므로

$y=3^x$에서 $x=3$일 때, $y=3^3=27$

$\therefore$ C$(3, 27)$

STEP3 넓이 구하기

따라서 직사각형 ABCF의 넓이는

$\overline{AB}\times\overline{BC}=3\times(27-1)=78$

05-1 🔲 (1) $B<C<A$ (2) $B<C<A$

해결전략 | 밑을 통일한 후 (밑)>1이면 지수가 클수록 큰 수이고, $0<$(밑)<1이면 지수가 클수록 작은 수이다.

(1) **STEP1 밑을 $\frac{2}{3}$로 나타내기**

$A=\left(\frac{2}{3}\right)^{\frac{3}{4}}$, $B=\left(\frac{3}{2}\right)^{-\frac{5}{4}}=\left\{\left(\frac{2}{3}\right)^{-1}\right\}^{-\frac{5}{4}}=\left(\frac{2}{3}\right)^{\frac{5}{4}}$,

$C=\left(\frac{2}{3}\right)^{\frac{4}{5}}$

STEP2 지수함수의 성질을 이용하여 대소 비교하기

이때 $\frac{3}{4}<\frac{4}{5}<\frac{5}{4}$이고, 함수 $y=\left(\frac{2}{3}\right)^x$은 x의 값이 증가하면 y의 값은 감소하므로

$\left(\frac{2}{3}\right)^{\frac{5}{4}}<\left(\frac{2}{3}\right)^{\frac{4}{5}}<\left(\frac{2}{3}\right)^{\frac{3}{4}}$ $\therefore B<C<A$

(2) **STEP1 밑을 3으로 나타내기**

$A=9^{\frac{4}{3}}=(3^2)^{\frac{4}{3}}=3^{\frac{8}{3}}$

$B=\sqrt[4]{27^3}=(3^3)^{\frac{3}{4}}=3^{\frac{9}{4}}$

$C=\left(\frac{1}{243}\right)^{-\frac{1}{2}}=(3^{-5})^{-\frac{1}{2}}=3^{\frac{5}{2}}$

STEP2 지수함수의 성질을 이용하여 대소 비교하기

이때 $\frac{9}{4}<\frac{5}{2}<\frac{8}{3}$이고, 함수 $y=3^x$은 x의 값이 증가하면 y의 값도 증가하므로

$3^{\frac{9}{4}}<3^{\frac{5}{2}}<3^{\frac{8}{3}}$ $\therefore B<C<A$

05-2 🔲 ④

해결전략 | 밑을 통일한 후 (밑)>1이면 지수가 클수록 큰 수이고, $0<$(밑)<1이면 지수가 클수록 작은 수이다.

① $9^{\frac{1}{3}}=3^{\frac{2}{3}}$, $\sqrt{3}=3^{\frac{1}{2}}$이고 밑 3이 $3>1$이므로

$3^{\frac{2}{3}}>3^{\frac{1}{2}}$ $\therefore 9^{\frac{1}{3}}>\sqrt{3}$

② $\sqrt[5]{8}=2^{\frac{3}{5}}$, $16^{\frac{1}{8}}=2^{\frac{1}{2}}$이고 밑 2가 $2>1$이므로

$2^{\frac{3}{5}}>2^{\frac{1}{2}}$ $\therefore \sqrt[5]{8}>16^{\frac{1}{8}}$

③ $\frac{1}{3^2}=\left(\frac{1}{3}\right)^2$, $\frac{1}{3\sqrt[3]{3}}=\left(\frac{1}{3}\right)^{\frac{4}{3}}$이고 밑 $\frac{1}{3}$이

$0<\frac{1}{3}<1$이므로

$\left(\frac{1}{3}\right)^2<\left(\frac{1}{3}\right)^{\frac{4}{3}}$ $\therefore \frac{1}{3^2}<\frac{1}{3\sqrt[3]{3}}$

④ $\sqrt{\sqrt{3}}=3^{\frac{1}{4}}$, $\left(\frac{1}{3}\right)^{-\frac{1}{2}}=3^{\frac{1}{2}}$이고 밑 3이 $3>1$이므로

$3^{\frac{1}{4}}<3^{\frac{1}{2}}$ $\therefore \sqrt{\sqrt{3}}<\left(\frac{1}{3}\right)^{-\frac{1}{2}}$

⑤ $(0.5)^{-\frac{1}{2}}=2^{\frac{1}{2}}$, $(\sqrt{2})^{\frac{2}{3}}=2^{\frac{1}{3}}$이고 밑 2가 $2>1$이므로

$2^{\frac{1}{2}}>2^{\frac{1}{3}}$ ∴ $(0.5)^{-\frac{1}{2}}>(\sqrt{2})^{\frac{2}{3}}$

따라서 대소 관계가 옳은 것은 ④이다.

05-3 답 $C<B<A$

해결전략 | 지수함수에서 $0<$ (밑) <1이면 x의 값이 증가할 때 y의 값은 감소한다는 성질을 이용하여 크기를 비교한다.

STEP1 지수의 대소 비교하기

$A=\left(\dfrac{1}{5}\right)^{\frac{n}{n+1}}=\left(\dfrac{1}{5}\right)^{1-\frac{1}{n+1}}$

$B=\left(\dfrac{1}{5}\right)^{\frac{n+1}{n+2}}=\left(\dfrac{1}{5}\right)^{1-\frac{1}{n+2}}$

$C=\left(\dfrac{1}{5}\right)^{\frac{n+2}{n+3}}=\left(\dfrac{1}{5}\right)^{1-\frac{1}{n+3}}$

n이 자연수일 때, $\dfrac{1}{n+1}>\dfrac{1}{n+2}>\dfrac{1}{n+3}$이므로

$1-\dfrac{1}{n+1}<1-\dfrac{1}{n+2}<1-\dfrac{1}{n+3}$

∴ $\dfrac{n}{n+1}<\dfrac{n+1}{n+2}<\dfrac{n+2}{n+3}$

STEP2 지수함수의 성질을 이용하여 대소 비교하기

함수 $y=\left(\dfrac{1}{5}\right)^{x}$은 x의 값이 증가하면 y의 값은 감소하므로 $\left(\dfrac{1}{5}\right)^{\frac{n+2}{n+3}}<\left(\dfrac{1}{5}\right)^{\frac{n+1}{n+2}}<\left(\dfrac{1}{5}\right)^{\frac{n}{n+1}}$

∴ $C<B<A$

05-4 답 A

해결전략 | 지수함수에서 (밑) >1이면 x의 값이 증가할 때 y의 값도 증가한다는 성질을 이용하여 크기를 비교한다.

STEP1 지수의 대소 비교하기

$0<a<1$일 때 $a^4<a^3<a^2<a$

STEP2 지수함수의 성질을 이용하여 대소 비교하기

함수 $y=3^x$은 x의 값이 증가하면 y의 값도 증가하므로 $3^{a^4}<3^{a^3}<3^{a^2}<3^{a}$

∴ $D<C<B<A$

따라서 가장 큰 수는 A이다.

05-5 답 ②

해결전략 | 지수함수에서 $0<$ (밑) <1이면 x의 값이 증가할 때 y의 값은 감소한다는 성질을 이용하여 크기를 비교한다.

$0<a<1$일 때, 함수 $y=a^x$은 x의 값이 증가하면 y의 값은 감소한다.

$0<a$이므로 $a^0>a^a$

∴ $1>a^a$ …… ㉠

㉠에서 $a^1<a^a$

∴ $a<a^a$ …… ㉡

또, $a<1$이므로 $a^a>a^1$

∴ $a^a>a$ …… ㉢

㉢에서 $a^{a^a}<a^a$ …… ㉣

㉡, ㉣에 의하여 a, a^a, a^{a^a}의 대소 관계는

$a<a^{a^a}<a^a$

05-6 답 ㄱ, ㄷ

해결전략 | (밑) >1일 때는 밑이 클수록 그래프가 y축에 더 가깝다는 사실을 이용하여 밑이 다른 두 수의 크기를 비교한다.

STEP1 참, 거짓 판단하기

ㄱ. $a>1$이고 $a<b$이므로 $a^a<a^b$ (참)

ㄴ. $a=2$, $b=5$라고 하면 $2^5>5^2$ (거짓)

ㄷ. $b>1$이고 $a<b$이므로 $b^a<b^b$

a^b과 b^b은 지수가 같고 $a<b$이므로 $a^b<b^b$

$a^a<a^b$이므로 $a^a<a^b<b^b$

따라서 가장 큰 수는 b^b이다. (참)

따라서 옳은 것은 ㄱ, ㄷ이다.

▶**참고** 문자로 주어진 대소 비교는 조건을 만족시키는 수를 대입하여 그 크기를 비교해도 된다.

$1<a<b$이므로 $a=2$, $b=3$으로 놓으면

a^a, a^b, b^a, b^b ➡ 2^2, 2^3, 3^2, 3^3

이로부터 가장 큰 수는 b^b임을 알 수 있다.

필수유형 06 91쪽

06-1 답 (1) **최댓값: 23, 최솟값: -1**

(2) **최댓값: 2, 최솟값: $-\dfrac{7}{4}$**

(3) **최댓값: $\dfrac{4}{27}$, 최솟값: $\dfrac{1}{12}$**

해결전략 | (밑) >1인 경우 y의 값은 x가 최소일 때 최소, x가 최대일 때 최대가 되고, $0<$ (밑) <1인 경우 y의 값은 x가 최소일 때 최대, x가 최대일 때 최소가 된다.

(1) **STEP1 주어진 함수가 증가하는 함수임을 알기**

$y=5^{x-1}-2$에서 밑이 5이고 $5>1$이므로 주어진 함수는 x의 값이 증가하면 y의 값도 증가한다.

STEP2 주어진 함수의 최댓값과 최솟값 구하기

$1\le x\le 3$에서 함수 $y=5^{x-1}-2$는

$x=3$일 때 최대이고, 최댓값은

$5^{3-1}-2=25-2=23$

$x=1$일 때 최소이고, 최솟값은

$5^{1-1}-2=1-2=-1$

(2) **STEP1 주어진 함수가 감소하는 함수임을 알기**

$y=\left(\dfrac{1}{2}\right)^{x+1}-2$에서 밑이 $\dfrac{1}{2}$이고 $0<\dfrac{1}{2}<1$이므로 주어진 함수는 x의 값이 증가하면 y의 값은 감소한다.

STEP2 주어진 함수의 최댓값과 최솟값 구하기

$-3\le x\le1$에서 함수 $y=\left(\dfrac{1}{2}\right)^{x+1}-2$는

$x=-3$일 때 최대이고, 최댓값은

$\left(\dfrac{1}{2}\right)^{-3+1}-2=2^2-2=2$

$x=1$일 때 최소이고, 최솟값은

$\left(\dfrac{1}{2}\right)^{1+1}-2=\dfrac{1}{4}-2=-\dfrac{7}{4}$

(3) **STEP1 주어진 함수가 감소하는 함수임을 알기**

$y=3^{x-2}\times2^{-2x}=3^x\times3^{-2}\times\left(\dfrac{1}{4}\right)^x=\dfrac{1}{9}\left(\dfrac{3}{4}\right)^x$에서 밑이 $\dfrac{3}{4}$이고 $0<\dfrac{3}{4}<1$이므로 주어진 함수는 x의 값이 증가하면 y의 값은 감소한다.

STEP2 주어진 함수의 최댓값과 최솟값 구하기

$-1\le x\le1$에서 함수 $y=\dfrac{1}{9}\left(\dfrac{3}{4}\right)^x$은

$x=-1$일 때 최대이고, 최댓값은

$\dfrac{1}{9}\times\left(\dfrac{3}{4}\right)^{-1}=\dfrac{1}{9}\times\dfrac{4}{3}=\dfrac{4}{27}$

$x=1$일 때 최소이고, 최솟값은

$\dfrac{1}{9}\times\dfrac{3}{4}=\dfrac{1}{12}$

06-2 답 2

해결전략 | 지수함수에서 (밑)>1인 경우 y의 값은 x가 최소일 때 최소, x가 최대일 때 최대이다.

STEP1 최소가 되는 경우 알기

$f(x)=2^{x+1}+k$라고 하면 밑이 2이고 $2>1$이므로 함수 $f(x)$는 x의 값이 증가하면 y의 값도 증가한다.

따라서 $-2\le x\le1$에서 함수 $f(x)$는 $x=-2$일 때 최소이고 최솟값은 $f(-2)$이다.

STEP2 k의 값 구하기

$f(-2)=2^{-1}+k=\dfrac{1}{2}+k=\dfrac{5}{2}$

$\therefore k=2$

06-3 답 21

해결전략 | 지수함수에서 $0<$(밑)<1인 경우 y의 값은 x가 최소일 때 최대, x가 최대일 때 최소이다.

STEP1 a의 값 구하기

함수 $f(x)=\left(\dfrac{1}{3}\right)^{2x-a}$은 밑이 $\dfrac{1}{3}$이고 $0<\dfrac{1}{3}<1$이므로 함수 $f(x)$는 x의 값이 증가하면 y의 값은 감소한다.

따라서 $2\le x\le3$에서 함수 $f(x)$는 $x=2$일 때 최댓값 27을 가지므로

$f(2)=\left(\dfrac{1}{3}\right)^{4-a}=27$

$3^{a-4}=3^3$ $\quad\therefore a=7$

$\therefore f(x)=\left(\dfrac{1}{3}\right)^{2x-7}$

STEP2 m의 값 구하기

함수 $f(x)$는 $x=3$일 때 최소이고, 최솟값은

$m=f(3)=\left(\dfrac{1}{3}\right)^{6-7}=3$

STEP3 $a\times m$의 값 구하기

$\therefore a\times m=7\times3=21$

06-4 답 $\dfrac{65}{32}$

해결전략 | 밑의 범위를 나누어 각각의 경우의 최댓값을 구한다.

STEP1 $0<a<1$인 경우 a의 값 구하기

$-1\le x\le2$에서 함수 $f(x)=a^{2x+1}$의 최댓값은 a의 값의 범위에 따라 다음과 같다.

(i) $0<a<1$인 경우

함수 $f(x)$는 $x=-1$일 때 최댓값 $f(-1)$을 가지므로

$f(-1)=a^{-1}=32$

$\therefore a=\dfrac{1}{32}$

STEP2 $a>1$인 경우 a의 값 구하기

(ii) $a>1$인 경우

함수 $f(x)$는 $x=2$일 때 최댓값 $f(2)$를 가지므로

$f(2)=a^5=32$

$\therefore a=2$

STEP3 a의 값의 합 구하기

(i), (ii)에 의하여 양수 a의 값의 합은

$\dfrac{1}{32}+2=\dfrac{65}{32}$

06-5 답 $\dfrac{7}{2}$

해결전략 | 지수함수에서 $0<$(밑)<1인 경우 y의 값은 x가 최소일 때 최대, x가 최대일 때 최소이다.

STEP1 $f(-2)$, $f(2)$의 값 알기

$-2 \le x \le 2$에서 $f(x) = a^x + b$로 놓으면 밑은 a이고 $0 < a < 1$이므로 $f(-2)$가 최댓값, $f(2)$가 최솟값이다.

$f(-2) = a^{-2} + b = 7$ …… ㉠

$f(2) = a^2 + b = \dfrac{13}{4}$ …… ㉡

STEP2 a의 값 구하기

㉠$-$㉡을 하면 $a^{-2} - a^2 = \dfrac{15}{4}$

$a^2 = t$로 놓으면 $\dfrac{1}{t} - t = \dfrac{15}{4}$, $4t^2 + 15t - 4 = 0$

$(4t - 1)(t + 4) = 0$ $\therefore t = \dfrac{1}{4}$ 또는 $t = -4$

이때 $a^2 > 0$이므로 $a^2 = \dfrac{1}{4}$ $\therefore a = \dfrac{1}{2} \ (\because 0 < a < 1)$

STEP3 b의 값 구하기

$a = \dfrac{1}{2}$을 ㉡에 대입하면 $\dfrac{1}{4} + b = \dfrac{13}{4}$

$\therefore b = 3$

STEP4 $a + b$의 값 구하기

$\therefore a + b = \dfrac{1}{2} + 3 = \dfrac{7}{2}$

06-6 🅰 $\dfrac{1}{4}$

해결전략 | $a > 1$, $0 < a < 1$인 경우로 나누어 최댓값을 구한다.

STEP1 지수의 최댓값과 최솟값 구하기

$f(x) = |x - 2| + 2$로 놓으면 $0 \le x \le 3$에서

$-2 \le x - 2 \le 1$, $0 \le |x - 2| \le 2$

$\therefore 2 \le |x - 2| + 2 \le 4$, 즉 $2 \le f(x) \le 4$

STEP2 a의 값 구하기

(i) $a > 1$일 때   ▶ 함수 $y = a^{f(x)}$은 $f(x)$의 값이 증가하면 y의 값도 증가한다.

함수 $y = a^{f(x)}$은 $f(x) = 2$일 때 최솟값을 가지므로

$a^2 = \dfrac{1}{16}$ $\therefore a = \dfrac{1}{4} \ (\because a > 0)$

그런데 $a = \dfrac{1}{4}$은 $a > 1$을 만족시키지 않는다.

(ii) $0 < a < 1$일 때   ▶ 함수 $y = a^{f(x)}$은 $f(x)$의 값이 증가하면 y의 값은 감소한다.

함수 $y = a^{f(x)}$은 $f(x) = 4$일 때 최솟값을 가지므로

$a^4 = \dfrac{1}{16}$ $\therefore a = \dfrac{1}{2} \ (\because a > 0)$

이때 $a = \dfrac{1}{2}$은 $0 < a < 1$을 만족시킨다.

STEP3 최댓값 구하기

(i), (ii)에 의하여 $a = \dfrac{1}{2}$이고, $f(x) = 2$일 때 최대이므로

최댓값은 $\left(\dfrac{1}{2}\right)^2 = \dfrac{1}{4}$

07-1 🅰 (1) $\dfrac{1}{4}$ (2) **243**

해결전략 | 지수를 $f(x)$로 놓고 $f(x)$의 최댓값과 최솟값을 구한다. 이때 밑의 범위에 주의한다.

(1) **STEP1** 지수의 최솟값 구하기

$$y = 4^{x^2} \times \left(\dfrac{1}{4}\right)^{6x - 8} = 4^{x^2} \times 4^{-6x + 8} = 4^{x^2 - 6x + 8}$$

$f(x) = x^2 - 6x + 8$로 놓으면

$f(x) = (x - 3)^2 - 1$

함수 $f(x)$는 $x = 3$일 때 최솟값 $f(3) = -1$을 갖는다.

STEP2 지수함수의 최솟값 구하기

함수 $y = 4^{f(x)}$은 밑이 4이고 $4 > 1$이므로 $f(x)$가 최소일 때 y도 최소이다.

따라서 $f(x) = -1$일 때 최소이고, 최솟값은

$4^{-1} = \dfrac{1}{4}$

(2) **STEP1** 지수의 최솟값 구하기

$f(x) = x^2 + 4x - 1$로 놓으면

$f(x) = (x + 2)^2 - 5$

함수 $f(x)$는 $x = -2$일 때 최솟값 $f(-2) = -5$를 갖는다.

STEP2 지수함수의 최댓값 구하기

함수 $y = \left(\dfrac{1}{3}\right)^{f(x)}$은 밑이 $\dfrac{1}{3}$이고 $0 < \dfrac{1}{3} < 1$이므로 $f(x)$가 최소일 때 y는 최대이다.

따라서 $f(x) = -5$일 때 최대이고, 최댓값은

$\left(\dfrac{1}{3}\right)^{-5} = 3^5 = 243$

07-2 🅰 (1) 최댓값: 1, 최솟값: $\dfrac{1}{3}$

     (2) 최댓값: 125, 최솟값: $\dfrac{1}{5}$

해결전략 | 지수를 $f(x)$로 놓고 $f(x)$의 최댓값과 최솟값을 구한다. 이때 밑의 범위에 주의한다.

(1) **STEP1** 지수의 최댓값과 최솟값 구하기

$f(x) = x^2 - 4x + 3$으로 놓으면

$f(x) = (x - 2)^2 - 1$

$f(1) = 0$, $f(2) = -1$, $f(3) = 0$이므로

$1 \le x \le 3$에서 $-1 \le f(x) \le 0$

STEP2 주어진 함수의 최댓값과 최솟값 구하기

함수 $y = 3^{f(x)}$은 밑이 3이고 $3 > 1$이므로 $f(x)$가 최대일 때 y도 최대, $f(x)$가 최소일 때 y도 최소가 된다.

따라서 함수 $y=3^{f(x)}$은

$f(x)=0$일 때 최대이고, 최댓값은 $3^0=1$

$f(x)=-1$일 때 최소이고, 최솟값은 $3^{-1}=\dfrac{1}{3}$

(2) **STEP1** 지수의 최댓값과 최솟값 구하기

$f(x)=-x^2+2x$로 놓으면

$f(x)=-(x-1)^2+1$

$f(-1)=-3,\ f(1)=1,\ f(2)=0$이므로

$-1\le x\le 2$에서 $-3\le f(x)\le 1$

STEP2 주어진 함수의 최댓값과 최솟값 구하기

함수 $y=\left(\dfrac{1}{5}\right)^{f(x)}$은 밑이 $\dfrac{1}{5}$이고 $0<\dfrac{1}{5}<1$이므로

$f(x)$가 최소일 때 y는 최대, $f(x)$가 최대일 때 y는 최소가 된다.

따라서 함수 $y=\left(\dfrac{1}{5}\right)^{f(x)}$은

$f(x)=-3$일 때 최대이고, 최댓값은 $\left(\dfrac{1}{5}\right)^{-3}=5^3=125$

$f(x)=1$일 때 최소이고, 최솟값은 $\dfrac{1}{5}$

07-3 답 -1

해결전략 | 지수를 $f(x)$로 놓고 $f(x)$의 최댓값과 최솟값을 구한다. $0<($밑$)<1$인 경우 y의 값은 $f(x)$가 최소일 때 최대, $f(x)$가 최대일 때 최소이다.

STEP1 지수의 최댓값과 최솟값 구하기

$f(x)=-x^2+4x+k$로 놓으면

$f(x)=-(x-2)^2+k+4$이므로 $-1\le x\le 3$에서

$f(-1)=k-5,\ f(2)=k+4,\ f(3)=k+3$

STEP2 지수함수가 최대가 되는 경우 찾기

함수 $y=\left(\dfrac{1}{2}\right)^{f(x)}$은 밑이 $\dfrac{1}{2}$이고 $0<\dfrac{1}{2}<1$이므로

$f(x)$가 최소일 때 y는 최대, $f(x)$가 최대일 때 y는 최소이다. 즉, $f(x)=k-5$일 때 y는 최대이다.

STEP3 k의 값 구하기

함수 $y=\left(\dfrac{1}{2}\right)^{f(x)}$의 최댓값이 64이므로

$\left(\dfrac{1}{2}\right)^{k-5}=64,\ 2^{-k+5}=2^6$

$-k+5=6$ ∴ $k=-1$

07-4 답 $\dfrac{2}{3}$

해결전략 | 지수를 $f(x)$로 놓고 $f(x)$의 최댓값을 구한다. $0<($밑$)<1$인 경우 y의 값은 $f(x)$가 최대일 때 최소이다.

STEP1 지수의 최댓값 구하기

$f(x)=-x^2+2x+3$으로 놓으면

$f(x)=-(x-1)^2+4$

∴ $f(x)\le 4$

STEP2 지수함수가 최소가 되는 경우 찾기

함수 $y=a^{f(x)}$에서 밑 a가 $0<a<1$이므로 $f(x)$가 최대일 때 y는 최소가 된다. 즉, $f(x)=4$일 때 y는 최소이다.

STEP3 a의 값 구하기

함수 $y=a^{f(x)}$의 최솟값이 $\dfrac{16}{81}$이므로

$a^4=\dfrac{16}{81}=\left(\dfrac{2}{3}\right)^4$

∴ $a=\dfrac{2}{3}\ (∵\ 0<a<1)$

07-5 답 $\dfrac{17}{2}$

해결전략 | $0<($밑$)<1$인 경우와 $($밑$)>1$인 경우로 나누어 최솟값을 찾아 a의 값을 구한다.

STEP1 $f(x)$의 범위 구하기

$f(x)=x^2-4x+3$으로 놓으면

$f(x)=(x-2)^2-1$

$f(1)=0,\ f(2)=-1,\ f(4)=3$이므로

$1\le x\le 4$에서 $-1\le f(x)\le 3$

STEP2 밑의 범위를 나누어 a의 값 구하기

(ⅰ) $0<a<1$이면 $f(x)$가 최대일 때, 즉 $f(x)=3$일 때 함수 $y=a^{x^2-4x+3}$이 최솟값을 가지므로

$a^3=\dfrac{1}{8}$ ∴ $a=\dfrac{1}{2}$

(ⅱ) $a>1$이면 $f(x)$가 최소일 때, 즉 $f(x)=-1$일 때 함수 $y=a^{x^2-4x+3}$이 최솟값을 가지므로

$a^{-1}=\dfrac{1}{8}$ ∴ $a=8$

STEP3 a의 값의 합 구하기

(ⅰ), (ⅱ)에 의하여 모든 a의 값의 합은

$\dfrac{1}{2}+8=\dfrac{17}{2}$

07-6 답 3

해결전략 | $0<($밑$)<1$인 경우와 $($밑$)>1$인 경우로 나누어 조건을 만족시키는 경우를 찾는다.

STEP1 $f(x)$의 범위 구하기

$(g\circ f)(x)=g(f(x))=a^{f(x)}=a^{x^2-6x+3}$

이고, $f(x)=(x-3)^2-6$

$f(1)=-2,\ f(3)=-6,\ f(4)=-5$

$1\le x\le 4$에서 $-6\le f(x)\le -2$

STEP2 a의 값 구하기

(i) $0<a<1$이면 $f(x)$가 최소일 때, 즉 $f(x)=-6$일 때
$y=a^{x^2-6x+3}$이 최댓값을 가지므로
$$a^{-6}=27 \qquad \therefore a=(3^3)^{-\frac{1}{6}}=3^{-\frac{1}{2}}=\frac{1}{\sqrt{3}}=\frac{\sqrt{3}}{3}$$
$a=\dfrac{\sqrt{3}}{3}$은 $0<a<1$을 만족시킨다.

(ii) $a>1$이면 $f(x)$가 최대일 때, 즉 $f(x)=-2$일 때
$y=a^{x^2-6x+3}$이 최댓값을 가지므로
$$a^{-2}=27 \qquad \therefore a=(3^3)^{-\frac{1}{2}}=3^{-\frac{3}{2}}=\frac{1}{3\sqrt{3}}=\frac{\sqrt{3}}{9}$$
그런데 $a=\dfrac{\sqrt{3}}{9}$은 $a>1$을 만족시키지 않는다.

(i), (ii)에 의하여 $a=\dfrac{\sqrt{3}}{3}$

STEP3 m의 값 구하기

$f(x)$가 최대일 때, 즉 $f(x)=-2$일 때 $y=a^{x^2-6x+3}$이 최소이므로 최솟값은 ▶ $0<a<1$이므로 $f(x)$가 최대일 때 $a^{f(x)}$은 최솟값을 갖는다.
$$a^{-2}=\left(\frac{\sqrt{3}}{3}\right)^{-2}=\left(\frac{3}{\sqrt{3}}\right)^2=3$$
$$\therefore m=3$$

필수유형 08   95쪽

08-1 📋 (1) -2 (2) -10

해결전략 | $a^x=t$로 치환하여 t에 대한 함수의 최댓값과 최솟값을 구한다.

(1) STEP1 $3^x=t$로 놓고 t의 값의 범위 구하기
$$y=-9^x+2\times 3^x-3=-(3^x)^2+2\times 3^x-3$$
$3^x=t$로 놓으면 $t>0$

STEP2 주어진 함수를 t에 대한 식으로 나타내고 최댓값 구하기

이때 주어진 함수는
$$y=-t^2+2t-3=-(t-1)^2-2$$
따라서 $t>0$에서 함수 $y=-(t-1)^2-2$는
$t=1$일 때 최대이고, 최댓값은 -2이다.

(2) STEP1 $\left(\dfrac{1}{2}\right)^x=t$로 놓고 t의 값의 범위 구하기
$$y=\left(\frac{1}{4}\right)^x-4\left(\frac{1}{2}\right)^{x-1}+6=\left\{\left(\frac{1}{2}\right)^x\right\}^2-8\left(\frac{1}{2}\right)^x+6$$
$\left(\dfrac{1}{2}\right)^x=t$로 놓으면 $t>0$

STEP2 주어진 함수를 t에 대한 식으로 나타내고 최솟값 구하기

이때 주어진 함수는
$$y=t^2-8t+6=(t-4)^2-10$$
따라서 $t>0$에서 함수 $y=(t-4)^2-10$은 $t=4$일 때 최소이고, 최솟값은 -10이다.

08-2 📋 (1) 최댓값: 2, 최솟값: -2
       (2) 최댓값: 63, 최솟값: -1

해결전략 | $a^x=t$로 치환하여 t에 대한 함수의 최댓값과 최솟값을 구한다.

(1) STEP1 $2^x=t$로 놓고 t의 값의 범위 구하기
$$y=2^{x+2}-4^x-2=2^2\times 2^x-(2^2)^x-2$$
$$=4\times 2^x-(2^x)^2-2$$
$2^x=t$로 놓으면 $0\le x\le 2$에서 $2^0\le 2^x\le 2^2$
$$\therefore 1\le t\le 4$$

STEP2 주어진 함수를 t에 대한 식으로 나타내고 최댓값과 최솟값 구하기

이때 주어진 함수는
$$y=4t-t^2-2=-(t-2)^2+2$$
따라서 $1\le t\le 4$에서 함수 $y=-(t-2)^2+2$는
$t=2$일 때 최대이고, 최댓값은 2
$t=4$일 때 최소이고, 최솟값은 $-(4-2)^2+2=-2$

(2) STEP1 $\left(\dfrac{1}{3}\right)^x=t$로 놓고 t의 값의 범위 구하기
$$y=9^{-x}-2\times 3^{-x}=\left(\frac{1}{9}\right)^x-2\times\left(\frac{1}{3}\right)^x$$
$$=\left\{\left(\frac{1}{3}\right)^x\right\}^2-2\times\left(\frac{1}{3}\right)^x$$
$\left(\dfrac{1}{3}\right)^x=t$로 놓으면 $-2\le x\le 1$에서
$$\left(\frac{1}{3}\right)^1\le\left(\frac{1}{3}\right)^x\le\left(\frac{1}{3}\right)^{-2}$$
$$\therefore \frac{1}{3}\le t\le 9$$

STEP2 주어진 함수를 t에 대한 식으로 나타내고 최댓값과 최솟값 구하기

이때 주어진 함수는
$$y=t^2-2t=(t-1)^2-1$$
따라서 $\dfrac{1}{3}\le t\le 9$에서 함수 $y=(t-1)^2-1$은
$t=9$일 때 최대이고, 최댓값은 $(9-1)^2-1=63$
$t=1$일 때 최소이고, 최솟값은 $(1-1)^2-1=-1$

08-3 📋 8

해결전략 | $3^x=t$로 치환한 다음 이차함수의 최솟값을 이용하여 k의 값을 구한다.

STEP1 $3^x = t$로 놓고 t의 값의 범위 구하기

$y = 9^x - 6 \times 3^x + k = (3^x)^2 - 6 \times 3^x + k$

$3^x = t$로 놓으면 $x \le 0$이므로 $0 < t \le 1$

STEP2 주어진 함수를 t에 대한 식으로 나타내고 최솟값 구하기

이때 주어진 함수는

$y = t^2 - 6t + k = (t-3)^2 + k - 9$

따라서 $0 < t \le 1$에서 함수 $y = (t-3)^2 + k - 9$는 $t = 1$일 때 최소이고, 최솟값은 $k-5$이다.

STEP3 k의 값 구하기

주어진 함수의 최솟값이 3이므로

$k - 5 = 3$에서 $k = 8$

08-4 탑 -2

해결전략 | $\left(\dfrac{1}{3}\right)^x = t$로 치환한 다음 이차함수의 최솟값을 이용하여 k의 값을 구한다.

STEP1 $\left(\dfrac{1}{3}\right)^x = t$로 놓고 t의 값의 범위 구하기

$y = \left(\dfrac{1}{9}\right)^x + k\left(\dfrac{1}{3}\right)^{x-1} + 2 = \left\{\left(\dfrac{1}{3}\right)^2\right\}^x + 3k \times \left(\dfrac{1}{3}\right)^x + 2$

$\quad = \left\{\left(\dfrac{1}{3}\right)^x\right\}^2 + 3k \times \left(\dfrac{1}{3}\right)^x + 2$

$\left(\dfrac{1}{3}\right)^x = t$로 놓으면 $t > 0$

STEP2 주어진 함수를 t에 대한 식으로 나타내고 최솟값 구하기

이때 주어진 함수는

$y = t^2 + 3kt + 2 = \left(t + \dfrac{3}{2}k\right)^2 - \dfrac{9}{4}k^2 + 2$

$t > 0$에서 함수 $y = \left(t + \dfrac{3}{2}k\right)^2 - \dfrac{9}{4}k^2 + 2$는

$t = -\dfrac{3}{2}k$일 때 최소이고, 최솟값은 $-\dfrac{9}{4}k^2 + 2$이다.

STEP3 k의 값 구하기

주어진 함수의 최솟값이 -7이므로

$-\dfrac{9}{4}k^2 + 2 = -7$, $\dfrac{9}{4}k^2 = 9$

$k^2 = 4$

$\therefore k = -2 \ (\because k < 0)$

08-5 탑 1

해결전략 | $\left(\dfrac{1}{2}\right)^x = t$로 치환한 다음 t의 값의 범위에서의 이차함수의 최솟값을 구한다.

STEP1 $\left(\dfrac{1}{2}\right)^x = t$로 놓고 t의 값의 범위 구하기

$y = \left(\dfrac{1}{4}\right)^x - \left(\dfrac{1}{2}\right)^{x+a} + b = \left(\dfrac{1}{2}\right)^{2x} - \left(\dfrac{1}{2}\right)^a \left(\dfrac{1}{2}\right)^x + b$

$\left(\dfrac{1}{2}\right)^x = t$로 놓으면 $t > 0$

STEP2 주어진 함수를 t에 대한 식으로 나타내고 최솟값 구하기

$\left(\dfrac{1}{2}\right)^a = A \ (A > 0)$라고 하면 주어진 함수는

$y = t^2 - At + b = \left(t - \dfrac{A}{2}\right)^2 + b - \dfrac{A^2}{4}$

$t > 0$에서 함수 $y = \left(t - \dfrac{A}{2}\right)^2 + b - \dfrac{A^2}{4}$은 $t = \dfrac{A}{2}$일 때

최소이고 최솟값은 $b - \dfrac{A^2}{4}$이다.

STEP3 a, b의 값 구하기

주어진 함수가 $x = -1$, 즉 $t = 2$일 때 최솟값 -1을 가지므로

$2 = \dfrac{A}{2}$ $\quad \therefore A = 4$

$A = \left(\dfrac{1}{2}\right)^a = 4$이므로 $a = -2$

또, $b - \dfrac{A^2}{4} = -1$에 $A = 4$를 대입하면

$b - 4 = -1$이므로 $b = 3$

$\therefore a + b = -2 + 3 = 1$

08-6 탑 60

해결전략 | 주어진 식을 변형하여 공통 부분을 t로 치환한다.

STEP1 주어진 함수식 변형하기

$y = \dfrac{1 - 2 \times 3^x - 9^x}{9^x}$

$\quad = 3^{-2x} - 2 \times 3^{-x} - 1$

$\quad = \left\{\left(\dfrac{1}{3}\right)^2\right\}^x - 2 \times \left(\dfrac{1}{3}\right)^x - 1$

STEP2 $\left(\dfrac{1}{3}\right)^x = t$로 놓고 t의 값의 범위 구하기

$\left(\dfrac{1}{3}\right)^x = t$로 놓으면 $-2 \le x \le 3$에서

$\left(\dfrac{1}{3}\right)^3 \le \left(\dfrac{1}{3}\right)^x \le \left(\dfrac{1}{3}\right)^{-2}$

$\therefore \dfrac{1}{27} \le t \le 9$

STEP3 주어진 함수를 t에 대한 식으로 나타내고 M, m의 값 구하기

이때 주어진 함수는

$y = t^2 - 2t - 1 = (t-1)^2 - 2$

따라서 $\dfrac{1}{27} \le t \le 9$에서 함수 $y = (t-1)^2 - 2$는

$t = 9$일 때 최대이므로 $M = 62$

$t = 1$일 때 최소이므로 $m = -2$

$\therefore M + m = 62 + (-2) = 60$

09-1 답 (1) 8 (2) -4

해결전략 | 산술평균과 기하평균의 관계를 이용한다.

(1) 모든 실수 x에 대하여 $2^{2+x}>0$, $2^{2-x}>0$이므로
산술평균과 기하평균의 관계에 의하여
$$2^{2+x}+2^{2-x} \geq 2\sqrt{2^{2+x} \times 2^{2-x}}=2\sqrt{2^4}=8$$
(단, 등호는 $2^{2+x}=2^{2-x}$, 즉 $x=0$일 때 성립한다.)
따라서 $y=2^{2+x}+2^{2-x}$의 최솟값은 8이다.

(2) **STEP1** $2^x+2^{-x}=t$로 놓고 t의 값의 범위 구하기
$2^x+2^{-x}=t$로 놓으면 모든 실수 x에 대하여 $2^x>0$,
$2^{-x}>0$이므로 산술평균과 기하평균의 관계에 의하여
$$2^x+2^{-x} \geq 2\sqrt{2^x \times 2^{-x}}=2$$
(단, 등호는 $2^x=2^{-x}$, 즉 $x=0$일 때 성립한다.)
따라서 t의 값의 범위는 $t \geq 2$이다.

STEP2 주어진 함수를 t에 대한 식으로 나타내고 최솟값 구하기
$y=2(4^x+4^{-x})-4(2^x+2^{-x})$에서
$4^x+4^{-x}=(2^x)^2+(2^{-x})^2=(2^x+2^{-x})^2-2$
이므로 주어진 함수는
$$y=2(t^2-2)-4t=2t^2-4t-4=2(t-1)^2-6$$
따라서 $t=2$일 때 함수 $y=2(t-1)^2-6$은 최소이고
최솟값은 -4이다.

09-2 답 (1) 16 (2) 11

해결전략 | 주어진 식을 변형하여 산술평균과 기하평균의 관계를 이용한다.

(1) $y=4^x+\left(\dfrac{1}{4}\right)^{x-3}=4^x+4^{-x+3}$
이때 모든 실수 x에 대하여 $4^x>0$, $4^{-x+3}>0$이므로
산술평균과 기하평균의 관계에 의하여
$$4^x+4^{-x+3} \geq 2\sqrt{4^x \times 4^{-x+3}}=2\sqrt{4^3}=2\sqrt{2^6}=16$$
$\left(\text{단, 등호는 } 4^x=4^{-x+3}, \text{ 즉 } x=\dfrac{3}{2}\text{일 때 성립한다.}\right)$
따라서 함수 $y=4^x+\left(\dfrac{1}{4}\right)^{x-3}$의 최솟값은 16이다.

(2) $y=\dfrac{5^{2x}+5^x+25}{5^x}=5^x+1+\dfrac{25}{5^x}=5^x+5^{2-x}+1$
이때 모든 실수 x에 대하여 $5^x>0$, $5^{2-x}>0$이므로
산술평균과 기하평균의 관계에 의하여
$$5^x+5^{2-x}+1 \geq 2\sqrt{5^x \times 5^{2-x}}+1=10+1=11$$
(단, 등호는 $5^x=5^{2-x}$, 즉 $x=1$일 때 성립한다.)
따라서 함수 $y=\dfrac{5^{2x}+5^x+25}{5^x}$의 최솟값은 11이다.

09-3 답 25

해결전략 | 주어진 식을 변형하여 산술평균과 기하평균의 관계를 이용한다.

STEP1 a의 값 구하기
$$y=4 \times 3^x+\frac{36}{3^x}=4\left(3^x+\frac{9}{3^x}\right)$$
이때 모든 실수 x에 대하여 $3^x>0$, $\dfrac{9}{3^x}>0$이므로 산술평
균과 기하평균의 관계에 의하여
$$4\left(3^x+\frac{9}{3^x}\right) \geq 4 \times 2\sqrt{3^x \times \frac{9}{3^x}}=4 \times 2\sqrt{9}=24$$
등호가 성립할 때 y의 값이 최소이므로
$$3^x=\frac{9}{3^x}, \ (3^x)^2=9, \ 3^x=3 \qquad \therefore x=1$$
$$\therefore a=1$$

STEP2 b의 값 구하기
즉, 주어진 함수는 $x=1$에서 최솟값 24를 갖는다.
$$\therefore b=24$$

STEP3 $a+b$의 값 구하기
$$\therefore a+b=1+24=25$$

09-4 답 2

해결전략 | 주어진 식을 변형하여 산술평균과 기하평균의 관계를 이용한다.

STEP1 주어진 함수가 최소가 되는 경우 알기
$$y=7^{x+a}+\left(\frac{1}{7}\right)^{x-a}=7^{x+a}+7^{a-x}$$
이때 모든 실수 x에 대하여 $7^{x+a}>0$, $7^{a-x}>0$이므로 산
술평균과 기하평균의 관계에 의하여
$$7^{x+a}+7^{a-x} \geq 2\sqrt{7^{x+a} \times 7^{a-x}}=2\sqrt{7^{2a}}=2 \times 7^a$$
(단, 등호는 $7^{x+a}=7^{a-x}$, 즉 $x=0$일 때 성립한다.)

STEP2 a의 값 구하기
따라서 함수 $y=7^{x+a}+\left(\dfrac{1}{7}\right)^{x-a}$의 최솟값은 2×7^a이고,
이 값이 98이므로
$$2 \times 7^a=98, \ 7^a=49$$
$$\therefore a=2$$

09-5 답 10

해결전략 | 주어진 식을 변형하여 산술평균과 기하평균의 관계를 이용한다.

STEP1 $2^x+2^{-x}=t$로 놓고 t의 값의 범위 구하기
$2^x+2^{-x}=t$로 놓으면 모든 실수 x에 대하여 $2^x>0$,
$2^{-x}>0$이므로 산술평균과 기하평균의 관계에 의하여

$2^x + 2^{-x} \geq 2\sqrt{2^x \times 2^{-x}} = 2$

(단, 등호는 $2^x = 2^{-x}$, 즉 $x=0$일 때 성립한다.)

따라서 t의 값의 범위는 $t \geq 2$이다.

STEP2 주어진 함수를 t에 대한 식으로 나타내고 최솟값 구하기

$y = 4^x + 4^{-x} - 2(2^x + 2^{-x}) + k$에서

$4^x + 4^{-x} = (2^x)^2 + (2^{-x})^2 = (2^x + 2^{-x})^2 - 2$

이므로 주어진 함수는

$y = t^2 - 2 - 2t + k = (t-1)^2 + k - 3$

따라서 $t=2$일 때 함수 $y=(t-1)^2 + k - 3$은 최소이고,

최솟값은 $k-2$

STEP3 k의 값 구하기

이때 주어진 조건에서 최솟값이 8이므로

$k-2=8$　　∴ $k=10$

09-6 🔲 8

해결전략 | 주어진 식을 변형하여 산술평균과 기하평균의 관계를 이용한다.

STEP1 주어진 식 변형하기

$2x + 3y = 4$에서

$3y = -2x + 4$　　　　　　　…… ㉠

$4^x + 8^y = 2^{2x} + 2^{3y}$　　　　…… ㉡

㉠을 ㉡에 대입하면 $2^{2x} + 2^{3y} = 2^{2x} + 2^{-2x+4}$

STEP2 최솟값 구하기

모든 실수 x에 대하여 $2^{2x} > 0$, $2^{-2x+4} > 0$이므로

산술평균과 기하평균의 관계에 의하여

$2^{2x} + 2^{-2x+4} \geq 2\sqrt{2^{2x} \times 2^{-2x+4}} = 8$

(단, 등호는 $2^{2x} = 2^{-2x+4}$, 즉 $x=1$일 때 성립한다.)

따라서 $4^x + 8^y$의 최솟값은 8이다. ⟶ $2^{2x} = 2^{-2x+4}$에서

$2x = -2x + 4$, $4x = 4$

∴ $x=1$

실전 연습 문제　　　　　98~100쪽

01 ②	**02** ⑤	**03** ⑤	**04** ①	**05** ④
06 2	**07** ⑤	**08** 5	**09** ①	**10** ④
11 ③	**12** 1	**13** ②	**14** ④	**15** ④
16 ②	**17** 3			

01

해결전략 | 지수함수에서 x의 값이 증가할 때, y의 값이 증가하기 위한 밑의 조건을 식으로 나타낸다.

STEP1 a에 대한 부등식 나타내기

$f(x) = (3a^2 - 2a)^x$이 $x_1 < x_2$이면 $f(x_1) < f(x_2)$를 만족시키는 것은 $f(x)$가 증가하는 함수임을 나타낸다.

즉, 함수 $f(x)$의 밑 $3a^2 - 2a$가 1보다 커야 하므로

$3a^2 - 2a > 1$

STEP2 부등식의 해 구하기

$3a^2 - 2a - 1 > 0$, $(3a+1)(a-1) > 0$

∴ $a < -\dfrac{1}{3}$ 또는 $a > 1$

STEP3 자연수 a의 최솟값 구하기

따라서 조건을 만족시키는 자연수 a의 최솟값은 2이다.

02

해결전략 | 주어진 지수함수의 그래프를 이용하여 함수의 밑의 범위를 파악한다.

STEP1 a, b의 값의 범위를 구하여 a, b의 대소 비교하기

두 함수 $y=a^x$, $y=b^x$의 그래프는 x의 값이 증가하면 y의 값도 증가하므로 $a>1$, $b>1$

이때 밑이 1보다 큰 지수함수의 그래프는 $x>0$에서 밑이 커질수록 y축에 가까워지므로

$b > a > 1$　　　　　　　　…… ㉠

STEP2 b, c의 값의 범위를 구하여 b, c의 대소 비교하기

두 함수 $y=\left(\dfrac{1}{b}\right)^x$, $y=\left(\dfrac{1}{c}\right)^x$의 그래프는 x의 값이 증가하면 y의 값은 감소하므로

$0 < \dfrac{1}{b} < 1$, $0 < \dfrac{1}{c} < 1$

이때 밑이 0보다 크고 1보다 작은 지수함수의 그래프는 $x<0$에서 밑이 작을수록 y축에 가까워지므로

$0 < \dfrac{1}{c} < \dfrac{1}{b} < 1$

∴ $c > b$　　　　　　　　　…… ㉡

STEP3 a, b, c의 대소 비교하기

㉠, ㉡에 의하여 $c > b > a$

03

해결전략 | 주어진 함수식을 $y=3^{x-m}+n$ 꼴로 정리한 후 함수의 그래프를 그려 보기의 참, 거짓을 파악한다.

STEP1 함수 $y=\dfrac{1}{9} \times 3^{x+1} - 3$의 그래프 그리기

$y = \dfrac{1}{9} \times 3^{x+1} - 3 = 3^{-2} \times 3^{x+1} - 3 = 3^{x-1} - 3$

ㄱ. $y = 3^{x-1} - 3$의 그래프는 함수 $y=3^x$의 그래프를 x축의 방향으로 1만큼, y축의 방향으로 -3만큼 평행이

동한 것이므로 다음 그림과 같다.

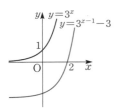

따라서 주어진 함수의 그래프는 제1사분면, 제3사분면, 제4사분면을 지난다. (거짓)

STEP2 함수 $y=-\dfrac{1}{3}\times3^{-x}+3$의 그래프를 원점에 대하여 대칭이동한 식 구하기

ㄴ. $y=-\dfrac{1}{3}\times3^{-x}+3$의 그래프를 원점에 대하여 대칭이동한 그래프의 식은

$-y=-\dfrac{1}{3}\times3^{-(-x)}+3$

$y=\dfrac{1}{3}\times3^x-3$ $\therefore\ y=3^{x-1}-3$ (참)

STEP3 함수 $y=3^x$의 그래프를 평행이동한 식 구하기

ㄷ. $y=3^x$의 그래프를 x축의 방향으로 1만큼, y축의 방향으로 -3만큼 평행이동한 그래프의 식은

$y-(-3)=3^{x-1}$ $\therefore\ y=3^{x-1}-3$ (참)

따라서 옳은 것은 ㄴ, ㄷ이다.

04

해결전략 | 대칭이동과 평행이동을 한 그래프의 식에 주어진 점의 좌표를 대입한다.

STEP1 대칭이동과 평행이동한 그래프의 식 구하기

$y=a^x$의 그래프를 y축에 대하여 대칭이동한 그래프의 식은

$y=a^{-x}$

$y=a^{-x}$의 그래프를 x축의 방향으로 3만큼, y축의 방향으로 2만큼 평행이동한 그래프의 식은

$y=a^{-(x-3)}+2$

$\therefore\ y=a^{-x+3}+2$

STEP2 a의 값 구하기

이 함수의 그래프가 점 $(1, 4)$를 지나므로

$4=a^{-1+3}+2,\ a^2=2$

$\therefore\ a=\sqrt{2}\ (\because\ a>0)$

05

해결전략 | 평행이동과 대칭이동을 이용하여 주어진 함수의 그래프를 그린다.

STEP1 함수 $y=3^{x-1}$의 그래프 그리기

함수 $y=3^{x-1}$의 그래프는 $y=3^x$의 그래프를 x축의 방향으로 1만큼 평행이동한 것이므로 오른쪽 그림과 같다.

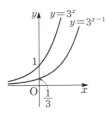

STEP2 각 보기의 함수의 그래프를 그려 만나는지 파악하기

ㄱ. 함수 $y=3^{x+1}$의 그래프는 $y=3^x$의 그래프를 x축의 방향으로 -1만큼 평행이동한 것이므로 오른쪽 그림과 같다.

따라서 두 함수 $y=3^{x-1}$, $y=3^{x+1}$의 그래프는 서로 만나지 않는다.

ㄴ. 함수 $y=2\times3^{-x}$의 그래프는 $y=2\times3^x$의 그래프를 y축에 대하여 대칭이동한 것이므로 오른쪽 그림과 같다.

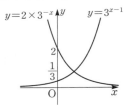

따라서 두 함수 $y=3^{x-1}$, $y=2\times3^{-x}$의 그래프는 만난다.

ㄷ. 함수 $y=-3^x$의 그래프는 $y=3^x$의 그래프를 x축에 대하여 대칭이동한 것이므로 오른쪽 그림과 같다.

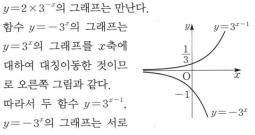

따라서 두 함수 $y=3^{x-1}$, $y=-3^x$의 그래프는 서로 만나지 않는다.

ㄹ. $y=3^{|x|}=\begin{cases}3^x & (x\geq0) \\ 3^{-x} & (x<0)\end{cases}$ 이고

함수 $y=3^{|x|}+1$의 그래프는 $y=3^{|x|}$의 그래프를 y축의 방향으로 1만큼 평행이동한 것이므로 오른쪽 그림과 같다.

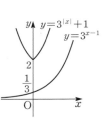

따라서 두 함수 $y=3^{x-1}$, $y=3^{|x|}+1$의 그래프는 서로 만나지 않는다.

STEP3 만나지 않는 그래프 고르기

따라서 함수 $y=3^{x-1}$의 그래프와 만나지 않는 것은 ㄱ, ㄷ, ㄹ이다.

06

해결전략 | 그래프의 점근선과 지나는 점을 이용한다.

STEP1 $y=2^{a-x}+b$의 그래프 개형 파악하기

$$y=2^{a-x}+b=2^{-(x-a)}+b=\left(\frac{1}{2}\right)^{x-a}+b$$

이므로 $y=2^{a-x}+b$의 그래프는 $y=\left(\frac{1}{2}\right)^{x}$의 그래프를 x축의 방향으로 a만큼, y축의 방향으로 b만큼 평행이동한 것이다.　　　‥‥‥ **❶**

STEP2 그래프의 점근선 이용하기

이때 $y=\left(\frac{1}{2}\right)^{x}$의 그래프의 점근선의 방정식은 $y=0$이므로 $y=2^{a-x}+b$의 그래프의 점근선의 방정식은 $y=b$이다.

$\therefore \underline{b=2}$ ┌ 문제의 그림에서 점근선이　　　‥‥‥ **❷**
　　　　└ 직선 $y=2$이므로 $b=2$

STEP3 지나는 점의 좌표 이용하기

또, $y=2^{a-x}+2$의 그래프가 점 $(-1, 4)$를 지나므로

$4=2^{a+1}+2$, $2^{a+1}=2$

$a+1=1$　　$\therefore a=0$　　　‥‥‥ **❸**

STEP4 $a+b$의 값 구하기

$\therefore a+b=0+2=2$　　　‥‥‥ **❹**

채점 요소	배점
❶ 어떤 지수함수의 그래프를 평행이동한 것인지 유추하기	20 %
❷ b의 값 구하기	30 %
❸ a의 값 구하기	30 %
❹ $a+b$의 값 구하기	20 %

07

해결전략 | 두 함수 $y=f(x)$, $y=h(x)$의 그래프가 y축에 대하여 대칭임을 이용하여 점 P의 좌표를 구한 다음 주어진 길이의 비를 이용하여 점 Q의 좌표를 구한다.

STEP1 점 P의 좌표 구하기

두 함수 $f(x)=a^{-x}$과 $h(x)=a^{x}$의 그래프는 y축에 대하여 서로 대칭이므로 $h(2)=2$이면 $f(-2)=2$

즉, R$(2, 2)$이고 P$(-2, 2)$

STEP2 점 Q의 x좌표 구하기

점 Q의 x좌표를 p라고 하면 $\overline{PQ}=p+2$, $\overline{QR}=2-p$이고

$\overline{PQ} : \overline{QR}=2 : 1$이므로

$(p+2) : (2-p)=2 : 1$

$4-2p=p+2$

$3p=2$　　$\therefore p=\frac{2}{3}$

STEP3 $g(4)$의 값 구하기

따라서 Q$\left(\frac{2}{3}, 2\right)$이고 점 Q는 함수 $g(x)=b^{x}$의 그래프 위의 점이므로

$b^{\frac{2}{3}}=2$　　$\therefore b=2^{\frac{3}{2}}$

$\therefore g(4)=b^{4}=(2^{\frac{3}{2}})^{4}=2^{6}=64$

08

해결전략 | 점 A의 x좌표 a를 이용하여 B, C의 좌표를 구한다.

STEP1 두 점 B, C의 좌표를 a를 사용하여 나타내기

함수 $y=2^{x-a}$의 그래프는 함수 $y=2^{x}$의 그래프를 x축의 방향으로 a만큼 평행이동한 것이므로 $a>0$이다.

점 A의 좌표는 $(a, 0)$이므로 점 B의 x좌표는 a이고 y좌표는 2^{a}이므로 점 B의 좌표는 $(a, 2^{a})$

점 C의 y좌표는 2^{a}이고 x좌표는 $2^{x-a}=2^{a}$에서 $x=2a$이므로 점 C의 좌표는 $(2a, 2^{a})$　┐점 C는 함수 $y=2^{x-a}$의 그래프
　　　　　　　　　　　　　　└ 위의 점이다.

STEP2 직사각형의 넓이를 이용하여 a의 값 구하기

이때 $\overline{AB}=2^{a}$, $\overline{BC}=2a-a=a$이므로

직사각형 ABCD의 넓이는 $a\times 2^{a}=160$

따라서 $160=5\times 2^{5}$이므로

$a=5$

09

해결전략 | 점 A의 x좌표를 k로 놓고 조건을 이용하여 k의 값을 구한다.

STEP1 삼각형의 밑변의 길이와 높이 구하기

y축과 평행한 한 직선을 $x=k$ (k는 실수)라 하고, 직선 $x=k$와 x축이 만나는 점을 C라고 하자.

A$(k, 2^{k})$, B$(k, -4^{k-2})$, C$(k, 0)$이고 삼각형 AOB는 $\overline{OA}=\overline{OB}$인 이등변삼각형이므로 $\overline{AC}=\overline{BC}$에서

$2^{k}=4^{k-2}$, $2^{k}=2^{2k-4}$

$k=2k-4$　　$\therefore k=4$

$\therefore \overline{OC}=4$,

　$\overline{AB}=2\overline{AC}=2\times 16=32$

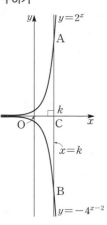

STEP2 삼각형 AOB의 넓이 구하기

따라서 삼각형 AOB의 넓이는

$\frac{1}{2}\times \overline{AB}\times \overline{OC}=\frac{1}{2}\times 32\times 4=64$

10

해결전략 | 지수함수에서 (밑)>1이면 x의 값이 증가할 때 y의 값이 증가한다는 성질을 이용하여 크기를 비교한다.

STEP1 밑을 2로 나타내기

$A = 0.5^{-\frac{7}{8}} = \left(\frac{1}{2}\right)^{-\frac{7}{8}} = (2^{-1})^{-\frac{7}{8}} = 2^{\frac{7}{8}}$

$B = \sqrt[3]{4} = \sqrt[3]{2^2} = 2^{\frac{2}{3}}$

$C = 0.25^{-\frac{3}{8}} = \left(\frac{1}{4}\right)^{-\frac{3}{8}} = (2^{-2})^{-\frac{3}{8}} = 2^{\frac{3}{4}}$

STEP2 지수함수의 성질을 이용하여 대소 비교하기

이때 $\frac{2}{3} < \frac{3}{4} < \frac{7}{8}$이고, 함수 $y = 2^x$은 x의 값이 증가하면 y의 값도 증가하므로

$2^{\frac{2}{3}} < 2^{\frac{3}{4}} < 2^{\frac{7}{8}}$ ∴ $B < C < A$

11

해결전략 | 지수함수에서 (밑)>1인 경우 y의 값은 x가 최소일 때 최소, x가 최대일 때 최대가 되고, 0<(밑)<1인 경우 y의 값은 x가 최소일 때 최대, x가 최대일 때 최소가 된다.

STEP1 α의 값 구하기

$f(x) = 3^x$에서 밑이 3이고 3>1이므로 x의 값이 증가하면 $f(x)$의 값도 증가한다.

함수 $f(x)$는 $x = 2$일 때 최대이고, 최댓값은 $3^2 = 9$이다.
∴ $\alpha = 9$

STEP2 β의 값 구하기

$g(x) = \left(\frac{1}{2}\right)^x$에서 밑이 $\frac{1}{2}$이고 $0 < \frac{1}{2} < 1$이므로 x의 값이 증가하면 $g(x)$의 값은 감소한다.

함수 $g(x)$는 $x = -1$일 때 최대이고, 최댓값은

$\left(\frac{1}{2}\right)^{-1} = 2$이다.   ∴ $\beta = 2$

STEP3 $\alpha\beta$의 값 구하기

∴ $\alpha\beta = 9 \times 2 = 18$

12

해결전략 | (밑)>1인 경우와 0<(밑)<1인 경우로 나누어 최댓값과 최솟값을 구한다.

STEP1 $0 < a < 1$일 때 a의 값 구하기

(ⅰ) $\underline{0 < a < 1}$일 때 $\rightarrow$ x의 값이 최소일 때 $f(x)$의 값은 최대
　　　　　　　　　　　x의 값이 최대일 때 $f(x)$의 값은 최소

최댓값은 $f(-2)$, 최솟값은 $f(3)$이므로

$f(-2) = 27f(3)$에서 $a^{-2} = 27a^3$

$a^5 = \frac{1}{27}$ ∴ $a = \left(\frac{1}{3}\right)^{\frac{3}{5}}$ ······ ❶

13

해결전략 | 지수함수 $f(g(x))$의 밑이 1보다 크므로 $g(x)$가 최대일 때 $f(g(x))$도 최대가 된다.

STEP1 $f(g(x))$가 최댓값을 가질 때 $g(x)$의 값 구하기

$f(g(x)) = 3^{-x^2 + 2ax + 1}$에서 $f(g(x))$의 밑이 3이고 3>1이므로 $g(x)$가 최대일 때, $f(g(x))$도 최댓값을 갖는다.

$g(x) = -x^2 + 2ax + 1 = -(x-a)^2 + 1 + a^2$

이므로 함수 $g(x)$는 $x = a$일 때 최대이고, 최댓값은 $a^2 + 1$이다.

STEP2 a의 값 구하기

이때 주어진 조건에서 최댓값이 9이므로

$3^{a^2 + 1} = 9$, $3^{a^2 + 1} = 3^2$

$a^2 + 1 = 2$, $a^2 = 1$

$a > 0$이므로 $a = 1$

14

해결전략 | 지수를 $f(x)$로 놓고 $f(x)$의 값의 범위를 구한다.
0<(밑)<1 경우 y의 값은 $f(x)$가 최소일 때 최대이고, $f(x)$가 최대일 때 최소이다.

STEP1 $0 \le x \le 3$에서 $x^2 - 2x - 1$의 값의 범위 구하기

$y = a^{x^2 - 2x - 1}$에서 $f(x) = x^2 - 2x - 1$로 놓으면

$f(x) = (x-1)^2 - 2$

$f(0) = -1$, $f(1) = -2$, $f(3) = 2$이므로

$0 \le x \le 3$에서 $-2 \le f(x) \le 2$

STEP2 a의 값 구하기

$0 < a < 1$이므로 $f(x) = -2$일 때 y는 최대이다.

STEP2 $a > 1$일 때 a의 값 구하기

(ⅱ) $\underline{a > 1}$일 때 $\rightarrow$ x의 값이 최소일 때 $f(x)$의 값도 최소
　　　　　　　　　x의 값이 최대일 때 $f(x)$의 값도 최대

최댓값은 $f(3)$, 최솟값은 $f(-2)$이므로

$f(3) = 27f(-2)$에서 $a^3 = 27a^{-2}$

$a^5 = 27$ ∴ $a = 3^{\frac{3}{5}}$ ······ ❷

STEP3 조건을 만족시키는 a의 값의 곱 구하기

(ⅰ), (ⅱ)에 의하여 모든 실수 a의 값의 곱은

$\left(\frac{1}{3}\right)^{\frac{3}{5}} \times 3^{\frac{3}{5}} = 3^{-\frac{3}{5}} \times 3^{\frac{3}{5}} = 3^0 = 1$ ······ ❸

채점 요소	배점
❶ $0 < a < 1$일 때 a의 값 구하기	40 %
❷ $a > 1$일 때 a의 값 구하기	40 %
❸ a의 값의 곱 구하기	20 %

이때 주어진 함수의 최댓값이 $\frac{4}{3}$이므로

$a^{-2}=\frac{4}{3}$, $a^2=\frac{3}{4}$

$\therefore a=\frac{\sqrt{3}}{2}$ ($\because 0<a<1$)

STEP 3 최솟값 구하기

따라서 주어진 함수는 $f(x)=2$일 때 y가 최소이고, 이때 구하는 최솟값은

$\left(\frac{\sqrt{3}}{2}\right)^2=\frac{3}{4}$

15

해결전략 l $2^x=t$로 치환하여 t에 대한 함수의 최댓값과 최솟값을 구한다.

STEP 1 $2^x=t$로 놓고 t의 값의 범위 구하기

$y=4^x-2^{x+2}+5=(2^2)^x-2^2\times2^x+5$
$\quad=(2^x)^2-4\times2^x+5$

$2^x=t$로 놓으면 $-2\le x\le2$에서 $2^{-2}\le2^x\le2^2$

$\therefore \frac{1}{4}\le t\le4$

STEP 2 주어진 함수를 t에 대한 식으로 나타내고 M, m의 값 구하기

이때 주어진 함수는

$y=t^2-4t+5=(t-2)^2+1$

$\frac{1}{4}\le t\le4$에서 함수 $f(t)=t^2-4t+5$라고 하면

$t=2$일 때 최소이고, 최솟값은 $f(2)=1$

$t=4$일 때 최대이고, 최댓값은 $f(4)=5$

STEP 3 $M-m$의 값 구하기

따라서 $M=5$, $m=1$이므로 $M-m=4$

16

해결전략 l 산술평균과 기하평균의 관계를 이용한다.

STEP 1 주어진 함수의 최솟값 구하기

모든 실수 x에 대하여 $4^{a+x}>0$, $4^{a-x}>0$이므로 산술평균과 기하평균의 관계에 의하여

$4^{a+x}+4^{a-x}\ge2\sqrt{4^{a+x}\times4^{a-x}}$
$\qquad\qquad\qquad=2\sqrt{4^{2a}}=2\sqrt{(2^{2a})^2}=2^{2a+1}$

STEP 2 a의 값 구하기

이때 주어진 함수의 최솟값이 32이므로

$2^{2a+1}=32=2^5$

$2a+1=5$ $\quad\therefore a=2$

17

해결전략 l 주어진 식을 변형하여 산술평균과 기하평균의 관계를 이용한다.

STEP 1 $5^x+5^{-x}=t$로 놓고 t의 값의 범위 구하기

$5^x+5^{-x}=t$로 놓으면 모든 실수 x에 대하여 $5^x>0$, $5^{-x}>0$이므로 산술평균과 기하평균의 관계에 의하여

$5^x+5^{-x}\ge2\sqrt{5^x\times5^{-x}}=2$

(단, 등호는 $5^x=5^{-x}$, 즉 $x=0$일 때 성립한다.)

따라서 t의 값의 범위는 $t\ge2$이다. ...... ❶

STEP 2 주어진 함수를 t에 대한 식으로 나타내고 최솟값 구하기

$y=25^x+25^{-x}-6(5^x+5^{-x})+14$에서

$25^x+25^{-x}=(5^x)^2+(5^{-x})^2=(5^x+5^{-x})^2-2$

이므로 주어진 함수는

$y=t^2-2-6t+14=t^2-6t+12$
$\quad=(t-3)^2+3$ ...... ❷

따라서 $t=3$일 때 함수 $y=(t-3)^2+3$은 최소이고, 최솟값은 3이다. ...... ❸

채점 요소	배점
❶ $5^x+5^{-x}=t$로 놓고 t의 값의 범위 구하기	40 %
❷ 주어진 함수를 t에 대한 식으로 나타내기	40 %
❸ 최솟값 구하기	20 %

상위권 도약 문제   101~102쪽

01 27   02 ④   03 ①   04 9   05 68
06 5   07 9

01

해결전략 l 점 B의 x좌표를 k로 놓고, 점 A의 좌표를 설정한 다음 y좌표가 같음을 이용하여 k의 값을 구한다.

STEP 1 점 B의 x좌표 구하기

점 B의 x좌표를 k라고 하면 점 A의 x좌표는 $k-2$이다.

즉, $A(k-2, 2^{-k+2})$, $B(k, 4^k)$

두 점 A, B의 y좌표가 같으므로

$2^{-k+2}=4^k$, $2^{-k+2}=2^{2k}$

$-k+2=2k$ $\quad\therefore k=\frac{2}{3}$

STEP 2 l의 값 구하기

따라서 $B\left(\frac{2}{3}, 4^{\frac{2}{3}}\right)$, $C\left(\frac{2}{3}, 2^{-\frac{2}{3}}\right)$이므로

$l=4^{\frac{2}{3}}-2^{-\frac{2}{3}}=2^{\frac{4}{3}}-2^{-\frac{2}{3}}$

STEP 3 $4l^3$의 값 구하기

$$\therefore 4l^3 = 4 \times (2^{\frac{4}{3}} - 2^{-\frac{2}{3}})^3$$
$$= 4 \times \{2^4 - 3 \times 2^{\frac{8}{3}-\frac{2}{3}} + 3 \times 2^{\frac{4}{3}-\frac{4}{3}} - 2^{-2}\}$$
$$= 4 \times \left(16 - 12 + 3 - \frac{1}{4}\right) = 4 \times \frac{27}{4} = 27$$

02

해결전략 | 두 점 A, B의 좌표는 (x좌표)$=$(y좌표)임을 이용하여 구한다.

STEP 1 두 점 A, B의 좌표 구하기

두 점 A, B는 직선 $y=x$ 위의 점이므로
A(α, α), B(β, β) ($\alpha < \beta$)로 놓으면
$\overline{AC} = \alpha$, $\overline{BD} = \beta$, $\overline{CD} = \beta - \alpha$

이때 사각형 ACDB의 넓이가 30이므로
$$\frac{1}{2}(\alpha + \beta)(\beta - \alpha) = 30 \quad \longrightarrow \frac{1}{2} \times (\overline{AC} + \overline{BD}) \times \overline{CD}$$
$$(\beta + \alpha)(\beta - \alpha) = 60 \qquad \cdots\cdots \ \text{㉠}$$

또, $\overline{AB} = 6\sqrt{2}$이므로
$$\sqrt{(\beta - \alpha)^2 + (\beta - \alpha)^2} = 6\sqrt{2}$$
$$\sqrt{2}(\beta - \alpha) = 6\sqrt{2}$$
$$\therefore \beta - \alpha = 6 \qquad \cdots\cdots \ \text{㉡}$$

㉡을 ㉠에 대입하면
$$\beta + \alpha = 10 \qquad \cdots\cdots \ \text{㉢}$$

㉡, ㉢을 연립하여 풀면 $\alpha = 2$, $\beta = 8$
따라서 두 점 A, B의 좌표는 각각 (2, 2), (8, 8)이다.

STEP 2 $a+b$의 값 구하기

두 점 A(2, 2), B(8, 8)은 곡선 $y = 2^{ax+b}$ 위의 점이므로
$2^{2a+b} = 2$에서 $2a+b = 1$ $\qquad \cdots\cdots \ \text{㉣}$
$2^{8a+b} = 8$에서 $8a+b = 3$ $\qquad \cdots\cdots \ \text{㉤}$

㉣, ㉤을 연립하여 풀면 $a = \dfrac{1}{3}$, $b = \dfrac{1}{3}$

$$\therefore a+b = \frac{2}{3}$$

03

해결전략 | 두 함수 $f(x)$, $f(x-a)$에 대하여 함수 $y = f(x-a)$의 그래프는 함수 $y = f(x)$의 그래프를 x축의 방향으로 a만큼 평행이동한 것이다.

STEP 1 조건 (가)를 이용하여 a, b 사이의 관계식 찾기

함수 $y = g(x)$의 그래프는 함수 $y = f(x)$의 그래프를 x축의 방향으로 2만큼 평행이동시킨 것이므로 두 함수 $y = f(x)$, $y = g(x)$의 그래프는 다음과 같다.

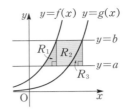

이때 그림과 같이 세 영역을 R_1, R_2, R_3이라 하고 각 영역의 넓이를 S_1, S_2, S_3이라고 하면 $S_1 = S_3$이므로
두 곡선 $y = f(x)$, $y = g(x)$와 두 직선 $y = a$, $y = b$로 둘러싸인 부분인 R_1, R_2의 넓이의 합 $S_1 + S_2$는 두 영역 R_2, R_3의 넓이의 합 $S_2 + S_3$과 같다.

한편, 두 영역 R_2, R_3의 넓이의 합 $S_2 + S_3$은 이웃하는 두 변의 길이가 각각 2, $b-a$인 직사각형의 넓이와 같으므로 조건 (가)에 의하여
$$2(b-a) = 6, \ b-a = 3$$
$$\therefore b = a+3 \qquad \cdots\cdots \ \text{㉠}$$

STEP 2 조건 (나)를 이용하여 a, b 사이의 관계식 찾기

$f^{-1}(a) = k_1$이라고 하면 $f(k_1) = a$에서 $2^{k_1} = a$이므로
$k_1 = \log_2 a$
$$\therefore f^{-1}(a) = \log_2 a$$

또, $g^{-1}(b) = k_2$라고 하면 $g(k_2) = b$에서 $2^{k_2-2} = b$이므로
$k_2 - 2 = \log_2 b$ $\qquad \therefore k_2 = \log_2 b + 2 = \log_2 4b$
$$\therefore g^{-1}(b) = \log_2 4b$$

따라서 조건 (나)의 $g^{-1}(b) - f^{-1}(a) = \log_2 6$에 의하여
$\log_2 4b - \log_2 a = \log_2 6$에서
$$\log_2 \frac{4b}{a} = \log_2 6, \ \frac{4b}{a} = 6$$
$$\therefore b = \frac{3}{2}a \qquad \cdots\cdots \ \text{㉡}$$

STEP 3 $a+b$의 값 구하기

㉠, ㉡을 연립하여 풀면 $a = 6$, $b = 9$
$$\therefore a+b = 15$$

04

해결전략 | $y = f(x)$와 $y = 2^{\frac{x}{n}}$의 그래프의 개형을 그려 교점이 생기는 n의 값을 유추한다.

STEP 1 함수 $f(x)$ 파악하기

주어진 조건에서 $1 \leq f(x) \leq 2$이고 $f(x+2) = f(x)$이므로 $y = f(x)$는 주기가 2인 함수이다.

STEP 2 그래프 개형을 그려 교점의 개수 파악하기

$y = 2^{\frac{x}{n}}$에서 $x < 0$일 때 $0 < y = 2^{\frac{x}{n}} < 1$이므로 다음 그림과 같이 $x < 0$에서는 함수 $y = 2^{\frac{x}{n}}$의 그래프와 함수 $y = f(x)$의 그래프는 교점이 생기지 않는다.

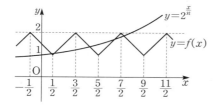

STEP 3 n의 값의 범위 구하기

$x>0$에서 $y=2^{\frac{x}{n}}$의 그래프와 함수 $y=f(x)$의 그래프의 교점의 개수가 5이려면 $y=2^{\frac{x}{n}}$의 값이 $x=\dfrac{7}{2}$일 때 2보다 작고, $x=\dfrac{11}{2}$일 때 2보다 커야 한다.

즉, $x=\dfrac{7}{2}$일 때 $2^{\frac{7}{2n}}<2$에서 $n>\dfrac{7}{2}$, $x=\dfrac{11}{2}$일 때 $2^{\frac{11}{2n}}>2$에서 $n<\dfrac{11}{2}$이므로 $\dfrac{7}{2}<n<\dfrac{11}{2}$이어야 한다.

STEP 4 정수 n의 값의 합 구하기

따라서 $n=4$ 또는 $n=5$이므로 구하는 n의 값의 합은 $4+5=9$

05

해결전략 | (밑)>1인 경우 $f(x)$의 값은 x가 최대일 때 최대이고, x가 최소일 때 최소이다.

STEP 1 지수 식 정리하기

$y=|x+1|+|x|+|x-1|$로 놓으면

(i) $x<-1$일 때   → 절댓값 기호 안의 값이 0이 되는 x의 값을 기준으로 범위를 나누어 생각한다.

$\quad y=-(x+1)-x-(x-1)=-3x$

(ii) $-1\le x<0$일 때

$\quad y=(x+1)-x-(x-1)=-x+2$

(iii) $0\le x<1$일 때

$\quad y=(x+1)+x-(x-1)=x+2$

(iv) $x\ge 1$일 때

$\quad y=(x+1)+x+(x-1)=3x$

STEP 2 M, m의 값 구하기

함수 $f(x)=2^{|x+1|+|x|+|x-1|}$에서 밑이 2이고 $2>1$이므로 $y=|x+1|+|x|+|x-1|$이 최대일 때, $f(x)$가 최대가 되고, $y=|x+1|+|x|+|x-1|$이 최소일 때, $f(x)$가 최소가 된다.

$-2\le x\le 1$에서 $2\le y\le 6$이므로

$f(x)=2^{|x+1|+|x|+|x-1|}$은

$x=-2$일 때 최대이고, 최댓값은

$f(-2)=2^6=64$ $\therefore M=64$

$x=0$일 때 최소이고, 최솟값은

$f(0)=2^2=4$ $\therefore m=4$

STEP 3 $M+m$의 값 구하기

$\therefore M+m=64+4=68$

▶참고 $f(x)=|x-a|+|x-b|+|x-c|$ $(a<b<c)$의 최솟값은 $f(b)$이다.

06

해결전략 | 주어진 식을 변형하여 산술평균과 기하평균의 관계를 이용한다.

STEP 1 식 정리하기

$y=\left(\dfrac{1}{4}\right)^x+\left(\dfrac{1}{4}\right)^{-x}-2(2^x+2^{-x})+k$

$\quad =2^{-2x}+2^{2x}-2(2^x+2^{-x})+k$

$\quad =(2^x+2^{-x})^2-2-2(2^x+2^{-x})+k$

$\quad =(2^x+2^{-x})^2-2(2^x+2^{-x})+k-2$

STEP 2 $2^x+2^{-x}=t$로 치환하기

$2^x+2^{-x}=t$로 놓으면 $y=t^2-2t+k-2=(t-1)^2+k-3$

STEP 3 t의 값의 범위 구하기

이때 모든 실수 x에 대하여 $2^x>0$, $2^{-x}>0$이므로 산술평균과 기하평균의 관계에 의하여

$2^x+2^{-x}\ge 2\sqrt{2^x\times 2^{-x}}=2$

$\quad$ (단, 등호는 $2^x=2^{-x}$, 즉 $x=0$일 때 성립한다.)

$\therefore t\ge 2$

STEP 4 k의 값 구하기

따라서 y는 $t=2$일 때, 최솟값 $k-2$를 가지므로

$k-2=3$ $\therefore k=5$

07

해결전략 | 주어진 식을 변형하여 산술평균과 기하평균의 관계를 이용한다.

STEP 1 주어진 식 변형하기

$y=\dfrac{3^{x+3}}{3^{2x}+3^x+1}$에서 $y>0$이므로 $\dfrac{1}{y}$이 최소일 때, y는 최대이다.

$\dfrac{1}{y}=\dfrac{3^{2x}+3^x+1}{3^{x+3}}=\dfrac{1}{27}\left(3^x+\dfrac{1}{3^x}\right)+\dfrac{1}{27}$

STEP 2 최솟값 구하기

이때 모든 실수 x에 대하여 $3^x>0$, $\dfrac{1}{3^x}>0$이므로 산술평균과 기하평균의 관계에 의하여

$3^x+\dfrac{1}{3^x}\ge 2\sqrt{3^x\times\dfrac{1}{3^x}}=2$

$\quad$ (단, 등호는 $3^x=\dfrac{1}{3^x}$, 즉 $x=0$일 때 성립한다.)

$\therefore \dfrac{1}{y}=\dfrac{1}{27}\left(3^x+\dfrac{1}{3^x}\right)+\dfrac{1}{27}\ge\dfrac{1}{27}\times 2+\dfrac{1}{27}=\dfrac{1}{9}$

따라서 $\dfrac{1}{y}$의 최솟값은 $\dfrac{1}{9}$이므로 y의 최댓값은 9이다.

개념확인 104~105쪽

01 답 (1) $y=\log_5 x$ (2) $y=\log_{\frac{1}{2}} x$

02 답 (1) 양의 실수, 실수 (2) < (3) >

03 답 (1) 풀이 참조, 정의역: $\{x\,|\,x<0\}$,
점근선의 방정식: $x=0$

   (2) 풀이 참조, 정의역: $\{x\,|\,x>1\}$,
점근선의 방정식: $x=1$

   (3) 풀이 참조, 정의역: $\{x\,|\,x>0\}$,
점근선의 방정식: $x=0$

   (4) 풀이 참조, 정의역: $\{x\,|\,x>2\}$,
점근선의 방정식: $x=2$

(1) $y=\log_3 (-x)$의 그래프는 $y=\log_3 x$의 그래프를 y축에 대하여 대칭이동한 것이므로 다음 그림과 같다.

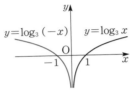

따라서 정의역은 $\{x\,|\,x<0\}$이고 점근선의 방정식은 $x=0$이다.

(2) $y=\log_3 (x-1)$의 그래프는 $y=\log_3 x$의 그래프를 x축의 방향으로 1만큼 평행이동한 것이므로 다음 그림과 같다.

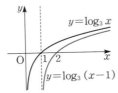

따라서 정의역은 $\{x\,|\,x>1\}$이고 점근선의 방정식은 $x=1$이다.

(3) $y=\log_3 3x=\log_3 3+\log_3 x=1+\log_3 x$
즉, $y=\log_3 3x$의 그래프는 $y=\log_3 x$의 그래프를 y축의 방향으로 1만큼 평행이동한 것이므로 다음 그림과 같다.

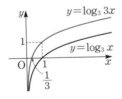

따라서 정의역은 $\{x\,|\,x>0\}$이고 점근선의 방정식은 $x=0$이다.

(4) $y=\log_3 \dfrac{1}{x-2}=\log_3 (x-2)^{-1}$
$=-\log_3 (x-2)$

즉, $y=\log_3 \dfrac{1}{x-2}$의 그래프는 $y=\log_3 x$의 그래프를 x축에 대하여 대칭이동한 후 x축의 방향으로 2만큼 평행이동한 것이므로 다음 그림과 같다.

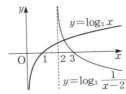

따라서 정의역은 $\{x\,|\,x>2\}$이고 점근선의 방정식은 $x=2$이다.

04 답 (1) 최댓값: 6, 최솟값: 2
   (2) 최댓값: -1, 최솟값: -3

(1) 함수 $y=\log_2 x$에서 밑이 2이고 2>1이므로 주어진 함수는 x의 값이 증가하면 y의 값도 증가한다.
따라서 $4\le x\le 64$에서 함수 $y=\log_2 x$는
$x=64$일 때 최대이고, 최댓값은
$y=\log_2 64=\log_2 2^6=6$
$x=4$일 때 최소이고, 최솟값은
$y=\log_2 4=\log_2 2^2=2$

(2) 함수 $y=\log_{\frac{1}{4}} x$는 밑이 $\dfrac{1}{4}$이고 $0<\dfrac{1}{4}<1$이므로 주어진 함수는 x의 값이 증가하면 y의 값이 감소한다.
따라서 $4\le x\le 64$에서 함수 $y=\log_{\frac{1}{4}} x$는
$x=4$일 때 최대이고, 최댓값은
$y=\log_{\frac{1}{4}} 4=-1$
$x=64$일 때 최소이고, 최솟값은
$y=\log_{\frac{1}{4}} 64=\log_{4^{-1}} 4^3=-3$

필수유형 01 107쪽

01-1 답 ①, ⑤
해결전략 | 로그함수의 그래프를 그려 옳지 않은 것을 찾는다.

$y=\log_{\frac{1}{5}} x$의 그래프는 다음 그림과 같다.

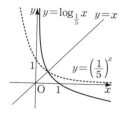

① 그래프의 점근선은 직선 $x=0$이다.

② 그래프는 점 $(1, 0)$을 지난다.

③ x의 값이 증가하면 y의 값은 감소한다.

④ $y=\log_{\frac{1}{5}} x$의 역함수는 $y=\left(\dfrac{1}{5}\right)^x$이므로 $y=\log_{\frac{1}{5}} x$의

그래프는 $y=\left(\dfrac{1}{5}\right)^x$의 그래프와 직선 $y=x$에 대하여

대칭이다.

⑤ 그래프는 제1, 4사분면을 지난다.

따라서 옳은 것은 ①, ⑤이다.

01-2 답 ④

해결전략 | 먼저 로그함수의 식을 변형한다.

$y=\log_{\frac{1}{a}} \dfrac{1}{x}=\log_{a^{-1}} x^{-1}=\log_a x \;(a>1)$

① 정의역은 양의 실수 전체의 집합이고, 치역은 실수 전체의 집합이다.

② 그래프의 점근선은 y축이다.

③ 그래프는 점 $(1, 0)$을 지난다.

④ x의 값이 증가하면 y의 값도 증가한다.

⑤ $f(x)=\log_{\frac{1}{a}} \dfrac{1}{x}$은 양의 실수 전체의 집합에서 실수

전체의 집합으로의 일대일대응이므로 $x_1 \neq x_2$이면

$f(x_1) \neq f(x_2)$이다.

따라서 옳지 않은 것은 ④이다.

01-3 답 $a<2$

해결전략 | 로그함수에서 x의 값이 증가할 때 y의 값도 증가하면 밑이 1보다 커야 함을 이용한다.

함수 $y=\log_{5-2a} x$가 x의 값이 증가할 때 y의 값이 증가하려면 밑이 1보다 커야 한다.

즉, $5-2a>1$이므로 $-2a>-4$ $\therefore a<2$

01-4 답 $c<d<a<b$

해결전략 | 주어진 로그함수의 그래프를 이용하여 함수의 밑의 범위를 파악한다.

STEP1 a, b의 값의 범위를 구하여 a, b의 대소 비교하기

$y=\log_a x$, $y=\log_b x$의 그래프는 x의 값이 증가하면 y의 값도 증가하므로

$a>1$, $b>1$

이때 밑이 1보다 큰 로그함수의 그래프는 $x>1$에서는 밑이 커질수록 x축에 가까워지므로

$b>a>1$ ⋯⋯ ㉠

STEP2 c, d의 값의 범위를 구하여 c, d의 대소 비교하기

$y=\log_c x$, $y=\log_d x$의 그래프는 x의 값이 증가하면 y의 값이 감소하므로

$0<c<1$, $0<d<1$

이때 밑이 0보다 크고 1보다 작은 로그함수의 그래프는 $x>1$에서는 밑이 작아질수록 x축에 가까워지므로

$0<c<d<1$ ⋯⋯ ㉡

STEP3 a, b, c, d의 대소 비교하기

㉠, ㉡에서

$c<d<a<b$

01-5 답 ㄴ

해결전략 | 로그의 성질을 이용하여 주어진 등식이 성립하는지 알아본다.

ㄱ. $3f(p)=3\log_3 p=\log_3 p^3$

$f(3p)=\log_3 3p$

$\therefore 3f(p) \neq f(3p)$ (거짓)

ㄴ. $f(pq)=\log_3 pq$

$=\log_3 p+\log_3 q=f(p)+f(q)$ (참)

ㄷ. $f(p-q)=\log_3 (p-q)$

$f(p)-f(q)=\log_3 p-\log_3 q=\log_3 \dfrac{p}{q}$

$\therefore f(p-q) \neq f(p)-f(q)$ (거짓)

ㄹ. $f(p)+f\left(\dfrac{1}{p}\right)=\log_3 p+\log_3 \dfrac{1}{p}$

$=\log_3 p-\log_3 p=0$ (거짓)

따라서 옳은 것은 ㄴ이다.

> 🎯 풍쌤의 비법
>
> 로그함수 $f(x)=\log_a x \;(a>0, a \neq 1)$에 대하여 다음 성질이 성립한다. (단, $p>0$, $q>0$)
>
> (1) $f(1)=0$, $f(a)=1$
>
> (2) $f(pq)=f(p)+f(q)$
>
> (3) $f\left(\dfrac{p}{q}\right)=f(p)-f(q)$
>
> (4) $f(p^n)=nf(p)$ (단, n은 실수이다.)

02-1 답 (1) 풀이 참조, 정의역: $\{x \,|\, x > -1\}$,
　　　　점근선의 방정식: $x = -1$

　　　(2) 풀이 참조, 정의역: $\{x \,|\, x < 0\}$,
　　　　점근선의 방정식: $x = 0$

　　　(3) 풀이 참조, 정의역: $\{x \,|\, x > 3\}$,
　　　　점근선의 방정식: $x = 3$

　　　(4) 풀이 참조, 정의역: $\{x \,|\, x > -2\}$,
　　　　점근선의 방정식: $x = -2$

해결전략 | 주어진 함수의 그래프는 $y = \log_a x \,(a > 0, a \neq 1)$의 그래프를 평행이동 또는 대칭이동한 것이다.

(1) $y = \log_{\frac{1}{2}} (x + 1) - 3$의 그래프는 함수 $y = \log_{\frac{1}{2}} x$의 그래프를 x축의 방향으로 -1만큼, y축의 방향으로 -3만큼 평행이동한 것이므로 다음 그림과 같다.

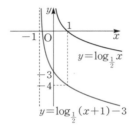

따라서 정의역은 $\{x \,|\, x > -1\}$이고 점근선의 방정식은 $x = -1$이다.

(2) $y = \log_3 (-x) + 1$의 그래프는 $y = \log_3 x$의 그래프를 y축에 대하여 대칭이동한 후 y축의 방향으로 1만큼 평행이동한 것이므로 다음 그림과 같다.

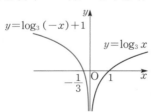

따라서 정의역은 $\{x \,|\, x < 0\}$이고 점근선의 방정식은 $x = 0$이다.

(3) $y = -\log_{\frac{1}{3}} (3x - 9) = -\log_{\frac{1}{3}} 3(x - 3)$

$\quad = -\{\log_{\frac{1}{3}} 3 + \log_{\frac{1}{3}} (x - 3)\}$

$\quad = -\{-1 + \log_{\frac{1}{3}} (x - 3)\}$

$\quad = -\log_{\frac{1}{3}} (x - 3) + 1$

즉, $y = -\log_{\frac{1}{3}} (3x - 9)$의 그래프는 $y = \log_{\frac{1}{3}} x$의 그래프를 x축에 대하여 대칭이동한 후 x축의 방향으로

3만큼, y축의 방향으로 1만큼 평행이동한 것이므로 다음 그림과 같다.

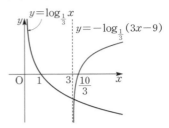

따라서 정의역은 $\{x \,|\, x > 3\}$이고 점근선의 방정식은 $x = 3$이다.

(4) $y = \log_2 (8x + 16) - 1 = \log_2 8(x + 2) - 1$

$\quad = \log_2 8 + \log_2 (x + 2) - 1 = 3 + \log_2 (x + 2) - 1$

$\quad = \log_2 (x + 2) + 2$

즉, $y = \log_2 (8x + 16) - 1$의 그래프는 $y = \log_2 x$의 그래프를 x축의 방향으로 -2만큼, y축의 방향으로 2만큼 평행이동한 것이므로 다음 그림과 같다.

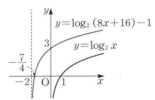

따라서 정의역은 $\{x \,|\, x > -2\}$이고 점근선의 방정식은 $x = -2$이다.

02-2 답 6

해결전략 | 대칭이동과 평행이동한 그래프의 식을 구한 후, 그래프의 점근선과 그래프가 지나는 점의 좌표를 이용한다.

STEP1 대칭이동과 평행이동한 그래프의 식 구하기

$y = \log_2 x$의 그래프를 x축에 대하여 대칭이동한 그래프의 식은

$y = -\log_2 x$

$y = -\log_2 x$의 그래프를 x축의 방향으로 m만큼, y축의 방향으로 n만큼 평행이동한 그래프의 식은

$y = -\log_2 (x - m) + n$　◀ 점근선의 방정식은 $x = m$

STEP2 그래프의 점근선을 이용하여 m의 값 구하기

이때 점근선은 직선 $x = -2$이므로

$m = -2$

STEP3 그래프가 지나는 점의 좌표를 이용하여 n의 값 구하기

$y = -\log_2 (x + 2) + n$의 그래프가 점 $(0, -4)$를 지나므로

$-4 = -\log_2 (0 + 2) + n$

$-4=-1+n$ $\therefore n=-3$

$\therefore mn=(-2)\times(-3)=6$

02-3 📖 70

해결전략 | $y=\log_a x$의 그래프를 x축의 방향으로 m만큼, y축의 방향으로 n만큼 평행이동한 그래프의 식은 $y=\log_a(x-m)+n$임을 이용한다.

STEP1 로그의 성질을 이용하여 $y=\log_3\left(\dfrac{x}{9}-1\right)$ 변형하기

$y=\log_3\left(\dfrac{x}{9}-1\right)=\log_3\dfrac{x-9}{9}$

$\qquad =\log_3(x-9)-\log_3 9$

$\qquad =\log_3(x-9)-2$

STEP2 m, n의 값 구하기

즉, $y=\log_3\left(\dfrac{x}{9}-1\right)$의 그래프는 $y=\log_3 x$의 그래프를 x축의 방향으로 9만큼, y축의 방향으로 -2만큼 평행이동한 것이다.

따라서 $m=9$, $n=-2$이므로

$10(m+n)=10\times 7=70$

02-4 📖 19

해결전략 | $y=f(x)$의 그래프를 원점에 대하여 대칭이동한 그래프의 식은 $-y=f(-x)$이고 x축의 방향으로 k만큼 평행이동한 그래프의 식은 $y=f(x-k)$임을 이용한다.

STEP1 대칭이동과 평행이동한 그래프의 식 구하기

$y=\log_5 x$의 그래프를 원점에 대하여 대칭이동한 그래프의 식은

$y=-\log_5(-x)$

$y=-\log_5(-x)$의 그래프를 x축의 방향으로 k만큼 평행이동한 그래프의 식은

$y=-\log_5\{-(x-k)\}$

즉, $y=-\log_5(-x+k)$ ······ ㉠

STEP2 그래프가 지나는 점의 좌표를 이용하여 k의 값 구하기

㉠의 그래프가 점 $(-6, -2)$를 지나므로

$-2=-\log_5(6+k)$

$\log_5(6+k)=2$

$6+k=25$

$\therefore k=19$

02-5 📖 ㄱ, ㄷ, ㄹ

해결전략 | 보기의 식을 변형하여 $y=\log_3 x$의 그래프를 평행이동 또는 대칭이동을 할 수 있는지 파악한다.

ㄱ. $y=\log_3 9x=\log_3 9+\log_3 x=\log_3 x+2$

이므로 $y=\log_3 9x$의 그래프는 $y=\log_3 x$의 그래프를 y축의 방향으로 2만큼 평행이동한 것이다.

ㄴ. $y=\log_3 x^2=2\log_3|x|$

이므로 $y=\log_3 x^2$의 그래프는 $y=\log_3 x$의 그래프를 평행이동하거나 대칭이동하여 겹쳐질 수 없다.

ㄷ. $y=\log_{\frac{1}{3}}(6-3x)=\log_{\frac{1}{3}}3(2-x)$

$\qquad =\log_{\frac{1}{3}}3+\log_{\frac{1}{3}}(2-x)$

$\qquad =\log_{\frac{1}{3}}\{-(x-2)\}-1$

$\qquad =-\log_3\{-(x-2)\}-1$ $\quad \boxed{y=-\log_3(-x)}$

이므로 $y=\log_{\frac{1}{3}}(6-3x)$의 그래프는 <u>$y=\log_3 x$의 그래프를 원점에 대하여 대칭이동한 후</u> x축의 방향으로 2만큼, y축의 방향으로 -1만큼 평행이동한 것이다.

ㄹ. $y=\log_3\dfrac{3}{x}+2=\log_3 3-\log_3 x+2$

$\qquad =-\log_3 x+3$

이므로 $y=\log_3\dfrac{3}{x}+2$의 그래프는 <u>$y=\log_3 x$의 그래프를 x축에 대하여 대칭이동한 후</u> y축의 방향으로 3만큼 평행이동한 것이다. $\quad \boxed{y=-\log_3 x}$

따라서 겹쳐질 수 있는 그래프의 식은 ㄱ, ㄷ, ㄹ이다.

02-6 📖 6

해결전략 | 평행이동하면 두 함수의 그래프가 겹쳐지므로 구하는 부분과 넓이가 같은 도형을 찾아본다.

STEP1 두 함수의 그래프의 y축에 대한 평행이동 파악하기

$y=\log_2 4x=\log_2 4+\log_2 x=\log_2 x+2$

이므로 함수 $y=\log_2 4x$의 그래프는 함수 $y=\log_2 x$의 그래프를 y축의 방향으로 2만큼 평행이동한 것이다.

STEP2 구하는 부분의 일부를 옮겨 넓이 구하기

다음 그림에서 빗금 친 두 부분의 넓이는 같으므로 구하는 넓이는 직사각형 ABCD의 넓이와 같다.

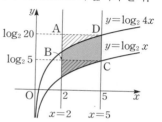

따라서 구하는 넓이는

$(5-2)\times(\log_2 20-\log_2 5)=3\times\log_2 4$

$\qquad\qquad\qquad\qquad\qquad\quad =3\times 2=6$

03-1 달 (1) $y=-\log_3(x+1)+2$
(2) $y=\left(\dfrac{1}{2}\right)^{x-3}+4$

해결전략 | 지수함수와 로그함수는 서로 역함수 관계임을 알고 로그의 정의를 이용한다.

(1) **STEP1** 지수함수가 일대일대응임을 이해하기

함수 $y=3^{-x+2}-1$은 실수 전체의 집합에서 집합 $\{y|y>-1\}$로의 일대일대응이므로 역함수가 존재한다.

STEP2 $y=f(x)$를 x에 대하여 풀어 $x=f^{-1}(y)$ 꼴로 변형하기

$y=3^{-x+2}-1$에서 $y+1=3^{-x+2}$

로그의 정의에 의하여 $-x+2=\log_3(y+1)$

$\therefore x=-\log_3(y+1)+2$

STEP3 x와 y를 서로 바꾸기

x와 y를 서로 바꾸면 구하는 역함수는

$y=-\log_3(x+1)+2$

(2) **STEP1** 로그함수가 일대일대응임을 이해하기

함수 $y=\log_{\frac{1}{2}}(x-4)+3$은 집합 $\{x|x>4\}$에서 실수 전체의 집합으로의 일대일대응이므로 역함수가 존재한다.

STEP2 $y=f(x)$를 x에 대하여 풀어 $x=f^{-1}(y)$ 꼴로 변형하기

$y=\log_{\frac{1}{2}}(x-4)+3$에서 $y-3=\log_{\frac{1}{2}}(x-4)$

로그의 정의에 의하여 $x-4=\left(\dfrac{1}{2}\right)^{y-3}$

$\therefore x=\left(\dfrac{1}{2}\right)^{y-3}+4$

STEP3 x와 y를 서로 바꾸기

x와 y를 서로 바꾸면 구하는 역함수는

$y=\left(\dfrac{1}{2}\right)^{x-3}+4$

03-2 달 (1) $y=\log_3(x+\sqrt{x^2+1})$
(2) $y=\dfrac{2^x-2^{-x}}{2}$

해결전략 | 지수함수와 로그함수가 서로 역함수 관계임을 알고 로그의 정의를 이용한다.

(1) **STEP1** 지수함수가 일대일대응임을 이해하기

함수 $y=\dfrac{3^x-3^{-x}}{2}$은 실수 전체의 집합에서 실수 전체의 집합으로의 일대일대응이므로 역함수가 존재한다.

STEP2 $y=f(x)$를 x에 대하여 풀어 $x=f^{-1}(y)$ 꼴로 변형하기

$y=\dfrac{3^x-3^{-x}}{2}$에서 $2y=3^x-3^{-x}$

양변에 3^x을 곱하면

$2y\times 3^x=(3^x)^2-1$

$\therefore (3^x)^2-2y\times 3^x-1=0$

$3^x=t\ (t>0)$으로 놓으면

$t^2-2yt-1=0$

$\therefore t=y\pm\sqrt{y^2+1}$

로그의 정의에 의하여

$x=\log_3(y+\sqrt{y^2+1})$

STEP3 x와 y를 서로 바꾸기

x와 y를 서로 바꾸면 구하는 역함수는

$y=\log_3(x+\sqrt{x^2+1})$

(2) **STEP1** 로그함수가 일대일대응임을 이해하기

함수 $y=\log_2(x+\sqrt{x^2+1})$은 실수 전체의 집합에서 실수 전체의 집합으로의 일대일대응이므로 역함수가 존재한다.

STEP2 $y=f(x)$를 x에 대하여 풀어 $x=f^{-1}(y)$ 꼴로 변형하기

함수 $y=\log_2(x+\sqrt{x^2+1})$은 로그의 정의에 의하여

$x+\sqrt{x^2+1}=2^y$ $\therefore \sqrt{x^2+1}=2^y-x$

양변을 제곱하여 정리하면

$x^2+1=2^{2y}-2\times 2^y x+x^2$

$2\times 2^y x=2^{2y}-1$

$\therefore x=\dfrac{2^{2y}-1}{2\times 2^y}=\dfrac{2^y-2^{-y}}{2}$

STEP3 x와 y를 서로 바꾸기

x와 y를 서로 바꾸면 구하는 역함수는

$y=\dfrac{2^x-2^{-x}}{2}$

03-3 달 (1) 10 (2) 5

해결전략 | 지수함수와 로그함수가 서로 역함수 관계임을 알고 로그의 정의를 이용한다.

(1) **STEP1** $y=f(x)$를 $x=f^{-1}(y)$ 꼴로 변형하기

$y=2^{ax}$에서 로그의 정의에 의하여 $ax=\log_2 y$

$\therefore x=\dfrac{1}{a}\log_2 y$

STEP2 x와 y를 서로 바꾸어 양수 a의 값 구하기

x와 y를 서로 바꾸면 구하는 역함수는

$y=\dfrac{1}{a}\log_2 x$ ← $y=\dfrac{a}{100}\log_2 x$와 같다.

따라서 $\dfrac{a}{100}=\dfrac{1}{a}$이므로 $a^2=100$

$a>0$이므로 $a=10$

(2) **STEP 1** $y=f(x)$를 x에 대하여 풀어 $x=f^{-1}(y)$ 꼴로 변형하기

$y=\log_4(x+a)-2$에서 $y+2=\log_4(x+a)$

로그의 정의에 의하여 $x+a=4^{y+2}$

$\therefore x=4^{y+2}-a$

STEP 2 x와 y를 서로 바꾸어 a, b의 값 구하기

x와 y를 서로 바꾸면

$y=4^{x+2}-a$ ← $y=4^{x+b}-3$과 같다.

따라서 $a=3$, $b=2$이므로

$a+b=5$

03-4 답 2

해결전략 | 함수 $f(x)$의 역함수를 $g(x)$라고 할 때, $f(p)=q \Longleftrightarrow g(q)=p$이다.

STEP 1 $f(4)$의 값을 구하여 k의 값 구하기

함수 $f(x)=\log_{\frac{1}{2}}(x-3)+k$의 역함수가 $g(x)$이고

$g(4)=7$이므로

$f(7)=4$, 즉 $\log_{\frac{1}{2}}(7-3)+k=4$

$-2+k=4$ $\therefore k=6$

STEP 2 $f(19)$의 값 구하기

따라서 $f(x)=\log_{\frac{1}{2}}(x-3)+6$이므로

$f(19)=\log_{\frac{1}{2}}(19-3)+6=-4+6=2$

03-5 답 16

해결전략 | $(g \circ f)(x)=x$에서 $f(x)$와 $g(x)$는 서로 역함수 관계임을 이용한다.

STEP 1 $(g \circ f)(x)=x$의 의미 파악하기

$(g \circ f)(x)=x$이므로 $g(x)$는 $f(x)$의 역함수이다.

STEP 2 $g(13)$의 값 구하기

$g(13)=k$로 놓으면 $f(k)=13$이므로

$1+3\log_2 k=13$, $\log_2 k=4$

$\therefore k=16$

$\therefore g(13)=16$

03-6 답 ③

해결전략 | $f(x)$의 역함수 $g(x)$와 $f(x+1)$의 역함수를 각각 구한다.

STEP 1 $f(x)$의 역함수 $g(x)$ 구하기

$y=\log_3 x-4$로 놓으면 $y+4=\log_3 x$

로그의 정의에 의하여

$x=3^{y+4}$

x와 y를 서로 바꾸면 $y=3^{x+4}$

$\therefore g(x)=3^{x+4}$ ⋯⋯ ㉠

STEP 2 함수 $f(x)$의 식에 x 대신 $x+1$을 대입한 후 $f(x+1)$의 역함수 구하기

$f(x)=\log_3 x-4$에서 x 대신 $x+1$을 대입하면

$f(x+1)=\log_3(x+1)-4$

이때 $y=\log_3(x+1)-4$로 놓으면

$y+4=\log_3(x+1)$

로그의 정의에 의하여 $x+1=3^{y+4}$

$\therefore x=3^{y+4}-1$

x와 y를 서로 바꾸면 $y=3^{x+4}-1$

STEP 3 $f(x+1)$의 역함수를 $g(x)$를 이용하여 나타내기

㉠에 의하여 함수 $f(x+1)$의 역함수는 $g(x)-1$이다.

◉→ 다른 풀이

함수 $f(x)$의 역함수를 $f^{-1}(x)$라고 하면

$f^{-1}(x)=g(x)$

$y=f(x+1)$로 놓으면 $x+1=f^{-1}(y)$이므로

$x+1=g(y)$ $\therefore x=g(y)-1$

따라서 함수 $f(x+1)$의 역함수는 $g(x)-1$이다.

필수유형 ⓸ 113쪽

04-1 답 $(27, 3)$

해결전략 | 두 함수 $y=a^x$, $y=\log_a x$의 그래프는 직선 $y=x$에 대하여 대칭이다.

STEP 1 점 A의 좌표 구하기

$y=3^x$의 그래프는 점 $(0, 1)$을 지나므로

$A(0, 1)$

STEP 2 점 B의 좌표 구하기

점 A와 점 B의 y좌표는 1로 같으므로 점 B의 좌표를 $(b, 1)$이라고 하면

$1=\log_3 b$ $\therefore b=3$

$\therefore B(3, 1)$

STEP 3 점 C의 좌표 구하기

두 함수 $y=3^x$, $y=\log_3 x$는 서로 역함수 관계이므로 두 함수의 그래프는 직선 $y=x$에 대하여 대칭이다.

따라서 점 C는 점 B$(3, 1)$을 직선 $y=x$에 대하여 대칭 이동한 점이므로

$C(1, 3)$

점 C와 점 D의 y좌표는 3으로 같으므로 점 D의 좌표를

$(d, 3)$이라고 하면

$3=\log_3 d$ $\therefore d=3^3=27$

$\therefore D(27, 3)$

04-2 답 2

해결전략 | 두 함수 $y=a^x$, $y=\log_a x$는 서로 역함수 관계임을 이용한다.

STEP1 역함수 관계임을 이용하여 두 점 A, B의 좌표 구하기

두 함수 $y=a^x$, $y=\log_a x$는 서로 역함수 관계이므로 두 함수의 그래프는 직선 $y=x$에 대하여 대칭이다.

이때 점 A는 직선 $y=-x+6$ 위의 점이므로

$A(k, 6-k)$라고 하면 $B(6-k, k)$

STEP2 $\overline{AB}=2\sqrt{2}$를 이용하여 a의 값 구하기

$\overline{AB}=\sqrt{(6-2k)^2+(2k-6)^2}=2\sqrt{2}$

양변을 제곱하면

$2(2k-6)^2=8$, $k^2-6k+8=0$,

$(k-2)(k-4)=0$

$\therefore k=2$ 또는 $k=4$

(i) $k=2$일 때, $A(2, 4)$, $B(4, 2)$

점 $A(2, 4)$가 함수 $y=a^x$의 그래프 위의 점이므로

$4=a^2$ $\therefore a=2$ $(\because a>1)$

(ii) $k=4$일 때, $A(4, 2)$, $B(2, 4)$

점 A의 x좌표가 점 B의 x좌표보다 크므로 조건을 만족시키지 않는다.

(i), (ii)에 의하여 $a=2$

04-3 답 38

해결전략 | 주어진 두 함수가 서로 역함수 관계임을 이용하여 함수 $g(x)$의 식을 구한다.

STEP1 함수 $g(x)$ 구하기

$y=g(x)$의 그래프와 $y=\log_2(x-1)$의 그래프가 직선 $y=x$에 대하여 대칭이므로 두 함수 $y=g(x)$, $y=\log_2(x-1)$은 서로 역함수 관계이다.

즉, $y=\log_2(x-1)$에서 $x-1=2^y$

$\therefore x=2^y+1$

x와 y를 서로 바꾸면 $y=2^x+1$

$\therefore g(x)=2^x+1$

STEP2 a, b의 값 구하기

$y=g(x)$의 그래프가 점 $P(2, b)$를 지나므로

$b=2^2+1=5$

따라서 $y=\log_2(x-1)$의 그래프가 점 $Q(a, 5)$를 지나므로

$5=\log_2(a-1)$

$a-1=2^5$ $\therefore a=33$

$\therefore a+b=33+5=38$

04-4 답 2

해결전략 | 역함수 관계인 두 함수의 그래프는 직선 $y=x$에 대하여 대칭임을 이용한다.

STEP1 함수 $y=\log_{\sqrt{2}}(x-a)$와 $y=(\sqrt{2})^x+a$가 역함수 관계임을 이해하기

$y=\log_{\sqrt{2}}(x-a)$에서 $x-a=(\sqrt{2})^y$

$\therefore x=(\sqrt{2})^y+a$

x와 y를 서로 바꾸면 $y=(\sqrt{2})^x+a$

따라서 두 곡선 $y=\log_{\sqrt{2}}(x-a)$와 $y=(\sqrt{2})^x+a$는 직선 $y=x$에 대하여 대칭이고 직선 AB는 직선 $y=x$에 수직이다.

STEP2 두 함수의 그래프가 직선 $y=x$에 대하여 대칭임을 이용하여 두 점 A, B와 선분 AB의 중점의 좌표 구하기

점 A는 직선 $y=\dfrac{1}{2}x$ 위의 점이므로 점 A의 좌표를 $(2t, t)$ $(t>0)$이라고 하면 점 B의 좌표는 $(t, 2t)$이다.

선분 AB의 중점을 M이라고 하면

$M\left(\dfrac{2t+t}{2}, \dfrac{t+2t}{2}\right)$, 즉 $M\left(\dfrac{3}{2}t, \dfrac{3}{2}t\right)$

STEP3 삼각형 OAB의 넓이가 6일 때, a의 값 구하기

삼각형 OAB는 $\overline{OA}=\overline{OB}$인 이등변삼각형이므로 $\overline{OM}\perp\overline{AB}$이다.

$\overline{AB}=\sqrt{(t-2t)^2+(2t-t)^2}=\sqrt{2}t$

$\overline{OM}=\sqrt{\left(\dfrac{3}{2}t\right)^2+\left(\dfrac{3}{2}t\right)^2}=\dfrac{3\sqrt{2}}{2}t$

이고, 삼각형 OAB의 넓이는 6이므로

$\dfrac{1}{2}\times\overline{AB}\times\overline{OM}=\dfrac{1}{2}\times\sqrt{2}t\times\dfrac{3\sqrt{2}}{2}t=6$

$\dfrac{3}{2}t^2=6$, $t^2=4$ $\therefore t=2$ $(\because t>0)$

즉, $A(4, 2)$가 곡선 $y=\log_{\sqrt{2}}(x-a)$ 위의 점이므로

$2=\log_{\sqrt{2}}(4-a)$, $4-a=(\sqrt{2})^2$

$\therefore a=2$

> ⊚ 풍쌤의 비법
>
> 두 함수 $y=a^{x-m}+n$, $y=\log_a(x-n)+m$은 서로 역함수 관계이므로 그래프는 직선 $y=x$에 대하여 대칭이다.

05-1   답 29

해결전략 | 직선 $y=x$ 위의 점은 x좌표와 y좌표가 같음을 이용하여 a, b, c의 값을 차례로 구한다.

STEP1 a, b, c의 값 구하기

오른쪽 그림에서

$\log_3 b=a$

$\log_3 c=b$

$y=\log_3 x$의 그래프는

점 $(1, 0)$을 지나므로

$a=1$

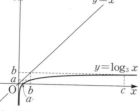

$y=\log_3 x$의 그래프는 점 $(b, 1)$을 지나므로

$1=\log_3 b$에서 $b=3$

$y=\log_3 x$의 그래프는 점 $(c, 3)$을 지나므로

$3=\log_3 c$에서 $c=3^3=27$

STEP2 로그의 성질을 이용하여 $\log_3 b^2+c$의 값 구하기

$\therefore \log_3 b^2+c=2\log_3 b+c=2a+c$

$\qquad\qquad\quad =2\times 1+27=29$

05-2   답 4

해결전략 | 점 A의 좌표와 $\overline{AB}=\overline{BC}=2$를 이용하여 두 점 B, C의 x좌표 또는 y좌표를 구한다.

STEP1 주어진 조건을 만족시키는 a, b에 대한 식 세우기

점 A의 x좌표가 2이고 $\overline{AB}=2$이므로 점 B의 x좌표는

$2+2=4$

즉, 점 B와 점 C의 x좌표는 4이고 $\overline{BC}=2$이므로

$\overline{BC}=\log_a 4-\log_b 4=2$ ······ ㉠

또, 점 A와 점 B의 y좌표가 같으므로

$\log_a 2=\log_b 4$ ······ ㉡

STEP2 a, b의 값 구하기

㉡을 ㉠에 대입하면

$\log_a 4-\log_a 2=2$, $\log_a 2=2$

$a^2=2$ $\therefore a=\sqrt 2$ $(\because a>1)$

$a=\sqrt 2$를 ㉡에 대입하면

$\log_{\sqrt 2} 2=\log_b 4$, $2=\log_b 4$

$b^2=4$ $\therefore b=2$ $(\because b>a>1)$

$\therefore a^2b=2\times 2=4$

05-3   답 16

해결전략 | 두 점 C, D와 함수 $y=\log_2 x$의 그래프를 이용하여 두 점 A, B의 좌표를 구한다.

STEP1 점 B의 좌표를 구하여 삼각형 BCD의 넓이 구하기

점 B의 x좌표는 점 D의 x좌표와 같고, 점 B는

$y=\log_2 x$의 그래프 위의 점이므로

$B(2p, \log_2 2p)$

따라서 삼각형 BCD의 넓이는

$\frac{1}{2}\times(2p-p)\times\log_2 2p=\frac{p}{2}\log_2 2p$

STEP2 점 A의 좌표를 구하여 삼각형 ACB의 넓이 구하기

점 A의 x좌표는 점 C의 x좌표와 같고, 점 A는

$y=\log_2 x$의 그래프 위의 점이므로

$A(p, \log_2 p)$

따라서 삼각형 ACB의 넓이는

$\frac{1}{2}\times(2p-p)\times\log_2 p=\frac{p}{2}\log_2 p$

STEP3 두 삼각형의 넓이의 차가 8임을 이용하여 실수 p의 값 구하기

삼각형 BCD와 삼각형 ACB의 넓이의 차가 8이므로

$\frac{p}{2}\log_2 2p-\frac{p}{2}\log_2 p=8$

$\frac{p}{2}(\log_2 2p-\log_2 p)=8$, $\frac{p}{2}\log_2 2=8$

$\frac{p}{2}=8$ $\therefore p=16$

05-4   답 2

해결전략 | 먼저 네 점 A, B, C, D의 좌표를 a로 나타낸다.

STEP1 $\overline{AB}$, $\overline{CD}$의 길이를 a로 나타내기

$A(a, \log_4 a)$, $B(a, \log_{\frac{1}{4}} a)$,

$C(a+2, \log_4(a+2))$, $D(a+2, \log_{\frac{1}{4}}(a+2))$이므로

$\overline{AB}=\log_4 a-\log_{\frac{1}{4}} a$

$\qquad=\log_4 a-(-\log_4 a)=2\log_4 a$

$\overline{CD}=\log_4(a+2)-\log_{\frac{1}{4}}(a+2)$

$\qquad=\log_4(a+2)-\{-\log_4(a+2)\}=2\log_4(a+2)$

STEP2 사각형 ABDC의 넓이가 3임을 이용하여 상수 a의 값 구하기

사각형 ABDC의 넓이는 3이므로

$\frac{1}{2}\times\{2\log_4 a+2\log_4(a+2)\}\times\{(a+2)-a\}=3$

$2\log_4 a(a+2)=3$, $\log_4(a^2+2a)=\frac{3}{2}$

$a^2+2a=4^{\frac{3}{2}}=(2^2)^{\frac{3}{2}}=2^3=8$

$a^2+2a-8=0$, $(a+4)(a-2)=0$

$\therefore a=2$ $(\because a>1)$

06-1 🖺 (1) $\log_3 \sqrt{15} < 2\log_3 2 < -\log_9 \dfrac{1}{27}$

(2) $\dfrac{\log 3}{\log 5} < \dfrac{1}{2}\log_5 10 < \log_{\sqrt{5}} 2$

해결전략 | 로그의 밑을 통일한 후 진수를 비교한다. 이때 (밑)>1이면 진수가 클수록 큰 수이다.

(1) $-\log_9 \dfrac{1}{27} = -\log_{3^2} \dfrac{1}{27} = -\dfrac{1}{2}\log_3 \dfrac{1}{27}$

$\quad = \log_3 \left(\dfrac{1}{27}\right)^{-\frac{1}{2}} = \log_3 \sqrt{27}$

$2\log_3 2 = \log_3 2^2 = \log_3 4$

이때 $\sqrt{15} < 4 < \sqrt{27}$ 이고, 함수 $y=\log_3 x$는 x의 값이 증가하면 y의 값도 증가하므로

$\log_3 \sqrt{15} < \log_3 4 < \log_3 \sqrt{27}$

$\therefore \log_3 \sqrt{15} < 2\log_3 2 < -\log_9 \dfrac{1}{27}$

(2) $\log_{\sqrt{5}} 2 = \log_{(\sqrt{5})^2} 2^2 = \log_5 4$

$\dfrac{\log 3}{\log 5} = \log_5 3$

$\dfrac{1}{2}\log_5 10 = \log_5 10^{\frac{1}{2}} = \log_5 \sqrt{10}$

이때 $3 < \sqrt{10} < 4$ 이고, 함수 $y=\log_5 x$는 x의 값이 증가하면 y의 값도 증가하므로

$\log_5 3 < \log_5 \sqrt{10} < \log_5 4$

$\therefore \dfrac{\log 3}{\log 5} < \dfrac{1}{2}\log_5 10 < \log_{\sqrt{5}} 2$

06-2 🖺 (1) $\log_{\frac{1}{2}} 5 < -2 < \log_{\frac{1}{4}} \dfrac{1}{2}$

(2) $\log_{0.1} 50 < 2\log_{0.1} 4\sqrt{3} < \log \dfrac{1}{45}$

해결전략 | 로그의 밑을 통일한 후 진수를 비교한다. 이때 0<(밑)<1이면 진수가 클수록 작은 수이다.

(1) $\log_{\frac{1}{4}} \dfrac{1}{2} = \log_{\left(\frac{1}{2}\right)^2} \dfrac{1}{2} = \dfrac{1}{2}\log_{\frac{1}{2}} \dfrac{1}{2}$

$\quad = \log_{\frac{1}{2}} \left(\dfrac{1}{2}\right)^{\frac{1}{2}} = \log_{\frac{1}{2}} \sqrt{\dfrac{1}{2}}$

$-2 = -2\log_{\frac{1}{2}} \dfrac{1}{2} = \log_{\frac{1}{2}} \left(\dfrac{1}{2}\right)^{-2} = \log_{\frac{1}{2}} 4$

이때 $\sqrt{\dfrac{1}{2}} < 4 < 5$ 이고, 함수 $y=\log_{\frac{1}{2}} x$는 x의 값이 증가하면 y의 값은 감소하므로

$\log_{\frac{1}{2}} 5 < \log_{\frac{1}{2}} 4 < \log_{\frac{1}{2}} \sqrt{\dfrac{1}{2}}$

$\therefore \log_{\frac{1}{2}} 5 < -2 < \log_{\frac{1}{4}} \dfrac{1}{2}$

(2) $2\log_{0.1} 4\sqrt{3} = \log_{0.1} (4\sqrt{3})^2 = \log_{0.1} 48$

$\log \dfrac{1}{45} = \log 45^{-1} = -\log 45 = \log_{0.1} 45$

이때 $45 < 48 < 50$ 이고, 함수 $y=\log_{0.1} x$는 x의 값이 증가하면 y의 값은 감소하므로

$\log_{0.1} 50 < \log_{0.1} 48 < \log_{0.1} 45$

$\therefore \log_{0.1} 50 < 2\log_{0.1} 4\sqrt{3} < \log \dfrac{1}{45}$

06-3 🖺 B, A, C

해결전략 | 로그함수의 성질을 이용하여 세 수의 대소를 비교한다.

STEP 1 A의 값의 범위 구하기

함수 $y=\log_3 x$는 x의 값이 증가하면 y의 값도 증가한다.

이때 $1 < a < 3$에서 $\log_3 1 < \log_3 a < \log_3 3$

$0 < \log_3 a < 1 \qquad \therefore 0 < A < 1 \qquad \cdots\cdots$ ㉠

STEP 2 B의 값의 범위 구하기

$B = \log_3 \dfrac{1}{a} = \log_3 a^{-1} = -\log_3 a$이고 ㉠에서

$-1 < B < 0$

STEP 3 C의 값의 범위 구하기

$\log_a 3 = \dfrac{1}{\log_3 a}$이므로 $\dfrac{1}{\log_3 a} > 1$

$\therefore C > 1$

따라서 세 수를 작은 것부터 차례대로 나열하면 B, A, C이다.

06-4 🖺 $\log_b a$

해결전략 | 로그함수의 성질을 이용하여 네 수의 대소를 비교한다.

STEP 1 $\log_a b$의 값의 범위 구하기

$0 < a < 1$이므로 함수 $y=\log_a x$는 x의 값이 증가하면 y의 값은 감소한다.

이때 $0 < a < b < 1$에서 ⟨$0 < a < 1$이므로 부등호의 방향이 바뀐다.⟩

$\log_a a > \log_a b > \log_a 1$

$\therefore 0 < \log_a b < 1 \qquad \cdots\cdots$ ㉠

STEP 2 $\log_b a$의 값의 범위 구하기

$0 < b < 1$이므로 함수 $y=\log_b x$는 x의 값이 증가하면 y의 값은 감소한다.

이때 $0 < a < b < 1$에서 ⟨$0 < b < 1$이므로 부등호의 방향이 바뀐다.⟩

$\log_b a > \log_b b > \log_b 1$

$\therefore 1 < \log_b a \qquad \cdots\cdots$ ㉡

STEP 3 $\log_a \dfrac{a}{b}$의 값의 범위 구하기

$\log_a \dfrac{a}{b} = \log_a a - \log_a b = 1 - \log_a b$이고 ㉠에서

$-1<-\log_a b<0,\ 0<1-\log_a b<1$

$\therefore 0<\log_a \dfrac{a}{b}<1$

STEP4 $\log_b \dfrac{b}{a}$의 값의 범위 구하기

$\log_b \dfrac{b}{a}=\log_b b-\log_b a=1-\log_b a$이고 ⓒ에서

$-\log_b a<-1,\ 1-\log_b a<0$

$\therefore \log_b \dfrac{b}{a}<0$

따라서 가장 큰 수는 $\log_b a$이다.

06-5 답 ㄱ, ㄷ

해결전략 | 로그함수의 성질과 로그함수의 그래프를 이용하여 주어진 두 수의 대소를 비교한다.

STEP1 로그함수의 성질을 이용하여 $\log_2 n,\ \log_2 (n+1)$의 대소 비교하기

ㄱ. $f(x)=\log_2 x$라고 하면 함수 $f(x)$는 x의 값이 증가하면 y의 값도 증가하므로

$f(n)<f(n+1)$

$\therefore \log_2 n<\log_2 (n+1)$ (참)

STEP2 로그함수의 그래프를 그린 후 $\log_{\frac{1}{2}} n,\ \log_{\frac{1}{3}} n$의 대소 비교하기

ㄴ. $y=\log_{\frac{1}{2}} x,\ y=\log_{\frac{1}{3}} x$의 그래프는 다음 그림과 같다.

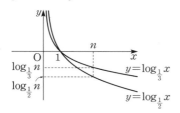

$x>1$일 때, $y=\log_{\frac{1}{2}} x$의 그래프는 $y=\log_{\frac{1}{3}} x$의 그래프보다 아래쪽에 있으므로

$\log_{\frac{1}{2}} n<\log_{\frac{1}{3}} n$ (거짓)

STEP3 로그함수의 그래프를 그린 후 $\log_2 (n+1)$, $\log_3 (n+2)$의 대소 비교하기

ㄷ. $y=\log_2 x,\ y=\log_3 (x+1)$의 그래프는 다음 그림과 같다.

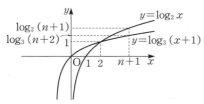

$x>2$일 때, $y=\log_2 x$의 그래프는 $y=\log_3 (x+1)$의 그래프보다 위쪽에 있으므로

$\log_2 (n+1)>\log_3 (n+2)$ (참)

따라서 옳은 것은 ㄱ, ㄷ이다.

06-6 답 $C<B<A$

해결전략 | 두 수의 차의 부호를 조사하여 두 수의 대소를 비교한다.

STEP1 $\log_3 x$의 값의 범위 구하기

$1<x<9$의 각 변에 밑이 3인 로그를 취하면

$\log_3 1<\log_3 x<\log_3 9$

$\therefore 0<\log_3 x<2$

STEP2 $A-B$의 부호를 조사하여 $A,\ B$의 대소 비교하기

(i) $A-B=\log_3 x^2-(\log_3 x)^2$

$=2\log_3 x-(\log_3 x)^2$

$=\log_3 x(2-\log_3 x)$

$\log_3 x>0,\ 2-\log_3 x>0$이므로

$A-B>0$

$\therefore A>B$

STEP3 $B,\ C$의 대소 비교하기

(ii) $0<\log_3 x\leq 1$일 때

$\log_3 (\log_3 x)\leq 0,\ 0<(\log_3 x)^2\leq 1$

$\therefore \log_3 (\log_3 x)<(\log_3 x)^2$ ······ ㉠

또, $1<\log_3 x<2$일 때

$0<\log_3 (\log_3 x)<1,\ 1<(\log_3 x)^2<4$

$\therefore \log_3 (\log_3 x)<(\log_3 x)^2$ ······ ㉡

㉠, ㉡에 의하여 $B>C$

(i), (ii)에 의하여 $C<B<A$

필수유형 07   119쪽

07-1 답 (1) 최댓값: -2, 최솟값: -4

(2) 최댓값: 6, 최솟값: 5

(3) 최댓값: 3, 최솟값: 2

(4) 최댓값: 0, 최솟값: -2

해결전략 | 주어진 로그함수의 밑의 범위에 주의하여 최댓값과 최솟값을 구한다.

(1) **STEP1 주어진 함수가 감소하는 함수임을 이해하기**

함수 $y=\log_{\frac{1}{2}}(3x-2)$에서 밑이 $\frac{1}{2}$이고 $0<\frac{1}{2}<1$이 므로 주어진 함수는 x의 값이 증가하면 y의 값은 감소한다.

STEP2 주어진 함수의 최댓값과 최솟값 구하기

$2\le x\le6$에서 함수 $y=\log_{\frac{1}{2}}(3x-2)$는

$x=2$일 때 최대이고, 최댓값은

$y=\log_{\frac{1}{2}}(6-2)=\log_{2^{-1}}2^2=-2$

$x=6$일 때 최소이고, 최솟값은

$y=\log_{\frac{1}{2}}(18-2)=\log_{2^{-1}}2^4=-4$

(2) **STEP1 주어진 함수가 증가하는 함수임을 이해하기**

함수 $y=\log_3(x+2)+4$에서 밑이 3이고 $3>1$이므로 주어진 함수는 x의 값이 증가하면 y의 값도 증가한다.

STEP2 주어진 함수의 최댓값과 최솟값 구하기

$1\le x\le7$에서 함수 $y=\log_3(x+2)+4$는

$x=7$일 때 최대이고, 최댓값은

$\log_3(7+2)+4=\log_3 3^2+4=6$

$x=1$일 때 최소이고, 최솟값은

$\log_3(1+2)+4=\log_3 3+4=5$

(3) **STEP1 $f(x)=x^2+6x+13$으로 놓고 $f(x)$의 값의 범위 구하기**

$f(x)=x^2+6x+13$으로 놓으면

$f(x)=(x+3)^2+4$

$f(-5)=8$, $f(-3)=4$, $f(-1)=8$이므로

$-5\le x\le-1$에서 $4\le f(x)\le8$

STEP2 주어진 함수의 최댓값과 최솟값 구하기

함수 $y=\log_2 f(x)$는 밑이 2이고 $2>1$이므로 $f(x)$가 최대일 때 y도 최대, $f(x)$가 최소일 때 y도 최소가 된다.

따라서 함수 $y=\log_2 f(x)$는

$f(x)=8$일 때 최대이고, 최댓값은

$\log_2 8=\log_2 2^3=3$

$f(x)=4$일 때 최소이고, 최솟값은

$\log_2 4=\log_2 2^2=2$

(4) **STEP1 $f(x)=-x^2+2x+9$로 놓고 $f(x)$의 값의 범위 구하기**

$f(x)=-x^2+2x+9$로 놓으면

$f(x)=-(x-1)^2+10$

$2\le x\le4$에서 $f(2)=9$, $f(4)=1$이므로

$1\le f(x)\le9$

STEP2 주어진 함수의 최댓값과 최솟값 구하기

함수 $y=\log_{\frac{1}{3}} f(x)$는 밑이 $\frac{1}{3}$이고 $0<\frac{1}{3}<1$이므로 $f(x)$가 최대일 때 y는 최소, $f(x)$가 최소일 때 y는 최대가 된다.

따라서 함수 $y=\log_{\frac{1}{3}} f(x)$는

$f(x)=1$일 때 최대이고, 최댓값은 $\log_{\frac{1}{3}} 1=0$

$f(x)=9$일 때 최소이고, 최솟값은

$\log_{\frac{1}{3}} 9=\log_{3^{-1}} 3^2=-2$

07-2 답 6

해결전략 | 로그의 성질을 이용하여 주어진 식을 변형한 후 최댓값을 구한다.

STEP1 진수의 조건을 이용하여 x의 값의 범위 구하기

진수의 조건에서 $x-1>0$, $7-x>0$

$\therefore 1<x<7$

STEP2 로그의 성질을 이용하여 식 변형하기

$y=\log_3(x-1)+\log_3(7-x)$

$=\log_3(x-1)(7-x)$

$=\log_3(-x^2+8x-7)$

STEP3 a, M의 값 구하기

이때 $f(x)=-x^2+8x-7$로 놓으면

$f(x)=-(x-4)^2+9$

$1<x<7$에서 함수 $f(x)$는 $x=4$일 때 최대이고 최댓값은 9이다.

$\therefore a=4$

함수 $y=\log_3 f(x)$는 밑이 3이고 $3>1$이므로 $f(x)$가 최대일 때 y도 최대가 된다.

따라서 함수 $y=\log_3 f(x)$는 $f(x)=9$일 때 최대이고, 최댓값은

$\log_3 9=\log_3 3^2=2$ $\therefore M=2$

$\therefore a+M=4+2=6$

07-3 답 9

해결전략 | (밑)>1인 로그함수의 성질을 이용한다.

STEP1 로그의 밑이 1보다 크므로 진수가 최소일 때 함수 $f(x)$는 최솟값을 가짐을 이해하기

함수 $f(x)=\log_2(x^2-2x+a)$는 밑이 2이고 $2>1$이므로 x^2-2x+a가 최소일 때 $f(x)$도 최소가 된다.

STEP2 함수 $f(x)$의 최솟값이 3임을 이용하여 a의 값 구하기

$f(x)=\log_2(x^2-2x+a)=\log_2\{(x-1)^2-1+a\}$이고 $-1\le x\le2$에서 함수 $f(x)$는 $x=1$일 때 최솟값 3을 가지므로

$f(1)=\log_2(-1+a)=3$

$-1+a=2^3=8$

$\therefore a=9$

07-4 답 22

해결전략 | $0<($밑$)<1$인 로그함수의 성질을 이용한다.

STEP1 주어진 함수가 감소하는 함수임을 이해하기

함수 $y=\log_{\frac{1}{3}}(x+k)$에서 밑이 $\frac{1}{3}$이고 $0<\frac{1}{3}<1$이므로 주어진 함수는 x의 값이 증가하면 y의 값은 감소한다.

STEP2 함수 $y=\log_{\frac{1}{3}}(x+k)$의 최댓값이 -3임을 이용하여 k의 값 구하기

$5\le x\le 9$에서 함수 $y=\log_{\frac{1}{3}}(x+k)$는 $x=5$일 때

최댓값 -3을 가지므로

$\log_{\frac{1}{3}}(5+k)=-3$, $5+k=\left(\frac{1}{3}\right)^{-3}=27$

$\therefore k=22$

07-5 답 -1

해결전략 | $0<($밑$)<1$인 로그함수의 성질을 이용한다.

STEP1 $x^2+6x+14$가 최소일 때 $(f\circ g)(x)$가 최대임을 알기

함수 $(f\circ g)(x)=f(g(x))=\log_{\frac{1}{5}}(x^2+6x+14)$는

밑이 $\frac{1}{5}$이고 $0<\frac{1}{5}<1$이므로 $x^2+6x+14$가 최소일 때

$(f\circ g)(x)$는 최대가 된다.

STEP2 $(f\circ g)(x)$의 최댓값 구하기

$x^2+6x+14=(x+3)^2+5$이므로 $x^2+6x+14$는

$x=-3$일 때 최솟값이 5이다.

따라서 함수 $(f\circ g)(x)$는 $x=-3$일 때 최대이고, 최댓값은

$\log_{\frac{1}{5}}5=-1$

07-6 답 $-\frac{2}{3}$

해결전략 | $0<($밑$)<1$인 로그함수의 성질을 이용한다.

STEP1 $f(x)=x^2-4x+8$로 놓고 $f(x)$의 값의 범위 구하기

$f(x)=x^2-4x+8$로 놓으면

$f(x)=(x-2)^2+4$

$f(0)=8$, $f(2)=4$, $f(3)=5$이므로

$0\le x\le 3$에서 $4\le f(x)\le 8$

STEP2 $0<a<1$일 때 함수 $y=\log_a f(x)$의 최솟값이 -1임을 이용하여 a의 값 구하기

함수 $y=\log_a f(x)$는 밑이 a이고 $0<a<1$이므로 $f(x)$가 최대일 때 y는 최소가 된다.

함수 $y=\log_a f(x)$는 $f(x)=8$일 때 최솟값 -1을 가지므로

$\log_a 8=-1$, $a^{-1}=8$ $\qquad \therefore a=\frac{1}{8}$

STEP3 최댓값 구하기

따라서 함수 $y=\log_{\frac{1}{8}} f(x)$는 $f(x)=4$일 때 최대이고,

최댓값은

$\log_{\frac{1}{8}}4=\log_{2^{-3}}2^2=-\frac{2}{3}$

필수유형 08 121쪽

08-1 답 (1) 최댓값: 2, 최솟값: -2

(2) 최댓값: $\frac{1}{4}$, 최솟값: -6

해결전략 | 로그의 성질을 이용하여 식을 변형한 후 $\log_a x=t$로 치환한다.

(1) **STEP1** $\log_{\frac{1}{3}} x=t$로 놓고 t의 값의 범위 구하기

$y=(\log_{\frac{1}{3}} x)^2+\log_{\frac{1}{3}} x^4+2$

$=(\log_{\frac{1}{3}} x)^2+4\log_{\frac{1}{3}} x+2$

$\log_{\frac{1}{3}} x=t$로 놓으면 $1\le x\le 27$에서

$\log_{\frac{1}{3}} 27\le \log_{\frac{1}{3}} x\le \log_{\frac{1}{3}} 1$

$\therefore -3\le t\le 0$

STEP2 주어진 함수를 t에 대한 식으로 나타내고 최댓값과 최솟값 구하기

이때 주어진 함수는

$y=t^2+4t+2=(t+2)^2-2$

따라서 $-3\le t\le 0$에서 함수 $y=(t+2)^2-2$는

$t=0$일 때 최대이고, 최댓값은

$(0+2)^2-2=2$

$t=-2$일 때 최소이고, 최솟값은

$(-2+2)^2-2=-2$

(2) **STEP1** $\log_2 x=t$로 놓고 t의 값의 범위 구하기

$y=\left(\log_2 \frac{x}{2}\right)\left(\log_2 \frac{4}{x}\right)$

$=(\log_2 x-\log_2 2)(\log_2 4-\log_2 x)$

$=(\log_2 x-1)(2-\log_2 x)$

$=-(\log_2 x)^2+3\log_2 x-2$

$\log_2 x = t$로 놓으면 $\frac{1}{2} \le x \le 8$에서

$\log_2 \frac{1}{2} \le \log_2 x \le \log_2 8$

$\therefore -1 \le t \le 3$

STEP 2 주어진 함수를 t에 대한 식으로 나타내고 최댓값과 최솟값 구하기

이때 주어진 함수는

$y = -t^2 + 3t - 2 = -\left(t - \frac{3}{2}\right)^2 + \frac{1}{4}$

따라서 $-1 \le t \le 3$에서 함수 $y = -\left(t - \frac{3}{2}\right)^2 + \frac{1}{4}$은

$t = \frac{3}{2}$일 때 최대이고, 최댓값은

$-\left(\frac{3}{2} - \frac{3}{2}\right)^2 + \frac{1}{4} = \frac{1}{4}$

$t = -1$일 때 최소이고, 최솟값은

$-\left(-1 - \frac{3}{2}\right)^2 + \frac{1}{4} = -6$

08-2 답 13

해결전략 | 로그의 성질을 이용하여 식을 변형한 후 $\log_3 x = t$로 치환한다.

STEP 1 $\log_3 x = t$로 놓고 t의 값의 범위 구하기

$y = (\log_3 x)\left(\log_{\frac{1}{3}} x\right) + 2\log_3 x + 10$

$= (\log_3 x)(-\log_3 x) + 2\log_3 x + 10$

$= -(\log_3 x)^2 + 2\log_3 x + 10$

$\log_3 x = t$로 놓으면 $1 \le x \le 81$에서

$\log_3 1 \le \log_3 x \le \log_3 81$

$\therefore 0 \le t \le 4$

STEP 2 주어진 함수의 최댓값 M과 최솟값 m 구하기

이때 주어진 함수는

$y = -t^2 + 2t + 10 = -(t-1)^2 + 11$

따라서 $0 \le t \le 4$에서 함수 $y = -(t-1)^2 + 11$은

$t = 1$일 때 최대이고, 최댓값은

$M = -(1-1)^2 + 11 = 11$

$t = 4$일 때 최소이고, 최솟값은

$m = -(4-1)^2 + 11 = 2$

$\therefore M + m = 11 + 2 = 13$

08-3 답 9

해결전략 | 로그의 성질을 이용하여 식을 변형한 후 $\log_2 x = t$로 치환한다.

STEP 1 $\log_2 x = t$로 놓고 주어진 식을 t에 대한 식으로 변형하기

$y = (\log_2 x)^2 + a\log_8 x^2 + b$

$= (\log_2 x)^2 + a\log_{2^3} x^2 + b$

$= (\log_2 x)^2 + \frac{2}{3}a\log_2 x + b$

$\log_2 x = t$로 놓으면 주어진 함수는

$y = t^2 + \frac{2}{3}at + b$

STEP 2 주어진 조건을 만족시키는 t에 대한 이차함수 구하기

이때 $x = \frac{1}{4}$, 즉 $t = \log_2 \frac{1}{4} = -2$에서 최솟값 -1을 갖는 t에 대한 이차함수는

$y = (t+2)^2 - 1 = t^2 + 4t + 3$

STEP 3 a, b의 값 구하기

따라서 $\frac{2}{3}a = 4$, $b = 3$이므로 $a = 6$, $b = 3$

$\therefore a + b = 9$

08-4 답 -4

해결전략 | 로그의 성질을 이용하여 식을 변형한 후 $\log_5 x = t$로 치환한다.

STEP 1 $\log_5 x = t$로 놓고 주어진 식을 t에 대한 식으로 변형하기

$y = (\log_5 5x)\left(\log_5 \frac{25}{x}\right) + a$

$= (\log_5 5 + \log_5 x)(\log_5 25 - \log_5 x) + a$

$= (1 + \log_5 x)(2 - \log_5 x) + a$

$= -(\log_5 x)^2 + \log_5 x + a + 2$

$\log_5 x = t$로 놓으면 주어진 함수는

$y = -t^2 + t + a + 2 = -\left(t - \frac{1}{2}\right)^2 + a + \frac{9}{4}$

STEP 2 a, b의 값 구하기

따라서 함수 $y = -\left(t - \frac{1}{2}\right)^2 + a + \frac{9}{4}$는 $t = \frac{1}{2}$에서 최댓값 1을 가지므로

$a + \frac{9}{4} = 1$ $\therefore a = -\frac{5}{4}$

한편, $\log_5 x = \frac{1}{2}$에서 $x = 5^{\frac{1}{2}} = \sqrt{5}$

$\therefore b = \sqrt{5}$

$\therefore \frac{b^2}{a} = \frac{(\sqrt{5})^2}{-\frac{5}{4}} = -4$

08-5 답 4

해결전략 | 로그의 성질을 이용하여 식을 변형한 후 $3^{\log x} = t$로 치환한다.

STEP1 $3^{\log x}=t$로 놓고 주어진 식을 t에 대한 식으로 변형하기

$$y=3^{2\log x}-(x^{\log 3}+3^{\log x})+6$$
$$=3^{2\log x}-(3^{\log x}+3^{\log x})+6$$
$$=(3^{\log x})^2-2\times 3^{\log x}+6$$

$3^{\log x}=t\ (t>0)$로 놓으면 주어진 함수는

$$y=t^2-2t+6=(t-1)^2+5$$

STEP2 $a,\ b$의 값 구하기

따라서 함수 $y=(t-1)^2+5$는 $t=1$에서 최솟값 5를 가지므로 $b=5$

한편, $3^{\log x}=1$에서 $\log x=0$, 즉 $x=1$

$\therefore a=1$

$\therefore b-a=5-1=4$

08-6 답 $\dfrac{1}{2}$

해결전략 | 지수에 밑이 2인 로그가 있으므로 양변에 밑이 2인 로그를 취한다.

STEP1 주어진 식의 양변에 밑이 2인 로그를 취하여 식 정리하기

$y=x^{4-\log_2 x}$의 양변에 밑이 2인 로그를 취하면

$$\log_2 y=\log_2 x^{4-\log_2 x}$$
$$=(4-\log_2 x)\log_2 x$$
$$=-(\log_2 x)^2+4\log_2 x$$

STEP2 $\log_2 x=t$로 놓고 t의 값의 범위 구하기

$\log_2 x=t$로 놓으면 $\dfrac{1}{2}\leq x\leq 8$에서

$$\log_2 \frac{1}{2}\leq \log_2 x\leq \log_2 8$$

$$\therefore -1\leq t\leq 3$$

STEP3 주어진 함수의 최댓값 M과 최솟값 m 구하기

이때 주어진 함수는

$$\log_2 y=-t^2+4t=-(t-2)^2+4$$

따라서 $-1\leq t\leq 3$에서 $\log_2 y=-(t-2)^2+4$는

$t=2$일 때 최대이고 최댓값은 4,

$t=-1$일 때 최소이고 최솟값은 -5이므로

$\log_2 y=4$에서 $y=2^4=16$ $\quad\therefore M=16$

$\log_2 y=-5$에서 $y=2^{-5}=\dfrac{1}{32}$ $\quad\therefore m=\dfrac{1}{32}$

$$\therefore Mm=16\times \frac{1}{32}=\frac{1}{2}$$

> **⊚ 풍쌤의 비법**
>
> $y=x^{f(x)}$ 꼴의 함수의 최대·최소는 양변에 로그를 취하여 구한다.

09-1 답 2

해결전략 | 공통부분이 나오도록 주어진 식을 변형하여 산술평균과 기하평균의 관계를 이용한다.

STEP1 로그의 성질을 이용하여 주어진 식 변형하기

$$\log_5\left(x+\frac{1}{y}\right)+\log_5\left(y+\frac{16}{x}\right)$$
$$=\log_5\left(x+\frac{1}{y}\right)\left(y+\frac{16}{x}\right)$$
$$=\log_5\left(xy+\frac{16}{xy}+17\right) \qquad\cdots\cdots\ \bigcirc$$

STEP2 산술평균과 기하평균의 관계를 이용하여 최솟값 구하기

$x>0,\ y>0$이므로 산술평균과 기하평균의 관계에 의하여

$$xy+\frac{16}{xy}+17\geq 2\sqrt{xy\times \frac{16}{xy}}+17$$
$$=2\sqrt{16}+17=25$$

$$\left(\text{단, 등호는 } xy=\frac{16}{xy},\ \text{즉 } xy=4\text{일 때 성립한다.}\right)$$

이때 밑이 5이고 $5>1$이므로 $\bigcirc$은 $xy+\dfrac{16}{xy}+17$이 최소일 때 최소가 된다.

$\bigcirc$에서

$$\log_5\left(xy+\frac{16}{xy}+17\right)\geq \log_5 25=\log_5 5^2=2$$

따라서 구하는 최솟값은 2이다.

09-2 답 -2

해결전략 | 공통부분이 나오도록 주어진 식을 변형하여 산술평균과 기하평균의 관계를 이용한다.

STEP1 로그의 성질을 이용하여 주어진 식 변형하기

$$\log_{\frac{1}{3}}\left(2x+\frac{1}{y}\right)+\log_{\frac{1}{3}}\left(y+\frac{2}{x}\right)$$
$$=\log_{\frac{1}{3}}\left(2x+\frac{1}{y}\right)\left(y+\frac{2}{x}\right)$$
$$=\log_{\frac{1}{3}}\left(2xy+\frac{2}{xy}+5\right) \qquad\cdots\cdots\ \bigcirc$$

STEP2 산술평균과 기하평균의 관계를 이용하여 최댓값 구하기

$x>0,\ y>0$이므로 산술평균과 기하평균의 관계에 의하여

$$2xy+\frac{2}{xy}+5\geq 2\sqrt{2xy\times \frac{2}{xy}}+5$$
$$=2\sqrt{4}+5=9$$

$$\left(\text{단, 등호는 } 2xy=\frac{2}{xy},\ \text{즉 } xy=1\text{일 때 성립한다.}\right)$$

이때 밑이 $\frac{1}{3}$이고 $0<\frac{1}{3}<1$이므로 ㉠은 $2xy+\dfrac{2}{xy}+5$가

최소일 때 최대가 된다.

㉠에서

$\log_{\frac{1}{3}}\left(2xy+\dfrac{2}{xy}+5\right)\le\log_{\frac{1}{3}}9=\log_{3^{-1}}3^2=-2$

따라서 구하는 최댓값은 -2이다.

09-3 답 4

해결전략 | 공통부분이 나오도록 주어진 식을 변형하여 산술평균과 기하평균의 관계를 이용한다.

STEP1 로그의 성질을 이용하여 주어진 식 변형하기

$y=\log_3 x+\log_x 81=\log_3 x+\dfrac{1}{\log_{81} x}$

$\quad=\log_3 x+\dfrac{1}{\log_{3^4} x}=\log_3 x+\dfrac{4}{\log_3 x}$

STEP2 산술평균과 기하평균의 관계를 이용하여 최솟값 구하기

$x>1$에서 $\log_3 x>0$이므로 산술평균과 기하평균의 관계에 의하여

$\log_3 x+\dfrac{4}{\log_3 x}\ge 2\sqrt{\log_3 x\times\dfrac{4}{\log_3 x}}$

$\qquad\qquad\qquad\quad =2\times 2=4$

$\left(\text{단, 등호는 }\log_3 x=\dfrac{4}{\log_3 x},\ \text{즉 } x=9\text{일 때 성립한다.}\right)$

따라서 구하는 최솟값은 4이다.

09-4 답 50

해결전략 | xy의 값을 구한 후 산술평균과 기하평균의 관계를 이용한다.

STEP1 로그의 성질을 이용하여 xy의 값 구하기

$\log_5 x+\log_5 y=3$에서 $\log_5 xy=3$

$\therefore xy=5^3$

STEP2 산술평균과 기하평균의 관계를 이용하여 최솟값 구하기

$5x>0,\ y>0$이므로 산술평균과 기하평균의 관계에 의하여

$5x+y\ge 2\sqrt{5xy}=2\sqrt{5\times 5^3}=2\times 5^2=50$

$\qquad\qquad\qquad$ (단, 등호는 $5x=y$일 때 성립한다.)

따라서 구하는 최솟값은 50이다.

09-5 답 3

해결전략 | 먼저 산술평균과 기하평균의 관계를 이용한다.

STEP1 산술평균과 기하평균의 관계를 이용하여 xy의 값의 범위 구하기

$\log_4 x+\log_4 y=\log_4 xy$에서 밑이 4이고 $4>1$이므로 $\log_4 xy$는 xy가 최대일 때 최대가 된다.

이때 $x>0,\ y>0$이므로 산술평균과 기하평균의 관계에 의하여

$x+y\ge 2\sqrt{xy}$ (단, 등호는 $x=y$일 때 성립한다.)

$16\ge 2\sqrt{xy},\ \sqrt{xy}\le 8$

$\therefore xy\le 64$

STEP2 $\log_4 xy$의 최댓값 구하기

따라서 xy의 최댓값이 64이므로 $\log_4 xy$의 최댓값은

$\log_4 64=\log_4 4^3=3$

◉→ 다른 풀이

STEP1 구하는 식을 한 문자에 대한 식으로 나타내기

$x+y=16$에서 $y=16-x\ (0<x<16)$이므로

$\log_4 x+\log_4 y=\log_4 xy$

$\qquad\qquad\quad =\log_4 x(16-x)$

$\qquad\qquad\quad =\log_4(-x^2+16x)$

$\qquad\qquad\quad =\log_4\{-(x-8)^2+64\}$

STEP2 $\log_4 x+\log_4 y$의 최댓값 구하기

밑이 4이고 $4>1$이므로 $-(x-8)^2+64$의 값이 최대일 때 $\log_4\{-(x-8)^2+64\}$도 최댓값을 갖는다.

따라서 $-(x-8)^2+64$는 $x=8$일 때 최댓값 64를 가지므로 구하는 최댓값은

$\log_4 64=\log_4 4^3=3$

09-6 답 3

해결전략 | 산술평균과 기하평균의 관계를 이용한다.

STEP1 산술평균과 기하평균의 관계를 이용하여 M의 값 구하기

$\dfrac{1}{5}\le x\le 20$에서 $\log 5x>0,\ \log\dfrac{20}{x}>0$이므로 산술평균과 기하평균의 관계에 의하여

$\log 5x+\log\dfrac{20}{x}\ge 2\sqrt{\log 5x\times\log\dfrac{20}{x}}$

이때

$\log 5x+\log\dfrac{20}{x}=\log\left(5x\times\dfrac{20}{x}\right)=\log 100$

$\qquad\qquad\qquad\qquad =\log 10^2=2$

이므로

$2\ge 2\sqrt{\log 5x\times\log\dfrac{20}{x}},\ \sqrt{\log 5x\times\log\dfrac{20}{x}}\le 1$

$\therefore 0<\log 5x\times\log\dfrac{20}{x}\le 1$

즉, $\log 5x\times\log\dfrac{20}{x}$의 최댓값은 1이므로 $M=1$

STEP2 a의 값 구하기

등호는 $\log 5x = \log \dfrac{20}{x}$, 즉 $5x = \dfrac{20}{x}$일 때 성립하므로

$x^2 = 4$

그런데 $\dfrac{1}{5} \le x \le 20$이므로 $x = 2$ $\quad \therefore a = 2$

$\therefore a + M = 2 + 1 = 3$

01

해결전략 | 로그의 진수의 조건을 이용하여 로그함수의 정의역을 구한다.

STEP1 진수의 조건을 이용하여 집합 A 구하기

$y = \log_2(-x^2 + 5x + 6)$에서 진수의 조건에 의하여

$-x^2 + 5x + 6 > 0$, $x^2 - 5x - 6 < 0$

$(x+1)(x-6) < 0$ $\quad \therefore -1 < x < 6$

$\therefore A = \{x \mid -1 < x < 6\}$

STEP2 진수의 조건을 이용하여 집합 B 구하기

$y = \log_3(x-2)$에서 진수의 조건에 의하여

$x - 2 > 0$ $\quad \therefore x > 2$

$\therefore B = \{x \mid x > 2\}$

STEP3 집합 $A \cap B$의 원소 중 정수의 합 구하기

따라서 $A \cap B = \{x \mid 2 < x < 6\}$이므로 원소 중 정수의 합은

$3 + 4 + 5 = 12$

02

해결전략 | 로그함수의 성질을 알고 지수함수와 로그함수는 역함수 관계임을 이해한다.

① $y = \log_{\frac{1}{2}}(x-3) + 2$에 $x = 5$를 대입하면

$y = \log_{\frac{1}{2}} 2 + 2 = -1 + 2 = 1$

따라서 함수 $y = \log_{\frac{1}{2}}(x-3) + 2$의 그래프는

점 $(5, 1)$을 지난다.

②, ⑤ 함수 $y = \log_{\frac{1}{2}}(x-3) + 2$의 그래프는 $y = \log_{\frac{1}{2}} x$의 그래프를 x축의 방향으로 3만큼, y축의 방향으로 2만큼 평행이동한 것이므로 정의역은 $\{x \mid x > 3\}$이고, 치역은 실수 전체의 집합이다.

③ $y = \log_{\frac{1}{2}}(x-3) + 2$에서 $y - 2 = \log_{\frac{1}{2}}(x-3)$

$x - 3 = \left(\dfrac{1}{2}\right)^{y-2}$ $\quad \therefore x = \left(\dfrac{1}{2}\right)^{y-2} + 3$

x와 y를 서로 바꾸면 함수 $y = \log_{\frac{1}{2}}(x-3) + 2$의 역함수는 $y = \left(\dfrac{1}{2}\right)^{x-2} + 3$

④ 밑이 $\dfrac{1}{2}$이고 $0 < \dfrac{1}{2} < 1$이므로 x의 값이 증가할 때, y의 값은 감소한다.

따라서 옳지 않은 것은 ③이다.

03

해결전략 | $y = \log_a(x-m) + n$의 그래프의 점근선은 직선 $x = m$임을 이용한다.

STEP1 점근선을 이용하여 a의 값 구하기

$y = \log_3(x+a) + b$의 그래프의 점근선은 직선 $x = -a$이므로

$a = 2$

STEP2 그래프가 지나는 점의 좌표를 이용하여 b의 값 구하기

$y = \log_3(x+2) + b$의 그래프가 점 $(1, 0)$을 지나므로

$0 = \log_3(1+2) + b$

$0 = 1 + b$ $\quad \therefore b = -1$

$\therefore a + b = 2 + (-1) = 1$

04

해결전략 | $y = \log_a x$의 그래프를 y축의 방향으로 n만큼 평행이동한 그래프의 식은 $y = \log_a x + n$이고, x축에 대하여 대칭이동한 그래프의 식은 $y = -\log_a x$임을 이용한다.

STEP1 y축의 방향으로 평행이동한 그래프의 식 구하기

$y = \log_2 kx$의 그래프를 y축의 방향으로 -4만큼 평행이동한 그래프의 식은

$y = \log_2 kx - 4 = \log_2 kx - \log_2 16$

$\therefore y = \log_2 \dfrac{kx}{16}$ …… ❶

STEP2 x축에 대하여 대칭이동한 그래프의 식 구하기

$y = \log_2 \dfrac{kx}{16}$의 그래프를 x축에 대하여 대칭이동한 그래프의 식은

$y = -\log_2 \dfrac{kx}{16}$

$\therefore y=\log_2\dfrac{16}{kx}$ ...... ❷

STEP 3 k의 값 구하기

따라서 $\dfrac{16}{k}=\dfrac{8}{5}$이므로 $k=10$ ...... ❸

채점 요소	배점
❶ 평행이동한 그래프의 식 구하기	40 %
❷ 대칭이동한 그래프의 식 구하기	40 %
❸ k의 값 구하기	20 %

05

해결전략 | 보기의 식을 변형하여 함수 $y=\log_2 x$의 그래프를 평행이동, 대칭이동을 할 수 있는지 파악한다.

ㄱ. $y=\log_{\frac{1}{2}} 5x=-\log_2 5x=-\log_2 x-\log_2 5$

즉, $y=\log_{\frac{1}{2}} 5x$의 그래프는 $\underline{y=\log_2 x}$의 그래프를 x
$\quad\quad\quad\quad\quad\quad\quad\quad\quad\quad\quad\quad\rightarrow y=-\log_2 x$
축에 대하여 대칭이동한 후 y축의 방향으로 $-\log_2 5$
만큼 평행이동한 것이다.

ㄴ. $y=3\times 2^x-1=2^{x+\log_2 3}-1$
$\quad\quad\quad\quad\quad\quad\quad\quad\rightarrow y=2^x$
즉, $y=3\times 2^x-1$의 그래프는 $\underline{y=\log_2 x}$의 그래프를
직선 $y=x$에 대하여 대칭이동한 후 x축의 방향으로
$-\log_2 3$만큼, y축의 방향으로 -1만큼 평행이동한
것이다.

ㄷ. $y=\log_4 (4x+1)=\log_4 4\left(x+\dfrac{1}{4}\right)$

$\quad\quad\quad\quad\quad=\log_4\left(x+\dfrac{1}{4}\right)+1$

즉, $y=\log_4 (4x+1)$의 그래프는 $y=\log_4 x$의 그래프를 x축의 방향으로 $-\dfrac{1}{4}$만큼, y축의 방향으로 1만큼 평행이동한 것이다.

ㄹ. $y=\log_4 x^2-3=\log_2 |x|-3$

즉, $y=\log_4 x^2-3$의 그래프는 $y=\log_2 |x|$의 그래프를 y축의 방향으로 -3만큼 평행이동한 것이다.

ㅁ. $y=-2\log_2 x+6=-\log_{\sqrt{2}} x+6$

즉, $y=-2\log_2 x+6$의 그래프는 $\underline{y=\log_{\sqrt{2}} x}$의 그래
$\quad\quad\quad\quad\quad\quad\quad\quad\quad\quad\quad\rightarrow y=-\log_{\sqrt{2}} x$
프를 x축에 대하여 대칭이동한 후 y축의 방향으로 6
만큼 평행이동한 것이다.

ㅂ. $y=2\log_2 \sqrt{x-4}=\log_2 (x-4)$

즉, $y=2\log_2 \sqrt{x-4}$의 그래프는 $y=\log_2 x$의 그래프를 x축의 방향으로 4만큼 평행이동한 것이다.

따라서 함수 $y=\log_2 x$의 그래프를 평행이동 또는 대칭이동하여 겹칠 수 있는 그래프를 나타내는 함수는 ㄱ, ㄴ, ㅂ의 3개이다.

06

해결전략 | 평행이동한 함수 $y=f(x)$를 x에 대하여 푼 다음 x와 y를 서로 바꾼다.

STEP 1 $y=\log_3 x$의 그래프를 평행이동한 그래프의 식 $f(x)$ 구하기

$y=\log_3 x$의 그래프를 x축의 방향으로 a만큼, y축의 방향으로 2만큼 평행이동한 그래프의 식은

$y=\log_3 (x-a)+2$ $\quad\therefore f(x)=\log_3 (x-a)+2$

STEP 2 역함수 $f^{-1}(x)$를 구한 후 a의 값 구하기

$y=\log_3 (x-a)+2$에서 $y-2=\log_3 (x-a)$

$x-a=3^{y-2}$, $x=3^{y-2}+a$

x와 y를 서로 바꾸면 $y=3^{x-2}+a$

따라서 $f^{-1}(x)=3^{x-2}+a$이므로 $a=4$

07

해결전략 | 평행이동하면 두 함수의 그래프가 겹쳐지므로 구하는 부분과 넓이와 같은 도형을 찾아본다.

STEP 1 두 함수의 그래프의 평행이동 파악하기

$y=\log_6 (x-1)-6$의 그래프는 $y=\log_6 (x+1)$의 그래프를 x축의 방향으로 2만큼, y축의 방향으로 -6만큼 평행이동한 것이다.

STEP 2 구하는 부분의 일부분을 옮겨 넓이 구하기

다음 그림에서 빗금 친 두 부분의 넓이는 같으므로 구하는 넓이는 평행사변형 OABC의 넓이와 같다.

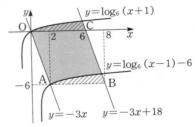

따라서 구하는 넓이는 $(8-2)\times 6=36$

08

해결전략 | 점선을 따라가면서 주어진 그래프 위의 점의 좌표를 구한다.

STEP 1 점의 좌표를 구하여 a, b 사이의 관계식 구하기

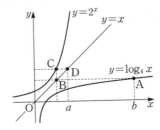

앞의 그림에서 $A(b, \log_4 b)$이고, 점 B는 직선 $y=x$ 위에 있으므로 $B(\log_4 b, \log_4 b)$

점 B와 점 C는 x좌표가 같고, 점 C는 $y=2^x$의 그래프 위에 있으므로 $C(\log_4 b, 2^{\log_4 b})$

점 C와 점 D는 y좌표가 같으므로 $D(a, 2^{\log_4 b})$

점 D는 직선 $y=x$ 위에 있으므로 $a=2^{\log_4 b}=b^{\log_4 2}=b^{\frac{1}{2}}$

즉, $a^2=b$ ...... ㉠

STEP2 a, b의 값 구하기

㉠을 $b-a=6$에 대입하면 $a^2-a=6$

$a^2-a-6=0$, $(a+2)(a-3)=0$

이때 $a>0$이므로 $a=3$

$\therefore b=3^2=9$

$\therefore ab=3\times9=27$

09

해결전략 | 먼저 정사각형의 한 변의 길이를 이용하여 $y=\log_2 x$의 그래프 위의 점 D의 좌표를 구한다.

STEP1 점 D의 좌표를 (m, n)으로 놓고, n의 값 구하기

점 D의 좌표를 (m, n)이라고 하면 정사각형의 한 변의 길이가 4이므로

$n=4$

STEP2 점 D의 좌표를 $y=\log_2 x$에 대입하여 m의 값을 구하기

$y=\log_2 x$의 그래프는 점 $D(m, 4)$를 지나므로

$4=\log_2 m$ $\therefore m=2^4=16$

$\therefore D(16, 4)$ ...... ❶

STEP3 점 A의 좌표를 구하여 a, b의 값 구하기

점 A와 점 D의 y좌표가 같고, $\overline{AD}=4$이므로

$A(12, 4)$ ...... ❷

따라서 $a=12$, $b=4$이므로 $a+b=16$ ...... ❸

채점 요소	배점
❶ 점 D의 좌표 구하기	60 %
❷ 점 A의 좌표 구하기	30 %
❸ $a+b$의 값 구하기	10 %

10

해결전략 | 내분하는 점이 x축 위에 있으므로 내분하는 점의 y좌표가 0임을 이용한다.

STEP1 선분 AB를 1 : 2로 내분하는 점의 좌표 구하기

$f(x)=\log_2 x$의 그래프 위의 두 점 $A(a, \log_2 a)$, $B(b, \log_2 b)$를 이은 선분 AB를 1 : 2로 내분하는 점의 좌표는

$\left(\dfrac{2a+b}{3}, \dfrac{2\log_2 a+\log_2 b}{3}\right)$

STEP2 내분하는 점의 y좌표가 0임을 이용하여 a^2b의 값 구하기

내분하는 점이 x축 위에 있으므로

$\dfrac{2\log_2 a+\log_2 b}{3}=0$, $2\log_2 a+\log_2 b=0$

$\log_2 a^2b=0$ $\therefore a^2b=1$

11

해결전략 | 주어진 세 함수의 그래프 위의 세 점 A, B, C의 좌표를 구한다.

STEP1 세 점 A, B, C의 좌표 구하기

세 점 A, B, C는 세 함수 $f(x)=\log_a x$, $g(x)=\log_b x$, $h(x)=-\log_a x$의 그래프와 직선 $x=4$의 교점이므로 $A(4, \log_a 4)$, $B(4, \log_b 4)$, $C(4, -\log_a 4)$

STEP2 $\overline{AB} : \overline{BC}=1 : 3$과 로그의 성질을 이용하여 $g(a)$의 값 구하기

$\overline{AB} : \overline{BC}=1 : 3$에서 $3\overline{AB}=\overline{BC}$이므로

$3(\log_a 4-\log_b 4)=\log_b 4+\log_a 4$

$2\log_a 4=4\log_b 4$

$\dfrac{2}{\log_4 a}=\dfrac{4}{\log_4 b}$, $\dfrac{\log_4 a}{\log_4 b}=\dfrac{1}{2}$

$\log_b a=\dfrac{1}{2}$ $\therefore g(a)=\dfrac{1}{2}$

12

해결전략 | 먼저 로그함수의 성질을 이용하여 $\log_5 a$의 값의 범위를 구한다.

STEP1 $\log_5 a$의 값의 범위 구하기

$1<a<5$이고, 함수 $y=\log_5 x$는 x의 값이 증가하면 y의 값도 증가하므로

$\log_5 1<\log_5 a<\log_5 5$

$\therefore 0<\log_5 a<1$

STEP2 A, C의 대소 비교하기

(i) $0<\log_5 a<1$의 각 변에 $\log_5 a$를 곱하면 $\log_5 a>0$이므로

$0<(\log_5 a)^2<\log_5 a$ $\therefore C<A$

STEP3 A, B의 대소 비교하기

(ii) $B=\log_a 5=\dfrac{1}{\log_5 a}$이고 $0<\log_5 a<1$에서

$\dfrac{1}{\log_5 a}>1$

즉, $\log_5 a<1<\dfrac{1}{\log_5 a}$이므로 $A<B$

(ⅰ), (ⅱ)에 의하여 $C<A<B$

13

해결전략 | $0<$ (밑) <1인 로그함수의 성질을 이용한다.

STEP1 주어진 함수가 감소하는 함수임을 이해하기

함수 $f(x)=2\log_{\frac{1}{2}}(x+k)$에서 밑이 $\frac{1}{2}$이고 $0<\frac{1}{2}<1$

이므로 주어진 함수는 x의 값이 증가하면 y의 값은 감소
한다.

STEP2 함수 $f(x)$의 최댓값이 -4임을 이용하여 k의 값 구
하기

$0\le x\le 12$에서 함수 $f(x)=2\log_{\frac{1}{2}}(x+k)$는 $x=0$일 때

최댓값 -4를 가지므로

$f(0)=2\log_{\frac{1}{2}}(0+k)=-4$, $\log_{\frac{1}{2}}k=-2$

$\therefore k=\left(\frac{1}{2}\right)^{-2}=4$

STEP3 m의 값 구하기

함수 $f(x)=2\log_{\frac{1}{2}}(x+4)$는 $x=12$일 때 최소이고,

최솟값은

$f(12)=2\log_{\frac{1}{2}}16=2\log_{2^{-1}}2^4=2\times(-4)=-8$

$\therefore m=-8$

$\therefore k+m=4+(-8)=-4$

14

해결전략 | 먼저 주어진 함수의 최댓값이 존재하기 위한 a의
값의 범위를 구한다.

STEP1 a의 값의 범위 구하기

함수 $y=\log_a(x^2-6x+13)$은 $a>1$이면 $x^2-6x+13$이
최대일 때 최대가 된다.

그런데 $x^2-6x+13$의 최댓값은 존재하지 않으므로
$\log_a(x^2-6x+13)$의 최댓값도 존재하지 않는다.

즉, $0<a<1$이므로 함수 $y=\log_a(x^2-6x+13)$은
$x^2-6x+13$이 최소일 때 y는 최대가 된다.

STEP2 함수의 최댓값이 -2임을 이용하여 a의 값 구하기

$f(x)=x^2-6x+13$으로 놓으면 $f(x)=(x-3)^2+4$이
므로 $f(x)$는 $x=3$일 때 최솟값이 4이다.

따라서 함수 $y=\log_a f(x)$는 $f(x)=4$일 때 최댓값 -2
를 가지므로

$\log_a 4=-2$, $a^{-2}=4$, $a^2=\frac{1}{4}$

이때 $0<a<1$이므로 $a=\frac{1}{2}$

15

해결전략 | 로그의 성질을 이용하여 식을 변형한 후
$\log_3 x=t$로 치환한다.

STEP1 $\log_3 x=t$로 놓고 t의 값의 범위 구하기

$y=\left(\log_3 \frac{x}{3}\right)\left(\log_3 \frac{x}{27}\right)$

$=(\log_3 x-\log_3 3)(\log_3 x-\log_3 27)$

$=(\log_3 x-1)(\log_3 x-3)$

$=(\log_3 x)^2-4\log_3 x+3$

$\log_3 x=t$로 놓으면 $\frac{1}{3}\le x\le 27$에서

$\log_3 \frac{1}{3}\le \log_3 x\le \log_3 27$

$\therefore -1\le t\le 3$ ······ ❶

STEP2 주어진 함수를 t에 대한 식으로 나타내고 최댓값 M
과 최솟값 m의 값 구하기

이때 주어진 함수는

$y=t^2-4t+3=(t-2)^2-1$

따라서 $-1\le t\le 3$에서 함수 $y=(t-2)^2-1$은

$t=-1$일 때 최대이고, 최댓값은

$M=(-1-2)^2-1=8$

$t=2$일 때 최소이고, 최솟값은

$m=(2-2)^2-1=-1$ ······ ❷

STEP3 $M+m$의 값 구하기

$\therefore M+m=8+(-1)=7$ ······ ❸

채점 요소	배점
❶ 주어진 함수의 식을 정리한 후 $\log_3 x=t$로 놓고 t의 값의 범위 구하기	40 %
❷ M, m의 값 구하기	40 %
❸ $M+m$의 값 구하기	20 %

16

해결전략 | 지수에 상용로그가 있으므로 양변에 상용로그를
취한다.

STEP1 주어진 식의 양변에 상용로그를 취하여 식 정리하기

$y=(100x)^{6-\log x}$의 양변에 상용로그를 취하면

$\log y=\log(100x)^{6-\log x}=(6-\log x)\log 100x$

$=(6-\log x)(2+\log x)$

$=-(\log x)^2+4\log x+12$

STEP2 $\log x=t$로 놓고 t의 값의 범위 구하기

$\log x=t$로 놓으면 $1\le x\le 1000$에서

$\log 1\le \log x\le \log 10^3$

$0\le t\le 3$

STEP 3 주어진 함수의 최댓값과 그때의 x의 값 구하기

$\log y = -t^2 + 4t + 12 = -(t-2)^2 + 16$

따라서 $0 \le t \le 3$에서 $\log y = -(t-2)^2 + 16$은

$t = 2$일 때 최댓값 16을 가지므로

$t = \log x = 2$에서 $x = 10^2$　　∴ $a = 10^2$

$\log y = 16$에서 $y = 10^{16}$　　∴ $b = 10^{16}$

∴ $\dfrac{b}{a} = \dfrac{10^{16}}{10^2} = 10^{14}$

17

해결전략 | 공통부분이 나오도록 주어진 식을 변형하여 산술평균과 기하평균의 관계를 이용한다.

STEP 1 로그의 성질을 이용하여 주어진 식 변형하기

$\log_{\frac{1}{3}}(2x+y) + \log_{\frac{1}{3}}\left(\dfrac{2}{x} + \dfrac{1}{y}\right)$

$= \log_{\frac{1}{3}}(2x+y)\left(\dfrac{2}{x} + \dfrac{1}{y}\right)$

$= \log_{\frac{1}{3}}\left(\dfrac{2x}{y} + \dfrac{2y}{x} + 5\right)$　　　　$\cdots\cdots$ ㉠

STEP 2 산술평균과 기하평균의 관계를 이용하여 최댓값 구하기

$x > 0$, $y > 0$이므로 산술평균과 기하평균의 관계에 의하여

$\dfrac{2x}{y} + \dfrac{2y}{x} + 5 \ge 2\sqrt{\dfrac{2x}{y} \times \dfrac{2y}{x}} + 5 = 9$

　　　　　　　　(단, 등호는 $x = y$일 때 성립한다.)

이때 밑이 $\dfrac{1}{3}$이고 $0 < \dfrac{1}{3} < 1$이므로 ㉠은

$\dfrac{2x}{y} + \dfrac{2y}{x} + 5$가 최소일 때 최대가 된다.

㉠에서

$\log_{\frac{1}{3}}\left(\dfrac{2x}{y} + \dfrac{2y}{x} + 5\right) \le \log_{\frac{1}{3}} 9 = \log_{3^{-1}} 3^2 = -2$

따라서 구하는 최댓값은 -2이다.

상위권 도약 문제　　　127~128쪽

01 $\dfrac{1}{2}$	02 ③	03 32	04 ③	05 ③
06 162	07 ④			

01

해결전략 | 함수의 그래프의 평행이동과 대칭이동을 이용한다.

STEP 1 함수 $y = f(x)$ 구하기

$y = \log_2 x$의 그래프를 x축의 방향으로 -1만큼 평행이동한 그래프의 식은

$y = \log_2(x+1)$

$y = \log_2(x+1)$의 그래프를 y축에 대하여 대칭이동한 그래프의 식은

$y = \log_2(-x+1)$

∴ $f(x) = \log_2(-x+1)$

STEP 2 삼각형 OAB가 이등변삼각형임을 이용하여 점 B의 좌표 구하기

한편, 두 점 $O(0, 0)$, $A(1, 0)$에 대하여 삼각형 OAB가 $\overline{OB} = \overline{AB}$인 이등변삼각형이므로 점 B는 선분 OA의 수직이등분선 위의 점이다.

선분 OA의 수직이등분선은 직선 $x = \dfrac{1}{2}$이므로 점 B의 x좌표는 $\dfrac{1}{2}$이다.

점 B는 $f(x) = \log_2(-x+1)$의 그래프 위의 점이므로

$f\left(\dfrac{1}{2}\right) = \log_2\left(-\dfrac{1}{2} + 1\right) = \log_2 \dfrac{1}{2} = -1$

∴ $B\left(\dfrac{1}{2}, -1\right)$

STEP 3 삼각형 OAB의 넓이 구하기

삼각형 OAB의 밑변의 길이가 $\overline{OA} = 1 - 0 = 1$, 높이가 (점 B의 y좌표) $= |-1| = 1$이므로 삼각형 OAB의 넓이는

$\dfrac{1}{2} \times 1 \times 1 = \dfrac{1}{2}$

02

해결전략 | 선분 PQ의 중점이 원의 중심과 일치하고, 선분 PQ의 길이가 원의 지름과 같음을 이용한다.

STEP 1 선분 PQ의 중점이 원 C의 중심과 일치함을 이용하여 두 점 P, Q의 좌표 구하기

$P(p, \log_a p)$, $Q(q, \log_a q)$ $(p > q)$라고 하면 선분 PQ의 중점이 원 C의 중심 $\left(\dfrac{5}{4}, 0\right)$과 일치하므로

$\dfrac{p+q}{2} = \dfrac{5}{4}$, $\dfrac{\log_a p + \log_a q}{2} = 0$에서

$p + q = \dfrac{5}{2}$, $\log_a pq = 0$

즉, $p + q = \dfrac{5}{2}$, $pq = 1$

p, q를 두 실근으로 갖는 t에 대한 이차방정식은

$t^2 - \dfrac{5}{2}t + 1 = 0$, $2t^2 - 5t + 2 = 0$ ⟵ $t^2 - (p+q)t + pq = 0$

$(2t-1)(t-2) = 0$

$\therefore t=\dfrac{1}{2}$ 또는 $t=2$

즉, $p=2$, $q=\dfrac{1}{2}$이므로

$P\left(2,\ \log_a 2\right)$, $Q\left(\dfrac{1}{2},\ -\log_a 2\right)$

STEP2 선분 PQ의 길이가 원의 지름의 길이와 같음을 이용하여 a의 값 구하기

선분 PQ의 길이가 원 C의 지름의 길이 $\dfrac{\sqrt{13}}{2}$과 같으므로

$\left(2-\dfrac{1}{2}\right)^2+\{\log_a 2-(-\log_a 2)\}^2=\left(\dfrac{\sqrt{13}}{2}\right)^2$

위의 식을 정리하면

$4(\log_a 2)^2=1$, $(\log_a 2)^2=\dfrac{1}{4}$ $\qquad \therefore \log_a 2=\pm\dfrac{1}{2}$

이때 $a>1$이므로 $\log_a 2=\dfrac{1}{2}$, $\sqrt{a}=2$

$\therefore a=4$

03

해결전략 | 먼저 주어진 함수의 그래프가 직사각형과 만나기 위한 a의 값의 범위를 구한다.

STEP1 a의 값의 범위 구하기

$y=\log_a(x-2)-4$의 그래프는 a의 값에 관계없이 항상 점 $(3,\ -4)$를 지난다.

$0<a<1$일 때, 오른쪽 그림과 같이 $y=\log_a(x-2)-4$의 그래프와 직사각형 ABCD는 만나지 않는다.

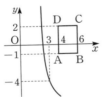

즉, 함수 $y=\log_a(x-2)-4$에서 $a>1$이므로 x의 값이 증가하면 y의 값도 증가한다.

STEP2 a의 최댓값 M과 최솟값 m 구하기

$a>1$일 때, 오른쪽 그림에서

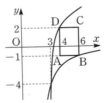

(i) $y=\log_a(x-2)-4$의 그래프가 점 $B(6,\ -1)$을 지날 때, a가 최대이므로

$-1=\log_a(6-2)-4$

$\log_a 4=3$, $a^3=4$

$\therefore a=4^{\frac{1}{3}}=(2^2)^{\frac{1}{3}}=2^{\frac{2}{3}}$

따라서 a의 최댓값은 $M=2^{\frac{2}{3}}$

(ii) $y=\log_a(x-2)-4$의 그래프가 점 $D(4,\ 2)$를 지날 때, a가 최소이므로

$2=\log_a(4-2)-4$, $\log_a 2=6$, $a^6=2$

$\therefore a=2^{\frac{1}{6}}$

따라서 a의 최솟값은 $m=2^{\frac{1}{6}}$

(i), (ii)에 의하여

$(Mm)^6=(2^{\frac{2}{3}}\times 2^{\frac{1}{6}})^6=(2^{\frac{5}{6}})^6=2^5=32$

04

해결전략 | 네 점 A, B, C, D의 좌표를 구해 보기의 참, 거짓을 판별한다.

STEP1 두 점 A, B의 좌표를 a에 대하여 나타내고 외분하는 점의 좌표 구하기

ㄱ. 점 A는 곡선 $y=\log_a x$와 직선 $y=1$이 만나는 점이므로 점 A의 x좌표는 $\log_a x=1$에서 $x=a$

$\therefore A(a,\ 1)$

점 B는 곡선 $y=\log_{4a} x$와 직선 $y=1$이 만나는 점이므로 점 B의 x좌표는 $\log_{4a} x=1$에서 $x=4a$

$\therefore B(4a,\ 1)$

따라서 선분 AB를 $1:4$로 외분하는 점의 좌표는

$\left(\dfrac{1\times 4a-4\times a}{1-4},\ \dfrac{1\times 1-4\times 1}{1-4}\right)$, 즉 $(0,\ 1)$ (참)

STEP2 두 점 A, D의 x좌표가 같음을 이용하여 a의 값 구하기

ㄴ. 사각형 ABCD가 직사각형이면 선분 AB가 x축과 평행하므로 두 점 A, D의 x좌표는 같아야 한다.

점 D는 곡선 $y=\log_{4a} x$와 직선 $y=-1$이 만나는 점이므로 점 D의 x좌표는 $\log_{4a} x=-1$에서 $x=\dfrac{1}{4a}$

$\therefore D\left(\dfrac{1}{4a},\ -1\right)$

이때 점 A의 x좌표는 a이므로

$a=\dfrac{1}{4a}$, $a^2=\dfrac{1}{4}$

주어진 조건에서 $\dfrac{1}{4}<a<1$이므로 $a=\dfrac{1}{2}$ (참)

STEP3 $\overline{AB}$, $\overline{CD}$의 길이를 구하여 a의 값의 범위 구하기

ㄷ. ㄱ에서 $A(a,\ 1)$, $B(4a,\ 1)$이므로

$\overline{AB}=4a-a=3a$

점 C는 곡선 $y=\log_a x$와 직선 $y=-1$이 만나는 점이므로 점 C의 x좌표는 $\log_a x=-1$에서 $x=\dfrac{1}{a}$

$\therefore C\left(\dfrac{1}{a},\ -1\right)$

ㄴ에서 $D\left(\dfrac{1}{4a},\ -1\right)$이므로 $\overline{CD}=\dfrac{1}{a}-\dfrac{1}{4a}=\dfrac{3}{4a}$

한편, $\overline{AB}<\overline{CD}$이면 $3a<\dfrac{3}{4a}$, $a^2<\dfrac{1}{4}$

$\therefore -\dfrac{1}{2}<a<\dfrac{1}{2}$

주어진 조건에서 $\frac{1}{4}<a<1$이므로 $\frac{1}{4}<a<\frac{1}{2}$ (거짓)

따라서 옳은 것은 ㄱ, ㄴ이다.

05

해결전략 | 두 함수 $y=2^x$, $y=\log_2 x$는 서로 역함수 관계임을 이용한다.

STEP1 역함수 관계를 이용하여 선분의 길이의 비 구하기

점 C는 직선 $y=-x+a$가 x축과 만나는 점이므로 C$(a, 0)$이고, 직선 $y=-x+a$가 y축과 만나는 점을 D라고 하면 D$(0, a)$이다.

두 곡선 $y=2^x$, $y=\log_2 x$는 직선 $y=x$에 대하여 대칭이므로

$$\overline{BC}=\overline{AD}$$

또, 조건 ⑦에서 $\overline{AB} : \overline{BC}=3 : 1$이므로

$$\overline{DC} : \overline{BC}=5 : 1$$

STEP2 삼각형의 넓이의 비를 이용하여 a의 값 구하기

두 삼각형 OCD와 OBC는 각각 $\overline{DC}$와 $\overline{BC}$를 밑변으로 하고 높이가 같으므로

$$\triangle OCD : \triangle OBC=\overline{DC} : \overline{BC}=5 : 1$$

즉, $\triangle OCD=5\triangle OBC$

이때 $\triangle OBC=\frac{1}{5}\triangle OCD=\frac{1}{5}\times\left(\frac{1}{2}\times a^2\right)=\frac{1}{10}a^2$이고

조건 ⑭에서 삼각형 OBC의 넓이는 40이므로

$$\frac{1}{10}a^2=40, \quad a^2=400 \qquad \therefore a=20 \ (\because a>0)$$

STEP3 $p+q$의 값 구하기

점 A(p, q)는 직선 $y=-x+a$ 위의 점이므로

$$q=-p+a$$

$$\therefore p+q=a=20$$

06

해결전략 | 두 함수 $y=3^x$, $y=\log_3 x$는 서로 역함수 관계임을 이용하여 도형 B_n과 넓이가 같은 도형을 찾아본다.

STEP1 역함수 관계를 이용하여 도형 B_n과 넓이가 같은 도형 찾기

함수 $y=3^x$의 역함수는 $y=\log_3 x$이므로 도형 B_n은 다음 그림에서 빗금 친 부분과 넓이가 같다.

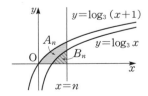

STEP2 $f(n)-g(n)=5$를 $g(n)$에 대한 식으로 나타내어 n의 값의 범위 구하기

$y=\log_3 x$의 그래프는 $y=\log_3 (x+1)$의 그래프를 x축의 방향으로 1만큼 평행이동한 것과 같으므로

$$f(n)=g(n+1)$$

$f(n)-g(n)=5$에서 $g(n+1)-g(n)=5$이므로

$$4\le\log_3 (n+1)<5$$

→ 정수인 점의 y좌표가 0, 1, 2, 3, 4의 5개이므로 $4\le\log_3 (n+1)<5$

$$3^4\le n+1<3^5$$

$$\therefore 80\le n<242$$

STEP3 자연수 n의 개수 구하기

따라서 자연수 n의 개수는

$$242-80=162$$

07

해결전략 | 공통부분이 나오도록 주어진 식을 변형하여 산술평균과 기하평균의 관계를 이용한다.

STEP1 로그의 성질을 이용하여 주어진 식 변형하기

$$\frac{\log_x 3+\log_y 3}{\log_{xy} 3}=\frac{\dfrac{1}{\log_3 x}+\dfrac{1}{\log_3 y}}{\dfrac{1}{\log_3 xy}}$$

$$=\frac{\dfrac{1}{\log_3 x}+\dfrac{1}{\log_3 y}}{\dfrac{1}{\log_3 x+\log_3 y}}$$

STEP2 치환하여 정리한 후 산술평균과 기하평균의 관계를 이용하여 최솟값 구하기

이때 $\log_3 x=a$, $\log_3 y=b$로 놓으면

$$\frac{\log_x 3+\log_y 3}{\log_{xy} 3}=\frac{\dfrac{1}{a}+\dfrac{1}{b}}{\dfrac{1}{a+b}}=\frac{\dfrac{a+b}{ab}}{\dfrac{1}{a+b}}$$

$$=\frac{a^2+2ab+b^2}{ab}$$

$$=\frac{a}{b}+\frac{b}{a}+2 \qquad \cdots\cdots ㉠$$

이때 $x>1$, $y>1$이므로 $a>0$, $b>0$

$\frac{a}{b}>0$, $\frac{b}{a}>0$이므로 산술평균과 기하평균의 관계에 의하여

$$\frac{a}{b}+\frac{b}{a}+2\ge 2\sqrt{\frac{a}{b}\times\frac{b}{a}}+2$$

$$\left(\text{단, 등호는 }\frac{a}{b}=\frac{b}{a}, \text{ 즉 } a=b\text{일 때 성립한다.}\right)$$

따라서 구하는 최솟값은 ㉠에서

$$2+2=4$$

지수방정식과 지수부등식

개념확인

130~131쪽

01 답 (1) $x=-6$　(2) $x=\dfrac{4}{5}$

(1) $\left(\dfrac{1}{2}\right)^x=64$에서

$$\left(\dfrac{1}{2}\right)^x=2^6, \ \left(\dfrac{1}{2}\right)^x=\left(\dfrac{1}{2}\right)^{-6} \qquad \therefore x=-6$$

(2) $9^{x+1}=27^{2-x}$에서

$$(3^2)^{x+1}=(3^3)^{2-x}$$

$$3^{2x+2}=3^{6-3x}$$

즉, $2x+2=6-3x$이므로

$$5x=4 \qquad \therefore x=\dfrac{4}{5}$$

02 답 (1) $x\le 2$　(2) $x<-8$

(1) $5^{x+1}\le 125$에서

$$5^{x+1}\le 5^3$$

밑이 5이고 $5>1$이므로

$$x+1\le 3 \qquad \therefore x\le 2$$

(2) $\left(\dfrac{1}{2}\right)^{5x}>\left(\dfrac{1}{16}\right)^{x-2}$에서

$$\left(\dfrac{1}{2}\right)^{5x}>\left\{\left(\dfrac{1}{2}\right)^4\right\}^{x-2}, \ \left(\dfrac{1}{2}\right)^{5x}>\left(\dfrac{1}{2}\right)^{4x-8}$$

밑이 $\dfrac{1}{2}$이고 $0<\dfrac{1}{2}<1$이므로

$$5x<4x-8 \qquad \therefore x<-8$$

필수유형 01

133쪽

01-1 답 (1) $x=-4$ 또는 $x=-1$
　　　　(2) $x=1$
　　　　(3) $x=-\dfrac{4}{3}$ 또는 $x=2$
　　　　(4) $x=-\dfrac{3}{2}$ 또는 $x=1$

해결전략 | 지수법칙을 이용하여 양변의 밑을 같게 변형한다.

(1) **STEP1** 양변의 밑을 3으로 같게 하여 식 변형하기

　　$9^{x^2+2}=3^{x^2-5x}$에서

　　$3^{2(x^2+2)}=3^{x^2-5x}, \ 3^{2x^2+4}=3^{x^2-5x}$

　STEP2 양변의 지수를 비교하여 방정식 풀기

　　$2x^2+4=x^2-5x, \ x^2+5x+4=0$

　　$(x+4)(x+1)=0$

　　$\therefore x=-4$ 또는 $x=-1$

(2) **STEP1** 양변의 밑을 2로 같게 하여 식 변형하기

　　$\left(\dfrac{1}{32}\right)^{4-x}=8^{x-6}$에서

　　$2^{-5(4-x)}=2^{3(x-6)}, \ 2^{-20+5x}=2^{3x-18}$

　STEP2 양변의 지수를 비교하여 방정식 풀기

　　$-20+5x=3x-18, \ 2x=2$

　　$\therefore x=1$

(3) **STEP1** 양변의 밑을 5로 같게 하여 식 변형하기

　　$(5\sqrt{5})^{x^2-2}=5^{x+1}$에서 ⟶ $5\sqrt{5}=5\times 5^{\frac{1}{2}}$
　　　　　　　　　　　　　　　　　　　　　　$=5^{1+\frac{1}{2}}$
　　$(5^{\frac{3}{2}})^{x^2-2}=5^{x+1}, \ 5^{\frac{3}{2}x^2-3}=5^{x+1}$　$=5^{\frac{3}{2}}$

　STEP2 양변의 지수를 비교하여 풀기

　　$\dfrac{3}{2}x^2-3=x+1, \ 3x^2-6=2x+2$

　　$3x^2-2x-8=0, \ (3x+4)(x-2)=0$

　　$\therefore x=-\dfrac{4}{3}$ 또는 $x=2$

(4) **STEP1** 양변의 밑을 $\dfrac{5}{6}$로 같게 하여 식 변형하기

　　$\left(\dfrac{5}{6}\right)^{2x^2+4}=\left(\dfrac{6}{5}\right)^{x-7}$에서

　　$\left(\dfrac{5}{6}\right)^{2x^2+4}=\left\{\left(\dfrac{5}{6}\right)^{-1}\right\}^{x-7}, \ \left(\dfrac{5}{6}\right)^{2x^2+4}=\left(\dfrac{5}{6}\right)^{-x+7}$

　STEP2 양변의 지수를 비교하여 방정식 풀기

　　$2x^2+4=-x+7, \ 2x^2+x-3=0$

　　$(2x+3)(x-1)=0$

　　$\therefore x=-\dfrac{3}{2}$ 또는 $x=1$

01-2 답 10

해결전략 | 먼저 $AB=0$이면 $A=0$ 또는 $B=0$임을 이용하여 식을 변형한다.

STEP1 지수방정식 풀기

$(2^x-8)(3^{2x}-9)=0$에서

$2^x-8=0$ 또는 $3^{2x}-9=0$

$2^x=8$ 또는 $3^{2x}=9$

$2^x=8$에서 $2^x=2^3$　$\therefore x=3$

$3^{2x}=9$에서 $9^x=9$　$\therefore x=1$

STEP2 $\alpha^2+\beta^2$의 값 구하기

따라서 주어진 방정식의 두 실근은 1, 3이므로

$\alpha^2+\beta^2=1^2+3^2=10$

01-3 답 2

해결전략 | 지수법칙을 이용하여 양변의 밑을 같게 변형한다.

STEP1 양변의 밑을 3으로 같게 하여 식 변형하기

$\dfrac{9^{x^2+1}}{3^{-x+8}}=81$에서

$\dfrac{3^{2(x^2+1)}}{3^{-x+8}}=3^4$, $3^{2x^2+2}=3^{-x+12}$

STEP2 양변의 지수를 비교하여 방정식을 풀고 정수 x의 값 구하기

$2x^2+2=-x+12$, $2x^2+x-10=0$

$(2x+5)(x-2)=0$

$\therefore x=-\dfrac{5}{2}$ 또는 $x=2$

따라서 정수 x의 값은 2이다.

01-4 📘 ④

해결전략 | 지수법칙을 이용하여 2^α의 값을 구한다.

STEP1 2^α의 값 구하기

$2^{x+3}=1000$의 근이 α이므로

$2^{\alpha+3}=2^\alpha\times 8=1000$

$2^\alpha=125$

STEP2 α의 값의 범위 구하기

이때 $2^6=64$, $2^7=128$이므로

$64<125<128$

즉, $2^6<2^\alpha<2^7$이므로

$6<\alpha<7$

01-5 📘 6

해결전략 | 주어진 방정식의 밑을 같게 변형하여 지수끼리 비교한 후 $x=-2$를 대입하여 k의 값을 구한다.

STEP1 양변의 밑을 2로 같게 하여 식을 변형한 후 양변의 지수 비교하기

$2^{x^2-10x}-8^{-2x+k}=0$에서

$2^{x^2-10x}-(2^3)^{-2x+k}=0$

$2^{x^2-10x}=2^{-6x+3k}$

즉, $x^2-10x=-6x+3k$에서

$x^2-4x-3k=0$ $\qquad\qquad$ …… ㉠

STEP2 한 근이 -2임을 이용하여 k의 값 구하기

방정식 ㉠의 한 근이 -2이므로

$4+8-3k=0$ $\qquad\therefore k=4$

STEP3 다른 한 근 구하기

㉠에서 $x^2-4x-12=0$이므로

$(x+2)(x-6)=0$

$\therefore x=-2$ 또는 $x=6$

따라서 다른 한 근은 6이다.

01-6 📘 -1

해결전략 | 지수법칙을 이용하여 양변의 밑을 같게 변형한 후 $x^2=|x|^2$임을 이용한다.

STEP1 양변의 밑을 5로 같게 하여 식 변형하기

$125^{|x|}=\left(\dfrac{1}{5}\right)^{x^2-4}$에서

$5^{3|x|}=(5^{-1})^{x^2-4}$, $5^{3|x|}=5^{-x^2+4}$

STEP2 양변의 지수를 비교하여 방정식 풀기

$3|x|=-x^2+4$이므로 $x^2+3|x|-4=0$

$x^2=|x|^2$이므로

$|x|^2+3|x|-4=0$, $(|x|+4)(|x|-1)=0$

이때 $|x|+4\neq 0$이므로 $|x|=1$

$\therefore x=-1$ 또는 $x=1$

STEP3 모든 실근의 곱 구하기

따라서 모든 실근의 곱은

$(-1)\times 1=-1$

필수유형 02 135쪽

02-1 📘 (1) $x=1$ 또는 $x=2$ (2) $x=2$
(3) $x=-2$ 또는 $x=0$ (4) $x=-3$

해결전략 | $a^x=t\ (t>0)$로 치환하여 주어진 방정식을 t에 대한 이차방정식으로 나타낸다.

(1) STEP1 3^x 꼴이 반복되는 방정식으로 변형하기

$9^x-4\times 3^{x+1}+27=0$에서

$(3^x)^2-12\times 3^x+27=0$

STEP2 $3^x=t\ (t>0)$로 놓고 t에 대한 이차방정식 풀기

$3^x=t\ (t>0)$로 놓으면

$t^2-12t+27=0$, $(t-3)(t-9)=0$

$\therefore t=3$ 또는 $t=9$

STEP3 구한 해에 t 대신 3^x을 대입하여 x의 값 구하기

즉, $3^x=3$ 또는 $3^x=9$이므로

$3^x=3^1$ 또는 $3^x=3^2$

$\therefore x=1$ 또는 $x=2$

(2) STEP1 2^x 꼴이 반복되는 방정식으로 변형하기

$4^x+2^{x+1}-24=0$에서

$(2^x)^2+2\times 2^x-24=0$

STEP2 $2^x=t\ (t>0)$로 놓고 t에 대한 이차방정식 풀기

$2^x=t\ (t>0)$로 놓으면

$t^2+2t-24=0$, $(t+6)(t-4)=0$

$\therefore t=-6$ 또는 $t=4$

그런데 $t>0$이므로 $t=4$

STEP3 구한 해에 t 대신 2^x을 대입하여 x의 값 구하기

즉, $2^x=4$이므로 $2^x=2^2$

$\therefore x=2$

(3) STEP1 3^x 꼴이 반복되는 방정식으로 변형하기

$3^{x+2}+3^{-x}=10$의 양변에 3^x을 곱하면

$9\times(3^x)^2+1=10\times3^x$

$9\times(3^x)^2-10\times3^x+1=0$

STEP2 $3^x=t\,(t>0)$로 놓고 t에 대한 이차방정식 풀기

$3^x=t\,(t>0)$로 놓으면

$9t^2-10t+1=0,\ (9t-1)(t-1)=0$

$\therefore t=\dfrac{1}{9}$ 또는 $t=1$

STEP3 구한 해에 t 대신 3^x을 대입하여 x의 값 구하기

즉, $3^x=\dfrac{1}{9}$ 또는 $3^x=1$이므로

$3^x=3^{-2}$ 또는 $3^x=3^0$

$\therefore x=-2$ 또는 $x=0$

(4) STEP1 $\left(\dfrac{1}{2}\right)^x$ 꼴이 반복되는 방정식으로 변형하기

$\left(\dfrac{1}{8}\right)^x-\left(\dfrac{1}{2}\right)^{x-3}=7\times\left(\dfrac{1}{4}\right)^x$에서

$\left\{\left(\dfrac{1}{2}\right)^x\right\}^3-8\times\left(\dfrac{1}{2}\right)^x=7\times\left\{\left(\dfrac{1}{2}\right)^x\right\}^2$

$\left\{\left(\dfrac{1}{2}\right)^x\right\}^3-7\times\left\{\left(\dfrac{1}{2}\right)^x\right\}^2-8\times\left(\dfrac{1}{2}\right)^x=0$

STEP2 $\left(\dfrac{1}{2}\right)^x=t\,(t>0)$로 놓고 t에 대한 삼차방정식 풀기

$\left(\dfrac{1}{2}\right)^x=t\,(t>0)$로 놓으면

$t^3-7t^2-8t=0,\ t(t+1)(t-8)=0$

$\therefore t=0$ 또는 $t=-1$ 또는 $t=8$

그런데 $t>0$이므로 $t=8$

STEP3 구한 해에 t 대신 $\left(\dfrac{1}{2}\right)^x$을 대입하여 x의 값 구하기

즉, $\left(\dfrac{1}{2}\right)^x=8$이므로 $\left(\dfrac{1}{2}\right)^x=\left(\dfrac{1}{2}\right)^{-3}$

$\therefore x=-3$

02-2 답 (1) $x=-1$ 또는 $x=1$ (2) $x=0$

해결전략 | 먼저 공통인 부분이 나타나도록 식을 변형한 후 공통인 부분을 t로 치환한다.

(1) STEP1 공통인 부분이 나타나도록 식 변형하기

$3-2\sqrt{2}=\dfrac{1}{3+2\sqrt{2}}$이므로

$(3+2\sqrt{2})^x+(3-2\sqrt{2})^x=6$에서

$(3+2\sqrt{2})^x+\left(\dfrac{1}{3+2\sqrt{2}}\right)^x=6$

STEP2 $(3+2\sqrt{2})^x=t\,(t>0)$로 놓고 t에 대한 이차방정식 풀기

이때 $(3+2\sqrt{2})^x=t\,(t>0)$로 놓으면

$t+\dfrac{1}{t}=6$

양변에 t를 곱하면

$t^2+1=6t,\ t^2-6t+1=0$

$\therefore t=3\pm2\sqrt{2}$

STEP3 구한 해에 t 대신 $(3+2\sqrt{2})^x$을 대입하여 x의 값 구하기

즉, $(3+2\sqrt{2})^x=3+2\sqrt{2}$ 또는

$(3+2\sqrt{2})^x=3-2\sqrt{2}$이므로

$x=-1$ 또는 $x=1$

(2) STEP1 $a^2+a^{-2}=(a+a^{-1})^2-2$임을 이용하여 공통인 부분이 나타나도록 식 변형하기

$4^x+4^{-x}=(2^x+2^{-x})^2-2$이므로

$4^x+4^{-x}+(2^x+2^{-x})-4=0$에서

$(2^x+2^{-x})^2+(2^x+2^{-x})-6=0$

STEP2 $2^x+2^{-x}=t\,(t\geq2)$로 놓고 t의 값 구하기

$2^x+2^{-x}=t\,(t\geq2)$로 놓으면

$t^2+t-6=0,\ (t+3)(t-2)=0$

$\therefore t=-3$ 또는 $t=2$

그런데 $t\geq2$이므로 $t=2$

STEP3 x의 값 구하기

따라서 $2^x+2^{-x}=2$이므로 $x=0$

> $2^x=t\,(t>0)$로 놓으면
> $t^2-2t+1=0$
> $(t-1)^2=0$ $\therefore t=1$
> 즉, $2^x=1$에서 $x=0$

📍 풍쌤의 비법

$2^x>0,\ 2^{-x}>0$이므로 산술평균과 기하평균의 관계에 의하여

$2^x+2^{-x}\geq2\sqrt{2^x\times2^{-x}}=2$

(단, 등호는 $x=0$일 때 성립한다.)

02-3 답 2

해결전략 | $2^x=X,\ 5^y=Y\,(X>0,\ Y>0)$로 치환하여 주어진 연립방정식을 $X,\ Y$에 대한 연립방정식으로 나타낸다.

STEP1 $2^x=X,\ 5^y=Y\,(X>0,\ Y>0)$로 놓고 $X,\ Y$에 대한 연립방정식 세우기

$\begin{cases}2^{x-1}+5^y=7\\2^{x+2}-5^{y-1}=15\end{cases}$에서

$\begin{cases}\dfrac{1}{2}\times2^x+5^y=7\\4\times2^x-\dfrac{1}{5}\times5^y=15\end{cases}$

$2^x=X$, $5^y=Y$ $(X>0, Y>0)$로 놓으면

$$\begin{cases} \dfrac{1}{2}X+Y=7 & \cdots\cdots \ \text{㉠} \\ 4X-\dfrac{1}{5}Y=15 & \cdots\cdots \ \text{㉡} \end{cases}$$

STEP 2 X, Y에 대한 연립방정식 풀기

㉠×8을 하면

$4X+8Y=56$ $\qquad\qquad\qquad \cdots\cdots$ ㉢

㉢-㉡을 하면

$\dfrac{41}{5}Y=41$ $\qquad \therefore \ Y=5$

$Y=5$를 ㉠에 대입하면

$\dfrac{1}{2}X+5=7$, $\dfrac{1}{2}X=2$ $\qquad \therefore \ X=4$

STEP 3 $\alpha\beta$의 값 구하기

즉, $2^x=4$, $5^y=5$이므로

$x=2$, $y=1$

따라서 $\alpha=2$, $\beta=1$이므로

$\alpha\beta=2$

> 🎯 **풍쌤의 비법**
>
> $a^x=X$, $b^x=Y$ $(X>0, Y>0)$로 치환하면 X, Y에 대한 연립방정식이 된다.

02-4 🖹 16

해결전략 | $a^x=t$ $(t>0)$로 치환하여 주어진 방정식을 t에 대한 이차방정식으로 나타낸다.

STEP 1 $a^x=t$ $(t>0)$로 놓고 t에 대한 이차방정식 풀기

$a^{2x}-3\times a^x+2=0$에서

$(a^x)^2-3\times a^x+2=0$

$a^x=t$ $(t>0)$로 놓으면

$t^2-3t+2=0$, $(t-1)(t-2)=0$

$\therefore \ t=1$ 또는 $t=2$

STEP 2 한 근이 $\dfrac{1}{4}$임을 이용하여 a의 값 구하기

즉, $a^x=1$ 또는 $a^x=2$이므로

$x=0$ 또는 $x=\log_a 2$

이때 한 근이 $\dfrac{1}{4}$이므로

$\log_a 2=\dfrac{1}{4}$, $a^{\frac{1}{4}}=2$ ← 양변을 4제곱하면 $(a^{\frac{1}{4}})^4=2^4$ $\therefore a=2^4$

$\therefore \ a=2^4=16$

02-5 🖹 65

해결전략 | $3^x=t$ $(t>0)$로 치환하여 얻은 t에 대한 이차방정식의 두 근이 3^α, 3^β임을 이용한다.

STEP 1 $3^x=t$ $(t>0)$로 놓고 t에 대한 이차방정식 세우기

$9^x-11\times 3^x+28=0$에서

$(3^x)^2-11\times 3^x+28=0$

$3^x=t$ $(t>0)$로 놓으면

$t^2-11t+28=0$ $\qquad\qquad \cdots\cdots$ ㉠

STEP 2 이차방정식의 근과 계수의 관계를 이용하여 $9^\alpha+9^\beta$의 값 구하기

방정식 ㉠의 두 근이 3^α, 3^β이므로 이차방정식의 근과 계수의 관계에 의하여 ← 주어진 방정식의 실근이 α, β이므로 $3^x=t$로 치환한 방정식의 근은 3^α, 3^β이다.

$3^\alpha+3^\beta=11$, $3^\alpha\times 3^\beta=28$

$\therefore \ 9^\alpha+9^\beta=3^{2\alpha}+3^{2\beta}$

$\qquad\qquad = (3^\alpha+3^\beta)^2-2\times 3^\alpha\times 3^\beta$

$\qquad\qquad = 11^2-2\times 28=65$

02-6 🖹 3

해결전략 | 두 점 A, B의 좌표를 k를 이용하여 나타낸 다음 거리를 이용하여 방정식을 세운다.

STEP 1 두 점 A, B 사이의 거리가 32임을 이용하여 지수방정식 세우기

두 함수 $y=4^x$, $y=2^{x+2}$의 그래프는 오른쪽 그림과 같다.

두 점 A, B의 좌표는 각각

$(k, 4^k)$, $(k, 2^{k+2})$이고

$\overline{AB}=32$이므로

$|4^k-2^{k+2}|=32$

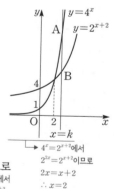

STEP 2 $k>2$, $k<2$인 경우로 나누어 k의 값 구하기

(ⅰ) $k>2$일 때, $4^k-2^{k+2}=32$이므로 ← 그래프에서 $4^k>2^{k+2}$

$(2^x)^2-4\times 2^x-32=0$

$2^x=t$ $(t>0)$로 놓으면

$t^2-4t-32=0$, $(t+4)(t-8)=0$

$\therefore \ t=-4$ 또는 $t=8$

그런데 $t>0$이므로 $t=8$

즉, $2^k=8$이므로 $2^k=2^3$

$\therefore \ k=3$

(ⅱ) $k<2$일 때, $2^{k+2}-4^k=32$이므로 ← 그래프에서 $2^{k+2}>4^k$

$(2^x)^2-4\times 2^x+32=0$

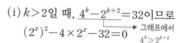

$4^x=2^{x+2}$에서 $2^{2x}=2^{x+2}$이므로 $2x=x+2$ $\therefore x=2$

$2^x=t\ (t>0)$로 놓으면

$t^2-4t+32=0$ $\qquad$ ...... ㉠

이차방정식 ㉠의 판별식을 D라고 하면

$\dfrac{D}{4}=(-2)^2-1\times32=-28<0$

이므로 방정식 ㉠은 실근을 갖지 않는다.

따라서 주어진 조건을 만족시키는 k의 값은 존재하지 않는다.

(i), (ii)에 의하여 $k=3$

필수유형 03   137쪽

03-1 🔲 (1) $x=\dfrac{2}{5}$ 또는 $x=1$

         (2) $x=-4$ 또는 $x=2$

         (3) $x=4$ 또는 $x=5$

         (4) $x=1$ 또는 $x=3$

해결전략 | 주어진 지수방정식의 밑이 같은지 지수가 같은지 확인한다.

(1) 밑이 같으므로 밑이 1이거나 지수가 같아야 한다.

   (i) $x=1$일 때

      주어진 방정식은 $1^5=1^2$이므로 등식이 성립한다.

   (ii) $x\ne1$일 때

      $x^{4x+1}=x^{-x+3}$에서

      $4x+1=-x+3,\ 5x=2$ $\qquad\therefore x=\dfrac{2}{5}$

   (i), (ii)에 의하여 $x=\dfrac{2}{5}$ 또는 $x=1$

(2) 지수가 같으므로 지수가 0이거나 밑이 같아야 한다.

   (i) $x-2=0$, 즉 $x=2$일 때

      주어진 방정식은 $9^0=3^0$이므로 등식이 성립한다.

   (ii) $x-2\ne0$, 즉 $x\ne2$일 때

      $(x+7)^{x-2}=3^{x-2}$에서

      $x+7=3$ $\qquad\therefore x=-4$

   (i), (ii)에 의하여 $x=-4$ 또는 $x=2$

(3) 밑이 같으므로 밑이 1이거나 지수가 같아야 한다.

   (i) $x-3=1$, 즉 $x=4$일 때

      주어진 방정식은 $1^{16}=1^{10}$이므로 등식이 성립한다.

   (ii) $x-3\ne1$, 즉 $x\ne4$일 때

      $(x-3)^{3x+4}=(x-3)^{x^2-6}$에서

      $3x+4=x^2-6,\ x^2-3x-10=0$

      $(x+2)(x-5)=0$ $\quad\therefore x=-2$ 또는 $x=5$

      그런데 $x>3$이므로 $x=5$

   (i), (ii)에 의하여 $x=4$ 또는 $x=5$

(4) 지수가 같으므로 지수가 0이거나 밑이 같아야 한다.

   (i) $x-1=0$, 즉 $x=1$일 때

      주어진 방정식은 $5^0=7^0$이므로 등식이 성립한다.

   (ii) $x-1\ne0$, 즉 $x\ne1$일 때

      $(3x+2)^{x-1}=(2x+5)^{x-1}$에서

      $3x+2=2x+5$ $\qquad\therefore x=3$

   (i), (ii)에 의하여 $x=1$ 또는 $x=3$

03-2 🔲 7

해결전략 | 지수방정식의 밑이 같으므로 밑이 1이거나 지수가 같을 때 등식이 성립한다.

STEP1 지수방정식의 해 구하기

(i) $x=1$일 때

     주어진 방정식은 $1^{-4}=1^{11}$이므로 등식이 성립한다.

(ii) $x\ne1$일 때

     $x^{x^2-5}=x^{4x+7}$에서

     $x^2-5=4x+7,\ x^2-4x-12=0$

     $(x+2)(x-6)=0$ $\qquad\therefore x=-2$ 또는 $x=6$

     그런데 $x>0$이므로 $x=6$

STEP2 모든 근의 합 구하기

(i), (ii)에 의하여 모든 근의 합은

$1+6=7$

03-3 🔲 8

해결전략 | 지수방정식의 밑과 지수를 각각 비교하여 두 집합 A, B를 구한다.

STEP1 집합 A 구하기

$(x-2)^{x+5}=(x-2)^{2x+3}$에서 밑이 같으므로 밑이 1이거나 지수가 같아야 한다.

(i) $x-2=1$, 즉 $x=3$일 때

     주어진 방정식은 $1^8=1^9$이므로 등식이 성립한다.

(ii) $x-2\ne1$, 즉 $x\ne3$일 때

     $x+5=2x+3$이므로 $x=2$

     그런데 $x>2$인 조건을 만족시키지 않는다.

(i), (ii)에 의하여 $A=\{3\}$

STEP2 집합 B 구하기

$(x+1)^{2x-1}=3^{2x-1}$에서 지수가 같으므로 지수가 0이거나 밑이 같아야 한다.

(iii) $2x-1=0$, 즉 $x=\dfrac{1}{2}$일 때

     주어진 방정식은 $\left(\dfrac{3}{2}\right)^0=3^0$이므로 등식이 성립한다.

(iv) $2x-1\ne0$, 즉 $x\ne\dfrac{1}{2}$일 때

$x+1=3$이므로 $x=2$

(iii), (iv)에 의하여 $B=\left\{\dfrac{1}{2},\,2\right\}$

STEP3 집합 $A\cup B$의 부분집합의 개수 구하기

따라서 $A\cup B=\left\{\dfrac{1}{2},\,2,\,3\right\}$이므로 집합 $A\cup B$의 부분집합의 개수는

$2^3=8$

> ◎ **풍쌤의 비법**
>
> **부분집합의 개수**
>
> 원소의 개수가 n인 집합 A의 부분집합의 개수
>
> ➡ 2^n

03-4 🗒 13

해결전략 | 지수방정식의 밑과 지수를 각각 비교한다.

STEP1 a의 값 구하기

$(x-1)^{x^2-2}=(x-1)^{x+4}$에서 밑이 같으므로 밑이 1이거나 지수가 같아야 한다.

(i) $x-1=1$, 즉 $x=2$일 때

주어진 방정식은 $1^2=1^6$이므로 등식이 성립한다.

(ii) $x-1\ne1$, 즉 $x\ne2$일 때

$x^2-2=x+4$에서

$x^2-x-6=0,\ (x+2)(x-3)=0$

그런데 $x>\dfrac{3}{2}$이므로 $x=3$

(i), (ii)에 의하여 모든 근의 곱은

$a=2\times3=6$

STEP2 b의 값 구하기

$\left(x-\dfrac{3}{2}\right)^{5-2x}=3^{5-2x}$에서 지수가 같으므로 지수가 0이거나 밑이 같아야 한다.

(iii) $5-2x=0$, 즉 $x=\dfrac{5}{2}$일 때

주어진 방정식은 $1^0=3^0$이므로 등식이 성립한다.

(iv) $5-2x\ne0$, 즉 $x\ne\dfrac{5}{2}$일 때

$x-\dfrac{3}{2}=3$이므로 $x=\dfrac{9}{2}$

(iii), (iv)에 의하여 모든 근의 합은

$b=\dfrac{5}{2}+\dfrac{9}{2}=7$

STEP3 $a+b$의 값 구하기

$\therefore a+b=6+7=13$

03-5 🗒 $x=2$

해결전략 | 먼저 지수법칙을 이용하여 $a^{f(x)}=b^{f(x)}$ 꼴로 변형한다.

STEP1 지수법칙을 이용하여 주어진 식 변형하기

$x\times x^{x+2}=(3x-4)^3(3x-4)^x$에서

$x^{x+3}=(3x-4)^{x+3}$

STEP2 지수방정식의 해 구하기

지수가 같으므로 지수가 0이거나 밑이 같아야 한다.

(i) $x+3=0$, 즉 $x=-3$일 때

$x>\dfrac{4}{3}$이므로 해가 없다.

(ii) $x+3\ne0$, 즉 $x\ne-3$일 때

$x^{x+3}=(3x-4)^{x+3}$에서

$x=3x-4,\ 2x=4$ $\therefore x=2$

(i), (ii)에 의하여 $x=2$

03-6 🗒 3

해결전략 | 방정식 $(x^2-x+1)^{x+2}=1$을 만족시키려면 지수가 0이거나 밑이 1이어야 한다.

STEP1 지수가 0일 때 주어진 방정식을 만족시키는지 확인하기

(i) $x+2=0$, 즉 $x=-2$일 때

주어진 방정식은 $7^0=1$이므로 등식이 성립한다.

STEP2 밑이 1일 때의 x의 값 구하기

(ii) $x^2-x+1=1$일 때

$x^2-x=0,\ x(x-1)=0$

$\therefore x=0$ 또는 $x=1$

STEP3 정수 x의 개수 구하기

(i), (ii)에 의하여 정수 x는 -2, 0, 1의 3개이다.

➤ **참고** $x^2-x+1=\left(x-\dfrac{1}{2}\right)^2+\dfrac{3}{4}$이므로

$x^2-x+1>0$

필수유형 04   139쪽

04-1 🗒 $1<k<5$

해결전략 | $2^x=t\ (t>0)$로 치환하여 얻은 t에 대한 이차방정식이 서로 다른 두 양의 실근을 가짐을 이용한다.

STEP1 $2^x=t\ (t>0)$로 놓고 방정식이 서로 다른 두 실근을 가질 조건 구하기

$4^x-2^{x+2}+k-1=0$에서

$(2^x)^2 - 4 \times 2^x + k - 1 = 0$

$2^x = t \ (t > 0)$로 놓으면

$t^2 - 4t + k - 1 = 0$ ...... ㉠

주어진 방정식이 서로 다른 두 실근을 가지면 방정식 ㉠은 서로 다른 두 양의 실근을 갖는다.

STEP2 k의 값의 범위 구하기

(i) 이차방정식 ㉠의 판별식을 D라고 하면

$$\frac{D}{4} = (-2)^2 - (k-1) > 0$$

$$5 - k > 0 \quad \therefore k < 5$$

(ii) (이차방정식 ㉠의 두 근의 합)$= 4 > 0$

(iii) (이차방정식 ㉠의 두 근의 곱)$= k - 1 > 0$

$$\therefore k > 1$$

(i)~(iii)에 의하여 $1 < k < 5$

04-2 目 $a > 5$

해결전략 | $5^x = t \ (t > 0)$로 치환하여 얻은 t에 대한 이차방정식이 서로 다른 두 양의 실근을 가짐을 이용한다.

STEP1 $5^x = t \ (t > 0)$로 놓고 방정식이 서로 다른 두 실근을 가질 조건 구하기

$25^x - (a+1) \times 5^x + a + 4 = 0$에서

$(5^x)^2 - (a+1) \times 5^x + a + 4 = 0$

$5^x = t \ (t > 0)$로 놓으면

$t^2 - (a+1)t + a + 4 = 0$ ...... ㉠

주어진 방정식이 서로 다른 두 실근을 가지면 방정식 ㉠은 서로 다른 두 양의 실근을 갖는다.

STEP2 a의 값의 범위 구하기

(i) 이차방정식 ㉠의 판별식을 D라고 하면

$$D = \{-(a+1)\}^2 - 4(a+4) > 0$$

$$a^2 - 2a - 15 > 0, \ (a+3)(a-5) > 0$$

$$\therefore a < -3 \ 또는 \ a > 5$$

(ii) (이차방정식 ㉠의 두 근의 합)$= a + 1 > 0$

$$\therefore a > -1$$

(iii) (이차방정식 ㉠의 두 근의 곱)$= a + 4 > 0$

$$\therefore a > -4$$

(i)~(iii)에 의하여 $a > 5$

04-3 目 $\frac{1}{2}$

해결전략 | $4^x = t \ (t > 0)$로 치환하여 얻은 방정식의 두 근이 4^α, 4^β임을 이용한다.

STEP1 $4^x = t \ (t > 0)$로 치환하여 얻은 방정식의 두 근을 α, β로 나타내기

$2 \times 16^x - 5 \times 4^x + k = 0$에서

$2 \times (4^x)^2 - 5 \times 4^x + k = 0$

$4^x = t \ (t > 0)$로 놓으면

$2t^2 - 5t + k = 0$ ...... ㉠

주어진 방정식의 두 근이 α, β이므로 방정식 ㉠의 두 근은 4^α, 4^β이다.

STEP2 k의 값 구하기

이차방정식의 근과 계수의 관계에 의하여

$4^\alpha \times 4^\beta = \dfrac{k}{2}$이므로 $4^{\alpha+\beta} = \dfrac{k}{2}$

이때 $\alpha + \beta = -1$이므로

$$4^{-1} = \frac{k}{2}, \ \frac{1}{4} = \frac{k}{2}$$

$$\therefore k = \frac{1}{2}$$

04-4 目 6

해결전략 | $2^x = t \ (t > 0)$로 치환하여 얻은 t에 대한 이차방정식이 양수인 중근을 가짐을 이용한다.

STEP1 $2^x = t \ (t > 0)$로 놓고 방정식이 오직 하나의 실근을 가질 조건 구하기

$4^x - k \times 2^{x+1} + 16 = 0$에서

$(2^x)^2 - 2k \times 2^x + 16 = 0$

$2^x = t \ (t > 0)$로 놓으면

$t^2 - 2kt + 16 = 0$ ...... ㉠

$t > 0$이고 두 근의 곱이 양수이므로 방정식이 오직 하나의 실근을 가지려면 방정식 ㉠은 양수인 중근을 가져야 한다.

STEP2 판별식을 이용하여 k의 값 구하기

이차방정식 ㉠의 판별식을 D라고 하면

$$\frac{D}{4} = (-k)^2 - 16 = 0$$

$$k^2 - 16 = 0, \ (k+4)(k-4) = 0$$

$$\therefore k = -4 \ 또는 \ k = 4$$

STEP3 $k + \alpha$의 값 구하기

(i) $k = -4$를 ㉠에 대입하면

$t^2 + 8t + 16 = 0, \ (t+4)^2 = 0 \quad \therefore t = -4$

$t > 0$인 조건을 만족시키지 않는다.

(ii) $k = 4$를 ㉠에 대입하면

$t^2 - 8t + 16 = 0, \ (t-4)^2 = 0 \quad \therefore t = 4$

즉, $2^x = 4$이므로 $x = 2$

(i), (ii)에 의하여 $k = 4$, $\alpha = 2$이므로

$k + \alpha = 6$

04-5 目 2

해결전략 | $2^x=t$로 치환하여 얻은 t에 대한 이차방정식의 두 근이 모두 2보다 크다는 것을 이용한다.

STEP1 $2^x=t$로 놓고 방정식의 두 근이 1보다 클 조건 구하기

$2^{2x}-(k-4)\times2^{x+1}+2k=0$에서

$2^{2x}-2(k-4)\times2^x+2k=0$

$2^x=t$로 놓으면

$t^2-2(k-4)t+2k=0$ ...... ㉠

이때 주어진 방정식의 두 근이 모두 1보다 크면 $x>1$이므로 $t=2^x>2^1=2$ ...... ㉡

즉, t에 대한 이차방정식 ㉠의 두 근은 2보다 크다.

$f(t)=t^2-2(k-4)t+2k$로 놓으면 함수 $y=f(t)$의 그래프가 오른쪽 그림과 같다.

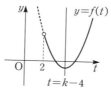

STEP2 k의 값의 범위를 구하여 정수 k의 개수 구하기

(i) 이차방정식 ㉠의 판별식을 D라고 하면

$\dfrac{D}{4}=\{-(k-4)\}^2-2k\geq0$

→ 문제에서 두 근이 서로 다르다는 조건이 없으므로 중근이 될 수도 있다.

$k^2-10k+16\geq0,\ (k-2)(k-8)\geq0$

$\therefore k\leq2$ 또는 $k\geq8$

(ii) 함수 $y=f(t)$의 그래프의 축의 방정식이 $t=k-4$이므로 ㉡에서

$k-4>2$ $\therefore k>6$

(iii) $f(2)>0$이므로

$4-4(k-4)+2k>0$

$-2k+20>0$ $\therefore k<10$

(i)~(iii)에 의하여 $8\leq k<10$

따라서 정수 k는 8, 9의 2개이다.

04-6 目 -4

해결전략 | 두 실근의 비가 $1:2$이므로 두 근을 $m,\ 2m$ $(m\neq0)$으로 놓고 이차방정식의 근과 계수의 관계를 이용한다.

STEP1 $3^x=t\ (t>0)$로 놓고 t에 대한 이차방정식 세우기

$9^x+a\times3^{x+1}+15-3a=0$에서

$(3^x)^2+3a\times3^x+15-3a=0$

$3^x=t\ (t>0)$로 놓으면

$t^2+3at+15-3a=0$ ...... ㉠

STEP2 두 근의 비와 이차방정식의 근과 계수의 관계를 이용하여 방정식 ㉠의 두 근의 합과 곱 구하기

주어진 방정식의 두 근을 $m,\ 2m\ (m\neq0)$이라고 하면

방정식 ㉠의 두 근은 3^m, 3^{2m}이므로 이차방정식의 근과 계수의 관계에 의하여

$3^m+3^{2m}=-3a,\ 3^m\times3^{2m}=15-3a$

STEP3 a의 값 구하기

$3^m=k\ (k>0)$로 놓으면

$k+k^2=-3a,\ k^3=15-3a$

$k^3=15+k+k^2$이므로

$k^3-k^2-k-15=0$

$(k-3)(k^2+2k+5)=0$

$k^2+2k+5>0$이므로 $k-3=0$ $\therefore k=3$

따라서 $k+k^2=-3a$에서

$-3a=3+3^2=12$

$\therefore a=-4$

필수유형 05 141쪽

05-1 目 (1) $x\leq-\dfrac{1}{3}$ (2) $x>-2$

(3) $x<-3$ 또는 $x>\dfrac{1}{2}$ (4) $-4\leq x\leq2$

해결전략 | 지수법칙을 이용하여 양변의 밑을 같게 변형한다. 이때 밑의 범위에 주의하여 부등식의 해를 구한다.

(1) STEP1 양변의 밑을 7로 같게 하여 식 변형하기

$7^{x-2}\geq\left(\dfrac{1}{7}\right)^{1-4x}$에서

$7^{x-2}\geq\{(7)^{-1}\}^{1-4x},\ 7^{x-2}\geq7^{4x-1}$

STEP2 양변의 지수의 크기를 비교하여 부등식 풀기

밑이 7이고 $7>1$이므로

$x-2\geq4x-1,\ -3x\geq1$

$\therefore x\leq-\dfrac{1}{3}$

(2) STEP1 양변의 밑을 $\dfrac{1}{3}$로 같게 하여 식 변형하기

$\left(\dfrac{1}{3}\right)^{2x+5}<\left(\dfrac{1}{\sqrt{3}}\right)^{-x}$에서

$\left(\dfrac{1}{3}\right)^{2x+5}<\left\{\left(\dfrac{1}{3}\right)^{\frac{1}{2}}\right\}^{-x},\ \left(\dfrac{1}{3}\right)^{2x+5}<\left(\dfrac{1}{3}\right)^{-\frac{1}{2}x}$

STEP2 양변의 지수의 크기를 비교하여 부등식 풀기

밑이 $\dfrac{1}{3}$이고 $0<\dfrac{1}{3}<1$이므로

$2x+5>-\dfrac{1}{2}x,\ \dfrac{5}{2}x>-5$

$\therefore x>-2$

(3) STEP1 양변의 밑을 $\dfrac{3}{2}$으로 같게 하여 식 변형하기

$\left(\dfrac{3}{2}\right)^{2x^2-3}>\left(\dfrac{2}{3}\right)^{5x}$에서

$$\left(\frac{3}{2}\right)^{2x^2-3}>\left[\left(\frac{3}{2}\right)^{-1}\right]^{5x}, \left(\frac{3}{2}\right)^{2x^2-3}>\left(\frac{3}{2}\right)^{-5x}$$

STEP 2 양변의 지수의 크기를 비교하여 부등식 풀기

밑이 $\frac{3}{2}$이고 $\frac{3}{2}>1$이므로

$2x^2-3>-5x$, $2x^2+5x-3>0$

$(x+3)(2x-1)>0$

$\therefore x<-3$ 또는 $x>\frac{1}{2}$

(4) **STEP 1** 양변의 밑을 $\frac{1}{4}$로 같게 하여 식 변형하기

$$\left(\frac{1}{4}\right)^{x^2}\leq\left(\frac{1}{16}\right)^{x^2+x-4} \text{에서}$$

$$\left(\frac{1}{4}\right)^{x^2}\leq\left[\left(\frac{1}{4}\right)^2\right]^{x^2+x-4}, \left(\frac{1}{4}\right)^{x^2}\leq\left(\frac{1}{4}\right)^{2x^2+2x-8}$$

STEP 2 양변의 지수의 크기를 비교하여 부등식 풀기

밑이 $\frac{1}{4}$이고 $0<\frac{1}{4}<1$이므로

$x^2\geq 2x^2+2x-8$, $x^2+2x-8\leq 0$

$(x+4)(x-2)\leq 0$

$\therefore -4\leq x\leq 2$

05-2 답 4

해결전략 | 지수법칙을 이용하여 양변의 밑을 같게 변형한다.

STEP 1 양변의 밑을 3으로 같게 하여 식 변형하기

$\dfrac{27}{9^x}\geq 3^{x-9}$에서

$\dfrac{3^3}{(3^2)^x}\geq 3^{x-9}$, $3^{3-2x}\geq 3^{x-9}$

STEP 2 지수부등식을 풀어 자연수 x의 개수 구하기

밑이 3이고 $3>1$이므로

$3-2x\geq x-9$, $-3x\geq -12$

$\therefore x\leq 4$

따라서 자연수 x는 1, 2, 3, 4의 4개이다.

05-3 답 3

해결전략 | 지수법칙을 이용하여 밑을 같게 변형한다.

STEP 1 밑을 0.6으로 같게 하여 식 변형하기

$0.6^{x^2-1}-0.36^{x+1}>0$에서

$0.6^{x^2-1}-(0.6^2)^{x+1}>0$, $0.6^{x^2-1}>0.6^{2x+2}$

STEP 2 지수부등식을 풀어 정수 x의 값의 합 구하기

밑이 0.6이고 $0<0.6<1$이므로

$x^2-1<2x+2$, $x^2-2x-3<0$

$(x+1)(x-3)<0$ $\therefore -1<x<3$

따라서 정수 x는 0, 1, 2이므로 그 합은

$0+1+2=3$

05-4 답 -2

해결전략 | 지수법칙을 이용하여 각 변의 밑을 같게 변형한다.

STEP 1 밑을 5로 같게 하여 식 변형하기

$$\left(\frac{1}{25}\right)^{3x+1}\leq 625\leq\left(\frac{1}{5}\right)^{4x-12} \text{에서}$$

$(5^{-2})^{3x+1}\leq 5^4\leq(5^{-1})^{4x-12}$, $5^{-6x-2}\leq 5^4\leq 5^{-4x+12}$

STEP 2 지수부등식의 해 구하기

밑이 5이고 $5>1$이므로

$-6x-2\leq 4\leq -4x+12$

(i) $-6x-2\leq 4$에서 $-6x\leq 6$

  $\therefore x\geq -1$

(ii) $4\leq -4x+12$에서 $4x\leq 8$

  $\therefore x\leq 2$

(i), (ii)에 의하여 주어진 부등식의 해는

$-1\leq x\leq 2$

STEP 3 Mm의 값 구하기

따라서 정수 x의 최댓값은 2, 최솟값은 -1이므로

$M=2$, $m=-1$

$\therefore Mm=2\times(-1)=-2$

> 🎯 **풍쌤의 비법**
>
> 부등식 $A<B<C$ 꼴인 경우 $A<B$와 $B<C$로 나누어 푼다.

05-5 답 33

해결전략 | 지수부등식을 푼 후 정수 x의 개수가 3이 되도록 a의 값의 범위를 구한다.

STEP 1 지수부등식 풀기

$\left(\dfrac{1}{8}\right)^{x^2}>2^{ax}$에서 $2^{-3x^2}>2^{ax}$

밑이 2이고 $2>1$이므로

$-3x^2>ax$, $3x^2+ax<0$

$x(3x+a)<0$

이때 a는 자연수이므로

$-\dfrac{a}{3}<x<0$ ⋯⋯ ㉠

STEP 2 정수 x의 개수가 3이 되도록 하는 자연수 a의 값의 합 구하기

㉠을 만족시키는 정수 x의 개수가 3이므로 정수 x는

$-3, -2, -1$이다. 즉,

$$-4 \leq -\frac{a}{3} < -3$$

$$\therefore 9 < a \leq 12$$

따라서 자연수 a는 10, 11, 12이므로 그 합은

$$10+11+12=33$$

05-6 답 28

해결전략 | $f(-6)=0$과 주어진 그래프를 이용하면
$f(x)=a(x+6)(a>0)$으로 놓을 수 있다.

STEP1 일차함수 $f(x)$에 대한 식을 세우고 부등식의 해 구하기

$f(-6)=0$이므로 일차함수의 식은

$$f(x)=a(x+6) \ (a>0인 \ 상수)$$

으로 놓을 수 있다.

$3^{f(x)} \leq 81$에서 $3^{f(x)} \leq 3^4$

밑이 3이고 $3>1$이므로

$$f(x) \leq 4$$

STEP2 해가 $x \leq -5$일 때, $f(1)$의 값 구하기

즉, $a(x+6) \leq 4$이고 $a>0$이므로

$$x+6 \leq \frac{4}{a} \qquad \therefore x \leq \frac{4}{a}-6$$

주어진 부등식의 해가 $x \leq -5$이므로

$$\frac{4}{a}-6=-5, \ \frac{4}{a}=1 \qquad \therefore a=4$$

따라서 $f(x)=4(x+6)$이므로

$$f(1)=4 \times 7=28$$

◉→ 다른 풀이

STEP1 일차함수 $f(x)$를 $f(x)=ax+b$로 놓고 a, b의 값 구하기

$y=f(x)$는 일차함수이므로

$f(x)=ax+b \ (a, \ b는 \ 상수)$라고 하자.

$f(-6)=0$이므로

$$-6a+b=0 \qquad \qquad \cdots\cdots \ \bigcirc$$

$3^{f(x)} \leq 81=3^4$에서 밑이 3이고 $3>1$이므로

$$f(x) \leq 4$$

부등식 $f(x) \leq 4$의 해가 $x \leq -5$이
므로 오른쪽 그림과 같이
$f(-5)=4$이다.

즉, $-5a+b=4 \qquad \cdots\cdots \ \bigcirc$

$\bigcirc$, $\bigcirc$을 연립하여 풀면

$$a=4, \ b=24$$

STEP2 $f(1)$의 값 구하기

> $x \leq -5$일 때 $f(x)$의 최댓값이
> 4이고, $f(x)$는 일차함수이므로
> $f(-5)=4$

따라서 $f(x)=4x+24$이므로

$$f(1)=4+24=28$$

06-1 답 (1) $1 < x < 7$
(2) $0 < x \leq 1$ 또는 $x \geq 3$
(3) $1 < x < 3$

해결전략 | $0 <$ (밑) < 1, (밑) $=1$, (밑) > 1인 경우로 나누
어 주어진 부등식을 푼다.

(1) (i) $0 < x < 1$일 때

$$2x-5 > 9, \ 2x > 14 \qquad \therefore x > 7$$

그런데 $0 < x < 1$이므로 해가 없다.

(ii) $x=1$일 때

$1^{-3} < 1^9$이므로 주어진 부등식이 성립하지 않는다.

(iii) $x > 1$일 때

$$2x-5 < 9, \ 2x < 14 \qquad \therefore x < 7$$

그런데 $x > 1$이므로 $1 < x < 7$

(i)~(iii)에 의하여 주어진 부등식의 해는

$$1 < x < 7$$

(2) (i) $0 < x < 1$일 때

$$8x-3 \leq 5x+6, \ 3x \leq 9 \qquad \therefore x \leq 3$$

그런데 $0 < x < 1$이므로 $0 < x < 1$

(ii) $x=1$일 때

$1^5 \leq 1^{11}$이므로 주어진 부등식이 성립한다.

(iii) $x > 1$일 때

$$8x-3 \geq 5x+6, \ 3x \geq 9 \qquad \therefore x \geq 3$$

그런데 $x > 1$이므로 $x \geq 3$

(i)~(iii)에 의하여 주어진 부등식의 해는

$$0 < x \leq 1 \ 또는 \ x \geq 3$$

(3) (i) $0 < x < 1$일 때

$$x^2+4x > 3x+12, \ x^2+x-12 > 0$$

$$(x+4)(x-3) > 0 \qquad \therefore x < -4 \ 또는 \ x > 3$$

그런데 $0 < x < 1$이므로 해가 없다.

(ii) $x=1$일 때

$1^5 > 1^{15}$이므로 주어진 부등식이 성립하지 않는다.

(iii) $x > 1$일 때

$$x^2+4x < 3x+12, \ x^2+x-12 < 0$$

$$(x+4)(x-3) < 0 \qquad \therefore -4 < x < 3$$

그런데 $x > 1$이므로 $1 < x < 3$

(i)~(iii)에 의하여 주어진 부등식의 해는

$$1 < x < 3$$

06-2 답 9

해결전략 | $0 <$ (밑) < 1, (밑) $=1$, (밑) > 1인 경우로 나누
어 주어진 부등식을 푼다.

STEP1 $0<x<1$, $x=1$, $x>1$인 경우로 나눈 후 지수끼리 비교하여 풀기

(i) $0<x<1$일 때

$x^2-3>4x+2$, $x^2-4x-5>0$

$(x+1)(x-5)>0$ $\therefore x<-1$ 또는 $x>5$

그런데 $0<x<1$이므로 해가 없다.

(ii) $x=1$일 때

$1^{-2}<1^6$이므로 주어진 부등식이 성립하지 않는다.

(iii) $x>1$일 때

$x^2-3<4x+2$, $x^2-4x-5<0$

$(x+1)(x-5)<0$ $\therefore -1<x<5$

그런데 $x>1$이므로 $1<x<5$

STEP2 주어진 부등식의 해를 구하여 정수 x의 값의 합 구하기

(i)~(iii)에 의하여 주어진 부등식의 해는

$1<x<5$

따라서 정수 x는 2, 3, 4이므로 그 합은

$2+3+4=9$

06-3 답 0

해결전략 | $0<(밑)<1$, $(밑)=1$, $(밑)>1$인 경우로 나누어 주어진 부등식을 푼다.

STEP1 $0<x+1<1$, $x+1=1$, $x+1>1$인 경우로 나눈 후 지수끼리 비교하여 풀기

(i) $0<x+1<1$, 즉 $-1<x<0$일 때

$-2x+3\geq 7$, $-2x\geq 4$ $\therefore x\leq -2$

그런데 $-1<x<0$이므로 해가 없다.

(ii) $x+1=1$, 즉 $x=0$일 때

$1^3\leq 1^7$이므로 주어진 부등식이 성립한다.

(iii) $x+1>1$, 즉 $x>0$일 때

$-2x+3\leq 7$, $-2x\leq 4$ $\therefore x\geq -2$

그런데 $x>0$이므로 $x>0$

STEP2 주어진 부등식의 해를 구하여 정수 x의 최솟값 구하기

(i)~(iii)에 의하여 주어진 부등식의 해는

$x\geq 0$

따라서 실수 x의 최솟값은 0이다.

06-4 답 3

해결전략 | $0<(밑)<1$, $(밑)=1$, $(밑)>1$인 경우로 나누어 주어진 부등식을 푼다.

STEP1 $0<x<1$, $x=1$, $x>1$인 경우로 나눈 후 지수끼리 비교하여 풀기

$x^{2x^2-9x}>\dfrac{1}{x^4}$에서 $x^{2x^2-9x}>x^{-4}$

(i) $0<x<1$일 때

$2x^2-9x<-4$, $2x^2-9x+4<0$

$(2x-1)(x-4)<0$ $\therefore \dfrac{1}{2}<x<4$

그런데 $0<x<1$이므로 $\dfrac{1}{2}<x<1$

(ii) $x=1$일 때

$1^{-7}>1^{-4}$이므로 주어진 부등식이 성립하지 않는다.

(iii) $x>1$일 때

$2x^2-9x>-4$, $2x^2-9x+4>0$

$(2x-1)(x-4)>0$ $\therefore x<\dfrac{1}{2}$ 또는 $x>4$

그런데 $x>1$이므로 $x>4$

STEP2 주어진 부등식의 해를 구하여 α, β, γ의 값 구하기

(i)~(iii)에 의하여 주어진 부등식의 해는

$\dfrac{1}{2}<x<1$ 또는 $x>4$

따라서 $\alpha=\dfrac{1}{2}$, $\beta=1$, $\gamma=4$이므로

$\alpha\gamma+\beta=\dfrac{1}{2}\times 4+1=3$

06-5 답 5

해결전략 | $0<(밑)<1$, $(밑)=1$, $(밑)>1$인 경우로 나누어 주어진 부등식을 푼다.

STEP1 $0<x-1<1$, $x-1=1$, $x-1>1$인 경우로 나눈 후 지수끼리 비교하여 풀기

(i) $0<x-1<1$, 즉 $1<x<2$일 때

$-x^2+5x\leq x-12$, $x^2-4x-12\geq 0$

$(x+2)(x-6)\geq 0$

$\therefore x\leq -2$ 또는 $x\geq 6$

그런데 $1<x<2$이므로 해가 없다.

(ii) $x-1=1$, 즉 $x=2$일 때

$1^6\leq 1^{-10}$이므로 주어진 부등식이 성립한다.

(iii) $x-1>1$, 즉 $x>2$일 때

$-x^2+5x\geq x-12$, $x^2-4x-12\leq 0$

$(x+2)(x-6)\leq 0$

$\therefore -2\leq x\leq 6$

그런데 $x>2$이므로 $2<x\leq 6$

STEP2 주어진 부등식의 해를 구하여 정수 x의 개수 구하기

(i)~(iii)에 의하여 주어진 부등식의 해는

$2\leq x\leq 6$

따라서 정수 x는 2, 3, 4, 5, 6의 5개이다.

06-6 답 ③

해결전략 | $0<($밑$)<1$, $($밑$)=1$, $($밑$)>1$인 경우로 나누어 주어진 부등식을 푼다.

STEP 1 $0<x^2-6x+9<1$, $x^2-6x+9=1$, $x^2-6x+9>1$인 경우로 나눈 후 지수끼리 비교하여 풀기

(i) $0<x^2-6x+9<1$일 때

$0<(x-3)^2<1$에서

$-1<x-3<0$ 또는 $0<x-3<1$

$\therefore 2<x<3$ 또는 $3<x<4$ …… ㉠

부등식 $(x^2-6x+9)^{x-3}<1$에서

$(x^2-6x+9)^{x-3}<(x^2-6x+9)^0$

밑이 0보다 크고 1보다 작으므로

$x-3>0$ $\therefore x>3$ …… ㉡

㉠, ㉡에 의하여 $3<x<4$

(ii) $x^2-6x+9=1$일 때

$1<1$이므로 주어진 부등식이 성립하지 않는다.

(iii) $x^2-6x+9>1$일 때

$x^2-6x+8>0$, $(x-2)(x-4)>0$

$\therefore x<2$ 또는 $x>4$ …… ㉢

부등식 $(x^2-6x+9)^{x-3}<1$에서

$(x^2-6x+9)^{x-3}<(x^2-6x+9)^0$

밑이 1보다 크므로

$x-3<0$ $\therefore x<3$ …… ㉣

㉢, ㉣에 의하여 $x<2$

STEP 2 주어진 부등식의 해를 구하여 집합 A의 원소가 아닌 것 찾기

(i)~(iii)에 의하여 주어진 부등식의 해는

$x<2$ 또는 $3<x<4$

따라서 $A=\{x\,|\,x<2$ 또는 $3<x<4\}$이므로

집합 A의 원소가 아닌 것은 ③ $\dfrac{5}{2}$이다.

필수유형 07 145쪽

07-1 답 (1) $x<-2$ (2) $x<0$
(3) $x\leq-1$ 또는 $x\geq1$ (4) $0\leq x\leq1$

해결전략 | $a^x=t\,(t>0)$로 치환하여 주어진 부등식을 t에 대한 이차부등식으로 나타낸다.

(1) **STEP 1** 2^x 꼴이 반복되는 부등식으로 변형하기

$4^{x+1}+3\times2^x-1<0$에서

$4\times(2^x)^2+3\times2^x-1<0$

STEP 2 $2^x=t\,(t>0)$로 놓고 t에 대한 이차부등식 풀기

$2^x=t\,(t>0)$로 놓으면

$4t^2+3t-1<0$, $(t+1)(4t-1)<0$

$\therefore -1<t<\dfrac{1}{4}$

그런데 $t>0$이므로 $0<t<\dfrac{1}{4}$

STEP 3 구한 해에 t 대신 2^x을 대입하여 x의 값의 범위 구하기

즉, $0<2^x<\dfrac{1}{4}$이므로 $0<2^x<2^{-2}$

밑이 2이고 $2>1$이므로

$x<-2$

(2) **STEP 1** $\left(\dfrac{1}{5}\right)^x$ 꼴이 반복되는 부등식으로 변형하기

$\left(\dfrac{1}{25}\right)^x+5\times\left(\dfrac{1}{\sqrt{5}}\right)^{2x}-6>0$에서

$\left\{\left(\dfrac{1}{5}\right)^x\right\}^2+5\times\left(\dfrac{1}{5}\right)^x-6>0$ $\quad\left(\dfrac{1}{\sqrt{5}}\right)^{2x}=\left\{\left(\dfrac{1}{5}\right)^{\frac{1}{2}}\right\}^{2x}=\left(\dfrac{1}{5}\right)^x$

STEP 2 $\left(\dfrac{1}{5}\right)^x=t\,(t>0)$로 놓고 t에 대한 이차부등식 풀기

$\left(\dfrac{1}{5}\right)^x=t\,(t>0)$로 놓으면

$t^2+5t-6>0$, $(t+6)(t-1)>0$

$\therefore t<-6$ 또는 $t>1$

그런데 $t>0$이므로 $t>1$

STEP 3 구한 해에 t 대신 $\left(\dfrac{1}{5}\right)^x$을 대입하여 x의 값의 범위 구하기

즉, $\left(\dfrac{1}{5}\right)^x>1$이므로 $\left(\dfrac{1}{5}\right)^x>\left(\dfrac{1}{5}\right)^0$

밑이 $\dfrac{1}{5}$이고 $0<\dfrac{1}{5}<1$이므로

$x<0$

(3) **STEP 1** 3^x 꼴이 반복되는 부등식으로 변형하기

$3^{2x+1}-10\times3^x+3\geq0$에서

$3\times(3^x)^2-10\times3^x+3\geq0$

STEP 2 $3^x=t\,(t>0)$로 놓고 t에 대한 이차부등식 풀기

$3^x=t\,(t>0)$로 놓으면

$3t^2-10t+3\geq0$, $(3t-1)(t-3)\geq0$

$\therefore t\leq\dfrac{1}{3}$ 또는 $t\geq3$

그런데 $t>0$이므로 $0<t\leq\dfrac{1}{3}$ 또는 $t\geq3$

STEP 3 구한 해에 t 대신 3^x을 대입하여 x의 값의 범위 구하기

즉, $0 < 3^x \leq \dfrac{1}{3}$ 또는 $3^x \geq 3$이므로

$0 < 3^x \leq 3^{-1}$ 또는 $3^x \geq 3^1$

밑이 3이고 $3 > 1$이므로

$x \leq -1$ 또는 $x \geq 1$

(4) STEP1 7^x 꼴이 반복되는 부등식으로 변형하기

$7^x + 7^{-x+1} \leq 8$에서

$7^x + \dfrac{7}{7^x} - 8 \leq 0$

STEP2 $7^x = t\ (t > 0)$로 놓고 t에 대한 이차부등식 풀기

$7^x = t\ (t > 0)$로 놓으면

$t + \dfrac{7}{t} - 8 \leq 0$

양변에 t를 곱하여 정리하면

$t^2 - 8t + 7 \leq 0,\ (t-1)(t-7) \leq 0$

$\therefore 1 \leq t \leq 7$

STEP3 구한 해에 t 대신 7^x을 대입하여 x의 값의 범위 구하기

즉, $1 \leq 7^x \leq 7$이므로 $7^0 \leq 7^x \leq 7^1$

밑이 7이고 $7 > 1$이므로

$0 \leq x \leq 1$

07-2 답 6

해결전략 | $2^x = t\ (t > 0)$로 치환하여 주어진 부등식을 t에 대한 이차부등식으로 나타낸다.

STEP1 2^x 꼴이 반복되는 부등식으로 변형하기

$4^x - 10 \times 2^x + 16 \leq 0$에서

$(2^x)^2 - 10 \times 2^x + 16 \leq 0$

STEP2 $2^x = t\ (t > 0)$로 놓고 t에 대한 이차부등식 풀기

$2^x = t\ (t > 0)$로 놓으면

$t^2 - 10t + 16 \leq 0,\ (t-2)(t-8) \leq 0$

$\therefore 2 \leq t \leq 8$

STEP3 x의 값의 범위를 구하여 모든 자연수 x의 값의 합 구하기

즉, $2 \leq 2^x \leq 8$이므로 $2^1 \leq 2^x \leq 2^3$

밑이 2이고 $2 > 1$이므로

$1 \leq x \leq 3$

따라서 자연수 x는 1, 2, 3이므로 그 합은

$1 + 2 + 3 = 6$

07-3 답 3

해결전략 | $3^x = t\ (t > 0)$로 치환하여 주어진 부등식을 t에 대한 이차부등식으로 나타낸다.

STEP1 3^x 꼴이 반복되는 부등식으로 변형하기

$3^{2x+1} - 28 \times 3^x + 9 \leq 0$에서

$3 \times (3^x)^2 - 28 \times 3^x + 9 \leq 0$

STEP2 $3^x = t\ (t > 0)$로 놓고 t에 대한 이차부등식 풀기

$3^x = t\ (t > 0)$로 놓으면

$3t^2 - 28t + 9 \leq 0,\ (3t-1)(t-9) \leq 0$

$\therefore \dfrac{1}{3} \leq t \leq 9$

STEP3 x의 값의 범위를 구하여 최댓값 M, 최솟값 m의 값 구하기

즉, $\dfrac{1}{3} \leq 3^x \leq 9$이므로 $3^{-1} \leq 3^x \leq 3^2$

밑이 3이고 $3 > 1$이므로

$-1 \leq x \leq 2$

따라서 최댓값은 2이고 최솟값은 -1이므로

$M = 2,\ m = -1$

$\therefore M - m = 2 - (-1) = 3$

07-4 답 5

해결전략 | $\left(\dfrac{1}{2}\right)^x = t\ (t > 0)$로 치환하여 주어진 부등식을 t에 대한 이차부등식으로 나타낸다.

STEP1 $\left(\dfrac{1}{2}\right)^x$ 꼴이 반복되는 부등식으로 변형하기

$\left(\dfrac{1}{2}\right)^{2x} - \left(\dfrac{1}{2}\right)^{x+3} < \left(\dfrac{1}{2}\right)^{x-3} - 1$에서

$\left\{\left(\dfrac{1}{2}\right)^x\right\}^2 - \dfrac{1}{8} \times \left(\dfrac{1}{2}\right)^x < 8 \times \left(\dfrac{1}{2}\right)^x - 1$

STEP2 $\left(\dfrac{1}{2}\right)^x = t\ (t > 0)$로 놓고 t에 대한 이차부등식 풀기

$\left(\dfrac{1}{2}\right)^x = t\ (t > 0)$로 놓으면

$t^2 - \dfrac{1}{8}t < 8t - 1,\ t^2 - \dfrac{65}{8}t + 1 < 0$

$8t^2 - 65t + 8 < 0,\ (8t-1)(t-8) < 0$

$\therefore \dfrac{1}{8} < t < 8$

STEP3 x의 값의 범위를 구하여 정수 x의 개수 구하기

즉, $\dfrac{1}{8} < \left(\dfrac{1}{2}\right)^x < 8$이므로 $\left(\dfrac{1}{2}\right)^3 < \left(\dfrac{1}{2}\right)^x < \left(\dfrac{1}{2}\right)^{-3}$

밑이 $\dfrac{1}{2}$이고 $0 < \dfrac{1}{2} < 1$이므로

$-3 < x < 3$

따라서 정수 x는 $-2,\ -1,\ 0,\ 1,\ 2$의 5개이다.

07-5 답 1

해결전략 | 반복되는 a^x 꼴을 치환하여 만든 두 이차부등식을 각각 푼다.

STEP1 $5^x = t\ (t>0)$로 놓고 t에 대한 이차부등식을 푼 후 x의 값의 범위 구하기

$5^x + 5^{1-x} \le 6$에서

$5^x + \dfrac{5}{5^x} - 6 \le 0$

$5^x = t\ (t>0)$로 놓으면

$t + \dfrac{5}{t} - 6 \le 0$

양변에 t를 곱하여 정리하면

$t^2 - 6t + 5 \le 0,\ (t-1)(t-5) \le 0$

$\therefore 1 \le t \le 5$

즉, $1 \le 5^x \le 5$이므로 $5^0 \le 5^x \le 5^1$

밑이 5이고 $5>1$이므로

$0 \le x \le 1$ $\qquad\qquad\qquad \cdots\cdots$ ㉠

STEP2 $\left(\dfrac{1}{4}\right)^x = s\ (s>0)$로 놓고 s에 대한 이차부등식을 푼 후 x의 값의 범위 구하기

$\left(\dfrac{1}{16}\right)^x - 14 \times \left(\dfrac{1}{4}\right)^x - 32 \le 0$에서

$\left\{\left(\dfrac{1}{4}\right)^x\right\}^2 - 14 \times \left(\dfrac{1}{4}\right)^x - 32 \le 0$

$\left(\dfrac{1}{4}\right)^x = s\ (s>0)$로 놓으면

$s^2 - 14s - 32 \le 0,\ (s+2)(s-16) \le 0$

$\therefore -2 \le s \le 16$

그런데 $s>0$이므로 $0 < s \le 16$

즉, $0 < \left(\dfrac{1}{4}\right)^x \le 16,\ 0 < \left(\dfrac{1}{4}\right)^x \le \left(\dfrac{1}{4}\right)^{-2}$

밑이 $\dfrac{1}{4}$이고 $0 < \dfrac{1}{4} < 1$이므로

$x \ge -2$ $\qquad\qquad\qquad \cdots\cdots$ ㉡

STEP3 $\alpha + \beta$의 값 구하기

㉠, ㉡에 의하여 $0 \le x \le 1$

따라서 $\alpha = 0$, $\beta = 1$이므로

$\alpha + \beta = 1$

07-6 답 **12**

해결전략 | $a^x = t\ (t>0)$로 치환하여 주어진 부등식을 t에 대한 이차부등식으로 나타낸다.

STEP1 $a^x = t\ (t>0)$로 놓고 t에 대한 이차부등식으로 나타내기

$a^{2x} - 10 \times a^x + b < 0$에서 $a^x = t\ (t>0)$로 놓으면

$t^2 - 10t + b < 0$ $\qquad\qquad \cdots\cdots$ ㉠

STEP2 주어진 부등식의 해를 이용하여 t에 대한 이차부등식 세우기

주어진 부등식의 해가 $0 < x < 2$이고 $a > 1$이므로

$a^0 < a^x < a^2$, 즉 $1 < t < a^2$

부등식 ㉠의 해가 $1 < t < a^2$이므로

$(t-1)(t-a^2) < 0,\ t^2 - (a^2+1)t + a^2 < 0$

STEP3 $a+b$의 값 구하기

따라서 $10 = a^2 + 1$, $b = a^2$이므로

$a^2 = 9 = 3^2$에서 $a = 3\ (\because a > 1)$

$\therefore b = 3^2 = 9$

$\therefore a + b = 3 + 9 = 12$

발전유형 08 147쪽

08-1 답 $k \ge 13$

해결전략 | $5^x = t\ (t>0)$로 치환하여 t에 대한 부등식이 $t>0$에서 항상 성립함을 이용한다.

STEP1 $5^x = t\ (t>0)$로 놓고 t에 대한 이차부등식 세우기

$25^x - 2 \times 5^{x+1} + 2k - 1 \ge 0$에서

$(5^x)^2 - 10 \times 5^x + 2k - 1 \ge 0$

$5^x = t\ (t>0)$로 놓으면

$t^2 - 10t + 2k - 1 \ge 0$

STEP2 $t>0$인 범위에서 부등식이 항상 성립함을 이용하여 k의 값의 범위 구하기

$f(t) = t^2 - 10t + 2k - 1$로 놓으면

$f(t) = (t-5)^2 + 2k - 26$

$t>0$인 모든 실수 t에 대하여 부등식 $f(t) \ge 0$이 항상 성립하려면 오른쪽 그림과 같이 $f(5) \ge 0$이어야 한다.

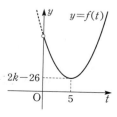

즉, $2k - 26 \ge 0$이므로

$2k \ge 26$ $\qquad \therefore k \ge 13$

08-2 답 $a \ge -1$

해결전략 | $\left(\dfrac{1}{2}\right)^x = t\ (t>0)$로 치환하여 t에 대한 부등식이 $t>0$에서 항상 성립함을 이용한다.

STEP1 $\left(\dfrac{1}{2}\right)^x = t\ (t>0)$로 놓고 t에 대한 이차부등식 세우기

$\left(\dfrac{1}{4}\right)^x + 3 \times \left(\dfrac{1}{2}\right)^{x-1} + a + 1 > 0$에서

$\left\{\left(\dfrac{1}{2}\right)^x\right\}^2 + 6 \times \left(\dfrac{1}{2}\right)^x + a + 1 > 0$

$\left(\dfrac{1}{2}\right)^x = t\ (t>0)$로 놓으면

$t^2+6t+a+1>0$

STEP2 $t>0$인 범위에서 부등식이 항상 성립함을 이용하여 a의 값의 범위 구하기

$f(t)=t^2+6t+a+1$로 놓으면

$f(t)=(t+3)^2+a-8$

$t>0$인 모든 실수 t에 대하여 부등식 $f(t)>0$이 항상 성립하려면 오른쪽 그림과 같이 $f(0)\geq0$이어야 한다.

즉, $a+1\geq0$이므로

$a\geq-1$

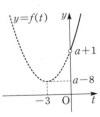

08-3 답 8

해결전략 $2^{\frac{x}{2}}=t$ $(t>0)$로 치환하여 t에 대한 부등식이 $t>0$에서 항상 성립함을 이용한다.

STEP1 $2^{\frac{x}{2}}=t$ $(t>0)$로 놓고 t에 대한 이차부등식 세우기

$2^{\frac{x}{2}}=t$ $(t>0)$로 놓으면

$2^{x+1}=2^x\times2=(2^{\frac{x}{2}})^2\times2=2t^2$

$2^{\frac{x+6}{2}}=2^{\frac{x}{2}}\times2^3=8t$

이므로 주어진 부등식은

$2t^2-8t+a\geq0$

STEP2 $t>0$인 범위에서 부등식이 항상 성립함을 이용하여 a의 값의 범위 구하기

$f(t)=2t^2-8t+a$로 놓으면

$f(t)=2(t-2)^2+a-8$

$t>0$인 모든 실수 t에 대하여 부등식 $f(t)\geq0$이 항상 성립하려면 오른쪽 그림과 같이 $f(2)\geq0$이어야 한다.

즉, $a-8\geq0$이므로

$a\geq8$

따라서 a의 최솟값은 8이다.

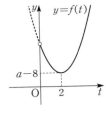

08-4 답 -5

해결전략 $\left(\dfrac{1}{6}\right)^x=t$로 치환하여 t의 값의 범위를 생각한다.

STEP1 $\left(\dfrac{1}{6}\right)^x=t$로 놓고 t에 대한 이차부등식 세우기

$\left(\dfrac{1}{6}\right)^{x-1}-\left(\dfrac{1}{36}\right)^x+2a\leq0$에서

$6\times\left(\dfrac{1}{6}\right)^x-\left\{\left(\dfrac{1}{6}\right)^x\right\}^2+2a\leq0$

$x\leq0$이므로 $\left(\dfrac{1}{6}\right)^x=t$ $(t\geq1)$로 놓으면

$6t-t^2+2a\leq0$

STEP2 $t\geq1$인 범위에서 부등식이 항상 성립함을 이용하여 a의 값의 범위 구하기

$f(t)=6t-t^2+2a$로 놓으면

$f(t)=-(t-3)^2+2a+9$

$t\geq1$인 모든 실수 t에 대하여 부등식 $f(t)\leq0$이 항상 성립하려면 오른쪽 그림과 같이 $f(3)\leq0$이어야 한다.

즉, $2a+9\leq0$이므로

$a\leq-\dfrac{9}{2}$

따라서 정수 a의 최댓값은 -5이다.

08-5 답 3

해결전략 $7^x=t$ $(t>0)$로 치환하여 t에 대한 이차함수의 그래프의 대칭축의 위치를 생각한다.

STEP1 $7^x=t$ $(t>0)$로 놓고 t에 대한 이차부등식 세우기

$49^x-14k\times7^{x-1}+9\geq0$에서

$(7^x)^2-2k\times7^x+9\geq0$

$7^x=t$ $(t>0)$로 놓으면

$t^2-2kt+9\geq0$

STEP2 $t>0$인 범위에서 그래프의 대칭축의 위치에 따라 k의 값의 범위 구하기

$f(t)=t^2-2kt+9$로 놓으면

$f(t)=(t-k)^2-k^2+9$

$t>0$인 모든 실수 t에 대하여 부등식 $f(t)\geq0$이 항상 성립해야 한다.

(i) $k>0$일 때

$f(k)\geq0$, 즉 $-k^2+9\geq0$이므로

$(k+3)(k-3)\leq0$

$\therefore -3\leq k\leq3$

그런데 $k>0$이므로

$0<k\leq3$

(ii) $k\leq0$일 때

$f(0)=9>0$이므로 $t>0$인 모든 실수 t에 대하여 부등식 $f(t)\geq0$이 항상 성립한다.

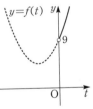

(i), (ii)에 의하여 $k\leq3$

따라서 k의 최댓값은 3이다.

08-6 답 $-1 < k < \dfrac{1}{2}$

해결전략 | 모든 실수 x에 대하여 이차부등식 $f(x) > 0$이 성립할 조건을 구하려면 이차방정식 $f(x) = 0$의 판별식을 이용한다.

STEP1 이차부등식이 모든 실수 x에 대하여 성립할 조건 구하기

$x^2 - (4^{k+1} - 6)x - 3 \times 4^k + 7 > 0$에서

$x^2 - 2(2 \times 4^k - 3)x - 3 \times 4^k + 7 > 0$ ...... ㉠

이차부등식 ㉠이 모든 실수 x에 대하여 성립하려면 이차방정식 $x^2 - 2(2 \times 4^k - 3)x - 3 \times 4^k + 7 = 0$의 판별식을 D라고 할 때, $D < 0$이어야 한다.

$\dfrac{D}{4} = (2 \times 4^k - 3)^2 - (-3 \times 4^k + 7) < 0$

$4 \times (4^k)^2 - 9 \times 4^k + 2 < 0$

STEP2 $4^k = t \ (t > 0)$로 놓고 t에 대한 이차부등식 세우기

$4^k = t \ (t > 0)$로 놓으면

$4t^2 - 9t + 2 < 0$, $(4t - 1)(t - 2) < 0$

$\therefore \dfrac{1}{4} < t < 2$

즉, $4^{-1} < 4^k < 4^{\frac{1}{2}}$이고, 밑이 4이고 $4 > 1$이므로

$-1 < k < \dfrac{1}{2}$

> 📙 **풍쌤의 비법**
>
> 모든 실수 x에 대하여 이차부등식 $ax^2 + bx + c > 0$이 성립하려면 $a > 0$이고 이차방정식 $ax^2 + bx + c = 0$의 판별식 D가 $D < 0$이어야 한다.

➕ **발전유형 09** 149쪽

09-1 답 (1) 24 m (2) 8 m

해결전략 | 주어진 조건을 식으로 나타내어 지수방정식과 지수부등식을 푼다.

(1) 수면에서 빛의 세기의 $\dfrac{1}{64}$이 되는 곳의 수심을 x m 라고 하면 $I_0 \times 2^{-\frac{x}{4}} = \dfrac{1}{64} I_0$에서

$2^{-\frac{x}{4}} = \dfrac{1}{64}$, $2^{-\frac{x}{4}} = 2^{-6}$

$-\dfrac{x}{4} = -6$ $\therefore x = 24$

따라서 빛의 세기가 수면에서 빛의 세기의 $\dfrac{1}{64}$이 되는 곳의 수심은 24 m이다.

(2) 수심이 x m부터 수면에서 빛의 세기의 25 % 이하가 된다고 하면 $I_0 \times 2^{-\frac{x}{4}} \leq \dfrac{25}{100} I_0$에서

$2^{-\frac{x}{4}} \leq \dfrac{1}{4}$, $2^{-\frac{x}{4}} \leq 2^{-2}$

밑이 2이고 $2 > 1$이므로

$-\dfrac{x}{4} \leq -2$ $\therefore x \geq 8$

따라서 수면에서 빛의 세기의 25 % 이하가 되려면 수심은 최소 8 m이어야 한다.

09-2 답 2

해결전략 | 주어진 식의 t에 2, 4를 각각 대입하여 $\dfrac{Q(4)}{Q(2)}$를 a에 대한 식으로 나타낸다.

STEP1 $\dfrac{Q(4)}{Q(2)}$를 a에 대한 식으로 나타내기

$a > 0$에서 $0 < 2^{-\frac{2}{a}} < 1$이므로 → 함수 $y = 2^x$에서 $x < 0$이면 $0 < y < 1$

$1 - 2^{-\frac{2}{a}} > 0$

$\dfrac{Q(4)}{Q(2)} = \dfrac{Q_0(1 - 2^{-\frac{4}{a}})}{Q_0(1 - 2^{-\frac{2}{a}})} = \dfrac{1 - (2^{-\frac{2}{a}})^2}{1 - 2^{-\frac{2}{a}}}$

$= \dfrac{(1 - 2^{-\frac{2}{a}})(1 + 2^{-\frac{2}{a}})}{1 - 2^{-\frac{2}{a}}}$

$= 1 + 2^{-\frac{2}{a}}$

STEP2 $\dfrac{Q(4)}{Q(2)} = \dfrac{3}{2}$을 만족시키는 a의 값 구하기

$\dfrac{Q(4)}{Q(2)} = \dfrac{3}{2}$이므로

$1 + 2^{-\frac{2}{a}} = \dfrac{3}{2}$, $2^{-\frac{2}{a}} = \dfrac{1}{2}$, $2^{-\frac{2}{a}} = 2^{-1}$

따라서 $-\dfrac{2}{a} = -1$이므로 $a = 2$

09-3 답 3년

해결전략 | 주어진 조건을 식으로 나타내어 지수부등식을 푼다.

STEP1 구매 후 x년이 지났을 때, x에 대한 부등식 세우기

125만 원에 구매한 제품의 x년 후 사이트에 설정되는 가격은 $125 \times \left(\dfrac{4}{5}\right)^x$만 원이므로

$125 \times \left(\dfrac{4}{5}\right)^x \leq 64$ → 1년이 지날 때마다 20 %씩 가격이 떨어지므로 제품의 가격은 처음 가격의 80 %, 즉 $\dfrac{80}{100} = \dfrac{4}{5}$ 가 된다.

STEP2 부등식 풀기

$\left(\dfrac{4}{5}\right)^x \leq \dfrac{64}{125}$, $\left(\dfrac{4}{5}\right)^x \leq \left(\dfrac{4}{5}\right)^3$

밑이 $\dfrac{4}{5}$이고 $0<\dfrac{4}{5}<1$이므로

$x \geq 3$

따라서 구매 후 3년 이상인 제품이다.

09-4 📘 4장

해결전략 | 주어진 조건을 식으로 나타내어 지수부등식을 푼다.

STEP1 필름을 x장 붙일 때, x에 대한 부등식 세우기

처음 빛의 양을 1이라고 하면 필름을 x장 붙일 때 통과하는 빛의 양은 $\left(\dfrac{1}{4}\right)^x$이므로

$\left(\dfrac{1}{4}\right)^x \leq \dfrac{1}{128}$

STEP2 부등식 풀기

$\left(\dfrac{1}{2}\right)^{2x} \leq \left(\dfrac{1}{2}\right)^7$

밑이 $\dfrac{1}{2}$이고 $0<\dfrac{1}{2}<1$이므로

$2x \geq 7$ $\therefore x \geq 3.5$

이때 x는 자연수이므로 x의 최솟값은 4이다.

따라서 필름을 최소 4장 붙여야 한다.

실전 연습 문제   150~152쪽

01 4	02 ③	03 ②	04 5	05 ②
06 ②	07 5	08 ①	09 ④	10 ④
11 ⑤	12 2	13 3	14 ③	15 ④
16 9	17 ③			

01

해결전략 | 지수법칙을 이용하여 양변의 밑을 같게 변형한다.

STEP1 양변의 밑을 2로 같게 하여 식 변형하기

$2^{x^2-5x}=\left(\dfrac{1}{16}\right)^{x-3}$에서

$2^{x^2-5x}=2^{-4(x-3)}$, $2^{x^2-5x}=2^{-4x+12}$

STEP2 양수 x의 값 구하기

$x^2-5x=-4x+12$, $x^2-x-12=0$

$(x+3)(x-4)=0$

$\therefore x=-3$ 또는 $x=4$

따라서 양수 x의 값은 4이다.

02

해결전략 | $f(ax+b)$는 $f(x)$에 x 대신 $ax+b$를 대입한다.

STEP1 $f(x)$에 x 대신 각각 $2x$, $x+1$을 대입하여 주어진 등식 변형하기

$f(2x)-8f(x+1)=81$에서

$3^{2x}-8\times3^{x+1}=81$

$(3^x)^2-24\times3^x-81=0$

STEP2 $3^x=t$ $(t>0)$로 놓고 t에 대한 이차방정식 풀기

$3^x=t$ $(t>0)$로 놓으면

$t^2-24t-81=0$, $(t+3)(t-27)=0$

$\therefore t=-3$ 또는 $t=27$

$t>0$이므로 $t=27$

STEP3 구한 해에 t 대신 3^x을 대입하여 x의 값 구하기

즉, $3^x=27$이므로 $3^x=3^3$

$\therefore x=3$

03

해결전략 | 양변에 2^x을 곱한 후 $2^x=t$ $(t>0)$로 치환한다.

STEP1 2^x 꼴이 반복되는 방정식으로 변형하기

$2^x+2^{5-x}=33$의 양변에 2^x을 곱하면

$(2^x)^2+2^5=33\times2^x$

$(2^x)^2-33\times2^x+32=0$

STEP2 $2^x=t$ $(t>0)$로 놓고 t에 대한 이차방정식 풀기

$2^x=t$ $(t>0)$로 놓으면

$t^2-33t+32=0$, $(t-1)(t-32)=0$

$\therefore t=1$ 또는 $t=32$

STEP3 구한 해에 t 대신 2^x을 대입하여 x의 값 구하기

즉, $2^x=1$ 또는 $2^x=32$이므로

$2^x=2^0$ 또는 $2^x=2^5$

$\therefore x=0$ 또는 $x=5$

STEP4 모든 실근의 합 구하기

따라서 모든 실근의 합은

$0+5=5$

04

해결전략 | $3^x=X$, $3^y=Y$ $(X>0, Y>0)$로 치환하여 주어진 연립방정식을 X, Y에 대한 연립방정식으로 나타낸다.

STEP1 $3^x=X$, $3^y=Y$ $(X>0, Y>0)$로 놓고 X, Y에 대한 연립방정식 세우기

$\begin{cases}3^{x+1}+3^y=18 \\ 3^{x+y-1}=9\end{cases}$ 에서 $\begin{cases}3\times3^x+3^y=18 \\ \dfrac{1}{3}\times3^x\times3^y=9\end{cases}$

$3^x=X$, $3^y=Y$ $(X>0,\ Y>0)$로 놓으면

$$\begin{cases} 3X+Y=18 \\ \dfrac{1}{3}XY=9 \end{cases},\ \text{즉} \begin{cases} 3X+Y=18 & \cdots\cdots \ \bigcirc \\ XY=27 & \cdots\cdots \ \bigcirc \end{cases} \quad \cdots\cdots \ \pmb{①}$$

STEP2 $X,\ Y$에 대한 연립방정식 풀기

$\bigcirc$에서 $Y=18-3X$를 $\bigcirc$에 대입하면

$X(18-3X)=27$

$18X-3X^2=27$

$X^2-6X+9=0,\ (X-3)^2=0$

$\therefore\ X=3,\ Y=9$ $\qquad\qquad\qquad\cdots\cdots\ \pmb{②}$

STEP3 $\alpha^2+\beta^2$의 값 구하기

즉, $3^x=3$, $3^y=9$이므로

$x=1,\ y=2$

따라서 $\alpha=1$, $\beta=2$이므로

$\alpha^2+\beta^2=1^2+2^2=5$ $\qquad\qquad\cdots\cdots\ \pmb{③}$

채점 요소	배점
❶ $3^x=X$, $3^y=Y$에 대한 연립방정식 세우기	40 %
❷ $X,\ Y$의 값 구하기	30 %
❸ $\alpha^2+\beta^2$의 값 구하기	30 %

05

해결전략 | $2^x=t$ $(t>0)$로 치환하여 주어진 방정식을 t에 대한 이차방정식으로 나타낸다.

STEP1 $2^x=t$ $(t>0)$로 놓고 t에 대한 이차방정식 세우기

$2^{2x+1}-a\times2^x+8=0$에서

$2\times(2^x)^2-a\times2^x+8=0$

$2^x=t$ $(t>0)$로 놓으면

$2t^2-at+8=0$ $\qquad\qquad\qquad\cdots\cdots\ \bigcirc$

STEP2 이차방정식의 근과 계수의 관계를 이용하여 $a,\ b$의 값 구하기

주어진 방정식의 두 근이 -1, b이므로 방정식 $\bigcirc$의 두 근은 $2^{-1}=\dfrac{1}{2}$, 2^b이다.

따라서 이차방정식의 근과 계수의 관계에 의하여

$\dfrac{1}{2}+2^b=\dfrac{a}{2}$에서 $2^b=\dfrac{a-1}{2}$ $\quad\therefore\ 2^{b+1}=a-1$

$\dfrac{1}{2}\times2^b=4$에서 $2^b=8$, $2^b=2^3$ $\quad\therefore\ b=3$

즉, $2^{3+1}=a-1$이므로 $a=17$

$\therefore\ a-b=17-3=14$

06

해결전략 | 밑이 같으므로 밑이 1이거나 지수가 같을 때 등식이 성립한다.

STEP1 지수방정식의 해 구하기

밑이 같으므로 밑이 1이거나 지수가 같아야 한다.

(i) $x+5=1$, 즉 $x=-4$일 때

주어진 방정식은 $1^4=1^{14}$이므로 등식이 성립한다.

(ii) $x+5\neq1$, 즉 $x\neq-4$일 때

$(x+5)^{x^2+3x}=(x+5)^{6-2x}$에서

$x^2+3x=6-2x$, $x^2+5x-6=0$

$(x+6)(x-1)=0$ $\qquad\therefore\ x=-6$ 또는 $x=1$

그런데 $x>-5$이므로 $x=1$

(i), (ii)에 의하여 주어진 방정식의 해는

$x=-4$ 또는 $x=1$

STEP2 모든 근의 합 구하기

따라서 모든 근의 합은

$-4+1=-3$

07

해결전략 | $3^x=t$ $(t>0)$로 치환하여 얻은 t에 대한 이차방정식이 서로 다른 두 양의 실근을 가짐을 이용한다.

STEP1 $3^x=t$ $(t>0)$로 놓고 방정식이 서로 다른 두 실근을 가질 조건 구하기

$9^x-2k\times3^x+2k+8=0$에서

$(3^x)^2-2k\times3^x+2k+8=0$

$3^x=t$ $(t>0)$로 놓으면

$t^2-2kt+2k+8=0$ $\qquad\qquad\qquad\cdots\cdots\ \bigcirc$

주어진 방정식이 서로 다른 두 실근을 가지면 방정식 $\bigcirc$은 서로 다른 두 양의 실근을 갖는다. $\qquad\cdots\cdots\ \pmb{①}$

STEP2 k의 값의 범위를 구하여 정수 k의 최솟값 구하기

(i) 이차방정식 $\bigcirc$의 판별식을 D라고 하면

$\dfrac{D}{4}=(-k)^2-(2k+8)>0$

$k^2-2k-8>0$, $(k+2)(k-4)>0$

$\therefore\ k<-2$ 또는 $k>4$

(ii) (이차방정식 $\bigcirc$의 두 근의 합)$=2k>0$

$\therefore\ k>0$

(iii) (이차방정식 $\bigcirc$의 두 근의 곱)$=2k+8>0$

$\therefore\ k>-4$

(i)~(iii)에 의하여 $k>4$ $\qquad\qquad\qquad\cdots\cdots\ \pmb{②}$

따라서 정수 k의 최솟값은 5이다. $\qquad\cdots\cdots\ \pmb{③}$

채점 요소	배점
❶ $3^x=t$로 놓고 근의 조건 파악하기	40 %
❷ k의 값의 범위 구하기	50 %
❸ 정수 k의 최솟값 구하기	10 %

08

해결전략 | $ab>0$이면 $a>0$, $b>0$ 또는 $a<0$, $b<0$임을 이용한다.

STEP1 $2^x-32>0$, $\dfrac{1}{3^x}-27>0$일 때, 부등식의 해 구하기

(i) $2^x-32>0$, $\dfrac{1}{3^x}-27>0$일 때

$2^x>32$에서 $2^x>2^5$

밑이 2이고 $2>1$이므로

$x>5$ ...... ㉠

$\dfrac{1}{3^x}>27$에서 $\left(\dfrac{1}{3}\right)^x>\left(\dfrac{1}{3}\right)^{-3}$

밑이 $\dfrac{1}{3}$이고 $0<\dfrac{1}{3}<1$이므로

$x<-3$ ...... ㉡

㉠, ㉡을 동시에 만족시키는 실수 x의 값은 존재하지 않는다.

STEP2 $2^x-32<0$, $\dfrac{1}{3^x}-27<0$일 때, 부등식의 해 구하기

(ii) $2^x-32<0$, $\dfrac{1}{3^x}-27<0$일 때

$2^x<32$에서 $2^x<2^5$

밑이 2이고 $2>1$이므로

$x<5$ ...... ㉢

$\dfrac{1}{3^x}<27$에서 $\left(\dfrac{1}{3}\right)^x<\left(\dfrac{1}{3}\right)^{-3}$

밑이 $\dfrac{1}{3}$이고 $0<\dfrac{1}{3}<1$이므로

$x>-3$ ...... ㉣

㉢, ㉣에 의하여 $-3<x<5$

STEP3 주어진 부등식의 해를 구하여 정수 x의 개수 구하기

(i), (ii)에 의하여 $-3<x<5$

따라서 정수 x는 -2, -1, 0, $\cdots$, 4의 7개이다.

09

해결전략 | 지수법칙을 이용하여 각 변의 밑을 같게 변형한다.

STEP1 각 변의 밑을 같게 하여 식 변형하기

$9^{\frac{1}{2}x^2-2}<\left(\dfrac{1}{3}\right)^{1-2x}<3^{x+1}$에서

$(3^2)^{\frac{1}{2}x^2-2}<(3^{-1})^{1-2x}<3^{x+1}$

$3^{x^2-4}<3^{2x-1}<3^{x+1}$

STEP2 x의 값의 범위 구하기

밑이 3이고 $3>1$이므로

$x^2-4<2x-1<x+1$

(i) $x^2-4<2x-1$에서

$x^2-2x-3<0$, $(x+1)(x-3)<0$

$\therefore -1<x<3$

(ii) $2x-1<x+1$에서

$x<2$

(i), (ii)에 의하여 주어진 부등식을 만족시키는 x의 값의 범위는

$-1<x<2$

10

해결전략 | 그래프를 이용하여 부등식을 만족시키는 x의 값의 범위를 구한다.

STEP1 양변의 밑을 $\dfrac{1}{2}$로 같게 변형하여 부등식 나타내기

$\left(\dfrac{1}{2}\right)^{f(x)g(x)}\geq\left(\dfrac{1}{8}\right)^{g(x)}$에서

$\left(\dfrac{1}{2}\right)^{f(x)g(x)}\geq\left\{\left(\dfrac{1}{2}\right)^3\right\}^{g(x)}$, $\left(\dfrac{1}{2}\right)^{f(x)g(x)}\geq\left(\dfrac{1}{2}\right)^{3g(x)}$

밑이 $\dfrac{1}{2}$이고 $0<\dfrac{1}{2}<1$이므로

$f(x)g(x)\leq 3g(x)$

STEP2 그래프를 이용하여 x의 값의 범위 구하기

$f(x)g(x)-3g(x)\leq 0$에서 $\{f(x)-3\}g(x)\leq 0$

(i) $f(x)-3\geq 0$, $g(x)\leq 0$일 때

즉, $f(x)\geq 3$, $g(x)\leq 0$을 만족시키는 x의 값의 범위는

$x\leq 1$ ⎡ $f(x)\geq 3$이면 $x\leq 1$ 또는 $x\geq 5$
⎣ $g(x)\leq 0$이면 $x\geq 3$이므로 공통 범위는 $x\leq 1$

(ii) $f(x)-3\leq 0$, $g(x)\geq 0$일 때

즉, $f(x)\leq 3$, $g(x)\geq 0$을 만족시키는 x의 값의 범위는

$3\leq x\leq 5$ ⎡ $f(x)\leq 3$이면 $1\leq x\leq 5$
⎣ $g(x)\geq 0$이면 $x\geq 3$이므로 공통 범위는 $3\leq x\leq 5$

(i), (ii)에 의하여

$x\leq 1$ 또는 $3\leq x\leq 5$

따라서 자연수 x는 1, 3, 4, 5이므로 그 합은

$1+3+4+5=13$

11

해결전략 | 지수부등식을 푼 후 정수 x의 개수가 4가 되도록 하는 k의 값의 범위를 구한다.

STEP1 지수부등식 풀기

$\left(\dfrac{1}{25}\right)^{x^2}>(\sqrt{5})^{kx}$에서

$(5^{-2})^{x^2}>(5^{\frac{1}{2}})^{kx}$, $5^{-2x^2}>5^{\frac{1}{2}kx}$

밑이 5이고 5>1이므로

$$-2x^2 > \frac{1}{2}kx, \ 2x^2 + \frac{1}{2}kx < 0$$

$$\frac{1}{2}x(4x+k) < 0$$

그런데 k가 자연수이므로

$$-\frac{k}{4} < x < 0 \qquad \cdots\cdots \ \text{㉠}$$

STEP 2 정수 x의 개수가 4가 되도록 하는 자연수 k의 최댓값 M, 최솟값 m의 값 구하기

㉠을 만족시키는 정수 x의 개수가 4이므로 정수 x는 $-4, -3, -2, -1$이다. 즉,

$$-5 \leq -\frac{k}{4} < -4 \qquad \therefore 16 < k \leq 20$$

따라서 자연수 k의 최댓값은 20, 최솟값은 17이므로

$M = 20, \ m = 17$

$$\therefore M + m = 20 + 17 = 37$$

12

해결전략 | $0<(\text{밑})<1$, $(\text{밑})=1$, $(\text{밑})>1$인 경우로 나누어 주어진 부등식을 푼다.

STEP 1 $0<x<1$, $x=1$, $x>1$인 경우로 나눈 후 지수끼리 비교하여 풀기

(ⅰ) $0<x<1$일 때

$\quad -x+4 < 3x-8, \ -4x < -12 \qquad \therefore x > 3$

$\quad$ 그런데 $0<x<1$이므로 해가 없다.

(ⅱ) $x=1$일 때

$\quad 1^3 > 1^{-5}$이므로 주어진 부등식이 성립하지 않는다.

(ⅲ) $x>1$일 때

$\quad -x+4 > 3x-8, \ -4x > -12 \qquad \therefore x < 3$

$\quad$ 그런데 $x>1$이므로 $1<x<3$

STEP 2 주어진 부등식의 해를 구하여 $\beta - \alpha$의 값 구하기

(ⅰ)~(ⅲ)에 의하여 주어진 부등식의 해는

$1<x<3$

따라서 $\alpha=1$, $\beta=3$이므로

$\beta - \alpha = 3-1 = 2$

13

해결전략 | 두 집합 A, B의 부등식에서 반복되는 a^x 꼴을 치환하여 만든 두 이차부등식을 각각 푼다.

STEP 1 $3^x=t \ (t>0)$로 치환하여 t에 대한 부등식을 풀어 집합 A 구하기

$3^{2x+1} - 28 \times 3^x + 9 \leq 0$에서

$3 \times (3^x)^2 - 28 \times 3^x + 9 \leq 0$

$3^x=t \ (t>0)$로 놓으면

$3t^2 - 28t + 9 \leq 0, \ (3t-1)(t-9) \leq 0$

$$\therefore \frac{1}{3} \leq t \leq 9$$

즉, $\dfrac{1}{3} \leq 3^x \leq 9$이므로 $3^{-1} \leq 3^x \leq 3^2$

밑이 3이고 3>1이므로

$-1 \leq x \leq 2$

$$\therefore A = \{x \mid -1 \leq x \leq 2\} \qquad \cdots\cdots \ \text{❶}$$

STEP 2 $\left(\dfrac{1}{2}\right)^x = s \ (s>0)$로 치환하여 s에 대한 부등식을 풀어 집합 B 구하기

$\left(\dfrac{1}{2}\right)^{2x-2} - 7 \times \left(\dfrac{1}{2}\right)^x < 2$에서

$4 \times \left(\dfrac{1}{2}\right)^{2x} - 7 \times \left(\dfrac{1}{2}\right)^x - 2 < 0$

$\left(\dfrac{1}{2}\right)^x = s \ (s>0)$로 놓으면

$4s^2 - 7s - 2 < 0, \ (4s+1)(s-2) < 0$

$$\therefore -\frac{1}{4} < s < 2$$

그런데 $s>0$이므로 $0<s<2$

즉, $0 < \left(\dfrac{1}{2}\right)^x < 2$이므로 $0 < \left(\dfrac{1}{2}\right)^x < \left(\dfrac{1}{2}\right)^{-1}$

밑이 $\dfrac{1}{2}$이고 $0<\dfrac{1}{2}<1$이므로

$x > -1$

$$\therefore B = \{x \mid x > -1\} \qquad \cdots\cdots \ \text{❷}$$

STEP 3 집합 $A \cap B$에 속하는 모든 정수인 원소의 합 구하기

따라서 $A \cap B = \{x \mid -1 < x \leq 2\}$이므로 집합 $A \cap B$에 속하는 정수인 원소의 합은

$$0+1+2 = 3 \qquad \cdots\cdots \ \text{❸}$$

채점 요소	배점
❶ 집합 A 구하기	40 %
❷ 집합 B 구하기	30 %
❸ 집합 $A \cap B$에 속하는 모든 정수인 원소의 합 구하기	30 %

14

해결전략 | $a^x=t \ (t>0)$로 치환하여 주어진 부등식을 t에 대한 이차부등식으로 나타낸다.

STEP 1 $a^x=t \ (t>0)$로 놓고 t에 대한 이차부등식 풀기

$8a^{2x} - 9a^x + 1 \leq 0$에서

$8(a^x)^2 - 9a^x + 1 \leq 0$

$a^x=t \ (t>0)$로 놓으면

$8t^2 - 9t + 1 \leq 0, \ (8t-1)(t-1) \leq 0$

$\therefore \dfrac{1}{8} \le t \le 1$

즉, $\left(\dfrac{1}{2}\right)^3 \le a^x \le \left(\dfrac{1}{2}\right)^0$

STEP 2 a의 값 구하기

주어진 부등식의 해가 $0 \le x \le 3$이므로

$a = \dfrac{1}{2}$

15

해결전략 | $2^{f(t)} = t\ (t > 0)$로 치환하여 주어진 부등식을 t에 대한 이차부등식으로 나타낸다.

STEP 1 $2^{f(t)} = t\ (t > 0)$로 놓고 t에 대한 이차부등식 풀기

$4^{f(x)} - 2^{1+f(x)} < 8$에서

$\{2^{f(x)}\}^2 - 2 \times 2^{f(x)} - 8 < 0$

$2^{f(x)} = t\ (t > 0)$로 놓으면

$t^2 - 2t - 8 < 0,\ (t+2)(t-4) < 0$

$\therefore -2 < t < 4$

그런데 $t > 0$이므로 $0 < t < 4$

STEP 2 x의 값의 범위를 구하여 정수 x의 개수 구하기

즉, $0 < 2^{f(x)} < 4$이므로 $0 < 2^{f(x)} < 2^2$

밑이 2이고 $2 > 1$이므로

$f(x) < 2,\ x^2 - x - 4 < 2$

$x^2 - x - 6 < 0,\ (x+2)(x-3) < 0$

$\therefore -2 < x < 3$

따라서 정수 x는 $-1,\ 0,\ 1,\ 2$의 4개이다.

16

해결전략 | $2^x = t\ (t > 0)$로 치환하여 t에 대한 이차함수의 그래프의 대칭축의 위치를 생각한다.

STEP 1 $2^x = t\ (t > 0)$로 놓고 t에 대한 이차부등식 세우기

$4^x - (k-4) \times 2^{x+1} + 2k \ge 0$에서

$(2^x)^2 - 2(k-4) \times 2^x + 2k \ge 0$

$2^x = t\ (t > 0)$로 놓으면

$t^2 - 2(k-4)t + 2k \ge 0$

STEP 2 $t > 0$인 범위에서 그래프의 대칭축의 위치에 따라 k의 값의 범위 구하기

$f(t) = t^2 - 2(k-4)t + 2k$로 놓으면

$f(t) = \{t - (k-4)\}^2 - k^2 + 10k - 16 \ge 0$

$t > 0$인 모든 실수 t에 대하여 부등식 $f(t) \ge 0$이 항상 성립해야 한다.

(i) $k - 4 > 0$, 즉 $k > 4$일 때

$f(k-4) \ge 0$, 즉

$-k^2 + 10k - 16 \ge 0$

이므로

$k^2 - 10k + 16 \le 0$

$(k-2)(k-8) \le 0$

$\therefore 2 \le k \le 8$

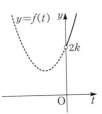

그런데 $k > 4$이므로 $4 < k \le 8$

(ii) $k - 4 \le 0$, 즉 $k \le 4$일 때

$t > 0$에서 모든 실수 t에 대하여 부등식 $f(t) \ge 0$이 항상 성립하려면

$f(0) = 2k \ge 0$

$\therefore k \ge 0$

그런데 $k \le 4$이므로 $0 \le k \le 4$

(i), (ii)에 의하여

$0 \le k \le 8$

따라서 정수 k는 $0,\ 1,\ 2,\ \cdots,\ 8$의 9개이다.

17

해결전략 | 주어진 조건을 식으로 나타내어 지수부등식을 푼다.

STEP 1 x시간 후의 두 박테리아 A, B의 수를 구하여 x에 대한 부등식 세우기

박테리아 A는 처음 2마리가 한 시간에 2배씩 늘어나므로 x시간 후의 박테리아 A의 수는

2×2^x

박테리아 B는 처음 4마리가 한 시간에 4배씩 늘어나므로 x시간 후의 박테리아 B의 수는

4×4^x

x시간 후 두 박테리아 A, B의 수의 합이 1640마리 이상이 된다고 하면

$2 \times 2^x + 4 \times 4^x \ge 1640$

STEP 2 부등식 풀기

$2^x = t\ (t > 0)$로 놓으면

$2t + 4t^2 \ge 1640,\ 2t^2 + t - 820 \ge 0$

$(2t + 41)(t - 20) \ge 0$

그런데 $t > 0$이므로 $t \ge 20$

$\therefore 2^x \ge 20$

이때 $2^4 = 16,\ 2^5 = 32$이므로 자연수 x의 최솟값은 5이다.

따라서 두 박테리아 A, B의 수의 합이 1640마리 이상이 되는 것은 번식을 시작한 지 5시간 후이다.

01 ①	**02** ②	**03** ②	**04** ⑤
05 17	**06** -2	**07** $x<6$	

01

해결전략 | 메모판의 각 줄에 적혀 있는 세 식의 값의 합이 모두 같게 되는 식을 세운다.

STEP 1 $S_1=S_4$, $S_3=S_6$, $S_3=S_4$임을 이용하여 식 세우기

$x=a$일 때, 다음 그림과 같이 빈칸에 들어갈 수를 각각 p, q, r, s라고 하자.

	l_4	l_5	l_6	
l_1	4^a	p	-2^{a+1}	S_1
l_2	q	$2^{a+3}-16$	r	S_2
l_3	-2^{a+1}	$2^{a+3}-16$	s	S_3
	S_4	S_5	S_6	

$S_1=S_4$이므로 $q=p$

$S_3=S_6$이므로 $r=2^{a+3}-16$

$S_3=S_4$이므로

$-2^{a+1}+2^{a+3}-16+s=4^a+q-2^{a+1}$에서

$s=4^a-2^{a+3}+16+p$ ($\because p=q$)

STEP 2 지수방정식을 이용하여 모든 실수 a의 값의 합 구하기

	l_4	l_5	l_6	
l_1	4^a	p	-2^{a+1}	S_1
l_2	p	$2^{a+3}-16$	$2^{a+3}-16$	S_2
l_3	-2^{a+1}	$2^{a+3}-16$	$4^a-2^{a+3}+16+p$	S_3
	S_4	S_5	S_6	

$S_1=S_3=S_4=S_6=4^a-2^{a+1}+p$,

$S_2=S_5=2^{a+4}-32+p$이므로

$4^a-2^{a+1}+p=2^{a+4}-32+p$ $\Rightarrow S_2=p+2^{a+3}-16+2^{a+3}-16$

$(2^a)^2-18\times2^a+32=0$ $=2\times2^{a+3}-32+p$

                                        $=2^{a+4}-32+p$

$2^a=t$ $(t>0)$로 놓으면

$t^2-18t+32=0$

$(t-2)(t-16)=0$

$\therefore t=2$ 또는 $t=16$

즉, $2^a=2$ 또는 $2^a=16$이므로

$2^a=2^1$ 또는 $2^a=2^4$

$\therefore a=1$ 또는 $a=4$

따라서 모든 실수 a의 값의 합은

$1+4=5$

02

해결전략 | 지수함수의 성질, 지수방정식의 근, 역함수의 성질을 이용하여 ㅣ보기ㅣ의 참, 거짓을 판별한다.

STEP 1 산술평균과 기하평균의 관계를 이용하여 ㄱ의 참, 거짓 판별하기

ㄱ. $y=f(2x)+f(x)$

$\quad=\dfrac{2^{2x}+2^{-2x}}{2}+\dfrac{2^x+2^{-x}}{2}$

$\quad=\dfrac{1}{2}\{(2^{2x}+2^{-2x})+(2^x+2^{-x})\}$

이때 $2^x>0$, $2^{-x}>0$, $2^{2x}>0$, $2^{-2x}>0$이므로 산술평균과 기하평균의 관계에 의하여

$2^{2x}+2^{-2x}\geq2\sqrt{2^{2x}\times2^{-2x}}=2$

(단, 등호는 $x=0$일 때 성립한다.)

$2^x+2^{-x}\geq2\sqrt{2^x\times2^{-x}}=2$

(단, 등호는 $x=0$일 때 성립한다.)

$\therefore y\geq\dfrac{1}{2}(2+2)=2$

즉, 함수 $y=f(2x)+f(x)$의 최솟값은 2이다. (참)

STEP 2 $2^x=t$ $(t>0)$로 치환하여 얻은 t에 대한 방정식의 두 근이 2^α, 2^β임을 이용하여 ㄴ의 참, 거짓 판별하기

ㄴ. $f(x)=4$에서 $\dfrac{2^x+2^{-x}}{2}=4$이므로

$\quad2^x+2^{-x}=8$, $2^x+\dfrac{1}{2^x}=8$

$2^x=t$ $(t>0)$로 놓으면

$t+\dfrac{1}{t}=8$

양변에 t를 곱하여 정리하면

$t^2-8t+1=0$

방정식 $f(x)=4$의 두 근을 α, β라고 하면 이차방정식 $t^2-8t+1=0$의 두 근은 2^α, 2^β이므로 이차방정식의 근과 계수의 관계에 의하여

$2^\alpha\times2^\beta=2^{\alpha+\beta}=1$

$\therefore \alpha+\beta=0$ (참)

STEP 3 함수 $y=f(x)$의 역함수가 $y=g(x)$일 때, $f(a)=b$이면 $g(b)=a$임을 이용하여 ㄷ의 참, 거짓 판별하기

ㄷ. $g\left(\dfrac{5}{3}\right)=k$ $(k>0)$라고 하면 $f(k)=\dfrac{5}{3}$이므로

$\quad\dfrac{2^k+2^{-k}}{2}=\dfrac{5}{3}$, $3(2^k+2^{-k})=10$

$3\times2^k+\dfrac{3}{2^k}-10=0$

$2^k=s$ $(s>0)$로 놓으면

$3s+\dfrac{3}{s}-10=0$

양변에 s를 곱하여 정리하면

$3s^2-10s+3=0$, $(3s-1)(s-3)=0$

$\therefore s=\dfrac{1}{3}$ 또는 $s=3$

즉, $2^k=\dfrac{1}{3}$에서 $k=-\log_2 3$이고,

$2^k=3$에서 $k=\log_2 3$

그런데 $k>0$이므로 $k=\log_2 3$ (거짓)

따라서 옳은 것은 ㄱ, ㄴ이다.

03

해결전략 | $3^x=t$로 치환하여 얻은 t에 대한 이차방정식이 1 보다 큰 서로 다른 두 실근을 가짐을 이용한다.

STEP1 $3^x=t\ (t>1)$로 놓고 방정식이 서로 다른 두 양의 실 근을 가질 조건 구하기

$9^x-2(k+6)\times 3^x-3k^2+36k=0$에서

$(3^x)^2-2(k+6)\times 3^x-3k^2+36k=0$

$3^x=t$로 놓으면

$t^2-2(k+6)t-3k^2+36k=0 \quad\cdots\cdots\ \bigcirc$

$x>0$이면 $t=3^x>3^0=1$

$t>1$이므로 주어진 방정식이 서로 다른 두 양의 실근을 가지려면 이차방정식 $\bigcirc$이 1보다 큰 서로 다른 두 실근을 가져야 한다.

즉, $f(t)=t^2-2(k+6)t-3k^2+36k$ 로 놓으면 함수 $y=f(t)$의 그래프는 오른쪽 그림과 같아야 한다.

STEP2 k의 값의 범위를 구하여 정수 k의 개수 구하기

(i) 이차방정식 $\bigcirc$의 판별식을 D라고 하면

$\dfrac{D}{4}=\{-(k+6)\}^2-(-3k^2+36k)>0$

$4k^2-24k+36>0$, $4(k-3)^2>0$

즉, $k\neq 3$인 모든 실수이다.

(ii) $f(1)>0$에서

$1-2(k+6)-3k^2+36k>0$, $-3k^2+34k-11>0$

$3k^2-34k+11<0$, $(3k-1)(k-11)<0$

$\therefore \dfrac{1}{3}<k<11$

(iii) 함수 $y=f(t)$의 그래프의 대칭축은 직선 $t=k+6$이 므로

$k+6>1 \qquad \therefore k>-5$

(i)~(iii)에 의하여 $\dfrac{1}{3}<k<3$ 또는 $3<k<11$

따라서 정수 k는 1, 2, 4, 5, 6, 7, 8, 9, 10의 9개이다.

04

해결전략 | 점 P의 x좌표는 두 함수 $y=4^x$과 $y=2^{x-1}+3$의 식을 연립한 이차방정식의 근임을 이용한다.

STEP1 점 P의 좌표 구하기

점 P의 좌표를 구해 보면

$4^x=2^{x-1}+3$에서 $(2^x)^2-\dfrac{1}{2}\times 2^x-3=0$

$2^x=t\ (t>0)$로 놓으면

$t^2-\dfrac{1}{2}t-3=0$

양변에 2를 곱하면

$2t^2-t-6=0$, $(2t+3)(t-2)=0$

$\therefore t=-\dfrac{3}{2}$ 또는 $t=2$

그런데 $t>0$이므로 $t=2$

즉, $t=2^x=2$이므로 $x=1$

$\therefore P(1,\ 4)$

STEP2 선분 AB의 중점이 P임을 이용하여 관계식 구하기

점 A의 좌표는 $(a,\ 4^a)$이고 점 B의 좌표를 $(b,\ 2^{b-1}+3)$

$(a<b)$라고 하면 선분 AB의 중점이 P이므로

$\dfrac{a+b}{2}=1$, $\dfrac{4^a+2^{b-1}+3}{2}=4$

즉, $a+b=2$, $4^a+2^{b-1}=5$

STEP3 STEP2에서 구한 식을 변형하여 한 문자 a에 대한 식 으로 나타내기

$a+b=2$에서 $b=2-a$이므로 이를 $4^a+2^{b-1}=5$에 대입 하면

$2^{2a}+2^{1-a}-5=0$

양변에 2^a을 곱하면

$2^{3a}-5\times 2^a+2=0$

STEP4 $2^a=s\ (s>0)$로 치환하여 2^a+2^{-a}의 값 구하기

$2^a=s\ (s>0)$로 놓으면

$s^3-5s+2=0$, $(s-2)(s^2+2s-1)=0$

$\therefore s=2$ 또는 $s=-1\pm\sqrt{2}$

그런데 $s>0$이므로

$s=2$ 또는 $s=-1+\sqrt{2}$

즉, $2^a=2$ 또는 $2^a=-1+\sqrt{2}$

이때 두 점 A, B는 서로 다른 점이므로

$a\neq 1$, 즉 $2^a\neq 2$

따라서 $2^a=-1+\sqrt{2}$이므로

$2^a+2^{-a}=(-1+\sqrt{2})+\dfrac{1}{-1+\sqrt{2}}$

$\qquad\qquad\ =-1+\sqrt{2}+(1+\sqrt{2})$

$\qquad\qquad\ =2\sqrt{2}$

05

해결전략 | 먼저 주어진 부등식을 3^x에 대한 식으로 나타낸다.

STEP1 부등식 풀기

$(3^{x+2}-1)(3^{x-p}-1)\leq0$에서

$(9\times3^x-1)\left(\dfrac{1}{3^p}\times3^x-1\right)\leq0$

$\dfrac{1}{3^p}\times9\left(3^x-\dfrac{1}{9}\right)(3^x-3^p)\leq0$

양변에 $3^{-2}\times3^p$을 곱하면

$(3^x-3^{-2})(3^x-3^p)\leq0$ → $3^{-2}\times3^p>0$이므로 부등호의 방향은 그대로!

이때 p가 자연수이므로 $3^{-2}\leq3^x\leq3^p$

밑이 3이고 $3>1$이므로

$-2\leq x\leq p$ ...... ㉠

STEP2 정수 x의 개수가 20이 되도록 하는 p의 값 구하기

㉠을 만족시키는 정수 x는 -2, -1, 0, 1, $\cdots$, p이고,
정수 x의 개수가 20이므로

$p+3=20$ ∴ $p=17$

06

해결전략 | 두 집합 A, B에 대하여 $A\cup B=B$이면 $A\subset B$
가 성립함을 이용한다.

STEP1 집합 A 구하기

$x^{3x^2+2}\leq x^{7x}$에서

(ⅰ) $0<x<1$일 때

$3x^2+2\geq7x$, $3x^2-7x+2\geq0$

$(3x-1)(x-2)\geq0$ ∴ $x\leq\dfrac{1}{3}$ 또는 $x\geq2$

그런데 $0<x<1$이므로 $0<x\leq\dfrac{1}{3}$

(ⅱ) $x=1$일 때

$1^5\leq1^7$이므로 주어진 부등식이 성립한다.

(ⅲ) $x>1$일 때

$3x^2+2\leq7x$, $3x^2-7x+2\leq0$

$(3x-1)(x-2)\leq0$ ∴ $\dfrac{1}{3}\leq x\leq2$

그런데 $x>1$이므로 $1<x\leq2$

(ⅰ)~(ⅲ)에 의하여 $0<x\leq\dfrac{1}{3}$ 또는 $1\leq x\leq2$

∴ $A=\left\{x\,\middle|\,0<x\leq\dfrac{1}{3} \text{ 또는 } 1\leq x\leq2\right\}$

**STEP2 두 집합 A, B의 포함 관계를 알고 두 집합 A, B를
수직선 위에 나타내기**

$x^2+ax+b=(x-\alpha)(x-\beta)$ $(\alpha\leq\beta)$라고 하면

$x^2+ax+b\leq0$에서 $(x-\alpha)(x-\beta)\leq0$이므로

$\alpha\leq x\leq\beta$

∴ $B=\{x\,|\,\alpha\leq x\leq\beta\}$

한편, $A\cup B=B$를 만족시키려면 $A\subset B$이어야 하므로
두 집합 A, B를 수직선 위에 나타내면 다음 그림과 같다.

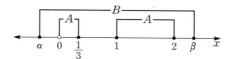

∴ $\alpha\leq0$, $\beta\geq2$ ...... ㉠

STEP3 $a+b$의 최댓값 구하기

$x^2+ax+b=(x-\alpha)(x-\beta)=x^2-(\alpha+\beta)x+\alpha\beta$

에서 $a=-\alpha-\beta$, $b=\alpha\beta$이므로

$a+b=-\alpha-\beta+\alpha\beta=(\alpha-1)(\beta-1)-1$

이때 ㉠에서 $\alpha-1\leq-1$, $\beta-1\geq1$이므로

$a+b=(\alpha-1)(\beta-1)-1\leq-2$

따라서 $a+b$의 최댓값은 -2이다.

07

해결전략 | 조건 (가)에 의하여 $f(-x)=-f(x)$임을 알고 조
건 (나)의 부등식을 풀 때 이용한다.

STEP1 조건 (가)를 이용하여 $f(x)$의 성질 알아보기

조건 (가)의 양변에 $x=0$, $y=0$을 대입하면

$f(0)=f(0)+f(0)$ ∴ $f(0)=0$

조건 (가)의 양변에 y 대신 $-x$를 대입하면

$f(0)=f(x)+f(-x)$

∴ $f(-x)=-f(x)$ ...... ㉠

STEP2 조건 (나)를 이용하여 부등식 풀기

부등식 $f(61\times2^x)+f(2\times2^x-4^x+64)>0$에서

$f(61\times2^x)>-f(2\times2^x-4^x+64)$

㉠에 의하여

$f(61\times2^x)>f(4^x-2\times2^x-64)$

조건 (나)에 의하여 $61\times2^x>4^x-2\times2^x-64$이므로

$(2^x)^2-63\times2^x-64<0$

$2^x=t$ $(t>0)$로 놓으면

$t^2-63t-64<0$, $(t+1)(t-64)<0$

∴ $-1<t<64$

그런데 $t>0$이므로 $0<t<64$

즉, $0<2^x<64$, $0<2^x<2^6$

밑이 2이고 $2>1$이므로

$x<6$

06 로그방정식과 로그부등식

01 冒 (1) $x=5$ (2) $x=2$

(1) 진수의 조건에서 $3x+1>0$이므로

$$x>-\frac{1}{3} \qquad\qquad \cdots\cdots\ \bigcirc$$

$\log_2(3x+1)=4$에서

$\log_2(3x+1)=\log_2 16$

$3x+1=16$

$3x=15 \qquad \therefore x=5$

$\bigcirc$에 의하여 $x=5$

(2) 진수의 조건에서 $3x>0$, $x+4>0$이므로

$$x>0 \qquad\qquad \cdots\cdots\ \bigcirc$$

$\log_{\frac{1}{5}}3x=\log_{\frac{1}{5}}(x+4)$에서

$3x=x+4$, $2x=4$

$\therefore x=2$

$\bigcirc$에 의하여 $x=2$

02 冒 (1) $\frac{2}{5}<x<\frac{1}{2}$ (2) $x\geq 3$

(1) 진수의 조건에서 $5x-2>0$이므로

$$x>\frac{2}{5} \qquad\qquad \cdots\cdots\ \bigcirc$$

$\log_{\frac{1}{2}}(5x-2)>1$에서

$\log_{\frac{1}{2}}(5x-2)>\log_{\frac{1}{2}}\frac{1}{2}$

밑이 $\frac{1}{2}$이고 $0<\frac{1}{2}<1$이므로

$5x-2<\frac{1}{2}$, $5x<\frac{5}{2}$

$$\therefore x<\frac{1}{2} \qquad\qquad \cdots\cdots\ \bigcirc$$

$\bigcirc$, $\bigcirc$에 의하여

$$\frac{2}{5}<x<\frac{1}{2}$$

(2) 진수의 조건에서 $2x+1>0$, $3x-2>0$이므로

$$x>\frac{2}{3} \qquad\qquad \cdots\cdots\ \bigcirc$$

$\log_5(2x+1)\leq\log_5(3x-2)$에서

밑이 5이고 $5>1$이므로

$2x+1\leq 3x-2$

$$\therefore x\geq 3 \qquad\qquad \cdots\cdots\ \bigcirc$$

$\bigcirc$, $\bigcirc$에 의하여

$x\geq 3$

01-1 冒 (1) $x=2$ (2) $x=6$ (3) $x=5$ (4) $x=3$

해결전략 | 로그의 성질을 이용하여 양변의 밑을 같게 식을 변형한다.

(1) **STEP1** 진수의 조건을 이용하여 x의 값의 범위 구하기

진수의 조건에서 $x-1>0$, $x+3>0$이므로

$$x>1 \qquad\qquad \cdots\cdots\ \bigcirc$$

STEP2 양변의 밑을 5로 같게 하여 양변의 진수를 비교하여 풀기

$\log_5(x-1)+\log_5(x+3)=1$에서

$\log_5(x-1)(x+3)=\log_5 5$

양변의 밑이 5로 같으므로

$(x-1)(x+3)=5$, $x^2+2x-8=0$

$(x+4)(x-2)=0$

$\therefore x=-4$ 또는 $x=2$

$\bigcirc$에 의하여 $x=2$

(2) **STEP1** 밑의 조건을 이용하여 x의 값의 범위 구하기

밑의 조건에서 $x-2>0$, $x-2\neq 1$이므로

$$\therefore 2<x<3 \text{ 또는 } x>3 \qquad \cdots\cdots\ \bigcirc$$

STEP2 로그의 정의를 이용하여 풀기

$\log_{x-2}16=2$에서

$(x-2)^2=16$, $x^2-4x-12=0$

$(x+2)(x-6)=0$

$\therefore x=-2$ 또는 $x=6$

$\bigcirc$에 의하여 $x=6$

(3) **STEP1** 진수의 조건을 이용하여 x의 값의 범위 구하기

진수의 조건에서 $2x+6>0$, $x-1>0$이므로

$$x>1 \qquad\qquad \cdots\cdots\ \bigcirc$$

STEP2 양변의 밑을 $\frac{1}{2}$로 같게 하여 양변의 진수를 비교하여 풀기

$\log_{\frac{1}{4}}(2x+6)=\log_{\frac{1}{2}}(x-1)$에서

$\log_{(\frac{1}{2})^2}(2x+6)=\log_{\frac{1}{2}}(x-1)$

$\log_{\frac{1}{2}}(2x+6)=2\log_{\frac{1}{2}}(x-1)$

$\log_{\frac{1}{2}}(2x+6)=\log_{\frac{1}{2}}(x-1)^2$

> 양변의 로그의 밑을 $\frac{1}{4}$로 같게 변형하여 $\log_{\frac{1}{4}}(2x+6)=\log_{\frac{1}{4}}(x-1)^2$ 으로 풀어도 된다.

양변의 밑이 $\frac{1}{2}$로 같으므로

$2x+6=(x-1)^2$, $x^2-4x-5=0$

$(x+1)(x-5)=0$

$\therefore x=-1$ 또는 $x=5$

$\bigcirc$에 의하여 $x=5$

(4) **STEP1** 진수의 조건을 이용하여 x의 값의 범위 구하기

진수의 조건에서 $x^2-4>0$, $7x-11>0$이므로

$x<-2$ 또는 $x>2$, $x>\dfrac{11}{7}$

$\therefore x>2$ ...... ㉠

STEP2 양변의 밑을 2로 같게 하여 양변의 진수를 비교하여 풀기

$\log_2(x^2-4)+1=\log_2(7x-11)$에서

$\log_2(x^2-4)+\log_2 2=\log_2(7x-11)$

$\log_2 2(x^2-4)=\log_2(7x-11)$

양변의 밑이 2로 같으므로

$2(x^2-4)=7x-11$, $2x^2-7x+3=0$

$(2x-1)(x-3)=0$

$\therefore x=\dfrac{1}{2}$ 또는 $x=3$

㉠에 의하여 $x=3$

01-2 답 1

해결전략 | 로그의 성질을 이용하여 양변의 밑을 같게 식을 변형한다.

STEP1 진수의 조건을 이용하여 x의 값의 범위 구하기

진수의 조건에서 $5x+1>0$이므로

$x>-\dfrac{1}{5}$ ...... ㉠

STEP2 양변의 밑을 2로 같게 하여 양변의 진수를 비교하여 풀기

$2\log_4(5x+1)=1$에서

$2\log_{2^2}(5x+1)=1$, $\log_2(5x+1)=\log_2 2$

양변의 밑이 2로 같으므로

$5x+1=2$ $\therefore x=\dfrac{1}{5}$

㉠에 의하여 $x=\dfrac{1}{5}$

따라서 $\alpha=\dfrac{1}{5}$이므로

$\log_5 \dfrac{1}{\alpha}=\log_5 5=1$

01-3 답 7

해결전략 | 로그의 성질을 이용하여 양변의 밑을 같게 식을 변형한다.

STEP1 진수의 조건을 이용하여 x의 값의 범위 구하기

진수의 조건에서 $x+2>0$, $10x-1>0$이므로

$x>\dfrac{1}{10}$ ...... ㉠

STEP2 양변의 밑을 6으로 같게 하여 양변의 진수를 비교하여 풀기

$\log_{\sqrt 6}(x+2)-\log_6(10x-1)=0$에서

$\log_{6^{\frac{1}{2}}}(x+2)=\log_6(10x-1)$

$2\log_6(x+2)=\log_6(10x-1)$

$\log_6(x+2)^2=\log_6(10x-1)$

양변의 밑이 6으로 같으므로

$(x+2)^2=10x-1$, $x^2-6x+5=0$

$(x-1)(x-5)=0$

$\therefore x=1$ 또는 $x=5$

㉠에 의하여 $x=1$ 또는 $x=5$

따라서 $\alpha=1$, $\beta=5$이므로

$2\alpha+\beta=2\times 1+5=7$

01-4 답 14

해결전략 | 주어진 두 방정식을 로그의 성질을 이용하여 양변의 밑을 같게 식을 변형한다.

STEP1 p의 값 구하기

$\log_2(x+3)+\log_2(x-3)=4$의 진수의 조건에서

$x+3>0$, $x-3>0$이므로

$x>3$ ...... ㉠

$\log_2(x+3)+\log_2(x-3)=4$에서

$\log_2(x+3)(x-3)=\log_2 2^4$

양변의 밑이 2로 같으므로

$(x+3)(x-3)=16$, $x^2=25$

$\therefore x=-5$ 또는 $x=5$

㉠에 의하여 $x=5$이므로 $p=5$

STEP2 q의 값 구하기

$\log_{\frac{1}{3}}x+1=2\log_{\frac{1}{9}}(x-6)$의 진수의 조건에서

$x>0$, $x-6>0$이므로

$x>6$ ...... ㉡

$\log_{\frac{1}{3}}x+1=2\log_{\frac{1}{9}}(x-6)$에서

$\log_{\frac{1}{3}}x=2\log_{\left(\frac{1}{3}\right)^2}(x-6)-1$

$\log_{\frac{1}{3}}x=\log_{\frac{1}{3}}(x-6)+\log_{\frac{1}{3}}\left(\dfrac{1}{3}\right)^{-1}$

$\log_{\frac{1}{3}}x=\log_{\frac{1}{3}}3(x-6)$

양변의 밑이 $\dfrac{1}{3}$로 같으므로

$x=3(x-6)$, $2x=18$

$\therefore x=9$

㉡에 의하여 $x=9$이므로 $q=9$

$\therefore p+q=5+9=14$

01-5 답 100

해결전략 | 밑이 같을 때와 진수가 1일 때의 x의 값을 구하여 주어진 방정식을 만족시키는지 알아본다.

STEP1 밑과 진수의 조건을 이용하여 x의 값의 범위 구하기

밑의 조건에서 $x^2-8x+16>0$, $x^2-8x+16\neq1$이고

진수의 조건에서 $4-x>0$이므로

$(x-4)^2>0$, $(x-4)^2\neq1$, $x<4$

$x\neq4$, $x\neq3$, $x\neq5$, $x<4$

$\therefore x<3$ 또는 $3<x<4$ ...... ㉠

STEP2 밑이 같을 때와 진수가 1일 때의 x의 값 구하기

(ⅰ) $x^2-8x+16=4$일 때

$x^2-8x+12=0$

$(x-2)(x-6)=0$

$\therefore x=2$ 또는 $x=6$

㉠에 의하여 $x=2$

(ⅱ) $4-x=1$일 때, $x=3$

$x=3$은 ㉠을 만족시키지 않는다.

STEP3 방정식의 해를 구하여 10^a의 값 구하기

(ⅰ), (ⅱ)에 의하여 $x=2$

따라서 $a=2$이므로

$10^a=10^2=100$

01-6 답 -4

해결전략 | 방정식에 근을 대입한 후 로그의 성질을 이용하여 식의 양변의 밑을 같게 한다.

STEP1 방정식에 $x=8$을 대입한 후 진수의 조건을 이용하여 a의 값의 범위 구하기

방정식 $\log_2(x+a-3)+\log_2(x+a)=2$의 근이 $x=8$이므로

$\log_2(8+a-3)+\log_2(8+a)=2$

$\log_2(5+a)+\log_2(8+a)=2$

진수의 조건에서 $5+a>0$, $8+a>0$이므로

$a>-5$ ...... ㉠

STEP2 양변의 밑을 같게 하여 양변의 진수를 비교하여 풀기

$\log_2(5+a)+\log_2(8+a)=2$에서

$\log_2(5+a)(8+a)=\log_2 4$

양변의 밑이 2로 같으므로

$(5+a)(8+a)=4$

$a^2+13a+36=0$

$(a+9)(a+4)=0$

$\therefore a=-9$ 또는 $a=-4$

㉠에 의하여 $a=-4$

02-1 답 (1) $x=4$ 또는 $x=16$

     (2) $x=\dfrac{1}{32}$ 또는 $x=2$

     (3) $x=\dfrac{1}{25}$ 또는 $x=125$

     (4) $x=1$ 또는 $x=\sqrt{3}$

해결전략 | $\log_a x=t$로 치환하여 t에 대한 방정식을 세운다.

(1) **STEP1 진수의 조건을 이용하여 x의 값의 범위 구하기**

진수의 조건에서 $x>0$, $x^3>0$이므로

$x>0$ ...... ㉠

STEP2 $\log_{\frac{1}{2}} x=t$로 놓고 t에 대한 이차방정식 풀기

$(\log_{\frac{1}{2}} x)^2+9\log_{\frac{1}{2}} x=\log_{\frac{1}{2}} x^3-8$에서

$(\log_{\frac{1}{2}} x)^2+9\log_{\frac{1}{2}} x=3\log_{\frac{1}{2}} x-8$

$(\log_{\frac{1}{2}} x)^2+6\log_{\frac{1}{2}} x+8=0$

$\log_{\frac{1}{2}} x=t$로 놓으면

$t^2+6t+8=0$, $(t+4)(t+2)=0$

$\therefore t=-4$ 또는 $t=-2$

STEP3 구한 해에 t 대신 $\log_{\frac{1}{2}} x$를 대입하여 x의 값 구하기

즉, $\log_{\frac{1}{2}} x=-4$ 또는 $\log_{\frac{1}{2}} x=-2$이므로

$x=\left(\dfrac{1}{2}\right)^{-4}=16$ 또는 $x=\left(\dfrac{1}{2}\right)^{-2}=4$

㉠에 의하여 $x=4$ 또는 $x=16$

(2) **STEP1 밑과 진수의 조건을 이용하여 x의 값의 범위 구하기**

밑의 조건에서 $x>0$, $x\neq1$이고

진수의 조건에서 $x>0$이므로

$0<x<1$ 또는 $x>1$ ...... ㉠

STEP2 $\log_2 x=t$로 놓고 t에 대한 이차방정식 풀기

$\log_2 x+4=\log_x 32$에서   → $\log_x 32=\log_x 2^5=5\log_x 2$

$\log_2 x+4=\dfrac{5}{\log_2 x}$ $=\dfrac{5}{\log_2 x}$

$\log_2 x=t$로 놓으면

$t+4=\dfrac{5}{t}$, $t^2+4t-5=0$

$(t+5)(t-1)=0$

$\therefore t=-5$ 또는 $t=1$

STEP3 구한 해에 t 대신 $\log_2 x$를 대입하여 x의 값 구하기

즉, $\log_2 x=-5$ 또는 $\log_2 x=1$이므로

$x=2^{-5}=\dfrac{1}{32}$ 또는 $x=2$

㉠에 의하여 $x=\dfrac{1}{32}$ 또는 $x=2$

(3) **STEP1** 진수의 조건을 이용하여 x의 값의 범위 구하기
진수의 조건에서 $x>0$ $\qquad \cdots\cdots$ ㉠
STEP2 $\log_5 x=t$로 놓고 t에 대한 이차방정식 풀기
$\log_5 5x \times \log_5 \dfrac{x}{25}=4$에서
$(\log_5 5+\log_5 x)(\log_5 x-\log_5 25)=4$
$(1+\log_5 x)(\log_5 x-2)=4$
$\log_5 x=t$로 놓으면
$(1+t)(t-2)=4$, $t^2-t-6=0$
$(t+2)(t-3)=0$
$\therefore t=-2$ 또는 $t=3$
STEP3 구한 해에 t 대신 $\log_5 x$를 대입하여 x의 값 구하기
즉, $\log_5 x=-2$ 또는 $\log_5 x=3$이므로
$x=5^{-2}=\dfrac{1}{25}$ 또는 $x=5^3=125$
㉠에 의하여 $x=\dfrac{1}{25}$ 또는 $x=125$

(4) **STEP1** 진수의 조건을 이용하여 x의 값의 범위 구하기
진수의 조건에서 $x>0$ $\qquad \cdots\cdots$ ㉠
STEP2 $\log_3 x=t$로 놓고 t에 대한 이차방정식 풀기
$\log_3 x-\log_9 x=3\log_3 x \times \log_{27} x$에서
$\log_3 x-\log_{3^2} x=3\log_3 x \times \log_{3^3} x$
$\log_3 x-\dfrac{1}{2}\log_3 x=3\log_3 x \times \dfrac{1}{3}\log_3 x$
$\dfrac{1}{2}\log_3 x=(\log_3 x)^2$, $2(\log_3 x)^2-\log_3 x=0$
$\log_3 x=t$로 놓으면
$2t^2-t=0$, $t(2t-1)=0$
$\therefore t=0$ 또는 $t=\dfrac{1}{2}$
STEP3 구한 해에 t 대신 $\log_3 x$를 대입하여 x의 값 구하기
즉, $\log_3 x=0$ 또는 $\log_3 x=\dfrac{1}{2}$이므로
$x=3^0=1$ 또는 $x=3^{\frac{1}{2}}=\sqrt 3$
㉠에 의하여 $x=1$ 또는 $x=\sqrt 3$

02-2 답 30
해결전략 | $\log_{\frac{1}{5}} x=t$로 치환하여 t에 대한 방정식을 세운다.
STEP1 진수의 조건을 이용하여 x의 값의 범위 구하기
진수의 조건에서 $x>0$, $x^3>0$이므로
$x>0$ $\qquad \cdots\cdots$ ㉠
STEP2 $\log_{\frac{1}{5}} x=t$로 놓고 t에 대한 이차방정식 풀기
$2\left(\log_{\frac{1}{5}} x\right)^2+\log_{\frac{1}{5}} x^3+1=0$에서
$2\left(\log_{\frac{1}{5}} x\right)^2+3\log_{\frac{1}{5}} x+1=0$

$\log_{\frac{1}{5}} x=t$로 놓으면
$2t^2+3t+1=0$, $(t+1)(2t+1)=0$
$\therefore t=-1$ 또는 $t=-\dfrac{1}{2}$
STEP3 $\alpha^2+\beta^2$의 값 구하기
즉, $\log_{\frac{1}{5}} x=-1$ 또는 $\log_{\frac{1}{5}} x=-\dfrac{1}{2}$이므로
$x=\left(\dfrac{1}{5}\right)^{-1}=5$ 또는 $x=\left(\dfrac{1}{5}\right)^{-\frac{1}{2}}=\sqrt 5$
㉠에 의하여 $x=5$ 또는 $x=\sqrt 5$
따라서 $\alpha^2+\beta^2$의 값은 $5^2+(\sqrt 5)^2=30$

02-3 답 $\dfrac{1}{9}$
해결전략 | $\log_3 x=t$로 치환하여 t에 대한 방정식을 세운다.
STEP1 진수의 조건을 이용하여 x의 값의 범위 구하기
진수의 조건에서 $x>0$ $\qquad \cdots\cdots$ ㉠
STEP2 $\log_3 x=t$로 놓고 t에 대한 이차방정식 풀기
$(\log_3 x)^2+4\log_9 x-3=0$에서
$(\log_3 x)^2+4\log_{3^2} x-3=0$
$(\log_3 x)^2+2\log_3 x-3=0$
$\log_3 x=t$로 놓으면
$t^2+2t-3=0$, $(t+3)(t-1)=0$
$\therefore t=-3$ 또는 $t=1$
STEP3 방정식의 두 실근의 곱 구하기
즉, $\log_3 x=-3$ 또는 $\log_3 x=1$이므로
$x=3^{-3}=\dfrac{1}{27}$ 또는 $x=3$
㉠에 의하여 $x=\dfrac{1}{27}$ 또는 $x=3$
따라서 두 실근의 곱은
$\dfrac{1}{27}\times 3=\dfrac{1}{9}$

◉→ **다른 풀이**
STEP1 $\log_3 x=t$로 놓고 t에 대한 이차방정식 만들기
$(\log_3 x)^2+4\log_9 x-3=0$에서
$(\log_3 x)^2+2\log_3 x-3=0$ $\qquad \cdots\cdots$ ㉠
$\log_3 x=t$로 놓으면
$t^2+2t-3=0$ $\qquad \cdots\cdots$ ㉡
STEP2 근과 계수의 관계를 이용하여 두 실근의 곱 구하기
방정식 ㉠의 두 근을 α, β라고 하면 방정식 ㉡의 두 근은
$\log_3 \alpha$, $\log_3 \beta$이므로 이차방정식의 근과 계수의 관계에
의하여
$\log_3 \alpha+\log_3 \beta=-2$

> ↳ 이차방정식 $ax^2+bx+c=0$의
> 두 근을 α, β라고 하면
> $\alpha+\beta=-\dfrac{b}{a}$, $\alpha\beta=\dfrac{c}{a}$

즉, $\log_3 \alpha\beta = -2$이므로

$\alpha\beta = 3^{-2} = \dfrac{1}{9}$

> **🎯 풍쌤의 비법**
>
> 방정식 $(\log_a x)^2 - p\log_a x + q = 0$ (p, q는 상수)
> 의 두 근이 α, β일 때, $\log_a x = t$로 치환하여 나타낸 t
> 에 대한 이차방정식 $t^2 - pt + q = 0$의 두 근은 $\log_a \alpha$,
> $\log_a \beta$임을 이용한다.

02-4 68

해결전략 | $\log_2 x = t$로 치환하여 t에 대한 방정식을 세운다.

STEP1 진수의 조건을 이용하여 x의 값의 범위 구하기

진수의 조건에서 $x > 0$ ...... ㉠

STEP2 $\log_2 x = t$로 놓고 t에 대한 이차방정식 풀기

$\log_2 \dfrac{32}{x} \times \log_2 \dfrac{x}{8} + 3 = 0$에서

$(\log_2 32 - \log_2 x)(\log_2 x - \log_2 8) + 3 = 0$

$(5 - \log_2 x)(\log_2 x - 3) + 3 = 0$

$\log_2 x = t$로 놓으면

$(5 - t)(t - 3) + 3 = 0$, $t^2 - 8t + 12 = 0$

$(t - 2)(t - 6) = 0$

$\therefore t = 2$ 또는 $t = 6$

STEP3 방정식의 두 근의 합 구하기

즉, $\log_2 x = 2$ 또는 $\log_2 x = 6$이므로

$x = 2^2 = 4$ 또는 $x = 2^6 = 64$

㉠에 의하여 $x = 4$ 또는 $x = 64$

따라서 두 근의 합은

$4 + 64 = 68$

02-5 $-\dfrac{8}{3}$

해결전략 | $\log x = t$로 치환하여 t에 대한 방정식을 세운다.

STEP1 $\log x = t$로 놓고 t에 대한 이차방정식 풀기

$(\log x)^2 = 6 - \log x^2$에서

$(\log x)^2 + 2\log x - 6 = 0$ ...... ㉠

$\log x = t$로 놓으면

$t^2 + 2t - 6 = 0$ ...... ㉡

STEP2 이차방정식의 근과 계수의 관계를 이용하여 k의 값 구하기

방정식 ㉠의 두 근을 α, β라고 하면 방정식 ㉡의 두 근은
$\log \alpha$, $\log \beta$이므로 이차방정식의 근과 계수의 관계에
의하여

$\log \alpha + \log \beta = -2$, $\log \alpha \times \log \beta = -6$

$\therefore \log_\alpha \beta + \log_\beta \alpha$

$= \dfrac{\log \beta}{\log \alpha} + \dfrac{\log \alpha}{\log \beta}$

$= \dfrac{(\log \alpha)^2 + (\log \beta)^2}{\log \alpha \times \log \beta}$

$= \dfrac{(\log \alpha + \log \beta)^2 - 2\log \alpha \times \log \beta}{\log \alpha \times \log \beta}$

$= \dfrac{(-2)^2 - 2 \times (-6)}{-6}$

$= -\dfrac{8}{3}$

02-6 23

해결전략 | 로그의 성질을 이용하여 두 식의 밑이 같도록 변형한 후 치환하여 푼다.

STEP1 로그의 성질을 이용하여 식 변형하기

$\log_2 x + \log_3 y = 7$에서

$\dfrac{\log x}{\log 2} + \dfrac{\log y}{\log 3} = 7$

$\log_3 x \times \log_2 y = 10$에서

$\dfrac{\log x}{\log 3} \times \dfrac{\log y}{\log 2} = 10$, 즉 $\dfrac{\log x}{\log 2} \times \dfrac{\log y}{\log 3} = 10$

STEP2 $\dfrac{\log x}{\log 2} = X$, $\dfrac{\log y}{\log 3} = Y$로 놓고 X, Y에 대한 연립방정식 풀기

$\dfrac{\log x}{\log 2} = X$, $\dfrac{\log y}{\log 3} = Y$로 놓으면 주어진 연립방정식은

$\begin{cases} X + Y = 7 & \cdots\cdots ㉠ \\ XY = 10 & \cdots\cdots ㉡ \end{cases}$

㉠에서 $Y = 7 - X$이므로 이를 ㉡에 대입하면

$X(7 - X) = 10$, $X^2 - 7X + 10 = 0$

$(X - 2)(X - 5) = 0$

$\therefore X = 2$ 또는 $X = 5$

㉠에 의하여 $X = 2$, $Y = 5$ 또는 $X = 5$, $Y = 2$

이때 $x > y$이면 $X > Y$이므로

$X = 5$, $Y = 2$

STEP3 α, β의 값 구하기

즉, $\dfrac{\log x}{\log 2} = 5$, $\dfrac{\log y}{\log 3} = 2$이므로

$\log x = 5\log 2$, $\log y = 2\log 3$

$\log x = \log 2^5$, $\log y = \log 3^2$

$\therefore x = 32$, $y = 9$

따라서 $\alpha = 32$, $\beta = 9$이므로

$\alpha - \beta = 32 - 9 = 23$

03-1 답 (1) $x=3$ 또는 $x=9$
       (2) $x=4$ 또는 $x=16$
       (3) $x=100$

해결전략 | 치환을 이용하여 방정식의 해를 구한다.

(1) STEP 1 진수의 조건을 이용하여 x의 값의 범위 구하기
진수의 조건에서 $x>0$ …… ㉠
STEP 2 양변에 밑이 3인 로그를 취하여 식 변형하기
$x^{\log_3 x}=\dfrac{x^3}{9}$의 양변에 밑이 3인 로그를 취하면

$\log_3 x^{\log_3 x}=\log_3 \dfrac{x^3}{9}$

$\log_3 x \times \log_3 x=\log_3 x^3-\log_3 9$

$(\log_3 x)^2=3\log_3 x-2$

STEP 3 $\log_3 x=t$로 놓고 t에 대한 이차방정식 풀기
$\log_3 x=t$로 놓으면
$t^2=3t-2$, $t^2-3t+2=0$
$(t-1)(t-2)=0$
$\therefore t=1$ 또는 $t=2$

STEP 4 구한 해에 t 대신 $\log_3 x$를 대입하여 x의 값 구하기
즉, $\log_3 x=1$ 또는 $\log_3 x=2$이므로
$x=3$ 또는 $x=3^2=9$
㉠에 의하여 $x=3$ 또는 $x=9$

(2) STEP 1 진수의 조건을 이용하여 x의 값의 범위 구하기
진수의 조건에서 $x>0$ …… ㉠
STEP 2 $2^{\log_4 x}=t\ (t>0)$로 놓고 t에 대한 이차방정식 풀기
$2^{\log_4 x}+2^{3-\log_4 x}=6$에서

$2^{\log_4 x}+\dfrac{2^3}{2^{\log_4 x}}=6$

$2^{\log_4 x}+\dfrac{8}{2^{\log_4 x}}=6$

$2^{\log_4 x}=t\ (t>0)$로 놓으면

$t+\dfrac{8}{t}=6$, $t^2-6t+8=0$

$(t-2)(t-4)=0$
$\therefore t=2$ 또는 $t=4$

STEP 3 구한 해에 t 대신 $2^{\log_4 x}$를 대입하여 x의 값 구하기
즉, $2^{\log_4 x}=2$ 또는 $2^{\log_4 x}=4=2^2$이므로
$\log_4 x=1$ 또는 $\log_4 x=2$
$\therefore x=4$ 또는 $x=4^2=16$
㉠에 의하여 $x=4$ 또는 $x=16$

(3) STEP 1 진수의 조건을 이용하여 x의 값의 범위 구하기
진수의 조건에서 $x>0$ …… ㉠

STEP 2 $3^{\log x}=x^{\log 3}$임을 이용하여 식 변형하기
$3^{\log x}\times x^{\log 3}-4(3^{\log x}+x^{\log 3})-9=0$에서
$x^{\log 3}=3^{\log x}$이므로
$3^{\log x}\times 3^{\log x}-4(3^{\log x}+3^{\log x})-9=0$
$(3^{\log x})^2-8\times 3^{\log x}-9=0$

STEP 3 $3^{\log x}=t\ (t>0)$로 놓고 t에 대한 이차방정식 풀기
$3^{\log x}=t\ (t>0)$로 놓으면
$t^2-8t-9=0$, $(t+1)(t-9)=0$
$\therefore t=-1$ 또는 $t=9$
그런데 $t>0$이므로 $t=9$

STEP 4 구한 해에 t 대신 $3^{\log x}$를 대입하여 x의 값 구하기
즉, $3^{\log x}=9=3^2$이므로 $\log x=2$
$\therefore x=10^2=100$
㉠에 의하여 $x=100$

03-2 답 10^4

해결전략 | 지수에 밑이 10인 로그가 있으므로 양변에 상용로그를 취하여 해를 구한다.

STEP 1 진수의 조건을 이용하여 x의 값의 범위 구하기
진수의 조건에서 $x>0$ …… ㉠
STEP 2 양변에 상용로그를 취하여 식 변형하기
$1000x^{\log x}=x^4$의 양변에 상용로그를 취하면
$\log 1000x^{\log x}=\log x^4$
$\log 1000+\log x^{\log x}=4\log x$
$3+\log x \times \log x=4\log x$
$3+(\log x)^2=4\log x$

STEP 3 $\log x=t$로 놓고 t에 대한 이차방정식 풀기
$\log x=t$로 놓으면
$3+t^2=4t$, $t^2-4t+3=0$
$(t-1)(t-3)=0$
$\therefore t=1$ 또는 $t=3$

STEP 4 방정식의 모든 근의 곱 구하기
즉, $\log x=1$ 또는 $\log x=3$이므로
$x=10$ 또는 $x=10^3$
㉠에 의하여 $x=10$ 또는 $x=10^3$
따라서 모든 근의 곱은
$10\times 10^3=10^4$

03-3 답 109

해결전략 | 먼저 식을 정리한 후 양변에 밑이 3인 로그를 취하여 해를 구한다.

STEP1 진수의 조건을 이용하여 x의 값의 범위 구하기

진수의 조건에서 $x>0$ ...... ㉠

STEP2 양변에 밑이 3인 로그를 취하여 식 변형하기

$x^{\log_3 x}-\dfrac{27}{x^2}=0$, 즉 $x^{\log_3 x}=\dfrac{27}{x^2}$의 양변에 밑이 3인 로그

를 취하면

$\log_3 x^{\log_3 x}=\log_3 \dfrac{27}{x^2}$

$\log_3 x \times \log_3 x=\log_3 27-\log_3 x^2$

$(\log_3 x)^2=3-2\log_3 x$

STEP3 $\log_3 x=t$로 놓고 t에 대한 이차방정식 풀기

$\log_3 x=t$로 놓으면

$t^2=3-2t$, $t^2+2t-3=0$

$(t+3)(t-1)=0$

$\therefore t=-3$ 또는 $t=1$

STEP4 방정식의 모든 근의 합을 구하여 $p,\ q$의 값 구하기

즉, $\log_3 x=-3$ 또는 $\log_3 x=1$이므로

$x=3^{-3}=\dfrac{1}{27}$ 또는 $x=3$

㉠에 의하여 $x=\dfrac{1}{27}$ 또는 $x=3$

따라서 구하는 모든 근의 합은 $\dfrac{1}{27}+3=\dfrac{82}{27}$이므로

$p=27$, $q=82$

$\therefore p+q=27+82=109$

03-4 답 5

해결전략 | $5^{\log_2 x}=x^{\log_2 5}$임을 이용하여 해를 구한다.

STEP1 진수의 조건을 이용하여 x의 값의 범위 구하기

진수의 조건에서 $x>0$ ...... ㉠

STEP2 $5^{\log_2 x}=x^{\log_2 5}$임을 이용하여 식 변형하기

$5^{\log_2 x}\times x^{\log_2 5}-13(5^{\log_2 x}+x^{\log_2 5})+25=0$에서

$x^{\log_2 5}=5^{\log_2 x}$이므로

$5^{\log_2 x}\times 5^{\log_2 x}-13(5^{\log_2 x}+5^{\log_2 x})+25=0$

$(5^{\log_2 x})^2-26\times 5^{\log_2 x}+25=0$

STEP3 $5^{\log_2 x}=t\ (t>0)$로 놓고 t에 대한 이차방정식 풀기

$5^{\log_2 x}=t\ (t>0)$로 놓으면

$t^2-26t+25=0$, $(t-1)(t-25)=0$

$\therefore t=1$ 또는 $t=25$

STEP4 $\alpha+\beta$의 값 구하기

즉, $5^{\log_2 x}=1=5^0$, $5^{\log_2 x}=25=5^2$이므로

$\log_2 x=0$ 또는 $\log_2 x=2$ $\quad\therefore x=1$ 또는 $x=2^2=4$

㉠에 의하여 $x=1$ 또는 $x=4$

$\therefore \alpha+\beta=1+4=5$

03-5 답 $x=\dfrac{1}{15}$

해결전략 | 지수에 밑이 10인 로그가 있으므로 양변에 상용로그를 취하여 해를 구한다.

STEP1 진수의 조건을 이용하여 x의 값의 범위 구하기

진수의 조건에서 $3x>0$, $5x>0$이므로

$x>0$ ...... ㉠

STEP2 양변에 상용로그를 취하여 방정식의 해 구하기

$3^{\log 3x}=5^{\log 5x}$의 양변에 상용로그를 취하면

$\log 3^{\log 3x}=\log 5^{\log 5x}$

$\log 3x \times \log 3=\log 5x \times \log 5$

$(\log 3+\log x)\log 3=(\log 5+\log x)\log 5$

$(\log 3)^2+\log x \times \log 3=(\log 5)^2+\log x \times \log 5$

$(\log 3-\log 5)\log x=(\log 5)^2-(\log 3)^2$

$\therefore \log x=\dfrac{(\log 5+\log 3)(\log 5-\log 3)}{\log 3-\log 5}$

$\qquad =-(\log 5+\log 3)$

$\qquad =-\log 15$

$\qquad =\log \dfrac{1}{15}$

$\therefore x=\dfrac{1}{15}$

㉠에 의하여 $x=\dfrac{1}{15}$

03-6 답 $\sqrt{2}$

해결전략 | 지수에 밑이 2인 로그가 있으므로 양변에 밑이 2인 로그를 취하여 해를 구한다.

STEP1 밑과 진수의 조건을 이용하여 x의 값의 범위 구하기

밑의 조건에서 $x>0$, $x\neq 1$이고

진수의 조건에서 $x>0$이므로

$0<x<1$ 또는 $x>1$ ...... ㉠

STEP2 양변에 밑이 2인 로그를 취하여 식 변형하기

$\left(\dfrac{x^2}{2}\right)^{\log_2 x}=(4x^5)^{\log_x 2}$에서 양변에 밑이 2인 로그를 취하면

$\log_2\left(\dfrac{x^2}{2}\right)^{\log_2 x}=\log_2(4x^5)^{\log_x 2}$

$\log_2 x \times \log_2 \dfrac{x^2}{2}=\log_x 2 \times \log_2 4x^5$

$\log_2 x(\log_2 x^2-\log_2 2)=\log_x 2(\log_2 4+\log_2 x^5)$

$\log_2 x(2\log_2 x-1)=\dfrac{1}{\log_2 x}(2+5\log_2 x)$

STEP3 $\log_2 x=t$로 놓고 t에 대한 이차방정식 풀기

$\log_2 x=t$로 놓으면

$t(2t-1)=\dfrac{1}{t}(2+5t)$

양변에 t를 곱하면

$2t^3-t^2=2+5t$

$2t^3-t^2-5t-2=0$

→ 조립제법을 이용하여 좌변을 인수분해하면

$$\begin{array}{r|rrrr} -1 & 2 & -1 & -5 & -2 \\ & & -2 & 3 & 2 \\ \hline & 2 & -3 & -2 & 0 \end{array}$$

$(t+1)(2t+1)(t-2)=0$

$(t+1)(2t^2-3t-2)=0$

$\therefore t=-1$ 또는 $t=-\dfrac{1}{2}$ 또는 $t=2$

STEP4 모든 실수 x의 값의 곱 구하기

즉, $\log_2 x=-1$ 또는 $\log_2 x=-\dfrac{1}{2}$ 또는 $\log_2 x=2$이

므로

$x=2^{-1}$ 또는 $x=2^{-\frac{1}{2}}$ 또는 $x=2^2$

㉠에 의하여

$x=2^{-1}$ 또는 $x=2^{-\frac{1}{2}}$ 또는 $x=2^2$

따라서 모든 실수 x의 값의 곱은

$2^{-1}\times 2^{-\frac{1}{2}}\times 2^2=\sqrt{2}$

필수유형 04　　　　　　　　　　　165쪽

04-1 답 $k<-\dfrac{1}{2}$ 또는 $k>\dfrac{3}{2}$

해결전략 | $\log_6 x=t$로 치환한 후 이차방정식의 판별식을 이용한다.

STEP1 $\log_6 x=t$로 놓고 방정식이 서로 다른 두 근을 가질 조건 구하기

$(\log_6 x+1)^2-k\log_6 x^4+3=0$에서

$(\log_6 x+1)^2-4k\log_6 x+3=0$

$\log_6 x=t$로 놓으면

$(t+1)^2-4kt+3=0$

$t^2+2(1-2k)t+4=0$　　　　　$\cdots\cdots$ ㉠

주어진 방정식이 서로 다른 두 근을 가지므로 방정식 ㉠은 서로 다른 두 실근을 갖는다.

STEP2 이차방정식의 판별식을 이용하여 k의 값의 범위 구하기

이차방정식 ㉠의 판별식을 D라고 하면

$\dfrac{D}{4}=(1-2k)^2-1\times 4>0$

$4k^2-4k-3>0$

$(2k+1)(2k-3)>0$

$\therefore k<-\dfrac{1}{2}$ 또는 $k>\dfrac{3}{2}$

04-2 답 $-\dfrac{3}{4}$

해결전략 | $\log_2 x=t$로 치환한 후 이차방정식의 판별식을 이용한다.

STEP1 $\log_2 x=t$로 놓고 방정식이 중근을 가질 조건 구하기

$(\log_2 x-a)^2+\log_2 8x-2=0$에서

$(\log_2 x-a)^2+3+\log_2 x-2=0$

$(\log_2 x-a)^2+\log_2 x+1=0$

$\log_2 x=t$로 놓으면

$(t-a)^2+t+1=0$

$t^2-(2a-1)t+a^2+1=0$　　　　$\cdots\cdots$ ㉠

주어진 방정식이 중근을 가지므로 방정식 ㉠은 한 개의 실근을 갖는다.

STEP2 이차방정식의 판별식을 이용하여 a의 값 구하기

이차방정식 ㉠의 판별식을 D라고 하면

$D=\{-(2a-1)\}^2-4\times 1\times (a^2+1)=0$

$-4a-3=0$

$\therefore a=-\dfrac{3}{4}$

04-3 답 35

해결전략 | $\log_3 x=t$로 치환한 후 이차방정식의 판별식을 이용한다.

STEP1 $\log_3 x=t$로 놓고 방정식이 서로 다른 두 근을 가질 조건 구하기

$\log_3 x\times\log_3 \dfrac{81}{x}=\dfrac{m}{9}$에서

$\log_3 x(\log_3 81-\log_3 x)=\dfrac{m}{9}$

$\log_3 x(4-\log_3 x)=\dfrac{m}{9}$

$\log_3 x=t$로 놓으면

$t(4-t)=\dfrac{m}{9}$

$t^2-4t+\dfrac{m}{9}=0$　　　　　$\cdots\cdots$ ㉠

주어진 방정식이 서로 다른 두 근을 가지므로 방정식 ㉠은 서로 다른 두 실근을 갖는다.

STEP2 이차방정식의 판별식을 이용하여 자연수 m의 개수 구하기

이차방정식 ㉠의 판별식을 D라고 하면

$\dfrac{D}{4}=(-2)^2-\dfrac{m}{9}>0$

$4-\dfrac{m}{9}>0$　　　$\therefore m<36$

따라서 자연수 m은 $1, 2, 3, \cdots, 35$의 35개이다.

04-4 답 12

해결전략 | $\log_2 x = t$로 치환한 후 이차방정식의 판별식을 이용한다.

STEP1 $\log_2 x = t$로 놓고 방정식이 근을 가질 조건 구하기

$\log_2 x \times \log_2 \dfrac{32}{x} = \dfrac{k}{2}$에서

$\log_2 x(\log_2 32 - \log_2 x) = \dfrac{k}{2}$

$\log_2 x(5 - \log_2 x) = \dfrac{k}{2}$

$\log_2 x = t$로 놓으면

$t(5 - t) = \dfrac{k}{2}$

$2t^2 - 10t + k = 0$ $\qquad\qquad$ …… ㉠

주어진 방정식이 근을 가지므로 방정식 ㉠은 실근을 갖는다.

STEP2 이차방정식의 판별식을 이용하여 k의 최댓값 구하기

이차방정식 ㉠의 판별식을 D라고 하면

$\dfrac{D}{4} = (-5)^2 - 2 \times k \geq 0$

$25 - 2k \geq 0$

$\therefore k \leq \dfrac{25}{2}$

따라서 정수 k의 최댓값은 12이다.

04-5 답 2

해결전략 | 두 근의 비가 $1 : 3$이므로 두 근을 m, $3m$ $(m \neq 0)$으로 놓고 이차방정식의 근과 계수의 관계를 이용한다.

STEP1 $\log_3 x = t$로 놓고 t에 대한 이차방정식 세우기

$(\log_3 x)^2 - \log_3 x^5 + 8 - k = 0$에서

$(\log_3 x)^2 - 5\log_3 x + 8 - k = 0$

$\log_3 x = t$로 놓으면

$t^2 - 5t + 8 - k = 0$ $\qquad\qquad$ …… ㉠

STEP2 두 근의 비와 이차방정식의 근과 계수의 관계를 이용하여 방정식 ㉠의 두 근의 합과 곱 구하기

두 근을 m, $3m$ $(m \neq 0)$이라고 하면 방정식 ㉠의 두 근은 $\log_3 m$, $\log_3 3m$이므로 근과 계수의 관계에 의하여

$\log_3 m + \log_3 3m = 5$ $\qquad\qquad$ …… ㉡

$\log_3 m \times \log_3 3m = 8 - k$ $\qquad\qquad$ …… ㉢

STEP3 k의 값 구하기

㉡에서 $\log_3 m + (1 + \log_3 m) = 5$

$2\log_3 m = 4$, $\log_3 m = 2$

$\therefore m = 3^2 = 9$

㉢에서 $8 - k = \log_3 9 \times \log_3 27 = 2 \times 3 = 6$

$\therefore k = 2$

04-6 답 $-\dfrac{1}{10}$

해결전략 | $\log x = t$로 치환한 후 이차방정식의 근과 계수의 관계를 이용한다.

STEP1 $\log x = t$로 놓고 t에 대한 이차방정식 세우기

$p(\log x)^2 - p\log x^3 + 1 = 0$에서

$p(\log x)^2 - 3p\log x + 1 = 0$

$\log x = t$로 놓으면

$pt^2 - 3pt + 1 = 0$ $\qquad\qquad$ …… ㉠

STEP2 $\log \alpha - \log \beta = 7$과 이차방정식의 근과 계수의 관계를 이용하여 방정식 ㉠의 두 근의 합과 곱 구하기

주어진 방정식의 두 근이 α, β이므로 방정식 ㉠의 두 근은 $\log \alpha$, $\log \beta$이다.

이차방정식의 근과 계수의 관계에 의하여

$\log \alpha + \log \beta = -\dfrac{-3p}{p} = 3$ $\qquad\qquad$ …… ㉡

$\log \alpha \times \log \beta = \dfrac{1}{p}$ $\qquad\qquad$ …… ㉢

STEP3 p의 값 구하기

㉡과 $\log \alpha - \log \beta = 7$을 연립하여 풀면

$\log \alpha = 5$, $\log \beta = -2$

㉢에서 $5 \times (-2) = \dfrac{1}{p}$ $\qquad$ $\therefore p = -\dfrac{1}{10}$

필수유형 **05** $\qquad\qquad\qquad$ 167쪽

05-1 답 (1) $x > 3$

(2) $-1 < x < 1$ 또는 $4 < x < 6$

(3) $1 < x < 6$

(4) $4 < x \leq 13$

해결전략 | 로그의 성질을 이용하여 양변의 밑을 같게 식을 변형한다.

(1) **STEP1** 진수의 조건을 이용하여 x의 값의 범위 구하기

진수의 조건에서 $x - 3 > 0$, $x^2 + 1 > 0$이므로

$x > 3$ $\qquad\qquad$ …… ㉠

STEP2 진수를 비교하여 풀기

$2\log_{0.3}(x - 3) > \log_{0.3}(x^2 + 1)$에서

$\log_{0.3}(x - 3)^2 > \log_{0.3}(x^2 + 1)$

밑이 0.3이고 $0 < 0.3 < 1$이므로

$(x - 3)^2 < x^2 + 1$, $-6x < -8$

$\therefore x > \dfrac{4}{3}$ $\qquad\qquad$ …… ㉡

㉠, ㉡에 의하여 $x > 3$

(2) **STEP1 진수의 조건을 이용하여 x의 값의 범위 구하기**

진수의 조건에서 $x+1>0$, $6-x>0$이므로

$-1<x<6$ …… ㉠

STEP2 양변의 밑을 10으로 같게 하여 진수를 비교하여 풀기

$\log(x+1)+\log(6-x)<1$에서

$\log(x+1)(6-x)<\log 10$

밑이 10이고 $10>1$이므로

$(x+1)(6-x)<10$, $-x^2+5x-4<0$

$x^2-5x+4>0$

$(x-1)(x-4)>0$

$\therefore x<1$ 또는 $x>4$ …… ㉡

㉠, ㉡에 의하여 $-1<x<1$ 또는 $4<x<6$

(3) **STEP1 진수의 조건을 이용하여 x의 값의 범위 구하기**

진수의 조건에서 $x-1>0$, $2x+13>0$이므로

$x>1$ …… ㉠

STEP2 양변의 밑을 $\frac{1}{2}$로 같게 하여 진수를 비교하여 풀기

$\log_{\frac{1}{2}}(x-1)>\log_{\frac{1}{4}}(2x+13)$에서

$\log_{\frac{1}{2}}(x-1)>\log_{\left(\frac{1}{2}\right)^2}(2x+13)$

$\log_{\frac{1}{2}}(x-1)>\frac{1}{2}\log_{\frac{1}{2}}(2x+13)$

$2\log_{\frac{1}{2}}(x-1)>\log_{\frac{1}{2}}(2x+13)$

$\log_{\frac{1}{2}}(x-1)^2>\log_{\frac{1}{2}}(2x+13)$

밑이 $\frac{1}{2}$이고 $0<\frac{1}{2}<1$이므로

$\rightarrow$ 양변의 로그의 밑을 $\frac{1}{4}$로 같게 변형하여
$\log_{\frac{1}{4}}(x-1)^2>\log_{\frac{1}{4}}(2x+13)$
으로 풀어도 된다.

$(x-1)^2<2x+13$

$x^2-4x-12<0$

$(x+2)(x-6)<0$

$\therefore -2<x<6$ …… ㉡

㉠, ㉡에 의하여 $1<x<6$

(4) **STEP1 진수의 조건을 이용하여 x의 값의 범위 구하기**

진수의 조건에서 $x+2>0$, $2x-1>0$, $x-4>0$이므로

$x>4$ …… ㉠

STEP2 양변의 밑을 2로 같게 하여 진수를 비교하여 풀기

$\log_2(x+2)-\log_4(2x-1)\geq\log_4(x-4)$에서

$\log_2(x+2)\geq\log_4(x-4)+\log_4(2x-1)$

$\log_2(x+2)\geq\log_{2^2}(x-4)(2x-1)$

$\log_2(x+2)\geq\frac{1}{2}\log_2(x-4)(2x-1)$

$2\log_2(x+2)\geq\log_2(x-4)(2x-1)$

$\log_2(x+2)^2\geq\log_2(x-4)(2x-1)$

밑이 2이고 $2>1$이므로

$(x+2)^2\geq(x-4)(2x-1)$

$x^2-13x\leq 0$, $x(x-13)\leq 0$

$\therefore 0\leq x\leq 13$ …… ㉡

㉠, ㉡에 의하여 $4<x\leq 13$

05-2 답 -2

해결전략 | 로그의 성질을 이용하여 양변의 밑을 같게 식을 변형한다.

STEP1 진수의 조건을 이용하여 x의 값의 범위 구하기

진수의 조건에서 $3(x+1)>0$, $2x+7>0$이므로

$x>-1$ …… ㉠

STEP2 양변의 밑을 6으로 같게 하여 진수를 비교하여 풀기

$\log_6\sqrt{3(x+1)}<1-\frac{1}{2}\log_6(2x+7)$에서

$\frac{1}{2}\log_6 3(x+1)<1-\frac{1}{2}\log_6(2x+7)$

$\log_6 3(x+1)<2-\log_6(2x+7)$

$\log_6 3(x+1)+\log_6(2x+7)<2$

$\log_6 3(x+1)(2x+7)<\log_6 36$

밑이 6이고 $6>1$이므로

$3(x+1)(2x+7)<36$, $2x^2+9x-5<0$

$(x+5)(2x-1)<0$

$\therefore -5<x<\frac{1}{2}$ …… ㉡

㉠, ㉡에 의하여 $-1<x<\frac{1}{2}$

따라서 $\alpha=-1$, $\beta=\frac{1}{2}$이므로 $\dfrac{\alpha}{\beta}=-2$

05-3 답 14

해결전략 | 주어진 로그부등식을 푼 후 이차부등식의 해를 이용하여 a의 값을 구한다.

STEP1 로그부등식을 풀어 x에 대한 이차부등식으로 나타내기

$\log_3(-x^2+ax-4)\geq\log_3 x+2$에서

$\log_3(-x^2+ax-4)\geq\log_3 x+\log_3 3^2$

$\log_3(-x^2+ax-4)\geq\log_3 9x$

밑이 3이고 $3>1$이므로

$-x^2+ax-4\geq 9x$

$x^2+(9-a)x+4\leq 0$ …… ㉠

STEP2 이차부등식의 해가 $1\leq x\leq 4$임을 이용하여 a의 값 구하기

해가 $1\leq x\leq 4$이고 x^2의 계수가 1인 이차부등식은

$(x-1)(x-4)\leq 0$, 즉 $x^2-5x+4\leq 0$ …… ㉡

㉠, ㉡이 일치해야 하므로

$9-a=-5$ $\therefore a=14$

> **🎯 풍쌤의 비법**
>
> **이차부등식의 작성**
> (1) 해가 $\alpha < x < \beta$이고 x^2의 계수가 1인 이차부등식은
> $(x-\alpha)(x-\beta)<0$, 즉 $x^2-(\alpha+\beta)x+\alpha\beta<0$
> (2) 해가 $x<\alpha$ 또는 $x>\beta$이고 x^2의 계수가 1인 이차부등식은
> $(x-\alpha)(x-\beta)>0$, 즉 $x^2-(\alpha+\beta)x+\alpha\beta>0$

05-4 답 15

해결전략 | 진수의 크기를 비교한 후 주어진 그래프를 이용한다.

STEP1 진수의 조건 구하기

진수의 조건에서 $f(x)>0$, $x-1>0$이므로

$f(x)>0$, $x>1$ ······ ㉠

STEP2 로그의 성질을 이용하여 부등식 풀기

$\log_3 f(x)+\log_{\frac{1}{3}}(x-1)\le 0$에서

$\log_3 f(x)+\log_{3^{-1}}(x-1)\le 0$

$\log_3 f(x)-\log_3(x-1)\le 0$

$\log_3 f(x)\le\log_3(x-1)$

밑이 3이고 $3>1$이므로

$f(x)\le x-1$ ······ ㉡

STEP3 주어진 그래프를 이용하여 자연수 x의 값 구하기

㉠, ㉡을 모두 만족시키는 x의 값의 범위는 이차함수 $y=f(x)$의 그래프가 x축보다 위쪽에 있고, 이차함수 $y=f(x)$의 그래프가 직선 $y=x-1$과 만나거나 아래쪽에 있어야 하므로

$4\le x<7$

따라서 자연수 x는 4, 5, 6이므로 그 합은

$4+5+6=15$

05-5 답 3

해결전략 | 부등식의 해를 구한 후, 그 해를 만족시키는 정수 x의 개수가 7임을 이용한다.

STEP1 진수의 조건을 이용하여 x의 값의 범위 구하기

진수의 조건에서 $x-1>0$, $\frac{1}{2}x+k>0$이므로

$x>1$이고 $x>-2k$

이때 자연수 k에 대하여 $-2k<1$이므로

$x>1$ ······ ㉠

STEP2 $0<$(밑)<1임을 이용하여 x의 값의 범위 구하기

$\log_{\frac{1}{5}}(x-1)\ge\log_{\frac{1}{5}}\left(\frac{1}{2}x+k\right)$에서

밑이 $\frac{1}{5}$이고 $0<\frac{1}{5}<1$이므로

$x-1\le\frac{1}{2}x+k$

$\therefore x\le 2k+2$ ······ ㉡

STEP3 정수 x의 개수가 7임을 이용하여 자연수 k의 값 구하기

㉠, ㉡에서 $1<x\le 2(k+1)$이고, 모든 정수 x의 개수가 7이므로

$2(k+1)-1=7$, $k+1=4$

$\therefore k=3$

05-6 답 2

해결전략 | $0<$(밑)<1, (밑)>1인 경우로 나누어 생각한다.

STEP1 진수의 조건을 이용하여 x의 값의 범위 구하기

진수의 조건에서 $x+3>0$, $1-x>0$이므로

$-3<x<1$ ······ ㉠

STEP2 밑의 범위에 따라 로그부등식의 해를 구하여 a의 값 구하기

$\log_a(x+3)>\log_a(1-x)+1$에서

$\log_a(x+3)>\log_a(1-x)+\log_a a$

$\log_a(x+3)>\log_a a(1-x)$

(i) $0<a<1$일 때 → 부등호의 방향이 바뀐다.

$x+3<a(1-x)$이므로

$(a+1)x<a-3$

이때 $a+1>0$이므로

$x<\dfrac{a-3}{a+1}$ ······ ㉡

그런데 ㉠, ㉡의 공통 범위는 주어진 부등식의 해 $-\dfrac{1}{3}<x<1$을 만족시킬 수 없다.

(ii) $a>1$일 때 → 부등호의 방향이 그대로이다.

$x+3>a(1-x)$이므로

$(a+1)x>a-3$

이때 $a+1>0$이므로

$x>\dfrac{a-3}{a+1}$ ······ ㉢

주어진 부등식의 해는 $-\dfrac{1}{3}<x<1$이므로 ㉠, ㉢에서

$\dfrac{a-3}{a+1}=-\dfrac{1}{3}$, $3a-9=-a-1$

$4a=8$ $\therefore a=2$

(i), (ii)에 의하여 $a=2$

169쪽

06-1 답 (1) $0<x<4$ 또는 $x>16$

(2) $\dfrac{1}{25}<x<\sqrt{5}$

(3) $0<x\leq\dfrac{1}{27}$ 또는 $x\geq3$

(4) $\dfrac{1}{16}<x<8$

해결전략 | $\log_a x=t$로 치환하여 주어진 방정식을 t에 대한 이차부등식으로 나타낸다.

(1) **STEP1** 진수의 조건을 이용하여 x의 값의 범위 구하기

진수의 조건에서 $x>0$, $x^2>0$이므로

$x>0$ ...... ㉠

STEP2 $\log_{\frac{1}{2}} x=t$로 놓고 t에 대한 이차부등식 풀기

$\left(\log_{\frac{1}{2}} x\right)^2+3\log_{\frac{1}{2}} x^2+8>0$에서

$\left(\log_{\frac{1}{2}} x\right)^2+6\log_{\frac{1}{2}} x+8>0$

$\log_{\frac{1}{2}} x=t$로 놓으면

$t^2+6t+8>0$

$(t+4)(t+2)>0$

$\therefore t<-4$ 또는 $t>-2$

STEP3 구한 해에 t 대신 $\log_{\frac{1}{2}} x$를 대입하여 x의 값의 범위 구하기

즉, $\log_{\frac{1}{2}} x<-4$ 또는 $\log_{\frac{1}{2}} x>-2$이므로

$\log_{\frac{1}{2}} x<\log_{\frac{1}{2}}\left(\dfrac{1}{2}\right)^{-4}$ 또는 $\log_{\frac{1}{2}} x>\log_{\frac{1}{2}}\left(\dfrac{1}{2}\right)^{-2}$

밑이 $\dfrac{1}{2}$이고 $0<\dfrac{1}{2}<1$이므로

$x>16$ 또는 $x<4$ ...... ㉡

㉠, ㉡에 의하여 $0<x<4$ 또는 $x>16$

(2) **STEP1** 진수의 조건을 이용하여 x의 값의 범위 구하기

진수의 조건에서 $x>0$ ...... ㉠

STEP2 $\log_5 x=t$로 놓고 t에 대한 이차부등식 풀기

$2(\log_5 x)^2<2-3\log_5 x$에서

$2(\log_5 x)^2+3\log_5 x-2<0$

$\log_5 x=t$로 놓으면

$2t^2+3t-2<0$, $(t+2)(2t-1)<0$

$\therefore -2<t<\dfrac{1}{2}$

STEP3 구한 해에 t 대신 $\log_5 x$를 대입하여 x의 값의 범위 구하기

즉, $-2<\log_5 x<\dfrac{1}{2}$이므로

$\log_5 5^{-2}<\log_5 x<\log_5 5^{\frac{1}{2}}$

밑이 5이고 $5>1$이므로

$\dfrac{1}{25}<x<\sqrt{5}$ ...... ㉡

㉠, ㉡에 의하여 $\dfrac{1}{25}<x<\sqrt{5}$

(3) **STEP1** 진수의 조건을 이용하여 x의 값의 범위 구하기

진수의 조건에서 $9x>0$, $x>0$이므로

$x>0$ ...... ㉠

STEP2 $\log_3 x=t$로 놓고 t에 대한 이차부등식 풀기

$\log_3 9x \times \log_{\sqrt{3}} x \geq 6$에서

$(2+\log_3 x)\times 2\log_3 x \geq 6$

$\log_3 x=t$로 놓으면

$(2+t)\times 2t \geq 6$, $t^2+2t-3 \geq 0$

$(t+3)(t-1)\geq 0$

$\therefore t\leq-3$ 또는 $t\geq1$

STEP3 구한 해에 t 대신 $\log_3 x$를 대입하여 x의 값의 범위 구하기

즉, $\log_3 x\leq-3$ 또는 $\log_3 x\geq1$이므로

$\log_3 x\leq\log_3 3^{-3}$ 또는 $\log_3 x\geq\log_3 3$

밑이 3이고 $3>1$이므로

$x\leq\dfrac{1}{27}$ 또는 $x\geq3$ ...... ㉡

㉠, ㉡에 의하여 $0<x\leq\dfrac{1}{27}$ 또는 $x\geq3$

(4) **STEP1** 진수의 조건을 이용하여 x의 값의 범위 구하기

진수의 조건에서 $\dfrac{2}{x}>0$, $4x>0$이므로

$x>0$ ...... ㉠

STEP2 $\log_2 x=t$로 놓고 t에 대한 이차부등식 풀기

$\log_{\frac{1}{2}}\dfrac{2}{x}\times\log_2 4x<10$에서

$\log_{2^{-1}}\left(\dfrac{x}{2}\right)^{-1}\times\log_2 4x<10$

$\log_2\dfrac{x}{2}\times\log_2 4x<10$

$(\log_2 x-\log_2 2)(\log_2 4+\log_2 x)<10$

$(\log_2 x-1)(2+\log_2 x)<10$

$\log_2 x=t$로 놓으면

$(t-1)(2+t)<10$

$t^2+t-12<0$

$(t+4)(t-3)<0$

$\therefore -4<t<3$

STEP3 구한 해에 t 대신 $\log_2 x$를 대입하여 x의 값의 범위 구하기

즉, $-4<\log_2 x<3$이므로

$\log_2 2^{-4}<\log_2 x<\log_2 2^3$

밑이 2이고 2>1이므로

$$\frac{1}{16}<x<8 \qquad\qquad \cdots\cdots ⓒ$$

㉠, ⓒ에 의하여 $\dfrac{1}{16}<x<8$

06-2 답 20

해결전략 | $\log_{\frac{1}{4}} x=t$로 치환하여 주어진 방정식을 t에 대한
이차부등식으로 나타낸다.

STEP1 진수의 조건을 이용하여 x의 값의 범위 구하기

진수의 조건에서 $x>0$ $\qquad\qquad \cdots\cdots ㉠$

STEP2 $\log_{\frac{1}{4}} x=t$로 놓고 t에 대한 이차부등식 풀기

$\log_{\frac{1}{4}} x^3+(\log_{\frac{1}{4}} x)^2\le -2$에서

$(\log_{\frac{1}{4}} x)^2+3\log_{\frac{1}{4}} x+2\le 0$

$\log_{\frac{1}{4}} x=t$로 놓으면

$t^2+3t+2\le 0$

$(t+2)(t+1)\le 0$

$\therefore -2\le t\le -1$

STEP3 부등식을 만족시키는 x의 값의 범위를 구하여 α, β의 값 구하기

즉, $-2\le \log_{\frac{1}{4}} x\le -1$이므로

$\log_{\frac{1}{4}}\left(\dfrac{1}{4}\right)^{-2}\le \log_{\frac{1}{4}} x\le \log_{\frac{1}{4}}\left(\dfrac{1}{4}\right)^{-1}$

밑이 $\dfrac{1}{4}$이고 $0<\dfrac{1}{4}<1$이므로

$4\le x\le 16$ $\qquad\qquad \cdots\cdots ⓒ$

㉠, ⓒ에 의하여 $4\le x\le 16$

따라서 $\alpha=4$, $\beta=16$이므로

$\alpha+\beta=20$

06-3 답 32

해결전략 | $\log_2 x=t$로 치환하여 주어진 방정식을 t에 대한
이차부등식으로 나타낸다.

STEP1 진수의 조건을 이용하여 x의 값의 범위 구하기

진수의 조건에서 $\dfrac{4}{x}>0$, $\dfrac{8}{x}>0$이므로

$x>0$ $\qquad\qquad \cdots\cdots ㉠$

STEP2 $\log_2 x=t$로 놓고 t에 대한 이차부등식 풀기

$\log_2 \dfrac{4}{x}\times \log_{\frac{1}{2}} \dfrac{8}{x}+12<0$에서

$(\log_2 4-\log_2 x)(\log_{\frac{1}{2}} 8-\log_{\frac{1}{2}} x)+12<0$

$(2-\log_2 x)(-3+\log_2 x)+12<0$

$\log_2 x=t$로 놓으면

$(2-t)(-3+t)+12<0$, $t^2-5t-6>0$

$(t+1)(t-6)>0$

$\therefore t<-1$ 또는 $t>6$

**STEP3 부등식을 만족시키는 x의 값의 범위를 구하여 α, β의
값 구하기**

즉, $\log_2 x<-1$ 또는 $\log_2 x>6$이므로

$\log_2 x<\log_2 2^{-1}$ 또는 $\log_2 x>\log_2 2^6$

밑이 2이고 2>1이므로

$x<\dfrac{1}{2}$ 또는 $x>64$ $\qquad\qquad \cdots\cdots ⓒ$

㉠, ⓒ에 의하여 $0<x<\dfrac{1}{2}$ 또는 $x>64$

따라서 $\alpha=\dfrac{1}{2}$, $\beta=64$이므로

$\alpha\beta=32$

06-4 답 $\dfrac{1}{25}$

해결전략 | $\log_5 x=t$로 치환하여 주어진 방정식을 t에 대한
이차부등식으로 나타낸다.

STEP1 진수의 조건을 이용하여 x의 값의 범위 구하기

진수의 조건에서 $x>0$, $25x>0$이므로

$x>0$ $\qquad\qquad \cdots\cdots ㉠$

STEP2 $\log_5 x=t$로 놓고 t에 대한 이차부등식 풀기

$\log_5 x\times \log_5 25x\le 48$에서

$\log_5 x(\log_5 25+\log_5 x)\le 48$

$\log_5 x(2+\log_5 x)\le 48$

$\log_5 x=t$로 놓으면

$t(2+t)\le 48$, $t^2+2t-48\le 0$

$(t+8)(t-6)\le 0$

$\therefore -8\le t\le 6$

**STEP3 부등식을 만족시키는 x의 값의 범위를 구하여 x의 최
댓값 M과 최솟값 m 구하기**

즉, $-8\le \log_5 x\le 6$이므로

$\log_5 5^{-8}\le \log_5 x\le \log_5 5^6$

밑이 5이고 5>1이므로

$5^{-8}\le x\le 5^6$ $\qquad\qquad \cdots\cdots ⓒ$

㉠, ⓒ에서 $5^{-8}\le x\le 5^6$

따라서 최댓값은 5^6이고 최솟값은 5^{-8}이므로

$M=5^6$, $m=5^{-8}$

$\therefore Mm=5^6\times 5^{-8}=5^{-2}=\dfrac{1}{25}$

06-5 답 5

해결전략 | 식을 변형하여 $\log_3 x = t$로 치환한 후 주어진 부등식의 해를 이용하여 t에 대한 이차부등식의 해를 구한다.

STEP 1 양변의 밑을 같게 하여 식 변형하기

$(\log_{\frac{1}{3}} x)^2 + a \log_3 x + b > 0$에서

$(-\log_3 x)^2 + a \log_3 x + b > 0$

$(\log_3 x)^2 + a \log_3 x + b > 0$

STEP 2 $\log_3 x = t$로 놓고 t에 대한 이차부등식의 해 구하기

$\log_3 x = t$로 놓으면

$t^2 + at + b > 0$ ...... ㉠

이때 주어진 부등식의 해가 $0 < x < \dfrac{1}{9}$ 또는 $x > 27$이므로 부등식 ㉠의 해는

$\log_3 x < -2$ 또는 $\log_3 x > 3$

$\therefore t < -2$ 또는 $t > 3$

STEP 3 t에 대한 부등식을 세워 a, b의 값 구하기

해가 $t < -2$ 또는 $t > 3$이고 t^2의 계수가 1인 이차부등식은

$(t+2)(t-3) > 0$, 즉 $t^2 - t - 6 > 0$ ...... ㉡

㉠, ㉡이 일치해야 하므로

$a = -1$, $b = -6$

$\therefore a - b = -1 - (-6) = 5$

06-6 답 5

해결전략 | 두 집합 A, B를 구한 후 두 집합의 공통인 원소가 존재함을 이용한다.

STEP 1 집합 A 구하기

A: $x^2 - 5x + 4 \le 0$에서

$(x-1)(x-4) \le 0$

$\therefore 1 \le x \le 4$

$\therefore A = \{x \,|\, 1 \le x \le 4\}$

STEP 2 집합 B 구하기

B: 진수의 조건에서 $x > 0$

$(\log_2 x)^2 - 2k \log_2 x + k^2 - 1 \le 0$에서

$\log_2 x = t$로 놓으면

$t^2 - 2kt + k^2 - 1 \le 0$

$\{t - (k-1)\}\{t - (k+1)\} \le 0$

$\therefore k-1 \le t \le k+1$

즉, $k-1 \le \log_2 x \le k+1$이므로

$\log_2 2^{k-1} \le \log_2 x \le \log_2 2^{k+1}$

$\therefore 2^{k-1} \le x \le 2^{k+1}$

$\therefore B = \{x \,|\, 2^{k-1} \le x \le 2^{k+1}\}$

STEP 3 $A \cap B \ne \varnothing$을 만족시키는 정수 k의 값 구하기

두 집합 A, B를 수직선 위에 나타내면 다음과 같다.

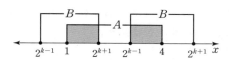

$A \cap B \ne \varnothing$을 만족시키려면

$1 \le 2^{k+1}$, $2^{k-1} \le 4$ ← 수직선에서 두 집합 A, B의 공통인 부분이 있다.

즉, $0 \le k+1$, $k-1 \le 2$이므로

$-1 \le k \le 3$
  - $1 \le 2^{k+1}$에서 $2^0 \le 2^{k+1}$ $\therefore 0 \le k+1$
  - $2^{k-1} \le 4$에서 $2^{k-1} \le 2^2$ $\therefore k-1 \le 2$

따라서 정수 k는 -1, 0, 1, 2, 3의 5개이다.

필수유형 **07**　　　　　171쪽

07-1 답 (1) $\dfrac{1}{10} \le x \le 100$

(2) $0 < x < 3$ 또는 $x > 81$

(3) $\dfrac{1}{2} \le x \le \sqrt{2}$

해결전략 | 치환을 이용하여 부등식의 해를 구한다.

(1) **STEP 1** 진수의 조건을 이용하여 x의 값의 범위 구하기

진수의 조건에서 $x > 0$ ...... ㉠

STEP 2 양변에 상용로그를 취한 후 $\log x = t$로 놓고 t에 대한 이차부등식 풀기

$x^{\log x} \le 100x$의 양변에 상용로그를 취하면

$\log x^{\log x} \le \log 100x$

$\log x \times \log x \le \log 100 + \log x$

$(\log x)^2 \le 2 + \log x$

$\log x = t$로 놓으면

$t^2 \le 2 + t$, $t^2 - t - 2 \le 0$

$(t+1)(t-2) \le 0$

$\therefore -1 \le t \le 2$

STEP 3 구한 해에 t 대신 $\log x$를 대입하여 x의 값의 범위 구하기

즉, $-1 \le \log x \le 2$이므로

$\log 10^{-1} \le \log x \le \log 10^2$

밑이 10이고 $10 > 1$이므로

$\dfrac{1}{10} \le x \le 100$ ...... ㉡

㉠, ㉡에 의하여 $\dfrac{1}{10} \le x \le 100$

(2) **STEP1** 진수의 조건을 이용하여 x의 값의 범위 구하기

진수의 조건에서 $x>0$ ...... ㉠

STEP2 양변에 밑이 3인 로그를 취한 후 $\log_3 x=t$로 놓고 t에 대한 이차부등식 풀기

$x^{\log_3 x}>\dfrac{x^5}{81}$의 양변에 밑이 3인 로그를 취하면

$$\log_3 x^{\log_3 x}>\log_3 \dfrac{x^5}{81}$$

$$\log_3 x\times\log_3 x>\log_3 x^5-\log_3 81$$

$$(\log_3 x)^2>5\log_3 x-4$$

$\log_3 x=t$로 놓으면

$$t^2>5t-4,\ t^2-5t+4>0$$

$$(t-1)(t-4)>0$$

$$\therefore t<1\ \text{또는}\ t>4$$

STEP3 구한 해에 t 대신 $\log_3 x$를 대입하여 x의 값의 범위 구하기

즉, $\log_3 x<1$ 또는 $\log_3 x>4$이므로

$\log_3 x<\log_3 3$ 또는 $\log_3 x>\log_3 3^4$

밑이 3이고 $3>1$이므로

$x<3$ 또는 $x>81$ ...... ㉡

㉠, ㉡에 의하여 $0<x<3$ 또는 $x>81$

(3) **STEP1** 진수의 조건을 이용하여 x의 값의 범위 구하기

진수의 조건에서 $x>0$ ...... ㉠

STEP2 양변에 밑이 0.5인 로그를 취한 후 $\log_{0.5} x=t$로 놓고 t에 대한 이차부등식 풀기

$x^{\log_{0.5} x}\geq\sqrt{\dfrac{x}{2}}$의 양변에 밑이 0.5인 로그를 취하면

$$\log_{0.5} x^{\log_{0.5} x}\leq\log_{0.5}\sqrt{\dfrac{x}{2}}$$

$$\log_{0.5} x\times\log_{0.5} x\leq\log_{0.5}\left(\dfrac{x}{2}\right)^{\frac{1}{2}}$$

$$(\log_{0.5} x)^2\leq\dfrac{1}{2}\log_{0.5} 0.5x$$

$$(\log_{0.5} x)^2\leq\dfrac{1}{2}(\log_{0.5} 0.5+\log_{0.5} x)$$

$$(\log_{0.5} x)^2\leq\dfrac{1}{2}(1+\log_{0.5} x)$$

STEP3 구한 해에 t 대신 $\log_{0.5} x$를 대입하여 x의 값의 범위 구하기

$\log_{0.5} x=t$로 놓으면

$$t^2\leq\dfrac{1}{2}(1+t)$$

$$2t^2-t-1\leq0$$

$$(2t+1)(t-1)\leq0$$

$$\therefore -\dfrac{1}{2}\leq t\leq1$$

즉, $-\dfrac{1}{2}\leq\log_{0.5} x\leq1$이므로

$$\log_{0.5} 0.5^{-\frac{1}{2}}\leq\log_{0.5} x\leq\log_{0.5} 0.5$$

밑이 0.5이고 $0<0.5<1$이므로

$\dfrac{1}{2}\leq x\leq\sqrt{2}$ ...... ㉡

㉠, ㉡에 의하여 $\dfrac{1}{2}\leq x\leq\sqrt{2}$

07-2 답 124

해결전략 | 지수에 밑이 $\dfrac{1}{5}$인 로그가 있으므로 양변에 밑이 $\dfrac{1}{5}$인 로그를 취한 후 $\log_{\frac{1}{5}} x=t$로 치환한다.

STEP1 진수의 조건을 이용하여 x의 값의 범위 구하기

진수의 조건에서 $x>0$ ...... ㉠

STEP2 양변에 밑이 $\dfrac{1}{5}$인 로그를 취한 후 $\log_{\frac{1}{5}} x=t$로 놓고 t에 대한 이차부등식 풀기

$x^{\log_{\frac{1}{5}} x+2}>\dfrac{1}{125}$의 양변에 밑이 $\dfrac{1}{5}$인 로그를 취하면

$$\log_{\frac{1}{5}} x^{\log_{\frac{1}{5}} x+2}<\log_{\frac{1}{5}}\dfrac{1}{125}$$

$$(\log_{\frac{1}{5}} x+2)\log_{\frac{1}{5}} x<3$$

$\log_{\frac{1}{5}} x=t$로 놓으면

$$(t+2)t<3,\ t^2+2t-3<0$$

$$(t+3)(t-1)<0$$

$$\therefore -3<t<1$$

STEP3 부등식을 만족시키는 x의 값의 범위를 구하여 자연수 x의 개수 구하기

즉, $-3<\log_{\frac{1}{5}} x<1$이므로

$$\log_{\frac{1}{5}}\left(\dfrac{1}{5}\right)^{-3}<\log_{\frac{1}{5}} x<\log_{\frac{1}{5}}\dfrac{1}{5}$$

밑이 $\dfrac{1}{5}$이고 $0<\dfrac{1}{5}<1$이므로

$\dfrac{1}{5}<x<125$ ...... ㉡

㉠, ㉡에 의하여 $\dfrac{1}{5}<x<125$

따라서 자연수 x는 1, 2, 3, $\cdots$, 124의 124개이다.

07-3 답 9

해결전략 | 지수에 밑이 2인 로그가 있으므로 양변에 밑이 2인 로그를 취한 후 $\log_2 x=t$로 치환한다.

STEP1 진수의 조건을 이용하여 x의 값의 범위 구하기

진수의 조건에서 $x>0$ ...... ㉠

STEP2 양변에 밑이 2인 로그를 취한 후 $\log_2 x = t$로 놓고 t에 대한 이차부등식 풀기

$x^{\log_2 x - 1} \leq \dfrac{x^2}{4}$의 양변에 밑이 2인 로그를 취하면

$\log_2 x^{\log_2 x - 1} \leq \log_2 \dfrac{x^2}{4}$

$(\log_2 x - 1)\log_2 x \leq \log_2 x^2 - \log_2 4$

$(\log_2 x - 1)\log_2 x \leq 2\log_2 x - 2$

$\log_2 x = t$로 놓으면

$(t-1)t \leq 2t - 2$, $t^2 - 3t + 2 \leq 0$

$(t-1)(t-2) \leq 0$

$\therefore 1 \leq t \leq 2$

STEP3 부등식을 만족시키는 x의 값의 범위를 구하여 모든 정수 x의 값의 합 구하기

즉, $1 \leq \log_2 x \leq 2$이므로

$\log_2 2 \leq \log_2 x \leq \log_2 2^2$

밑이 2이고 $2 > 1$이므로

$2 \leq x \leq 4$ ...... ㉡

㉠, ㉡에 의하여 $2 \leq x \leq 4$

따라서 정수 x는 2, 3, 4이므로 그 합은

$2 + 3 + 4 = 9$

07-4 答 $2 < x < 5$

해결전략 | 지수에 밑이 4인 로그가 있으므로 양변에 밑이 4인 로그를 취한 후 $\log_4(x-1) = t$로 치환한다.

STEP1 진수의 조건을 이용하여 x의 값의 범위 구하기

진수의 조건에서 $x - 1 > 0$이므로

$x > 1$ ...... ㉠

STEP2 양변에 밑이 4인 로그를 취한 후 $\log_4(x-1) = t$로 놓고 t에 대한 이차부등식 풀기

$(x-1)^{\log_4(x-1)} + 1 < x$에서

$(x-1)^{\log_4(x-1)} < x - 1$

양변에 밑이 4인 로그를 취하면

$\log_4(x-1)^{\log_4(x-1)} < \log_4(x-1)$

$\log_4(x-1) \times \log_4(x-1) < \log_4(x-1)$

$\{\log_4(x-1)\}^2 < \log_4(x-1)$

$\log_4(x-1) = t$로 놓으면

$t^2 < t$, $t^2 - t < 0$, $t(t-1) < 0$

$\therefore 0 < t < 1$

STEP3 구한 해에 t 대신 $\log_4(x-1)$을 대입하여 x의 값의 범위 구하기

즉, $0 < \log_4(x-1) < 1$이므로

$\log_4 1 < \log_4(x-1) < \log_4 4$

밑이 4이고 $4 > 1$이므로

$1 < x - 1 < 4$

$\therefore 2 < x < 5$ ...... ㉡

㉠, ㉡에 의하여 $2 < x < 5$

07-5 答 90

해결전략 | $a^{\log x} = x^{\log a}$임을 이용하여 식을 변형한다.

STEP1 진수의 조건을 이용하여 x의 값의 범위 구하기

진수의 조건에서 $x > 0$ ...... ㉠

STEP2 $3^{\log x} = x^{\log 3}$임을 이용하여 식을 변형한 후 $3^{\log x} = t$ ($t > 0$)로 놓고 t에 대한 이차부등식 풀기

$3^{\log x} \times x^{\log 3} - 6(3^{\log x} + x^{\log 3}) + 27 < 0$에서

$x^{\log 3} = 3^{\log x}$이므로

$3^{\log x} \times 3^{\log x} - 6(3^{\log x} + 3^{\log x}) + 27 < 0$

$(3^{\log x})^2 - 12 \times 3^{\log x} + 27 < 0$

$3^{\log x} = t$ ($t > 0$)로 놓으면

$t^2 - 12t + 27 < 0$, $(t-3)(t-9) < 0$

$\therefore 3 < t < 9$

STEP3 부등식을 만족시키는 x의 값의 범위를 구하여 α, β의 값 구하기

즉, $3 < 3^{\log x} < 9$이므로

$3 < 3^{\log x} < 3^2$

지수의 밑이 3이고 $3 > 1$이므로

$1 < \log x < 2$

$\log 10 < \log x < \log 100$

로그의 밑이 10이고 $10 > 1$이므로

$10 < x < 100$ ...... ㉡

㉠, ㉡에 의하여 $10 < x < 100$

따라서 $\alpha = 10$, $\beta = 100$이므로

$\beta - \alpha = 100 - 10 = 90$

07-6 答 30

해결전략 | 조건 (가)는 양변에 상용로그를 취하고, 조건 (나)는 양변에 밑이 $\dfrac{1}{2}$인 로그를 취한다.

STEP1 조건 (가)에서 x의 값의 범위 구하기

조건 (가)의 양변에 상용로그를 취하면

$\log 2^{2x+1} > \log 10^{5-x}$

$(2x+1)\log 2 > 5 - x$

$(2\log 2 + 1)x > 5 - \log 2$

$(2 \times 0.3 + 1)x > 5 - 0.3$, $1.6x > 4.7$

$\therefore x > \dfrac{4.7}{1.6} = 2.9\cdots$

STEP2 조건 (나)에서 x의 값의 범위 구하기

조건 (나)의 진수의 조건에서

$x>0$ ...... ㉠

$(4x)^{\log_{\frac{1}{2}} x+4} \geq \dfrac{1}{128}$의 양변에 밑이 $\dfrac{1}{2}$인 로그를 취하면

$\log_{\frac{1}{2}}(4x)^{\log_{\frac{1}{2}} x+4} \leq \log_{\frac{1}{2}} \dfrac{1}{128}$

$(\log_{\frac{1}{2}} x+4)\log_{\frac{1}{2}} 4x \leq \log_{\frac{1}{2}}\left(\dfrac{1}{2}\right)^7$

$(\log_{\frac{1}{2}} x+4) \times (\log_{\frac{1}{2}} 4+\log_{\frac{1}{2}} x) \leq \log_{\frac{1}{2}}\left(\dfrac{1}{2}\right)^7$

$(\log_{\frac{1}{2}} x+4)(-2+\log_{\frac{1}{2}} x) \leq 7$

$\log_{\frac{1}{2}} x=t$로 놓으면

$(t+4)(-2+t) \leq 7,\ t^2+2t-15 \leq 0$

$(t+5)(t-3) \leq 0$

$\therefore\ -5 \leq t \leq 3$

즉, $-5 \leq \log_{\frac{1}{2}} x \leq 3$이므로

$\log_{\frac{1}{2}}\left(\dfrac{1}{2}\right)^{-5} \leq \log_{\frac{1}{2}} x \leq \log_{\frac{1}{2}}\left(\dfrac{1}{2}\right)^{3}$

밑이 $\dfrac{1}{2}$이고 $0<\dfrac{1}{2}<1$이므로

$\dfrac{1}{8} \leq x \leq 32$ ...... ㉡

㉠, ㉡에 의하여 $\dfrac{1}{8} \leq x \leq 32$

STEP3 조건 (가), (나)를 모두 만족시키는 x의 값의 범위 구하기

따라서 조건 (가), (나)를 모두 만족시키는 x의 값의 범위는 $2.9\cdots < x \leq 32$이므로 정수 x는 $3,\ 4,\ 5,\ \cdots,\ 32$의 30개이다.

➕발전유형 08 173쪽

08-1 답 $\dfrac{1}{9}<a<27$

해결전략ㅣ 이차방정식이 실근을 갖지 않으려면 판별식 $D<0$이어야 함을 이용한다.

STEP1 이차방정식의 판별식을 이용하여 로그부등식 세우기

진수의 조건에서 $a>0$ ...... ㉠

이차방정식 $x^2+2(1-\log_3 a)x-\log_3 a+7=0$이 실근을 갖지 않으려면 이 이차방정식의 판별식을 D라고 할 때

$\dfrac{D}{4}=(1-\log_3 a)^2-(-\log_3 a+7)<0$

$(\log_3 a)^2-\log_3 a-6<0$

STEP2 로그부등식을 풀어 a의 값의 범위 구하기

$\log_3 a=t$로 놓으면

$t^2-t-6<0,\ (t+2)(t-3)<0$

$\therefore\ -2<t<3$

즉, $-2<\log_3 a<3$이므로

$\log_3 3^{-2}<\log_3 a<\log_3 3^3$

밑이 3이고 $3>1$이므로

$\dfrac{1}{9}<a<27$ ⟶ (밑)>1이므로 부등호의 방향이 바뀌지 않는다. ...... ㉡

㉠, ㉡에 의하여 $\dfrac{1}{9}<a<27$

08-2 답 $0<k \leq \dfrac{1}{16}$ 또는 $k \geq \sqrt{2}$

해결전략ㅣ 이차방정식이 실근을 가지려면 판별식 $D \geq 0$이어야 함을 이용한다.

STEP1 이차방정식의 판별식을 이용하여 로그부등식 세우기

진수의 조건에서 $k>0$ ...... ㉠

이차방정식 $x^2-4(1+\log_4 k)x+\log_4 k+6=0$이 실근을 가지려면 이 이차방정식의 판별식을 D라고 할 때

$\dfrac{D}{4}=\{-2(1+\log_4 k)\}^2-(\log_4 k+6) \geq 0$

$4(\log_4 k)^2+7\log_4 k-2 \geq 0$

STEP2 로그부등식을 풀어 정수 k의 개수 구하기

$\log_4 k=t$로 놓으면

$4t^2+7t-2 \geq 0,\ (t+2)(4t-1) \geq 0$

$\therefore\ t \leq -2$ 또는 $t \geq \dfrac{1}{4}$

즉, $\log_4 k \leq -2$ 또는 $\log_4 k \geq \dfrac{1}{4}$이므로

$\log_4 k \leq \log_4 4^{-2}$ 또는 $\log_4 k \geq \log_4 4^{\frac{1}{4}}$

밑이 4이고 $4>1$이므로

$k \leq \dfrac{1}{16}$ 또는 $k \geq \sqrt{2}$ ...... ㉡

㉠, ㉡에 의하여

$0<k \leq \dfrac{1}{16}$ 또는 $k \geq \sqrt{2}$

08-3 답 9

해결전략ㅣ 이차방정식이 서로 다른 두 실근을 가지려면 판별식 $D>0$이어야 함을 이용한다.

STEP1 이차방정식의 판별식을 이용하여 로그부등식 세우기

진수의 조건에서 $a>0$ ...... ㉠

$4+\log_{\frac{1}{2}} a \neq 0$에서 $a \neq 16$ ...... ㉡

이차방정식 $(4+\log_{\frac{1}{2}} a)x^2-(1+\log_{\frac{1}{2}} a)x+1=0$이

서로 다른 두 실근을 가지려면 이 이차방정식의 판별식을 D라고 할 때

$D=\{-(1+\log_{\frac{1}{2}} a)\}^2-4\times(4+\log_{\frac{1}{2}} a)\times 1>0$

$(\log_{\frac{1}{2}} a)^2-2\log_{\frac{1}{2}} a-15>0$

STEP 2 로그부등식을 풀어 자연수 a의 최솟값 구하기

$\log_{\frac{1}{2}} a=t$로 놓으면

$t^2-2t-15>0,\ (t+3)(t-5)>0$

$\therefore t<-3$ 또는 $t>5$

즉, $\log_{\frac{1}{2}} a<-3$ 또는 $\log_{\frac{1}{2}} a>5$이므로

$\log_{\frac{1}{2}} a<\log_{\frac{1}{2}}\left(\frac{1}{2}\right)^{-3}$ 또는 $\log_{\frac{1}{2}} a>\log_{\frac{1}{2}}\left(\frac{1}{2}\right)^{5}$

밑이 $\frac{1}{2}$이고 $0<\frac{1}{2}<1$이므로

$a<\frac{1}{32}$ 또는 $a>8$ ▸ $0<(밑)<1$이므로 부등호의 방향이 바뀐다. $\quad\cdots\cdots$ ㉢

㉠, ㉡, ㉢에 의하여

$0<a<\frac{1}{32}$ 또는 $8<a<16$ 또는 $a>16$

따라서 자연수 a의 최솟값은 9이다.

08-4 답 41

해결전략 | 이차방정식의 근이 모두 양수이려면 (판별식)≥0, (두 근의 합)>0, (두 근의 곱)>0임을 이용한다.

STEP 1 진수의 조건을 이용하여 k의 값의 범위 구하기

진수의 조건에서 $k>0$ $\quad\cdots\cdots$ ㉠

STEP 2 이차방정식의 두 근이 양수일 조건을 이용하여 k의 값의 범위 구하기

이차방정식 $x^2-2x\log_6 k+2-\log_6 k=0$의 두 근을 α, β라 하고 판별식을 D라고 하면

(ⅰ) $\dfrac{D}{4}=(-\log_6 k)^2-(2-\log_6 k)\geq0$에서

$(\log_6 k)^2+\log_6 k-2\geq0$

$\log_6 k=t$로 놓으면

$t^2+t-2\geq0,\ (t+2)(t-1)\geq0$

$\therefore t\leq-2$ 또는 $t\geq1$

즉, $\log_6 k\leq-2$ 또는 $\log_6 k\geq1$이므로

$\log_6 k\leq\log_6 6^{-2}$ 또는 $\log_6 k\geq\log_6 6$

밑이 6이고 $6>1$이므로

$k\leq\dfrac{1}{36}$ 또는 $k\geq6$

(ⅱ) $\alpha+\beta=-(-2\log_6 k)=2\log_6 k>0$에서

$\log_6 k>0$이므로

$\log_6 k>\log_6 1$

밑이 6이고 $6>1$이므로 $k>1$

(ⅲ) $\alpha\beta=2-\log_6 k>0$에서

$\log_6 k<2$이므로

$\log_6 k<\log_6 6^2$

밑이 6이고 $6>1$이므로 $k<36$

(ⅰ)~(ⅲ)에 의하여 $6\leq k<36$ $\quad\cdots\cdots$ ㉡

STEP 3 정수 k의 최댓값과 최솟값의 합 구하기

㉠, ㉡에 의하여 $6\leq k<36$

따라서 정수 k의 최댓값은 35, 최솟값은 6이므로

그 합은 $35+6=41$

08-5 답 $\dfrac{1}{16}<a\leq\dfrac{1}{4}$

해결전략 | 이차방정식의 근이 모두 음수이려면 (판별식)≥0, (두 근의 합)<0, (두 근의 곱)>0임을 이용한다.

STEP 1 진수의 조건을 이용하여 a의 값의 범위 구하기

진수의 조건에서 $a>0$ $\quad\cdots\cdots$ ㉠

STEP 2 이차방정식의 두 근이 음수일 조건을 이용하여 a의 값의 범위 구하기

이차방정식 $2x^2-2x\log_2 a+\log_2 a+4=0$의 두 근을 α, β라 하고 판별식을 D라고 하면

(ⅰ) $\dfrac{D}{4}=(-\log_2 a)^2-2\times(\log_2 a+4)\geq0$에서

$(\log_2 a)^2-2\log_2 a-8\geq0$

$\log_2 a=t$로 놓으면

$t^2-2t-8\geq0,\ (t+2)(t-4)\geq0$

$\therefore t\leq-2$ 또는 $t\geq4$

즉, $\log_2 a\leq-2$ 또는 $\log_2 a\geq4$이므로

$\log_2 a\leq\log_2 2^{-2}$ 또는 $\log_2 a\geq\log_2 2^4$

밑이 2이고 $2>1$이므로

$a\leq\dfrac{1}{4}$ 또는 $a\geq16$

(ⅱ) $\alpha+\beta=-\dfrac{-2\log_2 a}{2}=\log_2 a<0$에서

$\log_2 a<\log_2 1$

밑이 2이고 $2>1$이므로 $a<1$

(ⅲ) $\alpha\beta=\dfrac{\log_2 a+4}{2}>0$에서 $\log_2 a+4>0$이므로

$\log_2 a>\log_2 2^{-4}$

밑이 2이고 $2>1$이므로 $a>\dfrac{1}{16}$

(i)~(iii)에 의하여 $\dfrac{1}{16}<a\leq\dfrac{1}{4}$ ...... ㉡

STEP3 a의 값의 범위 구하기

㉠, ㉡에 의하여 $\dfrac{1}{16}<a\leq\dfrac{1}{4}$

08-6 답 1

해결전략 | 이차방정식이 서로 다른 두 실근을 가지려면 판별식 $D>0$이어야 함을 이용한다.

STEP1 $\log x=t$로 놓고 t에 대한 이차방정식의 판별식을 이용하여 로그부등식 세우기

진수의 조건에서 $a>0$ ...... ㉠

$(\log x+\log 3)(\log x+\log 27)=-(\log a)^2$에서

$(\log x)^2+(\log 3+\log 27)\log x$
$\qquad\qquad +\log 3\times \log 27+(\log a)^2=0$

$(\log x)^2+4\log 3\times\log x+3(\log 3)^2+(\log a)^2=0$

$\log x=t$로 놓으면

$t^2+4t\log 3+3(\log 3)^2+(\log a)^2=0$

위의 t에 대한 이차방정식의 판별식을 D라고 하면

$\dfrac{D}{4}=(2\log 3)^2-\{3(\log 3)^2+(\log a)^2\}>0$

STEP2 로그부등식을 풀어 $\alpha,\,\beta$의 값 구하기

$(\log a)^2-(\log 3)^2<0$

$(\log a+\log 3)(\log a-\log 3)<0$

$\therefore\ -\log 3<\log a<\log 3$

즉, $\log 3^{-1}<\log a<\log 3$

밑이 10이고 10$>$1이므로

$\dfrac{1}{3}<a<3$ ...... ㉡

㉠, ㉡에 의하여 $\dfrac{1}{3}<a<3$

따라서 $\alpha=\dfrac{1}{3}$, $\beta=3$이므로

$\alpha\beta=\dfrac{1}{3}\times 3=1$

발전유형 09 175쪽

09-1 답 $a\geq\dfrac{1}{5}$

해결전략 | 로그의 성질을 이용하여 식을 변형한 후 $\log_5 x=t$로 치환하여 판별식을 이용한다.

STEP1 $\log_5 x=t$로 놓고 t에 대한 이차부등식 세우기

진수의 조건에서 $a>0$ ...... ㉠

$(\log_5 x)^2\geq\log_5\dfrac{x^2}{25a}$에서

$(\log_5 x)^2\geq\log_5 x^2-\log_5 25a$

$(\log_5 x)^2\geq 2\log_5 x-(2+\log_5 a)$

$\log_5 x=t$로 놓으면

$t^2\geq 2t-(2+\log_5 a)$

$t^2-2t+2+\log_5 a\geq 0$ ...... ㉡

STEP2 모든 실수 t에 대하여 부등식이 성립함을 이용하여 k의 값의 범위 구하기

주어진 부등식이 모든 양의 실수 x에 대하여 성립하려면 부등식 ㉡은 모든 실수 t에 대하여 성립해야 하므로 이차방정식 $t^2-2t+2+\log_5 a=0$의 판별식을 D라고 하면

$\dfrac{D}{4}=(-1)^2-(2+\log_5 a)\leq 0$

$-1-\log_5 a\leq 0$

$\log_5 a\geq -1$

즉, $\log_5 a\geq\log_5 5^{-1}$

밑이 5이고 5$>$1이므로

$a\geq\dfrac{1}{5}$ ...... ㉢

㉠, ㉢에 의하여 $a\geq\dfrac{1}{5}$

09-2 답 4

해결전략 | 로그의 성질을 이용하여 식을 변형한 후 $\log_2 x=t$로 치환하여 판별식을 이용한다.

STEP1 $\log_2 x=t$로 놓고 t에 대한 이차부등식 세우기

진수의 조건에서 $k>0$ ...... ㉠

$\log_2 x\Big(\log_{\frac{1}{2}} x+4\Big)+2\log_{\frac{1}{2}} k\leq 0$에서

$\log_2 x(-\log_2 x+4)-2\log_2 k\leq 0$

$\log_2 x=t$로 놓으면

$t(-t+4)-2\log_2 k\leq 0$

$t^2-4t+2\log_2 k\geq 0$ ...... ㉡

STEP2 모든 실수 t에 대하여 부등식이 성립함을 이용하여 k의 값의 범위 구하기

주어진 부등식이 모든 양의 실수 x에 대하여 성립하려면 부등식 ㉡은 모든 실수 t에 대하여 성립해야 하므로 이차방정식 $t^2-4t+2\log_2 k=0$의 판별식을 D라고 하면

$\dfrac{D}{4}=(-2)^2-2\log_2 k\leq 0$

$4-2\log_2 k\leq 0$, $\log_2 k\geq 2$

즉, $\log_2 k\geq\log_2 2^2$

밑이 2이고 2$>$1이므로

$k\geq 4$ ...... ㉢

⊙, ⓒ에 의하여 $k \geq 4$

따라서 정수 k의 최솟값은 4이다.

09-3 답 26

해결전략 | 로그의 성질을 이용하여 식을 변형한 후 $\log_{\sqrt{3}} x = t$로 치환하여 판별식을 이용한다.

STEP1 $\log_{\sqrt{3}} x = t$로 놓고 t에 대한 이차부등식 세우기

진수의 조건에서 $a > 0$ ...... ⊙

$(\log_{\sqrt{3}} x)^2 + 6\log_{\sqrt{3}} 3x > \log_3 a$에서

$(\log_{\sqrt{3}} x)^2 + 6(\log_{\sqrt{3}} 3 + \log_{\sqrt{3}} x) > \log_3 a$

$(\log_{\sqrt{3}} x)^2 + 6(2 + \log_{\sqrt{3}} x) > \log_3 a$

$\log_{\sqrt{3}} x = t$로 놓으면

$t^2 + 6(2 + t) > \log_3 a$

$t^2 + 6t + 12 - \log_3 a > 0$ ...... ⓒ

STEP2 모든 실수 t에 대하여 부등식이 성립함을 이용하여 a의 값의 범위 구하기

주어진 부등식이 모든 양의 실수 x에 대하여 성립하려면 부등식 ⓒ은 모든 실수 t에 대하여 성립해야 하므로 이차방정식 $t^2 + 6t + 12 - \log_3 a = 0$의 판별식을 D라고 하면

$\dfrac{D}{4} = 3^2 - (12 - \log_3 a) < 0$

$-3 + \log_3 a < 0$

$\log_3 a < 3$

즉, $\log_3 a < \log_3 3^3$

밑이 3이고 $3 > 1$이므로

$a < 27$ ...... ⓒ

⊙, ⓒ에 의하여 $0 < a < 27$

따라서 정수 a는 1, 2, 3, …, 26의 26개이다.

09-4 답 7

해결전략 | 지수에 밑이 4인 로그가 있으므로 양변에 밑이 4인 로그를 취한 후 $\log_4 x = t$로 치환하여 판별식을 이용한다.

STEP1 양변에 밑이 4인 로그를 취한 후 $\log_4 x = t$로 놓고 t에 대한 이차부등식 세우기

$x^{\log_4 x} > (16x)^k$의 양변에 밑이 4인 로그를 취하면

$\log_4 x^{\log_4 x} > \log_4 (16x)^k$

$\log_4 x \times \log_4 x > k(\log_4 16 + \log_4 x)$

$(\log_4 x)^2 > 2k + k\log_4 x$

$\log_4 x = t$로 놓으면

$t^2 > 2k + kt$

$t^2 - kt - 2k > 0$ ...... ⊙

STEP2 모든 실수 t에 대하여 부등식이 성립함을 이용하여 k의 값의 범위 구하기

주어진 부등식이 모든 양의 실수 x에 대하여 성립하려면 부등식 ⊙은 모든 실수 k에 대하여 성립해야 하므로 이차방정식 $t^2 - kt - 2k = 0$의 판별식을 D라고 하면

$D = (-k)^2 - 4 \times 1 \times (-2k) < 0$

$k^2 + 8k < 0$

$k(k + 8) < 0$

$\therefore -8 < k < 0$

따라서 정수 k는 -7, -6, -5, …, -1의 7개이다.

09-5 답 $a > 3$

해결전략 | 지수에 밑이 3인 로그가 있으므로 양변에 밑이 3인 로그를 취한 후 $\log_3 x = t$로 치환하여 판별식을 이용한다.

STEP1 양변에 밑이 3인 로그를 취한 후 $\log_3 x = t$로 놓고 t에 대한 이차부등식 세우기

$x^{-\log_3 x} < ax^2$의 양변에 밑이 3인 로그를 취하면

$\log_3 x^{-\log_3 x} < \log_3 ax^2$

$(-\log_3 x) \times \log_3 x < \log_3 a + \log_3 x^2$

$-(\log_3 x)^2 < \log_3 a + 2\log_3 x$

진수의 조건에서 $a > 0$ ...... ⊙

$\log_3 x = t$로 놓으면

$-t^2 < \log_3 a + 2t$

$t^2 + 2t + \log_3 a > 0$ ...... ⓒ

STEP2 모든 실수 t에 대하여 부등식이 성립함을 이용하여 a의 값의 범위 구하기

주어진 부등식이 모든 양의 실수 x에 대하여 성립하려면 부등식 ⓒ은 모든 실수 t에 대하여 성립해야 하므로 이차방정식 $t^2 + 2t + \log_3 a = 0$의 판별식을 D라고 하면

$\dfrac{D}{4} = 1^2 - \log_3 a < 0$

$\log_3 a > 1$

즉, $\log_3 a > \log_3 3$

밑이 3이고 $3 > 1$이므로

$a > 3$ ...... ⓒ

⊙, ⓒ에 의하여 $a > 3$

09-6 답 17

해결전략 | 로그의 성질을 이용하여 식을 변형한 후 $\log_2 x = t$로 치환하여 판별식을 이용한다.

STEP1 $\log_2 x = t$로 놓고 t에 대한 이차부등식 세우기

진수의 조건에서 $a > 0$ ...... ⊙

$\left(\log_2 \dfrac{x}{a}\right)\left(\log_2 \dfrac{x^2}{a}\right)+2\geq0$에서

$(\log_2 x-\log_2 a)(\log_2 x^2-\log_2 a)+2\geq0$

$(\log_2 x-\log_2 a)(2\log_2 x-\log_2 a)+2\geq0$

$2(\log_2 x)^2-3\log_2 a\times\log_2 x+(\log_2 a)^2+2\geq0$

$\log_2 x=t$로 놓으면

$2t^2-3t\log_2 a+(\log_2 a)^2+2\geq0$ ...... ㉡

STEP2 모든 실수 t에 대하여 부등식이 성립함을 이용하여 a의 값의 범위 구하기

주어진 부등식이 모든 양의 실수 x에 대하여 성립하려면 부등식 ㉡은 모든 실수 t에 대하여 성립해야 하므로 이차방정식 $2t^2-3t\log_2 a+(\log_2 a)^2+2=0$의 판별식을 D라고 하면

$D=(-3\log_2 a)^2-4\times2\times\{(\log_2 a)^2+2\}\leq0$

$(\log_2 a)^2-16\leq0$

$(\log_2 a+4)(\log_2 a-4)\leq0$

$-4\leq\log_2 a\leq4$

즉, $\log_2 2^{-4}\leq\log_2 a\leq\log_2 2^4$

밑이 2이고 $2>1$이므로

$\dfrac{1}{16}\leq a\leq16$ ...... ㉢

㉠, ㉢에 의하여 $\dfrac{1}{16}\leq a\leq16$

따라서 $M=16$, $m=\dfrac{1}{16}$이므로

$M+16m=16+1=17$

발전유형 ⑩ 177쪽

10-1 🔑 (1) 10배 (2) $10^{-5.6}$

해결전략 | 문제의 조건을 주어진 식에 대입한다.

(1) pH=6.2, pH=7.2인 용액 1 L 속에 들어 있는 수소이온 농도를 각각 a, b라고 하면

$6.2=-\log a$에서 $\log\dfrac{1}{a}=6.2$

즉, $\dfrac{1}{a}=10^{6.2}$이므로 $a=10^{-6.2}$

$7.2=-\log b$에서 $\log\dfrac{1}{b}=7.2$

즉, $\dfrac{1}{b}=10^{7.2}$이므로 $b=10^{-7.2}$

$\dfrac{a}{b}=\dfrac{10^{-6.2}}{10^{-7.2}}=10^{-6.2-(-7.2)}=10$이므로 $a=10b$

따라서 pH=6.2인 용액 1 L 속에 들어 있는 수소이온 농도는 pH=7.2인 용액 1 L 속에 들어 있는 수소이온 농도의 10배이다.

(2) 산성비 1 L 속에 들어 있는 수소 이온의 농도를 x라고 하면

$-\log x\leq5.6$에서

$\log\dfrac{1}{x}\leq\log 10^{5.6}$

$\dfrac{1}{x}\leq10^{5.6}$ ∴ $x\geq10^{-5.6}$

따라서 산성비 1 L 속에 들어 있는 최소 수소 이온 농도는 $10^{-5.6}$이다.

10-2 🔑 20년

해결전략 | 주어진 조건을 만족시키는 방정식을 세운다.

STEP1 주어진 상황을 식으로 나타내기

n년 후의 GNP는 $a(1+0.07)^n$ (원)

n년 후에 GNP가 4배가 된다고 하면

$a(1+0.07)^n=4a$

$1.07^n=4$

STEP2 양변에 상용로그를 취하여 n의 값 구하기

양변에 상용로그를 취하면

$\log 1.07^n=\log 4$

$n\log 1.07=2\log 2$

∴ $n=\dfrac{2\log 2}{\log 1.07}=\dfrac{2\times0.3}{0.03}=20$

따라서 올해 GNP의 4배가 되는 것은 20년 후이다.

10-3 🔑 5년

해결전략 | 주어진 조건을 만족시키는 부등식을 세운다.

STEP1 주어진 상황을 식으로 나타내기

올해 인구 수를 a라고 하면 n년 후 인구 수는

$a(1-0.05)^n$

n년 후에 인구 수가 80 % 이하가 된다고 하면

$a(1-0.05)^n\leq\dfrac{80}{100}$, $0.95^n\leq0.8$

STEP2 양변에 상용로그를 취하여 n의 값의 범위 구하기

양변에 상용로그를 취하면

$n\log 0.95\leq\log 0.8$

$n\log\dfrac{95}{100}\leq\log\dfrac{8}{10}$

$n\{\log(1.9\times5\times10)-2\}\leq3\log 2-1$

$n(\log 1.9 + \log 5 + \log 10 - 2) \le 3\log 2 - 1$

$n(\log 1.9 + 1 - \log 2 + 1 - 2) \le 3\log 2 - 1$

$n(\log 1.9 - \log 2) \le 3\log 2 - 1$

$n(0.28 - 0.3) \le 3 \times 0.3 - 1$

$-0.02n \le -0.1$ $\quad \therefore n \ge 5$

따라서 인구 수가 처음으로 올해의 80 % 이하가 되는 것은 5년 후이다.

10-4 🔲 4

해결전략 | 주어진 조건을 만족시키는 부등식을 세운다.

STEP1 주어진 상황을 식으로 나타내기

처음 빵 1개의 무게와 가격을 각각 a g, b원이라고 하자.

1번 시행 후 1개당 무게는 $0.9a$ g이므로

n번 시행 후의 1개당 무게는 $0.9^n a$ g

또, 처음 빵의 1 g당 가격은 $\dfrac{b}{a}$원이므로

n번 시행 후 1 g당 가격은 $\dfrac{b}{0.9^n a}$원이다.

n번 시행 후 빵의 1 g당 가격이 처음의 1.5배 이상이 되어야 하므로

$\dfrac{b}{0.9^n a} \ge \dfrac{3}{2} \times \dfrac{b}{a}$, $\left(\dfrac{10}{9}\right)^n \ge \dfrac{3}{2}$

STEP2 양변에 상용로그를 취하여 n의 최솟값 구하기

양변에 상용로그를 취하면

$\log\left(\dfrac{10}{9}\right)^n \ge \log\dfrac{3}{2}$, $n\log\dfrac{10}{9} \ge \log\dfrac{3}{2}$

$n(1 - 2\log 3) \ge \log 3 - \log 2$

$n(1 - 2 \times 0.4771) \ge 0.4771 - 0.3010$

$0.0458n \ge 0.1761$

$\therefore n \ge 3.8\cdots$

따라서 자연수 n의 최솟값은 4이다.

10-5 🔲 110 m

해결전략 | 주어진 조건을 만족시키는 부등식을 세운다.

STEP1 주어진 상황을 식으로 나타내기

바다 수면에 비치는 햇빛의 양을 a라고 할 때, 10 m 내려가면 햇빛의 양은 $a\left(1 - \dfrac{18}{100}\right)$이므로 $10x$ m 내려가면 햇빛의 양은 $a\left(1 - \dfrac{18}{100}\right)^x$이다.

식물성 플랑크톤은 바다 수면에 비치는 햇빛의 양의 8 % 이상이 도달하는 깊이까지 살 수 있으므로

$a\left(1 - \dfrac{18}{100}\right)^x \ge \dfrac{8}{100}a$, $\left(\dfrac{82}{100}\right)^x \ge \dfrac{8}{100}$

STEP2 양변에 상용로그를 취하여 x의 값의 범위 구하기

양변에 상용로그를 취하면

$\log\left(\dfrac{82}{100}\right)^x \ge \log\dfrac{8}{100}$

$x\log\dfrac{82}{100} \ge \log\dfrac{8}{100}$

$x(\log 8.2 - 1) \ge 3\log 2 - 2$

$x(0.9 - 1) \ge 3 \times 0.3 - 2$

$-0.1x \ge -1.1$ $\quad \therefore x \le 11$

따라서 식물성 플랑크톤은 최대 $11 \times 10 = 110\,(m)$까지 살 수 있다.

실전 연습 문제   178~180쪽

01 ⑤	02 ②	03 3	04 ③	05 ④
06 ①	07 27	08 ①		
09 $x = \dfrac{1}{8}$ 또는 $x = \sqrt{2}$		10 ③	11 ②	12 ①
13 6	14 ③	15 ①	16 ③	17 ①
18 5번				

01

해결전략 | 로그의 성질을 이용하여 양변의 밑을 같게 식을 변형한다.

STEP1 진수의 조건을 이용하여 x의 값의 범위 구하기

진수의 조건에서 $x - 2 > 0$, $2x - 1 > 0$

$\therefore x > 2$ $\quad\quad\quad\cdots\cdots$ ㉠

STEP2 양변의 밑을 3으로 같게 하여 양변의 진수를 비교하여 풀기

$\log_3(x-2) = \log_9(2x-1)$에서

$\log_3(x-2) = \log_{3^2}(2x-1)$

$\log_3(x-2) = \dfrac{1}{2}\log_3(2x-1)$

$2\log_3(x-2) = \log_3(2x-1)$

$\log_3(x-2)^2 = \log_3(2x-1)$

양변의 밑이 3으로 같으므로

$(x-2)^2 = 2x - 1$

$x^2 - 6x + 5 = 0$

$(x-1)(x-5) = 0$

$\therefore x = 1$ 또는 $x = 5$

㉠에 의하여 $x = 5$

02

해결전략 | 로그의 성질을 이용하여 양변의 밑을 같게 식을 변형한다.

STEP 1 진수의 조건을 이용하여 x의 값의 범위 구하기

진수의 조건에서 $4+x>0$, $4-x>0$

$\therefore -4<x<4$ $\qquad$ …… ㉠

STEP 2 양변의 밑을 2로 같게 하여 양변의 진수를 비교하여 풀기

$\log_2(4+x)+\log_2(4-x)=3$에서

$\log_2(4+x)(4-x)=\log_2 2^3$

$\log_2(4+x)(4-x)=\log_2 8$

양변의 밑이 2로 같으므로

$(4+x)(4-x)=8$

$16-x^2=8$, $x^2=8$

$\therefore x=-2\sqrt{2}$ 또는 $x=2\sqrt{2}$

㉠에 의하여 $x=-2\sqrt{2}$ 또는 $x=2\sqrt{2}$

따라서 모든 실수 x의 값의 곱은

$(-2\sqrt{2})\times 2\sqrt{2}=-8$

03

해결전략 | 밑이 같을 때와 진수가 1일 때의 x의 값을 구하여 주어진 방정식을 만족시키는지 알아본다.

STEP 1 밑과 진수의 조건을 이용하여 x의 값의 범위 구하기

밑의 조건에서 $x^2-x+2>0$, $x^2-x+2\neq 1$, $x+5>0$,

$x+5\neq 1$이고 $\quad\rightarrow x^2-x+2=\left(x-\dfrac{1}{2}\right)^2+\dfrac{7}{4}>1$

진수의 조건에서 $x+1>0$

$\therefore x>-1$ $\qquad$ …… ㉠ $\qquad$ …… ❶

STEP 2 밑이 같을 때와 진수가 1일 때의 x의 값 구하기

(ⅰ) $x^2-x+2=x+5$일 때

$\quad x^2-2x-3=0$, $(x+1)(x-3)=0$

$\quad \therefore x=-1$ 또는 $x=3$

$\quad$ ㉠에 의하여 $x=3$

(ⅱ) $x+1=1$일 때, $x=0$

$\quad x=0$은 ㉠을 만족시키므로 구하는 해이다.

STEP 3 모든 근의 합 구하기

(ⅰ), (ⅱ)에 의하여 $x=0$ 또는 $x=3$ $\qquad$ …… ❷

따라서 모든 근의 합은

$0+3=3$ $\qquad$ …… ❸

채점 요소	배점
❶ 밑의 조건과 진수의 조건 구하기	30 %
❷ 조건을 만족시키는 모든 x의 값 구하기	50 %
❸ 모든 근의 합 구하기	20 %

04

해결전략 | $4^{\log x}=x^{\log 4}$임을 이용하여 푼다.

STEP 1 진수의 조건을 이용하여 x의 값의 범위 구하기

진수의 조건에서 $x>0$ $\qquad$ …… ㉠

STEP 2 $4^{\log x}=x^{\log 4}$임을 이용하여 식 변형하기

$4^{\log x}\times x^{\log 4}-3(4^{\log x}+x^{\log 4})+8=0$에서

$x^{\log 4}=4^{\log x}$이므로

$4^{\log x}\times 4^{\log x}-3(4^{\log x}+4^{\log x})+8=0$

$(4^{\log x})^2-6\times 4^{\log x}+8=0$

STEP 3 $4^{\log x}=t\ (t>0)$로 놓고 t에 대한 이차방정식 풀기

$4^{\log x}=t\ (t>0)$로 놓으면

$t^2-6t+8=0$, $(t-2)(t-4)=0$

$\therefore t=2$ 또는 $t=4$

㉠에 의하여 $t=2$ 또는 $t=4$

STEP 4 구한 해에 t 대신 $4^{\log x}$를 대입한 후 α, β의 값 구하기

즉, $4^{\log x}=2=4^{\frac{1}{2}}$, $4^{\log x}=4$이므로

$\log x=\dfrac{1}{2}$ 또는 $\log x=1$

$\therefore x=\sqrt{10}$ 또는 $x=10$

$\therefore \alpha^2+\beta^2=(\sqrt{10})^2+10^2=110$

05

해결전략 | 지수방정식에서 x, y에 대한 관계식을 구하여 로그방정식에 대입한다.

STEP 1 지수방정식을 이용하여 x, y에 대한 관계식 구하기

$5^x=25^y$에서 $5^x=5^{2y}$이므로

$x=2y$ $\qquad$ …… ㉠

STEP 2 $\log_2 y=t$로 놓고 t에 대한 이차방정식 풀기

진수의 조건에서 $16x>0$, $8y>0$이므로

$x>0$, $y>0$ $\qquad$ …… ㉡

㉠을 $\log_2 16x\times \log_2 8y=-1$에 대입하면

$\log_2 32y\times \log_2 8y=-1$

$(\log_2 32+\log_2 y)(\log_2 8+\log_2 y)=-1$

$(5+\log_2 y)(3+\log_2 y)=-1$

$\log_2 y=t$로 놓으면

$(5+t)(3+t)=-1$

$t^2+8t+16=0$

$(t+4)^2=0$ $\qquad \therefore t=-4$

STEP 3 α, β의 값 구하기

즉, $\log_2 y=-4$이므로

$y=2^{-4}=\dfrac{1}{16}$

$y=\dfrac{1}{16}$ 을 ㉠에 대입하면

$x=2\times\dfrac{1}{16}=\dfrac{1}{8}$

㉡에 의하여 $x=\dfrac{1}{8}$, $y=\dfrac{1}{16}$

따라서 $\alpha=\dfrac{1}{8}$, $\beta=\dfrac{1}{16}$ 이므로

$\alpha\beta=\dfrac{1}{128}$

$\therefore \dfrac{1}{\alpha\beta}=128$

06

해결전략 | 지수에 밑이 10인 로그가 있으므로 양변에 상용로그를 취하여 푼다.

STEP1 양변에 상용로그를 취하여 방정식의 해 구하기

$(8x)^{\log 8}-(3x)^{\log 3}=0$ 에서

$(8x)^{\log 8}=(3x)^{\log 3}$

양변에 상용로그를 취하면

$\log(8x)^{\log 8}=\log(3x)^{\log 3}$

$\log 8\times\log 8x=\log 3\times\log 3x$

$\log 8(\log 8+\log x)=\log 3(\log 3+\log x)$

$(\log 8)^2+\log 8\times\log x=(\log 3)^2+\log 3\times\log x$

$(\log 8-\log 3)\log x=(\log 3)^2-(\log 8)^2$

$\therefore \log x=\dfrac{(\log 3+\log 8)(\log 3-\log 8)}{\log 8-\log 3}$

$\qquad\quad =-(\log 3+\log 8)$

$\qquad\quad =-\log 24$

$\qquad\quad =\log\dfrac{1}{24}$

$\therefore x=\dfrac{1}{24}$

STEP2 α의 값을 구하여 120α의 값 구하기

따라서 $\alpha=\dfrac{1}{24}$ 이므로

$120\alpha=5$

07

해결전략 | $\log_3 x=t$ 로 치환하여 t에 대한 방정식을 세운다.

STEP1 진수의 조건을 이용하여 x의 값의 범위 구하기

진수의 조건에서 $x>0$ $\qquad\qquad\cdots\cdots$ ㉠

STEP2 $\log_3 x=t$ 로 놓고 t에 대한 이차방정식 풀기

$(\log_3 x)^2-6\log_3\sqrt{x}+2=0$ 에서

$(\log_3 x)^2-6\log_3 x^{\frac{1}{2}}+2=0$

$(\log_3 x)^2-3\log_3 x+2=0$

$\log_3 x=t$ 로 놓으면

$t^2-3t+2=0$

$(t-1)(t-2)=0$

$\therefore t=1$ 또는 $t=2$

STEP3 α, β의 값을 구하여 $\alpha\beta$의 값 구하기

즉, $\log_3 x=1$ 또는 $\log_3 x=2$ 이므로

$x=3$ 또는 $x=3^2=9$

㉠에 의하여 $x=3$ 또는 $x=9$

따라서 두 실근의 곱은

$3\times 9=27$

08

해결전략 | $\log_x 9=\dfrac{1}{\log_9 x}$ 임을 이용하여 식을 정리한 후 이차방정식의 근과 계수의 관계를 이용한다.

STEP1 밑을 3으로 같게 식을 변형한 후 $\log_3 x=t$ 로 놓고 t에 대한 이차방정식 세우기

$\log_3 x-\dfrac{1}{5}\log_x 9+k=0$ 에서

$\log_3 x-\dfrac{1}{5\log_9 x}+k=0$

$\log_3 x-\dfrac{2}{5\log_3 x}+k=0$ $\qquad\cdots\cdots$ ㉠

$\log_3 x=t$ 로 놓으면

$t-\dfrac{2}{5t}+k=0$

$5t^2+5kt-2=0$ $\qquad\qquad\cdots\cdots$ ㉡

STEP2 이차방정식의 근과 계수의 관계를 이용하여 k의 값 구하기

방정식 ㉠의 두 근을 α, β라고 하면 방정식 ㉡의 두 근은 $\log_3 \alpha$, $\log_3 \beta$ 이다.

이차방정식의 근과 계수의 관계에 의하여

$\log_3 \alpha+\log_3 \beta=-\dfrac{5k}{5}=-k$

즉, $\log_3 \alpha\beta=-k$ 이고 $\alpha\beta=27$ 이므로

$-k=\log_3 27=3$

$\therefore k=-3$

09

해결전략 | 지수에 밑이 2인 로그가 있으므로 양변에 밑이 2인 로그를 취하여 푼다.

STEP1 진수의 조건을 이용하여 x의 값의 범위 구하기

진수의 조건에서 $x\neq 0$ $\qquad\cdots\cdots$ ㉠ $\quad\cdots\cdots$ ❶

STEP2 양변에 밑이 2인 로그를 취하여 식 변형하기

$x^{1-\log_2 x^2}=\dfrac{x^6}{8}$의 양변에 밑이 2인 로그를 취하면

$\log_2 x^{1-\log_2 x^2}=\log_2 \dfrac{x^6}{8}$

$(1-\log_2 x^2)\log_2 x=\log_2 x^6-\log_2 8$

$(1-2\log_2 x)\log_2 x=6\log_2 x-3$ ...... ❷

STEP 3 $\log_2 x=t$로 놓고 t에 대한 이차방정식 풀기

$\log_2 x=t$로 놓으면

$(1-2t)t=6t-3,\ 2t^2+5t-3=0$

$(t+3)(2t-1)=0$

$\therefore t=-3$ 또는 $t=\dfrac{1}{2}$ ...... ❸

STEP 4 x의 값 구하기

즉, $\log_2 x=-3$ 또는 $\log_2 x=\dfrac{1}{2}$이므로

$x=2^{-3}=\dfrac{1}{8}$ 또는 $x=2^{\frac{1}{2}}=\sqrt{2}$

㉠에 의하여 구하는 해는

$x=\dfrac{1}{8}$ 또는 $x=\sqrt{2}$ ...... ❹

채점 요소	배점
❶ 진수의 조건 나타내기	10 %
❷ 방정식의 양변에 밑이 2인 로그를 취하여 방정식 정리하기	40 %
❸ $\log_2 x=t$로 치환하여 t에 대한 이차방정식 풀기	30 %
❹ x의 값 구하기	20 %

10

해결전략 | 로그의 성질을 이용하여 양변의 밑을 같게 하여 식을 변형한다.

STEP 1 진수의 조건을 이용하여 x의 값의 범위 구하기

진수의 조건에서 $3x-5>0,\ x-3>0$이므로

$x>3$ ...... ㉠

STEP 2 양변의 밑을 0.5로 같게 하여 진수를 비교하여 풀어 x의 최솟값 구하기

$\log_{0.5}(3x-5)\geq\log_{\sqrt{0.5}}(x-3)$에서

$\log_{0.5}(3x-5)\geq\log_{0.5^{\frac{1}{2}}}(x-3)$

$\log_{0.5}(3x-5)\geq 2\log_{0.5}(x-3)$

$\log_{0.5}(3x-5)\geq\log_{0.5}(x-3)^2$

밑이 0.5이고 $0<0.5<1$이므로

$3x-5\leq(x-3)^2,\ x^2-9x+14\geq0$

$(x-2)(x-7)\geq0$

$\therefore x\leq2$ 또는 $x\geq7$ ...... ㉡

㉠, ㉡에 의하여 $x\geq7$

따라서 실수 x의 최솟값은 7이다.

11

해결전략 | 부등식에 로그가 있으면 먼저 양변의 로그의 밑을 같게 만든다.

STEP 1 진수의 조건을 이용하여 x의 값의 범위 구하기

진수의 조건에서

$x>0,\ \log_2 x>0,\ \log_5(\log_2 x)>0$

$\log_5(\log_2 x)>\log_5 1$

밑이 5이고 $5>1$이므로

$\log_2 x>1,\ \log_2 x>\log_2 2$

밑이 2이고 $2>1$이므로 $x>2$ ...... ㉠

STEP 2 양변의 밑을 같게 하여 진수를 비교하여 부등식을 풀어 자연수 x의 개수 구하기

$\log_{\frac{1}{3}}\{\log_5(\log_2 x)\}>0$에서

$\log_{\frac{1}{3}}\{\log_5(\log_2 x)\}>\log_{\frac{1}{3}}1$

밑이 $\dfrac{1}{3}$이고 $0<\dfrac{1}{3}<1$이므로

$\log_5(\log_2 x)<1$

$\log_5(\log_2 x)<\log_5 5$

밑이 5이고 $5>1$이므로

$\log_2 x<5,\ \log_2 x<\log_2 2^5$

밑이 2이고 $2>1$이므로 $x<32$ ...... ㉡

㉠, ㉡에 의하여 $2<x<32$

따라서 자연수 x는 3, 4, 5, $\cdots$, 31의 29개이다.

> **◎ 풍쌤의 비법**
>
> 주어진 로그부등식에서 진수는 $\log_5(\log_2 x),\ \log_2 x,\ x$이다. 이때 (진수)$>0$이어야 하므로 $\log_5(\log_2 x)>0$, $\log_2 x>0,\ x>0$이다. 로그부등식을 풀 때에는 진수의 조건을 만족시키는지 반드시 확인한다.

12

해결전략 | 두 집합 A, B를 구한 후 집합 $A\cap B$의 개수가 5임을 이용한다.

STEP 1 집합 A 구하기

A: 진수의 조건에서 $x+1>0$이므로

$\quad x>-1$ ...... ㉠

$\quad \log_2(x+1)\leq k$에서

$\quad \log_2(x+1)\leq\log_2 2^k$

$\quad$ 밑이 2이고 $2>1$이므로

$\quad x+1\leq2^k$ ...... ㉡

$\quad$ ㉠, ㉡에 의하여 $-1<x\leq2^k-1$

$\quad \therefore A=\{x\,|\,-1<x\leq2^k-1\}$

STEP2 집합 B 구하기

B: 진수의 조건에서 $x-2>0$, $x+1>0$이므로

  $x>2$ ...... ㉢

  $\log_2(x-2)-\log_{\frac{1}{2}}(x+1)\geq 2$에서

  $\log_2(x-2)-\log_{2^{-1}}(x+1)\geq \log_2 2^2$

  $\log_2(x-2)+\log_2(x+1)\geq \log_2 4$

  $\log_2(x-2)(x+1)\geq \log_2 4$

  밑이 2이고 $2>1$이므로

  $(x-2)(x+1)\geq 4$, $x^2-x-6\geq 0$

  $(x+2)(x-3)\geq 0$

  $\therefore x\leq -2$ 또는 $x\geq 3$ ...... ㉣

  ㉢, ㉣에 의하여 $x\geq 3$

  $\therefore B=\{x\,|\,x\geq 3\}$

STEP3 $n(A\cap B)=5$를 만족시키는 자연수 k의 값 구하기

두 집합 A, B를 수직선 위에 나타내면 다음과 같다.

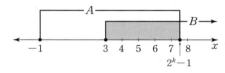

$n(A\cap B)=5$를 만족시키려면

$7\leq 2^k-1<8$

이때 k는 자연수이므로

$2^k-1=7$, $2^k=8=2^3$

$\therefore k=3$

13

해결전략 | $\log_2 x=t$로 치환하여 주어진 방정식을 t에 대한 이차부등식으로 나타낸다.

STEP1 진수의 조건을 이용하여 x의 값의 범위 구하기

진수의 조건에서 $8x>0$, $x>0$이므로

$x>0$ ...... ㉠ ...... ❶

STEP2 $\log_2 x=t$로 놓고 t에 대한 이차부등식 풀기

$(\log_2 8x)^2-5\log_{\sqrt{2}}x-6<0$에서

$(\log_2 8+\log_2 x)^2-5\log_{2^{\frac{1}{2}}}x-6<0$

$(3+\log_2 x)^2-10\log_2 x-6<0$

$\log_2 x=t$로 놓으면

$(3+t)^2-10t-6<0$, $t^2-4t+3<0$

$(t-1)(t-3)<0$

$\therefore 1<t<3$ ...... ❷

STEP3 부등식을 만족시키는 x의 값의 범위를 구하여 m, n의 값 구하기

즉, $1<\log_2 x<3$이므로 $\log_2 2<\log_2 x<\log_2 2^3$

밑이 2이고 $2>1$이므로

$2<x<8$ ...... ㉡

㉠, ㉡에 의하여 $2<x<8$ ...... ❸

따라서 해가 $2<x<8$이고 x^2의 계수가 1인 이차부등식은

$(x-2)(x-8)<0$, 즉 $x^2-10x+16<0$

즉, $m=-10$, $n=16$이므로

$m+n=6$ ...... ❹

채점 요소	배점
❶ 진수의 조건 나타내기	10 %
❷ $\log_2 x=t$로 치환하여 t에 대한 이차방정식 풀기	40 %
❸ x의 값의 범위 구하기	30 %
❹ $m+n$의 값 구하기	20 %

14

해결전략 | 지수에 밑이 $\frac{1}{3}$인 로그가 있으므로 양변에 밑이 $\frac{1}{3}$인 로그를 취한 후 $\log_{\frac{1}{3}}x=t$로 치환한다.

STEP1 진수의 조건을 이용하여 x의 값의 범위 구하기

진수의 조건에서 $x>0$ ...... ㉠

STEP2 양변에 밑이 $\frac{1}{3}$인 로그를 취한 후 $\log_{\frac{1}{3}}x=t$로 놓고 t에 대한 이차부등식 풀기

$(3x)^{\log_{\frac{1}{3}}x+1}>\frac{1}{27}$의 양변에 밑이 $\frac{1}{3}$인 로그를 취하면

$\log_{\frac{1}{3}}(3x)^{\log_{\frac{1}{3}}x+1}<\log_{\frac{1}{3}}\frac{1}{27}$

$(\log_{\frac{1}{3}}x+1)\log_{\frac{1}{3}}3x<\log_{\frac{1}{3}}\left(\frac{1}{3}\right)^3$

$(\log_{\frac{1}{3}}x+1)(\log_{\frac{1}{3}}3+\log_{\frac{1}{3}}x)<\log_{\frac{1}{3}}\left(\frac{1}{3}\right)^3$

$(\log_{\frac{1}{3}}x+1)(-1+\log_{\frac{1}{3}}x)<3$

$\log_{\frac{1}{3}}x=t$로 놓으면

$(t+1)(-1+t)<3$, $t^2-4<0$

$(t+2)(t-2)<0$ $\therefore -2<t<2$

STEP3 로그부등식의 해를 구하여 정수 x의 개수 구하기

즉, $-2<\log_{\frac{1}{3}}x<2$이므로

$\log_{\frac{1}{3}}\left(\frac{1}{3}\right)^{-2}<\log_{\frac{1}{3}}x<\log_{\frac{1}{3}}\left(\frac{1}{3}\right)^2$

밑이 $\frac{1}{3}$이고 $0<\frac{1}{3}<1$이므로

$\frac{1}{9}<x<9$ ...... ㉡

㉠, ㉡에 의하여 $\frac{1}{9}<x<9$

따라서 자연수 x의 최댓값은 8이다.

15

해결전략 | 이차방정식이 서로 다른 두 실근을 가지려면 판별식 $D>0$임을 이용한다.

STEP1 이차방정식의 판별식을 이용하여 로그부등식 세우기

진수의 조건에서 $a>0$ ...... ㉠

$3-\log_2 a\neq 0$에서 $a\neq 8$ ┐이차방정식이므로 (이차항의 계수)$\neq 0$ ...... ㉡

이차방정식 $(3-\log_2 a)x^2-2(1-\log_2 a)x+1=0$이 서로 다른 두 실근을 가지려면 이 이차방정식의 판별식을 D라고 할 때

$$\frac{D}{4}=\{-(1-\log_2 a)\}^2-(3-\log_2 a)>0$$

$$(\log_2 a)^2-\log_2 a-2>0$$

STEP2 로그방정식 풀어 a의 값의 범위 구하기

$\log_2 a=t$로 놓으면

$$t^2-t-2>0$$

$$(t+1)(t-2)>0$$

$$\therefore\ t<-1\ 또는\ t>2$$

즉, $\log_2 a<-1$ 또는 $\log_2 a>2$이므로

$\log_2 a<\log_2 2^{-1}$ 또는 $\log_2 a>\log_2 2^2$

밑이 2이고 $2>1$이므로

$$a<\frac{1}{2}\ 또는\ a>4$$ ...... ㉢

㉠, ㉡, ㉢에 의하여

$$0<a<\frac{1}{2}\ 또는\ 4<a<8\ 또는\ a>8$$

따라서 a의 값이 될 수 있는 것은 ① $\dfrac{1}{4}$이다.

16

해결전략 | 로그의 성질을 이용하여 식을 변형한 후 $\log_{\sqrt5}x=t$로 치환하여 판별식을 이용한다.

STEP1 $\log_{\sqrt5}x=t$로 놓고 t에 대한 이차부등식 세우기

진수의 조건에서 $k>0$ ...... ㉠

$(\log_{\sqrt5}x)^2+4\log_{\sqrt5}5x\geq\log_{\sqrt5}k$에서

$(\log_{\sqrt5}x)^2+4(\log_{\sqrt5}5+\log_{\sqrt5}x)\geq\log_{\sqrt5}k$

$(\log_{\sqrt5}x)^2+4(2+\log_{\sqrt5}x)\geq\log_{\sqrt5}k$

$\log_{\sqrt5}x=t$로 놓으면

$$t^2+4(2+t)\geq\log_{\sqrt5}k$$

$$t^2+4t+8-\log_{\sqrt5}k\geq0$$ ...... ㉡

STEP2 모든 실수 t에 대하여 부등식이 성립함을 이용하여 k의 값의 범위 구하기

주어진 부등식이 모든 양의 실수 x에 대하여 성립하려면 부등식 ㉡은 모든 실수 t에 대하여 성립해야 하므로 이차

방정식 $t^2+4t+8-\log_{\sqrt5}k=0$의 판별식을 D라고 하면

$$\frac{D}{4}=2^2-(8-\log_{\sqrt5}k)\leq0$$

$$-4+\log_{\sqrt5}k\leq0,\ \log_{\sqrt5}k\leq4$$

$$\log_{\sqrt5}k\leq\log_{\sqrt5}(\sqrt5)^4$$

밑이 $\sqrt5$이고 $\sqrt5>1$이므로

$$k\leq25$$ ...... ㉢

㉠, ㉢에 의하여

$$0<k\leq25$$

따라서 정수 k는 1, 2, 3, $\cdots$, 25의 25개이다.

17

해결전략 | 먼저 문제의 조건을 주어진 식에 대입하여 k의 값을 구한다.

STEP1 조건을 주어진 식에 대입하여 k의 값 구하기

$$T=T_0+k\log(8t+1)$$ ...... ㉠

초기 온도가 20 ℃인 이 화재실에서 화재가 발생한 지 $\dfrac{9}{8}$분 후의 온도가 365 ℃이므로

$T_0=20$, $t=\dfrac{9}{8}$, $T=365$를 ㉠에 대입하면

$$365=20+k\log\left(8\times\frac{9}{8}+1\right)$$

$$365=20+k\log 10$$

$$365=20+k$$

$$\therefore\ k=345$$

STEP2 조건을 주어진 식에 대입하여 a의 값 구하기

a분 후의 온도는 710 ℃이므로

$T_0=20$, $t=a$, $T=710$, $k=345$를 ㉠에 대입하면

$$710=20+345\log(8a+1)$$

$$\log(8a+1)=2$$

따라서 $8a+1=10^2=100$이므로

$$a=\frac{99}{8}$$

18

해결전략 | 처음 불순물의 양을 a라고 할 때, 여과기를 n번 통과시킨 후에 남아 있는 불순물의 양을 a로 나타낸다.

STEP1 처음 불순물의 양을 a라 하고 여과기를 n번 통과시킨 후에 남아 있는 불순물의 양 구하기

처음 불순물의 양을 a라고 할 때, 여과기를 한 번 통과시킨 후에 남아 있는 불순물의 양은 $(1-0.6)a=0.4a$이므로 여과기를 n번 통과시킨 후에 남아 있는 불순물의 양은

$$0.4^n a$$

STEP 2 불순물의 양을 처음 양의 2 % 이하가 되게 할 때의 여과기를 통과시키는 최소 횟수 구하기

불순물의 양을 처음 양의 2 % 이하가 되게 하려면

$0.4^n a \le 0.02a$, 즉 $0.4^n \le 0.02$

양변에 상용로그를 취하면

$\log 0.4^n \le \log 0.02$, $n \log \dfrac{4}{10} \le \log \dfrac{2}{100}$

$n(2\log 2 - 1) \le \log 2 - 2$

$n(2 \times 0.3010 - 1) \le 0.3010 - 2$

$-0.3980n \le -1.6990$

$\therefore n \ge 4.2\cdots$

따라서 여과기를 최소한 5번 통과시켜야 한다.

01

해결전략 | 로그의 성질을 이용하여 주어진 방정식의 양변의 밑을 같게 하여 식을 변형한다.

STEP 1 로그방정식의 해를 구하여 $f(0)$, $f(1)$, $f(2)$의 값 구하기

진수의 조건에서

$x \ne a$, $x > 3$ ······ ㉠

$\log_2 |x-a| = \log_4 (x-3)$에서

$\log_2 |x-a| = \log_{2^2} (x-3)$

$\log_2 |x-a| = \dfrac{1}{2} \log_2 (x-3)$

$2\log_2 |x-a| = \log_2 (x-3)$

$\log_2 (x-a)^2 = \log_2 (x-3)$

즉, $(x-a)^2 = x-3$이므로

$x^2 - (2a+1)x + a^2 + 3 = 0$

$\therefore x = \dfrac{2a+1 \pm \sqrt{\{-(2a+1)\}^2 - 4(a^2+3)}}{2}$

$\qquad = \dfrac{2a+1 \pm \sqrt{4a-11}}{2}$ ······ ㉡

따라서 주어진 방정식의 실근이 존재하려면 $4a-11 \ge 0$, 즉 $a \ge \dfrac{11}{4}$이어야 하므로

$f(0) = f(1) = f(2) = 0$

STEP 2 $f(3)$, $f(4)$, $f(5)$의 값 구하기

(ⅰ) $a=3$일 때

㉠에서 $x > 3$

㉡에서 $x=3$ 또는 $x=4$ ← $a=3$을 ㉡에 대입하여 x의 값을 구한다.

따라서 주어진 방정식의 실근은 $x=4$이므로

$f(3)=1$

(ⅱ) $a=4$일 때

㉠에서 $3 < x < 4$ 또는 $x > 4$

㉡에서 $x = \dfrac{9-\sqrt{5}}{2}$ 또는 $x = \dfrac{9+\sqrt{5}}{2}$ ← $a=4$를 ㉡에 대입하여 x의 값을 구한다.

따라서 주어진 방정식의 실근은

$x = \dfrac{9-\sqrt{5}}{2}$ 또는 $x = \dfrac{9+\sqrt{5}}{2}$이므로

$f(4)=2$

(ⅲ) $a=5$일 때

㉠에서 $3 < x < 5$ 또는 $x > 5$

㉡에서 $x=4$ 또는 $x=7$ ← $a=5$를 ㉡에 대입하여 x의 값을 구한다.

따라서 주어진 방정식의 실근은 $x=4$ 또는 $x=7$이므로

$f(5)=2$

(ⅰ)~(ⅲ)에 의하여

$f(0)+f(1)+f(2)+f(3)+f(4)+f(5)$
$= 0+0+0+1+2+2 = 5$

02

해결전략 | $\overline{AB}=2$임을 이용하여 로그방정식을 세운다.

STEP 1 $\overline{AB}=2$임을 이용하여 로그방정식 세우기

직선 $x=k$가 두 곡선 $y = \log_2 x$, $y = -\log_2 (8-x)$와 만나는 점이 A$(k, \log_2 k)$, B$(k, -\log_2 (8-k))$이고 $\overline{AB}=2$이므로

$|\log_2 k - \{-\log_2 (8-k)\}| = 2$

$|\log_2 k + \log_2 (8-k)| = 2$

$|\log_2 k(8-k)| = 2$

$\therefore \log_2 k(8-k) = -2$ 또는 $\log_2 k(8-k) = 2$

STEP 2 로그방정식 풀기

(ⅰ) $\log_2 k(8-k) = -2$일 때

진수의 조건에서 $k > 0$, $8-k > 0$이므로

$0 < k < 8$ ······ ㉠

$\log_2 k(8-k) = -2$에서

$k(8-k) = 2^{-2} = \dfrac{1}{4}$

$4k^2 - 32k + 1 = 0$

$\therefore k = \dfrac{-(-16) \pm \sqrt{(-16)^2 - 4 \times 1}}{4} = \dfrac{8 \pm 3\sqrt{7}}{2}$

㉠에 의하여

$$k=\frac{8-3\sqrt{7}}{2} \ \text{또는} \ k=\frac{8+3\sqrt{7}}{2}$$

(ii) $\log_2 k(8-k)=2$일 때

진수의 조건에서 $k>0$, $8-k>0$이므로

$0<k<8$ ...... ㉡

$\log_2 k(8-k)=2$에서

$k(8-k)=2^2=4$, $k^2-8k+4=0$

$\therefore \ k=-(-4)\pm\sqrt{(-4)^2-1\times4}$

$\qquad =4\pm2\sqrt{3}$

㉡에 의하여

$k=4-2\sqrt{3}$ 또는 $k=4+2\sqrt{3}$

STEP 3 모든 실수 k의 값 구하기

(i), (ii)에 의하여 모든 실수 k의 값의 곱은

$$\frac{8-3\sqrt{7}}{2}\times\frac{8+3\sqrt{7}}{2}\times(4-2\sqrt{3})\times(4+2\sqrt{3})$$

$$=\frac{1}{4}\times4=1$$

03

해결전략 | x에 대한 함수의 그래프를 그려 본다.

STEP 1 주어진 방정식 풀기

진수의 조건에서 $x-2>0$, $x-a>0$이므로

$x>2$이고 $x>a$

$\log_3(x-2)=\log_9(x-a)$에서

$\log_3(x-2)=\log_{3^2}(x-a)$

$\log_3(x-2)=\frac{1}{2}\log_3(x-a)$

$2\log_3(x-2)=\log_3(x-a)$

$\log_3(x-2)^2=\log_3(x-a)$

즉, $(x-2)^2=x-a$이므로

> 양변의 로그의 밑을 9로 같게 변형하여 $\log_9(x-2)^2=\log_9(x-a)$ 로 풀어도 된다.

$-x^2+5x-4=a$

$-\left(x-\frac{5}{2}\right)^2+\frac{9}{4}=a$

STEP 2 $a<2$, $a\geq2$의 경우로 나누어 생각하여 a의 값의 범위 구하기

(i) $a<2$일 때, $x>2$에서 함수 $y=-x^2+5x-4$의 그래프와 직선 $y=a$는 오직 한 점에서 만난다.

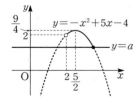

(ii) $a\geq2$일 때, $x>a$에서 함수 $y=-x^2+5x-4$의 그래프와 직선 $y=a$가 서로 다른 두 점에서 만나도록 하는 a의 값의 범위는

$$2<a<\frac{9}{4}$$

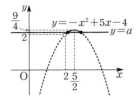

(i), (ii)에 의하여

$$2<a<\frac{9}{4}$$

따라서 $a=2$, $\beta=\frac{9}{4}$이므로

$$10\alpha\beta=10\times2\times\frac{9}{4}=45$$

04

해결전략 | $\log_2 x=t$로 치환하여 t에 대한 함수의 그래프를 그려 본다.

STEP 1 $\log_2 x=t$로 놓고 t에 대한 방정식 세우기

$(\log_2 x)^2-\log_2 x^6+k=0$에서

$(\log_2 x)^2-6\log_2 x+k=0$

$\log_2 x=t$로 놓으면

$t^2-6t+k=0$ ...... ㉠

STEP 2 t에 대한 방정식의 두 근의 위치 이해하기

이때 주어진 방정식의 두 근이 $\frac{1}{2}$과 16 사이에 있고

$\log_2 \frac{1}{2}=-1$, $\log_2 16=4$이므로 방정식 ㉠의 두 근이

-1과 4 사이에 있어야 한다.

> 함수 $y=f(t)$의 그래프의 축은 직선 $t=3$이다.

STEP 3 k의 값의 범위 구하기

$f(t)=t^2-6t+k$라고 하면 함수 $y=f(t)$의 그래프의 개형은 오른쪽 그림과 같아야 한다.

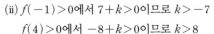

(i) 이차방정식 $t^2-6t+k=0$의 판별식을 D라고 하면

$\frac{D}{4}=(-3)^2-k\geq0$

$\therefore \ k\leq9$

(ii) $f(-1)>0$에서 $7+k>0$이므로 $k>-7$

$f(4)>0$에서 $-8+k>0$이므로 $k>8$

(i), (ii)에 의하여

$8<k\leq9$

05

해결전략 | 진수의 크기를 비교한 후 주어진 그래프를 이용한다.

STEP1 두 함수 $y=f(x)$, $y=g(-x)$의 그래프의 교점의 x좌표 구하기

$f(-3)=f(3)=0$이므로 포물선 $y=f(x)$는 y축에 대하여 대칭이고, 직선 $y=g(-x)$는 직선 $y=g(x)$를 y축에 대하여 대칭이동한 것이다.

따라서 두 함수 $y=f(x)$, $y=g(-x)$의 그래프의 교점은 두 함수 $y=f(x)$, $y=g(x)$의 그래프의 두 교점과 y축에 대하여 대칭이므로 다음 그림과 같이 두 함수 $y=f(x)$, $y=g(-x)$의 그래프의 교점의 x좌표는 각각 -4, 3이다.

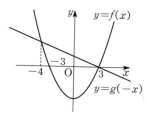

STEP2 두 함수 $y=f(x)$, $y=g(-x)$의 그래프를 이용하여 주어진 부등식의 해 구하기

부등식 $\log_{0.5} f(x) > \log_{0.5} g(-x)$의 진수의 조건에서 $f(x)>0$, $g(-x)>0$

$f(x)>0$에서 $x<-3$ 또는 $x>3$ ...... ㉠

$g(-x)>0$에서 $x<3$ ...... ㉡

$\log_{0.5} f(x) > \log_{0.5} g(-x)$에서 밑이 0.5이고 $0<0.5<1$이므로 $f(x)<g(-x)$

함수 $y=f(x)$의 그래프가 함수 $y=g(-x)$의 그래프보다 아래쪽에 있어야 하므로 $-4<x<3$ ...... ㉢

㉠, ㉡, ㉢에 의하여 $-4<x<-3$

따라서 $\alpha=-4$, $\beta=-3$이므로 $\alpha\beta=12$

06

해결전략 | x의 값의 범위를 나누어 로그방정식을 푼다.

STEP1 로그의 성질을 이용하여 식 변형하기

$|\log_3 x - \log_3 6| + \log_3 y \le 1$에서

$\left|\log_3 \dfrac{x}{6}\right| + \log_3 y \le 1$ ...... ㉠

STEP2 $\log_3 \dfrac{x}{6}<0$일 때, 순서쌍 (x, y)의 개수 구하기

(i) $\log_3 \dfrac{x}{6}<0$일 때

밑이 3이고 $3>1$이므로

$0<\dfrac{x}{6}<1$ ∴ $0<x<6$

㉠에서 $-\log_3 \dfrac{x}{6} + \log_3 y \le 1$

$\log_3 \dfrac{6y}{x} \le \log_3 3$에서 밑이 3이고 $3>1$이므로

$\dfrac{6y}{x} \le 3$

∴ $2y \le x$

$x=1$이면 이를 만족시키는 자연수 y는 존재하지 않는다.

$x=2$이면 $y=1$

$x=3$이면 $y=1$

$x=4$이면 $y=1, 2$

$x=5$이면 $y=1, 2$

따라서 순서쌍 (x, y)의 개수는 $1+1+2+2=6$

STEP3 $\log_3 \dfrac{x}{6} \ge 0$일 때, 순서쌍 (x, y)의 개수 구하기

(ii) $\log_3 \dfrac{x}{6} \ge 0$일 때

밑이 3이고 $3>1$이므로

$\dfrac{x}{6} \ge 1$ ∴ $x \ge 6$

㉠에서 $\log_3 \dfrac{x}{6} + \log_3 y \le 1$

$\log_3 \dfrac{xy}{6} \le \log_3 3$에서 밑이 3이고 $3>1$이므로

$\dfrac{xy}{6} \le 3$

∴ $xy \le 18$

$x=6$이면 $y=1, 2, 3$

$x=7$이면 $y=1, 2$

$x=8$이면 $y=1, 2$

$x=9$이면 $y=1, 2$

$10 \le x \le 18$이면 $y=1$

따라서 순서쌍 (x, y)의 개수는 $3+2+2+2+1\times9=18$

(i), (ii)에 의하여 순서쌍 (x, y)의 개수는 $6+18=24$

07

해결전략 | $\log_2|x|=t$로 치환한 후 부등식의 해를 곡선과 직선이 만나는 교점과 연관지어 생각한다.

STEP1 로그의 성질을 이용하여 식을 변형한 후 $\log_2|x|=t$로 놓고 t에 대한 이차부등식 세우기

$\log_{\frac{1}{2}} x^2 \times \log_2 x^2 + 16\log_2|x| \geq n$에서

$(-2\log_2|x|) \times 2\log_2|x| + 16\log_2|x| \geq n$

$\log_2|x|=t$라고 하면

$-4t^2+16t \geq n$ ...... ㉠

STEP2 t에 대한 이차부등식을 만족시키는 $|x|$의 값의 범위 구하기

$f(t)=-4t^2+16t$라고 할 때, 곡선 $y=f(t)$와 직선 $y=n$이 만나지 않거나 한 점에서 만나면 조건 (나)를 만족시키지 않으므로 두 점에서 만나야 한다.

이때 곡선 $y=f(t)$는 직선 $y=2$에 대하여 대칭이므로 곡선 $y=f(t)$와 직선 $y=n$이 만나는 교점의 x좌표를 α, $4-\alpha$ $(0<\alpha<2)$라고 할 수 있다.

부등식 ㉠을 만족시키는 t의 값의 범위는 $\alpha \leq t \leq 4-\alpha$이므로 $\alpha \leq \log_2|x| \leq 4-\alpha$에서

$\log_2 2^\alpha \leq \log_2|x| \leq \log_2 2^{4-\alpha}$

밑이 2이고 $2>1$이므로

$2^\alpha \leq |x| \leq 2^{4-\alpha}$

STEP3 자연수 n의 값 구하기

두 조건 (가), (나)에 의하여 부등식을 만족시키는 정수 x의 개수는 $2(2^{4-\alpha}-2^\alpha+1)=14$이므로

$2^{4-\alpha}-2^\alpha=6$

양변에 2^α을 곱하면

$16-(2^\alpha)^2=6 \times 2^\alpha$

$2^\alpha=s$ $(s>0)$라고 하면

$s^2+6s-16=0,\ (s+8)(s-2)=0$

$\therefore s=-8$ 또는 $s=2$

그런데 $s>0$이므로 $s=2$

즉, $2^\alpha=2$이므로 $\alpha=1$

따라서 조건을 모두 만족시키는 자연수 n의 값은

$f(1)=12$

08

해결전략 | n년 후의 기업의 예산과 연구비를 각각 구하여 비교한다.

STEP1 예산과 연구비의 관계를 식으로 나타내기

올해 기업의 예산을 A, 연구비를 B라고 하면

$B=\dfrac{6}{100}A$ ...... ㉠

STEP2 n년 후의 기업의 예산과 연구비 각각 구하기

예산의 증가율은 매년 15 %이므로 올해부터 n년 후의 예산은

$\left(1+\dfrac{15}{100}\right)^n A=1.15^n A$

연구비의 증가율은 매년 20 %이므로 올해부터 n년 후의 연구비는

$\left(1+\dfrac{20}{100}\right)^n B=1.2^n B$

STEP3 양변에 상용로그를 취하여 n의 값의 범위 구하기

예산에서 연구비가 차지하는 비율이 8 % 이상이 되려면

$\dfrac{1.2^n B}{1.15^n A} \geq \dfrac{8}{100}$ ...... ㉡

㉠을 ㉡에 대입하면

$\dfrac{1.2^n \times \dfrac{6}{100}A}{1.15^n A} \geq \dfrac{8}{100},\ \left(\dfrac{1.2}{1.15}\right)^n \geq \dfrac{4}{3}$

양변에 상용로그를 취하면

$\log\left(\dfrac{1.2}{1.15}\right)^n \geq \log \dfrac{4}{3}$

$n\log \dfrac{1.2}{1.15} \geq \log \dfrac{4}{3}$

$n(\log 1.2 - \log 1.15) \geq 2\log 2 - \log 3$

$n(0.0792-0.0607) \geq 2 \times 0.3010 - 0.4771$

$0.0185n \geq 0.1249$

$\therefore n \geq 6.7\cdots$

따라서 7년 후부터 예산에서 연구비가 차지하는 비율이 8 % 이상이 된다.

07 삼각함수

개념확인

184~187쪽

01 답 (1) $360°\times n+60°$ (2) $360°\times n+130°$

      (3) $360°\times n+320°$ (4) $360°\times n+220°$

02 답 (1) 제4사분면   (2) 제1사분면

      (3) 제3사분면   (4) 제4사분면

(1) $320°=360°\times 0+320°$이므로 제4사분면의 각이다.

(2) $1500°=360°\times 4+60°$이므로 제1사분면의 각이다.

(3) $-130°=360°\times(-1)+230°$이므로 제3사분면의 각이다.

(4) $-740°=360°\times(-3)+340°$이므로 제4사분면의 각이다.

03 답 (1) $\dfrac{2}{9}\pi$ (2) $-\dfrac{7}{12}\pi$ (3) $36°$ (4) $-150°$

(1) $40°=40\times 1°=40\times\dfrac{\pi}{180}=\dfrac{2}{9}\pi$

(2) $-105°=(-105)\times 1°=(-105)\times\dfrac{\pi}{180}=-\dfrac{7}{12}\pi$

(3) $\dfrac{\pi}{5}=\dfrac{\pi}{5}\times 1(\text{라디안})=\dfrac{\pi}{5}\times\dfrac{180°}{\pi}=36°$

(4) $-\dfrac{5}{6}\pi=\left(-\dfrac{5}{6}\pi\right)\times 1(\text{라디안})=\left(-\dfrac{5}{6}\pi\right)\times\dfrac{180°}{\pi}$
$=-150°$

04 답 (위에서부터) $\dfrac{\pi}{6},\dfrac{\pi}{3},\dfrac{2}{3}\pi,135°,180°,360°$

05 답 (1) $2n\pi+\dfrac{\pi}{6}$ (2) $2n\pi+\dfrac{\pi}{2}$

      (3) $2n\pi+\dfrac{5}{4}\pi$ (4) $2n\pi+\dfrac{2}{3}\pi$

(3) $\dfrac{13}{4}\pi=2\pi+\dfrac{5}{4}\pi$이므로 $2n\pi+\dfrac{5}{4}\pi$

(4) $-\dfrac{10}{3}\pi=-4\pi+\dfrac{2}{3}\pi$이므로 $2n\pi+\dfrac{2}{3}\pi$

06 답 $l=\pi,S=2\pi$

$l=4\times\dfrac{\pi}{4}=\pi,\ S=\dfrac{1}{2}\times 4^2\times\dfrac{\pi}{4}=2\pi$

07 답 (1) $-\dfrac{5}{13}$ (2) $\dfrac{12}{13}$ (3) $-\dfrac{5}{12}$

$\overline{OP}=\sqrt{12^2+(-5)^2}=13$이므로

$\sin\theta=-\dfrac{5}{13},\ \cos\theta=\dfrac{12}{13},\ \tan\theta=-\dfrac{5}{12}$

08 답 (가) $\dfrac{\sqrt{2}}{2}$ (나) $-\dfrac{\sqrt{2}}{2}$ (다) -1

09 답 (1) $\sin\theta>0,\ \cos\theta>0,\ \tan\theta>0$

      (2) $\sin\theta<0,\ \cos\theta>0,\ \tan\theta<0$

      (3) $\sin\theta>0,\ \cos\theta<0,\ \tan\theta<0$

      (4) $\sin\theta<0,\ \cos\theta<0,\ \tan\theta>0$

(1) $\theta=400°=360°\times 1+40°$에서 θ는 제1사분면의 각이므로 $\sin\theta>0,\ \cos\theta>0,\ \tan\theta>0$

(2) $\theta=-800°=360°\times(-3)+280°$에서 θ는 제4사분면의 각이므로 $\sin\theta<0,\ \cos\theta>0,\ \tan\theta<0$

(3) $\theta=\dfrac{19}{4}\pi=2\pi\times 2+\dfrac{3}{4}\pi$에서 θ는 제2사분면의 각이므로 $\sin\theta>0,\ \cos\theta<0,\ \tan\theta<0$

(4) $\theta=-\dfrac{41}{6}\pi=2\pi\times(-4)+\dfrac{7}{6}\pi$에서 θ는 제3사분면의 각이므로 $\sin\theta<0,\ \cos\theta<0,\ \tan\theta>0$

10 답 $\cos\theta=-\dfrac{4}{5},\ \tan\theta=-\dfrac{3}{4}$

$\sin^2\theta+\cos^2\theta=1$이므로

$\cos^2\theta=1-\sin^2\theta=1-\left(\dfrac{3}{5}\right)^2=\left(\dfrac{4}{5}\right)^2$

그런데 θ가 제2사분면의 각이므로 $\cos\theta<0$

$\therefore\ \cos\theta=-\dfrac{4}{5}$

또, $\tan\theta=\dfrac{\sin\theta}{\cos\theta}$이므로 $\tan\theta=-\dfrac{3}{4}$

필수유형 01

189쪽

01-1 답 제1사분면 또는 제2사분면 또는 제4사분면

해결전략 | θ를 일반각의 범위로 나타낸 후 $\dfrac{\theta}{3}$가 나타내는 각의 범위를 구한다.

STEP1 $\dfrac{\theta}{3}$의 범위 구하기

θ가 제2사분면의 각이므로

$360°\times n+90°<\theta<360°\times n+180°$ (n은 정수)

각 변을 3으로 나누면

$120°\times n+30°<\dfrac{\theta}{3}<120°\times n+60°$

STEP2 $n=3k,\ n=3k+1,\ n=3k+2$ (k는 정수)일 때로 나누어 $\dfrac{\theta}{3}$가 나타내는 각의 범위 구하기

(i) $n=3k$ (k는 정수)일 때,

$120°\times 3k+30°<\dfrac{\theta}{3}<120°\times 3k+60°$

$\therefore\ 360°\times k+30°<\dfrac{\theta}{3}<360°\times k+60°$

즉, $\dfrac{\theta}{3}$는 제1사분면의 각이다. → $30°<\dfrac{\theta}{3}<60°$인 동경의 위치와 같다.

(ii) $n=3k+1$ (k는 정수)일 때,

$$120° \times (3k+1) + 30° < \frac{\theta}{3} < 120° \times (3k+1) + 60°$$

$$\therefore 360° \times k + 150° < \frac{\theta}{3} < 360° \times k + 180°$$

즉, $\frac{\theta}{3}$는 제2사분면의 각이다. → $150° < \frac{\theta}{3} < 180°$인 동경의 위치와 같다.

(iii) $n=3k+2$ (k는 정수)일 때,

$$120° \times (3k+2) + 30° < \frac{\theta}{3} < 120° \times (3k+2) + 60°$$

$$\therefore 360° \times k + 270° < \frac{\theta}{3} < 360° \times k + 300°$$

즉, $\frac{\theta}{3}$는 제4사분면의 각이다. → $270° < \frac{\theta}{3} < 300°$인 동경의 위치와 같다.

STEP 3 $\frac{\theta}{3}$를 나타내는 동경이 존재하는 사분면 구하기

(i), (ii), (iii)에 의하여 $\frac{\theta}{3}$를 나타내는 동경이 존재하는 사분면은 제1사분면 또는 제2사분면 또는 제4사분면이다.

01-2 📋 제2사분면 또는 제4사분면

해결전략 | θ를 일반각의 범위로 나타낸 후 $\frac{\theta}{2}$가 나타내는 각의 범위를 구한다.

STEP 1 $\frac{\theta}{2}$의 범위 구하기

θ가 제3사분면의 각이므로

$$360° \times n + 180° < \theta < 360° \times n + 270° \text{ (n은 정수)}$$

각 변을 2로 나누면

$$180° \times n + 90° < \frac{\theta}{2} < 180° \times n + 135°$$

STEP 2 $n=2k$, $n=2k+1$ (k는 정수)일 때로 나누어 $\frac{\theta}{2}$가 나타내는 각의 범위 구하기

(i) $n=2k$ (k는 정수)일 때,

$$180° \times 2k + 90° < \frac{\theta}{2} < 180° \times 2k + 135°$$

$$\therefore 360° \times k + 90° < \frac{\theta}{2} < 360° \times k + 135°$$

즉, $\frac{\theta}{2}$는 제2사분면의 각이다.

(ii) $n=2k+1$ (k는 정수)일 때,

$$180° \times (2k+1) + 90° < \frac{\theta}{2} < 180° \times (2k+1) + 135°$$

$$\therefore 360° \times k + 270° < \frac{\theta}{2} < 360° \times k + 315°$$

즉, $\frac{\theta}{2}$는 제4사분면의 각이다.

STEP 3 $\frac{\theta}{2}$를 나타내는 동경이 존재하는 사분면 구하기

(i), (ii)에 의하여 $\frac{\theta}{2}$를 나타내는 동경이 존재하는 사분면은 제2사분면 또는 제4사분면이다.

01-3 📋 제4사분면

해결전략 | θ를 일반각의 범위로 나타낸 후 $\frac{\theta}{3}$가 나타내는 각의 범위를 구한다.

STEP 1 $\frac{\theta}{3}$의 범위 구하기

θ가 제1사분면의 각이므로

$$360° \times n + 0° < \theta < 360° \times n + 90° \text{ (n은 정수)}$$

각 변을 3으로 나누면

$$120° \times n < \frac{\theta}{3} < 120° \times n + 30°$$

STEP 2 $n=3k$, $n=3k+1$, $n=3k+2$ (k는 정수)일 때로 나누어 $\frac{\theta}{3}$가 나타내는 각의 범위 구하기

(i) $n=3k$ (k는 정수)일 때,

$$360° \times k < \frac{\theta}{3} < 360° \times k + 30°$$

즉, $\frac{\theta}{3}$는 제1사분면의 각이다.

(ii) $n=3k+1$ (k는 정수)일 때,

$$360° \times k + 120° < \frac{\theta}{3} < 360° \times k + 150°$$

즉, $\frac{\theta}{3}$는 제2사분면의 각이다.

(iii) $n=3k+2$ (k는 정수)일 때,

$$360° \times k + 240° < \frac{\theta}{3} < 360° \times k + 270°$$

즉, $\frac{\theta}{3}$는 제3사분면의 각이다.

STEP 3 $\frac{\theta}{3}$를 나타내는 동경이 존재할 수 없는 사분면 구하기

(i), (ii), (iii)에 의하여 $\frac{\theta}{3}$를 나타내는 동경이 존재하는 사분면은 제1사분면 또는 제2사분면 또는 제3사분면이므로 $\frac{\theta}{3}$를 나타내는 동경이 존재할 수 없는 사분면은 제4사분면이다.

01-4 📋 제2사분면 또는 제4사분면

해결전략 | 2θ를 일반각의 범위로 나타낸 후 θ가 나타내는 각의 범위를 구한다.

STEP 1 θ의 범위 구하기

2θ가 제4사분면의 각이므로

$$360° \times n + 270° < 2\theta < 360° \times n + 360° \text{ (n은 정수)}$$

각 변을 2로 나누면

$180° \times n + 135° < \theta < 180° \times n + 180°$

STEP 2 $n=2k$, $n=2k+1$ (k는 정수)일 때로 나누어 θ가 나타내는 각의 범위 구하기

(i) $n=2k$ (k는 정수)일 때,

$180° \times 2k + 135° < \theta < 180° \times 2k + 180°$

$\therefore 360° \times k + 135° < \theta < 360° \times k + 180°$

즉, θ는 제2사분면의 각이다.

(ii) $n=2k+1$ (k는 정수)일 때,

$180° \times (2k+1) + 135° < \theta < 180° \times (2k+1) + 180°$

$\therefore 360° \times k + 315° < \theta < 360° \times k + 360°$

즉, θ는 제4사분면의 각이다.

STEP 3 θ를 나타내는 동경이 존재하는 사분면 구하기

(i), (ii)에 의하여 θ를 나타내는 동경이 존재하는 사분면은 제2사분면 또는 제4사분면이다.

01-5 🔓 ①

해결전략 | 보기의 각의 크기를 주어진 꼴로 변형하여 $\alpha°$를 각각 구한 후 그 크기를 비교한다.

① $-600° = 360° \times (-2) + 120°$

② $-130° = 360° \times (-1) + 230°$

③ $-85° = 360° \times (-1) + 275°$

④ $490° = 360° \times 1 + 130°$

⑤ $900° = 360° \times 2 + 180°$

따라서 $\alpha°$의 크기가 가장 작은 것은 ①이다.

01-6 🔓 풀이 참조

해결전략 | 주어진 그림에서 θ의 범위를 찾아 $\dfrac{\theta}{2}$의 범위를 구한다.

STEP 1 $\dfrac{\theta}{2}$의 범위 구하기

주어진 그림에서 θ를 나타내는 동경이 속하는 영역은

$360° \times n < \theta < 360° \times n + 30°$ 또는

$\qquad 360° \times n + 150° < \theta < 360° \times n + 180°$ (n은 정수)

각 변을 2로 나누면

$180° \times n < \dfrac{\theta}{2} < 180° \times n + 15°$ 또는

$\qquad 180° \times n + 75° < \dfrac{\theta}{2} < 180° \times n + 90°$

STEP 2 $n=2k$, $n=2k+1$ (k는 정수)일 때로 나누어 $\dfrac{\theta}{2}$가 나타내는 각의 범위 구하기

(i) $n=2k$ (k는 정수)일 때,

$180° \times 2k < \dfrac{\theta}{2} < 180° \times 2k + 15°$ 또는

$\qquad 180° \times 2k + 75° < \dfrac{\theta}{2} < 180° \times 2k + 90°$

$\therefore 360° \times k < \dfrac{\theta}{2} < 360° \times k + 15°$ 또는

$\qquad 360° \times k + 75° < \dfrac{\theta}{2} < 360° \times k + 90°$

(ii) $n=2k+1$ (k는 정수)일 때,

$180° \times (2k+1) < \dfrac{\theta}{2} < 180° \times (2k+1) + 15°$ 또는

$\quad 180° \times (2k+1) + 75° < \dfrac{\theta}{2} < 180° \times (2k+1) + 90°$

$\therefore 360° \times k + 180° < \dfrac{\theta}{2} < 360° \times k + 195°$ 또는

$\qquad 360° \times k + 255° < \dfrac{\theta}{2} < 360° \times k + 270°$

STEP 3 $\dfrac{\theta}{2}$를 나타내는 동경이 속하는 영역을 좌표평면 위에 나타내기

(i), (ii)에 의하여 $\dfrac{\theta}{2}$를 나타내는 동경이 속하는 영역을 좌표평면 위에 나타내면 다음과 같다.

(단, 경계선은 제외한다.)

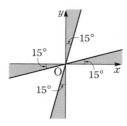

필수유형 02   **191쪽**

02-1 🔓 $\dfrac{\pi}{3}$, $\dfrac{2}{3}\pi$

해결전략 | 각 θ를 나타내는 동경과 각 7θ를 나타내는 동경이 일치하도록 좌표평면 위에 나타내고 두 각 사이의 관계를 찾는다.

STEP 1 θ를 정수 n에 대한 식으로 나타내기

오른쪽 그림과 같이 각 θ를 나타내는 동경과 각 7θ를 나타내는 동경이 일치하므로

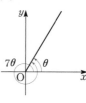

$7\theta - \theta = 2n\pi$ (n은 정수)

$6\theta = 2n\pi \qquad \therefore \theta = \dfrac{n}{3}\pi$ ...... ㉠

STEP 2 n의 값 구하기

$0 < \theta < \pi$에서 $0 < \dfrac{n}{3}\pi < \pi$이므로

$0 < n < 3$

$\therefore n = 1, 2$

STEP3 각 θ의 크기 구하기

$n = 1, 2$를 ㉠에 대입하면

$\theta = \dfrac{\pi}{3}$ 또는 $\theta = \dfrac{2}{3}\pi$

02-2 답 $\dfrac{5}{4}\pi, \dfrac{7}{4}\pi$

해결전략 | 각 θ를 나타내는 동경과 각 5θ를 나타내는 동경이 일직선 위에 있고 방향이 반대가 되도록 좌표평면 위에 나타내고 두 각 사이의 관계를 찾는다.

STEP1 θ를 정수 n에 대한 식으로 나타내기

오른쪽 그림과 같이 각 θ를 나타내는 동경과 각 5θ를 나타내는 동경이 일직선 위에 있고 방향이 반대이므로

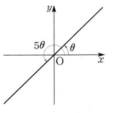

$5\theta - \theta = 2n\pi + \pi$ (n은 정수)

$4\theta = 2n\pi + \pi$

$\therefore \theta = \dfrac{2n+1}{4}\pi$ ...... ㉠

STEP2 n의 값 구하기

$\pi < \theta < 2\pi$에서 $\pi < \dfrac{2n+1}{4}\pi < 2\pi$이므로

$3 < 2n < 7, \dfrac{3}{2} < n < \dfrac{7}{2}$

$\therefore n = 2, 3$

STEP3 각 θ의 크기 구하기

$n = 2, 3$을 ㉠에 대입하면

$\theta = \dfrac{5}{4}\pi$ 또는 $\theta = \dfrac{7}{4}\pi$

02-3 답 $\dfrac{\pi}{4}, \dfrac{3}{4}\pi$

해결전략 | 각 θ를 나타내는 동경과 각 3θ를 나타내는 동경이 y축에 대하여 대칭이 되도록 좌표평면 위에 나타내고 두 각 사이의 관계를 찾는다.

STEP1 θ를 정수 n에 대한 식으로 나타내기

오른쪽 그림과 같이 각 θ를 나타내는 동경과 각 3θ를 나타내는 동경이 y축에 대하여 대칭이므로

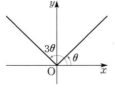

$\theta + 3\theta = 2n\pi + \pi$ (n은 정수)

$4\theta = (2n+1)\pi$

$\therefore \theta = \dfrac{2n+1}{4}\pi$ ...... ㉠

STEP2 n의 값 구하기

$0 < \theta < \pi$에서 $0 < \dfrac{2n+1}{4}\pi < \pi$이므로

$-1 < 2n < 3, -\dfrac{1}{2} < n < \dfrac{3}{2}$

$\therefore n = 0, 1$

STEP3 각 θ의 크기 구하기

$n = 0, 1$을 ㉠에 대입하면

$\theta = \dfrac{\pi}{4}$ 또는 $\theta = \dfrac{3}{4}\pi$

02-4 답 $\dfrac{2}{3}\pi$

해결전략 | 각 2θ를 나타내는 동경과 각 5θ를 나타내는 동경이 일치하도록 좌표평면 위에 나타내고 두 각 사이의 관계를 찾는다.

STEP1 θ를 정수 n에 대한 식으로 나타내기

각 2θ를 나타내는 동경과 각 5θ를 나타내는 동경이 일치하므로

$5\theta - 2\theta = 2n\pi$ (n은 정수)

$3\theta = 2n\pi$

$\therefore \theta = \dfrac{2n}{3}\pi$ ...... ㉠

STEP2 n의 값 구하기

$\dfrac{\pi}{2} < \theta < \pi$에서 $\dfrac{\pi}{2} < \dfrac{2n}{3}\pi < \pi$이므로

$\dfrac{3}{4} < n < \dfrac{3}{2}$

$\therefore n = 1$

STEP3 각 θ의 크기 구하기

$n = 1$을 ㉠에 대입하면

$\theta = \dfrac{2}{3}\pi$

02-5 답 $\dfrac{3}{2}\pi$

해결전략 | 각 3θ를 나타내는 동경과 각 5θ를 나타내는 동경이 x축에 대하여 대칭이 되도록 좌표평면 위에 나타내고 두 각 사이의 관계를 찾는다.

STEP1 θ를 정수 n에 대한 식으로 나타내기

오른쪽 그림과 같이 각 3θ를 나타내는 동경과 각 5θ를 나타내는 동경이 x축에 대하여 대칭이므로

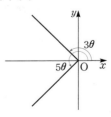

$3\theta + 5\theta = 2n\pi$ (n은 정수)

$8\theta = 2n\pi$

$$\therefore \theta = \frac{n}{4}\pi \qquad\qquad \cdots\cdots \ \text{㉠}$$

STEP2 n의 값 구하기

$0 < \theta < \pi$에서 $0 < \dfrac{n}{4}\pi < \pi$이므로

$0 < n < 4$

$\therefore n = 1, 2, 3$

STEP3 모든 각 θ의 크기의 합 구하기

$n = 1, 2, 3$을 ㉠에 대입하면

$\theta = \dfrac{\pi}{4}$ 또는 $\theta = \dfrac{\pi}{2}$ 또는 $\theta = \dfrac{3}{4}\pi$

따라서 모든 각 θ의 크기의 합은

$$\frac{\pi}{4} + \frac{\pi}{2} + \frac{3}{4}\pi = \frac{3}{2}\pi$$

02-6 답 $\dfrac{2}{3}\pi$

해결전략 | 각 2θ를 나타내는 동경과 각 4θ를 나타내는 동경이 직선 $y = x$에 대하여 대칭이 되도록 좌표평면 위에 나타내고 두 각 사이의 관계식을 찾는다.

STEP1 θ를 정수 n에 대한 식으로 나타내기

오른쪽 그림과 같이 각 2θ를 나타내는 동경과 각 4θ를 나타내는 동경이 직선 $y = x$에 대하여 대칭이므로

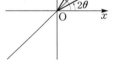

$$2\theta + 4\theta = 2n\pi + \frac{\pi}{2}$$

(n은 정수)

$6\theta = 2n\pi + \dfrac{\pi}{2}$

$6\theta = \dfrac{4n+1}{2}\pi$

$\therefore \theta = \dfrac{4n+1}{12}\pi \qquad\qquad \cdots\cdots \ \text{㉠}$

STEP2 각 θ의 크기 구하기

$0 < \theta < \pi$에서 $0 < \dfrac{4n+1}{12}\pi < \pi$이므로

$-\dfrac{1}{4} < n < \dfrac{11}{4}$

$\therefore n = 0, 1, 2$

$n = 0, 1, 2$를 ㉠에 대입하면

$\theta = \dfrac{\pi}{12}$ 또는 $\theta = \dfrac{5}{12}\pi$ 또는 $\theta = \dfrac{3}{4}\pi$

STEP3 $\alpha - \beta$의 값 구하기

따라서 $\alpha = \dfrac{3}{4}\pi$, $\beta = \dfrac{\pi}{12}$이므로

$$\alpha - \beta = \frac{3}{4}\pi - \frac{\pi}{12} = \frac{2}{3}\pi$$

풍쌤의 비법

서로 다른 동경을 나타내는 각의 크기가 각각 α, β일 때,
① 두 동경이 직선 $y = x$에 대하여 대칭이면
  $\alpha + \beta = 2n\pi + \dfrac{\pi}{2}$ (단, n은 정수이다.)
② 두 동경이 직선 $y = -x$에 대하여 대칭이면
  $\alpha + \beta = 2n\pi + \dfrac{3}{2}\pi$ (단, n은 정수이다.)

필수유형 03 193쪽

03-1 답 18

해결전략 | 부채꼴의 호의 길이를 구하는 공식에 주어진 값을 대입하여 부채꼴의 반지름의 길이를 구한다.

STEP1 부채꼴의 반지름의 길이를 r로 놓고 식 세우기

부채꼴의 반지름의 길이를 r라고 하면 중심각의 크기가 $\dfrac{\pi}{3}$이고 호의 길이가 6π이므로

$$r \times \frac{\pi}{3} = 6\pi$$

STEP2 부채꼴의 반지름의 길이 구하기

$\therefore r = 18$

03-2 답 $\dfrac{\pi}{6}$

해결전략 | 부채꼴의 넓이를 구하는 공식에 주어진 값을 대입하여 부채꼴의 반지름의 길이와 중심각의 크기를 구한다.

STEP1 부채꼴의 반지름의 길이 구하기

부채꼴의 반지름의 길이를 r라고 하면 호의 길이가 π이고 넓이가 3π이므로

$$\frac{1}{2}r \times \pi = 3\pi \qquad \therefore r = 6$$

STEP2 부채꼴의 중심각의 크기 구하기

부채꼴의 중심각의 크기를 θ라고 하면 호의 길이가 π이므로

$$6\theta = \pi \qquad \therefore \theta = \frac{\pi}{6}$$

03-3 답 9

해결전략 | 부채꼴의 둘레의 길이를 구하는 식에 주어진 값을 대입하여 부채꼴의 반지름의 길이와 넓이를 구한다.

STEP1 부채꼴의 반지름의 길이 구하기

부채꼴의 반지름의 길이를 r라고 하면 둘레의 길이가 12이므로

$2r + r \times 2 = 12$

$4r = 12 \qquad \therefore r = 3$

STEP 2 부채꼴의 넓이 구하기

따라서 부채꼴의 넓이는

$\dfrac{1}{2} \times 3^2 \times 2 = 9$

03-4 答 $2\sqrt{2}\pi$

해결전략 ┃ 원의 넓이와 부채꼴의 넓이를 각각 구하여 비교한다.

STEP 1 부채꼴의 반지름의 길이 구하기

반지름의 길이가 4인 원의 넓이는

$\pi \times 4^2 = 16\pi$

부채꼴의 반지름의 길이를 r라고 하면 부채꼴의 넓이는

$\dfrac{1}{2} \times r^2 \times \dfrac{\pi}{4} = \dfrac{r^2}{8}\pi$

원의 넓이와 부채꼴의 넓이가 서로 같으므로

$\dfrac{r^2}{8}\pi = 16\pi, \ r^2 = 128$

$\therefore r = 8\sqrt{2} \ (\because r > 0)$

STEP 2 부채꼴의 호의 길이 구하기

따라서 부채꼴의 호의 길이는

$8\sqrt{2} \times \dfrac{\pi}{4} = 2\sqrt{2}\pi$

03-5 答 $\dfrac{1}{2}$

해결전략 ┃ 작은 부채꼴 4개와 큰 부채꼴 4개의 호의 길이와 큰 부채꼴과 작은 부채꼴 사이의 길이를 모두 더하여 바깥쪽 둘레의 길이를 구한다.

STEP 1 도형의 바깥쪽 둘레의 길이를 θ에 대한 식으로 나타내기

반지름의 길이가 5인 4개의 부채꼴의 중심각의 크기가 θ 이므로 이 부채꼴의 호 4개의 총길이는

$5\theta \times 4 = 20\theta$

반지름의 길이가 3인 4개의 부채꼴의 중심각의 크기의 합이 $2\pi - 4\theta$이므로 이 부채꼴의 호 4개의 총길이는

$3 \times (2\pi - 4\theta) = 6\pi - 12\theta$

길이가 2인 선분이 8개 있으므로 이 선분 8개의 길이는

$2 \times 8 = 16$

따라서 도형의 바깥쪽 둘레의 길이는

$20\theta + (6\pi - 12\theta) + 16 = 6\pi + 8\theta + 16$

STEP 2 θ의 크기 구하기

이때 도형의 바깥쪽 둘레의 길이가 $6\pi + 20$이므로

$6\pi + 8\theta + 16 = 6\pi + 20$

$8\theta + 16 = 20, \ 8\theta = 4$

$\therefore \theta = \dfrac{1}{2}$

필수유형 **04**   195쪽

04-1 答 48π

해결전략 ┃ 부채꼴의 겉넓이는 옆면인 부채꼴의 넓이와 밑면 인 원의 넓이의 합임을 이용한다.

STEP 1 옆면의 넓이 구하기

주어진 조건을 이용하여 전개도 를 그리면 오른쪽 그림과 같다.

옆면인 부채꼴의 호의 길이는

$2\pi \times 4 = 8\pi$이므로 넓이는

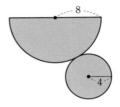

$\dfrac{1}{2} \times 8 \times 8\pi = 32\pi$

STEP 2 겉넓이 구하기

따라서 원뿔의 겉넓이는

(부채꼴의 넓이) + (밑면인 원의 넓이) $= 32\pi + \pi \times 4^2$

$\qquad\qquad\qquad\qquad\qquad\qquad\qquad = 48\pi$

04-2 答 반지름의 길이: 3, 중심각의 크기: 2

해결전략 ┃ 부채꼴의 넓이를 부채꼴의 반지름의 길이 r에 대 한 이차식으로 나타내어 이차함수의 최댓값을 구한다.

STEP 1 부채꼴의 반지름의 길이를 r로 놓고, r의 값의 범위 구하기

부채꼴의 반지름의 길이를 r, 호의 길이를 l이라고 하면 둘레의 길이가 12이므로

$2r + l = 12 \qquad \therefore l = 12 - 2r$

이때 $r > 0$, $l > 0$이므로 $r > 0$, $12 - 2r > 0$

$\therefore 0 < r < 6$

STEP 2 부채꼴의 넓이를 r에 대한 식으로 나타내기

부채꼴의 넓이를 S라고 하면

$S = \dfrac{1}{2}r(12 - 2r) = -r^2 + 6r$

$\quad = -(r-3)^2 + 9 \ (0 < r < 6)$

STEP 3 넓이가 최대일 때의 반지름의 길이와 중심각의 크기 구하기

따라서 S는 $r = 3$일 때 최댓값 9를 가지므로 넓이가 최대 일 때의 반지름의 길이는 3이다.

이때 부채꼴의 중심각의 크기를 θ라고 하면

$\dfrac{1}{2} \times 3^2 \times \theta = 9 \qquad \therefore \theta = 2$

04-3 답 $\dfrac{81}{4}$ cm²

해결전략 | 부채꼴의 넓이를 부채꼴의 반지름의 길이 r에 대한 이차식으로 나타내어 이차함수의 최댓값을 구한다.

STEP1 쿠키의 반지름의 길이를 r cm로 놓고, r의 값의 범위 구하기

부채꼴 모양의 쿠키의 반지름의 길이를 r cm, 호의 길이를 l cm라고 하면 둘레의 길이가 18 cm이므로

$2r+l=18$ ∴ $l=18-2r$

이때 $r>0$, $l>0$이므로 $r>0$, $18-2r>0$

∴ $0<r<9$

STEP2 쿠키의 넓이를 r에 대한 식으로 나타내기

부채꼴 모양의 쿠키의 넓이를 S cm²라고 하면

$S=\dfrac{1}{2}r(18-2r)=-r^2+9r$

$\quad=-\left(r-\dfrac{9}{2}\right)^2+\dfrac{81}{4}$ $(0<r<9)$

STEP3 쿠키의 넓이의 최댓값 구하기

따라서 S는 $r=\dfrac{9}{2}$일 때 최댓값 $\dfrac{81}{4}$을 가지므로 쿠키의 넓이의 최댓값은 $\dfrac{81}{4}$ cm²이다.

04-4 답 $\dfrac{4\sqrt5}{3}\pi$

해결전략 | 부채꼴의 호의 길이가 원뿔의 밑면인 원의 둘레의 길이와 같음을 이용하여 밑면의 반지름의 길이를 구한다.

STEP1 부채꼴의 반지름의 길이 구하기

부채꼴의 반지름의 길이를 r, 호의 길이를 l, 넓이를 S라고 하면

$l=4\pi$, $S=6\pi$

$S=\dfrac{1}{2}rl$에서

$6\pi=\dfrac{1}{2}\times r\times4\pi$ ∴ $r=3$

STEP2 밑면인 원의 반지름의 길이와 원뿔의 높이 구하기

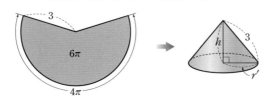

위의 그림과 같이 부채꼴을 옆면으로 하는 원뿔의 높이를 h, 밑면인 원의 반지름의 길이를 r'이라고 하면

$2\pi r'=4\pi$ ∴ $r'=2$

∴ $h=\sqrt{3^2-2^2}=\sqrt5$

STEP3 원뿔의 부피 구하기

따라서 원뿔의 부피는

$\dfrac{\pi}{3}\times r'^2\times h=\dfrac{\pi}{3}\times2^2\times\sqrt5=\dfrac{4\sqrt5}{3}\pi$

> **🎯 풍쌤의 비법**
>
> **원뿔의 부피**
> 밑면인 원의 반지름의 길이가 r, 높이가 h인 원뿔의 부피 V는
>
> $V=\dfrac{1}{3}\pi r^2h$
>
>

04-5 답 $3\sqrt3-\pi$

해결전략 | 정육각형의 꼭짓점과 원의 중심을 이으면 정육각형은 6개의 정삼각형으로 나누어지므로 하나의 정삼각형에서 색칠한 부분의 넓이를 알아본다.

STEP1 정육각형을 6개의 정삼각형으로 나누어 한 개의 정삼각형의 넓이 구하기

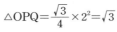

색칠한 부분의 넓이를 S라고 하면 오른쪽 그림에서

$S=6S_1$

이때 △OPQ는 한 변의 길이가 2인 정삼각형이므로

$\triangle OPQ=\dfrac{\sqrt3}{4}\times2^2=\sqrt3$

STEP2 색칠한 부분의 넓이 구하기

한편, △ABC는 한 변의 길이가 1인 정삼각형이므로

$S_1=\triangle OPQ$

$\quad-\{\triangle APB+(\text{부채꼴 ABC의 넓이})+\triangle ACQ\}$

$=\sqrt3-\left\{\dfrac{\sqrt3}{4}+\left(\dfrac{1}{2}\times1^2\times\dfrac{\pi}{3}\right)+\dfrac{\sqrt3}{4}\right\}$

$=\dfrac{\sqrt3}{2}-\dfrac{\pi}{6}$

따라서 색칠한 부분의 넓이 S는

$S=6S_1=6\left(\dfrac{\sqrt3}{2}-\dfrac{\pi}{6}\right)=3\sqrt3-\pi$

필수유형 05 197쪽

05-1 답 -2

해결전략 | 점 P를 좌표평면 위에 나타내고 삼각함수의 정의를 이용하여 $\sin\theta$, $\cos\theta$의 값을 구한다.

STEP1 $\sin\theta$, $\cos\theta$의 값 구하기

$\overline{\text{OP}}=\sqrt{1^2+(-1)^2}=\sqrt{2}$이므로

$\sin\theta=-\dfrac{1}{\sqrt{2}}$, $\cos\theta=\dfrac{1}{\sqrt{2}}$

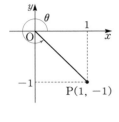

STEP2 주어진 식의 값 구하기

$\therefore \sqrt{2}(\sin\theta-\cos\theta)$

$\quad=\sqrt{2}\left(-\dfrac{1}{\sqrt{2}}-\dfrac{1}{\sqrt{2}}\right)$

$\quad=-1-1=-2$

05-2 답 18

해결전략 | 점 P를 좌표평면 위에 나타내고 삼각함수의 정의를 이용하여 $\sin\theta$, $\cos\theta$, $\tan\theta$의 값을 구한다.

STEP1 $\sin\theta$, $\cos\theta$의 값 구하기

$\overline{\text{OP}}=\sqrt{5^2+12^2}=13$

이므로

$\sin\theta=\dfrac{12}{13}$, $\cos\theta=\dfrac{5}{13}$,

$\tan\theta=\dfrac{12}{5}$

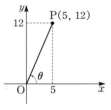

STEP2 주어진 식의 값 구하기

$\therefore \dfrac{13\sin\theta+10\tan\theta}{13\cos\theta-3}$

$\quad=\dfrac{13\times\dfrac{12}{13}+10\times\dfrac{12}{5}}{13\times\dfrac{5}{13}-3}=\dfrac{12+24}{5-3}=18$

05-3 답 $-\sqrt{2}-2\sqrt{7}+2$

해결전략 | 점 P를 좌표평면 위에 나타내고 삼각함수의 정의를 이용하여 $\sin\theta$, $\cos\theta$, $\tan\theta$의 값을 구한다.

STEP1 $\sin\theta$, $\cos\theta$, $\tan\theta$의 값 구하기

$\overline{\text{OP}}=\sqrt{(-\sqrt{7})^2+(-\sqrt{2})^2}=3$

이므로

$\sin\theta=-\dfrac{\sqrt{2}}{3}$, $\cos\theta=-\dfrac{\sqrt{7}}{3}$,

$\tan\theta=\dfrac{\sqrt{2}}{\sqrt{7}}$

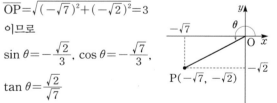

STEP2 주어진 식의 값 구하기

$\therefore 3\sin\theta+6\cos\theta+\sqrt{14}\tan\theta$

$\quad=3\times\left(-\dfrac{\sqrt{2}}{3}\right)+6\times\left(-\dfrac{\sqrt{7}}{3}\right)+\sqrt{14}\times\dfrac{\sqrt{2}}{\sqrt{7}}$

$\quad=-\sqrt{2}-2\sqrt{7}+2$

05-4 답 $\sqrt{13}$

해결전략 | 삼각함수의 정의를 이용하여 $\sin\theta$를 a에 대한 식으로 나타낸다.

STEP1 $\sin\theta$를 a에 대한 식으로 나타내기

$\overline{\text{OP}}=\sqrt{a^2+(\sqrt{3})^2}=\sqrt{a^2+3}$이므로

$\sin\theta=\dfrac{\sqrt{3}}{\sqrt{a^2+3}}$

STEP2 양수 a의 값 구하기

$\sin\theta=\dfrac{\sqrt{3}}{4}$이므로

$\dfrac{\sqrt{3}}{\sqrt{a^2+3}}=\dfrac{\sqrt{3}}{4}$, $\sqrt{a^2+3}=4$

$a^2+3=16$, $a^2=13$

$\therefore a=\sqrt{13}$ ($\because a>0$)

05-5 답 $\dfrac{3}{4}$

해결전략 | 주어진 조건을 만족시키는 점 P의 좌표를 잡아 $\tan\theta$의 값을 구한다.

STEP1 주어진 조건을 만족시키는 점 P의 좌표 구하기

θ가 제3사분면의 각이므로 각 θ를 나타내는 동경을 OP 라고 할 때, $\cos\theta=-\dfrac{4}{5}$에서 점 P의 좌표를 $(-4,\ a)$ ($a<0$)로 놓을 수 있다.

이때 $\overline{\text{OP}}=\sqrt{(-4)^2+a^2}=\sqrt{a^2+16}=5$이므로

$a^2+16=25$, $a^2=9$

$\therefore a=-3$ ($\because a<0$)

STEP2 $\tan\theta$의 값 구하기

따라서 점 P의 좌표는 $(-4,\ -3)$이므로

$\tan\theta=\dfrac{-3}{-4}=\dfrac{3}{4}$

◉→ **다른 풀이**

$\sin^2\theta+\cos^2\theta=1$에서 $\sin^2\theta=1-\cos^2\theta$이므로

$\sin^2\theta=1-\left(-\dfrac{4}{5}\right)^2=\dfrac{9}{25}$

θ가 제3사분면의 각이므로 $\sin\theta<0$

따라서 $\sin\theta=-\dfrac{3}{5}$이므로

$\tan\theta=\dfrac{\sin\theta}{\cos\theta}=\dfrac{-\dfrac{3}{5}}{-\dfrac{4}{5}}=\dfrac{3}{4}$

05-6 답 $\dfrac{3}{5}$

해결전략 | 두 점 B, D의 좌표를 구하여 $\cos\alpha$, $\tan\beta$의 값을 각각 구한다.

STEP1 두 점 B, D의 좌표 구하기

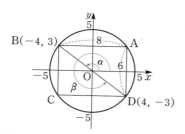

$\overline{AB}=8$, $\overline{AD}=6$이고, 점 B는 제2사분면, 점 D는 제4사분면 위에 있으므로

B$(-4, 3)$, D$(4, -3)$

STEP 2 $\cos \alpha$, $\tan \beta$의 값 구하기

두 점 B, D는 원 $x^2+y^2=25$ 위의 점이므로

$\overline{OB}=\overline{OD}=5$

$\therefore \cos \alpha=-\dfrac{4}{5}$, $\tan \beta=-\dfrac{3}{4}$

STEP 3 $\cos \alpha \tan \beta$의 값 구하기

$\therefore \cos \alpha \tan \beta=-\dfrac{4}{5}\times\left(-\dfrac{3}{4}\right)=\dfrac{3}{5}$

필수유형 06

199쪽

06-1 탑 (1) 제2사분면의 각 (2) 제4사분면의 각

해결전략 | 각 조건을 만족시키는 θ가 제몇 사분면의 각인지 파악한 후 두 조건을 동시에 만족시키는 사분면을 찾는다.

(1) 사인이 양수이고, 탄젠트가 음수인 사분면은 제2사분면이므로 θ는 제2사분면의 각이다.

(2) 사인이 음수이고, 코사인이 양수인 사분면은 제4사분면이므로 θ는 제4사분면의 각이다.

06-2 탑 제2사분면의 각

해결전략 | 각 조건을 만족시키는 θ가 제몇 사분면의 각인지 파악한 후 두 조건을 동시에 만족시키는 사분면을 찾는다.

STEP 1 $\sin \theta \tan \theta<0$을 만족시키는 θ는 제몇 사분면의 각인지 구하기

(i) $\sin \theta \tan \theta<0$에서

$\sin \theta>0$, $\tan \theta<0$ 또는 $\sin \theta<0$, $\tan \theta>0$

$\sin \theta>0$, $\tan \theta<0$일 때, θ는 제2사분면의 각이다.

$\sin \theta<0$, $\tan \theta>0$일 때, θ는 제3사분면의 각이다.

따라서 $\sin \theta \tan \theta<0$을 만족시키는 θ는 제2사분면 또는 제3사분면의 각이다.

STEP 2 $\dfrac{\tan \theta}{\cos \theta}>0$을 만족시키는 θ는 제몇 사분면의 각인지 구하기

(ii) $\dfrac{\tan \theta}{\cos \theta}>0$에서

$\cos \theta>0$, $\tan \theta>0$ 또는 $\cos \theta<0$, $\tan \theta<0$

$\cos \theta>0$, $\tan \theta>0$일 때, θ는 제1사분면의 각이다.

$\cos \theta<0$, $\tan \theta<0$일 때, θ는 제2사분면의 각이다.

따라서 $\dfrac{\tan \theta}{\cos \theta}>0$을 만족시키는 θ는 제1사분면 또는 제2사분면의 각이다.

STEP 3 θ는 제몇 사분면의 각인지 구하기

(i), (ii)에 의하여 θ는 제2사분면의 각이다.

06-3 탑 ③

해결전략 | 주어진 두 부등식을 만족시키는 θ가 제몇 사분면의 각인지 구한 후 그 사분면에 있는 각을 찾는다.

STEP 1 주어진 부등식을 만족시키는 θ는 제몇 사분면의 각인지 구하기

$\dfrac{\cos \theta}{\sin \theta}>0$에서

$\sin \theta>0$, $\cos \theta>0$ 또는 $\sin \theta<0$, $\cos \theta<0$

이때 $\sin \theta+\cos \theta>0$이므로

$\sin \theta>0$, $\cos \theta>0$

따라서 θ는 제1사분면의 각이므로

$0<\theta<\dfrac{\pi}{2}$

STEP 2 보기에서 제1사분면의 각 찾기

① $-\dfrac{2}{3}\pi=-120°$이므로 제3사분면의 각이다.

② $-\dfrac{\pi}{5}=-36°$이므로 제4사분면의 각이다.

③ $\dfrac{3}{8}\pi=67.5°$이므로 제1사분면의 각이다.

④ $\dfrac{5}{6}\pi=150°$이므로 제2사분면의 각이다.

⑤ $\dfrac{7}{8}\pi=157.5°$이므로 제2사분면의 각이다.

따라서 θ의 크기가 될 수 있는 것은 ③이다.

06-4 탑 ②

해결전략 | θ가 제2사분면의 각일 때의 삼각함수의 부호를 조사하여 보기의 부호를 각각 구한다.

STEP 1 삼각함수의 부호 조사하기

θ가 제2사분면의 각이므로

$\sin \theta>0$, $\cos \theta<0$, $\tan \theta<0$

STEP 2 보기의 부호 조사하기

① $\tan \theta < 0$

② $\sin \theta > 0$, $-\cos \theta > 0$이므로
$\sin \theta - \cos \theta > 0$

③ $\cos \theta < 0$, $\tan \theta < 0$이므로
$\cos \theta + \tan \theta < 0$

④ $\sin \theta > 0$, $\cos \theta < 0$이므로
$\sin \theta \cos \theta < 0$

⑤ $\sin \theta > 0$, $\tan \theta < 0$이므로
$\dfrac{\sin \theta}{\tan \theta} < 0$

따라서 부호가 다른 것은 ②이다.

06-5 답 $-\sin \theta - 2\tan \theta$

해결전략 | 삼각함수의 부호를 조사하여 각각의 식을 변형한다.

STEP1 삼각함수의 부호 조사하기

$\dfrac{3}{2}\pi < \theta < 2\pi$에서 θ가 제4사분면의 각이므로

$\sin \theta < 0$, $\cos \theta > 0$, $\tan \theta < 0$

STEP2 주어진 식 간단히 하기

$\cos \theta > 0$, $-\tan \theta > 0$이므로 $\cos \theta - \tan \theta > 0$

$\sin \theta < 0$, $\tan \theta < 0$이므로 $\sin \theta + \tan \theta < 0$

$\therefore |\cos \theta - \tan \theta| - \sqrt{\cos^2 \theta} + \sqrt{(\sin \theta + \tan \theta)^2}$

$\quad = |\cos \theta - \tan \theta| - |\cos \theta| + |\sin \theta + \tan \theta|$

$\quad = (\cos \theta - \tan \theta) - \cos \theta - (\sin \theta + \tan \theta)$

$\quad = -\sin \theta - 2\tan \theta$

06-6 답 ㄱ, ㄴ, ㄷ

해결전략 | 음수의 제곱근의 성질을 이용하여 삼각함수의 부호를 조사한 후 보기의 참, 거짓을 판별한다.

STEP1 삼각함수의 부호 조사하기

$\sqrt{\sin \theta}\sqrt{\cos \theta} = -\sqrt{\sin \theta \cos \theta}$이므로

$\sin \theta < 0$, $\cos \theta < 0$ ($\because \sin \theta \neq 0$, $\cos \theta \neq 0$)

$\sin \theta < 0$, $\cos \theta < 0$일 때, θ는 제3사분면의 각이므로

$\tan \theta > 0$

STEP2 보기의 참, 거짓 판별하기

ㄱ. $\sin \theta < 0$, $\tan \theta > 0$이므로 $\sin \theta \tan \theta < 0$ (참)

ㄴ. $\sin \theta < 0$, $\cos \theta < 0$이므로
$\sin \theta + \cos \theta < 0$ (참)

ㄷ. $\cos \theta < 0$, $\tan \theta > 0$이므로
$\dfrac{\sqrt{\tan \theta}}{\sqrt{\cos \theta}} = -\sqrt{\dfrac{\tan \theta}{\cos \theta}}$ (참)

따라서 옳은 것은 ㄱ, ㄴ, ㄷ이다.

풍쌤의 비법

음수의 제곱근의 성질

① $a < 0$, $b < 0$일 때 $\Rightarrow \sqrt{a}\sqrt{b} = -\sqrt{ab}$

② $a > 0$, $b < 0$일 때 $\Rightarrow \dfrac{\sqrt{a}}{\sqrt{b}} = -\sqrt{\dfrac{a}{b}}$

필수유형 07 201쪽

07-1 답 (1) 2 (2) $\dfrac{2}{\cos^2 \theta}$

해결전략 | 완전제곱식은 전개하고 분수식은 통분한 후 삼각함수 사이의 관계식을 이용하여 주어진 식을 간단히 한다.

(1) $(\sin \theta + \cos \theta)^2 + (\sin \theta - \cos \theta)^2$

$\quad = (\sin^2 \theta + 2\sin \theta \cos \theta + \cos^2 \theta)$
$\qquad\qquad + (\sin^2 \theta - 2\sin \theta \cos \theta + \cos^2 \theta)$

$\quad = 2(\sin^2 \theta + \cos^2 \theta) = 2 \leftarrow \sin^2 \theta + \cos^2 \theta = 1$

(2) $\dfrac{1}{1+\sin \theta} + \dfrac{1}{1-\sin \theta} = \dfrac{(1-\sin \theta) + (1+\sin \theta)}{(1+\sin \theta)(1-\sin \theta)}$

$\qquad\qquad\qquad = \dfrac{2}{1-\sin^2 \theta} = \dfrac{2}{\cos^2 \theta}$

07-2 답 1

해결전략 | 적당히 두 개씩 짝 지어 계산한 후 삼각함수 사이의 관계식을 이용하여 주어진 식을 간단히 한다.

$\left(1 - \dfrac{1}{\sin \theta}\right)\left(1 - \dfrac{1}{\cos \theta}\right)\left(1 + \dfrac{1}{\sin \theta}\right)\left(1 + \dfrac{1}{\cos \theta}\right)$

$= \dfrac{\sin \theta - 1}{\sin \theta} \times \dfrac{\cos \theta - 1}{\cos \theta} \times \dfrac{\sin \theta + 1}{\sin \theta} \times \dfrac{\cos \theta + 1}{\cos \theta}$

$= \left(\dfrac{\sin \theta - 1}{\sin \theta} \times \dfrac{\sin \theta + 1}{\sin \theta}\right) \times \left(\dfrac{\cos \theta - 1}{\cos \theta} \times \dfrac{\cos \theta + 1}{\cos \theta}\right)$

$= \dfrac{\sin^2 \theta - 1}{\sin^2 \theta} \times \dfrac{\cos^2 \theta - 1}{\cos^2 \theta}$

$= \dfrac{-\cos^2 \theta}{\sin^2 \theta} \times \dfrac{-\sin^2 \theta}{\cos^2 \theta}$

$\quad \leftarrow$ $\sin^2 \theta + \cos^2 \theta = 1$에서
$\sin^2 \theta - 1 = -\cos^2 \theta$
$\cos^2 \theta - 1 = -\sin^2 \theta$

$= 1$

07-3 답 0

해결전략 | 삼각함수 사이의 관계식을 이용하여 주어진 식을 간단히 한다.

$\dfrac{1 - \tan \theta}{1 + \tan \theta} + \dfrac{\sin^2 \theta - \cos^2 \theta}{1 + 2\sin \theta \cos \theta}$

$= \dfrac{1 - \dfrac{\sin \theta}{\cos \theta}}{1 + \dfrac{\sin \theta}{\cos \theta}} + \dfrac{\sin^2 \theta - \cos^2 \theta}{\sin^2 \theta + \cos^2 \theta + 2\sin \theta \cos \theta}$

$$= \frac{\cos\theta - \sin\theta}{\cos\theta + \sin\theta} + \frac{(\sin\theta - \cos\theta)(\sin\theta + \cos\theta)}{(\sin\theta + \cos\theta)^2}$$

$$= \frac{-(\sin\theta - \cos\theta)}{\sin\theta + \cos\theta} + \frac{\sin\theta - \cos\theta}{\sin\theta + \cos\theta}$$

$$= 0$$

07-4 답 $\sqrt{3}$

해결전략 | 주어진 등식의 좌변을 간단히 하여 $f(\theta)$를 구한다.

STEP 1 $\dfrac{\sin\theta\,\tan\theta}{\tan\theta - \sin\theta} - \dfrac{1}{\sin\theta}$ 간단히 하기

$$\frac{\sin\theta\,\tan\theta}{\tan\theta - \sin\theta} - \frac{1}{\sin\theta}$$

$$\left. \tan\theta = \frac{\sin\theta}{\cos\theta} \right.$$

$$= \frac{\sin\theta \times \dfrac{\sin\theta}{\cos\theta}}{\dfrac{\sin\theta}{\cos\theta} - \sin\theta} - \frac{1}{\sin\theta}$$

$$= \frac{\sin^2\theta}{\sin\theta - \sin\theta\cos\theta} - \frac{1}{\sin\theta}$$

$$= \frac{\sin\theta}{1 - \cos\theta} - \frac{1}{\sin\theta}$$

$$= \frac{\sin^2\theta - (1 - \cos\theta)}{\sin\theta(1 - \cos\theta)}$$

$$\left. \begin{array}{l} \sin^2\theta + \cos^2\theta = 1\text{이므로} \\ \sin^2\theta = 1 - \cos^2\theta \end{array} \right.$$

$$= \frac{(1 - \cos^2\theta) - (1 - \cos\theta)}{\sin\theta(1 - \cos\theta)}$$

$$= \frac{(1 + \cos\theta)(1 - \cos\theta) - (1 - \cos\theta)}{\sin\theta(1 - \cos\theta)}$$

$$= \frac{(1 + \cos\theta) - 1}{\sin\theta}$$

$$= \frac{\cos\theta}{\sin\theta}$$

STEP 2 $f(\theta)$를 구하여 $f\left(\dfrac{\pi}{3}\right)$의 값 구하기

즉, $\dfrac{1}{f(\theta)} = \dfrac{\cos\theta}{\sin\theta}$이므로

$$f(\theta) = \frac{\sin\theta}{\cos\theta} = \tan\theta$$

$$\therefore f\left(\frac{\pi}{3}\right) = \tan\frac{\pi}{3} = \sqrt{3}$$

07-5 답 풀이 참조

해결전략 | 삼각함수 사이의 관계식을 이용하여 주어진 식의 좌변을 간단히 하고 우변과 같은지 확인한다.

(1) $\cos^4\theta + 2\sin^2\theta - \sin^4\theta$

$$= (\cos^2\theta)^2 - (\sin^2\theta)^2 + 2\sin^2\theta$$

$$= (\cos^2\theta + \sin^2\theta)(\cos^2\theta - \sin^2\theta) + 2\sin^2\theta$$

$$= (\cos^2\theta - \sin^2\theta) + 2\sin^2\theta$$

$$= \cos^2\theta + \sin^2\theta$$

$$= 1$$

(2) $\dfrac{1}{\cos\theta} - \dfrac{\cos\theta}{1 + \sin\theta}$

$$= \frac{(1 + \sin\theta) - \cos^2\theta}{\cos\theta(1 + \sin\theta)}$$

$$= \frac{1 + \sin\theta - (1 - \sin^2\theta)}{\cos\theta(1 + \sin\theta)}$$

$$= \frac{\sin^2\theta + \sin\theta}{\cos\theta(1 + \sin\theta)}$$

$$= \frac{\sin\theta(\sin\theta + 1)}{\cos\theta(1 + \sin\theta)}$$

$$= \frac{\sin\theta}{\cos\theta} = \tan\theta$$

07-6 답 ㄱ, ㄴ

해결전략 | 보기의 좌변을 간단히 한 후 우변과 비교하여 보기의 참, 거짓을 판별한다.

ㄱ. $\tan^2\theta + \cos^2\theta - \cos^2\theta\tan^4\theta$

$$= \tan^2\theta(1 - \cos^2\theta\tan^2\theta) + \cos^2\theta$$

$$= \tan^2\theta\left(1 - \cos^2\theta \times \frac{\sin^2\theta}{\cos^2\theta}\right) + \cos^2\theta$$

$$= \tan^2\theta(1 - \sin^2\theta) + \cos^2\theta$$

$$= \tan^2\theta\cos^2\theta + \cos^2\theta$$

$$= \frac{\sin^2\theta}{\cos^2\theta} \times \cos^2\theta + \cos^2\theta$$

$$= \sin^2\theta + \cos^2\theta = 1 \ (참)$$

ㄴ. $\dfrac{1}{\cos^2\theta} + \dfrac{\tan\theta}{\cos\theta} = \dfrac{1}{\cos^2\theta} + \dfrac{\dfrac{\sin\theta}{\cos\theta}}{\cos\theta}$

$$= \frac{1}{\cos^2\theta} + \frac{\sin\theta}{\cos^2\theta}$$

$$= \frac{1 + \sin\theta}{\cos^2\theta}$$

$$= \frac{1 + \sin\theta}{1 - \sin^2\theta}$$

$$= \frac{1 + \sin\theta}{(1 + \sin\theta)(1 - \sin\theta)}$$

$$= \frac{1}{1 - \sin\theta} \ (참)$$

ㄷ. $\sin^2\theta - \tan^2\theta = \sin^2\theta - \dfrac{\sin^2\theta}{\cos^2\theta}$

$$= \sin^2\theta\left(1 - \frac{1}{\cos^2\theta}\right)$$

$$= \sin^2\theta \times \frac{\cos^2\theta - 1}{\cos^2\theta}$$

$$= \sin^2\theta \times \left(-\frac{\sin^2\theta}{\cos^2\theta}\right)$$

$$= -\sin^2\theta\tan^2\theta \ (거짓)$$

따라서 옳은 것은 ㄱ, ㄴ이다.

08-1 답 $-\dfrac{29}{15}$

해결전략 | 주어진 식의 좌변을 통분하고 삼각함수 사이의 관계식을 이용하여 삼각함수의 값을 구한다. 이때 θ가 제3사분면의 각이므로 부호에 주의한다.

STEP1 $\sin\theta$의 값 구하기

$$\frac{\sin\theta}{1+\cos\theta}+\frac{1}{\tan\theta}=\frac{\sin\theta}{1+\cos\theta}+\frac{\cos\theta}{\sin\theta}$$
$$=\frac{\sin^2\theta+\cos\theta+\cos^2\theta}{(1+\cos\theta)\sin\theta}$$
$$=\frac{1+\cos\theta}{(1+\cos\theta)\sin\theta}=\frac{1}{\sin\theta}$$

이므로 $\dfrac{\sin\theta}{1+\cos\theta}+\dfrac{1}{\tan\theta}=-\dfrac{5}{4}$에서

$$\frac{1}{\sin\theta}=-\frac{5}{4} \qquad \therefore \sin\theta=-\frac{4}{5}$$

STEP2 $\cos\theta$의 값 구하기

이때 θ가 제3사분면의 각이므로

$\cos\theta<0$, $\tan\theta>0$

$\sin^2\theta+\cos^2\theta=1$에서

$$\cos^2\theta=1-\sin^2\theta=1-\left(-\frac{4}{5}\right)^2=1-\frac{16}{25}=\frac{9}{25}$$

$$\therefore \cos\theta=-\sqrt{\frac{9}{25}}=-\frac{3}{5} \quad \leftarrow \cos\theta<0임에 주의$$

STEP3 $\tan\theta$의 값 구하기

$\tan\theta=\dfrac{\sin\theta}{\cos\theta}$이므로

$$\tan\theta=\frac{-\dfrac{4}{5}}{-\dfrac{3}{5}}=\frac{4}{3}$$

STEP4 $\cos\theta-\tan\theta$의 값 구하기

$$\therefore \cos\theta-\tan\theta=-\frac{3}{5}-\frac{4}{3}=-\frac{29}{15}$$

08-2 답 $-\dfrac{\sqrt{3}}{3}$

해결전략 | 주어진 식의 좌변을 통분하고 삼각함수 사이의 관계식을 이용하여 삼각함수의 값을 구한다. 이때 θ가 제4사분면의 각이므로 부호에 주의한다.

STEP1 $\sin\theta$의 값 구하기

$$\frac{1+\cos\theta}{\sin\theta}+\frac{\sin\theta}{1+\cos\theta}$$
$$=\frac{1+2\cos\theta+\cos^2\theta+\sin^2\theta}{\sin\theta(1+\cos\theta)}$$
$$=\frac{2(1+\cos\theta)}{(1+\cos\theta)\sin\theta}$$
$$=\frac{2}{\sin\theta}$$

이므로 $\dfrac{1+\cos\theta}{\sin\theta}+\dfrac{\sin\theta}{1+\cos\theta}=-4$에서

$$\frac{2}{\sin\theta}=-4 \qquad \therefore \sin\theta=-\frac{1}{2}$$

STEP2 $\cos\theta$의 값 구하기

이때 θ가 제4사분면의 각이므로

$\cos\theta>0$, $\tan\theta<0$

$\sin^2\theta+\cos^2\theta=1$에서

$$\cos^2\theta=1-\sin^2\theta=1-\left(-\frac{1}{2}\right)^2=1-\frac{1}{4}=\frac{3}{4}$$

$$\therefore \cos\theta=\sqrt{\frac{3}{4}}=\frac{\sqrt{3}}{2} \quad \leftarrow \cos\theta>0임에 주의$$

STEP3 $\tan\theta$의 값 구하기

$\tan\theta=\dfrac{\sin\theta}{\cos\theta}$이므로

$$\tan\theta=\frac{-\dfrac{1}{2}}{\dfrac{\sqrt{3}}{2}}=-\frac{\sqrt{3}}{3}$$

08-3 답 (1) $-\dfrac{3}{8}$ (2) $\dfrac{11}{16}$

해결전략 | 삼각함수 사이의 관계식을 이용하여 식의 값을 구한다.

(1) $\sin\theta+\cos\theta=\dfrac{1}{2}$의 양변을 제곱하면

$$\sin^2\theta+\cos^2\theta+2\sin\theta\cos\theta=\frac{1}{4}$$
$$1+2\sin\theta\cos\theta=\frac{1}{4}$$
$$\therefore \sin\theta\cos\theta=-\frac{3}{8}$$

(2) $\sin^3\theta+\cos^3\theta$

$$=(\sin\theta+\cos\theta)(\sin^2\theta-\sin\theta\cos\theta+\cos^2\theta)$$
$$=(\sin\theta+\cos\theta)(1-\sin\theta\cos\theta)$$
$$=\frac{1}{2}\left\{1-\left(-\frac{3}{8}\right)\right\}=\frac{11}{16}$$

◉→ 다른 풀이

(2) 다음과 같이 곱셈 공식의 변형을 이용하여 풀 수도 있다.

$$\sin^3\theta+\cos^3\theta$$
$$=(\sin\theta+\cos\theta)^3-3\sin\theta\cos\theta(\sin\theta+\cos\theta)$$
$$=\left(\frac{1}{2}\right)^3-3\times\left(-\frac{3}{8}\right)\times\frac{1}{2}=\frac{11}{16}$$

08-4 답 $\dfrac{25}{4}$

해결전략 | 삼각함수 사이의 관계식을 이용하여 $\dfrac{1}{\sin\theta\cos\theta}$의 값을 구한다.

STEP1 $\dfrac{1}{\sin\theta\cos\theta}$의 값 구하기

$\tan\theta+\dfrac{1}{\tan\theta}=-\dfrac{5}{2}$에서

$\dfrac{\sin\theta}{\cos\theta}+\dfrac{\cos\theta}{\sin\theta}=-\dfrac{5}{2}$

$\dfrac{\sin^2\theta+\cos^2\theta}{\sin\theta\cos\theta}=-\dfrac{5}{2}$

$\dfrac{1}{\sin\theta\cos\theta}=-\dfrac{5}{2}$

STEP2 $\dfrac{1}{\sin^2\theta}+\dfrac{1}{\cos^2\theta}$의 값 구하기

$\therefore \dfrac{1}{\sin^2\theta}+\dfrac{1}{\cos^2\theta}=\dfrac{\cos^2\theta+\sin^2\theta}{\sin^2\theta\cos^2\theta}$

$=\left(\dfrac{1}{\sin\theta\cos\theta}\right)^2$

$=\left(-\dfrac{5}{2}\right)^2=\dfrac{25}{4}$

08-5 답 $\dfrac{39}{16}$

해결전략 | 삼각함수 사이의 관계식을 이용하여 $\sin\theta\cos\theta$의 값을 구한 후 구하는 식을 간단히 하여 식의 값을 구한다.

STEP1 $\sin\theta\cos\theta$의 값 구하기

$\sin\theta+\cos\theta=\dfrac{1}{3}$의 양변을 제곱하면

$\sin^2\theta+2\sin\theta\cos\theta+\cos^2\theta=\dfrac{1}{9}$

$1+2\sin\theta\cos\theta=\dfrac{1}{9}$

$\therefore \sin\theta\cos\theta=-\dfrac{4}{9}$

STEP2 $\dfrac{1}{\cos\theta}\left(\tan\theta+\dfrac{1}{\tan^2\theta}\right)$의 값 구하기

$\dfrac{1}{\cos\theta}\left(\tan\theta+\dfrac{1}{\tan^2\theta}\right)$

$=\dfrac{1}{\cos\theta}\left(\dfrac{\sin\theta}{\cos\theta}+\dfrac{\cos^2\theta}{\sin^2\theta}\right)$

$=\dfrac{1}{\cos\theta}\left(\dfrac{\sin^3\theta+\cos^3\theta}{\cos\theta\sin^2\theta}\right)$

$=\dfrac{\sin^3\theta+\cos^3\theta}{\cos^2\theta\sin^2\theta}$

$=\dfrac{(\sin\theta+\cos\theta)(\sin^2\theta-\sin\theta\cos\theta+\cos^2\theta)}{(\sin\theta\cos\theta)^2}$

$=\dfrac{(\sin\theta+\cos\theta)(1-\sin\theta\cos\theta)}{(\cos\theta\sin\theta)^2}$

$=\dfrac{\dfrac{1}{3}\left(1+\dfrac{4}{9}\right)}{\left(-\dfrac{4}{9}\right)^2}=\dfrac{\dfrac{13}{27}}{\dfrac{16}{81}}=\dfrac{39}{16}$

08-6 답 $\dfrac{1+\sqrt{3}}{2}$

해결전략 | 직선의 기울기를 이용하여 $\tan\theta$의 값을 구한 후 삼각함수의 부호를 조사하여 $\sin\theta$, $\cos\theta$의 값을 각각 구한다.

STEP1 $\tan\theta$의 값 구하기

직선 $y=-\dfrac{\sqrt{3}}{3}x$의 기울기가 $-\dfrac{\sqrt{3}}{3}$이므로

$\tan\theta=-\dfrac{\sqrt{3}}{3}$

STEP2 $\sin\theta$, $\cos\theta$의 부호 조사하기

또, 직선 $y=-\dfrac{\sqrt{3}}{3}x$는 제2사분면과 제4사분면을 지나므로 θ는 제2사분면의 각이다.

$\therefore \sin\theta>0$, $\cos\theta<0$

STEP3 $\sin\theta$, $\cos\theta$의 값 구하기

$\tan\theta=-\dfrac{\sqrt{3}}{3}$에서 $\dfrac{\sin\theta}{\cos\theta}=-\dfrac{\sqrt{3}}{3}$이므로

$\sin\theta=-\dfrac{\sqrt{3}}{3}\cos\theta$ ...... ㉠

$\sin^2\theta+\cos^2\theta=1$이므로

$\left(-\dfrac{\sqrt{3}}{3}\cos\theta\right)^2+\cos^2\theta=1$

$\dfrac{4}{3}\cos^2\theta=1$, $\cos^2\theta=\dfrac{3}{4}$

$\therefore \cos\theta=-\dfrac{\sqrt{3}}{2}$ ← $\cos\theta<0$임에 주의

$\cos\theta=-\dfrac{\sqrt{3}}{2}$을 ㉠에 대입하면

$\sin\theta=\dfrac{1}{2}$

STEP4 $\sin\theta-\cos\theta$의 값 구하기

$\therefore \sin\theta-\cos\theta=\dfrac{1}{2}-\left(-\dfrac{\sqrt{3}}{2}\right)=\dfrac{1+\sqrt{3}}{2}$

필수유형 09 205쪽

09-1 답 $-\dfrac{5}{6}$

해결전략 | 이차방정식의 근과 계수의 관계와 삼각함수 사이의 관계식을 이용하여 상수 k의 값을 구한다.

STEP1 이차방정식의 근과 계수의 관계를 이용하여 $\sin\theta+\cos\theta$, $\sin\theta\cos\theta$의 값 구하기

이차방정식 $3x^2+2x+k=0$의 두 근이 $\sin\theta$, $\cos\theta$이므로 이차방정식의 근과 계수의 관계에 의하여

$\sin\theta+\cos\theta=-\dfrac{2}{3}$ ...... ㉠

$\sin\theta\cos\theta=\dfrac{k}{3}$ ...... ㉡

STEP2 ㉠에서 $\sin\theta\cos\theta$의 값 구하기

㉠의 양변을 제곱하면 $(\sin\theta+\cos\theta)^2=\dfrac{4}{9}$

$\sin^2\theta+2\sin\theta\cos\theta+\cos^2\theta=\dfrac{4}{9}$

$1+2\sin\theta\cos\theta=\dfrac{4}{9}$, $2\sin\theta\cos\theta=-\dfrac{5}{9}$

$\therefore\ \sin\theta\cos\theta=-\dfrac{5}{18}$

STEP3 상수 k의 값 구하기

㉡에서 $\sin\theta\cos\theta=\dfrac{k}{3}$이므로

$\dfrac{k}{3}=-\dfrac{5}{18}$ $\therefore\ k=-\dfrac{5}{6}$

09-2   답 **105**

해결전략 | 이차방정식의 근과 계수의 관계와 삼각함수 사이의 관계식을 이용하여 상수 k의 값을 구한다.

STEP1 이차방정식의 근과 계수의 관계를 이용하여 $\dfrac{1}{\sin\theta}+\dfrac{1}{\cos\theta}$, $\dfrac{1}{\sin\theta\cos\theta}$의 값 구하기

이차방정식 $4x^2+kx+7=0$의 두 근이 $\dfrac{1}{\sin\theta}$, $\dfrac{1}{\cos\theta}$이므로 이차방정식의 근과 계수의 관계에 의하여

$\dfrac{1}{\sin\theta}+\dfrac{1}{\cos\theta}=-\dfrac{k}{4}$ ...... ㉠

$\dfrac{1}{\sin\theta\cos\theta}=\dfrac{7}{4}$ ...... ㉡

STEP2 $\sin\theta+\cos\theta$를 k에 대한 식으로 나타내기

㉠에서 $\dfrac{\cos\theta+\sin\theta}{\sin\theta\cos\theta}=-\dfrac{k}{4}$이므로

$\dfrac{\cos\theta+\sin\theta}{\dfrac{4}{7}}=-\dfrac{k}{4}\ (\because\ ㉡)$

$\therefore\ \sin\theta+\cos\theta=-\dfrac{k}{7}$ ...... ㉢

STEP3 ㉢에서 $\sin\theta\cos\theta$의 값 구하기

㉢의 양변을 제곱하면 $(\sin\theta+\cos\theta)^2=\dfrac{k^2}{49}$

$\sin^2\theta+2\sin\theta\cos\theta+\cos^2\theta=\dfrac{k^2}{49}$

$1+2\sin\theta\cos\theta=\dfrac{k^2}{49}$, $2\sin\theta\cos\theta=\dfrac{k^2}{49}-1$

$\therefore\ \sin\theta\cos\theta=\dfrac{k^2}{98}-\dfrac{1}{2}$

STEP4 k^2의 값 구하기

㉡에서 $\sin\theta\cos\theta=\dfrac{4}{7}$이므로

$\dfrac{k^2}{98}-\dfrac{1}{2}=\dfrac{4}{7}$, $\dfrac{k^2}{98}=\dfrac{4}{7}+\dfrac{1}{2}=\dfrac{15}{14}$

$\therefore\ k^2=105$

09-3   답 **1**

해결전략 | 이차방정식의 근과 계수의 관계와 삼각함수 사이의 관계식을 이용하여 상수 k의 값을 구한다.

STEP1 이차방정식의 근과 계수의 관계를 이용하여 식 세우기

이차방정식 $8x^2-12x+k=0$의 두 근이 $\sin\theta+\cos\theta$, $\sin\theta-\cos\theta$이므로 이차방정식의 근과 계수의 관계에 의하여

$(\sin\theta+\cos\theta)+(\sin\theta-\cos\theta)=\dfrac{3}{2}$ ...... ㉠

$(\sin\theta+\cos\theta)(\sin\theta-\cos\theta)=\dfrac{k}{8}$ ...... ㉡

STEP2 ㉠에서 $\sin\theta$의 값 구하기

㉠에서 $2\sin\theta=\dfrac{3}{2}$ $\therefore\ \sin\theta=\dfrac{3}{4}$

STEP3 상수 k의 값 구하기

㉡의 좌변을 간단히 하면

$(\sin\theta+\cos\theta)(\sin\theta-\cos\theta)=\sin^2\theta-\cos^2\theta$
            $=\sin^2\theta-(1-\sin^2\theta)$
            $=2\sin^2\theta-1$

즉, $2\sin^2\theta-1=\dfrac{k}{8}$이므로 $\sin\theta=\dfrac{3}{4}$을 대입하면

$2\times\dfrac{9}{16}-1=\dfrac{k}{8}$, $\dfrac{k}{8}=\dfrac{1}{8}$

$\therefore\ k=1$

09-4   답 $8x^2+25x+8=0$

해결전략 | α, β를 두 근으로 하고 x^2의 계수가 a인 이차방정식이 $a\{x^2-(\alpha+\beta)x+\alpha\beta\}=0$임을 이용하여 이차방정식을 구한다.

STEP1 이차방정식의 근과 계수의 관계를 이용하여 $\sin\theta+\cos\theta$의 값 구하기

이차방정식 $5x^2-3x+k=0$의 두 근이 $\sin\theta$, $\cos\theta$이므로 이차방정식의 근과 계수의 관계에 의하여

$\sin\theta+\cos\theta=\dfrac{3}{5}$ ...... ㉠

STEP2 ㉠에서 $\sin\theta\cos\theta$의 값 구하기

㉠의 양변을 제곱하면 $(\sin\theta+\cos\theta)^2=\dfrac{9}{25}$

$\sin^2\theta+2\sin\theta\cos\theta+\cos^2\theta=\dfrac{9}{25}$

$1+2\sin\theta\cos\theta=\dfrac{9}{25}$, $2\sin\theta\cos\theta=-\dfrac{16}{25}$

08-5 답 $\dfrac{39}{16}$

해결정보 | 삼각함수 사이의 관계식을 이용하여 $\sin\theta\cos\theta$의 값을 구한 후 각각의 식의 값을 간단히 정리한다.

STEP1 $\sin\theta\cos\theta$의 값 구하기

$\sin\theta+\cos\theta=\dfrac{1}{3}$의 양변을 제곱하면

$\sin^2\theta+2\sin\theta\cos\theta+\cos^2\theta=\dfrac{1}{9}$

$1+2\sin\theta\cos\theta=\dfrac{1}{9}$

$\therefore \sin\theta\cos\theta=-\dfrac{4}{9}$

STEP2 $\dfrac{1}{\cos\theta}\left(\tan\theta+\dfrac{1}{\tan^2\theta}\right)$의 값 구하기

$\dfrac{1}{\cos\theta}\left(\tan\theta+\dfrac{1}{\tan^2\theta}\right)$

$=\dfrac{1}{\cos\theta}\left(\dfrac{\sin\theta}{\cos\theta}+\dfrac{\cos^2\theta}{\sin^2\theta}\right)$

$=\dfrac{1}{\cos\theta}\left(\dfrac{\sin^3\theta+\cos^3\theta}{\sin^2\theta\cos\theta}\right)$

$=\dfrac{\sin^3\theta+\cos^3\theta}{\cos^2\theta\sin^2\theta}$

$=\dfrac{(\sin\theta+\cos\theta)(\sin^2\theta-\sin\theta\cos\theta+\cos^2\theta)}{(\sin\theta\cos\theta)^2}$

$=\dfrac{(\sin\theta+\cos\theta)(1-\sin\theta\cos\theta)}{(\cos\theta\sin\theta)^2}$

$=\dfrac{\dfrac{1}{3}\left(1+\dfrac{4}{9}\right)}{\left(-\dfrac{4}{9}\right)^2}=\dfrac{\dfrac{13}{27}}{\dfrac{16}{81}}=\dfrac{39}{16}$

08-6 답 $\dfrac{1+\sqrt{3}}{2}$

해결정보 | 삼각함수 사이의 관계를 이용하여 $\tan\theta$의 값을 구한 후 삼각함수의 뜻을 이용하여 조건을 만족시키는 $\sin\theta$, $\cos\theta$의 값을 각각 구한다.

STEP1 $\tan\theta$의 값 구하기

직선 $y=-\dfrac{\sqrt{3}}{3}x$의 기울기가 $-\dfrac{\sqrt{3}}{3}$이므로

$\tan\theta=-\dfrac{\sqrt{3}}{3}$

STEP2 $\sin\theta$, $\cos\theta$의 부호 조사하기

직선 $y=-\dfrac{\sqrt{3}}{3}x$는 제2사분면과 제4사분면을 지나고 $\sin\theta>0$, $\cos\theta<0$이므로 점 θ는 제2사분면의 각이다.

$\therefore \sin\theta>0,\ \cos\theta<0$

STEP3 $\sin\theta$, $\cos\theta$의 값 구하기

$\tan\theta=-\dfrac{\sqrt{3}}{3}$에서 $\dfrac{\sin\theta}{\cos\theta}=-\dfrac{\sqrt{3}}{3}$이므로

$\sin\theta=-\dfrac{\sqrt{3}}{3}\cos\theta$ ...... ㉠

$\sin^2\theta+\cos^2\theta=1$이므로

$\left(-\dfrac{\sqrt{3}}{3}\cos\theta\right)^2+\cos^2\theta=1$

$\dfrac{4}{3}\cos^2\theta=1,\ \cos^2\theta=\dfrac{3}{4}$

$\therefore \cos\theta=-\dfrac{\sqrt{3}}{2}$ ← $\cos\theta<0$이므로

$\cos\theta=-\dfrac{\sqrt{3}}{2}$를 ㉠에 대입하면

$\sin\theta=\dfrac{1}{2}$

STEP4 $\sin\theta-\cos\theta$의 값 구하기

$\therefore \sin\theta-\cos\theta=\dfrac{1}{2}-\left(-\dfrac{\sqrt{3}}{2}\right)=\dfrac{1+\sqrt{3}}{2}$

필수유형 09   205쪽

09-1 답 $-\dfrac{5}{6}$

해결정보 | 이차방정식의 근과 계수의 관계와 삼각함수 사이의 관계식을 이용하여 상수 k의 값을 구한다.

STEP1 이차방정식의 근과 계수의 관계를 이용하여 $\sin\theta+\cos\theta$, $\sin\theta\cos\theta$의 값 구하기

이차방정식 $3x^2+2x+k=0$의 두 근이 $\sin\theta$, $\cos\theta$이므로 이차방정식의 근과 계수의 관계에 의하여

$\sin\theta+\cos\theta=-\dfrac{2}{3}$ ...... ㉠

$$\sin \theta \cos \theta = \frac{k}{3} \qquad \cdots\cdots ㉡$$

STEP2 ㉠에서 $\sin\theta\cos\theta$의 값 구하기

㉠의 양변을 제곱하면 $(\sin\theta+\cos\theta)^2=\dfrac{4}{9}$

$\sin^2\theta+2\sin\theta\cos\theta+\cos^2\theta=\dfrac{4}{9}$

$1+2\sin\theta\cos\theta=\dfrac{4}{9},\ 2\sin\theta\cos\theta=-\dfrac{5}{9}$

$\therefore\ \sin\theta\cos\theta=-\dfrac{5}{18}$

STEP3 상수 k의 값 구하기

㉡에서 $\sin\theta\cos\theta=\dfrac{k}{3}$이므로

$\dfrac{k}{3}=-\dfrac{5}{18}\qquad \therefore\ k=-\dfrac{5}{6}$

09-2 답 105

해결전략 | 이차방정식의 근과 계수의 관계와 삼각함수 사이의 관계식을 이용하여 상수 k의 값을 구한다.

STEP1 이차방정식의 근과 계수의 관계를 이용하여
$\dfrac{1}{\sin\theta}+\dfrac{1}{\cos\theta},\ \dfrac{1}{\sin\theta\cos\theta}$의 값 구하기

이차방정식 $4x^2+kx+7=0$의 두 근이 $\dfrac{1}{\sin\theta},\ \dfrac{1}{\cos\theta}$
이므로 이차방정식의 근과 계수의 관계에 의하여

$$\dfrac{1}{\sin\theta}+\dfrac{1}{\cos\theta}=-\dfrac{k}{4} \qquad \cdots\cdots ㉠$$

$$\dfrac{1}{\sin\theta\cos\theta}=\dfrac{7}{4} \qquad \cdots\cdots ㉡$$

STEP2 $\sin\theta+\cos\theta$를 k에 대한 식으로 나타내기

㉠에서 $\dfrac{\cos\theta+\sin\theta}{\sin\theta\cos\theta}=-\dfrac{k}{4}$이므로

$\dfrac{\cos\theta+\sin\theta}{\frac{4}{7}}=-\dfrac{k}{4}\ (\because ㉡)$

$$\therefore\ \sin\theta+\cos\theta=-\dfrac{k}{7} \qquad \cdots\cdots ㉢$$

STEP3 ㉢에서 $\sin\theta\cos\theta$의 값 구하기

㉢의 양변을 제곱하면 $(\sin\theta+\cos\theta)^2=\dfrac{k^2}{49}$

$\sin^2\theta+2\sin\theta\cos\theta+\cos^2\theta=\dfrac{k^2}{49}$

$1+2\sin\theta\cos\theta=\dfrac{k^2}{49},\ 2\sin\theta\cos\theta=\dfrac{k^2}{49}-1$

$\therefore\ \sin\theta\cos\theta=\dfrac{k^2}{98}-\dfrac{1}{2}$

STEP4 k^2의 값 구하기

㉡에서 $\sin\theta\cos\theta=\dfrac{4}{7}$이므로

$\dfrac{k^2}{98}-\dfrac{1}{2}=\dfrac{4}{7},\ \dfrac{k^2}{98}=\dfrac{4}{7}+\dfrac{1}{2}=\dfrac{15}{14}$

$\therefore\ k^2=105$

09-3 답 1

해결전략 | 이차방정식의 근과 계수의 관계와 삼각함수 사이의 관계식을 이용하여 상수 k의 값을 구한다.

STEP1 이차방정식의 근과 계수의 관계를 이용하여 식 세우기

이차방정식 $8x^2-12x+k=0$의 두 근이 $\sin\theta+\cos\theta$, $\sin\theta-\cos\theta$이므로 이차방정식의 근과 계수의 관계에 의하여

$$(\sin\theta+\cos\theta)+(\sin\theta-\cos\theta)=\dfrac{3}{2} \qquad \cdots\cdots ㉠$$

$$(\sin\theta+\cos\theta)(\sin\theta-\cos\theta)=\dfrac{k}{8} \qquad \cdots\cdots ㉡$$

STEP2 ㉠에서 $\sin\theta$의 값 구하기

㉠에서 $2\sin\theta=\dfrac{3}{2}\qquad \therefore\ \sin\theta=\dfrac{3}{4}$

STEP3 상수 k의 값 구하기

㉡의 좌변을 간단히 하면

$(\sin\theta+\cos\theta)(\sin\theta-\cos\theta)=\sin^2\theta-\cos^2\theta$
$=\sin^2\theta-(1-\sin^2\theta)$
$=2\sin^2\theta-1$

즉, $2\sin^2\theta-1=\dfrac{k}{8}$이므로 $\sin\theta=\dfrac{3}{4}$을 대입하면

$2\times\dfrac{9}{16}-1=\dfrac{k}{8},\ \dfrac{k}{8}=\dfrac{1}{8}$

$\therefore\ k=1$

09-4 답 $8x^2+25x+8=0$

해결전략 | α, β를 두 근으로 하고 x^2의 계수가 a인 이차방정식이 $a\{x^2-(\alpha+\beta)x+\alpha\beta\}=0$임을 이용하여 이차방정식을 구한다.

STEP1 이차방정식의 근과 계수의 관계를 이용하여 $\sin\theta+\cos\theta$의 값 구하기

이차방정식 $5x^2-3x+k=0$의 두 근이 $\sin\theta$, $\cos\theta$이므로 이차방정식의 근과 계수의 관계에 의하여

$$\sin\theta+\cos\theta=\dfrac{3}{5} \qquad \cdots\cdots ㉠$$

STEP2 ㉠에서 $\sin\theta\cos\theta$의 값 구하기

㉠의 양변을 제곱하면 $(\sin\theta+\cos\theta)^2=\dfrac{9}{25}$

$\sin^2\theta+2\sin\theta\cos\theta+\cos^2\theta=\dfrac{9}{25}$

$1+2\sin\theta\cos\theta=\dfrac{9}{25},\ 2\sin\theta\cos\theta=-\dfrac{16}{25}$

$$\therefore \sin\theta\cos\theta = -\frac{8}{25}$$

STEP 3 $\tan\theta$, $\dfrac{1}{\tan\theta}$을 두 근으로 하는 이차방정식 구하기

$\tan\theta$, $\dfrac{1}{\tan\theta}$을 두 근으로 하고 x^2의 계수가 8인 이차

방정식은

$$8\left\{x^2 - \left(\tan\theta + \frac{1}{\tan\theta}\right)x + \tan\theta \times \frac{1}{\tan\theta}\right\} = 0$$

$$\therefore 8\left\{x^2 - \left(\tan\theta + \frac{1}{\tan\theta}\right)x + 1\right\} = 0$$

이때

$$\tan\theta + \frac{1}{\tan\theta} = \frac{\sin\theta}{\cos\theta} + \frac{\cos\theta}{\sin\theta} = \frac{\sin^2\theta + \cos^2\theta}{\sin\theta\cos\theta}$$
$$= \frac{1}{\sin\theta\cos\theta} = -\frac{25}{8}$$

이므로 구하는 이차방정식은

$$8\left\{x^2 - \left(-\frac{25}{8}\right)x + 1\right\} = 0$$

$$\therefore 8x^2 + 25x + 8 = 0$$

09-5 🔲 $\dfrac{p}{q^2}$

해결전략 | 이차방정식의 근과 계수의 관계를 이용하여
$\cos\alpha$, $\cos\beta$, $\dfrac{1}{\cos\alpha}$, $\dfrac{1}{\cos\beta}$ 사이의 관계를 조사하여 rs
를 p와 q의 식으로 나타낸다.

STEP 1 이차방정식의 근과 계수의 관계를 이용하여 식 세우기

이차방정식 $x^2 - px + q = 0$의 서로 다른 두 실근이
$\cos\alpha$, $\cos\beta$이므로 이차방정식의 근과 계수의 관계에
의하여

$$\cos\alpha + \cos\beta = p, \quad \cos\alpha\cos\beta = q$$

이차방정식 $x^2 - rx + s = 0$의 두 근이 $\dfrac{1}{\cos\alpha}$, $\dfrac{1}{\cos\beta}$이

므로 이차방정식의 근과 계수의 관계에 의하여

$$\frac{1}{\cos\alpha} + \frac{1}{\cos\beta} = r, \quad \frac{1}{\cos\alpha} \times \frac{1}{\cos\beta} = s$$

STEP 2 rs를 p, q로 나타내기

$$rs = \left(\frac{1}{\cos\alpha} + \frac{1}{\cos\beta}\right) \times \frac{1}{\cos\alpha\cos\beta}$$
$$= \frac{\cos\alpha + \cos\beta}{\cos\alpha\cos\beta} \times \frac{1}{\cos\alpha\cos\beta}$$
$$= \frac{p}{q} \times \frac{1}{q} = \frac{p}{q^2}$$

09-6 🔲 $\dfrac{\sqrt{5}}{2}$

해결전략 | 이차방정식의 근과 계수의 관계를 이용하여 상
수 k의 값을 구한 후 $(\sin\theta - \cos\theta)^2$의 값을 이용하여
$\sin\theta - \cos\theta$의 값을 구한다.

STEP 1 이차방정식의 근과 계수의 관계를 이용하여
$\sin\theta + \cos\theta$의 값 구하기

$2x^2 - \sqrt{3}x + k = 0$에서 이차방정식의 근과 계수의 관계
에 의하여

$$\sin\theta + \cos\theta = \frac{\sqrt{3}}{2} \quad\quad \cdots\cdots \text{㉠}$$

STEP 2 $\sin\theta\cos\theta$의 값 구하기

㉠의 양변을 제곱하면

$$\sin^2\theta + 2\sin\theta\cos\theta + \cos^2\theta = \frac{3}{4}$$

$$1 + 2\sin\theta\cos\theta = \frac{3}{4} \quad \therefore \sin\theta\cos\theta = -\frac{1}{8}$$

STEP 3 $\sin\theta - \cos\theta$의 값 구하기

$$(\sin\theta - \cos\theta)^2 = \sin^2\theta - 2\sin\theta\cos\theta + \cos^2\theta$$
$$= 1 - 2 \times \left(-\frac{1}{8}\right) = \frac{5}{4}$$

이때 θ는 제2사분면의 각이므로

$\sin\theta > 0$, $\cos\theta < 0$

따라서 $\sin\theta - \cos\theta > 0$이므로

$$\sin\theta - \cos\theta = \sqrt{\frac{5}{4}} = \frac{\sqrt{5}}{2}$$

실전 연습 문제 206~208쪽

01 ③	**02** ②	**03** ③	**04** $\dfrac{\pi}{4}$	**05** ③
06 54π	**07** ④	**08** 27	**09** ④	**10** ②
11 ①	**12** 제2사분면의 각		**13** 풀이 참조	
14 ④	**15** 3	**16** $4\sqrt{3}$	**17** 1	**18** ⑤

01

해결전략 | 호도법과 육십분법 사이의 관계를 이용하여 육십
분법으로 나타낸 각은 호도법으로, 호도법으로 나타낸 각은
육십분법으로 나타낸다.

① $-150° = -150 \times \dfrac{\pi}{180} = -\dfrac{5}{6}\pi$

② $48° = 48 \times \dfrac{\pi}{180} = \dfrac{4}{15}\pi$

③ $-\dfrac{11}{12}\pi = -\dfrac{11}{12}\pi \times \dfrac{180°}{\pi} = -165°$

④ $\dfrac{3}{10}\pi = \dfrac{3}{10}\pi \times \dfrac{180°}{\pi} = 54°$

⑤ $\dfrac{3}{2}\pi = \dfrac{3}{2}\pi \times \dfrac{180°}{\pi} = 270°$

따라서 옳지 않은 것은 ③이다.

02

해결전략 | 주어진 각을 $360° \times n + \alpha°$ (n은 정수, $0° \leq \alpha° < 360°$) 꼴로 나타내어 제몇 사분면의 각인지 조사한다.

STEP 1 m, n의 값 구하기

$-880° = 360° \times (-3) + 200°$이므로 $-880°$를 나타내는 동경은 제3사분면에 있다.

$\therefore m = 3$

$1100° = 360° \times 3 + 20°$이므로 $1100°$를 나타내는 동경은 제1사분면에 있다.

$\therefore n = 1$

STEP 2 $m + n$의 값 구하기

$\therefore m + n = 4$

03

해결전략 | 보기의 각을 $360° \times n + \alpha°$ (n은 정수, $0° \leq \alpha° < 360°$) 꼴로 나타내어 α의 값이 다른 하나를 찾는다.

① $-660° = 360° \times (-2) + 60°$

② $-300° = 360° \times (-1) + 60°$

③ $330° = 360° \times 0 + 330°$

④ $780° = 360° \times 2 + 60°$

⑤ $1140° = 360° \times 3 + 60°$

따라서 동경 OP가 나타내는 각이 될 수 없는 것은 ③이다.

04

해결전략 | 원점에 대하여 대칭인 두 동경의 위치 관계를 파악하여 식을 세운다.

STEP 1 θ를 정수 n에 대한 식으로 나타내기

θ와 5θ가 원점에 대하여 대칭이려면 오른쪽 그림과 같이 각 θ를 나타내는 동경과 각 5θ를 나타내는 동경이 일직선 위에 있고 방향이 반대이어야 하므로

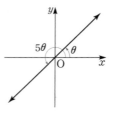

$5\theta - \theta = 2n\pi + \pi$ (n은 정수)

$4\theta = 2n\pi + \pi$

$\therefore \theta = \dfrac{2n+1}{4}\pi$ ······ ㉠ ······ ❶

STEP 2 n의 값 구하기

θ가 제1사분면의 각이므로 $0 < \theta < \dfrac{\pi}{2}$에서

$0 < \dfrac{2n+1}{4}\pi < \dfrac{\pi}{2}$, $-1 < 2n < 1$

$-\dfrac{1}{2} < n < \dfrac{1}{2}$

$\therefore n = 0$ ······ ❷

STEP 3 각 θ의 크기 구하기

$n = 0$을 ㉠에 대입하면

$\theta = \dfrac{\pi}{4}$ ······ ❸

채점 요소	배점
❶ θ를 정수 n에 대한 식으로 나타내기	40 %
❷ n의 값 구하기	40 %
❸ 각 θ의 크기 구하기	20 %

05

해결전략 | 조건 (가)에서 θ의 범위를 구한 후 조건 (나)를 만족시키는 모든 θ의 크기를 구한다.

STEP 1 θ의 범위 구하기

조건 (가)에서 $\cos \theta \tan \theta < 0$이므로

$\cos \theta > 0$, $\tan \theta < 0$ 또는 $\cos \theta < 0$, $\tan \theta > 0$

$\cos \theta > 0$, $\tan \theta < 0$일 때, θ는 제4사분면의 각이고,

$\cos \theta < 0$, $\tan \theta > 0$일 때, θ는 제3사분면의 각이므로

$\pi < \theta < \dfrac{3}{2}\pi$ 또는 $\dfrac{3}{2}\pi < \theta < 2\pi$

STEP 2 조건 (나)를 만족시키는 θ를 정수 n에 대한 식으로 나타내기

조건 (나)에서 각 θ를 나타내는 동경과 6θ를 나타내는 동경이 서로 일치하므로

$6\theta - \theta = 2n\pi$ (n은 정수)

$5\theta = 2n\pi$　$\therefore \theta = \dfrac{2n}{5}\pi$ ······ ㉠

STEP 3 n의 값 구하기

$\pi < \theta < \dfrac{3}{2}\pi$ 또는 $\dfrac{3}{2}\pi < \theta < 2\pi$이므로

$\pi < \dfrac{2n}{5}\pi < \dfrac{3}{2}\pi$ 또는 $\dfrac{3}{2}\pi < \dfrac{2n}{5}\pi < 2\pi$

$\dfrac{5}{2} < n < \dfrac{15}{4}$ 또는 $\dfrac{15}{4} < n < 5$　$\therefore n = 3, 4$

STEP 4 모든 θ의 크기의 합 구하기

$n = 3, 4$를 ㉠에 대입하면 $\theta = \dfrac{6}{5}\pi$ 또는 $\theta = \dfrac{8}{5}\pi$

따라서 모든 θ의 크기의 합은

$\dfrac{6}{5}\pi + \dfrac{8}{5}\pi = \dfrac{14}{5}\pi$

◉→ **다른 풀이**

STEP 1 θ의 범위 구하기

$\cos \theta \tan \theta = \cos \theta \times \dfrac{\sin \theta}{\cos \theta} = \sin \theta$이므로

조건 (가)에서 $\sin \theta < 0$

$\therefore \pi < \theta < \dfrac{3}{2}\pi$ 또는 $\dfrac{3}{2}\pi < \theta < 2\pi$

06

해결전략 | 부채꼴의 반지름의 길이를 r로 놓고 주어진 조건을 이용하여 r의 값을 구한 후 부채꼴의 넓이 공식을 이용한다.

STEP1 부채꼴의 반지름의 길이 구하기

부채꼴의 반지름의 길이를 r라고 하면

$$r \times \frac{3}{4}\pi = 9\pi$$

$$\therefore r = 12 \qquad\qquad \cdots\cdots ❶$$

STEP2 부채꼴의 넓이 구하기

따라서 부채꼴의 반지름의 길이가 12이므로 부채꼴의 넓이는

$$\frac{1}{2} \times 12 \times 9\pi = 54\pi \qquad\qquad \cdots\cdots ❷$$

채점 요소	배점
❶ 부채꼴의 반지름의 길이 구하기	50 %
❷ 부채꼴의 넓이 구하기	50 %

07

해결전략 | 부채꼴의 중심각의 크기를 θ로 놓고 부채꼴의 둘레의 길이와 넓이를 각각 θ에 대한 식으로 나타내어 비교한다.

STEP1 부채꼴의 둘레의 길이를 식으로 나타내기

부채꼴의 중심각의 크기를 θ라고 하면 둘레의 길이는

$$2 \times 8 + 8\theta = 8\theta + 16 \qquad\qquad \cdots\cdots ㉠$$

STEP2 부채꼴의 넓이를 식으로 나타내기

부채꼴의 넓이를 S라고 하면

$$S = \frac{1}{2} \times 8^2 \times \theta = 32\theta \qquad\qquad \cdots\cdots ㉡$$

STEP3 부채꼴의 중심각의 크기 구하기

부채꼴의 둘레의 길이와 넓이가 같으므로 ㉠, ㉡에서

$$8\theta + 16 = 32\theta, \quad 24\theta = 16$$

$$\therefore \theta = \frac{2}{3}$$

08

해결전략 | 부채꼴의 호의 길이가 주어졌으므로 주어진 도형에 보조선을 그어 중심각의 크기를 구한다.

STEP1 ∠BOC의 크기 구하기

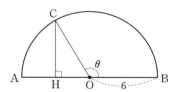

반원의 중심을 O, $\angle BOC = \theta$라고 하면 $\overline{OB} = 6$, 호 BC의 길이가 4π이므로 $6 \times \theta = 4\pi$에서 $\theta = \frac{2}{3}\pi$

STEP2 $\overline{CH}^2$의 값 구하기

이때 삼각형 CHO는 직각삼각형이고

$\angle COH = \pi - \theta = \frac{\pi}{3}$, $\overline{OC} = 6$이므로

$$\overline{CH} = \overline{OC} \times \sin\frac{\pi}{3} = 6 \times \frac{\sqrt{3}}{2} = 3\sqrt{3}$$

$$\therefore \overline{CH}^2 = (3\sqrt{3})^2 = 27$$

09

해결전략 | 부채꼴의 호의 길이를 이용하여 원뿔의 밑면인 원의 반지름의 길이를 구한다.

STEP1 원뿔의 밑면의 넓이 구하기

반지름의 길이가 4이고 중심각의 크기가 $\frac{\pi}{2}$인 부채꼴의 호의 길이는 $4 \times \frac{\pi}{2} = 2\pi$

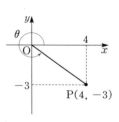

이때 부채꼴의 호의 길이는 원뿔의 밑면인 원의 둘레의 길이와 같으므로 밑면인 원의 반지름의 길이를 r라고 하면

$$2\pi = 2\pi r \quad \therefore r = 1$$

따라서 밑면인 원의 넓이는

$$\pi \times 1^2 = \pi$$

STEP2 원뿔의 높이 구하기

원뿔의 높이를 h라고 하면 피타고라스 정리에 의하여

$$h = \sqrt{4^2 - 1^2} = \sqrt{15}$$

STEP3 원뿔의 부피 구하기

따라서 원뿔의 부피는

$$\frac{1}{3} \times \pi \times \sqrt{15} = \frac{\sqrt{15}}{3}\pi$$

10

해결전략 | 주어진 조건을 만족시키도록 좌표평면에 나타낸 후 삼각함수의 정의를 이용하여 $\sin\theta$, $\cos\theta$의 값을 각각 구한다.

STEP1 $\sin\theta$, $\cos\theta$의 값 구하기

$\overline{OP} = \sqrt{4^2 + (-3)^2} = 5$이므로

$$\sin\theta = -\frac{3}{5}, \quad \cos\theta = \frac{4}{5}$$

STEP2 주어진 식의 값 구하기

$$\therefore 10(\sin\theta + \cos\theta)$$
$$= 10\left(-\frac{3}{5} + \frac{4}{5}\right) = 2$$

11

해결전략 | 주어진 조건을 만족시키는 점 P의 좌표를 잡아 $\tan \theta$의 값을 구한다.

STEP1 주어진 조건을 만족시키는 점 P의 좌표 구하기

θ가 제2사분면의 각이므로 각 θ를 나타내는 동경을 OP 라고 할 때, $\sin \theta = \dfrac{\sqrt{21}}{7}$에서 점 P의 좌표를 $(a, \sqrt{21})\ (a<0)$로 놓을 수 있다.

이때 $\overline{\mathrm{OP}} = \sqrt{a^2 + (\sqrt{21})^2} = \sqrt{a^2+21} = 7$이므로

$a^2 + 21 = 49$, $a^2 = 28$

$\therefore a = -2\sqrt{7}\ (\because a<0)$

STEP2 $\tan \theta$의 값 구하기

따라서 점 P의 좌표는 $(-2\sqrt{7},\ \sqrt{21})$이므로

$\tan \theta = \dfrac{\sqrt{21}}{-2\sqrt{7}} = -\dfrac{\sqrt{3}}{2}$

◉→ 다른 풀이

$\sin^2 \theta + \cos^2 \theta = 1$이므로

$\left(\dfrac{\sqrt{21}}{7}\right)^2 + \cos^2 \theta = 1$

$\cos^2 \theta = 1 - \dfrac{21}{49} = \dfrac{28}{49}$

$\dfrac{\pi}{2} < \theta < \pi$이므로

$\cos \theta = -\sqrt{\dfrac{28}{49}} = -\dfrac{2\sqrt{7}}{7}$

$\therefore \tan \theta = \dfrac{\sin \theta}{\cos \theta} = \dfrac{\dfrac{\sqrt{21}}{7}}{-\dfrac{2\sqrt{7}}{7}} = \dfrac{\sqrt{21}}{-2\sqrt{7}} = -\dfrac{\sqrt{3}}{2}$

12

해결전략 | 음수의 제곱근의 성질을 이용하여 $\sin \theta$, $\cos \theta$의 부호를 조사한다.

STEP1 $\sin \theta$, $\cos \theta$의 부호 찾기

$\dfrac{\sqrt{\sin \theta}}{\sqrt{\cos \theta}} = -\sqrt{\dfrac{\sin \theta}{\cos \theta}}$이므로

$\sin \theta > 0$, $\cos \theta < 0\ (\because \sin \theta \neq 0,\ \cos \theta \neq 0)$

STEP2 θ는 제몇 사분면의 각인지 구하기

따라서 θ는 제2사분면의 각이다.

13

해결전략 | 삼각함수 사이의 관계를 이용하여 $\tan^2 \theta$를 변형한 후 식을 간단히 한다.

$\tan^2 \theta - \sin^2 \theta = \dfrac{\sin^2 \theta}{\cos^2 \theta} - \sin^2 \theta$

$\qquad = \sin^2 \theta \left(\dfrac{1}{\cos^2 \theta} - 1\right)$ ······ ❶

$\qquad = \sin^2 \theta \times \dfrac{1-\cos^2 \theta}{\cos^2 \theta}$

$\qquad = \sin^2 \theta \times \dfrac{\sin^2 \theta}{\cos^2 \theta}$ ······ ❷

$\qquad = \sin^2 \theta \tan^2 \theta$ ······ ❸

채점 요소	배점
❶ $\tan \theta = \dfrac{\sin \theta}{\cos \theta}$임을 이용하여 식 변형하기	40 %
❷ $\sin^2 \theta + \cos^2 \theta = 1$임을 이용하여 식 변형하기	40 %
❸ 주어진 등식이 성립함을 보이기	20 %

14

해결전략 | 삼각함수 사이의 관계를 이용하여 보기의 참, 거짓을 판별한다.

ㄱ. $\sin \theta \tan \theta = \sin \theta \times \dfrac{\sin \theta}{\cos \theta} = \dfrac{\sin^2 \theta}{\cos \theta}$ (거짓)

ㄴ. $1 + \tan^2 \theta = 1 + \left(\dfrac{\sin \theta}{\cos \theta}\right)^2 = 1 + \dfrac{\sin^2 \theta}{\cos^2 \theta}$

$\qquad = \dfrac{\cos^2 \theta + \sin^2 \theta}{\cos^2 \theta} = \dfrac{1}{\cos^2 \theta}$ (참)

ㄷ. $1 + \dfrac{1}{\tan^2 \theta} = 1 + \left(\dfrac{\cos \theta}{\sin \theta}\right)^2 = 1 + \dfrac{\cos^2 \theta}{\sin^2 \theta}$

$\qquad = \dfrac{\sin^2 \theta + \cos^2 \theta}{\sin^2 \theta} = \dfrac{1}{\sin^2 \theta}$ (참)

따라서 옳은 것은 ㄴ, ㄷ이다.

▶참고 ㄱ. [반례] $\theta = \dfrac{\pi}{3}$이면

$\sin \dfrac{\pi}{3} \times \tan \dfrac{\pi}{3} = \dfrac{\sqrt{3}}{2} \times \sqrt{3} = \dfrac{3}{2}$, $\cos \dfrac{\pi}{3} = \dfrac{1}{2}$

15

해결전략 | $\sin \theta - \cos \theta = \dfrac{1}{2}$의 양변을 제곱하여 $\sin \theta \cos \theta$의 값을 구한다.

STEP1 $\sin \theta \cos \theta$의 값 구하기

$\sin \theta - \cos \theta = \dfrac{1}{2}$의 양변을 제곱하면

$\sin^2 \theta - 2\sin \theta \cos \theta + \cos^2 \theta = \dfrac{1}{4}$

$1 - 2\sin \theta \cos \theta = \dfrac{1}{4}$

$2\sin \theta \cos \theta = \dfrac{3}{4}$

$\therefore \sin \theta \cos \theta = \dfrac{3}{8}$

STEP 2 $8\sin\theta\cos\theta$의 값 구하기

$\therefore 8\sin\theta\cos\theta = 8 \times \dfrac{3}{8} = 3$

16

해결전략 | $\sin\theta + \cos\theta = \dfrac{\sqrt{3}}{3}$의 양변을 제곱하여

$\sin\theta\cos\theta$의 값을 구한 후 삼각함수 사이의 관계를 이용하여 식의 값을 구한다.

STEP 1 $\sin\theta\cos\theta$의 값 구하기

$\sin\theta + \cos\theta = \dfrac{\sqrt{3}}{3}$의 양변을 제곱하면

$\sin^2\theta + 2\sin\theta\cos\theta + \cos^2\theta = \dfrac{1}{3}$

$1 + 2\sin\theta\cos\theta = \dfrac{1}{3}$, $2\sin\theta\cos\theta = -\dfrac{2}{3}$

$\therefore \sin\theta\cos\theta = -\dfrac{1}{3}$ ⋯⋯ ❶

STEP 2 식의 값 구하기

$\dfrac{1}{\cos\theta}\left(\tan\theta + \dfrac{1}{\tan^2\theta}\right)$

$= \dfrac{1}{\cos\theta}\left(\dfrac{\sin\theta}{\cos\theta} + \dfrac{\cos^2\theta}{\sin^2\theta}\right)$

$= \dfrac{1}{\cos\theta}\left(\dfrac{\sin^3\theta + \cos^3\theta}{\cos\theta\sin^2\theta}\right)$

$= \dfrac{\sin^3\theta + \cos^3\theta}{\cos^2\theta\sin^2\theta}$

$= \dfrac{(\sin\theta + \cos\theta)(\sin^2\theta - \sin\theta\cos\theta + \cos^2\theta)}{(\sin\theta\cos\theta)^2}$

$= \dfrac{(\sin\theta + \cos\theta)(1 - \sin\theta\cos\theta)}{(\sin\theta\cos\theta)^2}$ ⋯⋯ ❷

$= \dfrac{\dfrac{\sqrt{3}}{3}\left\{1 - \left(-\dfrac{1}{3}\right)\right\}}{\left(-\dfrac{1}{3}\right)^2} = \dfrac{\dfrac{4\sqrt{3}}{9}}{\dfrac{1}{9}}$

$= 4\sqrt{3}$ ⋯⋯ ❸

채점 요소	배점
❶ $\sin\theta\cos\theta$의 값 구하기	30 %
❷ 주어진 식 간단히 하기	40 %
❸ 식의 값 구하기	30 %

17

해결전략 | 이차방정식의 근과 계수의 관계를 이용하여 a, b의 값을 각각 구한다.

STEP 1 $\sin\theta\cos\theta$의 값 구하기

$\sin\theta + \cos\theta = \dfrac{1}{2}$의 양변을 제곱하면

$\sin^2\theta + 2\sin\theta\cos\theta + \cos^2\theta = \dfrac{1}{4}$

$1 + 2\sin\theta\cos\theta = \dfrac{1}{4}$

$\therefore \sin\theta\cos\theta = -\dfrac{3}{8}$

STEP 2 a, b의 값 구하기

이차방정식 $x^2 + ax + b = 0$의 두 근이 $\sin\theta$, $\cos\theta$이므로 이차방정식의 근과 계수의 관계에 의하여

$\sin\theta + \cos\theta = -a = \dfrac{1}{2}$ $\therefore a = -\dfrac{1}{2}$

$\sin\theta\cos\theta = b = -\dfrac{3}{8}$

STEP 3 $8(b-a)$의 값 구하기

$\therefore 8(b-a) = 8\left\{-\dfrac{3}{8} - \left(-\dfrac{1}{2}\right)\right\} = 1$

18

해결전략 | 이차방정식의 근과 계수의 관계를 이용하여 $\sin\theta + \cos\theta$, $\sin\theta\cos\theta$의 값을 구한 후 α, β를 두 근으로 하고 x^2의 계수가 1인 이차방정식이 $x^2 - (\alpha + \beta)x + \alpha\beta = 0$임을 이용하여 이차방정식을 구한다.

STEP 1 $\sin\theta\cos\theta$의 값 구하기

이차방정식 $4x^2 + 2\sqrt{2}x + k = 0$의 두 근이 $\sin\theta$, $\cos\theta$이므로 근과 계수의 관계에 의하여

$\sin\theta + \cos\theta = -\dfrac{\sqrt{2}}{2}$

위의 식의 양변을 제곱하면

$\sin^2\theta + 2\sin\theta\cos\theta + \cos^2\theta = \dfrac{1}{2}$

$1 + 2\sin\theta\cos\theta = \dfrac{1}{2}$, $2\sin\theta\cos\theta = -\dfrac{1}{2}$

$\therefore \sin\theta\cos\theta = -\dfrac{1}{4}$

STEP 2 a, b의 값 구하기

이차방정식 $x^2 + ax + b = 0$의 두 근이 $\dfrac{1}{\sin\theta}$, $\dfrac{1}{\cos\theta}$이므로 근과 계수의 관계에 의하여

$-a = \dfrac{1}{\sin\theta} + \dfrac{1}{\cos\theta} = \dfrac{\sin\theta + \cos\theta}{\sin\theta\cos\theta}$

$= \dfrac{-\dfrac{\sqrt{2}}{2}}{-\dfrac{1}{4}} = 2\sqrt{2}$

$\therefore a = -2\sqrt{2}$

$b = \dfrac{1}{\sin\theta} \times \dfrac{1}{\cos\theta} = \dfrac{1}{\sin\theta\cos\theta} = -4$

STEP 3 ab의 값 구하기

$\therefore ab = -2\sqrt{2} \times (-4) = 8\sqrt{2}$

상위권 도약 문제   **209~210쪽**

01 ③	**02** ②	**03** 80	**04** $-\dfrac{1}{2}$
05 제2사분면 또는 제4사분면		**06** ①	
07 -2	**08** $\dfrac{8}{9}$		

01

해결전략 | ∠POQ의 크기를 이용하여 부채꼴 OPQ의 넓이를 구한다.

STEP1 ∠POQ의 크기 구하기

오른쪽 그림에서 동경 OP가 나타내는 각의 크기가 $\dfrac{\pi}{3}$이므로

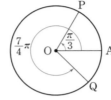

$$\angle AOP=\dfrac{\pi}{3}$$

또, 동경 OQ가 나타내는 각의

크기가 $-\dfrac{9}{4}\pi$이므로

$$-\dfrac{9}{4}\pi+2\pi\times 2=\dfrac{7}{4}\pi$$

와 같다.

따라서 $\angle AOQ=2\pi-\dfrac{7}{4}\pi=\dfrac{\pi}{4}$이므로

$$\angle POQ=\dfrac{\pi}{3}+\dfrac{\pi}{4}=\dfrac{7}{12}\pi$$

STEP2 부채꼴 OPQ의 넓이 구하기

따라서 부채꼴 OPQ의 넓이는

$$\dfrac{1}{2}\times(2\sqrt{6})^2\times\dfrac{7}{12}\pi=7\pi$$

02

해결전략 | 삼각형 OAB가 이등변삼각형임을 이용하여 선분 AB의 길이를 구한다.

STEP1 원의 반지름의 길이와 θ의 크기 구하기

주어진 원의 넓이가 100π이므로 반지름의 길이를 r라고 하면

$$\pi r^2=100\pi \qquad \therefore r=10 \ (\because r>0)$$

또, 호 AB의 길이는 반지름의 길이의 2배이므로

$$10\theta=20 \qquad \therefore \theta=2$$

STEP2 선분 AB의 길이 구하기

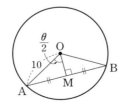

삼각형 OAB에서 선분 AB의 중점을 M이라고 하면

$$\angle AOM=\angle BOM=\dfrac{1}{2}\angle AOB$$

$$\therefore \angle AOM=\dfrac{\theta}{2}=1$$

$$\sin(\angle AOM)=\dfrac{\overline{AM}}{\overline{AO}}=\dfrac{\overline{AM}}{10} \qquad \therefore \overline{AM}=10\sin 1$$

$$\therefore \overline{AB}=2\overline{AM}=2\times 10\sin 1=20\sin 1$$

03

해결전략 | 세 동경 OP, OQ, OR를 좌표평면 위에 나타내어 세 점 A, B, C의 좌표를 구한다.

STEP1 세 동경 OP, OQ, OR를 좌표평면 위에 나타내기

원점을 중심으로 하고 반지름의 길이가 3인 원이 세 동경 OP, OQ, OR와 만나는 점을 각각 A, B, C라고 하자. 세 점과 세 동경을 좌표평면에 나타내면 다음 그림과 같다.

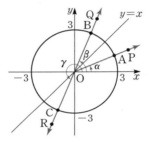

STEP2 세 점 A, B, C의 좌표 구하기

점 P가 제1사분면 위에 있고, $\sin\alpha=\dfrac{1}{3}$이므로 점 A의

좌표는 $\blacktriangleright$ A(x, y)에 대하여

A$(2\sqrt{2}, 1)$ $x^2+y^2=r^2=3^2$이고 $\sin\alpha=\dfrac{y}{r}=\dfrac{1}{3}$이므로 제1사분면 위의 점 A의 좌표는 $(2\sqrt{2}, 1)$

점 Q가 점 P와 직선 $y=x$에 대하여 대칭이므로 동경 OQ와 동경 OP도 직선 $y=x$에 대하여 대칭이다.

따라서 점 B의 좌표는

B$(1, 2\sqrt{2})$

점 R가 점 Q와 원점에 대하여 대칭이므로 동경 OR와 동경 OQ도 원점에 대하여 대칭이다.

따라서 점 C의 좌표는

C$(-1, -2\sqrt{2})$

STEP3 $9(\sin^2\beta+\tan^2\gamma)$의 값 구하기

삼각함수의 정의에 의하여

$$\sin\beta=\dfrac{2\sqrt{2}}{3}$$

$$\tan\gamma=\dfrac{-2\sqrt{2}}{-1}=2\sqrt{2}$$

이므로

$$9(\sin^2\beta+\tan^2\gamma)=9\times\left\{\left(\frac{2\sqrt{2}}{3}\right)^2+(2\sqrt{2})^2\right\}$$
$$=9\times\left(\frac{8}{9}+8\right)$$
$$=80$$

> ◎ 풍쌤의 비법
>
> **점의 대칭이동**
> 점 (x, y)를 대칭이동한 점의 좌표는
> ① x축에 대한 대칭이동: $(x, -y)$
> ② y축에 대한 대칭이동: $(-x, y)$
> ③ 원점에 대한 대칭이동: $(-x, -y)$
> ④ 직선 $y=x$에 대한 대칭이동: (y, x)
> ⑤ 직선 $y=-x$에 대한 대칭이동: $(-y, -x)$

04

해결전략 | 두 점 A. B의 좌표를 이용하여 점 P의 좌표를 구한다.

STEP1 점 P의 좌표 구하기
$A(-6, 0)$, $B(0, 3)$이고, 선분 AB를 $2:1$로 내분하는 점이 P이므로
$$P\left(\frac{2\times0+1\times(-6)}{2+1}, \frac{2\times3+1\times0}{2+1}\right)$$
$$\therefore P(-2, 2)$$

STEP2 $\sin\theta\cos\theta$의 값 구하기
$\overline{OP}=\sqrt{(-2)^2+2^2}=2\sqrt{2}$이므로
$$\sin\theta=\frac{2}{2\sqrt{2}}=\frac{\sqrt{2}}{2}, \cos\theta=\frac{-2}{2\sqrt{2}}=-\frac{\sqrt{2}}{2}$$
$$\therefore \sin\theta\cos\theta=\frac{\sqrt{2}}{2}\times\left(-\frac{\sqrt{2}}{2}\right)=-\frac{1}{2}$$

> ◎ 풍쌤의 비법
>
> **좌표평면 위의 선분의 내분점과 외분점**
> 좌표평면 위의 두 점 $A(x_1, y_1)$, $B(x_2, y_2)$에 대하여
> ① 선분 AB를 $m:n$ $(m>0, n>0)$으로 내분하는 점 P의 좌표는
> $$P\left(\frac{mx_2+nx_1}{m+n}, \frac{my_2+ny_1}{m+n}\right)$$
> ② 선분 AB의 중점 M의 좌표는
> $$M\left(\frac{x_1+x_2}{2}, \frac{y_1+y_2}{2}\right)$$
> ③ 선분 AB를 $m:n$ $(m>0, n>0)$으로 외분하는 점 Q의 좌표는
> $$Q\left(\frac{mx_2-nx_1}{m-n}, \frac{my_2-ny_1}{m-n}\right)$$ (단, $m\ne n$)

05

해결전략 | 주어진 식의 양변을 제곱하여 $\sin\theta$, $\cos\theta$의 부호를 파악한다.

STEP1 $\sin\theta\cos\theta$의 값 구하기
$\sin\theta+\cos\theta=\frac{1}{2}$의 양변을 제곱하면
$$\sin^2\theta+2\sin\theta\cos\theta+\cos^2\theta=\frac{1}{4}$$
$$1+2\sin\theta\cos\theta=\frac{1}{4}$$
$$2\sin\theta\cos\theta=-\frac{3}{4}$$
$$\therefore \sin\theta\cos\theta=-\frac{3}{8}$$

STEP2 각 θ를 나타내는 동경이 존재하는 사분면 구하기
(i) $\sin\theta>0$, $\cos\theta<0$일 때, 각 θ는 제2사분면에 존재한다.
(ii) $\sin\theta<0$, $\cos\theta>0$일 때, 각 θ는 제4사분면에 존재한다.
(i), (ii)에 의하여 각 θ가 존재하는 사분면은 제2사분면 또는 제4사분면이다.

▶ **참고** 두 수 A, B에 대하여
$AB>0$이면 $A>0, B>0$ 또는 $A<0, B<0$
$AB<0$이면 $A>0, B<0$ 또는 $A<0, B>0$

06

해결전략 | 주어진 식의 양변을 각각 제곱한 다음 삼각함수 사이의 관계를 이용한다.

STEP1 주어진 식의 양변을 제곱하여 더하기
$\sin\theta+a\cos\theta=\frac{\sqrt{30}}{5}$의 양변을 제곱하면
$$\sin^2\theta+2a\sin\theta\cos\theta+a^2\cos^2\theta=\frac{6}{5} \qquad \cdots\cdots ㉠$$
$a\sin\theta-\cos\theta=\frac{2\sqrt{5}}{5}$의 양변을 제곱하면
$$a^2\sin^2\theta-2a\sin\theta\cos\theta+\cos^2\theta=\frac{4}{5} \qquad \cdots\cdots ㉡$$
㉠+㉡을 하면
$$(a^2+1)\sin^2\theta+(a^2+1)\cos^2\theta=2$$
$$(a^2+1)(\sin^2\theta+\cos^2\theta)=2$$

STEP2 양수 a의 값 구하기
$\sin^2\theta+\cos^2\theta=1$이므로
$a^2+1=2$, $a^2=1$
$$\therefore a=1 \ (\because a>0)$$

07

해결전략 | 삼각함수 사이의 관계를 이용하여 a를 θ에 대한 식으로 나타낸다.

STEP1 a를 θ에 대한 식으로 나타내기

$\tan\theta=\sqrt{\dfrac{1-a}{a}}$의 양변을 제곱하면

$\tan^2\theta=\dfrac{1-a}{a}$

이므로

$\dfrac{\sin^2\theta}{\cos^2\theta}=\dfrac{1-a}{a}=\dfrac{1}{a}-1$

$\dfrac{\sin^2\theta}{\cos^2\theta}+1=\dfrac{1}{a}$, $\dfrac{\sin^2\theta+\cos^2\theta}{\cos^2\theta}=\dfrac{1}{a}$

$\dfrac{1}{\cos^2\theta}=\dfrac{1}{a}$

$\therefore a=\cos^2\theta$

STEP2 주어진 식 간단히 하기

$\dfrac{\sin^2\theta}{a-\cos\theta}+\dfrac{1-\cos^2\theta}{a+\cos\theta}$

$=\dfrac{\sin^2\theta}{\cos^2\theta-\cos\theta}+\dfrac{1-\cos^2\theta}{\cos^2\theta+\cos\theta}$

$=\dfrac{\sin^2\theta}{\cos^2\theta-\cos\theta}+\dfrac{\sin^2\theta}{\cos^2\theta+\cos\theta}$

$=\dfrac{\sin^2\theta(\cos^2\theta+\cos\theta)+\sin^2\theta(\cos^2\theta-\cos\theta)}{\cos^4\theta-\cos^2\theta}$

$=\dfrac{2\sin^2\theta\cos^2\theta}{\cos^2\theta(\cos^2\theta-1)}=\dfrac{2\sin^2\theta}{\cos^2\theta-1}$

$=\dfrac{2(1-\cos^2\theta)}{\cos^2\theta-1}$

$=-2$

◉→ 다른 풀이

STEP1 $\sin\theta$, $\cos\theta$를 a에 대한 식으로 나타내기

$\tan\theta=\sqrt{\dfrac{1-a}{a}}=\dfrac{\sqrt{1-a}}{\sqrt{a}}$이므로

오른쪽 그림에서
$\sin\theta=\sqrt{1-a}$
$\cos\theta=\sqrt{a}$

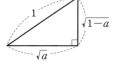

STEP2 주어진 식 간단히 하기

$\therefore \dfrac{\sin^2\theta}{a-\cos\theta}+\dfrac{1-\cos^2\theta}{a+\cos\theta}$

$\quad =\dfrac{(\sqrt{1-a})^2}{a-\sqrt{a}}+\dfrac{(\sqrt{1-a})^2}{a+\sqrt{a}}$

$\quad\quad$ ⎱ $1-\cos^2\theta=\sin^2\theta$ $\quad =(\sqrt{1-a})^2$

$\quad =\dfrac{1-a}{a-\sqrt{a}}+\dfrac{1-a}{a+\sqrt{a}}$ $(\because 0<a<1)$

$\quad =\dfrac{2a(1-a)}{a^2-a}=-2$

08

해결전략 | $\tan\theta+\dfrac{1}{\tan\theta}=3$에서 $\sin\theta\cos\theta$의 값을 구한 후 이차방정식의 근과 계수의 관계를 이용하여 a, b의 값을 구한다.

STEP1 $\sin\theta\cos\theta$의 값 구하기

$\tan\theta+\dfrac{1}{\tan\theta}=3$에서

$\tan\theta+\dfrac{1}{\tan\theta}=\dfrac{\sin\theta}{\cos\theta}+\dfrac{\cos\theta}{\sin\theta}$

$\quad\quad\quad\quad =\dfrac{\sin^2\theta+\cos^2\theta}{\sin\theta\cos\theta}$

$\quad\quad\quad\quad =\dfrac{1}{\sin\theta\cos\theta}$

이므로

$\dfrac{1}{\sin\theta\cos\theta}=3$

즉, $\sin\theta\cos\theta=\dfrac{1}{3}$

STEP2 a, b의 값 구하기

한편, 이차방정식 $x^2-ax+b=0$의 두 근이
$2\sin^2\theta$, $2\cos^2\theta$이므로 근과 계수의 관계에 의하여

$a=2\sin^2\theta+2\cos^2\theta$

$\quad =2(\sin^2\theta+\cos^2\theta)$

$\quad =2$

$b=2\sin^2\theta\times2\cos^2\theta$

$\quad =4\times(\sin\theta\cos\theta)^2$

$\quad =4\times\left(\dfrac{1}{3}\right)^2$

$\quad =\dfrac{4}{9}$

$\therefore ab=2\times\dfrac{4}{9}=\dfrac{8}{9}$

08 삼각함수의 그래프

개념확인

212~215쪽

01 답 **2**

02 답 **5**

$f(13)=f(9)=f(5)=f(1)=f(-3)=5$

03 답 (1) **우** (2) **기** (3) **우** (4) **기**

(3) $f(-x)=\sqrt{(-x)^2}=\sqrt{x^2}=f(x)$

즉, $f(-x)=f(x)$이므로 $f(x)$는 우함수이다.

(4) $f(-x)=-x|-x|=-x|x|=-f(x)$

즉, $f(-x)=-f(x)$이므로 $f(x)$는 기함수이다.

04 답 (1) ○ (2) ○ (3) ×

05 답 (1) **최댓값: 2, 최솟값: -2, 주기: 2π**

(2) **최댓값: 2, 최솟값: 0, 주기: π**

(3) **최댓값과 최솟값은 없다., 주기: π**

06 답 (1) $\dfrac{\sqrt{2}}{2}$ (2) $\dfrac{1}{2}$ (3) $\dfrac{\sqrt{3}}{3}$

(4) $-\dfrac{\sqrt{3}}{2}$ (5) $\dfrac{\sqrt{3}}{2}$ (6) -1

(1) $\sin\dfrac{9}{4}\pi=\sin\left(2\pi+\dfrac{\pi}{4}\right)=\sin\dfrac{\pi}{4}=\dfrac{\sqrt{2}}{2}$

(2) $\cos\dfrac{13}{3}\pi=\cos\left(2\times2\pi+\dfrac{\pi}{3}\right)=\cos\dfrac{\pi}{3}=\dfrac{1}{2}$

(3) $\tan\dfrac{7}{6}\pi=\tan\left(\pi+\dfrac{\pi}{6}\right)=\tan\dfrac{\pi}{6}=\dfrac{\sqrt{3}}{3}$

(4) $\sin\left(-\dfrac{\pi}{3}\right)=-\sin\dfrac{\pi}{3}=-\dfrac{\sqrt{3}}{2}$

(5) $\cos\left(-\dfrac{\pi}{6}\right)=\cos\dfrac{\pi}{6}=\dfrac{\sqrt{3}}{2}$

(6) $\tan\left(-\dfrac{\pi}{4}\right)=-\tan\dfrac{\pi}{4}=-1$

07 답 (1) **0.1908** (2) **0.9781** (3) **0.1763**

(1) $\sin 169°=\sin(180°-11°)=\sin 11°=0.1908$

(2) $\cos 372°=\cos(360°+12°)=\cos 12°=0.9781$

(3) $\tan 190°=\tan(180°+10°)=\tan 10°=0.1763$

필수유형 01

217쪽

01-1 답 (1) **풀이 참조, 최댓값: 3, 최솟값: -3, 주기: 4π**

(2) **풀이 참조, 최댓값: 2, 최솟값: -2,**

주기: $\dfrac{2}{3}\pi$

(3) **풀이 참조, 최댓값: 없다., 최솟값: 없다.,**

주기: 2π

해결전략 | $y=\sin x$, $y=\cos x$, $y=\tan x$의 그래프를 이용하여 주어진 함수의 그래프를 그린다.

(1) $y=3\sin\dfrac{x}{2}$의 그래프는 $y=\sin x$의 그래프를 x축의 방향으로 2배, y축의 방향으로 3배한 것이므로 다음 그림과 같다.

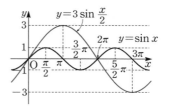

따라서 최댓값은 3, 최솟값은 -3, 주기는 4π이다.

(2) $y=2\cos 3x$의 그래프는 $y=\cos x$의 그래프를 x축의 방향으로 $\dfrac{1}{3}$배, y축의 방향으로 2배한 것이므로 다음 그림과 같다.

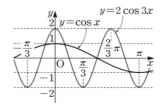

따라서 최댓값은 2, 최솟값은 -2, 주기는 $\dfrac{2}{3}\pi$이다.

(3) $y=\tan\dfrac{x}{2}$의 그래프는 $y=\tan x$의 그래프를 x축의 방향으로 2배한 것이므로 다음 그림과 같다.

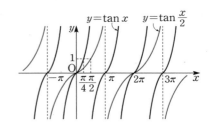

따라서 최댓값과 최솟값은 없고, 주기는 2π이다.

01-2 답 ㄴ, ㄷ

해결전략 | 함수 $y=a\sin bx$의 주기는 $\dfrac{2\pi}{|b|}$이다.

STEP1 $f(x+2)=f(x)$의 의미 알기

모든 실수 x에 대하여 $f(x+2)=f(x)$를 만족시키는 함수는 주기가 2, 1, $\dfrac{1}{2}$, $\dfrac{1}{4}$, …인 함수들이다.

STEP2 각 함수들의 주기 구하기

ㄱ. 주기가 $\dfrac{2\pi}{\frac{\pi}{2}}=4$이므로 모든 실수 x에 대하여

   $f(x+2)=f(x)$를 만족시킨다고 할 수 없다.

ㄴ. 주기가 $\dfrac{2\pi}{\pi}=2$이므로 $f(x+2)=f(x)$를 만족시킨다.

ㄷ. 주기가 $\dfrac{2\pi}{4\pi}=\dfrac{1}{2}$이므로 $f(x+2)=f(x)$를 만족시킨다.

따라서 조건을 만족시키는 함수는 ㄴ, ㄷ이다.

01-3 답 9

해결전략 | 함수 $y=a\cos bx$의 최댓값과 주기를 a, b에 대한 식으로 나타낸다.

STEP1 a의 값 구하기

함수 $y=a\cos bx$의 최댓값이 a $(a>0)$이므로

$a=5$

STEP2 b의 값 구하기

함수 $y=a\cos bx$의 주기가 $\dfrac{2\pi}{b}$ $(b>0)$이므로

$\dfrac{2\pi}{b}=\dfrac{\pi}{2}$ $\therefore b=4$

STEP3 $a+b$의 값 구하기

$\therefore a+b=5+4=9$

01-4 답 $\sin 10\degree < \sin 20\degree < \sin 30\degree$

해결전략 | 함수 $y=\sin x$의 그래프를 그려 대소를 비교한다.

$10\degree < 20\degree < 30\degree < 90\degree$이므로 다음 그림에서

$\sin 10\degree < \sin 20\degree < \sin 30\degree$

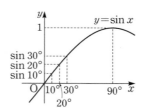

01-5 답 ③

해결전략 | 삼각함수의 그래프에서 함수의 증가와 감소를 파악하여 대소를 비교한다.

STEP1 A, C의 대소 비교하기

$0\degree < x < 90\degree$일 때 $y=\sin x$는 증가하는 함수이므로

$\sin 70\degree < \sin 90\degree=1$

이때 $\tan 45\degree=1$이므로

$\sin 70\degree < \tan 45\degree$

$\therefore A < C$ ⋯⋯ ㉠

STEP2 B, C의 대소 비교하기

$0\degree < x < 90\degree$일 때 $y=\cos x$는 감소하는 함수이므로

$\cos 70\degree < \cos 0\degree=1$

이때 $\tan 45\degree=1$이므로

$\cos 70\degree < \tan 45\degree$

$\therefore B < C$ ⋯⋯ ㉡

STEP3 A, B의 대소 비교하기

$0\degree < x < 90\degree$에서 $\sin x$는 증가하고, $\cos x$는 감소하므로 오른쪽 그림에서

$\cos 70\degree < \sin 70\degree$

$\therefore B < A$ ⋯⋯ ㉢

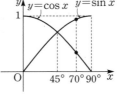

STEP4 A, B, C의 대소 비교하기

㉠, ㉡, ㉢에 의하여

$B < A < C$

01-6 답 $\dfrac{5}{6}\pi$

해결전략 | 선분 AB의 길이가 일정하므로 선분 AB를 밑변으로 할 때 높이가 최대이면 $\triangle$ABP의 넓이가 최대임을 이용한다.

STEP1 두 점 A, B의 좌표 구하기

함수 $y=4\sin 3x$의 주기는 $\dfrac{2\pi}{3}$이고, 함수 $y=3\cos 2x$의 주기는 $\dfrac{2\pi}{2}=\pi$이다.

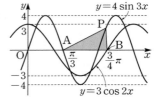

이때 $0<a<\dfrac{\pi}{2}<b<\pi$이므로

$a=\dfrac{\pi}{3}$, $b=\dfrac{3}{4}\pi$

$\therefore \text{A}\left(\dfrac{\pi}{3},\ 0\right)$, $\text{B}\left(\dfrac{3}{4}\pi,\ 0\right)$

STEP2 $\triangle$ABP의 넓이의 최댓값 구하기

$\overline{\text{AB}}=\dfrac{3}{4}\pi-\dfrac{\pi}{3}=\dfrac{5}{12}\pi$이고 함수 $y=4\sin 3x$의 최댓값은 4이므로

$\triangle\text{ABP}=\dfrac{1}{2}\times\overline{\text{AB}}\times|\text{점 P의 }y\text{좌표}|$

$\leq \dfrac{1}{2}\times\dfrac{5}{12}\pi\times 4=\dfrac{5}{6}\pi$ ▶ 점 P의 y좌표는 함수 $y=4\sin 3x$의 최댓값 4와 같거나 작다.

따라서 $\triangle$ABP의 넓이의 최댓값은 $\dfrac{5}{6}\pi$이다.

02-1 답 3

해결전략 | $y=\sin 2x$에 x 대신 $x-m$, y 대신 $y-n$을 대입하면 $y=\sin(2x-4)+1$과 일치함을 이용한다.

STEP1 x축의 방향으로 m만큼, y축의 방향으로 n만큼 평행이동한 그래프의 식 구하기

$y=\sin 2x$의 그래프를 x축의 방향으로 m만큼, y축의 방향으로 n만큼 평행이동한 그래프의 식은

$y-n=\sin 2(x-m)$

$\therefore y=\sin 2(x-m)+n$

STEP2 $m+n$의 값 구하기

위의 식이 $y=\sin(2x-4)+1=\sin 2(x-2)+1$과 일치하므로

$m=2$, $n=1$ $\therefore m+n=3$

02-2 답 -2

해결전략 | $y=\cos x$의 그래프를 y축에 대하여 대칭이동한 후 평행이동한 그래프의 식을 구하여 $y=\cos(ax-3)$과 비교한다.

STEP1 y축에 대하여 대칭이동한 그래프의 식 구하기

$y=\cos x$의 그래프를 y축에 대하여 대칭이동한 그래프의 식은

$y=\cos(-x)$

STEP2 x축의 방향으로 b만큼 평행이동한 그래프의 식 구하기

$y=\cos(-x)$의 그래프를 x축의 방향으로 b만큼 평행이동한 그래프의 식은

$y=\cos\{-(x-b)\}$

$\therefore y=\cos(-x+b)$

STEP3 $b-a$의 값 구하기

위의 식이 $y=\cos(ax-3)$과 일치하므로

$a=-1$, $b=-3$

$\therefore b-a=-3-(-1)=-2$

02-3 답 6

해결전략 | x축의 방향으로 a만큼 평행이동한 그래프의 식은 x 대신 $x-a$를 대입한다.

STEP1 평행이동한 그래프의 식 구하기

$y=\tan 2x-3$의 그래프를 x축의 방향으로 $\dfrac{\pi}{4}$만큼 평행이동한 그래프의 식은

$y=\tan 2\left(x-\dfrac{\pi}{4}\right)-3=\tan\left(2x-\dfrac{\pi}{2}\right)-3$ ...... ㉠

STEP2 대칭이동한 그래프의 식 구하기

㉠의 그래프를 y축에 대하여 대칭이동한 그래프의 식은

$y=\tan\left(-2x-\dfrac{\pi}{2}\right)-3$

STEP3 ab의 값 구하기

위의 식이 $y=\tan\left(ax-\dfrac{\pi}{2}\right)+b$와 일치하므로

$a=-2$, $b=-3$ $\therefore ab=6$

02-4 답 ①

해결전략 | 보기의 각 함수의 그래프의 평행이동 또는 대칭이동을 조사하여 같은 함수의 식이 아닌 것을 찾는다.

① $y=3\sin 3x-1$의 그래프는 $y=\sin 3x$의 그래프를 y축의 방향으로 3배한 후 y축의 방향으로 -1만큼 평행이동한 것이다.

② $y=\sin 3(x-\pi)$의 그래프는 $y=\sin 3x$의 그래프를 x축의 방향으로 π만큼 평행이동한 것이다.

③ $y=\sin 3(x+5\pi)+2$의 그래프는 $y=\sin 3x$의 그래프를 x축의 방향으로 -5π만큼, y축의 방향으로 2만큼 평행이동한 것이다.

④ $y=\sin 3x$의 그래프를 x축에 대하여 대칭이동한 후 y축의 방향으로 4만큼 평행이동한 것이다.

⑤ $y=\sin(-3x+2\pi)=\sin\left\{-3\left(x-\dfrac{2}{3}\pi\right)\right\}$

이므로 $y=\sin(-3x+2\pi)$의 그래프는 $y=\sin 3x$의 그래프를 y축에 대하여 대칭이동한 후 x축의 방향으로 $\dfrac{2}{3}\pi$만큼 평행이동한 것과 같다.

따라서 평행이동에 의하여 나머지 넷과 겹쳐지지 않는 것은 ①이다.

02-5 답 3

해결전략 | $y=a\sin x+1$의 그래프는 $y=\sin x$의 그래프를 y축의 방향으로 a배한 후 y축의 방향으로 1만큼 평행이동한 것임을 이용하여 최댓값과 최솟값을 구한다.

STEP1 함수 $f(x)$의 최댓값과 최솟값 구하기

$-1\le\sin x\le 1$이므로 각 변에 양수 a를 곱하면

$-a\le a\sin x\le a$

다시 각 변에 1을 더하면

$-a+1\le a\sin x+1\le a+1$

따라서 함수 $f(x)$의 최댓값과 최솟값은 각각

$M=a+1$, $m=-a+1$

STEP2 양수 a의 값 구하기

이때 $M-m=6$이므로

$M-m=a+1-(-a+1)=6$에서

$2a=6$ $\therefore a=3$

02-6 답 ②

해결전략 | 함수의 그래프를 평행이동한 후 대칭이동한 그래프의 식으로 나타낸 다음 여러 가지 각의 삼각함수를 이용하여 식을 변형한다.

STEP1 평행이동한 그래프의 식 구하기

$y=2\sin x$의 그래프를 x축의 방향으로 $\dfrac{\pi}{2}$만큼 평행이동한 그래프의 식은

$y=2\sin\left(x-\dfrac{\pi}{2}\right)$ ...... ㉠

STEP2 평행이동한 후 대칭이동한 그래프의 식 구하기

㉠의 그래프를 y축에 대하여 대칭이동한 그래프의 식은

$y=2\sin\left(-x-\dfrac{\pi}{2}\right)=-2\sin\left(\dfrac{\pi}{2}+x\right)=-2\cos x$
$\qquad\qquad\qquad\qquad\xrightarrow{\ \ }\sin\left(\dfrac{\pi}{2}+x\right)=\cos x$

필수유형 03　　　　　　　　　　　221쪽

03-1 답 ㄱ, ㄷ

해결전략 | 사인함수의 그래프의 성질을 이용하여 보기의 참, 거짓을 판별한다.

STEP1 함수 $f(x)$의 주기, 최댓값, 최솟값을 이용하여 ㄱ, ㄴ의 참, 거짓 판별하기

ㄱ. 주기는 $\dfrac{2\pi}{2}=\pi$이다. (참)

ㄴ. 최댓값은 $1-1=0$이고 최솟값은 $-1-1=-2$이다. (거짓)

STEP2 함수 $f(x)$의 그래프가 지나는 점의 좌표와 평행이동을 이용하여 ㄷ, ㄹ의 참, 거짓 판별하기

ㄷ. $f\left(\dfrac{\pi}{3}\right)=\sin\left(\dfrac{2\pi}{3}+\dfrac{\pi}{3}\right)-1=\sin\pi-1=-1$

이므로 그래프는 점 $\left(\dfrac{\pi}{3},\ -1\right)$을 지난다. (참)

ㄹ. $f(x)=\sin\left(2x+\dfrac{\pi}{3}\right)-1=\sin 2\left(x+\dfrac{\pi}{6}\right)-1$

이므로 $y=f(x)$의 그래프는 $y=\sin 2x$의 그래프를 x축의 방향으로 $-\dfrac{\pi}{6}$만큼, y축의 방향으로 -1만큼 평행이동한 것이다. (거짓)

따라서 옳은 것은 ㄱ, ㄷ이다.

03-2 답 ㄱ, ㄷ

해결전략 | 코사인함수의 그래프의 성질을 이용하여 보기의 참, 거짓을 판별한다.

STEP1 함수 $f(x)$의 범위를 구하여 ㄱ의 참, 거짓 판별하기

ㄱ. 함수 $f(x)=2\cos\left(3x-\dfrac{\pi}{3}\right)+1$에서

$-1\le\cos\left(3x-\dfrac{\pi}{3}\right)\le1$이므로

$-2\le2\cos\left(3x-\dfrac{\pi}{3}\right)\le2$

$-1\le2\cos\left(3x-\dfrac{\pi}{3}\right)+1\le3$

$\therefore -1\le f(x)\le3$ (참)

STEP2 함수 $f(x)$의 주기를 구하여 ㄴ의 참, 거짓 판별하기

ㄴ. 함수 $f(x)$의 주기는 $\dfrac{2\pi}{3}$이므로 임의의 실수 x에 대하여

$f\left(x+\dfrac{2}{3}\pi\right)=f(x)$ (거짓)

STEP3 함수 $f(x)$의 식을 변형하여 ㄷ의 참, 거짓 판별하기

ㄷ. $f(x)=2\cos\left(3x-\dfrac{\pi}{3}\right)+1$

$=2\cos 3\left(x-\dfrac{\pi}{9}\right)+1$

이므로 $y=f(x)$의 그래프는 다음 그림과 같다.

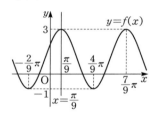

$f(x)=2\cos 3\left(x-\dfrac{\pi}{9}\right)+1$의 그래프는

$y=2\cos 3x$의 그래프를 x축의 방향으로 $\dfrac{\pi}{9}$만큼, y축의 방향으로 1만큼 평행이동한 것이다.

이때 $y=2\cos 3x$의 그래프가 y축, 즉 직선 $x=0$에 대하여 대칭이므로 $y=f(x)$의 그래프는 직선 $x=\dfrac{\pi}{9}$에 대하여 대칭이다. (참)

따라서 옳은 것은 ㄱ, ㄷ이다.

03-3 답 ㄱ, ㄹ

해결전략 | 탄젠트함수의 그래프의 성질을 이용하여 보기의 참, 거짓을 판별한다.

STEP 1 함수 $f(x)$의 주기를 구하여 ㄱ의 참, 거짓 판별하기

ㄱ. 함수 $f(x)=-\tan\left(\frac{x}{2}+\pi\right)+2$의 주기는

$\frac{\pi}{\left|\frac{1}{2}\right|}=2\pi$이므로 모든 실수 x에 대하여

$f(x+2\pi)=f(x)$ (참)

STEP 2 ㄴ의 참, 거짓 판별하기

ㄴ. 함수 $f(x)$의 최댓값과 최솟값은 존재하지 않는다. (거짓)

STEP 3 $x=-\frac{3}{2}\pi$를 대입하여 ㄷ의 참, 거짓 판별하기

ㄷ. $f\left(-\frac{3}{2}\pi\right)=-\tan\left(-\frac{3}{4}\pi+\pi\right)+2$

$=-\tan\frac{\pi}{4}+2=-1+2=1$

이므로 $f(x)=-\tan\left(\frac{x}{2}+\pi\right)+2$의 그래프는 점 $\left(-\frac{3}{2}\pi, 2\right)$를 지나지 않는다. (거짓)

STEP 4 ㄹ의 참, 거짓 판별하기

ㄹ. $f(x)=-\tan\left(\frac{x}{2}+\pi\right)+2$의 그래프의 점근선의 방정식은

$\frac{x}{2}+\pi=n\pi+\frac{\pi}{2}$, $\frac{x}{2}=n\pi-\frac{\pi}{2}$

$\therefore x=2n\pi-\pi$ (n은 정수) (참)

따라서 옳은 것은 ㄱ, ㄹ이다.

03-4 답 1

해결전략 | $y=\cos x$의 그래프는 직선 $x=\pi$에 대하여 대칭임을 이용한다.

STEP 1 $a+b$의 값 구하기

$y=\cos x$의 그래프는 직선 $x=\pi$에 대하여 대칭이므로

$\frac{a+b}{2}=\pi$, $a+b=2\pi$

STEP 2 $\sin\frac{a+b}{4}$의 값 구하기

$\therefore \sin\frac{a+b}{4}=\sin\frac{2\pi}{4}=\sin\frac{\pi}{2}=1$

풍쌤의 비법

삼각함수의 그래프의 대칭성

(1) 함수 $f(x)=\sin x$ $(0\le x\le\pi)$에서 $\alpha\ne\beta$일 때

$f(\alpha)=f(\beta)=k$ (k는 상수) ➡ $\alpha+\beta=\pi$

(2) 함수 $f(x)=\cos x$ $(0\le x\le 2\pi)$에서 $\alpha\ne\beta$일 때

$f(\alpha)=f(\beta)=k$ (k는 상수) ➡ $\alpha+\beta=2\pi$

03-5 답 $-\frac{1}{3}$

해결전략 | $y=\sin x$의 그래프는 직선 $x=\frac{\pi}{2}$에 대하여 대칭임을 이용한다.

STEP 1 $\alpha+\beta$의 값 구하기

$y=\sin x$의 그래프는 직선 $x=\frac{\pi}{2}$에 대하여 대칭이므로

$\frac{\alpha+\beta}{2}=\frac{\pi}{2}$

$\therefore \alpha+\beta=\pi$

STEP 2 $\sin(\alpha+\beta+\gamma)$의 값 구하기

또, 함수 $y=\sin x$의 주기는 2π이므로 $\alpha+2\pi=\gamma$

$\therefore \sin(\alpha+\beta+\gamma)=\sin(\pi+\alpha+2\pi)$

$=\sin(\pi+\alpha)$ → $\alpha+\beta=\pi$, $\gamma=\alpha+2\pi$를 대입

$=-\sin\alpha=-\frac{1}{3}$

03-6 답 6π

해결전략 | x_1과 x_2는 직선 $x=\frac{\pi}{2}$에 대하여 대칭이고, x_3과 x_4는 직선 $x=\frac{5}{2}\pi$에 대하여 대칭임을 이용한다.

STEP 1 x_1+x_2, x_3+x_4의 값 구하기

$y=2\sin x$의 그래프는 직선 $x=\frac{\pi}{2}$에 대하여 대칭이므로

$\frac{x_1+x_2}{2}=\frac{\pi}{2}$

$\therefore x_1+x_2=\pi$

$y=2\sin x$의 그래프는 직선 $x=\frac{5}{2}\pi$에 대하여 대칭이므로

$\frac{x_3+x_4}{2}=\frac{5}{2}\pi$

$\therefore x_3+x_4=5\pi$

STEP 2 식의 값 구하기

$\therefore x_1+x_2+x_3+x_4=\pi+5\pi=6\pi$

발전유형 04

223쪽

04-1 답 (1) 풀이 참조, 최댓값: 1, 최솟값: -1

(2) 풀이 참조, 최댓값: 1, 최솟값: 0

(3) 풀이 참조, 최댓값: 없다., 최솟값: 0

해결전략 | 함수의 그래프를 그려 최댓값과 최솟값을 구한다.

(1) $y=\sin |x|$의 그래프는 $y=\sin x$의 그래프에서 $x\geq 0$인 부분만 남기고, $x\geq 0$인 부분을 y축에 대하여 대칭이동한 것이므로 다음 그림과 같다.

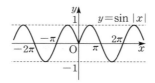

따라서 함수 $y=\sin |x|$의 최댓값은 1, 최솟값은 -1 이다.

(2) $y=|\cos 2x|$의 그래프는 $y=\cos 2x$의 그래프에서 $y\geq 0$인 부분은 그대로 두고, $y<0$인 부분을 x축에 대하여 대칭이동한 것이므로 다음 그림과 같다.

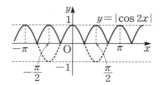

따라서 함수 $y=|\cos 2x|$의 최댓값은 1, 최솟값은 0 이다.

(3) $y=\left|\tan \dfrac{x}{2}\right|$의 그래프는 $y=\tan \dfrac{x}{2}$의 그래프에서 $y\geq 0$인 부분은 그대로 두고, $y<0$인 부분을 x축에 대하여 대칭이동한 것이므로 다음 그림과 같다.

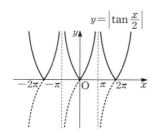

따라서 함수 $y=\left|\tan \dfrac{x}{2}\right|$의 최댓값은 없고, 최솟값은 0이다.

▶**참고** (1) 함수 $y=\sin |x|$의 주기는 없다.

(2) 함수 $y=|\cos 2x|$의 주기는 $\dfrac{\pi}{2}$이다.

(3) 함수 $y=\left|\tan \dfrac{x}{2}\right|$의 주기는 2π이다.

04-2 답 (1) **최댓값: 2, 최솟값: 0, 주기: 2π**

　　　　　(2) **최댓값: 2, 최솟값: 0, 주기: 2π**

해결전략 | 함수의 그래프를 그려 최댓값, 최솟값, 주기를 구한다. 이때 $|A|=\begin{cases}A & (A\geq 0) \\ -A & (A<0)\end{cases}$ 임을 이용한다.

(1) $y=\sin x+|\sin x|$
$$=\begin{cases}2\sin x & (\sin x\geq 0) \\ 0 & (\sin x<0)\end{cases}$$
이고, 함수의 그래프는 다음 그림과 같다.

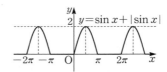

따라서 최댓값은 2, 최솟값은 0, 주기는 2π이다.

(2) $y=\cos x+|\cos x|$
$$=\begin{cases}2\cos x & (\cos x\geq 0) \\ 0 & (\cos x<0)\end{cases}$$
이고, 함수의 그래프는 다음 그림과 같다.

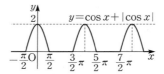

따라서 최댓값은 2, 최솟값은 0, 주기는 2π이다.

04-3 답 π

해결전략 | 절댓값의 성질을 이용하여 주어진 함수의 최댓값과 최솟값을 구하고, 주기를 파악한다.

STEP1 $y=2|\cos (x+\pi)|-1$의 최댓값, 최솟값 구하기

$0\leq |\cos (x+\pi)|\leq 1$이므로

$0\leq 2|\cos (x+\pi)|\leq 2$

$\therefore -1\leq 2|\cos (x+\pi)|-1\leq 1$

즉, 최댓값은 1, 최솟값은 -1이므로

$M=1, m=-1$

STEP2 $y=2|\cos (x+\pi)|-1$의 주기 구하기

또, 함수 $y=2|\cos (x+\pi)|-1$의 주기는 함수 $y=|\cos x|$의 주기와 같으므로

$p=\pi$

STEP3 $M+m+p$의 값 구하기

$\therefore M+m+p=1-1+\pi=\pi$

▶**참고** $y=2|\cos (x+\pi)|-1$의 그래프는 $y=|\cos x|$의 그래프를 y축의 방향으로 2배한 후, x축의 방향으로 $-\pi$만큼, y축의 방향으로 -1만큼 평행이동한 것이므로 주기는 변하지 않는다.

04-4 답 6

해결전략 | 함수 $y=f(x)$의 주기를 a에 대한 식으로 나타내고, 함수 $y=g(x)$의 그래프를 그려 $y=g(x)$의 주기를 구하여 비교한다.

STEP1 함수 $g(x)=|\sin 3x|$의 그래프의 개형 그리기

$g(x)=|\sin 3x|$의 그래프는 $y=\sin 3x$의 그래프에서 $y\geq 0$인 부분은 그대로 두고 $y<0$인 부분을 x축에 대하여 대칭이동한 것이므로 다음 그림과 같다.

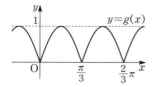

STEP2 a의 값 구하기

즉, 함수 $g(x)=|\sin 3x|$의 주기는 $\dfrac{\pi}{3}$이고,

함수 $f(x)=\cos(ax)+1$의 주기는 $\dfrac{2\pi}{|a|}$이다.

두 함수 $f(x)$, $g(x)$의 주기가 서로 같으므로

$\dfrac{2\pi}{|a|}=\dfrac{\pi}{3}$, $|a|=6$

이때 a는 양수이므로 $a=6$

04-5 답 ㄴ, ㄷ

해결전략 | 함수의 그래프를 그려 일치하는 것을 찾는다.

STEP1 ㄱ의 두 함수의 그래프 그려서 확인하기

ㄱ. $y=\sin|x|$, $y=|\sin x|$의 그래프는 각각 다음 그림과 같으므로 두 함수의 그래프는 일치하지 않는다.

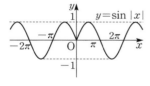

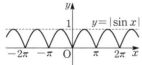

STEP2 ㄴ의 두 함수의 그래프 그려서 확인하기

ㄴ. $y=\cos x$, $y=\cos|x|$의 그래프는 각각 다음 그림과 같으므로 두 함수의 그래프는 일치한다.

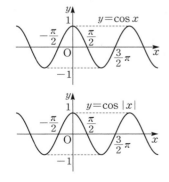

STEP3 ㄷ의 두 함수의 그래프 그려서 확인하기

ㄷ. $y=\left|\sin\left(\dfrac{\pi}{2}-x\right)\right|$, $y=|\cos x|$의 그래프는 각각 다음 그림과 같으므로 두 함수의 그래프는 일치한다.

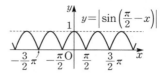

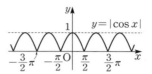

따라서 두 함수의 그래프가 일치하는 것은 ㄴ, ㄷ이다.

▶참고 ㄷ. $\sin\left(\dfrac{\pi}{2}-x\right)=\cos x$이므로

$y=\left|\sin\left(\dfrac{\pi}{2}-x\right)\right|=|\cos x|$이다.

04-6 답 17

해결전략 | $y=2|\cos\pi x|$의 그래프를 그려 최댓값과 최솟값을 파악한다.

STEP1 $y=2|\cos\pi x|$의 그래프 그리기

$y=2|\cos\pi x|$의 그래프는 $y=2\cos\pi x$의 그래프에서 $y\geq 0$인 부분은 그대로 두고, $y<0$인 부분을 x축에 대하여 대칭이동한 것으로 다음 그림과 같다.

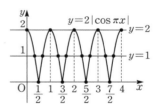

STEP2 y좌표가 정수인 점의 개수 구하기

이때 y좌표가 정수이므로 y좌표가 될 수 있는 값은

0, 1, 2

$y=2|\cos\pi x|$의 그래프와 직선 $y=0$의 교점의 개수는 4이다.

$y=2|\cos\pi x|$의 그래프와 직선 $y=1$의 교점의 개수는 8이다.

$y=2|\cos\pi x|$의 그래프와 직선 $y=2$의 교점의 개수는 5이다.

따라서 y좌표가 정수인 점의 개수는

$4+8+5=17$

05-1 답 $-\dfrac{7}{2}-\dfrac{\pi}{4}$

해결전략 | 주어진 조건을 이용하여 상수 a, b, c, d의 값을 구한다.

STEP1 조건 ㈏를 이용하여 b의 값 구하기

조건 ㈏에서 함수 $f(x)$의 주기가 4π이고 $b>0$이므로

$$\dfrac{2\pi}{b}=4\pi \qquad \therefore b=\dfrac{1}{2}$$

STEP2 조건 ㈎, ㈐를 이용하여 a, c, d의 값 구하기

$$\begin{aligned}\therefore f(x) &=a\sin\left(\dfrac{1}{2}x+c\right)+d \\ &=a\sin\dfrac{1}{2}(x+2c)+d \qquad \cdots\cdots ㉠\end{aligned}$$

㉠에서 $y=f(x)$의 그래프는 $y=a\sin\dfrac{x}{2}$의 그래프를 x축의 방향으로 $-2c$만큼, y축의 방향으로 d만큼 평행이동한 것이므로 조건 ㈎에서 $d=-1$

또, $-2c=\dfrac{\pi}{2}$에서 $c=-\dfrac{\pi}{4}$

조건 ㈐에서 함수 $f(x)$의 최솟값이 -4이고 $a<0$이므로

$$a-1=-4 \qquad \therefore a=-3$$

STEP3 $a+b+c+d$의 값 구하기

$$\begin{aligned}\therefore a+b+c+d &=-3+\dfrac{1}{2}+\left(-\dfrac{\pi}{4}\right)+(-1) \\ &=-\dfrac{7}{2}-\dfrac{\pi}{4}\end{aligned}$$

05-2 답 6

해결전략 | 주어진 조건을 이용하여 상수 a, b, c의 값을 구한다.

STEP1 함수 $y=f(x)$의 최댓값과 최솟값을 이용하여 a, c의 값 구하기

함수 $f(x)$의 최댓값이 4, 최솟값이 -2이고 $a>0$이므로

$$a+c=4, \quad -a+c=-2$$

위의 두 식을 연립하여 풀면

$$a=3, \ c=1$$

STEP2 함수 $y=f(x)$의 주기를 이용하여 b의 값 구하기

함수 $f(x)$의 주기가 π이고 $b>0$이므로

$$\dfrac{2\pi}{b}=\pi \qquad \therefore b=2$$

$$\therefore abc=3\times2\times1=6$$

05-3 답 53

해결전략 | 주기를 이용하여 b의 값을 구하고, 함숫값을 이용하여 a의 값을 구한다.

STEP1 b의 값 구하기

함수 $f(x)$의 주기가 $\dfrac{\pi}{2}$이고 $b>0$이므로

$$\dfrac{\pi}{b}=\dfrac{\pi}{2} \qquad \therefore b=2$$

STEP2 a의 값 구하기

$f\left(\dfrac{\pi}{8}\right)=7$이므로

$$a\tan\left(2\times\dfrac{\pi}{8}\right)=7$$

$$a\tan\dfrac{\pi}{4}=7 \qquad \therefore a=7$$

STEP3 a^2+b^2의 값 구하기

$$\therefore a^2+b^2=7^2+2^2=53$$

05-4 답 2

해결전략 | 절댓값 기호를 포함한 함수의 성질을 이용하여 상수 a, b, c의 값을 구한다.

STEP1 조건 ㈎를 이용하여 b의 값 구하기

조건 ㈎에서 함수 $f(x)$의 주기가 $\dfrac{\pi}{3}$이고 $b>0$이므로

$$\dfrac{\pi}{b}=\dfrac{\pi}{3} \qquad \therefore b=3$$

$$\therefore f(x)=a|\cos3x|+c$$

STEP2 조건 ㈏, ㈐를 이용하여 a, c의 값 구하기

$0\le|\cos3x|\le1$이므로 $c\le a|\cos3x|+c\le a+c$

조건 ㈏에서 함수 $f(x)$의 최댓값이 3이므로

$$a+c=3 \qquad \cdots\cdots ㉠$$

조건 ㈐에서 $f\left(\dfrac{\pi}{9}\right)=\dfrac{5}{2}$이므로

$$a\left|\cos\dfrac{\pi}{3}\right|+c=\dfrac{5}{2}, \ \dfrac{1}{2}a+c=\dfrac{5}{2}$$

$$\therefore a+2c=5 \qquad \cdots\cdots ㉡$$

㉠, ㉡을 연립하여 풀면 $a=1$, $c=2$

STEP3 $a+b-c$의 값 구하기

$$\therefore a+b-c=1+3-2=2$$

05-5 답 $-\dfrac{\pi}{8}$

해결전략 | 함수 $y=\tan x$의 그래프의 점근선의 방정식이 $x=n\pi+\dfrac{\pi}{2}$ (n은 정수)임을 이용하여 상수 b의 값을 구한다.

STEP1 a의 값 구하기

주어진 함수의 주기가 4π이고 $a>0$이므로

$$\dfrac{\pi}{a}=4\pi \qquad \therefore a=\dfrac{1}{4}$$

STEP 2 b의 값 구하기

$y=3\tan\left(\dfrac{x}{4}-b\right)+2=3\tan\dfrac{1}{4}(x-4b)+2$의 그래프

는 $y=3\tan\dfrac{x}{4}$의 그래프를 x축의 방향으로 $4b$만큼, y축

의 방향으로 2만큼 평행이동한 것이다.

이때 $y=3\tan\dfrac{x}{4}$의 그래프의 점근선의 방정식은

$x=4k\pi+2\pi$ (k는 정수)

이므로 주어진 함수의 점근선의 방정식은

$x=4k\pi+2\pi+4b$ ⟶ k가 정수이므로 위의 식을 $x=4n\pi+2\pi+4b$로 생각할 수 있다.

위의 식이 $x=4n\pi$와 일치해야 하므로

$4b=-2\pi$ $(\because -\pi<b<0)$ $\quad\therefore b=-\dfrac{\pi}{2}$

$\therefore ab=\dfrac{1}{4}\times\left(-\dfrac{\pi}{2}\right)=-\dfrac{\pi}{8}$

05-6 답 2

해결전략 | 주어진 조건을 이용하여 상수 a, b, c의 값을 구하고 $f(\pi)$의 값을 구한다.

STEP 1 a, b, c의 값 구하기

함수 $f(x)$의 최댓값이 5이고 $a>0$이므로

$a+c=5$ $\qquad\qquad$ ...... ㉠

함수 $f(x)$의 주기가 $\dfrac{\pi}{3}$이고 $b>0$이므로

$\dfrac{\pi}{b}=\dfrac{\pi}{3}$ $\quad\therefore b=3$

$f\left(\dfrac{\pi}{18}\right)=\dfrac{7}{2}$이므로 $a\left|\sin\dfrac{\pi}{6}\right|+c=\dfrac{7}{2}$

$\dfrac{1}{2}a+c=\dfrac{7}{2}$ $\qquad\qquad$ ...... ㉡

㉠, ㉡을 연립하여 풀면 $a=3$, $c=2$

STEP 2 $f(\pi)$의 값 구하기

따라서 $f(x)=3|\sin 3x|+2$이므로

$f(\pi)=3|\sin 3\pi|+2=2$

필수유형 06 227쪽

06-1 답 $4+\dfrac{\pi}{2}$

해결전략 | 주어진 그래프에서 최댓값, 최솟값, 주기, 지나는 한 점을 이용하여 상수 a, b, c, d의 값을 구한다.

STEP 1 최댓값, 최솟값을 이용하여 a, d의 값 구하기

주어진 그래프에서 함수의 최댓값이 3, 최솟값이 -1이고 $a>0$이므로

$a+d=3$, $-a+d=-1$

위의 두 식을 연립하여 풀면 $a=2$, $d=1$

STEP 2 주기를 이용하여 b의 값 구하기

또, 주기가 $\dfrac{\pi}{2}-\left(-\dfrac{\pi}{2}\right)=\pi$이고 $b>0$이므로

$\dfrac{2\pi}{b}=\pi$ $\quad\therefore b=2$

STEP 3 지나는 한 점을 찾아 c의 값 구하기

주어진 함수의 식은 $y=2\sin(2x+c)+1$이고, 그래프가 점 $(0,3)$을 지나므로

$3=2\sin(0+c)+1$, $\sin c=1$

$0<c<\pi$이므로 $c=\dfrac{\pi}{2}$

$\therefore ab+cd=2\times 2+\dfrac{\pi}{2}\times 1=4+\dfrac{\pi}{2}$

06-2 답 $\dfrac{2}{3}\pi$

해결전략 | 주어진 그래프에서 주기, 평행이동을 이용하여 상수 a, b의 값을 구한다.

STEP 1 주기를 이용하여 a의 값 구하기

주어진 그래프에서 주기가 $\dfrac{2}{3}\pi-\left(-\dfrac{\pi}{3}\right)=\pi$이고 $a>0$이므로

$\dfrac{2\pi}{a}=\pi$ $\quad\therefore a=2$

STEP 2 평행이동을 이용하여 b의 값 구하기

$y=\cos 2(x+b)+1$의 그래프는 $y=\cos 2x$의 그래프를 x축의 방향으로 $-b$만큼, y축의 방향으로 1만큼 평행이동한 그래프이므로

$-b=-\dfrac{\pi}{3}$ $\quad\therefore b=\dfrac{\pi}{3}$ $(\because 0<b<\pi)$

$\therefore ab=2\times\dfrac{\pi}{3}=\dfrac{2}{3}\pi$

◉⟶ 다른 풀이

STEP 2 지나는 한 점을 찾아 b의 값 구하기

$y=\cos 2(x+b)+1$의 그래프가 점 $\left(\dfrac{2}{3}\pi,2\right)$를 지나므로

$2=\cos 2\left(\dfrac{2}{3}\pi+b\right)+1$, $\cos\left(\dfrac{4}{3}\pi+2b\right)=1$

$0<b<\pi$이고 $\cos 2\pi=1$이므로

$\dfrac{4}{3}\pi+2b=2\pi$ $\quad\therefore b=\dfrac{\pi}{3}$

$\therefore ab=2\times\dfrac{\pi}{3}=\dfrac{2}{3}\pi$

06-3 답 6

해결전략 | 주어진 그래프에서 주기, 지나는 한 점을 이용하여 상수 a, b, c의 값을 구한다.

STEP1 주기를 이용하여 b의 값 구하기

주어진 그래프에서 주기가 $\dfrac{\pi}{4}-\left(-\dfrac{\pi}{4}\right)=\dfrac{\pi}{2}$이고 $b>0$이

므로 $\dfrac{\pi}{b}=\dfrac{\pi}{2}$ $\therefore b=2$

STEP2 주어진 그래프가 원점을 지나는 것을 이용하여 c의 값 구하기

$y=a\tan 2x+c$의 그래프가 원점을 지나므로

$c=0$

STEP3 지나는 한 점을 찾아 a의 값 구하기

$y=a\tan 2x$의 그래프가 점 $\left(\dfrac{\pi}{8},\,4\right)$를 지나므로

$4=a\tan\dfrac{\pi}{4}$ $\therefore a=4$

$\therefore a+b+c=4+2+0=6$

06-4 답 $3+\dfrac{\sqrt{2}}{2}$

해결전략 | 주어진 그래프에서 최댓값, 최솟값, 주기, 지나는
한 점을 이용하여 상수 a, b, c, d의 값을 구한다.

STEP1 최댓값, 최솟값을 이용하여 a, d의 값 구하기

주어진 그래프에서 함수의 최댓값이 4, 최솟값이 2이고

$a>0$이므로

$a+d=4$, $-a+d=2$

위의 두 식을 연립하여 풀면 $a=1$, $d=3$

STEP2 주기를 이용하여 b의 값 구하기

주기가 4π이고 $b>0$이므로

$\dfrac{2\pi}{b}=4\pi$ $\therefore b=\dfrac{1}{2}$

$\therefore f(x)=\sin\left(\dfrac{1}{2}x+c\right)+3$

STEP3 지나는 한 점을 찾아 c의 값 구하기

$y=f(x)$의 그래프가 점 $(0,\,4)$를 지나므로

$4=\sin c+3$, $\sin c=1$

$\therefore c=\dfrac{\pi}{2}\ (\because 0<c<\pi)$

STEP4 $f\left(-\dfrac{\pi}{2}\right)$의 값 구하기

따라서 $f(x)=\sin\left(\dfrac{1}{2}x+\dfrac{\pi}{2}\right)+3$이므로

$f\left(-\dfrac{\pi}{2}\right)=\sin\left(-\dfrac{\pi}{4}+\dfrac{\pi}{2}\right)+3$

$=\sin\dfrac{\pi}{4}+3=3+\dfrac{\sqrt{2}}{2}$

06-5 답 ③

해결전략 | 주어진 그래프에서 주기와 평행이동을 조사하여
그래프의 식을 구한다.

STEP1 $f(x)$의 식 세우기

주어진 그래프는 탄젠트함수의 그래프이므로

$f(x)=a\tan(bx+c)+d$ (a, b, c, d는 상수)

로 놓을 수 있다.

STEP2 주기를 이용하여 b의 값 구하기

주기가 $\dfrac{\pi}{4}-\left(-\dfrac{\pi}{4}\right)=\dfrac{\pi}{2}$이므로

$\dfrac{\pi}{|b|}=\dfrac{\pi}{2}$ $\therefore b=-2$ 또는 $b=2$

STEP3 $y=f(x)$ 꼴 구하기

$f(x)=a\tan(2x+c)+d$로 놓으면 $y=f(x)$의 그래프
는 $y=a\tan 2x$의 그래프를 x축의 방향으로 $\dfrac{\pi}{4}$만큼 평
행이동한 것과 같으므로

$f(x)=a\tan 2\left(x-\dfrac{\pi}{4}\right)=a\tan\left(2x-\dfrac{\pi}{2}\right)$

따라서 보기에서 주어진 함수의 그래프의 식이 될 수 있
는 것은 ③이다.

필수유형 **07**   229쪽

07-1 답 (1) $\sqrt{2}$ (2) -1

해결전략 | 여러 가지 각에 대한 삼각함수의 성질을 이용하여
예각으로 변형한다.

(1) $\sin\dfrac{3}{4}\pi=\sin\left(\pi-\dfrac{\pi}{4}\right)=\sin\dfrac{\pi}{4}=\dfrac{\sqrt{2}}{2}$

$\cos\dfrac{15}{4}\pi=\cos\left(4\pi-\dfrac{\pi}{4}\right)=\cos\dfrac{\pi}{4}=\dfrac{\sqrt{2}}{2}$

$\therefore \sin\dfrac{3}{4}\pi+\cos\dfrac{15}{4}\pi=\dfrac{\sqrt{2}}{2}+\dfrac{\sqrt{2}}{2}=\sqrt{2}$

(2) $\cos 140°=\cos(90°+50°)=-\sin 50°$

$\tan 100°=\tan(90°+10°)=-\dfrac{1}{\tan 10°}$

$\therefore \sin 50°+\cos 140°+\tan 10°\times\tan 100°$

$=\sin 50°-\sin 50°+\tan 10°\times\left(-\dfrac{1}{\tan 10°}\right)$

$=-1$

07-2 답 (1) 0 (2) 2 (3) 4

해결전략 | 여러 가지 각에 대한 삼각함수의 성질을 이용하여
θ에 대한 삼각함수로 변형한다.

(1) $\sin\left(\dfrac{\pi}{2}-\theta\right)=\cos\theta$, $\cos(\pi-\theta)=-\cos\theta$,

$\sin\left(\dfrac{3}{2}\pi+\theta\right)=-\cos\theta$

$$\therefore \cos\theta - \sin\left(\frac{\pi}{2}-\theta\right) + \cos(\pi-\theta)$$
$$-\sin\left(\frac{3}{2}\pi+\theta\right)$$
$$=\cos\theta - \cos\theta - \cos\theta - (-\cos\theta)$$
$$=0$$

(2) $\sin(\pi+\theta)=-\sin\theta$, $\sin\left(\frac{\pi}{2}+\theta\right)=\cos\theta$,

$\sin\left(\frac{\pi}{2}-\theta\right)=\cos\theta$, $\sin(\pi-\theta)=\sin\theta$

$$\therefore \sin^2(\pi+\theta) + \sin^2\left(\frac{\pi}{2}+\theta\right) + \sin^2\left(\frac{\pi}{2}-\theta\right)$$
$$+\sin^2(\pi-\theta)$$
$$=\sin^2\theta + \cos^2\theta + \cos^2\theta + \sin^2\theta$$
$$=(\sin^2\theta + \cos^2\theta) + (\cos^2\theta + \sin^2\theta)$$
$$=1+1=2$$

(3) $\cos(90°-\theta)=\sin\theta$이므로

$\cos 80°=\cos(90°-10°)=\sin 10°$,

$\cos 70°=\cos(90°-20°)=\sin 20°$,

$\cos 60°=\cos(90°-30°)=\sin 30°$,

$\cos 50°=\cos(90°-40°)=\sin 40°$

$$\therefore \cos^2 10° + \cos^2 20° + \cdots + \cos^2 80° + \cos^2 90°$$
$$=(\cos^2 10° + \cos^2 80°) + (\cos^2 20° + \cos^2 70°)$$
$$+(\cos^2 30° + \cos^2 60°)$$
$$+(\cos^2 40° + \cos^2 50°) + \cos^2 90°$$
$$=(\cos^2 10° + \sin^2 10°) + (\cos^2 20° + \sin^2 20°)$$
$$+(\cos^2 30° + \sin^2 30°)$$
$$+(\cos^2 40° + \sin^2 40°) + \cos^2 90°$$
$$=1+1+1+1+0=4$$

07-3 답 $\cos\theta$

해결전략 | 여러 가지 각에 대한 삼각함수의 성질을 이용하여
주어진 식을 간단히 한다.

$$\frac{\sin\left(\frac{3}{2}\pi-\theta\right)\tan\theta}{\cos\left(\frac{\pi}{2}+\theta\right)\cos\theta} - \sin(\pi+\theta)\tan(\pi-\theta)$$
$$=\frac{-\cos\theta\tan\theta}{-\sin\theta\cos\theta} - (-\sin\theta)(-\tan\theta)$$
$$=\frac{\tan\theta}{\sin\theta} - \sin\theta\tan\theta$$
$$=\tan\theta\left(\frac{1}{\sin\theta} - \sin\theta\right)$$
$$=\frac{\sin\theta}{\cos\theta} \times \frac{1-\sin^2\theta}{\sin\theta} \left(\because \tan\theta=\frac{\sin\theta}{\cos\theta}\right)$$
$$=\frac{\sin\theta}{\cos\theta} \times \frac{\cos^2\theta}{\sin\theta} \ (\because \sin^2\theta+\cos^2\theta=1)$$
$$=\cos\theta$$

07-4 답 5

해결전략 | 여러 가지 각에 대한 삼각함수의 성질을 이용하여
$\sin\left(\frac{\pi}{2}+\theta\right)\tan(\pi-\theta)$를 간단히 한다.

STEP1 $\sin\theta$의 값 구하기

$$\sin\left(\frac{\pi}{2}+\theta\right)\tan(\pi-\theta)=\cos\theta \times (-\tan\theta)$$
$$=\cos\theta \times \left(-\frac{\sin\theta}{\cos\theta}\right)$$
$$=-\sin\theta$$

이때 $\sin\left(\frac{\pi}{2}+\theta\right)\tan(\pi-\theta)=\frac{3}{4}$이므로

$$-\sin\theta=\frac{3}{4}$$

$$\therefore \sin\theta=-\frac{3}{4}$$

STEP2 $20(1+\sin\theta)$의 값 구하기

$$\therefore 20(1+\sin\theta)=20\left(1-\frac{3}{4}\right)=5$$

07-5 답 $-\frac{1}{3}$

해결전략 | 직선의 기울기가 $\tan\theta$임을 이용하여 주어진 식
의 값을 구한다.

STEP1 직선의 기울기가 $\tan\theta$임을 이용하여 θ의 값 구하기

직선 $x-3y+3=0$에서 $y=\frac{1}{3}x+1$

직선의 기울기가 $\frac{1}{3}$이므로

$$\tan\theta=\frac{1}{3}$$

STEP2 $\cos(\pi+\theta)+\sin\left(\frac{\pi}{2}-\theta\right)+\tan(-\theta)$의 값 구하기

$$\therefore \cos(\pi+\theta)+\sin\left(\frac{\pi}{2}-\theta\right)+\tan(-\theta)$$
$$=-\cos\theta + \cos\theta - \tan\theta$$
$$=-\tan\theta$$
$$=-\frac{1}{3}$$

> 🎯 **풍쌤의 비법**
>
> 직선이 x축의 양의 방향과 이루는 각의 크기가 θ이면
> (직선의 기울기)$=\tan\theta$

07-6 답 1

해결전략 | 직선의 기울기가 $\tan\theta$임을 이용하여 주어진 식
의 값을 구한다.

STEP1 직선의 기울기가 $\tan\theta$임을 이용하여 $\tan\theta$의 값 구하기

직선 $y=ax+1$이 x축의 양의 방향과 이루는 각의 크기가 θ이므로

$\tan\theta=a$

STEP2 $\dfrac{1-\cos(\pi+\theta)}{\sin(\pi-\theta)}+\dfrac{1+\sin\left(\frac{3}{2}\pi-\theta\right)}{\cos\left(\frac{\pi}{2}+\theta\right)}$ 간단히 하기

$\dfrac{1-\cos(\pi+\theta)}{\sin(\pi-\theta)}+\dfrac{1+\sin\left(\frac{3}{2}\pi-\theta\right)}{\cos\left(\frac{\pi}{2}+\theta\right)}$

$=\dfrac{1-(-\cos\theta)}{\sin\theta}+\dfrac{1-\cos\theta}{-\sin\theta}$

$=\dfrac{2\cos\theta}{\sin\theta}$

$=\dfrac{2}{\tan\theta}$

STEP3 a의 값 구하기

즉, $\dfrac{2}{\tan\theta}=2$이므로

$\tan\theta=1$

$\therefore a=\tan\theta=1$

발전유형 08   231쪽

08-1 🔳 $\dfrac{\sqrt{13}}{7}$

해결전략 | 선분 AB가 원의 지름임을 이용하여 선분 AB의 길이와 α, β 사이의 관계식을 구한다.

STEP1 α, β 사이의 관계식 구하기

$\overline{AB}$가 원의 지름이므로

$\angle ACB=90°$

$\therefore \alpha+\beta=90°$

STEP2 선분 AB의 길이 구하기

삼각형 ABC는 직각삼각형이므로 피타고라스 정리에 의하여

$\overline{AB}=\sqrt{6^2+(\sqrt{13})^2}=7$

STEP3 $\sin(\alpha+2\beta)$의 값 구하기

$\therefore \sin(\alpha+2\beta)=\sin\{(\alpha+\beta)+\beta\}$

$=\sin(90°+\beta)$

$=\cos\beta$

$=\dfrac{\overline{BC}}{\overline{AB}}=\dfrac{\sqrt{13}}{7}$

08-2 🔳 $\dfrac{3}{4}$

해결전략 | 선분 AB가 원의 지름임을 이용하여 선분 BC의 길이와 α, β 사이의 관계식을 구한다.

STEP1 α, β 사이의 관계식 구하기

$\overline{AB}$가 원의 지름이므로 $\angle ACB=90°$

$\therefore \alpha+\beta=90°$

STEP2 선분 BC의 길이 구하기

삼각형 ABC는 직각삼각형이므로 피타고라스 정리에 의하여

$\overline{BC}=\sqrt{10^2-8^2}=6$

STEP3 $\tan(2\alpha+\beta+90°)$의 값 구하기

$\therefore \tan(2\alpha+\beta+90°)=\tan\{\alpha+(\alpha+\beta)+90°\}$

$=\tan(\alpha+180°)$

$=\tan\alpha$

$=\dfrac{\overline{BC}}{\overline{AC}}=\dfrac{6}{8}=\dfrac{3}{4}$

08-3 🔳 $\dfrac{5}{4}$

해결전략 | 원에 내접하는 사각형에서 한 쌍의 대각의 크기의 합은 $180°$임을 이용한다.

STEP1 $\sin\alpha$의 값 구하기

$\cos\alpha=\dfrac{2}{3}>0$에서 α는 예각이므로

$\sin\alpha=\sqrt{1-\cos^2\alpha}=\sqrt{1-\left(\dfrac{2}{3}\right)^2}=\dfrac{\sqrt{5}}{3}$

STEP2 $\sin\beta$, $\cos\beta$의 값 구하기

사각형 ABCD가 원에 내접하므로

$\alpha+\beta=180°$

$\therefore \sin\beta=\sin(180°-\alpha)=\sin\alpha=\dfrac{\sqrt{5}}{3}$

$\cos\beta=\cos(180°-\alpha)=-\cos\alpha=-\dfrac{2}{3}$

STEP3 $\tan^2\beta$의 값 구하기

$\therefore \tan^2\beta=\left(\dfrac{\sin\beta}{\cos\beta}\right)^2=\left(-\dfrac{\sqrt{5}}{2}\right)^2=\dfrac{5}{4}$

> 🎯 **풍쌤의 비법**
>
> **원에 내접하는 사각형의 성질**
>
> 원에 내접하는 사각형에서 한 쌍의 대각의 크기의 합은 $180°$이다.
>
> ➡ $\angle A+\angle C=180°$
> $\angle B+\angle D=180°$

08-4 답 $\dfrac{\pi}{3}$

해결전략 | 점 A의 x좌표를 구하여 직사각형의 가로와 세로의 길이를 구한다.

STEP1 점 A의 x좌표 구하기

오른쪽 그림과 같이 함수
$y=\sin x$의 그래프는 직선
$x=\dfrac{\pi}{2}$에 대하여 대칭이므로
점 A의 x좌표는

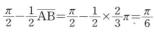

$\dfrac{\pi}{2}-\dfrac{1}{2}\overline{AB}=\dfrac{\pi}{2}-\dfrac{1}{2}\times\dfrac{2}{3}\pi=\dfrac{\pi}{6}$

STEP2 직사각형의 세로의 길이 구하기

이때 변 AD의 길이는 점 D의 y좌표와 같으므로
$\overline{AD}=\sin\dfrac{\pi}{6}=\dfrac{1}{2}$

STEP3 직사각형의 넓이 구하기

따라서 직사각형 ABCD의 넓이는
$\dfrac{2}{3}\pi\times\dfrac{1}{2}=\dfrac{\pi}{3}$

08-5 답 $\dfrac{12}{13}$

해결전략 | 원에 내접하는 사각형에서 한 쌍의 대각의 크기의 합은 180°임을 이용한다.

STEP1 $\sin C$의 값 구하기

사각형 ABCD에 대각선 BD를 그으면 $\overline{BC}$가 지름이므로 삼각형 BCD는 직각삼각형이다.

직각삼각형 BCD에서 피타고라스 정리에 의하여
$\overline{BD}=\sqrt{13^2-5^2}=\sqrt{144}=12$

$\therefore \sin C=\dfrac{\overline{BD}}{\overline{BC}}=\dfrac{12}{13}$

STEP2 $\sin A$의 값 구하기

사각형 ABCD가 원에 내접하므로
$A+C=180°$

$\therefore \sin A=\sin(180°-C)=\sin C=\dfrac{12}{13}$

08-6 답 10

해결전략 | 적당히 짝을 지어 같은 각의 삼각함수가 되도록 변형한다.

STEP1 θ의 값을 구하여 π를 θ로 나타내기

P_1, P_2, P_3, $\cdots$, P_{20}은 원을 20등분한 점이고
$\angle P_1OP_2=\theta$이므로

$\theta=\dfrac{2\pi}{20}$ $\therefore \pi=10\theta$

STEP2 식의 값 구하기

$5\theta=\dfrac{\pi}{2}$, $10\theta=\pi$, $15\theta=\dfrac{3}{2}\pi$이므로

$\sin^2\theta+\sin^2 2\theta+\sin^2 3\theta+\cdots+\sin^2 20\theta$

$=\sin^2\theta+\sin^2 2\theta+\sin^2 3\theta+\sin^2 4\theta+\sin^2 5\theta$

$\quad+\sin^2\left(\dfrac{\pi}{2}+\theta\right)+\sin^2\left(\dfrac{\pi}{2}+2\theta\right)+\sin^2\left(\dfrac{\pi}{2}+3\theta\right)$

$\qquad\quad+\sin^2\left(\dfrac{\pi}{2}+4\theta\right)+\sin^2\left(\dfrac{\pi}{2}+5\theta\right)$

$\quad+\sin^2(\pi+\theta)+\sin^2(\pi+2\theta)+\sin^2(\pi+3\theta)$

$\qquad\quad+\sin^2(\pi+4\theta)+\sin^2(\pi+5\theta)$

$\quad+\sin^2\left(\dfrac{3}{2}\pi+\theta\right)+\sin^2\left(\dfrac{3}{2}\pi+2\theta\right)+\sin^2\left(\dfrac{3}{2}\pi+3\theta\right)$

$\qquad\quad+\sin^2\left(\dfrac{3}{2}\pi+4\theta\right)+\sin^2\left(\dfrac{3}{2}\pi+5\theta\right)$

$=\sin^2\theta+\sin^2 2\theta+\sin^2 3\theta+\sin^2 4\theta+\sin^2 5\theta$

$\quad+\cos^2\theta+\cos^2 2\theta+\cos^2 3\theta+\cos^2 4\theta+\cos^2 5\theta$

$\quad+\sin^2\theta+\sin^2 2\theta+\sin^2 3\theta+\sin^2 4\theta+\sin^2 5\theta$

$\quad+\cos^2\theta+\cos^2 2\theta+\cos^2 3\theta+\cos^2 4\theta+\cos^2 5\theta$

$=2\{(\sin^2\theta+\cos^2\theta)+(\sin^2 2\theta+\cos^2 2\theta)$

$\qquad+(\sin^2 3\theta+\cos^2 3\theta)+(\sin^2 4\theta+\cos^2 4\theta)$

$\qquad\qquad+(\sin^2 5\theta+\cos^2 5\theta)\}$

$=2\times(1+1+1+1+1)$

$=10$

필수유형 09   233쪽

09-1 답 최댓값: 6, 최솟값: -2

해결전략 | 식을 변형한 후 $\sin x$의 범위를 이용하여 y의 값의 범위를 구한다.

STEP1 식 변형하기

$\sin(x+\pi)=-\sin x$, $\cos\left(x+\dfrac{\pi}{2}\right)=-\sin x$이므로

$y=\sin(x+\pi)+3\cos\left(x+\dfrac{\pi}{2}\right)+2$

$\ =-\sin x-3\sin x+2$

$\ =-4\sin x+2$

STEP2 $\sin x$의 범위를 이용하여 y의 값의 범위 구하기

이때 $-1\le\sin x\le 1$이므로

$-4\le -4\sin x\le 4$

$-2\le -4\sin x+2\le 6$

$\therefore -2\le y\le 6$

STEP3 함수의 최댓값과 최솟값 구하기

따라서 주어진 함수의 최댓값은 6, 최솟값은 -2이다.

09-2 📝 최댓값: 5, 최솟값: 0

해결전략 | $\sin x = t$로 치환하여 t에 대한 함수의 최댓값과 최솟값을 구한다.

STEP1 $\sin x = t$로 치환하여 t에 대한 식으로 나타내기

$y = 5 - |3\sin x + 2|$에서 $\sin x = t$ $(-1 \leq t \leq 1)$로 놓으면 $y = 5 - |3t + 2|$

(ⅰ) $-1 \leq t < -\dfrac{2}{3}$일 때,

$\quad y = 5 - \{-(3t + 2)\} = 3t + 7$

(ⅱ) $-\dfrac{2}{3} \leq t \leq 1$일 때,

$\quad y = 5 - (3t + 2) = -3t + 3$

STEP2 함수의 최댓값과 최솟값 구하기

따라서 $y = 5 - |3t + 2|$의 그래프는 오른쪽 그림과 같으므로 $t = -\dfrac{2}{3}$일 때 최댓값은 5, $t = 1$일 때 최솟값은 0이다.

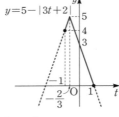

◉→ **다른 풀이**

$-1 \leq \sin x \leq 1$이므로 $-3 \leq 3\sin x \leq 3$

$-1 \leq 3\sin x + 2 \leq 5$, $0 \leq |3\sin x + 2| \leq 5$

$-5 \leq -|3\sin x + 2| \leq 0$, $0 \leq 5 - |3\sin x + 2| \leq 5$

$\therefore 0 \leq y \leq 5$

따라서 주어진 함수의 최댓값은 5, 최솟값은 0이다.

09-3 📝 3

해결전략 | $f(x)$의 최댓값이 5임을 이용하여 상수 a의 값을 구한 후 $f(x)$의 최솟값을 구한다.

STEP1 식 변형하기

$\cos(-x) = \cos x$이므로

$f(x) = -|\cos(-x) + 2| + a = -|\cos x + 2| + a$

STEP2 $\cos x$의 범위를 이용하여 $f(x)$의 값의 범위 구하기

이때 $-1 \leq \cos x \leq 1$이므로

$1 \leq \cos x + 2 \leq 3$, $1 \leq |\cos x + 2| \leq 3$

$-3 \leq -|\cos x + 2| \leq -1$

$-3 + a \leq -|\cos x + 2| + a \leq -1 + a$

$\therefore -3 + a \leq f(x) \leq -1 + a$

STEP3 a의 값 구하기

$f(x)$의 최댓값이 5이므로

$-1 + a = 5 \quad \therefore a = 6$

STEP4 $f(x)$의 최솟값 구하기

따라서 $f(x)$의 최솟값은 $-3 + 6 = 3$

09-4 📝 1

해결전략 | 주어진 함수의 최댓값과 최솟값을 k에 대한 식으로 나타내어 그 합이 2임을 이용한다.

STEP1 식 변형하기

$\sin\left(x - \dfrac{\pi}{2}\right) = -\sin\left(\dfrac{\pi}{2} - x\right) = -\cos x$이므로

$y = 2\cos x - \sin\left(x - \dfrac{\pi}{2}\right) + k$

$\quad = 2\cos x + \cos x + k$

$\quad = 3\cos x + k$

STEP2 $\cos x$의 범위를 이용하여 y의 값의 범위 구하기

이때 $-1 \leq \cos x \leq 1$이므로

$-3 \leq 3\cos x \leq 3$

$-3 + k \leq 3\cos x + k \leq 3 + k$

$\therefore -3 + k \leq y \leq 3 + k$

STEP3 k의 값 구하기

따라서 주어진 함수의 최댓값은 $3 + k$, 최솟값은 $-3 + k$이고 최댓값과 최솟값의 합이 2이므로

$(3 + k) + (-3 + k) = 2$, $2k = 2$

$\therefore k = 1$

09-5 📝 2

해결전략 | $\sin 2x = t$로 치환하여 t에 대한 함수의 최댓값과 최솟값을 a, b에 대한 식으로 나타낸다.

STEP1 $\sin 2x = t$로 치환하여 t에 대한 식으로 나타내기

$y = a|\sin 2x - 1| + b$에서 $\sin 2x = t$ $(-1 \leq t \leq 1)$로 놓으면

$y = a|t - 1| + b$

$t \geq 1$일 때, $y = at - a + b$

$t < 1$일 때, $y = -at + a + b$

STEP2 a, b의 값 구하기

따라서 $y = a|t - 1| + b$의 그래프는 오른쪽 그림과 같으므로 $t = -1$일 때 최댓값 $2a + b$, $t = 1$일 때 최솟값 b를 갖는다.

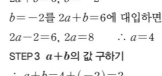

이때 최댓값이 6, 최솟값은 -2이므로

$2a + b = 6$, $b = -2$

$b = -2$를 $2a + b = 6$에 대입하면

$2a - 2 = 6$, $2a = 8 \quad \therefore a = 4$

STEP3 $a + b$의 값 구하기

$\therefore a + b = 4 + (-2) = 2$

09-6 답 **15**

해결전략 | $\cos x$의 범위를 구한 후 $\cos x=t$로 치환한다.

STEP1 $\cos x$의 범위 구하기

$\dfrac{a^2+b^2}{3ab}=\dfrac{a}{3b}+\dfrac{b}{3a}$이고

$a>0$, $b>0$에서 $\dfrac{a}{3b}>0$, $\dfrac{b}{3a}>0$이므로 <u>산술평균과 기하평균의 관계에 의하여</u>

> $x>0, y>0$일 때,
> $x+y\geq 2\sqrt{xy}$ (단, 등호는 $x=y$일 때 성립)

$\cos x=\dfrac{a^2+b^2}{3ab}=\dfrac{a}{3b}+\dfrac{b}{3a}\geq 2\sqrt{\dfrac{a}{3b}\times\dfrac{b}{3a}}=\dfrac{2}{3}$

$\quad$(단, 등호는 $\dfrac{a}{3b}=\dfrac{b}{3a}$, 즉 $a=b$일 때 성립한다.)

이때 $-1\leq\cos x\leq 1$이므로

$\dfrac{2}{3}\leq\cos x\leq 1$

STEP2 $\cos x=t$로 치환하여 t에 대한 식으로 나타내기

$y=-6|\cos x-1|+5$에서 $\cos x=t\left(\dfrac{2}{3}\leq t\leq 1\right)$로 놓으면

$y=-6|t-1|+5$

$\quad=6(t-1)+5\left(\because \dfrac{2}{3}\leq t\leq 1\right)$

$\quad=6t-1$

STEP3 최댓값과 최솟값의 곱 구하기

$\dfrac{2}{3}\leq t\leq 1$에서 $y=6t-1$의 그래프는 오른쪽 그림과 같으므로 $t=1$일 때 최댓값은 5, $t=\dfrac{2}{3}$일 때 최솟값은 3이다.

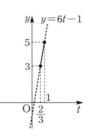

따라서 최댓값과 최솟값의 곱은

$5\times 3=15$

필수유형 **10** $\qquad\qquad$ 235쪽

10-1 답 $\dfrac{3}{2}$

해결전략 | $\cos x$에 대한 함수식으로 변형한 후 $\cos x=t$로 치환하여 t에 대한 함수의 그래프를 그려 본다.

STEP1 식 변형하기

$\sin^2 x+\cos^2 x=1$이므로

$y=\cos^2 x-\sin^2 x-2\cos x$

$\quad=\cos^2 x-(1-\cos^2 x)-2\cos x$

$\quad=2\cos^2 x-2\cos x-1$

STEP2 $\cos x=t$로 치환하여 함수의 최댓값과 최솟값 구하기

이때 $\cos x=t$로 놓으면

$-1\leq t\leq 1$이고

$y=2t^2-2t-1$

$\quad=2\left(t-\dfrac{1}{2}\right)^2-\dfrac{3}{2}$

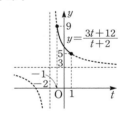

이므로 오른쪽 그림에서

$t=-1$일 때 최댓값은 3,

$t=\dfrac{1}{2}$일 때 최솟값은 $-\dfrac{3}{2}$이다.

STEP3 $M+m$의 값 구하기

따라서 $M=3$, $m=-\dfrac{3}{2}$이므로

$M+m=3+\left(-\dfrac{3}{2}\right)=\dfrac{3}{2}$

10-2 답 **4**

해결전략 | $\sin x=t$로 치환하여 t에 대한 함수의 그래프를 그려 본다.

STEP1 $\sin x=t$로 치환하여 t의 값의 범위를 구하고 주어진 식을 t에 대한 식으로 나타내기

$y=\dfrac{3\sin x+12}{\sin x+2}$에서 $\sin x=t$로 놓으면

$-1\leq t\leq 1$이고

$y=\dfrac{3t+12}{t+2}=\dfrac{3(t+2)+6}{t+2}=\dfrac{6}{t+2}+3$

STEP2 함수의 최댓값과 최솟값 구하기

오른쪽 그림에서

$t=-1$일 때 최댓값은 9,

$t=1$일 때 최솟값은 5이다.

STEP3 $M-m$의 값 구하기

따라서 $M=9$, $m=5$이므로

$M-m=9-5=4$

10-3 답 **−8**

해결전략 | $\cos x=t$로 치환하여 t에 대한 함수의 그래프를 그려 본다.

STEP1 $\cos x=t$로 치환하여 t의 값의 범위를 구하고 주어진 식을 t에 대한 식으로 나타내기

$y=\dfrac{\cos x+4}{\cos x-2}$에서 $\cos x=t$로 놓으면

$-\dfrac{\pi}{3}\leq x\leq\dfrac{\pi}{3}$에서 $\dfrac{1}{2}\leq t\leq 1$이고

$y=\dfrac{t+4}{t-2}=\dfrac{(t-2)+6}{t-2}=\dfrac{6}{t-2}+1$

STEP 2 함수의 치역 구하기

오른쪽 그림에서

$t=\dfrac{1}{2}$일 때 최댓값은 -3,

$t=1$일 때 최솟값은 -5이므로

치역은

$\{y \mid -5 \le y \le -3\}$

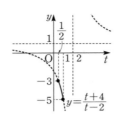

STEP 3 $a+b$의 값 구하기

따라서 $a=-5$, $b=-3$이므로

$a+b=-5+(-3)=-8$

10-4 답 8

해결전략 | $\cos x$에 대한 함수식으로 변형한 후 $\cos x=t$로 치환하여 t에 대한 함수의 그래프를 그려 본다.

STEP 1 식 변형하기

$\sin^2 x+\cos^2 x=1$이므로

$y=a\sin^2 x-a\cos x+b$

$\quad =a(1-\cos^2 x)-a\cos x+b$

$\quad =-a\cos^2 x-a\cos x+a+b$

STEP 2 $\cos x=t$로 치환하여 함수의 최댓값과 최솟값 구하기

이때 $\cos x=t$로 놓으면 $-1 \le t \le 1$이고

$y=-at^2-at+a+b$

$\quad =-a\left(t+\dfrac{1}{2}\right)^2+\dfrac{5}{4}a+b$

이므로 오른쪽 그림에서

$t=-\dfrac{1}{2}$일 때 최댓값은 $\dfrac{5}{4}a+b$,

$t=1$일 때 최솟값은 $-a+b$이다.

STEP 3 ab의 값 구하기

주어진 함수의 최댓값이 7, 최솟값은 -2이므로

$\dfrac{5}{4}a+b=7$, $-a+b=-2$

위의 두 식을 연립하여 풀면

$a=4$, $b=2$

$\therefore ab=4\times 2=8$

10-5 답 $\dfrac{5}{2}$

해결전략 | $\cos\left(x-\dfrac{\pi}{4}\right)=t$로 치환할 수 있도록 식을 변형한다.

STEP 1 주어진 함수를 사인에 대한 이차함수로 나타내기

$y=f(x)$라 하고 $x-\dfrac{3}{4}\pi=\theta$로 놓으면

$x-\dfrac{\pi}{4}=\theta+\dfrac{\pi}{2}$이므로

$y=\cos^2\theta-\cos\left(\dfrac{\pi}{2}+\theta\right)+k$

$\quad =\cos^2\theta+\sin\theta+k$

$\quad =(1-\sin^2\theta)+\sin\theta+k$

$\quad =-\sin^2\theta+\sin\theta+k+1$

STEP 2 $\sin\theta=t$로 치환하여 최댓값과 최솟값을 k에 대한 식으로 나타내기

이때 $\sin\theta=t$로 놓으면 $-1 \le t \le 1$이고

$y=-t^2+t+k+1$

$\quad =-\left(t-\dfrac{1}{2}\right)^2+k+\dfrac{5}{4}$

이므로 $-1 \le t \le 1$에서 $t=\dfrac{1}{2}$일 때 최댓값은 $k+\dfrac{5}{4}$,

$t=-1$일 때 최솟값은 $k-1$이다.

STEP 3 $k+m$의 값 구하기

따라서 $k+\dfrac{5}{4}=3$, $k-1=m$이므로

$k=\dfrac{7}{4}$, $m=\dfrac{3}{4}$

$\therefore k+m=\dfrac{5}{2}$

◉→ **다른 풀이**

STEP 1 주어진 함수를 코사인에 대한 이차함수로 나타내기

$f(x)=\cos^2\left(x-\dfrac{3}{4}\pi\right)-\cos\left(x-\dfrac{\pi}{4}\right)+k$

$\quad =\cos^2\left(x-\dfrac{\pi}{4}-\dfrac{\pi}{2}\right)-\cos\left(x-\dfrac{\pi}{4}\right)+k$

$\quad =\cos^2\left\{\dfrac{\pi}{2}-\left(x-\dfrac{\pi}{4}\right)\right\}-\cos\left(x-\dfrac{\pi}{4}\right)+k$

$\quad =\sin^2\left(x-\dfrac{\pi}{4}\right)-\cos\left(x-\dfrac{\pi}{4}\right)+k$

$\quad =1-\cos^2\left(x-\dfrac{\pi}{4}\right)-\cos\left(x-\dfrac{\pi}{4}\right)+k$

STEP 2 $\cos\left(x-\dfrac{\pi}{4}\right)=t$로 치환하여 최댓값과 최솟값을 k에 대한 식으로 나타내기

$y=f(x)$라 하고 $\cos\left(x-\dfrac{\pi}{4}\right)=t$로 놓으면

$-1 \le t \le 1$이고

$y=-t^2-t+k+1$

$\quad =-\left(t+\dfrac{1}{2}\right)^2+k+\dfrac{5}{4}$

이므로 $-1 \le t \le 1$에서 y는 $t=-\dfrac{1}{2}$일 때 최댓값은

$k+\dfrac{5}{4}$, $t=1$일 때 최솟값은 $k-1$이다.

10-6 답 0

해결전략 | $\dfrac{\cos x}{\sin x+2\cos x}$ 의 분모와 분자를 각각 $\cos x$로 나누어 $\tan x$에 대한 식으로 나타낸다.

STEP1 식 변형하기

$$y=-\frac{\cos x}{\sin x+2\cos x}+k=-\frac{1}{\dfrac{\sin x}{\cos x}+2}+k$$

$$=-\frac{1}{\tan x+2}+k$$

STEP2 $\tan x=t$로 치환하여 t에 대한 식으로 나타내기

$\tan x=t$로 놓으면 $0\le x\le\dfrac{\pi}{4}$에서 $0\le t\le1$이고

$$y=-\frac{1}{t+2}+k$$

STEP3 함수의 최댓값과 최솟값을 k에 대한 식으로 나타내기

$y=-\dfrac{1}{t+2}+k$의 그래프는 다음 그림과 같으므로

$t=1$일 때 최댓값은 $-\dfrac{1}{3}+k$, $t=0$일 때 최솟값은

$-\dfrac{1}{2}+k$이다.

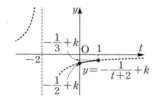

STEP4 k의 값 구하기

이때 최댓값과 최솟값의 합이 $-\dfrac{5}{6}$이므로

$$\left(-\frac{1}{3}+k\right)+\left(-\frac{1}{2}+k\right)=-\frac{5}{6}$$

$$-\frac{5}{6}+2k=-\frac{5}{6} \qquad \therefore k=0$$

유형 특강 237쪽

1 답 (1) **1** (2) **0** (3) $\dfrac{1}{2}$

$f(x-2)=f(x+4)$에서 $x-2=t$로 놓으면 $x=t+2$이므로

$$f(t)=f(t+6) \qquad\qquad \cdots\cdots \text{㉠}$$

(1) ㉠에 의하여 $f(7)=f(6+1)=f(1)$

조건 ㈎에 의하여

$$f(7)=f(1)=\sin\frac{\pi}{2}=1$$

(2) ㉠에 의하여

$$f(-8)=f(-8+6)=f(-2)=f(-2+6)=f(4)$$

조건 ㈎에 의하여

$$f(-8)=f(4)=\sin 2\pi=0$$

(3) ㉠에 의하여

$$f\left(\frac{53}{3}\right)=f\left(6+\frac{35}{3}\right)=f\left(\frac{35}{3}\right)=f\left(6+\frac{17}{3}\right)$$

$$=f\left(\frac{17}{3}\right)$$

조건 ㈎에 의하여

$$f\left(\frac{53}{3}\right)=f\left(\frac{17}{3}\right)=\sin\frac{17}{6}\pi=\sin\left(2\pi+\frac{5}{6}\pi\right)$$

$$=\sin\frac{5}{6}\pi=\frac{1}{2}$$

▶**참고** $0\le x<6$일 때 함수 $y=\sin\dfrac{\pi}{2}x$의 그래프는 다음과 같다.

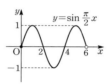

2 답 **1**

조건 ㈏에 의하여

$$f\left(\frac{13}{4}\pi\right)=f\left(\pi+\frac{9}{4}\pi\right)=f\left(\frac{9}{4}\pi\right)=f\left(\pi+\frac{5}{4}\pi\right)$$

$$=f\left(\frac{5}{4}\pi\right)=f\left(\pi+\frac{\pi}{4}\right)=f\left(\frac{\pi}{4}\right)$$

조건 ㈎에 의하여

$$f\left(\frac{13}{4}\pi\right)=f\left(\frac{\pi}{4}\right)=\sin\frac{\pi}{2}+\cos\frac{\pi}{2}=1+0=1$$

실전 연습 문제 238~240쪽

01 ④	02 $\dfrac{1}{2}$	03 ②	04 ③	05 ②
06 9	07 ④	08 ⑤	09 ①	10 ②
11 14	12 $3-\dfrac{\pi}{3}$	13 1	14 -1.7685	
15 ③	16 4	17 ④	18 ⑤	

01

해결전략 | 함수 $f(x)$의 주기가 p이면 $f(x+p)=f(x)$임을 이용한다.

함수 $f(x)$의 주기가 p이므로 모든 실수 x에 대하여

$f(x+p)=f(x)$

이 식은 $x=0$일 때도 성립하므로

$f(p)=f(0)=\sin 0+\cos 0=0+1=1$

02

해결전략 | 평행이동한 그래프의 식에 $x=\dfrac{5}{6}$, $y=a$를 대입한다.

STEP1 평행이동한 그래프의 식 구하기

$y=\sin\dfrac{\pi}{2}x$의 그래프를 x축의 방향으로 $\dfrac{1}{2}$만큼 평행이동한 그래프의 식은

$$y=\sin\dfrac{\pi}{2}\left(x-\dfrac{1}{2}\right) \qquad \cdots\cdots ❶$$

STEP2 a의 값 구하기

$y=\sin\dfrac{\pi}{2}\left(x-\dfrac{1}{2}\right)$의 그래프가 점 $\left(\dfrac{5}{6},\ a\right)$를 지나므로

$$a=\sin\dfrac{\pi}{2}\left(\dfrac{5}{6}-\dfrac{1}{2}\right)$$

$$=\sin\dfrac{\pi}{6}=\dfrac{1}{2} \qquad \cdots\cdots ❷$$

채점 요소	배점
❶ 평행이동한 그래프의 식 구하기	50 %
❷ a의 값 구하기	50 %

03

해결전략 | 평행이동한 그래프에서 넓이가 같은 부분을 찾아 구하는 부분의 넓이를 구한다.

STEP1 넓이가 같은 부분 찾기

곡선 $y=\tan x+1$은 곡선 $y=\tan x$를 y축의 방향으로 1만큼 평행이동한 것이므로 오른쪽 그림의 색칠한 두 부분의 넓이는 같다.

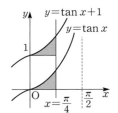

STEP2 넓이 구하기

따라서 구하는 도형의 넓이는 네 점

$(0,\ 0)$, $\left(\dfrac{\pi}{4},\ 0\right)$, $\left(\dfrac{\pi}{4},\ 1\right)$, $(0,\ 1)$

을 꼭짓점으로 하는 직사각형의 넓이와 같으므로

$$\dfrac{\pi}{4}\times1=\dfrac{\pi}{4}$$

04

해결전략 | 함수 $y=f(x)$의 그래프의 성질을 이용하여 옳지 않은 것을 찾는다.

① 주기는 $\dfrac{2\pi}{\frac{1}{2}}=4\pi$

② 최댓값은 3, 최솟값은 -3이므로

$$-3\le f(x)\le 3$$

③ $f(0)=3\cos 0=3\times1=3$이므로 그래프는 원점을 지나지 않는다.

④ $f(0)+f(\pi)=3\cos 0+3\cos\dfrac{\pi}{2}=3+0=3$

⑤ $f(x)=3\cos\dfrac{x}{2}=3\cos\left(-\dfrac{x}{2}\right)=f(-x)$

따라서 옳지 않은 것은 ③이다.

05

해결전략 | 삼각함수의 그래프의 대칭성을 이용하여 $\dfrac{x_1+x_2}{2}$의 값을 구한다.

STEP1 $\dfrac{x_1+x_2}{2}$의 값 구하기

함수 $y=\cos x$의 그래프는 $x=\pi$에 대하여 대칭이므로

$x_2=\pi+\alpha$라고 하면

$x_1=\pi-\alpha$이므로

$$\dfrac{x_1+x_2}{2}=\dfrac{(\pi-\alpha)+(\pi+\alpha)}{2}$$

$$=\dfrac{2\pi}{2}=\pi$$

STEP2 $f\left(\dfrac{x_1+x_2}{2}\right)$의 값 구하기

$$\therefore f\left(\dfrac{x_1+x_2}{2}\right)=f(\pi)=\cos\pi=-1$$

06

해결전략 | $y=4\sin\left(\dfrac{\pi}{2}x\right)$의 그래프를 그려 y좌표가 정수인 점의 y좌표를 구한다.

STEP1 곡선 $y=4\sin\left(\dfrac{\pi}{2}x\right)$를 좌표평면 위에 나타내기

함수 $y=4\sin\left(\dfrac{\pi}{2}x\right)$의 최댓값은 4, 최솟값은 -4, 주기는 $\dfrac{2\pi}{\frac{\pi}{2}}=4$이므로 $0\le x\le 2$에서 곡선 $y=4\sin\left(\dfrac{\pi}{2}x\right)$는 다음 그림과 같다.

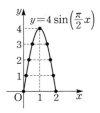

STEP2 y좌표가 정수인 점의 개수 구하기

따라서 y좌표가 정수인 점의 y좌표가 0, 1, 2, 3, 4이므로 그 개수는

$$2\times4+1=9$$

07

해결전략 | 보기의 함수의 그래프를 각각 그려 주기함수가 아닌 것을 찾는다.

STEP1 함수의 그래프 그리기

①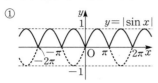

②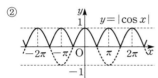

③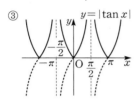

④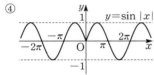

⑤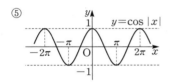

STEP2 주기함수가 아닌 것 찾기

①, ②, ③은 주기가 π인 주기함수이고, ⑤는 주기가 2π인 주기함수이다.

따라서 주기함수가 아닌 것은 ④이다.

08

해결전략 | 주어진 두 함수의 주기를 구하여 서로 비교한다.

STEP1 함수 $y=|\sin ax|$의 주기 구하기

양수 a에 대하여 함수 $y=\sin ax$의 주기는 $\dfrac{2\pi}{a}$이고,

함수 $y=|\sin ax|$의 주기는 $y=\sin ax$의 주기의 $\dfrac{1}{2}$이므로

$$\dfrac{2\pi}{a}\times\dfrac{1}{2}=\dfrac{\pi}{a}$$

STEP2 $y=3\tan 2x$의 주기 구하기

한편, $y=3\tan 2x$의 주기는 $\dfrac{\pi}{2}$이다.

STEP3 a의 값 구하기

두 함수 $y=|\sin ax|$, $y=3\tan 2x$의 주기가 같으므로

$$\dfrac{\pi}{a}=\dfrac{\pi}{2} \qquad \therefore a=2$$

09

해결전략 | 함수 $f(x)$의 주기를 이용하여 b의 값을 구하고, 최솟값을 이용하여 a의 값을 구한다.

STEP1 b의 값 구하기

함수 $f(x)=a\cos bx+3$의 주기가 4π이고 $b>0$이므로

$$\dfrac{2\pi}{b}=4\pi \qquad \therefore b=\dfrac{1}{2}$$

STEP2 $a+b$의 값 구하기

$-1\le\cos bx\le 1$이고 $a>0$이므로

$-a\le a\cos bx\le a$

$\therefore -a+3\le a\cos bx+3\le a+3$

함수 $f(x)$의 최솟값이 -1이므로

$$-a+3=-1 \qquad \therefore a=4$$

$$\therefore a+b=\dfrac{9}{2}$$

10

해결전략 | 함수 $f(x)$의 주기를 이용하여 a의 값을 구하고, 점근선의 방정식을 이용하여 b의 값을 구한다.

STEP1 a의 값 구하기

함수 $y=\tan(ax+b)+2$의 주기가 2π이고 $a>0$이므로

$$\dfrac{\pi}{a}=2\pi \qquad \therefore a=\dfrac{1}{2}$$

STEP2 $2ab$의 값 구하기

$y=\tan\left(\dfrac{1}{2}x+b\right)+2$의 그래프의 점근선의 방정식은

$\dfrac{1}{2}x+b=k\pi+\dfrac{\pi}{2}$ (k는 정수)

$\dfrac{1}{2}x=k\pi+\dfrac{\pi}{2}-b$

즉, $x=2k\pi+\pi-2b$

위의 식이 $x=2n\pi$와 일치하므로

> k가 정수이므로 위의 식을 $x=2n\pi+\pi-2b$로 생각할 수 있다.

$\pi-2b=0$ ($\because 0<b<\pi$) $\qquad \therefore b=\dfrac{\pi}{2}$

$$\therefore 2ab=2\times\dfrac{1}{2}\times\dfrac{\pi}{2}=\dfrac{\pi}{2}$$

11

해결전략 | 주어진 조건을 만족시키도록 $y=a\sin 3x+b$의 그래프의 개형을 그려 본다.

STEP1 $y=a\sin 3x+b$의 그래프의 개형 나타내기

함수 $y=a\sin 3x+b$ $(a>0,\ b>0)$의 주기는 $\dfrac{2}{3}\pi$이고, $y=a\sin 3x$의 그래프를 y축의 방향으로 b만큼 평행이동한 것이므로 $0\leq x\leq 2\pi$에서 $y=a\sin 3x+b$의 그래프의 개형은 다음 그림과 같다.

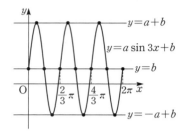

STEP2 b의 값 구하기

$y=a\sin 3x+b$의 그래프가 직선 $y=9$와 만날 때 교점의 개수가 3이므로

$a+b=9$ 또는 $-a+b=9$ …… ㉠

또, 직선 $y=2$와 만날 때 교점의 개수가 7이므로

$b=2$

STEP3 ab의 값 구하기

$b=2$를 ㉠에 대입하면

$-a+2=9$ 또는 $a+2=9$

$\therefore a=-7$ 또는 $a=7$

이때 a가 양수이므로 $a=7$

$\therefore ab=7\times 2=14$

12

해결전략 | 주어진 그래프에서 주기, 최댓값, 최솟값, 지나는 한 점을 이용하여 상수 a, b, c, d의 값을 구한다.

STEP1 a, d의 값 구하기

주어진 그래프에서 함수의 최댓값이 2, 최솟값이 -4이고 $a>0$이므로

(최댓값)$=a+d=2$ …… ㉠

(최솟값)$=-a+d=-4$ …… ㉡

㉠, ㉡을 연립하여 풀면

$a=3,\ d=-1$ …… ❶

STEP2 b의 값 구하기

주어진 그래프에서 주기가 $\dfrac{11}{6}\pi-\left(-\dfrac{\pi}{6}\right)=2\pi$이고 $b>0$이므로

$\dfrac{2\pi}{b}=2\pi$ $\therefore b=1$ …… ❷

$\therefore y=3\cos(x+c)-1$

STEP3 $a+b+c+d$의 값 구하기

$y=3\cos(x+c)-1$의 그래프가 점 $\left(\dfrac{\pi}{3},\ 2\right)$를 지나므로

$2=3\cos\left(\dfrac{\pi}{3}+c\right)-1,\ \cos\left(\dfrac{\pi}{3}+c\right)=1$

$-\dfrac{\pi}{2}\leq c\leq 0$이므로 $\dfrac{\pi}{3}+c=0,\ c=-\dfrac{\pi}{3}$ …… ❸

$\therefore a+b+c+d=3+1+\left(-\dfrac{\pi}{3}\right)+(-1)=3-\dfrac{\pi}{3}$

    …… ❹

채점 요소	배점
❶ a, d의 값 구하기	30 %
❷ b의 값 구하기	30 %
❸ c의 값 구하기	30 %
❹ $a+b+c+d$의 값 구하기	10 %

13

해결전략 | 적당히 짝을 지어 같은 각의 삼각함수가 되도록 변형한다.

STEP1 식 변형하기

$\tan(90°-\theta)=\dfrac{1}{\tan\theta}$이므로

$\tan 89°=\tan(90°-1°)=\dfrac{1}{\tan 1°}$

$\tan 88°=\tan(90°-2°)=\dfrac{1}{\tan 2°}$

    $\vdots$

$\tan 46°=\tan(90°-44°)=\dfrac{1}{\tan 44°}$ …… ❶

STEP2 식의 값 구하기

$\therefore \tan 1°\times\tan 2°\times\cdots\times\tan 88°\times\tan 89°$

$=\tan 1°\times\tan 2°\times\cdots\times\tan 44°\times\tan 45°$

$\qquad\times\dfrac{1}{\tan 44°}\times\cdots\times\dfrac{1}{\tan 2°}\times\dfrac{1}{\tan 1°}$

$=\tan 45°=1$ …… ❷

채점 요소	배점
❶ $\tan 46°,\ \tan 47°,\ \cdots,\ \tan 89°$ 변형하기	70 %
❷ 식의 값 구하기	30 %

14

해결전략 | 주어진 삼각함수표를 이용할 수 있도록 각을 변형한다.

STEP1 삼각함수의 값 구하기

$\sin(-100°)=-\sin 100°=-\sin(90°+10°)$

$\qquad\qquad\quad=-\cos 10°=-0.9848$

$\cos 192° = \cos(180° + 12°) = -\cos 12° = -0.9781$

$\tan 371° = \tan(360° + 11°) = \tan 11° = 0.1944$

STEP2 $\sin(-100°) + \cos 192° + \tan 371°$**의 값 구하기**

$\therefore \sin(-100°) + \cos 192° + \tan 371°$

$= -0.9848 + (-0.9781) + 0.1944$

$= -1.7685$

15

해결전략 | 점 A의 좌표를 삼각함수로 나타내고, 각 점의 대칭성을 이용한다.

STEP1 점 A의 좌표를 삼각함수로 나타내기

점 A의 좌표를 (a, b)라고 하면 $\overline{OA} = 1$이고 $\overline{OA}$가 x축의 양의 방향과 이루는 각의 크기가 θ이므로

→ $\overline{OA}$는 원의 반지름이므로 $\overline{OA} = 1$

$a = \cos\theta$, $b = \sin\theta$

$\therefore A(\cos\theta, \sin\theta)$

STEP2 $\cos(\pi - \theta)$**와 같은 좌표 구하기**

직사각형 ABCD에서 두 점 A와 C는 원점에 대하여 대칭이므로 → 직선 AC는 원점을 지나고 $\overline{OA} = \overline{OC}$이므로 두 점 A와 C는 원점에 대하여 대칭이다.

$C(-a, -b)$

따라서

$\cos(\pi - \theta) = -\cos\theta$

$= -a$

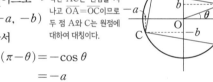

이므로 $\cos(\pi - \theta)$와 같은 것은 점 C의 x좌표이다.

16

해결전략 | 주어진 함수의 최댓값과 최솟값을 k에 대한 식으로 나타내어 그 합이 8임을 이용한다.

STEP1 식 변형하기

$\sin\left(x - \dfrac{\pi}{2}\right) = -\sin\left(\dfrac{\pi}{2} - x\right) = -\cos x$

이므로

$y = 2\sin\left(x - \dfrac{\pi}{2}\right) + 3\cos x + k$

$= -2\cos x + 3\cos x + k$

$= \cos x + k$ ...... ❶

STEP2 $\cos x$**의 범위를 이용하여** y**의 값의 범위 구하기**

이때 $-1 \le \cos x \le 1$이므로

$-1 + k \le \cos x + k \le 1 + k$

$\therefore -1 + k \le y \le 1 + k$ ...... ❷

STEP3 k**의 값 구하기**

따라서 주어진 함수의 최댓값은 $1 + k$, 최솟값은 $-1 + k$이고 최댓값과 최솟값의 합이 8이므로

$(1 + k) + (-1 + k) = 8$, $2k = 8$

$\therefore k = 4$ ...... ❸

채점 요소	배점
❶ 주어진 함수식을 간단히 하기	30 %
❷ y의 값의 범위를 k에 대한 식으로 나타내기	50 %
❸ k의 값 구하기	20 %

17

해결전략 | $\sin^2 x + \cos^2 x = 1$임을 이용하여 $\sin^2 x$를 $\cos x$에 대한 식으로 변형한다.

STEP1 $\sin^2 x$**의 값의 범위 구하기**

$\sin^2 x + \cos^2 x = 1$에서 $\sin^2 x = 1 - \cos^2 x$

이때 $\dfrac{1}{2} \le \cos x \le 1$에서

$\dfrac{1}{4} \le \cos^2 x \le 1$, $-1 \le -\cos^2 x \le -\dfrac{1}{4}$

$0 \le 1 - \cos^2 x \le \dfrac{3}{4}$ $\therefore 0 \le \sin^2 x \le \dfrac{3}{4}$

STEP2 $\sin^2 x$**의 최댓값 구하기**

따라서 $\sin^2 x$의 최댓값은 $\dfrac{3}{4}$이다.

18

해결전략 | $\cos x$에 대한 함수식으로 변형한 후 그래프를 그려 본다.

STEP1 식 변형하기

$\sin^2 x + \cos^2 x = 1$이므로

$f(x) = \sin^2 x + \cos x + 3k - 1$

$= (1 - \cos^2 x) + \cos x + 3k - 1$

$= -\cos^2 x + \cos x + 3k$

STEP2 $\cos x = t$**로 치환하여 함수의 최댓값과 최솟값 구하기**

이때 $\cos x = t$로 놓으면

$-1 \le t \le 1$이고

$y = -t^2 + t + 3k$

$= -\left(t - \dfrac{1}{2}\right)^2 + 3k + \dfrac{1}{4}$

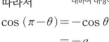

이므로 오른쪽 그림에서

$t = \dfrac{1}{2}$일 때 최댓값은 $3k + \dfrac{1}{4}$, $t = -1$일 때 최솟값은 $3k - 2$이다.

STEP 3 $f(x)$의 최댓값 구하기

즉, $3k-2=-\dfrac{1}{4}$이므로 → $f(x)$의 최솟값이 $-\dfrac{1}{4}$이다.

$3k=\dfrac{7}{4}$ $\therefore k=\dfrac{7}{12}$

따라서 $f(x)$의 최댓값은

$3\times\dfrac{7}{12}+\dfrac{1}{4}=2$

상위권 도약 문제   241~242쪽

01 ④	**02** ②	**03** 8	**04** 20
05 ④	**06** $\dfrac{99}{2}$	**07** $\dfrac{3}{4}\pi$	**08** 11

01

해결전략 | 함수 $f(x)$의 주기가 p이면 $f(x)=f(x+p)$가 성립함을 이용한다.

STEP 1 p의 값을 찾기 위한 조건 알아보기

$f(x)=\sqrt{1+\sin x}+\sqrt{1-\sin x}$에서 모든 실수 x에 대하여 $f(x+\theta)=f(x)$가 성립한다고 하면

$\sqrt{1+\sin(x+\theta)}+\sqrt{1-\sin(x+\theta)}$
$=\sqrt{1+\sin x}+\sqrt{1-\sin x}$

따라서 $\sin(x+\theta)=\pm\sin x$를 만족시키는 최소의 양의 θ를 찾으면 된다.

STEP 2 $\cos\dfrac{p}{3}$의 값 구하기

그런데 $\theta=\pi$이면 $\sin(x+\pi)=-\sin x$를 만족시키므로 주기는 π이다.

따라서 $p=\pi$이므로

$\cos\dfrac{p}{3}=\cos\dfrac{\pi}{3}=\dfrac{1}{2}$

02

해결전략 | 사인함수의 그래프의 대칭성을 이용하여 β, γ를 α에 대한 식으로 나타낸다.

STEP 1 β, γ를 α에 대한 식으로 나타내기

함수 $f(x)=\sin\pi x$ $(x\geq 0)$의 주기는 $\dfrac{2\pi}{\pi}=2$이므로

$\gamma=2+\alpha$

또, $f(x)=\sin\pi x$의 그래프는 직선 $x=\dfrac{1}{2}$에 대하여 대칭이므로

$\dfrac{\alpha+\beta}{2}=\dfrac{1}{2}$, $\alpha+\beta=1$ $\therefore \beta=1-\alpha$

STEP 2 $f(\alpha+\beta+\gamma+1)+f\left(\alpha+\beta+\dfrac{1}{2}\right)$의 값 구하기

$\alpha+\beta+\gamma+1=\alpha+(1-\alpha)+(2+\alpha)+1=4+\alpha$,

$\alpha+\beta+\dfrac{1}{2}=\alpha+(1-\alpha)+\dfrac{1}{2}=\dfrac{3}{2}$

이므로

$f(\alpha+\beta+\gamma+1)=f(4+\alpha)=f(\alpha)=\dfrac{2}{3}$

$\qquad\qquad\qquad\qquad (\because f(x)$의 주기가 2$)$

$f\left(\alpha+\beta+\dfrac{1}{2}\right)=f\left(\dfrac{3}{2}\right)=\sin\dfrac{3}{2}\pi=-1$

$\therefore f(\alpha+\beta+\gamma+1)+f\left(\alpha+\beta+\dfrac{1}{2}\right)=\dfrac{2}{3}+(-1)=-\dfrac{1}{3}$

03

해결전략 | 주어진 그래프에서 주기, 최댓값, 최솟값, 평행이동을 이용하여 상수 a, b의 값을 구한다.

STEP 1 b의 값 구하기

주어진 그래프에서 함수의 최댓값이 5, 최솟값이 -1이므로

$3+b=5$, $-3+b=-1$

$\therefore b=2$

STEP 2 a의 값 구하기

주어진 그래프에서 주기는 $5-1=4$

$f(x)=3\sin\dfrac{\pi(x+a)}{2}+2$의 그래프는

$y=3\sin\dfrac{\pi}{2}x+2$의 그래프를 x축의 방향으로 $-a$만큼 평행이동한 것이다.

따라서 $f(x)=3\sin\dfrac{\pi(x+a)}{2}+2$의 그래프를 평행이동하여 $y=3\sin\dfrac{\pi}{2}x+2$의 그래프와 일치하려면 $a=4k$ (k는 정수)이어야 한다.

이때 a는 양수이므로 a의 최솟값은 4이다.

STEP 3 ab의 최솟값 구하기

따라서 ab의 최솟값은

$4\times 2=8$

04

해결전략 | 주어진 함수의 그래프를 그리고 대칭성을 이용한다.

STEP 1 $y=3\left|\cos\dfrac{\pi}{2}x\right|$의 그래프 그리기

$y=3\left|\cos\dfrac{\pi}{2}x\right|$의 그래프는 $y=3\cos\dfrac{\pi}{2}x$의 그래프에서 $y\geq 0$인 부분은 그대로 두고, $y<0$인 부분을 x축에 대하여 대칭이동한 것이다.

한편, 함수 $y=3\cos\dfrac{\pi}{2}x$의 최댓값은 3, 최솟값은 -3,

주기는 $\dfrac{2\pi}{\dfrac{\pi}{2}}=4$이다.

함수 $y=3\left|\cos\dfrac{\pi}{2}x\right|$의 그래프는 다음 그림과 같다.

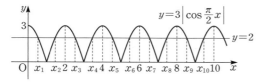

STEP 2 $x_2+x_5+x_6+x_9$의 값 구하기

위의 그림에서 $x_2=2-x_1$, $x_5=4+x_1$, $x_6=6-x_1$,

$x_9=8+x_1$이므로

$x_2+x_5+x_6+x_9$

$=(2-x_1)+(4+x_1)+(6-x_1)+(8+x_1)$

$=20$

05

해결전략 | 삼각형 ABC의 넓이를 삼각함수를 포함한 식으로 나타내어 그 넓이가 12보다 작은 경우의 수를 모두 구한다.

STEP 1 삼각형 **ABC**의 넓이를 식으로 나타내기

$\overline{AB}=8$이고 점 C에서 직선 AB에 내린 수선의 발을 H라고 하면 선분 CH의 길이는 점 C의 x좌표의 절댓값과 같다. 즉,

$\overline{CH}=\left|m\cos\dfrac{n\pi}{3}\right|$

삼각형 ABC의 넓이를 S라고 하면 $\overline{AB}=8$이고 m은 자연수이므로

$S=\dfrac{1}{2}\times\overline{AB}\times\overline{CH}$

$\quad=\dfrac{1}{2}\times8\times\left|m\cos\dfrac{n\pi}{3}\right|$

$\quad=4m\left|\cos\dfrac{n\pi}{3}\right|$

STEP 2 n의 값에 따른 $\left|\cos\dfrac{n\pi}{3}\right|$의 값 구하기

$n=1,\ 2,\ 3,\ 4,\ 5,\ 6$일 때 $\left|\cos\dfrac{n\pi}{3}\right|$의 값은 각각

$\left|\cos\dfrac{\pi}{3}\right|=\dfrac{1}{2}$,

$\left|\cos\dfrac{2\pi}{3}\right|=\left|\cos\left(\pi-\dfrac{\pi}{3}\right)\right|=\left|-\cos\dfrac{\pi}{3}\right|=\dfrac{1}{2}$,

$\left|\cos\pi\right|=|-1|=1$,

$\left|\cos\dfrac{4\pi}{3}\right|=\left|\cos\left(\pi+\dfrac{\pi}{3}\right)\right|=\left|-\cos\dfrac{\pi}{3}\right|=\dfrac{1}{2}$,

$\left|\cos\dfrac{5\pi}{3}\right|=\left|\cos\left(2\pi-\dfrac{\pi}{3}\right)\right|=\left|\cos\dfrac{\pi}{3}\right|=\dfrac{1}{2}$,

$\left|\cos2\pi\right|=1$

이므로 $\left|\cos\dfrac{n\pi}{3}\right|$의 값은 $\dfrac{1}{2}$ 또는 1이다.

STEP 3 삼각형 **ABC**의 넓이가 **12**보다 작을 경우의 수 구하기

$4m\left|\cos\dfrac{n\pi}{3}\right|<12$에서 $m\left|\cos\dfrac{n\pi}{3}\right|<3$

(i) $\left|\cos\dfrac{n\pi}{3}\right|=\dfrac{1}{2}$일 때, 즉 $n=1,\ 2,\ 4,\ 5$일 때

$m\left|\cos\dfrac{n\pi}{3}\right|=\dfrac{1}{2}m<3$

$\therefore\ m<6$

따라서 삼각형 ABC의 넓이를 12보다 작게 하는 m의 개수는 1, 2, 3, 4, 5의 5이므로 구하는 경우의 수는

$4\times5=20 \longrightarrow (n의\ 개수)\times(m의\ 개수)$

(ii) $\left|\cos\dfrac{n\pi}{3}\right|=1$일 때, 즉 $n=3,\ 6$일 때

$m\left|\cos\dfrac{n\pi}{3}\right|=m<3$

따라서 삼각형 ABC의 넓이를 12보다 작게 하는 m의 개수는 1, 2이므로 구하는 경우의 수는

$2\times2=4$

(i), (ii)에 의하여 삼각형 ABC의 넓이가 12보다 작은 경우의 수는

$20+4=24$

STEP 4 삼각형 **ABC**의 넓이가 **12**보다 작을 확률 구하기

주사위를 두 번 던져서 나올 수 있는 모든 경우의 수는

$6^2=36$

이므로 구하는 확률은

$\dfrac{24}{36}=\dfrac{2}{3}$

> **풍쌤의 비법**
>
> 어떤 실험이나 관찰에서 일어나는 모든 경우의 수가 n이고 각 경우가 일어날 가능성이 모두 같을 때, 사건 A가 일어나는 경우의 수가 a이면 사건 A가 일어날 확률 p는 $p=\dfrac{a}{n}$이다.

06

해결전략 | $\angle P_{n-1}OP_n=\theta$로 놓고 $f(n)$을 삼각함수로 나타낸다.

STEP 1 $f(n)$을 삼각함수로 나타내기

$A=P_0$, $B=P_{100}$이라 하고,

$\angle P_{n-1}OP_n=\theta$ $(n=1,\ 2,\ 3,\ \cdots,\ 100)$라고 하면

$100\theta=\dfrac{\pi}{2}$

$\angle P_nOA=n\theta$이므로 $f(n)=\sin n\theta$

STEP2 식의 값 구하기

$\therefore \{f(1)\}^2+\{f(2)\}^2+\{f(3)\}^2+\cdots+\{f(99)\}^2$

$=\sin^2\theta+\sin^2 2\theta+\sin^2 3\theta+\cdots+\sin^2 99\theta$

$=\sin^2\theta+\sin^2 2\theta+\sin^2 3\theta+\cdots+\sin^2 50\theta$

$\qquad+\sin^2\left(\dfrac{\pi}{2}-49\theta\right)+\sin^2\left(\dfrac{\pi}{2}-48\theta\right)$

$\scriptstyle 51\theta=100\theta-49\theta=\frac{\pi}{2}-49\theta$ ◄

$\qquad+\sin^2\left(\dfrac{\pi}{2}-47\theta\right)+\cdots+\sin^2\left(\dfrac{\pi}{2}-\theta\right)$

$=\sin^2\theta+\sin^2 2\theta+\sin^2 3\theta+\cdots+\sin^2 50\theta$

$\qquad+\cos^2 49\theta+\cos^2 48\theta+\cos^2 47\theta+\cdots+\cos^2\theta$

$=(\sin^2\theta+\cos^2\theta)+(\sin^2 2\theta+\cos^2 2\theta)$

$\qquad+\cdots+(\sin^2 49\theta+\cos^2 49\theta)+\sin^2 50\theta$

$=1\times 49+\sin^2\dfrac{\pi}{4}\ \left(\because 50\theta=\dfrac{\pi}{4}\right)$

$=49+\left(\dfrac{\sqrt{2}}{2}\right)^2=\dfrac{99}{2}$

07

해결전략 | $\sin^2 x+\cos^2 x=1$임을 이용하여 함수의 식을 변형한다.

STEP1 함수의 식 변형하기

$-\dfrac{\pi}{4}\le x\le\dfrac{\pi}{4}$에서 $-1\le\tan x\le 1$이고,

$y=\tan x-\dfrac{1}{\cos^2 x}$

$=\tan x-\dfrac{\sin^2 x+\cos^2 x}{\cos^2 x}$

$=\tan x-\left(\dfrac{\sin x}{\cos x}\right)^2-1$

$=-\tan^2 x+\tan x-1$

STEP2 $\tan x=t$로 치환하여 t에 대한 함수의 최솟값 구하기

$\tan x=t$로 놓으면 $-1\le t\le 1$이고

$y=-t^2+t-1=-\left(t-\dfrac{1}{2}\right)^2-\dfrac{3}{4}$

이므로 함수 $y=-t^2+t-1$은 $t=-1$, 즉 $\tan x=-1$일 때 최솟값 -3을 갖는다.

STEP3 ab의 값 구하기

$\tan x=-1$에서 $x=-\dfrac{\pi}{4}\ \left(\because -\dfrac{\pi}{4}\le x\le\dfrac{\pi}{4}\right)$이므로

$a=-\dfrac{\pi}{4}$, $b=-3$

$\therefore ab=\dfrac{3}{4}\pi$

08

해결전략 | 주어진 조건을 이용하여 $9\sin^2(\pi+\alpha+\beta)+9\cos\gamma$를 한 종류의 삼각함수에 대한 식으로 변형한다.

STEP1 식 변형하기

$\alpha+\beta+\gamma=\pi$이므로 $\alpha+\beta=\pi-\gamma$

$\therefore 9\sin^2(\pi+\alpha+\beta)+9\cos\gamma$

$=9\sin^2(2\pi-\gamma)+9\cos\gamma$

$=9\sin^2\gamma+9\cos\gamma$

$=9(1-\cos^2\gamma)+9\cos\gamma\ (\because \sin^2\gamma+\cos^2\gamma=1)$

$=-9\cos^2\gamma+9\cos\gamma+9$

STEP2 $\cos\gamma=t$로 치환하여 t의 값의 범위 구하기

$f(\cos\gamma)=-9\cos^2\gamma+9\cos\gamma+9$라 하고

$\cos\gamma=t$라고 하면

$f(t)=-9t^2+9t+9$

$\cos\gamma=t$이므로 $-1\le t\le 1$ $\qquad\qquad$ …… ㉠

이때 $a^2+b^2=3ab\cos\gamma$에서

$\cos\gamma=t=\dfrac{a^2+b^2}{3ab}=\dfrac{a}{3b}+\dfrac{b}{3a}$

$a>0$, $b>0$에서 $\dfrac{a}{3b}>0$, $\dfrac{b}{3a}>0$이므로 산술평균과 기하평균의 관계에 의하여

$t=\dfrac{a}{3b}+\dfrac{b}{3a}\ge 2\sqrt{\dfrac{a}{3b}\times\dfrac{b}{3a}}=\dfrac{2}{3}$ $\quad$ …… ㉡

$\left(\text{단, 등호는 } \dfrac{a}{3b}=\dfrac{b}{3a}, \text{ 즉 } a=b\text{일 때 성립}\right)$

㉠, ㉡에서 t의 값의 범위는

$\dfrac{2}{3}\le t\le 1$

STEP3 최댓값 구하기

$f(t)=-9t^2+9t+9=-9\left(t-\dfrac{1}{2}\right)^2+\dfrac{45}{4}$

$\dfrac{2}{3}\le t\le 1$이므로 다음 그림에서 $f(t)$는 $t=\dfrac{2}{3}$일 때, 최댓값을 갖는다.

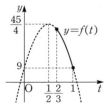

따라서 구하는 최댓값은

$f\left(\dfrac{2}{3}\right)=-9\left(\dfrac{2}{3}-\dfrac{1}{2}\right)^2+\dfrac{45}{4}=11$

09 삼각방정식과 삼각부등식

개념확인　244~245쪽

01 답 (1) $x=\dfrac{\pi}{3}$ 또는 $x=\dfrac{2}{3}\pi$

(2) $x=\dfrac{2}{3}\pi$ 또는 $x=\dfrac{4}{3}\pi$

(3) $x=\dfrac{\pi}{4}$ 또는 $x=\dfrac{5}{4}\pi$

(1) 주어진 방정식의 해는 다음 그림에서 함수 $y=\sin x$의 그래프와 직선 $y=\dfrac{\sqrt{3}}{2}$의 교점의 x좌표와 같으므로

$x=\dfrac{\pi}{3}$ 또는 $x=\dfrac{2}{3}\pi$

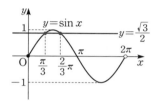

(2) 주어진 방정식의 해는 다음 그림에서 함수 $y=\cos x$의 그래프와 직선 $y=-\dfrac{1}{2}$의 교점의 x좌표와 같으므로

$x=\dfrac{2}{3}\pi$ 또는 $x=\dfrac{4}{3}\pi$

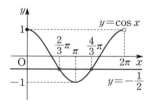

(3) 주어진 방정식의 해는 다음 그림에서 함수 $y=\tan x$의 그래프와 직선 $y=1$의 교점의 x좌표와 같으므로

$x=\dfrac{\pi}{4}$ 또는 $x=\dfrac{5}{4}\pi$

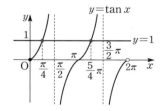

02 답 (1) $\dfrac{\pi}{3}\leq x\leq\dfrac{2}{3}\pi$　(2) $\dfrac{\pi}{4}<x<\dfrac{7}{4}\pi$

(3) $\dfrac{\pi}{3}<x<\dfrac{\pi}{2}$ 또는 $\dfrac{4}{3}\pi<x<\dfrac{3}{2}\pi$

(1) 주어진 부등식의 해는 다음 그림과 같이 함수 $y=\sin x$의 그래프가 직선 $y=\dfrac{\sqrt{3}}{2}$과 만나는 부분 또는 직선보다 위쪽에 있는 부분의 x의 값의 범위이다.

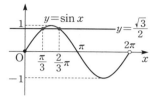

따라서 구하는 해는

$\dfrac{\pi}{3}\leq x\leq\dfrac{2}{3}\pi$

(2) 주어진 부등식의 해는 다음 그림과 같이 함수 $y=\cos x$의 그래프가 직선 $y=\dfrac{\sqrt{2}}{2}$보다 아래쪽에 있는 부분의 x의 값의 범위이다.

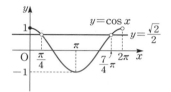

따라서 구하는 해는

$\dfrac{\pi}{4}<x<\dfrac{7}{4}\pi$

(3) 주어진 부등식의 해는 다음 그림과 같이 함수 $y=\tan x$의 그래프가 직선 $y=\sqrt{3}$보다 위쪽에 있는 x의 값의 범위이다.

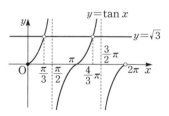

따라서 구하는 해는

$\dfrac{\pi}{3}<x<\dfrac{\pi}{2}$ 또는 $\dfrac{4}{3}\pi<x<\dfrac{3}{2}\pi$

필수유형 01　247쪽

01-1 답 $\dfrac{2}{3}\pi$

해결전략 | $2x-\dfrac{\pi}{6}=t$로 놓고 t에 대한 삼각방정식의 해를 구한다.

STEP1 $2x-\dfrac{\pi}{6}=t$로 놓고 t의 값의 범위 구하기

$2x-\dfrac{\pi}{6}=t$로 놓으면 $0\le x<\dfrac{\pi}{2}$에서

$-\dfrac{\pi}{6}\le 2x-\dfrac{\pi}{6}<\dfrac{5}{6}\pi$

$\therefore -\dfrac{\pi}{6}\le t<\dfrac{5}{6}\pi$

STEP2 방정식을 만족시키는 t의 값 구하기

주어진 방정식은

$\sin t=\dfrac{\sqrt{3}}{2}$

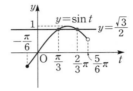

위의 그림과 같이 $-\dfrac{\pi}{6}\le t<\dfrac{5}{6}\pi$에서 함수 $y=\sin t$의 그

래프와 직선 $y=\dfrac{\sqrt{3}}{2}$의 교점의 t좌표가 $\dfrac{\pi}{3}$, $\dfrac{2}{3}\pi$이므로

$t=\dfrac{\pi}{3}$ 또는 $t=\dfrac{2}{3}\pi$

STEP3 주어진 방정식의 모든 근의 합 구하기

즉, $2x-\dfrac{\pi}{6}=\dfrac{\pi}{3}$ 또는 $2x-\dfrac{\pi}{6}=\dfrac{2}{3}\pi$이므로

$x=\dfrac{\pi}{4}$ 또는 $x=\dfrac{5}{12}\pi$

따라서 구하는 모든 근의 합은

$\dfrac{\pi}{4}+\dfrac{5}{12}\pi=\dfrac{2}{3}\pi$

01-2 답 3π

해결전략 | $x+\dfrac{\pi}{2}=t$로 놓고 t에 대한 삼각방정식의 해를 구

한다.

STEP1 $x+\dfrac{\pi}{2}=t$로 놓고 t의 값의 범위 구하기

$x+\dfrac{\pi}{2}=t$로 놓으면 $0\le x<2\pi$에서

$\dfrac{\pi}{2}\le x+\dfrac{\pi}{2}<\dfrac{5}{2}\pi$

$\therefore \dfrac{\pi}{2}\le t<\dfrac{5}{2}\pi$

STEP2 방정식을 만족시키는 t의 값 구하기

주어진 방정식은

$2\cos t=\sqrt{2}$

$\therefore \cos t=\dfrac{\sqrt{2}}{2}$

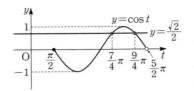

위의 그림과 같이 $\dfrac{\pi}{2}\le t<\dfrac{5}{2}\pi$에서 함수 $y=\cos t$의 그

래프와 직선 $y=\dfrac{\sqrt{2}}{2}$의 교점의 t좌표가 $\dfrac{7}{4}\pi$, $\dfrac{9}{4}\pi$이므로

$t=\dfrac{7}{4}\pi$ 또는 $t=\dfrac{9}{4}\pi$

STEP3 주어진 방정식의 모든 근의 합 구하기

즉, $x+\dfrac{\pi}{2}=\dfrac{7}{4}\pi$ 또는 $x+\dfrac{\pi}{2}=\dfrac{9}{4}\pi$이므로

$x=\dfrac{5}{4}\pi$ 또는 $x=\dfrac{7}{4}\pi$

따라서 구하는 모든 근의 합은

$\dfrac{5}{4}\pi+\dfrac{7}{4}\pi=3\pi$

01-3 답 2π

해결전략 | $x-\dfrac{\pi}{6}=t$로 놓고 t에 대한 삼각방정식의 해를 구

한다.

STEP1 $x-\dfrac{\pi}{6}=t$로 놓고 t의 값의 범위 구하기

$x-\dfrac{\pi}{6}=t$로 놓으면 $0\le x<2\pi$에서

$-\dfrac{\pi}{6}\le x-\dfrac{\pi}{6}<\dfrac{11}{6}\pi$

$\therefore -\dfrac{\pi}{6}\le t<\dfrac{11}{6}\pi$

STEP2 방정식을 만족시키는 t의 값 구하기

주어진 방정식은

$\tan t=\sqrt{3}$

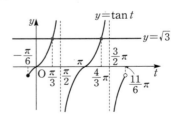

위의 그림과 같이 $-\dfrac{\pi}{6}\le t<\dfrac{11}{6}\pi$에서 함수 $y=\tan t$의

그래프와 직선 $y=\sqrt{3}$의 교점의 t좌표가 $\dfrac{\pi}{3}$, $\dfrac{4}{3}\pi$이므로

$t=\dfrac{\pi}{3}$ 또는 $t=\dfrac{4}{3}\pi$

STEP3 주어진 방정식의 모든 근의 합 구하기

즉, $x-\dfrac{\pi}{6}=\dfrac{\pi}{3}$ 또는 $x-\dfrac{\pi}{6}=\dfrac{4}{3}\pi$이므로

$x=\dfrac{\pi}{2}$ 또는 $x=\dfrac{3}{2}\pi$

따라서 구하는 모든 근의 합은

$\dfrac{\pi}{2}+\dfrac{3}{2}\pi=2\pi$

01-4 답 -1

해결전략 | 삼각함수의 그래프의 대칭성을 이용하여 $\alpha+\beta$의 값을 구한다.

STEP1 $\alpha+\beta$의 값 구하기

$0\le x<2\pi$에서 함수 $y=\sin x$의 그래프와 직선 $y=\dfrac{\sqrt{3}}{3}$을 그리면 다음 그림과 같다.

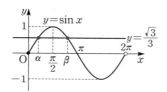

방정식 $\sin x=\dfrac{\sqrt{3}}{3}$의 두 근이 α, β $(\alpha<\beta)$이므로 α, β는 직선 $x=\dfrac{\pi}{2}$에 대하여 대칭이다. 즉,

$\dfrac{\alpha+\beta}{2}=\dfrac{\pi}{2}$ $\therefore \alpha+\beta=\pi$

STEP2 $\cos(\alpha+\beta)$의 값 구하기

$\therefore \cos(\alpha+\beta)=\cos\pi=-1$

01-5 답 $\dfrac{13}{6}\pi$

해결전략 | $\pi\sin x=t$로 놓고 $\sin x$의 값을 구한 후 삼각방정식을 푼다.

STEP1 $\pi\sin x=t$로 놓고 t의 값의 범위 구하기

$\pi\sin x=t$로 놓으면 $0\le x\le\dfrac{3}{2}\pi$에서

$-1\le\sin x\le1$, $-\pi\le\pi\sin x\le\pi$

$\therefore -\pi\le t\le\pi$

STEP2 $\sin x$의 값 구하기

주어진 방정식은 $\cos t=0$이고 이를 만족시키는 t의 값은

$t=-\dfrac{\pi}{2}$ 또는 $t=\dfrac{\pi}{2}$ $(\because -\pi\le t\le\pi)$

즉, $\pi\sin x=-\dfrac{\pi}{2}$ 또는 $\pi\sin x=\dfrac{\pi}{2}$이므로

$\sin x=-\dfrac{1}{2}$ 또는 $\sin x=\dfrac{1}{2}$

STEP3 주어진 방정식의 모든 근의 합 구하기

$0\le x\le\dfrac{3}{2}\pi$에서 함수 $y=\sin x$의 그래프와 두 직선 $y=-\dfrac{1}{2}$, $y=\dfrac{1}{2}$은 다음 그림과 같다.

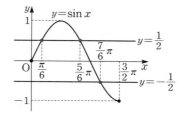

$\sin x=-\dfrac{1}{2}$에서 $x=\dfrac{7}{6}\pi$

$\sin x=\dfrac{1}{2}$에서 $x=\dfrac{\pi}{6}$ 또는 $x=\dfrac{5}{6}\pi$

따라서 모든 근의 합은

$\dfrac{7}{6}\pi+\dfrac{\pi}{6}+\dfrac{5}{6}\pi=\dfrac{13}{6}\pi$

01-6 답 8

해결전략 | 절댓값의 성질을 이용하여 $\sin 2x$의 값을 구한다.

STEP1 $\sin 2x$의 값 구하기

$|\sin 2x|=\dfrac{1}{2}$에서 $\sin 2x=\dfrac{1}{2}$ 또는 $\sin 2x=-\dfrac{1}{2}$

STEP2 방정식의 실근의 개수 구하기

$0\le x<2\pi$에서 $0\le 2x<4\pi$이므로

(ⅰ) $\sin 2x=\dfrac{1}{2}$에서

$2x=\dfrac{\pi}{6}$ 또는 $2x=\dfrac{5}{6}\pi$ 또는 $2x=\dfrac{13}{6}\pi$ 또는

$2x=\dfrac{17}{6}\pi$이므로

$x=\dfrac{\pi}{12}$ 또는 $x=\dfrac{5}{12}\pi$ 또는 $x=\dfrac{13}{12}\pi$ 또는 $x=\dfrac{17}{12}\pi$

(ⅱ) $\sin 2x=-\dfrac{1}{2}$에서

$2x=\dfrac{7}{6}\pi$ 또는 $2x=\dfrac{11}{6}\pi$ 또는 $2x=\dfrac{19}{6}\pi$ 또는

$2x=\dfrac{23}{6}\pi$이므로

$x=\dfrac{7}{12}\pi$ 또는 $x=\dfrac{11}{12}\pi$ 또는 $x=\dfrac{19}{12}\pi$ 또는 $x=\dfrac{23}{12}\pi$

(ⅰ), (ⅱ)에 의하여 방정식의 모든 실근의 개수는 8이다.

◉ → **다른 풀이**

STEP1 함수 $y=|\sin 2x|$의 그래프 그리기

주어진 방정식의 해는 $0\le x<2\pi$에서 함수 $y=|\sin 2x|$의 그래프와 직선 $y=\dfrac{1}{2}$의 교점의 x좌표이다.

함수 $y=|\sin 2x|$의 그래프는 주기가 $\dfrac{2\pi}{2}=\pi$인 함수 $y=\sin 2x$의 그래프에서 $y<0$인 부분을 x축에 대하여 대칭이동하여 얻은 그래프이므로 다음 그림과 같다.

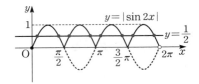

STEP2 방정식의 실근의 개수 구하기

따라서 곡선과 직선의 교점이 8개이므로 방정식 $|\sin 2x|=\dfrac{1}{2}$의 모든 실근의 개수는 8이다.

필수유형 02   249쪽

02-1 답 2π

해결전략 | 주어진 방정식을 $\sin^2 x+\cos^2 x=1$임을 이용하여 한 종류의 삼각함수에 대한 식으로 변형한다.

STEP1 식 변형하기

$2\sin^2 x-5\cos x+1=0$에서

$2(1-\cos^2 x)-5\cos x+1=0$

$\therefore 2\cos^2 x+5\cos x-3=0$

STEP2 $\cos x=t$로 놓고 t의 값 구하기

$\cos x=t$로 놓으면 $0\le x<2\pi$에서 $-1\le t\le 1$이고, 주어진 방정식은

$2t^2+5t-3=0$

$(2t-1)(t+3)=0$

$\therefore t=-3$ 또는 $t=\dfrac{1}{2}$

그런데 $-1\le t\le 1$이므로 $t=\dfrac{1}{2}$

STEP3 주어진 방정식의 모든 근의 합 구하기

즉, $\cos x=\dfrac{1}{2}$이므로 다음 그림에서

$x=\dfrac{\pi}{3}$ 또는 $x=\dfrac{5}{3}\pi$

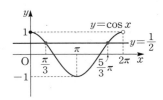

따라서 모든 근의 합은

$\dfrac{\pi}{3}+\dfrac{5}{3}\pi=2\pi$

02-2 답 $\dfrac{3}{2}\pi$

해결전략 | 주어진 방정식을 $\sin^2 x+\cos^2 x=1$임을 이용하여 한 종류의 삼각함수에 대한 식으로 변형한다.

STEP1 식 변형하기

$2\cos^2 x+3\sin x=3$에서

$2\cos^2 x+3\sin x-3=0$

$2(1-\sin^2 x)+3\sin x-3=0$

$\therefore 2\sin^2 x-3\sin x+1=0$

STEP2 $\sin x=t$로 놓고 t의 값 구하기

$\sin x=t$로 놓으면 $0\le x<2\pi$에서 $-1\le t\le 1$이고, 주어진 방정식은

$2t^2-3t+1=0$

$(2t-1)(t-1)=0$

$\therefore t=\dfrac{1}{2}$ 또는 $t=1$

STEP3 주어진 방정식의 모든 근의 합 구하기

즉, $\sin x=\dfrac{1}{2}$ 또는 $\sin x=1$이므로 다음 그림에서

$x=\dfrac{\pi}{6}$ 또는 $x=\dfrac{\pi}{2}$ 또는 $x=\dfrac{5}{6}\pi$

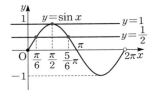

따라서 모든 근의 합은

$\dfrac{\pi}{6}+\dfrac{5}{6}\pi+\dfrac{\pi}{2}=\dfrac{3}{2}\pi$

02-3 답 ③

해결전략 | 주어진 방정식을 $\sin^2 x+\cos^2 x=1$임을 이용하여 한 종류의 삼각함수에 대한 식으로 변형하여 해를 구한다.

STEP1 $\cos x$의 값 구하기

$2\sin^2 x+\sqrt{2}\cos x-2=0$에서

$2(1-\cos^2 x)+\sqrt{2}\cos x-2=0$

$2\cos^2 x-\sqrt{2}\cos x=0$

$\cos x(2\cos x-\sqrt{2})=0$

$\therefore \cos x=0$ 또는 $\cos x=\dfrac{\sqrt{2}}{2}$

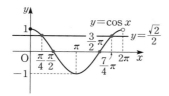

$0 \le x < 2\pi$이므로

(i) $\cos x = 0$일 때, $x = \dfrac{\pi}{2}$ 또는 $x = \dfrac{3}{2}\pi$

(ii) $\cos x = \dfrac{\sqrt{2}}{2}$ 일 때, $x = \dfrac{\pi}{4}$ 또는 $x = \dfrac{7}{4}\pi$

따라서 주어진 방정식의 해가 아닌 것은 ③이다.

02-4 답 2

해결전략 | 주어진 방정식의 양변에 $\tan x$를 곱하여 $\tan x$에 대한 이차방정식의 해를 구한다.

STEP1 식 변형하기

$\tan x + \dfrac{\sqrt{3}}{\tan x} = 1 + \sqrt{3}$의 양변에 $\tan x$를 곱하면

$\tan^2 x + \sqrt{3} = (1 + \sqrt{3})\tan x$

$\tan^2 x - (1 + \sqrt{3})\tan x + \sqrt{3} = 0$

STEP2 $\tan x$의 값 구하기

$(\tan x - 1)(\tan x - \sqrt{3}) = 0$

$\therefore \tan x = 1$ 또는 $\tan x = \sqrt{3}$

STEP3 실근의 개수 구하기

$\pi < x < 2\pi$이므로

(i) $\tan x = 1$일 때, $x = \dfrac{5}{4}\pi$

(ii) $\tan x = \sqrt{3}$일 때, $x = \dfrac{4}{3}\pi$

따라서 주어진 방정식의 해는 $x = \dfrac{5}{4}\pi$ 또는 $x = \dfrac{4}{3}\pi$이므로 실근의 개수는 2이다.

02-5 답 6π

해결전략 | $\cos\left(\dfrac{\pi}{2} + x\right)$를 변형하여 한 종류의 삼각함수에 대한 식으로 나타낸다.

STEP1 식 변형하기

$\cos\left(\dfrac{\pi}{2} + x\right) = -\sin x$이므로

$4\sin^2 x - 4\cos\left(\dfrac{\pi}{2} + x\right) - 3 = 0$에서

$4\sin^2 x + 4\sin x - 3 = 0$

STEP2 방정식의 해 구하기

$(2\sin x - 1)(2\sin x + 3) = 0$

$\therefore \sin x = \dfrac{1}{2}$ $(\because -1 \le \sin x \le 1)$

이때 $0 \le x < 4\pi$이므로

$x = \dfrac{\pi}{6}$ 또는 $x = \dfrac{5}{6}\pi$ 또는 $x = \dfrac{13}{6}\pi$ 또는 $x = \dfrac{17}{6}\pi$

STEP3 방정식의 모든 해의 합 구하기

따라서 방정식의 모든 해의 합은

$\dfrac{\pi}{6} + \dfrac{5}{6}\pi + \dfrac{13}{6}\pi + \dfrac{17}{6}\pi = 6\pi$

02-6 답 $\dfrac{7}{4}\pi$

해결전략 | $\tan x = \dfrac{\sin x}{\cos x}$임을 이용하여 주어진 방정식을 $\sin x$와 $\cos x$에 대한 식으로 변형한다.

STEP1 삼각함수의 값 구하기

$\tan^2 x = 2\sin^2 x$에서

$\left(\dfrac{\sin x}{\cos x}\right)^2 - 2\sin^2 x = 0$

$\dfrac{\sin^2 x}{\cos^2 x} - 2\sin^2 x = 0$

양변에 $\cos^2 x$를 곱하면

$\sin^2 x - 2\sin^2 x \cos^2 x = 0$

$\sin^2 x(1 - 2\cos^2 x) = 0$

$\sin^2 x = 0$ 또는 $\cos^2 x = \dfrac{1}{2}$

$\therefore \sin x = 0$ 또는 $\cos x = \dfrac{\sqrt{2}}{2}$ 또는 $\cos x = -\dfrac{\sqrt{2}}{2}$

STEP2 방정식의 해 구하기

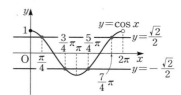

$0 \le x < 2\pi$이므로

(i) $\sin x = 0$일 때, $x = 0$ 또는 $x = \pi$

(ii) $\cos x = \dfrac{\sqrt{2}}{2}$일 때, $x = \dfrac{\pi}{4}$ 또는 $x = \dfrac{7}{4}\pi$

(iii) $\cos x = -\dfrac{\sqrt{2}}{2}$일 때, $x = \dfrac{3}{4}\pi$ 또는 $x = \dfrac{5}{4}\pi$

STEP3 $M - m$의 값 구하기

따라서 $M = \dfrac{7}{4}\pi$, $m = 0$이므로

$M - m = \dfrac{7}{4}\pi$

03-1 답 $-2 \leq k \leq 2$

해결전략 | 주어진 방정식을 $f(x)=k$ 꼴로 변형한 후 함수 $y=f(x)$의 그래프와 직선 $y=k$의 교점이 존재함을 이용한다.

STEP1 **방정식이 실근을 가질 조건 알기**

방정식 $\cos^2 x + 2\sin x - k = 0$, 즉

$\cos^2 x + 2\sin x = k$가 실근을 가지려면 함수

$y = \cos^2 x + 2\sin x$의 그래프와 직선 $y=k$가 교점을 가져야 한다.

STEP2 $y=\cos^2 x + 2\sin x$**의 식 변형하기**

$y = \cos^2 x + 2\sin x$에서

$y = 1 - \sin^2 x + 2\sin x$

$\quad = -\sin^2 x + 2\sin x + 1$

이때 $\sin x = t$로 놓으면 $-1 \leq t \leq 1$이고

$y = -t^2 + 2t + 1$

$\quad = -(t-1)^2 + 2$

STEP3 k**의 값의 범위 구하기**

오른쪽 그림에서

$t=-1$일 때, $y=-2$

$t=1$일 때, $y=2$

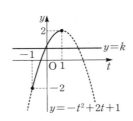

이므로 $-2 \leq y \leq 2$

따라서 주어진 방정식이 실근을 갖도록 하는 실수 k의 값의 범위는

$-2 \leq k \leq 2$

03-2 답 $-1 \leq k \leq \dfrac{5}{4}$

해결전략 | 주어진 방정식을 $f(x)=k$ 꼴로 변형한 후 함수 $y=f(x)$의 그래프와 직선 $y=k$의 교점이 존재함을 이용한다.

STEP1 **방정식이 실근을 가질 조건 알기**

방정식 $\sin^2 x - \sin x + k - 1 = 0$, 즉

$\sin^2 x - \sin x = 1 - k$가 실근을 가지려면 함수

$y = \sin^2 x - \sin x$의 그래프와 직선 $y=1-k$가 교점을 가져야 한다.

STEP2 k**의 값의 범위 구하기**

$y = \sin^2 x - \sin x$에서 $\sin x = t$로 놓으면

$-1 \leq t \leq 1$이고

$y = t^2 - t = \left(t - \dfrac{1}{2}\right)^2 - \dfrac{1}{4}$

따라서 오른쪽 그림에서 주어진 방정식이 실근을 갖도록 하는 k의 값의 범위는

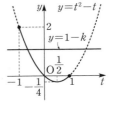

$-\dfrac{1}{4} \leq 1 - k \leq 2$

$\therefore -1 \leq k \leq \dfrac{5}{4}$ $\longrightarrow -\dfrac{5}{4} \leq -k \leq 1$

$\qquad\qquad\qquad\qquad \therefore -1 \leq k \leq \dfrac{5}{4}$

03-3 답 1

해결전략 | 주어진 방정식을 $f(x)=k$ 꼴로 변형한 후 함수 $y=f(x)$의 그래프와 직선 $y=k$의 교점이 존재함을 이용한다.

STEP1 **방정식이 실근을 가질 조건 알기**

방정식 $4\sin^2 x - 4\cos x - k = 0$, 즉

$4\sin^2 x - 4\cos x = k$가 실근을 가지려면 함수

$y = 4\sin^2 x - 4\cos x$의 그래프와 직선 $y=k$가 교점을 가져야 한다.

STEP2 $y=4\sin^2 x - 4\cos x$**의 식 변형하기**

$y = 4\sin^2 x - 4\cos x$

$\quad = 4(1 - \cos^2 x) - 4\cos x$

$\quad = -4\cos^2 x - 4\cos x + 4$

이때 $\cos x = t$로 놓으면 $-1 \leq t \leq 1$이고

$y = -4t^2 - 4t + 4$

$\quad = -4\left(t + \dfrac{1}{2}\right)^2 + 5$

STEP3 $\alpha + \beta$**의 값 구하기**

따라서 오른쪽 그림에서 주어진 방정식이 실근을 갖도록 하는 k의 값의 범위는

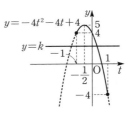

$-4 \leq k \leq 5$

즉, $\alpha = -4$, $\beta = 5$이므로

$\alpha + \beta = 1$

03-4 답 9

해결전략 | 방정식 $f(x)=a$를 만족시키는 실수 x가 존재하려면 함수 $y=f(x)$의 그래프와 직선 $y=a$가 만나야 함을 이용한다.

STEP1 **실수 x가 존재하는 조건 알기**

$2\sin^2 x + 4\cos x + n - 1 = 0$에서

$2(1 - \cos^2 x) + 4\cos x + n - 1 = 0$

$\therefore 2\cos^2 x - 4\cos x - 1 = n$

주어진 방정식을 만족시키는 실수 x가 존재하려면 함수 $y=2\cos^2 x-4\cos x-1$의 그래프와 직선 $y=n$의 교점이 존재해야 한다.

STEP 2 n의 값의 범위 구하기

이때 $\cos x=t$로 놓으면 $-1\le t\le 1$이고

$$y=2t^2-4t-1$$
$$=2(t-1)^2-3$$

오른쪽 그림에서 주어진 방정식이 실근을 갖도록 하는 n의 값의 범위는

$$-3\le n\le 5$$

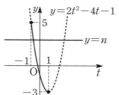

STEP 3 정수 n의 개수 구하기

따라서 정수 n은

-3, -2, -1, $\cdots$, 5의 9개이다.

03-5 답 0

해결전략 | 방정식 $f(x)=a$가 서로 다른 2개의 실근을 가지려면 함수 $y=f(x)$의 그래프와 직선 $y=a$가 서로 다른 두 점에서 만나야 함을 이용한다.

STEP 1 방정식이 서로 다른 2개의 실근을 가질 조건 알기

$\cos\left(x+\dfrac{\pi}{2}\right)=-\sin x$이므로 주어진 방정식은

$$2\sin^2 x-2\sin x=-\dfrac{a}{4}$$

주어진 방정식이 서로 다른 2개의 실근을 가지려면 함수 $y=2\sin^2 x-2\sin x$의 그래프와 직선 $y=-\dfrac{a}{4}$의 교점이 2개 존재해야 한다.

STEP 2 a의 최솟값 구하기

$y=2\sin^2 x-2\sin x$에서 $\sin x=t$로 놓으면

$-\dfrac{\pi}{2}\le x\le\dfrac{\pi}{2}$에서 $-1\le t\le 1$이고

$$y=2t^2-2t$$
$$=2\left(t-\dfrac{1}{2}\right)^2-\dfrac{1}{2}$$

오른쪽 그림에서 주어진 방정식이 서로 다른 2개의 실근을 갖도록 하는 a의 값의 범위는

$$-\dfrac{1}{2}<-\dfrac{a}{4}\le 0$$

$$\therefore\ 0\le a<2$$

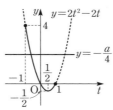

따라서 실수 a의 최솟값은 0이다.

03-6 답 30

해결전략 | 함수 $y=\left|\cos x+\dfrac{1}{4}\right|$의 그래프를 이용하여 k의 값을 구한다.

STEP 1 함수 $y=\left|\cos x+\dfrac{1}{4}\right|$의 그래프 그리기

함수 $y=\cos x+\dfrac{1}{4}$의 그래프는 주기가 2π인 함수 $y=\cos x$의 그래프를 y축의 방향으로 $\dfrac{1}{4}$만큼 평행이동한 그래프이므로 이 함수의 치역은 $\left\{y\ \middle|\ -\dfrac{3}{4}\le y\le\dfrac{5}{4}\right\}$이다.

이때 함수 $y=\left|\cos x+\dfrac{1}{4}\right|$의 그래프는 함수 $y=\cos x+\dfrac{1}{4}$의 그래프에서 $y<0$인 부분을 x축에 대하여 대칭이동하여 얻은 그래프이므로 함수 $y=\left|\cos x+\dfrac{1}{4}\right|$의 그래프는 다음 그림과 같다.

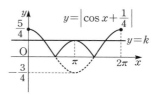

STEP 2 k의 값 구하기

함수 $y=\left|\cos x+\dfrac{1}{4}\right|$의 그래프와 직선 $y=k$가 서로 다른 세 점에서 만나도록 하는 k의 값은 $\dfrac{3}{4}$이다.

STEP 3 $40a$의 값 구하기

따라서 $a=\dfrac{3}{4}$이므로

$$40a=40\times\dfrac{3}{4}=30$$

필수유형 04   253쪽

04-1 답 $\dfrac{\pi}{3}<x<\dfrac{\pi}{2}$

해결전략 | $2x-\dfrac{\pi}{3}=t$로 놓고 사인함수의 그래프를 이용한다.

STEP 1 $2x-\dfrac{\pi}{3}=t$로 놓고 t에 대한 삼각부등식으로 나타내기

$2x-\dfrac{\pi}{3}=t$로 놓으면 $0\le x<\pi$에서 $-\dfrac{\pi}{3}\le t<\dfrac{5}{3}\pi$이고

주어진 부등식은 $\sin t>\dfrac{\sqrt{3}}{2}$

STEP2 부등식의 해 구하기

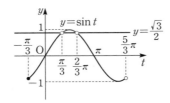

위의 그림과 같이 $-\dfrac{\pi}{3} \le t < \dfrac{5}{3}\pi$에서 부등식

$\sin t > \dfrac{\sqrt{3}}{2}$의 해는 함수 $y=\sin t$의 그래프가 직선

$y=\dfrac{\sqrt{3}}{2}$보다 위쪽에 있는 부분의 t의 값의 범위이므로

$\dfrac{\pi}{3} < t < \dfrac{2}{3}\pi$

즉, $\dfrac{\pi}{3} < 2x-\dfrac{\pi}{3} < \dfrac{2}{3}\pi$이므로

$\dfrac{2}{3}\pi < 2x < \pi$

$\therefore \dfrac{\pi}{3} < x < \dfrac{\pi}{2}$

04-2 답 $\dfrac{\pi}{4} < x < \pi$

해결전략 | $x+\dfrac{\pi}{4}=t$로 놓고 탄젠트함수의 그래프를 이용한다.

STEP1 $x+\dfrac{\pi}{4}=t$로 놓고 에 대한 삼각부등식으로 나타내기

$x+\dfrac{\pi}{4}=t$로 놓으면 $0<x<\pi$에서 $\dfrac{\pi}{4}<t<\dfrac{5}{4}\pi$이고

주어진 부등식은

$\tan t < 1$

STEP2 부등식의 해 구하기

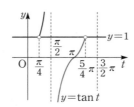

위의 그림과 같이 $\dfrac{\pi}{4}<t<\dfrac{5}{4}\pi$에서 부등식 $\tan t<1$의

해는 함수 $y=\tan t$의 그래프가 직선 $y=1$보다 아래쪽

에 있는 부분의 t의 값의 범위이므로

$\dfrac{\pi}{2}<t<\dfrac{5}{4}\pi$

즉, $\dfrac{\pi}{2}<x+\dfrac{\pi}{4}<\dfrac{5}{4}\pi$이므로

$\dfrac{\pi}{4}<x<\pi$

04-3 답 $\dfrac{5}{3}\pi \le x < \dfrac{7}{4}\pi$

해결전략 | 함수 $y=\cos x$의 그래프와 두 직선 $y=\dfrac{1}{2}, y=\dfrac{\sqrt{2}}{2}$

사이의 위치 관계를 이용하여 부등식의 해를 구한다.

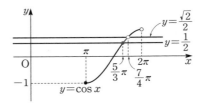

부등식 $\dfrac{1}{2} \le \cos x < \dfrac{\sqrt{2}}{2}$의 해는 위의 그림에서 함수

$y=\cos x$의 그래프가 직선 $y=\dfrac{1}{2}$과 만나거나 위쪽에 있

고 직선 $y=\dfrac{\sqrt{2}}{2}$보다 아래쪽에 있는 부분의 x의 값의 범

위와 같으므로

$\dfrac{5}{3}\pi \le x < \dfrac{7}{4}\pi$

> **🎯 풍쌤의 비법**
>
> 함수 $f(x)$에 대하여 부등식 $a \le f(x) \le b$의 해는 두
> 부등식 $f(x) \ge a$, $f(x) \le b$를 동시에 만족시키는 x의
> 값의 범위와 같다. (단, a, b는 상수이다.)

04-4 답 $-\dfrac{1}{2}$

해결전략 | 삼각함수의 그래프를 이용하여 주어진 부등식의
해를 구한다.

STEP1 α, β의 값 구하기

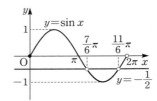

$2\sin x+1<0$에서 $\sin x < -\dfrac{1}{2}$이므로 부등식의 해는

$\dfrac{7}{6}\pi < x < \dfrac{11}{6}\pi$

$\therefore \alpha = \dfrac{7}{6}\pi, \beta = \dfrac{11}{6}\pi$

STEP2 $\cos(\beta-\alpha)$의 값 구하기

$\therefore \cos(\beta-\alpha) = \cos\dfrac{2}{3}\pi = \cos\left(\pi-\dfrac{\pi}{3}\right)$

$= -\cos\dfrac{\pi}{3} = -\dfrac{1}{2}$

04-5 답 $-\dfrac{\pi}{2}$

해결전략 | 두 삼각함수 $y=\sin x$, $y=\cos x$의 그래프의 위치 관계를 이용하여 부등식의 해를 구한다.

STEP1 두 함수 $y=\sin x$, $y=\cos x$의 그래프의 위치 관계 파악하기

부등식 $\sin x < \cos x$의 해는 함수 $y=\cos x$의 그래프가 함수 $y=\sin x$의 그래프보다 위쪽에 있는 부분의 x의 값의 범위이다.

STEP2 $\alpha+\beta$의 값 구하기

다음 그림에서 구하는 부등식의 해는

$$-\dfrac{3}{4}\pi < x < \dfrac{\pi}{4}$$

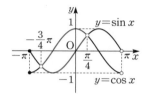

따라서 $\alpha=-\dfrac{3}{4}\pi$, $\beta=\dfrac{\pi}{4}$이므로 $\alpha+\beta=-\dfrac{\pi}{2}$

04-6 답 $\dfrac{5}{6}\pi < \alpha < \pi$

해결전략 | β를 α에 대한 식으로 나타내어 주어진 부등식을 한 종류의 삼각함수에 대한 식으로 나타낸다.

STEP1 한 종류의 삼각함수에 대한 부등식으로 나타내기

$\alpha+\beta=\dfrac{\pi}{2}$에서 $\beta=\dfrac{\pi}{2}-\alpha$

$\cos\alpha+\sin\beta < -\sqrt{3}$에서

$\cos\alpha+\sin\left(\dfrac{\pi}{2}-\alpha\right) < -\sqrt{3}$, $\cos\alpha+\cos\alpha < -\sqrt{3}$

$2\cos\alpha < -\sqrt{3}$ $\quad\therefore \cos\alpha < -\dfrac{\sqrt{3}}{2}$

STEP2 α의 값의 범위 구하기

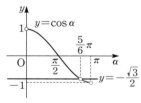

위의 그림과 같이 $0 < \alpha < \pi$에서 부등식 $\cos\alpha < -\dfrac{\sqrt{3}}{2}$

의 해는 함수 $y=\cos\alpha$의 그래프가 직선 $y=-\dfrac{\sqrt{3}}{2}$보다 아래쪽에 있는 부분의 α의 값의 범위와 같으므로

$$\dfrac{5}{6}\pi < \alpha < \pi$$

05-1 답 $\dfrac{2}{3}\pi \le x \le \dfrac{4}{3}\pi$

해결전략 | $\sin^2 x+\cos^2 x=1$임을 이용하여 한 종류의 삼각함수에 대한 식으로 변형한다.

STEP1 식 변형하기

$2\sin^2 x-7\cos x-5 \ge 0$에서

$2(1-\cos^2 x)-7\cos x-5 \ge 0$

$2\cos^2 x+7\cos x+3 \le 0$

STEP2 $\cos x$의 값의 범위 구하기

$(2\cos x+1)(\cos x+3) \le 0$

$0 \le \pi < 2\pi$에서 $\cos x+3 > 0$이므로

$2\cos x+1 \le 0$

$\therefore \cos x \le -\dfrac{1}{2}$

STEP3 부등식의 해 구하기

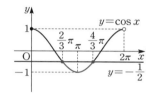

위의 그림과 같이 $0 \le x < 2\pi$에서 부등식 $\cos x \le -\dfrac{1}{2}$

의 해는 함수 $y=\cos x$의 그래프가 직선 $y=-\dfrac{1}{2}$과 만나거나 직선보다 아래쪽에 있는 부분의 x의 값의 범위와 같으므로

$$\dfrac{2}{3}\pi \le x \le \dfrac{4}{3}\pi$$

05-2 답 $0 \le x < \dfrac{7}{6}\pi$ 또는 $\dfrac{11}{6}\pi < x < 2\pi$

해결전략 | $\sin^2 x+\cos^2 x=1$임을 이용하여 한 종류의 삼각함수에 대한 식으로 변형한다.

STEP1 식 변형하기

$4\cos^2 x-8\sin x-7 < 0$에서

$4(1-\sin^2 x)-8\sin x-7 < 0$

$4\sin^2 x+8\sin x+3 > 0$

STEP2 $\sin x$의 값의 범위 구하기

$(2\sin x+3)(2\sin x+1) > 0$

$0 \le x < 2\pi$에서 $2\sin x+3 > 0$이므로

$2\sin x+1 > 0$ $\longrightarrow$ $-1 \le \sin x \le 1$이므로 $1 \le 2\sin x+3 \le 5$ $\therefore 2\sin x+3 > 0$

$\therefore \sin x > -\dfrac{1}{2}$

STEP 3 부등식의 해 구하기

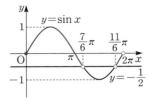

위의 그림과 같이 $0 \le x < 2\pi$에서 부등식 $\sin x > -\dfrac{1}{2}$

의 해는 함수 $y = \sin x$의 그래프가 직선 $y = -\dfrac{1}{2}$보다

위쪽에 있는 부분의 x의 값의 범위와 같으므로

$0 \le x < \dfrac{7}{6}\pi$ 또는 $\dfrac{11}{6}\pi < x < 2\pi$

05-3 답 $\dfrac{4}{3}\pi$

해결전략 | $\sin^2 x + \cos^2 x = 1$임을 이용하여 한 종류의 삼각 함수에 대한 식으로 변형한다.

STEP1 식 변형하기

$2\sin^2 x + 5\cos x < 4$에서

$2(1 - \cos^2 x) + 5\cos x - 4 < 0$

$2\cos^2 x - 5\cos x + 2 > 0$

STEP2 $\cos x$의 값의 범위 구하기

$(2\cos x - 1)(\cos x - 2) > 0$

$0 \le x < 2\pi$에서 $\cos x - 2 < 0$이므로

$2\cos x - 1 < 0$

$\therefore \cos x < \dfrac{1}{2}$

STEP3 $\beta - \alpha$의 값 구하기

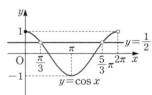

위의 그림과 같이 $0 \le x < 2\pi$에서 부등식 $\cos x < \dfrac{1}{2}$의

해는 함수 $y = \cos x$의 그래프가 직선 $y = \dfrac{1}{2}$보다 아래쪽

있는 부분의 x의 값의 범위와 같으므로

$\dfrac{\pi}{3} < x < \dfrac{5}{3}\pi$

따라서 $\alpha = \dfrac{\pi}{3}$, $\beta = \dfrac{5}{3}\pi$이므로

$\beta - \alpha = \dfrac{4}{3}\pi$

05-4 답 -1

해결전략 | $\sin^2 x + \cos^2 x = 1$임을 이용하여 한 종류의 삼각 함수에 대한 식으로 변형하여 α, β의 값을 구한다.

STEP1 식 변형하기

$2\cos^2 x - 3\sin x < 0$에서 $2(1 - \sin^2 x) - 3\sin x < 0$

$2\sin^2 x + 3\sin x - 2 > 0$

STEP2 $\sin x$의 값의 범위 구하기

$(2\sin x - 1)(\sin x + 2) > 0$

$0 \le x < 2\pi$에서 $\sin x + 2 > 0$이므로

$2\sin x - 1 > 0$ $\therefore \sin x > \dfrac{1}{2}$

STEP3 $\cos(\alpha + \beta)$의 값 구하기

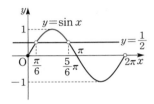

위의 그림과 같이 $0 \le x < 2\pi$에서 부등식 $\sin x > \dfrac{1}{2}$의

해는 함수 $y = \sin x$의 그래프가 직선 $y = \dfrac{1}{2}$보다 위쪽에

있는 부분의 x의 값의 범위와 같으므로

$\dfrac{\pi}{6} < x < \dfrac{5}{6}\pi$

따라서 $\alpha = \dfrac{\pi}{6}$, $\beta = \dfrac{5}{6}\pi$이므로

$\cos(\alpha + \beta) = \cos \pi = -1$

05-5 답 18

해결전략 | 주어진 부등식의 해를 구하여 $\dfrac{m}{6}\pi < \theta < \dfrac{n}{6}\pi$와

비교한다.

STEP1 $\sin \theta$의 값의 범위 구하기

$2\sin^2 \theta > 1 + \sin \theta$에서 $2\sin^2 \theta - \sin \theta - 1 > 0$

$(2\sin \theta + 1)(\sin \theta - 1) > 0$

$0 \le \theta < 2\pi$에서 $\sin \theta - 1 \le 0$이므로

$2\sin \theta + 1 < 0$ $\therefore \sin \theta < -\dfrac{1}{2}$

STEP2 $m + n$의 값 구하기

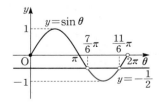

앞의 그림과 같이 $0 \le \theta < 2\pi$에서 부등식 $\sin \theta < -\dfrac{1}{2}$의

해는 함수 $y = \sin \theta$의 그래프가 직선 $y = -\dfrac{1}{2}$보다 아래

쪽에 있는 부분의 θ의 값의 범위와 같으므로

$$\frac{7}{6}\pi < \theta < \frac{11}{6}\pi$$

따라서 $m = 7$, $n = 11$이므로

$m + n = 18$

05-6 답 0

해결전략 | $\tan^2 x = (|\tan x|)^2$임을 이용하여 주어진 부등식에서 $\tan x$의 값의 범위를 구한다.

STEP 1 **$\tan x$의 값의 범위 구하기**

$\tan^2 x - (\sqrt{3}+1)|\tan x| + \sqrt{3} \le 0$에서

$(|\tan x|)^2 - (\sqrt{3}+1)|\tan x| + \sqrt{3} \le 0$

$(|\tan x| - 1)(|\tan x| - \sqrt{3}) \le 0$

$1 \le |\tan x| \le \sqrt{3}$ ▸ $a > 0$, $b > 0$일 때 $a \le |x| \le b$이면
$\phantom{1 \le |\tan x| \le \sqrt{3}}$ $a \le x \le b$ 또는 $-b \le x \le -a$ (단, $a < b$)

$\therefore -\sqrt{3} \le \tan x \le -1$ 또는 $1 \le \tan x \le \sqrt{3}$

STEP 2 **부등식의 해 구하기**

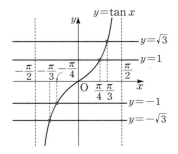

위의 그림과 같이 $-\dfrac{\pi}{2} < x < \dfrac{\pi}{2}$에서 주어진 부등식의

해는 함수 $y = \tan x$의 그래프가 직선 $y = 1$과 만나거나 직선 $y = 1$보다 위쪽에 있고 직선 $y = \sqrt{3}$과 만나거나 직선 $y = \sqrt{3}$보다 아래쪽에 있는 부분 또는 직선 $y = -\sqrt{3}$과 만나거나 직선 $y = -\sqrt{3}$보다 위쪽에 있고 직선 $y = -1$과 만나거나 직선 $y = -1$보다 아래쪽에 있는 부분의 x의 값의 범위이다.

$\therefore -\dfrac{\pi}{3} \le x \le -\dfrac{\pi}{4}$ 또는 $\dfrac{\pi}{4} \le x \le \dfrac{\pi}{3}$

STEP 3 **최댓값과 최솟값의 합 구하기**

따라서 x의 최댓값은 $\dfrac{\pi}{3}$, 최솟값은 $-\dfrac{\pi}{3}$이므로 최댓값과 최솟값의 합은

$$\frac{\pi}{3} + \left(-\frac{\pi}{3}\right) = 0$$

06-1 답 $\dfrac{\pi}{2} < \theta < \dfrac{3}{2}\pi$

해결전략 | 이차부등식이 성립할 조건을 이용하여 θ의 값의 범위를 구한다.

STEP 1 **식 세우기**

모든 실수 x에 대하여 주어진 부등식이 성립하므로 이차방정식 $x^2 - 2x \sin \theta - \cos \theta + 1 = 0$의 판별식을 D라고 하면

$$\frac{D}{4} = (-\sin \theta)^2 - (-\cos \theta + 1) < 0$$

STEP 2 **$\cos \theta$의 값의 범위 구하기**

$\sin^2 \theta + \cos \theta - 1 < 0$, $(1 - \cos^2 \theta) + \cos \theta - 1 < 0$

$\cos^2 \theta - \cos \theta > 0$, $\cos \theta(\cos \theta - 1) > 0$

$0 \le \theta < 2\pi$에서 $\cos \theta - 1 \le 0$이므로

$\cos \theta < 0$

STEP 3 **θ의 값의 범위 구하기**

따라서 오른쪽 그림에서 구하는 θ의 값의 범위는

$$\frac{\pi}{2} < \theta < \frac{3}{2}\pi$$

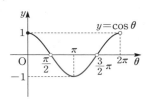

> **◎ 풍쌤의 비법**
>
> **이차부등식이 항상 성립할 조건**
>
> 이차부등식이 항상 성립할 조건은 다음과 같다.
>
> (단, $D = b^2 - 4ac$)
>
> ① $ax^2 + bx + c > 0 \iff a > 0$, $D < 0$
>
> ② $ax^2 + bx + c < 0 \iff a < 0$, $D < 0$

06-2 답 $\dfrac{\pi}{6} < \theta < \dfrac{5}{6}\pi$

해결전략 | 이차부등식이 성립할 조건을 이용하여 θ의 값의 범위를 구한다.

STEP 1 **식 세우기**

모든 실수 x에 대하여 주어진 부등식이 성립하므로 이차방정식 $3x^2 - 2\sqrt{2}x \cos \theta + \sin \theta = 0$의 판별식을 D라고 하면

$$\frac{D}{4} = (-\sqrt{2} \cos \theta)^2 - 3 \sin \theta < 0$$

STEP 2 **$\sin \theta$의 값의 범위 구하기**

$2\cos^2 \theta - 3 \sin \theta < 0$, $2(1 - \sin^2 \theta) - 3 \sin \theta < 0$

$2\sin^2 \theta + 3 \sin \theta - 2 > 0$, $(2 \sin \theta - 1)(\sin \theta + 2) > 0$

$0 \le \theta < 2\pi$에서 $\sin\theta + 2 > 0$이므로

$2\sin\theta - 1 > 0$ $\therefore \sin\theta > \dfrac{1}{2}$

STEP 3 θ의 값의 범위 구하기

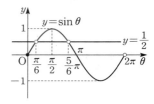

따라서 위의 그림에서 구하는 θ의 값의 범위는

$\dfrac{\pi}{6} < \theta < \dfrac{5}{6}\pi$

06-3 답 7

해결전략 | $\cos\theta = t$로 놓고 t에 대한 함수의 그래프를 그린다.

STEP 1 $\cos\theta = t$로 놓고 t에 대한 식 구하기

주어진 부등식에서 $\cos\theta = t$로 놓으면 $-1 \le t \le 1$이고
$t^2 - 3t - a + 9 \ge 0$에서 $t^2 - 3t \ge a - 9$

이때

$f(t) = t^2 - 3t = \left(t - \dfrac{3}{2}\right)^2 - \dfrac{9}{4}$

라고 하면 $-1 \le t \le 1$에서
$y = f(t)$의 그래프는 오른쪽
그림과 같으므로
$-2 \le f(t) \le 4$

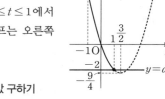

STEP 2 a의 최댓값 구하기

모든 θ에 대하여 $\cos^2\theta - 3\cos\theta \ge a - 9$이려면 $f(t)$의 최솟값이 $a - 9$보다 크거나 같아야 한다.

즉, $-2 \ge a - 9$이므로

$a \le 7$

따라서 a의 최댓값은 7이다.

06-4 답 $\dfrac{4}{3}\pi$

해결전략 | 이차방정식의 판별식을 이용하여 삼각부등식을 세운다.

STEP 1 이차방정식이 실근을 갖지 않을 조건을 이용하여 부등식 세우기

이차방정식 $6x^2 + (4\cos\theta)x + \sin\theta = 0$이 실근을 갖지 않아야 하므로 이 이차방정식의 판별식을 D라고 하면

$\dfrac{D}{4} = (2\cos\theta)^2 - 6\sin\theta < 0$

$4\cos^2\theta - 6\sin\theta < 0$

$4(1 - \sin^2\theta) - 6\sin\theta < 0$

$2\sin^2\theta + 3\sin\theta - 2 > 0$

$(2\sin\theta - 1)(\sin\theta + 2) > 0$

STEP 2 θ의 값의 범위 구하기

$0 \le \theta < 2\pi$에서 $\sin\theta + 2 > 0$이므로

$2\sin\theta - 1 > 0$ $\therefore \sin\theta > \dfrac{1}{2}$

$\therefore \dfrac{\pi}{6} < \theta < \dfrac{5}{6}\pi$

STEP 3 $3\alpha + \beta$의 값 구하기

따라서 $\alpha = \dfrac{\pi}{6}$, $\beta = \dfrac{5}{6}\pi$이므로

$3\alpha + \beta = 3 \times \dfrac{\pi}{6} + \dfrac{5}{6}\pi = \dfrac{\pi}{2} + \dfrac{5}{6}\pi = \dfrac{4}{3}\pi$

06-5 답 $0 < \theta < \dfrac{\pi}{2}$ 또는 $\dfrac{\pi}{2} < \theta < \pi$

해결전략 | 이차방정식의 판별식을 이용하여 삼각부등식을 세운다.

STEP 1 서로 다른 두 실근을 가질 조건을 이용하여 $\sin\theta$의 값의 범위 구하기

이차방정식 $x^2 + 2x\cos\theta + 1 - \sin\theta = 0$이 서로 다른 두 실근을 가져야 하므로 판별식을 D라고 하면

$\dfrac{D}{4} = \cos^2\theta - (1 - \sin\theta) > 0$

$(1 - \sin^2\theta) + \sin\theta - 1 > 0$

$\sin^2\theta - \sin\theta < 0$

$\sin\theta(\sin\theta - 1) < 0$

$\therefore 0 < \sin\theta < 1$

STEP 2 θ의 값의 범위 구하기

이때 $0 \le \theta < 2\pi$이므로

$0 < \theta < \dfrac{\pi}{2}$ 또는 $\dfrac{\pi}{2} < \theta < \pi$

06-6 답 $\dfrac{2}{3}\pi < \theta < \pi$ 또는 $\pi < \theta < \dfrac{4}{3}\pi$

해결전략 | 이차방정식 $f(x) = 0$의 두 근 사이에 α가 있으면 $f(\alpha) < 0$임을 이용한다.

STEP 1 두 근 사이에 1이 존재하도록 부등식 세우기

$f(x) = 2x^2 + 3x\cos\theta - 2\sin^2\theta + 1$이라고 하면 방정식 $f(x) = 0$의 두 근 사이에 1이 존재하므로 $f(1) < 0$

즉, $f(1) = 2 + 3\cos\theta - 2\sin^2\theta + 1 < 0$

STEP 2 $\cos\theta$의 값의 범위 구하기

$2 + 3\cos\theta - 2(1 - \cos^2\theta) + 1 < 0$

$2\cos^2\theta + 3\cos\theta + 1 < 0$

$(\cos \theta + 1)(2\cos \theta + 1) < 0$

$\therefore -1 < \cos \theta < -\dfrac{1}{2}$

STEP3 θ의 값의 범위 구하기

$0 \leq \theta < 2\pi$에서 부등식 $-1 < \cos \theta < -\dfrac{1}{2}$의 해는 다음 그림에서 함수 $y = \cos \theta$의 그래프가 직선 $y = -1$보다 위쪽에 있고 직선 $y = -\dfrac{1}{2}$보다 아래쪽에 있는 부분의 θ의 값의 범위와 같다.

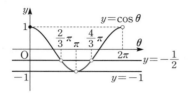

따라서 구하는 θ의 값의 범위는

$\dfrac{2}{3}\pi < \theta < \pi$ 또는 $\pi < \theta < \dfrac{4}{3}\pi$

실전 연습 문제
258~259쪽

01 ②	02 1	03 7	04 ④	05 2
06 ③	07 ④	08 ③	09 π	10 ③
11 ②	12 ①			

01

해결전략 | 여러 가지 각의 삼각함수의 성질을 이용하여 한 종류의 삼각함수에 대한 식으로 변형한다.

STEP1 $\sin x$에 대한 식으로 나타내기

$\cos\left(\dfrac{3}{2}\pi - x\right) = -\sin x$이므로 주어진 방정식은

$3\sin x - \sin x = 1$ $\qquad \therefore \sin x = \dfrac{1}{2}$

STEP2 방정식의 해 구하기

오른쪽 그림과 같이 $0 \leq x < 2\pi$에서 함수 $y = \sin x$의 그래프와 직선 $y = \dfrac{1}{2}$의 교점의 x좌표가 $\dfrac{\pi}{6}$, $\dfrac{5}{6}\pi$이므로

$x = \dfrac{\pi}{6}$ 또는 $x = \dfrac{5}{6}\pi$

따라서 모든 근의 합은 $\dfrac{\pi}{6} + \dfrac{5}{6}\pi = \pi$

02

해결전략 | $\tan x = \dfrac{\sin x}{\cos x}$임을 이용하여 주어진 식을 $\tan x$에 대한 식으로 변형한다.

STEP1 $\tan x$에 대한 식으로 나타내기

$0 \leq x < \pi$에서 $0 < \cos x \leq 1$

$\sin x + \sqrt{3}\cos x = 0$에서

$\sin x = -\sqrt{3}\cos x$

양변을 $\cos x$로 나누어 정리하면

$\dfrac{\sin x}{\cos x} = -\sqrt{3}$

$\therefore \tan x = -\sqrt{3}$ $\qquad$ ······ ❶

STEP2 실근의 개수 구하기

오른쪽 그림과 같이 $0 \leq x < \pi$에서 함수 $y = \tan x$의 그래프와 직선 $y = -\sqrt{3}$의 교점의 x좌표가 $\dfrac{2}{3}\pi$이므로

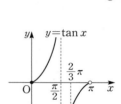

$x = \dfrac{2}{3}\pi$ $\qquad$ ······ ❷

따라서 실근의 개수는 1이다. $\qquad$ ······ ❸

채점 요소	배점
❶ $\tan x$에 대한 식으로 나타내기	50 %
❷ 방정식의 해 구하기	40 %
❸ 실근의 개수 구하기	10 %

03

해결전략 | $\sin^2 x + \cos^2 x = 1$임을 이용해서 한 종류의 삼각함수에 대한 식으로 변형한다.

STEP1 $\sin x$의 값 구하기

$\cos^2 x = 1 - \sin^2 x$이므로 주어진 방정식은

$(1 - \sin^2 x) - \sin x = 1$

$\sin^2 x + \sin x = 0$

$\sin x(\sin x + 1) = 0$

$\therefore \sin x = 0$ 또는 $\sin x = -1$

STEP2 방정식의 근 구하기

이때 $0 < x < 2\pi$이므로

(i) $\sin x = 0$일 때, $x = \pi$

(ii) $\sin x = -1$일 때, $x = \dfrac{3}{2}\pi$

STEP3 $p + q$의 값 구하기

따라서 방정식의 모든 실근의 합은

$\pi + \dfrac{3}{2}\pi = \dfrac{5}{2}\pi$

$\therefore p + q = 2 + 5 = 7$

04

해결전략 | $\tan x = \dfrac{\sin x}{\cos x}$임을 이용하여 주어진 식을 $\tan x$에 대한 식으로 변형한다.

STEP1 $\tan x$에 대한 식으로 변형하기

$4\sin^2 x - 3\sin x\cos x - \cos^2 x = 0$의 양변을 $\cos^2 x$로 나누면

$$\dfrac{4\sin^2 x}{\cos^2 x} - \dfrac{3\sin x}{\cos x} - 1 = 0$$

$$4\left(\dfrac{\sin x}{\cos x}\right)^2 - 3\times\dfrac{\sin x}{\cos x} - 1 = 0$$

$$4\tan^2 x - 3\tan x - 1 = 0$$

STEP2 $\tan\alpha$의 값 구하기

$(4\tan x + 1)(\tan x - 1) = 0$

이때 $\dfrac{\pi}{2} < x < \pi$에서 $\tan x < 0$이므로

$$\tan x = -\dfrac{1}{4}$$

따라서 주어진 방정식의 해 α에 대하여

$$\tan\alpha = -\dfrac{1}{4}$$

05

해결전략 | 한 종류의 삼각함수에 대한 식으로 변형한 후, 두 함수의 그래프의 교점이 존재함을 이용한다.

STEP1 식 변형하기

$\cos\left(x + \dfrac{\pi}{2}\right) = -\sin x$이므로 주어진 방정식은

$\sin^2 x - 2\sin x - 1 - k = 0$

$\therefore \sin^2 x - 2\sin x - 1 = k$ ..... ❶

STEP2 k의 최댓값 구하기

주어진 방정식이 실근을 가지려면 함수
$y = \sin^2 x - 2\sin x - 1$의 그래프와 직선 $y = k$의 교점이
존재해야 한다. ..... ❷

$y = \sin^2 x - 2\sin x - 1$에서

$\sin x = t$로 놓으면

$-1 \le t \le 1$이고

$y = t^2 - 2t - 1$

$\quad = (t-1)^2 - 2$

따라서 오른쪽 그림에서 주어
진 방정식이 실근을 갖도록 하는 k의 값의 범위는

$-2 \le k \le 2$

이어야 하므로 k의 최댓값은 2이다. ..... ❸

채점 요소	배점
❶ 주어진 방정식 변형하기	40 %
❷ 실근을 갖는 조건 알기	20 %
❸ k의 최댓값 구하기	40 %

06

해결전략 | 두 함수 $y = \cos x$, $y = |\sin x|$의 그래프를 그려 x의 값의 범위를 구한다.

STEP1 부등식의 해 구하기

부등식 $\cos x \ge |\sin x|$의
해는 오른쪽 그림에서 함수
$y = \cos x$의 그래프가 함수
$y = |\sin x|$의 그래프와 만
나거나 위쪽에 있는 부분의
x의 값의 범위와 같으므로

$-\dfrac{\pi}{4} \le x \le \dfrac{\pi}{4}$

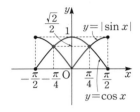

STEP2 최솟값 구하기

따라서 x의 최솟값은 $-\dfrac{\pi}{4}$이다.

07

해결전략 | 그래프를 이용하여 두 부등식의 해를 각각 구한 후 공통부분을 찾는다.

STEP1 $\sin x \ge \dfrac{1}{2}$을 만족시키는 x의 값의 범위 구하기

(ⅰ) $0 \le x < 2\pi$에서 $\sin x \ge \dfrac{1}{2}$

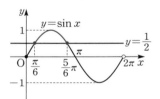

위의 그림에서 부등식 $\sin x \ge \dfrac{1}{2}$의 해는

$\dfrac{\pi}{6} \le x \le \dfrac{5}{6}\pi$

STEP2 $\cos x \le \dfrac{\sqrt{2}}{2}$를 만족시키는 x의 값의 범위 구하기

(ⅱ) $0 \le x < 2\pi$에서 $\cos x \le \dfrac{\sqrt{2}}{2}$

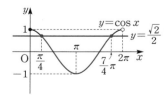

앞의 그림에서 부등식 $\cos x \le \dfrac{\sqrt{2}}{2}$의 해는

$$\frac{\pi}{4} \le x \le \frac{7}{4}\pi$$

STEP 3 $\theta_1 - \theta_2$의 값 구하기

(i), (ii)에 의하여 두 부등식을 동시에 만족시키는 x의 값의 범위는

$$\frac{\pi}{4} \le x \le \frac{5}{6}\pi$$

따라서 $\theta_1 = \dfrac{5}{6}\pi$, $\theta_2 = \dfrac{\pi}{4}$이므로 $\theta_1 - \theta_2 = \dfrac{7}{12}\pi$

08

해결전략 | $AB < 0$이면 $A > 0$, $B < 0$ 또는 $A < 0$, $B > 0$임을 이용하여 부등식의 해를 구한다.

STEP 1 주어진 부등식의 해 구하기

$0 < x < \pi$에서

(i) $2^x - 8 < 0$이고 $\cos x - \dfrac{1}{2} > 0$인 경우

  $2^x - 8 < 0$에서

  $2^x < 8$, $2^x < 2^3$

  $\therefore 0 < x < 3$ ⟶ $0 < x < \pi$에서 $3 < \pi$이므로 $0 < x < 3$ ...... ㉠

  $\cos x - \dfrac{1}{2} > 0$에서 $\cos x > \dfrac{1}{2}$

  $\therefore 0 < x < \dfrac{\pi}{3}$ ...... ㉡

  ㉠, ㉡의 공통 범위는 $0 < x < \dfrac{\pi}{3}$

(ii) $2^x - 8 > 0$이고 $\cos x - \dfrac{1}{2} < 0$인 경우

  $2^x - 8 > 0$에서

  $2^x > 8$, $2^x > 2^3$ ⟶ 밑이 1보다 크므로 부등호의 방향이 그대로이다.

  $\therefore 3 < x < \pi$ ...... ㉢

  $\cos x - \dfrac{1}{2} < 0$에서 $\cos x < \dfrac{1}{2}$

  $\therefore \dfrac{\pi}{3} < x < \pi$ ...... ㉣

  ㉢, ㉣의 공통 범위는 $3 < x < \pi$

(i), (ii)에 의하여 부등식의 해는

$0 < x < \dfrac{\pi}{3}$ 또는 $3 < x < \pi$

STEP 2 $(b-a)+(d-c)$의 값 구하기

$b < c$이므로 $0 < x < \dfrac{\pi}{3}$ 또는 $3 < x < \pi$에서

$a = 0$, $b = \dfrac{\pi}{3}$, $c = 3$, $d = \pi$

$\therefore (b-a)+(d-c) = \left(\dfrac{\pi}{3} - 0\right) + (\pi - 3) = \dfrac{4}{3}\pi - 3$

09

해결전략 | 한 종류의 삼각함수에 대한 식으로 변형하여 부등식의 해를 구한다.

STEP 1 식 변형하기

$\sin\left(x + \dfrac{\pi}{2}\right) = \cos x$이므로 주어진 부등식은

$2\cos^2 x + 3\sin x - 3 \ge 0$

$2(1 - \sin^2 x) + 3\sin x - 3 \ge 0$

$2\sin^2 x - 3\sin x + 1 \le 0$ ...... ❶

STEP 2 $\alpha + \beta$의 값의 범위 구하기

$(2\sin x - 1)(\sin x - 1) \le 0$

$\therefore \dfrac{1}{2} \le \sin x \le 1$

$0 \le x < \pi$일 때 오른쪽 그림에서 x의 값의 범위는

$\dfrac{\pi}{6} \le x \le \dfrac{5}{6}\pi$ ...... ❷

따라서 $\alpha = \dfrac{\pi}{6}$, $\beta = \dfrac{5}{6}\pi$이므로

$\alpha + \beta = \pi$ ...... ❸

채점 요소	배점
❶ 주어진 부등식을 한 종류의 삼각함수로 나타내기	40 %
❷ 부등식의 해 구하기	40 %
❸ $\alpha + \beta$의 값 구하기	20 %

10

해결전략 | $\sin\theta = t$로 놓고 t에 대한 함수의 그래프를 그린다.

STEP 1 $\sin\theta = t$로 놓고 t에 대한 식 구하기

$\sin^2\theta - 4\sin\theta - k \ge 0$에서 $\sin\theta = t$로 놓으면

$-1 \le t \le 1$이고 $t^2 - 4t - k \ge 0$

STEP 2 k의 최댓값 구하기

$f(t) = t^2 - 4t - k$라고 하면

$f(t) = (t-2)^2 - k - 4$

오른쪽 그림과 같이 $-1 \le t \le 1$에서 $f(t)$는 $t = 1$일 때, 최솟값 $-k-3$을 갖는다.

즉, $-1 \le t \le 1$에서 $f(t) \ge 0$이 항상 성립하려면

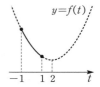

$(f(t)$의 최솟값$) = -k - 3 \ge 0$이어야 하므로

$k \le -3$

따라서 실수 k의 최댓값은 -3이다.

11

해결전략 | 이차방정식의 판별식이 0임을 이용하여 식을 세우고 방정식의 해를 구한다.

STEP1 $\sin\theta$에 대한 식 구하기

주어진 이차방정식의 판별식을 D라고 하면

$$\frac{D}{4}=\{-2(\sin\theta-1)\}^2-1=0$$

$$4\sin^2\theta-8\sin\theta+3=0$$

STEP2 모든 θ의 값의 합 구하기

$$(2\sin\theta-1)(2\sin\theta-3)=0$$

이때 $0\leq\theta\leq\dfrac{\pi}{2}$에서 $0\leq\sin\theta\leq1$이므로

$$\sin\theta=\frac{1}{2}$$

따라서 구하는 θ의 값은

$$\theta=\frac{\pi}{6}$$

└─▶ $0\leq\theta\leq\dfrac{\pi}{2}$에서 $\sin\theta=\dfrac{1}{2}$을 만족시키는 θ의 값은 $\dfrac{\pi}{6}$뿐이다.

12

해결전략 | 이차방정식의 판별식을 이용하여 삼각부등식을 세운다.

STEP1 이차방정식이 실근을 갖는 조건을 이용하여 부등식 세우기

이차방정식 $x^2-(2\sin\theta)x-3\cos^2\theta-5\sin\theta+5=0$이 실근을 가져야 하므로 이차방정식의 판별식을 D라고 하면

$$\frac{D}{4}=(-\sin\theta)^2-(-3\cos^2\theta-5\sin\theta+5)\geq0$$

$$\sin^2\theta+3\cos^2\theta+5\sin\theta-5\geq0$$

이때 $\cos^2\theta=1-\sin^2\theta$이므로

$$\sin^2\theta+3(1-\sin^2\theta)+5\sin\theta-5\geq0$$

$$2\sin^2\theta-5\sin\theta+2\leq0$$

$$(2\sin\theta-1)(\sin\theta-2)\leq0$$

STEP2 θ의 값의 범위 구하기

$0\leq\theta<2\pi$에서 $\sin\theta-2<0$이므로

$$2\sin\theta-1\geq0 \qquad \therefore \sin\theta\geq\frac{1}{2}$$

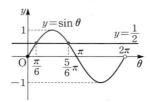

위의 그림에서 θ의 값의 범위는

$$\frac{\pi}{6}\leq\theta\leq\frac{5}{6}\pi$$

STEP3 $4\beta-2\alpha$의 값의 구하기

따라서 $\alpha=\dfrac{\pi}{6}$, $\beta=\dfrac{5}{6}\pi$이므로

$$4\beta-2\alpha=4\times\frac{5}{6}\pi-2\times\frac{\pi}{6}=\frac{10}{3}\pi-\frac{\pi}{3}=3\pi$$

상위권 도약 문제　　　　260쪽

01 ②	**02** ③	**03** ⑤	**04** $\dfrac{\pi}{6}$

01

해결전략 | 함수 $y=\cos\pi x$의 그래프와 직선 $y=\dfrac{1}{5}x$의 교점의 개수를 구한다.

방정식 $\cos\pi x=\dfrac{1}{5}x$의 서로 다른 양의 실근의 개수는 $x>0$일 때, 함수 $y=\cos\pi x$의 그래프와 직선 $y=\dfrac{1}{5}x$의 교점의 개수와 같다.

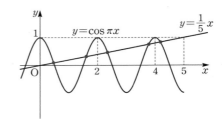

위의 그림에서 함수 $y=\cos\pi x$의 그래프와 직선 $y=\dfrac{1}{5}x$의 교점의 개수는 5이므로 주어진 방정식 $\cos\pi x=\dfrac{1}{5}x$의 서로 다른 양의 실근의 개수는 5이다.

02

해결전략 | 포물선의 꼭짓점의 좌표를 구하여 주어진 직선의 방정식에 대입한다.

STEP1 포물선의 꼭짓점의 좌표 구하기

$$\begin{aligned}y&=x^2-2x\cos\theta-\sin^2\theta\\&=(x-\cos\theta)^2-\cos^2\theta-\sin^2\theta\\&=(x-\cos\theta)^2-(\cos^2\theta+\sin^2\theta)\\&=(x-\cos\theta)^2-1\end{aligned}$$

이때 포물선의 꼭짓점의 좌표는 $(\cos\theta,\ -1)$이다.

STEP2 모든 θ의 값의 합 구하기

꼭짓점 $(\cos\theta,\ -1)$이 직선 $y=2x$ 위에 있으므로

$$-1=2\cos\theta \qquad \therefore \cos\theta=-\frac{1}{2}$$

오른쪽 그림에서 함수
$y=\cos\theta$의 그래프와 직
선 $y=-\dfrac{1}{2}$의 교점의 θ

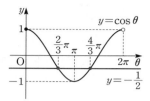

좌표는 $\dfrac{2}{3}\pi$, $\dfrac{4}{3}\pi$이므로

$\theta=\dfrac{2}{3}\pi$ 또는 $\theta=\dfrac{4}{3}\pi$

따라서 구하는 모든 θ의 값들의 합은

$\dfrac{2}{3}\pi+\dfrac{4}{3}\pi=2\pi$

03

해결전략 | 각 조건에 맞는 실근의 개수를 구한다.

STEP1 a의 값 구하기

조건 ㈎에서 $\dfrac{2\pi}{3}<\theta<\dfrac{4\pi}{3}$일 때, $2\cos\theta+1<0$이고 n
이 짝수이므로 근이 존재하지 않는다. $\therefore a=0$

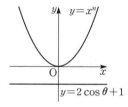

STEP2 b의 값 구하기

조건 ㈏에서 $\dfrac{3\pi}{2}<\theta<2\pi$일 때, $2\cos\theta+1>0$이고 n
이 짝수이므로 서로 다른 두 실근이 존재한다. $\therefore b=2$

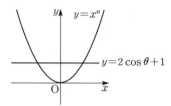

STEP3 c의 값 구하기

조건 ㈐에서 n이 홀수이므로 $2\cos\theta+1$의 부호에 상관
없이 항상 한 개의 실근이 존재한다. $\therefore c=1$

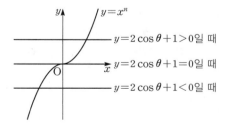

STEP4 $a+2b+3c$의 값 구하기

$\therefore a+2b+3c=0+4+3=7$

04

해결전략 | 삼각형의 결정 조건과 둔각삼각형이 되기 위한 조
건을 이용하여 부등식을 세운다.

STEP1 삼각형의 결정 조건을 이용하여 부등식 세우기

$\dfrac{3}{2}\pi<x<2\pi$에서 $0<\cos x<1$ ······ ㉠

이때 $0<2\cos x<2$이고, 삼각형 ABC의 세 변의 길이
가 1, 2, $2\cos x$이므로 가장 긴 변의 길이는 2이다.

삼각형의 결정 조건에 의하여

(가장 긴 변의 길이)<(나머지 두 변의 길이의 합)

$2<1+2\cos x$

$\therefore \cos x>\dfrac{1}{2}$ ······ ㉡

STEP2 둔각삼각형이 되기 위한 조건을 이용하여 부등식 세우
기

삼각형 ABC가 둔각삼각형이 되려면

$1^2+(2\cos x)^2<2^2$에서 $4\cos^2 x<3$

$\cos^2 x<\dfrac{3}{4}$ $\therefore -\dfrac{\sqrt{3}}{2}<\cos x<\dfrac{\sqrt{3}}{2}$ ······ ㉢

STEP3 $\beta-\alpha$의 값 구하기

㉠, ㉡, ㉢에서 $\dfrac{1}{2}<\cos x<\dfrac{\sqrt{3}}{2}$

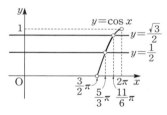

$\dfrac{3}{2}\pi<x<2\pi$에서 함수 $y=\cos x$의 그래프는 위의 그림
과 같으므로 x의 값의 범위는

$\dfrac{5}{3}\pi<x<\dfrac{11}{6}\pi$

따라서 $\alpha=\dfrac{5}{3}\pi$, $\beta=\dfrac{11}{6}\pi$이므로

$\beta-\alpha=\dfrac{\pi}{6}$

10 삼각함수의 활용

262~263쪽

개념확인

01 답 $2\sqrt{2}$

사인법칙에 의하여 $\dfrac{a}{\sin A}=\dfrac{b}{\sin B}$이므로

$\dfrac{2}{\sin 30°}=\dfrac{b}{\sin 45°}$, $b\sin 30°=2\sin 45°$

$\therefore b=2\sin 45°\times\dfrac{1}{\sin 30°}=2\times\dfrac{\sqrt{2}}{2}\times 2=2\sqrt{2}$

02 답 $3\sqrt{2}$

외접원의 반지름의 길이를 R라고 하면 사인법칙에 의하여

$\dfrac{a}{\sin A}=2R$이므로 $\dfrac{6}{\sin 45°}=2R$

$\therefore R=\dfrac{3}{\sin 45°}=3\sqrt{2}$

03 답 $2\sqrt{21}$

코사인법칙에 의하여

$a^2=b^2+c^2-2bc\cos A$
$\quad=8^2+10^2-2\times 8\times 10\times\cos 60°$
$\quad=64+100-80=84$

그런데 $a>0$이므로 $a=2\sqrt{21}$

04 답 $60°$

코사인법칙의 변형에 의하여

$\cos A=\dfrac{b^2+c^2-a^2}{2bc}=\dfrac{3^2+8^2-7^2}{2\times 3\times 8}=\dfrac{1}{2}$

이때 $0°<A<180°$이므로

$A=60°$

05 답 (1) 3 (2) $8\sqrt{2}$

(1) $\triangle ABC=\dfrac{1}{2}\times 4\times\sqrt{3}\times\sin 60°$
$\qquad\quad=\dfrac{1}{2}\times 4\times\sqrt{3}\times\dfrac{\sqrt{3}}{2}=3$

(2) $\triangle ABC=\dfrac{1}{2}\times 4\sqrt{2}\times 4\sqrt{2}\times\sin 135°$
$\qquad\quad=\dfrac{1}{2}\times 4\sqrt{2}\times 4\sqrt{2}\times\dfrac{\sqrt{2}}{2}=8\sqrt{2}$

06 답 (1) $12\sqrt{3}$ (2) $\dfrac{3}{2}$

(1) $\square ABCD=4\times 6\times\sin 60°$
$\qquad\qquad=4\times 6\times\dfrac{\sqrt{3}}{2}=12\sqrt{3}$

(2) $\square ABCD=\dfrac{1}{2}\times 2\times 3\times\sin 150°$
$\qquad\qquad=\dfrac{1}{2}\times 2\times 3\times\dfrac{1}{2}=\dfrac{3}{2}$

01-1 답 (1) $4\sqrt{3}$ (2) $75°$

해결전략 | 사인법칙을 이용하여 외접원의 반지름의 길이와 A의 크기를 구한다. 또, 삼각형의 내각의 크기의 합이 $180°$임을 이용하여 C의 크기를 구한다.

(1) 삼각형 ABC의 외접원의 반지름의 길이를 R라고 하면

$\dfrac{4\sqrt{6}}{\sin 45°}=2R$

$\therefore R=\dfrac{2\sqrt{6}}{\sin 45°}=2\sqrt{6}\times\sqrt{2}=4\sqrt{3}$

따라서 삼각형 ABC의 외접원의 반지름의 길이는 $4\sqrt{3}$이다.

(2) **STEP 1 A의 크기 구하기**

사인법칙에 의하여 $\dfrac{12}{\sin A}=\dfrac{4\sqrt{6}}{\sin 45°}$이므로

$4\sqrt{6}\sin A=12\sin 45°$

$\sin A=12\sin 45°\times\dfrac{1}{4\sqrt{6}}=12\times\dfrac{\sqrt{2}}{2}\times\dfrac{1}{4\sqrt{6}}=\dfrac{\sqrt{3}}{2}$

이때 $0°<A<90°$이므로 $A=60°$ → 삼각형 ABC는 예각삼각형

STEP 2 C의 크기 구하기

$A+B+C=180°$이므로

$C=180°-(60°+45°)=75°$

01-2 답 21

해결전략 | 사인법칙을 이용하여 변의 길이를 구한다.

삼각형 ABC의 외접원의 반지름의 길이가 15이므로 사인법칙에 의하여

$\dfrac{\overline{AC}}{\sin B}=2\times 15$

$\therefore \overline{AC}=30\sin B=30\times\dfrac{7}{10}=21$

01-3 답 12π

해결전략 | 사인법칙을 이용하여 외접원의 반지름의 길이를 구한다.

STEP 1 외접원의 반지름의 길이 구하기

삼각형 ABC의 외접원의 반지름의 길이를 R라고 하면 사인법칙에 의하여

$\dfrac{6}{\sin\frac{\pi}{3}}=2R$

$\therefore R=\dfrac{3}{\sin\frac{\pi}{3}}=3\times\dfrac{2}{\sqrt{3}}=2\sqrt{3}$

STEP2 외접원의 넓이 구하기

따라서 삼각형 ABC의 외접원의 넓이는

$\pi R^2 = \pi \times (2\sqrt{3})^2 = 12\pi$

01-4 답 $\sqrt{2}$

해결전략 | 외접원의 반지름의 길이를 R로 놓고 사인법칙을 이용하여 $\sin A$, $\sin B$, $\sin C$를 R에 대한 식으로 나타낸다.

STEP1 $\sin A$, $\sin B$, $\sin C$에 대한 식 구하기

삼각형 ABC의 외접원의 반지름의 길이를 R라고 하면 사인법칙의 변형에 의하여

$\sin A = \dfrac{a}{2R}$, $\sin B = \dfrac{b}{2R}$, $\sin C = \dfrac{c}{2R}$

STEP2 $\sin A + \sin B + \sin C$의 값 구하기

이때 삼각형 ABC의 둘레의 길이가 12이므로

$a+b+c=12$

$\therefore \sin A + \sin B + \sin C = \dfrac{a}{2R} + \dfrac{b}{2R} + \dfrac{c}{2R}$

$= \dfrac{a+b+c}{2R}$

$= \dfrac{12}{2 \times 3\sqrt{2}} = \sqrt{2}$

01-5 답 8

해결전략 | 원주각의 성질을 이용하여 $\angle \text{BAC}$의 크기를 구한 후 삼각형 ABC에서 사인법칙을 이용한다.

STEP1 $\angle \text{BAC}$의 크기 구하기

$\overset{\frown}{\text{BC}}$에 대한 원주각의 크기가 같으므로

$\angle \text{BAC} = \angle \text{BDC} = 45°$

STEP2 $\overline{\text{AB}}$의 길이 구하기

삼각형 ABC에서 사인법칙에 의하여

$\dfrac{\overline{\text{AB}}}{\sin 30°} = \dfrac{8\sqrt{2}}{\sin 45°}$

$\overline{\text{AB}} \sin 45° = 8\sqrt{2} \sin 30°$

$\therefore \overline{\text{AB}} = 8\sqrt{2} \times \dfrac{1}{2} \times \dfrac{2}{\sqrt{2}} = 8$

◉→ 다른 풀이

STEP1 외접원의 반지름의 길이 구하기

주어진 원의 반지름의 길이를 R라고 하면

삼각형 BCD에서 사인법칙에 의하여 $\dfrac{8\sqrt{2}}{\sin 45°} = 2R$

$\therefore R = 8\sqrt{2} \times \dfrac{2}{\sqrt{2}} \times \dfrac{1}{2} = 8$

STEP2 $\overline{\text{AB}}$의 길이 구하기

삼각형 ABC에서 사인법칙에 의하여

$\dfrac{\overline{\text{AB}}}{\sin 30°} = 2 \times 8$

$\therefore \overline{\text{AB}} = 16 \times \dfrac{1}{2} = 8$

> **🎯 풍쌤의 비법**
>
> 한 원에서 같은 호에 대한 원주각의 크기는 모두 같다.
>
> ➡ $\angle \text{AP}_1\text{B}$
> $= \angle \text{AP}_2\text{B}$
> $= \angle \text{AP}_3\text{B}$

01-6 답 $\dfrac{9}{5}$

해결전략 | 네 점 A, Q, P, R가 한 원 위의 점임을 이용한다.

STEP1 $\dfrac{\overline{\text{QR}}}{\sin A}$의 값 구하기

$\overline{\text{AQ}} \perp \overline{\text{PQ}}$, $\overline{\text{AR}} \perp \overline{\text{PR}}$이므로 네 점 A, Q, P, R는 한 원 위의 점이다. 즉, 선분 AP는 삼각형 AQR의 외접원의 지름이다.

삼각형 AQR에서 사인법칙에 의하여

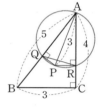

$\dfrac{\overline{\text{QR}}}{\sin A} = \overline{\text{AP}} = 3$

$\therefore \overline{\text{QR}} = 3 \sin A$ ...... ㉠

STEP2 $\overline{\text{QR}}$의 길이 구하기

직각삼각형 ABC에서

$\sin A = \dfrac{3}{5}$

이므로 ㉠에 대입하면

$\overline{\text{QR}} = 3 \sin A = 3 \times \dfrac{3}{5} = \dfrac{9}{5}$

필수유형 01   267쪽

02-1 답 $4 : 10 : 5$

해결전략 | $a : b : c$를 이용하여 ab, bc, ca를 한 문자에 대한 식으로 나타내어 본다.

STEP1 $a : b : c$ 구하기

사인법칙의 변형에 의하여

$a : b : c = \sin A : \sin B : \sin C = 2 : 4 : 5$

STEP2 $ab : bc : ca$ 구하기

$a = 2k$, $b = 4k$, $c = 5k$ $(k > 0)$로 놓으면

$ab = 2k \times 4k = 8k^2$

$$bc = 4k \times 5k = 20k^2$$
$$ca = 5k \times 2k = 10k^2$$
$$\therefore ab : bc : ca = 8k^2 : 20k^2 : 10k^2$$
$$= 4 : 10 : 5$$

▶참고 비례식은 가장 간단한 수의 비로 나타내기로 한다.

02-2 답 $1 : \sqrt{3} : 2$

해결전략 | 삼각형의 내각의 크기의 합은 180°임을 이용하여 세 내각의 크기를 구한다.

STEP1 A, B, C의 크기 구하기

$A + B + C = 180°$이고, $A : B : C = 1 : 2 : 3$이므로

$$A = 180° \times \frac{1}{6} = 30°$$

$$B = 180° \times \frac{2}{6} = 60°$$

$$C = 180° \times \frac{3}{6} = 90°$$

STEP2 $a : b : c$ 구하기

따라서 사인법칙의 변형에 의하여

$$a : b : c = \sin A : \sin B : \sin C$$
$$= \sin 30° : \sin 60° : \sin 90°$$
$$= \frac{1}{2} : \frac{\sqrt{3}}{2} : 1 = 1 : \sqrt{3} : 2$$

02-3 답 $6 : 3 : 5$

해결전략 | 삼각형의 내각의 크기의 합은 π임을 이용한다.

STEP1 $\sin A : \sin B : \sin C$ 구하기

$A + B + C = \pi$이므로

$$\sin(A+B) : \sin(B+C) : \sin(C+A)$$
$$= \sin(\pi - C) : \sin(\pi - A) : \sin(\pi - B)$$
$$= \sin C : \sin A : \sin B$$
$$= c : a : b$$
$$= 5 : 6 : 3$$

STEP2 $a : b : c$ 구하기

$$\therefore \underline{a : b : c = 6 : 3 : 5}$$
└── a, b, c의 순서에 주의한다.

02-4 답 $1 : 2 : 3$

해결전략 | $\dfrac{a+b}{3} = \dfrac{b+c}{5} = \dfrac{c+a}{4} = k$로 놓고 a, b, c를 k에 대한 식으로 나타낸다.

STEP1 $a+b+c$를 k에 대한 식으로 나타내기

$$\frac{a+b}{3} = \frac{b+c}{5} = \frac{c+a}{4} = k \ (k > 0)$$로 놓으면

$a + b = 3k$, $b + c = 5k$, $c + a = 4k$ ...... ㉠

위의 세 식을 변끼리 더하면

$$2(a+b+c) = 12k$$

$$\therefore a+b+c = 6k$$ ...... ㉡

STEP2 $\sin A : \sin B : \sin C$ 구하기

㉡에서 ㉠의 각 식을 빼면

$$a = k,\ b = 2k,\ c = 3k$$

$$\therefore \sin A : \sin B : \sin C = a : b : c$$
$$= 1 : 2 : 3$$

02-5 답 $\dfrac{7}{5}$

해결전략 | 주어진 두 식을 연립하여 a, b를 c에 대한 식으로 나타낸다.

STEP1 a, b를 c에 대한 식으로 나타내기

$$a + b - 2c = 0$$ ...... ㉠

$$a - 3b + c = 0$$ ...... ㉡

㉠ - ㉡을 하면 $4b - 3c = 0$ $\quad \therefore b = \dfrac{3}{4}c$

㉠ × 3 + ㉡을 하면 $4a - 5c = 0$ $\quad \therefore a = \dfrac{5}{4}c$

STEP2 $\dfrac{\sin B + \sin C}{\sin A}$의 값 구하기

따라서 $a : b : c = \dfrac{5}{4}c : \dfrac{3}{4}c : c = 5 : 3 : 4$이고

$\sin A : \sin B : \sin C = a : b : c = 5 : 3 : 4$이므로

$\sin A = 5k$, $\sin B = 3k$, $\sin C = 4k\ (k > 0)$로 놓으면

$$\frac{\sin B + \sin C}{\sin A} = \frac{3k + 4k}{5k} = \frac{7}{5}$$

02-6 답 $15 : 9 : 5$

해결전략 | 삼각형 ABC의 넓이를 이용하여 $a : b : c$를 구한다.

STEP1 $a : b : c$ 구하기

삼각형 ABC의 넓이를 S라고 하면

$$\frac{1}{2} \times a \times h_1 = \frac{1}{2} \times b \times h_2 = \frac{1}{2} \times c \times h_3 = S$$

$$\therefore a : b : c = \frac{2S}{h_1} : \frac{2S}{h_2} : \frac{2S}{h_3} = \frac{1}{h_1} : \frac{1}{h_2} : \frac{1}{h_3}$$

$$= \frac{1}{3} : \frac{1}{5} : \frac{1}{9}$$
└── 45를 곱한다.
$$= 15 : 9 : 5$$

STEP2 $\sin A : \sin B : \sin C$ 구하기

따라서 사인법칙의 변형에 의하여

$$\sin A : \sin B : \sin C = a : b : c$$
$$= 15 : 9 : 5$$

03-1   답 $40\sqrt{6}$ m

해결전략 | 삼각형의 내각의 크기의 합이 180°임을 이용하여 C의 크기를 구한 후 사인법칙을 이용한다.

STEP1 C의 크기 구하기

$A+B+C=180°$이므로

$C=180°-(75°+45°)=60°$

STEP2   두 지점 A, C 사이의 거리 구하기

이때 $\overline{AB}=120$ m이므로 사인법칙에 의하여

$\dfrac{\overline{AC}}{\sin 45°}=\dfrac{120}{\sin 60°}$

$\overline{AC}\sin 60°=120\sin 45°$

$\therefore \overline{AC}=120\times\dfrac{\sqrt{2}}{2}\times\dfrac{2}{\sqrt{3}}=40\sqrt{6}\,(\text{m})$

따라서 두 지점 A, C 사이의 거리는 $40\sqrt{6}$ m이다.

03-2   답 18π km²

해결전략 | 호수의 반지름의 길이를 R km로 놓고 사인법칙을 이용한다.

STEP1   호수의 반지름의 길이 구하기

호수의 반지름의 길이를 R km 라고 하면 사인법칙에 의하여

$\dfrac{6}{\sin 135°}=2R$

$\therefore R=\dfrac{3}{\sin 135°}=3\sqrt{2}$

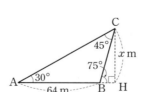

STEP2   호수의 넓이 구하기

따라서 호수의 반지름의 길이는 $3\sqrt{2}$ km이므로 호수의 넓이는

$\pi\times(3\sqrt{2})^2=18\pi\,(\text{km}^2)$

03-3   답 $(16+16\sqrt{3})$ m

해결전략 | 사인법칙을 이용하여 $\overline{BC}$의 길이를 구한 다음 애드벌룬의 높이를 구한다.

STEP1 $\overline{BC}$의 길이 구하기

애드벌룬의 C 지점에서 $\overline{AB}$의 연장선에 내린 수선의 발을 H 라 하고 애드벌룬의 높이를 $\overline{CH}=x$ m라고 하면 삼각형 ABC에서

$\angle ACB=75°-30°=45°$

삼각형 ABC에서 사인법칙에 의하여

$\dfrac{\overline{BC}}{\sin 30°}=\dfrac{64}{\sin 45°}$, $\overline{BC}\sin 45°=64\sin 30°$

$\therefore \overline{BC}=64\times\dfrac{1}{2}\times\dfrac{2}{\sqrt{2}}=32\sqrt{2}\,(\text{m})$

STEP2   애드벌룬의 높이 구하기

삼각형 BHC에서 $\angle BCH=90°-75°=15°$

$\therefore x=\overline{BC}\sin 75°=32\sqrt{2}\times\dfrac{\sqrt{2}+\sqrt{6}}{4}=16+16\sqrt{3}\,(\text{m})$

따라서 애드벌룬의 높이는 $(16+16\sqrt{3})$ m이다.

03-4   답 $10\sqrt{2}$ m

해결전략 | 선분 AQ의 길이를 구한 후 직각삼각형 PQA에서 선분 PQ의 길이를 구한다.

STEP1 $\overline{AQ}$의 길이 구하기

$\angle AQB=180°-(75°+45°)=60°$이므로

삼각형 ABQ에서 사인법칙에 의하여

$\dfrac{\overline{AQ}}{\sin 45°}=\dfrac{30}{\sin 60°}$

$\overline{AQ}\sin 60°=30\sin 45°$

$\therefore \overline{AQ}=30\times\dfrac{\sqrt{2}}{2}\times\dfrac{2}{\sqrt{3}}=10\sqrt{6}\,(\text{m})$

STEP2   나무의 높이 구하기

직각삼각형 PQA에서

$\overline{PQ}=\overline{AQ}\tan 30°=10\sqrt{6}\times\dfrac{\sqrt{3}}{3}=10\sqrt{2}\,(\text{m})$

따라서 나무의 높이는 $10\sqrt{2}$ m이다.

04-1   답 $A=90°$인 직각삼각형

해결전략 | 사인법칙을 이용하여 세 변 a, b, c 사이의 관계를 구한다.

삼각형 ABC의 외접원의 반지름의 길이를 R라고 하면 사인법칙의 변형에 의하여

$\sin A=\dfrac{a}{2R}$, $\sin B=\dfrac{b}{2R}$, $\sin C=\dfrac{c}{2R}$

위의 식을 $\sin^2 A=\sin^2 B+\sin^2 C$에 대입하면

$\dfrac{a^2}{4R^2}=\dfrac{b^2}{4R^2}+\dfrac{c^2}{4R^2}$ $\therefore a^2=b^2+c^2$

따라서 삼각형 ABC는 $A=90°$인 직각삼각형이다.

04-2   답 $C=90°$인 직각삼각형

해결전략 | 사인법칙을 이용하여 세 변 a, b, c 사이의 관계를 구한다.

STEP1 주어진 식 간단히 하기

$A+B+C=180°$이므로 ┌→ 삼각형의 내각의 크기의 합은 $180°$이다.

$\sin(A+B)=\sin(180°-C)=\sin C$

$a\sin A+b\sin B=c\sin(A+B)$에서

$a\sin A+b\sin B=c\sin C$ ...... ㉠

STEP2 삼각형의 모양 판별하기

삼각형 ABC의 외접원의 반지름의 길이를 R라고 하면 사인법칙의 변형에 의하여

$\sin A=\dfrac{a}{2R}$, $\sin B=\dfrac{b}{2R}$, $\sin C=\dfrac{c}{2R}$

위의 식을 ㉠에 대입하면

$a\times\dfrac{a}{2R}+b\times\dfrac{b}{2R}=c\times\dfrac{c}{2R}$ $\therefore a^2+b^2=c^2$

따라서 삼각형 ABC는 $C=90°$인 직각삼각형이다.

04-3 📋 $a=c$인 이등변삼각형

해결전략 | 사인법칙을 이용하여 세 변 a, b, c 사이의 관계를 구한다.

STEP1 주어진 식 변형하기

삼각형 ABC의 외접원의 반지름의 길이를 R라고 하면 사인법칙의 변형에 의하여

$\sin A=\dfrac{a}{2R}$, $\sin B=\dfrac{b}{2R}$, $\sin C=\dfrac{c}{2R}$

위의 식을 $c\sin C-a\sin A=(c-a)\sin B$에 대입하면

$c\times\dfrac{c}{2R}-a\times\dfrac{a}{2R}=(c-a)\times\dfrac{b}{2R}$

$c^2-a^2=(c-a)b$

$(c-a)(c+a)-(c-a)b=0$

$\therefore (c-a)\{(c+a)-b\}=0$

STEP2 삼각형의 모양 판별하기

그런데 삼각형의 두 변의 길이의 합은 나머지 한 변의 길이보다 크므로 ┌→ $c+a>b$이므로 $(c+a)-b>0$

$(c+a)-b>0$ $\therefore a=c$

따라서 삼각형 ABC는 $a=c$인 이등변삼각형이다.

04-4 📋 $C=90°$인 직각삼각형

해결전략 | 사인법칙을 이용하여 세 변 a, b, c 사이의 관계를 구한다.

STEP1 주어진 식의 좌변을 간단히 하기

$A+B+C=180°$이므로

$\cos^2(A+B)+(\sin A+\cos B)(\sin A-\cos B)$

$=\cos^2(180°-C)+(\sin^2 A-\cos^2 B)$

$=\cos^2 C+\sin^2 A-\cos^2 B$

$=(1-\sin^2 C)+\sin^2 A-(1-\sin^2 B)$

$=-\sin^2 C+\sin^2 A+\sin^2 B$

$\therefore -\sin^2 C+\sin^2 A+\sin^2 B=0$

STEP2 삼각형의 모양 판별하기

삼각형 ABC의 외접원의 반지름의 길이를 R라고 하면 사인법칙의 변형에 의하여

$\sin A=\dfrac{a}{2R}$, $\sin B=\dfrac{b}{2R}$, $\sin C=\dfrac{c}{2R}$

위의 식을 $-\sin^2 C+\sin^2 A+\sin^2 B=0$에 대입하면

$-\left(\dfrac{c}{2R}\right)^2+\left(\dfrac{a}{2R}\right)^2+\left(\dfrac{b}{2R}\right)^2=0$

$\therefore a^2+b^2=c^2$

따라서 삼각형 ABC는 $C=90°$인 직각삼각형이다.

04-5 📋 $4\sqrt{3}$

해결전략 | 사인법칙을 이용하여 세 변 a, b, c 사이의 관계를 구하여 삼각형의 모양을 판별한다.

STEP1 삼각형의 모양 판별하기

삼각형 ABC의 외접원의 반지름의 길이를 R라고 하면 사인법칙의 변형에 의하여

$\sin A=\dfrac{a}{2R}$, $\sin B=\dfrac{b}{2R}$, $\sin C=\dfrac{c}{2R}$

위의 식을 $a\sin A=b\sin B=c\sin C$에 대입하면

$a\times\dfrac{a}{2R}=b\times\dfrac{b}{2R}=c\times\dfrac{c}{2R}$

$\therefore a^2=b^2=c^2$

a, b, c는 양수이므로 $a=b=c$

따라서 삼각형 ABC는 정삼각형이다.

STEP2 삼각형의 넓이 구하기

이때 삼각형 ABC의 한 변의 길이가 4이므로

$\triangle\text{ABC}=\dfrac{\sqrt{3}}{4}\times 4^2=4\sqrt{3}$

04-6 📋 $C=90°$인 직각삼각형

해결전략 | 이차함수와 직선의 식을 연립하여 얻은 이차방정식의 판별식이 0임을 이용하여 식을 세운다.

STEP1 삼각함수에 대한 식 구하기

이차함수

$y=(\cos A+\cos C)x^2-x\sin B+(\cos A-\cos C)$의 그래프와 직선 $y=x\sin B$가 접하므로 이차방정식

$(\cos A+\cos C)x^2-x\sin B+(\cos A-\cos C)$
$=x\sin B$, 즉

$(\cos A+\cos C)x^2-2x\sin B+(\cos A-\cos C)=0$

이 중근을 갖는다.

이 이차방정식의 판별식을 D라고 하면

$$\frac{D}{4}=(-\sin B)^2-(\cos A+\cos C)(\cos A-\cos C)$$
$$=\sin^2 B-\cos^2 A+\cos^2 C$$
$$=\sin^2 B-(1-\sin^2 A)+(1-\sin^2 C)$$
$$=\sin^2 B+\sin^2 A-\sin^2 C$$

이므로

$$\sin^2 B+\sin^2 A-\sin^2 C=0 \qquad \cdots\cdots \text{㉠}$$

STEP2 삼각형의 모양 판별하기

삼각형 ABC의 외접원의 반지름의 길이를 R라고 하면 사인법칙의 변형에 의하여

$$\sin A=\frac{a}{2R},\ \sin B=\frac{b}{2R},\ \sin C=\frac{c}{2R}$$

위의 식을 ㉠에 대입하면

$$\left(\frac{b}{2R}\right)^2+\left(\frac{a}{2R}\right)^2-\left(\frac{c}{2R}\right)^2=0$$
$$\therefore a^2+b^2=c^2$$

따라서 삼각형 ABC는 $C=90°$인 직각삼각형이다.

필수유형 05   273쪽

05-1 답 4

해결전략 | $\overline{AC}=x$로 놓고 코사인법칙을 이용한다.

$\overline{AC}=x$라고 하면 코사인법칙에 의하여

$$(2\sqrt{7})^2=2^2+x^2-2\times 2\times x\times \cos 120°$$
$$28=4+x^2-2\times 2\times x\times\left(-\frac{1}{2}\right)$$
$$x^2+2x-24=0$$
$$(x+6)(x-4)=0$$
$$\therefore x=4\ (\because x>0)$$

따라서 $\overline{AC}$의 길이는 4이다.

05-2 답 $\sqrt{21}$

해결전략 | $\overline{AB}=a$, $\overline{BC}=2a$ $(a>0)$로 놓고 삼각형 ABC에서 코사인법칙을 이용한다.

STEP1 $\overline{AC}^2$의 값 구하기

사각형 ABCD는 원에 내접하므로 $B+D=180°$

$$\therefore D=180°-60°=120°$$

삼각형 ACD에서 코사인법칙에 의하여

$$\overline{AC}^2=3^2+6^2-2\times 3\times 6\times \cos 120°$$
$$=9+36-2\times 3\times 6\times\left(-\frac{1}{2}\right)=63 \qquad \cdots\cdots \text{㉠}$$

STEP2 $\overline{AB}=a$, $\overline{BC}=2a$로 놓고 a의 값 구하기

$\overline{AB}:\overline{BC}=1:2$이므로 $\overline{AB}=a$, $\overline{BC}=2a$ $(a>0)$로

놓으면 삼각형 ABC에서 코사인법칙에 의하여

$$\overline{AC}^2=a^2+(2a)^2-2\times a\times 2a\times \cos 60°$$
$$=a^2+4a^2-2\times a\times 2a\times\frac{1}{2}=3a^2 \qquad \cdots\cdots \text{㉡}$$

㉠, ㉡이 같아야 하므로

$63=3a^2$, $a^2=21$

그런데 $a>0$이므로 $a=\sqrt{21}$

$\therefore \overline{AB}=a=\sqrt{21}$

05-3 답 π

해결전략 | 코사인법칙을 이용하여 $\overline{AB}$의 길이를 구한 후 사인법칙을 이용하여 외접원의 반지름의 길이를 구한다.

STEP1 $\overline{AB}$의 길이 구하기

코사인법칙에 의하여

$$\overline{AB}^2=1^2+2^2-2\times 1\times 2\times \cos 60°$$
$$=1+4-2\times 1\times 2\times\frac{1}{2}=3$$
$$\therefore \overline{AB}=\sqrt{3}\ (\because \overline{AB}>0)$$

STEP2 외접원의 넓이 구하기

삼각형 ABC의 외접원의 반지름의 길이를 R라고 하면 사인법칙에 의하여

$$\frac{\sqrt{3}}{\sin 60°}=2R$$
$$\therefore R=\sqrt{3}\times\frac{2}{\sqrt{3}}\times\frac{1}{2}=1$$

따라서 외접원의 넓이는

$$\pi R^2=\pi\times 1^2=\pi$$

▶**참고** 삼각형 ABC가 원에 내접하므로 $A=90°$이다. 이때 직각삼각형 ABC에서 $\overline{AB}=\sqrt{2^2-1^2}=\sqrt{3}$임을 구할 수도 있다.

05-4 답 $\dfrac{45}{2}$

해결전략 | $\overline{CP}=x$로 놓고 코사인법칙을 이용하여 $\overline{BP}^2$을 x에 대한 식으로 나타낸다.

STEP1 C의 크기 구하기

오른쪽 그림과 같이 $\overline{AB}=\overline{AC}$인 이등변삼각형 ABC에서 $A=120°$이므로 $C=30°$

$\rightarrow B=C=\frac{1}{2}(180°-120°)=30°$

STEP2 $\overline{CP}=x$로 놓고 $\overline{BP}^2$을 x에 대한 식으로 나타내기

$\overline{CP}=x$라고 하면 삼각형 BCP에서 코사인법칙에 의하여

$$\overline{BP}^2=x^2+6^2-2\times x\times 6\times \cos 30°$$
$$=x^2-6\sqrt{3}x+36$$

STEP3 $\overline{BP}^2+\overline{CP}^2$의 최솟값 구하기

$\therefore \overline{BP}^2+\overline{CP}^2 = (x^2-6\sqrt{3}x+36)+x^2$
$= 2x^2-6\sqrt{3}x+36$
$= 2\left(x-\dfrac{3\sqrt{3}}{2}\right)^2+\dfrac{45}{2}$

따라서 $\overline{BP}^2+\overline{CP}^2$의 최솟값은 $\dfrac{45}{2}$이다.

05-5 답 15

해결전략 | $\angle BCE$의 크기를 θ에 대한 식으로 나타낸 후 코사인법칙을 이용하여 $\overline{DG}$, $\overline{BE}$의 길이를 각각 $\cos\theta$에 대한 식으로 나타낸다.

STEP1 $\cos^2\theta$의 값 구하기

삼각형 DCG에서 $\sin\theta = \dfrac{\sqrt{11}}{6}$이므로

$\cos^2\theta = 1-\sin^2\theta = 1-\dfrac{11}{36} = \dfrac{25}{36}$

STEP2 $\overline{DG}\times\overline{BE}$의 값 구하기

$\angle DCG = \theta$이고 $\angle BCD = \angle ECG = \dfrac{\pi}{2}$이므로

$\angle BCE = \pi-\theta$

삼각형 DCG에서 코사인법칙에 의하여

$\overline{DG}^2 = 3^2+4^2-2\times3\times4\times\cos\theta$
$= 25-24\cos\theta$

삼각형 BEC에서 코사인법칙에 의하여

$\overline{BE}^2 = 3^2+4^2-2\times3\times4\times\cos(\pi-\theta)$
$= 25-24\cos(\pi-\theta)$
$= 25+24\cos\theta$

$\therefore \overline{DG}\times\overline{BE} = \sqrt{25-24\cos\theta}\sqrt{25+24\cos\theta}$
$= \sqrt{25^2-24^2\times\cos^2\theta}$
$= \sqrt{25^2-24^2\times\dfrac{25}{36}}$
$= \sqrt{25\left(25-\dfrac{24^2}{36}\right)}$
$= 5\sqrt{25-16}$
$= 5\times3 = 15$

필수유형 06
275쪽

06-1 답 $\dfrac{3}{5}$

해결전략 | 삼각형 AEF에서 코사인법칙의 변형을 이용한다.

STEP1 선분의 길이 구하기

$\overline{BE} = \overline{FD} = 1$이므로

$\overline{AE} = \overline{AF} = \sqrt{3^2+1^2} = \sqrt{10}$

$\overline{EC} = \overline{CF} = 2$이므로

$\overline{EF} = \sqrt{2^2+2^2} = 2\sqrt{2}$

STEP2 $\cos\theta$의 값 구하기

삼각형 AEF에서 코사인법칙의 변형에 의하여

$\cos\theta = \dfrac{(\sqrt{10})^2+(\sqrt{10})^2-(2\sqrt{2})^2}{2\times\sqrt{10}\times\sqrt{10}}$
$= \dfrac{10+10-8}{20} = \dfrac{3}{5}$

06-2 답 120°

해결전략 | 가장 큰 각의 대변의 길이를 찾아 코사인법칙의 변형을 이용한다.

STEP1 가장 큰 각의 코사인의 값 구하기

삼각형에서 길이가 가장 긴 변의 대각의 크기가 세 내각 중 가장 크므로 가장 큰 각의 크기를 θ라고 하면 코사인법칙의 변형에 의하여

$\cos\theta = \dfrac{3^2+5^2-7^2}{2\times3\times5} = -\dfrac{1}{2}$

STEP2 θ의 값 구하기

이때 $0°<\theta<180°$이므로 $\theta = 120°$

06-3 답 90°

해결전략 | 사인법칙을 이용하여 변의 길이의 비를 구한 후 이것을 코사인법칙에 대입한다.

STEP1 $a:b:c$ 구하기

사인법칙에 의하여 $\dfrac{a}{\sin A} = \dfrac{b}{\sin B} = \dfrac{c}{\sin C}$이므로

$a:b:c = 3:4:5$

STEP2 C의 크기 구하기

$a=3k$, $b=4k$, $c=5k$ $(k>0)$로 놓으면 코사인법칙의 변형에 의하여

$\cos C = \dfrac{(3k)^2+(4k)^2-(5k)^2}{2\times3k\times4k} = 0$

이때 $0°<C<180°$이므로 $C = 90°$

06-4 답 $\sqrt{6}$

해결전략 | 삼각형 ABD에서 $\cos B$의 값을 구한 후 삼각형 ABC에서 코사인법칙을 이용한다.

STEP1 $\cos B$의 값 구하기

삼각형 ABD에서 코사인법칙의 변형에 의하여

$\cos B = \dfrac{4^2+3^2-2^2}{2\times4\times3} = \dfrac{7}{8}$

STEP2 $\overline{AC}$의 길이 구하기

삼각형 ABC에서 코사인법칙에 의하여

$\overline{AC}^2 = 4^2 + 5^2 - 2 \times 4 \times 5 \times \cos B$

$\qquad = 16 + 25 - 2 \times 4 \times 5 \times \dfrac{7}{8} = 6$

$\therefore \overline{AC} = \sqrt{6} \ (\because \overline{AC} > 0)$

06-5 🖪 41

해결전략 | 코사인법칙을 이용하여 $\cos(\angle BAD)$의 값을 구한 후 삼각형 ABC에서 다시 코사인법칙을 적용한다.

STEP1 $\cos(\angle BAD)$의 값 구하기

삼각형 ABD에서 $\angle BAD = \theta$로 놓으면 코사인법칙의 변형에 의하여

$\cos \theta = \dfrac{6^2 + 6^2 - (\sqrt{15})^2}{2 \times 6 \times 6} = \dfrac{19}{24}$

STEP2 k^2의 값 구하기

삼각형 ABC에서 코사인법칙에 의하여

$k^2 = 6^2 + 10^2 - 2 \times 6 \times 10 \times \cos \theta$

$\qquad = 36 + 100 - 120 \times \dfrac{19}{24}$

$\qquad = 41$

06-6 🖪 $\dfrac{3}{5}$

해결전략 | 직선 $x = 3$이 주어진 두 직선과 만나는 점과 원점을 꼭짓점으로 하는 삼각형을 만들어 생각한다.

STEP1 선분의 길이 구하기

직선 $x = 3$이 두 직선 $y = 3x$, $y = \dfrac{1}{3}x$와 만나는 두 점을 각각 A, B라고 하면 ➝ y축에 평행한 직선을 그어 주어진 두 직선과의 교점을 이용한다.

$A(3, 9)$, $B(3, 1)$

이때 원점 O에 대하여

$\overline{OA} = \sqrt{3^2 + 9^2} = 3\sqrt{10}$

$\overline{OB} = \sqrt{3^2 + 1^2} = \sqrt{10}$

$\overline{AB} = 9 - 1 = 8$

STEP2 $\cos \theta$의 값 구하기

따라서 삼각형 OAB에서 코사인법칙의 변형에 의하여

$\cos \theta = \dfrac{\overline{OA}^2 + \overline{OB}^2 - \overline{AB}^2}{2 \times \overline{OA} \times \overline{OB}}$

$\qquad = \dfrac{(3\sqrt{10})^2 + (\sqrt{10})^2 - 8^2}{2 \times 3\sqrt{10} \times \sqrt{10}}$

$\qquad = \dfrac{3}{5}$

07-1 🖪 70 m

해결전략 | 삼각형 ABC에서 코사인법칙을 이용하여 선분 AB의 길이를 구한다.

삼각형 ABC에서 코사인법칙에 의하여

$\overline{AB}^2 = 30^2 + 50^2 - 2 \times 30 \times 50 \times \cos 120°$

$\qquad = 900 + 2500 - 2 \times 30 \times 50 \times \left(-\dfrac{1}{2}\right)$

$\qquad = 4900$

$\therefore \overline{AB} = 70 \text{ m} \ (\because \overline{AB} > 0)$

따라서 두 지점 A, B 사이의 거리는 70 m이다.

07-2 🖪 $-\dfrac{2\sqrt{3}}{9}$

해결전략 | 두 선분 BC, AC의 길이를 구하여 코사인법칙의 변형을 이용한다.

STEP1 두 선분 AC, BC의 길이 구하기

삼각형 ACD가 직각이등변삼각형이므로

$\overline{AC} = \overline{DC} = 30 \ (\text{m})$

삼각형 BCD에서 $\angle DBC = 60°$이므로

$\overline{BC} = \dfrac{\overline{CD}}{\tan 60°} = 30 \times \dfrac{1}{\sqrt{3}} = 10\sqrt{3} \ (\text{m})$

STEP2 $\cos \theta$의 값 구하기

따라서 삼각형 ABC에서 코사인법칙의 변형에 의하여

$\cos \theta = \dfrac{\overline{AC}^2 + \overline{BC}^2 - \overline{AB}^2}{2 \times \overline{AC} \times \overline{BC}} = \dfrac{30^2 + (10\sqrt{3})^2 - 40^2}{2 \times 30 \times 10\sqrt{3}}$

$\qquad = -\dfrac{2\sqrt{3}}{9}$

07-3 🖪 $30\sqrt{19}$ m

해결전략 | 삼각함수의 정의를 이용하여 $\overline{AP}$, $\overline{BP}$의 길이를 구한 후 삼각형 APB에서 코사인법칙을 이용한다.

STEP1 두 선분 AP, BP의 길이 구하기

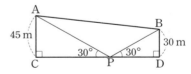

직각삼각형 ACP에서

$\overline{AP} = \dfrac{\overline{AC}}{\sin 30°} = 45 \times 2 = 90 \ (\text{m})$

직각삼각형 BPD에서

$\overline{BP} = \dfrac{\overline{BD}}{\sin 30°} = 30 \times 2 = 60 \ (\text{m})$

STEP2 두 지점 A, B 사이의 거리 구하기

삼각형 APB에서

$\angle APB = 180° - (30° + 30°) = 120°$

이므로 코사인법칙에 의하여

$\overline{AB}^2 = 90^2 + 60^2 - 2 \times 90 \times 60 \times \cos 120°$

$\qquad = 8100 + 3600 - 2 \times 90 \times 60 \times \left(-\dfrac{1}{2}\right)$

$\qquad = 17100$

$\therefore \overline{AB} = 30\sqrt{19}\,(\text{m})\ (\because \overline{AB} > 0)$

따라서 두 지점 A, B 사이의 거리는 $30\sqrt{19}$ m이다.

07-4 답 $15\sqrt{21}$ m

해결전략 | 삼각함수의 정의를 이용하여 $\overline{AC}$, $\overline{AD}$의 길이를 구한 후 삼각형 ADC에서 코사인법칙을 이용한다.

STEP1 두 선분 AC, AD의 길이 구하기

직각삼각형 ABC에서

$\overline{AC} = 90\tan 30° = 90 \times \dfrac{\sqrt{3}}{3} = 30\sqrt{3}\,(\text{m})$

$\angle ADB = 180° - (30° + 60°) = 90°$이므로

직각삼각형 ABD에서

$\overline{AD} = 90\sin 60° = 90 \times \dfrac{\sqrt{3}}{2} = 45\sqrt{3}\,(\text{m})$

STEP2 두 지점 C, D 사이의 거리 구하기

$\angle CAD = 90° - 30° = 60°$

이므로 삼각형 ADC에서 코사인법칙에 의하여

$\overline{CD}^2 = (30\sqrt{3})^2 + (45\sqrt{3})^2 - 2 \times 30\sqrt{3} \times 45\sqrt{3} \times \cos 60°$

$\qquad = 2700 + 6075 - 2 \times 30\sqrt{3} \times 45\sqrt{3} \times \dfrac{1}{2}$

$\qquad = 4725$

$\therefore \overline{CD} = 15\sqrt{21}\,(\text{m})\ (\because \overline{CD} > 0)$

따라서 두 지점 C, D 사이의 거리는 $15\sqrt{21}$ m이다.

07-5 답 $\dfrac{11}{8}$ km

해결전략 | $\overline{BC} = x$ km로 놓고 선분 AC의 길이를 x에 대한 식으로 나타낸 후 삼각형 ABC에서 코사인법칙을 이용한다.

STEP1 [코스 2]의 전체 길이 구하기

[코스 1]의 길이가 $3 + 6 = 9\,(\text{km})$이므로 산책하는데 걸리는 시간은 $\dfrac{3+6}{3} = 3\,(\text{시간})$

[코스 2]로 산책하는데 걸리는 시간은 2시간 50분, 즉 $\dfrac{17}{6}$시간이므로 [코스 2]의 전체 길이를 a km라고 하면

$\dfrac{a}{3} = \dfrac{17}{6}$ $\qquad \therefore a = \dfrac{17}{2}$

STEP2 $\overline{BC} = x$ km로 놓고, $\overline{AC}$의 길이를 x에 대한 식으로 나타내기

$\overline{BC} = x$ km라고 하면 $\overline{CD} = (6 - x)$ km이므로

$\overline{AC} + \overline{CD} = \dfrac{17}{2}$에서

$\overline{AC} = \dfrac{17}{2} - \overline{CD} = \dfrac{17}{2} - (6 - x) = \dfrac{5}{2} + x\,(\text{m})$

STEP3 $\overline{BC}$의 길이 구하기

삼각형 ABC에서 코사인법칙에 의하여

$\left(\dfrac{5}{2} + x\right)^2 = 3^2 + x^2 - 2 \times 3 \times x \times \cos 120°$

$\dfrac{25}{4} + 5x + x^2 = 9 + x^2 + 3x$

$2x = \dfrac{11}{4}$ $\qquad \therefore x = \dfrac{11}{8}$

따라서 $\overline{BC}$의 길이는 $\dfrac{11}{8}$ km이다.

필수유형 08 279쪽

08-1 답 $A = 90°$인 직각삼각형

해결전략 | 코사인법칙의 변형을 이용하여 세 변 a, b, c 사이의 관계를 구한다.

코사인법칙의 변형에 의하여

$\cos A = \dfrac{b^2 + c^2 - a^2}{2bc}$, $\cos B = \dfrac{c^2 + a^2 - b^2}{2ca}$

위의 식을 $a\cos B = b\cos A + c$에 대입하면

$a \times \dfrac{c^2 + a^2 - b^2}{2ca} = b \times \dfrac{b^2 + c^2 - a^2}{2bc} + c$

$\dfrac{c^2 + a^2 - b^2}{2c} = \dfrac{b^2 + c^2 - a^2}{2c} + c$

$c^2 + a^2 - b^2 = b^2 + c^2 - a^2 + 2c^2$

$2a^2 - 2b^2 - 2c^2 = 0$

$\therefore a^2 = b^2 + c^2$

따라서 삼각형 ABC는 $A = 90°$인 직각삼각형이다.

08-2 답 $b = c$인 이등변삼각형

해결전략 | 삼각형의 내각의 크기의 합이 π임을 이용하여 주어진 식을 간단히 한다.

STEP1 주어진 식 간단히 하기

삼각형 ABC에서 $A + B + C = \pi$이므로 $A + B = \pi - C$

$\therefore \sin\left(\dfrac{A + B - C}{2}\right) = \sin\dfrac{\pi - 2C}{2} = \sin\left(\dfrac{\pi}{2} - C\right)$

$\qquad\qquad\qquad = \cos C$

이것을 주어진 식에 대입하면

$\sin A = 2\cos C \sin B$ $\qquad\qquad \cdots\cdots\ \ominus$

STEP2 삼각형의 모양 판별하기

삼각형 ABC의 외접원의 반지름의 길이를 R라고 하면

사인법칙의 변형에 의하여

$$\sin A = \frac{a}{2R},\ \sin B = \frac{b}{2R} \qquad \cdots\cdots \ \text{①}$$

코사인법칙의 변형에 의하여

$$\cos C = \frac{a^2+b^2-c^2}{2ab} \qquad \cdots\cdots \ \text{©}$$

©, ©을 ①에 대입하면

$$\frac{a}{2R} = 2 \times \frac{a^2+b^2-c^2}{2ab} \times \frac{b}{2R}$$

$a^2 = a^2+b^2-c^2$, $b^2=c^2$

b, c는 양수이므로 $b=c$

따라서 삼각형 ABC는 $b=c$인 이등변삼각형이다.

> **풍쌤의 비법**
>
> 삼각형 ABC의 세 내각 A, B, C에 대한 관계식이 주어질 때
>
> (1) 사인에 대한 식
> ➡ $\sin A = \dfrac{a}{2R}$, $\sin B = \dfrac{b}{2R}$, $\sin C = \dfrac{c}{2R}$임을 이용하여 a, b, c에 대한 식으로 나타낸다.
> (단, R는 외접원의 반지름의 길이이다.)
>
> (2) 코사인에 대한 식
> ➡ 코사인법칙을 이용하여 a, b, c에 대한 식으로 나타낸다.

08-3 🗒 $a=c$인 이등변삼각형

해결전략 | 사인법칙의 변형과 코사인법칙의 변형을 이용하여 세 변 a, b, c 사이의 관계를 구한다.

STEP1 주어진 식 간단히 하기

$$\cos\left(\frac{\pi}{2}-B\right) = \sin B,\ \sin(\pi-C) = \sin C$$

이것을 주어진 식에 대입하면

$$\sin B = 2\sin C \cos A \qquad \cdots\cdots \ \text{①}$$

STEP2 삼각형의 모양 판별하기

삼각형 ABC의 외접원의 반지름의 길이를 R라고 하면

사인법칙의 변형에 의하여

$$\sin B = \frac{b}{2R},\ \sin C = \frac{c}{2R} \qquad \cdots\cdots \ \text{©}$$

코사인법칙의 변형에 의하여

$$\cos A = \frac{b^2+c^2-a^2}{2bc} \qquad \cdots\cdots \ \text{©}$$

©, ©을 ①에 대입하면

$$\frac{b}{2R} = 2 \times \frac{c}{2R} \times \frac{b^2+c^2-a^2}{2bc}$$

$b^2 = b^2+c^2-a^2$, $a^2=c^2$

a, c는 양수이므로 $a=c$

따라서 삼각형 ABC는 $a=c$인 이등변삼각형이다.

08-4 🗒 $80°$

해결전략 | 사인법칙의 변형과 코사인법칙의 변형을 이용하여 세 변 a, b, c 사이의 관계를 구한다.

STEP1 삼각형의 모양 판별하기

삼각형 ABC의 외접원의 반지름의 길이를 R라고 하면

사인법칙의 변형에 의하여

$$\sin A = \frac{a}{2R},\ \sin B = \frac{b}{2R},\ \sin C = \frac{c}{2R} \qquad \cdots\cdots \ \text{①}$$

코사인법칙의 변형에 의하여

$$\cos B = \frac{c^2+a^2-b^2}{2ca} \qquad \cdots\cdots \ \text{©}$$

①, ©을 $2\sin A \cos B = \sin A - \sin B + \sin C$에 대입하면

$$2 \times \frac{a}{2R} \times \frac{c^2+a^2-b^2}{2ca} = \frac{a}{2R} - \frac{b}{2R} + \frac{c}{2R}$$

$c^2+a^2-b^2 = ac-bc+c^2$

$a^2-b^2-ac+bc=0$, $(a-b)(a+b-c)=0$

이때 삼각형의 결정조건에 의하여 $a+b-c>0$이므로

$a-b=0$ ▶ 삼각형의 두 변의 길이의 합은 나머지 한 변의 길이보다 크다.

∴ $a=b$

따라서 삼각형 ABC는 $a=b$인 이등변삼각형이다.

STEP2 B의 크기 구하기

삼각형 ABC는 $a=b$인 이등변삼각형이므로

$B=A=80°$

08-5 🗒 ㄷ, ㄹ

해결전략 | $\tan A = \dfrac{\sin A}{\cos A}$, $\tan B = \dfrac{\sin B}{\cos B}$임을 이용하여 주어진 식을 정리한 후 사인법칙의 변형과 코사인법칙의 변형을 이용한다.

STEP1 주어진 식 정리하기

$a^2 \tan B = b^2 \tan A$에서 $a^2 \times \dfrac{\sin B}{\cos B} = b^2 \times \dfrac{\sin A}{\cos A}$

∴ $a^2 \sin B \cos A = b^2 \sin A \cos B \qquad \cdots\cdots \ \text{①}$

STEP2 삼각형의 모양 판별하기

삼각형 ABC의 외접원의 반지름의 길이를 R라고 하면

사인법칙의 변형에 의하여

$$\sin A = \frac{a}{2R},\ \sin B = \frac{b}{2R} \qquad \cdots\cdots \ \text{©}$$

코사인법칙의 변형에 의하여

$$\cos A = \frac{b^2+c^2-a^2}{2bc}, \quad \cos B = \frac{c^2+a^2-b^2}{2ca} \quad \cdots\cdots \ \textcircled{\scriptsize ㄷ}$$

$\textcircled{\scriptsize ㄴ}$, $\textcircled{\scriptsize ㄷ}$을 $\textcircled{\scriptsize ㄱ}$에 대입하면

$$a^2 \times \frac{b}{2R} \times \frac{b^2+c^2-a^2}{2bc} = b^2 \times \frac{a}{2R} \times \frac{c^2+a^2-b^2}{2ca}$$

$$a^2(b^2+c^2-a^2) = b^2(c^2+a^2-b^2)$$

$$a^2b^2+a^2c^2-a^4 = b^2c^2+a^2b^2-b^4$$

$$a^4-b^4-a^2c^2+b^2c^2 = 0$$

$$(a^2+b^2)(a^2-b^2)-c^2(a^2-b^2) = 0$$

$$(a^2+b^2-c^2)(a^2-b^2) = 0$$

$$(a^2+b^2-c^2)(a+b)(a-b) = 0$$

$$\therefore \ a^2+b^2 = c^2 \ \text{또는} \ a=b \ (\because a+b>0)$$

따라서 삼각형 ABC는 $C=90°$인 직각삼각형 또는 $a=b$
인 이등변삼각형이다.

08-6 답 $A=90°$인 직각삼각형

해결전략 | 사인법칙의 변형과 코사인법칙의 변형을 이용하여 세 변 a, b, c 사이의 관계를 구한다.

삼각형 ABC의 외접원의 반지름의 길이를 R라고 하면
사인법칙의 변형에 의하여

$$\sin A = \frac{a}{2R}, \quad \sin B = \frac{b}{2R}, \quad \sin C = \frac{c}{2R} \quad \cdots\cdots \ \textcircled{\scriptsize ㄱ}$$

코사인법칙의 변형에 의하여

$$\cos B = \frac{c^2+a^2-b^2}{2ca}, \quad \cos C = \frac{a^2+b^2-c^2}{2ab} \quad \cdots\cdots \ \textcircled{\scriptsize ㄴ}$$

$\textcircled{\scriptsize ㄱ}$, $\textcircled{\scriptsize ㄴ}$을 $\dfrac{\sin B + \sin C}{\sin A} = \cos B + \cos C$에 대입하면

$$\frac{\frac{b}{2R}+\frac{c}{2R}}{\frac{a}{2R}} = \frac{c^2+a^2-b^2}{2ca} + \frac{a^2+b^2-c^2}{2ab}$$

$$b+c = \frac{c^2+a^2-b^2}{2c} + \frac{a^2+b^2-c^2}{2b}$$

$$2bc(b+c) = b(c^2+a^2-b^2) + c(a^2+b^2-c^2)$$

$$b^3+b^2c+c^3+bc^2-a^2b-a^2c = 0$$

$$b^2(b+c)+c^2(b+c)-a^2(b+c) = 0$$

$$\therefore \ (b+c)(b^2+c^2-a^2) = 0$$

그런데 $b+c>0$이므로 $b^2+c^2-a^2=0$ $\quad \therefore \ b^2+c^2=a^2$

따라서 삼각형 ABC는 $A=90°$인 직각삼각형이다.

필수유형 09 281쪽

09-1 답 $3\sqrt{3}$

해결전략 | 변 BC의 길이를 구하여 삼각형의 넓이를 구한다.

STEP 1 $\overline{BC}$의 길이 구하기

$\overline{BC}=x$라고 하면 코사인법칙에 의하여

$$(\sqrt{13})^2 = 3^2+x^2-2\times 3\times x\times \cos 60°$$

$$x^2-3x-4 = 0, \ (x+1)(x-4)=0$$

$$\therefore \ x=4 \ (\because x>0)$$

STEP 2 삼각형 ABC의 넓이 구하기

즉, $\overline{BC}=4$이므로

$$\begin{aligned}
\triangle ABC &= \frac{1}{2}\times\overline{AB}\times\overline{BC}\times\sin 60° \\
&= \frac{1}{2}\times 3\times 4\times\sin 60° \\
&= \frac{1}{2}\times 3\times 4\times\frac{\sqrt{3}}{2} \\
&= 3\sqrt{3}
\end{aligned}$$

09-2 답 $-\dfrac{\sqrt{11}}{6}$

해결전략 | 삼각형 ABC에서 $\overline{AB}$, $\overline{BC}$의 길이와 넓이가 주어지면 $\sin B$의 값을 구할 수 있다.

STEP 1 $\sin B$의 값 구하기

삼각형 ABC의 넓이가 5이므로

$$\frac{1}{2}\times 4\times 3\times\sin B = 5 \qquad \therefore \ \sin B = \frac{5}{6}$$

STEP 2 $\cos B$의 값 구하기

$$\cos^2 B = 1-\sin^2 B = 1-\left(\frac{5}{6}\right)^2 = \frac{11}{36}$$

$$\therefore \ \cos B = \pm\frac{\sqrt{11}}{6}$$

그런데 $\dfrac{\pi}{2}<B<\pi$에서 $-1<\cos B<0$이므로

$$\cos B = -\frac{\sqrt{11}}{6}$$

09-3 답 $\dfrac{\sqrt{7}}{7}$

해결전략 | 삼각형 ABC의 넓이를 $\sin\theta$에 대한 식으로 나타낸다.

STEP 1 삼각형 ABC의 넓이를 $\sin\theta$에 대한 식으로 나타내기

$\overline{AB}=2$, $\overline{AC}=\sqrt{7}$이므로 삼각형 ABC의 넓이는

$$\frac{1}{2}\times\overline{AB}\times\overline{AC}\times\sin\theta = \frac{1}{2}\times 2\times\sqrt{7}\times\sin\theta = \sqrt{7}\sin\theta$$

STEP 2 $\sin\left(\dfrac{\pi}{2}+\theta\right)$의 값 구하기

즉, $\sqrt{7}\sin\theta = \sqrt{6}$이므로

$$\sin\theta = \frac{\sqrt{6}}{\sqrt{7}}$$

이때 $\angle A$는 예각이므로

$$\begin{aligned}
\sin\left(\frac{\pi}{2}+\theta\right) &= \cos\theta = \sqrt{1-\sin^2\theta} \\
&= \sqrt{1-\frac{6}{7}} = \frac{\sqrt{7}}{7}
\end{aligned}$$

09-4 답 $25(3+\sqrt{3})$

해결전략 | 호의 길이의 비는 중심각의 크기의 비와 같음을 이용하여 중심각의 크기를 구한다.

STEP1 $\angle$AOB, $\angle$BOC, $\angle$COA의 크기 구하기

$\angle$AOB : $\angle$BOC : $\angle$COA$=\overset{\frown}{\text{AB}} : \overset{\frown}{\text{BC}} : \overset{\frown}{\text{CA}}$
$$=4 : 3 : 5$$

이므로

$$\angle\text{AOB}=360°\times\frac{4}{12}=120°$$

$$\angle\text{BOC}=360°\times\frac{3}{12}=90°$$

$$\angle\text{COA}=360°\times\frac{5}{12}=150°$$

STEP2 삼각형 ABC의 넓이 구하기

$$\begin{aligned}
\therefore \triangle\text{ABC}&=\triangle\text{AOB}+\triangle\text{BOC}+\triangle\text{COA}\\
&=\frac{1}{2}\times10\times10\times\sin120°+\frac{1}{2}\times10\times10\\
&\qquad\times\sin90°+\frac{1}{2}\times10\times10\times\sin150°\\
&=\frac{1}{2}\times10\times10\times\frac{\sqrt{3}}{2}+\frac{1}{2}\times10\times10\times1\\
&\qquad+\frac{1}{2}\times10\times10\times\frac{1}{2}\\
&=25(3+\sqrt{3})
\end{aligned}$$

09-5 답 $\dfrac{48\sqrt{3}}{7}$

해결전략 | $\overline{\text{AD}}=x$라 하고 $\triangle\text{ABC}=\triangle\text{ABD}+\triangle\text{ADC}$임을 이용한다.

$\overline{\text{AD}}=x$라고 하면 $\triangle\text{ABC}=\triangle\text{ABD}+\triangle\text{ADC}$이므로

$$\frac{1}{2}\times12\times16\times\sin60°$$
$$=\frac{1}{2}\times12\times x\times\sin30°+\frac{1}{2}\times16\times x\times\sin30°$$
$$48\sqrt{3}=3x+4x,\ 7x=48\sqrt{3}$$
$$\therefore x=\frac{48\sqrt{3}}{7}$$

◉→ 다른 풀이

$\overline{\text{BD}} : \overline{\text{CD}}=\overline{\text{AB}} : \overline{\text{AC}}=12 : 16=3 : 4$이므로

$$\overline{\text{BD}}=\frac{3}{7}\overline{\text{BC}}$$

$$\begin{aligned}
\therefore \triangle\text{ABD}&=\frac{3}{7}\triangle\text{ABC}\\
&=\frac{3}{7}\times\left(\frac{1}{2}\times12\times16\times\sin60°\right)\\
&=\frac{144\sqrt{3}}{7}
\end{aligned}$$

$\overline{\text{AD}}=x$라고 하면

$$\triangle\text{ABD}=\frac{1}{2}\times12\times x\times\sin30°=3x$$

이므로 $3x=\dfrac{144\sqrt{3}}{7}$

$$\therefore x=\frac{48\sqrt{3}}{7}$$

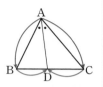

> **풍쌤의 비법**
>
> **각의 이등분선의 성질**
>
> 삼각형 ABC에서 $\angle$A의 이등분선이 $\overline{\text{BC}}$와 만나는 점을 D라고 하면
> $$\overline{\text{AB}} : \overline{\text{AC}}=\overline{\text{BD}} : \overline{\text{CD}}$$

09-6 답 4

해결전략 | 두 삼각형 AO′E와 AOC가 서로 닮음임을 이용하여 선분의 길이 사이의 관계를 구한다.

STEP1 선분의 길이 사이의 관계 구하기

$\overline{\text{AE}}=a$, $\overline{\text{AD}}=b$, $\overline{\text{AC}}=c$, $\overline{\text{AB}}=d$라 하고 다음 그림과 같이 두 원이 만나는 점 A에서 선분 ED, CB에 수선을 그으면 그 수선은 두 원의 중심 O, O′을 지나므로 세 점 A, O, O′은 한 직선 위에 있다.

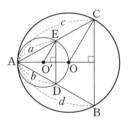

$\triangle$AO′E와 $\triangle$AOC가 각각 이등변삼각형이고 $\angle$AEO′$=\angle$ACO이므로 $\triangle$AO′E와 $\triangle$AOC는 닮음이다.

이때 닮음비는

$$\overline{\text{AE}} : \overline{\text{AC}}=\overline{\text{AO}'} : \overline{\text{AO}}=1 : 2$$

이므로 $c=2a$, $d=2b$

STEP2 $\dfrac{S_2}{S_1}$의 값 구하기

$$\begin{aligned}
S_2=\triangle\text{ABC}&=\frac{1}{2}cd\sin A\\
&=\frac{1}{2}\times2a\times2b\times\sin A\\
&=4\times\left(\frac{1}{2}ab\sin A\right)\\
&=4\triangle\text{ADE}=4S_1
\end{aligned}$$

$$\therefore \frac{S_2}{S_1}=4$$

10-1 답 $\dfrac{160}{3}\pi$

해결전략 | 삼각형의 넓이를 이용하여 외접원과 내접원의 반지름의 길이를 구한다.

STEP1 삼각형 ABC의 넓이 구하기

삼각형 ABC의 넓이를 S라고 하면

$S=\dfrac{1}{2}\times 8\times 7\times \sin 120°=14\sqrt{3}$

STEP2 삼각형 ABC의 외접원의 반지름의 길이 구하기

삼각형 ABC의 외접원의 반지름의 길이를 R라고 하면

$S=\dfrac{abc}{4R}$ 이므로

$14\sqrt{3}=\dfrac{13\times 8\times 7}{4R}$

$\therefore R=\dfrac{13}{\sqrt{3}}=\dfrac{13\sqrt{3}}{3}$

STEP3 삼각형 ABC의 내접원의 반지름의 길이 구하기

삼각형 ABC의 내접원의 반지름의 길이를 r라고 하면

$S=\dfrac{1}{2}r(a+b+c)$ 이므로

$14\sqrt{3}=\dfrac{1}{2}r(13+8+7)$

$\therefore r=\sqrt{3}$

STEP4 S_1-S_2의 값 구하기

따라서

$S_1=\pi R^2=\pi\times\left(\dfrac{13\sqrt{3}}{3}\right)^2=\dfrac{169}{3}\pi$,

$S_2=\pi r^2=\pi\times(\sqrt{3})^2=3\pi$

이므로

$S_1-S_2=\dfrac{169}{3}\pi-3\pi=\dfrac{160}{3}\pi$

10-2 답 $\dfrac{5\sqrt{2}}{4}$

해결전략 | 삼각형의 넓이를 이용하여 외접원과 내접원의 반지름의 길이를 구한다.

STEP1 삼각형 ABC의 넓이 구하기

삼각형 ABC의 넓이를 S라고 하면

$S=\dfrac{1}{2}\times 6\times 4\times \sin A=\dfrac{1}{2}\times 6\times 4\times\dfrac{2\sqrt{2}}{3}=8\sqrt{2}$

STEP2 삼각형 ABC의 외접원의 반지름의 길이 구하기

삼각형 ABC의 외접원의 반지름의 길이를 R라고 하면

$S=\dfrac{abc}{4R}$ 이므로

$8\sqrt{2}=\dfrac{6\times 6\times 4}{4R}$

$\therefore R=\dfrac{9}{2\sqrt{2}}=\dfrac{9\sqrt{2}}{4}$

STEP3 삼각형 ABC의 내접원의 반지름의 길이 구하기

삼각형 ABC의 내접원의 반지름의 길이를 r라고 하면

$S=\dfrac{1}{2}r(a+b+c)$ 이므로

$8\sqrt{2}=\dfrac{1}{2}r(6+6+4)$

$\therefore r=\sqrt{2}$

STEP4 $R-r$의 값 구하기

$\therefore R-r=\dfrac{9\sqrt{2}}{4}-\sqrt{2}=\dfrac{5\sqrt{2}}{4}$

10-3 답 $\dfrac{\sqrt{6}}{2}$

해결전략 | 삼각형의 넓이를 이용하여 $\overline{AC}$의 길이를 구한 후 내접원의 반지름의 길이를 구한다.

STEP1 $\sin B$의 값 구하기

삼각형 ABC의 넓이가 $4\sqrt{6}$이므로

$\dfrac{1}{2}\times 5\times 4\times \sin B=4\sqrt{6}$

$\therefore \sin B=\dfrac{2\sqrt{6}}{5}$

STEP2 $\overline{AC}$의 길이 구하기

$90°<B<180°$이므로

$\cos B=-\sqrt{1-\sin^2 B}=-\sqrt{1-\left(\dfrac{2\sqrt{6}}{5}\right)^2}=-\dfrac{1}{5}$

코사인법칙에 의하여

$\overline{AC}^2=5^2+4^2-2\times 5\times 4\times\cos B$

$\qquad=25+16-2\times 5\times 4\times\left(-\dfrac{1}{5}\right)=49$

$\therefore \overline{AC}=7\ (\because \overline{AC}>0)$

STEP3 내접원의 반지름의 길이 구하기

삼각형 ABC의 내접원의 반지름의 길이를 r라고 하면

$S=\dfrac{1}{2}r(a+b+c)$ 이므로

$4\sqrt{6}=\dfrac{1}{2}r(4+5+7)$

$\therefore r=\dfrac{\sqrt{6}}{2}$

10-4 답 $4\sqrt{3}$

해결전략 | 삼각형 ABC의 외접원의 반지름의 길이를 R라고 할 때, $\triangle ABC=2R^2\sin A\sin B\sin C$임을 이용하여 삼각형 ABC의 넓이를 구한다.

STEP1 B, C의 크기 구하기

삼각형 ABC에서 $\overline{AC}=\overline{BC}$이므로

$B = A = 30°$

$\therefore C = 180° - (30° + 30°) = 120°$

STEP2 삼각형 ABC의 넓이 구하기

삼각형 ABC의 외접원의 반지름의 길이가 4이므로

$\triangle ABC = 2 \times 4^2 \times \sin 30° \times \sin 30° \times \sin 120°$

$= 2 \times 16 \times \dfrac{1}{2} \times \dfrac{1}{2} \times \dfrac{\sqrt{3}}{2} = 4\sqrt{3}$

10-5 답 $\dfrac{14\sqrt{3}}{3}$

해결전략 | 삼각형의 넓이는 일정함을 이용하여 외접원의 반지름의 길이를 구한다.

삼각형 ABC의 넓이를 S, 외접원의 반지름의 길이를 R라고 하면

$S = \dfrac{abc}{4R} = \dfrac{1}{2}r(a+b+c)$이므로

$\dfrac{6 \times 10 \times 14}{4R} = \dfrac{1}{2} \times \sqrt{3} \times (6 + 10 + 14)$

$\dfrac{210}{R} = 15\sqrt{3}$

$\therefore R = \dfrac{14}{\sqrt{3}} = \dfrac{14\sqrt{3}}{3}$

10-6 답 2

해결전략 | 사인법칙을 이용하여 삼각형 ABC의 넓이를 사인함수에 대한 식으로 나타내어 본다.

STEP1 $a+b+c$를 사인함수에 대한 식으로 나타내기

$\triangle ABC = 2R^2 \sin A \sin B \sin C$ ...... ㉠

한편, 사인법칙에 의하여

$\dfrac{a}{\sin A} = \dfrac{b}{\sin B} = \dfrac{c}{\sin C} = 2R$이므로

$a = 2R \sin A$, $b = 2R \sin B$, $c = 2R \sin C$

$\therefore a+b+c = 2R(\sin A + \sin B + \sin C)$

STEP2 삼각형 ABC의 넓이를 사인함수에 대한 식으로 나타내기

$\triangle ABC$의 내접원의 반지름의 길이가 r이므로

$\triangle ABC = \dfrac{1}{2}r(a+b+c)$

$= \dfrac{1}{2}r \times 2R(\sin A + \sin B + \sin C)$

$= Rr(\sin A + \sin B + \sin C)$ ...... ㉡

STEP3 상수 k의 값 구하기

㉠, ㉡이 같아야 하므로

$2R^2 \sin A \sin B \sin C = Rr(\sin A + \sin B + \sin C)$

$\dfrac{\sin A + \sin B + \sin C}{\sin A \sin B \sin C} = \dfrac{2R^2}{Rr} = \dfrac{2R}{r}$

$\therefore k = 2$

11-1 답 $3\sqrt{3}$

해결전략 | 선분 BC의 길이를 구한 후 평행사변형의 넓이 공식을 이용한다.

STEP1 $\overline{BC}$의 길이 구하기

$\overline{BC} = x$라고 하면 삼각형 ABC에서 코사인법칙에 의하여

$(\sqrt{7})^2 = 2^2 + x^2 - 2 \times 2 \times x \times \cos 60°$

$7 = 4 + x^2 - 2x$, $x^2 - 2x - 3 = 0$

$(x+1)(x-3) = 0$ $\therefore x = 3 \ (\because x > 0)$

STEP2 평행사변형 ABCD의 넓이 구하기

따라서 평행사변형 ABCD의 넓이는

$\overline{AB} \times \overline{BC} \times \sin 60° = 2 \times 3 \times \dfrac{\sqrt{3}}{2} = 3\sqrt{3}$

11-2 답 100

해결전략 | 사각형의 넓이 공식을 이용하여 ab의 값을 구한 후 곱셈 공식을 이용한다.

STEP1 ab의 값 구하기

사각형 ABCD의 넓이가 12이므로

$\dfrac{1}{2}ab \sin 30° = 12$, $\dfrac{1}{4}ab = 12$

$\therefore ab = 48$

STEP2 $a^2 + b^2$의 값 구하기

이때 $a + b = 14$이므로

$a^2 + b^2 = (a+b)^2 - 2ab = 14^2 - 2 \times 48 = 100$

11-3 답 $9\sqrt{2}$

해결전략 | $\sin^2 \theta + \cos^2 \theta = 1$임을 이용하여 $\sin \theta$의 값을 구한다.

STEP1 $\sin \theta$의 값 구하기

$\sin^2 \theta = 1 - \cos^2 \theta = 1 - \dfrac{1}{9} = \dfrac{8}{9}$이므로

$\sin \theta = \dfrac{2\sqrt{2}}{3} \ (\because 0° < \theta < 180°)$

STEP2 사각형 ABCD의 넓이 구하기

$\therefore \square ABCD = \dfrac{1}{2} \times 3 \times 9 \times \dfrac{2\sqrt{2}}{3} = 9\sqrt{2}$

11-4 답 6

해결전략 | 주어진 조건을 이용하여 사각형 ABCD의 넓이를 선분 AC에 대한 식으로 나타낸다.

STEP1 사각형 ABCD의 넓이를 식으로 나타내기

조건 ㈎에 의하여 사각형 ABCD는 등변사다리꼴이므로

$\overline{AC}=\overline{BD}$ ← 등변사다리꼴 ABCD의 두 대각선은 $\overline{AC}$, $\overline{BD}$

조건 ㈏에 의하여

$$\square ABCD = \frac{1}{2} \times \overline{AC} \times \overline{BD} \times \sin 45°$$

$$= \frac{1}{2} \times \overline{AC} \times \overline{AC} \times \frac{\sqrt{2}}{2}$$

$$= \frac{\sqrt{2}}{4} \times \overline{AC}^2$$

STEP2 $\overline{AC}$의 길이 구하기

조건 ㈐에서 사각형 ABCD의 넓이가 $9\sqrt{2}$이므로

$$\frac{\sqrt{2}}{4} \times \overline{AC}^2 = 9\sqrt{2}$$

$$\overline{AC}^2 = 36 \qquad \therefore \overline{AC} = 6 \ (\because \overline{AC} > 0)$$

11-5 답 $\dfrac{39\sqrt{3}}{4}$

해결전략 | 코사인법칙을 이용하여 C의 크기를 구한 후 두 삼각형 ABD, BCD의 넓이의 합으로 사각형 ABCD의 넓이를 구한다.

STEP1 $\overline{BD}$의 길이 구하기

삼각형 ABD에서 코사인법칙에 의하여

$$\overline{BD}^2 = 5^2 + 3^2 - 2 \times 5 \times 3 \times \cos 120°$$

$$= 25 + 9 - 2 \times 5 \times 3 \times \left(-\frac{1}{2}\right)$$

$$= 25 + 9 + 15 = 49$$

$$\therefore \overline{BD} = 7 \ (\because \overline{BD} > 0)$$

STEP2 C의 크기 구하기

삼각형 BCD에서 코사인법칙의 변형에 의하여

$$\cos C = \frac{8^2 + 3^2 - 7^2}{2 \times 8 \times 3} = \frac{1}{2}$$

$$\therefore C = 60° \ (\because 0° < C < 180°)$$

STEP3 사각형 ABCD의 넓이 구하기

사각형 ABCD의 넓이를 S, 두 삼각형 ABD, BCD의 넓이를 각각 S_1, S_2라고 하면

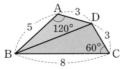

$$S_1 = \frac{1}{2} \times 5 \times 3 \times \sin 120°$$

$$= \frac{1}{2} \times 5 \times 3 \times \frac{\sqrt{3}}{2} = \frac{15\sqrt{3}}{4}$$

$$S_2 = \frac{1}{2} \times 3 \times 8 \times \sin 60°$$

$$= \frac{1}{2} \times 3 \times 8 \times \frac{\sqrt{3}}{2}$$

$$= 6\sqrt{3}$$

따라서 사각형 ABCD의 넓이는

$$S = S_1 + S_2 = \frac{15\sqrt{3}}{4} + 6\sqrt{3} = \frac{39\sqrt{3}}{4}$$

11-6 답 $\dfrac{16\sqrt{3}}{3}$

해결전략 | 두 삼각형 ABC, ACP의 넓이를 각각 구하여 사각형 ABCP의 넓이를 구한다.

STEP1 $\overline{AC}$의 길이 구하기

오른쪽 그림과 같이 원의 중심을 O라고 하면 삼각형 OAC에서

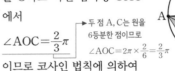

$$\angle AOC = \frac{2}{3}\pi$$ ┌→ 두 점 A, C는 원을 6등분한 점이므로 $\angle AOC = 2\pi \times \frac{2}{6} = \frac{2}{3}\pi$

이므로 코사인 법칙에 의하여

$$\overline{AC}^2 = 3^2 + 3^2 - 2 \times 3 \times 3 \times \cos \frac{2}{3}\pi$$

$$= 9 + 9 - 2 \times 3 \times 3 \times \left(-\frac{1}{2}\right) = 27$$

$$\therefore \overline{AC} = 3\sqrt{3} \ (\because \overline{AC} > 0)$$

STEP2 삼각형 ACP의 넓이 구하기

원에서 한 호에 대한 원주각의 크기는 중심각의 크기의 $\frac{1}{2}$이므로 호 AC에 대하여

$$\angle APC = \frac{1}{2}\angle AOC = \frac{1}{2} \times \frac{2}{3}\pi = \frac{\pi}{3}$$

$\overline{AP} = a$, $\overline{CP} = b$라고 하면 삼각형 ACP에서 코사인법칙에 의하여

$$(3\sqrt{3})^2 = a^2 + b^2 - 2ab\cos\frac{\pi}{3}$$

$$27 = a^2 + b^2 - 2ab \times \frac{1}{2}$$

$$a^2 + b^2 - ab = 27$$

$$\therefore (a+b)^2 - 3ab = 27$$

$a+b = 8$이므로

$$8^2 - 3ab = 27 \qquad \therefore ab = \frac{37}{3}$$

$$\therefore \triangle ACP = \frac{1}{2} \times a \times b \times \sin\frac{\pi}{3}$$

$$= \frac{1}{2} \times \frac{37}{3} \times \frac{\sqrt{3}}{2} = \frac{37\sqrt{3}}{12}$$

STEP3 삼각형 ABC의 넓이 구하기

두 삼각형 OAB와 OBC는 정삼각형이므로

$$\overline{OA} = \overline{AB} = \overline{BC} = 3$$ ┌→ $\overline{OB} = \overline{OC}$이고 $\angle BOC = 2\pi \times \frac{1}{6} = \frac{\pi}{3}$

이므로 $\angle OBC = \angle OCB = \frac{\pi}{3}$

$$\therefore \triangle ABC = \triangle OAC$$
$$= \frac{1}{2} \times 3 \times 3 \times \sin \frac{2}{3}\pi$$
$$= \frac{1}{2} \times 3 \times 3 \times \frac{\sqrt{3}}{2} = \frac{9\sqrt{3}}{4}$$

STEP 4 사각형 ABCP의 넓이 구하기

따라서 사각형 ABCP의 넓이는
$$\triangle ABC + \triangle ACP = \frac{9\sqrt{3}}{4} + \frac{37\sqrt{3}}{12} = \frac{16\sqrt{3}}{3}$$

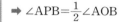

원주각과 중심각

원에서 한 호에 대한 원주각의 크기
는 그 호에 대한 중심각의 크기의
$\frac{1}{2}$이다.

➡ $\angle APB = \frac{1}{2}\angle AOB$

실전 연습 문제   286~288쪽

01 ③	**02** ⑤	**03** ③	**04** $90\sqrt{2}$ m
05 $C=90°$인 직각삼각형		**06** 21	**07** ①
08 $\frac{5}{7}$	**09** $5\sqrt{13}$ m	**10** 52	**11** ③
12 5	**13** ①	**14** $2\sqrt{3}$	**15** ④
16 16π	**17** ③	**18** ④	

01

해결전략 | 사인법칙을 이용한다.

$A+B+C=180°$이므로 $C=180°-(45°+15°)=120°$

사인법칙에 의하여
$$\frac{\overline{BC}}{\sin 45°} = \frac{8}{\sin 120°}$$
$$\overline{BC}\sin 120° = 8\sin 45°$$
$$\therefore \overline{BC} = 8 \times \frac{\sqrt{2}}{2} \times \frac{2}{\sqrt{3}} = \frac{8\sqrt{6}}{3}$$

02

해결전략 | 사인법칙을 이용한다.

사인법칙에 의하여 $\dfrac{\overline{BC}}{\sin A} = \dfrac{\overline{AC}}{\sin B}$이므로
$$\frac{4}{\sin A} = \frac{6}{\sin B}$$
$$\therefore \frac{\sin B}{\sin A} = \frac{6}{4} = \frac{3}{2}$$

➊→ 다른 풀이

사인법칙에 의하여
$$\sin A : \sin B : \sin C = \overline{BC} : \overline{AC} : \overline{AB}$$
$$= 4 : 6 : 3$$

따라서 양수 k에 대하여 $\sin A = 4k$, $\sin B = 6k$라고 하면
$$\frac{\sin B}{\sin A} = \frac{6k}{4k} = \frac{3}{2}$$

03

해결전략 | $a : b : c$를 이용하여 $\sin A$, $\sin B$, $\sin C$를 한 문자에 대한 식으로 나타낸다.

STEP 1 $\sin A : \sin B : \sin C$ 구하기

사인법칙의 변형에 의하여
$$a : b : c = \sin A : \sin B : \sin C = 2 : 4 : 3$$

STEP 2 $\dfrac{\sin C}{\sin A + \sin B}$의 값 구하기

$\sin A = 2k$, $\sin B = 4k$, $\sin C = 3k$ $(k>0)$로 놓으면
$$\frac{\sin C}{\sin A + \sin B} = \frac{3k}{2k+4k} = \frac{1}{2}$$

04

해결전략 | 삼각형의 세 내각의 크기의 합이 $180°$임을 이용하여 C의 크기를 구한 후 사인법칙을 이용한다.

STEP 1 C의 크기 구하기

삼각형 ABC에서 $A+B+C=180°$이므로
$$C = 180° - (45° + 105°) = 30°$$

STEP 2 두 지점 A, C 사이의 거리 구하기

사인법칙에 의하여 $\dfrac{90}{\sin 30°} = \dfrac{\overline{AC}}{\sin 45°}$이므로
$$\overline{AC}\sin 30° = 90\sin 45°$$
$$\therefore \overline{AC} = 90 \times \frac{\sqrt{2}}{2} \times 2 = 90\sqrt{2}\ (m)$$

따라서 두 지점 A, C 사이의 거리는 $90\sqrt{2}$ m이다.

05

해결전략 | $\sin^2\theta + \cos^2\theta = 1$임을 이용하여 식을 간단히 한 후 사인법칙을 이용하여 세 변 a, b, c 사이의 관계를 구한다.

STEP 1 식 간단히 하기

$\cos^2 A = 1 - \sin^2 A$, $\cos^2 B = 1 - \sin^2 B$이므로
$\cos^2 A + \cos^2 B + \sin^2 C = 2$에 대입하면
$$(1 - \sin^2 A) + (1 - \sin^2 B) + \sin^2 C = 2$$
$$\therefore \sin^2 C = \sin^2 A + \sin^2 B \qquad \cdots\cdots \ominus \cdots\cdots ❶$$

STEP 2 삼각형의 모양 판별하기

삼각형 ABC의 외접원의 반지름의 길이를 R라고 하면 사인법칙의 변형에 의하여

$$\sin A = \frac{a}{2R},\ \sin B = \frac{b}{2R},\ \sin C = \frac{c}{2R}$$

위의 식을 ㉠에 대입하면

$$\left(\frac{c}{2R}\right)^2 = \left(\frac{a}{2R}\right)^2 + \left(\frac{b}{2R}\right)^2$$

$$\therefore c^2 = a^2 + b^2 \qquad \cdots\cdots ❷$$

따라서 삼각형 ABC는 $C=90°$인 직각삼각형이다.

$\qquad\qquad\qquad\qquad\qquad\qquad\qquad\cdots\cdots ❸$

채점 요소	배점
❶ 식 간단히 하기	40 %
❷ 세 변 사이의 관계식 구하기	50 %
❸ 삼각형의 모양 판별하기	10 %

06

해결전략 | 사인법칙과 코사인법칙을 이용하여 각각 변 BC 의 길이를 구한 후 이를 비교한다.

STEP1 사인법칙을 이용하여 변 BC의 길이 구하기

삼각형 ABC의 외접원의 반지름의 길이가 7이므로 사인 법칙에 의하여

$$\frac{\overline{BC}}{\sin\frac{\pi}{3}} = 2 \times 7$$

$$\therefore \overline{BC} = 14\sin\frac{\pi}{3} = 14 \times \frac{\sqrt{3}}{2} = 7\sqrt{3}$$

STEP2 코사인법칙을 이용하여 변 BC의 길이 구하기

$\overline{AC}=k$이고 $\overline{AB}:\overline{AC}=3:1$이므로 $\overline{AB}=3k$

코사인법칙에 의하여

$$\overline{BC}^2 = (3k)^2 + k^2 - 2\times 3k\times k\times \cos\frac{\pi}{3}$$

$$= 9k^2 + k^2 - 2\times 3k\times k\times \frac{1}{2}$$

$$= 7k^2$$

이때 $\overline{BC}>0$이므로 $\overline{BC}=\sqrt{7}k$

STEP3 k^2의 값 구하기

즉, $7\sqrt{3}=\sqrt{7}k$이므로 $k=\dfrac{7\sqrt{3}}{\sqrt{7}}=\sqrt{21}$

$$\therefore k^2 = 21$$

07

해결전략 | $\overline{BD}=x$라 하고 두 삼각형 ABD, BCD에서 코 사인법칙을 이용한다.

STEP1 삼각형 ABD에서 $\overline{BD}^2$을 $\cos\theta$에 대한 식으로 나타 내기

오른쪽 그림의 삼각형 ABD에서
$\overline{BD}=x$라고 하면
코사인법칙에 의하여

$$x^2 = 6^2 + 1^2 - 2\times 6\times 1\times\cos\theta$$

$$= 37 - 12\cos\theta$$

STEP2 삼각형 BCD에서 $\overline{BD}^2$을 $\cos\theta$에 대한 식으로 나타내기

사각형 ABCD는 원에 내접하므로

$$\angle BCD = 180° - \theta$$

삼각형 BCD에서 코사인법칙에 의하여

$$x^2 = 3^2 + 5^2 - 2\times 3\times 5\times\cos(180° - \theta)$$

$$= 34 + 30\cos\theta$$

STEP3 $\cos\theta$의 값 구하기

즉, $37 - 12\cos\theta = 34 + 30\cos\theta$이므로

$$42\cos\theta = 3$$

$$\therefore \cos\theta = \frac{1}{14}$$

08

해결전략 | $A+B+C=\pi$임을 이용하여 주어진 비례식을 간단히 한다.

STEP1 주어진 비례식 간단히 하기

$A+B+C=\pi$이므로

$$\sin(A+B) = \sin(\pi - C) = \sin C$$

$$\sin(B+C) = \sin(\pi - A) = \sin A$$

$$\sin(C+A) = \sin(\pi - B) = \sin B$$

$$\therefore \sin(A+B):\sin(B+C):\sin(C+A)$$

$$= \sin C : \sin A : \sin B \quad \text{← 사인법칙의 변형을 이용하였다.}$$

$$= c : a : b$$

$$= 7 : 5 : 6 \qquad\qquad\qquad\cdots\cdots ❶$$

STEP2 최소인 각 구하기

$a=5k$, $b=6k$, $c=7k$ $(k>0)$로 놓으면 길이가 가장 짧은 변의 마주 보는 각이 최소인 각이므로 A가 최소인 각이다.

$\qquad\qquad\qquad\qquad\qquad\qquad\qquad\cdots\cdots ❷$

STEP3 $\cos\theta$의 값 구하기

따라서 코사인법칙의 변형에 의하여

$$\cos\theta = \cos A = \frac{b^2 + c^2 - a^2}{2bc}$$

$$= \frac{(6k)^2 + (7k)^2 - (5k)^2}{2\times 6k\times 7k}$$

$$= \frac{60k^2}{84k^2} = \frac{5}{7} \qquad\qquad\cdots\cdots ❸$$

채점 요소	배점
❶ 비례식 간단히 하기	40 %
❷ 최소인 각 구하기	20 %
❸ $\cos\theta$의 값 구하기	40 %

09

해결전략 | 10초 후의 두 사람의 위치를 각각 A, B로 나타내고 코사인법칙을 이용하여 선분 AB의 길이를 구한다.

STEP1 10초 동안 두 사람이 이동한 거리 구하기

10초 후의 수현이와 지수의 위치를 각각 A, B라고 하면
$$\overline{\text{OA}}=1.5\times10=15\,(\text{m}),\ \overline{\text{OB}}=2\times10=20\,(\text{m})$$

STEP2 두 사람 사이의 거리 구하기

삼각형 OAB에서 코사인법칙에 의하여
$$\overline{\text{AB}}^2=15^2+20^2-2\times15\times20\times\cos60°$$
$$=225+400-2\times15\times20\times\frac{1}{2}=325$$
$$\therefore\ \overline{\text{AB}}=5\sqrt{13}\,(\text{m})\ (\because\ \overline{\text{AB}}>0)$$
따라서 10초 후 두 사람 사이의 거리는 $5\sqrt{13}$ m이다.

10

해결전략 | 코사인법칙을 이용하여 $\overline{\text{AC}}$의 길이를 구한 후 사인법칙을 이용하여 외접원의 반지름의 길이를 구한다.

STEP1 $\overline{\text{AC}}$의 길이 구하기

코사인법칙에 의하여
$$\overline{\text{AC}}^2=3^2+5^2-2\times3\times5\times\cos120°$$
$$=9+25-2\times3\times5\times\left(-\frac{1}{2}\right)=49$$
$$\therefore\ \overline{\text{AC}}=7\ (\because\ \overline{\text{AC}}>0)\qquad\cdots\cdots❶$$

STEP2 외접원의 반지름의 길이 구하기

삼각형 ABC의 외접원의 반지름의 길이를 R라고 하면 사인법칙에 의하여
$$\frac{7}{\sin120°}=2R$$
$$\therefore\ R=7\times\frac{2}{\sqrt{3}}\times\frac{1}{2}=\frac{7\sqrt{3}}{3}\qquad\cdots\cdots❷$$

STEP3 $p+q$의 값 구하기

따라서 외접원의 넓이는 $\pi R^2=\dfrac{49}{3}\pi$이므로
$$p=3,\ q=49$$
$$\therefore\ p+q=52\qquad\cdots\cdots❸$$

채점 요소	배점
❶ $\overline{\text{AC}}$의 길이 구하기	40 %
❷ 외접원의 반지름의 길이 구하기	20 %
❸ $p+q$의 값 구하기	40 %

11

해결전략 | 원뿔의 전개도에 최단거리를 나타낸 후 코사인법칙을 이용한다.

STEP1 옆면의 전개도를 이용하여 나타내기

주어진 원뿔의 전개도를 그린 후 두 점 A′, B를 나타내면 다음과 같다.

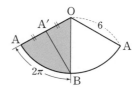

호 AB의 길이는 원뿔의 밑면의 둘레의 길이의 $\dfrac{1}{2}$이므로
$$\overset{\frown}{\text{AB}}=4\pi\times\frac{1}{2}=2\pi$$

이때 $\overline{\text{OA}}=6$이므로 부채꼴 OAB에서
$$\angle\text{AOB}=\frac{2\pi}{6}=\frac{\pi}{3}$$

STEP2 최단 거리 구하기

점 P가 움직이는 최단 거리는 $\overline{\text{A′B}}$이므로 삼각형 OA′B에서 코사인법칙에 의하여
$$\overline{\text{A′B}}^2=3^2+6^2-2\times3\times6\times\cos\frac{\pi}{3}$$
$$=9+36-2\times3\times6\times\frac{1}{2}=27$$
$$\therefore\ \overline{\text{A′B}}=\sqrt{27}=3\sqrt{3}\ (\because\ \overline{\text{A′B}}>0)$$

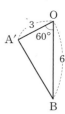

12

해결전략 | $A+B+C=\pi$임을 이용하여 $\sin(B+C)$를 간단히 한 후 삼각형의 넓이를 구한다.

STEP1 $\sin(B+C)$ 간단히 하기

삼각형 ABC에서 $A+B+C=\pi$이므로
$$\sin(B+C)=\sin(\pi-A)=\sin A$$
$$\therefore\ \sin A=\frac{1}{4}$$

STEP2 삼각형 ABC의 넓이 구하기

따라서 삼각형 ABC의 넓이는
$$\frac{1}{2}\times\overline{\text{AB}}\times\overline{\text{AC}}\times\sin A=\frac{1}{2}\times5\times8\times\frac{1}{4}=5$$

13

해결전략 | $\overline{\text{AB′}},\ \overline{\text{AC′}}$의 길이를 각각 $\overline{\text{AB}},\ \overline{\text{AC}}$에 대한 식으로 나타낸 후 삼각형의 넓이를 비교한다.

STEP1 $\overline{\text{AB′}},\ \overline{\text{AC′}}$의 길이를 각각 $\overline{\text{AB}},\ \overline{\text{AC}}$에 대한 식으로 나타내기

$\overline{AB'}$의 길이는 $\overline{AB}$의 길이를 10% 늘린 것이므로

$$\overline{AB'}=\left(1+\frac{10}{100}\right)\overline{AB}=1.1\overline{AB}$$

$\overline{AC'}$의 길이는 $\overline{AC}$의 길이를 10% 줄인 것이므로

$$\overline{AC'}=\left(1-\frac{10}{100}\right)\overline{AC}=0.9\overline{AC}$$

STEP 2 두 삼각형의 넓이 사이의 관계식 구하기

$$\begin{aligned}
\triangle AB'C' &= \frac{1}{2}\times\overline{AB'}\times\overline{AC'}\times\sin A\\
&= \frac{1}{2}\times 1.1\overline{AB}\times 0.9\overline{AC}\times\sin A\\
&= 0.99\times\frac{1}{2}\times\overline{AB}\times\overline{AC}\times\sin A\\
&= 0.99\triangle ABC
\end{aligned}$$

STEP 3 삼각형 $AB'C'$의 넓이의 변화 구하기

따라서 $\triangle AB'C'$의 넓이는 $\triangle ABC$의 넓이의 $\dfrac{99}{100}$ 배이 므로 $\triangle ABC$의 넓이보다 1% 감소한다.

14

해결전략 ㅣ 코사인법칙과 곱셈 공식을 이용하여 bc의 값을 구한다.

STEP 1 bc의 값 구하기

삼각형 ABC에서 코사인법칙에 의하여

$$5^2=b^2+c^2-2bc\cos 60°$$
$$\therefore 25=b^2+c^2-bc \qquad\qquad \cdots\cdots\ \text{㉠}$$

한편, $b^2+c^2=(b+c)^2-2bc$이므로

$$b^2+c^2=7^2-2bc=49-2bc \qquad\qquad \cdots\cdots\ \text{㉡}$$

㉡을 ㉠에 대입하면

$$25=49-3bc \qquad \therefore bc=8$$

STEP 2 삼각형 ABC의 넓이 구하기

따라서 삼각형 ABC의 넓이는

$$\frac{1}{2}bc\sin 60°=\frac{1}{2}\times 8\times\frac{\sqrt{3}}{2}=2\sqrt{3}$$

15

해결전략 ㅣ 코사인법칙을 이용하여 선분의 길이를 구한 후 $\triangle BDE=\triangle ADE-\triangle ABE$임을 이용한다.

STEP 1 선분 AD의 길이 구하기

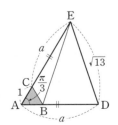

$\overline{AD}=\overline{CE}=a\ (a>0)$라고 하면

삼각형 ADE에서 코사인법칙에 의하여

$$(\sqrt{13})^2=a^2+(a+1)^2-2a\times(a+1)\times\cos\frac{\pi}{3}$$
$$13=a^2+a^2+2a+1-a(a+1)$$
$$a^2+a-12=0,\ (a+4)(a-3)=0$$
$$\therefore a=3\ (\because a>0)$$

STEP 2 삼각형 BDE의 넓이 구하기

$$\triangle ADE=\frac{1}{2}\times 4\times 3\times\sin\frac{\pi}{3}=3\sqrt{3}$$
$$\triangle ABE=\frac{1}{2}\times 4\times 1\times\sin\frac{\pi}{3}=\sqrt{3}$$

$$\xrightarrow{\quad\quad}\ \sin\frac{\pi}{3}=\frac{\sqrt{3}}{2}$$

$$\begin{aligned}
\therefore \triangle BDE &= \triangle ADE-\triangle ABE\\
&= 3\sqrt{3}-\sqrt{3}=2\sqrt{3}
\end{aligned}$$

16

해결전략 ㅣ 사인법칙을 이용하여 삼각형의 세 변의 길이의 합을 구한 후 내접원의 반지름의 길이가 주어졌을 때의 삼각형의 넓이 공식을 이용한다.

STEP 1 $a+b+c$의 값 구하기

삼각형 ABC의 외접원의 반지름의 길이가 8이므로 사인법칙의 변형에 의하여

$$\begin{aligned}
\sin A+\sin B+\sin C &= \frac{a}{2R}+\frac{b}{2R}+\frac{c}{2R}\\
&= \frac{a+b+c}{2R}=\frac{a+b+c}{16}=\frac{5}{4}
\end{aligned}$$

$$\therefore a+b+c=20 \qquad\qquad \cdots\cdots\ ❶$$

STEP 2 삼각형 ABC의 내접원의 넓이 구하기

삼각형 ABC의 내접원의 반지름의 길이를 r라고 하면

$$\triangle ABC=\frac{1}{2}r(a+b+c)=\frac{1}{2}r\times 20=10r$$

이때 삼각형 ABC의 넓이가 40이므로

$$10r=40 \qquad \therefore r=4 \qquad\qquad \cdots\cdots\ ❷$$

따라서 내접원의 넓이는

$$\pi r^2=16\pi \qquad\qquad \cdots\cdots\ ❸$$

채점 요소	배점
❶ $a+b+c$의 값 구하기	50 %
❷ 내접원의 반지름의 길이 구하기	40 %
❸ 내접원의 넓이 구하기	10 %

17

해결전략 ㅣ 등변사다리꼴의 두 대각선의 길이가 서로 같음을 이용하여 사각형 ABCD의 넓이를 구한다.

STEP 1 식 세우기

$\overline{AC}=x$라고 하면 등변사다리꼴 의 두 대각선의 길이가 서로 같 으므로 $\overline{BD}=x$

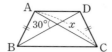

두 대각선이 이루는 각의 크기가 $30°$이고, 등변사다리꼴 ABCD의 넓이가 36이므로

$$\frac{1}{2}\times x\times x\times \sin 30°=36$$

STEP 2 한 대각선의 길이 구하기

$$\frac{1}{2}x^2\times \frac{1}{2}=36$$

$$x^2=144 \qquad \therefore x=12 \ (\because x>0)$$

따라서 등변사다리꼴 ABCD의 한 대각선의 길이는 12 이다.

18

해결전략 | 사각형 ABCD의 넓이는 두 삼각형 ABD, BCD 의 넓이의 합임을 이용하여 $S(\theta)$를 삼각함수에 대한 식으로 나타낸다.

STEP 1 두 삼각형 ABD, BCD의 넓이 구하기

삼각형 ABD의 넓이는

$$\frac{1}{2}\times 1\times 1\times \sin\theta=\frac{1}{2}\sin\theta$$

삼각형 ABD에서 코사인법칙에 의하여

$$\overline{BD}^2=1^2+1^2-2\times 1\times 1\times \cos\theta=2-2\cos\theta$$

삼각형 BCD는 정삼각형이므로 삼각형 BCD의 넓이는

$$\frac{\sqrt{3}}{4}\times \overline{BD}^2=\frac{\sqrt{3}}{4}(2-2\cos\theta)$$
$$=\frac{\sqrt{3}}{2}(1-\cos\theta)$$

STEP 2 $S(\theta)$ 구하기

따라서 사각형 ABCD의 넓이 $S(\theta)$는

$$S(\theta)=\triangle ABD+\triangle BCD$$
$$=\frac{1}{2}\sin\theta+\frac{\sqrt{3}}{2}(1-\cos\theta)$$
$$=\frac{1}{2}\sin\theta-\frac{\sqrt{3}}{2}\cos\theta+\frac{\sqrt{3}}{2}$$

STEP 3 $4\left\{S\left(\frac{\pi}{6}\right)+S\left(\frac{\pi}{3}\right)\right\}$의 값 구하기

$$S\left(\frac{\pi}{6}\right)=\frac{1}{2}\sin\frac{\pi}{6}-\frac{\sqrt{3}}{2}\cos\frac{\pi}{6}+\frac{\sqrt{3}}{2}$$
$$=\frac{1}{4}-\frac{3}{4}+\frac{\sqrt{3}}{2}=\frac{\sqrt{3}}{2}-\frac{1}{2} \quad \rightarrow \sin\frac{\pi}{6}=\frac{1}{2}, \cos\frac{\pi}{6}=\frac{\sqrt{3}}{2}$$

$$S\left(\frac{\pi}{3}\right)=\frac{1}{2}\sin\frac{\pi}{3}-\frac{\sqrt{3}}{2}\cos\frac{\pi}{3}+\frac{\sqrt{3}}{2}$$
$$=\frac{\sqrt{3}}{4}-\frac{\sqrt{3}}{4}+\frac{\sqrt{3}}{2}=\frac{\sqrt{3}}{2} \quad \rightarrow \sin\frac{\pi}{3}=\frac{\sqrt{3}}{2}, \cos\frac{\pi}{3}=\frac{1}{2}$$

$$\therefore 4\left\{S\left(\frac{\pi}{6}\right)+S\left(\frac{\pi}{3}\right)\right\}=4\left(\frac{\sqrt{3}}{2}-\frac{1}{2}+\frac{\sqrt{3}}{2}\right)$$
$$=4\sqrt{3}-2$$

> **풍쌤의 비법**
>
> **정삼각형의 넓이**
>
> 한 변의 길이가 a인 정삼각형의 넓이는 $\frac{\sqrt{3}}{4}a^2$이다.

상위권 도약 문제   289~290쪽

01 $\frac{49}{3}\pi$ 02 ⑤   03 $\frac{5\sqrt{6}}{3}$ 04 $\frac{32\sqrt{15}}{15}$ cm

05 ②   06 500 m   07 116   08 $2\sqrt{5}$

01

해결전략 | 선분 BC의 길이를 구한 후 사인법칙을 이용하여 외접원의 반지름의 길이를 구한다.

STEP 1 $\overline{BC}$의 길이 구하기

원 O_1의 중심을 P라고 하면 $\overline{PA}=\overline{PC}=3$이므로 $\triangle PAC$는 정삼각형이다.

$$\therefore \angle CAP=\frac{\pi}{3}$$

삼각형 ABC에서 코사인법칙에 의하여

$$\overline{BC}^2=8^2+3^2-2\times 8\times 3\times \cos\frac{\pi}{3}$$
$$=64+9-2\times 8\times 3\times \frac{1}{2}$$
$$=49$$
$$\therefore \overline{BC}=7 \ (\because \overline{BC}>0)$$

STEP 2 외접원의 넓이 구하기

삼각형 ABC의 외접원의 반지름의 길이를 R라고 하면

사인법칙에 의하여 $\dfrac{7}{\sin\frac{\pi}{3}}=2R$이므로

$$R=7\times \frac{2}{\sqrt{3}}\times \frac{1}{2}=\frac{7\sqrt{3}}{3}$$

따라서 삼각형 ABC의 외접원의 넓이는

$$\pi R^2=\pi\times\left(\frac{7\sqrt{3}}{3}\right)^2=\frac{49}{3}\pi$$

02

해결전략 | 사인법칙과 코사인법칙을 이용하여 보기의 참, 거 짓을 판별한다.

STEP 1 ㄱ의 참, 거짓 판별하기

ㄱ. 삼각형 BFG에서

$$\angle BFG = 180° - (120° + \theta) = 60° - \theta$$
$$\therefore \angle BFE = \angle BFG + \angle GFE$$
$$= (60° - \theta) + 30°$$
$$= 90° - \theta \ (참)$$

STEP2 ㄴ의 참, 거짓 판별하기

ㄴ. 오른쪽 그림과 같이 이등변
삼각형 EFG의 한 꼭짓점
E에서 변 FG에 내린 수선
의 발을 H라고 하면

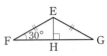

$$\overline{FH} = \overline{EF}\cos 30° = 2 \times \frac{\sqrt{3}}{2} = \sqrt{3}$$
$$\therefore \overline{FG} = 2\overline{FH} = 2\sqrt{3}$$

삼각형 BFG에서 사인법칙에 의하여

$$\frac{\overline{FG}}{\sin 120°} = \frac{\overline{BF}}{\sin \theta}$$
$$\therefore \overline{BF} = \frac{\overline{FG}}{\sin 120°} \times \sin \theta = 2\sqrt{3} \times \frac{2}{\sqrt{3}} \times \sin \theta$$
$$= 4\sin \theta \ (참)$$

STEP3 ㄷ의 참, 거짓 판별하기

ㄷ. 삼각형 EFB에서 코사인법칙에 의하여

$$\overline{BE}^2 = \overline{FB}^2 + \overline{FE}^2 - 2 \times \overline{FB} \times \overline{FE} \times \cos(90° - \theta)$$
$$= (4\sin \theta)^2 + 2^2 - 2 \times 4\sin \theta \times 2 \times \sin \theta$$
$$= 4$$

따라서 $\overline{BE} = 2$이므로 선분 BE의 길이는 항상 일정
하다. (참)

따라서 옳은 것은 ㄱ, ㄴ, ㄷ이다.

03

해결전략 | $\overline{CP} = x$라 하고 원의 접선의 성질을 이용하여 선
분의 길이를 구한 후 코사인법칙을 이용한다.

STEP1 $\overline{CP}$의 길이 구하기

$\overline{CP} = \overline{CQ}$이므로 삼각형
PCQ는 이등변삼각형이다.
$\overline{CP} = x$로 놓으면
$\overline{BP} = 8 - x$
이때 삼각형 ABC에 내접하
는 원이 선분 AB와 만나는
점을 R라고 하면

$\overline{BR} = 8 - x$이므로 $\overline{AR} = 7 - (8-x) = x - 1$
$\overline{AQ} = x - 1$이므로 $\overline{CQ} = 9 - (x-1) = 10 - x$
$\overline{CP} = \overline{CQ}$에서 $x = 10 - x$, $2x = 10$ $\therefore x = 5$

STEP2 $\cos C$의 값 구하기

한편, 삼각형 ABC에서 코사인법칙의 변형에 의하여

$$\cos C = \frac{8^2 + 9^2 - 7^2}{2 \times 8 \times 9} = \frac{2}{3}$$

STEP3 $\overline{PQ}$의 길이 구하기

따라서 삼각형 PCQ에서 코사인법칙에 의하여

$$\overline{PQ}^2 = \overline{CP}^2 + \overline{CQ}^2 - 2 \times \overline{CP} \times \overline{CQ} \times \cos C$$
$$= 5^2 + 5^2 - 2 \times 5 \times 5 \times \frac{2}{3} = \frac{50}{3}$$
$$\therefore \overline{PQ} = \sqrt{\frac{50}{3}} = \frac{5\sqrt{6}}{3} \ (\because \overline{PQ} > 0)$$

04

해결전략 | 주어진 상황을 단순화하여 삼각형 ABC에서 외
접원의 반지름의 길이를 구한다.

STEP1 $\sin C$의 값 구하기

삼각형 ABC에서 코사인법칙의 변형에 의하여

$$\cos C = \frac{12^2 + 8^2 - 16^2}{2 \times 12 \times 8} = -\frac{1}{4}$$

이므로 $\sin^2 C = 1 - \cos^2 C = 1 - \left(-\frac{1}{4}\right)^2 = \frac{15}{16}$

$$\therefore \sin C = \frac{\sqrt{15}}{4} \ (\because 0° < C < 180°)$$

STEP2 접시의 반지름의 길이 구하기

삼각형 ABC의 외접원의 반지름의 길이를 R cm라고 하
면 사인법칙에 의하여

$$\frac{16}{\sin C} = 2R$$
$$\therefore R = 16 \times \frac{4}{\sqrt{15}} \times \frac{1}{2} = \frac{32\sqrt{15}}{15}$$

따라서 접시의 반지름의 길이는 $\frac{32\sqrt{15}}{15}$ cm이다.

05

해결전략 | 주어진 조건에서 a, b 사이의 관계식을 구한다.

STEP1 $\cos C$의 값 구하기

삼각형 ABC의 외접원의 반지름의 길이가 $3\sqrt{5}$이므로 사
인법칙에 의하여

$$\frac{10}{\sin C} = 2 \times 3\sqrt{5} \quad \therefore \sin C = \frac{10}{6\sqrt{5}} = \frac{\sqrt{5}}{3}$$

삼각형 ABC는 예각삼각형이므로

$$\cos C = \sqrt{1 - \sin^2 C} = \sqrt{1 - \frac{5}{9}} = \frac{2}{3}$$

STEP2 조건을 만족시키는 a, b 사이의 관계식 구하기

$\dfrac{a^2 + b^2 - ab\cos C}{ab} = \dfrac{4}{3}$에서 $\dfrac{a^2 + b^2 - \frac{2}{3}ab}{ab} = \dfrac{4}{3}$

$3a^2 + 3b^2 - 2ab = 4ab$, $3(a-b)^2 = 0$ $\therefore a = b$

STEP3 ab의 값 구하기

코사인법칙에 의하여

$10^2=a^2+b^2-2ab\cos C=a^2+a^2-2a^2\times\dfrac{2}{3}=\dfrac{2}{3}a^2$

$100=\dfrac{2}{3}a^2$, $a^2=150$ $\quad\therefore ab=a^2=150$

06

해결전략 | 전망대의 꼭대기를 점 P로 놓고 주어진 상황을 단순화 하여 선분 AP의 길이를 구한다.

STEP 1 선분의 길이 구하기

오른쪽 그림과 같이 전망대의
꼭대기를 점 P라 하고
$\overline{PA}=x$ km라고 하자.

직각삼각형 PAB에서

$\tan 45^\circ=\dfrac{x}{\overline{AB}}$

$\therefore \overline{AB}=x$ km

직각삼각형 PAC에서

$\tan 30^\circ=\dfrac{x}{\overline{AC}}$ $\quad\therefore \overline{AC}=\sqrt{3}x$ km

STEP 2 전망대의 높이 구하기

삼각형 ABC에서 $\angle ABC=60^\circ$이므로 코사인법칙에 의하여

$(\sqrt{3}x)^2=x^2+1^2-2x\cos 60^\circ$

$2x^2+x-1=0$, $(x+1)(2x-1)=0$

$x>0$이므로 $x=\dfrac{1}{2}$

따라서 전망대의 높이는 $\dfrac{1}{2}$ km, 즉 500 m이다.

07

해결전략 | 세 정사각형의 각 변의 길이를 a, b, c로 놓고, 주어진 조건을 이용하여 a, b, c 사이의 관계식을 구한다.

STEP 1 세 삼각형의 넓이의 합과 세 정사각형의 둘레의 길이의 합을 이용하여 식 세우기

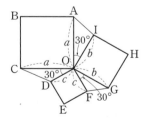

세 정사각형 OABC, ODEF, OGHI의 한 변의 길이를
각각 a, b, c라고 하면

$\triangle OCD=\dfrac{1}{2}\times\overline{OC}\times\overline{OD}\times\sin 30^\circ=\dfrac{1}{4}ac$

$\triangle OFG=\dfrac{1}{2}\times\overline{OF}\times\overline{OG}\times\sin 30^\circ=\dfrac{1}{4}bc$

$\triangle OIA=\dfrac{1}{2}\times\overline{OI}\times\overline{OA}\times\sin 30^\circ=\dfrac{1}{4}ab$

이때 세 삼각형의 넓이의 합이 26이므로

$\dfrac{1}{4}ab+\dfrac{1}{4}bc+\dfrac{1}{4}ca=26$ $\quad\therefore ab+bc+ca=104$

세 정사각형 OABC, ODEF, OGHI의 둘레의 길이의
합이 72이므로

$4a+4b+4c=72$ $\quad\therefore a+b+c=18$

STEP 2 곱셈 공식을 이용하여 세 정사각형의 넓이의 합 구하기

세 정사각형 OABC, ODEF, OGHI의 넓이의 합은
$a^2+b^2+c^2$이므로

$a^2+b^2+c^2=(a+b+c)^2-2(ab+cb+ca)$
$\qquad\qquad\quad=18^2-2\times104=116$

08

해결전략 | 삼각형의 결정 조건을 이용하여 x의 값의 범위를 구한 후 헤론의 공식을 이용하여 삼각형 ABC의 넓이의 최댓값을 구한다.

STEP 1 x의 값의 범위 구하기

삼각형의 세 변의 길이는 4, $x+1$, $5-x$이고, 삼각형의
두 변의 길이의 합은 나머지 한 변의 길이보다 크므로

$4+(x+1)>5-x$ $\qquad\qquad\cdots\cdots\ \bigcirc$

$4+(5-x)>x+1$ $\qquad\qquad\cdots\cdots\ \bigcirc\!\!\bigcirc$

$x+1+(5-x)>4$ $\qquad\qquad\cdots\cdots\ \bigcirc\!\!\!\bigcirc$

$\bigcirc$, $\bigcirc\!\!\bigcirc$, $\bigcirc\!\!\!\bigcirc$에서 $0<x<4$

STEP 2 삼각형의 넓이의 최댓값 구하기

삼각형 ABC의 넓이를 S라고 하자.

헤론의 공식에 의하여

$s=\dfrac{4+(x+1)+(5-x)}{2}=5$이므로

$S=\sqrt{5(5-4)\{5-(x+1)\}\{5-(5-x)\}}$

$\quad\underrightarrow{\ \ S=\sqrt{s(s-a)(s-b)(s-c)}\ \ }$

$=\sqrt{-5x^2+20x}=\sqrt{-5(x-2)^2+20}$

따라서 $0<x<4$에서 S의 최댓값은 $x=2$일 때
$\sqrt{20}=2\sqrt{5}$이다.

▶**참고** 삼각형 ABC의 넓이를 S, 길이가 4, $x+1$인 두 변 사이의 각의 크기를 θ라고 하면

$\cos\theta=\dfrac{4^2+(x+1)^2-(5-x)^2}{2\times4\times(x+1)}=\dfrac{3x-2}{2x+2}$

$\therefore S=\dfrac{1}{2}\times4\times(x+1)\times\sin\theta=(2x+2)\sin\theta$

$=(2x+2)\sqrt{1-\cos^2\theta}=(2x+2)\sqrt{1-\left(\dfrac{3x-2}{2x+2}\right)^2}$

$=\sqrt{(2x+2)^2-(3x-2)^2}=\sqrt{-5x^2+20x}$

$=\sqrt{-5(x-2)^2+20}$

등차수열

개념확인   292~293쪽

01 (1) $a_2=-2, a_5=10$ (2) $a_2=3, a_5=81$

02 (1) $a_n=-5n+11$ (2) $a_n=4n-11$

(1) 첫째항이 6, 공차가 -5인 등차수열의 일반항 a_n은
$$a_n=6+(n-1)\times(-5)=-5n+11$$

(2) 주어진 수열은 첫째항이 -7, 공차가
$-3-(-7)=4$인 등차수열이므로 일반항 a_n은
$$a_n=-7+(n-1)\times4=4n-11$$

03 (1) 7 (2) 5

(1) 세 수 3, x, 11이 이 순서대로 등차수열을 이루면 x는
3과 11의 등차중항이므로
$$x=\frac{3+11}{2}=7$$

(2) 세 수 -5, x, $3x$가 이 순서대로 등차수열을 이루면
x는 -5와 $3x$의 등차중항이므로
$$x=\frac{-5+3x}{2}$$
$$2x=-5+3x \qquad \therefore x=5$$

04 (1) 500 (2) 490

(1) 첫째항이 6, 제20항이 44인 등차수열의 첫째항부터
제20항까지의 합 S_{20}은
$$S_{20}=\frac{20(6+44)}{2}=500$$

(2) 첫째항이 -4, 공차가 3인 등차수열의 첫째항부터 제
20항까지의 합 S_{20}은
$$S_{20}=\frac{20\{2\times(-4)+(20-1)\times3\}}{2}=490$$

05 (1) $a_n=2n-4$ (2) $a_1=4, a_n=2n \ (n\geq2)$

(1) $n=1$일 때, $a_1=S_1=1^2-3\times1=-2$ …… ㉠
$n\geq2$일 때,
$$a_n=S_n-S_{n-1}=(n^2-3n)-\{(n-1)^2-3(n-1)\}$$
$$=2n-4 \qquad\qquad\qquad …… ㉡$$
㉠은 $n=1$을 ㉡에 대입하여 얻은 값과 같으므로 구하
는 일반항 a_n은 $a_n=2n-4$

(2) $n=1$일 때, $a_1=S_1=1^2+1+2=4$ …… ㉠
$n\geq2$일 때,
$$a_n=S_n-S_{n-1}$$
$$=(n^2+n+2)-\{(n-1)^2+(n-1)+2\}$$
$$=2n \qquad\qquad\qquad\qquad …… ㉡$$
㉠은 $n=1$을 ㉡에 대입하여 얻은 값 2와 같지 않으므
로 구하는 일반항 a_n은 $a_1=4, a_n=2n \ (n\geq2)$

필수유형 01   295쪽

01-1 답 (1) -2 (2) -34 (3) 15

해결전략 | $a_4=-2$, $a_9=-12$를 각각 첫째항과 공차에 대
한 식으로 나타낸다.

(1) **STEP 1** 첫째항과 공차에 대한 식으로 나타내기
등차수열 $\{a_n\}$의 첫째항을 a, 공차를 d라고 하면
$$a_4=a+3d=-2 \qquad\qquad …… ㉠$$
$$a_9=a+8d=-12 \qquad\qquad …… ㉡$$
STEP 2 공차 구하기
㉠, ㉡을 연립하여 풀면
$$a=4, d=-2$$
따라서 수열의 공차는 -2이다.

(2) 수열의 일반항 a_n은
$$a_n=4+(n-1)\times(-2)=-2n+6$$
$$\therefore a_{20}=-2\times20+6=-34$$

(3) $a_m=-2m+6=-24$에서
$$-2m=-30 \qquad \therefore m=15$$

01-2 답 2

해결전략 | 수열의 일반항을 이용하여 $3(a_5-a_3)=a_8$을 공
차에 대한 식으로 나타낸다.

STEP 1 a_3, a_5, a_8을 d에 대한 식으로 나타내기
등차수열 $\{a_n\}$의 공차를 d라고 하면 첫째항이 -2이므
로 $a_3=-2+2d$, $a_5=-2+4d$, $a_8=-2+7d$

STEP 2 공차 구하기
이것을 $3(a_5-a_3)=a_8$에 대입하면
$$3\{-2+4d-(-2+2d)\}=-2+7d$$
$$6d=-2+7d \qquad \therefore d=2$$
따라서 수열의 공차는 2이다.

▶ 참고 위의 풀이처럼 a_5-a_3을 계산하지 않고 $a_3+2d=a_5$에서
$a_5-a_3=2d$임을 바로 이용해도 된다.

01-3 답 28

해결전략 | 수열의 일반항을 이용하여 주어진 두 식을 첫째항
과 공차에 대한 식으로 나타낸다.

STEP 1 첫째항과 공차에 대한 식으로 나타내기
등차수열 $\{a_n\}$의 첫째항을 a, 공차를 d라고 하면
$a_2+a_4=14$에서 $(a+d)+(a+3d)=14$
$2a+4d=14$, 즉 $a+2d=7$ …… ㉠
$a_7+a_8=41$에서 $(a+6d)+(a+7d)=41$
$$2a+13d=41 \qquad\qquad …… ㉡$$

STEP2 첫째항과 공차 구하기

㉠, ㉡을 연립하여 풀면

$a=1$, $d=3$

STEP3 a_{10}의 값 구하기

$\therefore a_{10}=a+9d=1+9\times 3=28$
$\underset{\longrightarrow a_n=1+(n-1)\times 3}{}$

01-4 답 65

해결전략 | 비례식을 a_6과 a_9에 대한 관계식으로 고쳐서 생각한다.

STEP1 첫째항과 공차에 대한 식으로 나타내기

등차수열 $\{a_n\}$의 첫째항을 a, 공차를 d라고 하면

$a_4=a+3d=25$ ㄴㄴㄴㄴ ㉠

$a_6:a_9=7:10$에서 $10a_6=7a_9$이므로

$10(a+5d)=7(a+8d)$

$3a-6d=0$, 즉 $a-2d=0$ ㄴㄴㄴㄴ ㉡

STEP2 첫째항과 공차 구하기

㉠, ㉡을 연립하여 풀면

$a=10$, $d=5$

STEP3 a_{12}의 값 구하기

$\therefore a_{12}=a+11d=10+11\times 5=65$
$\underset{\longrightarrow a_n=10+(n-1)\times 5}{}$

01-5 답 -72

해결전략 | 두 수열의 첫째항이 같으므로 주어진 식에서 두 수열의 공차 사이의 관계를 찾는다.

STEP1 두 수열의 공차 사이의 관계식 구하기

등차수열 $\{a_n\}$의 첫째항을 k, 공차를 d, 등차수열 $\{b_n\}$의 첫째항을 k, 공차를 d'이라고 하면

$a_4=k+3d$, $b_4=k+3d'$

이므로 $a_4-b_4=-18$에서

$(k+3d)-(k+3d')=-18$

$3d-3d'=-18$ $\therefore d-d'=-6$

STEP2 $a_{13}-b_{13}$의 값 구하기

$\therefore a_{13}-b_{13}=(k+12d)-(k+12d')$

$\qquad\qquad =12(d-d')$

$\qquad\qquad =12\times(-6)=-72$

01-6 답 19

해결전략 | 공차가 주어졌으므로 $a_3a_7=64$를 첫째항에 대한 식으로 나타낸다.

STEP1 첫째항에 대한 식 세우기

등차수열 $\{a_n\}$의 첫째항을 a라고 하면

$a_3=a+2\times(-3)=a-6$

$a_7=a+6\times(-3)=a-18$

이므로 $a_3a_7=64$에서

$(a-6)(a-18)=64$

$a^2-24a+44=0$

STEP2 a의 값 구하기

$(a-2)(a-22)=0$

$\therefore a=2$ 또는 $a=22$

이때 $a_8=a+7\times(-3)>0$이므로 $a>21$이어야 한다.

$\therefore a=22$

STEP3 a_2의 값 구하기

$\therefore a_2=a+d=22+(-3)=19$

필수유형 02 297쪽

02-1 답 제16항

해결전략 | 일반항 a_n을 구한 다음 문제의 조건에 알맞은 식을 세운다.

STEP1 일반항 구하기

등차수열 $\{a_n\}$의 첫째항을 a, 공차를 d라고 하면

$a_3=a+2d=-10$ ㄴㄴㄴㄴ ㉠

$a_8=a+7d=0$ ㄴㄴㄴㄴ ㉡

㉠, ㉡을 연립하여 풀면

$a=-14$, $d=2$

$\therefore a_n=-14+(n-1)\times 2=2n-16$

STEP2 절댓값이 16인 항 구하기

따라서 $|a_n|=|2n-16|=16$에서

$2n-16=\pm 16$

$2n-16=16$에서 $n=16$

$2n-16=-16$에서 $n=0$

이때 n은 자연수이므로 $n=16$

즉, 절댓값이 16인 항은 제16항이다.

02-2 답 제17항

해결전략 | 일반항 a_n을 구한 다음 문제의 조건에 알맞은 식을 세운다.

STEP1 일반항 구하기

등차수열 $\{a_n\}$의 첫째항을 a, 공차를 d라고 하면

$a_4=a+3d=-49$ ㄴㄴㄴㄴ ㉠

$a_6=a+5d=-41$ ㄴㄴㄴㄴ ㉡

㉠, ㉡을 연립하여 풀면

$a=-61$, $d=4$

$\therefore a_n=-61+(n-1)\times4=4n-65$

STEP2 처음으로 양수가 되는 항 구하기

항이 양수가 되려면 $a_n>0$에서

$4n-65>0$　　$\therefore n>16.25$

따라서 처음으로 양수가 되는 항은 제17항이다.

02-3　답 제24항

해결전략 | 일반항 a_n을 구한 다음 부등식 $a_n<-10$을 푼다.

STEP1 일반항 구하기

등차수열 $\{a_n\}$의 첫째항을 a, 공차를 d라고 하면

$a_5=a+4d=27$　　　　　　　…… ㉠

$a_2+a_9=52$에서

$(a+d)+(a+8d)=52$

$2a+9d=52$　　　　　　　　…… ㉡

㉠, ㉡을 연립하여 풀면

$a=35$, $d=-2$

$\therefore a_n=35+(n-1)\times(-2)=-2n+37$

STEP2 처음으로 -10보다 작아지는 항 구하기

항이 -10보다 작으려면 $a_n<-10$에서

$-2n+37<-10$　　$\therefore n>23.5$

따라서 처음으로 -10보다 작아지는 항은 제24항이다.

02-4　답 29

해결전략 | 200보다 작은 항 중 200에 가장 가까이 있는 항과 200보다 큰 항 중 200에 가장 가까이 있는 항을 찾아서 두 항을 비교한다.

STEP1 일반항 구하기

등차수열 $\{a_n\}$의 공차를 d라고 하면

$a_2+a_5+a_6=88$에서

$(6+d)+(6+4d)+(6+5d)=88$

$10d=70$　　$\therefore d=7$

$\therefore a_n=6+(n-1)\times7=7n-1$

STEP2 200에 가까운 항 2개 구하기

$a_n<200$에서 $7n-1<200$

$\therefore n<28.7\cdots$

따라서 200보다 작으면서 200에 가장 가까운 항은 a_{28}, 200보다 크면서 200에 가장 가까운 항은 a_{29}이다.

STEP3 k의 값 구하기

이때 $a_{28}=195$, $a_{29}=202$이므로 200에 가장 가까운 항은 a_{29}이다.

$\therefore k=29$

▶**참고** $n<28.7\cdots$에서 200에 가장 가까운 항을 a_{28}이라고 생각하지 않도록 한다. 200에 가장 가까운 항은 200보다 작으면서 가장 가까운 항과 200보다 크면서 가장 가까운 항을 찾아서 두 항을 비교해야 한다.

02-5　답 31

해결전략 | a_4와 a_7의 절댓값이 같고 부호가 반대이므로 $a_4+a_7=0$임을 이용한다.

STEP1 일반항 구하기

등차수열 $\{a_n\}$의 첫째항을 a, 공차를 d라고 하면

$a_{11}=a+10d=11$　　　　　　…… ㉠

a_4와 a_7은 절댓값이 같고 부호가 반대이므로

$a_4+a_7=0$

$(a+3d)+(a+6d)=0$

$\therefore 2a+9d=0$　　　　　　…… ㉡

㉠, ㉡을 연립하여 풀면

$a=-9$, $d=2$

$\therefore a_n=-9+(n-1)\times2=2n-11$

STEP2 n의 최솟값 구하기

$a_n=2n-11>50$에서

$n>30.5$

따라서 자연수 n의 최솟값은 31이다.

02-6　답 제16항

해결전략 | 0에 가까울수록 절댓값이 작아지므로 등차수열에서 항의 부호가 바뀔 때를 찾는다.

STEP1 일반항 구하기

등차수열 $\{a_n\}$의 첫째항을 a, 공차를 d라고 하면

$a_5=a+4d=-43$　　　　　　…… ㉠

$a_{10}=a+9d=-23$　　　　　　…… ㉡

㉠, ㉡을 연립하여 풀면

$a=-59$, $d=4$

$\therefore a_n=-59+(n-1)\times4=4n-63$

STEP2 각 항의 절댓값의 크기 비교하기

$a_n>0$에서 $4n-63>0$

$\therefore n>15.75$

따라서 수열의 항 중 양수인 항은 a_{16}, a_{17}, $\cdots$이므로

$|a_1|>|a_2|>\cdots>|a_{15}|$, $|a_{16}|<|a_{17}|<\cdots$

→ 음수는 작을수록 절댓값이 크다.

STEP3 절댓값이 최소인 항 구하기

이때 $a_{15}=-3$, $a_{16}=1$이므로

$|a_{15}|>|a_{16}|$

따라서 절댓값이 최소인 항은 제16항이다.

03-1   답 -2

해결전략 | 수를 넣어서 만든 수열에서 끝항이 제몇 항인지 찾는다.

STEP1 공차 구하기

두 수 사이에 9개의 수를 넣었으므로 항은 모두 11개이다. 즉, 등차수열의 첫째항이 8, 제11항이 -12이므로 공차를 d, 일반항을 a_n이라고 하면

$$a_{11}=8+10d=-12 \quad \therefore d=-2$$

STEP2 제6항 구하기

따라서 구하는 제6항은

$$a_6=a_1+5d=8+5\times(-2)=-2$$

◉→ **다른 풀이**

주어진 등차수열의 항은 모두 11개이므로 제6항은 등차수열의 한 가운데에 있는 항이다.

따라서 제6항은 $\dfrac{8+(-12)}{2}=-2$

03-2   답 19

해결전략 | 수를 넣어서 만든 수열에서 x_2는 제3항, x_7은 제8항이다.

STEP1 공차 구하기

두 수 사이에 7개의 수를 넣었으므로 항은 모두 9개이다. 즉, 등차수열의 첫째항이 -4, 제9항이 20이므로 공차를 d, 일반항을 a_n이라고 하면 → $a_n=-4+(n-1)d$

$$a_9=-4+8d=20 \quad \therefore d=3$$

STEP2 x_2+x_7의 값 구하기

따라서 x_2, x_7의 값은 각각 수열의 제3항, 제8항과 같으므로

$$x_2=a_3=-4+2\times3=2$$
$$x_7=a_8=-4+7\times3=17$$
$$\therefore x_2+x_7=2+17=19$$

03-3   답 7

해결전략 | 61이 제$(n+2)$항임을 이용하여 n에 대한 식을 세운다.

STEP1 n에 대한 식 세우기

전체 항수는 $n+2$이므로 61은 제$(n+2)$항이다.

수열의 일반항을 b_n이라고 하면 공차가 7이고, $b_1=5$이므로

$$b_{n+2}=5+(n+1)\times7=61$$

STEP2 n의 값 구하기

$$7n+12=61 \quad \therefore n=7$$

03-4   답 -3

해결전략 | 먼저 두 항 15와 3을 이용하여 공차를 구한다.

STEP1 공차 구하기

15와 3 사이에 5개의 수를 넣었으므로 3은 제7항이다. 공차를 d라고 하면

$$a_7=15+6d=3 \quad \therefore d=-2$$

STEP2 y_3의 값 구하기

따라서 y_3의 값은 수열 $\{a_n\}$의 제10항과 같으므로

$$y_3=a_{10}=15+9\times(-2)=-3$$

03-5   답 43

해결전략 | 3, a_1, a_2, $\cdots$, a_{2n}, 88인 등차수열의 전체 항수는 $(2n+2)$이다.

STEP1 n에 대한 식 세우기

전체 항수는 $2n+2$이므로 88은 제$(2n+2)$항이다.

수열의 일반항을 b_n이라고 하면 공차가 5이고 $b_1=3$이므로

$$b_{2n+2}=3+(2n+1)\times5=88$$

STEP2 n의 값 구하기

$$10n+8=88 \quad \therefore \underline{n=8}$$ → 3과 88 사이에 넣은 항수는 $2n=16$ 이고 전체 항수는 18이다.

STEP3 a_8의 값 구하기

따라서 $\underline{a_8}$의 값은 수열 $\{b_n\}$의 제9항과 같으므로

$$a_8=b_9=3+8\times5=43$$ → a_1 앞에 첫째항 3이 있으므로 전체적으로는 9번째 항이다.

03-6   답 2

해결전략 | 먼저 등차수열 $\{a_n\}$에서 두 항 -1과 -23을 이용하여 공차를 구한다.

STEP1 등차수열 $\{a_n\}$에서 공차 구하기

등차수열 $\{a_n\}$은 -1과 -23 사이에 10개의 수가 있으므로 전체 항수는 12이다. 즉, -23은 제12항이다.

공차를 d라고 하면

$$a_{12}=-1+11d=-23 \quad \therefore d=-2$$

STEP2 등차수열 $\{b_n\}$에서 n의 값 구하기

등차수열 $\{b_n\}$은 18과 -4 사이에 n개의 수가 있으므로 전체 항수는 $n+2$이다. 즉, -4는 제$(n+2)$항이다.

공차가 -2이고 $b_1=18$이므로

$$b_{n+2}=18+(n+1)\times(-2)=-4$$
$$-2n+16=-4 \quad \therefore n=10$$

STEP3 y_8의 값 구하기

y_8의 값은 수열 $\{b_n\}$의 제9항과 같으므로

$$y_8=b_9=18+8\times(-2)=2$$

04-1 답 -2

해결전략 | 등차중항의 조건을 나타내는 식을 이용한다.

STEP1 등차중항의 조건을 나타내는 식 세우기

$a-4$는 $-a^2+13$과 -6의 등차중항이므로

$2(a-4)=(-a^2+13)+(-6)$

$\therefore a^2+2a-15=0$

STEP2 모든 a의 값의 합 구하기

따라서 이차방정식의 근과 계수의 관계에 의하여 모든 a의 값의 합은 -2이다.

04-2 답 $\dfrac{1}{7}$

해결전략 | 등차중항의 조건을 나타내는 식을 이용한다.

STEP1 등차중항의 조건을 나타내는 식 세우기

x는 -5와 y의 등차중항이므로 $2x=-5+y$

$\therefore 2x-y=-5$ $\cdots\cdots$ ㉠

y는 x와 13의 등차중항이므로 $2y=x+13$

$\therefore x-2y=-13$ $\cdots\cdots$ ㉡

STEP2 $\dfrac{x}{y}$의 값 구하기

㉠, ㉡을 연립하여 풀면

$x=1,\ y=7$

$\therefore \dfrac{x}{y}=\dfrac{1}{7}$

04-3 답 12

해결전략 | 등차중항과 이차방정식의 두 근의 합을 이용한다.

STEP1 k를 α, β에 대한 식으로 나타내기

k는 α와 β의 등차중항이므로

$2k=\alpha+\beta$ $\cdots\cdots$ ㉠

STEP2 k의 값 구하기

이차방정식 $x^2-24x+10=0$의 두 근이 α, β이므로 근과 계수의 관계에 의하여

$\alpha+\beta=24$

이것을 ㉠에 대입하면

$2k=24$ $\therefore k=12$

04-4 답 -3

해결전략 | 다항식 $f(x)$를 $x-a$로 나누었을 때의 나머지가 $f(a)$임을 이용하여 등차수열을 이루는 세 항을 구한다.

STEP1 등차수열을 이루는 세 항 구하기

$f(x)=x^2+ax+3$이라고 하면 등차수열을 이루는 세 항은 순서대로 $f(1)$, $f(-1)$, $f(-2)$이다. → 나머지정리를 이용한다.

즉, $f(1)=a+4$, $f(-1)=-a+4$, $f(-2)=-2a+7$

STEP2 등차중항의 조건을 나타내는 식 세우기

$f(-1)$이 $f(1)$과 $f(-2)$의 등차중항이므로

$2f(-1)=f(1)+f(-2)$

$2(-a+4)=(a+4)+(-2a+7)$

STEP3 a의 값 구하기

$-2a+8=-a+11$ $\therefore a=-3$

04-5 답 7

해결전략 | 등차수열의 연속한 세 항이면 가운데 항은 나머지 두 항의 등차중항이다.

STEP1 수열 $\{a_n\}$에서 등차중항의 조건을 나타내는 식 세우기

x는 -1과 y의 등차중항이므로

$2x=-1+y$ $\therefore 2x-y=-1$ $\cdots\cdots$ ㉠

STEP2 수열 $\{b_n\}$에서 등차중항의 조건을 나타내는 식 세우기

$y-5$는 $2x$와 -4의 등차중항이므로

$2(y-5)=2x+(-4)$ $\therefore x-y=-3$ $\cdots\cdots$ ㉡

STEP3 $x+y$의 값 구하기

㉠, ㉡을 연립하여 풀면

$x=2,\ y=5$ $\therefore x+y=7$

04-6 답 2

해결전략 | 세 수 a_2, a_3, a_4는 이 순서대로 등차수열을 이루므로 a_3은 a_2와 a_4의 등차중항이다.

STEP1 a_3의 값 구하기

a_3은 a_2와 a_4의 등차중항이므로

$2a_3=a_2+a_4$

이것을 $a_2+a_3+a_4=18$에 대입하면

$2a_3+a_3=18,\ 3a_3=18$ $\therefore a_3=6$

STEP2 b의 값 구하기

a_3은 -1과 $5b+3$의 등차중항이므로

$2\times6=-1+(5b+3)$

$5b=10$ $\therefore b=2$

05-1 답 (1) $5,\ 8,\ 11$ (2) $-3,\ 2,\ 7$

해결전략 | 등차수열을 이루는 세 수를 $a-d$, a, $a+d$로 놓고 식을 세운다.

(1) **STEP1 세 수 중 가운데 수 구하기**

등차수열을 이루는 세 수를 $a-d$, a, $a+d$로 놓으면 세 수의 합이 24이므로

$(a-d)+a+(a+d)=24$

$3a=24$ $\therefore a=8$

STEP2 공차 구하기

세 수의 곱이 440이므로

$(a-d)a(a+d)=440$

$a(a^2-d^2)=440$, $8(64-d^2)=440$

$d^2=9$ $\therefore d=\pm3$

STEP3 세 수 구하기

(i) $a=8$, $d=-3$일 때, 세 수는 11, 8, 5

(ii) $a=8$, $d=3$일 때, 세 수는 5, 8, 11

따라서 구하는 세 수는 5, 8, 11이다.

(2) **STEP1 세 수 중 가운데 수 구하기**

등차수열을 이루는 세 수를 $a-d$, a, $a+d$로 놓으면 세 수의 합이 6이므로

$(a-d)+a+(a+d)=6$

$3a=6$ $\therefore a=2$

STEP2 공차 구하기

세 수의 제곱의 합이 62이므로

$(a-d)^2+a^2+(a+d)^2=62$

$3a^2+2d^2=62$, $12+2d^2=62$

$d^2=25$ $\therefore d=\pm5$

STEP3 세 수 구하기

(i) $a=2$, $d=-5$일 때, 세 수는 7, 2, -3

(ii) $a=2$, $d=5$일 때, 세 수는 -3, 2, 7

따라서 구하는 세 수는 -3, 2, 7이다.

05-2 달 $\dfrac{\sqrt{3}}{2}$

해결전략 | 세 내각의 크기를 $a-d$, a, $a+d$로 놓고 삼각형의 세 내각의 크기의 합을 이용한다.

STEP1 두 번째로 큰 각의 크기 구하기

세 내각의 크기를 $a-d$, a, $a+d$로 놓으면 삼각형의 세 내각의 크기의 합은 180°이므로

$(a-d)+a+(a+d)=180°$

$3a=180°$ $\therefore a=60°$

STEP2 $\sin a$의 값 구하기

이때 60°는 두 번째로 큰 각이므로 $a=60°$

$\therefore \sin a=\sin 60°=\dfrac{\sqrt{3}}{2}$

05-3 달 5, 11, 17

해결전략 | 나머지 세 수의 합을 이용하여 먼저 두 번째로 작은 수를 구한다.

STEP1 두 번째로 작은 수 구하기

나머지 세 수의 합은 $56-23=33$이므로 나머지 세 수를 $a-d$, a, $a+d$로 놓으면

$(a-d)+a+(a+d)=33$

$3a=33$ $\therefore a=11$

STEP2 공차 구하기

두 번째로 작은 수가 11, 가장 큰 수가 23이므로

$11+2d=23$ $\therefore d=6$

STEP3 나머지 세 수 구하기 → 네 번째 수 23은 두 번째 수보다 $2d$가 크다.

따라서 가장 작은 수는 $11-6=5$, 두 번째로 큰 수는 $11+6=17$이므로 구하는 세 수는 5, 11, 17이다.

05-4 달 11

해결전략 | 세 실근을 $a-d$, a, $a+d$로 놓고 삼차방정식의 근과 계수의 관계를 이용한다.

STEP1 세 수 중 가운데 수와 공차 구하기

세 실근을 $a-d$, a, $a+d$로 놓으면 삼차방정식의 근과 계수의 관계에 의하여

$(a-d)+a+(a+d)=9$ ······㉠

$(a-d)a(a+d)=-21$ ······㉡

㉠에서 $3a=9$ $\therefore a=3$

㉡에서 $a(a^2-d^2)=-21$, $3(9-d^2)=-21$

$d^2=16$ $\therefore d=\pm4$

STEP2 세 실근 구하기

(i) $a=3$, $d=-4$일 때, 세 실근은 7, 3, -1

(ii) $a=3$, $d=4$일 때, 세 실근은 -1, 3, 7

STEP3 k의 값 구하기

따라서 세 실근이 -1, 3, 7이므로 삼차방정식의 근과 계수의 관계에 의하여

$k=-1\times3+3\times7+(-1)\times7=11$

◎→ **다른 풀이**

세 실근을 $a-d$, a, $a+d$로 놓으면 삼차방정식의 근과 계수의 관계에 의하여

$(a-d)+a+(a+d)=9$

$3a=9$ $\therefore a=3$

이때 $a=3$은 방정식 $x^3-9x^2+kx+21=0$의 한 근이므로 $x=3$을 대입하면

$27-81+3k+21=0$ $\therefore k=11$

따라서 직육면체의 부피는 $1 \times 3 \times 5 = 15$

삼차방정식의 근과 계수의 관계

삼차방정식 $ax^3 + bx^2 + cx + d = 0$의 세 근을 α, β, γ라고 하면

$$\alpha + \beta + \gamma = -\frac{b}{a}, \quad \alpha\beta + \beta\gamma + \gamma\alpha = \frac{c}{a}, \quad \alpha\beta\gamma = -\frac{d}{a}$$

필수유형 06 305쪽

06-1 답 660

해결전략 | 먼저 등차수열의 항수를 구한다.

STEP 1 71이 제몇 항인지 구하기

71을 제 n항이라고 하면 첫째항이 -5, 공차가 4이므로

$-5 + (n-1) \times 4 = 71$

$4n = 80$ $\therefore n = 20$

즉, 71은 제20항이다.

STEP 2 수열의 합 구하기

따라서 첫째항부터 제20항까지의 합은

$$\frac{20(-5+71)}{2} = 660$$

05-5 답 8

해결전략 | 연속한 네 항을 $a-3d$, $a-d$, $a+d$, $a+3d$로 놓고 문제의 조건에 알맞은 식을 세운다.

STEP 1 a, d의 값 구하기

연속한 네 항을 $a-3d$, $a-d$, $a+d$, $a+3d$로 놓으면 네 항의 합이 -4이므로

$(a-3d) + (a-d) + (a+d) + (a+3d) = -4$

$4a = -4$ $\therefore a = -1$

네 항의 제곱의 합이 24이므로

$(a-3d)^2 + (a-d)^2 + (a+d)^2 + (a+3d)^2 = 24$

$4a^2 + 20d^2 = 24$, $4 + 20d^2 = 24$

$d^2 = 1$ $\therefore d = \pm 1$

STEP 2 네 항 구하기

(i) $a = -1$, $d = -1$일 때, 네 항은 2, 0, -2, -4

(ii) $a = -1$, $d = 1$일 때, 네 항은 -4, -2, 0, 2

STEP 3 네 항의 절댓값의 합 구하기

따라서 네 항은 -4, -2, 0, 2이므로 네 항의 절댓값의 합은 $|-4| + |-2| + |0| + |2| = 4 + 2 + 0 + 2 = 8$

06-2 답 3

해결전략 | 첫째항을 -2, 끝항을 25로 생각하고 항수를 구한다.

STEP 1 n의 값 구하기

첫째항이 -2, 끝항이 25, 항수가 $n+2$이므로

$$\frac{(n+2)(-2+25)}{2} = 115$$ $\therefore n = 8$

STEP 2 공차 구하기

즉, -2와 25 사이에 8개의 수를 넣었으므로 25는 제10항이다.

이때 공차를 d라고 하면 $-2 + 9d = 25$

$\therefore d = 3$

05-6 답 15

해결전략 | 직육면체의 가로, 세로, 높이를 $a-d$, a, $a+d$로 놓고 모서리의 길이의 합, 겉넓이에 대한 식을 세운다.

STEP 1 세 수 중 가운데 수와 공차 구하기

직육면체의 가로, 세로, 높이를 $a-d$, a, $a+d$로 놓으면 모든 모서리의 길이의 합이 36이므로

$4(a-d) + 4a + 4(a+d) = 36$

$12a = 36$ $\therefore a = 3$

겉넓이가 46이므로

$2(a-d)a + 2a(a+d) + 2(a-d)(a+d) = 46$

$6a^2 - 2d^2 = 46$, $54 - 2d^2 = 46$

$d^2 = 4$ $\therefore d = \pm 2$

STEP 2 직육면체의 가로, 세로, 높이 구하기

(i) $a = 3$, $d = -2$일 때, 가로, 세로, 높이는 5, 3, 1

(ii) $a = 3$, $d = 2$일 때, 가로, 세로, 높이는 1, 3, 5

06-3 답 824

해결전략 | a_3과 a_{10}의 값을 이용하여 수열의 첫째항과 공차를 구한다.

STEP 1 첫째항과 공차 구하기

첫째항을 a, 공차를 d라고 하면

$a_3 = a + 2d = 13$ ...... ㉠

$a_{10} = a + 9d = 62$ ...... ㉡

㉠, ㉡을 연립하여 풀면

$a = -1$, $d = 7$

STEP 2 S_{16}의 값 구하기

$$\therefore S_{16} = \frac{16\{2 \times (-1) + 15 \times 7\}}{2} = 824$$

06-4 답 **90**

해결전략 | 주어진 두 식에서 첫째항과 제10항을 구한다.

STEP1 첫째항과 제10항 구하기

$a_1+2a_{10}=34$, $a_1-a_{10}=-14$를 연립하여 풀면

$a_1=2$, $a_{10}=16$

STEP2 첫째항부터 제10항까지의 합 구하기

따라서 첫째항부터 제10항까지의 합은

$$\frac{10(2+16)}{2}=90$$

06-5 답 **12**

해결전략 | 첫째항을 구한 다음 $a_1+a_2+a_3+\cdots+a_n$을 n에 대한 식으로 나타낸다.

STEP1 첫째항 구하기

공차가 -2이므로

$a_5=a_1+4\times(-2)=2$에서 $a_1=10$

STEP2 n의 최솟값 구하기

$$a_1+a_2+a_3+\cdots+a_n=\frac{n\{2\times10+(n-1)\times(-2)\}}{2}$$
$$=n(-n+11)$$

이므로 $n(-n+11)<0$, $n(n-11)>0$

이때 $n>0$이므로 $n-11>0$ $\quad\therefore n>11$

따라서 n의 최솟값은 12이다.

06-6 답 **-330**

해결전략 | 공차가 음수이므로 $a_1>a_2>a_3>\cdots$임을 이용하여 a_3과 a_7의 관계를 찾는다.

STEP1 a_1의 값 구하기

조건에서 $|a_3|=|a_7|$이고 공차가 음수이므로 $a_3>a_7$

$\therefore a_3=-a_7$ ▶ 등차수열은 공차를 계속 더하므로 항의 값은 점점 작아진다.

이때 $a_3=a_1+2\times(-6)=a_1-12$,

$a_7=a_1+6\times(-6)=a_1-36$이므로

$a_1-12=-(a_1-36)$ $\quad\therefore a_1=24$

STEP2 $a_5+a_6+\cdots+a_{15}$의 값 구하기

한편, $a_5=24+4\times(-6)=0$,

$a_{15}=24+14\times(-6)=-60$

이고 a_5부터 a_{15}까지의 항수는 11이므로

$$a_5+a_6+\cdots+a_{15}=\frac{11\{0+(-60)\}}{2}=-330$$

◉→ **다른 풀이**

STEP2 $a_5+a_6+\cdots+a_{15}$의 값 구하기

첫째항이 24, 공차가 -6이므로

$a_5+a_6+\cdots+a_{15}$
$$=(a_1+a_2+\cdots+a_{15})-(a_1+a_2+a_3+a_4)$$
$$=\frac{15\{2\times24+14\times(-6)\}}{2}-\frac{4\{2\times24+3\times(-6)\}}{2}$$
$$=-270-60=-330$$

필수유형 **07**   307쪽

07-1 답 **30**

해결전략 | 문제에서 주어진 조건을 이용하여 공차를 먼저 구한다.

STEP1 공차 구하기

등차수열의 공차를 d라고 하면 첫째항이 -2이고, 첫째항부터 제6항까지의 합이 48이므로

$$\frac{6\{2\times(-2)+5d\}}{2}=48$$

$-4+5d=16$ $\quad\therefore d=4$

STEP2 제9항 구하기

따라서 첫째항이 -2, 공차가 4이므로 제9항은

$-2+8\times4=30$

07-2 답 **-400**

해결전략 | 문제에서 주어진 조건을 이용하여 첫째항과 공차를 먼저 구한다.

STEP1 첫째항과 공차 구하기

등차수열 $\{a_n\}$의 첫째항을 a, 공차를 d라고 하면

$a_4=a+3d=-7$ $\qquad\qquad$ ······ ㉠

$S_{12}=\dfrac{12(2a+11d)}{2}=-204$에서

$2a+11d=-34$ $\qquad\qquad$ ······ ㉡

㉠, ㉡을 연립하여 풀면

$a=5$, $d=-4$

STEP2 S_{16}의 값 구하기

따라서 구하는 S_{16}의 값은

$$S_{16}=\frac{16\{2\times5+15\times(-4)\}}{2}=-400$$

07-3 답 **440**

해결전략 | 등차수열의 합의 공식을 이용하여 첫째항과 공차에 대한 식을 세운다.

STEP1 첫째항과 공차 구하기

등차수열의 첫째항을 a, 공차를 d, 첫째항부터 제n항까

지의 합을 S_n이라고 하면

$$S_{10} = \frac{10(2a+9d)}{2} = 120$$에서

$$2a+9d=24 \qquad \cdots\cdots \text{㉠}$$

$$S_{15} = \frac{15(2a+14d)}{2} = 255$$에서

$$a+7d=17 \qquad \cdots\cdots \text{㉡}$$

㉠, ㉡을 연립하여 풀면

$a=3$, $d=2$

STEP2 S_{20}의 값 구하기

따라서 구하는 S_{20}의 값은

$$S_{20} = \frac{20(2\times3+19\times2)}{2} = 440$$

07-4 📘 43

해결전략 | 부분의 합 S_5, S_7을 항들의 합 꼴로 나타내어 S_7-S_5를 계산한다.

STEP1 $S_7-S_5=50$의 좌변을 항들의 합 꼴로 나타내기

$$S_7 - S_5 = (a_1+a_2+\cdots+a_7) - (a_1+a_2+\cdots+a_5)$$
$$= a_6 + a_7$$

이므로 $a_6+a_7=50$

STEP2 첫째항과 공차 구하기

등차수열 $\{a_n\}$의 첫째항을 a, 공차를 d라고 하면

$$a_2 = a+d = 7 \qquad \cdots\cdots \text{㉠}$$

$$a_6+a_7 = (a+5d)+(a+6d) = 50$$에서

$$2a+11d=50 \qquad \cdots\cdots \text{㉡}$$

㉠, ㉡을 연립하여 풀면

$a=3$, $d=4$

STEP3 a_{11}의 값 구하기

따라서 구하는 a_{11}의 값은

$$a_{11} = 3+10\times4 = 43$$

07-5 📘 210

해결전략 | 공차가 d인 등차수열 $\{a_n\}$에서 수열 a_1, a_3, a_5, $\cdots$도 등차수열이 되고, 이때 공차는 $2d$이다.

STEP1 첫째항 구하기

수열 a_1, a_3, a_5, $\cdots$, a_{19}도 등차수열이고 공차가 $2\times2=4$ 이므로 $a_3-a_1=a_1+2d-a_1=2d=2\times2=4$

$$a_1+a_3+a_5+\cdots+a_{19} = \frac{10(2a_1+9\times4)}{2} = 190$$ 항수는 10

$a_1+18=19$ $\therefore a_1=1$

STEP2 $a_2+a_4+a_6+\cdots+a_{20}$의 값 구하기

수열 a_2, a_4, a_6, $\cdots$, a_{20}은 첫째항이 $a_2=1+2=3$, 공차

가 $2\times2=4$인 등차수열이므로

$$a_2+a_4+a_6+\cdots+a_{20} = \frac{10(2\times3+9\times4)}{2} = 210$$

◉→ **다른 풀이**

$$a_2+a_4+a_6+\cdots+a_{20}$$
$$= (a_1+d)+(a_3+d)+(a_5+d)+\cdots+(a_{19}+d)$$
$$= (a_1+a_3+a_5+\cdots+a_{19})+10d$$
$$= 190+10\times2 = 210$$

07-6 📘 264

해결전략 | 등차수열 $\{a_n\}$의 첫째항부터 제n항까지의 합을 S_n이라고 하면 문제의 조건에서 $S_8=8$, $S_{16}=S_8+136$이다.

STEP1 첫째항과 공차 구하기

등차수열 $\{a_n\}$의 첫째항을 a, 공차를 d, 첫째항부터 제n 항까지의 합을 S_n이라고 하면

$$S_8 = \frac{8(2a+7d)}{2} = 8$$

$\therefore 2a+7d=2 \qquad \cdots\cdots \text{㉠}$

$$S_{16} = (a_1+a_2+\cdots+a_8)+(a_9+a_{10}+\cdots+a_{16})$$
$$= 8+136 = 144$$

이므로 $S_{16} = \frac{16(2a+15d)}{2} = 144$

$\therefore 2a+15d=18 \qquad \cdots\cdots \text{㉡}$

㉠, ㉡을 연립하여 풀면

$a=-6$, $d=2$

STEP2 $a_{17}+a_{18}+a_{19}+\cdots+a_{24}$의 값 구하기

따라서 $S_{24} = \frac{24\{2\times(-6)+23\times2\}}{2} = 408$이므로

$$a_{17}+a_{18}+a_{19}+\cdots+a_{24}$$
$$= (a_1+a_2+\cdots+a_{24}) - (a_1+a_2+\cdots+a_{16})$$
$$= S_{24}-S_{16} = 408-144 = 264$$

◉→ **다른 풀이**

등차수열 $\{a_n\}$의 공차를 d라고 하면

$$a_9+a_{10}+a_{11}+\cdots+a_{16}$$
$$= (a_1+8d)+(a_2+8d)+(a_3+8d)+\cdots+(a_8+8d)$$
$$= (a_1+a_2+a_3+\cdots+a_8)+8d\times8$$
$$= 8+64d = 136$$

$\therefore d=2$

$\therefore a_{17}+a_{18}+a_{19}+\cdots+a_{24}$
$$= (a_9+8d)+(a_{10}+8d)+(a_{11}+8d)+\cdots+(a_{16}+8d)$$
$$= (a_9+a_{10}+a_{11}+\cdots+a_{16})+8d\times8$$
$$= 136+64\times2 = 264$$

08-1   답 -136

해결전략 | 먼저 a_3, a_{13}을 이용하여 일반항을 구한다.

STEP1 일반항 구하기

등차수열 $\{a_n\}$의 첫째항을 a, 공차를 d라고 하면

$a_3 = a + 2d = -23$ …… ㉠

$a_{13} = a + 12d = 17$ …… ㉡

㉠, ㉡을 연립하여 풀면

$a = -31$, $d = 4$

$\therefore a_n = -31 + (n-1) \times 4 = 4n - 35$

STEP2 처음으로 양수가 나오는 항 구하기

한편, $a_n = \underline{4n - 35 > 0}$에서 $n > 8.75$이므로 처음으로 양수가 나오는 항은 제9항이다. → $a < 0, d > 0$이므로 처음으로 양수가 나오는 항을 생각한다.

STEP3 S_n의 최솟값 구하기

따라서 첫째항부터 제8항까지의 합이 최소이므로 S_n의 최솟값은 → 첫째항부터 제8항까지의 항은 모두 음수이다.

$$S_8 = \frac{8\{2 \times (-31) + 7 \times 4\}}{2} = -136$$

08-2   답 187

해결전략 | 먼저 제2항과 첫째항부터 제6항까지의 합을 이용하여 일반항을 구한다.

STEP1 일반항 구하기

등차수열의 일반항을 a_n, 공차를 d라고 하면

$a_2 = a_1 + d = 29$ …… ㉠

첫째항부터 제6항까지의 합이 147이므로

$$\frac{6(2a_1 + 5d)}{2} = 147$$

$2a_1 + 5d = 49$ …… ㉡

㉠, ㉡을 연립하여 풀면

$a_1 = 32$, $d = -3$

$\therefore a_n = 32 + (n-1) \times (-3)$
$\qquad = -3n + 35$

STEP2 처음으로 음수가 나오는 항 구하기

한편, $a_n = -3n + 35 < 0$에서 $n > 11.6\cdots$이므로 처음으로 음수가 나오는 항은 제12항이다. → $a_1 > 0, d < 0$이므로 처음으로 음수가 되는 항을 생각한다.

STEP3 합의 최댓값 구하기

따라서 첫째항부터 제11항까지의 합이 최대이므로 합의 최댓값은

$$\frac{11\{2 \times 32 + 10 \times (-3)\}}{2} = 187$$

08-3   답 200

해결전략 | 등차수열의 합의 공식을 이용하여 S_5, S_{12}를 첫째항과 공차에 대한 식으로 나타낸다.

STEP1 일반항 구하기

등차수열 $\{a_n\}$의 첫째항을 a, 공차를 d라고 하면

$S_5 = \dfrac{5(2a + 4d)}{2} = 150$에서

$a + 2d = 30$ …… ㉠

$S_{12} = \dfrac{12(2a + 11d)}{2} = 192$에서

$2a + 11d = 32$ …… ㉡

㉠, ㉡을 연립하여 풀면

$a = 38$, $d = -4$

$\therefore a_n = 38 + (n-1) \times (-4) = -4n + 42$

STEP2 처음으로 음수가 나오는 항 구하기

한편, $a_n = -4n + 42 < 0$에서 $n > 10.5$이므로 처음으로 음수가 나오는 항은 제11항이다.

STEP3 S_n의 최댓값 구하기

따라서 첫째항부터 제10항까지의 합이 최대이므로 S_n의 최댓값은 $S_{10} = \dfrac{10\{2 \times 38 + 9 \times (-4)\}}{2} = 200$

08-4   답 289

해결전략 | 임의의 자연수 n에 대하여 $S_n \le k$가 성립하려면 (S_n의 최댓값) $\le k$이어야 한다.

STEP1 일반항 구하기

등차수열 $\{a_n\}$의 첫째항을 a, 공차를 d라고 하면

$a_2 = a + d = 31$ …… ㉠

$S_6 = \dfrac{6(2a + 5d)}{2} = 168$에서

$2a + 5d = 56$ …… ㉡

㉠, ㉡을 연립하여 풀면

$a = 33$, $d = -2$

$\therefore a_n = 33 + (n-1) \times (-2) = -2n + 35$

STEP2 k의 최솟값 구하기

임의의 자연수 n에 대하여 $S_n \le k$이려면 (S_n의 최댓값) $\le k$이어야 한다.

이때 $a_n = -2n + 35 < 0$에서 $n > 17.5$이므로 처음으로 음수가 나오는 항은 제18항이다.

따라서 S_n의 최댓값은 S_{17}이므로

$$S_{17} = \frac{17\{2 \times 33 + 16 \times (-2)\}}{2} \le k$$

$\therefore 289 \le k$

즉, k의 최솟값은 289이다.

08-5 답 17

해결전략 | 절댓값은 항상 0 또는 양수임을 이용한다.

STEP1 S_n을 n에 대한 이차식으로 나타내기

등차수열 $\{a_n\}$의 공차를 d라고 하면

$a_6 = 16 + 5d = 6$에서 $d = -2$

$\therefore S_n = \dfrac{n\{2 \times 16 + (n-1) \times (-2)\}}{2}$

$\qquad = n(17-n)$

STEP2 $|S_n|$의 값이 최소일 때의 n의 값 구하기

이때 $|S_n| \geq 0$이므로 $|S_n|$의 최솟값은 0이다.

즉, $n(17-n) = 0$에서 $n = 17$ ($\because$ n은 자연수)

08-6 답 -145

해결전략 | 부분의 합 S_6, S_8을 항들의 합 꼴로 나타내어 $S_8 - S_6$을 계산한다.

STEP1 일반항 구하기

등차수열 $\{a_n\}$의 첫째항을 a, 공차를 d라고 하면

$a_4 + a_6 = (a+3d) + (a+5d) = -34$에서

$a + 4d = -17$ $\qquad\qquad$ …… ㉠

$S_8 - S_6 = (a_1 + a_2 + \cdots + a_8) - (a_1 + a_2 + \cdots + a_6)$

$\qquad\qquad = a_7 + a_8$

이므로 $(a+6d) + (a+7d) = -19$

$\therefore 2a + 13d = -19$ $\qquad\qquad$ …… ㉡

㉠, ㉡을 연립하여 풀면

$a = -29$, $d = 3$

$\therefore a_n = -29 + (n-1) \times 3 = 3n - 32$

STEP2 k의 값 구하기

한편, $a_n = 3n - 32 > 0$에서 $n > 10.6 \cdots$이므로 처음으로 양수가 나오는 항은 제11항이다.

따라서 첫째항부터 제10항까지의 합이 최소이므로

$k = 10$

STEP3 $k+l$의 값 구하기

이때 최솟값 l은

$l = S_{10} = \dfrac{10\{2 \times (-29) + 9 \times 3\}}{2} = -155$

$\therefore k + l = 10 + (-155) = -145$

발전유형 **09**   311쪽

09-1 답 (1) 735 (2) 800

해결전략 | 조건을 만족시키는 수를 작은 것부터 차례로 나열하고 규칙을 찾는다.

(1) STEP1 7의 배수의 규칙 알기

100보다 작은 자연수 중에서 7의 배수를 작은 것부터 차례대로 나열하면

7, 14, 21, $\cdots$, 98

이므로 첫째항이 7, 공차가 7인 등차수열을 이룬다.

STEP2 총합 구하기

이때 $7 + (n-1) \times 7 = 98$에서 $n = 14$이므로 항수는 14이다.

따라서 구하는 총합은

$\dfrac{14(7+98)}{2} = 735$

(2) STEP1 6으로 나누었을 때 나머지가 5인 수의 규칙 알기

100보다 작은 자연수 중에서 6으로 나누었을 때 나머지가 5인 수를 작은 것부터 차례대로 나열하면

5, 11, 17, $\cdots$, 95

이므로 첫째항이 5, 공차가 6인 등차수열을 이룬다.

STEP2 총합 구하기

이때 $5 + (n-1) \times 6 = 95$에서 $n = 16$이므로 항수는 16이다.

따라서 구하는 총합은

$\dfrac{16(5+95)}{2} = 800$

09-2 답 12층

해결전략 | 먼저 각 층에 쌓인 블록의 수의 규칙을 알아본다.

STEP1 n층까지 쌓을 때 필요한 블록의 수 구하기

각 층에 놓인 블록의 수를 1층부터 차례대로 나열하면

1, 3, 5, 7, $\cdots$

이 수들은 첫째항이 1, 공차가 2인 등차수열을 이루므로 n층까지 쌓을 때 필요한 블록의 수를 S_n이라고 하면

$S_n = \dfrac{n\{2 \times 1 + (n-1) \times 2\}}{2} = n^2$

STEP2 블록 150개로 쌓을 수 있는 층수 구하기

이때 $S_{12} = 12^2 = 144$, $S_{13} = 13^2 = 169$이므로 블록 150개로 탑 모양을 최대 12층까지 쌓을 수 있다.

09-3 답 810

해결전략 | (3 또는 5의 배수의 총합)

$\qquad = (3의 배수의 총합) + (5의 배수의 총합)$

$\qquad\quad - (3과 5의 공배수의 총합)$

STEP1 3의 배수의 총합 구하기

60보다 작은 자연수 중에서 3의 배수는

3, 6, 9, $\cdots$, 57

이때 $3+(n-1)\times3=57$에서 $n=19$이므로 항수는 19이다.

따라서 3의 배수의 총합은

$$\frac{19(3+57)}{2}=570$$

STEP2 5의 배수의 총합 구하기

60보다 작은 수 중에서 5의 배수는

$5,\ 10,\ 15,\ \cdots,\ 55$

이때 $5+(n-1)\times5=55$에서 $n=11$이므로 항수는 11이다.

따라서 5의 배수의 총합은

$$\frac{11(5+55)}{2}=330$$

STEP3 3과 5의 공배수의 총합 구하기

60보다 작은 자연수 중에서 3과 5의 공배수는 15, 30, 45이므로 총합은

$15+30+45=90$

STEP4 3의 배수 또는 5의 배수의 총합 구하기

따라서 3의 배수 또는 5의 배수의 총합은

$570+330-90=810$

09-4 답 170°

해결전략 | n각형의 내각의 크기의 합은 $180°\times(n-2)$이고 이것은 내각의 크기로 이루어진 등차수열의 합과 같다.

STEP1 내각의 크기의 합을 나타내는 식 구하기

첫째항이 70, 공차가 20, 항수가 n인 등차수열의 합은

$$\frac{n\{2\times70+(n-1)\times20\}}{2}=10n^2+60n$$

STEP2 n의 값 구하기

n각형의 내각의 크기의 합은 $180°\times(n-2)$이므로

$10n^2+60n=180(n-2)$에서   → n각형은 한 꼭짓점에서 그은 대각선에 의하여 $(n-2)$개의 삼각형으로 나누어지기 때문이다.

$n^2-12n+36=0$

$(n-6)^2=0$ $\therefore n=6$

STEP3 가장 큰 내각의 크기 구하기

따라서 조건을 만족시키는 다각형은 육각형이므로 가장 큰 내각의 크기는

$70°+5\times20°=170°$

09-5 답 23

해결전략 | 부채꼴 $OA_1B_1,\ OA_2B_2,\ OA_3B_3,\ \cdots,\ OAB$는 모두 닮음임을 이용한다.

STEP1 부채꼴 OAB의 반지름의 길이 구하기

부채꼴 OAB의 반지름의 길이를 r라고 하면 넓이가 π이

→ 반지름의 길이가 r, 중심각의 크기가 θ인 부채꼴의 넓이는 $\frac{1}{2}r^2\theta$

므로

$$\frac{1}{2}\times r^2\times\frac{\pi}{2}=\pi \quad \therefore r=2\ (\because r>0)$$

STEP2 호의 길이의 규칙 알기

이때 $\overparen{AB}=2\times\dfrac{\pi}{2}=\pi$, $\overparen{A_1B_1}=\dfrac{1}{20}\overparen{AB}$이고, 20개의 호 $A_1B_1,\ A_2B_2,\ \cdots,\ AB$의 길이는 등차수열을 이룬다.

STEP3 호의 길이의 총합 구하기

따라서 구하는 호의 길이의 총합은 첫째항이 $\dfrac{\pi}{20}$, 끝항이 π, 항수가 20인 등차수열의 합이므로

$$\frac{20\left(\dfrac{\pi}{20}+\pi\right)}{2}=\frac{21}{2}\pi$$

STEP4 $p+q$의 값 구하기

따라서 $p=2$, $q=21$이므로

$p+q=23$

➤참고 부채꼴 $OA_1B_1,\ OA_2B_2,\ OA_3B_3,\ \cdots,\ OAB$는 모두 닮음이고 그 닮음비는 $1:2:3:\cdots:20$이다. 따라서 그 호의 길이의 비도 $1:2:3:\cdots:20$이고, 호 A_1B_1의 길이가 $\dfrac{\pi}{20}$이므로 호 $A_2B_2,\ A_3B_3,\ \cdots,\ AB$의 길이는 $\dfrac{2}{20}\pi,\ \dfrac{3}{20}\pi,\ \cdots,\ \dfrac{20}{20}\pi$이다. 즉, 호 $A_1B_1,\ A_2B_2,\ A_3B_3,\ \cdots,\ AB$의 길이는 첫째항이 $\dfrac{\pi}{20}$, 공차가 $\dfrac{\pi}{20}$인 등차수열을 이룬다.

09-6 답 8

해결전략 | 함수 $y=\tan x$는 주기함수이므로 $a_1,\ a_2,\ a_3,\ \cdots$의 값은 일정한 규칙으로 커진다.

STEP1 수열 $\{a_n\}$이 등차수열임을 알기

함수 $y=\tan x$의 그래프와 직선 $y=1$의 교점의 x좌표를 구하면 $\tan x=1$에서

$x=n\pi+\dfrac{\pi}{4}$ (n은 정수)

이때 $x>0$이므로 $x=\dfrac{\pi}{4},\ \dfrac{5}{4}\pi,\ \dfrac{9}{4}\pi,\ \cdots$

→ $n=0, 1, 2, \cdots$를 대입한 값이다.

즉, 등차수열 $\{a_n\}$은 첫째항이 $\dfrac{\pi}{4}$, 공차가 π인 등차수열이다.

STEP2 n의 값 구하기

$$a_1+a_2+a_3+\cdots+a_n=\frac{n\left\{2\times\dfrac{\pi}{4}+(n-1)\times\pi\right\}}{2}$$
$$=30\pi$$

에서

$n\left(n-\dfrac{1}{2}\right)=60$, $2n^2-n-120=0$

$(n-8)(2n+15)=0$ $\therefore n=8\ (\because n$은 자연수$)$

10-1 　답 (1) 56　(2) 2910

해결전략 | $a_1=S_1$, $a_n=S_n-S_{n-1}$ $(n\ge2)$임을 이용한다.

(1) STEP1 a_1, $a_{10}+a_{11}$의 값 구하기

$a_1=S_1=1+5=6$

$a_{10}+a_{11}=S_{11}-S_9=176-126=50$

STEP2 $a_1+a_{10}+a_{11}$의 값 구하기

$\therefore a_1+a_{10}+a_{11}=6+50=56$

(2) STEP1 일반항 구하기

$n\ge2$일 때

$a_n=S_n-S_{n-1}$

$\quad=n^2+5n-\{(n-1)^2+5(n-1)\}$

$\quad=2n+4$ 　　　　　　…… ㉠

$a_1=S_1=6$은 ㉠에 $n=1$을 대입한 값과 같으므로

$a_n=2n+4$ $(n\ge1)$

STEP2 $a_3+a_6+a_9+\cdots+a_{90}$의 값 구하기

한편, $a_3+a_6+a_9+\cdots+a_{90}$의 값은 첫째항이

$a_3=10$, 끝항이 $a_{90}=184$, 항수가 30인 등차수열의

합이므로

$a_3+a_6+a_9+\cdots+a_{90}=\dfrac{30(10+184)}{2}=2910$

10-2 　답 0

해결전략 | $a_1=S_1$의 값이 $a_n=S_n-S_{n-1}$ $(n\ge2)$을 이용하여 얻은 a_n의 식에 $n=1$을 대입한 값과 같으면 수열 $\{a_n\}$은 첫째항부터 등차수열을 이룬다.

STEP1 a_1과 a_n $(n\ge2)$ 구하기

$a_1=S_1=-1+3+k=k+2$

$n\ge2$일 때

$a_n=S_n-S_{n-1}$

$\quad=(-n^2+3n+k)-\{-(n-1)^2+3(n-1)+k\}$

$\quad=-2n+4$ 　　　　　　…… ㉠

STEP2 k의 값 구하기

수열 $\{a_n\}$이 첫째항부터 등차수열을 이루려면 $a_1=k+2$

가 ㉠에 $n=1$을 대입한 값 $a_1=-2+4=2$와 같아야 하

므로 $k+2=2$ $\quad\therefore k=0$

◎ 풍쌤의 비법

수열 $\{a_n\}$의 첫째항부터 제n항까지의 합이

$S_n=An^2+Bn+C$ $(A, B, C$는 상수$)$ 꼴일 때

(i) $C=0$이면 수열 $\{a_n\}$은 첫째항부터 등차수열을 이룬다.

(ii) $C\ne0$이면 수열 $\{a_n\}$은 둘째항부터 등차수열을 이룬다.

10-3 　답 4

해결전략 | $a_1=S_1$, $a_n=S_n-S_{n-1}$ $(n\ge2)$임을 이용하여 a_n을 구한다.

STEP1 a_n 구하기

$a_1=S_1=1-11=-10$

$n\ge2$일 때

$a_n=S_n-S_{n-1}$

$\quad=n^2-11n-\{(n-1)^2-11(n-1)\}$

$\quad=2n-12$ 　　　　　　…… ㉠

$a_1=S_1=-10$은 ㉠에 $n=1$을 대입한 값과 같으므로

$a_n=2n-12$ $(n\ge1)$

STEP2 n의 값 구하기

이것을 $a_n+n=0$에 대입하면

$2n-12+n=0$ $\quad\therefore n=4$

10-4 　답 27

해결전략 | $a_1=S_1$, $a_n=S_n-S_{n-1}$ $(n\ge2)$임을 이용하여 a_n을 구한다.

STEP1 a_n 구하기

$a_1=S_1=2-3=-1$

$n\ge2$일 때

$a_n=S_n-S_{n-1}$

$\quad=2n^2-3n-\{2(n-1)^2-3(n-1)\}$

$\quad=4n-5$ 　　　　　　…… ㉠

$a_1=S_1=-1$은 ㉠에 $n=1$을 대입한 값과 같으므로

$a_n=4n-5$ $(n\ge1)$

STEP2 n의 최솟값 구하기

$a_n>100$에서 $4n-5>100$ $\quad\therefore n>26.25$

따라서 자연수 n의 최솟값은 27이다.

10-5 　답 0

해결전략 | $a_n=S_n-S_{n-1}$ $(n\ge2)$임을 이용하여 $a_8+a_9+a_{10}$을 k에 대한 식으로 나타낸다.

STEP1 k의 값 구하기

$S_n=2n^2+kn$이므로

$a_8+a_9+a_{10}=S_{10}-S_7$

$\qquad\qquad\quad=200+10k-(98+7k)$

$\qquad\qquad\quad=3k+102$

즉, $3k+102=42$에서 $k=-20$

STEP2 S_{10}의 값 구하기

따라서 $S_n=2n^2-20n$이므로

$S_{10}=200-200=0$

10-6 답 6

해결전략 | $a_n = S_n - S_{n-1}$ $(n \geq 2)$임을 이용하여 a_4, b_4의 값을 각각 구한다.

STEP1 k의 값 구하기

$S_n = 2n^2 - n$, $T_n = n^2 + kn - 1$이라고 하면

$a_4 = S_4 - S_3 = 28 - 15 = 13$

$b_4 = T_4 - T_3 = 4k + 15 - (3k + 8) = k + 7$

이때 $a_4 = b_4$이므로

$13 = k + 7$ $\quad \therefore k = 6$

STEP2 b_1의 값 구하기

따라서 $T_n = n^2 + 6n - 1$이므로

$b_1 = T_1 = 1 + 6 - 1 = 6$

실전 연습 문제
314~316쪽

01 ④	02 ④	03 15	04 ②	05 ③
06 ②	07 11	08 ③	09 ⑤	10 ①
11 ③	12 510	13 ①	14 ①	15 ⑤
16 ④	17 12	18 ③		

01

해결전략 | $a_5 = a_3 + 12$에서 수열의 공차를 구한다.

STEP1 공차 구하기

등차수열 $\{a_n\}$의 공차를 d라고 하면

$a_5 = a_3 + 2d$

위의 식을 $a_5 = a_3 + 12$에 대입하면

$a_3 + 2d = a_3 + 12$

$2d = 12$ $\quad \therefore d = 6$

STEP2 a_8의 값 구하기

$\therefore a_8 = -4 + 7 \times 6 = 38$

02

해결전략 | 수열의 일반항을 이용하여 주어진 두 식을 첫째항과 공차에 대한 식으로 나타낸다.

STEP1 첫째항과 공차에 대한 식으로 나타내기

등차수열 $\{a_n\}$의 첫째항을 a, 공차를 d라고 하면

$a_1 + a_2 + a_3 = 15$에서

$a + (a + d) + (a + 2d) = 15$

$\therefore a + d = 5$ $\quad \cdots\cdots$ ㉠

$a_3 + a_4 + a_5 = 39$에서

$(a + 2d) + (a + 3d) + (a + 4d) = 39$

$\therefore a + 3d = 13$ $\quad \cdots\cdots$ ㉡

STEP2 공차 구하기

㉡ $-$ ㉠을 하면 $2d = 8$ $\quad \therefore d = 4$

◉→ 다른 풀이

$a_3 = a_1 + 2d$, $a_4 = a_2 + 2d$, $a_5 = a_3 + 2d$

이므로 $a_3 + a_4 + a_5 = 39$에서

$(a_1 + 2d) + (a_2 + 2d) + (a_3 + 2d) = 39$

$(a_1 + a_2 + a_3) + 6d = 39$

$15 + 6d = 39$ $\quad \therefore d = 4$

03

해결전략 | $a_2 = 2$, $a_7 = 32$를 각각 첫째항과 공차에 대한 식으로 나타낸다.

STEP1 일반항 구하기

등차수열 $\{a_n\}$의 첫째항을 a, 공차를 d라고 하면

$a_2 = a + d = 2$ $\quad \cdots\cdots$ ㉠

$a_7 = a + 6d = 32$ $\quad \cdots\cdots$ ㉡

㉠, ㉡을 연립하여 풀면

$a = -4$, $d = 6$ $\quad \cdots\cdots$ ❶

$\therefore a_n = -4 + (n-1) \times 6 = 6n - 10$

STEP2 k의 값 구하기

$a_3 = 18 - 10 = 8$이므로 $10a_3 = a_k$에서

$10 \times 8 = 6k - 10$ $\quad \therefore k = 15$ $\quad \cdots\cdots$ ❷

채점 요소	배점
❶ 첫째항과 공차 구하기	각 30 %
❷ k의 값 구하기	40 %

04

해결전략 | 등차수열 $\{a_n\}$에서 $a_{k+1} - a_k = ($공차$)$이다.

STEP1 공차 구하기

등차수열 $\{a_n\}$의 공차를 d라고 하면

$a_3 + a_5 + a_7 + a_9 + 16 = a_2 + a_4 + a_6 + a_8$에서

$(a_3 - a_2) + (a_5 - a_4) + (a_7 - a_6) + (a_9 - a_8) = -16$

$d + d + d + d = -16$

$4d = -16$ $\quad \therefore d = -4$

STEP2 일반항 구하기

$a_5 = 13a_2$에서

$a_1 + 4 \times (-4) = 13(a_1 - 4)$

$12a_1 = 36$ $\quad \therefore a_1 = 3$

$\therefore a_n = 3 + (n-1) \times (-4) = -4n + 7$

STEP3 k의 값 구하기

$a_k = -4k + 7 = -29$에서

$-4k = -36$ ∴ $k = 9$

05

해결전략 | 첫째항과 끝항을 이용하여 공차를 구한다.

STEP1 일반항 구하기

수열의 일반항을 a_n, 공차를 d라고 하면 -12는 제12항

이므로

$a_{12} = 32 + 11d = -12$ ∴ $d = -4$

∴ $a_n = 32 + (n-1) \times (-4) = -4n + 36$

STEP2 8이 제몇 항인지 구하기

$-4n + 36 = 8$에서 $n = 7$

따라서 8은 제7항이다.

06

해결전략 | $\log x$가 $\log 2$와 $5\log 2$의 등차중항임을 이용한다.

STEP1 등차중항을 나타내는 식 세우기

로그의 진수의 조건에 의하여 $x > 0$

$\log x$는 $\log 2$와 $5\log 2$의 등차중항이므로

$2\log x = \log 2 + 5\log 2$

STEP2 x의 값 구하기

$\log x^2 = \log (2 \times 2^5)$

$x^2 = 64$ ∴ $x = 8$ $(\because x > 0)$

07

해결전략 | 이차방정식의 좌변을 인수분해하여 두 실근 α, β를 구한다.

STEP1 이차방정식 풀기

$x^2 - nx + 4(n-4) = 0$에서

$(x-4)(x-n+4) = 0$

∴ $x = 4$ 또는 $x = n-4$

즉, $\alpha = 4$, $\beta = n-4$ 또는 $\alpha = n-4$, $\beta = 4$

STEP2 등차중항을 이용하여 식 세우기

α는 1과 β의 등차중항이므로

$2\alpha = 1 + \beta$ ……㉠

STEP3 n의 값 구하기

(i) $\alpha = 4$, $\beta = n-4$일 때

 $\alpha < \beta$이므로

 $4 < n-4$ ∴ $n > 8$

 ㉠에서 $2 \times 4 = 1 + (n-4)$ ∴ $n = 11$

이때 $n = 11$은 $n > 8$을 만족시킨다.

(ii) $\alpha = n-4$, $\beta = 4$일 때

 $\alpha < \beta$이므로 $n-4 < 4$ ∴ $n < 8$

 ㉠에서 $2(n-4) = 1 + 4$ ∴ $n = \dfrac{13}{2}$

 이때 $n = \dfrac{13}{2}$은 자연수가 아니므로 조건을 만족시키지 않는다.

(i), (ii)에 의하여 자연수 n의 값은 11이다.

08

해결전략 | 등차수열을 이루는 물의 양을 $a-2d$, $a-d$, a, $a+d$, $a+2d$로 놓는다.

STEP1 문제에 알맞은 식 세우기

5개의 컵에 들어 있는 물의 양을 적은 쪽부터 차례대로 $a-2d$, $a-d$, a, $a+d$, $a+2d$로 놓으면 물의 양이 모두 800 mL이므로

$(a-2d) + (a-d) + a + (a+d) + (a+2d) = 800$

STEP2 컵 C에 들어 있는 물의 양 구하기

$5a = 800$ ∴ $a = 160$

따라서 컵 C에 들어 있는 물의 양은 160 mL이다.

09

해결전략 | 세 실근을 $a-d$, a, $a+d$로 놓고 삼차방정식의 근과 계수의 관계를 이용한다.

STEP1 삼차방정식의 한 실근 구하기

$x^3 - 6x^2 + mx + n = 0$의 세 실근을 $a-d$, a, $a+d$로 놓으면 삼차방정식의 근과 계수의 관계에 의하여

$(a-d) + a + (a+d) = 6$

$3a = 6$ ∴ $a = 2$

STEP2 $2m+n$의 값 구하기

따라서 삼차방정식의 한 근이 2이므로 방정식에 $x = 2$를 대입하면

$8 - 24 + 2m + n = 0$

∴ $2m + n = 16$

10

해결전략 | 수를 넣어서 만든 수열에서 -9가 제몇 항인지 알아본다.

STEP1 공차 구하기

수를 넣어서 만든 수열의 공차를 d라고 하면 이 수열의

첫째항이 18, 제10항이 -9이므로

$18+9d=-9$ $\therefore d=-3$

STEP2 $x_1+x_2+\cdots+x_8$의 값 구하기

따라서 $x_1+x_2+\cdots+x_8$의 값은 첫째항이

$x_1=18+d=15$, 끝항이 $x_8=-9-d=-6$, 항수가 8

인 등차수열의 합이므로

$x_1+x_2+\cdots+x_8=\dfrac{8\{15+(-6)\}}{2}=36$

◉ ▸ **다른 풀이**

STEP1 수를 넣어서 만든 수열의 총합 구하기

수를 넣어서 만든 수열은 첫째항이 18, 끝항이 -9, 항수

가 10이므로

$18+x_1+x_2+\cdots+(-9)=\dfrac{10(18-9)}{2}=45$

STEP2 $x_1+x_2+\cdots+x_8$의 값 구하기

$\therefore x_1+x_2+\cdots+x_8=45-18+9=36$

11

해결전략 | 일반항 a_n을 구하여 $a_k=0$을 만족시키는 k의 값

을 먼저 구한다.

STEP1 일반항 구하기

등차수열 $\{a_n\}$의 첫째항을 a, 공차를 d라고 하면

$a_5=a+4d=30$ ······ ㉠

$a_8=a+7d=12$ ······ ㉡

㉠, ㉡을 연립하여 풀면

$a=54$, $d=-6$

$\therefore a_n=54+(n-1)\times(-6)=-6n+60$

STEP2 k의 값 구하기

$a_k=-6k+60=0$에서 $k=10$

STEP3 S_k의 값 구하기

$\therefore S_{10}=\dfrac{10(54+0)}{2}=270$

12

해결전략 | 등차수열의 합 공식을 이용하여 주어진 식에서 첫

째항을 구한다.

STEP1 첫째항 구하기

등차수열 $\{a_n\}$의 공차가 3이므로 첫째항을 a라고 하면

$S_{13}-S_3=195$에서

$\dfrac{13(2a+12\times3)}{2}-\dfrac{3(2a+2\times3)}{2}=195$

$10a+225=195$ $\therefore a=-3$ ······ ❶

STEP2 S_{20}의 값 구하기

$\therefore S_{20}=\dfrac{20\{2\times(-3)+19\times3\}}{2}=510$ ······ ❷

채점 요소	배점
❶ 첫째항 구하기	50 %
❷ S_{20}의 값 구하기	50 %

13

해결전략 | 공차가 양수이므로 $S_9>S_3$임을 이용하여 절댓값

을 푼다.

STEP1 S_9, S_3의 값 구하기

공차가 양수이므로 $S_9>S_3$이고

$S_9=|S_3|$이므로 $S_9=-S_3$ → 공차가 양수이므로 항의 값은 점점 커

즉, $S_9=27$, $S_3=-27$ 진다. 따라서 그 합도 커지므로 $S_9>S_3$

STEP2 첫째항과 공차에 대한 식 세우기

등차수열 $\{a_n\}$의 첫째항을 a, 공차를 d라고 하면

$S_9=\dfrac{9(2a+8d)}{2}=27$에서

$a+4d=3$ ······ ㉠

$S_3=\dfrac{3(2a+2d)}{2}=-27$에서

$a+d=-9$ ······ ㉡

STEP3 a_{10}의 값 구하기

㉠, ㉡을 연립하여 풀면 $a=-13$, $d=4$

$\therefore a_{10}=-13+9\times4=23$

◉ ▸ **다른 풀이**

STEP1 첫째항과 공차 구하기

$S_9=27$에서 $\dfrac{9(2a+8d)}{2}=27$

$\therefore a+4d=3$ ······ ㉠

$|S_3|=27$에서 $\left|\dfrac{3(2a+2d)}{2}\right|=27$

$|a+d|=9$ $\therefore a+d=9$ 또는 $a+d=-9$

(ⅰ) $a+d=9$일 때

㉠과 $a+d=9$를 연립하여 풀면

$a=11$, $d=-2$

이것은 $d>0$인 조건을 만족시키지 않는다.

(ⅱ) $a+d=-9$일 때

㉠과 $a+d=-9$를 연립하여 풀면

$a=-13$, $d=4$

이것은 $d>0$인 조건을 만족시킨다.

(ⅰ), (ⅱ)에 의하여 $a=-13$, $d=4$

STEP2 a_{10}의 값 구하기

$\therefore a_{10}=-13+9\times4=23$

14

해결전략 | $a_3 > a_9$에서 공차가 음수이므로 첫째항부터 음수가 아닌 항까지의 합이 최대가 된다.

STEP 1 일반항 구하기

등차수열 $\{a_n\}$의 첫째항을 a, 공차를 d라고 하면

$a_3 = a + 2d = 26$ ...... ㉠

$a_9 = a + 8d = 8$ ...... ㉡

㉠, ㉡을 연립하여 풀면

$a = 32$, $d = -3$

$\therefore a_n = 32 + (n-1) \times (-3) = -3n + 35$

STEP 2 처음으로 음수가 나오는 항 구하기

$a_n = -3n + 35 < 0$에서 $n > 11.6 \cdots$이므로 처음으로 음수가 나오는 항은 제12항이다.

STEP 3 합이 최대가 되는 n의 값 구하기

따라서 첫째항부터 제11항까지의 합이 최대이므로 $n = 11$이다.

15

해결전략 | S_n의 최댓값은 양수인 모든 항들의 합이다.

STEP 1 일반항 구하기

등차수열 $\{a_n\}$의 첫째항을 a, 공차를 d라고 하면

$a_2 + a_3 = 50$에서

$(a+d) + (a+2d) = 50$

$\therefore 2a + 3d = 50$ ...... ㉠

$a_4 + a_5 = 34$에서

$(a+3d) + (a+4d) = 34$

$\therefore 2a + 7d = 34$ ...... ㉡

㉠, ㉡을 연립하여 풀면

$a = 31$, $d = -4$

$\therefore a_n = 31 + (n-1) \times (-4) = -4n + 35$

STEP 2 처음으로 음수가 나오는 항 구하기

$a_n = -4n + 35 < 0$에서 $n > 8.75$이므로 처음으로 음수가 나오는 항은 제9항이다.

STEP 3 S_n의 최댓값 구하기

따라서 첫째항부터 제8항까지의 합이 최대이므로 S_n의 최댓값은

$S_8 = \dfrac{8\{2 \times 31 + 7 \times (-4)\}}{2} = 136$

16

해결전략 | $4k+3$은 4로 나누었을 때 나머지가 3인 수이므로 집합 A의 원소는 일정한 규칙으로 커진다.

STEP 1 집합 A의 원소 알아보기

$A = \{7, 11, 15, \cdots\}$이므로 집합 A의 원소는 첫째항이 7이고 공차가 4인 등차수열을 이룬다.

STEP 2 100보다 작은 원소 중 가장 큰 원소 구하기

등차수열 7, 11, 15, $\cdots$의 일반항을 a_n이라고 하면

$a_n = 7 + (n-1) \times 4 = 4n + 3$

이므로 <u>100보다 작은 원소 중 가장 큰 원소는 $a_{24} = 99$이</u>다.

    → $4n+3 < 100$에서 $4n < 97$ $\therefore n < 24.25$

STEP 3 100보다 작은 모든 원소의 합 구하기

따라서 100보다 작은 모든 원소의 합은

$a_1 + a_2 + a_3 + \cdots + a_{24} = \dfrac{24(7+99)}{2} = 1272$

17

해결전략 | $a_1 = S_1$, $a_n = S_n - S_{n-1}$ $(n \geq 2)$임을 이용하여 일반항 a_n을 구한다.

STEP 1 일반항 구하기

$a_1 = S_1 = 2 + 1 = 3$

$n \geq 2$일 때

$a_n = S_n - S_{n-1}$

   $= (2n^2 + n) - \{2(n-1)^2 + (n-1)\}$

   $= 4n - 1$ ...... ㉠

이때 $a_1 = S_1 = 3$은 ㉠에 $n = 1$을 대입한 값과 같으므로

$a_n = 4n - 1$ $(n \geq 1)$ ...... ❶

STEP 2 n의 최솟값 구하기

따라서 $a_n = 4n - 1 > 44$에서 $n > 11.25$이므로 ...... ❷

n의 최솟값은 12이다. ...... ❸

채점 요소	배점
❶ 일반항 구하기	60 %
❷ $a_n > 44$를 만족시키는 n의 값의 범위 구하기	20 %
❸ n의 최솟값 구하기	20 %

18

해결전략 | $a_n = S_n - S_{n-1}$ $(n \geq 2)$임을 이용하여 $S_{n+2} - S_n = 8n$을 항들의 합 꼴로 나타낸다.

STEP 1 $S_{n+2} - S_n = 8n$을 n에 대한 식으로 나타내기

$S_{n+2} - S_n = a_{n+2} + a_{n+1}$이므로

$S_{n+2} - S_n = 8n$에서

$a_{n+2} + a_{n+1} = 8n$

이때 등차수열 $\{a_n\}$의 첫째항을 a, 공차를 d라고 하면

$\{a + (n+1)d\} + (a + nd) = 8n$

$\therefore (2d - 8)n + 2a + d = 0$ ...... ㉠

STEP2 공차 구하기

㉠은 n에 대한 항등식이므로

$2d-8=0$, $2a+d=0$

$\therefore d=4$, $a=-2$

따라서 수열의 공차는 4이다.

◉→ 다른 풀이

STEP1 $S_{n+2}-S_n=8n$을 항들의 합 꼴로 나타내기

$S_{n+2}-S_n=a_{n+2}+a_{n+1}$이므로

$S_{n+2}-S_n=8n$에서

$a_{n+2}+a_{n+1}=8n$ ······ ㉠

STEP2 공차 구하기

㉠에 $n=1$을 대입하면 $a_3+a_2=8$

㉠에 $n=2$를 대입하면 $a_4+a_3=16$

이때 수열의 공차를 d라고 하면

$a_4+a_3=(a_3+d)+(a_2+d)=(a_3+a_2)+2d$이므로

$8+2d=16$ $\therefore d=4$

상위권 도약 문제
317~318쪽

| **01** 34 | **02** ① | **03** 10 | **04** 80 |
| **05** 330 | **06** 17 | **07** ③ | **08** 5050 |

01

해결전략 | 직선 l의 방정식을 구하면 수열의 일반항 a_n을 구할 수 있다.

STEP1 일반항 a_n 구하기

직선 l의 방정식은 $y=mx+200$이므로

$a_n=mn+200$

이때 수열 $\{a_n\}$이 공차가 -6인 등차수열이므로

$m=-6$

$\therefore a_n=-6n+200$

STEP2 n의 최솟값 구하기

점 $\mathrm{P}_n(n, a_n)$이 제4사분면 위의 점이려면

$a_n=-6n+200<0$이어야 하므로

$n>33.3\cdots$

따라서 자연수 n의 최솟값은 34이다.

> **◎ 풍쌤의 비법**
>
> $d\ne 0$일 때 $a_n=a+(n-1)d=dn+(a-d)$에서 일반항 a_n은 n에 대한 일차식이다. 이때 n의 계수는 수열 $\{a_n\}$의 공차이다.

02

해결전략 | 두 조건을 첫째항과 공차에 대한 식으로 나타낸다.

STEP1 공차 구하기

등차수열 $\{a_n\}$의 첫째항을 a, 공차를 d ($d>0$)라고 하면

$a_6+a_8=(a+5d)+(a+7d)=0$에서

$2a+12d=0$ $\therefore a=-6d$ ······ ㉠

$|a_6|=|a_7|+3$에서

$|a+5d|=|a+6d|+3$ ······ ㉡

㉠을 ㉡에 대입하면

$|-6d+5d|=|-6d+6d|+3$

$|-d|=3$

$\therefore d=3 (\because d>0)$

STEP2 첫째항 구하기

$d=3$을 ㉠에 대입하면

$a=-6\times3=-18$

STEP3 a_2의 값 구하기

$\therefore a_2=-18+3=-15$

◉→ 다른 풀이

STEP1 a_6, a_7의 값 구하기

등차수열 $\{a_n\}$에서 a_7은 a_6과 a_8의 등차중항이므로

$2a_7=a_6+a_8$

조건 ㈎에서 $a_6+a_8=0$이므로

$2a_7=0$ $\therefore a_7=0$

이것을 조건 ㈏에 대입하면

$|a_6|=3$

이때 공차가 양수이고 $a_7=0$이므로

$a_6<0$ $\therefore a_6=-3$

STEP2 공차 구하기

수열 $\{a_n\}$의 공차를 d라고 하면

$d=a_7-a_6=0-(-3)=3$

STEP3 a_2의 값 구하기

$\therefore a_2=a_6-4d=-3-4\times3=-15$

03

해결전략 | 수를 넣어서 만든 수열은 첫째항이 -2, 제$(m+2)$항이 12, 제$(m+11)$항이 30인 등차수열이다.

STEP1 m의 값 구하기

등차수열의 일반항을 a_n, 공차를 d라고 하면

12는 제$(m+2)$항이므로

$a_{m+2}=-2+(m+1)d=12$ ······ ㉠

30은 제$(m+11)$항이므로 $\quad\longrightarrow$ $1+m+1+8+1=m+11$

$a_{m+11}=-2+(m+10)d=30$ ······ ㉡

㉠, ㉡을 연립하여 풀면

$m=6$, $d=2$

STEP2 x_m의 값 구하기

따라서 $a_n=-2+(n-1)\times 2=2n-4$이므로

$x_m=x_6=a_7=14-4=10$

04

해결전략 | b가 a와 c의 등차중항임을 이용하여 조건 ㈎에서 b의 값을 구한다.

STEP1 b의 값 구하기

b는 a와 c의 등차중항이므로

$2b=a+c$ ······ ㉠

조건 ㈎에서 $2^{a+c-b}=32=2^5$이므로

$a+c-b=5$

㉠을 위의 식에 대입하면

$2b-b=5$ ∴ $b=5$

STEP2 ac의 값 구하기

㉠에서 $a+c=2\times 5=10$

조건 ㈏에서 $a+c+ca=26$이므로

$10+ca=26$ ∴ $ca=16$

STEP3 abc의 값 구하기

∴ $abc=16\times 5=80$

05

해결전략 | 두 수열의 첫째항을 a, 공차를 각각 d, d'으로 놓고 문제의 조건에 알맞은 식을 세운다.

STEP1 두 수열의 공차 구하기

등차수열 $\{a_n\}$, $\{b_n\}$의 첫째항을 a, 공차를 각각 d, d'이라고 하면

$a_6-a_4=8$에서 $2d=8$ ∴ $d=4$

$b_7-b_3=8$에서 $4d'=8$ ∴ $d'=2$

STEP2 두 수열의 일반항 구하기

$a_5=2b_8$에서

$a+4d=2(a+7d')$, $a-4d+14d'=0$

$a-16+28=0$ ∴ $a=-12$

따라서 두 수열의 일반항은

$a_n=-12+(n-1)\times 4=4n-16$

$b_n=-12+(n-1)\times 2=2n-14$

STEP3 $a_6+b_6+a_7+b_7+\cdots+a_{15}+b_{15}$의 값 구하기

이때 $a_6=8$, $b_6=-2$, $a_{15}=44$, $b_{15}=16$이므로

$a_6+b_6+a_7+b_7+\cdots+a_{15}+b_{15}$

$=(a_6+a_7+\cdots+a_{15})+(b_6+b_7+\cdots+b_{15})$

$=\dfrac{10(8+44)}{2}+\dfrac{10(-2+16)}{2}=260+70=330$

06

해결전략 | $n<36$일 때 $S_n>0$, $n>36$일 때 $S_n<0$임을 이용하여 규칙을 찾는다.

STEP1 $S_{36}=0$의 의미 파악하기

공차가 음수이고 $S_{36}=0$이므로 $n<36$이면 $S_n>0$이고, $n>36$이면 $S_n<0$이다.

또, $36<l<m$이면 $S_m<S_l<0$이므로 $S_l=S_m<0$인 서로 다른 두 자연수 l, m은 존재하지 않는다.

∴ $1<l<m<36$

$S_{36}=\dfrac{36(a_1+a_{36})}{2}=0$이므로

$a_1+a_{36}=0$

STEP2 순서쌍 (l, m)의 개수 구하기

수열 $\{a_n\}$이 등차수열이므로

$a_1+a_{36}=a_2+a_{35}=a_3+a_{34}=\cdots=a_{18}+a_{19}=0$

이 성립한다.

$a_{18}+a_{19}=0$이므로 $S_{17}=\underline{S_{19}}$ $\boxed{\begin{array}{l}S_{19}=S_{17}+(a_{18}+a_{19})\\ \quad\ =S_{17}+0=S_{17}\end{array}}$

$a_{17}+a_{18}+a_{19}+a_{20}=0$이므로 $S_{16}=S_{20}$

$a_{16}+a_{17}+a_{18}+a_{19}+a_{20}+a_{21}=0$이므로 $S_{15}=S_{21}$

　⋮

$a_2+a_3+a_4+\cdots+a_{35}=0$이므로 $S_1=S_{35}$

따라서 구하는 순서쌍 (l, m)은

$(17, 19), (16, 20), (15, 21), \cdots, (1, 35)$

의 17개이다.

> **📌 풍쌤의 비법**
>
> 첫째항이 a, 공차가 d인 등차수열 $\{a_n\}$의 제n항을 l이라고 하면
>
> $a_1=a$, $a_2=a+d$, $a_3=a+2d$, $\cdots$,
>
> $a_{n-2}=l-2d$, $a_{n-1}=l-d$, $a_n=l$
>
> 이므로
>
> $a_1+a_n=a+l$
>
> $a_2+a_{n-1}=a+d+l-d=a+l$
>
> $a_3+a_{n-2}=a+2d+l-2d=a+l$
>
> 　⋮
>
> 따라서 등차수열 $\{a_n\}$에서
>
> $a_1+a_n=a_2+a_{n-1}=a_3+a_{n-2}$
>
> 　　　$=\cdots$
>
> 가 성립한다.

07

해결전략 | 수열의 첫째항을 a, 공차를 d로 놓으면 문제에서 주어진 조건을 미지수가 a, d, k인 방정식으로 나타낼 수 있다.

STEP1 a, d, k에 대한 식으로 나타내기

등차수열 $\{a_n\}$의 첫째항을 a, 공차를 d라고 하면

$a_3 = a + 2d = 42$에서

$a = 42 - 2d$ ...... ㉠

조건 ㈎의 $a_{k-3} + a_{k-1} = -24$에서

$\{a + (k-4)d\} + \{a + (k-2)d\} = -24$

$\therefore a + (k-3)d = -12$ ...... ㉡

조건 ㈏의 $S_k = k^2$에서

$\dfrac{k\{2a + (k-1)d\}}{2} = k^2$

이때 $k > 0$이므로

$2a + (k-1)d = 2k$ ...... ㉢

STEP2 k의 값 구하기

㉠을 ㉡에 대입하면

$42 - 2d + (k-3)d = -12$

$\therefore (k-5)d = -54$ ...... ㉣

㉠을 ㉢에 대입하면

$2(42 - 2d) + (k-1)d = 2k$

$\therefore (k-5)d = 2k - 84$ ...... ㉤

㉣, ㉤에서 $2k - 84 = -54$

$2k = 30$ $\therefore k = 15$

08

해결전략 | 등차수열 $\{a_n\}$의 공차가 d이면 수열 a_1, a_3, a_5, $\cdots$는 공차가 $2d$인 등차수열임을 이용하여 주어진 식에서 공차를 구한다.

STEP1 $b_n = a_{2n-1}$로 놓고 일반항 b_n 구하기

등차수열 $\{a_n\}$의 공차를 d라고 하자.

또, $a_{2n-1} = b_n$이라고 하면 수열 $\{b_n\}$은 첫째항이 $b_1 = a_1$, 공차가 $2d$인 등차수열이다.

이때 수열 $\{b_n\}$의 첫째항부터 제n항까지의 합을 S_n이라고 하면

$b_1 + b_2 + b_3 + \cdots + b_n$

$= a_1 + a_3 + a_5 + \cdots + a_{2n-1}$

$= 2n^2 - n$

이므로

$S_n = 2n^2 - n$

$n \geq 2$일 때,

$b_n = S_n - S_{n-1}$

$\quad = 2n^2 - n - \{2(n-1)^2 - (n-1)\}$

$\quad = 4n - 3$ ...... ㉠

$b_1 = S_1 = 1$은 ㉠에 $n = 1$을 대입한 것과 같으므로

$b_n = 4n - 3$ $(n \geq 1)$

STEP2 일반항 a_n 구하기

> $b_n = 4n-3$에서 공차는 n의 계수 4이다.

따라서 수열 $\{b_n\}$은 첫째항이 1, 공차가 4인 등차수열이므로 수열 $\{a_n\}$은 첫째항이 1, 공차가 $\dfrac{4}{2} = 2$인 등차수열이다.

> 첫째항은 같고, 공차는 수열 $\{b_n\}$의 공차의 $\dfrac{1}{2}$이다.

$\therefore a_n = 1 + (n-1) \times 2 = 2n - 1$ $(n \geq 1)$

STEP3 $a_2 + a_4 + a_6 + \cdots + a_{100}$의 값 구하기

$a_2 + a_4 + a_6 + \cdots + a_{100}$의 값은 첫째항이

$a_2 = 2 \times 2 - 1 = 3$, 끝항이 $a_{100} = 2 \times 100 - 1 = 199$,

항수가 50인 등차수열의 합이므로

$a_2 + a_4 + a_6 + \cdots + a_{100} = \dfrac{50(3 + 199)}{2} = 5050$

등비수열

개념확인   320~321쪽

01 답 (1) $a_n = -5 \times 2^{n-1}$ (2) $a_n = 3 \times 2^{n-1}$

(2) 주어진 수열은 첫째항이 3, 공비가 2인 등비수열이므로 일반항 a_n은 $a_n = 3 \times 2^{n-1}$

02 답 (1) -12, 12 (2) $-\dfrac{1}{10}$, $\dfrac{1}{10}$

(1) 세 수 4, x, 36이 이 순서대로 등비수열을 이루면 x는 4와 36의 등비중항이므로

$x^2 = 4 \times 36 = 144$ ∴ $x = -12$ 또는 $x = 12$

(2) 세 수 $\dfrac{1}{4}$, x, $\dfrac{1}{25}$이 이 순서대로 등비수열을 이루면

x는 $\dfrac{1}{4}$과 $\dfrac{1}{25}$의 등비중항이므로

$x^2 = \dfrac{1}{4} \times \dfrac{1}{25} = \dfrac{1}{100}$ ∴ $x = -\dfrac{1}{10}$ 또는 $x = \dfrac{1}{10}$

03 답 $5(2^{10}-1)$

04 답 (1) $S_n = 160\left\{1 - \left(\dfrac{1}{2}\right)^n\right\}$ (2) $S_n = 4^n - 1$

(1) 주어진 수열은 첫째항이 80, 공비가 $\dfrac{1}{2}$인 등비수열이므로

$$S_n = \frac{80\left\{1 - \left(\dfrac{1}{2}\right)^n\right\}}{1 - \dfrac{1}{2}} = 160\left\{1 - \left(\dfrac{1}{2}\right)^n\right\}$$

(2) 주어진 수열은 첫째항이 3, 공비가 4인 등비수열이므로

$$S_n = \frac{3(4^n - 1)}{4 - 1} = 4^n - 1$$

05 답 (1) $a_n = 2^{n-1}$
        (2) $a_1 = 11$, $a_n = 8 \times 3^{n-1}$ $(n \geq 2)$

(1) $n = 1$일 때, $a_1 = S_1 = 2 - 1 = 1$ ······ ㉠

$n \geq 2$일 때,

$a_n = S_n - S_{n-1} = 2^n - 1 - (2^{n-1} - 1)$
     $= 2 \times 2^{n-1} - 2^{n-1} = 2^{n-1}$ ······ ㉡

이때 ㉠은 $n = 1$을 ㉡에 대입하여 얻은 값과 같으므로 구하는 일반항은

$a_n = 2^{n-1}$

(2) $n = 1$일 때, $a_1 = S_1 = 4 \times 3 - 1 = 11$ ······ ㉠

$n \geq 2$일 때

$a_n = S_n - S_{n-1} = 4 \times 3^n - 1 - (4 \times 3^{n-1} - 1)$
     $= 4 \times 3 \times 3^{n-1} - 4 \times 3^{n-1} = 8 \times 3^{n-1}$ ······ ㉡

이때 ㉠은 $n = 1$을 ㉡에 대입한 값 8과 다르므로 일반항은

$a_1 = 11$, $a_n = 8 \times 3^{n-1}$ $(n \geq 2)$

필수유형 01   323쪽

01-1 답 (1) 30 (2) 제8항

해결전략 | 등비수열의 두 항을 이용하여 일반항 a_n을 구한다.

(1) **STEP1 공비 구하기**

등비수열 $\{a_n\}$의 첫째항을 a, 공비를 r라고 하면

$a_3 = ar^2 = 4$ ······ ㉠

$a_5 = ar^4 = 16$ ······ ㉡

㉡÷㉠을 하면 $\dfrac{ar^4}{ar^2} = \dfrac{16}{4}$, 즉 $r^2 = 4$

∴ $r = 2$ $(\because r > 0)$

STEP2 일반항 구하기

$r = 2$를 ㉠에 대입하면 $4a = 4$ ∴ $a = 1$

∴ $a_n = 2^{n-1}$

STEP3 $a_6 - a_2$의 값 구하기

따라서 $a_6 = 2^5 = 32$, $a_2 = 2$이므로

$a_6 - a_2 = 32 - 2 = 30$

(2) **STEP1 128을 제k항으로 놓고 식 세우기**

128을 제k항이라고 하면 $a_k = 2^{k-1} = 128$에서

$2^{k-1} = 128 = 2^7$

STEP2 k의 값 구하기

$k - 1 = 7$ ∴ $k = 8$

따라서 128은 제8항이다.

01-2 답 $\dfrac{1}{16}$

해결전략 | 등비수열 $\{a_n\}$의 일반항 a_n을 구한 다음 $a_n{}^2$을 계산한다.

STEP1 등비수열 $\{a_n{}^2\}$의 일반항 구하기

등비수열 $\{a_n\}$의 일반항은 $a_n = 2 \times \left(\dfrac{1}{8}\right)^{n-1}$이므로

$$a_n{}^2 = \left\{2 \times \left(\dfrac{1}{8}\right)^{n-1}\right\}^2 = 4 \times \left(\dfrac{1}{64}\right)^{n-1}$$

STEP2 수열 $\{a_n{}^2\}$의 첫째항과 공비의 곱 구하기

따라서 수열 $\{a_n{}^2\}$의 첫째항은 4, 공비는 $\dfrac{1}{64}$이므로 구하는 곱은 $4 \times \dfrac{1}{64} = \dfrac{1}{16}$

> **풍쌤의 비법**
>
> 등비수열 $\{a_n\}$의 공비가 r이면 수열 $\{a_n{}^2\}$은 첫째항이 $a_1{}^2$, 공비가 r^2인 등비수열이다.

01-3 답 125

해결전략 | 첫째항과 공비가 모두 양수임을 이용하여 주어진 조건에서 공비를 구한다.

STEP 1 공비 구하기

등비수열 $\{a_n\}$의 첫째항을 a, 공비를 r라고 하면

$4a_3+5a_2=a_4$에서 $4ar^2+5ar=ar^3$

$ar(r^2-4r-5)=0$

$ar>0$이므로 ⟶ $a>0, r>0$이므로 $ar>0$

$r^2-4r-5=0$, $(r+1)(r-5)=0$

$\therefore r=5 \ (\because r>0)$

STEP 2 $\dfrac{a_8}{a_5}$의 값 구하기

$\therefore \dfrac{a_8}{a_5}=\dfrac{ar^7}{ar^4}=r^3=125$

01-4 답 7

해결전략 | 등비수열 $\{a_n\}$의 공비가 r이면

$\dfrac{a_{n+1}}{a_n}=r$, $\dfrac{a_{n+2}}{a_n}=r^2$이다.

STEP 1 공비 구하기

등비수열 $\{a_n\}$의 첫째항을 a, 공비를 r라고 하면

$\dfrac{a_8}{a_6}=\dfrac{ar^7}{ar^5}=16$에서 $r^2=16$

$\therefore r=4 \ (\because r>0)$ ⟶ $a_n=ar^{n-1}$

STEP 2 첫째항과 공비의 합 구하기

$a_2+a_3=ar+ar^2=60$에서

$4a+16a=60$, $20a=60$ $\therefore a=3$

따라서 첫째항과 공비의 합은

$3+4=7$

01-5 답 6

해결전략 | 주어진 비례식에서 $a_5=2a_4$이므로 이 식을 첫째항과 공비에 대한 식으로 나타낸다.

STEP 1 공비 구하기

등비수열 $\{a_n\}$의 첫째항을 a, 공비를 r라고 하면

$a_3=ar^2=\dfrac{3}{2}$ ⋯⋯ ㉠

$a_4:a_5=1:2$에서 $a_5=2a_4$이므로

$ar^4=2ar^3$, $ar^3(r-2)=0$

$\therefore r=2 \ (\because a\neq0, \ r>0)$

STEP 2 일반항 구하기

$r=2$를 ㉠에 대입하면 $4a=\dfrac{3}{2}$

$\therefore a=\dfrac{3}{8}$ $\therefore a_n=\dfrac{3}{8}\times2^{n-1}$

STEP 3 k의 값 구하기

따라서 $a_k=\dfrac{3}{8}\times2^{k-1}=12$에서

$2^{k-1}=32=2^5$ $\therefore k=6$

▶**참고** $a_3=\dfrac{3}{2}$이므로 $a_4=\dfrac{3}{2}r$, $a_5=\dfrac{3}{2}r^2$

따라서 $\dfrac{3}{2}r:\dfrac{3}{2}r^2=1:2$에서 r의 값을 구해도 된다.

01-6 답 12

해결전략 | 주어진 두 식을 각각 첫째항과 공비에 대한 식으로 나타낸다.

STEP 1 공비 구하기

등비수열 $\{a_n\}$의 공비를 r라고 하면

$a_3+a_2=a_1r^2+a_1r=1$에서

$a_1r(r+1)=1$ ⋯⋯ ㉠

$a_6-a_4=a_1r^5-a_1r^3=18$에서

$a_1r^3(r^2-1)=18$ ⋯⋯ ㉡

㉡÷㉠을 하면 $\dfrac{a_1r^3(r^2-1)}{a_1r(r+1)}=18$

$r^2(r-1)=18$, $r^3-r^2-18=0$

$(r-3)(r^2+2r+6)=0$

$\therefore r=3 \ (\because r는 실수)$

STEP 2 $\dfrac{1}{a_1}$의 값 구하기

$r=3$을 ㉠에 대입하면 $3a_1\times4=1$

$a_1=\dfrac{1}{12}$ $\therefore \dfrac{1}{a_1}=12$

필수유형 ② 325쪽

02-1 답 제10항

해결전략 | 등비수열의 첫째항과 공비를 찾아 일반항 a_n을 구한다.

⑴ **STEP 1 일반항 구하기**

첫째항이 $\dfrac{1}{81}$, 공비가 3인 등비수열의 일반항 a_n은

$a_n=\dfrac{1}{81}\times3^{n-1}=3^{n-5}$

STEP 2 처음으로 200보다 커지는 항 구하기

제n항에서 처음으로 200보다 커진다고 하면

$a_n=3^{n-5}>200$

이때 $3^4=81$, $3^5=243$이므로

$n-5\geq5$ $\therefore n\geq10$

따라서 처음으로 200보다 커지는 항은 제10항이다.

02-2 답 제7항

해결전략 | 등비수열의 두 항을 이용하여 일반항 a_n을 구한다.

STEP 1 일반항 구하기

등비수열 $\{a_n\}$의 첫째항을 a, 공비를 r라고 하면

$$a_2=ar=\frac{5}{4} \qquad\qquad \cdots\cdots ㉠$$

$$a_5=ar^4=\frac{5}{32} \qquad\qquad \cdots\cdots ㉡$$

㉡÷㉠을 하면 $\dfrac{ar^4}{ar}=\dfrac{\frac{5}{32}}{\frac{5}{4}}$, 즉 $r^3=\dfrac{1}{8}$

$$\therefore r=\frac{1}{2} \ (\because r는 실수)$$

$r=\dfrac{1}{2}$을 ㉠에 대입하면

$$\frac{1}{2}a=\frac{5}{4} \qquad \therefore a=\frac{5}{2}$$

$$\therefore a_n=\frac{5}{2}\times\left(\frac{1}{2}\right)^{n-1}=5\times\left(\frac{1}{2}\right)^{n}$$

STEP 2 처음으로 $\dfrac{1}{20}$보다 작아지는 항 구하기

제n항에서 처음으로 $\dfrac{1}{20}$보다 작아진다고 하면

$$a_n=5\times\left(\frac{1}{2}\right)^{n}<\frac{1}{20}$$에서 $\left(\frac{1}{2}\right)^{n}<\frac{1}{100}$

이때 $\left(\dfrac{1}{2}\right)^{6}=\dfrac{1}{64}$, $\left(\dfrac{1}{2}\right)^{7}=\dfrac{1}{128}$이므로

$$n\geq7$$

따라서 처음으로 $\dfrac{1}{20}$보다 작아지는 항은 제7항이다.

02-3 답 4

해결전략 | 등비수열의 두 항을 이용하여 일반항 a_n을 구한다.

STEP 1 일반항 구하기

등비수열 $\{a_n\}$의 첫째항을 a, 공비를 r라고 하면

$$a_3=ar^2=\frac{1}{6} \qquad\qquad \cdots\cdots ㉠$$

$$a_5=ar^4=\frac{1}{54} \qquad\qquad \cdots\cdots ㉡$$

㉡÷㉠을 하면 $\dfrac{ar^4}{ar^2}=\dfrac{\frac{1}{54}}{\frac{1}{6}}$, 즉 $r^2=\dfrac{1}{9}$

$$\therefore r=\frac{1}{3} \ (\because r>0)$$

$r=\dfrac{1}{3}$을 ㉠에 대입하면

$$\frac{1}{9}a=\frac{1}{6} \qquad \therefore a=\frac{3}{2}$$

$$\therefore a_n=\frac{3}{2}\times\left(\frac{1}{3}\right)^{n-1}=\frac{1}{2}\times\left(\frac{1}{3}\right)^{n-2}$$

STEP 2 k의 값 구하기

$8a_k=\dfrac{4}{9}$에서 $a_k=\dfrac{1}{18}$이므로

$$\frac{1}{2}\times\left(\frac{1}{3}\right)^{k-2}=\frac{1}{18}, \ \left(\frac{1}{3}\right)^{k-2}=\frac{1}{9}=\left(\frac{1}{3}\right)^{2}$$

$$k-2=2 \qquad \therefore k=4$$

02-4 답 3

해결전략 | 등비수열에서 두 항에 대한 비율이 주어지면 공비를 구할 수 있다.

STEP 1 일반항 구하기

등비수열 $\{a_n\}$의 첫째항을 a, 공비를 r라고 하면

$\dfrac{a_9}{a_7}=\dfrac{ar^8}{ar^6}=4$에서 $r^2=4$

$$\therefore r=-2 \ (\because r<0)$$

$a_4-a_2=-24$에서 $a_4=a\times(-2)^3=-8a$,

$a_2=a\times(-2)=-2a$

이므로

$$-8a-(-2a)=-24$$

$$-6a=-24 \qquad \therefore a=4$$

$$\therefore a_n=4\times(-2)^{n-1}$$

STEP 2 항의 절댓값이 두 자리 수인 것의 개수 구하기

따라서 수열 $\{a_n\}$은 4, -8, 16, -32, 64, -128, $\cdots$이므로 항의 절댓값이 두 자리 수인 것은 16, -32, 64의 3개이다.

02-5 답 제8항

해결전략 | 일반항을 구한 다음 100에 가까운 항을 추론하여 그 값을 알아본다.

STEP 1 일반항 구하기

등비수열 $\{a_n\}$의 첫째항을 a, 공비를 r라고 하면

$a_4-a_2=ar^3-ar=6$에서

$$ar(r^2-1)=6 \qquad\qquad \cdots\cdots ㉠$$

$a_7-a_5=ar^6-ar^4=48$에서

$$ar^4(r^2-1)=48 \qquad\qquad \cdots\cdots ㉡$$

㉡÷㉠을 하면 $\dfrac{ar^4(r^2-1)}{ar(r^2-1)}=\dfrac{48}{6}$, 즉 $r^3=8$

$$\therefore r=2 \ (\because r는 실수)$$

$r=2$를 ㉠에 대입하면 $6a=6 \qquad \therefore a=1$

$$\therefore a_n=2^{n-1}$$

STEP 2 100에 가장 가까운 항 구하기

이때 $a_7=2^6=64$, $a_8=2^7=128$이므로 100에 가장 가까운 항은 a_8이다. 즉, 제8항이다.

02-6 답 5

해결전략 | a_5+a_7과 a_6의 비율이 주어졌으므로 수열의 공비를 구할 수 있다.

STEP 1 일반항 구하기

등비수열 $\{a_n\}$의 첫째항을 a, 공비를 r라고 하면

$a_1a_2=a\times ar=12$에서

$a^2r=12$ ...... ㉠

$\dfrac{a_5+a_7}{a_6}=\dfrac{ar^4+ar^6}{ar^5}=\dfrac{10}{3}$에서

$\dfrac{1+r^2}{r}=\dfrac{10}{3}$, $3r^2-10r+3=0$

$(3r-1)(r-3)=0$ ∴ $r=3$ ($∵ r>1$)

$r=3$을 ㉠에 대입하면 $3a^2=12$

$a^2=4$ ∴ $a=2$ ($∵ a>0$)

∴ $a_n=2\times 3^{n-1}$

STEP 2 k의 값 구하기

$a_{k+1}=2\times 3^k$이므로

$200<2\times 3^k<500$, $100<3^k<250$

이때 $3^4=81$, $3^5=243$이므로

$k=5$

필수유형 **03** 327쪽

03-1 답 6, 12, 24 또는 -6, 12, -24

해결전략 | 수를 넣어서 만든 수열에서 끝항이 제몇 항인지 알아본다.

STEP 1 공비 구하기

등비수열의 공비를 r라고 하면 48은 제5항이므로

$3r^4=48$, $r^4=16$ ∴ $r=\pm 2$

STEP 2 세 수 구하기

(ⅰ) $r=2$일 때

$x_1=3\times 2=6$, $x_2=6\times 2=12$, $x_3=12\times 2=24$

(ⅱ) $r=-2$일 때

$x_1=3\times(-2)=-6$, $x_2=-6\times(-2)=12$,

$x_3=12\times(-2)=-24$

(ⅰ), (ⅱ)에 의하여 구하는 세 수는 6, 12, 24 또는 -6, 12, -24이다.

03-2 답 -32

해결전략 | -32가 제6항임을 이용하여 공비를 구한다.

STEP 1 공비 구하기

등비수열의 공비를 r라고 하면 -32는 제6항이므로

$1\times r^5=-32$ ∴ $r=-2$

STEP 2 $\dfrac{x_3x_4}{x_2}$의 값 구하기

이때 x_2는 제3항, x_3은 제4항, x_4는 제5항이므로

$x_2=1\times(-2)^2=4$

$x_3=1\times(-2)^3=-8$

$x_4=1\times(-2)^4=16$

∴ $\dfrac{x_3x_4}{x_2}=\dfrac{-8\times 16}{4}=-32$

03-3 답 7

해결전략 | $\dfrac{1}{4}$이 제$(n+2)$항임을 이용하여 n에 대한 식을 세운다.

STEP 1 n에 대한 식 세우기

등비수열의 첫째항은 64, 공비는 $\dfrac{1}{2}$이고 $\dfrac{1}{4}$은 제$(n+2)$항이므로

$64\times\left(\dfrac{1}{2}\right)^{n+1}=\dfrac{1}{4}$

STEP 2 n의 값 구하기

$2^6\times 2^{-n-1}=2^{-2}$, $2^{-n+5}=2^{-2}$

$-n+5=-2$ ∴ $n=7$

03-4 답 8

해결전략 | 첫째항이 3, 제6항이 96임을 이용하여 일반항 a_n을 구한다.

STEP 1 일반항 구하기

등비수열 $\{a_n\}$의 공비를 r라고 하면 96은 제6항이므로

$3r^5=96$, $r^5=32$ ∴ $r=2$

∴ $a_n=3\times 2^{n-1}$

STEP 2 n의 최솟값 구하기

$a_n=3\times 2^{n-1}>300$에서 $2^{n-1}>100$

이때 $2^6=64$, $2^7=128$이므로

$n-1\geq 7$ ∴ $n\geq 8$

따라서 구하는 n의 최솟값은 8이다.

03-5 답 4

해결전략 | 등비수열 $\{a_n\}$에서 2는 제4항, $\dfrac{243}{16}$은 제$(n+5)$항임을 이용하여 일반항을 구한다.

STEP 1 일반항 구하기

등비수열 $\{a_n\}$의 공비를 r라고 하면 2는 제4항이므로

$\dfrac{16}{27}\times r^3=2$

$$r^3 = \frac{27}{8} \qquad \therefore r = \frac{3}{2}$$

$$\therefore a_n = \frac{16}{27} \times \left(\frac{3}{2}\right)^{n-1}$$

STEP2 n의 값 구하기

$\dfrac{243}{16}$은 제$(n+5)$항이므로 $\longrightarrow$ $1+2+1+n+1=n+5$

$$\frac{16}{27} \times \left(\frac{3}{2}\right)^{n+4} = \frac{243}{16}$$

$$\left(\frac{3}{2}\right)^{n+4} = \frac{243}{16} \times \frac{27}{16} = \frac{3^8}{2^8} = \left(\frac{3}{2}\right)^8$$

$$n+4 = 8 \qquad \therefore n = 4$$

03-6 답 7

해결전략 | 만든 등비수열에서 4와 -32가 각각 제몇 항인지 알아본다.

STEP1 첫째항과 공비 구하기

등비수열 a, x_1, x_2, x_3, 4, x_4, x_5, -32의 공비를 r라고 하면 4는 제5항, -32는 제8항이므로

$$ar^4 = 4 \qquad\qquad \cdots\cdots \ \text{㉠}$$
$$ar^7 = -32 \qquad\qquad \cdots\cdots \ \text{㉡}$$

㉡$\div$㉠을 하면 $\dfrac{ar^7}{ar^4} = \dfrac{-32}{4}$

$$r^3 = -8 \qquad \therefore r = -2 \ (\because r\text{는 실수})$$

$r = -2$를 ㉠에 대입하면 $16a = 4$

$$\therefore a = \frac{1}{4}$$

STEP2 x_4, x_5의 값 구하기

이때 x_4는 제6항, x_5는 제7항이므로 $\longrightarrow$ 새로 만든 수열에서 항의 순서 임에 주의

$$x_4 = \frac{1}{4} \times (-2)^5 = -8$$

$$x_5 = \frac{1}{4} \times (-2)^6 = 16$$

STEP3 $\log_2 |x_4 x_5|$의 값 구하기

$$\therefore \log_2 |x_4 x_5| = \log_2 |-128| = \log_2 128 = \log_2 2^7 = 7$$

필수유형 04　　　　　　　　　329쪽

04-1 답 $\dfrac{25}{4}$

해결전략 | 등비중항을 이용하여 식을 세운다.

STEP1 x의 값 구하기

x는 10과 $\dfrac{5}{2}$의 등비중항이므로

$$x^2 = 10 \times \frac{5}{2} = 25 \qquad \therefore x = 5 \ (\because x > 0)$$

STEP2 y의 값 구하기

$\dfrac{5}{2}$는 x와 y, 즉 5와 y의 등비중항이므로

$$\left(\frac{5}{2}\right)^2 = 5y \qquad \therefore y = \frac{5}{4}$$

STEP3 $x+y$의 값 구하기

$$\therefore x+y = 5 + \frac{5}{4} = \frac{25}{4}$$

04-2 답 -2, $\dfrac{1}{2}$

해결전략 | 등비중항을 이용하여 식을 세운다.

STEP1 등비중항을 이용하여 식 세우기

$-x+2$는 x와 $5x+2$의 등비중항이므로

$$(-x+2)^2 = x(5x+2)$$

STEP2 x의 값 구하기

$$x^2 - 4x + 4 = 5x^2 + 2x, \ 4x^2 + 6x - 4 = 0$$

$$2x^2 + 3x - 2 = 0, \ (x+2)(2x-1) = 0$$

$$\therefore x = -2 \ \text{또는} \ x = \frac{1}{2}$$

04-3 답 $\sqrt{7}$

해결전략 | 먼저 이차방정식의 근과 계수의 관계를 이용하여 $\alpha + \beta$, $\alpha\beta$의 값을 구한다.

STEP1 $\alpha + \beta$, $\alpha\beta$의 값 구하기

이차방정식 $x^2 - 5x + 1 = 0$에서 근과 계수의 관계에 의하여 $\alpha + \beta = 5$, $\alpha\beta = 1$

STEP2 k의 값 구하기

k는 $\alpha + 1$과 $\beta + 1$의 등비중항이므로

$$k^2 = (\alpha+1)(\beta+1)$$
$$= \alpha\beta + \alpha + \beta + 1 = 1 + 5 + 1 = 7$$

$$\therefore k = \sqrt{7} \ (\because k > 0)$$

> 🎯 **풍쌤의 비법**
>
> **이차방정식의 근과 계수의 관계**
> 이차방정식 $ax^2 + bx + c = 0$의 두 근을 α, β라고 하면
> $$\alpha + \beta = -\frac{b}{a}, \ \alpha\beta = \frac{c}{a}$$

04-4 답 $\dfrac{\sqrt{15}}{15}$

해결전략 | 등비중항을 이용하여 삼각함수에 대한 식을 세운 후 삼각방정식을 푼다.

STEP1 $\sin\theta$의 값 구하기

$2\cos\theta$는 1과 $15\sin\theta$의 등비중항이므로

$$(2\cos\theta)^2 = 1 \times 15\sin\theta$$

$4\cos^2\theta = 15\sin\theta$

$4(1-\sin^2\theta)=15\sin\theta \; (\because \sin^2\theta+\cos^2\theta=1)$

$4\sin^2\theta+15\sin\theta-4=0$

$(4\sin\theta-1)(\sin\theta+4)=0$

$\therefore \sin\theta=\dfrac{1}{4} \; (\because \sin\theta>0)$

STEP 2 $\cos\theta$의 값 구하기

$\sin^2\theta+\cos^2\theta=1$이므로

$\cos^2\theta=1-\sin^2\theta=1-\dfrac{1}{16}=\dfrac{15}{16}$

$\therefore \cos\theta=\dfrac{\sqrt{15}}{4} \; (\because \cos\theta>0)$

STEP 3 $\tan\theta$의 값 구하기

$\therefore \tan\theta=\dfrac{\sin\theta}{\cos\theta}=\dfrac{1}{4}\times\dfrac{4}{\sqrt{15}}=\dfrac{\sqrt{15}}{15}$

04-5 답 -48

해결전략 | 공비가 주어졌으므로 a_2, a_6을 첫째항에 대한 식으로 나타낸다.

STEP 1 첫째항 구하기

등비수열 $\{a_n\}$의 첫째항을 a라고 하면 공비가 2이므로

$a_2=2a$, $a_6=a\times2^5=32a$

6은 a_2와 a_6의 등비중항이므로

$6^2=a_2\times a_6$

$2a\times32a=36$, $a^2=\dfrac{9}{16}$

$\therefore a=-\dfrac{3}{4} \; (\because a<0)$

STEP 2 a_7의 값 구하기

따라서 $a_n=\left(-\dfrac{3}{4}\right)\times2^{n-1}$이므로

$a_7=\left(-\dfrac{3}{4}\right)\times2^6=-48$

04-6 답 -15

해결전략 | 등차중항, 등비중항을 이용하여 a, b에 대한 식을 세운다.

STEP 1 등차중항, 등비중항을 이용하여 식 세우기

b는 a와 6의 등차중항이므로

$2b=a+6$, 즉 $a=2b-6$ ...... ㉠

6은 a와 b의 등비중항이므로

$6^2=ab$, 즉 $ab=36$ ...... ㉡

STEP 2 $a+b$의 값 구하기

㉠을 ㉡에 대입하면

$(2b-6)b=36$, $b^2-3b-18=0$

$(b+3)(b-6)=0$ $\therefore b=-3$ 또는 $b=6$

이것을 ㉠에 대입하면

(ⅰ) $b=-3$일 때, $a=-12$

(ⅱ) $b=6$일 때, $a=6$

이것은 a, b가 서로 다른 실수라는 조건을 만족시키지 않는다.

(ⅰ), (ⅱ)에 의하여 $a=-12$, $b=-3$

$\therefore a+b=-12+(-3)=-15$

필수유형 **05**   331쪽

05-1 답 84

해결전략 | 등비수열을 이루는 세 수를 a, ar, ar^2으로 놓고 식을 세운다.

STEP 1 공비 구하기

등비수열을 이루는 세 수를 a, ar, ar^2으로 놓으면

세 수의 합이 14이므로

$a+ar+ar^2=14$

$\therefore a(1+r+r^2)=14$ ...... ㉠

세 수의 곱이 64이므로

$a\times ar\times ar^2=64$, $(ar)^3=64$

$\therefore ar=4 \; (\because ar$는 실수$)$ ...... ㉡

㉠÷㉡을 하면

$\dfrac{a(1+r+r^2)}{ar}=\dfrac{14}{4}$, 즉 $\dfrac{1+r+r^2}{r}=\dfrac{7}{2}$

$2r^2-5r+2=0$, $(2r-1)(r-2)=0$

$\therefore r=\dfrac{1}{2}$ 또는 $r=2$

STEP 2 세 수의 제곱의 합 구하기

이것을 ㉡에 대입하면

$r=\dfrac{1}{2}$일 때 $a=8$, $r=2$일 때 $a=2$

(ⅰ) $a=8$, $r=\dfrac{1}{2}$일 때 세 수는 8, 4, 2

(ⅱ) $a=2$, $r=2$일 때 세 수는 2, 4, 8

따라서 세 수의 제곱의 합은

$2^2+4^2+8^2=84$

05-2 답 $\dfrac{7}{2}$

해결전략 | 연속한 세 항을 a, ar, ar^2으로 놓고 식을 세운다.

STEP 1 공비 구하기

연속한 세 항을 a, ar, ar^2으로 놓으면

세 항의 합이 $-\dfrac{3}{2}$이므로

$a+ar+ar^2=-\dfrac{3}{2}$

$\therefore a(1+r+r^2)=-\dfrac{3}{2}$ ...... ㉠

세 항의 곱이 1이므로

$a \times ar \times ar^2=1$, $(ar)^3=1$

$\therefore ar=1$ ($\because ar$는 실수) ...... ㉡

㉠÷㉡을 하면

$\dfrac{a(1+r+r^2)}{ar}=-\dfrac{3}{2}$, 즉 $\dfrac{1+r+r^2}{r}=-\dfrac{3}{2}$

$2r^2+5r+2=0$, $(r+2)(2r+1)=0$

$\therefore r=-2$ 또는 $r=-\dfrac{1}{2}$

STEP2 세 항의 절댓값의 합 구하기

이것을 ㉡에 대입하면

$r=-2$일 때 $a=-\dfrac{1}{2}$, $r=-\dfrac{1}{2}$일 때 $a=-2$

(i) $a=-\dfrac{1}{2}$, $r=-2$일 때 세 수는 $-\dfrac{1}{2}$, 1, -2

(ii) $a=-2$, $r=-\dfrac{1}{2}$일 때 세 수는 -2, 1, $-\dfrac{1}{2}$

따라서 세 항은 -2, 1, $-\dfrac{1}{2}$이므로 절댓값의 합은

$2+1+\dfrac{1}{2}=\dfrac{7}{2}$

05-3 답 $\dfrac{3}{7}$, $\dfrac{6}{7}$, $\dfrac{12}{7}$

해결전략 | 등비수열을 이루는 세 수를 a, ar, ar^2으로 놓고 식을 세운다.

STEP1 공비 구하기

세 수를 a, ar, ar^2으로 놓으면 세 수의 합이 3이므로

$a+ar+ar^2=3$ ...... ㉠

세 수는 양수이고 공비가 1보다 크므로 가장 큰 수는 ar^2이다. 이때 가장 큰 수의 제곱이 가운데 수의 제곱의 4배와 같으므로

$(ar^2)^2=4(ar)^2$

$a^2r^4=4a^2r^2$, $a^2r^2(r^2-4)=0$

$\therefore r=2$ ($\because a>0$, $r>1$)

STEP2 세 수 구하기

$r=2$를 ㉠에 대입하면

$a+2a+4a=3$, $7a=3$ $\quad \therefore a=\dfrac{3}{7}$

따라서 세 수는 $\dfrac{3}{7}$, $\dfrac{6}{7}$, $\dfrac{12}{7}$이다.

05-4 답 -14

해결전략 | 세 실근을 a, ar, ar^2으로 놓고 삼차방정식의 근과 계수의 관계를 이용한다.

STEP1 삼차방정식의 근과 계수의 관계를 이용하여 식 세우기

삼차방정식 $8x^3+kx^2+7x-1=0$의 세 실근을 a, ar, ar^2으로 놓으면 삼차방정식의 근과 계수의 관계에 의하여

$a+ar+ar^2=-\dfrac{k}{8}$ ...... ㉠

$a \times ar+ar \times ar^2+ar^2 \times a=\dfrac{7}{8}$에서

$ar(a+ar+ar^2)=\dfrac{7}{8}$ ...... ㉡

$a \times ar \times ar^2=\dfrac{1}{8}$에서

$(ar)^3=\dfrac{1}{8}$

$\therefore ar=\dfrac{1}{2}$ ($\because ar$는 실수) ...... ㉢

STEP2 k의 값 구하기

㉠, ㉢을 ㉡에 대입하면

$\dfrac{1}{2} \times \left(-\dfrac{k}{8}\right)=\dfrac{7}{8}$ $\quad \therefore k=-14$

05-5 답 6

해결전략 | 삼각형의 세 변의 길이를 a, ar, ar^2으로 놓는다.

STEP1 문제의 조건에 알맞은 식 세우기

삼각형의 세 변의 길이를 a, ar, ar^2으로 놓으면 둘레의 길이가 19이므로

$a+ar+ar^2=19$

$\therefore a(1+r+r^2)=19$ ...... ㉠

세 변의 길이의 제곱의 합이 133이므로

$a^2+(ar)^2+(ar^2)^2=133$

$a^2+a^2r^2+a^2r^4=133$

$\therefore a^2(1+r^2+r^4)=133$ ...... ㉡

STEP2 두 번째로 긴 변의 길이 구하기

㉠을 제곱하면

$a^2(1+r+r^2)^2=361$

$a^2(1+r^2+r^4+2r+2r^2+2r^3)=361$

$a^2(1+r^2+r^4)+2a^2r(1+r+r^2)=361$

㉠, ㉡을 위의 식에 대입하면

$133+2ar \times 19=361$

$38ar=228$ $\quad \therefore ar=6$

따라서 두 번째로 긴 변의 길이는 6이다.

05-6 답 -2

해결전략 | 두 곡선의 교점의 x좌표는 두 곡선의 식을 연립한 방정식의 해와 같다.

STEP1 교점의 x좌표를 a, ar, ar^2으로 놓고 식 세우기

두 곡선의 교점의 x좌표는 방정식

$x^3+x^2-6x=kx^2+8$, 즉 $x^3+(1-k)x^2-6x-8=0$

의 근이다.

따라서 삼차방정식 $x^3+(1-k)x^2-6x-8=0$의 서로 다른 세 실근을 a, ar, ar^2으로 놓으면 삼차방정식의 근과 계수의 관계에 의하여

$a+ar+ar^2=k-1$ ······ ㉠

$a\times ar+ar\times ar^2+ar^2\times a=-6$에서

$ar(a+ar+ar^2)=-6$ ······ ㉡

$a\times ar\times ar^2=8$에서

$(ar)^3=8$

$\therefore ar=2$ ($\because ar$는 실수) ······ ㉢

STEP2 k의 값 구하기

㉠, ㉢을 ㉡에 대입하면

$2(k-1)=-6$

$2k=-4$ $\therefore k=-2$

필수유형 06 333쪽

06-1 답 $\dfrac{511}{8}$

해결전략 | 먼저 주어진 등비수열의 항수를 구한다.

STEP1 항수 구하기

$\dfrac{1}{8}$을 제n항이라고 하면 첫째항이 32, 공비가 $\dfrac{1}{2}$이므로

$32\times\left(\dfrac{1}{2}\right)^{n-1}=\dfrac{1}{8}$, $\left(\dfrac{1}{2}\right)^{n-1}=\dfrac{1}{256}=\left(\dfrac{1}{2}\right)^8$

$n-1=8$ $\therefore n=9$

STEP2 등비수열의 합 구하기

따라서 항수가 9이므로 구하는 합은

$\dfrac{32\left\{1-\left(\dfrac{1}{2}\right)^9\right\}}{1-\dfrac{1}{2}}=64\left(1-\dfrac{1}{512}\right)=\dfrac{511}{8}$

06-2 답 $\dfrac{1}{6}(1-3^{12})$

해결전략 | 등비수열의 두 항을 이용하여 첫째항과 공비를 구한 다음 합의 공식을 이용한다.

STEP1 공비 구하기

등비수열 $\{a_n\}$의 첫째항을 a, 공비를 r라고 하면

$a_2=ar=-2$ ······ ㉠

$a_5=ar^4=54$ ······ ㉡

㉡$\div$㉠을 하면 $\dfrac{ar^4}{ar}=\dfrac{54}{-2}$, 즉 $r^3=-27$

$\therefore r=-3$ ($\because r$는 실수)

STEP2 첫째항 구하기

이것을 ㉠에 대입하면

$-3a=-2$ $\therefore a=\dfrac{2}{3}$

STEP3 첫째항부터 제12항까지의 합 구하기

$\therefore a_1+a_2+a_3+\cdots+a_{12}=\dfrac{\dfrac{2}{3}\{1-(-3)^{12}\}}{1-(-3)}$

$=\dfrac{1}{6}(1-3^{12})$

06-3 답 (1) 1023 (2) 1651

해결전략 | a^n(a는 소수)의 약수의 총합은 $1+a+a^2+\cdots+a^n$이다.

(1) $512=2^9$이므로 약수의 총합은

$\underbrace{1+2+2^2+\cdots+2^9}=\dfrac{2^{10}-1}{2-1}=1023$ → 항수는 10이다.

(2) $576=2^6\times3^2$이므로 약수의 총합은

$(1+2+2^2+\cdots+2^6)(1+3+3^2)$

$=\dfrac{2^7-1}{2-1}\times13=1651$

06-4 답 5

해결전략 | 공비가 주어졌으므로 $a_3=18$에서 첫째항을 구하면 S_n을 구할 수 있다.

STEP1 S_n 구하기

공비가 3이므로 $a_3=a_1\times3^2=18$에서 $a_1=2$

$\therefore S_n=\dfrac{2(3^n-1)}{3-1}=3^n-1$

STEP2 k의 값 구하기

$S_k=3^k-1=242$에서 $3^k=243$

$\therefore k=5$

06-5 답 10

해결전략 | 로그의 성질을 이용하여 주어진 식의 좌변을 간단히 한다.

STEP1 $\log_2 8+\log_2 8^2+\cdots+\log_2 8^{64}$을 간단히 하기

$\log_2 8+\log_2 8^2+\log_2 8^4+\cdots+\log_2 8^{64}$

$=\log_2 2^3+\log_2 2^6+\log_2 2^{12}+\cdots+\log_2 2^{192}$

$=3+6+12+\cdots+192$ ······ ㉠

STEP2 $m+n$의 값 구하기

이때 첫째항이 3, 공비가 2인 등비수열에서 192를 제n항

이라고 하면

$3 \times 2^{n-1} = 192$, $2^{n-1} = 64 = 2^6$ $\quad \therefore n = 7$

따라서 ㉠은 첫째항이 3, 공비가 2인 등비수열의 첫째항부터 제7항까지의 합이므로

$3 + 6 + 12 + \cdots + 192 = \dfrac{3(2^7 - 1)}{2 - 1} = 3 \times 2^7 - 3$

즉, $3 \times 2^7 - 3 = 3 \times 2^m - n$에서

$m = 7$, $n = 3$ $\quad \therefore m + n = 7 + 3 = 10$

06-6 답 508

해결전략 | 등비수열 $\{a_n\}$의 공비가 r이면 수열 a_1, a_3, a_5, $\cdots$도 등비수열이고 공비는 r^2이 된다.

STEP1 첫째항과 공비의 제곱의 값 구하기

등비수열 $\{a_n\}$의 첫째항을 a, 공비를 r라고 하면

$a_2 a_3 = a_8$에서

$ar \times ar^2 = ar^7$, $a^2 r^3 = ar^7$

$ar^3(a - r^4) = 0$

이때 $a > 0$, $r > 0$이므로

$a = r^4$ $\qquad\qquad$ ...... ㉠

$a_1 + a_5 = 20$에서 $a + ar^4 = 20$

$r^4 + r^4 \times r^4 = 20$ $(\because ㉠)$

$(r^4)^2 + r^4 - 20 = 0$

$(r^4 + 5)(r^4 - 4) = 0$ $\quad \therefore r^4 = 4$

$\therefore a = 4$, $r^2 = 2$

STEP2 $a_1 + a_3 + a_5 + \cdots + a_{13}$의 값 구하기

$a_1 + a_3 + a_5 + \cdots + a_{13}$의 값은 첫째항이 4, 공비가 $r^2 = 2$인 등비수열의 첫째항부터 제7항까지의 합이므로

$a_1 + a_3 + a_5 + \cdots + a_{13} = \dfrac{4\{1 - (r^2)^7\}}{1 - r^2}$ $\quad$ $\overset{13 = 2n-1에서}{14 = 2n,\ n = 7}$

$\qquad\qquad\qquad\qquad\quad = \dfrac{4(1 - 2^7)}{1 - 2} = 508$

필수유형 07 $\qquad\qquad\qquad\qquad\qquad$ 335쪽

07-1 답 (1) $a_n = \dfrac{1}{3} \times 2^{n-1}$ (2) -63

해결전략 | 등비수열의 합의 공식을 이용하여 주어진 두 부분합을 첫째항과 공비에 대한 식으로 나타낸다.

(1) **STEP1 공비 구하기**

등비수열 $\{a_n\}$의 첫째항을 a, 공비를 r라고 하면

$S_4 = \dfrac{a(r^4 - 1)}{r - 1} = 5$ $\qquad\qquad$ ...... ㉠

$S_8 = \dfrac{a(r^8 - 1)}{r - 1} = 85$ $\qquad\qquad$ ...... ㉡

㉡에서 $\dfrac{a(r^4 - 1)(r^4 + 1)}{r - 1} = 85$

위의 식에 ㉠을 대입하면

$5(r^4 + 1) = 85$, $r^4 = 16$ $\quad \therefore r = 2$ $(\because r > 0)$

STEP2 일반항 구하기

$r = 2$를 ㉠에 대입하면

$15a = 5$ $\quad \therefore a = \dfrac{1}{3}$

$\therefore a_n = \dfrac{1}{3} \times 2^{n-1}$

(2) **STEP1 r^2의 값 구하기**

등비수열 $\{a_n\}$의 첫째항을 a, 공비를 r라고 하면

$S_2 = \dfrac{a(r^2 - 1)}{r - 1} = -3$ $\qquad\qquad$ ...... ㉠

$S_4 = \dfrac{a(r^4 - 1)}{r - 1} = -15$ $\qquad\qquad$ ...... ㉡

㉡에서 $\dfrac{a(r^2 - 1)(r^2 + 1)}{r - 1} = -15$

위의 식에 ㉠을 대입하면

$-3(r^2 + 1) = -15$ $\quad \therefore r^2 = 4$

STEP2 S_6의 값 구하기

$\therefore S_6 = \dfrac{a(r^6 - 1)}{r - 1} = \dfrac{a(r^2 - 1)}{r - 1} \times (r^4 + r^2 + 1)$

$\qquad = -3 \times (4^2 + 4 + 1) = -63$

07-2 답 48

해결전략 | $S_n = \dfrac{a(r^n - 1)}{r - 1}$임을 이용하여 주어진 조건에서 첫째항과 공비를 구한다.

STEP1 첫째항과 공비 구하기

등비수열 $\{a_n\}$의 첫째항을 a, 공비를 r라고 하면

$S_3 = \dfrac{a(r^3 - 1)}{r - 1} = 21$ $\qquad\qquad$ ...... ㉠

$S_6 = \dfrac{a(r^6 - 1)}{r - 1} = 189$ $\qquad\qquad$ ...... ㉡

㉡에서 $\dfrac{a(r^3 - 1)(r^3 + 1)}{r - 1} = 189$

위의 식에 ㉠을 대입하면

$21(r^3 + 1) = 189$, $r^3 = 8$

$\therefore r = 2$ $(\because r$는 실수$)$

$r = 2$를 ㉠에 대입하면 $7a = 21$ $\quad \therefore a = 3$

STEP2 a_5의 값 구하기

$\therefore a_5 = 3 \times 2^4 = 48$

07-3 답 340

해결전략 | 등비수열의 합의 공식을 이용하여 주어진 식의 값을 구할 때, 주어진 식의 첫째항과 항수에 주의한다.

STEP1 공비 구하기

등비수열 $\{a_n\}$의 첫째항을 a, 공비를 r라고 하면

$$S_4 = \frac{a(r^4-1)}{r-1} = 5 \qquad \cdots\cdots \text{㉠}$$

$$S_8 = \frac{a(r^8-1)}{r-1} = 85 \qquad \cdots\cdots \text{㉡}$$

㉡에서 $\dfrac{a(r^4-1)(r^4+1)}{r-1} = 85$

위의 식에 ㉠을 대입하면

$5(r^4+1)=85$, $r^4=16$ $\qquad \therefore r=-2 \ (\because r<0)$

STEP2 일반항 구하기

이것을 ㉠에 대입하면 $-5a=5$ $\qquad \therefore a=-1$

$\therefore a_n = (-1) \times (-2)^{n-1} = -(-2)^{n-1}$

STEP3 $a_3+a_4+a_5+\cdots+a_{10}$의 값 구하기

따라서 $a_3 = -(-2)^2 = -4$이고 a_3부터 a_{10}까지 항수는 8이므로

$$a_3+a_4+a_5+\cdots+a_{10} = \frac{-4\{1-(-2)^8\}}{1-(-2)} = 340$$

07-4 답 15

해결전략 | a_3과 a_5 사이의 관계를 알아보는 것이므로 공비만 알면 k의 값을 구할 수 있다.

STEP1 공비 구하기

등비수열 $\{a_n\}$의 첫째항을 a, 공비를 r라고 하면

$S_4 = 16S_2$에서

$$\frac{a(r^4-1)}{r-1} = 16 \times \frac{a(r^2-1)}{r-1}$$

$r^4-1 = 16(r^2-1)$, $r^4-16r^2+15=0$

$(r^2-1)(r^2-15)=0$ $\qquad \therefore r=\sqrt{15} \ (\because r>1)$

STEP2 k의 값 구하기

$a_5 = ka_3$에서 $ar^4 = k \times ar^2$이므로

$k = r^2 = 15$

07-5 답 -310

해결전략 | 문제에서 주어진 두 조건을 이용하여 S_{10}의 값을 알아본다.

STEP1 r^5의 값 구하기

등비수열 $\{a_n\}$의 첫째항을 a, 공비를 r라고 하면

$$S_5 = \frac{a(r^5-1)}{r-1} = -10 \qquad \cdots\cdots \text{㉠}$$

$$S_{10} = S_5 + a_6 + a_7 + a_8 + a_9 + a_{10}$$
$$= -10 + (-50) = -60$$

이므로

$$S_{10} = \frac{a(r^{10}-1)}{r-1} = -60 \qquad \cdots\cdots \text{㉡}$$

㉡에서 $\dfrac{a(r^5-1)(r^5+1)}{r-1} = -60$

위의 식에 ㉠을 대입하면

$-10(r^5+1) = -60$, $r^5+1=6$ $\qquad \therefore r^5=5$

STEP2 S_{15}의 값 구하기

$$\therefore S_{15} = \frac{a(r^{15}-1)}{r-1} = \frac{a(r^5-1)}{r-1} \times (r^{10}+r^5+1)$$
$$= -10 \times (5^2+5+1) = -310$$

07-6 답 5×2^{10}

해결전략 | 등비수열 $\{a_n\}$의 공비가 r이면 수열 $\{a_{2n-1}\}$, $\{a_{2n}\}$도 등비수열이고 공비는 r^2이 된다.

STEP1 공비 구하기

등비수열 $\{a_n\}$의 첫째항을 a, 공비를 r라고 하면

$a_1+a_3+a_5+a_7+a_9$의 값은 첫째항이 $a_1=a$, 공비가 r^2인 등비수열의 첫째항부터 제5항까지의 합이므로

$$a_1+a_3+a_5+a_7+a_9 = \frac{a\{(r^2)^5-1\}}{r^2-1} = -5 \qquad \cdots\cdots \text{㉠}$$

$a_2+a_4+a_6+a_8+a_{10}$의 값은 첫째항이 $a_2=ar$이고 공비가 r^2인 등비수열의 첫째항부터 제5항까지의 합이므로

$$a_2+a_4+a_6+a_8+a_{10} = \frac{ar\{(r^2)^5-1\}}{r^2-1} = 10 \qquad \cdots\cdots \text{㉡}$$

㉠을 ㉡에 대입하면

$-5r=10$ $\qquad \therefore r=-2$

STEP2 $a_{11}+a_{12}+a_{13}+\cdots+a_{20}$의 값 구하기

따라서 $a_{11}=ar^{10}$이고 a_{11}부터 a_{20}까지 항수는 10이므로

$$a_{11}+a_{12}+a_{13}+\cdots+a_{20}$$
$$= \frac{ar^{10}(r^{10}-1)}{r-1} = \frac{a(r^{10}-1)}{r^2-1} \times r^{10}(r+1)$$
$$= -5 \times (-2)^{10} \times (-2+1) = 5 \times 2^{10}$$

➕발전유형 08   337쪽

08-1 답 $\dfrac{25}{64}$

해결전략 | 처음 몇번의 시행에서 색칠하는 삼각형의 넓이의 합을 각각 구하여 규칙을 찾는다.

STEP1 첫 번째, 두 번째, 세 번째 시행에서 색칠하는 삼각형 4개의 넓이의 합을 구하기

n번째 시행에서 색칠하는 삼각형 4개의 넓이의 합을 a_n이라고 하면

$$a_1 = \square ABCD \times \frac{1}{2} = 100 \times \frac{1}{2} = 50$$

$$a_2 = \square A_1 B_1 C_1 D_1 \times \frac{1}{2} = \left(\frac{1}{2}\square ABCD\right) \times \frac{1}{2}$$
$$= 50 \times \frac{1}{2} = 25$$
$$a_3 = \square A_2 B_2 C_2 D_2 \times \frac{1}{2} = \left(\frac{1}{4}\square ABCD\right) \times \frac{1}{2}$$
$$= 25 \times \frac{1}{2} = \frac{25}{2}$$

STEP 2 8번째 시행에서 색칠하는 삼각형 4개의 넓이의 합 구하기

각 시행에서 색칠하는 삼각형 4개의 넓이의 합은 첫째항이 50, 공비가 $\frac{1}{2}$인 등비수열을 이루므로

$$a_n = 50 \times \left(\frac{1}{2}\right)^{n-1}$$

따라서 8번째 시행에서 색칠하는 삼각형 4개의 넓이의 합은

$$a_8 = 50 \times \left(\frac{1}{2}\right)^7 = \frac{25}{64}$$

08-2 답 $\frac{81}{256}$

해결전략 | 한 변의 길이가 a인 정삼각형의 높이가 $\frac{\sqrt{3}}{2}a$임을 이용하여 만들어지는 정삼각형의 한 변의 길이를 알아본다.

STEP 1 $\overline{AB_1}$, $\overline{AB_2}$, $\overline{AB_3}$의 길이 구하기

정삼각형 ABC의 한 변의 길이는 1이므로

$$\overline{AB_1} = \frac{\sqrt{3}}{2} \times 1 = \frac{\sqrt{3}}{2}$$

정삼각형 AB_1C_1의 한 변의 길이는 $\frac{\sqrt{3}}{2}$이므로

$$\overline{AB_2} = \frac{\sqrt{3}}{2} \times \frac{\sqrt{3}}{2} = \left(\frac{\sqrt{3}}{2}\right)^2$$

정삼각형 AB_2C_2의 한 변의 길이는 $\left(\frac{\sqrt{3}}{2}\right)^2$이므로

$$\overline{AB_3} = \frac{\sqrt{3}}{2} \times \left(\frac{\sqrt{3}}{2}\right)^2 = \left(\frac{\sqrt{3}}{2}\right)^3$$

STEP 2 정삼각형 AB_7C_7의 높이 구하기

따라서 각 정삼각형의 높이는 $\frac{\sqrt{3}}{2}$, $\left(\frac{\sqrt{3}}{2}\right)^2$, $\left(\frac{\sqrt{3}}{2}\right)^3$, $\cdots$ 이므로 첫째항이 $\frac{\sqrt{3}}{2}$, 공비가 $\frac{\sqrt{3}}{2}$인 등비수열을 이룬다.

이때 정삼각형 AB_7C_7의 높이는 $\overline{AB_8}$이므로

$$\overline{AB_8} = \left(\frac{\sqrt{3}}{2}\right)^8 = \frac{81}{256} \quad \longrightarrow \triangle AB_nC_n에서 높이는 \overline{AB_{n+1}}$$

08-3 답 $6\left\{1 - \left(\frac{2}{3}\right)^{10}\right\}$

해결전략 | $\triangle AB_nC_n$과 $\triangle AB_{n+1}C_{n+1}$의 닮음비를 이용하여 $\overline{B_nC_n}$과 $\overline{B_{n+1}C_{n+1}}$의 관계를 알아본다.

STEP 1 $\overline{B_1C_1}$의 길이 구하기

두 점 B_1, C_1은 각각 $\overline{AB}$, $\overline{AC}$를 2 : 1로 내분하는 점이므로

$$\overline{AB} : \overline{AB_1} = \overline{AC} : \overline{AC_1} = 3 : 2$$

따라서 $\triangle ABC$와 $\triangle AB_1C_1$의 닮음비가 3 : 2이므로

$$\overline{B_1C_1} = \overline{BC} \times \frac{2}{3} = 3 \times \frac{2}{3} = 2$$

STEP 2 공비 구하기

$\triangle AB_nC_n$과 $\triangle AB_{n+1}C_{n+1}$의 닮음비가 3 : 2이므로

$$\overline{B_{n+1}C_{n+1}} = \frac{2}{3}\overline{B_nC_n} \quad \longrightarrow \frac{\overline{B_{n+1}C_{n+1}}}{\overline{B_nC_n}} = \frac{2}{3}$$

즉, $\overline{B_1C_1}$, $\overline{B_2C_2}$, $\overline{B_3C_3}$, $\cdots$로 이루어지는 수열은 공비가 $\frac{2}{3}$인 등비수열이다.

STEP 3 $\overline{B_1C_1} + \overline{B_2C_2} + \cdots + \overline{B_{10}C_{10}}$의 값 구하기

따라서 $\overline{B_1C_1} + \overline{B_2C_2} + \cdots + \overline{B_{10}C_{10}}$의 값은 첫째항이 2, 공비가 $\frac{2}{3}$인 등비수열의 첫째항부터 제10항까지의 합이므로

$$\overline{B_1C_1} + \overline{B_2C_2} + \cdots + \overline{B_{10}C_{10}} = \frac{2\left\{1 - \left(\frac{2}{3}\right)^{10}\right\}}{1 - \frac{2}{3}}$$
$$= 6\left\{1 - \left(\frac{2}{3}\right)^{10}\right\}$$

08-4 답 $\frac{4}{3}\pi\left\{1 - \left(\frac{1}{4}\right)^{10}\right\}$

해결전략 | 각 시행에서 색칠한 부분의 넓이는 반원의 넓이에서 반원 안에 그린 원의 넓이를 뺀 값이다.

STEP 1 첫 번째, 두 번째, 세 번째 시행에서 색칠한 부분의 넓이 구하기

n번째 시행에서 색칠한 부분의 넓이를 a_n이라고 하면

$$a_1 = \pi \times 2^2 \times \frac{1}{2} - \pi \times 1^2 = \pi \quad \longrightarrow 원의 지름이 2이므로 반지름의 길이는 1이다.$$
$$a_2 = \pi \times 1^2 \times \frac{1}{2} - \pi \times \left(\frac{1}{2}\right)^2 = \frac{\pi}{4}$$
$$a_3 = \pi \times \left(\frac{1}{2}\right)^2 \times \frac{1}{2} - \pi \times \left(\frac{1}{4}\right)^2 = \frac{\pi}{16}$$

STEP 2 10번째 시행 후 색칠한 모든 부분의 넓이의 합 구하기

따라서 수열 $\{a_n\}$은 첫째항이 π, 공비가 $\frac{1}{4}$인 등비수열을 이루므로 10번째 시행 후 색칠한 모든 부분의 넓이의 합은 수열 $\{a_n\}$의 첫째항부터 제10항까지의 합과 같다.

$$\therefore a_1 + a_2 + a_3 + \cdots + a_{10} = \frac{\pi\left\{1 - \left(\frac{1}{4}\right)^{10}\right\}}{1 - \frac{1}{4}}$$
$$= \frac{4}{3}\pi\left\{1 - \left(\frac{1}{4}\right)^{10}\right\}$$

09-1 답 1

해결전략 | $a_1=S_1$의 값이 $a_n=S_n-S_{n-1}$ ($n\geq2$)을 계산하여 얻은 a_n의 식에 $n=1$을 대입한 값과 같아야 한다.

STEP1 a_1의 값과 a_n ($n\geq2$) 구하기

$a_1=S_1=5^{1+k}-5$

$n\geq2$일 때

$a_n=S_n-S_{n-1}=(5^{n+k}-5)-(5^{n-1+k}-5)$

$=5^{n+k}-5^{n-1+k}=4\times5^{n-1+k}$ ...... ㉠

↳ $5\times5^{n-1+k}-5^{n-1+k}$
     $=(5-1)\times5^{n-1+k}=4\times5^{n-1+k}$

STEP2 k의 값 구하기

이때 $a_1=S_1=5^{1+k}-5$는 ㉠에 $n=1$을 대입한 값 4×5^k과 같아야 하므로

$5^{1+k}-5=4\times5^k$, $5\times5^k-4\times5^k=5$

$5^k=5$ ∴ $k=1$

⊙→ 다른 풀이

$S_n=5^{n+k}-5=5^k\times5^n-5$에서 5^n의 계수가 5^k이므로 수열 $\{a_n\}$이 첫째항부터 등비수열을 이루려면

$5^k+(-5)=0$, 즉 $5^k=5$에서 $k=1$이어야 한다.

09-2 답 18

해결전략 | $a_n=S_n-S_{n-1}$ ($n\geq2$)임을 이용하여 a_3의 값을 구한다.

$a_3=S_3-S_2=(3^3-1)-(3^2-1)=26-8=18$

09-3 답 9

해결전략 | $a_n=S_n-S_{n-1}$ ($n\geq2$)임을 이용하여 a_n을 구한 다음 부등식을 푼다.

STEP1 a_n 구하기

$n\geq2$일 때

$a_n=S_n-S_{n-1}=(3\times2^n-3)-(3\times2^{n-1}-3)$

$=3\times2^n-3\times2^{n-1}=3\times2^{n-1}$

STEP2 n의 최솟값 구하기

$a_n>600$에서 $3\times2^{n-1}>600$, $2^{n-1}>200$

이때 $2^7=128$, $2^8=256$이므로

$n-1\geq8$ ∴ $n\geq9$

따라서 n의 최솟값은 9이다.

09-4 답 40

해결전략 | 로그의 정의를 이용하여 주어진 식에서 S_n을 구한다.

STEP1 S_n 구하기

$\log_2(S_n+2)=n+1$에서 $S_n+2=2^{n+1}$

∴ $S_n=2^{n+1}-2$

STEP2 a_3+a_5의 값 구하기

$a_3=S_3-S_2=(2^4-2)-(2^3-2)=14-6=8$

$a_5=S_5-S_4=(2^6-2)-(2^5-2)=62-30=32$

∴ $a_3+a_5=8+32=40$

09-5 답 486

해결전략 | $a_n=S_n-S_{n-1}$ ($n\geq2$)임을 이용하여 a_n을 구한 다음 a_k-a_{k-1}를 k에 대한 식으로 나타낸다.

STEP1 a_n 구하기

$n\geq2$일 때

$a_n=S_n-S_{n-1}=(3^{n+2}-9)-(3^{n+1}-9)$

$=3^{n+2}-3^{n+1}=2\times3^{n+1}$

STEP2 k의 값 구하기

$a_k-a_{k-1}=324$에서

$2\times3^{k+1}-2\times3^k=324$, $4\times3^k=324$

$3^k=81$ ∴ $k=4$

STEP3 a_k의 값 구하기

∴ $a_k=a_4=2\times3^5=486$

▶참고 $a_1=S_1=3^3-9=18$은 $a_n=2\times3^{n+1}$에 $n=1$을 대입한 값과 같으므로

$a_n=18\times3^{n-1}=2\times3^{n+1}$ ($n\geq1$)

09-6 답 108

해결전략 | $a_1=S_1$의 값이 $a_n=S_n-S_{n-1}$ ($n\geq2$)을 계산하여 얻은 a_n의 식에 $n=1$을 대입한 값과 같아야 한다.

STEP1 k의 값 구하기

$a_1=S_1=27k-18$

$n\geq2$일 때

$a_n=S_n-S_{n-1}=(k\times3^{n+2}-18)-(k\times3^{n+1}-18)$

$=(3k-k)\times3^{n+1}=2k\times3^{n+1}$ ...... ㉠

이때 $a_1=27k-18$이 ㉠에 $n=1$을 대입한 값 $18k$와 같아야 하므로

$27k-18=18k$, $9k=18$ ∴ $k=2$

STEP2 a_k의 값 구하기

따라서 $a_n=4\times3^{n+1}$이므로

$a_k=a_2=4\times3^3=108$

1 답 413100원

STEP1 주어진 상황을 그림으로 나타내기

1년째 말, 즉 12개월째 말의 원리합계를 S라고 하면

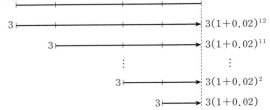

1개월 초 2개월 초 ⋯ 10개월 초 11개월 초 12개월 초

$3 \longrightarrow 3(1+0.02)^{12}$

$3 \longrightarrow 3(1+0.02)^{11}$

$3 \longrightarrow 3(1+0.02)^{2}$

$3 \longrightarrow 3(1+0.02)$

STEP2 원리합계 구하기

위의 그림에서

$S = 3 \times 1.02 + 3 \times 1.02^2 + \cdots + 3 \times 1.02^{11} + 3 \times 1.02^{12}$

위의 식은 첫째항이 3×1.02, 공비가 1.02인 등비수열의 첫째항부터 제12항까지의 합이므로

$S = \dfrac{3 \times 1.02 \times (1.02^{12} - 1)}{1.02 - 1}$

$= \dfrac{3 \times 1.02 \times (1.27 - 1)}{0.02} = 41.31(만 원)$

따라서 1년째 말의 원리합계는 413100원이다.

2 답 86만 원

STEP1 주어진 상황을 그림으로 나타내기

3년째 말, 즉 36개월째 말의 원리합계를 S라고 하면

1개월 초 1개월 말 2개월 말 ⋯ 35개월 말 36개월 말

$2 \longrightarrow 2(1+0.01)^{35}$

$2 \longrightarrow 2(1+0.01)^{34}$

$2 \longrightarrow 2(1+0.01)$

$2 \quad 2$

STEP2 원리합계 구하기

위의 그림에서

$S = 2 + 2 \times 1.01 + \cdots + 2 \times 1.01^{34} + 2 \times 1.01^{35}$

위의 식은 첫째항이 2, 공비가 1.01인 등비수열의 첫째항부터 제36항까지의 합이므로

$S = \dfrac{2 \times (1.01^{36} - 1)}{1.01 - 1}$

$= \dfrac{2 \times (1.43 - 1)}{0.01} = 86(만 원)$

따라서 3년 후의 원리합계는 86만 원이다.

3 답 100만 원

STEP1 주어진 상황을 그림으로 나타내기

매년 초에 적립해야 하는 금액을 a만 원이라고 하면

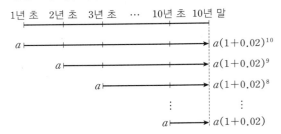

1년 초 2년 초 3년 초 ⋯ 10년 초 10년 말

$a \longrightarrow a(1+0.02)^{10}$

$a \longrightarrow a(1+0.02)^{9}$

$a \longrightarrow a(1+0.02)^{8}$

$a \longrightarrow a(1+0.02)$

STEP2 매년 초의 적립금에 대한 10년 후 원리합계 구하기

10년 후의 원리합계는

$a \times 1.02 + a \times 1.02^2 + a \times 1.02^3 + \cdots$
$\qquad\qquad\qquad + a \times 1.02^9 + a \times 1.02^{10}$

$= \dfrac{a \times 1.02 \times (1.02^{10} - 1)}{1.02 - 1}$

$= \dfrac{a \times 1.02 \times (1.22 - 1)}{0.02} = a \times 51 \times 0.22$

STEP3 매년 초에 적립해야 하는 금액 구하기

이때 $a \times 51 \times 0.22 = 1122$에서

$a = \dfrac{1122}{51 \times 0.22} = 100(만 원)$

따라서 매년 초에 적립해야 하는 금액은 100만 원이다.

실전 연습 문제 342~344쪽

01 ②	02 36	03 8	04 ③	05 ⑤
06 72	07 ④	08 ③	09 256	10 ①
11 ②	12 10	13 ⑤	14 ①	15 ④
16 $\dfrac{2}{3}(2^{20} - 1)$		17 ①		

01

해결전략 | 주어진 식을 첫째항과 공비에 대한 식으로 나타낸다.

STEP1 공비 구하기

등비수열 $\{a_n\}$의 첫째항을 a, 공비를 r라고 하면

$a_2 + a_5 = ar + ar^4 = 4$

$\therefore ar(1 + r^3) = 4 \qquad\qquad \cdots\cdots ㉠$

$a_3 + a_6 = ar^2 + ar^5 = 8$

$$\therefore ar^2(1+r^3)=8 \qquad \cdots\cdots \text{ⓛ}$$

ⓛ÷㉠을 하면

$$\frac{ar^2(1+r^3)}{ar(1+r^3)}=\frac{8}{4} \qquad \therefore r=2$$

STEP2 일반항 구하기

$r=2$를 ㉠에 대입하면

$$18a=4 \qquad \therefore a=\frac{2}{9}$$

$$\therefore a_n=\frac{2}{9}\times 2^{n-1}$$

STEP3 a_4의 값 구하기

$$\therefore a_4=\frac{2}{9}\times 2^3=\frac{16}{9}$$

02

해결전략 | $\dfrac{a_{n+1}}{a_n}=r$, $\dfrac{a_{n+2}}{a_n}=r^2$임을 이용하여 주어진 식에서 공비를 구한다.

STEP1 공비 구하기

등비수열 $\{a_n\}$의 공비를 r라고 하면

$a_8=a_7\times r$, $a_{16}=a_{14}\times r^2$이므로

$$\frac{a_{16}}{a_{14}}+\frac{a_8}{a_7}=r^2+r=12$$

$$r^2+r-12=0,\ (r+4)(r-3)=0$$

$$\therefore r=3\ (\because r>0)$$

STEP2 $\dfrac{a_3}{a_1}+\dfrac{a_6}{a_3}$의 값 구하기

따라서 $a_3=a_1\times r^2$, $a_6=a_3\times r^3$이므로

$$\frac{a_3}{a_1}+\frac{a_6}{a_3}=r^2+r^3=3^2+3^3=36$$

03

해결전략 | 주어진 식을 첫째항과 공비에 대한 식으로 나타낸다.

STEP1 공비 구하기

등비수열 $\{a_n\}$의 첫째항을 a, 공비를 r라고 하면

$$a_2=ar=-2 \qquad \cdots\cdots \text{㉠}$$

$a_4\times a_5=ar^3\times ar^4=128$에서

$$a^2r^7=128,\ (ar)^2\times r^5=128 \qquad \cdots\cdots \text{ⓛ}$$

㉠을 ⓛ에 대입하면 $4r^5=128$

$$r^5=32 \qquad \therefore r=2\ (\because r는 실수) \qquad \cdots\cdots \text{❶}$$

STEP2 일반항 구하기

$r=2$를 ㉠에 대입하면 $2a=-2$

$$\therefore a=-1 \qquad \therefore a_n=-2^{n-1} \qquad \cdots\cdots \text{❷}$$

STEP3 n의 최솟값 구하기

$a_n<-80$에서

$$-2^{n-1}<-80,\ 2^{n-1}>80$$

이때 $2^6=64$, $2^7=128$이므로

$$n-1\geq 7 \qquad \therefore n\geq 8$$

따라서 n의 최솟값은 8이다. $\qquad \cdots\cdots \text{❸}$

채점 요소	배점
❶ 공비 구하기	50 %
❷ 일반항 구하기	20 %
❸ n의 최솟값 구하기	30 %

04

해결전략 | 768이 제5항임을 이용하여 공비를 구한다.

STEP1 공비 구하기

등비수열의 공비를 $r\ (r>0)$라고 하면 → 모든 항이 양수이므로 (공비) > 0

768은 제5항이므로

$$3r^4=768,\ r^4=256 \qquad \therefore r=4\ (\because r>0)$$

STEP2 $a_1+a_2+a_3$의 값 구하기

따라서 $a_1=3\times 4=12$, $a_2=3\times 4^2=48$,

$a_3=3\times 4^3=192$이므로

$$a_1+a_2+a_3=12+48+192=252$$

05

해결전략 | $f(6)$은 $f(1)$과 $f(k)$의 등비중항이다.

STEP1 등비중항을 이용하여 식 세우기

$$f(1)=\sqrt{4}=2,\ f(6)=\sqrt{9}=3,\ f(k)=\sqrt{k+3}$$

2, 3, $\sqrt{k+3}$이 이 순서대로 등비수열을 이루므로 3은 2와 $\sqrt{k+3}$의 등비중항이다.

즉, $3^2=2\sqrt{k+3}$

STEP2 k의 값 구하기

$$\sqrt{k+3}=\frac{9}{2},\ k+3=\frac{81}{4}$$

$$\therefore k=\frac{69}{4}$$

06

해결전략 | 등비수열 $\{a_n\}$의 공비를 r라고 하면 $\dfrac{a_{n+1}}{a_n}=r$임을 이용한다.

STEP1 a, b의 값 구하기

10은 a와 17의 등차중항이므로

$$2\times 10=a+17 \qquad \therefore a=3$$

17은 10과 b의 등차중항이므로

$$2\times 17=10+b \qquad \therefore b=24$$

STEP2 xy의 값 구하기

따라서 3, x, y, 24는 이 순서대로 등비수열을 이루므로

$\dfrac{x}{3} = \dfrac{24}{y}$에서 $xy = 72$

◉ 다른 풀이 ──→ 공비가 같다.

STEP2 xy의 값 구하기

등비수열의 공비를 r라고 하면 $ar^3 = b$이므로

$3r^3 = 24$, $r^3 = 8$ ∴ $r = 2$ ($\because r$는 실수)

따라서 $x = 3 \times 2 = 6$, $y = 3 \times 2^2 = 12$이므로

$xy = 6 \times 12 = 72$

07

해결전략 │ 교점의 x좌표는 삼차방정식

$3x^3 + kx^2 + x - 3 = 0$의 세 실근이므로 삼차방정식의 근과 계수의 관계를 이용한다.

STEP1 교점의 x좌표를 a, ar, ar^2으로 놓고 식 세우기

세 교점의 x좌표를 각각 a, ar, ar^2으로 놓으면 a, ar, ar^2은 삼차방정식 $3x^3 + kx^2 + x - 3 = 0$의 근이므로

$a + ar + ar^2 = -\dfrac{k}{3}$ ...... ㉠

$a \times ar + ar \times ar^2 + ar^2 \times a = \dfrac{1}{3}$에서

$ar(a + ar + ar^2) = \dfrac{1}{3}$ ...... ㉡

$a \times ar \times ar^2 = 1$에서

$(ar)^3 = 1$ ∴ $ar = 1$ ($\because ar$는 실수) ...... ㉢

STEP2 k의 값 구하기

㉠, ㉢을 ㉡에 대입하면

$1 \times \left(-\dfrac{k}{3}\right) = \dfrac{1}{3}$ ∴ $k = -1$

08

해결전략 │ 정사각형의 한 변의 길이가 어떤 규칙으로 줄어드는지 찾는다.

STEP1 정사각형의 넓이 알아보기

n번째에 그린 정사각형의 넓이를 a_n이라고 하면

$a_1 = \dfrac{1}{2} \times \dfrac{1}{2} = \dfrac{1}{4}$, $a_2 = \dfrac{1}{4} \times \dfrac{1}{4} = \dfrac{1}{16} = \left(\dfrac{1}{4}\right)^2$,

$a_3 = \dfrac{1}{8} \times \dfrac{1}{8} = \dfrac{1}{64} = \left(\dfrac{1}{4}\right)^3$, $\cdots$

STEP2 10번째에 그린 정사각형의 넓이 구하기

따라서 수열 $\{a_n\}$은 첫째항이 $\dfrac{1}{4}$, 공비가 $\dfrac{1}{4}$인 등비수열을 이루므로 10번째에 그린 정사각형의 넓이는

$a_{10} = \dfrac{1}{4} \times \left(\dfrac{1}{4}\right)^9 = \left(\dfrac{1}{4}\right)^{10} = \dfrac{1}{2^{20}}$

> **참고** 오른쪽 그림에서 삼각형

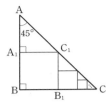

AA_1C_1은 직각이등변삼각형이므로

$\overline{AA_1} = \overline{A_1C_1}$

사각형 $A_1BB_1C_1$은 정사각형이므로

$\overline{A_1B} = \overline{A_1C_1}$

따라서 $\overline{AA_1} = \overline{A_1B}$이므로

$\overline{A_1B} = \dfrac{1}{2}\overline{AB} = \dfrac{1}{2}$

마찬가지 방법으로 새로 그린 정사각형의 한 변의 길이는 바로 전에 그린 정사각형의 한 변의 길이의 $\dfrac{1}{2}$이다.

09

해결전략 │ 첫째항이 1, 공비가 2인 등비수열의 첫째항부터 제 k항까지의 합이 511이 되는 k의 값을 구한다.

STEP1 k의 값 구하기

등비수열 $\{a_n\}$의 첫째항이 1, 공비가 2이므로

$1 + 2 + 4 + \cdots + a_k = \dfrac{2^k - 1}{2 - 1} = 511$ ...... ❶

$2^k = 512 = 2^9$

∴ $k = 9$ ...... ❷

STEP2 a_k의 값 구하기

∴ $a_k = a_9 = \underline{1 \times 2^8} = 256$ ──→ $a_n = 1 \times 2^{n-1}$이므로 ...... ❸
$a_9 = 1 \times 2^8$

채점 요소	배점
❶ 등비수열의 합을 나타내는 식 세우기	40 %
❷ k의 값 구하기	20 %
❸ a_k의 값 구하기	40 %

10

해결전략 │ 주어진 두 식을 첫째항과 공비에 대한 식으로 나타낸다.

STEP1 공비 구하기

등비수열 $\{a_n\}$의 첫째항을 a, 공비를 r라고 하면

$a_3 = ar^2 = 4$ ...... ㉠

$a_4 + a_5 = ar^3 + ar^4 = 24$에서

$ar^3(1 + r) = 24$ ...... ㉡

㉡÷㉠을 하면 $\dfrac{ar^3(1+r)}{ar^2} = \dfrac{24}{4}$

$r(1 + r) = 6$, $r^2 + r - 6 = 0$

$(r + 3)(r - 2) = 0$ ∴ $r = 2$ ($\because r > 0$)

STEP2 첫째항 구하기

$r = 2$를 ㉠에 대입하면 $4a = 4$ ∴ $a = 1$

STEP3 $a_5 + a_6 + \cdots + a_{10}$의 값 구하기

따라서 $a_n=2^{n-1}$이므로 $a_5+a_6+\cdots+a_{10}$의 값은 첫째항이 $a_5=2^4=16$, 공비가 2인 등비수열의 첫째항부터 제6항까지의 합이므로

$$a_5+a_6+\cdots+a_{10}=\frac{16(2^6-1)}{2-1}=1008$$

11

해결전략 | 먼저 조건 ㈏에서 넷째 줄의 한가운데에 있는 수를 구한다.

STEP1 넷째 줄에 있는 수의 규칙 알아보기

조건 ㈎에 의하여 넷째 줄에 있는 수는 공비가 2인 등비수열을 이룬다.

조건 ㈏에 의하여 넷째 줄의 한가운데에 있는 수는 $4\times2=8$이므로 넷째 줄에 있는 수는 왼쪽부터 차례로 1, 2, 4, 8, 16, 32, 64이다.

STEP2 넷째 줄에 있는 모든 수의 합 구하기

따라서 구하는 합은 첫째항이 1, 공비가 2인 등비수열의 첫째항부터 제7항까지의 합이므로

$$\frac{1\times(2^7-1)}{2-1}=127$$

12

해결전략 | $S_4-S_3=a_4$, $S_6-S_5=a_6$임을 이용한다.

STEP1 공비 구하기

등비수열 $\{a_n\}$의 첫째항을 a, 공비를 r라고 하면

$S_4-S_3=a_4$이므로 $a_4=2$

$\therefore ar^3=2$ ...... ㉠

$S_6-S_5=a_6$이므로 $a_6=50$

$\therefore ar^5=50$ ...... ㉡

㉡÷㉠을 하면 $\dfrac{ar^5}{ar^3}=\dfrac{50}{2}$, $r^2=25$

$\therefore r=5\ (\because r>0)$

STEP2 a_5의 값 구하기

$\therefore a_5=a_4\times r=2\times5=10$

13

해결전략 | 등비수열 $\{a_n\}$의 공비가 r이면 수열 a_2, a_4, a_6, $\cdots$은 공비가 r^2인 등비수열이다.

STEP1 공비 구하기

등비수열 $\{a_n\}$의 첫째항을 a, 공비를 r라고 하면

$$S_4=\frac{a(r^4-1)}{r-1}=\frac{15}{2} \qquad \cdots\cdots ㉠$$

$S_3=3a_3$에서 $\dfrac{a(r^3-1)}{r-1}=3ar^2$

$\dfrac{a(r-1)(r^2+r+1)}{r-1}=3ar^2$

$r^2+r+1=3r^2$, $2r^2-r-1=0$

$(r-1)(2r+1)=0$ $\therefore r=-\dfrac{1}{2}\ (\because r<0)$

STEP2 첫째항 구하기

$r=-\dfrac{1}{2}$을 ㉠에 대입하면

$-\dfrac{2}{3}a\left(\dfrac{1}{16}-1\right)=\dfrac{15}{2}$ $\therefore a=12$

STEP3 $a_2+a_4+a_6+\cdots+a_{20}$의 값 구하기

$a_2+a_4+a_6+\cdots+a_{20}$의 값은 첫째항이 $a_2=12\times\left(-\dfrac{1}{2}\right)=-6$이고 공비가 $r^2=\dfrac{1}{4}$인 등비수열의 첫째항부터 제10항까지의 합이므로

$$a_2+a_4+a_6+\cdots+a_{20}=\frac{-6\left\{1-\left(\frac{1}{4}\right)^{10}\right\}}{1-\frac{1}{4}}$$

$$=-8\left\{1-\left(\frac{1}{4}\right)^{10}\right\}$$

$$=-8+\frac{1}{2^{17}}$$

14

해결전략 | $a_1=S_1$의 값이 $a_n=S_n-S_{n-1}\ (n\geq2)$을 계산하여 얻은 a_n의 식에 $n=1$을 대입한 값과 같아야 한다.

STEP1 a_1의 값과 $a_n\ (n\geq2)$ 구하기

$\log_5(S_n+k)=n+2$에서

$S_n+k=5^{n+2}$, $S_n=5^{n+2}-k$

이므로

$a_1=S_1=125-k$

$n\geq2$일 때

$a_n=S_n-S_{n-1}=(5^{n+2}-k)-(5^{n+1}-k)$

$\quad=5^{n+2}-5^{n+1}$

$\quad=(5-1)\times5^{n+1}=4\times5^{n+1}$ ...... ㉠

STEP2 k의 값 구하기

이때 $a_1=125-k$가 ㉠에 $n=1$을 대입한 값인 100과 같아야 하므로

$125-k=100$

$\therefore k=25$

▶참고 $S_n=5^{n+2}-k=25\times5^n-k$에서 첫째항부터 등비수열을 이루려면 5^n의 계수와 상수항의 합이 0이 되어야 한다. 즉,

$25+(-k)=0$ $\therefore k=25$

15

해결전략 | $a_n = S_n - S_{n-1}$ $(n \ge 2)$임을 이용하여 a_n을 구한 다음 부등식을 푼다.

STEP1 a_n 구하기

$n \ge 2$일 때

$a_n = S_n - S_{n-1} = (2^{n+2} - 4) - (2^{n+1} - 4)$

$\qquad = 2^{n+2} - 2^{n+1}$

$\qquad = (2-1) \times 2^{n+1} = 2^{n+1}$

STEP2 $a_n < 1000$을 만족시키는 항의 개수 구하기

$a_n < 1000$에서 $2^{n+1} < 1000$

이때 $2^9 = 512$, $2^{10} = 1024$이므로

$n + 1 \le 9$ $\quad \therefore n \le 8$

따라서 1000보다 작은 항은 8개이다.

16

해결전략 | 등비수열 $\{a_n\}$의 공비가 r이면 수열 a_1, a_3, a_5, $\cdots$는 공비가 r^2인 등비수열이다.

STEP1 a_n 구하기

$a_1 = S_1 = 2^2 - 2 = 2$

$n \ge 2$일 때

$a_n = S_n - S_{n-1} = (2^{n+1} - 2) - (2^n - 2)$

$\qquad = 2^n(2-1) = 2^n$ $\qquad \cdots\cdots$ ㉠

$a_1 = 2$는 ㉠에 $n=1$을 대입한 값과 같으므로

$\qquad a_n = 2^n \ (n \ge 1)$ $\qquad \cdots\cdots$ ❶

STEP2 $a_1 + a_3 + a_5 + \cdots + a_{19}$의 값 구하기

$a_1 + a_3 + a_5 + \cdots + a_{19}$의 값은 첫째항이 $a_1 = 2$, 공비가 $r^2 = 4$인 등비수열의 첫째항부터 제10항까지의 합이므로

$a_1 + a_3 + a_5 + \cdots + a_{19}$ $\quad$ <small>$a_n = 2^n$에서 공비가 $r=2$이므로 $r^2 = 2^2 = 4$</small>

$= \dfrac{2(4^{10}-1)}{4-1} = \dfrac{2}{3}(2^{20}-1)$ $\qquad \cdots\cdots$ ❷

채점 요소	배점
❶ 일반항 구하기	50 %
❷ $a_1 + a_3 + a_5 + \cdots + a_{19}$의 값 구하기	50 %

17

해결전략 | 주어진 상황을 그림으로 나타내고 등비수열의 합의 공식을 이용한다.

STEP1 주어진 상황을 그림으로 나타내기

10년째 말의 원리합계를 S라고 하면

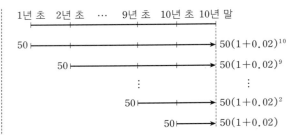

STEP2 원리합계 구하기

위의 그림에서

$S = 50(1+0.02) + 50(1+0.02)^2 + \cdots$

$\qquad\qquad + 50(1+0.02)^9 + 50(1+0.02)^{10}$

$\quad = 50 \times 1.02 + 50 \times 1.02^2 + \cdots$

$\qquad\qquad + 50 \times 1.02^9 + 50 \times 1.02^{10}$

위의 식은 첫째항이 50×1.02, 공비가 1.02인 등비수열의 첫째항부터 제10항까지의 합이므로

$S = \dfrac{50 \times 1.02 \times (1.02^{10}-1)}{1.02-1}$

$\quad = \dfrac{50 \times 1.02 \times (1.22-1)}{0.02} = 561$(만 원)

따라서 10년째 말의 원리합계는 561만 원이다.

상위권 도약 문제 $\qquad\qquad$ 345~346쪽

01 ⑤	02 ②	03 5	04 3	05 9
06 ②	07 9	08 1533		

01

해결전략 | 두 수열 $\{a_n\}$, $\{b_n\}$의 일반항 a_n, b_n을 이용하여 보기의 일반항을 찾는다.

STEP1 두 수열 $\{a_n\}$, $\{b_n\}$의 일반항 a_n, b_n 구하기

등차수열 $\{a_n\}$의 첫째항을 a, 공차를 d라고 하면

$a_n = a + (n-1)d$

등비수열 $\{b_n\}$의 첫째항을 b, 공비를 r라고 하면

$b_n = br^{n-1}$

STEP2 보기의 수열의 일반항을 구하여 참, 거짓 판단하기

ㄱ. $2^{a_n} = 2^{a+(n-1)d} = 2^a \times (2^d)^{n-1}$이므로 수열 $\{2^{a_n}\}$은 첫째항이 2^a, 공비가 2^d인 등비수열이다. (참)

ㄴ. $b_n + b_{n+1} = br^{n-1} + br^n = br^{n-1}(1+r)$

$\qquad\qquad\quad = b(1+r)r^{n-1}$

이므로 수열 $\{b_n + b_{n+1}\}$은 첫째항이 $b(1+r)$, 공비가 r인 등비수열이다. (참)

ㄷ. $b_{2n+1}=br^{(2n+1)-1}=br^{2n}=br^2(r^2)^{n-1}$이므로 수열 $\{b_{2n+1}\}$은 첫째항이 br^2, 공비가 r^2인 등비수열이다.

(참)

따라서 옳은 것은 ㄱ, ㄴ, ㄷ이다.

02

해결전략 | 조건 (내)에서 항 사이의 비율이 주어졌으므로 공비를 구할 수 있다.

STEP1 조건 (개)에서 첫째항과 공비에 대한 식 세우기

등비수열 $\{a_n\}$의 첫째항을 a, 공비를 r라고 하면

조건 (개)에서 $ar^2 \times ar^4 \times ar^6 = 125$

$(ar^4)^3 = 5^3$ $\therefore ar^4 = 5$

STEP2 조건 (내)에서 r^2의 값 구하기

조건 (내)에서 $\dfrac{ar^3 + ar^7}{ar^5} = \dfrac{13}{6}$, $\dfrac{1}{r^2} + r^2 = \dfrac{13}{6}$

이때 $r^2 = X$라고 하면

$\dfrac{1}{X} + X = \dfrac{13}{6}$

$6X^2 - 13X + 6 = 0$, $(3X-2)(2X-3) = 0$

$\therefore X = \dfrac{2}{3}$ 또는 $X = \dfrac{3}{2}$

$\therefore r^2 = \dfrac{3}{2}$ $(\because r^2 > 1)$

STEP3 a_9의 값 구하기

$\therefore a_9 = ar^8 = ar^4 \times (r^2)^2 = 5 \times \left(\dfrac{3}{2}\right)^2 = \dfrac{45}{4}$

03

해결전략 | 첫째항이 주어졌으므로 주어진 식을 공차와 공비에 대한 식으로 나타낸다.

STEP1 공차와 공비 구하기

등차수열 $\{a_n\}$의 공차를 d, 등비수열 $\{b_n\}$의 공비를 r라고 하면 $\rightarrow a_n = 4 + (n-1)d, b_n = 4r^{n-1}$

$2a_2 = b_3$에서 $2(4+d) = 4r^2$ ……㉠

$a_3 = b_2 + b_3$에서 $4 + 2d = 4r + 4r^2$ ……㉡

㉠에서 $d = 2r^2 - 4$를 ㉡에 대입하면

$4 + 2(2r^2 - 4) = 4r + 4r^2$

$4r = -4$ $\therefore r = -1$

$\therefore d = 2 \times (-1)^2 - 4 = -2$

STEP2 k의 값 구하기

따라서 $b_6 = 4 \times (-1)^5 = -4$이므로 $a_k = -4$에서

$4 + (k-1) \times (-2) = -4$

$-2k = -10$ $\therefore k = 5$

04

해결전략 | $\overline{OA_1}$, $\overline{A_1A_2}$, $\overline{A_2A_3}$을 빗변으로 하는 직각이등변삼각형의 변의 길이를 이용하여 점 A_1, A_2, A_3의 좌표를 구해 본다.

STEP1 점 A_1, A_2, A_3의 좌표 구하기

점 A_n의 좌표를 (x_n, y_n)이라고 하면 $\overline{OA_1} = 1$이므로

$x_1 = \overline{OA_1} \cos 45° = \dfrac{\sqrt{2}}{2}$

$y_1 = \overline{OA_1} \sin 45° = \dfrac{\sqrt{2}}{2}$

$\overline{A_1A_2} = \dfrac{1}{2}\overline{OA_1} = \dfrac{1}{2}$이므로

$x_2 = x_1 - \overline{A_1A_2} \cos 45° = \dfrac{\sqrt{2}}{2} - \dfrac{\sqrt{2}}{4}$

$y_2 = y_1 + \overline{A_1A_2} \sin 45° = \dfrac{\sqrt{2}}{2} + \dfrac{\sqrt{2}}{4}$ ⟶ 점 A_2의 x좌표는 점 A_1의 x좌표보다 왼쪽에 있다.

$\overline{A_2A_3} = \dfrac{1}{2}\overline{A_1A_2} = \dfrac{1}{4}$이므로

$x_3 = x_2 + \overline{A_2A_3} \cos 45° = \dfrac{\sqrt{2}}{2} - \dfrac{\sqrt{2}}{4} + \dfrac{\sqrt{2}}{8}$

$y_3 = y_2 + \overline{A_2A_3} \sin 45° = \dfrac{\sqrt{2}}{2} + \dfrac{\sqrt{2}}{4} + \dfrac{\sqrt{2}}{8}$

STEP2 점 A_{10}의 좌표 구하기

따라서 점 A_n의 x좌표는 첫째항이 $\dfrac{\sqrt{2}}{2}$, 공비가 $-\dfrac{1}{2}$인 등비수열의 합이고, y좌표는 첫째항이 $\dfrac{\sqrt{2}}{2}$, 공비가 $\dfrac{1}{2}$인 등비수열의 합이므로

$x_{10} = \dfrac{\dfrac{\sqrt{2}}{2}\left\{1 - \left(-\dfrac{1}{2}\right)^{10}\right\}}{1 - \left(-\dfrac{1}{2}\right)} = \dfrac{\sqrt{2}}{3}\left(1 - \dfrac{1}{2^{10}}\right)$

$y_{10} = \dfrac{\dfrac{\sqrt{2}}{2}\left\{1 - \left(\dfrac{1}{2}\right)^{10}\right\}}{1 - \dfrac{1}{2}} = \sqrt{2}\left(1 - \dfrac{1}{2^{10}}\right)$

$\therefore \dfrac{y_{10}}{x_{10}} = \dfrac{\sqrt{2}\left(1 - \dfrac{1}{2^{10}}\right)}{\dfrac{\sqrt{2}}{3}\left(1 - \dfrac{1}{2^{10}}\right)} = 3$

05

해결전략 | 주어진 두 식을 첫째항과 공비에 대한 식으로 나타낸다.

STEP1 첫째항과 공비 구하기

등비수열 $\{a_n\}$의 첫째항을 a, 공비를 r라고 하면

$a_2 = ar = \dfrac{1}{4}$ ……㉠

$a_3a_4 = ar^2 \times ar^3 = \dfrac{1}{128}$에서

$$(ar)^2 r^3 = \frac{1}{128} \qquad \cdots\cdots \text{ⓛ}$$

ㄱ을 ㄴ에 대입하면 $\dfrac{1}{16}r^3 = \dfrac{1}{128}$

$$r^3 = \frac{1}{8} \qquad \therefore r = \frac{1}{2} \ (\because r \text{는 실수})$$

$r = \dfrac{1}{2}$을 ㄱ에 대입하면 $\dfrac{1}{2}a = \dfrac{1}{4} \qquad \therefore a = \dfrac{1}{2}$

STEP 2 $S_n - 1$ 구하기

$$S_n = \frac{\dfrac{1}{2}\left\{1 - \left(\dfrac{1}{2}\right)^n\right\}}{1 - \dfrac{1}{2}} = 1 - \left(\frac{1}{2}\right)^n \text{이므로}$$

$$S_n - 1 = -\left(\frac{1}{2}\right)^n$$

STEP 3 n의 최솟값 구하기

$|S_n - 1| < \dfrac{1}{500}$에서

$$\left|-\left(\frac{1}{2}\right)^n\right| < \frac{1}{500}, \ \left(\frac{1}{2}\right)^n < \frac{1}{500}$$

이때 $\left(\dfrac{1}{2}\right)^8 = \dfrac{1}{256}$, $\left(\dfrac{1}{2}\right)^9 = \dfrac{1}{512}$이므로

$n \geq 9$

따라서 n의 최솟값은 9이다.

06

해결전략 | 등비수열 $\{a_n\}$의 공비가 r이면 등비수열 $a_1, a_3, a_5, \cdots$의 공비는 r^2이고, 등비수열 $a_1, -a_3, a_5, \cdots$의 공비는 $-r^2$이다.

STEP 1 첫째항과 r^4의 값 구하기

등비수열 $\{a_n\}$의 공비를 r라고 하면

$a_1 a_2 = a_{10}$에서 $a_1 \times a_1 r = a_1 r^9$

$\therefore a_1 = r^8 \qquad\qquad \cdots\cdots \text{ㄱ}$

$a_1 + a_9 = 20$에서 $a_1 + a_1 r^8 = 20 \qquad \cdots\cdots \text{ㄴ}$

ㄱ을 ㄴ에 대입하면

$a_1{}^2 + a_1 - 20 = 0, \ (a_1 + 5)(a_1 - 4) = 0$

$\therefore a_1 = 4 \ (\because \underline{a_1 > 0})$ ⟶ 모든 항이 양수이다.

$a_1 = 4$를 ㄱ에 대입하면 $r^8 = 4 \qquad \therefore r^4 = 2$

STEP 2 주어진 식의 값 구하기

따라서 $a_1 + a_3 + \cdots + a_9$의 값은 첫째항이 4이고 공비가 r^2, $a_1 - a_3 + a_5 - a_7 + a_9$의 값은 첫째항이 4이고 공비가 $-r^2$인 등비수열의 첫째항부터 제5항까지의 합이므로

$$(a_1 + a_3 + a_5 + a_7 + a_9)(a_1 - a_3 + a_5 - a_7 + a_9)$$

$$= \frac{4\{1 - (r^2)^5\}}{1 - r^2} \times \frac{4\{1 - (-r^2)^5\}}{1 - (-r^2)}$$

$$= \frac{4(1 - r^{10})}{1 - r^2} \times \frac{4(1 + r^{10})}{1 + r^2}$$

$$= \frac{16(1 - r^{20})}{1 - r^4} = \frac{16(1 - 2^5)}{1 - 2} = 496$$

07

해결전략 | $S_{n+3} - S_n$을 항들의 합의 꼴로 나타낸다.

STEP 1 주어진 식을 첫째항과 공비에 대한 식으로 나타내기

등비수열 $\{a_n\}$의 첫째항을 a, 공비를 r라고 하자.

$S_{n+3} - S_n = 13 \times 3^{n-1}$에서

$a_{n+1} + a_{n+2} + a_{n+3} = 13 \times 3^{n-1}$

$ar^n + ar^{n+1} + ar^{n+2} = 13 \times 3^{n-1}$

$\therefore ar^n(1 + r + r^2) = 13 \times 3^{n-1} \qquad \cdots\cdots \text{ㄱ}$

STEP 2 첫째항과 공비 구하기

ㄱ에 $n = 1$을 대입하면

$ar(1 + r + r^2) = 13 \qquad\qquad \cdots\cdots \text{ㄴ}$

ㄱ에 $n = 2$를 대입하면

$ar^2(1 + r + r^2) = 39 \qquad\qquad \cdots\cdots \text{ㄷ}$

ㄷ÷ㄴ을 하면 $\dfrac{ar^2(1 + r + r^2)}{ar(1 + r + r^2)} = \dfrac{39}{13}$

$\therefore r = 3$

$r = 3$을 ㄴ에 대입하면 $3a(1 + 3 + 9) = 13$

$39a = 13 \qquad \therefore a = \dfrac{1}{3}$

STEP 3 a_4의 값 구하기

$\therefore a_4 = \dfrac{1}{3} \times 3^3 = 9$

08

해결전략 | $a_n = S_n - S_{n-1}$임을 이용하여 등비수열 $\{a_n\}$의 일반항을 구한 후 $a_n + a_{n+1}$을 구한다.

STEP 1 등비수열 $\{a_n\}$의 일반항 구하기

$a_1 = S_1 = 1$

$n \geq 2$일 때

$a_n = S_n - S_{n-1} = (2^n - 1) - (2^{n-1} - 1)$

$\qquad = 2^{n-1}(2 - 1) = 2^{n-1} \qquad\qquad \cdots\cdots \text{ㄱ}$

이때 $a_1 = 1$은 ㄱ에 $n = 1$을 대입한 값 1과 같으므로

$a_n = 2^{n-1} \ (n \geq 1)$

STEP 2 $a_n + a_{n+1}$ 구하기

$\therefore a_n + a_{n+1} = 2^{n-1} + 2^n = 2^{n-1}(1 + 2)$

$\qquad\qquad\qquad = 3 \times 2^{n-1}$

STEP 3 첫째항부터 제9항까지의 합 구하기

따라서 수열 $\{a_n + a_{n+1}\}$은 첫째항이 3, 공비가 2인 등비수열이므로 첫째항부터 제9항까지의 합은

$$\frac{3(2^9 - 1)}{2 - 1} = 1533$$

여러 가지 수열의 합

01 답 (1) $\displaystyle\sum_{k=1}^{20} k^2$ (2) $\displaystyle\sum_{k=1}^{10} k(k+1)$

02 답 **16**

$$\sum_{k=1}^{6}(3a_k-2b_k)=3\sum_{k=1}^{6}a_k-2\sum_{k=1}^{6}b_k$$
$$=3\times10-2\times7=16$$

03 답 (1) **220** (2) **350**

(1) $\displaystyle\sum_{k=1}^{10}4k=4\sum_{k=1}^{10}k=4\times\frac{10\times11}{2}=220$

(2) $\displaystyle\sum_{k=1}^{6}(k^3-k^2)=\sum_{k=1}^{6}k^3-\sum_{k=1}^{6}k^2$
$$=\left(\frac{6\times7}{2}\right)^2-\frac{6\times7\times13}{6}$$
$$=441-91=350$$

04 답 (1) $\dfrac{53}{165}$ (2) $\sqrt{11}-\sqrt{2}$

(1) $\displaystyle\sum_{k=1}^{8}\frac{1}{(k+1)(k+3)}$

$$=\sum_{k=1}^{8}\frac{1}{2}\left(\frac{1}{k+1}-\frac{1}{k+3}\right)$$
$$=\frac{1}{2}\sum_{k=1}^{8}\left(\frac{1}{k+1}-\frac{1}{k+3}\right)$$
$$=\frac{1}{2}\left\{\left(\frac{1}{2}-\frac{1}{4}\right)+\left(\frac{1}{3}-\frac{1}{5}\right)+\left(\frac{1}{4}-\frac{1}{6}\right)+\right.$$
$$\left.\cdots+\left(\frac{1}{8}-\frac{1}{10}\right)+\left(\frac{1}{9}-\frac{1}{11}\right)\right\}$$
$$=\frac{1}{2}\times\left(\frac{1}{2}+\frac{1}{3}-\frac{1}{10}-\frac{1}{11}\right)=\frac{53}{165}$$

(2) $\displaystyle\sum_{k=1}^{9}\frac{1}{\sqrt{k+2}+\sqrt{k+1}}$

> → 항끼리 소거했을 때 앞에서 1번째, 3번째 항이 남으면 뒤에서도 1번째, 3번째 항이 남는다.

$$=\sum_{k=1}^{9}(\sqrt{k+2}-\sqrt{k+1})$$
$$=(\sqrt{3}-\sqrt{2})+(\sqrt{4}-\sqrt{3})+\cdots+(\sqrt{11}-\sqrt{10})$$
$$=\sqrt{11}-\sqrt{2}$$

필수유형 01   351쪽

01-1 답 (1) **69** (2) **5** (3) **−6**

해결전략 | $\sum$로 주어진 식을 시작 항부터 끝항까지의 합으로 나타내어 계산한다.

(1) $\displaystyle\sum_{k=1}^{20}3k-\sum_{k=3}^{19}3k$

$$=(3+6+9+\cdots+60)-(9+12+15+\cdots+57)$$
$$=3+6+60=69$$

(2) **STEP 1** 주어진 식을 덧셈식으로 나타내기

$\displaystyle\sum_{k=2}^{40}a_k=25$에서 $a_2+a_3+a_4+\cdots+a_{40}=25$ …… ㉠

$\displaystyle\sum_{k=1}^{38}a_k=20$에서 $a_1+a_2+a_3+\cdots+a_{38}=20$ …… ㉡

STEP 2 $a_{39}+a_{40}-a_1$의 값 구하기

㉠−㉡을 하면 $a_{39}+a_{40}-a_1=5$

(3) **STEP 1** $\displaystyle\sum_{k=2}^{15}a_{k+1}-\sum_{k=4}^{17}a_k$를 간단히 하기

$$\sum_{k=2}^{15}a_{k+1}-\sum_{k=4}^{17}a_k$$
$$=(a_3+a_4+a_5+\cdots+a_{16})$$
$$\qquad\qquad-(a_4+a_5+a_6+\cdots+a_{17})$$
$$=a_3-a_{17}$$

STEP 2 a_{17}의 값 구하기

$\displaystyle\sum_{k=2}^{15}a_{k+1}-\sum_{k=4}^{17}a_k=10$이므로

$a_3-a_{17}=10,\ 4-a_{17}=10$ ∴ $a_{17}=-6$

01-2 답 **11**

해결전략 | $\displaystyle\sum_{k=1}^{n}a_{k+p}=a_{1+p}+a_{2+p}+a_{3+p}+\cdots+a_{n+p}$임을 이용한다.

$$\sum_{k=1}^{15}a_{k+1}-\sum_{k=3}^{17}a_{k-2}$$
$$=(a_2+a_3+a_4+\cdots+a_{16})-(a_1+a_2+a_3+\cdots+a_{15})$$
$$=a_{16}-a_1=14-3=11$$

01-3 답 **23**

해결전략 | $\sum$로 주어진 식을 덧셈식으로 나타내어 간단히 한다.

STEP 1 $\sum$로 주어진 식을 간단히 하기

$$\sum_{k=2}^{10}a_k=a_2+a_3+a_4+\cdots+a_{10},$$
$$\sum_{k=1}^{9}(a_k+2)=(a_1+2)+(a_2+2)+\cdots+(a_9+2)$$
$$=a_1+a_2+a_3+\cdots+a_9+18$$

> → 2가 9개이므로 $2\times9=18$

이므로 $\displaystyle\sum_{k=2}^{10}a_k=\sum_{k=1}^{9}(a_k+2)$에서

$a_2+a_3+a_4+\cdots+a_{10}=a_1+a_2+a_3+\cdots+a_9+18$

∴ $a_{10}-a_1=18$ …… ㉠

STEP 2 a_{10}의 값 구하기

한편, 주어진 조건에서 $a_1+a_{10}=28$ …… ㉡

㉠+㉡을 하면 $2a_{10}=46$ ∴ $a_{10}=23$

01-4 $\boxed{\text{답}}$ 48

해결전략 | $\sum\limits_{k=1}^{n}(a_{2k-1}+a_{2k})$ 를 덧셈식으로 나타낸다.

STEP 1 $\sum\limits_{k=1}^{n}(a_{2k-1}+a_{2k})=\sum\limits_{k=1}^{2n}a_k$ 임을 알기

$$\sum_{k=1}^{n}(a_{2k-1}+a_{2k})=(a_1+a_2)+(a_3+a_4)+(a_5+a_6)$$
$$+\cdots+(a_{2n-1}+a_{2n})$$
$$=\sum_{k=1}^{2n}a_k$$

이므로 $\sum\limits_{k=1}^{2n}a_k=n^2-2n$

STEP 2 $\sum\limits_{k=1}^{16}a_k$ 의 값 구하기

$\therefore \underline{\sum\limits_{k=1}^{16}a_k=8^2-2\times 8=48}$

$\qquad\qquad\underset{\downarrow}{\qquad}$ $2n=16$ 에서 $n=8$
n 에 16을 대입하지 않도록 주의한다.

01-5 $\boxed{\text{답}}$ 91

해결전략 | $\sum\limits_{k=1}^{n}(a_k-a_{k+1})$ 을 덧셈식으로 나타내어 간단히 한다.

STEP 1 a_{n+1} 구하기

$$\sum_{k=1}^{n}(a_k-a_{k+1})=(a_1-a_2)+(a_2-a_3)+(a_3-a_4)$$
$$+\cdots+(a_n-a_{n+1})$$
$$=a_1-a_{n+1}=1-a_{n+1}$$

이므로
$1-a_{n+1}=-n^2+n$
$\therefore a_{n+1}=n^2-n+1$

STEP 2 a_{11} 의 값 구하기
$\therefore a_{11}=10^2-10+1=91$

01-6 $\boxed{\text{답}}$ $\dfrac{4}{9}$

해결전략 | $\sum\limits_{k=1}^{5}(a_{2k}+a_{2k+1})-\sum\limits_{i=2}^{5}(a_{2i-1}+a_{2i})$ 를 덧셈식으로 나타내어 간단히 한다.

STEP 1 a_{11} 의 값 구하기

$$\sum_{k=1}^{5}(a_{2k}+a_{2k+1})-\sum_{i=2}^{5}(a_{2i-1}+a_{2i})$$
$$=\{(a_2+a_3)+(a_4+a_5)+\cdots+(a_{10}+a_{11})\}$$
$$-\{(a_3+a_4)+(a_5+a_6)+\cdots+(a_9+a_{10})\}$$
$$=a_2+a_{11}=14$$

이때 $a_2=5$ 이므로
$5+a_{11}=14$ $\quad\therefore a_{11}=9$

STEP 2 공차 구하기
등차수열 $\{a_n\}$ 의 첫째항을 a, 공차를 d 라고 하면

$a_2=a+d=5$ $\qquad\qquad$ …… ㉠
$a_{11}=a+10d=9$ $\qquad$ …… ㉡

㉠, ㉡을 연립하여 풀면

$a=\dfrac{41}{9},\ d=\dfrac{4}{9}$

따라서 등차수열 $\{a_n\}$ 의 공차는 $\dfrac{4}{9}$ 이다.

02-1 $\boxed{\text{답}}$ (1) 51 (2) 180 (3) 13

해결전략 | $\sum$ 의 시작 항과 끝항이 같으므로 $\sum$ 의 성질을 이용하여 계산한다.

(1) $\sum\limits_{k=1}^{10}(2a_k+b_k)(2a_k-b_k)=\sum\limits_{k=1}^{10}(4a_k^2-b_k^2)$
$$=4\sum_{k=1}^{10}a_k^2-\sum_{k=1}^{10}b_k^2$$
$$=4\times 15-9=51$$

(2) $\sum\limits_{k=1}^{12}(a_k-b_k)^2=\sum\limits_{k=1}^{12}(a_k^2-2a_kb_k+b_k^2)$
$$=\sum_{k=1}^{12}(a_k^2+b_k^2)-2\sum_{k=1}^{12}a_kb_k$$

이므로 $\sum\limits_{k=1}^{12}(a_k^2+b_k^2)-2\times 30=120$

$\therefore \sum\limits_{k=1}^{12}(a_k^2+b_k^2)=180$

(3) **STEP 1** $\sum\limits_{k=1}^{16}b_k$ 의 값 구하기

$\sum\limits_{k=1}^{16}(2a_k+b_k)=2\sum\limits_{k=1}^{16}a_k+\sum\limits_{k=1}^{16}b_k=13$ 에서

$2\times 5+\sum\limits_{k=1}^{16}b_k=13$ $\quad\therefore \sum\limits_{k=1}^{16}b_k=3$

STEP 2 $\sum\limits_{k=1}^{16}(5a_k-4b_k)$ 의 값 구하기

$\therefore \sum\limits_{k=1}^{16}(5a_k-4b_k)=5\sum\limits_{k=1}^{16}a_k-4\sum\limits_{k=1}^{16}b_k$
$$=5\times 5-4\times 3=13$$

> **◎ 풍쌤의 비법**
>
> $\sum\limits_{k=1}^{n}(pa_k\pm qb_k\pm r)=p\sum\limits_{k=1}^{n}a_k\pm q\sum\limits_{k=1}^{n}b_k\pm rn$
>
> (단, p, q, r 는 상수이고, 복부호동순이다.)

02-2 $\boxed{\text{답}}$ -120

해결전략 | $(a_k-3)^2$ 을 전개한 다음 $\sum$ 의 성질을 이용한다.

STEP 1 $\sum\limits_{k=1}^{20}(a_k-3)^2$을 $\sum\limits_{k=1}^{20}a_k{}^2$, $\sum\limits_{k=1}^{20}a_k$에 대한 식으로 나타내기

$\sum\limits_{k=1}^{20}(a_k-3)^2=12$에서

$\sum\limits_{k=1}^{20}(a_k{}^2-6a_k+9)=12$

$\sum\limits_{k=1}^{20}a_k{}^2-6\sum\limits_{k=1}^{20}a_k+\sum\limits_{k=1}^{20}9=12$

STEP 2 $\sum\limits_{k=1}^{20}a_k{}^2$의 값 구하기

$\sum\limits_{k=1}^{20}a_k{}^2-6\times8+9\times20=12$

$\therefore \sum\limits_{k=1}^{20}a_k{}^2=12+48-180=-120$

02-3 🖪 **157**

해결전략 | $\sum\limits_{k=m}^{n}a_k=\sum\limits_{k=1}^{n}a_k-\sum\limits_{k=1}^{m-1}a_k$임을 이용한다.

STEP 1 $\sum\limits_{k=16}^{30}(4a_k-5)$를 $\sum\limits_{k=1}^{15}a_k$, $\sum\limits_{k=1}^{30}a_k$에 대한 식으로 나타내기

$\sum\limits_{k=16}^{30}(4a_k-5)=\sum\limits_{k=1}^{30}(4a_k-5)-\sum\limits_{k=1}^{15}(4a_k-5)$

$\qquad =4\sum\limits_{k=1}^{30}a_k-\sum\limits_{k=1}^{30}5-4\sum\limits_{k=1}^{15}a_k+\sum\limits_{k=1}^{15}5$

STEP 2 $\sum\limits_{k=16}^{30}(4a_k-5)$의 값 구하기

따라서 구하는 식의 값은

$\sum\limits_{k=16}^{30}(4a_k-5)=4\times90-5\times30-4\times32+5\times15$

$\qquad\qquad\qquad =157$

02-4 🖪 **47**

해결전략 | 먼저 첫 번째 식에서 $\sum\limits_{k=1}^{12}a_k$의 값을 구한다.

STEP 1 $\sum\limits_{k=1}^{12}a_k$의 값 구하기

$\sum\limits_{k=1}^{12}(a_k+3)=50$에서 $\sum\limits_{k=1}^{12}a_k+\sum\limits_{k=1}^{12}3=50$

$\sum\limits_{k=1}^{12}a_k+3\times12=50$ $\quad\therefore \sum\limits_{k=1}^{12}a_k=14$

STEP 2 $\sum\limits_{k=1}^{12}b_k$의 값 구하기

$\sum\limits_{k=1}^{12}(a_k-2b_k)=4$에서 $\sum\limits_{k=1}^{12}a_k-2\sum\limits_{k=1}^{12}b_k=4$

$14-2\sum\limits_{k=1}^{12}b_k=4$ $\quad\therefore \sum\limits_{k=1}^{12}b_k=5$

STEP 3 $\sum\limits_{k=1}^{12}(3a_k+b_k)$의 값 구하기

$\therefore \sum\limits_{k=1}^{12}(3a_k+b_k)=3\sum\limits_{k=1}^{12}a_k+\sum\limits_{k=1}^{12}b_k$

$\qquad\qquad\qquad =3\times14+5=47$

02-5 🖪 **6**

해결전략 | 주어진 두 식에서 $\sum\limits_{k=1}^{12}a_k$, $\sum\limits_{k=1}^{12}b_k$의 값을 구한다.

STEP 1 $\sum\limits_{k=1}^{12}a_k$, $\sum\limits_{k=1}^{12}b_k$의 값 구하기

$\sum\limits_{k=1}^{12}(2a_k+b_k)=26$에서

$2\sum\limits_{k=1}^{12}a_k+\sum\limits_{k=1}^{12}b_k=26$ $\qquad\cdots\cdots$ ㉠

$\sum\limits_{k=1}^{12}(3a_k-b_k)=14$에서

$3\sum\limits_{k=1}^{12}a_k-\sum\limits_{k=1}^{12}b_k=14$ $\qquad\cdots\cdots$ ㉡

㉠+㉡을 하면 $5\sum\limits_{k=1}^{12}a_k=40$ $\quad\therefore \sum\limits_{k=1}^{12}a_k=8$

이것을 ㉠에 대입하면

$2\times8+\sum\limits_{k=1}^{12}b_k=26$ $\quad\therefore \sum\limits_{k=1}^{12}b_k=10$

STEP 2 $\sum\limits_{k=1}^{12}\left(\dfrac{1}{2}a_k+\dfrac{1}{5}b_k\right)$의 값 구하기

$\therefore \sum\limits_{k=1}^{12}\left(\dfrac{1}{2}a_k+\dfrac{1}{5}b_k\right)=\dfrac{1}{2}\sum\limits_{k=1}^{12}a_k+\dfrac{1}{5}\sum\limits_{k=1}^{12}b_k$

$\qquad\qquad\qquad\qquad =\dfrac{1}{2}\times8+\dfrac{1}{5}\times10=6$

02-6 🖪 **14**

해결전략 | $(a_k+1)^2$, $a_k(a_k+1)$을 전개하여 주어진 두 식을 각각 $\sum\limits_{k=1}^{10}a_k{}^2$, $\sum\limits_{k=1}^{10}a_k$에 대한 식으로 나타낸다.

STEP 1 주어진 두 식을 각각 $\sum\limits_{k=1}^{10}a_k{}^2$, $\sum\limits_{k=1}^{10}a_k$에 대한 식으로 나타내기

$\sum\limits_{k=1}^{10}(a_k+1)^2=\sum\limits_{k=1}^{10}(a_k{}^2+2a_k+1)=28$에서

$\sum\limits_{k=1}^{10}a_k{}^2+2\sum\limits_{k=1}^{10}a_k+1\times10=28$

$\therefore \sum\limits_{k=1}^{10}a_k{}^2+2\sum\limits_{k=1}^{10}a_k=18$ $\qquad\cdots\cdots$ ㉠

$\sum\limits_{k=1}^{10}a_k(a_k+1)=\sum\limits_{k=1}^{10}(a_k{}^2+a_k)=16$에서

$\sum\limits_{k=1}^{10}a_k{}^2+\sum\limits_{k=1}^{10}a_k=16$ $\qquad\cdots\cdots$ ㉡

STEP 2 $\sum\limits_{k=1}^{10}a_k{}^2$의 값 구하기

㉡×2-㉠을 하면 $\sum\limits_{k=1}^{10}a_k{}^2=14$

355쪽

03-1 달 (1) **70** (2) **110**

해결전략 | 자연수의 거듭제곱의 합을 이용한다.

(1) $\displaystyle\sum_{k=1}^{7}(k+2)(k-3)=\sum_{k=1}^{7}(k^2-k-6)$

$\qquad=\displaystyle\sum_{k=1}^{7}k^2-\sum_{k=1}^{7}k-\sum_{k=1}^{7}6$

$\qquad=\dfrac{7\times8\times15}{6}-\dfrac{7\times8}{2}-6\times7$

$\qquad=70$

(2) STEP 1 $\dfrac{k^3+k^2}{1+2+3+\cdots+k}$ 을 간단히 하기

$1+2+3+\cdots+k=\displaystyle\sum_{i=1}^{k}i=\dfrac{k(k+1)}{2}$ 이므로

$\dfrac{k^3+k^2}{1+2+3+\cdots+k}=\dfrac{k^2(k+1)}{\dfrac{k(k+1)}{2}}=2k$

STEP 2 주어진 식의 값 구하기

$\therefore \displaystyle\sum_{k=1}^{10}\dfrac{k^3+k^2}{1+2+3+\cdots+k}=\sum_{k=1}^{10}2k$

$\qquad\qquad\qquad\qquad\qquad =2\times\dfrac{10\times11}{2}=110$

03-2 달 **-252**

해결전략 | $\displaystyle\sum_{k=1}^{n}a_k=\sum_{i=1}^{n}a_i=\sum_{j=1}^{n}a_j=\cdots$ 임을 이용하여

$\displaystyle\sum_{i=1}^{9}(i^2+3i)$ 를 변수가 k 인 식으로 고친다.

STEP 1 $\sum$ 의 성질을 이용하여 식을 간단히 하기

$\displaystyle\sum_{i=1}^{9}(i^2+3i)=\sum_{k=1}^{9}(k^2+3k)$ 이므로

(주어진 식)$=\displaystyle\sum_{k=1}^{9}(k-1)(k-2)-\sum_{k=1}^{9}(k^2+3k)$

$\qquad=\displaystyle\sum_{k=1}^{9}\{(k^2-3k+2)-(k^2+3k)\}$

$\qquad=\displaystyle\sum_{k=1}^{9}(-6k+2)$

STEP 2 주어진 식의 값 구하기

따라서 구하는 식의 값은

$\displaystyle\sum_{k=1}^{9}(-6k+2)=-6\sum_{k=1}^{9}k+\sum_{k=1}^{9}2$

$\qquad\qquad\qquad =-6\times\dfrac{9\times10}{2}+2\times9=-252$

03-3 달 **10**

해결전략 | $\displaystyle\sum_{k=1}^{8}2^k$ 은 등비수열의 합, $\displaystyle\sum_{k=1}^{8}ak$ 는 자연수의 거듭제곱의 합을 이용한다.

STEP 1 주어진 식을 a 에 대한 식으로 나타내기

$\displaystyle\sum_{k=1}^{8}(2^k+ak)=\sum_{k=1}^{8}2^k+a\sum_{k=1}^{8}k=870$ 에서

$\dfrac{2(2^8-1)}{2-1}+a\times\dfrac{8\times9}{2}=870$

STEP 2 a 의 값 구하기

$510+36a=870,\ 36a=360$

$\therefore a=10$

> **풍쌤의 비법**
>
> $\displaystyle\sum_{k=1}^{n}r^k$ 은 첫째항이 r 이고, 공비가 r 인 등비수열의 첫째 항부터 제n항까지의 합을 나타내므로
>
> $\displaystyle\sum_{k=1}^{n}r^k=\dfrac{r(r^n-1)}{r-1}=\dfrac{r(1-r^n)}{1-r}$ (단, $r\neq1$)

03-4 달 **55**

해결전략 | a_n 은 주어진 다항식에 $x=n$ 을 대입한 식이다.

STEP 1 a_n 구하기

a_n 은 다항식 $3x^2+x+1$ 에 $x=n$ 을 대입한 식이므로

$a_n=3n^2+n+1$ ← 나머지정리

STEP 2 $\displaystyle\sum_{n=1}^{6}(a_n-2n^2-3n)$ 의 값 구하기

$\therefore \displaystyle\sum_{n=1}^{6}(a_n-2n^2-3n)$

$\qquad=\displaystyle\sum_{n=1}^{6}\{(3n^2+n+1)-2n^2-3n\}$

$\qquad=\displaystyle\sum_{n=1}^{6}(n^2-2n+1)$

$\qquad=\displaystyle\sum_{n=1}^{6}n^2-2\sum_{n=1}^{6}n+\sum_{n=1}^{6}1$

$\qquad=\dfrac{6\times7\times13}{6}-2\times\dfrac{6\times7}{2}+1\times6$

$\qquad=55$

03-5 달 **8**

해결전략 | 먼저 $a_n=2n-5$ 에서 a_{k+1} 을 구한다.

STEP 1 $\displaystyle\sum_{k=1}^{m}a_{k+1}$ 을 m 에 대한 식으로 나타내기

$a_n=2n-5$ 에서 $a_{k+1}=2(k+1)-5=2k-3$

$\therefore \displaystyle\sum_{k=1}^{m}a_{k+1}=\sum_{k=1}^{m}(2k-3)=2\sum_{k=1}^{m}k-\sum_{k=1}^{m}3$

$\qquad\qquad\quad =2\times\dfrac{m(m+1)}{2}-3\times m$

$\qquad\qquad\quad =m^2-2m$

STEP 2 m 의 값 구하기

$\displaystyle\sum_{k=1}^{m}a_{k+1}=48$ 이므로

$m^2-2m=48,\ m^2-2m-48=0$

$(m+6)(m-8)=0$

$\therefore m=8\ (\because m$은 자연수$)$

03-6　답 160

해결전략 | 주어진 조건에서 공차를 구한 다음 일반항 a_n을 구한다.

STEP1 일반항 구하기

등차수열 $\{a_n\}$의 공차를 d라고 하면

$\displaystyle\sum_{k=1}^{5}a_k=55$에서 $\dfrac{5(2\times3+4d)}{2}=55$

$5(3+2d)=55 \qquad \therefore d=4$

$\therefore a_n=3+(n-1)\times4=4n-1$

STEP2 $\displaystyle\sum_{k=1}^{5}k(a_k-3)$의 값 구하기

$\therefore \displaystyle\sum_{k=1}^{5}k(a_k-3)=\sum_{k=1}^{5}k(4k-4)$

$=4\displaystyle\sum_{k=1}^{5}(k^2-k)$

$=4\left(\dfrac{5\times6\times11}{6}-\dfrac{5\times6}{2}\right)$

$=160$

필수유형 04　　　　　357쪽

04-1　답 (1) 400 (2) 225 (3) 120 (4) 532

해결전략 | $\sum$에서 항을 나타내는 문자는 변수이고, 그 외의 문자는 모두 상수임에 주의한다.

(1) **STEP1 $\displaystyle\sum_{m=1}^{k}4k^2$ 계산하기**

$\displaystyle\sum_{m=1}^{k}4k^2=\underbrace{4k^2+4k^2+\cdots+4k^2}_{k개}$

$=4k^2\times k=4k^3$

STEP2 주어진 식의 값 구하기

$\therefore \displaystyle\sum_{k=1}^{4}\left(\sum_{m=1}^{k}4k^2\right)=\sum_{k=1}^{4}4k^3$

$=4\times\left(\dfrac{4\times5}{2}\right)^2=400$

(2) **STEP1 $\displaystyle\sum_{n=1}^{5}mn$ 계산하기**

$\displaystyle\sum_{n=1}^{5}mn=m\sum_{n=1}^{5}n=m\times\dfrac{5\times6}{2}=15m$

STEP2 주어진 식의 값 구하기

$\therefore \displaystyle\sum_{m=1}^{5}\left(\sum_{n=1}^{5}mn\right)=\sum_{m=1}^{5}15m=15\times\dfrac{5\times6}{2}=225$

(3) **STEP1 $\displaystyle\sum_{j=1}^{4}(i-j)$ 계산하기**

$\displaystyle\sum_{j=1}^{4}(i-j)=\sum_{j=1}^{4}i-\sum_{j=1}^{4}j=4i-\dfrac{4\times5}{2}$

$=4i-10$

STEP2 주어진 식의 값 구하기

$\therefore \displaystyle\sum_{i=1}^{10}\left\{\sum_{j=1}^{4}(i-j)\right\}=\sum_{i=1}^{10}(4i-10)$

$=4\times\dfrac{10\times11}{2}-10\times10$

$=120$

(4) **STEP1 $\displaystyle\sum_{k=1}^{i}2ik$ 계산하기**

$\displaystyle\sum_{k=1}^{i}2ik=2i\sum_{k=1}^{i}k=2i\times\dfrac{i(i+1)}{2}=i^3+i^2$

STEP2 주어진 식의 값 구하기

$\therefore \displaystyle\sum_{i=1}^{6}\left(\sum_{k=1}^{i}2ik\right)=\sum_{i=1}^{6}(i^3+i^2)$

$=\left(\dfrac{6\times7}{2}\right)^2+\dfrac{6\times7\times13}{6}$

$=532$

04-2　답 $\dfrac{n(n+1)(n+2)}{3}$

해결전략 | $\displaystyle\sum_{k=1}^{m}\dfrac{6k^2}{2m+1}$에서 k는 변수, m은 상수임에 주의한다.

STEP1 $\displaystyle\sum_{k=1}^{m}\dfrac{6k^2}{2m+1}$을 m에 대한 식으로 나타내기

$\displaystyle\sum_{k=1}^{m}\dfrac{6k^2}{2m+1}=\dfrac{6}{2m+1}\sum_{k=1}^{m}k^2$

$=\dfrac{6}{2m+1}\times\dfrac{m(m+1)(2m+1)}{6}$

$=m(m+1)=m^2+m$

STEP2 주어진 식을 n에 대한 식으로 나타내기

$\therefore \displaystyle\sum_{m=1}^{n}\left(\sum_{k=1}^{m}\dfrac{6k^2}{2m+1}\right)$

$=\displaystyle\sum_{m=1}^{n}(m^2+m)$

$=\dfrac{n(n+1)(2n+1)}{6}+\dfrac{n(n+1)}{2}$

$=\dfrac{n(n+1)(n+2)}{3}$

04-3　답 $m=n$

해결전략 | 괄호 안의 $\sum$에서 변수는 i, 전체 $\sum$에서 변수는 k임에 주의하여 계산한다.

STEP1 $\displaystyle\sum_{i=1}^{n}(k-i)$ 계산하기

$\displaystyle\sum_{i=1}^{n}(k-i)=\sum_{i=1}^{n}k-\sum_{i=1}^{n}i=kn-\dfrac{n(n+1)}{2}$

STEP2 $\sum\limits_{k=1}^{m}\left\{\sum\limits_{i=1}^{n}(k-i)\right\}$ 계산하기

$$\therefore \sum_{k=1}^{m}\left\{\sum_{i=1}^{n}(k-i)\right\}=\sum_{k=1}^{m}\left\{kn-\frac{n(n+1)}{2}\right\}$$
$$=n\sum_{k=1}^{m}k-\sum_{k=1}^{m}\frac{n(n+1)}{2}$$
$$=n\times\frac{m(m+1)}{2}-\frac{n(n+1)}{2}\times m$$
$$=\frac{mn}{2}(m-n) \qquad \cdots\cdots \text{㉠}$$

STEP3 식의 값이 0이 될 조건 구하기

㉠의 값이 항상 0이 되려면 $mn\neq0$이므로

$m-n=0$ $\therefore m=n$ └→ m, n은 자연수

04-4 📖 8

해결전략 | 변수와 상수에 주의하여 주어진 식의 좌변을 n에 대한 식으로 나타낸다.

STEP1 $\sum\limits_{i=1}^{k}(4i-2k)$ 계산하기

$$\sum_{i=1}^{k}(4i-2k)=4\sum_{i=1}^{k}i-2\sum_{i=1}^{k}k$$
$$=4\times\frac{k(k+1)}{2}-2k\times k=2k$$

STEP2 $\sum\limits_{k=1}^{n}\left\{\sum\limits_{i=1}^{k}(4i-2k)\right\}$ 계산하기

$$\therefore \sum_{k=1}^{n}\left\{\sum_{i=1}^{k}(4i-2k)\right\}=\sum_{k=1}^{n}2k$$
$$=2\times\frac{n(n+1)}{2}=n(n+1)$$

STEP3 n의 값 구하기

따라서 $n(n+1)=72$에서

$n^2+n-72=0$, $(n-8)(n+9)=0$

$\therefore n=8$ ($\because n$은 자연수)

04-5 📖 1860

해결전략 | 괄호 안의 $\sum$에서 변수는 b_l, 전체 $\sum$에서 변수는 a_k임에 주의하여 계산한다.

STEP1 $\sum\limits_{l=1}^{5}a_k b_l$을 a_k에 대한 식으로 나타내기

$$\sum_{l=1}^{5}a_k b_l=a_k\sum_{l=1}^{5}b_l=a_k\sum_{l=1}^{5}4l$$
$$=a_k\times4\times\frac{5\times6}{2}=60a_k$$

STEP2 $\sum\limits_{k=1}^{5}\left(\sum\limits_{l=1}^{5}a_k b_l\right)$의 값 구하기

$$\therefore \sum_{k=1}^{5}\left(\sum_{l=1}^{5}a_k b_l\right)=\sum_{k=1}^{5}60a_k=60\sum_{k=1}^{5}2^{k-1}$$
$$=60\times\frac{1\times(2^5-1)}{2-1}=1860$$

04-6 📖 5

해결전략 | $\sum\limits_{k=1}^{j}$ ⇨ $\sum\limits_{j=1}^{i}$ ⇨ $\sum\limits_{i=1}^{n}$의 순서로 변수에 주의하여 계산한다.

STEP1 $\sum\limits_{k=1}^{j}2$ 계산하기

$\sum\limits_{k=1}^{j}2=2\times j=2j$이므로

STEP2 $\sum\limits_{j=1}^{i}\left(\sum\limits_{k=1}^{j}2\right)$ 계산하기

$$\sum_{j=1}^{i}\left(\sum_{k=1}^{j}2\right)=\sum_{j=1}^{i}2j=2\times\frac{i(i+1)}{2}$$
$$=i^2+i$$

STEP3 $f(n)$ 구하기

$$\therefore f(n)=\sum_{i=1}^{n}\left\{\sum_{j=1}^{i}\left(\sum_{k=1}^{j}2\right)\right\}=\sum_{i=1}^{n}(i^2+i)$$
$$=\frac{n(n+1)(2n+1)}{6}+\frac{n(n+1)}{2}$$
$$=\frac{n(n+1)(n+2)}{3}$$

STEP4 n의 값 구하기

따라서 $\dfrac{n(n+1)(n+2)}{3}=70$에서

$n(n+1)(n+2)=210=5\times6\times7$

$\therefore n=5$

필수유형 05   359쪽

05-1 📖 (1) $\dfrac{n(n+1)(n+2)(3n+1)}{12}$
(2) $\dfrac{n(n+1)(n+2)}{3}$

해결전략 | 수열의 일반항을 구한 다음 $\sum\limits_{k=1}^{n}a_k$를 계산한다.

(1) STEP1 일반항 구하기

주어진 수열의 일반항을 a_n이라고 하면

$a_n=(n+1)\times n^2=n^3+n^2$

STEP2 첫째항부터 제n항까지의 합 구하기

$$\therefore \sum_{k=1}^{n}a_k=\sum_{k=1}^{n}(k^3+k^2)=\sum_{k=1}^{n}k^3+\sum_{k=1}^{n}k^2$$
$$=\left\{\frac{n(n+1)}{2}\right\}^2+\frac{n(n+1)(2n+1)}{6}$$
$$=\frac{n(n+1)(n+2)(3n+1)}{12}$$

(2) STEP1 일반항 구하기

주어진 수열의 일반항을 a_n이라고 하면

$a_n=2+4+6+\cdots+2n$

$$=\sum_{k=1}^{n}2k=2\times\frac{n(n+1)}{2}=n^2+n$$

STEP2 첫째항부터 제n항까지의 합 구하기

$$\therefore \sum_{k=1}^{n} a_k = \sum_{k=1}^{n} (k^2+k) = \sum_{k=1}^{n} k^2 + \sum_{k=1}^{n} k$$

$$= \frac{n(n+1)(2n+1)}{6} + \frac{n(n+1)}{2}$$

$$= \frac{n(n+1)(n+2)}{3}$$

05-2 답 **2300**

해결전략 | 일반항 a_n을 구한 다음 $\sum_{k=1}^{12} a_k$를 구한다.

STEP1 일반항 구하기

주어진 수열의 일반항을 a_n이라고 하면

$$a_n = (2n-1)^2 = 4n^2 - 4n + 1$$

STEP2 첫째항부터 제12항까지의 합 구하기

$$\therefore \sum_{k=1}^{12} a_k = \sum_{k=1}^{12} (4k^2 - 4k + 1)$$

$$= 4\sum_{k=1}^{12} k^2 - 4\sum_{k=1}^{12} k + \sum_{k=1}^{12} 1$$

$$= 4 \times \frac{12 \times 13 \times 25}{6} - 4 \times \frac{12 \times 13}{2} + 12$$

$$= 2300$$

05-3 답 **1530**

해결전략 | 수열의 일반항을 구한 다음 19×21이 제몇 항인지 알아본다.

STEP1 일반항 구하기

수열 1×3, 3×5, 5×7, ⋯의 일반항을 a_n이라고 하면

$$a_n = (2n-1)(2n+1) = 4n^2 - 1$$

STEP2 19×21이 제몇 항인지 구하기

$(2n-1)(2n+1) = 19 \times 21$에서 $n=10$이므로 19×21은 제10항이다.

STEP3 식의 값 구하기

따라서 구하는 식의 값은 수열 $\{a_n\}$의 첫째항부터 제10항까지의 합이므로

$$\sum_{k=1}^{10} a_k = \sum_{k=1}^{10} (4k^2 - 1) = 4 \times \frac{10 \times 11 \times 21}{6} - 10 = 1530$$

05-4 답 **8**

해결전략 | 제n항은 첫째항이 1, 공비가 2인 등비수열의 첫째항부터 제n항까지의 합이다.

STEP1 일반항 구하기

주어진 수열의 일반항을 a_n이라고 하면

$$a_n = 1 + 2 + 4 + 8 + \cdots + 2^{n-1} = \frac{1 \times (2^n - 1)}{2-1} = 2^n - 1$$

STEP2 S_n 구하기

$$\therefore S_n = \sum_{k=1}^{n} (2^k - 1) = \frac{2(2^n - 1)}{2-1} - n$$

$$= 2^{n+1} - n - 2$$

STEP3 n의 최솟값 구하기

$S_n > 500$에서 $2^{n+1} - n - 2 > 500$

$$\therefore 2^{n+1} - n > 502$$

이때 $n=7$이면 $2^8 - 7 = 249$,

$n=8$이면 $2^9 - 8 = 504$이므로 $n \geq 8$

따라서 자연수 n의 최솟값은 8이다.

05-5 답 **12**

해결전략 | 각 항에 미지수 n이 있으므로 수열의 일반항을 a_n이 아닌 a_k로 놓는다.

STEP1 일반항 구하기

주어진 수열의 일반항을 a_k라고 하면

$$a_k = \frac{3n+k}{n} = 3 + \frac{k}{n}$$

STEP2 S_n 구하기

$$\therefore S_n = \sum_{k=1}^{n} a_k = \sum_{k=1}^{n} \left(3 + \frac{k}{n}\right) = \sum_{k=1}^{n} 3 + \frac{1}{n} \sum_{k=1}^{n} k$$

$$= 3n + \frac{1}{n} \times \frac{n(n+1)}{2} = \frac{7}{2}n + \frac{1}{2}$$

STEP3 n의 값 구하기

따라서 $S_n = \frac{7}{2}n + \frac{1}{2} = \frac{85}{2}$에서

$$\frac{7}{2}n = 42 \qquad \therefore n = 12$$

05-6 답 **100**

해결전략 | 수열의 각 항을 자릿값의 합으로 나타내 본다.

STEP1 일반항 구하기

주어진 수열의 일반항을 a_n이라고 하면

$a_1 = 3$, $a_2 = 3 + 30 = 3 + 3 \times 10$,

$a_3 = 3 + 30 + 300 = 3 + 3 \times 10 + 3 \times 10^2$, ⋯

으로 나타낼 수 있으므로

$$a_n = 3 + 3 \times 10 + 3 \times 10^2 + \cdots + 3 \times 10^{n-1}$$

$$= \frac{3(10^n - 1)}{10 - 1} = \frac{1}{3}(10^n - 1)$$

STEP2 첫째항부터 제10항까지의 합 구하기

$$\therefore \sum_{k=1}^{10} a_k = \sum_{k=1}^{10} \frac{1}{3}(10^k - 1) = \frac{1}{3} \sum_{k=1}^{10} (10^k - 1)$$

$$= \frac{1}{3} \left\{ \frac{10(10^{10} - 1)}{10 - 1} - 1 \times 10 \right\}$$

$$= \frac{1}{27} \times 10^{11} - \frac{100}{27} = \frac{10^{11} - 100}{27}$$

따라서 $\dfrac{10^{11}-a}{27}=\dfrac{10^{11}-100}{27}$이므로

$a=100$

필수유형 06   361쪽

06-1 답 (1) 33 (2) $3n^2-n$

해결전략 | $S_n=\displaystyle\sum_{k=1}^{n}a_k$로 놓고 $a_1=S_1$, $a_n=S_n-S_{n-1}$

$(n\ge2)$임을 이용한다.

(1) 수열 $\{a_n\}$의 첫째항부터 제n항까지의 합을 S_n이라고 하면

$S_n=\displaystyle\sum_{k=1}^{n}a_k=n^3-5$

$a_1=S_1=-4$

$a_4=S_4-S_3=59-22=37$

$\therefore a_1+a_4=-4+37=33$

(2) STEP 1 a_n 구하기

수열 $\{a_n\}$의 첫째항부터 제n항까지의 합을 S_n이라고 하면

$S_n=\displaystyle\sum_{k=1}^{n}a_k=n(n+1)(2n-1)$

$n=1$일 때 $a_1=S_1=2$

$n\ge2$일 때

$\begin{aligned}a_n&=S_n-S_{n-1}\\&=n(n+1)(2n-1)-(n-1)n(2n-3)\\&=n\{(n+1)(2n-1)-(n-1)(2n-3)\}\\&=n(6n-4)=2n(3n-2)\end{aligned}$

$\therefore a_n=2n(3n-2)\ (n\ge1)$

STEP 2 $\displaystyle\sum_{k=1}^{n}\dfrac{a_k}{k}$ 구하기

$\begin{aligned}\therefore \sum_{k=1}^{n}\dfrac{a_k}{k}&=\sum_{k=1}^{n}\dfrac{2k(3k-2)}{k}=\sum_{k=1}^{n}(6k-4)\\&=6\times\dfrac{n(n+1)}{2}-4n=3n^2-n\end{aligned}$

06-2 답 1020

해결전략 | $S_n=\displaystyle\sum_{k=1}^{n}a_k$로 놓고 $a_1=S_1$, $a_n=S_n-S_{n-1}$

$(n\ge2)$임을 이용한다.

STEP 1 a_n 구하기

수열 $\{a_n\}$의 첫째항부터 제n항까지의 합을 S_n이라고 하면

$S_n=\displaystyle\sum_{k=1}^{n}a_k=2^n-1$

$n=1$일 때 $a_1=S_1=1$

$n\ge2$일 때

$\begin{aligned}a_n&=S_n-S_{n-1}=(2^n-1)-(2^{n-1}-1)\\&=2^{n-1}\times(2-1)=2^{n-1}\end{aligned}$

$\therefore a_n=2^{n-1}\ (n\ge1)$

STEP 2 $\displaystyle\sum_{k=1}^{8}a_{k+2}$의 값 구하기

이때 $a_{k+2}=2^{(k+2)-1}=2^{k+1}$이므로

$\displaystyle\sum_{k=1}^{8}a_{k+2}=\sum_{k=1}^{8}2^{k+1}=\dfrac{4(2^8-1)}{2-1}=1020$

06-3 답 360

해결전략 | $S_n=\displaystyle\sum_{k=1}^{n}ka_k$로 놓으면 $S_n-S_{n-1}=na_n$이다.

STEP 1 a_n 구하기

$S_n=\displaystyle\sum_{k=1}^{n}ka_k=n(n+1)(n+2)$로 놓으면

$1\times a_1=S_1=1\times2\times3=6$

$n\ge2$일 때

$\begin{aligned}na_n&=S_n-S_{n-1}=n(n+1)(n+2)-(n-1)n(n+1)\\&=n(n+1)\{(n+2)-(n-1)\}\\&=3n(n+1)\end{aligned}$

$\therefore a_n=3(n+1)\ (n\ge1)$

STEP 2 $\displaystyle\sum_{k=1}^{10}a_{2k}$의 값 구하기

이때 $a_{2k}=3(2k+1)$이므로

$\begin{aligned}\sum_{k=1}^{10}a_{2k}&=\sum_{k=1}^{10}3(2k+1)=6\sum_{k=1}^{10}k+\sum_{k=1}^{10}3\\&=6\times\dfrac{10\times11}{2}+3\times10=360\end{aligned}$

06-4 답 9

해결전략 | 먼저 수열의 합과 일반항 사이의 관계를 이용하여 일반항을 구한다.

STEP 1 a_n 구하기

수열 $\{a_n\}$의 첫째항부터 제n항까지의 합을 S_n이라고 하면

$S_n=\displaystyle\sum_{k=1}^{n}a_k=\dfrac{n}{n+1}$

$n=1$일 때 $a_1=S_1=\dfrac{1}{2}$

$n\ge2$일 때

$\begin{aligned}a_n&=S_n-S_{n-1}=\dfrac{n}{n+1}-\dfrac{n-1}{n}\\&=\dfrac{1}{n(n+1)}\end{aligned}$

$$\therefore a_n = \frac{1}{n(n+1)} \quad (n \geq 1)$$

STEP2 $\sum\limits_{k=1}^{m} \frac{1}{a_k}$ 을 m에 대한 식으로 나타내기

$$\sum_{k=1}^{m} \frac{1}{a_k} = \sum_{k=1}^{m} k(k+1) = \sum_{k=1}^{m} (k^2+k)$$
$$= \frac{m(m+1)(2m+1)}{6} + \frac{m(m+1)}{2}$$
$$= \frac{m(m+1)(m+2)}{3}$$

STEP3 m의 값 구하기

$\sum\limits_{k=1}^{m} \frac{1}{a_k} = 330$이므로

$$\frac{m(m+1)(m+2)}{3} = 330$$
$$m(m+1)(m+2) = 990$$

이때 $990 = 9 \times 10 \times 11$이므로 $m = 9$

06-5 🔲 25

해결전략 | $S_n = \sum\limits_{k=1}^{n} a_{2k-1}$로 놓으면 $S_n - S_{n-1} = a_{2n-1}$이다.

STEP1 a_{2n-1} 구하기

$S_n = \sum\limits_{k=1}^{n} a_{2k-1} = 3n^2 + n$으로 놓으면

$n \geq 2$일 때

$$a_{2n-1} = S_n - S_{n-1}$$
$$= (3n^2+n) - \{3(n-1)^2+(n-1)\}$$
$$= 6n-2 \quad \cdots\cdots \text{㉠}$$

STEP2 a_8의 값 구하기

한편, a_8은 a_7과 a_9의 등차중항이므로

$$a_8 = \frac{a_7+a_9}{2}$$

㉠에 $n=4$, $n=5$를 각각 대입하면

$$a_7 = 24-2 = 22$$
$$a_9 = 30-2 = 28$$
$$\therefore a_8 = \frac{22+28}{2} = 25$$

◉→ **다른 풀이1**

$a_{2n-1} = 6n-2$에 $n = \frac{k+1}{2}$을 대입하면

$$a_k = 6 \times \frac{k+1}{2} - 2 = 3k+1$$
$$\therefore a_8 = 24+1 = 25$$

◉→ **다른 풀이2**

$\sum\limits_{k=1}^{n} a_{2k-1} = 3n^2+n$에 $n=1$을 대입하면

$$\sum_{k=1}^{1} a_{2k-1} = 3 \times 1^2 + 1 = 4$$

$$\therefore a_1 = 4 \quad \cdots\cdots \text{㉠}$$

$n=2$를 대입하면

$$\sum_{k=1}^{2} a_{2k-1} = 3 \times 2^2 + 2 = 14$$

$$\therefore a_1 + a_3 = 14 \quad \cdots\cdots \text{㉡}$$

㉡−㉠을 하면 $a_3 = 10$

이때 수열 $\{a_n\}$의 공차를 d라고 하면 수열 $\{a_{2n-1}\}$의 공차는 $2d$이므로

> a_1, a_3, a_5, $\cdots$을 항으로 하는 수열이므로 공차는 $2d$가 된다.

$$2d = a_3 - a_1 = 10-4 = 6 \quad \therefore d=3$$

따라서 $a_n = 4 + (n-1) \times 3 = 3n+1$이므로

$$a_8 = 3 \times 8 + 1 = 25$$

06-6 🔲 27

해결전략 | $\sum\limits_{k=1}^{n} a_{2k+1}$을 덧셈식으로 나타낸 다음 로그의 성질을 이용한다.

STEP1 a_n 구하기

$S_n = \sum\limits_{k=1}^{n} a_k = \log_3 (n^2+n)$으로 놓으면

$n \geq 2$일 때

$$a_n = S_n - S_{n-1}$$
$$= \log_3 (n^2+n) - \log_3 \{(n-1)^2+(n-1)\}$$
$$= \log_3 (n^2+n) - \log_3 (n^2-n)$$
$$= \log_3 \frac{n^2+n}{n^2-n} = \log_3 \frac{n+1}{n-1}$$

STEP2 $\sum\limits_{k=1}^{n} a_{2k+1}$ 구하기

따라서

$$a_{2k+1} = \log_3 \frac{(2k+1)+1}{(2k+1)-1} = \log_3 \frac{k+1}{k}$$

이므로

$$\sum_{k=1}^{n} a_{2k+1} = \sum_{k=1}^{n} \log_3 \frac{k+1}{k}$$
$$= \log_3 \frac{2}{1} + \log_3 \frac{3}{2} + \log_3 \frac{4}{3} + \cdots$$
$$+ \log_3 \frac{n+1}{n}$$
$$= \log_3 \left(\frac{2}{1} \times \frac{3}{2} \times \frac{4}{3} \times \cdots \times \frac{n+1}{n} \right)$$
$$= \log_3 (n+1)$$

STEP3 자연수 n의 최솟값 구하기

$\sum\limits_{k=1}^{n} a_{2k+1} > 3$에서 $\log_3 (n+1) > 3$

$$n+1 > 3^3 \quad \therefore n > 26$$

즉, 자연수 n의 최솟값은 27이다.

07-1 답 $\dfrac{n}{2n+1}$

해결전략 | 일반항이 분수 꼴이므로 일반항을 부분분수로 고쳐서 계산한다.

STEP1 일반항을 부분분수로 나타내기

주어진 수열의 일반항을 a_n이라고 하면

$$a_n=\dfrac{1}{(2n)^2-1}=\dfrac{1}{(2n-1)(2n+1)}$$
$$=\dfrac{1}{2}\left(\dfrac{1}{2n-1}-\dfrac{1}{2n+1}\right)$$

STEP2 첫째항부터 제n항까지의 합 구하기

$$\therefore \sum_{k=1}^{n} a_k=\sum_{k=1}^{n}\dfrac{1}{2}\left(\dfrac{1}{2k-1}-\dfrac{1}{2k+1}\right)$$
$$=\dfrac{1}{2}\left\{\left(1-\dfrac{1}{3}\right)+\left(\dfrac{1}{3}-\dfrac{1}{5}\right)+\left(\dfrac{1}{5}-\dfrac{1}{7}\right)+\cdots\right.$$
$$\left.+\left(\dfrac{1}{2n-1}-\dfrac{1}{2n+1}\right)\right\}$$
$$=\dfrac{1}{2}\left(1-\dfrac{1}{2n+1}\right)=\dfrac{n}{2n+1}$$

07-2 답 $\dfrac{10}{31}$

해결전략 | 먼저 수열 $\dfrac{1}{1\times4}$, $\dfrac{1}{4\times7}$, $\dfrac{1}{7\times10}$, $\cdots$의 일반항을 구한 다음 $\dfrac{1}{28\times31}$이 제몇 항인지 알아본다.

STEP1 일반항을 부분분수로 나타내기

수열 $\dfrac{1}{1\times4}$, $\dfrac{1}{4\times7}$, $\dfrac{1}{7\times10}$, $\cdots$의 일반항을 a_n이라고 하면

$$a_n=\dfrac{1}{(3n-2)(3n+1)}=\dfrac{1}{3}\left(\dfrac{1}{3n-2}-\dfrac{1}{3n+1}\right)$$

STEP2 식의 값 구하기

이때 $\dfrac{1}{(3n-2)(3n+1)}=\dfrac{1}{28\times31}$에서 $n=10$이므로 구하는 식의 값은 수열 $\{a_n\}$의 첫째항부터 제10항까지의 합이다.

$$\therefore \text{(주어진 식)}$$
$$=\sum_{k=1}^{10}\dfrac{1}{3}\left(\dfrac{1}{3k-2}-\dfrac{1}{3k+1}\right)$$
$$=\dfrac{1}{3}\left\{\left(\dfrac{1}{1}-\dfrac{1}{4}\right)+\left(\dfrac{1}{4}-\dfrac{1}{7}\right)+\left(\dfrac{1}{7}-\dfrac{1}{10}\right)+\cdots\right.$$
$$\left.+\left(\dfrac{1}{28}-\dfrac{1}{31}\right)\right\}$$
$$=\dfrac{1}{3}\left(1-\dfrac{1}{31}\right)=\dfrac{10}{31}$$

▶**참고** 일반항을 구하지 않고 주어진 덧셈식을 바로 부분분수로 고쳐서 계산해도 된다.

07-3 답 9

해결전략 | 항이 연쇄적으로 소거되도록 좌변을 덧셈식으로 나타낸다.

STEP1 좌변 계산하기

$$\sum_{k=1}^{n}\dfrac{1}{(4k-3)(4k+1)}$$
$$=\sum_{k=1}^{n}\dfrac{1}{4}\left(\dfrac{1}{4k-3}-\dfrac{1}{4k+1}\right)$$
$$=\dfrac{1}{4}\left\{\left(1-\dfrac{1}{5}\right)+\left(\dfrac{1}{5}-\dfrac{1}{9}\right)+\left(\dfrac{1}{9}-\dfrac{1}{13}\right)+\cdots\right.$$
$$\left.+\left(\dfrac{1}{4n-3}-\dfrac{1}{4n+1}\right)\right\}$$
$$=\dfrac{1}{4}\left(1-\dfrac{1}{4n+1}\right)=\dfrac{n}{4n+1}$$

STEP2 n의 값 구하기

따라서 $\dfrac{n}{4n+1}=\dfrac{9}{37}$에서 $n=9$

07-4 답 $\dfrac{9}{5}$

해결전략 | $_n\mathrm{C}_r=\dfrac{_n\mathrm{P}_r}{r!}$를 이용하여 a_n을 n에 대한 식으로 나타낸다.

STEP1 a_n을 n에 대한 식으로 나타내기

$$a_n={}_{n+1}\mathrm{C}_2=\dfrac{(n+1)\times n}{2\times1}=\dfrac{n(n+1)}{2}$$

STEP2 $\sum\limits_{n=1}^{9}\dfrac{1}{a_n}$의 값 구하기

$$\therefore \sum_{n=1}^{9}\dfrac{1}{a_n}=\sum_{n=1}^{9}\dfrac{2}{n(n+1)}=2\sum_{n=1}^{9}\left(\dfrac{1}{n}-\dfrac{1}{n+1}\right)$$
$$=2\left\{\left(1-\dfrac{1}{2}\right)+\left(\dfrac{1}{2}-\dfrac{1}{3}\right)+\left(\dfrac{1}{3}-\dfrac{1}{4}\right)+\cdots\right.$$
$$\left.+\left(\dfrac{1}{9}-\dfrac{1}{10}\right)\right\}$$
$$=2\left(1-\dfrac{1}{10}\right)=\dfrac{9}{5}$$

07-5 답 $\dfrac{n}{8(n+2)}$

해결전략 | $S_n=\sum\limits_{k=1}^{n}a_k$로 놓으면 $a_1=S_1$, $a_n=S_n-S_{n-1}$ $(n\geq2)$임을 이용하여 a_n을 구한다.

STEP1 a_n 구하기

$S_n=\sum\limits_{k=1}^{n}a_k=n(n+3)$으로 놓으면

$a_1=S_1=4$

$n\geq2$일 때

$$a_n=S_n-S_{n-1}$$
$$=n(n+3)-(n-1)(n+2)$$
$$=2n+2$$

$$\therefore a_n = 2n + 2 \ (n \geq 1)$$

STEP2 $\dfrac{1}{a_k a_{k+1}}$을 부분분수로 나타내기

이때 $a_{k+1} = 2(k+1) + 2 = 2k + 4$이므로

$$\dfrac{1}{a_k a_{k+1}} = \dfrac{1}{(2k+2)(2k+4)}$$
$$= \dfrac{1}{2}\left(\dfrac{1}{2k+2} - \dfrac{1}{2k+4}\right)$$

STEP3 $\displaystyle\sum_{k=1}^{n} \dfrac{1}{a_k a_{k+1}}$ 구하기

$$\therefore \sum_{k=1}^{n} \dfrac{1}{a_k a_{k+1}}$$
$$= \sum_{k=1}^{n} \dfrac{1}{2}\left(\dfrac{1}{2k+2} - \dfrac{1}{2k+4}\right)$$
$$= \dfrac{1}{2}\left\{\left(\dfrac{1}{4} - \dfrac{1}{6}\right) + \left(\dfrac{1}{6} - \dfrac{1}{8}\right) + \left(\dfrac{1}{8} - \dfrac{1}{10}\right) + \cdots \right.$$
$$\left. + \left(\dfrac{1}{2n+2} - \dfrac{1}{2n+4}\right)\right\}$$
$$= \dfrac{1}{2}\left(\dfrac{1}{4} - \dfrac{1}{2n+4}\right) = \dfrac{n}{8(n+2)}$$

07-6 답 12

해결전략 | 이차방정식의 근과 계수의 관계를 이용하여 $\dfrac{1}{\alpha_n} + \dfrac{1}{\beta_n}$을 n에 대한 식으로 나타낸다.

STEP1 $\dfrac{1}{\alpha_n} + \dfrac{1}{\beta_n}$을 n에 대한 식으로 나타내기

이차방정식 $x^2 - x + (n+1)(n+2) = 0$의 두 실근이 α_n, β_n이므로 근과 계수의 관계에 의하여

$$\alpha_n + \beta_n = 1, \ \alpha_n \beta_n = (n+1)(n+2)$$
$$\therefore \dfrac{1}{\alpha_n} + \dfrac{1}{\beta_n} = \dfrac{\alpha_n + \beta_n}{\alpha_n \beta_n} = \dfrac{1}{(n+1)(n+2)}$$
$$= \dfrac{1}{n+1} - \dfrac{1}{n+2}$$

STEP2 $\displaystyle\sum_{n=1}^{k}\left(\dfrac{1}{\alpha_n} + \dfrac{1}{\beta_n}\right)$ 계산하기

$$\sum_{n=1}^{k}\left(\dfrac{1}{\alpha_n} + \dfrac{1}{\beta_n}\right)$$
$$= \sum_{n=1}^{k}\left(\dfrac{1}{n+1} - \dfrac{1}{n+2}\right)$$
$$= \left(\dfrac{1}{2} - \dfrac{1}{3}\right) + \left(\dfrac{1}{3} - \dfrac{1}{4}\right) + \left(\dfrac{1}{4} - \dfrac{1}{5}\right) + \cdots$$
$$+ \left(\dfrac{1}{k+1} - \dfrac{1}{k+2}\right)$$
$$= \dfrac{1}{2} - \dfrac{1}{k+2} = \dfrac{k}{2(k+2)}$$

STEP3 k의 값 구하기

따라서 $\dfrac{k}{2(k+2)} = \dfrac{3}{7}$에서

$$7k = 6(k+2) \qquad \therefore k = 12$$

08-1 답 (1) $\dfrac{\sqrt{2n+1} - 1}{2}$

(2) $\sqrt{2n+2} + \sqrt{2n+4} - \sqrt{2} - 2$

해결전략 | 분모에 근호가 포함되어 있으므로 일반항의 분모를 유리화하여 계산한다.

(1) STEP1 일반항의 분모를 유리화하여 나타내기

주어진 수열의 일반항을 a_n이라고 하면

$$a_n = \dfrac{1}{\sqrt{2n-1} + \sqrt{2n+1}}$$
$$= \dfrac{\sqrt{2n-1} - \sqrt{2n+1}}{(\sqrt{2n-1} + \sqrt{2n+1})(\sqrt{2n-1} - \sqrt{2n+1})}$$
$$= \dfrac{\sqrt{2n+1} - \sqrt{2n-1}}{2}$$

STEP2 첫째항부터 제n항까지의 합 구하기

$$\therefore \sum_{k=1}^{n} a_k$$
$$= \sum_{k=1}^{n} \dfrac{\sqrt{2k+1} - \sqrt{2k-1}}{2}$$
$$= \dfrac{1}{2}\left\{(\sqrt{3} - \sqrt{1}) + (\sqrt{5} - \sqrt{3}) + (\sqrt{7} - \sqrt{5}) + \cdots \right.$$
$$\left. + (\sqrt{2n+1} - \sqrt{2n-1})\right\}$$
$$= \dfrac{\sqrt{2n+1} - 1}{2}$$

(2) STEP1 일반항의 분모를 유리화하여 나타내기

주어진 수열의 일반항을 a_n이라고 하면

$$a_n = \dfrac{4}{\sqrt{2n} + \sqrt{2n+4}}$$
$$= \dfrac{4(\sqrt{2n} - \sqrt{2n+4})}{(\sqrt{2n} + \sqrt{2n+4})(\sqrt{2n} - \sqrt{2n+4})}$$
$$= \sqrt{2n+4} - \sqrt{2n}$$

STEP2 첫째항부터 제n항까지의 합 구하기

$$\therefore \sum_{k=1}^{n} a_k$$
$$= \sum_{k=1}^{n} (\sqrt{2k+4} - \sqrt{2k})$$
$$= (\sqrt{6} - \sqrt{2}) + (\sqrt{8} - \sqrt{4}) + (\sqrt{10} - \sqrt{6}) + \cdots$$
$$+ (\sqrt{2n+2} - \sqrt{2n-2}) + (\sqrt{2n+4} - \sqrt{2n})$$
$$= \sqrt{2n+2} + \sqrt{2n+4} - \sqrt{2} - \sqrt{4}$$
$$= \sqrt{2n+2} + \sqrt{2n+4} - \sqrt{2} - 2$$

08-2 답 $-\dfrac{3}{2}$

해결전략 | $\dfrac{1}{\sqrt{2k} + \sqrt{2k+2}}$의 분모를 유리화한 다음 좌변을 덧셈식으로 나타낸다.

STEP 1 $\displaystyle\sum_{k=1}^{17}\frac{1}{\sqrt{2k}+\sqrt{2k+2}}$의 값 구하기

$$\sum_{k=1}^{17}\frac{1}{\sqrt{2k}+\sqrt{2k+2}}$$
$$=\sum_{k=1}^{17}\frac{\sqrt{2k}-\sqrt{2k+2}}{(\sqrt{2k}+\sqrt{2k+2})(\sqrt{2k}-\sqrt{2k+2})}$$
$$=\sum_{k=1}^{17}\frac{\sqrt{2k+2}-\sqrt{2k}}{2}$$
$$=\frac{1}{2}\{(\sqrt{4}-\sqrt{2})+(\sqrt{6}-\sqrt{4})+(\sqrt{8}-\sqrt{6})+\cdots$$
$$+(\sqrt{36}-\sqrt{34})\}$$
$$=\frac{1}{2}(\sqrt{36}-\sqrt{2})=\frac{1}{2}(6-\sqrt{2})=3-\frac{1}{2}\sqrt{2}$$

STEP 2 ab의 값 구하기

따라서 $a+b\sqrt{2}=3-\frac{1}{2}\sqrt{2}$에서

$a=3,\ b=-\frac{1}{2}$ $\therefore ab=-\frac{3}{2}$

08-3 目 15

해결전략 | $\dfrac{6}{\sqrt{3k+1}+\sqrt{3k+4}}$의 분모를 유리화한 다음 좌변을 덧셈식으로 나타낸다.

STEP 1 $\displaystyle\sum_{k=1}^{n}\frac{6}{\sqrt{3k+1}+\sqrt{3k+4}}$을 n에 대한 식으로 나타내기

$$\sum_{k=1}^{n}\frac{6}{\sqrt{3k+1}+\sqrt{3k+4}}$$
$$=\sum_{k=1}^{n}\frac{6(\sqrt{3k+1}-\sqrt{3k+4})}{(\sqrt{3k+1}+\sqrt{3k+4})(\sqrt{3k+1}-\sqrt{3k+4})}$$
$$=\sum_{k=1}^{n}2(\sqrt{3k+4}-\sqrt{3k+1})$$
$$=2\{(\sqrt{7}-\sqrt{4})+(\sqrt{10}-\sqrt{7})+(\sqrt{13}-\sqrt{10})+\cdots$$
$$+(\sqrt{3n+4}-\sqrt{3n+1})\}$$
$$=2(\sqrt{3n+4}-\sqrt{4})=2(\sqrt{3n+4}-2)$$

STEP 2 n의 값 구하기

따라서 $2(\sqrt{3n+4}-2)=10$에서

$\sqrt{3n+4}=7,\ 3n+4=49$ $\therefore n=15$

08-4 目 2

해결전략 | 등차수열의 두 항을 이용하여 일반항 a_n을 구한다.

STEP 1 일반항 구하기

등차수열 $\{a_n\}$의 첫째항을 a, 공차를 d라고 하면

$a_3=a+2d=6$ ······ ㉠
$a_8=a+7d=11$ ······ ㉡

㉠, ㉡을 연립하여 풀면 $a=4,\ d=1$

$\therefore a_n=4+(n-1)\times1=n+3$

STEP 2 $\displaystyle\sum_{k=1}^{12}\frac{1}{\sqrt{a_{k+1}}+\sqrt{a_k}}$의 값 구하기

$$\therefore \sum_{k=1}^{12}\frac{1}{\sqrt{a_{k+1}}+\sqrt{a_k}}$$
$$=\sum_{k=1}^{12}\frac{1}{\sqrt{k+4}+\sqrt{k+3}}$$
$$=\sum_{k=1}^{12}\frac{\sqrt{k+4}-\sqrt{k+3}}{(\sqrt{k+4}+\sqrt{k+3})(\sqrt{k+4}-\sqrt{k+3})}$$
$$=\sum_{k=1}^{12}(\sqrt{k+4}-\sqrt{k+3})$$
$$=(\sqrt{5}-\sqrt{4})+(\sqrt{6}-\sqrt{5})+(\sqrt{7}-\sqrt{6})+\cdots$$
$$+(\sqrt{16}-\sqrt{15})$$
$$=\sqrt{16}-\sqrt{4}=4-2=2$$

08-5 目 9

해결전략 | 이차방정식을 인수분해하여 두 근 a_n, β_n을 구한다.

STEP 1 a_n, β_n 구하기

$x^2-(2n-1)x+n(n-1)=0$에서
$(x-n)\{x-(n-1)\}=0$
$\therefore x=n$ 또는 $x=n-1$
즉, $a_n=n$, $\beta_n=n-1$ 또는 $a_n=n-1$, $\beta_n=n$

STEP 2 $\displaystyle\sum_{n=1}^{81}\frac{1}{\sqrt{a_n}+\sqrt{\beta_n}}$의 값 구하기

$$\therefore \sum_{n=1}^{81}\frac{1}{\sqrt{a_n}+\sqrt{\beta_n}}$$
$$=\sum_{n=1}^{81}\frac{1}{\sqrt{n}+\sqrt{n-1}}$$
$$=\sum_{n=1}^{81}\frac{\sqrt{n}-\sqrt{n-1}}{(\sqrt{n}+\sqrt{n-1})(\sqrt{n}-\sqrt{n-1})}$$
$$=\sum_{n=1}^{81}(\sqrt{n}-\sqrt{n-1})$$
$$=(1-0)+(\sqrt{2}-1)+(\sqrt{3}-\sqrt{2})+\cdots+(\sqrt{81}-\sqrt{80})$$
$$=\sqrt{81}=9$$

08-6 目 $\dfrac{3\sqrt{3}}{2}+\dfrac{\sqrt{5}}{2}-2$

해결전략 | $S_n=\displaystyle\sum_{k=1}^{n}a_k$로 놓으면 $a_1=S_1$, $a_n=S_n-S_{n-1}$ $(n\geq2)$임을 이용하여 주어진 조건에서 $a_n{}^2$을 구한 다음 a_n을 구한다.

STEP 1 a_n 구하기

$S_n=\displaystyle\sum_{k=1}^{n}a_k{}^2=(n+1)^2$으로 놓으면

$a_1{}^2=S_1=(1+1)^2=4$ $\therefore a_1=2\ (\because a_n>0)$

$n\geq2$일 때

$$a_n{}^2 = S_n - S_{n-1} = (n+1)^2 - \{(n-1)+1\}^2$$
$$= 2n+1$$
$$\therefore a_n = \sqrt{2n+1} \ (\because a_n > 0)$$

STEP2 $\displaystyle\sum_{k=1}^{12} \frac{1}{a_k + a_{k+1}}$의 값 구하기   → 수열 $\{a_n\}$은 $a_1 = 2$, $a_n = \sqrt{2n+1} \ (n \geq 2)$

$$\sum_{k=1}^{12} \frac{1}{a_k + a_{k+1}}$$
$$= \frac{1}{a_1 + a_2} + \sum_{k=2}^{12} \frac{1}{a_k + a_{k+1}}$$
$$= \frac{1}{2+\sqrt{5}} + \sum_{k=2}^{12} \frac{1}{\sqrt{2k+1}+\sqrt{2k+3}}$$ → $a_n = \sqrt{2n+1}$은 둘째항부터 성립하므로 $\displaystyle\sum_{k=2}^{12}$로 변형한다.

$$= \frac{2-\sqrt{5}}{(2+\sqrt{5})(2-\sqrt{5})}$$ → $a_1 = 2$, $a_2 = \sqrt{2 \times 2 + 1} = \sqrt{5}$
$$\quad + \sum_{k=2}^{12} \frac{\sqrt{2k+1}-\sqrt{2k+3}}{(\sqrt{2k+1}+\sqrt{2k+3})(\sqrt{2k+1}-\sqrt{2k+3})}$$
$$= \sqrt{5}-2 + \sum_{k=2}^{12} \frac{\sqrt{2k+3}-\sqrt{2k+1}}{2}$$
$$= \sqrt{5}-2 + \frac{1}{2}\{(\sqrt{7}-\sqrt{5}) + (\sqrt{9}-\sqrt{7})$$
$$\quad + (\sqrt{11}-\sqrt{9}) + \cdots + (\sqrt{27}-\sqrt{25})\}$$
$$= \sqrt{5}-2 + \frac{1}{2}(\sqrt{27}-\sqrt{5}) = \frac{3\sqrt{3}}{2} + \frac{\sqrt{5}}{2} - 2$$

발전유형 09   367쪽

09-1 답 89

해결전략 | $a_1, a_2, a_3, \cdots$을 차례로 구하여 수열 $\{a_n\}$에서 반복되는 항을 찾는다.

STEP1 수열 $\{a_n\}$에서 반복되는 항 알아보기

$2, 2^2, 2^3, 2^4, 2^5, 2^6, 2^7, 2^8, \cdots$을 5로 나누었을 때의 나머지는 각각 $2, 4, 3, 1, 2, 4, 3, 1, \cdots$이므로 수열 $\{a_n\}$은 $2, 4, 3, 1$이 반복된다.

STEP2 $\displaystyle\sum_{k=1}^{35} a_k$의 값 구하기

$$\therefore \sum_{k=1}^{35} a_k$$
$$= (a_1 + a_2 + a_3 + a_4) + (a_5 + a_6 + a_7 + a_8) +$$
$$\quad \cdots + (a_{29} + a_{30} + a_{31} + a_{32}) + a_{33} + a_{34} + a_{35}$$
$$= (2+4+3+1) \times 8 + 2 + 4 + 3$$
$$= 89$$

09-2 답 130

해결전략 | 1을 기준으로 항을 1개, 2개, 3개, $\cdots$씩 묶어서 생각한다.

STEP1 a_{40} 알아보기

수열의 항을 1개, 2개, 3개, 4개, $\cdots$씩 묶고 n번째 묶음을 제n군이라고 하면

$(1), (1, 2), (1, 2, 3), (1, 2, 3, 4), \cdots$

제1군부터 제n군까지의 항의 개수는

$$1+2+3+4+ \cdots +n = \frac{n(n+1)}{2}$$

이므로 $\dfrac{8 \times 9}{2} = 36$, $\dfrac{9 \times 10}{2} = 45$에서 a_{40}은 제9군의 4번째 항이다.

STEP2 $\displaystyle\sum_{k=1}^{40} a_k$의 값 구하기

따라서 제n군의 항의 합은

$$1+2+3+ \cdots +n = \frac{n(n+1)}{2}$$

이므로

$$\sum_{k=1}^{40} a_k$$
$$= (\text{제1군부터 제8군까지의 합})$$
$$\quad + (\text{제9군의 첫째항부터 4번째 항까지의 합})$$
$$= \sum_{k=1}^{8} \frac{k(k+1)}{2} + \sum_{k=1}^{4} k$$
$$= \frac{1}{2} \sum_{k=1}^{8} (k^2 + k) + \sum_{k=1}^{4} k$$
$$= \frac{1}{2} \left(\frac{8 \times 9 \times 17}{6} + \frac{8 \times 9}{2} \right) + \frac{4 \times 5}{2}$$
$$= 120 + 10 = 130$$

09-3 답 18

해결전략 | 자연수의 거듭제곱에서 일의 자리 숫자는 반복되므로 7^n에서 반복되는 일의 자리 숫자를 구한다.

STEP1 7^n에서 반복되는 일의 자리 숫자 알아보기

$7, 7^2, 7^3, 7^4, 7^5, 7^6, 7^7, 7^8, \cdots$의 일의 자리 숫자는 $7, 9, 3, 1, 7, 9, 3, 1, \cdots$이므로 수열 $\{a_n\}$은 $7, 9, 3, 1$이 반복된다.

STEP2 n의 값 구하기

이때 $7+9+3+1 = 20$이고 $96 = 20 \times 4 + 7 + 9$이므로

$$96 = (a_1 + a_2 + a_3 + a_4) \times 4 + a_{17} + a_{18}$$

따라서 $\displaystyle\sum_{k=1}^{18} a_k = 96$이므로 $n = 18$

09-4 답 150

해결전략 | 수열 $\{a_n\}$에서 반복되는 수와 수열 $\{b_n\}$에서 반복되는 수를 구한 다음 수열 $\{a_n + b_n\}$에서 반복되는 수를 알아본다.

STEP1 수열 $\{a_n\}$, $\{b_n\}$에서 각각 반복되는 수 알아보기

$9, 9^2, 9^3, 9^4, \cdots$을 10으로 나누었을 때의 나머지는 각각

9, 1, 9, 1, …이므로 수열 $\{a_n\}$은 9, 1이 반복된다.

$4, 4^2, 4^3, 4^4, \cdots$ 를 5로 나누었을 때의 나머지는 각각

4, 1, 4, 1, …이므로 수열 $\{b_n\}$은 4, 1이 반복된다.

STEP2 $\sum\limits_{k=1}^{20} (a_k + b_k)$의 값 구하기

따라서 수열 $\{a_n + b_n\}$은 13, 2가 반복되므로

$$\sum_{k=1}^{20} (a_k + b_k)$$
$$= (a_1 + b_1 + a_2 + b_2) + (a_3 + b_3 + a_4 + b_4)$$
$$+ \cdots + (a_{19} + b_{19} + a_{20} + b_{20})$$
$$= (13 + 2) \times 10 = 150$$

09-5 답 21

해결전략 | 분모가 같은 분수끼리 묶어서 생각한다.

STEP1 제35항 알아보기

수열의 항을 분모가 같은 분수끼리 묶고 n번째 묶음을 제n군이라고 하면

$$(1), \left(\frac{1}{2}, \frac{2}{2}\right), \left(\frac{1}{3}, \frac{2}{3}, \frac{3}{3}\right), \left(\frac{1}{4}, \frac{2}{4}, \frac{3}{4}, \frac{4}{4}\right), \cdots$$

제1군부터 제n군까지의 항의 개수는

$$1 + 2 + 3 + \cdots + n = \frac{n(n+1)}{2}$$

이므로 $\dfrac{7 \times 8}{2} = 28$, $\dfrac{8 \times 9}{2} = 36$에서 제35항은 제8군의

7번째 항이다.

STEP2 첫째항부터 제35항까지의 합 구하기

제n군의 항의 합은

$$\frac{1}{n} + \frac{2}{n} + \frac{3}{n} + \cdots + \frac{n}{n} = \frac{1 + 2 + 3 + \cdots + n}{n}$$
$$= \frac{1}{n} \times \frac{n(n+1)}{2} = \frac{n+1}{2}$$

이므로

$$\sum_{k=1}^{35} a_k$$
$$= (\text{제1군부터 제7군까지의 합})$$
$$+ (\text{제8군의 첫째항부터 7번째 항까지의 합})$$
$$= \sum_{k=1}^{7} \frac{k+1}{2} + \sum_{k=1}^{7} \frac{k}{8} \quad \longrightarrow \text{제8군의 분모는 모두 8이다.}$$
$$= \frac{1}{2}\left(\frac{7 \times 8}{2} + 1 \times 7\right) + \frac{1}{8} \times \frac{7 \times 8}{2}$$
$$= \frac{35}{2} + \frac{7}{2} = 21$$

09-6 답 11

해결전략 | $n!$은 1부터 n까지 연속된 수의 곱이므로 $n!$ 중 10의 배수는 일의 자리 숫자가 항상 0임을 이용한다.

STEP1 $n! + 1$의 일의 자리 숫자 알아보기

$1! = 1$, $2! = 2$, $3! = 6$, $4! = 24$, $5! = 120$, …에서 5!은 10의 배수이므로 $5!, 6!, 7!, \cdots$은 모두 10의 배수로 일의 자리 숫자가 0이다.

따라서 $n! + 1$의 일의 자리 숫자는 2, 3, 7, 5, 1, 1, 1, 1, …으로 제5항부터는 모두 1이다.

STEP2 m의 값 구하기

이때 $2 + 3 + 7 + 5 = 17$이고 $24 = 17 + 1 \times 7$이므로

$$24 = (a_1 + a_2 + a_3 + a_4) + a_5 + \cdots + a_{11}$$

따라서 $\sum\limits_{k=1}^{11} a_k = 24$이므로 $m = 11$

발전유형 ⑩ 369쪽

10-1 답 $(n-1) \times 2^n + 1$

해결전략 | (등차수열) × (등비수열) 꼴로 이루어진 수열이므로 구하는 합을 S로 놓고 양변에 등비수열의 공비를 곱한다.

STEP1 구하는 합을 S로 놓고 $2S$를 식으로 나타내기

첫째항부터 제n항까지의 합을 S라고 하면

$$S = 1 \times 1 + 2 \times 2 + 3 \times 2^2 + 4 \times 2^3 + \cdots + n \times 2^{n-1}$$
$$\cdots\cdots ㉠$$

등비수열 1, 2, 2^2, …의 공비가 2이므로

㉠의 양변에 2를 곱하면

$$2S = 1 \times 2 + 2 \times 2^2 + 3 \times 2^3 + 4 \times 2^4 + \cdots$$
$$+ (n-1) \times 2^{n-1} + n \times 2^n \quad \cdots\cdots ㉡$$

STEP2 첫째항부터 제n항까지의 합 구하기

㉠$-$㉡을 하면

$$-S = 1 \times 1 + 1 \times 2 + 1 \times 2^2 + \cdots + 1 \times 2^{n-1} - n \times 2^n$$
$$= (1 + 2 + 2^2 + \cdots + 2^{n-1}) - n \times 2^n$$
$$= \frac{1 \times (2^n - 1)}{2 - 1} - n \times 2^n$$
$$= (1 - n) \times 2^n - 1$$

$$\therefore S = (n-1) \times 2^n + 1$$

10-2 답 $\dfrac{3}{16} - \dfrac{41}{16} \times 3^{11}$

해결전략 | (등차수열) × (등비수열) 꼴에서 공비가 음수임에 주의한다.

STEP1 구하는 값을 S로 놓고 $-3S$를 식으로 나타내기

$$S = 1 \times 3 - 2 \times 3^2 + 3 \times 3^3 - 4 \times 3^4 + \cdots - 10 \times 3^{10}$$
$$\cdots\cdots ㉠$$

으로 놓자.

등비수열 3, -3^2, 3^3, -3^4, $\cdots$의 공비가 -3이므로 $\boxed{\ }$의 양변에 -3을 곱하면

$$-3S = -1\times 3^2 + 2\times 3^3 - 3\times 3^4 + 4\times 3^5 - \cdots$$
$$-9\times 3^{10} + 10\times 3^{11} \qquad \cdots\cdots ㉡$$

STEP2 주어진 식의 값 구하기

㉠$-$㉡을 하면

$$4S = 1\times 3 - 1\times 3^2 + 1\times 3^3 - 1\times 3^4 + \cdots$$
$$-1\times 3^{10} - 10\times 3^{11}$$

$$= (3 - 3^2 + 3^3 - 3^4 + \cdots - 3^{10}) - 10\times 3^{11}$$

$$= \frac{3\{1-(-3)^{10}\}}{1-(-3)} - 10\times 3^{11}$$

$$= \frac{3}{4} - \frac{1}{4}\times 3^{11} - 10\times 3^{11}$$

$$= \frac{3}{4} - \frac{41}{4}\times 3^{11}$$

$$\therefore S = \frac{3}{16} - \frac{41}{16}\times 3^{11}$$

10-3 답 3×2^{15}

해결전략 | (등차수열)$\times$(등비수열) 꼴의 합이므로 합을 덧셈식으로 나타내어 계산한다.

STEP1 주어진 합을 S로 놓고 $2S$를 식으로 나타내기

$S = \displaystyle\sum_{k=1}^{12} (k+1)2^k$으로 놓으면

$$S = 2\times 2 + 3\times 2^2 + 4\times 2^3 + \cdots + 13\times 2^{12} \qquad \cdots\cdots ㉠$$

㉠의 양변에 2를 곱하면

$$2S = 2\times 2^2 + 3\times 2^3 + 4\times 2^4 + \cdots + 13\times 2^{13} \qquad \cdots\cdots ㉡$$

STEP2 식의 값 구하기

㉠$-$㉡을 하면

$$-S = 2\times 2 + 1\times 2^2 + 1\times 2^3 + \cdots + 1\times 2^{12} - 13\times 2^{13}$$

$$= 2\times 2 + (2^2 + 2^3 + \cdots + 2^{12}) - 13\times 2^{13}$$

$$= 4 + \frac{4(2^{11}-1)}{2-1} - 13\times 2^{13}$$

$$= 2^{13} - 13\times 2^{13} = -12\times 2^{13} = -3\times 2^{15}$$

$$\therefore S = 3\times 2^{15}$$

10-4 답 $a=4$, $b=7$

해결전략 | 주어진 등식의 좌변은 (등차수열)$\times$(등비수열) 꼴의 합으로 등비수열의 공비는 $\dfrac{1}{2}$이다.

STEP1 주어진 등식의 좌변을 계산하기

주어진 등식의 좌변의 값을 S라고 하면

$$S = \frac{1}{1} + \frac{2}{2} + \frac{3}{2^2} + \cdots + \frac{10}{2^9} \qquad \cdots\cdots ㉠$$

㉠의 양변에 $\dfrac{1}{2}$을 곱하면

$$\frac{1}{2}S = \frac{1}{2} + \frac{2}{2^2} + \frac{3}{2^3} + \cdots + \frac{10}{2^{10}} \qquad \cdots\cdots ㉡$$

㉠$-$㉡을 하면

$$\frac{1}{2}S = \frac{1}{1} + \frac{1}{2} + \frac{1}{2^2} + \cdots + \frac{1}{2^9} - \frac{10}{2^{10}}$$

$$= \frac{1\times\left\{1-\left(\dfrac{1}{2}\right)^{10}\right\}}{1-\dfrac{1}{2}} - \frac{10}{2^{10}}$$

$$= 2 - \left(\frac{1}{2}\right)^9 - \frac{5}{2^9} = 2 - \frac{6}{2^9} = 2 - \frac{3}{2^8}$$

$$\therefore S = 4 - \frac{3}{2^7}$$

STEP2 a, b의 값 구하기

따라서 $4 - \dfrac{3}{2^7} = a - \dfrac{3}{2^b}$에서 $a=4$, $b=7$

10-5 답 $1+7\times 2^{16}$

해결전략 | 함수 $f(x)$는 (등차수열)$\times$(등비수열) 꼴의 합으로 나타낸 식이다.

STEP1 $f(4)$와 $4f(4)$를 식으로 나타내기

$$f(4) = 1 + 4\times 4 + 7\times 4^2 + \cdots + 22\times 4^7 \qquad \cdots\cdots ㉠$$

㉠의 양변에 4를 곱하면

$$4f(4) = 1\times 4 + 4\times 4^2 + 7\times 4^3 + \cdots + 22\times 4^8 \qquad \cdots\cdots ㉡$$

STEP2 $f(4)$의 값 구하기

㉠$-$㉡을 하면

$$-3f(4) = 1 + 3\times 4 + 3\times 4^2 + \cdots + 3\times 4^7 - 22\times 4^8$$

$$= 1 + \frac{12(4^7-1)}{4-1} - 22\times 4^8$$

$$= 1 + 4^8 - 4 - 22\times 4^8$$

$$= -3 - 21\times 4^8$$

$$= -3 - 21\times 2^{16}$$

$$\therefore f(4) = 1 + 7\times 2^{16}$$

10-6 답 16

해결전략 | 주어진 다항식에 $x=2$를 대입한 값이 $x-2$로 나누었을 때의 나머지이다.

STEP1 나머지를 S로 놓고 $2S$를 식으로 나타내기

주어진 다항식을 $x-2$로 나누었을 때의 나머지를 S라고 하면 S는 주어진 식에 $x=2$를 대입한 값이므로

$$S = 2\times 2 + 4\times 2^2 + 6\times 2^3 + \cdots + 2n\times 2^n \qquad \cdots\cdots ㉠$$

㉠의 양변에 2를 곱하면

$$2S = 2\times 2^2 + 4\times 2^3 + 6\times 2^4 + \cdots + 2n\times 2^{n+1} \qquad \cdots\cdots ㉡$$

STEP2 나머지 구하기

㉠$-$㉡을 하면

$$-S = 2 \times 2 + 2 \times 2^2 + 2 \times 2^3 + \cdots + 2 \times 2^n - 2n \times 2^{n+1}$$
$$= (2^2 + 2^3 + 2^4 + \cdots + 2^{n+1}) - n \times 2^{n+2}$$
$$= \frac{4(2^n - 1)}{2 - 1} - n \times 2^{n+2}$$
$$= 2^{n+2} - 4 - n \times 2^{n+2}$$
$$= (1 - n) \times 2^{n+2} - 4$$
$$\therefore S = (n-1) \times 2^{n+2} + 4$$

STEP3 n의 값 구하기

따라서 $(n-1) \times 2^{n+2} + 4 = 15 \times 2^{18} + 4$에서

$n-1 = 15,\ n+2 = 18$ $\therefore n = 16$

실전 연습 문제　　　370~372쪽

01 ①	**02** ①	**03** ②	**04** 18	**05** ④
06 960	**07** ④	**08** ⑤	**09** 19	**10** ②
11 $\log 2$	**12** ④	**13** ③	**14** $\frac{10}{31}$	**15** ⑤
16 ③	**17** ②	**18** ⑤		

01

해결전략 | 주어진 식의 좌변을 덧셈식으로 나타낸다.

STEP1 a_{n+1} 구하기

$$\sum_{k=1}^{n} (a_k - a_{k+1})$$
$$= (a_1 - a_2) + (a_2 - a_3) + (a_3 - a_4) + \cdots + (a_n - a_{n+1})$$
$$= a_1 - a_{n+1} = 3 - a_{n+1}$$

이므로 $3 - a_{n+1} = 4n - 5$ $\therefore a_{n+1} = -4n + 8$

STEP2 a_7의 값 구하기

$a_{n+1} = -4n + 8$에 $n = 6$을 대입하면

$a_7 = -24 + 8 = -16$

02

해결전략 | 두 곡선이 만나는 점의 x좌표는 방정식 $\log_2 x = \log_2 (2^n - x)$의 해이다.

STEP1 a_n 구하기

두 곡선 $y = \log_2 x$, $y = \log_2 (2^n - x)$가 만나는 점의 x좌표는 $\log_2 x = \log_2 (2^n - x)$에서

$x = 2^n - x,\ 2x = 2^n$

$\therefore x = 2^{n-1}$ $\therefore a_n = 2^{n-1}$

STEP2 $\sum\limits_{n=1}^{5} a_n$의 값 구하기

$$\therefore \sum_{n=1}^{5} a_n = \sum_{n=1}^{5} 2^{n-1} = \frac{2^5 - 1}{2 - 1} = 31$$

03

해결전략 | $(a_k - 3)(b_k - 3)$을 전개한 다음 $\sum$의 성질을 이용한다.

$$\sum_{k=1}^{14} (a_k - 3)(b_k - 3) = \sum_{k=1}^{14} \{a_k b_k - 3(a_k + b_k) + 9\}$$
$$= \sum_{k=1}^{14} a_k b_k - 3 \sum_{k=1}^{14} (a_k + b_k) + \sum_{k=1}^{14} 9$$
$$= 9 - 3 \times 5 + 9 \times 14 = 120$$

04

해결전략 | $a_6 - b_6 = \sum\limits_{n=1}^{6} (a_n - b_n) - \sum\limits_{n=1}^{5} (a_n - b_n)$임을 이용한다.

STEP1 $\sum\limits_{n=1}^{6} (a_n - b_n)$의 값 구하기

$$\sum_{n=1}^{6} (2a_n - 2b_n) = 2 \sum_{n=1}^{6} (a_n - b_n) = 56$$에서

$$\sum_{n=1}^{6} (a_n - b_n) = 28$$

STEP2 $a_6 - b_6$의 값 구하기

$$\therefore a_6 - b_6 = \sum_{n=1}^{6} (a_n - b_n) - \sum_{n=1}^{5} (a_n - b_n)$$
$$= 28 - 10 = 18$$

05

해결전략 | $a_n - b_n = 3$, 즉 $a_k - b_k = 3$을 이용하여 $a_k - 3b_k$를 b_k에 대한 식으로 나타낸다.

STEP1 $\sum\limits_{k=1}^{15} (a_k - 3b_k)$를 $\sum\limits_{k=1}^{15} b_k$에 대한 식으로 나타내기

임의의 자연수 k에 대하여 $a_k - b_k = 3$이므로

$a_k = 3 + b_k$

$a_k - 3b_k = (3 + b_k) - 3b_k = 3 - 2b_k$이므로

$$\sum_{k=1}^{15} (a_k - 3b_k) = \sum_{k=1}^{15} (3 - 2b_k)$$
$$= \sum_{k=1}^{15} 3 - 2 \sum_{k=1}^{15} b_k$$

STEP2 $\sum\limits_{k=1}^{15} b_k$의 값 구하기

$$\sum_{k=1}^{15} 3 - 2 \sum_{k=1}^{15} b_k = 25$$에서

$$3 \times 15 - 2 \sum_{k=1}^{15} b_k = 25,\ -2 \sum_{k=1}^{15} b_k = -20$$

$$\therefore \sum_{k=1}^{15} b_k = 10$$

06

해결전략 | 이차방정식의 근과 계수의 관계를 이용하여 $(\alpha_k - \beta_k)^2$을 k에 대한 식으로 나타낸다.

STEP1 $(\alpha_k-\beta_k)^2$을 k에 대한 식으로 나타내기

이차방정식 $x^2-2kx+k=0$의 두 근이 α_k, β_k이므로 근과 계수의 관계에 의하여

$\alpha_k+\beta_k=2k$, $\alpha_k\beta_k=k$ ...... ❶

$\therefore (\alpha_k-\beta_k)^2=(\alpha_k+\beta_k)^2-4\alpha_k\beta_k$

$\qquad\qquad\quad =4k^2-4k$ ...... ❷

STEP2 $\displaystyle\sum_{k=1}^{9}(\alpha_k-\beta_k)^2$의 값 구하기

$\therefore \displaystyle\sum_{k=1}^{9}(\alpha_k-\beta_k)^2=\sum_{k=1}^{9}(4k^2-4k)$

$\qquad\qquad\qquad\quad =4\times\dfrac{9\times10\times19}{6}-4\times\dfrac{9\times10}{2}$

$\qquad\qquad\qquad\quad =1140-180=960$ ...... ❸

채점 요소	배점
❶ 두 근의 합과 곱을 k에 대한 식으로 나타내기	20 %
❷ $(\alpha_k-\beta_k)^2$을 k에 대한 식으로 나타내기	20 %
❸ $\displaystyle\sum_{k=1}^{9}(\alpha_k-\beta_k)^2$의 값 구하기	60 %

07

해결전략 | 6^n은 짝수, 3^n은 홀수임을 이용하여 $f(6^n)$, $f(3^n)$을 n에 대한 식으로 나타낸다.

STEP1 a_n 구하기

자연수 n에 대하여 6^n은 짝수, 3^n은 홀수이므로

$f(3^n)=\log_3 3^n=n$ ⟶ (짝수)$\times$(짝수)=(짝수) (홀수)$\times$(홀수)=(홀수)

$f(6^n)=\log_2 6^n=n\log_2 6=n(1+\log_2 3)$

$\therefore a_n=f(6^n)-f(3^n)$

$\qquad =n(1+\log_2 3)-n=n\log_2 3$

STEP2 $\displaystyle\sum_{n=1}^{15}a_n$의 값 구하기

$\therefore \displaystyle\sum_{n=1}^{15}a_n=\sum_{n=1}^{15}n\log_2 3=\log_2 3\sum_{n=1}^{15}n$

$\qquad\qquad =\log_2 3\times\dfrac{15\times16}{2}=120\log_2 3$

08

해결전략 | 괄호 안의 $\sum$에서 변수는 j, 전체 $\sum$에서 변수는 i임에 주의하여 계산한다.

STEP1 $\displaystyle\sum_{j=1}^{i}(4j-i)$ 계산하기

$\displaystyle\sum_{j=1}^{i}(4j-i)=4\sum_{j=1}^{i}j-\sum_{j=1}^{i}i=4\times\dfrac{i(i+1)}{2}-i\times i$

$\qquad\qquad\quad =i^2+2i$

STEP2 $\displaystyle\sum_{i=1}^{6}\left\{\sum_{j=1}^{i}(4j-i)\right\}$의 값 구하기

$\therefore \displaystyle\sum_{i=1}^{6}\left\{\sum_{j=1}^{i}(4j-i)\right\}=\sum_{i=1}^{6}(i^2+2i)$

$\qquad\qquad\qquad\qquad =\dfrac{6\times7\times13}{6}+2\times\dfrac{6\times7}{2}$

$\qquad\qquad\qquad\qquad =91+42=133$

09

해결전략 | 제n항은 첫째항이 1, 공비가 3인 등비수열의 첫째항부터 제n항까지의 합이다.

STEP1 일반항 구하기

주어진 수열의 일반항을 a_n이라고 하면

$a_n=1+3+3^2+\cdots+3^{n-1}$

$\qquad =\dfrac{1\times(3^n-1)}{3-1}=\dfrac{1}{2}(3^n-1)$ ...... ❶

STEP2 첫째항부터 제8항까지의 합 구하기

$\therefore \displaystyle\sum_{k=1}^{8}a_k=\sum_{k=1}^{8}\dfrac{1}{2}(3^k-1)$

$\qquad\quad =\dfrac{1}{2}\left(\sum_{k=1}^{8}3^k-\sum_{k=1}^{8}1\right)$

$\qquad\quad =\dfrac{1}{2}\left\{\dfrac{3(3^8-1)}{3-1}-1\times8\right\}$

$\qquad\quad =\dfrac{1}{4}\times3^9-\dfrac{19}{4}$

$\qquad\quad =\dfrac{3^9-19}{4}$ ...... ❷

STEP3 a의 값 구하기

따라서 $\dfrac{3^9-19}{4}=\dfrac{3^9-a}{4}$에서

$a=19$ ...... ❸

채점 요소	배점
❶ 일반항 구하기	40 %
❷ 첫째항부터 제8항까지의 합 구하기	50 %
❸ a의 값 구하기	10 %

10

해결전략 | 등비수열 $\{a_n\}$의 첫째항이 a, 공비가 r이면 수열 $\{a_n^2\}$도 등비수열이고 첫째항은 a^2, 공비는 r^2이다.

STEP1 공비 구하기

등비수열 $\{a_n\}$의 공비를 r $(r>0)$라고 하면

$a_4=4a_2$에서

$\dfrac{1}{5}r^3=4\times\dfrac{1}{5}r$, $r^2=4$ $\therefore r=2$ $(\because r>0)$

STEP2 n의 값 구하기

수열 $\{a_n\}$이 등비수열이므로 수열 $\{a_n^2\}$도 등비수열이고 첫째항은 $\left(\dfrac{1}{5}\right)^2$, 공비는 2^2이 된다.

따라서 $\sum_{k=1}^{n} a_k = \dfrac{3}{13} \sum_{k=1}^{n} a_k{}^2$에서

$$\dfrac{\dfrac{1}{5}(2^n-1)}{2-1} = \dfrac{3}{13} \times \dfrac{\left(\dfrac{1}{5}\right)^2\{(2^2)^n-1\}}{2^2-1}$$

$$\dfrac{1}{5}(2^n-1) = \dfrac{1}{13} \times \left(\dfrac{1}{5}\right)^2 \times (2^{2n}-1)$$

등비수열 $\{a_n{}^2\}$의 첫째항부터 제n항까지의 합이다.

$$1 = \dfrac{1}{13} \times \dfrac{1}{5} \times (2^n+1)$$

$$2^n+1=65, \ 2^n=64=2^6 \qquad \therefore n=6$$

11

해결전략 | $S_n = \sum_{k=1}^{n} a_k$일 때, $a_1 = S_1$, $a_n = S_n - S_{n-1} \ (n \geq 2)$ 임을 이용하여 a_n을 구한다.

STEP1 a_n 구하기

$S_n = \sum_{k=1}^{n} a_k = \log n$으로 놓으면

$n \geq 2$일 때

$$a_n = S_n - S_{n-1} = \log n - \log(n-1) = \log \dfrac{n}{n-1}$$

STEP2 $a_4 + a_5 + a_9 + a_{16}$의 값 구하기

수열 $\{a_n\}$은 $a_1=0$ 이고, 둘째항부터 $a_n = \log \dfrac{n}{n-1}$인 수열이다.

$\therefore a_4 + a_5 + a_9 + a_{16}$

$= \log \dfrac{4}{3} + \log \dfrac{5}{4} + \log \dfrac{9}{8} + \log \dfrac{16}{15}$

$= \log \left(\dfrac{4}{3} \times \dfrac{5}{4} \times \dfrac{9}{8} \times \dfrac{16}{15} \right)$

$= \log 2$

12

해결전략 | $a_n = \sum_{k=1}^{n} a_k - \sum_{k=1}^{n-1} a_k$임을 이용하여 일반항 a_n을 구한 다음 a_{4k+1}을 구한다.

STEP1 a_n 구하기

$S_n = \sum_{k=1}^{n} a_k = n^2 - n$으로 놓으면

$a_1 = S_1 = 0$

$n \geq 2$일 때

$a_n = S_n - S_{n-1}$

$= (n^2-n) - \{(n-1)^2 - (n-1)\}$

$= 2n-2$

$\therefore a_n = 2n-2 \ (n \geq 1)$

STEP2 $\sum_{k=1}^{10} k a_{4k+1}$의 값 구하기

이때 $a_{4k+1} = 2(4k+1) - 2 = 8k$이므로

$$\sum_{k=1}^{10} k a_{4k+1} = \sum_{k=1}^{10} 8k^2 = 8 \times \dfrac{10 \times 11 \times 21}{6} = 3080$$

13

해결전략 | x절편 a_n을 구한 다음 $\dfrac{1}{a_n a_{n+1}}$을 부분분수로 고쳐서 계산한다.

STEP1 a_n 구하기

$y = x - 2n - 1$에서 $y=0$일 때 $x = 2n+1$이므로

$a_n = 2n+1$

STEP2 $\sum_{n=1}^{15} \dfrac{1}{a_n a_{n+1}}$의 값 구하기

이때 $a_{n+1} = 2(n+1) + 1 = 2n+3$이므로

$\sum_{n=1}^{15} \dfrac{1}{a_n a_{n+1}}$

$= \sum_{n=1}^{15} \dfrac{1}{(2n+1)(2n+3)}$

$= \sum_{n=1}^{15} \dfrac{1}{2}\left(\dfrac{1}{2n+1} - \dfrac{1}{2n+3} \right)$

$= \dfrac{1}{2}\left\{ \left(\dfrac{1}{3} - \dfrac{1}{5} \right) + \left(\dfrac{1}{5} - \dfrac{1}{7} \right) + \left(\dfrac{1}{7} - \dfrac{1}{9} \right) + \cdots + \left(\dfrac{1}{31} - \dfrac{1}{33} \right) \right\}$

$= \dfrac{1}{2}\left(\dfrac{1}{3} - \dfrac{1}{33} \right) = \dfrac{5}{33}$

14

해결전략 | a_n은 주어진 다항식에 $x=-n$을 대입한 이차식 이므로 이를 이용하여 $\dfrac{1}{a_n}$을 구한다.

STEP1 a_n 구하기

a_n은 주어진 다항식에 $x=-n$을 대입한 식이므로

$a_n = (-n)^2 + (1-2n) \times (-n) + 4n$

$= 3n^2 + 3n = 3n(n+1)$ ...... ❶

STEP2 $\sum_{n=1}^{30} \dfrac{1}{a_n}$의 값 구하기

$\therefore \sum_{n=1}^{30} \dfrac{1}{a_n}$

$= \sum_{n=1}^{30} \dfrac{1}{3n(n+1)}$

$= \dfrac{1}{3} \sum_{n=1}^{30} \left(\dfrac{1}{n} - \dfrac{1}{n+1} \right)$

$= \dfrac{1}{3}\left\{ \left(1 - \dfrac{1}{2} \right) + \left(\dfrac{1}{2} - \dfrac{1}{3} \right) + \left(\dfrac{1}{3} - \dfrac{1}{4} \right) + \cdots + \left(\dfrac{1}{30} - \dfrac{1}{31} \right) \right\}$

$= \dfrac{1}{3}\left(1 - \dfrac{1}{31} \right) = \dfrac{10}{31}$ ...... ❷

채점 요소	배점
❶ a_n 구하기	30 %
❷ $\sum_{n=1}^{30} \dfrac{1}{a_n}$의 값 구하기	70 %

15

해결전략 | $\dfrac{1}{f(k)}$ 의 분모를 유리화하여 계산한다.

STEP1 $\dfrac{1}{f(k)}$ 의 분모를 유리화하여 나타내기

$f(x)=\sqrt{x+3}+\sqrt{x+4}$ 에서

$\dfrac{1}{f(k)}=\dfrac{1}{\sqrt{k+3}+\sqrt{k+4}}$

$\qquad =\dfrac{\sqrt{k+3}-\sqrt{k+4}}{(\sqrt{k+3}+\sqrt{k+4})(\sqrt{k+3}-\sqrt{k+4})}$

$\qquad =\sqrt{k+4}-\sqrt{k+3}$

STEP2 $\displaystyle\sum_{k=1}^{n}\dfrac{1}{f(k)}$ 계산하기

$\therefore \displaystyle\sum_{k=1}^{n}\dfrac{1}{f(k)}$

$=\displaystyle\sum_{k=1}^{n}(\sqrt{k+4}-\sqrt{k+3})$

$=\{(\sqrt{5}-\sqrt{4})+(\sqrt{6}-\sqrt{5})+(\sqrt{7}-\sqrt{6})+\cdots$

$\qquad\qquad\qquad\qquad +(\sqrt{n+4}-\sqrt{n+3})\}$

$=\sqrt{n+4}-\sqrt{4}=\sqrt{n+4}-2$

STEP3 n의 값 구하기

따라서 $\sqrt{n+4}-2=2$ 에서

$\sqrt{n+4}=4,\ n+4=16$ $\qquad \therefore n=12$

16

해결전략 | $a_1,\ a_2,\ a_3,\ \cdots$ 을 차례로 구하여 수열 $\{a_n\}$ 에서 반복되는 항을 찾는다.

STEP1 수열 $\{a_n\}$ 에서 반복되는 항 알아보기

$8,\ 8^2,\ 8^3,\ 8^4,\ 8^5,\ 8^6,\ 8^7,\ 8^8,\ \cdots$ 을 10으로 나누었을 때의 나머지는 일의 자리 숫자와 같으므로 각각 $8,\ 4,\ 2,\ 6,\ 8,$ $4,\ 2,\ 6,\ \cdots$ 이다.

즉, 수열 $\{a_n\}$ 은 $8,\ 4,\ 2,\ 6$ 이 반복된다.

STEP2 $\displaystyle\sum_{k=1}^{25}(a_k+k)$ 의 값 구하기

$\therefore \displaystyle\sum_{k=1}^{25}(a_k+k)=\sum_{k=1}^{25}a_k+\sum_{k=1}^{25}k$

$\qquad\qquad\qquad =(8+4+2+6)\times 6+a_{25}+\dfrac{25\times 26}{2}$

$\qquad\qquad\qquad =120+8+325=453$

17

해결전략 | 함수 $f(x)$ 는 (등차수열)$\times$(등비수열) 꼴의 합으로 된 식이다.

STEP1 $f(2)$ 와 $2f(2)$ 를 식으로 나타내기

$f(2)=2+2\times 2^2+3\times 2^3+\cdots +10\times 2^{10}$ $\qquad$ …… ㉠

㉠의 양변에 2를 곱하면

$2f(2)=2^2+2\times 2^3+3\times 2^4+\cdots +10\times 2^{11}$ $\qquad$ …… ㉡

㉠$-$㉡을 하면

$-f(2)=2+1\times 2^2+1\times 2^3+\cdots +1\times 2^{10}-10\times 2^{11}$

$\qquad\quad =2+2^2+2^3+\cdots +2^{10}-10\times 2^{11}$

$\qquad\quad =\dfrac{2(2^{10}-1)}{2-1}-10\times 2^{11}$

$\qquad\quad =2^{11}-2-10\times 2^{11}$

$\qquad\quad =-9\times 2^{11}-2$

$\therefore f(2)=9\times 2^{11}+2$

STEP2 $a-b$ 의 값 구하기

따라서 $9\times 2^{11}+2=a\times 2^{11}+b$ 에서

$a=9,\ b=2$

$\therefore a-b=9-2=7$

18

해결전략 | 먼저 두 수열의 일반항 $a_n,\ b_n$ 을 각각 구한다.

STEP1 a_n 구하기

등차수열 $\{a_n\}$ 의 공차를 d 라고 하면

$a_7=1+6d=13$ 에서 $6d=12$ $\qquad \therefore d=2$

$\therefore a_n=1+(n-1)\times 2=2n-1$

STEP2 b_n 구하기

$a_5=2\times 5-1=9$ 이므로 등비수열 $\{b_n\}$ 의 공비를 r 라고 하면

$b_3=1\times r^2=9$ $\qquad \therefore r=3\ (\because r>0)$

$\therefore b_n=3^{n-1}$

STEP3 $\displaystyle\sum_{k=1}^{10}a_kb_k$ 의 값 구하기

이때 $S=\displaystyle\sum_{k=1}^{10}a_kb_k$ 라고 하면

$S=a_1b_1+a_2b_2+a_3b_3+\cdots +a_{10}b_{10}$

$\quad =1\times 1+3\times 3+5\times 3^2+\cdots +19\times 3^9$ $\qquad$ …… ㉠

㉠의 양변에 3을 곱하면

$3S=1\times 3+3\times 3^2+5\times 3^3+\cdots +19\times 3^{10}$ $\qquad$ …… ㉡

㉠$-$㉡을 하면

$-2S=1+2\times 3+2\times 3^2+\cdots +2\times 3^9-19\times 3^{10}$

$\qquad\quad =1+2(3+3^2+\cdots +3^9)-19\times 3^{10}$

$\qquad\quad =1+2\times \dfrac{3(3^9-1)}{3-1}-19\times 3^{10}$

$\qquad\quad =-18\times 3^{10}-2$

$\qquad\quad =-2\times 3^{12}-2$

$\therefore S=3^{12}+1$

01

해결전략 | $a_{2n-1}=4n-1$, $a_{2n}=2n+1$을 이용할 수 있도록 $\sum\limits_{k=1}^{19}(a_k+a_{k+1})$을 덧셈식으로 나타낸 다음 $\sum\limits_{k=1}^{10}a_{2k-1}$, $\sum\limits_{k=1}^{9}a_{2k}$에 대한 식으로 변형한다.

STEP1 $\sum\limits_{k=1}^{19}(a_k+a_{k+1})$을 $\sum\limits_{k=1}^{10}a_{2k-1}$, $\sum\limits_{k=1}^{9}a_{2k}$에 대한 식으로 나타내기

$$\sum_{k=1}^{19}(a_k+a_{k+1})$$
$$=(a_1+a_2)+(a_2+a_3)+(a_3+a_4)+\cdots+(a_{19}+a_{20})$$
$$=a_1+2a_2+2a_3+\cdots+2a_{19}+a_{20}$$
$$=2(a_1+a_3+a_5+\cdots+a_{19})-a_1$$
$$\qquad\qquad+2(a_2+a_4+a_6+\cdots+a_{18})+a_{20}$$
$$=2\sum_{k=1}^{10}a_{2k-1}-a_1+2\sum_{k=1}^{9}a_{2k}+a_{20} \qquad \cdots\cdots \text{㉠}$$

STEP2 $\sum\limits_{k=1}^{19}(a_k+a_{k+1})$의 값 구하기

이때 $a_1=4-1=3$, $a_{20}=20+1=21$, $a_{2k-1}=4k-1$, $a_{2k}=2k+1$이므로 이것을 ㉠에 대입하면

$$\sum_{k=1}^{19}(a_k+a_{k+1})$$
$$=2\sum_{k=1}^{10}(4k-1)-3+2\sum_{k=1}^{9}(2k+1)+21$$
$$=2\left(4\times\frac{10\times11}{2}-10\right)+2\left(2\times\frac{9\times10}{2}+9\right)+18$$
$$=420+198+18=636$$

02

해결전략 | $\sum\limits_{k=1}^{24}(-1)^k a_k$를 덧셈식으로 나타낸 다음 $\sum\limits_{k=1}^{n}a_{2k-1}$, $\sum\limits_{k=1}^{2n}a_k$를 이용할 수 있도록 덧셈식을 변형한다.

STEP1 $\sum\limits_{k=1}^{24}(-1)^k a_k$를 $\sum\limits_{k=1}^{12}a_{2k-1}$, $\sum\limits_{k=1}^{24}a_k$에 대한 식으로 나타내기

$$\sum_{k=1}^{24}(-1)^k a_k$$
$$=-a_1+a_2-a_3+a_4-\cdots-a_{23}+a_{24}$$
$$=(a_1+a_2+a_3+a_4+\cdots+a_{24})$$
$$\qquad\qquad\qquad -2(a_1+a_3+a_5+\cdots+a_{23})$$
$$=\sum_{k=1}^{24}a_k-2\sum_{k=1}^{12}a_{2k-1} \qquad\cdots\cdots\text{㉠}$$

STEP2 $\sum\limits_{k=1}^{24}(-1)^k a_k$의 값 구하기

이때 $\sum\limits_{k=1}^{2n}a_k=6n^2+n$에 $n=12$를 대입하면

$$\sum_{k=1}^{24}a_k=6\times12^2+12=876$$

$\sum\limits_{k=1}^{n}a_{2k-1}=3n^2-n$에 $n=12$를 대입하면

$$\sum_{k=1}^{12}a_{2k-1}=3\times12^2-12=420$$

이므로 ㉠에서 구하는 값은

$$876-2\times420=36$$

03

해결전략 | a_n은 첫째항이 1, 공차가 2인 등차수열의 첫째항부터 제n항까지의 합이다.

STEP1 a_n 구하기

$$a_n=1+3+5+\cdots+(2n-1)$$
$$=\sum_{k=1}^{n}(2k-1)=2\times\frac{n(n+1)}{2}-n=n^2$$

STEP2 $\log_4(2^{a_1}\times2^{a_2}\times2^{a_3}\times\cdots\times2^{a_{12}})$의 값 구하기

$$\therefore \log_4(2^{a_1}\times2^{a_2}\times2^{a_3}\times\cdots\times2^{a_{12}})$$
$$=\log_{2^2}2^{a_1+a_2+\cdots+a_{12}}$$
$$=\frac{1}{2}(a_1+a_2+a_3+\cdots+a_{12})$$
$$=\frac{1}{2}\sum_{k=1}^{12}a_k=\frac{1}{2}\sum_{k=1}^{12}k^2$$
$$=\frac{1}{2}\times\frac{12\times13\times25}{6}=325$$

04

해결전략 | 등차수열의 일반항과 이차방정식의 근과 계수의 관계를 이용하여 $\sum\limits_{n=1}^{12}(\alpha_n-1)(\beta_n-1)=276$에서 첫째항을 구한다.

STEP1 a_n, a_{n+1}, a_{n+2}를 첫째항에 대한 식으로 나타내기

등차수열 $\{a_n\}$의 첫째항을 a라고 하면

$$a_n=a+(n-1)\times2=2n+a-2$$
$$a_{n+1}=a+n\times2=2n+a$$
$$a_{n+2}=a+(n+1)\times2=2n+a+2$$

STEP2 $(\alpha_n-1)(\beta_n-1)$을 첫째항에 대한 식으로 나타내기

이차방정식 $x^2+(a_{n+1}-a_n)x+a_{n+2}=0$의 두 근이 α_n, β_n이므로

$$\alpha_n+\beta_n=-a_{n+1}+a_n$$

$$= -(2n+a)+(2n+a-2)$$
$$= -2$$
$$a_n\beta_n = a_{n+2} = 2n+a+2$$
$$\therefore (a_n-1)(\beta_n-1) = a_n\beta_n - (a_n+\beta_n)+1$$
$$= (2n+a+2)-(-2)+1$$
$$= 2n+a+5$$

STEP 3 첫째항 구하기

$\sum_{n=1}^{12}(a_n-1)(\beta_n-1)=276$에서

$$\sum_{n=1}^{12}(2n+a+5)=276$$
$$2\times\frac{12\times13}{2}+(a+5)\times12=276$$
$$(a+5)\times12=120 \qquad \therefore a=5$$

STEP 4 $\sum_{n=1}^{20}a_n$의 값 구하기

따라서 $a_n=2n+3$이므로

$$\sum_{n=1}^{20}a_n=\sum_{n=1}^{20}(2n+3)$$
$$=2\times\frac{20\times21}{2}+3\times20=480$$

05

해결전략 | $\sum_{k=1}^{20}(-1)^k a_k$를 공차에 대한 식으로 나타내고,

$\dfrac{1}{a_k a_{k+1}}$은 부분분수로 고쳐서 계산한다.

STEP 1 공차 구하기

등차수열 $\{a_n\}$의 공차를 d라고 하면

$$\sum_{k=1}^{20}(-1)^k a_k = -a_1+a_2-a_3+a_4-\cdots+a_{20}$$
$$= (a_2-a_1)+(a_4-a_3)+\cdots+(a_{20}-a_{19})$$
$$= d+d+\cdots+d=10d$$

이므로 $10d=20$ $\qquad \therefore d=2$

STEP 2 $a_1 a_6$의 값 구하기

$$\sum_{k=1}^{5}\frac{1}{a_k a_{k+1}}$$
$$=\sum_{k=1}^{5}\frac{1}{a_{k+1}-a_k}\left(\frac{1}{a_k}-\frac{1}{a_{k+1}}\right)$$
$$=\sum_{k=1}^{5}\frac{1}{2}\left(\frac{1}{a_k}-\frac{1}{a_{k+1}}\right)(\because a_{k+1}-a_k=d=2)$$
$$=\frac{1}{2}\left\{\left(\frac{1}{a_1}-\frac{1}{a_2}\right)+\left(\frac{1}{a_2}-\frac{1}{a_3}\right)+\cdots+\left(\frac{1}{a_5}-\frac{1}{a_6}\right)\right\}$$
$$=\frac{1}{2}\left(\frac{1}{a_1}-\frac{1}{a_6}\right)=\frac{a_6-a_1}{2a_1 a_6}$$
$$=\frac{5d}{2a_1 a_6}=\frac{10}{2a_1 a_6}=\frac{5}{a_1 a_6}$$

이므로 $\dfrac{5}{a_1 a_6}=\dfrac{1}{15}$ $\qquad \therefore a_1 a_6=75$

STEP 3 첫째항 구하기

이때 $a_6=a_1+5d=a_1+10$이므로

$$a_1(a_1+10)=75, \quad a_1^2+10a_1-75=0$$
$$(a_1+15)(a_1-5)=0 \qquad \therefore a_1=5 \ (\because a_1>0)$$

STEP 4 $\sum_{k=1}^{10}k a_k$의 값 구하기

따라서 $a_n=5+(n-1)\times2=2n+3$이므로

$$\sum_{k=1}^{10}k a_k=\sum_{k=1}^{10}k(2k+3)=\sum_{k=1}^{10}(2k^2+3k)$$
$$=2\times\frac{10\times11\times21}{6}+3\times\frac{10\times11}{2}=935$$

06

해결전략 | $S_n=\sum_{k=1}^{n}a_k^2$으로 놓으면 $a_1^2=S_1$, $a_n^2=S_n-S_{n-1}$

$(n\geq2)$이다.

STEP 1 a_n 구하기

$S_n=\sum_{k=1}^{n}a_k^2=n^2$으로 놓으면

$$a_1^2=S_1=1$$

$n\geq2$일 때

$$a_n^2=S_n-S_{n-1}=n^2-(n-1)^2=2n-1 \qquad \cdots\cdots ㉠$$

$a_1^2=S_1=1$은 ㉠에 $n=1$을 대입한 값과 같으므로

$$a_n^2=2n-1 \ (n\geq1)$$
$$\therefore a_n=\sqrt{2n-1} \ (\because a_n>0)$$

STEP 2 $\sum_{k=1}^{m}\dfrac{1}{a_k+a_{k+1}}$ 계산하기

$a_{n+1}=\sqrt{2(n+1)-1}=\sqrt{2n+1}$이므로

$$\sum_{k=1}^{m}\frac{1}{a_k+a_{k+1}}$$
$$=\sum_{k=1}^{m}\frac{1}{\sqrt{2k-1}+\sqrt{2k+1}}$$
$$=\sum_{k=1}^{m}\frac{\sqrt{2k-1}-\sqrt{2k+1}}{(\sqrt{2k-1}+\sqrt{2k+1})(\sqrt{2k-1}-\sqrt{2k+1})}$$
$$=-\frac{1}{2}\sum_{k=1}^{m}(\sqrt{2k-1}-\sqrt{2k+1})$$
$$=-\frac{1}{2}\{(\sqrt{1}-\sqrt{3})+(\sqrt{3}-\sqrt{5})+(\sqrt{5}-\sqrt{7})+\cdots$$
$$+(\sqrt{2m-1}-\sqrt{2m+1})\}$$
$$=-\frac{1}{2}(1-\sqrt{2m+1})$$

STEP 3 m의 값 구하기

따라서 $-\dfrac{1}{2}(1-\sqrt{2m+1})=4$에서

$$\sqrt{2m+1}=9, \quad 2m+1=81$$
$$\therefore m=40$$

07

해결전략 | a_n은 곡선 $y=\sin x$와 직선 $y=\dfrac{3}{n}$의 교점의 개수이므로 그래프를 그려서 알아본다.

STEP1 a_1, a_2의 값 구하기

(i) $n=1$, 2일 때

$\dfrac{3}{n}>1$이므로 방정식 $\sin x=\dfrac{3}{n}$의 실근은 존재하지 않는다.

$\therefore a_1=a_2=0$

STEP2 a_3의 값 구하기

(ii) $n=3$일 때

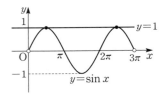

$0<x<3\pi$에서 방정식 $\sin x=1$의 실근의 개수는 2 이다.

$\therefore a_3=2$

STEP3 a_4, a_5, a_6, a_7의 값 구하기

(iii) $n\geq4$일 때

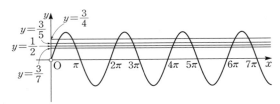

$0<x<n\pi$일 때 방정식 $\sin x=\dfrac{3}{n}$의 실근의 개수는

$n=4$일 때 4이므로 $a_4=4$

$n=5$일 때 6이므로 $a_5=6$

$n=6$일 때 6이므로 $a_6=6$

$n=7$일 때 8이므로 $a_7=8$

STEP4 $\displaystyle\sum_{n=1}^{7}a_n$의 값 구하기

$\therefore \displaystyle\sum_{n=1}^{7}a_n=a_1+a_2+a_3+a_4+a_5+a_6+a_7$

$\qquad\qquad=0+0+2+4+6+6+8$

$\qquad\qquad=26$

08

해결전략 | 점 P_n에서 선분 BC에 수선의 발 Q_n을 내리고, 삼각형 BP_nQ_n이 직각삼각형임을 이용한다.

STEP1 $\overline{P_nQ_n}$, $\overline{BQ_n}$의 길이를 $\overline{AB}$와 $\overline{BC}$의 길이로 나타내기

다음 그림과 같이 $\overline{AB}=a$, $\overline{BC}=b$라 하고, $\overline{AC}$를 10등 분한 점 P_n $(n=1,\ 2,\ \cdots,\ 9)$에서 $\overline{BC}$에 내린 수선의 발을 Q_n이라고 하자.

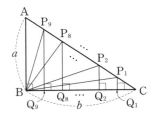

이때 두 삼각형 ABC, P_nQ_nC는 닮음이므로

$\overline{P_nQ_n}=\dfrac{n}{10}a$, $\overline{BQ_9}=\overline{Q_9Q_8}=\cdots=\overline{Q_1C}=\dfrac{1}{10}b$,

$\overline{BQ_n}=\dfrac{10-n}{10}b$

STEP2 $\overline{BP_1}^2$, $\overline{BP_2}^2$, $\cdots$, $\overline{BP_9}^2$을 a, b를 사용한 식으로 나타내기

$\triangle BP_nQ_n$이 직각삼각형이므로

$\overline{BP_1}^2=\left(\dfrac{1}{10}a\right)^2+\left(\dfrac{9}{10}b\right)^2$,

$\overline{BP_2}^2=\left(\dfrac{2}{10}a\right)^2+\left(\dfrac{8}{10}b\right)^2$,

$\qquad\vdots$

$\overline{BP_9}^2=\left(\dfrac{9}{10}a\right)^2+\left(\dfrac{1}{10}b\right)^2$

STEP3 $\overline{BP_1}^2+\overline{BP_2}^2+\overline{BP_3}^2+\cdots+\overline{BP_9}^2$의 값 구하기

$\therefore \overline{BP_1}^2+\overline{BP_2}^2+\overline{BP_3}^2+\cdots+\overline{BP_9}^2$

$=\left\{\left(\dfrac{1}{10}\right)^2+\left(\dfrac{2}{10}\right)^2+\left(\dfrac{3}{10}\right)^2+\cdots+\left(\dfrac{9}{10}\right)^2\right\}(a^2+b^2)$

$=\dfrac{1}{100}\times(1^2+2^2+3^2+\cdots+9^2)\times1$

$=\dfrac{1}{100}\displaystyle\sum_{k=1}^{9}k^2=\dfrac{1}{100}\times\dfrac{9\times10\times19}{6}$

└ 직각삼각형 ABC에서
$\overline{AC}=1$이므로
$a^2+b^2=1^2$,
즉 $a^2+b^2=1$

$=\dfrac{57}{20}$

따라서 $p=20$, $q=57$이므로

$p+q=77$

14 수학적 귀납법

376~377쪽

01 답 (1) 2, 5, 14, 41 (2) 1, 4, 5, 9

(1) $a_1=2$

$a_2=3a_1-1=3\times2-1=5$

$a_3=3a_2-1=3\times5-1=14$

$a_4=3a_3-1=3\times14-1=41$

(2) $a_1=1$, $a_2=4$

$a_3=a_1+a_2=1+4=5$

$a_4=a_2+a_3=4+5=9$

02 답 (1) $a_n=4n+1$ (2) $a_n=3\times2^{n-1}$

(1) $a_1=5$, $a_{n+1}-a_n=4$이므로 수열 $\{a_n\}$은 첫째항이 5 이고 공차가 4인 등차수열이므로

$a_n=5+(n-1)\times4=4n+1$

(2) $a_1=3$, $\dfrac{a_{n+1}}{a_n}=2$이므로 수열 $\{a_n\}$은 첫째항이 3이고 공비가 2인 등비수열이므로

$a_n=3\times2^{n-1}$

03 답 (1) 15 (2) 2×3^6

(1) 　　$a_2=a_1+2\times1$

　　　$a_3=a_2+2\times2$

$+\ )\ a_4=a_3+2\times3$

　　　$a_4=a_1+2(1+2+3)$

　　　　$=3+12=15$

(2) 　　$a_2=a_1\times3$

　　　$a_3=a_2\times3^2$

$\times\ )\ a_4=a_3\times3^3$

　　　$a_4=a_1\times3\times3^2\times3^3$

　　　　$=2\times3^{1+2+3}=2\times3^6$

04 답 $p(2)$, $p(k+1)$

379쪽

01-1 답 제8항

해결전략 | $a_{n+1}=a_n+d$로 정의된 수열 $\{a_n\}$은 공차가 d인 등차수열이다.

STEP 1 일반항 구하기

$a_{n+1}-6=a_n$에서 $a_{n+1}-a_n=6$이므로 수열 $\{a_n\}$은 공차가 6인 등차수열이다.

$\therefore a_n=-40+(n-1)\times6=6n-46$

STEP 2 처음으로 양수가 되는 항 구하기

$a_n=6n-46>0$에서 $6n>46$　　$\therefore n>7.6\times\times$

따라서 처음으로 양수가 되는 항은 제8항이다.

01-2 답 33

해결전략 | $2a_{n+1}=a_n+a_{n+2}$로 정의된 수열 $\{a_n\}$은 등차수열이다.

STEP 1 일반항 구하기

$a_{n+2}-2a_{n+1}+a_n=0$에서 $2a_{n+1}=a_n+a_{n+2}$이므로 수열 $\{a_n\}$은 등차수열이다.

등차수열 $\{a_n\}$의 첫째항을 a, 공차를 d라고 하면

$a_3=a+2d=9$　　　　　⋯⋯ ㉠

$a_7=a+6d=25$　　　　 ⋯⋯ ㉡

㉠, ㉡을 연립하여 풀면

$a=1$, $d=4$

$\therefore a_n=1+(n-1)\times4=4n-3$

STEP 2 a_9의 값 구하기

$\therefore a_9=4\times9-3=33$

01-3 답 9

해결전략 | $a_{n+1}=a_n+5$에서 수열 $\{a_n\}$이 등차수열임을 알고 공차를 구한다.

STEP 1 일반항 구하기

$a_{n+1}=a_n+5$에서 수열 $\{a_n\}$은 공차가 5인 등차수열이다.

$a_1+a_3=8$에서 $a_1+(a_1+2\times5)=8$

$2a_1=-2$　　$\therefore a_1=-1$

$\therefore a_n=-1+(n-1)\times5=5n-6$

STEP 2 k의 값 구하기

따라서 $a_k=5k-6=39$에서 $5k=45$　　$\therefore k=9$

01-4 답 -115

해결전략 | 수열 $\{a_n\}$이 등차수열임을 이용하여 $a_{n+5}-a_{n+2}=-9$에서 공차를 구한다.

STEP 1 공차 구하기

$a_{n+1}=\dfrac{a_n+a_{n+2}}{2}$에서 $2a_{n+1}=a_n+a_{n+2}$이므로 수열 $\{a_n\}$은 등차수열이다.

등차수열 $\{a_n\}$의 공차를 d라고 하면

$a_{n+5}=2+(n+4)\times d=2+nd+4d$

$a_{n+2}=2+(n+1)\times d=2+nd+d$

$a_{n+5}-a_{n+2}=-9$에서

$(2+nd+4d)-(2+nd+d)=-9$

$3d=-9$ $\therefore d=-3$

STEP 2 $\sum\limits_{k=1}^{10} a_k$의 값 구하기

$\therefore \sum\limits_{k=1}^{10} a_k=\dfrac{10\{2\times2+9\times(-3)\}}{2}=-115$

└─▶ 첫째항이 2, 공차가 -3, 항수가 10인 등차수열의 합

01-5 답 -170

해결전략 | 수열 $\{a_n\}$은 이웃한 두 항의 차가 일정한 수열이다.

STEP 1 공차 구하기

$a_{n+2}-a_{n+1}=a_{n+1}-a_n$에서 $2a_{n+1}=a_n+a_{n+2}$이므로 수열 $\{a_n\}$은 등차수열이다.

등차수열 $\{a_n\}$의 첫째항을 a, 공차를 d라고 하면

$a_4-a_2=-4$에서

$(a+3d)-(a+d)=-4$

$2d=-4$ $\therefore d=-2$

STEP 2 첫째항 구하기

$a_2a_4=-3$에서 $(a+d)(a+3d)=-3$

$(a-2)(a-6)=-3$

$a^2-8a+15=0$, $(a-3)(a-5)=0$

$\therefore a=3$ $(\because a<5)$

STEP 3 a_{2n} 구하기

따라서 $a_n=3+(n-1)\times(-2)=-2n+5$이므로

$a_{2n}=-4n+5$

STEP 4 $a_2+a_4+a_6+\cdots+a_{20}$의 값 구하기

$\therefore a_2+a_4+a_6+\cdots+a_{20}$

$=\sum\limits_{k=1}^{10} a_{2k}=\sum\limits_{k=1}^{10}(-4k+5)$

$=-4\times\dfrac{10\times11}{2}+5\times10=-170$

⊙▶ 다른 풀이

STEP 4 $a_2+a_4+a_6+\cdots+a_{20}$의 값 구하기

$a_n=3+(n-1)\times(-2)=-2n+5$이고,

$a_2+a_4+a_6+\cdots+a_{20}$은 첫째항이 $a_2=1$, 끝항이

$a_{20}=-35$, 항수가 10인 등차수열의 합이므로

$a_2+a_4+a_6+\cdots+a_{20}=\dfrac{10\{1+(-35)\}}{2}=-170$

01-6 답 105

해결전략 | 수열 $\{a_n\}$이 등차수열임을 이용하여 일반항을 구한다.

STEP 1 일반항 구하기

$2a_{n+1}=a_n+a_{n+2}$에서 수열 $\{a_n\}$은 등차수열이다.

등차수열 $\{a_n\}$의 첫째항을 a, 공차를 d라고 하면

$a_2+a_5=32$에서

$(a+d)+(a+4d)=32$

$\therefore 2a+5d=32$ ┄┄┄ ㉠

$a_3=9a_7$에서

$(a+2d)=9(a+6d)$

$\therefore 2a+13d=0$ ┄┄┄ ㉡

㉠, ㉡을 연립하여 풀면

$a=26$, $d=-4$

$\therefore a_n=26+(n-1)\times(-4)=-4n+30$

STEP 2 $\sum\limits_{k=1}^{n} a_k$를 n에 대한 식으로 나타내기

$\sum\limits_{k=1}^{n} a_k=\sum\limits_{k=1}^{n}(-4k+30)$

$=-4\times\dfrac{n(n+1)}{2}+30n$

$=-2n^2+28n=-2(n-7)^2+98$

STEP 3 $\alpha+\beta$의 값 구하기

따라서 $\sum\limits_{k=1}^{n} a_k$의 값은 $n=7$일 때 최댓값 98을 가지므로

$\alpha=7$, $\beta=98$

$\therefore \alpha+\beta=7+98=105$

⊙▶ 다른 풀이

STEP 3 $\alpha+\beta$의 값 구하기

공차가 음수이므로 $\sum\limits_{k=1}^{n} a_k$의 최댓값은 첫째항부터 음수가 아닌 항까지의 합이다.

$a_n=-4n+30\geq0$에서 $n\leq7.5$

즉, 수열 $\{a_n\}$은 제7항까지 양수이고, 제8항부터 음수이므로 첫째항부터 제7항까지의 합이 최대이다. $\therefore \alpha=7$

이때 β의 값은 등차수열 $\{a_n\}$의 첫째항부터 제7항까지의 합이므로

$\beta=\dfrac{7\{2\times26+6\times(-4)\}}{2}=98$

$\therefore \alpha+\beta=7+98=105$

필수유형 02   381쪽

02-1 답 5^7

해결전략 | $a_{n+1}=ra_n$으로 정의된 수열 $\{a_n\}$은 공비가 r인 등비수열이다.

STEP 1 일반항 구하기

$a_{n+1}=5a_n$에서 수열 $\{a_n\}$은 공비가 5인 등비수열이다.

$a_2=5a_1=1$에서 $a_1=\dfrac{1}{5}$이므로

$a_n=\dfrac{1}{5}\times5^{n-1}=5^{n-2}$

STEP 2 $\dfrac{a_5a_7}{a_3}$의 값 구하기

$\therefore \dfrac{a_5a_7}{a_3}=\dfrac{5^3\times5^5}{5}=5^7$

02-2 답 381

해결전략 | $a_{n+1}{}^2=a_na_{n+2}$로 정의된 수열 $\{a_n\}$은 등비수열이다.

STEP 1 공비 구하기

$a_{n+1}{}^2=a_na_{n+2}$에서 수열 $\{a_n\}$은 등비수열이므로 공비를 r라고 하면

$a_4=3r^3=24$에서 $r^3=8$ $\therefore r=2$

STEP 2 $\displaystyle\sum_{k=1}^{7}a_k$의 값 구하기

$\therefore \displaystyle\sum_{k=1}^{7}a_k=\dfrac{3(2^7-1)}{2-1}=381$

$\longrightarrow$ 첫째항이 3, 공비가 2, 항수가 7인 등비수열의 합

02-3 답 제9항

해결전략 | $2a_{n+1}-a_n=0$에서 수열 $\{a_n\}$이 등비수열임을 알고 공비를 구한다.

STEP 1 일반항 구하기

$2a_{n+1}-a_n=0$에서 $a_{n+1}=\dfrac{1}{2}a_n$이므로

수열 $\{a_n\}$은 공비가 $\dfrac{1}{2}$인 등비수열이다.

$a_3=a_1\times\left(\dfrac{1}{2}\right)^2=35$에서

$a_1=140$ $\therefore a_n=140\times\left(\dfrac{1}{2}\right)^{n-1}$

STEP 2 처음으로 1보다 작아지는 항 구하기

$a_n=140\times\left(\dfrac{1}{2}\right)^{n-1}<1$에서

$\left(\dfrac{1}{2}\right)^{n-1}<\dfrac{1}{140}$

이때 $\left(\dfrac{1}{2}\right)^7=\dfrac{1}{128}$, $\left(\dfrac{1}{2}\right)^8=\dfrac{1}{256}$이므로

$n-1\geq8$ $\therefore n\geq9$

따라서 처음으로 1보다 작아지는 항은 제9항이다.

02-4 답 $\dfrac{255}{32}$

해결전략 | 수열 $\{a_n\}$은 이웃한 두 항의 비율이 일정한 수열이다.

STEP 1 공비 구하기

$\dfrac{a_{n+2}}{a_{n+1}}=\dfrac{a_{n+1}}{a_n}$에서 $a_{n+1}{}^2=a_na_{n+2}$이므로 수열 $\{a_n\}$은 등비수열이다.

등비수열 $\{a_n\}$의 첫째항을 a, 공비를 r라고 하면

$a_3=ar^2=1$ $\cdots\cdots$ ㉠

$4a_4=a_6$에서 $4ar^3=ar^5$

$ar^3(r^2-4)=0$

이때 $ar\neq0$이고 <u>모든 항이 양수이므로</u> $r=2$

STEP 2 일반항 구하기 $\longrightarrow a>0, r>0$이므로 $r^2-4=0$
$(r-2)(r+2)=0$ $\therefore r=2$

$r=2$를 ㉠에 대입하면 $4a=1$ $\therefore a=\dfrac{1}{4}$

$\therefore a_n=\dfrac{1}{4}\times2^{n-1}$

STEP 3 $\displaystyle\sum_{k=1}^{8}\dfrac{1}{a_k}$의 값 구하기

$\therefore \displaystyle\sum_{k=1}^{8}\dfrac{1}{a_k}=\sum_{k=1}^{8}\left\{4\times\left(\dfrac{1}{2}\right)^{k-1}\right\}$

$=\dfrac{4\left\{1-\left(\dfrac{1}{2}\right)^8\right\}}{1-\dfrac{1}{2}}=\dfrac{255}{32}$

02-5 답 9

해결전략 | $a_{n+1}{}^2=a_na_{n+2}$를 만족시키는 수열 $\{a_n\}$은 등비수열이다.

STEP 1 공비 구하기

$a_{n+1}{}^2-a_na_{n+2}=0$에서 $a_{n+1}{}^2=a_na_{n+2}$이므로 수열 $\{a_n\}$은 등비수열이다.

등비수열 $\{a_n\}$의 첫째항을 a, 공비를 r라고 하면

$a_4=ar^3=27$ $\cdots\cdots$ ㉠

$\dfrac{a_2a_{10}}{a_7}=81$에서 $\dfrac{ar\times ar^9}{ar^6}=81$

$ar^4=81$ $\cdots\cdots$ ㉡

㉡$\div$㉠을 하면 $\dfrac{ar^4}{ar^3}=\dfrac{81}{27}$

$\therefore r=3$

STEP 2 일반항 구하기

$r=3$을 ㉠에 대입하면 $27a=27$ $\therefore a=1$

$\therefore a_n=3^{n-1}$

STEP 3 k의 값 구하기

따라서 $a_k=3^{k-1}=3^8$에서 $k-1=8$ $\therefore k=9$

02-6 답 36

해결전략 | 로그의 성질을 이용하여 수열의 a_n과 a_{n+1} 사이의 관계식을 구한다.

STEP 1 수열 $\{a_n\}$에서 a_n과 a_{n+1} 사이의 관계식 구하기

$\log_2 a_{n+1}=1+\log_2 a_n\ (n\geq1)$에서

$\log_2 a_{n+1} = \log_2 2 + \log_2 a_n = \log_2 2a_n$

$\therefore a_{n+1} = 2a_n \ (n \geq 1)$

STEP2 일반항 구하기

수열 $\{a_n\}$은 공비가 2인 등비수열이므로

$a_n = 2 \times 2^{n-1} = 2^n$

STEP3 k의 값 구하기

$a_1 \times a_2 \times a_3 \times \cdots \times a_8 = 2 \times 2^2 \times 2^3 \times \cdots \times 2^8$

$\qquad\qquad = 2^{1+2+3+\cdots+8} = 2^{\frac{8 \times 9}{2}} = 2^{36}$

이므로 $2^{36} = 2^k$ $\qquad \therefore k = 36$

필수유형 03 　　　　　　　　　　　383쪽

03-1 답 (1) **183** (2) $-\dfrac{1}{4} \times 5^{10} + \dfrac{13}{4}$

해결전략 | 주어진 식에 $n = 1, 2, 3, \cdots, n-1$을 차례로 대입한 후 변끼리 더한다.

(1) **STEP1 $n = 1, 2, 3, \cdots, n-1$을 대입하여 a_n 구하기**

$a_{n+1} = a_n + 4n$에 $n = 1, 2, 3, \cdots, n-1$을 차례로 대입하면

$a_2 = a_1 + 4 \times 1$

$a_3 = a_2 + 4 \times 2$

$a_4 = a_3 + 4 \times 3$

$\qquad \vdots$

$a_n = a_{n-1} + 4 \times (n-1)$

위의 식을 변끼리 더하여 정리하면

$a_n = a_1 + 4\{1 + 2 + 3 + \cdots + (n-1)\}$

$\qquad = 3 + 4 \times \dfrac{(n-1)n}{2} = 2n^2 - 2n + 3$

STEP2 a_{10}의 값 구하기

$\therefore a_{10} = 2 \times 10^2 - 2 \times 10 + 3 = 183$

(2) **STEP1 $n = 1, 2, 3, \cdots, n-1$을 대입하여 a_n 구하기**

$a_{n+1} = a_n - 5^n$에 $n = 1, 2, 3, \cdots, n-1$을 차례로 대입하면

$a_2 = a_1 - 5$

$a_3 = a_2 - 5^2$

$a_4 = a_3 - 5^3$

$\qquad \vdots$

$a_n = a_{n-1} - 5^{n-1}$

위의 식을 변끼리 더하여 정리하면

$a_n = a_1 - (5 + 5^2 + 5^3 + \cdots + 5^{n-1})$

$\qquad = 2 - \dfrac{5(5^{n-1}-1)}{5-1} = -\dfrac{1}{4} \times 5^n + \dfrac{13}{4}$

STEP2 a_{10}의 값 구하기

$\therefore a_{10} = -\dfrac{1}{4} \times 5^{10} + \dfrac{13}{4}$

03-2 답 **227**

해결전략 | 주어진 식에 $n = 1, 2, 3, \cdots, n-1$을 차례로 대입하여 변끼리 더한다.

STEP1 a_n 구하기

$a_{n+1} - a_n = n^2$에 $n = 1, 2, 3, \cdots, n-1$을 차례로 대입하여 변끼리 더하면

$a_2 - a_1 = 1^2$

$a_3 - a_2 = 2^2$

$a_4 - a_3 = 3^2$

$\qquad \vdots$

$+) \ a_n - a_{n-1} = (n-1)^2$

$\overline{\qquad a_n - a_1 = 1^2 + 2^2 + 3^2 + \cdots + (n-1)^2}$

$\qquad\qquad = \displaystyle\sum_{k=1}^{n-1} k^2$

$\qquad\qquad = \dfrac{(n-1)n(2n-1)}{6}$

$\therefore a_n = a_1 + \dfrac{(n-1)n(2n-1)}{6}$

$\qquad = -2 + \dfrac{(n-1)n(2n-1)}{6}$

STEP2 $a_7 + a_8$의 값 구하기

$a_7 = -2 + \dfrac{6 \times 7 \times 13}{6} = 89$

$a_8 = -2 + \dfrac{7 \times 8 \times 15}{6} = 138$

$\therefore a_7 + a_8 = 89 + 138 = 227$

03-3 답 **141**

해결전략 | $a_{n+1} = a_n + 3n$에서 a_1과 a_2에 대한 관계식을 구한 후 $2a_1 = a_2 + 3$과 연립하여 a_1의 값을 구한다.

STEP1 a_1의 값 구하기

$a_{n+1} = a_n + 3n$에 $n = 1$을 대입하면

$a_2 = a_1 + 3$

이것을 $2a_1 = a_2 + 3$에 대입하면

$2a_1 = a_1 + 6$ $\qquad \therefore a_1 = 6$

STEP2 a_{10}의 값 구하기

$a_{n+1} = a_n + 3n$에 $n = 1, 2, 3, \cdots, 9$를 차례로 대입하여 변끼리 더하면

$$a_2 = a_1 + 3 \times 1$$
$$a_3 = a_2 + 3 \times 2$$
$$a_4 = a_3 + 3 \times 3$$
$$\vdots$$
$$+)\ a_{10} = a_9 + 3 \times 9$$
$$a_{10} = a_1 + 3(1 + 2 + 3 + \cdots + 9)$$
$$= a_1 + 3\sum_{k=1}^{9} k$$
$$= 6 + 3 \times \frac{9 \times 10}{2} = 141$$

03-4 답 -90

해결전략 | 분수 꼴로 된 수열의 합은 부분분수로 고쳐서 계산한다.

STEP1 a_n 구하기

$a_{n+1} = a_n + \dfrac{1}{(n+1)(n+2)}$에 $n=1, 2, 3, \cdots, n-1$을 차례로 대입하여 변끼리 더하면

$$a_2 = a_1 + \frac{1}{2 \times 3}$$
$$a_3 = a_2 + \frac{1}{3 \times 4}$$
$$a_4 = a_3 + \frac{1}{4 \times 5}$$
$$\vdots$$
$$+)\ a_n = a_{n-1} + \frac{1}{n(n+1)}$$
$$a_n = a_1 + \frac{1}{2 \times 3} + \frac{1}{3 \times 4} + \frac{1}{4 \times 5} + \cdots + \frac{1}{n(n+1)}$$
$$= -\frac{1}{2} + \left(\frac{1}{2} - \frac{1}{3}\right) + \left(\frac{1}{3} - \frac{1}{4}\right) + \left(\frac{1}{4} - \frac{1}{5}\right)$$
$$+ \cdots + \left(\frac{1}{n} - \frac{1}{n+1}\right)$$
$$= -\frac{1}{n+1}$$

STEP2 $\displaystyle\sum_{k=1}^{12} \dfrac{1}{a_k}$의 값 구하기

$$\therefore \sum_{k=1}^{12} \frac{1}{a_k} = -\sum_{k=1}^{12}(k+1) = -\left(\frac{12 \times 13}{2} + 12\right) = -90$$

03-5 답 9

해결전략 | 이차방정식의 근과 계수의 관계를 이용하여 이웃하는 항들 사이의 관계식을 구한다.

STEP1 관계식 구하기

이차방정식의 근과 계수의 관계에 의하여 두 실근의 합은 $a_{n+1} - a_n = 2^{n-2}$

STEP2 a_n 구하기

이 식에 $n=1, 2, 3, \cdots, n-1$을 차례로 대입하여 변끼리 더하면

$$a_2 - a_1 = \frac{1}{2}$$
$$a_3 - a_2 = 1$$
$$a_4 - a_3 = 2$$
$$\vdots$$
$$+)\ a_n - a_{n-1} = 2^{n-3}$$
$$a_n - a_1 = \frac{1}{2} + 1 + 2 + \cdots + 2^{n-3}$$
$$= \frac{\frac{1}{2}(2^{n-1} - 1)}{2 - 1} = 2^{n-2} - \frac{1}{2}$$
$$\therefore a_n = a_1 + 2^{n-2} - \frac{1}{2} = \frac{1}{2} + 2^{n-2}$$

STEP3 k의 값 구하기

$a_k = \dfrac{1}{2} + 2^{k-2} = \dfrac{257}{2}$에서

$2^{k-2} = 128 = 2^7, \ k - 2 = 7$

$\therefore k = 9$

03-6 답 19

해결전략 | $a_{n+1} = a_n + f(n)$일 때 $a_n = a_1 + \displaystyle\sum_{k=1}^{n-1} f(k)$임을 이용한다.

STEP1 a_n 구하기

$a_{n+1} - a_n = f(n)$에 $n=1, 2, 3, \cdots, n-1$을 차례로 대입하여 변끼리 더하면

$$a_2 - a_1 = f(1)$$
$$a_3 - a_2 = f(2)$$
$$a_4 - a_3 = f(3)$$
$$\vdots$$
$$+)\ a_n - a_{n-1} = f(n-1)$$
$$a_n - a_1 = f(1) + f(2) + f(3) + \cdots + f(n-1)$$
$$= \sum_{k=1}^{n-1} f(k)$$
$$= (n-1)\{(n-1) + 3\}$$
$$= (n-1)(n+2)$$
$$\therefore a_n = a_1 + (n-1)(n+2)$$
$$= 2 + (n-1)(n+2) = n^2 + n$$

STEP2 n의 최댓값 구하기

$a_n = n^2 + n < 400$에서 $n(n+1) < 400$

이때 $19 \times 20 = 380$, $20 \times 21 = 420$이므로

$n \leq 19$

따라서 n의 최댓값은 19이다.

04-1 답 (1) $\dfrac{1}{2}$ (2) 2×3^{120}

해결전략 | 주어진 식에 $n=1, 2, 3, \cdots, n-1$을 차례로 대입하여 변끼리 곱한다.

(1) **STEP1** $n=1, 2, 3, \cdots, n-1$을 대입하여 a_n 구하기

$a_{n+1}=\left(1-\dfrac{1}{n+1}\right)a_n$에서 $a_{n+1}=\dfrac{n}{n+1}a_n$

이 식에 $n=1, 2, 3, \cdots, n-1$을 차례로 대입하면

$a_2=\dfrac{1}{2}a_1$

$a_3=\dfrac{2}{3}a_2$

$a_4=\dfrac{3}{4}a_3$

$\vdots$

$a_n=\dfrac{n-1}{n}a_{n-1}$

위의 식을 변끼리 곱하여 정리하면

$a_n=\dfrac{1}{2}\times\dfrac{2}{3}\times\dfrac{3}{4}\times\cdots\times\dfrac{n-1}{n}\times a_1=\dfrac{a_1}{n}=\dfrac{8}{n}$

STEP2 a_{16}의 값 구하기

$\therefore a_{16}=\dfrac{8}{16}=\dfrac{1}{2}$

(2) **STEP1** $n=1, 2, 3, \cdots, n-1$을 대입하여 a_n 구하기

$a_{n+1}=3^n a_n$에 $n=1, 2, 3, \cdots, n-1$을 차례로 대입하면

$a_2=3a_1$

$a_3=3^2 a_2$

$a_4=3^3 a_3$

$\vdots$

$a_n=3^{n-1}a_{n-1}$

위의 식을 변끼리 곱하여 정리하면

$a_n=3\times 3^2 \times 3^3 \times \cdots \times 3^{n-1}\times a_1$

$=3^{1+2+3+\cdots+(n-1)}\times a_1=2\times 3^{\frac{(n-1)n}{2}}$

STEP2 a_{16}의 값 구하기

$\therefore a_{16}=2\times 3^{\frac{15\times 16}{2}}=2\times 3^{120}$

04-2 답 16

해결전략 | a_5의 값을 구하려면 주어진 식에 $n=1, 2, 3, 4$를 차례로 대입한다.

STEP1 주어진 식에 $n=1, 2, 3, 4$를 차례로 대입하기

$a_{n+1}=\dfrac{n+4}{2n-1}a_n$에 $n=1, 2, 3, 4$를 차례로 대입하면

$a_2=5a_1$

$a_3=\dfrac{6}{3}a_2$

$a_4=\dfrac{7}{5}a_3$

$a_5=\dfrac{8}{7}a_4$

STEP2 a_5의 값 구하기

위의 식을 변끼리 곱하여 정리하면

$a_5=5\times\dfrac{6}{3}\times\dfrac{7}{5}\times\dfrac{8}{7}\times a_1=16a_1=16\ (\because a_1=1)$

04-3 답 73

해결전략 | 주어진 식에 $n=1, 2, 3, \cdots, n-1$을 차례로 대입하여 a_n을 구한 다음 로그의 성질을 이용한다.

STEP1 일반항 구하기

$a_{n+1}=5^n a_n$에 $n=1, 2, 3, \cdots, n-1$을 차례로 대입하여 변끼리 곱하면

$a_2=5a_1$

$a_3=5^2 a_2$

$a_4=5^3 a_3$

$\vdots$

$\times)\ a_n=5^{n-1}a_{n-1}$

$a_n=5\times 5^2 \times 5^3 \times \cdots \times 5^{n-1}\times a_1$

$=5^{1+2+3+\cdots+(n-1)}=5^{\frac{(n-1)n}{2}}$

STEP2 $\log_5 a_8 + \log_5 a_{10}$의 값 구하기

$\therefore \log_5 a_8 + \log_5 a_{10}=\log_5(a_8 \times a_{10})$

$=\log_5(5^{28}\times 5^{45})=\log_5 5^{73}=73$

04-4 답 55

해결전략 | $(n+1)a_{n+1}=na_n$을 $a_{n+1}=f(n)a_n$ 꼴로 고쳐 a_n을 구한다.

STEP1 일반항 구하기

$(n+1)a_{n+1}=na_n$에서 $a_{n+1}=\dfrac{n}{n+1}a_n$

이 식에 $n=1, 2, 3, \cdots, n-1$을 차례로 대입하여 변끼리 곱하면

$a_2=\dfrac{1}{2}a_1$

$a_3=\dfrac{2}{3}a_2$

$a_4=\dfrac{3}{4}a_3$

$\vdots$

$$\begin{array}{r}\times \left.\right) a_n=\dfrac{n-1}{n}a_{n-1}\end{array}$$

$$a_n=\dfrac{1}{2}\times\dfrac{2}{3}\times\dfrac{3}{4}\times\cdots\times\dfrac{n-1}{n}\times a_1$$

$$=\dfrac{7}{n}$$

STEP2 $\displaystyle\sum_{k=1}^{10}\dfrac{k}{a_k}$의 값 구하기

$$\therefore \sum_{k=1}^{10}\dfrac{k}{a_k}=\sum_{k=1}^{10}\dfrac{k^2}{7}=\dfrac{1}{7}\times\dfrac{10\times11\times21}{6}=55$$

04-5 답 -33

해결전략 | 주어진 식을 $a_{n+1}=f(n)a_n$ 꼴로 고친 후 $n=1$, 2, 3, $\cdots$, 9를 차례로 대입한다.

STEP1 a_{10}의 값 구하기

$2^n a_{n+1}=na_n$에서 $a_{n+1}=\dfrac{n}{2^n}a_n$

이 식에 $n=1$, 2, 3, $\cdots$, 9를 차례로 대입하여 변끼리 곱하면

$$a_2=\dfrac{1}{2}a_1$$

$$a_3=\dfrac{2}{2^2}a_2$$

$$a_4=\dfrac{3}{2^3}a_3$$

$$\vdots$$

$$\times \left.\right) a_{10}=\dfrac{9}{2^9}a_9$$

$$a_{10}=\dfrac{1}{2}\times\dfrac{2}{2^2}\times\dfrac{3}{2^3}\times\cdots\times\dfrac{9}{2^9}\times a_1$$

$$=\dfrac{1\times2\times3\times\cdots\times9}{2^{1+2+3+\cdots+9}}\times8$$

$$=\dfrac{9!}{2^{45}}\times2^3=9!\times2^{-42}$$

STEP2 $x+y$의 값 구하기

따라서 $9!\times2^{-42}=x!\times2^y$에서

$x=9$, $y=-42$ $\therefore x+y=9+(-42)=-33$

04-6 답 6

해결전략 | 로그의 성질을 이용하여 a_n과 a_{n-1} 사이의 관계식을 구한다.

STEP1 a_n과 a_{n-1} 사이의 관계식 구하기

$\log a_n+2\log n=\log a_{n-1}+\log(n^2-1)$에서

$\log(a_n\times n^2)=\log\{a_{n-1}\times(n^2-1)\}$

$a_n\times n^2=a_{n-1}\times(n^2-1)$

$\therefore a_n=\dfrac{n^2-1}{n^2}a_{n-1}=\dfrac{(n-1)(n+1)}{n\times n}a_{n-1}$

STEP2 a_n 구하기

$a_n=\dfrac{(n-1)(n+1)}{n\times n}a_{n-1}$에 $n=2$, 3, 4, $\cdots$, n을 차례로 대입하여 곱하면

$$a_2=\dfrac{1\times3}{2\times2}a_1$$

$$a_3=\dfrac{2\times4}{3\times3}a_2$$

$$a_4=\dfrac{3\times5}{4\times4}a_3$$

$$\vdots$$

$$\times \left.\right) a_n=\dfrac{(n-1)(n+1)}{n\times n}a_{n-1}$$

$$a_n=\dfrac{1\times3}{2\times2}\times\dfrac{2\times4}{3\times3}\times\dfrac{3\times5}{4\times4}\times\cdots$$

$$\times\dfrac{(n-1)(n+1)}{n\times n}\times a_1$$

$$=\dfrac{1}{2}\times\dfrac{3}{2}\times\dfrac{2}{3}\times\dfrac{4}{3}\times\dfrac{3}{4}\times\dfrac{5}{4}\times\cdots$$

$$\times\dfrac{n-1}{n}\times\dfrac{n+1}{n}\times a_1$$

$$=\dfrac{1}{2}\times\dfrac{n+1}{n}\times2=\dfrac{n+1}{n}$$

STEP3 n의 값 구하기

$ka_k=k\times\dfrac{k+1}{k}=k+1$이므로

$$\sum_{k=1}^{n}ka_k=\sum_{k=1}^{n}(k+1)=27$$

$$\dfrac{n(n+1)}{2}+n=27,\ n^2+3n-54=0$$

$(n-6)(n+9)=0$ $\therefore n=6\ (\because n\geq2)$

필수유형 **05**　　　　　　　　387쪽

05-1 답 (1) 56 (2) 5 (3) 20

해결전략 | 주어진 식에 $n=1$, 2, 3, 4를 차례로 대입하여 a_5까지의 항을 순서대로 구한다.

(1) $a_{n+1}-2a_n=4n$에서 $a_{n+1}=2a_n+4n$

　　이 식에 $n=1$, 2, 3, 4를 차례로 대입하면

　　$a_2=2a_1+4\times1=2\times(-3)+4=-2$

　　$a_3=2a_2+4\times2=2\times(-2)+8=4$

　　$a_4=2a_3+4\times3=2\times4+12=20$

　　$a_5=2a_4+4\times4=2\times20+16=56$

(2) $a_{n+2}+a_{n+1}-a_n=0$에서 $a_{n+2}=a_n-a_{n+1}$

　　이 식에 $n=1$, 2, 3을 차례로 대입하면

　　$a_3=a_1-a_2=4-1=3$

　　$a_4=a_2-a_3=1-3=-2$

　　$a_5=a_3-a_4=3-(-2)=5$

(3) $n=1$은 홀수이므로 $a_2=a_1-5=10-5=5$

$\quad\;\; n=2$는 짝수이므로 $a_3=a_2+2^2=5+4=9$

$\quad\;\; n=3$은 홀수이므로 $a_4=a_3-5=9-5=4$

$\quad\;\; n=4$는 짝수이므로 $a_5=a_4+4^2=4+16=20$

05-2 달 $\dfrac{9}{5}$

해결전략 | 주어진 식에서 a_{n+1}을 a_n에 대한 식으로 나타낸 다음 $n=1, 2, 3$을 차례로 대입한다.

STEP1 주어진 식 변형하기

$a_{n+1}-2a_na_{n+1}+3a_n=0$에서

$(1-2a_n)a_{n+1}=-3a_n$

$\therefore a_{n+1}=\dfrac{3a_n}{2a_n-1}$

STEP2 a_4의 값 구하기

이 식에 $n=1, 2, 3$을 차례로 대입하면

$a_2=\dfrac{3a_1}{2a_1-1}=\dfrac{3\times(-1)}{2\times(-1)-1}=1$

$a_3=\dfrac{3a_2}{2a_2-1}=\dfrac{3\times1}{2\times1-1}=3$

$a_4=\dfrac{3a_3}{2a_3-1}=\dfrac{3\times3}{2\times3-1}=\dfrac{9}{5}$

05-3 달 42

해결전략 | 주어진 식에 $n=1, 2, 3$을 차례로 대입하여 $a_3, a_4,$ a_5를 각각 a_1에 대한 식으로 나타낸다.

STEP1 a_5를 a_1에 대한 식으로 나타내기

$a_{n+2}=a_{n+1}+a_n$에 $n=1, 2, 3$을 차례로 대입하면

$a_3=a_2+a_1=5+a_1$

$a_4=a_3+a_2=(5+a_1)+5=10+a_1$

$a_5=a_4+a_3=(10+a_1)+(5+a_1)=15+2a_1$

STEP2 a_1의 값 구하기

이때 $a_5=21$이므로 $15+2a_1=21$

$2a_1=6$ $\therefore a_1=3$

STEP3 a_3+a_6의 값 구하기

$a_3=5+a_1=8$

$a_6=a_5+a_4=21+(10+a_1)=34$

$\therefore a_3+a_6=8+34=42$

05-4 달 -4

해결전략 | 주어진 식에 $n=1, 2$를 차례로 대입한 후 $a_3=-\dfrac{4}{3}$임을 이용하여 k의 값을 구한다.

STEP1 k의 값 구하기

$a_{n+1}=\dfrac{3k}{2a_n-1}$에 $n=1, 2$를 차례로 대입하면

$a_2=\dfrac{3k}{2a_1-1}=\dfrac{3k}{2\times(-1)-1}=-k$

$a_3=\dfrac{3k}{2a_2-1}=\dfrac{3k}{2\times(-k)-1}=\dfrac{3k}{-2k-1}$

이때 $a_3=-\dfrac{4}{3}$이므로 $\dfrac{3k}{-2k-1}=-\dfrac{4}{3}$

$-9k=-8k-4$ $\therefore k=4$

STEP2 a_2의 값 구하기

$\therefore a_2=-k=-4$

05-5 달 46

해결전략 | a_n의 값이 짝수인지 홀수인지 확인하여 a_{n+1}의 값을 구한다.

STEP1 k의 값 구하기

주어진 식에 $n=1, 2, 3$을 차례로 대입하면

$a_1=4$는 짝수이므로 $a_2=a_1+1+1=6$

$a_2=6$은 짝수이므로 $a_3=a_2+2+1=9$

$a_3=9$는 홀수이므로 $a_4=ka_3=9k$

이때 $a_4=18$이므로 $9k=18$ $\therefore k=2$

STEP2 a_6의 값 구하기

$a_4=18$은 짝수이므로 $a_5=a_4+4+1=23$

$a_5=23$은 홀수이므로 $a_6=ka_5=2\times23=46$

05-6 달 8

해결전략 | 12보다 큰 항이 나올 때까지 $n=1, 2, 3, \cdots$을 차례로 대입하여 $a_2, a_3, a_4, \cdots$의 값을 구한다.

STEP1 $n=1, 2, 3, \cdots$을 차례로 대입하여 12보다 큰 항 찾기

$a_{n+1}+a_n=(-1)^{n+1}\times n$에서

$a_{n+1}=-a_n+(-1)^{n+1}\times n$

이 식에 $n=1, 2, 3, \cdots$을 차례로 대입하면

$a_2=-a_1+(-1)^2\times1=-12+1=-11$

$a_3=-a_2+(-1)^3\times2=11-2=9$

$a_4=-a_3+(-1)^4\times3=-9+3=-6$

$a_5=-a_4+(-1)^5\times4=6-4=2$

$a_6=-a_5+(-1)^6\times5=-2+5=3$

$a_7=-a_6+(-1)^7\times6=-3-6=-9$

$a_8=-a_7+(-1)^8\times7=9+7=16$

STEP2 k의 최솟값 구하기

따라서 제8항에서 처음으로 12보다 큰 항이 나오므로 $a_k>a_1$을 만족시키는 자연수 k의 최솟값은 8이다.

06-1 답 2

해결전략 | a_3, a_4, a_5, $\cdots$의 값을 차례로 구하여 수열에서 반복되는 항을 찾는다.

STEP1 수열에서 반복되는 항 구하기

a_3은 $a_1+a_2=3+1=4$를 4로 나눈 나머지이므로 $a_3=0$

a_4는 $a_2+a_3=1+0=1$을 4로 나눈 나머지이므로 $a_4=1$

a_5는 $a_3+a_4=0+1=1$을 4로 나눈 나머지이므로 $a_5=1$

a_6은 $a_4+a_5=1+1=2$를 4로 나눈 나머지이므로 $a_6=2$

a_7은 $a_5+a_6=1+2=3$을 4로 나눈 나머지이므로 $a_7=3$

a_8은 $a_6+a_7=2+3=5$를 4로 나눈 나머지이므로 $a_8=1$

$\vdots$

따라서 수열 $\{a_n\}$은 6개의 수 3, 1, 0, 1, 1, 2가 이 순서대로 반복하여 나타난다.

STEP2 a_{30}의 값 구하기

이때 $30=6\times5$이므로 $a_{30}=a_6=2$

06-2 답 45

해결전략 | 주어진 식에 $n=1, 2, 3, \cdots$을 차례로 대입하여 반복되는 항을 찾는다.

STEP1 수열에서 반복되는 항 구하기

$a_{n+1}=(-1)^n+a_n$에 $n=1, 2, 3, \cdots$을 차례로 대입하면

$a_2=(-1)+a_1=-1+2=1$

$a_3=(-1)^2+a_2=1+1=2$

$a_4=(-1)^3+a_3=-1+2=1$

$a_5=(-1)^4+a_4=1+1=2$

$\vdots$

따라서 수열 $\{a_n\}$은 2개의 수 2, 1이 이 순서대로 반복하여 나타난다.

STEP2 $\sum\limits_{k=1}^{30} a_k$의 값 구하기

$\therefore \sum\limits_{k=1}^{30} a_k=15\sum\limits_{k=1}^{2} a_k=15\times(2+1)=45$

06-3 답 1

해결전략 | 주어진 식에서 a_{n+1}을 a_n에 대한 식으로 나타낸 다음 $n=1, 2, 3, \cdots$을 차례로 대입한다.

STEP1 수열에서 반복되는 항 구하기

$a_{n+1}-a_n a_{n+1}=1$에서

$(1-a_n)a_{n+1}=1$ $\therefore a_{n+1}=\dfrac{1}{1-a_n}$

이 식에 $n=1, 2, 3, \cdots$을 차례로 대입하면

$a_2=\dfrac{1}{1-a_1}=\dfrac{1}{1-\dfrac{1}{2}}=2$

$a_3=\dfrac{1}{1-a_2}=\dfrac{1}{1-2}=-1$

$a_4=\dfrac{1}{1-a_3}=\dfrac{1}{1-(-1)}=\dfrac{1}{2}$

$\vdots$

따라서 수열 $\{a_n\}$은 3개의 수 $\dfrac{1}{2}$, 2, -1이 이 순서대로 반복하여 나타난다.

STEP2 $a_{15}+a_{20}$의 값 구하기

이때 $15=3\times5$, $20=3\times6+2$이므로

$a_{15}=a_3=-1$, $a_{20}=a_2=2$

$\therefore a_{15}+a_{20}=-1+2=1$

06-4 답 16

해결전략 | 수열 $\{a_n\}$에서 반복되는 항을 찾은 다음 제1항부터 제50항까지 -2가 몇 번 나오는지 알아본다.

STEP1 수열에서 반복되는 항 구하기

$a_{n+2}+a_n=a_{n+1}$에서 $a_{n+2}=a_{n+1}-a_n$

이 식에 $n=1, 2, 3, \cdots$을 차례로 대입하면

$a_3=a_2-a_1=2-4=-2$

$a_4=a_3-a_2=-2-2=-4$

$a_5=a_4-a_3=-4-(-2)=-2$

$a_6=a_5-a_4=-2-(-4)=2$

$a_7=a_6-a_5=2-(-2)=4$

$a_8=a_7-a_6=4-2=2$

$\vdots$

따라서 수열 $\{a_n\}$은 6개의 수 4, 2, -2, -4, -2, 2가 이 순서대로 반복하여 나타난다.

STEP2 k의 개수 구하기

이때 제1항부터 제6항까지 $a_k=-2$인 항은 a_3, a_5의 2개이고, $50=6\times8+2$이므로 $a_k=-2$인 자연수 k의 개수는 $2\times8=16$이다.

> 항 50개를 6개씩 묶으면 8묶음이 되고 a_{49}, a_{50}이 남는다. 이때 각 묶음에는 -2인 항이 2개씩 있으며 $a_{49}=4$, $a_{50}=2$이므로 -2인 항은 모두 $2\times8=16$(개)이다.

06-5 답 -10

해결전략 | $\sum\limits_{k=1}^{10} a_{2k}$는 a_2부터 a_{20}까지 짝수 번째 항들의 합이므로 주어진 식에서 n이 홀수인 경우의 값을 구하여 짝수 번째 항의 값을 구한다.

STEP1 수열에서 반복되는 항 구하기

$n=1$은 홀수이므로 $a_2=\dfrac{1-2a_1}{a_1}=\dfrac{1-2\times1}{1}=-1$

$n=2$는 짝수이므로 $a_3=a_2+2=-1+2=1$

$n=3$은 홀수이므로 $a_4=\dfrac{1-2a_3}{a_3}=\dfrac{1-2\times1}{1}=-1$

$\vdots$

따라서 수열 $\{a_n\}$은 2개의 수 1, -1이 이 순서대로 반복하여 나타난다.

STEP2 $\displaystyle\sum_{k=1}^{10}a_{2k}$의 값 구하기

$\therefore \displaystyle\sum_{k=1}^{10}a_{2k}=a_2+a_4+a_6+\cdots+a_{20}$

$\qquad\qquad =-1+(-1)+(-1)+\cdots+(-1)$

$\qquad\qquad =-10$

06-6 답 $\sqrt{2}$

해결전략 | a_n의 값에 따라 a_{n+1}의 값은 거듭제곱 또는 로그의 값으로 정해진다.

STEP1 수열에서 반복되는 항 구하기

주어진 식에 $n=1, 2, 3, \cdots$을 차례로 대입하면

$a_1\le1$이므로 $a_2=2^{a_1}=2^1=2$

$a_2>1$이므로 $a_3=\log_{a_2}\sqrt{2}=\log_2\sqrt{2}=\dfrac{1}{2}$

$a_3\le1$이므로 $a_4=2^{a_3}=2^{\frac{1}{2}}=\sqrt{2}$

$a_4>1$이므로 $a_5=\log_{a_4}\sqrt{2}=\log_{\sqrt{2}}\sqrt{2}=1$

$\vdots$

따라서 수열 $\{a_n\}$은 4개의 수 1, 2, $\dfrac{1}{2}$, $\sqrt{2}$가 이 순서대로 반복하여 나타난다.

STEP2 $a_{12}\times a_{13}$의 값 구하기

이때 $12=4\times3$, $13=4\times3+1$이므로

$a_{12}=a_4=\sqrt{2}$, $a_{13}=a_1=1$

$\therefore a_{12}\times a_{13}=\sqrt{2}\times1=\sqrt{2}$

필수유형 07   391쪽

07-1 답 (1) 40 (2) 220

해결전략 | $n\ge2$일 때, $a_n=S_n-S_{n-1}$임을 이용하여 a_n 또는 S_n에 대한 관계식을 구한다.

(1) STEP1 a_n과 a_{n+1} 사이의 관계식 구하기

$2S_n=(n+1)a_n$ $\qquad\cdots\cdots\ \text{㉠}$

$2S_{n+1}=(n+2)a_{n+1}$ $\qquad\cdots\cdots\ \text{㉡}$

㉡$-$㉠을 하면

$2(S_{n+1}-S_n)=(n+2)a_{n+1}-(n+1)a_n$

$2a_{n+1}=(n+2)a_{n+1}-(n+1)a_n$

$na_{n+1}=(n+1)a_n$

$\therefore a_{n+1}=\dfrac{n+1}{n}a_n$

STEP2 a_{10}의 값 구하기

이 식에 $n=1, 2, 3, \cdots, 9$를 차례로 대입하여 변끼리 곱하면

$a_2=\dfrac{2}{1}a_1$

$a_3=\dfrac{3}{2}a_2$

$a_4=\dfrac{4}{3}a_3$

$\vdots$

$\times\big)\ a_{10}=\dfrac{10}{9}a_9$

$\overline{a_{10}=\dfrac{2}{1}\times\dfrac{3}{2}\times\dfrac{4}{3}\times\cdots\times\dfrac{10}{9}\times a_1}$

$\qquad =\dfrac{10}{1}\times4=40$

(2) STEP1 S_n과 S_{n-1} 사이의 관계식 구하기

$n\ge2$일 때,

$2S_n=(n+1)a_n$에 $a_n=S_n-S_{n-1}$을 대입하면

$2S_n=(n+1)(S_n-S_{n-1})$

$(n-1)S_n=(n+1)S_{n-1}$

$\therefore S_n=\dfrac{n+1}{n-1}S_{n-1}$

STEP2 S_{10}의 값 구하기

이 식에 $n=2, 3, 4, \cdots, 10$을 차례로 대입하여 변끼리 곱하면

$S_2=\dfrac{3}{1}S_1$

$S_3=\dfrac{4}{2}S_2$

$S_4=\dfrac{5}{3}S_3$

$\vdots$

$\times\big)\ S_{10}=\dfrac{11}{9}S_9$

$\overline{S_{10}=\dfrac{3}{1}\times\dfrac{4}{2}\times\dfrac{5}{3}\times\cdots\times\dfrac{11}{9}\times S_1}$

$\qquad =\dfrac{10\times11}{1\times2}\times4\ (\because S_1=a_1)$

$\qquad =220$

07-2 답 $a_n=5\times3^{n-1}$

해결전략 | 주어진 식에서 S_{n+1}과 a_{n+2} 사이의 관계식을 구한 다음 $S_{n+1}-S_n=a_{n+1}$을 이용한다.

STEP1 a_{n+1}과 a_{n+2} 사이의 관계식 구하기

$S_n-\dfrac{1}{2}a_{n+1}=0$ $\qquad\cdots\cdots\ \text{㉠}$

$$S_{n+1} - \frac{1}{2}a_{n+2} = 0 \qquad \cdots\cdots ㉡$$

㉡$-$㉠을 하면

$$(S_{n+1} - S_n) - \frac{1}{2}a_{n+2} + \frac{1}{2}a_{n+1} = 0$$

$$a_{n+1} - \frac{1}{2}a_{n+2} + \frac{1}{2}a_{n+1} = 0$$

$$\therefore a_{n+2} = 3a_{n+1}$$

STEP2 일반항 구하기

따라서 수열 $\{a_n\}$은 첫째항이 5, 공비가 3인 등비수열이 므로 $a_n = 5 \times 3^{n-1}$

07-3 답 $\dfrac{1}{4}(5^{10}-1)$

해결전략 | 주어진 식에서 a_{n+2}와 S_{n+1} 사이의 관계식을 구한 다음 $S_{n+1} - S_n = a_{n+1}$을 이용한다.

STEP1 a_{n+1}과 a_{n+2} 사이의 관계식 구하기

$$a_{n+1} = 4S_n + 1 \qquad \cdots\cdots ㉠$$

$$a_{n+2} = 4S_{n+1} + 1 \qquad \cdots\cdots ㉡$$

㉡$-$㉠을 하면

$$a_{n+2} - a_{n+1} = 4(S_{n+1} - S_n)$$

$$a_{n+2} - a_{n+1} = 4a_{n+1}$$

$$\therefore a_{n+2} = 5a_{n+1}$$

STEP2 S_{10}의 값 구하기

따라서 수열 $\{a_n\}$은 첫째항이 1, 공비가 5인 등비수열이 므로

$$S_{10} = \frac{1 \times (5^{10}-1)}{5-1} = \frac{1}{4}(5^{10}-1)$$

07-4 답 $\dfrac{39}{4}$

해결전략 | $n \geq 2$일 때, $a_n = S_n - S_{n-1}$임을 이용하여 주어진 식을 S_n의 관계식으로 나타낸다.

STEP1 S_n과 S_{n-1} 사이의 관계식 구하기

$n \geq 2$일 때,

$S_n - n^2 a_n = 0$에 $a_n = S_n - S_{n-1}$을 대입하면

$$S_n - n^2(S_n - S_{n-1}) = 0$$

$$(1-n^2)S_n + n^2 S_{n-1} = 0$$

$$\therefore S_n = \frac{n^2}{n^2-1}S_{n-1} = \frac{n}{n-1} \times \frac{n}{n+1}S_{n-1}$$

STEP2 S_n 구하기

이 식에 $n = 2, 3, 4, \cdots, n$을 차례로 대입하여 변끼리 곱 하면

$$S_2 = \frac{2}{1} \times \frac{2}{3}S_1$$

$$S_3 = \frac{3}{2} \times \frac{3}{4}S_2$$

$$S_4 = \frac{4}{3} \times \frac{4}{5}S_3$$

$$\vdots$$

$$\times \underline{\left) S_n = \frac{n}{n-1} \times \frac{n}{n+1}S_{n-1}\right.}$$

$$S_n = \frac{2}{1} \times \frac{2}{3} \times \frac{3}{2} \times \frac{3}{4} \times \frac{4}{3} \times \frac{4}{5} \times \cdots$$

$$\times \frac{n}{n-1} \times \frac{n}{n+1} \times S_1$$

$$= \frac{2}{1} \times \frac{n}{n+1} \times 3 = \frac{6n}{n+1} \qquad\qquad S_1 = a_1 = 3$$

STEP3 $S_3 + S_7$의 값 구하기

따라서 $S_3 = \dfrac{18}{4} = \dfrac{9}{2}$, $S_7 = \dfrac{42}{8} = \dfrac{21}{4}$이므로

$$S_3 + S_7 = \frac{9}{2} + \frac{21}{4} = \frac{39}{4}$$

07-5 답 5

해결전략 | 주어진 식에서 S_{n-1}과 a_n 사이의 관계식을 구한 다음 $S_n - S_{n-1} = a_n$을 이용한다.

STEP1 a_n과 a_{n+1} 사이의 관계식 구하기

$$2S_n = (n+3)a_{n+1} \qquad \cdots\cdots ㉠$$

$$2S_{n-1} = (n+2)a_n \qquad \cdots\cdots ㉡$$

㉠$-$㉡을 하면

$$2(S_n - S_{n-1}) = (n+3)a_{n+1} - (n+2)a_n$$

$$2a_n = (n+3)a_{n+1} - (n+2)a_n$$

$$(n+3)a_{n+1} = (n+4)a_n$$

$$\therefore a_{n+1} = \frac{n+4}{n+3}a_n$$

STEP2 a_n 구하기

이 식에 $n = 1, 2, 3, \cdots, n-1$을 차례로 대입하여 변끼리 곱하면

$$a_2 = \frac{5}{4}a_1$$

$$a_3 = \frac{6}{5}a_2$$

$$a_4 = \frac{7}{6}a_3$$

$$\vdots$$

$$\times \underline{\left) a_n = \frac{n+3}{n+2}a_{n-1}\right.}$$

$$a_n = \frac{5}{4} \times \frac{6}{5} \times \frac{7}{6} \times \cdots \times \frac{n+3}{n+2} \times a_1$$

$$= \frac{n+3}{4} \times 4 = n+3$$

STEP3 k의 값 구하기

이때 $a_k a_{k+1} = (k+3)(k+4) = 72$에서

$k^2+7k-60=0,\ (k-5)(k+12)=0$

$\therefore k=5\ (\because k\geq 1)$

07-6 답 5

해결전략 | $S_{n+1}-S_n=a_{n+1}$을 이용하여 a_n의 관계식을 구한 다음 인수분해한다.

STEP1 a_{n+2}와 a_n 사이의 관계식 구하기

$S_n=a_n a_{n+1}$ ······ ㉠

$S_{n+1}=a_{n+1}a_{n+2}$ ······ ㉡

㉡$-$㉠을 하면

$S_{n+1}-S_n=a_{n+1}a_{n+2}-a_n a_{n+1}$

$a_{n+1}=a_{n+1}a_{n+2}-a_n a_{n+1}$

$a_{n+1}(a_{n+2}-a_n-1)=0$

이때 $\underline{a_{n+1}\neq 0}$이므로 $a_{n+2}-a_n-1=0$

$\therefore \underline{a_{n+2}=a_n+1}$ ┐→ $S_n\neq 0$이므로 $S_n=a_n a_{n+1}$에서
$a_n\neq 0$이고, $a_{n+1}\neq 0$

STEP2 $a_{12}-a_2$의 값 구하기

이 식에 $n=1,\ 2,\ 3,\ \cdots,\ 10$을 차례로 대입하여 변끼리 더하면

$a_3=a_1+1$

$a_4=a_2+1$

$a_5=a_3+1$

$\vdots$

$a_{11}=a_9+1$

$+)\ \underline{a_{12}=a_{10}+1}$

$a_{11}+a_{12}=a_1+a_2+1\times 10$

$\therefore a_{12}-a_2=a_1-a_{11}+10$

$\qquad\qquad =2-7+10=5$

필수유형 08 393쪽

08-1 답 (1) 30 (2) $a_{n+1}=\dfrac{3}{2}a_n$ (3) 2

해결전략 | 3마리로 분열하면 미생물의 수는 3배가 된다.

(1) $a_1=20\times\left(1-\dfrac{50}{100}\right)\times 3=30$

(2) $(n+1)$일 후의 미생물의 수 a_{n+1}은 n일 후의 미생물의 수 a_n의 $\left(1-\dfrac{50}{100}\right)$의 3배이므로

$a_{n+1}=a_n\times\left(1-\dfrac{50}{100}\right)\times 3=\dfrac{3}{2}a_n$

(3) **STEP1** 10일 후의 미생물의 수 구하기

수열 $\{a_n\}$은 공비가 $\dfrac{3}{2}$인 등비수열이므로

$a_n=30\times\left(\dfrac{3}{2}\right)^{n-1}$

$\therefore a_{10}=30\times\left(\dfrac{3}{2}\right)^9=2^{-8}\times 3^{10}\times 5$

STEP2 $x+y$의 값 구하기

따라서 $2^{-8}\times 3^{10}\times 5=2^x\times 3^y\times 5$에서 $x=-8,\ y=10$

$\therefore x+y=-8+10=2$

08-2 답 4

해결전략 | a_n과 a_{n+1} 사이의 관계식을 구한 다음 $n=1,\ 2,\ 3,\ \cdots$을 차례로 대입해 본다.

STEP1 a_1의 값 구하기

$a_1=1000\times\left(1-\dfrac{3}{10}\right)+100=800$

STEP2 a_n과 a_{n+1} 사이의 관계식 구하기

시행을 $(n+1)$번 했을 때의 물의 양 a_{n+1}은 n번 했을 때의 물의 양 a_n의 $\left(1-\dfrac{3}{10}\right)$만큼보다 100 L 더 많으므로

$a_{n+1}=a_n\times\left(1-\dfrac{3}{10}\right)+100$

$\qquad =\dfrac{7}{10}a_n+100$

STEP3 n의 최솟값 구하기

이 식에 $n=1,\ 2,\ 3,\ \cdots$을 차례로 대입하면

$a_2=\dfrac{7}{10}a_1+100=\dfrac{7}{10}\times 800+100=660$

$a_3=\dfrac{7}{10}a_2+100=\dfrac{7}{10}\times 660+100=562$

$a_4=\dfrac{7}{10}a_3+100=\dfrac{7}{10}\times 562+100=493.4$

$\vdots$

따라서 $n=4,\ 5,\ 6,\ \cdots$일 때 $a_n<500$이므로 n의 최솟값은 4이다.

08-3 답 112만 원

해결전략 | n년이 지난 후의 근무 수당을 a_n원으로 놓고 a_n과 a_{n+1} 사이의 관계식을 구한다.

STEP1 n년이 지난 후의 근무 수당을 a_n원으로 놓고 a_1의 값 구하기

n년이 지난 후의 근무 수당을 a_n원이라고 하면

$a_1=20000+20000\times 1=40000(원)$

STEP2 10년이 지난 후의 근무 수당 구하기

$a_{n+1}=a_n+20000\times(n+1)$이므로 이 식에 $n=1,\ 2,\ 3,\ \cdots,\ 9$를 차례로 대입하여 변끼리 더하면

$a_2=a_1+20000\times 2$

$a_3=a_2+20000\times 3$

$$a_4 = a_3 + 20000 \times 4$$
$$\vdots$$
$$+ \underline{)\ a_{10} = a_9 + 20000 \times 10}$$
$$a_{10} = a_1 + 20000 \times 2 + 20000 \times 3 + 20000 \times 4 + \cdots$$
$$+ 20000 \times 10$$
$$= 40000 + 20000(2 + 3 + 4 + \cdots + 10)$$
$$= 20000 + 20000(1 + 2 + 3 + \cdots + 10)$$
$$= 20000 + 20000 \times \frac{10 \times 11}{2} = 1120000\,(\text{원})$$

따라서 10년이 지난 후의 근무 수당은 112만 원이다.

08-4 답 (1) $a_1 = 1$, $a_2 = 2$, $a_3 = 3$
(2) $a_{n+2} = a_{n+1} + a_n$ (3) **55**

해결전략 | $(n+2)$개의 계단을 오를 때 처음에 한 계단을 오르는 경우, 두 계단을 오르는 경우로 나누어 생각한다.

(1) • 1개의 계단을 오르는 방법은 한 번에 한 계단을 오르는 1가지 경우뿐이므로
$$a_1 = 1$$
• 2개의 계단을 오르는 방법은 한 번에 한 계단씩 오르거나 한 번에 두 계단을 오르는 2가지 경우이므로 $a_2 = 2$
• 3개의 계단을 오르는 방법은
(i) 처음에 한 계단을 오르면 나머지 계단을 오르는 방법은 a_2이고,
(ii) 처음에 두 계단을 오르면 나머지 계단을 오르는 방법은 a_1이므로
$$a_3 = a_2 + a_1 = 2 + 1 = 3$$

(2) $(n+2)$개의 계단을 오르는 방법은
(i) 처음에 한 계단을 오르면 나머지 $(n+1)$개의 계단을 오르는 방법은 a_{n+1}이고,
(ii) 처음에 두 계단을 오르면 나머지 n개의 계단을 오르는 방법은 a_n이므로
$$a_{n+2} = a_{n+1} + a_n$$

(3) $a_{n+2} = a_{n+1} + a_n$에 $n = 2$, 3, $\cdots$, 7을 차례로 대입하면
$$a_4 = a_3 + a_2 = 3 + 2 = 5$$
$$a_5 = a_4 + a_3 = 5 + 3 = 8$$
$$a_6 = a_5 + a_4 = 8 + 5 = 13$$
$$a_7 = a_6 + a_5 = 13 + 8 = 21$$
$$a_8 = a_7 + a_6 = 21 + 13 = 34$$
$$a_9 = a_8 + a_7 = 34 + 21 = 55$$

▶참고
처음 두 항을 1과 1로 한 후 그 다음 항 부터는 앞의 두 수의 합이 바로 뒤의 수가 되는 수의 배열을 피보나치 수열이라고 한다.

09-1 답 (1) $a_{n+1} = a_n + 4n + 5$ (2) **121**

해결전략 | 시행 횟수가 늘어날 때마다 성냥개비의 수는 바로 전 시행에서의 성냥개비의 수보다 몇 개씩 더 늘어나는지 살펴본다.

(1) $a_1 = 4$
$$a_2 = a_1 + 9$$
$$a_3 = a_2 + 13$$
$$a_4 = a_3 + 17$$
$$\vdots$$
$$a_n = a_{n-1} + 4n + 1$$
$$\therefore a_{n+1} = a_n + 4(n+1) + 1 = a_n + 4n + 5$$

(2) $a_{n+1} = a_n + 4n + 5$에 $n = 29$를 대입하면
$$a_{30} = a_{29} + 4 \times 29 + 5$$
$$= a_{29} + 121$$
$$\therefore a_{30} - a_{29} = 121$$

09-2 답 **165**

해결전략 | a_1, a_2, a_3, a_4, $\cdots$의 값을 차례로 구하여 이웃하는 두 항 사이의 규칙을 찾는다.

STEP 1 a_n과 a_{n+1} 사이의 관계식 구하기
$$a_1 = 3$$
$$a_2 = a_1 + 6$$
$$a_3 = a_2 + 9$$
$$a_4 = a_3 + 12$$
$$\vdots$$
$$a_n = a_{n-1} + 3n$$
$$\therefore a_{n+1} = a_n + 3(n+1)$$

STEP 2 a_{10}의 값 구하기
$a_{n+1} = a_n + 3(n+1)$에 $n = 1$, 2, 3, $\cdots$, 9를 차례로 대입하여 변끼리 더하면
$$a_2 = a_1 + 3 \times 2$$
$$a_3 = a_2 + 3 \times 3$$
$$a_4 = a_3 + 3 \times 4$$
$$\vdots$$
$$+ \underline{)\ a_{10} = a_9 + 3 \times 10}$$
$$a_{10} = a_1 + 3 \times 2 + 3 \times 3 + 3 \times 4 + \cdots + 3 \times 10$$
$$= 3(1 + 2 + 3 + \cdots + 10)$$
$$= 3 \sum_{k=1}^{10} k$$
$$= 3 \times \frac{10 \times 11}{2} = 165$$

09-3 답 $\left(\dfrac{1}{2}, 2\right)$

해결전략 | 조건 ㈏에 $n=1, 2, 3, \cdots$을 차례로 대입하여 점 P_n의 규칙을 찾는다.

STEP1 점 P_n의 규칙 찾기

조건 ㈏에 $n=1, 2, 3, \cdots$을 차례로 대입하면

$n=1$은 홀수이므로 $(x_2, y_2)=\left(\dfrac{1}{x_1}, y_1\right)=\left(\dfrac{1}{2}, 2\right)$

$n=2$는 짝수이므로 $(x_3, y_3)=\left(x_2, \dfrac{1}{y_2}\right)=\left(\dfrac{1}{2}, \dfrac{1}{2}\right)$

$n=3$은 홀수이므로 $(x_4, y_4)=\left(\dfrac{1}{x_3}, y_3\right)=\left(2, \dfrac{1}{2}\right)$

$n=4$는 짝수이므로 $(x_5, y_5)=\left(x_4, \dfrac{1}{y_4}\right)=(2, 2)$

$\vdots$

따라서 점 P_n은 4개의 점 $(2, 2)$, $\left(\dfrac{1}{2}, 2\right)$, $\left(\dfrac{1}{2}, \dfrac{1}{2}\right)$, $\left(2, \dfrac{1}{2}\right)$이 이 순서대로 반복된다.

STEP2 점 P_{30}의 좌표 구하기

이때 $30=4\times7+2$이므로 점 P_{30}의 좌표는 점 P_2의 좌표와 같은 $\left(\dfrac{1}{2}, 2\right)$이다.

09-4 답 (1) $a_{n+1}=a_n+n$ (2) $b_{n+1}=b_n+n+1$ (3) 122

해결전략 | 직선이 1개씩 더 늘어날 때마다 교점의 개수나 분할된 평면의 개수가 바로 전보다 몇 개씩 더 늘어나는지 찾는다.

(1) $a_1=0$

$a_2=a_1+1$

$a_3=a_2+2$

$a_4=a_3+3$

$\vdots$

$\therefore a_{n+1}=a_n+n$

(2) $b_1=2$

$b_2=b_1+2$

$b_3=b_2+3$

$b_4=b_3+4$

$\vdots$

$\therefore b_{n+1}=b_n+n+1$

(3) **STEP1 a_{11}의 값 구하기**

$a_2=1$

$a_3=a_2+2=1+2$

$a_4=a_3+3=1+2+3$

$\vdots$

$\therefore a_{11}=1+2+3+\cdots+10$

$=\displaystyle\sum_{k=1}^{10}k=\dfrac{10\times11}{2}=55$

STEP2 b_{11}의 값 구하기

$b_2=b_1+2=2+2$

$b_3=b_2+3=2+2+3$

$b_4=b_3+4=2+2+3+4$

$\vdots$

$\therefore b_{11}=2+2+3+4+\cdots+11$

$=1+\displaystyle\sum_{k=1}^{11}k=1+\dfrac{11\times12}{2}=67$

STEP3 $a_{11}+b_{11}$의 값 구하기

$\therefore a_{11}+b_{11}=55+67=122$

▶참고

(1) n개의 직선에 직선 1개를 더 그리면 이 직선은 n개의 직선과 각각 한 번씩 만나므로 새로운 교점이 n개 더 생긴다. 즉, $(n+1)$번째 직선을 그리면 교점이 n개가 더 생기므로 $a_{n+1}=a_n+n$이다.

(2) n개의 직선에 직선 1개를 더 그리면 이 직선은 n개의 직선과 각각 한 번씩 만나므로 새로운 평면이 $(n+1)$개 더 생긴다. 즉, $(n+1)$번째 직선을 그리면 평면이 $(n+1)$개 더 생기므로 $b_{n+1}=b_n+n+1$이다.

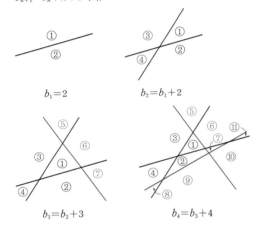

필수유형 **10**   397쪽

10-1 답 풀이 참조

해결전략 | $n=1$일 때 등식이 성립함을 보이고, $n=k$일 때 등식이 성립하면 $n=k+1$일 때도 등식이 성립함을 보인다.

STEP1 $n=1$일 때 등식이 성립함을 보이기

(i) $n=1$일 때

(좌변)$=\dfrac{1}{1\times2}=\dfrac{1}{2}$, (우변)$=\dfrac{1}{1+1}=\dfrac{1}{2}$

이므로 주어진 등식이 성립한다.

STEP2 $n=k$일 때 등식이 성립한다고 가정하고 $n=k+1$일 때 등식이 성립함을 보이기

(ii) $n=k$일 때 주어진 등식이 성립한다고 가정하면

$$\frac{1}{1\times 2}+\frac{1}{2\times 3}+\frac{1}{3\times 4}+\cdots+\frac{1}{k(k+1)}=\frac{k}{k+1}$$

위 등식에 $\dfrac{1}{(k+1)(k+2)}$ 을 더하면

$$\frac{1}{1\times 2}+\frac{1}{2\times 3}+\cdots+\frac{1}{k(k+1)}+\frac{1}{(k+1)(k+2)}$$

$$=\frac{k}{k+1}+\frac{1}{(k+1)(k+2)}$$

$$=\frac{k(k+2)+1}{(k+1)(k+2)}=\frac{(k+1)^2}{(k+1)(k+2)}$$

$$=\frac{k+1}{k+2}=\frac{k+1}{(k+1)+1}$$

따라서 $n=k+1$일 때도 주어진 등식이 성립한다.

(i), (ii)에 의하여 모든 자연수 n에 대하여 주어진 등식이 성립한다.

10-2 답 17

해결전략 | $2^{3k}-1=7m$ (m은 자연수)으로 놓을 때 $2^{3(k+1)}-1=7\times(m$에 대한 식) 꼴이 됨을 보인다.

STEP1 $f(m),\,g(m)$ 구하기

$2^{3k}-1=7m$에서 $2^{3k}=7m+1$이므로

$$2^{3(k+1)}-1=2^{3k+3}-1=8\times 2^{3k}-1$$
$$=8(\boxed{7m+1})-1=56m+7$$
$$=7(\boxed{8m+1})$$

$\therefore f(m)=7m+1,\ g(m)=8m+1$

STEP2 $f(1)+g(1)$의 값 구하기

따라서 $f(1)=8,\ g(1)=9$이므로

$f(1)+g(1)=8+9=17$

10-3 답 48

해결전략 | 등식의 양변에 $\dfrac{4(k+1)}{3^{k+1}}$을 더한 식이

$3-\dfrac{2(k+1)+3}{3^{k+1}}$이 됨을 보인다.

STEP1 $f(k),\,g(k)$ 구하기

$$\frac{4}{3}+\frac{8}{3^2}+\frac{12}{3^3}+\cdots+\frac{4k}{3^k}+\frac{4(k+1)}{3^{k+1}}$$

$$=3-\frac{2k+3}{3^k}+\frac{4(k+1)}{3^{k+1}}$$

$$=3-\frac{1}{3^k}\left\{(2k+3)-\left(\boxed{\frac{4(k+1)}{3}}\right)\right\}$$

$$=3-\frac{1}{3^k}\times\frac{2k+5}{3}=3-\frac{2k+5}{3^{k+1}}=3-\frac{\boxed{2(k+1)+3}}{3^{k+1}}$$

$\therefore f(k)=\dfrac{4(k+1)}{3},\ g(k)=2(k+1)+3=2k+5$

STEP2 $f(3)\times g(2)$의 값 구하기

따라서 $f(3)=\dfrac{16}{3},\ g(2)=9$이므로

$$f(3)\times g(2)=\frac{16}{3}\times 9=48$$

10-4 답 풀이 참조

해결전략 | $\displaystyle\sum_{k=1}^{n+1}a_k=\sum_{k=1}^{n}a_k+a_{n+1}$임을 이용하여 $n=k+1$일 때 주어진 등식이 성립함을 보인다.

STEP1 $n=1$일 때 등식이 성립함을 보이기

(i) $n=1$일 때

(좌변)$=2^0+1=2$

(우변)$=2^1+1-1=2$

이므로 주어진 등식이 성립한다.

STEP2 $n=m$일 때 등식이 성립한다고 가정하고 $n=m+1$일 때 등식이 성립함을 보이기

(ii) $n=m$일 때 주어진 등식이 성립한다고 가정하면

$$\sum_{k=1}^{m}(2^{k-1}+1)=2^m+m-1$$

위 등식의 양변에 2^m+1을 더하면

$$\sum_{k=1}^{m}(2^{k-1}+1)+2^m+1=(2^m+m-1)+2^m+1$$

$$=2\times 2^m+m=2^{m+1}+m$$

이때 좌변은

$$\sum_{k=1}^{m}(2^{k-1}+1)+2^m+1$$

$$=\sum_{k=1}^{m}(2^{k-1}+1)+2^{(m+1)-1}+1$$

$$=\sum_{k=1}^{m+1}(2^{k-1}+1)$$

이므로

$$\sum_{k=1}^{m+1}(2^{k-1}+1)=2^{m+1}+(m+1)-1$$

따라서 $n=m+1$일 때도 주어진 등식이 성립한다.

(i), (ii)에 의하여 모든 자연수 n에 대하여 주어진 등식이 성립한다.

필수유형 **11**   399쪽

11-1 답 풀이 참조

해결전략 | $n=2$일 때 부등식이 성립함을 보이고, $n=k$일 때 부등식이 성립하면 $n=k+1$일 때도 부등식이 성립함을 보인다.

STEP1 $n=2$일 때 부등식이 성립함을 보이기

(i) $n=2$일 때

(좌변)$=1+\dfrac{1}{2^2}=\dfrac{5}{4}$, (우변)$=2-\dfrac{1}{2}=\dfrac{3}{2}$

이므로 (좌변)<(우변)

즉, 주어진 부등식이 성립한다.

STEP2 $n=k$일 때 부등식이 성립한다고 가정하고 $n=k+1$ 일 때 부등식이 성립함을 보이기

(ii) $n=k$ $(k \geq 2)$일 때 주어진 부등식이 성립한다고 가정 하면

$$1+\frac{1}{2^2}+\frac{1}{3^2}+\cdots+\frac{1}{k^2}<2-\frac{1}{k}$$

$n=k+1$일 때

$$1+\frac{1}{2^2}+\frac{1}{3^2}+\cdots+\frac{1}{k^2}+\frac{1}{(k+1)^2}$$
$$<2-\frac{1}{k}+\frac{1}{(k+1)^2} \quad \cdots\cdots \text{㉠}$$

이때

$$\left\{2-\frac{1}{k}+\frac{1}{(k+1)^2}\right\}-\left(2-\frac{1}{k+1}\right)$$
$$=\frac{-(k+1)^2+k+k(k+1)}{k(k+1)^2}$$
$$=\frac{-1}{k(k+1)^2}<0$$

이므로 $2-\frac{1}{k}+\frac{1}{(k+1)^2}<2-\frac{1}{k+1} \quad \cdots\cdots \text{㉡}$

㉠, ㉡에서

$$1+\frac{1}{2^2}+\frac{1}{3^2}+\cdots+\frac{1}{k^2}+\frac{1}{(k+1)^2}<2-\frac{1}{k+1}$$

따라서 $n=k+1$일 때도 주어진 부등식이 성립한다.

(i), (ii)에 의하여 2 이상의 모든 자연수 n에 대하여 주어 진 부등식이 성립한다.

11-2 답 2

해결전략 | $(1+x)^k>1+kx$가 성립한다고 가정할 때 $(1+x)^{k+1}>1+(k+1)x$가 성립함을 보인다.

STEP1 $f(x), g(k)$ 구하기

$(1+x)^k>1+kx$의 양변에 $\boxed{1+x}$를 곱하면

$(1+x)^{\boxed{k+1}}>(1+kx)(\boxed{1+x})$

이때

$(1+kx)(\boxed{1+x})=1+(k+1)x+kx^2$
$\qquad\qquad >1+(k+1)x \ (\because k \geq 2, \ x>0)$

이므로

$(1+x)^{\boxed{k+1}}>1+(k+1)x$

$\therefore f(x)=1+x, \ g(k)=k+1$

STEP2 $f(3)-g(1)$의 값 구하기

따라서 $f(3)=4, \ g(1)=2$이므로

$f(3)-g(1)=4-2=2$

11-3 답 풀이 참조

해결전략 | $3^k>k+3$이 성립한다고 가정할 때 $3^{k+1}>k+4$ 가 성립함을 보인다.

STEP1 $n=2$일 때 부등식이 성립함을 보이기

(i) $n=2$일 때

(좌변)$=3^2=9$, (우변)$=2+3=5$

이므로 (좌변)>(우변)

즉, 주어진 부등식이 성립한다.

STEP2 $n=k$일 때 부등식이 성립한다고 가정하고 $n=k+1$ 일 때 부등식이 성립함을 보이기

(ii) $n=k$ $(k \geq 2)$일 때 주어진 부등식이 성립한다고 가정 하면

$3^k>k+3$

위 부등식의 양변에 3을 곱하면

$3^{k+1}>3(k+3) \qquad\qquad \cdots\cdots \text{㉠}$

이때 $3(k+3)-(k+4)=2k+5>0$이므로

$3(k+3)>k+4 \qquad\qquad \cdots\cdots \text{㉡}$

㉠, ㉡에서 $3^{k+1}>\underline{k+4}$ $\quad\longrightarrow k+4=(k+1)+3$

따라서 $n=k+1$일 때도 주어진 부등식이 성립한다.

(i), (ii)에 의하여 2 이상의 모든 자연수 n에 대하여 주어 진 부등식이 성립한다.

11-4 답 3

해결전략 | $n=k+1$일 때 부등식이 성립함을 보이려면 $n=k$일 때의 부등식의 양변에 $\dfrac{2(k+1)-1}{2(k+1)}$을 곱해야 한 다.

STEP1 $f(k), g(k)$ 구하기

$$\frac{1}{2} \times \frac{3}{4} \times \frac{5}{6} \times \cdots \times \frac{2k-1}{2k} \times \frac{2k+1}{2k+2}$$
$$\leq \frac{1}{\sqrt{3k+1}} \times \frac{2k+1}{2k+2}$$
$$=\frac{1}{\sqrt{3k+1}} \times \frac{1}{\dfrac{2k+2}{2k+1}}$$
$$=\frac{1}{\sqrt{3k+1}} \times \frac{1}{1+\boxed{\dfrac{1}{2k+1}}}$$
$$=\frac{1}{\sqrt{3k+1}} \times \frac{1}{\sqrt{\left(1+\boxed{\dfrac{1}{2k+1}}\right)^2}}$$
$$=\frac{1}{\sqrt{3k+1}} \times \frac{1}{\sqrt{1+\dfrac{2}{2k+1}+\left(\dfrac{1}{2k+1}\right)^2}}$$

$$= \frac{1}{\sqrt{3k+1+2(3k+1)\times\left(\boxed{\dfrac{1}{2k+1}}\right)+(3k+1)\times\left(\boxed{\dfrac{1}{2k+1}}\right)^2}}$$

$$< \frac{1}{\sqrt{3k+1+2(3k+1)\times\left(\boxed{\dfrac{1}{2k+1}}\right)+(\boxed{2k+1})\times\left(\boxed{\dfrac{1}{2k+1}}\right)^2}}$$

$$= \frac{1}{\sqrt{3(k+1)+1}} \quad\longrightarrow\quad \frac{1}{\sqrt{3k+1+3(2k+1)\times\frac{1}{2k+1}}}$$

$$\therefore f(k)=\frac{1}{2k+1},\ g(k)=2k+1$$

STEP2 $f(4)\times g(13)$의 값 구하기

따라서 $f(4)=\dfrac{1}{9}$, $g(13)=27$이므로

$$f(4)\times g(13)=\frac{1}{9}\times 27=3$$

유형 특강 400~401쪽

1 답 (1) $\dfrac{1023}{512}$ (2) 3^9+2

(1) ❶ $a_{n+1}=\dfrac{1}{2}a_n+1$을

$a_{n+1}-\alpha=\dfrac{1}{2}(a_n-\alpha)$ 꼴로 변형하여 정리하면

$a_{n+1}=\dfrac{1}{2}a_n+\dfrac{1}{2}\alpha$이므로

$\dfrac{1}{2}\alpha=1 \quad\therefore \alpha=2$

❷ $a_{n+1}-2=\dfrac{1}{2}(a_n-2)$에서 수열 $\{a_n-2\}$는 첫째항

이 $a_1-2=-1$, 공비가 $\dfrac{1}{2}$인 등비수열이므로

$a_n-2=(-1)\times\left(\dfrac{1}{2}\right)^{n-1}$

$\therefore a_n=2-\left(\dfrac{1}{2}\right)^{n-1}$

$\therefore a_{10}=2-\left(\dfrac{1}{2}\right)^9=\dfrac{1023}{512}$

(2) ❶ $a_{n+1}=3a_n-4$를

$a_{n+1}-\alpha=3(a_n-\alpha)$ 꼴로 변형하여 정리하면

$a_{n+1}=3a_n-2\alpha$이므로

$2\alpha=4 \quad\therefore \alpha=2$

❷ $a_{n+1}-2=3(a_n-2)$에서 수열 $\{a_n-2\}$는 첫째항

이 $a_1-2=1$, 공비가 3인 등비수열이므로

$a_n-2=1\times 3^{n-1}$

$\therefore a_n=3^{n-1}+2$

$\therefore a_{10}=3^9+2$

2 답 (1) $-\dfrac{1}{26}$ (2) $\dfrac{1}{3^{10}-1}$

(1) ❶ $a_{n+1}=\dfrac{a_n}{1-3a_n}$의 양변에 역수를 취하면

$$\frac{1}{a_{n+1}}=\frac{1-3a_n}{a_n}=\frac{1}{a_n}-3$$

❷ $\dfrac{1}{a_n}=b_n$으로 놓으면 $b_{n+1}=b_n-3$

따라서 수열 $\{b_n\}$은 첫째항이 $b_1=\dfrac{1}{a_1}=1$, 공차가

-3인 등차수열이므로

$b_n=1+(n-1)\times(-3)=-3n+4$

$\therefore a_n=\dfrac{1}{b_n}=\dfrac{1}{4-3n} \qquad \therefore a_{10}=-\dfrac{1}{26}$

(2) ❶ $a_{n+1}=\dfrac{a_n}{2a_n+3}$의 양변에 역수를 취하면

$$\frac{1}{a_{n+1}}=\frac{2a_n+3}{a_n}=\frac{3}{a_n}+2$$

❷ $\dfrac{1}{a_n}=b_n$으로 놓으면 $b_{n+1}=3b_n+2$에서

$b_{n+1}+1=3(b_n+1)$

따라서 수열 $\{b_n+1\}$은 첫째항이 $b_1+1=\dfrac{1}{a_1}+1=3$,

공비가 3인 등비수열이므로

$b_n+1=3\times 3^{n-1} \qquad \therefore b_n=3^n-1$

$\therefore a_n=\dfrac{1}{b_n}=\dfrac{1}{3^n-1}$

$\therefore a_{10}=\dfrac{1}{3^{10}-1}$

실전 연습 문제 402~404쪽

01 ②	02 ①	03 2^{11}	04 510	05 ③
06 ④	07 ③	08 15	09 ④	10 ②
11 ①	12 ⑤	13 -48	14 ⑤	15 ②
16 ⑤	17 풀이 참조			

01

해결전략 | 수열 $\{S_n\}$이 등차수열임을 이용하여 일반항을 구한 다음 $a_n=S_n-S_{n-1}\ (n\geq 2)$임을 이용한다.

STEP1 S_n 구하기

$S_{n+1}=S_n-2$이므로 수열 $\{S_n\}$은 공차가 -2인 등차수열이다.

$\therefore S_n=7+(n-1)\times(-2)=-2n+9$

STEP2 $a_7+a_8+a_9$의 값 구하기

$$\therefore \ a_7+a_8+a_9=S_9-S_6$$
$$=-9-(-3)=-6$$

02

해결전략 | $2a_{n+1}=a_n+a_{n+2}$에서 a_{n+1}은 a_n과 a_{n+2}의 등차중항이므로 수열 $\{a_n\}$은 등차수열이다.

STEP1 일반항 구하기

$2a_{n+1}=a_n+a_{n+2}$이므로 수열 $\{a_n\}$은 등차수열이다.

이때 등차수열 $\{a_n\}$의 공차는 $a_2-a_1=-4$이므로

$$a_n=14+(n-1)\times(-4)=-4n+18$$

STEP2 k의 값 구하기

$a_7=-4\times7+18=-10$이므로

$|-10|=a_k$에서 $a_k=-4k+18=10$

$-4k=-8$ $\therefore \ k=2$

03

해결전략 | 로그의 성질을 이용하여 수열 $\{a_n\}$의 이웃하는 항들 사이의 관계식을 구한다.

STEP1 수열 $\{a_n\}$의 관계식 구하기

$2\log a_{n+1}=\log a_n+\log a_{n+2}$에서

$\log {a_{n+1}}^2=\log a_n a_{n+2}$

$\therefore \ {a_{n+1}}^2=a_n a_{n+2}$ ······ ❶

STEP2 일반항 구하기

따라서 a_{n+1}은 a_n과 a_{n+2}의 등비중항이므로 수열 $\{a_n\}$은 공비가 $\dfrac{a_2}{a_1}=\dfrac{4}{2}=2$인 등비수열이다.

$\therefore \ a_n=2\times2^{n-1}=2^n$ ······ ❷

STEP3 $a_5 a_6$의 값 구하기

이때 $a_5=2^5$, $a_6=2^6$이므로

$a_5 a_6=2^5\times2^6=2^{11}$ ······ ❸

채점 요소	배점
❶ 수열 $\{a_n\}$의 이웃하는 항들 사이의 관계식 구하기	20 %
❷ 일반항 구하기	50 %
❸ $a_5 a_6$의 값 구하기	30 %

04

해결전략 | 이차방정식의 판별식을 이용하여 수열 $\{a_n\}$의 이웃하는 항들 사이의 관계식을 구한다.

STEP1 수열 $\{a_n\}$의 관계식 구하기

이차방정식 $a_n x^2-a_{n+1}x+a_n=0$의 판별식을 D라고 하면

$$D=(-a_{n+1})^2-4{a_n}^2=0$$

$$(a_{n+1}+2a_n)(a_{n+1}-2a_n)=0$$

$\therefore \ a_{n+1}=-2a_n$ 또는 $a_{n+1}=2a_n$

이때 수열 $\{a_n\}$의 모든 항이 양수이므로

$$a_{n+1}=2a_n$$

STEP2 $\displaystyle\sum_{k=1}^{8} a_k$의 값 구하기

따라서 수열 $\{a_n\}$은 첫째항이 2, 공비가 2인 등비수열이므로

$$\sum_{k=1}^{8} a_k=\frac{2(2^8-1)}{2-1}=510$$

05

해결전략 | 주어진 식에 $n=1, 2, 3$을 차례로 대입한다.

$a_{n+1}=a_n+3^n$에 $n=1, 2, 3$을 차례로 대입하면

$$a_2=a_1+3=6+3=9$$
$$a_3=a_2+3^2=9+9=18$$
$$a_4=a_3+3^3=18+27=45$$

06

해결전략 | 주어진 방정식에 $x=2$를 대입하면 a_n의 관계식을 얻을 수 있다.

STEP1 a_n의 관계식 구하기

$x^2+(a_{n+1}-a_n)x-4(n+1)=0$의 한 근이 2이므로 $x=2$를 대입하면

$4+2(a_{n+1}-a_n)-4(n+1)=0$, $a_{n+1}-a_n=2n$

$\therefore \ a_{n+1}=a_n+2n$

STEP2 a_n 구하기

이 식에 $n=1, 2, 3, \cdots, n-1$을 차례로 대입하여 변끼리 더하면

$$a_2=a_1+2\times1$$
$$a_3=a_2+2\times2$$
$$a_4=a_3+2\times3$$
$$\vdots$$
$$+)\ a_n=a_{n-1}+2(n-1)$$

$$\overline{a_n=a_1+2\{1+2+3+\cdots+(n-1)\}}$$
$$=5+2\sum_{k=1}^{n-1}k$$
$$=5+2\times\frac{(n-1)n}{2}=n^2-n+5$$

STEP3 $\displaystyle\sum_{k=1}^{5} a_k$의 값 구하기

$$\therefore \ \sum_{k=1}^{5} a_k=\sum_{k=1}^{5}(k^2-k+5)$$
$$=\frac{5\times6\times11}{6}-\frac{5\times6}{2}+5\times5=65$$

07

해결전략 | 주어진 식을 $a_{n+1}=f(n)a_n$ 꼴로 고친 다음 $n=1, 2, 3, \cdots, n-1$을 차례로 대입한다.

STEP1 a_n을 a_1에 대한 식으로 나타내기

$(2n-1)a_{n+1}=(2n+1)a_n$에서

$a_{n+1}=\dfrac{2n+1}{2n-1}a_n$

이 식에 $n=1, 2, 3, \cdots, n-1$을 차례로 대입하여 변끼리 곱하면

$a_2=\dfrac{3}{1}a_1$

$a_3=\dfrac{5}{3}a_2$

$a_4=\dfrac{7}{5}a_3$

$\vdots$

$\times\left.\begin{matrix}\\ a_n=\dfrac{2n-1}{2n-3}a_{n-1}\end{matrix}\right)$

$a_n=\dfrac{3}{1}\times\dfrac{5}{3}\times\dfrac{7}{5}\times\cdots\times\dfrac{2n-1}{2n-3}\times a_1$

$\quad=(2n-1)a_1$

STEP2 a_1의 값 구하기

따라서 $a_{10}=19a_1=57$에서 $a_1=3$

08

해결전략 | 주어진 식에 $n=1, 2$를 차례로 대입하여 a_3, a_4를 각각 a_2에 대한 식으로 나타낸다.

STEP1 a_4를 a_2에 대한 식으로 나타내기

$a_{n+2}=a_{n+1}+a_n$에 $n=1, 2$를 차례로 대입하면

$a_3=a_2+a_1=a_2+4$

$a_4=a_3+a_2=(a_2+4)+a_2=2a_2+4$

STEP2 a_2의 값 구하기

이때 $a_4=34$이므로 $2a_2+4=34$

$2a_2=30$ $\quad\therefore a_2=15$

09

해결전략 | 주어진 식에 $n=1, 2, 3, \cdots$을 차례로 대입하여 $a_3, a_4, a_5, \cdots$를 구한 다음 수열의 항 사이의 규칙을 알아본다.

STEP1 수열 $\{a_n\}$이 등비수열임을 알기

$a_{n+2}-a_{n+1}=2a_n$에서 $a_{n+2}=a_{n+1}+2a_n$

이 식에 $n=1, 2, 3, \cdots$을 차례로 대입하면

$a_3=a_2+2a_1=4+2\times2=8$

$a_4=a_3+2a_2=8+2\times4=16$

$a_5=a_4+2a_3=16+2\times8=32$

$\vdots$

즉, 수열 $\{a_n\}$은 2, 4, 8, 16, 32, $\cdots$이므로 공비가 2인 등비수열이다.

STEP2 a_9의 값 구하기

따라서 등비수열 $\{a_n\}$의 일반항은 $a_n=2\times2^{n-1}=2^n$이므로

$a_9=2^9=512$

10

해결전략 | $a_1, a_2, a_3, a_4, \cdots$를 차례로 구하여 수열의 규칙을 알아본다.

STEP1 수열에서 반복되는 항 구하기

$a_1=1$은 홀수이므로 $a_2=a_1+3=1+3=4$

$a_2=4$는 짝수이므로 $a_3=\dfrac{a_2}{2}=\dfrac{4}{2}=2$

$a_3=2$는 짝수이므로 $a_4=\dfrac{a_3}{2}=\dfrac{2}{2}=1$

$\vdots$

따라서 수열 $\{a_n\}$은 3개의 수 1, 4, 2가 이 순서대로 반복하여 나타난다.

STEP2 $a_{20}-a_{15}$의 값 구하기

이때 $20=3\times6+2$, $15=3\times5$이므로

$a_{20}=a_2=4$, $a_{15}=a_3=2$

$\therefore a_{20}-a_{15}=4-2=2$

11

해결전략 | 주어진 식에 $n=1, 2, 3, \cdots$을 차례로 대입하여 반복되는 항을 알아본다.

STEP1 수열에서 반복되는 항 구하기

주어진 식에 $n=1, 2, 3, \cdots$을 차례로 대입하면

$n=1$은 홀수이므로 $a_2=\dfrac{a_1}{2-3a_1}=\dfrac{2}{2-6}=-\dfrac{1}{2}$

$n=2$는 짝수이므로 $a_3=1+a_2=1+\left(-\dfrac{1}{2}\right)=\dfrac{1}{2}$

$n=3$은 홀수이므로 $a_4=\dfrac{a_3}{2-3a_3}=\dfrac{\dfrac{1}{2}}{2-\dfrac{3}{2}}=1$

$n=4$는 짝수이므로 $a_5=1+a_4=1+1=2$

$\vdots$

따라서 수열 $\{a_n\}$은 4개의 수 2, $-\dfrac{1}{2}$, $\dfrac{1}{2}$, 1이 이 순서대로 반복하여 나타난다.

STEP 2 $\displaystyle\sum_{n=1}^{40} a_n$의 값 구하기

이때 $40=4\times10$이므로

$$\sum_{n=1}^{40} a_n=10\sum_{n=1}^{4} a_n=10\left(2-\frac{1}{2}+\frac{1}{2}+1\right)=30$$

채점 요소	배점
❶ a_n과 a_{n+1} 사이의 관계식 구하기	40 %
❷ a_1의 값 구하기	20 %
❸ a_4의 값 구하기	30 %
❹ a_1+a_4의 값 구하기	10 %

12

해결전략 | $a_{n+1}=S_{n+1}-S_n$ $(n\geq1)$임을 이용하여 주어진 식을 S_n에 대한 관계식으로 나타낸다.

STEP 1 S_n과 S_{n+1} 사이의 관계식 구하기

$4S_n=a_{n+1}+5$에 $a_{n+1}=S_{n+1}-S_n$을 대입하면

$4S_n=S_{n+1}-S_n+5$

$\therefore S_{n+1}=5S_n-5$

STEP 2 S_6의 값 구하기

이 식에 $n=1, 2, \cdots, 5$를 차례로 대입하면 $S_1=a_1=1$이므로

$S_2=5S_1-5=5\times1-5=0$

$S_3=5S_2-5=5\times0-5=-5$

$S_4=5S_3-5=5\times(-5)-5=-30$

$S_5=5S_4-5=5\times(-30)-5=-155$

$S_6=5S_5-5=5\times(-155)-5=-780$

13

해결전략 | 주어진 식에서 a_n과 a_{n+1} 사이의 관계식을 구한 다음 $S_{n+1}-S_n=a_{n+1}$임을 이용한다.

STEP 1 a_n과 a_{n+1} 사이의 관계식 구하기

$S_n=2a_n+3n$ ······ ㉠

$S_{n+1}=2a_{n+1}+3(n+1)$ ······ ㉡

㉡−㉠을 하면

$S_{n+1}-S_n=2a_{n+1}-2a_n+3$

$a_{n+1}=2a_{n+1}-2a_n+3$

$\therefore a_{n+1}=2a_n-3$ ······ ❶

STEP 2 a_1의 값 구하기

$a_1=S_1$이고 $S_n=2a_n+3n$에서 $S_1=2a_1+3$이므로

$a_1=2a_1+3$ $\therefore a_1=-3$ ······ ❷

STEP 3 a_1+a_4의 값 구하기

$a_{n+1}=2a_n-3$에 $n=1, 2, 3$을 차례로 대입하면

$a_2=2a_1-3=-6-3=-9$

$a_3=2a_2-3=-18-3=-21$

$a_4=2a_3-3=-42-3=-45$ ······ ❸

$\therefore a_1+a_4=-3+(-45)=-48$ ······ ❹

14

해결전략 | n시간이 지난 후의 미생물의 수를 a_n으로 놓고 a_n과 a_{n+1} 사이의 관계식을 구한다.

STEP 1 a_n과 a_{n+1} 사이의 관계식 구하기

n시간이 지난 후의 미생물의 수를 a_n이라고 하면

$a_1=3+2=5$

$a_2=a_1+4=a_1+2^2$

$a_3=a_2+8=a_2+2^3$

$a_4=a_3+16=a_3+2^4$

$\vdots$

$a_{n+1}=a_n+2^{n+1}$

STEP 2 15시간이 지난 후의 미생물의 수 구하기

$a_{n+1}=a_n+2^{n+1}$에 $n=1, 2, 3, \cdots, 14$를 차례로 대입하여 변끼리 더하면

$a_2=a_1+2^2$

$a_3=a_2+2^3$

$a_4=a_3+2^4$

$\vdots$

$+)\ a_{15}=a_{14}+2^{15}$

$\overline{\qquad\qquad\qquad\qquad\qquad}$

$a_{15}=a_1+2^2+2^3+2^4+\cdots+2^{15}$

$\qquad=5+\dfrac{2^2(2^{14}-1)}{2-1}=2^{16}+1$

따라서 15시간이 지난 후의 미생물의 수는 $2^{16}+1$이다.

15

해결전략 | 점 P_n의 좌표를 a_n으로 놓고 a_n, a_{n+1}, a_{n+2} 사이의 관계식을 구한다.

STEP 1 a_n, a_{n+1}, a_{n+2} 사이의 관계식 구하기

점 P_n의 좌표를 a_n이라고 하면

$a_1=1, a_2=3$

점 P_{n+2}는 선분 P_nP_{n+1}을 $3:2$로 외분하는 점이므로

$a_{n+2}=\dfrac{3a_{n+1}-2a_n}{3-2}$

$\qquad=3a_{n+1}-2a_n$

STEP 2 P_6의 좌표 구하기

$a_{n+2}=3a_{n+1}-2a_n$에 $n=1, 2, 3, 4$를 차례로 대입하면

$a_3=3a_2-2a_1=3\times3-2\times1=7$

$a_4 = 3a_3 - 2a_2 = 3 \times 7 - 2 \times 3 = 15$

$a_5 = 3a_4 - 2a_3 = 3 \times 15 - 2 \times 7 = 31$

$a_6 = 3a_5 - 2a_4 = 3 \times 31 - 2 \times 15 = 63$

따라서 P_6의 좌표는 63이다.

16

해결전략 | $\sum\limits_{k=1}^{n+1} S_k = \sum\limits_{k=1}^{n} S_k + S_{n+1}$임을 이용하여 $n=m+1$일 때 주어진 식이 성립함을 보인다.

STEP1 $f(m)$, $g(m)$ 구하기

(i) $n=m+1$일 때

$(m+2)S_{m+1} - \sum\limits_{k=1}^{m+1} S_k$

$= (m+2)S_{m+1} - \left(\sum\limits_{k=1}^{m} S_k + S_{m+1}\right)$

$= (m+2-1)S_{m+1} - \sum\limits_{k=1}^{m} S_k$

$= \boxed{(m+1)}S_{m+1} - \sum\limits_{k=1}^{m} S_k$

$= (m+1)S_m + (m+1)a_{m+1} - \sum\limits_{k=1}^{m} S_k$

$= \boxed{(m+1)}S_m + \boxed{(m+1)^3} - \sum\limits_{k=1}^{m} S_k$

$= \sum\limits_{k=1}^{m} k^3 + (m+1)^3 = \sum\limits_{k=1}^{m+1} k^3$

$\therefore f(m) = m+1,\ g(m) = (m+1)^3$

STEP2 $f(2) + g(1)$의 값 구하기

따라서 $f(2) = 3$, $g(1) = 8$이므로

$f(2) + g(1) = 3 + 8 = 11$

17

해결전략 | $3^k > k(k+1)$이 성립한다고 가정할 때 $3^{k+1} > (k+1)(k+2)$가 성립함을 보인다.

STEP1 $n=2$일 때 부등식이 성립함을 보이기

(i) $n=2$일 때

(좌변)$= 3^2 = 9$, (우변)$= 2 \times 3 = 6$

이므로 (좌변)$>$(우변)

즉, 주어진 부등식이 성립한다. $\qquad$ ...... ❶

STEP2 $n=k$일 때 부등식이 성립한다고 가정하고 $n=k+1$일 때 부등식이 성립함을 보이기

(ii) $n=k\ (k \geq 2)$일 때 주어진 부등식이 성립한다고 가정하면

$3^k > k(k+1)$

이 부등식의 양변에 3을 곱하면

$3^{k+1} > 3k(k+1)$ $\qquad$ ...... ㉠

이때

$3k(k+1) - (k+1)(k+2) = 2k^2 - 2$

$\qquad\qquad\qquad\qquad\qquad = 2(k+1)(k-1)$

$\qquad\qquad\qquad\qquad\qquad > 0$

이므로

$3k(k+1) > (k+1)(k+2)$ $\qquad$ ...... ㉡

㉠, ㉡에서

$3^{k+1} > (k+1)(k+2)$

따라서 $n=k+1$일 때도 주어진 부등식이 성립한다.

$\qquad\qquad\qquad\qquad\qquad\qquad\qquad$ ...... ❷

(i), (ii)에 의하여 2 이상의 모든 자연수 n에 대하여 주어진 부등식이 성립한다. $\qquad$ ...... ❸

채점 요소	배점
❶ $n=2$일 때 부등식이 성립함을 보이기	30 %
❷ $n=k$일 때 부등식이 성립한다고 가정하고 $n=k+1$일 때 부등식이 성립함을 보이기	60 %
❸ 2 이상의 모든 자연수에 대하여 부등식이 성립함을 확인하기	10 %

상위권 도약 문제 405쪽

01 577 **02** $\dfrac{5}{6}$ **03** ④

04 $a_{n+2} = a_n + a_{n+1}$, $a_8 = 55$

01

해결전략 | $f(m+n) = f(m) + f(n)$에 $m=1$을 대입하면 $f(n+1)$과 $f(n)$의 관계식을 얻을 수 있다.

STEP1 $f(n)$ 구하기

$f(m+n) = f(m) + f(n)$에 $m=1$을 대입하면

$f(n+1) = f(n) + f(1)$

즉, $f(n+1) = f(n) + 3$이므로 수열 $\{f(n)\}$은 첫째항이 $f(1) = 3$, 공차가 3인 등차수열이다.

$\therefore f(n) = 3 + (n-1) \times 3 = 3n$

STEP2 a_{20}의 값 구하기

$a_{n+1} - a_n = f(n)$에서 $a_{n+1} - a_n = 3n$

즉, $a_{n+1} = a_n + 3n$에 $n=1, 2, 3, \cdots, 19$를 차례로 대입하여 더하면

$a_2 = a_1 + 3 \times 1$

$a_3 = a_2 + 3 \times 2$

$$a_4 = a_3 + 3 \times 3$$
$$\vdots$$
$$+\underline{\,)\; a_{20} = a_{19} + 3 \times 19}$$
$$a_{20} = a_1 + 3(1+2+3+\cdots+19)$$
$$= 7 + 3\sum_{k=1}^{19} k$$
$$= 7 + 3 \times \frac{19 \times 20}{2} = 577$$

02

해결전략 | $1 - \dfrac{1}{n^2}$ 을 통분하여 두 분수의 곱의 형태로 나타내어 계산한다.

STEP1 일반항 구하기

$$1 - \frac{1}{n^2} = \frac{n^2-1}{n^2} = \frac{(n-1)(n+1)}{n^2} = \frac{n-1}{n} \times \frac{n+1}{n}$$

이므로

$a_n = \dfrac{n-1}{n} \times \dfrac{n+1}{n} a_{n-1}$에 $n=2, 3, 4, \cdots$를 차례로 대입하여 변끼리 곱하면

$$a_2 = \frac{1}{2} \times \frac{3}{2} a_1$$
$$a_3 = \frac{2}{3} \times \frac{4}{3} a_2$$
$$a_4 = \frac{3}{4} \times \frac{5}{4} a_3$$
$$\vdots$$
$$\times \underline{\,)\; a_n = \dfrac{n-1}{n} \times \dfrac{n+1}{n} a_{n-1}}$$
$$a_n = \frac{1}{2} \times \frac{3}{2} \times \frac{2}{3} \times \frac{4}{3} \times \frac{3}{4} \times \frac{5}{4} \times \cdots \times \frac{n-1}{n}$$
$$\times \frac{n+1}{n} a_1$$

$$= \frac{1}{2} \times \frac{n+1}{n} a_1 = \frac{n+1}{2n} a_1$$

이때 $a_6 = \dfrac{7}{12} a_1 = \dfrac{21}{2}$에서 $a_1 = 18$

$$\therefore a_n = \frac{n+1}{2n} \times 18 = \frac{9(n+1)}{n}$$

STEP2 k의 값 구하기

따라서 $a_9 = \dfrac{9 \times 10}{9} = 10$, $a_3 = \dfrac{9 \times 4}{3} = 12$이므로

$10 = k \times 12$에서 $k = \dfrac{5}{6}$

03

해결전략 | 주어진 식에서 a_n과 a_{n+1} 사이의 관계식을 구한다.

STEP1 a_n과 a_{n+1} 사이의 관계식 구하기

$$a_{n+1} = \sum_{k=1}^{n} ka_k \qquad \cdots\cdots \; \bigcirc$$

에서

(i) $n=1$일 때, $a_2 = a_1 = 2$

(ii) $n \geq 2$일 때, $a_n = \sum_{k=1}^{n-1} ka_k \qquad \cdots\cdots \; \bigcirc$

$\bigcirc - \bigcirc$을 하면

$$a_{n+1} - a_n = \sum_{k=1}^{n} ka_k - \sum_{k=1}^{n-1} ka_k = na_n$$
$$\therefore a_{n+1} = (n+1)a_n$$

(i), (ii)에서 $a_1 = a_2 = 2$, $a_{n+1} = (n+1)a_n \; (n \geq 2)$

STEP2 $a_2 + \dfrac{a_{51}}{a_{50}}$의 값 구하기

$a_{n+1} = (n+1)a_n$에 $n=50$을 대입하면

$$a_{51} = 51a_{50}$$

이때 $a_{50} \neq 0$이므로 $\dfrac{a_{51}}{a_{50}} = 51$

$$\therefore a_2 + \frac{a_{51}}{a_{50}} = 2 + 51 = 53$$

04

해결전략 | $(n+2)$개의 바둑돌을 늘어놓을 때 처음에 흰 바둑돌을 놓는 경우, 검은 바둑돌을 놓는 경우로 나누어 생각한다.

STEP1 a_n, a_{n+1}, a_{n+2} 사이의 관계식 구하기

$(n+2)$개의 바둑돌을 늘어놓을 때

(i) 처음에 흰 바둑돌을 놓으면 두 번째에는 반드시 검은 바둑돌을 놓아야 하므로 이 경우는 n개의 바둑돌을 늘어놓는 경우인 a_n과 같다.

(ii) 처음에 검은 바둑돌을 놓으면 두 번째에는 어떤 바둑돌을 놓아도 상관없으므로 이 경우는 $(n+1)$개의 바둑돌을 늘어놓는 경우인 a_{n+1}과 같다.

(i), (ii)에서 $a_{n+2} = a_n + a_{n+1}$

STEP2 a_8의 값 구하기

한편, $a_1 = 2$, $a_2 = 3$이므로

$a_{n+2} = a_n + a_{n+1}$에 $n=1, 2, \cdots, 6$을 차례로 대입하면

$$a_3 = a_1 + a_2 = 2+3 = 5$$
$$a_4 = a_2 + a_3 = 3+5 = 8$$
$$a_5 = a_3 + a_4 = 5+8 = 13$$
$$a_6 = a_4 + a_5 = 8+13 = 21$$
$$a_7 = a_5 + a_6 = 13+21 = 34$$
$$a_8 = a_6 + a_7 = 21+34 = 55$$

▶참고 1개의 바둑돌을 놓는 방법은 ⑲, ⑳의 2가지이므로 $a_1 = 2$
흰 바둑돌이 서로 이웃하지 않도록 2개의 바둑돌을 놓는 방법은
⑲⑳, ⑳⑲, ⑳⑳의 3가지이므로 $a_2 = 3$

지학사

풍산자 장학생 선발

*연간 장학생 40명 기준

지학사에서는 학생 여러분의 꿈을 응원하기 위해
2007년부터 매년 풍산자 장학생을 선발하고 있습니다.
풍산자로 공부한 학생이라면 누.구.나 도전해 보세요.

**총 장학금
1,200만 원**

선발 대상

풍산자 수학 시리즈로 공부한 전국의 중·고등학생 중 성적 향상 및 우수자

조금만 노력하면 누구나 지원 가능!
성적 향상 장학생(10명)

중학 | 수학 점수가 10점 이상 향상된 학생
고등 | 수학 내신 성적이 한 등급 이상 향상된 학생

수학 성적이 잘 나왔다면?
성적 우수 장학생(10명)

중학 | 수학 점수가 90점 이상인 학생
고등 | 수학 내신 성적이 2등급 이상인 학생

혜택

장학금 30만원 및 장학 증서
*장학금 및 장학 증서는 각 학교로 전달합니다.

신청자 전원 '**풍산자 시리즈**'
교재 중 1권 제공

모집 일정

매년 2월, 8월 (총 2회)
*공식 홈페이지 및 SNS를 통해 소식을 받으실 수 있습니다.

장학 수기)

"풍산자와 기적의 상승곡선 5 ➡ 1등급!" _이○원(해송고)
"수학 A로 가는 모험의 필수 아이템!" _김○은(지도중)
"수학 66점에서 100점으로 향상하다!" _구○경(한영중)

장학 수기
더 보러 가기

풍산자 서포터즈

풍산자 시리즈로
공부하고 싶은 학생들 모두 주목!
매년 2월과 8월에
서포터즈를 모집합니다.
리뷰 작성 및 SNS 홍보 활동을 통해
공부 실력 향상은 물론,
문화 상품권과 미션 선물을
받을 수 있어요!

자세한 내용은 풍산자 홈페이지(www.
pungsanja.com)를 통해 확인해 주세요.

유형 학습 비법서

풍산자
유형기본서

수학 I

발 행 인 권준구
발 행 처 (주)지학사 (등록번호 : 1957.3.18 제 13–11호) 04056 서울시 마포구 신촌로6길 5
발 행 일 2021년 12월 10일 [초판 1쇄]
구입 문의 TEL 02-330-5300 │ FAX 02-325-8010 구입 후에는 철회되지 않으며, 잘못된 제품은 구입처에서 교환해 드립니다.
내용 문의 www.jihak.co.kr 전화번호는 홈페이지 〈고객센터 → 담당자 안내〉에 있습니다.

요트와 보트

-해양관광시대의 창조산업-

김 천 중 지음

美세움

해양관광 시대의
요트와 보트

요트와 보트는 편리성과 안전성을 극대화하며 개인이 쉽게 조종할 수 있는 소형선박의 대명사이다. 이러한 요트와 보트는 오늘날 인류생활에 있어서 가장 밀접한 관계를 가지고 있는 문명의 기기이다.

현대인간의 가장 큰 특징을 철학적 주제로 표현한다면 "자동차를 운전하는 인간(Driving of Human)"이라고 표현해야 할 것이다. 마찬가지로 바다나 호수와 같은 수면에서의 인간의 활동을 "요트 타는 인간 혹은 보트 타는 인간(Yachting of Human, Boating of Human)"으로 표현할 수밖에 없을 정도로 인류의 생활에 깊이 들어와 있다.

그러나 한국의 상황은 어떤 분야는 세계 최첨단을 달리기도 하고, 어떤 분야는 지극히 낙후된 모습을 보이고 있기도 하다. 한국의 조선산업과 자동차산업이 세계를 석권하고 있으나 요트와 보트 관련산업은 극도의 불균형적인 발전의 모습을 보이고 있다. 이러한 모습은 우리의 경제체질의 허약함과 한국의 전통문화를 기반으로 경제적 발전을 완성하지 못한 구조적 문제에서 기인한다고 할 수밖에 달리 설명할 방법이 없다.

요트와 보트의 발전은 개인의 창의성이 존중이 되고 문화적 자부심이 높은 시기의 유럽과 미국에서 발전이 되었다는 것은 이를 웅변해 주고 있는 것이다. 이와 비교하여 한국의 경우 이러한 분야가 이상할 정도로 발전할 수 없었던 것은 총체적인 분야에서 발목을 죄고 있는 아래의 원인으로 인하여 발전이 저해되고 있다.

규제 일변도의 닫힌 법률들, 중앙정부의 부처 간 나누기식 업무분할, 조직의 이익보존을 위하여 유지되는 규제사항들, 단기처방에만 집중하는 단체장들, 사전 감독기능과 전문성이 없는 국회 및 지방의회, 무분별한 일부 언론의 폭로식 보도 태도, 정책수호적인 국책 연구기관들의 연구기회 독식 등의 총체적 문제점이 개인의 창의를 가로막고 순수연구자들의 연구를 무시하거나 연구기회를 말살 하면서 미래지향적인 산업의 발전을 가로막고 있는 것이다. 이러한 문제가 해결이 되지 않는 한 한국에서의 요트나 보트산업과 같은 창의적 신규산업은 낙후될 수밖에 없다.

역사가 오래되었고 발전의 수준이 높은 유럽이나 미국을 제외하고도 가까운 일본이나 중국의 사례를 보더라도 이러한 문제가 발전을 저해하고 있다는 것을 쉽게 이해

할 수가 있다. 일본의 경우 수많은 마리나를 건설하고, 앞선 조선기술로 발전을 추진한 결과 세계의 해양엔진부분을 석권하고 있다. 중국의 경우에도 대만의 슈퍼요트 기술을 도입하고, 중국의 해안지역의 해안선을 국제적 수준의 마리나와 크루즈항으로 속속 발전시키고 보트쇼를 도입하고 선진국들의 생산시설을 통째로 도입하고 있는 실정이다.

이와 비교하여 한국은 그동안의 괄목할만한 성장에도 불구하고, 수도권과 지방의 불균형적인 발전과 내수시장의 한계와 관광서비스 시장의 정체로 청년실업이 누적되어가고 있다. 이러한 환경에서 요트산업의 균형적인 발전은 이러한 문제를 해결할 수 있는 계기가 될 수가 있다. 전국의 주요지역에 요트의 생산시설과 마리나와 관광편의시설을 조화롭게 발전시킨다면 지역균형발전과 해양관광시장의 확대로 말미암아 일거양득의 효과를 볼 수가 있을 것이다.

요트산업의 발전은 한국인의 해양인식을 일깨우는 계기가 될 것이며, 조선산업의 중소기업화를 통한 조선유휴인력의 흡수, 요트관광과 마리나시설 등을 이용한 관광인력과 체육관련 학생들의 취업기회와 임대요트사업, 정비, 수많은 종류의 요트부품의 생산과 판매관련 창업을 확대하는 계기가 될 것이다. 또한 내륙일변도로 발전하여 불균형적인 시장환경으로 정체상태인 한국의 관광산업에도 해양관광시장이라는 거대한 시장을 확대하는 효과를 가져와 조선과 관광산업의 발전에 새로운 기회를 줄 것이다.

이러한 분야의 발전을 도모하기 위해서는 관련연구조직의 유기적 통합과 집중에 노력하면서, 요트 보트분야 조종면허 제도 및 이용자 교육에 관한 개선, 선박검사 및 등록, 마리나와 육상시설의 통합발전, 관광분야와 해양수산, 국토교통부에 이르는 관련 사업의 인허가제도와 기술개발분야를 유관부처에 통합하여야 한다. 중앙부처에서 이러한 조정을 하지 못하면 과감하게 지방자치단체에 예산과 인허가권을 양도하여 경쟁적 발전을 유도하여야 소기의 성과를 올릴 수가 있다.

중국과 유사한 시기에 시작한 우리의 요트와 보트 관련산업은 아직도 서론의 늪에서 헤어나오지 못하고 있다. 해양시장의 마지막 격전장인 동북아 해양관광시장은 우리를 기다려 주지 않는다. 겨울이 오고 있다는 것을 깊이 깨달아야만 한다.

2014년 2월

용인대 크루즈 & 요트마리나 연구소 소장

관광학과 교수 김 천 중

차 례

제1편 ❘ 생 산

제2편 ┃ 관 리

제3장 요트항해 ━━━━━━━━━━ 114

제3편 Ⅰ 산 업

생 산

제1장

선박의 의의와 현황

제1절 | **선박의 유래와 분류**

① 선박의 유래

사람이나 화물을 적재하고 물에서 항행하는 구조물로 정의되는 선박은 부양성, 적재성, 이동성의 세 가지 특성을 갖고 있다. 일반적으로 Ship은 대형선을, Boat는 소형선을 말하며 Vessel은 대형선과 소형선 모두를 포함하는 것으로 의미하고 있다.

그러면 이러한 배가 인류의 문명사에 등장한 것은 과연 언제일까?

처음으로 배의 이름이 인류역사에 나타난 것은 「노아의 방주」와 그리스 신화에 나오는 「아르고 선」일 것이며, 두 선박 모두 신화적 요소가 가미되어 정확한 연대를 알수 없다. 따라서 한 토막의 나무조각을 배로 이용한 것을 배의 시초로 본다면 배는 인류의 역사만큼이나 오래되었다고 해도 과언은 아닐 것이다. 이어서 나무토막이나 갈대, 대나무 등을 묶어서 뗏목을 만들게 되고, 통나무를 파서 만든 통나무배나 구부러진 나뭇가지를 골격으로 하여 가죽을 입힌 가죽배로 발전되었을 것으로 추정되며, 이러한 단계를 거치고서야 비로소 목재를 조립하여 만든 구조선이 나타나게 되었다.

현존하는 배의 유물 중 구조선 형태를 갖춘 최고의 것은 미국의 메트로폴리탄 박물관에 소장되어 있는 기원전 2,000년의 고대 이집트선의 모형으로 길이가 80㎝ 가량

■ ■
고대 이집트
선박

■ ■
산타마리아호

이며, 또한 성서에 나오는 노아의 방주는 길이 140m, 폭 23m, 높이 약 14m로 최근의 선박으로 비교한다면 2만 톤급의 다목적 화물선으로 분류할 수 있다.

배를 이용하는 것이 편리하다는 것을 알게 된 인류는 처음에는 사람의 힘만을 이용한 노선에서 바람을 이용한 범선을 만들게 되었으며, B.C. 3,000년경 이집트에서는 20여 개의 노와 돛을 장비한 구조선이 출현하였고 로마, 페니키아, 그리스 등 여러 나라도 기원전에 이미 노와 돛을 갖춘 거선을 건조한 것으로 알려지고 있다.

중세기에 들어오면서 더욱 배의 크기는 커지고 장거리를 항해할 수 있도록 발전되었다. 특히 13세기 무렵부터는 노를 전혀 사용하지 않고 오직 바람의 힘만을 이용한 범선을 개발하여 바다를 개척하기 시작하였으며 이러한 범선은 15세기와 16세기의 대항해시대가 열리면서 급속도로 발달하였고 19세기 초에 철선과 기선이 나올 때까지 수세기 동안 전성기를 이루었다.

15세기 말에 콜럼버스의 산타마리아(Santa Maria)호는 전장 29m, 만재배수량 233톤이었으며, 16세기 말의 우리나라 거북선도 전장이 30m를 넘고 선체 길이 28m, 폭 8.7m 가량의 목조범선이었다. 이와 같은 목조범선은 철선과 기선이 출현할 때까지 수세기 동안 선박의 주류를 이루었다. 당시 넬슨(Nelson) 제독의 기함인 빅토리아(Victory)호는 전장 226.3ft, 전폭 51.5ft, 포 갑판만 해도 3층이고 승무원은 850명이었다. 또한 수면 밑을 동판으로 보호한 피복선으로서 범선의 규모를 웅변하고 있다.

대항해시대의 선두주자였던 스페인과 포르투갈이 쇠퇴하고 17~18세기에는 영국, 네덜란드 등이 새로운 세계 강국으로 등장하여 바다의 주도권을 놓고 치열한 경쟁이 시작되었다. 네덜란드는 일찍이 동인도와 동남아에 눈을 돌려 17세기 전반까지는 유럽의 무역을 한손에 쥐고 세계 무역의 반 이상을 차지하였으며, 한편 영국은 1651년 10월 자국의 해운과 무역의 보호를 위하여 항해법을 만들어 네덜란드의 무역독점에 대항하였다. 이 항해조례는 어떠한 화물이든 자국의 선박이 아니면 아시아, 아프리

카, 아메리카의 영국 영토와 식민지를 상대로 무역을 할 수 없으며, 모든 타국의 선박은 영국의 연안무역을 할 수 없다는 내용으로 세계 최초의 해운보호에 관한 법이었다. 또한 영국에서 산업혁명이 일어난 17세기부터 18세기에는 무역규모가 급증함에 따라 바다

■ 클레몬트호

의 주도권을 잡기 위하여 각국에서 군함과 대형범선의 건조가 경쟁적으로 이루어졌다. 인도무역에 종사하던 상선의 대부분이 400톤 정도의 화물을 적재할 수 있는 규모였으나 18세기에는 1,200톤의 무역선이 등장함으로써 범선의 전성시대를 이루게 되었다.

한편, 인간이 기계를 이용하여 바다를 항해할 수 있게 된 것은 18세기에 와서 증기기관이 발명되고 19세기 초에 이 증기기관을 장치한 기선이 나오고부터이다. 18세기 말경에 증기기관의 발명으로 선박에도 증기기관을 이용하려는 노력이 이루어졌으며, 드디어 1807년 미국의 과학자 로버트 풀턴(Robert Fulton)은 증기기관과 외륜차를 장비한 클레몬트(Clermont)호를 만들어 허드슨 강에서 뉴욕과 알바니를 항해하는 데 성공함으로써 기선은 곧 세계 도처에 번져나가게 되었다.

철구조선과 기선은 거의 비슷한 시기에 출현하였다. 선박을 만드는 재료에서 보면, 1783년에 영국의 헨리 코트가 새로운 제철법을 개발함으로써 이제까지의 나무로 만든 목선에서 드디어 철선이 등장하게 되었다. 최초의 철선으로는 1818년 영국에서 건조된 벌컨(Vulcan)호라는 부선으로 기록되어 있으며, 기선으로 최초의 철선은 1822년 영국에서 건조된 길이 36.6m, 폭 5.18m, 30마력의 아론 만비(Aaron Manby)호였다.

19세기 말에 이르러 철선은 계속 증가하고 배의 크기와 성능도 향상되었는데 대서양을 횡단한 길이 97m, 폭 15m, 여객정원 4,000명, 최대 속력 15노트의 그레이트 이스턴(Great Eastern)호의 출현은 대형 철선의 건조를 촉진하기에 이르렀다. 이후 1858년 베스머(Bessemer)에 의해 제강법이 발명되면서 철보다 더욱 우수하고 강한 강철이 널리 공급되면서 1862년에 325톤급 반시(Banshee)호가 건조되었다. 그러나 보다 큰 규모의 상선이 건조된 것은 1879년 1,777톤급 로토마하나(Rotomahana)호가 시초이며, 최근 100여 년 동안에 선체와 기관은 물론 항해기기 등의 경이적인 발전과 함께 항해술과 선박운용의 기술도 크게 발전하여 왔으며, 세계 무역량의 지속적인 증가와 화물의 특성에 따라 보다 다양한 선종과 선형으로 세분화되면서 오늘날과 같은 설비를 완비한 우수한 선박으로 발전되어 왔다.

이와 같은 과정을 조선산업의 기술적 변혁과정과 국제경제환경의 변화를 토대로 다시 한 번 정리해 본다면 우선 근대공업으로서의 조선산업은 산업혁명 이후 증기기관의 발명에 의한 목조 증기 외항선의 출현을 전환점으로 하여 급속히 발전하게 되었고, 이와 동시에 산업혁명으로 공업생산력이 비약적으로 성장함에 따라 원료무역 등 해운업의 호황으로 조선업의 발전이 가속화되었다.

그 후에 조선기술상으로는 철선이 출현하고, 철선이 강선으로 교체되는 기술상의 발전과정을 거침으로써 대륙 간 장거리 무역이 용이해지는 한편 자유무역주의가 고조되고 선박수요가 급증함에 따라 조선수요가 급증하게 되었다. 19세기 말 무렵에는 각 국간의 관세전쟁으로 보호무역주의가 팽배해짐에 따라 조선산업의 성장은 정체되고 이후 잇따른 양대 전쟁으로 해운업은 심한 타격을 받는 반면에 조선산업은 전함위주의 군수산업으로 발전을 보게 되었다.

한편 19세기 말부터 제2차 세계대전까지의 조선기술의 발전으로는 첫째, 추진기관의 일대 변혁으로서 터빈선, 디젤선, 중유연소선 및 전기추진선의 출현과 둘째, 선대기간을 단축하고 선체중량을 가볍게 하여 적하중량을 증가시킬 수 있는 장점을 가진 블록건조공법이 급속히 보급된 점을 들 수 있다. 제2차 세계대전 이후에는 국제무역 질서의 확립으로 국제무역의 자유화가 이루어져 다시 조선업과 해운업이 전성기를 맞이하게 되는데, 특히 50년대에는 수에즈운하 분쟁을 계기로 조선 및 해운시장의 구조적 변화가 일어났다. 해운시장에 있어서는 주요 항로의 변화를 야기하였다. 즉 수에즈운하를 경유하는 대신 남아공의 케이프타운을 돌아가는 새로운 항로가 개척된 것이다. 이에 따라 VLCC급+과 Cape size급++ BC가 등장하게 된 계기가 되었다. 조선시장은 해운시장의 이같은 변화로 야기된 대형선의 수요급증과 아울러 항로의 장거리화에 따른 필요선복의 증가로 신조수요가 급격히 늘게 되었던 것이다.

② 선박의 정의

1) 선박의 기능

- 부양기능(浮揚機能, Floatation Capability): 선박은 무거운 짐을 싣고 물에 뜨는 기능을 가지고 있어야 한다.

+ Very Large Crude oil Carrier, 초대형 원유 운반선: DWT 17만 5천 톤 이상 30만 톤 이하
++ 파나마 운하와 수에즈 운하를 통과하지 못하는 크기의 Bulk Carrier를 지칭. DWT 12만 톤 이상 16만 톤 이하

- 추진기능(推進機能, Self Propulsion Performance): 선박은 물에 떠서 갈 수 있어야 한다.
- 구조기능(構造機能, Vessel Structural Strength): 선박은 튼튼한 그릇으로서의 역할을 해야 한다.
- 화물적재와 안정성 및 복원력(Cargo Loading and Statical Stability): 선박은 짐을 싣고도 안전하여야 한다. 즉, 기울거나 쓰러지지 말아야 한다.
- 운동성능(運動性能, Ship Motion Characteristics): 선박은 좁은 항만이나 해협에서 안전하게 조종할 수 있어야 한다.
- 조종성능(操縱性能, Maneuverability): 선박은 방향타와 조타기를 장착하여 희망 진행방향을 향하도록 한다.

2) 운항기능

- 조선장치(操船裝置, Steering System): 선박은 방향타와 조타기를 장착하여 희망하는 진행 방향을 향하도록 한다.
- 화물적하 및 양하역(Cargo Stowage, Loading and Unloading): 선박은 화물을 싣고 갈무리하고 내릴 수 있어야 한다.
- 계선계류설비(Mooring Facility): 선박은 항만의 부두 안벽에 묶어 둘 수 있어야 하고, 항만 내외에서 닻을 내리고 정지해 있을 수 있어야 한다.
- 항해 및 통신설비(Navigation and Communication): 선박은 속력제어, 위치파악이나 방향유지, 장애물 예지, 그리고 통신기능 등 항행에 필요한 모든 설비를 갖추어야 한다.

3) 동력발생기능

- 주기(Main propulsion Engine): 선박은 주추진 동력발생 주기를 장착하고 추진장치를 구동토록 한다.
- 기관실보조기기(Engine Room Auxiliary Equipment): 선박은 전력, 蒸氣, 압축공기, 유압, 증류수 등 동력과 기타 에너지원을 만드는 발생장치를 설비한다. 또한 연료유와 윤활유의 순환 및 세정장치와 냉각수 순환장치와 열교환기를 설비한다.

4) 거주 및 인명안전

- 선원 거주구 설비(Crew Accommodation Facility): 선박은 선원이 살며 일할 수 있도록 취사와 취침용 선실을 갖추어야 한다.
- 소화장치 및 구명장치(Fire Extinguishing and Saving Equipments): 선박은 해난 시의 인명구조 설비와 화재 시의 재산의 안전을 위하여 화재예방과 소화장치를 각각 갖추어야 한다.

③ 선박의 종류

선박은 사용목적에 따라 상선, 함정, 어선, 특수작업선으로 크게 구분할 수 있다. 또한 상선은 여객 또는 화물을 운반하여 운임수입을 얻는 것을 목적으로 하는 선박을 말하며, 이것을 다시 화물선, 화객선, 여객선으로 구분할 수 있다. 화물선은 화물의 운송을 목적으로 하는 선박으로 거주설비를 간소화하고 선창을 크게 하여 하역설비에 중점을 두어 일시에 대량의 화물을 안전하고 신속하게 운반할 수 있도록 설계되어 있다.

또한, 화물선은 운송화물의 종류에 따라 크게는 유손화물(wet cargo)을 운송하는 탱커류와 건화물(dry cargo)을 운송하는 건화물선 그리고 두 가지 화물을 동시에 운송할 수 있는 겸용선으로 분류할 수 있다. 또 건화물선은 원료화물이나 완제품 등 여러 종류의 화물을 함께 운반하는 것과 한 종류의 특수화물을 운송하는 전용선이 있으며 일반화물선은 시장이나 집화의 관계로 선박의 크기가 비교적 적은 편이나 전용선의 경우에는 점차 대형화되고 있다.

세계 해상화물은 원유, 석유제품, 철광석, 석탄, 곡물, 기타 건화물로 크게 분류될 수 있으며, 기타 건화물을 제외한 5대 주요 품목이 세계 전체 교역량의 약 60%를 점유하고 있다. 이중에서 원유를 운송하는 유조선(Crude Oil Tanker), 정유한 석유제품을 운송하는 정유운반선(Product Carrier), 특정 화학제품을 운송하는 화학제품운반선(Chemical Tanker), LPG와 LNG선과 같이 가스류를 액화시켜 운송하는 가스 운반선(Gas Carrier)를 광의의 탱커로 분류할 수 있다.

또 곡물, 석탄, 광석 등의 비포장된 건화물을 운송하는 선박을 산적화물선(Bulk Carrier), 여러 가지 물품을 함께 운송할 수 있는 선박을 일반화물선(General Cargo Carrier)라고 하며, 하역작업을 보다 편리하고 신속하게 하기 위하여 화물을 컨테이너에 넣어 운송하는 추세여서 컨테이너선이 점차 증가하고 있다. 이외에도 해운시황에 따라 유

류와 건화물을 선택적으로 운송할 수 있는 선박을 겸용선이라 하며 영어로는 OBO(Ore Bulk Oil) 또는 겸용선(Combined Carrier)라고 한다.

한편, 객선은 주로 여객만을 운송하는 상선으로 여객 이외에 부수적으로 우편물과 신속한 운송을 요하는 소량의 고급화물을 적재할 수 있는 설비도 갖추고 있다. 객선은 주로 정기선이며, 여객의 안전과 신속한 운송에 중점을 두고 있으므로 여객 설비 이외에 이중저, 수밀 격벽 등의 배치 등 선체의 안전과 인명구조를 위하여 비여객선에 비하여 높은 기준의 선체구조와 설비를 요구하고 있다. 또한 화객선은 여객과 화물을 함께 운송하는 선박으로 화물창(cargo hold)의 대부분은 화물을 적재하고 흘수선(吃水線) 이상의 갑판이나 상갑판상에 증설한 선루(船樓)에는 선실 또는 접객설비를 하여 여객을 운송한다. 순객선은 여객설비에 비용이 크게 소요되며 고속이어야 하는 반면 여객이 항상 만원이 될 수는 없으므로 화물선만큼 확실한 운임수입을 기대하기 어렵기 때문에 화객선이 등장하게 되었다. 이와 같이 선박의 종류는 선박이 수행하는 목적 등에 따라서 다양하며 앞으로도 더욱 그 종류가 증가할 것이다.

선종 분류표

구 분			세 분 류
상선	탱 커	원유운반선 정유운반선 화학제품운반선 가스운반선	원유 휘발유, 경유, 중유 등 Sulphur, Naphtha 등 LPG, LNG
	겸용선	겸용선	Ore/Bulk/Oil, Ore/Oil, Oil/Bulk, Oil/Coal 등
	건화물선	산적화물선 일반화물선 컨테이너전용선 자동차전용선(Pure Car Carrier) 운반선(Multi Purpose Cargo Carrier) 냉동컨테이너(Reefer)	Ore, Coal, Grain, Cement, Log, Lumber 등 컨테이너 이외의 포장화물 컨테이너 각종 차량 등 General Cargo/Bulk/Container 냉장 및 냉동화물
어선			어로선(Catcher Boat), 공선(Factory Ship), 모선(Mother Ship), 운반어선(Fish Carrier), 저인망 어선(Trawler), 선미식 트로올선(Stern Trawler), 참치선망어선, 유자망어선, 포경선, 어업지도선, 어업조사선
특수작업선			수로측량선, 해양관측선, 해저전선부설선, 공작선, 기중기선, 예인선(Tug Boat), 해양작업 지원선(Platform Supply Vessel), 소방선, 해양오염방제선, 병원선
함정			전투함, 순양전함, 순양함, 경순양함, 구축함, 잠수함, 원자력잠수함, 항공모함, 소해정, L.S.T., L.S.M.

자료: 한국 조선해양플랜트 협회, 2013

④ 선박의 톤수

선박의 크기를 표현하는데 옛날부터 톤수(Tonnage)가 사용되었다. 선박에 사용되는 톤(Ton)은 중량의 단위로서의 톤만이 아니고 용적의 개념으로도 톤을 사용하고 있다. 그러므로 톤이 쓰이는 용도에 따라 배의 중량을 나타내는 배수량톤수, 배의 용적을 나타내는 총톤수 및 순톤수, 배가 적재할 수 있는 화물의 중량을 나타내는 재화중량 톤수, 선박의 종류별 가공공수에 의한 상대적 지표인 표준화물선 환산톤수의 5가지가 주로 사용되고 있다.

1) 총톤수(GT, Gross Tonnage)

용적톤(Capacity Tonage)로서 상갑판 하부 및 상부의 모든 폐위장소(Enclosed Space)의 합계 용적에 일정한 계수를 곱하여 결정된다.

해당 국가별로 별도의 규정에 의해 $100ft^3$을 1톤으로 하여 측정되던 것이 1982년 7월 18일부로 발효된 IMO 협약(International Convention on Tonnage Measurement of Ships, 1969)에 의하여 그 측정방법이 통일되었으며 군함 이외의 대부분의 선박은 주로 이 총톤수로 그 크기를 나타내며 일반적으로 선박의 등록세, 검사수수료, 입거료(수리를 목적으로 도크에 들어갈 때의 사용료) 등의 기준이 된다.

2) 순톤수(NT, Net Tonnage)

직접 영업행위에 사용되는 화물을 적재하는 공간의 용적 및 여객의 수에 계수를 곱하여 구한다. 총톤수와 마찬가지로 $100ft^3$을 1톤으로 하여 측정되던 것이 1982년 7월 18일부로 발효된 IMO 협약(International Convention on Tonnage Measurement of Ships, 1969)에 의하여 그 측정방법이 통일되었으며, 순톤수는 직접 상행위를 하는 용적이므로 항세, 톤세, 등대사용료, 검역수수료, 항만시설사용료의 기준이 된다.

3) 재화중량톤수(Deadweight Tonnage: DWT)

선박이 적재할 수 있는 화물의 중량을 말하며, 여기에는 화물, 여객, 선원 및 그 소지품, 연료, 음료수, 밸러스트, 식량, 선용품 등의 일체가 포함되어 있으므로 실제

수송할 수 있는 화물의 톤수는 재화중량톤수로부터 이들 각종의 중량을 차감한 것이 된다.

4) 배수량톤수(Displacement Tonnage: DISPT)

물 위에 떠 있는 선박의 수면하 부피와 동일한 물의 중량이 배수톤수이며 아르키메데스의 원리에 의한 선박의 무게로 주로 군함에 쓰이는 톤수다.

5) 표준화물선 환산톤수(Compensated Gross Tonnage: CGT)

표준화물선으로 환산한 수정총톤으로 기준선인 1.5만DWT(1만GT) 일반화물선의 1GT당 건조에 소요되는 가공공수를 1.0으로 한 각 선종, 선형과의 상대적 지수로서 CGT계수를 설정하고 GT를 곱한 것으로 실질적 공사량을 나타낼 수 있는 톤수이다.

군함에는 배수량톤수만을 사용하는 반면, 상선에서는 배수량톤수 이외의 모든 톤수가 사용되고 있지만 일반적으로 선복량과 건조량과 같은 통계 목적으로 GT를 많이 사용하고 있다. 세계적으로 권위 있는 Lloyd's 통계에서도 GT를 사용하며 1970년부터는 DWT도 일부 병기하고 있다.

GT는 $100ft^3$를 1GT로 하는 용적톤으로서 객선 및 화물선에서 동일한 기준으로 비교할 수 있는 단위이다. 또한 조선업계 공통의 척도로서 국제적으로도 광범위하게 채택되어 사용되고 있으며 각국 선급의 등록단위이기도 하다.

한편 탱커 및 건화물선과 같이 화물을 주로 운송하는 선박은 GT보다도 재화능력을 나타내는 DWT가 크기를 나타내는 데 적합하며, 반면에 객선과 같이 적재능력이 적은 선박은 DWT가 부적합하다.

또한 가장 최근에 사용되고 있는 톤수는 CGT인데 이것이 사용되기까지의 경위는 다음과 같다. 종전까지는 선박의 종류나 선종이 비교적 단순화되어 있었고 건조 공정상의 복잡성이 객선이나 일부 특수선을 제외하고는 큰 차이가 없었으나 제2차세계대전 후에는 공업화의 진전으로 운송화물이 다양화하고 선형도 대형화, 전용선화함과 동시에 선종, 선형이 다종, 복잡화하여 건조량을 표시하는 척도로서 GT만으로는 불충분할 뿐만 아니라 질적 내용을 표시할 수 있는 국제적인 척도로서의 기능이 불충분하게 되었다.

이러한 때에 1966년 AWES와 일본 간의 국제회의에서는 건조량을 비교할 필요성

이 대두되었다. AWES측이 프랑스에서 사용되고 있던 수정톤수의 사용을 제안하고 이를 일본측에서 검토한 결과 약간만 수정한다면 건조량을 표시하는 데 적합할 것으로 생각되어 양자 합의 후 1967년부터 교환통계로 사용하게 되었다. 당시는 CGRT를 사용했으나 1982년7월에 IMO에서 새로운 GT에 관한 국제협약이 발효되었으며 새로운 GT와 이전의 GRT와의 차이를 고려해서 새로운 CGT계수를 도출, 1984년 1월 1일부터 사용하게 되었다.

CGT는 선박의 가공공수, 설비능력 및 선가 등 GT에서는 나타낼 수 없었던 것을 상대적인 지수표시인 CGT계수를 사용하여 구한 것이다. 즉, CGT는 표준화물선으로 환산한 수정총톤으로 기준선인 1.5만DWT(1만GT) 일반화물선의 1GT당 건조에 소요되는 공사량(가공공수)을 1.0으로 하여 각 선종 및 선형과의 상대적 지수로서 CGT 계수를 설정하고 선박의 GT에 이를 곱하여 CGT를 구한 것으로 선박의 공사량을 나타낼 수 있는 하나의 척도이다.

그리고 최근 선박의 대형화, 다양화에 따라 2006년까지 사용되어 왔던 CGT 산정 방식이 선종별, 선형별 실제 작업량을 반영하고 있지 못하였다. 특히, 선형의 경계선에 인접해 있는 선박의 경우 CGT 계수 및 CGT에 있어서 큰 차이가 나고 있음에 따라 이러한 미비점을 해소하고 현재의 선박건조 방법, 다양화된 선종, 선형변화 상황을 반영하기 위해 기존의 CGT 계수(ceofficient)를 사용하는 대신 공식을 사용(계단식에서 지수 곡선으로 변경), 2007년 1월 1일부터 적용. CGT 계수 선택의 기준 톤수를 일부선종(크루즈, 어선)을 제외한 나머지 모든 선종에서 DWT를 사용하였으나 신규 시스템에서는 GT를 사용하고 있다.

〈신규 CGT 시스템〉
공식: A X GTB(A: 선종 영향요소, B: 선형 영향요소)
(지수곡선 사용, CGT계수 횡축단위 변경(DWT→GT))

CGT 산정을 위한 선종별 A, B

선 종	A	B
탱커(이중선체)	48	0.57
화학제품운반선	84	0.55
벌커	29	0.61
겸용선	33	0.62
일반화물선	27	0.64
냉동선	27	0.68
컨테이너선	19	0.68
로로선	32	0.63
자동차운반선	15	0.70
LPG선	62	0.57
LNG선	32	0.68
페리선	20	0.71
크루즈선	49	0.67
어선	24	0.71
기타 비화물선	46	0.62

자료: 한국 조선해양플랜트협회, 2013

⑤ 건조공정

일반적으로 선박은 일반 건축물보다도 규모가 훨씬 크고 공정면에서도 복잡하며, 수많은 부재와 기자재를 조립하여 하나의 움직일 수 있는 제품을 만드는 과정을 거친다. 또 선박은 계획생산이 아닌 선주로부터 주문을 받아 건조하게 되는 주문생산 방식을 취한다.

선주는 발주를 하기 전에 건조할 선박의 종류와 크기, 항로와 속도, 국적 및 선급과 같은 기본적인 사항을 사전에 정해놓고 여러 조선소에 납기와 가격을 의뢰하게 되며, 조선소는 자사의 생산능력과 수주잔량 등을 신중히 검토하여 구체적인 사양서, 납기 및 가격을 선주측에 제시해 상담에 응하게 된다. 이어 선주와 조선소간의 건조계약이 체결되면 조선소로서는 건조계획을 수립하는 한편 기본설계에 착수하게 된다.

선박의 견적을 제시할 때부터 건조를 완료하여 선주에게 인도할 때까지의 건조공정을 간단하게 그려보면 다음과 같다.

건조공정

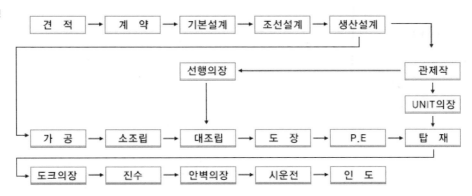

선박 한 척을 건조하기 위해서는 대체적으로 설계기간 7~8개월을 포함하여 1.5년 정도가 소요된다. 건조계획은 인도일부터 역으로 계산하여 설계와 자재의 구매기간 등을 고려하고 착공(Work Commence), 기공(Keel Laying), 진수(Launching), 인도(Delivery)일자를 정해 기본선표를 결정한다.

기본설계는 크게 선체설계와 의장설계로 분류할 수 있으며, 선체설계는 선도(Lines), 중앙단면도(Mid Ship Section), 강재배치도, 외판전개도 등 선체구조를 결정하는 기본도면을 작성하고 이를 기초로 선수구조도, 중앙부구조도, 기관실구조도, 선미구조도 등을 완성해 선체구조를 명확하게 한다. 이 설계도들은 선주와 선급협회의 승인을 얻어 선박성능과 안정성을 보장받아야 하며 동시에 경제성에 합당해야 한다.

한편 의장설계는 주요 의장설비의 성능과 제원을 결정하고 시스템 체계를 표시하는 다이어그램(Diagram)과 상호배치를 표시하는 배치도(Arrange)를 작성하여 계약 시의 기본사양을 충족시켜야 한다. 주요 의장설비는 선체의장(하역장치, 소화장치, 교통장치, 안전설비, 통풍장치), 기관실의장(주기관, 추진장치, 보기장치, 배관장치, 교통장치, 통풍장치), 전기의장(전원장치, 배전장치, 항해장치, 무선장치), 선실의장(거주구설비, 오락설비) 등이다.

선박의 구조와 의장품 배치가 결정되면 현장작업용 도면을 작성하는 생산설계 단계로 들어간다. 생산설계는 기본도면을 근거로 효율적이고 능률적인 작업수행 방안을 연구하면서 부재 하나하나 만드는 데 필요한 공작상의 문제점을 검토해 세부구조를 면밀히 설계하며, 특히 작업성과 경제성을 중시한다. 생산설계도 역시 선각 생산설계는 선각 기본설계에서 만든 구조도를 근거로 강재발주 계획과 작업도면을 완성한다.

의장생산설계도, 기본설계도를 근간으로 하여 제작도와 설치도(取付圖)를 완성한다. 설계도면이 완성되고 자재계획에 의해 발주한 강재와 기자재들이 도착하면 작업을 시

작한다.

최초의 작업은 가공공장에서 시작되는 강재전 처리작업, 강재절단, 성형작업이다. 철판을 잘라서 선체 일부의 모양에 맞도록 접고 굽혀 도면과 같이 만든다. 다음은 소조립으로 소조립 공장에서는 크기가 작은 몇 개의 部材를 서로 결합시키는 작업을 하며 이것들은 대조립 공장으로 넘어가 높이가 16m까지 되는 블록의 일부가 된다. 이와 같이 선박 한 척은 300개 내외로 잘게 잘라 40t 정도의 무게가 되는 블록단위로 만든 다음 도크 안에서 탑재, 조립해 완성되는 것이다. 블록의 형상에 따라 가장 적합한 공장에서 가장 효율적인 공법으로 만들어서 완성된 블록은 도장공장에서 도장을 하고 탑재기간을 줄이기 위하여 크레인이 들어 올릴 수 있는 범위까지 2개 내지 3개의 블록을 결합하게 되며, 이 작업을 PE(Pre-Erection)라 한다.

이렇게 해서 각 블록이 도크에서 한 척의 선박모양을 갖추게 되며 도크에 첫번째 블록을 배치하는 것을 기공(Keel Laying)이라 한다. 도크 속에서 블록을 탑재하고 용접하여 선체가 완성되면 도크 속에 바닷물을 넣어 배를 띄우고 바다로 나가게 되는데 이것이 진수(Launching)다.

한편 의장공사는 선각공사와 병행해서 진행된다. 제작기간이 8개월 정도가 소요되는 엔진을 포함한 수많은 기계류들이 공정상 필요한 때에 들어오게 되며, 의장공장은 공정에 맞춰서 파이프와 철 의장제품들을 만든다. 선체의 블록이 만들어지는 동안에 대조립 공장에서는 블록 내부에 의장품과 파이프들을 설치하는 블록 선행 의장공사가 실시된다.

블록이 완성되면 선행공장에 적치되고, 이때 파이프나 전선과 관련된 많은 공사들을 수행하게 된다. 또, 한편에서는 기계류와 파이프류, 교통장치, 통풍장치 등에 대한 유닛(Unit) 선행 의장공사를 진행하며, 이 유닛은 PE장 또는 도크에서 일체 탑재, 설치한다. 진수 후에는 안벽에 계류된 선체에서 마무리 안벽 의장공사를 하게 되며, 이어 기계류, 전장류의 시운전을 마치고 외항에 나가 선박의 운항 종합 시운전을 거쳐 여기에서 이상이 없으면 한 척의 선박이 비로소 완성되는 것이다.

⚓ 한국 조선업 현황

현재 한국의 조선관련산업 동향은 다음과 같다.

조선관련산업 동향

		규모 (명)	사업체수 (개)	종사자수 (명)	급여액 (백만원)	출하액 (백만원)	주요 생산비 (백만원)	부가가치 (백만원)	유형자산 연말잔액 (백만원)
전 국	선박 건조업	계	1,280	138,133	6,482,346	77,345,331	52,832,596	25,499,491	28,386,143
		10~19	329	4,552	109,462	768,010	447,830	326,513	475,240
		20~49	442	13,824	355,250	3,142,211	1,946,461	1,234,292	1,678,446
		50~99	254	17,933	517,371	1,909,149	904,874	1,007,165	664,224
		100~199	212	28,959	965,298	3,683,999	1,834,661	1,885,706	1,522,234
		200~299	24	5,326	175,197	931,948	557,725	500,376	613,090
		300~499	7	2,689	115,493	3,796,440	3,162,259	670,913	1,223,816
		500명 이상	12	64,850	4,244,275	63,113,574	43,978,786	19,874,526	22,209,093
	강선 건조업	계	44	66,040	4,226,820	64,213,054	45,220,188	19,869,210	23,787,669
		10~19	9	…	…	…	…	…	…
		20~49	8	280	7,907	383,111	338,335	55,945	112,780
		50~99	8	618	23,349	290,382	230,596	60,681	158,682
		100~199	4	630	30,107	617,063	523,016	93,778	211,889
		200~299	2	…	…	…	…	…	…
		300~499	3	1,335	54,931	1,873,344	1,647,930	225,414	981,569
		500명 이상	10	62,602	4,090,342	60,914,867	42,348,192	19,306,413	22,116,890
	합성 수지선 건조업	계	30	572	12,543	77,041	47,918	30,734	23,391
		10~19	19	…	…	…	…	…	…
		20~49	10	244	5,992	35,360	21,787	15,116	12,367
		50~99	1	…	…	…	…	…	…
	비철금속 선박 및 기타 항해용 선박 건조업	계	6	142	4,093	33,612	24,392	9,178	30,048
		10~19	2	…	…	…	…	…	…
		20~49 (명)	4	…	…	…	…	…	…

		계					
선박구성 부분품 제조업	계	1,154	70,113	2,202,378	12,695,584	7,315,156	5,481,762	4,409,692
	10~19	276	…	…	…	…	…	…
	20~49	401	12,599	318,876	2,562,463	1,477,841	1,103,727	1,446,094
	50~99	242	17,052	485,052	1,501,782	585,275	917,860	481,992
	100~199	207	28,152	934,627	3,041,792	1,290,281	1,788,148	1,308,331
	200~299	22	4,891	159,052	864,124	464,647	400,781	464,585
	300~499	4	1,354	60,562	1,923,096	1,514,329	445,499	242,247
	500명 이상	2	…	…	…	…	…	…
기타 선박 건조업	계	46	1,266	36,512	326,040	224,942	108,607	135,343
	10~19	23	…	…	…	…	…	…
	20~49	19	587	19,834	130,498	84,857	52,408	80,719
	50~99	3	187	7,070	107,594	83,260	25,078	22,917
	100 ~ 199	1	…	…	…	…	…	…

자료: 통계청, 2012

제2절   한국의 요트와 보트시장 현황

① 국가별 요트 대수

1) 국가별 요·보트 대수

미국이 15,699천 척을 보유하여 세계 레저보트 시장의 약 70% 이상을 점유하고 있고 노르웨이 850천 척, 호주 780천 척, 스웨덴 778천 척, 핀란드 734천 척 등 북유럽과 호주의 수요가 높은 것으로 나타났다. 미국은 시장 공급의 약 60%를 차지하고 있으며 요트건조 관련회사는 1,136개에 달하며 유럽시장은 주로 슈퍼요트 제작에 특화되어 있으며 호주가 미국에 이어 세계 2위를 점유하고 있다.

국가별 요트 · 보트수

국가	보트 보유수	보트 생산수
아르헨티나	139,950	4,501
호주	780,000	32,240
핀란드	734,100	27,368
프랑스	491,651	40,379
독일	441,530	16,496
이탈리아	558,473	25,661
일본	258,000	13,129
네덜란드	518,000	2,550
뉴질랜드	462,000	10,254
노르웨이	850,000	6,110
스웨덴	778,100	−
스위스	99,322	−
영국	541,560	5,121
미국	15,699,100	761,920
총합	22,351,786	945,729

자료: 국토해양부, 2012

2) 인구수 대비 레저보트 보유현황

레저보트당 인구비율을 비교한 결과 스웨덴(척/11명), 미국(척/20명), 호주(척/28명)순으로 나타났고 한국은 4,886명당 1대를 소유하고 있는 것으로 나타났다.

국가별 인구대비 레저보트 보유 현황

국가별	인구	레저보트 보유 대수	레저보트 보유 비중
미국	313,847,465	15,699,100	척/20명
독일	81,305,856	441,530	척/184명
영국	63,047,162	541,560	척/116명
프랑스	65,630,692	491,651	척/133명
스웨덴	9,103,788	778,100	척/11명
호주	22,015,576	780,000	척/28명
이탈리아	61,261,254	558,473	척110명
일본	127,268,088	258,000	척/493명
한국	48,860,500	10,484	척/4886명

자료: 국토해양부 자료 참고 저자 재작성, 2012

② 국내 요·보트 등록 및 면허 취득현황

1) 국내 요트 및 보트 등록현황

국내 요트 및 보트의 등록과 관련하여 20톤 미만의 동력수상레저기구는 「수상레저안전법」에 의하여 등록하고, 20톤 이상의 동력수상레저기구는 「선박법」에 의하여 등록하도록 규정하고 있다. 2010년 기준으로 「수상레저안전법」과 「선박법」에 의해 등록되어 있는 전체 요트 및 보트는 10,484척으로 집계되며, 「선박법」에 의해 1,306척이 등록되어 있고 「수상레저안전법」에 의해 9,178척이 등록되어 있다. 요트는 「선박법」에 의하여 240척이 등록되어 있으며, 무동력요트 약 1,200척을 포함하면 약 1,440척으로 추산된다. 보트는 「선박법」에 의하여 등록되어 있는 보트(선내기)가 1,066척이고, 「수상레저안전법」에 의하여 6,730척(모터보트(선외기) 5,661척 및 고무보트 1,069척)이 등록되어 총 7,796척으로 집계되었다.

국내 레저보트 등록 현황

구분	선박법에 의한 등록 현황			수상레저안전법에 의한 등록 현황		
	계	요트	보트 (선내기)	계	모터보트 (선외기)	고무보트
총 계	1,306	240	1,066	6,730	5,661	1,069
2010	499	99	400	1,302	1,072	230
2009	279	67	212	1,193	1,012	181
2008	510	71	439	1,049	894	155
2007	7	1	6	2,983	2,489	494
2006	11	2	9	203	194	9

자료: 국토해양부, 2011

2) 동력수상레저기구 조종면허 취득현황

2010년까지 일반조종면허 및 요트조종면허를 포함하는 동력수상레저기구 조종면허 취득자는 총 98,518명으로 집계되었고 일반조종면허 중 제1급 조종면허는 수상레저사업의 종사자나 면허시험기관의 시험관이 취득해야 하는 면허로서 총 34,195명이 면허를 취득했다.

일반조종면허 중 제2급 조종면허는 모터보트, 수상오토바이, 고무보트, 호버크래프트, 수상스쿠터 등의 동력수상레저기구(요트 제외)를 조종하려는 일반 개인이 취득하는 면허로서 총 61,521명이 면허를 취득했고 요트조종면허는 요트를 조종하고자 하는 일반 개인 및 요트조종면허 시험관이 취득해야 하는 면허로 총 2,802명이 면허를 취득했다.

2000년부터 2010년까지의 면허 취득 현황을 살펴보면, 부분적으로 면허 취득자 수가 감소하는 시기가 존재하지만 전반적으로 꾸준히 증가하는 추세이다. 2010년 일반 조종면허 및 요트조종면허 취득자의 총계는 2000년(6,966명) 대비 1.7배 증가한 11,500명으로 집계되며, 이 기간의 연평균 증가율은 5.9%로 파악되었다. 요트조종면허의 경우, 2000년 면허 취득자가 61명으로 집계된 것과 비교할 때, 2010년에는 약 12배 증가한 753명이 면허를 취득했다.

조종면허 취득자수

| 구분 | 계 | 일반조정면허 | | 요트조종면허 |
		제1급 조종면허	제2급 조종면허	
총 계	98,518	34,195	61,521	2,802
2010	11,500	3,933	6,814	753
2009	12,055	4,134	7,170	751
2008	9,205	3,077	5,700	428
2007	9,300	2,908	6,160	232
2006	10,529	2,629	7,770	130
2005	9,413	2,382	6,874	157
2004	6,787	2,022	4,672	93
2003	6,556	2,276	4,206	74
2002	6,985	2,467	4,464	54
2001	9,222	3,239	5,914	69
2000	6,966	5,128	1,777	61

자료: 국토해양부, 2011

③ 국내 레저보트 생산업체

국내 레저보트 생산업체는 통계청의 자료에는 6곳으로 등록되어 있으나 실제로 생산 및 생산준비 중인 조선소는 11개 업체이며, 서해와 남해안에 집중되어 있으며 외국의 요트를 O.E.M 형태로 제작하는 경우가 많다.

여가용 보트 생산현황

시도별	산업별	종사자규모별	사업체(개)	종사자(명)	급여액(백만원)	출하액(백만원)	주요생산비(백만원)	부가가치(백만원)	유형자산연말잔액(백만원)
전국	오락및 스포츠용 보트 건조업	계	6	115	1,981	10,563	5,728	6,123	6,803
		10 ~ 19	4	–	–	–	–	–	–
		20 ~ 49	2	–	–	–	–	–	–

자료: 통계청, 2012

국내 레저보트 생산업체

회사이름	주 생산품	회사지분	주소
동남레저보트	보트생산	전부 한국자본	부산광역시 진구 초읍동 219-3 대표이사: 양진서 www.114boats.com
GHI 요트	유리섬유로 제작된 13m에서 슈퍼요트부터 카타마란과 세일링 요트	전부 한국자본	전라남도 영암군 산호읍 난천리 1697-5 대표이사: 김봉철 www.ghiyachts.com
G. E. L (Global Exclusive Lifestyle ltd)	한국형 카타마란 제작계획		회장: 제임스 스테와트 킴
현대요트	아산 45, 62, 82등의 고급요트	전부 한국자본	경기도 화성시 팔탄면 서근리 178-14 대표이사: 도순기 www.hdyacht.com
군장조선	블루드림이란 브랜드에 25피트급의 파워보트와 낚시용 보트. 또한 황포돛배, 조운선 등의 목선을 생산	전부 한국자본	충청남도 서천군 종천면 석천리 424 대표이사: 고호남 www.kjboat.com
마스터마린	4.6m ~ 20m까지의 유리섬유 보트	전부 한국자본	전라남도 영암군 삼호읍 나불리 608-8 대표이사: 이경준 www.mastermarine.co.kr
신일중공업	유리섬유로 제작된 50ft의 보트	전부 한국자본	경상남도 함안군 대산면 부목리 183-3 대표이사: 김종성 www.FRP요트.kr
스타마린 주식회사	고무보트, 래프팅용 보트, 낚싯배, 바나나보트, 고속단정 등 웨이하이 스타마린의 생산품의 대리판매	전부 한국자본	경기도 성남시 중원구 성남도 2164 고우빌딩 306호 대표이사: 정철흠 www.e-starmarine.com

우남마린 주식회사	포세이돈 고속단정	전부 한국자본	경상남도 김해시 상동 매리 693 대표이사: 김한준 www.riboat.net
우성아이비	경기용 고무보트 및 부대기구, 인명 구조용 보트 및 work 보트, 카약 등	전부 한국자본	인천광역시 계양구 효성동 331-10 대표이사: 이희재 www.zebec.co.kr
yacht& creation	아직 보트생산단계는 아니지만 보트 쇼에서 상품을 전시하였고 계획단계 에 있음 홈페이지 또한 운영 중이지 않음	전부 한국자본	대표이사: 제임스 리 www.top7yacht.com

자료: Icomia, 2011

④ 외국투자자가 바라본 한국시장 분석

1) 시장 특성

여가용 보트는 성장이 느리나 보트쇼, 항해학교, 지자체와 정부의 노력으로 인해 해양문화가 점점 확산되고 있다. 2011년 판매량이 많지는 않았지만 관심과 열정은 증가하고 있고 이 산업을 확장 발전시키기 위한 노력도 더해지고 있다. 여가용 보트와 보트와 관련된 인프라에도 외국인 투자가 증가하고 있고 남해안에 더 많은 마리나가 건설되어 가고 있지만 속도는 느린 편이다.

2) 고려사항

한국의 세금은 목적별로 다양하게 구분되어 있다. 세금을 징수하는 정부기관은 다음 항목을 관리한다.

(1) 법인세

법인세는 1년 동안 기업이 벌어들인 소득의 일정 부분을 세금으로 내는 것으로 직접세, 간접세에 속한다. 법인세법에 따라 국가·지방자치단체 이외의 내국법인과 국내 원천소득이 있는 외국법인은 법인세를 납부할 의무를 진다(2조). 자산 또는 사업에서 생기는 수입이 법률상 귀속되는 법인과 실질상 귀속되는 법인이 서로 다른 경우에

는 그 수입이 실질상 귀속되는 법인을 납세의무자로 한다(4조 1항). 과세대상은 법인의 각 사업연도의 소득·청산소득(淸算所得)과 토지 등 양도소득으로 하고, 비영리 내국법 인과 외국법인은 각 사업연도의 소득에 대하여만 부과한다(3조). 과세소득이 되는 금 액의 계산에 관한 규정은 소득·수익 등의 명칭이나 형식에도 불구하고 그 실질내용 에 따라 적용한다.(4조 2항)

사업연도는 법령 또는 법인의 정관 등에서 정하는 1회계기간으로 하되 1년을 초과 하지 못한다(6조). 납세지는 내국법인은 해당 법인의 등기부상의 본점 또는 주사무소 의 소재지, 외국법인은 국내 사업장의 소재지로 한다(9조). 주식발행 액면초과액, 감자 차익, 합병차익, 분할차익, 자산의 평가차익, 이월익금, 지주회사의 수입배당금 등의 수익은 각 사업연도의 소득금액 계산에 있어서 익금(益金)으로 산입하지 않는다(17~18조 의 2). 잉여금의 처분을 손비로 계상한 금액 등 자본거래 등으로 인한 손비, 제세공과 금, 자산의 평가차손, 감가상각비, 기부금, 한도액을 초과한 접대비, 과다 경비, 업무 와 관련 없는 비용, 지급이자 등은 손금(損金)으로 산입하지 않는다.(20~28조)

법인세 세부내용

세금이 붙는 경우	세율
사치품: 빌라, 골프회원권, 고급주택, 호화요트. 고급오락장: 카지노(외국인 전용카지노 제외), 자동게임기계, 증기탕, 호화 미용실, 바(관광음식점 제외)	10% (2%×5)
세금이 붙는 물건을 취득한 경우(도시형공장 제외) 과밀억제지역에 위치한 사업 목적으로(계획된 산업단지나 산업지역을 제외하고) 새롭게 짓거나 500제곱미터 이상 확장한 경우	6% (2%×3)
회사의 사업을 목적으로 과밀억제지역에 본사를 위해 부동산을 구입한 경우 빌딩과 그 주변 대지까지 포함	6% (2%×3)

자료: ICOMIA 내부자료, 2011

(2) 등록세

등록세는 재산권과 그 밖의 권리의 설정·변경 또는 소멸에 관한 사항을 공부에 등 기하거나 등록할 때 부과되는 세금을 말한다. 회사에 적용되는 등록세율은 과밀억제 지역에서 비과밀억제지역으로 회사를 옮길 때 적용되고 그때 세율은 세 배 이상 부과 될 수 있다.

등록세 세부내용

분류		세율	과세표준
소유권	상속	부동산 가액	0.8% (농지일 경우 0.3%)
	무상으로 인한 소유권 이전		1.5%
	유상으로 인한 소유권 이전		2% (농지일 경우 0.1%)
	소유권의 보존		0.8%
기타	지상권, 저당권, 지역권, 전세권, 임차권	부동산 가액에서 분할	0.2%
법인 등기	영리를 목적으로 하는 법인	출자액, 자본증가액	0.4%
	비영리 법인	투자의 총액	0.2%
	사무소의 이전	건 당	75,000
	지점이나 분점의 설치	건 당	23,000
자동차	비영업용	차량가격	5%(경차 2%)
기타 운송수단	영업용이나 비영업용	차량의 가격	3%

자료: ICOMIA 내부자료, 2011

다음과 같은 경우 3배의 세금이 부과될 수 있다.

세금이 3배 부과되는 경우

- 대도시에서 법인을 설립하거나 지점이나 분점을 설치하는 경우
- 대도시 밖에 있는 법인이 대도시로 전입하는 경우

3) 외국인의 한국시장 진입방법

외국기업의 지점형태에 따른 적용 법규

	유형	법	정보
1	현지 법인	외국인투자촉진법	외국인투자 정의
2	일반 기업		
3	지점	외국인환거래법	외국법인의 국내지점 분류
4	연구소		

(1) 외국자본설립회사와 국내 지점의 비교

① 외국인투자촉진법의 적용을 받는 외국자본설립회사

외국이나 외국회사에 의해 한국에 설립된 현지 법인은 외국인투자촉진법과 상거래법에 의해 규제를 받는다. 외국인은 외국인투자촉진법에 의해 현지법인에 적어도 10억을 투자할 수 있다. 외국자본에 의해 설립된 회사도 또한 외국인투자촉진법의 제한을 받는다.

② 외국인환거래법의 적용을 받는 자국민이 없는 외국 지점의 경우

지점은 한국에서 이익을 창출하는 사업을 운영하고 외국인 직접투자의 적용을 받지 않으며 연구소의 경우 한국에서 이윤을 창출해 내지 않아도 되지만 대신에 시장조사와 같은 것을 해야 한다.

외국지점의 법률 적용 세부내용

범주	외국투자회사	외국법인의 국내 지점
법	외국인투자촉진법	외국인환거래법
법인 유형	국내법인	해외법인
정의	외국인 투자자와 외국투자회사가 다른 이름으로 분리된 경우	본사와 지점이 같은 이름인 경우
관리 주체	KOTRA와 외환은행 본점	양식은 외환은행 지점, 사업허가는 기획재정부
투자 한계금액	10억 원 및 초과 상한제한 없음	투자 제한 없음
과세 범위	모든 국내와 해외 법인의 수익에 따른 세율 20억 미만일 경우 10% 20억 초과일 경우 22%	과세의무가 국내소득을 기준 20억 미만일 경우 10% 20억 초과일 경우 22%

자료: ICOMIA 내부자료, 2011

(2) 외국회사의 국내 지사 유형

지사형태와 연락사무소 형태가 있다. 지사는 국내에서 이윤을 창출해야 하는 반면 연락사무소는 판매활동을 안 하는 대신 비영리 활동을 해야 한다. 그러나 좁은 활동 범위 때문에 직접 판매가 어려울 수도 있고 본사에 물품을 저장해야 되는 경우도 생긴다.

요트의 역사

① 세계 요트의 역사

1) 요트의 기원

'요트'와 '요트여행'이라는 말은 네덜란드 말인 야그헨(jaghen)에서 비롯되었으며, 야그헨이란 육지나 바다 어디든 속도감을 연상시키며 뒤쫓거나 추격하다라는 의미로 사냥할 때의 동작을 나타내는 의미였다. 1599년 앤트워프에서 출판된 더치-라틴 사전에는 야그 십(jaght schip)과 야그(jaght or joghte)의 의미로 적재량이 적고 교역이나 위락, 전투를 위한 쾌속선이라 기술되어 있다. 이 시대에 의하면 '요트'라는 말은 네덜란드 해군에 소속되어 업무를 수행하는 작은 쾌속선이라고 알려졌으며, 운송수단, 공무원과 장교의 심부름에 이용되었다.

16세기와 17세기는 네덜란드가 해상력이 강한 국가였기 때문에 요트여행이 네덜란드에서 비롯되었다는 것은 놀랄 일이 아니다. 공식적으로 1648년 독립국가로 승인된 네덜란드는 황금기를 누렸다. 네덜란드는 아프리카에서부터 인도 주변, 그리고 극동지역 등 도처의 해상무역을 기반으로 유럽에서 가장 번영하는 국가였다. 대다수의 부유한 시민들은 그들의 배로 북해어업을 장악하여 청어산업으로 성공해왔고 수많은 항구에는 선박디자이너, 제조업자, 돛 제작업자들이 활동하고 있었다.

이런 활발한 경제활동은 대다수의 사람들을 바다와 친밀하게 연관시켰으며, 운송수단을 목적으로 하거나 때때로 레저를 위한 용도로 배를 구매하고, 운항할 수 있는 환경을 제공하였다. 네덜란드의 내해를 지키는 수많은 작은 범선은 도로사정이 좋지 못한 육상의 이동수단보다 좋은 운송수단이었다.

초창기 요트여행은 악천후나 거친 바다에 의해 많은 사고가 날 뿐만 아니라 내해와 같은 비교적 안전한 곳에서도 사고나 해적과 조우하는 것은 항상 있는 일이었다. 덕분에 19세기 초까지 유럽주위의 바다는 해적으로부터 자유롭지 않았다.

2) 17세기 요트의 탄생

초기의 요트는 순전히 위락만을 위해 이용되기도 했으나, 주목적은 운송이나 통

신을 위해서였다. 위락을 위한 요트여행의 첫번째 예는 영국 왕 찰스 2세라고 할 수 있다.

웨일스의 왕자는 1646년 영국내전이 한창일 때 채널 제도 저지 섬에서 추방당한 몸이 된 후, 섬의 항구에서 작은 배로 항해하며 무료함을 달래곤 하였다. 1649년 그의 아버지 찰스 1세의 처형 후 네덜란드에 망명하여 찰스는 수로로 여행하는 네덜란드의 풍습을 배웠다. 1660년 영국 왕위에 복위하고 그는 브레다에서 델프트까지의 항로를 요트여행의 첫번째 항로로 정했다.

런던으로 복귀한 몇 달 후 찰스는 로테르담에 있는 더치이스트인디아 회사에서 최근에 제조된 요트를 선물받았다. 그것은 길이 15.8m(52ft), 폭 5.8m(19ft), 흘수 3m의 요트이고, 메리호라고 불렸다, 메리호는 또한 10문의 대포를 자랑했으며 20명의 선원이 있었다. 최초에는 네덜란드 전통에 따라 슬루프(sloop)형의 요트였다. 메리호는 1662년 재장비하는 동안 일반적으로 영국에서 이용되는 사형 삭구(마름모꼴의 전통 세일 종류)를 다시 갖추게 되었다.

메리호는 1660년 8월 네덜란드에서 출발하여 템즈강에 도착했고, 기록원 사무엘 페피스가 "다리 아래에 있는 네덜란드 유람선을 보기 위해 왕이 오늘 아침 5시에 가는 것을 보았다"고 인용한 것처럼 왕은 새로운 배를 보기를 열망하였다. 요트의 도착은 꽤나 센세이션을 일으켰고, 즉시 영국의 선박제조업자 피터와 크리스토퍼 펫은 메리호와 비슷하거나 그 이상의 배를 어떻게 디자인하고 제작하는지 생각하기 시작했다. 그래서 영국에서 두 대의 요트를 제조하기로 결정지어졌고, 크리스토퍼 펫은 찰스 2세를 위해 후에 왕의 신부가 될 포르투갈의 공주 이름을 딴 캐더린호(전체 길이 16.7m, 선폭 5.8m, 무게 94ton)를 건조했다. 피터 펫은 왕의 형제 요크 공작을 위해 공작의 부인 이름을 딴 매우 비슷한 범선 앤호의 모형을 만들었고, 앤호는 캐더린호보다 약간 길며, 무게는 100ton이었다. 두 범선 모두 흘수가 2.1m(7ft)였다. 각 요트의 삭구는 두 개의 앞 돛, 가프형 메인세일 위에는 가로의 중간 돛이 있는 싱글 돛대였다.

1년 후 1661년 또 다른 전체 길이 16.5m(54ft)의 요트 베잔호는 네덜란드로부터 도착했다. 따라서 영국에는 메리호를 포함하여 4척의 요트가 있었다.

이 초기의 요트함대는 최초의 요트경기를 탄생하게 하였다. 처음에는 놀이를 위해 왕은 캐더린호에, 공작은 앤호에 탑승하여 2척의 요트가 서로 경주를 했었다. 처음 그 코스의 직행구간은 그리니치에서 그레이브젠드의 강 아래까지였고, 강 어귀까지 불어오는 동풍을 타고 항해했다. 요트들은 70° 보다 가깝게 항해할 수 없었지만(현대 해양경주자는 38° 로 항해할 수 있다) 앤은 바람이 불어오는 쪽의 항해에 있어서 보다 좋아졌다고 스스로 증명했다. 일지기록원 존 에버린은 그 대회를 아래와 같이

기록했다.

> "나는 오늘 아침 그의 요트 중 하나로 폐하와 함께 항해했다. 동인도회사가 범선
> 을 왕에게 바치기 전까지 범선은 우리들 사이에 알려지지 않았다. 배에는 고상
> 한 사람들과 귀족들이 있었고 폐하는 가끔 직접 조종했다. 거룻배(barge)와 주방
> 배(kitchen boat)도 동반되었다."

1661년과 1683년 사이 유명한 펫 형제와 소규모 제조업자들에 의해 영국에서 전부
26척의 요트들이 제조되었다. 이 요트들은 영국 근해에 적합하게 건조되어 네덜란드
범선보다 향상되었으며, 네덜란드 측판 대신 고정된 용골을 사용했다. 새로운 요트들
중 가장 짧은 것은 9.5m(31ft)였고, 가장 긴 것은 23m(74ft)였으며, 비록 가장 작은 범
선조차도 대포 4문을 장착하였다. 작은 범선은 그들의 활동들이 기록되어 있지만, 대
개 왕족, 공무원, 해군장교의 운송파견에 이용되어져 왔기에 그것들 중 몇 척은 가끔
비공식 경주를 해왔었는지도 모른다.

| 표 1-15 | 17세기 요트항해 활동

> 17세기 초: 요트는 네덜란드에서 최초 건조, 축제 때나 부유한 시민들에 의해 항해
> 1660: 찰스 2세는 네덜란드로부터 요트 메리호(Mary)를 선물받음
> 1661: 최초 요트경주로 찰스 2세와 요크의 공작 사이의 그리니치(Greenwich)에서 그레이
> 　　　브젠드(Gravesend)까지 왕복경기가 펼쳐짐

3) 18세기 요트 항해활동

18세기 영국 왕의 요트는 찰스 2세의 스포티한 개인의 배들 같지 않았다. 오히려
작은 배들에 가까웠고, 해군의 지휘 아래 함대를 사열하는 것과 같은 공식적 임무에
종종 이용되었다. 로열 캐롤라인은 1749년 뎁트포드에서 제조되었으며 7.5m(24ft 7in)
의 선폭과 함께 용골을 따라 22m(72ft)와 무게 232ton이었다. 케치(ketch, 쌍돛대 범선의
일종)라 칭하기도 하지만, 3개의 돛대와 가로돛이 있다. 로열 캐롤라인의 항해 중에
는 조지 3세의 신부가 되었던 샤롯테(Charlotte) 공주를 맞이하러 독일에 간 여행도 있
었다.

18세기 말보다 큰 요트인 로열 사브린호는 무게 350톤으로 제조되었으며, 마지막

왕의 요트 로열 조지는 1817년 항해에 이용하기 위해 건조되었지만, 1843년 초기 빅토리아와 알버트에 의해 증기선으로 교체되었다. 특히 1842년 런던에서 스코틀랜드까지 여왕이 승선했던 저속항해 후 증기에 의한 항해의 변화가 일어났다.

오늘날처럼 왕의 요트는 공식적 사업과 왕실 휴일, 때때로 요트경주나 대회에 참가하는데 이용되었다.

18세기 바스나 첼튼엄과 같은 온천은 레저를 즐길 여유가 있는 사람들을 위해 육지휴양지로써 개발되었다. 현재 브라이튼으로 알려진 스카버러와 이후의 브라이트림스톤(Brighthelmstone)과 같은 해양 리조트들은 바다공기가 건강에 유익하다는 것이 알려지면서 인기를 얻게 되었다. 후반부에 와이트 섬에 있는 카우스의 작은 남쪽 해안 마을은 명성을 얻는 데 합세하였다. 그곳은 노출된 바다로부터 떨어져 육지에 인접해있어서 그곳은 외적의 함대로부터 어떠한 공격도 받지 않은 채 인기 있는 휴양지로만들어졌다.

마을 사람들은 국가가 평화롭고 마을의 상점들이 더 이상 군함에 양식을 공급할 필요가 없어졌고, 또한 마을 거주자들이 더 이상 사공과 조종사로 고용되지 않았을 때마을의 이러한 개발을 격려했다. 그래서 그들은 요트여행을 하는 방문객을 즐겁게 하기 위한 기회를 제공하였고, 작업용 배로 서로의 속력을 겨루는 레가타(Regatta)+ 시합에서 그들의 배를 다루는 기술을 선보이기도 했다. 귀족의 범선을 위한 우수한 정박시설, 그들의 가족과 친구들을 위한 리조트 그리고 기술이 뛰어난 어부들은 항상 마을을 위해 봉사하였고 그 장소는 인기 있는 해양 리조트로 알려지게 되었다.

모든 요트항해활동들은 18세기에 시작되었으며 아일랜드의 남서쪽에 자리한 코크의 워터클럽의 활동이 가장 유명했다. 정확한 설립연도는 알려지지 않았으나 클럽소유의 기록들과 그림들은 최소 1720년대로 추정된다.

1748년에 런던에서 출판된 아일랜드를 거쳐 가는 여행이라는 책자에서 워터클럽의발생을 설명한다. "나는 지금 코크에서 가진 의식으로 당신의 권력을 알릴 것이다. 그것은 베니스 도제의 해상결혼식 같았다. 숭고한 신사들의 많은 그리니치와 뎁트포드에서 왕의 요트를 능가하는 그림에서 보면 작은 범선들의 몇 척은 1년에 한 번씩 바다밖으로 조금씩 나아갔고, 함대의 나머지 배는 그들의 본래의 위치에서 떨어져나가, 왕의 배들처럼 같은 숫자로 그들의 열을 유지한다. 이러한 함대는 당신의 권력이 표현할 수 있는 가장 기분 좋고 근사한 풍경 중 하나의 형태이다."

워터클럽은 1765년까지 활동이 활발했으나 그 이후의 기록은 남아 있지 않다. 이점

+ 레가타(Regatta) – 요트경주이며, 원래는 베니스의 곤돌라경주에서 유래된 말

은 워터클럽의 활동이 어느 지점에서 중지되었음을 말하고 있다. 1806년 토몬드(Thomond) 후작과 다른 사람들은 클럽을 회복시키기 위해 만났으나, 그러한 활동들은 코크 항구의 어선과 노 젓는 배(rowing boat)들 사이의 경쟁을 장려하기 위해 제한되었다. 결국 1821년에 클럽은 해체되었고, 그 후 남은 몇몇 조직원들은 최근에 작은 뭉크타운(Monkstown)에 지역모임을 만들었다. 1828년에 결성된 그 클럽은 코크요트클럽이라는 이름으로 1830년에 왕의 허가를 받게 되었다.

로열코크 요트클럽은 세계에서 가장 오래된 클럽이라는 주장을 펼쳤고, 1980년대에는 요트경기와 원양항해의 모든 형태를 취급하는 활발한 조직을 자랑할 수 있었다.

호기심 많은 러시아인들은 1717년에 항해술과 선박의 지식을 펼치고 수리공과 그들의 아이들에게 바다의 묘미를 보여주기 위해 사용가능한 100척이 넘는 배를 지원했다. 세계 최초의 요트클럽으로서 이러한 요구는 그들 자신의 깃발을 얻는 기술과 현재 레닌그라드인 상트페테르부르크(St Petersburg)의 새로운 수도였던 것을 이용해 강을 흐르게 하는 것에 기초하였다. 그러나 이 클럽은 정상적인 요트클럽이기보다는 젊은 이를 위한 해군훈련용 클럽으로 보인다.

| 표 1-16 | 18세기 요트항해 활동

> 1720: 세계 최초 요트클럽을 만든 아일랜드 코크의 The Water Club 탄생
> 1775: 템즈 강의 컴버랜드 함대(Cumberland Fleet)경기

4) 19세기의 요트항해

1815년 나폴레옹전쟁의 종식은 장기적인 평화의 시기를 가져왔다. 세계 도처의 영국해군력은 해적으로부터 자유로운 바다를 만듦으로써 공격을 받지 않고 먼 바다로의 안전한 항해를 가능하도록 하였다. 산업혁명으로 인한 경기회복은 사회부유층 사이에서 요트여행과 같은 레저의 부흥을 가져왔다.

1815년 6월 1일 잉글리시젠틀맨그룹은 요트여행 역사에서 가장 기억에 남을 만한 회의를 런던 세인트 제임스 거리(St. Jame's Street)에 있는 태치드하우스 터번(Turban)+에서 가졌다. 그랜섬의 군주 아래 그들은 바다 요트항해에 관심 있는 구성원을 위한 클럽형태를 결정했다. 참석한 사람들 그리고 관심을 가졌던 다른 사람들 총 42인은

+ 터번(Turban): 간이숙박시설의 일종

최소 10톤 이상의 요트를 소유한 예비회원과 3기니의 입회비를 내도록 결정하였고, 그 클럽은 "더 요트클럽"이라 불려졌다.

런던에서 시작되었음에도 불구하고 그 클럽은 와이트 섬에 있는 카우스의 마을에 설립되었다. 클럽의 멤버는 42명이었으나, 8월 동안 카우스에서 19명의 귀족회원들이 정기적으로 만났고 8월 24일 이스트 카우스에 있는 호텔에서 매년 협회에서 주체하는 저녁만찬을 열기로 결정하였다. 그들의 관심 덕에 마을은 상류층의 요트회원들을 위한 유명한 리조트로서의 명성을 얻었다.

5) 왕의 승인

요트클럽으로 만들어졌음에도 불구하고 그 클럽은 많은 점에서 아탄애음 & 화이트 (Athanaeum and Whites)와 같은 많은 런던의 신사의 클럽들과 달랐다. 클럽 초창기 멤버들은 카우스와 런던에서 매년 몇 차례 열리는 회의에서 사회적인 이유로 노력을 기울이지 않았다. 그러나 클럽은 이러한 상황을 넘어 곧 활성화되었다.

1817년 9월 15일 이스트 카우스에 "리젠트 왕자는 요트클럽의 회원이 되기를 바라고 당신은 이것을 폐하의 소망인 공식적인 통지로써 숙고해 주십시오. – 찰스 파깃"이라는 편지가 읽혔을 때 특별회의가 소집되었다.

왕자는 즉시 회원으로 선출되었고 다음해 봄 두 명의 다른 귀족 자제들이 들어왔으며, 그 후 클럽의 활동은 더욱 활발해졌다. 1818년 클럽 유니폼이 고안되었으며 요트 크기의 자격은 최소 20톤이 되었다. 1820년 리젠트 왕자는 조지 4세가 되었을 때 클럽의 이름을 로열요트클럽으로 바꾸고 1824년 카우스 앞바다에 클럽하우스가 생겼으며 첫번째 제독으로 야보로우의 백작이 임명되었다.

클럽회원들 사이에 비공식적인 경주는 있었지만 첫번째 공식적인 경주는 1826년 8월 10일까지 다음과 같은 이유로 인해 열리지 않았다. "범선들은 £100의 가치가 있는 황금 우승컵을 위한 경기에서 삭구장비나 톤수는 로열요트클럽의 기준을 따라야 한다." 제2차 세계대전의 연도와는 별도로 경주는 조직화되었다.

클럽역사에 있어 그 이상의 발전은 1833년 7월 벨페스트 군주가 클럽으로 보낸 편지에서 비롯되었다. "폐하의 명령으로 국가적 사업의 정중한 승인의 절차로써 로열요트클럽의 제독과 장교의 정중한 바람과 기쁨은 앞으로 더로열요트스콰드론이라 호칭되고 알려지게 되는 것입니다. 이 시간부로 클럽의 기는 영국해군의 기와 같은 흰 바탕에 빨간 십자가의 교차점에 왕관이 추가되는 것으로 수정될 것입니다."

로열요트스콰드론의 이름과 두 깃발은 이날부터 바뀌지 않았다. 이것은 스콰드론

이 세계적으로 해체되지 않은 가장 오랜 요트클럽이고 처음 설립된 현대적 감각의 요트클럽을 의미한다.

카우스에서 떨어진 컴벌랜드세일링소사이어티는 템즈에서 계속 번창해왔다. 1823년 조지 4세의 대관식에서 그것의 이름은 코로네이션소사이어티로 변경되었다. 그러나 그 해의 경기는 많은 논쟁을 가져왔고 그 결과 위원회는 재경기를 명령했다. 많은 회원들은 이것에 임하지 않았고 1823년 8월 14일 템즈 요트클럽은 해체되었다. 대다수의 활동적인 회원을 빼앗긴 코로네이션세일링소사이어티가 1827년경 사라진 반면에 템즈 요트클럽은 1830년 후원자 클래런스 공작이 왕위에 올라 윌리엄 4세가 되었을 때 왕의 허가를 받았다.

6) 국제적인 확산

같은 해 코크에서 그 클럽은 3곳의 왕이 승인한 클럽들이 이끄는 로열코크요트클럽이 되었다. 이렇게 1830년대까지 요트여행은 조직화되었고, 오늘날 클럽, 소유자, 동업자의 출현에 이르기까지 더욱더 인기 있는 스포츠가 되어가고 있었다. 증기선의 출현은 항해에 있어 참신함을 더해주었다. 또한, 요트경기의 전반적인 규정들은 클럽과 레가타 위원회에 의해 제정되어 비록 처음에는 많이 달랐지만 지역적으로, 그 후에는 국가적으로, 더 나아가 국제적으로 천천히 통합되었다.

이에 따라 이와 같은 합병은 3곳의 왕족클럽을 모방하여 나타난 영국에서 처음 일어났다. 몇몇 클럽은 왕의 승인이나 오늘날 나타난 것과 같은 이름으로 시작했지만 다수의 클럽들은 1815년 이후 발생하였다. 1815년 말 더로열디, 1824년 로열노던(스코틀랜드 클라이드), 1827년 로열웨스턴(플리머스), 1829년 최초 식민지의 클럽인 로열지브롤터, 1831년 로열아이리시, 1837년 로열서던, 1838년 로열런던, 로열세인트조지(아일랜드), 로열호바트레가타어소시에이션(오스트레일리아 태즈메니아)이 설립되었다.

이 클럽의 존재는 1845년에 출판된 "The Yachts- man's Annual and General Register"라고 불리는 책에 나온 웨이머스와 타인마우스에 있는 2개의 레가타 연합과 12개의 클럽에 의해 세기 초반에 영국에서의 요트여행이 얼마나 발전해왔는가에 대해서 말하고 있다.

로열요트스콰드론은 160명의 회원과 100척의 범선을 갖고 있고, 대부분의 무게는 50~120톤 사이이며, 무게 393톤의 스쿠너선(schooner) 한 척이 있지만 다른 선박은 30톤으로 가벼운 쪽에 속한다. 로열템즈요트클럽은 약간 더 작은 요트 150척을 갖고 있었지만, 세기 중엽까지 영국 요트여행 함대가 발달했다는 것을 함께 보여준다.

대영제국 밖의 최초의 요트클럽은 1830년 스웨덴에서 설립되었다. 로열요트스콰드론의 회원이었던 블룸필드 군주가 생각해낸 것으로 그가 영국 사절로서 스웨덴에 있었을 때 어느 밤 집회에서 더 요트클럽(The Yacht Club)을 설립하도록 결의했다. 클럽의 규칙은 1833년에 작성되었으며, 최초 스웨덴의 왕위계승 왕자에 의해 승인되었으며, 더 스웨디쉬 요트클럽(The Swedish Yacht Club, SSS)으로 클럽명이 바뀌었다. 왕의 승인 몇 년 후 클럽은 로열스웨디시요트클럽(the Kungelig Svenska Segel Sallskapet, the KSSS)이 되었다.

7) 미국의 요트항해 활동

18세기 무렵 미국은 식민지의 확장으로 인해 해상교통이 발달되었다. 쾌속 범선은 보스턴에서 뉴욕까지 육지를 경유한 여행보다 더 빠르고 더 편리하게 항해할 수 있었기 때문에 근해의 운송을 위해 개발되었다. 그러나 이 당시에는 위락을 목적으로 한 항해는 드문 일이었다. 예외적으로 루이스 모리스 대령이 순수하게 휴양만을 위해 팬시(길이는 약 10.7m)라 불리는 작은 슬루프(sloop)를 제조했다.

미국인 최초의 요트는 1801년 매사추세츠주 살렘의 조지 크로우닌쉴드가 제조한 제퍼슨이라는 22톤의 슬루프이다. 크로우닌쉴드는 자신의 배를 가지고 있는 상인이었고, 그의 개인적 사용과 그의 아들과 친구들을 위한 훈련용 배로 제퍼슨을 제조하였다. 그 슬루프는 1812년 영국에 대항하는 전쟁에서 사략선으로서의 권한을 부여받았고, 1815년 결국 고기잡이배로 팔렸다. 그의 다음 요트는 통상용의 범선으로 25m의 상당히 큰 요트였다. 이는 클레오파트라 바지(Cleopatra's Barge)라는 이름이 지어졌으며, 그때 당시 총액 5만 달러라는 거대한 비용이 들었고, 값비싼 별장 같은 가구 딸린 요트로 우아한 긴 의자와 벨벳 쿠션, 도색된 의자, 거울, 잔뜩 차려진 뷔페와 최고의 접시와 유리그릇, 자기류 등을 보유하고 있었다. 클레오파트라 바지는 최신의 갑판장치를 뽐냈다. "최고의 특징인 수평의 권양기와 키는 편하고 안전하게 이동하기 위해 설치되었다." 그리고 수많은 돛을 갖추고 있다.

1817년 여름 이 요트는 지중해를 향하여 출발했다. 그들은 지브롤터, 탕제, 마조르카, 바르셀로나, 마르세유, 제노아, 레그혼을 방문했다. 미국으로 돌아오는 길에 크로우닌쉴드는 다음해 북유럽과 발트해까지 크루즈를 계획했지만, 1817년 11월 선내에서 죽었다. 그 요트는 그 후에 통상무역회사에 팔렸고, 1820년 하와이의 왕에게 다시 팔렸다. 그는 곧 그 배를 파괴했고 폐선은 호놀룰루의 바다에서 못쓰게 되었다.

1820년대 보스턴인 벤자민 커틀러 클라크는 메리라는 이름의 작은 요트로 보스턴

항의 주위를 항해했다. 1832년 그는 처음으로 보스턴에서 갑판으로 이루어진 요트라 명칭 지어진 11톤의 스쿠너선(schooner)인 머메이드를 주문하였다. 도착지점에서 클라크는 틀림없이 거기에 요트 중고시장이 있음을 알고 이 배를 팔고 20년 동안 그 지역에서 항해한 라벤이라는 배를 구입하였다. 1845년 라벤은 호텔소유자인 페런 스티븐스에 의해 개최된 보스턴 북쪽에서 열린 나호트(Nahaut)라는 요트경주에서 시그닛이라 불리는 요트를 이겼다고 보도되었다.

미국에서 첫번째 요트클럽의 명예는 1834년에 설립된 보스턴 요트클럽에 영향력을 미쳤다. 카우스의 초창기와 마찬가지로 비공식적이고 해안가에서의 요트항해는 함께 클럽에 열중하게 하였다. 그들은 14미터 크기의 스쿠너선(schooner) 드림을 사기 위해 합동 소유주들의 회사보다 훨씬 많은 돈인 2,000달러를 올렸다. 그 배는 낮에 주로 항해하는 배의 용도로 짧은 거리의 피크닉과 겜블링 파티의 용도로 사용되어 졌다. 이 요트의 성공으로 클럽은 16미터 크기의 스쿠너선(schooner) 브리즈를 구입하게 되었다. 수년간 두 요트는 보스턴항의 특색이었으나 1837년 미국은 불경기를 맞게 되었다. 그 요트들은 처분되고 클럽은 기록으로부터 사라지게 되었다.

영국에서처럼 몇몇 영향력 있는 사람들에 의해 구성된 보스턴 요트클럽과 같은 클럽의 탄생과 바다에서의 재미난 항해는 우리가 오늘날 이해하고 있는 요트 스포츠처럼 자극이 필요하였다. 존 스티븐스 대령은 미국 혁명기 동안에 뉴저지의 출납국장이었다. 그는 세 명의 아들과 허드슨강 하류에서 항해를 즐겼다. 또한 그와 그의 가족은 초기 증기선과 철도 개발에 기여하였다. 그의 아들 중 한명은 스티븐스 기술단체의 설립자이었으며, 막내 아들인 존 콕스 스티븐스는 1809년부터 각기 다른 디자인과 기술이 접목된 배의 시리즈를 만들었다. 이와 같은 배들의 몇몇은 길이가 28미터인 긴 것도 있었다.

8) 뉴욕 요트클럽

1844년 7월 30일 당시 뉴욕항에서 존 콕스 스티븐스와 9명의 친구들은 뉴욕 요트클럽을 만들기로 결정했으며, 스티븐스를 제독으로 선출하였고 위원회에 의해 임명되었고, 클럽은 뉴욕으로부터 뉴포트를 항해하는 로데섬에 짓기로 결정하였다. 이것은 1844년 8월 초에 일어났으며 짐크랙과 다른 유사한 요트들에 의해 완성되었다. 클럽이 커짐에 따라 클럽하우스는 뉴저지의 위화칸에 있는 엘리시움 들판에 세워졌다.

미국에서의 첫 공식적인 경주는 1845년 7월 NYYC에 의해 개최되었다. 그것은 배가 뉴욕만을 통해 Lower Bay의 부표를 돌아오는 것이었다. 그 경주에서 스티븐스는

패배한 뒤 더 빠른 배로 짐크랙을 교체하였다. 그의 새로운 배는 큰 사형 주범과 센터보드(center board)를 갖춘 33.5m(110ft)의 마리아라는 슬루프로 몇 년 동안 NYYC함대 중 가장 빨랐다. 이렇게 경기를 주최하는 동안, 클럽은 규칙의 미비점을 보완하였다.

뉴욕 주변 해안에서 클럽멤버들이 크루즈여행과 서로 경주시합을 벌이던 이러한 유쾌한 여름은 오히려 신사처럼 보이게 변장한 카우스인들이 계속해서 NYYC의 초창기 멤버 중 한 사람인 조지 슈일러에 의해 1850년 영국으로부터 받은 통행증 없이 통과 가능케 하였다. 영국에서 열린 요트경주에 뉴욕 출신 조종사를 보낸 시도는 아메리카컵의 설립을 위한 이벤트의 첫 단계이었다. 1851년 미국에서 영국에 새롭게 보낸 특파원은 더 발전하거나 아니면 쇠퇴한 요트경주 역사의 새로운 시작으로 기록하였고, 스포츠의 필수적 요소인 친선의 요트경주 활동을 보았다고 전했다. 국제적 요트경주의 시대가 도래한 것이었다.

19세기 요트항해 활동

> 1815: 카우스에서 경주를 위해 "The Yacht Club" 탄생
> 1820: "The Yacht Club"은 "The Royal Yacht Club"이 됨
> 1826: 카우스 레가타(Cowes Regatta)에서 우승컵을 위해 최초 경주
> 1829: 영국 외부의 최초 요트클럽인 "Royal Gibraltar Yacht Club" 탄생
> 1830: 대영제국 외부의 최초 요트클럽인 "Royal Swedish Yacht Club" 탄생
> 1833: "The Royal Yacht Club"은 "The Royal Yacht Squadron"으로 개칭
> 1838: 프랑스의 "The Societe des Regates du Havre"와 오스트레일리아의 "Royal Hobart Regatta Association" 탄생
> 1844: "New York Yacht Club" 탄생
> 1845: 미국 해안에서 열린 최초 공식적 경주는 뉴욕에서 개최
> 1850: "Richard Tyrrell McMullen"(영국) "Leo"호로 크루즈 시작
> 1851: 카우스의 "Hundred Guinea Cup"에서 America호 우승, 후에 최초 America's Cup 경주로 간주
> 1856: "Lord Dufferin"(영국)은 "Foam"호로 북극 순항
> 1866: 최초 동부행의 대서양횡단 경주
> 1870: "City of Ragusa"호 동쪽에서 서쪽으로 대서양 횡단
> 1870: America's Cup의 최초 방어경기 실시(Defence)
> 1876: "Yacht Racing Association"(영국) 탄생
> 1876: "Alfred Johnson(미국)" 최초 동부행의 대서양 단독 횡단
> 1876: Sunbeam호 세계일주 크루즈 시작
> 1880: Cruising Club(영국) 탄생
> 1883: "Bernard Gilboy(미국)" 최초 태평양 단독 횡단
> 1886: 영국에서 적재량 등급 폐지
> 1887: Frank Knight 발트해 순항
> 1893: 영국과 미국에 9척의 큰 경주용 커터(cutter) 진수

1895: 솔렌트 One-Design에서 최초 영국 단일형급 제품생산 시작
1895: 최초 Seawanhaka Cup 경주
1896: 최초 Canada's Cup 경주
1897: 미국의 최초 단일형 "A Scow" 제조
1898: Joshua Slocum(미국) 최초 단독 세계일주항해 성공
1899: 최초 "One Ton Cup" 경주

20세기 요트항해 활동

1900: 올림픽경기 종목으로 요트 소개
1903: New York Yacht Club에 의해 Universal Rule 채택
1903: 가장 큰 커터 Reliance호 America's Cup 방어전 진출
1906: 최초로 뉴욕과 버뮤다 요트항해 실시
1906: Roald Amundsen(노르웨이) 최초 Gjoa호로 북서항로를 통해 항해
1906: International Rule 작성
1907: International Yacht Racing Union(국제요트경기연맹) 탄생
1908: Cruising Association(영국) 탄생
1909: Clyde Cruising Club(영국) 탄생
1911: 최초 Star 단일형급 킬보트 제조
1919: 영국에서 14ft딩기의 경기규칙 제정: 1928년에 International 14가 됨
1920: 마침내 America's Cup 유싱타임(Using time)허용
1921: 최초 British-American Cup 6-metres 경주
1922: "Cruising Club of America" 탄생
1923: 최초 (Bermuda Race from New London, Connecticut to Bermuda) Cruising
      Club of America에 의해 편성
1925: North American Yacht Racing Union(NAYRU) 탄생
1925: Ocean Racing Club(영국) (후에 Royal Ocean Racing Club) 탄생
1925: 미국의 해리 피존(Harry Pidgeon) 두 번째로 단독 세계일주
1925: "Fastnet Race"에서 7척의 요트 최초로 적도 통과
1925: 아일랜드의 커너 오브라이언(Conor O'Brien) Saoirse호로 최초 희망봉과 케이프
      혼(Cape Horn)의 남쪽 세계여행
1926: "The Little Ship Club"(영국) 탄생
1927: 이탈리아 제노아의 6-metre 레가타에서 제노아 세일 최초 출현
1929: Irish Cruising Club 탄생
1930: 토마스 립튼 경에 의하여 America's Cup 도전전이 열리고, J-class 출현
1930: 최초로 타스만(Tasman)해 횡단경기 실시
1930: Swiftsure Lightship Race 개최
1931: 미국의 빌 로빈슨(Bill Robinson)과 타히티의 에트라(Etera) 최초 2인승 세계일주
      선원
1931: RORC Rule 소개
1932: CCA Rule 소개
1932: The Star급 단일형 킬보트 올림픽경기에 최초 출현

> 1934: 노르웨이의 알 한센(AlHansen) 동쪽에서 서쪽으로 케이프 혼(CapeHorn)주변 최
> 초 단독항해
> 1937: America's Cup J-class 마침내 America's Cup에 출현
> 1939: 최초 마블헤드(Marblehead)에서 핼리팩스(Halifax)간 경주
> 1941: Southern Ocean Racing Conference 시리즈 최초 개최
> 1945: Sydney to Hobart Race 개최
> 1946: 최초 세계의 가장 큰 경주인 Newport Beach to Ensenada 경주
> 1947: 최초 부에노스 아이레스에서 리오데자네이로간 경기
> 1948: 덴마크의 폴 엘브스트롬(Paul Elvstrom) 최초 올림픽 4관왕

② 한국 요트의 역사

1) 요트의 역사

우리나라에서도 삼국시대 이전 아주 오랜 옛날부터 바람의 힘을 이용해 항해하는 목선을 사용해온 것으로 알려져 있으며, 수십 년 전만 해도 한강이나 낙동강 등 주요 내륙 하천에서 황포돛배와 같이 돛을 단 소형 목선들이 사람이나 화물을 운반하는 데 흔히 이용되어 왔다. 그러나 유럽이나 미국과 같은 개념의 해양레저 또는 스포츠로서 범선을 사용한 사례는 찾아보기 어렵다.

1930년경 연희전문학교의 언더우드가 한강변의 한 나루에서 배목수를 시켜 요트를 제작하고 '황해요트클럽'이라는 이름으로 한강 하류에서 활동한 것이 우리나라 해양 스포츠의 효시라고 할 수 있다. 그러나 태평양전쟁이 발발하자 일제는 요트항해 금지 령을 내려 요트를 제작하거나 타는 행위를 금지했으므로, 해방 이후 우리나라에 주둔한 미군들이 진해, 대천 등지에서 개인적으로 요트를 즐기기 시작할 때까지 요트활동은 중단되었다. 1960년대부터는 우리나라 군인들을 중심으로(간혹 민간인들도) 개인적으로 요트를 제작하여 즐기는 사람들이 나타나기 시작했으나 동호인 단체를 구성하거나 요트를 보급하려는 시도는 없었다.

본격적으로 요트가 보급되기 시작한 것은 1970년 한강 강나루에서 호수용 요트인 턴(Turn)급 20척을 합판으로 제작하여 '대한요트클럽'을 창설하면서부터이다. 이 클럽은 대학생을 중심으로 활발하게 활동하였으나 1972년 대홍수 때 요트가 모두 유실되는 불행을 당하고 말았다. 그러나 요트 동호인들은 다시 힘을 모아 대한조정협회에 요트부를 신설하고 스나이프급과 오케이 딩기급 요트를 제작하여 요트 보급에 나서게

되었다. 그 결과 1979년에 '대한요트협회'가 창설되어 현재 대한체육회와 국제요트경기연맹에 가입되어 있으며, 매년 다수의 요트경기 대회를 주최하고 여러 국제 대회에도 선수를 파견하고 있다.

이렇듯 짧은 요트 역사를 가지고 있음에도 불구하고 '86아시안게임과 '88올림픽에서 성공적인 요트경기를 운영하고, '98 방콕 아시안게임과 2002 부산 아시안게임에서 각각 여섯 개의 금메달을 획득하여 아시아 최강의 실력을 입증한 것은 국내 요트계의 쾌거가 아닐 수 없다. 그러나 이러한 성과가 생활체육으로서 요트활동이 국내에충분히 파급되었기 때문이 아니라 단지 딩기와 같은 일부 올림픽 종목에 국한된 엘리트 체육 정책의 산출물이었다는 점에서 매우 안타까운 현실이 아닐 수 없다.

2000년대에 들어서면서 비로소 순수 레저 활동으로 요트를 즐기는 동호인들이 점차 늘어나기 시작했으며, 원양 순항을 즐기는 고급 요트 활동도 나타나고 있다. 또한우리나라가 세계 1위의 조선 강국이라는 점에서 우리의 선진 조선 기술을 바탕으로고성능 요트를 자체 개발할 필요가 있다는 인식이 점차 확대되고 있어, 국내에서도요트의 설계와 성능 해석, 건조를 위한 노력이 이루어지고 있다. 이에 따라 조선 관련고급기술을 확보하고 있는 연구기관과 대학, 그리고 순항 요트를 즐기는 동호인들을중심으로 아메리카컵이나 볼보대회 등 국제적인 요트경기에 참가하는 꿈을 이루기 위해, 비록 소수이긴 하지만 고성능 요트를 연구하는 등 나름대로 준비하고 있는 요트동호인들이 있는 것으로 알려져 있다.

2) 요트 및 요트장 현황

2013년을 기준으로 대한요트협회에 등록 된 국가대표 요트 선수는 30명(남자 23명, 여자 7명)이며, 요트 동호인은 중·고등학교 및 대학교의 요트 동아리와 여러 요트 클럽(한국크루저요트클럽(전곡항), 한강요트클럽, 서울요트클럽, 수영만 요트클럽, 위네이브 요트클럽, 라이트하우스 요트클럽, 자이언트 요트클럽, 올림피아 요트클럽, 무리애 요트클럽 등)을 중심으로 약 5만 명에 불과한것으로 추정되고 있다.

그러나 국민소득의 증가에 따른 해양레저 활동에 대한 관심 증대, 주 5일 근무에따른 여가 시간 활용, 육상레저 자원의 포화 등으로 해양레저에 대한 국민적 관심과수요가 더욱 증가하고 있어, 머지않아 '마이 요트(My yacht) 시대'의 도래와 함께 요트동호인이 급증할 것으로 예상된다.

전국 주요 대학 요트동아리

강원대학교	http://www.kangwon.ac.kr/~yacht
경상대학교	http://www.yachtclub.wo.to
경희대학교	http://members.tripod.lycos.co.kr
경성대학교	http://sports.ks.ac.kr
단국대학교	http://cafe.daum.net/dkyacht
동아대학교	http://yacht.donga.ac.kr
부경대학교	http://www.yacht.waa.to
부산대학교	http://keel.woorizip.com
서울대학교	http://www.snus.or.kr
인하대학교	http://www.2.inha.ac.kr/~ihyc
중앙대학교	http://www.yacht.cau.ac.kr
한양대학교	http://www.hyyc.org
해양대학교	http://users.unitel.co.kr/~choic
해군사관학교	http://navy.ac.kr
홍익대학교	http://cafe.daum.net/dinghy
세종대학교	http://cafe.naver.com/sejongyacht.cafe
이화여자대학교	http://deram.ewha.ac.kr/~escape97
용인대학교	http://yachtschool.or.kr

　국내의 주요 요트장은 부산 수영만 요트경기장과 경기도 전곡마리나, 경남 통영의 충무마리나를 포함해 모두 18개소에 이른다. 수영만 요트경기장은 넓이 97,000㎡로 1983년 건설되어, 1986년 아시안게임과 1988년 올림픽 때 요트경기를 개최한 곳이다. 1,360여 척의 요트를 동시에 계류할 수 있는 넓은 육상·해상 계류장을 갖고 있을 뿐 아니라 주변에 요트를 타기에 적합한 자연 여건을 갖추고 있어, 매년 많은 국내의 요트경기 대회가 개최되는 우리나라 해양스포츠의 메카로서 요트인들이 가장 즐겨 찾는 곳이다. 경기도 화성시 전곡항 마리나는 2008년부터 코리아매치컵 요트경기와 국제보트쇼가 개최된 마리나이며, 경남 통영의 충무마리나는 금호개발에서 건설한 사설 요트장으로 1994년 4월 17일에 준공되었는데, 90여 척의 요트를 동시에 계류할 수 있는 규모이다. 이곳은 한려수도 중앙에 위치하고 있어 육상 및 해상의 종합 리조트로 개발되었으며, 전용 콘도 이용이 가능하다는 이점이 있다. 또한 인천광역시에서는 2014년 아시안게임을 대비하여 영종도에 왕산마리나를 국제적 규모로 건설하고 있다.

전국 마리나
위치도

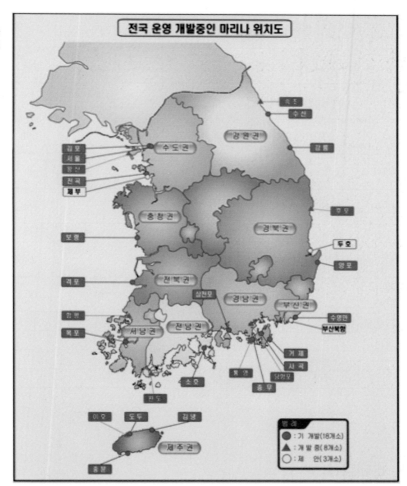

전국 마리나 개발현황

마리나	개발			운영주체	연간 운영비 (백만원)	연간수입		비 고
	주체	규모	사업비			항목	금액 (백만원)	
전곡	화성시	233척	467억 원	화성시관리공단	162	계류수익	185	확장중
김포	수자원공사	193척	–	(주)워터웨이 플러스	–	계류수익	–	경인아라뱃길 연계
보령	보령시	–	30억 원	보령시	13	–	무상사용	요트경기장
목포	목포시	57척	70억 원	대불대	27	계류수익	39	
소호	여수시	100척	7.15억 원	전남요트협회	15	–	무상사용	외곽계류시설 부재

사곡	거제시, 민간	–	8.4억 원	거제시 윈드서핑협회	15	–	–	–
충무	금호	60척	654억 원	금호	280	계류 및 영업수익	550	체육시설업과 유선 사업으로 운영 중
삼천포	(주)삼천포 마리나	42척	5.68억 원	(주)삼천포 마리나	–	계류 및 교육수익	–	15년 무상 사용허가
수영만	(주)대우	448척	711억 원	체육시설관리소	726	계류 및 임대수익	1,296	재개발사업 추진 중
강릉	강릉시	20척	259억 원	(주)마스터	–	–	–	확장 중
수산	양양군	60척	79억 원	강원도 요트협회	–	–	무상사용	
양포	농림수산부	36척	96억 원	포항시	26	–	무상사용	'11년 운영개시
도두	제주한라대	4척	31억 원	제주한라대	130	요트면허 교육수익	2	–
김녕	(주)에니스 제주도	10척	10억 원	㈜에니스 제주도	800	렌트영업	700	카타마란 3척
중문	퍼시픽랜드	134척	160억 원	퍼시픽랜드	8,085	렌트영업	3,100	
서울	–	90척	–	–	–	–	–	–
격포	–	37척	50억 원	–	–	–	–	–
거제	–	100여척	시공 중					

자료: 저자

⚙️ ③ 요트 관련법규 및 단체

국내의 선박 관련법규 중 요트와 관련이 있는 법규로는 '수상레저안전법'을 비롯하여, 수상레저기구의 등록·관리와 선체·설비안전에 관련된 '선박법'과 '선박안전법', 수상레저기구의 운항자 자격·면허, 운항안전관리, 세제 지원과 관련된 '선박직원법', '해상교통안전법', '개항질서법', '체육시설 설치 및 이용에 관한 법률' 등이 있다.

수상레저 활동의 안전에 관한 가장 중요한 규정들을 포함하고 있는 수상레저안전법(1999년 제정)에서는 요트조종 면허시험 대행기관의 시험관 및 요트를 조종하고자 하는 자는 요트조종 면허를 취득하도록 규정되어 있다. 면허시험은 필기시험과 실기시험으로 구분되고, 면허시험에 합격한 자에게는 요트조종 면허증이 교부된다. 2011년 기준 요트조종 면허취득자는 총 4,265명으로 요트동호인의 규모에 비해 적은 수치이나 최근 요트면허 응시자 및 취득자가 증가하고 있는 추세이다.

조종면허 취득자 현황

구 분	계	1급	2급	요 트
계	111,931	38,438	69,228	4,265
2000년	6,996	5,128	1,777	61
2001년	9,222	3,239	5,914	69
2002년	6,985	2,467	4,464	54
2003년	6,556	2,276	4,206	74
2004년	6,787	2,022	4,672	93
2005년	9,413	2,382	6,874	157
2006년	10,529	2,629	7,770	130
2007년	9,300	2,908	6,160	232
2008년	9,205	3,077	5,700	428
2009년	12,055	4,134	7,170	751
2010년	11,500	3,933	6,814	753
2011년	13,413	4,243	7,707	1,463

자료: 해양경찰백서(2012)

■
파랑새호

대표적인 요트 관련 단체로는 대한요트협회(http://yachting.sports.co.kr), 한국외양범주 연맹(http://www.kosf.or.kr), 수상레저안전연합회(http://www.kwlsf.or.kr) 등이 있고, 크루저 요트 관련 유일한 민간 단체로 전곡항을 중심으로 활동하는 한국크루저요트협회가 있다.

대한요트협회는 1979년 창립되었으며 대한체육회와 국제요트연맹에 가입하고 있 는, 국내의 모든 요트경기 단체를 대표하는 단체이다. 대한요트협회는 요트경기의 보 급과 발전을 꾀하고 우수한 요트경기인을 양성하는 것을 목적으로 하고 있는데, 주요 사업으로는 요트 발전에 관한 기본 방침 결정, 국내외 요트경기 대회 개최 및 관련 회 의 참가, 산하 가맹단체와 지부의 관리 감독 및 지도 등이 있다. 또한 각 지역의 마리 나에 요트학교를 설치하여 요트의 보급과 발전에 기여하고 있다.

한국외양범주연맹은 1987년 해운항만청으로부터 인가를 받은 단체로, 외양 범주에 관한 조사 연구, 항해 기법의 향상, 범주정의 안전성 확보 및 성능의 기술적 개선을 도모하고 지원하는 것을 목적으로 하고 있다. 주요 사업으로는 해양경찰청으로부터 요트 조종 면허시험의 대행기관으로 선정되어 면허시험을 대행하고 있으며, 한일 친 선 아리랑 요트경기 등을 개최하고 있다.

수상레저안전연합회는 바다를 아끼고 사랑하는 수상·수중 레저 전문인 및 동호인 들이 뜻을 모아 해양문화 발전에 기여하고자 1999년 설립한 비영리 사단법인으로, 수 상레저 안전을 위한 지도자, 안전요원 및 레저기구 사용자 교육, 동력수상레저기구 1,2급 조종자 면허시험 등을 대행하고 있다.

유일한 민간단체로서 한국크루저요트협회는 크루저요트 관련 동호인들로 구성되어 약 50여 척의 크루저급 요트가 가입되어 경기도 화성시 전곡항을 중심으로 활발하게 활동하고 있다.

4) 요트산업과 수출입 현황

1980년대 초 현대그룹의 자회사인 경일산업과 미원그룹에서 주문자 생산 방식 (OEM)으로 요트를 생산하고자 막대한 자금을 초기 생산라인에 투자하였으나 불과 몇 척도 생산하지 못하고 중단되고 말았다. 그 이유는 외국 주문자(바이어)의 계약 조건인 품질검사에 통과하지 못한 것으로 기술력 부재가 가장 큰 원인이었는데, 결국 이때 생산된 요트는 대부분 국내에서 사용하게 되었다.

경일산업에서 건조한 파랑새호(35피트)는 1980년 5월 노형문, 이재웅 씨의 조종으로 울산을 출항하여 76일 만에 태평양을 횡단, 샌프란시스코에 도착함으로써 한국인 최 초의 태평양 횡단 기록을 수립하였다. 아직까지도 부산 수영만 요트장과 통영 마리나에는 경일산업에서 생산한 요트 몇 척이 남아있다. 또 강남조선에서도 수출용 요트를 몇 척 건조하였으나 곧 중단되었으며, 그 밖에도 여러 소형 FRP 조선소에서 자체 개발 또는 해외 벤치마킹을 통하여 요트 건조를 시도하였으나 기술력 부족으로 사업화에는 실패하였다. 그리고 2000년대에 들어서면서 정부 지원에 의한 요트 국산화 개발, 산학 협력 또는 외국 업체와의 제휴 등을 통하여 요트가 건조되고는 있으나, 시제선의 수준이거나 단발적인 생산에 그쳐 아직 대량생산단계에는 이르지 못하고 있는 실정이다.

현재는 요트 및 보트를 생산하거나 수출능력을 가지고 있는 조선소는 동남레저보트, 푸른중공업, 현대요트, 군장조선 등이 있으나 생산기능 및 기술은 외국에 비하여 큰 격차를 보이고 있다.

2013년 기준으로 보면 요트의 수출은 점점 감소하는 데 반해 수입은 약 1,500만 달러로 나타나고 있으며, 2005~2013년 기간 중 요트 수입의 연평균 증가율은 평균 16.8%에 이르는 반면 수출 실적은 거의 없는 실정이다. 1980년대 초에는 경일산업, 강남조선 등에서 건조한 요트의 수출이 일시적으로 추진되어 연간 수출액이 300만 달러에 이른 적도 있으나 기술력 부족으로 요트산업이 지속적으로 유지되지 못함에 따라, 현재는 국내의 요트 수요를 전량 수입에 의존하고 있는 것으로 파악되고 있다. 이에 따라 노후화된 중고 요트의 수입에 따른 안전성 및 폐선 문제, 국내 요트산업 및 시장 형성 저해 등의 부작용이 우려되고 있어, 요트의 국산화 개발을 통한 수입 대체가 절실한 실정이다.

요트의 수출입 추이

(천 달러)

자료: 한국무역협회. 2013

5) 국내 기술 현황 및 요트경기 현황

	2004	2005	2006	2007	2008	2009	2010	VISION
딩기급 기술 개발 로드맵	딩기급 선형 개발 기술			생산 기술 및 시제품 제작				세일 요트 및 윈드서핑 기술 개발
	돛 및 돛대 개발 기술			시제품 시운전 성능 평가 및 보안 등				
	부품소재 및 의장품 개발							
크루즈급 기술 개발 로드맵	크루즈급 선형 개발 기술			선형, 돛 및 돛대 생산 기술 개발 및 시제품 제작				
	돛 및 돛대 개발 기술							
	선실 및 인테리어 설계 기술			시제품 시운전 성능 평가 및 설계 제작 보완 등				
	부품소재 및 의장품 개발							
윈드서핑 기술 개발 로드맵 개발보완	보드 및 개발 기술		시제품 제작					
	돛 및 돛대 개발 기술							
	소재 및 구조 개발		평가 및 보완	양산 체계 연구				

■ 요트 기술 개발 로드맵

요트 및 관련 기술의 국산화를 위한 개발 사업이 해양수산부 등 정부기관의 지원과 산학협력 등을 통하여 수행되어 왔으나 단편적인 사업에 그쳐, 아직 중장기적이며 체계적인 기술개발은 이루어지지 않고 있다.

요트 관련 기술은 크게 선형개발, 돛 및 돛대, 선내 거주구, 줄채비(rigging) 및 의장품 등으로 나눌 수 있다.

선형개발의 경우, 그동안 많은 영세업자들이 외국 중고 요트의 선체 몰드와 설계 도면을 구입하거나 불법 복제하여 건조해왔다. 그러나 최근에는 세계 최고 수준인 우리나라의 대형 선박 선형설계 기술을 기반으로 한국해양연구원 해양시스템안전연구소, 중소조선연구원, 부경대학교 등에서 자체적으로 요트 선형을 개발하고 있다. 그러나 돛·돛대의 경우 국내 수요의 전량을 수입에 의존하고 있으며, 관련 기술 개발도 전무한 실정이다. 선내 거주구의 경우에도 국내에는 요트의 선내 거주구 설계 및 생산 능력을 갖춘 업체가 없으므로, 세계 최고 수준인 우리나라의 대형 상선 거주구 설계와 생산기술을 활용하여 기술을 개발해야 할 것으로 생각된다. 줄채비 및 의장품의 경우에도 일부 의장품을 제외하면 대부분 수입에 의존하고 있으며, 이에 관한 기술 개발도 전무한 설정이다.

한편 2004년 서울대학교에서는 국민체육진흥공단의 지원으로 2010년까지 독자적인 요트 기술개발을 위한 로드맵을 작성하여, 체계적인 국산 요트 개발 및 대량생산 체계 구축을 위한 비전을 제시한 바 있다.

한국해양연구원 해양시스템안전연구소(http://www.moeri.re.kr)에서는 해양수산부의 지원을 받아 보급형 해양레저선박 개발사업(2001년 6월~2007년 12월)을 수행하고 있다. 이에 따라 2003년에는 길이 6.5m, 정원 5~6명의 1.2톤급 동력선 '마린 패밀리(Marine Family)'를 개발하였으며, 2005년에는 30피트급 범주 요트 'KORDY-30'을 개발하였다.

또한 2008년에는 경기도 화성시 전곡항에서 제1회 코리아매치컵 국제요트대회 및 보트쇼가 열려 본격적인 국제적 보트쇼 및 크루저급 요트의 국제화 시대를 열고 있다. 대한요트협회는 2013년 현재 코리아컵 국제요트대회 등 국제수준급의 크고 작은 요트대회를 연간 35회 정도를 주관하고 있다.

한국의 요트발전사

년도	비고
1930	연희전문학교 황해요트클럽
1970	대한요트클럽 창설
1979	대한요트협회 창설
1979	국제요트경기연맹 회원국 가입
1982	대한체육회 가맹
1984	아시아요트연맹 회원국 가입
1985	올림픽 첫 출전
1986	아시안게임 첫 입상, 제3회 아시아요트선수권대회 개최
1988	서울 올림픽 개최
1990	한 · 일 아리랑 레이스 개최
1997	제8회 아시아옵티미스트급 요트선수권대회 개최
1998	방콕아시안게임에서 금6, 은1, 동3 획득
2001	제10회 아시아요트선수권대회 개최
2002	부산아시안게임에서 금6, 은2, 동2 획득
2004	레이저급 아시아퍼시픽선수권대회 개최
2005	세계청소년요트선수권대회 개최
2006	제15회 도하아시안게임에서 금1, 은1, 동2 획득 이순신장군배 국제요트대회(경남 통영)
2007	제1회 코리아컵 국제요트대회(경북, 후포항), 경남 창원 대한민국 국제보트쇼
2008	코리아매치컵 세계요트대회 및 경기국제보트쇼 시작
2009	대한요트협회 창립 30주년
2010	제1회 전남 · 제주 국제요트대회
2012	제1회 해양수산부장관배 국제요트대회(전남여수시 엑스포 신항)
2013	제1회 해양경찰청배 요트대회(한강)

자료: 김천중

제 2 장

요트와 보트의 분류와 생산

제1절 요트와 보트의 의의와 분류

① 요트와 보트의 의의

유럽에서 작고 빠른 배의 범용어로서 쓰이기 시작한 요트는 오늘날 레저선박 건조기술의 향상으로 다양한 용어로 쓰이고 있다. 특히 편리성과 쾌속성을 중심으로 발전한 보트의 출현은 전통적인 요트의 모습을 다양화 시키는 데 결정적인 영향을 주었다. 그러나 유럽을 중심으로 요트라는 용어가 쓰이고 미국을 중심으로 보트라는 용어를 널리 쓰고 있다.

요트와 보트의 용어는 선박의 건조기술과 각종 용도에 따른 부속장비의 빠른 변화에 따라서 극도로 혼용하여 쓰여 지고 있어서, 각국에서는 엄밀한 구별보다는 관습적으로 적절히 상황에 따라서 혼합하여 쓰이고 있는 실정이다.

파생된 용어로 요트나 보트의 소유자 혹은 즐기는 사람을 "Yachtsmen, Boaters"라고 하고, 즐기는 행위를 "Sailing, Yachting, Cruising, Boating" 등으로 사용하고 있다.

현재에도 전통적인 조직의 명칭이나(로열 요트 스쿼드론, 뉴욕요트클럽), 슈퍼요트 등과 같이 전통을 중시하는 의미에서 요트를 많이 쓰고 있다.

그러나 각국은 산업의 주도권을 행사하려는 노력의 일환으로 자국의 관습적 용어를 고집하여 미국을 중심으로 "Charles F. Chapman" 등의 노력으로 보트라는 용어를 널리 쓰려고 하고 있다.

② 요트의 개념과 구조

"요트"는 작고 빠른 배를 의미하는 네덜란드어 약트 "jaght or joghte"에서 유래하였고, 1599년 더치-라틴 사전에 처음 수록되었다(Johnson, pp10-11).

요트란 보트보다 일찍 쓰인 용어로 작고 빠른 배를 의미하는 범용적인 용어다.

모터보트와 구별이 필요할 경우에는 요트는 마스트가 장치되어 있고, 비교적 풍력 의존도가 높은 선박을 의미한다. 요트의 관점에서의 분류를 할 때는 돛을 이용하는 마스트가 장치된 보트만으로 요트를 아래의 표와 같이 분류할 수 있다.

해양레저에서 이용되는 요트의 종류

레저 선박의 종류			특 징
요트	근해용 요트	딩기	전장 3~6m, 1개 마스트와 1~2개의 세일로 구성되는 소형 Yacht로 올림픽 경기 등에서 이용
		데이 세일러	25피트 이하의 크기로 딩기보다는 캐빈시설이 갖추어져 있으나 장기 숙식은 부족한 근해용 요트
		킬 보트	균형추 역할을 겸하는 무거운 킬이 부착된 20-30피트(6-9m)의 요트, 간이 캐빈시설이 갖추어진 연안 레이스용 요트
		스포츠요트	킬보트와 혼용하여 쓰기도 하나 크기에서는 킬보트보다 큰 길이의 아메리카스 컵과 같은 대형 레이스용 요트. 최소한의 캐빈설비로 속도는 빠르나 원거리 숙박항해는 어려운 요트
	원해용 요트	크루저	원해용의 표준적인 크기를 36피트(11m)이상 이라고도 하며, 숙식시설이 갖추어진 요트. 일반적으로 요트를 지칭할 때 대표적인 요트. 때때로 레이서용 크루저와 구별하기도 한다.
	슈퍼 요트	스포츠 크루저	일반적인 모터보트보다 크나 80피트 이하의 슈퍼요트보다 작은 대형 모터보트
		메가요트	슈퍼요트의 크기가 대형화 되면서 쓰이기 시작한 대형 슈퍼요트
		기가요트	크루즈선에 육박하는 크기로 대형화, 고급화된 슈퍼요트
	멀티헐	카타마란	선체가 양쪽으로 두 개이고, 중간에 선실이 갖추어진 형태의 요트. 킬이 없거나 짧아서 얕은 수심에도 항해 가능
		트리마란	선체가 3개인 형태로 안전성과 선실면적을 넓게 확보할수 있는 장점이 있다.

자료: 김천중, 요트항해 입문, 2008 참고 재작성.

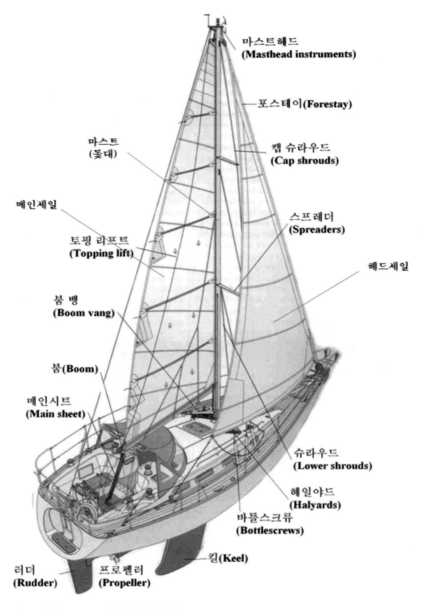

마스트헤드
(Masthead instruments)

포스테이**(Forestay)**

마스트
(돛대)

캡 슈라우드
(Cap shrouds)

메인세일

스프레더
(Spreaders)

토핑 라프트
(Topping lift)

헤드세일

붐 뱅
(Boom vang)

붐**(Boom)**

메인시트
(Main sheet)

슈라우드
(Lower shrouds)

헤일야드
(Halyards)

바틀스크류
(Bottlescrews)

킬**(Keel)**

러더
(Rudder)

프로펠러
(Propeller)

자료: 김천중, 요트의 이해와 항해술, 2007.

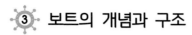 **보트의 개념과 구조**

보트는 특별히 사전에 정의되어 사용되지는 않았으나, 지붕 없는 작은 배를 뜻하면서 모터보트나 세일보트와 같이 다른 용어의 접미어로 사용되어 왔다. 보트라는 용어는 영국의 브리태니커 백과사전에 1771년 처음 수록되었다.(Vigor, p30)

보트의 기술적 정의는 미국의 항법에 따라서 65 혹은 65.6피트(20m) 이하의 작은 동력선박으로 규정하고 있다(Maloney, p.14). 산업혁명 이후 선박엔진이 발전하면서 작은 선박에 사용되는 엔진의 출현으로 엔진의 비중이 높아지면서 보트라는 용어가 제2차세계대전 이후 일반화되기 시작하였다.

보트의 용어는 아래의 범위에 해당하는 것으로 정의할 수 있다.(Maloney, p.61)

- 주로 비상업적인 목적으로 사용되기 위하여 건조된 선박
  - 비상업적인 용도로 다른 사람에게 임대된 선박
  - 연방보트안전법(FBSA/71)에서는 길이의 상한선이 없으며, 단지 하한선만 20피트(6.1m)를 규정하고 있다.
- 미국의 MBA/40(모터보트 법규: Motorboat 1940)은 모든 모터보트를 선체길이를 기준으로 4단계로 분류하고 있다. 이것은 선체의 전체길이(LOA: 전장)를 의미하는 것으로 아래의 표와 같다.

Class 구분 기준

구분	선체길이
Class A	16피트(4.9m)이하
Class 1	16피트 이상 26피트(7.9m) 이하
Class 2	26피트 이상 40피트(12.2m) 이하
Class 3	40피트 이상 65피트(19.8m)를 넘지 않을 것

자료: Maloney, p.6.

아래의 표는 보트의 측면에서 모든 레저용 소형선박을 분류한 것이다. 보트의 분류에서 전통적인 요트는 세일보트의 크루저와 슈퍼요트 중 돛을 장비한 형태의 슈퍼요트로 분류할 수 있다.

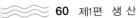

해양레저에서 이용되는 보트의 종류

레저 선박의 종류			특 징
leisure Boat	Motor Boat	Power boat	모터보트와 동의어이며 20m 이하의 동력선으로 선실은 없고, 빠른 속도를 위주로 발전되고 있다.
		Cruiser	원거리 항해가 가능한 장비와 선실을 갖추고 있는 80피트(24m) 이하의 동력 선박
		Super yacht	80피트(24m) 이상의 500피트(150m) 이하의 동력 선박으로 크루즈선 보다는 적은 승선인원으로 원거리 항해를 할 수 있는 대형 모터보트형 선박
	Sail Boat	Dinghy	전장 3~6m, 1개 마스트와 1~2개의 세일로 구성되는 소형 Yacht로 올림픽 경기 등에서 이용
		Cruiser	거주설비 등을 갖추고 대양항해 등에 사용되는 Yacht
	Row Boat	Canoe	통나무를 파서 만든 배로 신석기시대에 마제석기(磨製石器)가 발달하면서부터 세계 각지에서 만들어졌다. 통나무로 만든 배라고는 하지만 범위를 넓혀 아이누·아메리카 인디언들 사이에서 볼 수 있는 나무껍질배, 에스키모의 카약(kayak)과 같이 짐승가죽을 둘러싼 스킨카누(皮舟) 등의 가죽배도 포함된다.
		Kayak	대개 1인승으로 여름에 바다 수렵에 쓰인다. 길이 7m, 너비 50cm 정도로 선체의 뼈대는 나무로 만들어졌고, 거기에 털을 없앤 바다표범 가죽을 붙여서 만든다.
	New Boat	House boat	크루저보다 생활공간이 넓은 선박으로 트레일러 주택이나 이동형 주거시설로부터 발전된 형태의 선박
		Hydrofoil boat	비행기의 날개와 같은 형태의 "Foil"을 장치한 구조의 보트로 빠른 속도로 운행할 경우 수면 위를 부양하여 항해할 수 있다.
		Inflatable boat	보통 10피트(3m) 이하의 작은 선박이지만 더 큰 것도 있다. 작은 공간에서 공기를 수축할 수 있으며, 노보다는 작은 엔진으로 추진이 된다.
		RIB	Rigid-Hull 인플레이터블 보트로 전통적인 파워보트와 인플레이터블 보트를 결합한 형태로 높은 안전성과 고속운항의 장점이 있다.
		PWC	개인용 수상 선박(Personal Water Crafts)으로 13피트(4m) 이하의 선박으로 제트스키 등 생산자 상표로 불리기도 한다. 제트보트는 발전된 형태로 4명까지 탑승이 가능한 선박이며 제트드라이브는 더 큰 크기의 파워보트 형태이다.
		Dinghy	큰 선박에 싣고 다닐 수 있는 노나 돛 혹은 소형 엔진으로 추진되는 소형보트로 "Tender"나 "Pram"으로 분류하기도 한다.
		Sailboard	마스트와 작은 돛이 장치된 대형 서프보드

자료: 김천중, 요트항해 입문, 2008 참고 재작성.

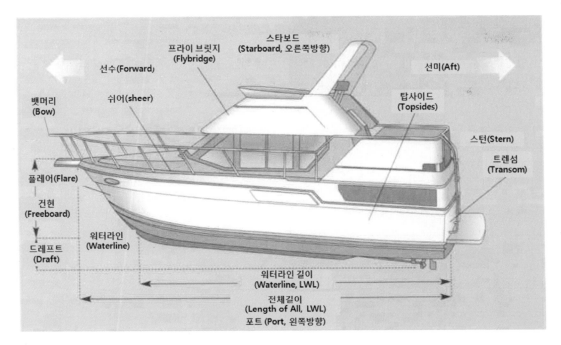

■ 자료: Maloney, p.18.

보트의 구조

⚓ **4** 요트와 모터보트의 장비별 분류

1) 캐빈

요트 내에서의 취사 및 숙박을 위한 캐빈시설의 유무와 그 크기에 따라 세 가지 종류의 요트로 분류가 되며, 그중 가장 작은 단위인 딩기요트의 훈련은 장거리 크루저 요트의 항해를 위한 기초적이면서도 중요한 교육이다.

캐빈에 의한 분류

1. 딩기	소형 오픈보트
2. 데이 세일러	하프 데크 또는 하프 캐빈을 가진 1~2일 정도의 항해가 가능한 요트
3. 크루저	장기간 선상에서 생활하고 항해가 가능한 것.

2) 돛과 돛대

일반적으로 돛대(mast)의 수와 돛(sail)의 모양과 이용되는 돛의 수에 의하여 분류되며, 슬루프가 가장 일반적인 형태이다.

돛에 의한 분류

1. cat	하나의 돛을 가진 것.
2. sloop	가장 일반적인 범장으로 메인세일과 헤드세일을 가진 것.
3. cutter	전방에 두 개의 포스테이에 두 개의 헤드세일을 설치한 것.
4. yawl	돛대가 두 개로 후방의 돛대가 틸러의 후방에 있어 그것에 붙은 돛이 비교적 작다.
5. ketch	돛대가 두 개로 후방의 돛대가 틸러 전방에 있어 전방의 돛대는 후방의 돛대보다 높다.
6. schooner	두 개 이상의 돛대를 가지고 돛대의 높이는 같거나 후방의 것이 높다.

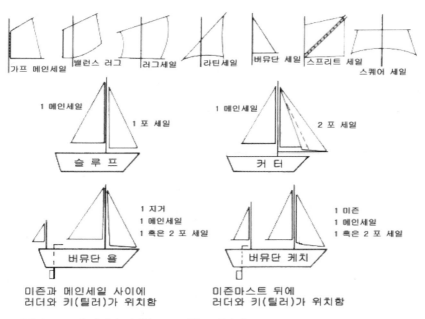

■ 돛과 마스트에 의한 분류

자료: 김천중, 요트의 이해와 항해술, 2007(참고 재작성).

3) 선체의 수

선체의 수에 의하여 분류가 되며, 종류 및 형태는 아래와 같다. 하나의 선체인 싱글헐이 일반적이다.

선체에 의한 분류

1. single hull	하나의 선체를 가진 가장 일반적인 것이다. 초기복원성이 낮아서 이것을 보충하기 위한 ballast를 설치하거나 승무원에 의한 밸런스가 필요하다. 소형 보트에서는 승선할 때 경사가 있으므로 주의를 요한다.
2. outrigger	가늘고 긴 메인 선체에서 밖으로 달아놓은 가로로 댄 나무에 설치한 작은 부체에 의해 복원력을 얻는다.
3. catamaran	같은 크기의 선체를 두 개의 평행으로 연결한 것으로 전체의 폭이 크고 넓어 데크의 면적을 얻을 수 있다. 일정 이상의 경사가 있으면 급속도로 복원력이 감소한다. 대형의 것은 주거용으로 좋다.
4. trimaran	메인 중앙의 선체의 양 날개에 두 개의 작은 선체를 가지고 데크의 면적은 매우 크며 대형의 것은 주거거용으로 좋다. catamaran과 같은 특성을 가지고 있다.

선체의 형태

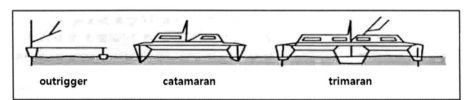

4) 선형(船型)

선형의 경우 선박의 안전성이나 속도에 큰 영향을 주며, 요트나 보트의 경우 라운드 타입이 일반적이다.

선형에 의한 분류

1. flat bottom	밑바닥이 평평하다.
2. dory	밑바닥은 평평하고 측면은 flat bottom의 것보다 바깥쪽으로 경사가 기울어져 있다.
3. arc	밑바닥은 둥그렇게 움푹 들어가 있다.
4. V-V bottom	밑바닥이 V자형이다.
5. round	밑바닥, 옆면이 전체적으로 둥그렇게 원호의 형태로 형성되어 있다.

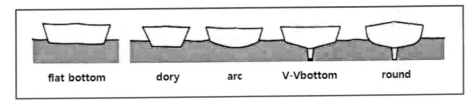

flat bottom   dory   arc   V-Vbottom   round

■
선형의 종류

5) 킬

킬의 형태가 어떠하든 통상적인 킬은 두 가지 목적에서 사용되고 있다. 리웨이
(leeway: 조류에 밀리는 힘)에 저항하기 위한 목적과 요트의 안정성을 제공하기 위함이다.
이와 마찬가지로 키의 기본적 역할은 요트의 조종과 리웨이 현상에 저항하는 킬을 돕
는 것이다. 최근의 경주용 요트 설계는 안정성을 제공해 주는 캔팅 킬과 조종의 편리
함과 풍하에 저항할 수 있는 기능을 갖춘 트윈 포일 개념을 발전시켜 전통적인 킬의
기능과 구분 짓는다.

중량이 많이 나가는 킬은 요트에 안정성을 제공해 준다. 킬의 유효성은 킬의 무게
와 무게중심의 깊이에 달려 있다. 무게중심이 낮을수록 더 큰 안정성을 얻을 수 있다.

최근의 킬에 사용되는 자재는 경주용 요트 설계에 있어서 킬을 매우 깊고 킬의 아
래 부분에 어뢰 같은 구근모양으로 무게를 실을 수 있는 좁은 핀 킬의 형태로 제작하
고 있다. 리웨이를 잘 견딜 수 있는 경주용 킬은 효율성이 좋고 심지어 높은 종횡비를
갖고 있기 때문에 효과가 매우 높다.

최근의 경주용으로 사용되는 요트는 안정성과 리웨이의 저항 기능을 줄이기 위하
여 깊고 좁은 핀킬을 사용한다. 그러나 좁고 긴 킬은 얕은 물에서의 항해를 어렵게 하
는 원인이 된다.

(1) 센터보드

센터보드같이 들어 올릴 수 있는 킬은 수심이 아주 낮은 지역에서 항해를 가능하게
해준다. 이러한 지역에서 항해를 하는 것에는 센터보드 케이스와 좀 더 복잡함이 요
구되지만 좋은 해결책이 될 수 있다.

■ 센터보드

센터보드, 반을 내린상태이고, 선체안으로 접을 수 있음

러더를 올림

(2) 핀 킬

핀 킬은 일반적으로 길이에 비하여 아주 넓고 간단하게 만들어 진다. 어떤 크루징 핀 킬은 매우 짧지만 킬 아랫부분에 무거운 구근을 달고 있어서 수심이 얕은 곳에서의 긁힘을 최소화해준다.

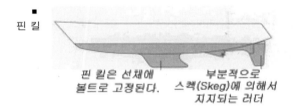

■ 핀 킬

핀 킬은 선체에 볼트로 고정된다.

부분적으로 스켁(Skeg)에 의해서 지지되는 러더

(3) 캔팅 킬

캔팅 킬은 요트의 직선 움직임을 위하여 비스듬히 기울어진 얇은 킬의 끝부분에 무거운 구근을 달고 있다.

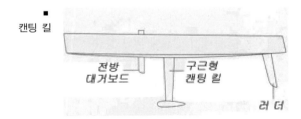

■ 캔팅 킬

전방 대거보드

구근형 캔팅 킬

러더

(4) 롱 킬

전통적인 요트의 롱 킬은 나무 재질의 선체 때문에 강하게 제작되었다. 롱 킬은 일반적으로 요트 길이의 절반에서 3/4 만큼의 길이로 만들었다. 키는 일반적으로 킬의 뒤편에 걸려 있게 하였다.

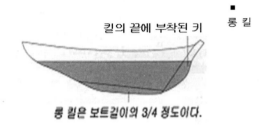

■ 롱 킬

킬의 끝에 부착된 키

롱 킬은 보트길이의 3/4 정도이다.

(5) 빌지 킬

트윈 킬로 알려진 빌지 킬은 요트가 육지에 있을 때에도 똑바로 설 수 있게 도와준다. 빌지 킬은 핀 킬보다 덜 효과적이지만 센터보드를 설치할 때 더욱 간편하다.

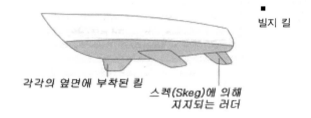

■ 빌지 킬

각각의 옆면에 부착된 킬

스켁(Skeg)에 의해 지지되는 러더

6) 엔진

세일 보트의 경우에도 항만 출입의 안전 등을 위해서 중형 이상의 크루저에서는 엔진이 탑재되어 있지만 이것은 거의 인보드 엔진으로 요트에서 엔진에 의한 분류는 가솔린인지 디젤인지로 구분하는 방법밖에 없다. 소형 요트에 대해서는 아웃보드엔진(선외기)을 탑재하고 있는 경우가 있다.

즉, 아웃보드엔진은 인보드엔진에 비하여 탈·부착이 손쉬우며, 인보드엔진은 대형보트나 요트에, 아웃보드엔진은 소형보트에 이용된다.

엔진의 종류

인보드 엔진	
인보드 · 아웃드라이브 엔진	
아웃보드 엔진	

7) 용도

(1) 전통적인 크루저요트(TRADITIONAL CRUISERS)

전통적인 크루저요트라 칭하는 요트는 무거운 톤수의 요트를 의미한다. 오래된 요트는 나무로 제작되는 반면에 최근의 요트는 유리섬유 또는 강철로 건조된다.

전통적인
크루저요트

■ ■
트레일러
이동용 요트

■ ■
대량 생산형
요트

(2) 트레일러 이동용 요트(TRAILER SAILERS)

트레일러에 견인할 수 있는 크기와 의장으로 건조된 소형 요트로 트레일러 요트는 트레일러에 결합할 때 무게에 대한 안전성을 유지하기 위해서 들어 올릴 수 있는 센터보드(center board)나 대거보드(dagger board)를 가지고 있다.

(3) 대량 생산형 요트(PRODUCTION CRUISERS)

대부분의 현대식 요트는 유리섬유로 제작되고 있으며, 소수의 요트는 수심이 얕은 곳에서 항해하기 위해서 설계되고, 빌지 킬(bilge keel) 또는 센터 보드(center board)를 이용하여 설계된다.

(4) 장거리 항해용 요트(LONG-DISTANCE CRUISERS)

장거리 항해를 원하는 항해자들은 요트 제작에 있어서 제한된 선택을 할 수밖에 없다. 그러나 강철이나 알루미늄으로 제작되는 요트는 일반적으로 제작되는 유리섬유의 요트보다 항해지역의 거친 환경에서 잘 견뎌낼 수 있다.

(5) 경주용 요트(CRUISER - RACERS)

최신의 요트는 조종이 쉽고 경주에 적합한 속도를 낼 수 있어야 한다. 이러한 요트는 일반 요트와 비교하여 좀 더 가볍게 설계되어야 하고, 일반 요트보다 더 효과적인 버뮤단 슬루프와 짧은 오버행, 큰 의장, 효과적인 킬과 키가 사용된다.

■ ■
장거리 항해용
요트

■ ■
경주용 요트

(6) 복수선형식 요트(MULTI HULLS)

대부분 요트의 멀티헐은 일반적으로 트리마란(trimaran ; 3개의 선체가 결합된 형태)보다는 요트 경주에 사용되는 카타마란(catamaran ; 2개의 선체가 결합된 형태)이 주로 사용된다.

멀티헐은 요트의 속도가 빠르고, 수직 항해가 가능하도록 해준다. 또한 카타마란은 갑판의 넓은 공간을 제공해 주고 갑판 아래쪽에는 편의시설이 마련되어 있다.

■
복수선형식
요트

자료: 김천중, 요트항해입문, 2008.

⑤ 요트의 선택과 관리

요트를 구매한다는 것은 주택을 구입하는 것 이상으로 여러 가지 문제와 난관을 돌파해야 한다. 또한 요트를 구매한 이후에도 항해와 관리과정에서 수많은 문제와 직면하게 된다.

요트가 발전된 국가에서도 요트구매에 관한 문제가 쉽지가 않은데 더구나 한국의 경우에는 요트의 생산시장이나, 유통구조가 불완전하고, 요트정비나 관리에 관한 문제와 더불어 사회적인 이해의 부족으로 인한 다양한 문제를 해결해 나가야 한다.

우선 구매자는 첫 번째로, 신형을 구매할 것인지 혹은 중고요트를 구매할 것인지 결정해야 한다. 신형을 구매할 경우에는 중고를 구매할 경우와 달리 많은 문제를 생산자 혹은 외국 신형요트를 수입, 판매하는 업체와 함께 해결할 수가 있고, 요트 성능에 대한 불안감을 줄일 수가 있을 것이다. 그러나 가격에서는 동일한 조건에 비하여 비싼 가격을 지출할 수밖에 없다.

두 번째로, 중고요트를 구입하는 경우에는 다양한 디자인의 각국의 요트를 분석하고, 생산년도와 정비가능성을 검토한 후에 구매를 결정하여야 할 것이다. 이 경우에는 비교적 저렴한 비용을 지불하는 장점이 있으나, 선택과 운송 등을 구매자가 감당하여야 하는 어려움이 발생할 수 있다. 이후에도 요트의 국제간 운송, 통관, 역내운송, 마리나 선택, 관리, 정비, 등의 여러 문제를 해결하여야 항해를 즐길 수 있게 된다.

다음의 도표는 요트를 선택할 때 어떠한 결정요인에 의하여 분류하고, 이러한 분류기준에 의한 구입과정을 미국의 범용적인 요트의 디자인을 중심으로 분석한 사례이다.

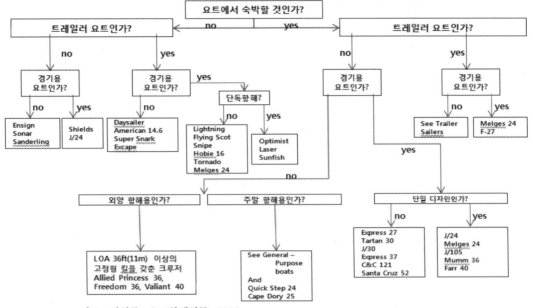

요트의
선택과정도

■ 자료: 김천중, 요트항해입문, 2008

6 요트의 구매와 운송

요트를 구매하기 위해서는 부단한 노력이 필요하다. 우선 구매하고자 하는 요트의
디자인과 생산 년도 등을 체크해야 한다.

그 후에는 외국의 경우 중고요트의 경우에는 "머린 브로커" 혹은 "요트 브로커"라
는 요트판매회사의 사이트를 검색하여 가격과 장단점을 조사하여야 한다. 이러한 기
초지식이 쌓이면 직접 현지에서 요트구매전문회사를 방문하여 가격협상과 성능테스
트를 행하여야 한다.

요트의 점검과정은 전문가와 함께 체크하는 것이 올바른 방법이지만 점검의 순서
를 간단하게 정리하면 아래의 순서로 행할 수 있다.

선체(Hull), 갑판(Deck), 의장(Rig), 내부시설(Interior), 엔진과 동력전달장치(Engine and
Steering), 전기장치(Electrical System), 기타 고려사항 등의 순서로 점검하는 것이 효과적
이다. 그러나 세부적인 점검방법은 전문성이 필요한 사항이므로 전문가의 도움이나
다년간의 경험이 필요하다.

이러한 과정을 거쳐서 일단 구매가 결정이 되면 계약서를 작성하고 요트를 인도받게 된다. 이때 중요한 것은 요트이력부를 받아서 원부와 차이가 없는지 점검하고 이를 잘 보관하여야 차후에 요트를 다시 판매하게 될 때에 적절한 가격을 제시할 수 있는 근거가 된다. 대부분의 요트판매회사의 경우에는 이러한 서류가 잘 구비되어 있으며, 만약 요트이력부가 존재하지 않는다면 구매를 변경하는 것이 좋은 방법이다.

다음에는 최종적으로 한국으로의 운송을 위해서는 작은 요트의 경우에는 컨테이너 화물운송사와 협의하여 선적을 하여 운송할 수 있다. 이러한 경우 40피트 이상의 대형 요트인 경우에는 요트 전용화물 운송사에게 의뢰하여야 하며, 때때로 요트의 킬이나 마스트가 너무 커서 컨테이너 운송이 어려울 경우에는 마스트나 킬을 절단하였다가 운송 후에 용접하는 경우도 있다.

그 밖의 방법으로는 요트의 운송을 항해전문가에게 위임하여 직접 운송하는 방법도 있다. 이러한 경우 운송에 따르는 비용을 다시 협상하여 계약을 하게 된다. 한국에 도착하면 세관신고절차를 거쳐야 하며, 이 경우에 계약서와 소정의 서류작성과 세금

■
외국의
요트중개업자
(마린 브로커)

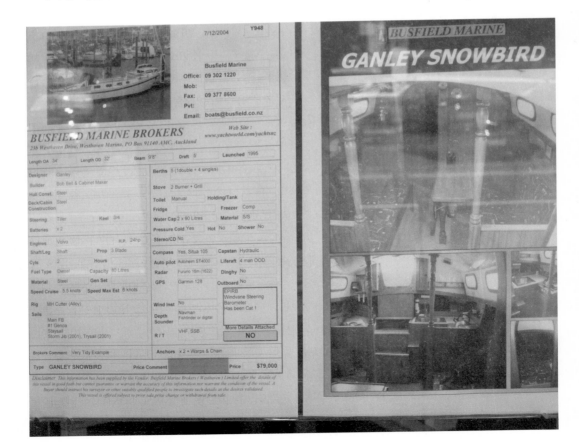

납부 등 통관절차를 거쳐서 구매자에게 인도된다. 물론 외국의 신형요트의 경우나 한국에서 생산된 요트를 구매할 경우에는 이러한 번거로운 절차가 생략이 되어 편리한 점이 있으나 가격이 높을 수밖에 없는 단점이 있다. 중고요트의 경우에도 "대한요트협회" 홈페이지를 방문하면 국내에서 보유하고 있는 중고요트를 구매할 수도 있다.

이러한 모든 과정에서 중요한 것은 신형이든 중고요트이든 구매자가 많은 시간을 거쳐서 연구하고, 경험자의 조언을 받으면서 자신의 기준을 만들어 가야 후회 없는 구매결정을 할 수 있다. 요트의 구매과정에서도 "아는 만큼 저렴하다"는 진리가 통용이 된다는 것을 명심하여야 한다.

제2절 요트의 건조과정과 장비

① 선체재료

요트의 디자인과 생산, 그리고 장비는 전통과 기술이 결합된 복잡한 과정이다. 선체를 건조하는 재료로는 나무, 플라스틱, 금속 등 여러 가지가 있지만, 각각의 장·단점이 존재하기 때문에 어떤 재료가 가장 좋다고 단정하기는 어렵다. 세일은 천이나 면으로 만들어졌는데 1950년대에 들어와서 인공섬유로 인해 완전히 대체되었다. 현대적인 새로운 재료의 사용에도 불구하고 항해를 시작하는 사람들은 가장 노동집약적인 스포츠라고 정의했다. 그 이유는 첫째는 항해를 하는 사람들이 그들의 보트를 향상시키고 싶어 하는 것과 염분이 많은 환경에서 요트의 성능을 유지시키고 보존할 수 있는가가 이유가 될 수 있다.

많은 요트들의 선체가 처음 봤을 때 문자 그대로 피상적으로 보이더라도 요트 건조는 유행이 있고 수지와 섬유 등의 개발기술의 집약체이다. 선체의 대부분은 폴리에스테르를 섞어 단단하게 만든 유리섬유를 사용하고 가격이 저렴하다. 그러나 이 재료는 유연성이나 과도한 중량에서의 약점을 가지고 있지만 최근에는 구조적으로 개선되었다. 이러한 문제점에 직면하면서 요트건조사들은 더 가볍고 더 강한 재료들을 사용하게 되었다.

1) 유리섬유

선박건조사들은 아래 네 가지 중 한 가지의 유리섬유를 사용해왔다. 이러한 유리섬유들은 다양한 직물형태로 나타나며 절단 유리섬유의 경우 모든 방향에서의 강도는 우수하나 고품질의 수지를 섞어줘야 하는 단점이 있다.

■ 절단 유리섬유

2) 수지(Resin)

수지의 정확한 특성과 단단함은 다른 섬유와 물질간의 결속력을 강화시켜 준다. 폴리에스테르보다 비싼 에폭시 레진은 좀 더 높은 등급의 유리섬유와 합성할 때 더 높은 강도를 지닌다.

■ 폴리에스테르 수지

3) 합성물

첨단기술과 이질적인 재료로써 알려진 합성물은 케블러나 탄소섬유 등을 포함하고 있고 하나 혹은 두 가지 이상의 물질이 섞인 것을 말한다. 하지만 가격이 비싸기 때문에 경주용요트에서는 합성물의 사용을 금지하는 경우도 있다. 67%의 케블러와 33%의 탄소섬유로 만든 하네스 직물은 강도와 경량성, 높은 충격저항으로 최고급 선체제작에 사용된다.

■ 케블러 탄소 섬유

4) 샌드위치 구조

샌드위치 구조로 되어있는 선체는 PVC나 폴리우레탄, 아크릴 등의 여러 물질을 같이 사용한다. 데크에는 발사나무나 삼나무를 이용한다. 모든 재료 중에 가장 이상적인 것은 노멕스 아라미드 종이로 이루어진 벌집모양이다. 발사 샌드위치 구조는 양쪽의 유리섬유 사이에 발사나무를 넣은 것으로 가볍고 단단하기 때문에 데크를 제작할 때 많이 사용된다. 불규칙적인 케블러와 카본섬유 합성물은 대단히 강하기 때문에 큰 크기의 선체를 제작하는 데 많이 이용된다. 벌집샌드위치 구조는 케블러 사이에 노멕스 종이를 넣은 것으로 가볍고 단단하기 때문에 다양하게 이용된다.

벌집 샌드위치
구조

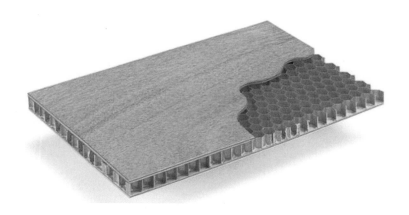

5) 목재

해양용 합판

송진 처리된 해양용 합판의 전통적인 합판은 50년간 사용되어왔으며 천천히 바뀌어 왔다. 요즘은 목조선의 데크나 딩기요트에서 볼 수 있다. 이러한 목재는 일반적으로 소형 물품이나 격벽으로 사용된다. 다양한 두께로 사용이 가능하기 때문에 유리섬유나 수지의 대용품으로 많이 쓰인다.

② 요트건조과정

1) 화이버 글라스 제작

　요트선체 건조에 있어 플라스틱, 나무, 금속이나 기타 물질들이 넓은 범위에서 선택이 가능하다. 지난 25년 동안 모든 종류의 요트나 작은 선박에서 가장 많이 사용된 물질은 플라스틱이다. 일반적으로 영국 쪽에서는 유리섬유로 일컬어지고 미국 쪽에서는 유리강화플라스틱(GRP)이라고 많이 불린다. 그러나 이러한 플라스틱들은 항상 유리로 만들어지는 것이 아니다. 요트건조에 있어 다양한 재료들과 방법이 있다. 보트 생산업자는 같은 디자인이더라도 더 오래 견딜 수 있는 요트를 언제나 건조하길 원했다. 이것은 디자이너의 선체모양과 다름이 없고 정확하게 나무로 만들어지고 매끈한 표면을 가진다. 유리섬유 거푸집(몰드)으로 만들어지는 플러그는 계속 사용될 수 있도록 부드러운 내부 재료로 만들어진다. 이러한 공법과정에서 선체를 만들기 위해 유리 섬유나 수지들을 사용한다. 이러한 공법은 여러 개의 선체를 만들기 쉽고 한 개의 틀에서 만드는 것보다 이렇게 플러그를 통해 만드는 것은 선체의 건조를 더욱 쉽게 한다. 비슷한 경우로 국제적인 디자인의 경우 마스터플러그를 전 세계에 보급해 똑같은 모양의 선체를 제작하는 경우가 있다.

■ 각종 플러그

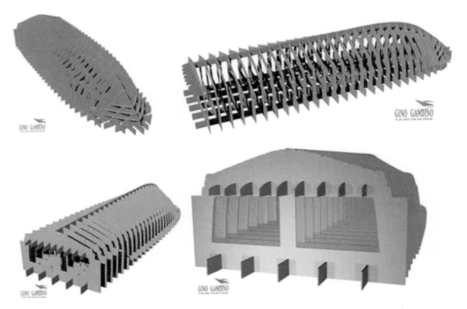

암몰드는 데크나 코치루프의 건조 등 설비와 모양이 불규칙한 것을 만드는 데도 사용된다. 데크 건조가 선체에 맞춰지기 이전에 실내인테리어는 격벽을 포함하여 모두 필수적으로 강한재료를 사용했다.

2) 폴리에스텔 레진

현대적인 요트생산에 쓰이는 원자재들은 부식방지, 방수, 낮은 유지비등으로 인해 요트의 부품에서 각광받고 있다. 그 중 낮은 가격과 사용하기 쉬운 이유로 폴리에스테르를 가장 많이 사용한다. 하지만 이것은 무게가 많이 나가서 레이싱요트들에게는 방해가 될 수 있어 좋은 선택이 아닐 수도 있다. 당연히 폴리에스테르는 세일요트를 비롯한 카누형태의 작은 보트부터 모든 종류의 동력선박 등 여러 종류의 선박에도 사용된다. 폴리에스테르 수지는 가벼우면서도 기계적 강도가 뛰어나고 유리섬유 보강재로 강화시킨 FRP는 뛰어난 인장 강도 및 충격 강도를 가져 금속재료와 비교해도 손색이 없다. 또한 성형법이 간단하면서 외관이 매끄럽고 화학적으로 안정되어 내수성, 내산성, 내용제성 등 이 우수하다. 또한 내열성, 전기특성이 우수하여 절연저항이 뛰어나다. 착색 및 의장성이 자유롭고 설계시설이 용이하며, 경화시간의 조절이 자유롭고 하자발생시 보수가 용이하고 타 재료와의 접착이 뛰어나다.

3) 비닐에스테르 레진

폴리에스테르와는 다르게 비닐에스테르는 더 비싸지만 더 높은 강도와 인장 강도를 가진다. 이것은 더 적은 양으로 무게를 줄일 수 있는 효과를 볼 수 있다.

4) 에폭시 레진

폴리에스터 보다 우수한 에폭시 수지는 가격이 비싸기 때문에 선체의 다량생산에는 사용되지 않는다. 또한 다루기 어렵다는 편견이 있지만 현재 기술은 충분히 개발되어 있어 다루기 쉽다. 에폭시 수지의 가장 큰 특징은 접착력이 우수하다는 점이다. 이것은 목재와 금속 등의 물질을 선체와 각 부분에 이어줄 때 사용한다. 또한 물에 대한 저항이 폴리에스테르보다 우수하다.

5) 보트건조용 화이버글라스

강화소재를 이용한 플라스틱강화의 개념은 콘크리트를 강화하기 위해 건설산업에서 철근의 사용에서 볼 수 있다. 보트건조에 사용되는 강화물질에는 자연 상태의 섬유나 복잡한 디자인이나 배열의 섬유 등이 있다. 이러한 섬유들은 다양한 무게와 패턴으로 짜인다. 일반적인 보트에서는 적당한 강도와 경도 그리고 풍화작용에 영향을 덜 받는 유리섬유가 광범위하게 사용된다. 또한 가격이 저렴하며 제작에 필요한 다른 섬유들의 다양한 이용이 가능하다. 추가적으로 R-glass나 S-glass 등의 상위품질의 섬유도 사용이 가능하지만 가격이 비싸다. 만약 불가피하게 요트의 무게를 줄여야 한다면 이 종류를 쓰는 것이 좋다.

다른 강화섬유의 재료는 케블라라고 잘 알려진 아라미드 섬유이다. 아라미드 섬유는 가볍고 인장 강도가 높기 때문에 강화섬유로서의 인기가 많다. 케블러는 폴리에스테르나 다슨 선체를 원래 강도보다 더 단단하게 만들어준다. 항공우주산업의 발달로 탄소섬유는 발전되어왔고 비싸고 잘 부러지지만 거의 순수한 상태이고 그래파이트 섬유의 원료가 된다. 높은 압력이 가해지면 탄소섬유는 케블러와 유리섬유와는 다르게 추가적인 장력이 발생한다. 1970년대 후반에 탄소섬유는 요트의 러더로 사용되기 시작했지만 많은 실패는 요트에 적합하지 않다고 인식되어 왔다. 그러나 요즘에 와서 기술개발과 사용방법의 편리화로 인해 완벽한 재료로 인식되고 있다.

6) 첨단기술 응용 건조

첨단기술은 요트건조분야에서는 생소한 용어이긴 하지만 좀 더 비싼 인공섬유나 수지의 합성으로 인한 강도나 경량화를 얻으면서 요트 건조자들은 합성건조라는 말을 사용하게 되었다. 첨단기술이 들어가는 요트들은 레이스나 특정분야의 요트들에게 한정되고 비용은 더욱 많이 들게 된다. 선체의 특별함은 요트디자이너들이 건조자나 발주자에게 하는 조언과 특별한 재료로 인해 완성된다. 많은 기술들이 우주항공 산업분야에서 빌려오거나 적용되고 있다.

7) 샌드위치 건조

샌드위치 건조나 코어 건조는 더 이상 새로운 말이 아니다. 발사나무와 유리섬유의 사용은 첨단기술이라고 할 수 없다. 그러나 이 방식은 경량화와 강도를 더해주고 일반적인 유리섬유 건조보다 더욱 뛰어난 우수함을 보인다. 하지만 밖의 스킨을 더 얇게 만들어야하고 외부충격에 대해 강도가 강하다. 그러므로 일반적으로 데크나 충격이 불규칙적으로 가해지는 곳에 많이 쓰이고 평평한 표면은 강도와 세기를 더해준다. 경량화 폼은 발사나무의 좋은 대안이 될 수 있다. 이것은 플라스틱셀, 에어렉스 등의 이름으로 불리면서 모멕스보다 효과적이고 아라미드 종이로 이루어진 벌집샌드위치 구조보다 훌륭하다. 하지만 가격이 매우 비싼 단점이 있다.

8) 프리프랙 재료

수지침투가공물은 매트와 직물 그리고 이미 수지와 촉매가 섞인 테이프 등으로 구성된다. 이 천은 노출된 쪽의 양쪽 면에 보호층을 형성한다. 수지침투가공물의 엄청난 이점은 제조자의 숙련도에 따라 결정된다. 이 물질을 가열하기 위해서는 전기적인 열을 가할 수 있는 몰드를 필요로 하고 표면을 담요로 덮는다. 이러한 과정은 요트건조에 있어서 난이도가 있다. 그러나 우주항공산업에서 더 낮은 온도에서 가공하는 기술이 개발되었다. 전형적인 수지침투가공물은 탄소섬유. 아라미드 섬유, 에폭시 레진과 추가적인 물질들이 합성되어 있다.

9) 선체공학

수지침투가공물은 서로 다른 가공물을 사용함으로써 설계 가능한 선체의 두께와 보트의 경량화, 그리고 충격 속에서도 킬이나 리깅의 강화를 결정 할 수 있다. 수지가 열을 가하지 전까지는 경화가 안 되기 때문에 모든 공정은 천에 수지를 바르는 것을 정확히 해야 할 필요가 있다. 이러한 물질의 조각들은 정확히 위치가 맞아야 되고, 바로 그때 열을 가해 경화를 시켜야 한다. 이러한 로컬 헐 엔지니어링의 사용에 있어 수지침투가공물질들과 샌드위치공법은 높은 속도를 낼 수 있는 능력, 선체가 여러 개인 선박의 대양항해능력, 대양레이스 시 높은 성능을 내는 데 큰 역할을 한다.

10) 금속

선체건조를 하는데 비용과 문제에 있어 최고의 답은 없다. 선주의 선택이 가장 비중이 크다. 최근 몇 십 년간 가벼운 합금과 알루미늄 등이 레이싱요트의 경량화와 강도에 있어 많이 선호되어 왔지만 최근에 들어서는 합성물들에 의해 대체되고 있다.

알루미늄은 가격이 비싸고 알루미늄으로 건조를 하기 위해서는 특별한 공간이 필요하다. 또한 공정과정 중에 금속선체에서 매끈한 표면을 만들기 힘들다. 철은 아직까지도 내구력 때문에 사람들이 선호한다. 또한 용접시설을 가진 아마추어 선박건조사들에게 철은 수리하기 쉽고 상업적인 선박에 많이 이용되기 때문에 매력이 있다. 하지만 이런 금속물질들은 무게와 부식에 대한 위험성이 있다.

11) 페로 시멘트

페로 시멘트는 건축방법의 하나로써 철근으로 프레임을 짜고 그 안에 콘크리트를 부어 만드는 것으로 일반 시멘트에 보다 가볍고 내구성이 우수하며 충격에 높은 저항을 갖는다. 철과 시멘트는 상대적으로 가격이 싸고 많은 아마추어들이 보트를 건조하는 데 이용한다. 이러한 방법으로 충격에 강한 선체를 만들 수 있다.

12) 목재

항구에 가보면 하얀색의 유리섬유로 만들어진 요트를 많이 볼 수 있다. 하지만 1950년대에는 모든 요트들이 목재로 만들어졌다. 이 목재요트 건조방법은 선진국의 몇몇 조선소에서만 보존되어 오고 있다.

③ 목재 요트의 15단계 건조과정

지난 2천 년 동안 선박은 합판으로 이어진 자연스러운 모양을 갖추고 있었다. 요트에 있어서 이런 기술은 좀 더 완벽하고 아름다운 모양의 선체를 갖추기 위해서 계속 발전되어 왔지만 여전히 목재로 요트를 만들면서 목재를 연결하는 것과 방수를 하는 것에 대한 문제가 남아 있다. 물이 들어오지 않는 선체를 위해 철이나 유리섬유를 사용하기 시작했지만 몇몇 요트소유자들은 요트가 요트답게 생겨야 한다며 아직도 목재요트를 고집하는 사람들이 있다. 이러한 제대로 된 목재요트를 위한 열망은 목재로 배를 건조하는 기술을 향상시키는 결과를 가져왔다. 그러나 아직까지도 목재요트는 가격이 비싸고 한 번밖에 건조를 못하는 단점을 가지고 있다. 유리섬유나 기타 재료를 이용해서는 같은 모양의 여러 선체를 건조할 수 있지만 목재를 이용해서는 생산이 불가능하다. 목재요트의 선체는 목재와 유리섬유나 알루미늄 등 기타 다른 재료들의

조합으로 이루어진다. 호그엔스템이라 불리는 배의 중추는 마호가니로 여러 겹 둘러 싼다. 또한 선체는 4mm 두께의 합판으로 해양합판(Marine plywood) 위에 세다르(Western red cedar)를 붙이고, 그 위로는 마호가니를 사용해 서로 엇갈리게 배열을 하여 사용함 으로써 요트는 목재요트의 생김새를 가지게 된다. 이 목재요트에서 알루미늄 프레임 은 선체 안쪽을 고정시키는 데 사용된다. 이 구조물은 킬의 압박과 세일의 무게, 그리 고 마스트의 무게를 선체가 견디게끔 도와준다.

1) 제1단계

선체의 모양은 부드러운 나무로 만들어진 프레임 몰드에 의해 만들어진다. 이 프레 임 몰드는 마호가니로 연결되어 있다. 이 프레임은 십자무늬 모양으로 만들어지며 실 제사이즈와 같은 크기로 제작된다. 그리고는 바닥과 수직으로 세워 선체를 만드는 작 업을 한다. 이 목재들을 이어주는 끈들은 프레임 몰드를 단단하게 해준다. 이 프레임 몰드는 후에 작업이 끝나면 없어지게 된다.

2) 제2단계

제1단계

제2단계

12mm 두께의 유리섬유로 만들어진 데크는 선체와 같은 방식으로 프레임 몰드와 나무 배튼으로 만들어진다.

■ ■
제3단계

■ ■
제4단계

3) 제3단계

데크의 상부는 유리섬유샌드위치 구조로 만들어지는데, 이 몰드는 합판의 모양을 가지고 있다. 그 후에 이 위로 유리와 수지로 처리를 하고 마지막으로는 표면에 방수 처리를 한다.

4) 제4단계

처음에 선체의 안쪽에 합판으로 배를 가로질러 가늘고 긴 합판으로 촘촘히 잇는다. 합판으로 된 부분의 안쪽에는 아무것도 덮지 말고 요트에 수납할 가구나 물품을 놓을 수 있는 공간을 생각해야 한다.

■ ■
제5단계

■ ■
제6단계

5) 제5단계

선체가 기본적은 모양을 갖추고 있고 안쪽에 합판으로 모양을 만든다.

6) 제6단계

두 번째 단계는 다시 세다르목재로 그 위에 겹을 만드는 것이다. 이때 주의할 점은 45° 각도로 촘촘히 이어 붙여 나가야 한다. 그리고 이 단계에서 에폭시 재질의 접착제를 붙여 방수를 더 강화시킨다. 또 이렇게 접착제를 붙이는 이유는 총 세 겹의 목재를 이어 붙여야 하는데 각기 다른 방향으로 붙여야 하기 때문이다. 그래야 선체는 더 단단해지고 충격에도 오래 견딜 수 있고 바다의 상태나, 킬의 무게, 배의 하중에도 선체가 쉽게 견딜 수 있기 때문이다. 이 단계에서 대부분의 작업이 목재를 유선형으로 배열하는 것이며 약 이 작업 단계에서 6개월에서 8개월이 소모된다.

■ ■
제7단계

■ ■
제8단계

7) 제7단계

이 단계에서는 데크는 거의 완성되었고 상대적으로 선체보다는 덜 단단하게 제작된다. 그 이유는 데크는 선체보다 하중을 덜 받기 때문이다. 일반적으로 샌드위치구조를 많이 사용한다.

8) 제8단계

네 번째와 마지막 겹을 씌워야 하는데 보통 마호가니를 많이 사용하고 접착제를 이용해 붙인다. 이 단계에서도 많은 시간이 선체의 표면을 매끄럽고 유선형으로 만드는데 소모된다. 처음에는 샌더(Sander)를 이용하고 그 다음에는 사포를 이용해 수작업으로 공정을 해야 최상의 결과를 얻을 수 있다.

■ ■
제9단계

■ ■
제10단계

9) 제9단계

이 단계에서는 물에 닿는 부분을 유리섬유와 에폭시 수지로 덮는다. 이 작업은 물의 침투를 확실하게 막기 위해 하는 작업이다.

10) 제10단계

폴리우레탄 광택제로 광택을 내고 나면 프레임 몰드를 떼고 선체를 뒤집어 똑바로 세운다. 선체는 작업장에서 견딜 만큼 충분히 견고하다. 하지만 더 장비를 갖추고 바다에 나가기에는 아직 부족하다. 그러므로 합판으로 격벽을 만들어 선체 안에 구조적으로 완벽함을 갖추기 위해 내부에 삽입한다.

■ ▪
제11단계

▪ ■
제12단계

11) 제11단계

앞쪽의 두 개의 격벽은 수지와 유리를 이용해 선체와 고정시키고 모양을 다듬는다.

12) 제12단계

데크를 선체와 결합시킨다. 이 결합으로 인해 더 강한 내구성과 완벽한 방수성을 가지게 된다. 이 단계에서는 유리섬유와 케블러, 수지를 이용한 실링(Sealing)작업과 마지막 마무리작업 기술이 필요하다.

■ ■
제13단계

■ ■
제14단계

13) 제13단계

보드 위에 9mm의 전통적인 나무모양의 티크데크를 유리섬유 데크 위에 덮어씌운다. 데크는 봉인되고 합판들이 위에 놓이면 틈새가 더욱 좁아지게 된다. 이때 티크의 표면은 미끄럼 방지와 유지를 쉽게 하기 위해 홈을 파낸다.

14) 제14단계

데크의 위아래에서 편의, 숙박시설을 위한 공사를 시작한다. 이 단계에서는 상당한 양의 작업량이 필요하고 모두 나무로 만들어 진다. 이러한 타입의 보트에서 가구들은 선원들이 험하게 다룰지라도 망가지지 않는 튼튼한 내구성이 필요하다.

제15단계

15) 제15단계

데크용품들을 결정하는 단계로 이 단계에서는 디자인이 중요하다.

4 보트의 건조과정

1) 디지털 3D 모델링

보트는 3D 디지털 모델링을 통해 개발기간을 단축시키고 사전에 발생할 문제를 미리 파악하여 개발되고 있다. 또한, 성능이 검증된 모델을 기반으로 제작하는 경우가 많기 때문에 보트제작기술은 지속적으로 발전하고 있다.

2) 디자인 심화과정

설계된 선각을 바탕으로 핸드레일 및 윈드쉴드 등의 디테일한 요소들을 3D 형상 위에 스케치하여 빠른 속도로 디자인의 느낌을 추출해 내는 과정이다. 모든 요소들을 매번 3D로 만들 경우 시간과 인력이 많이 소모되기 때문에 스피드 3D 스케치를 통해 다양한 결과물들을 빠르게 얻어내고 최종적인 모델을 빨리 선택하여 최종 모델을 선정하는 디자인 심화과정이 이루어진다.

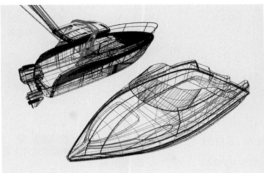
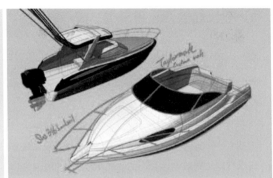

■ ▪
디지털 3D
모델링

■ ▪
디자인
심화과정

3) 실내인테리어 제작

앞서 소개한 3D 모델링 개발 단계를 거치기 때문에 컴퓨터설계로 제작된 이너몰드의
정확도가 매우 높다. 때문에 헐과 인테리어 베이스의 조립이 정확하게 일치한다. 이는
작업 공정의 신속성과 정확도로 이어져 선박의 신뢰도를 매우 높이는 중요한 요소다.
하지만 아쉽게도 국내에서는 아직 이런 단계의 선박제작이 보편화되어 있지 않다.

4) 기타 부품들의 조립

RTM공법으로 성형된 제품들과 몰드에서 탈형한 제품들이 혼재되어 있는 보트들이
많은데 이 또한 정확한 3D모델링 설계가 있었기에 가능한 기술이다. 때문에 보트빌
더가 1명~2명 정도만 필요할 정도로 공정이 간단해졌다.

5) 핸드레일 및 윈드실드의 조립

3D 스피드 스케치를 통해 디자인된 핸드레일과 윈드실드 부품의 조립 모습이다.

6) 최종 시운전

개발이 완성된 선박은 혹독한 시운전 테스트를 통해 선박의 안정성을 최종 테스트 하게 된다. 이때 발견된 문제점은 개발과정에 다시 피드백되어 문제점을 수정하게 되 고 이를 통해 완성도가 높은 선박으로 거듭나게 된다.

⚓ ⑤ 요트와 보트장비의 이해

1) 시트 고정장비

데크에 사용되는 재료들은 산화피막처리가 된 스테인레스 스틸이나 PETE(플라스틱의 종류)나 나일론, 데를린 등의 플라스틱 등이 있다. 원치는 로프를 다루고 짐을 올리는 데 있어 가장 도움이 되는 장비이다. 특히 메인세일이나 제노아나 스피네이커의 경우에 많이 이용된다. 줄을 원치에 감게 되면 클러치나 잼머가 즉시 그 줄을 잠아주고 다른 줄로 작업을 이동할 수 있게 만든다. 데크에 있는 많은 장비들은 시트들을 풀고 고정시키는 데 사용된다.

(1) 원치

원치는 가벼운 합금이나 동, 스테인레스 스틸로 만들어지며 주로 시트의 당김 줄을 다루거나 줄을 조종할 때 많이 사용된다.

(2) 레버잼머

레버잼머는 시트를 고정시켜 주며 원치가 다른 작업을 할 수 있도록 가능하게 만들어주는 장치다. 경주용 요트들은 다수의 레버잼머를 소유하고 있다.

■ ■
원치

■ ■
레버잼머

(3) 캠 잼머

캠 잼머는 조종줄을 고정하는 데 사용되고 보통 킬 보트나 딩기에 많이 이용된다.

(4) 클러치

클러치는 당김 줄이나 시트를 고정하거나 풀어줄 때 사용한다.

(5) 블록

블록은 시트를 당김 줄이나 보트의 다른 줄에 연결하는 기능을 가지고 있다. 블록
들은 다양한 크기를 가지고 있으며 어느 것에 사용되느냐에 따라 종류가 다양하다.

(6) 스냅 샤클 스네치 블록

스냅 샤클 스네치 블록은 줄을 고정할 때 사용한다.

캠 잼머

클러치

블록

스냅 샤클
스네치 블록

(7) 싱글 블록

싱글블록과 뾰족한 베어링은 큰 요트에서 마찰력을 감소시키고 바다에서 잦은 사용으로 인한 마모를 견디는 데 우수하다.

(8) 래칫 블록

래칫 블록은 한 방향으로만 줄을 감을 수 있게 설계되어 있어 줄을 다루기 편리하다.

(9) 제노아 시트 카

제노아 시트 카와 롤러는 세일의 위치를 변경할 수 있도록 움직인다.

(10) 틸러 익스텐션

보트의 크기에 따라 사이즈가 달라지며 조타수가 바람이 불어오는 쪽으로 돌릴 수 있게 해준다.

■ ■
래칫 블록

■ ■
틸러 익스텐션

2) 고정장비

모든 요트들은 많은 수의 부품을 세일이나 조작을 위한 것을 데크에 고정시키기 위한 목적으로도 가지고 다닌다. 이러한 부품 중에는 핸드홀드도 있고 토우 레일(Toe-rail)도 있고 환풍기와 체인 플라이트 등이 있다. 수요는 변하지 않지만 더 가볍고 부피가 작으며 특별한 디자인에 따라 바뀔 때도 있다.

■ ■ ■
태양열 환풍기

■ ■ ■
씨콕

■ ■ ■
삼색 항법등

(1) 태양열 환풍기

태양열 환풍기는 태양열에 의해 공기를 순환시키며 거친 날씨에서는 전원을 연결해 보트의 물을 밖으로 빼낼 수도 있다.

(2) 씨콕(Sea cock)

씨콕은 침수를 막기 위해 흘수선 아래 입구나 출구를 지정하여 사용하는 것이다.

(3) 삼색 항법등(Tricolor navigation light)

삼색 항법등은 전구 안에 3가지 색상의 필라멘트를 가지고 있다.

3) 개인안전장비

구명조끼와 부표등과 더불어 추가적으로 요트는 다양한 안전장비를 갖추고 있어야 한다.

(1) 자동부표등(Automatic floating light)

수중에서도 전원이 작동하도록 만들어졌으며 가라앉더라도 수면 위로 부유할 수 있게 만들어졌다.

■
자동부표등

(2) 선원용 하네스와 구명조끼

선원용
하네스와
구명조끼

6 전자장비

1) 계기판

세일링 요트를 위한 전자장비는 현재 전 세계에 널리 보급되어 있다. 1980년대부터 선원들이 알아보기 쉽게 디지털방식으로 바뀌어 왔으며 몇몇 장비들은 편리함을 위해 아직까지 아날로그 방식을 채택하고 있는 경우도 있다. 모든 전자장비들은 가볍고 방수성을 갖춰야하며 선원들의 조작에도 충분히 견디는 내구성을 지니고 있어야 한다. 조타수와 항해자를 위한 것 중 중요한 2가지는 풍향과 풍속을 알려주는 장치이다. 풍속과 풍향은 이 장치를 통해 계산되고 수심과 보트의 속도 또한 알 수 있다. 디지털 계기판은 항해자들에게 보트의 속도, 거리, 풍속과 풍향, 수심, 배터리 여부 등의 자세한 정보들을 알려준다.

각종 계기판

2) 항법장치

위치측정시스템은 위도와 경도를 알려준다. 이런 장비들은 더욱 작아지고 전력소비량 도한 줄어들었다. 현대에는 작은 요트들까지 이런 항해장치를 갖추고 있다. 로란 위치측정기는 특히 미국해안가에서 많이 사용된다. 위도와 경도를 육지에서 나오는 라디오 주파수에 따라 측정하며 이것은 전자계시판에 표시된다.

3) 방향지시장비

요즘 거의 모든 요트들은 전자나침반을 가지고 있다. 이 전자나침반은 조타수들이 항해하는데 있어 필수적인 장비이며 요트가 올바르게 항해하고 있는지 알려준다. 자성에도 불구하고 나침반은 꼭 필요하기 때문에 전자파로부터 특별히 보호된다.

■ ■
항법장치

■ ■
나침반

4) 신호장비

요트가 해안가에 가까워지면 VHF라디오가 사실상 기준이 되고, 원양항해의 경우 HF라디오를 사용한다. 많은 수의 라디오 채널들이 모든 선박의 종류와 목적에 맞게 사용된다.

■
신호장비

5) 자동항법장치

요트 스키퍼들은 항해 기간 동안 계속 요트를 조종하는 것은 힘들기 때문에 그들의 부담을 덜어주고자 자동항법장치를 사용할 수도 있다. 하지만 이러한 장비들은 요트 경기에서는 대부분 금지되어 있다.

⑦ 전자항해장비

개방 구역에서 항해하는 것에 대한 인식들은 마이크로칩과 컴퓨터 기술이 요트에 광범위하게 사용됨에 따라 최근 몇 년 동안 완전히 변화되어왔다. 작은 돛단배들과 일상적으로 사용되는 큰 평저선 들을 제외하고, 현대 요트들은 전자기술들로 설비되어져 있다. 이러한 설비의 기술적인 발전은 그런 기구들과 장치들을 물리적으로 더 작게 만들고 그것들의 전기 소모량이 매우 감소되도록 만들었다. 이러한 두 가지 특징 없이는 요트들이 제대로 장비를 갖추고 항해한다고 보기는 힘들다. 항상 전기를 생산하며 운행되는 파워보트의 경우 현재로써는 아주 잘 장비되어 있지만 약 수십 년 전만 해도 거기에 이용되는 장비를 요트에 설치하고 적용시킨다는 것이 몹시 어려웠다. 그 장비의 커다란 크기 때문에 상업적 선박에만 설치하는 것이 가능했다. 그것의 비싼 가격 또한 요트에 설치하기 어려웠던 이유 중 하나였다. 그러나 오늘날의 요트는 일반적인 커다란 배와 동일한 장비를 갖추고 있다.

범선시대에 엄청나게 많은 난파선들이 발생했다는 사실이 종종 간과되곤 하는데, 공식적인 기록에 따르면 그레이트 브리튼과 아일랜드를 떠나 해안가나 바다 위에서 난파된 선박 수는 총 2,513대였다. 그 중 656대는 완전히 난파되었고 97대는 충돌사고에 의해 없어졌으며 나머지는 좌초되거나 파손되었다. 그에 따라 1,333명이 목숨을 잃었다. 현대적인 탐지 시스템이 신뢰할 수 있는 수준으로 발달되기 전인 1950년대 말까지는 수많은 좌초선과 사상자가 발생했었다. 그 당시, 항해하던 모든 선박들은 바람이 부는 해안 쪽으로 항해하는 것에 대한 어려움을 겪는 것 외에도, 그 선박들이 자신의 정확한 위치를 모른다는 것이 끊임없이 계속되는 근본적인 문제였다.

전자기술이 도래하기 전까지는, 요트들은 단순히 추측항법과 육분의(각도와 거리를 정확이 재는 데 쓰이는 광학기계)만을 이용하여 그들의 항로를 파악함으로써 거의 눈이 먼 맹인들과 다를 바 없이 항해하고 있었다. 추측항법을 간단히 설명하자면 나침반과 로그(속도측정장치)를 통해 그 진로와 거리를 계속적으로, 연속적으로 구획정리하는 표시방

법이다. 그러나 이러한 계산 방법은 종종 알려지지 않은 조류들과 해류들 또한 정확하게 어느 방향으로 요트가 나아가야 하는지 알아야만 하는 것 때문에 불확실성에 시달려져 왔다. 또한 그 항해 거리는 해류들과 거리를 측정해주는 기구인 로그 장치의 오류들 때문에 계산되는 것이 어려웠다. 만약 후자가 틀렸으면, 절벽이 갑자기 안개 속에서 나타난다거나, 예상했던 대로의 육지를 찾아내지 못했을 수도 있다.

육분의는 태양 또는 별과 같은 천체 물체로부터 하나의 단일한 위치선에 대한 정보를 제공했지만 만약 구름이 하늘에 낀 경우에는 그 정보를 제공할 수 없었다. 거친 날씨에 작은 요트에 있어서는 어느 정도 정확성을 가진 육분의를 이용하기 위한 시야 확보가 어려웠다. 그래서 중간 단계의 탐지 시스템은 바로 무선방향 탐지기(radio direction finding)이었다. 그것은 해안국(송신소) 또는 에어로비콘이 발사하는 전파를 수신해야만 했고 또한 그것의 모스 신호를 식별해야만 했다. 나침반이 부착된 미세한 방향안테나는 그 신호를 수신하여 나침반으로 읽어냄으로써 그 신호가 생성되는 방향을 탐지하여 그것에 비례해 해당 요트의 위치를 항해사가 파악할 수 있도록 했다. 이러한 시스템은 오늘날에도 여전히 하나의 예비 수단으로 사용된다. 그러나 수신 상태가 좋지 못할 수도 있고 정확한 위치를 알려주는 신호를 찾아내기 어렵다. 신호를 읽어내는 것이 거친 날씨 속에서는 물리적 활동을 수반하고 또한 만족스러운 결과치를 얻는 데에 상당한 시간이 소요된다.

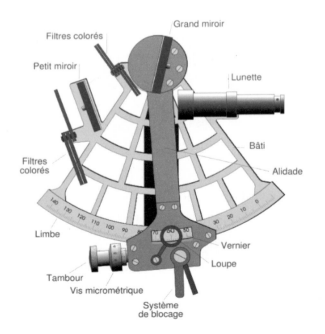

■ 육분의

1) 현대적인 항법 전자 기기들

현대의 항법 전자기기들은 몇 가지로 범주화된다. 잘 알려진 것들로는 음향측심기, 항해 입력장치, 위치파악 장치, 쌍곡선 항법식 시스템, 그리고 내장컴퓨터들이다. 이 기기들 중 몇몇은 백열성의 필라멘트가 장착되어져 있긴 하지만, 대부분의 기기들이 LED 또는 LCD를 이용하여 디지털 방식의 판독을 한다. 소요되는 전류들이 그 정도로 미세했던 적이 없으며 장비의 모든 부분들이 12 또는 24볼트 회로로 작동한다. 요트가 커지면 커질수록 더욱 더 많은 배터리들을 가지고 있어야 한다. 배터리들은 그 엔진 또는 생성기로부터 충전이 가능하다. 현대의 교류 발전기와 전압 제어 시스템이 이러한 불가피한 충전을 해주는 역할을 한다.

2) 음향측심기

음향측심기

보트 아래의 물의 깊이를 측정하는 음향측심기는 새로운 기기가 아니고 아래에 언급되는 나머지 전자 기기들이 발명되기 전부터 오랜 세월동안 사용 되어져 왔다. 아주 다양한 음향측심기들이 존재하지만 그것들의 핵심은 배의 선체에 있는 변환기다. 이것은 선박의 음향신호가 해저에 갔다가 돌아오는 시간을 측정하고 조종석 또는 항해용해도에 있는 디지털 판독기에 그 깊이가 기록된다.

디지털 수심 판독기는 그것의 즉각적이고 오류가 적은 특성 때문에 아마도 최고의 장치일 것이다. 선박이 이동하며 반복적으로 음파를 송신함에 따라 해저의 윤곽을 보여주는 선이 화면에 보임으로써 수심을 측정할 수 있다. 단순한 아날로그식의 계기판은 이러한 정보를 사용함으로써 보트 아래의 수심이 변화를 보여준다. 아날로그식 계기판은 계기판의 눈금이 떨어지는지를 보면서 보트의 속도를 주시하고 싶어 하는 사람들에게 선호된다. 가장 흔히 쓰이는 초음파 측심 장치는 수심이 측정됨에 따라 회전하는 네온전구가 달린 원형 계기판이다. 이것은 물고기와 같은 상대적으로 작은 음파를 보여줄 뿐만 아니라 만약에 해저 깊은 곳에 있는 견고한 지형이 부드러운 진흙으로 덮여져 있으면 추가적인 소리를 생성한다.

3) 항해 입력장치

어떠한 종류의 동력도 필요로 하지 않는 자기 나침반으로도 보트의 항해가 잘 이루어질지라도, 그 보트는 방위 감지기 또는 다른 이름으로도 일컫는 전자 나침반 또한 가지고 있을 수 있다. 전자 나침반의 이점은 조종석에 있는 시각적으로 보여주는 화면을 통해 또 다른 기기들뿐 아니라 키잡이와 항해사에게 그 진로에 관한 입력 값을 제공할 수 있다는 것이다. 거리와 속도에 관한 정보는 전자 로그 장치로부터 얻어진다. 이것의 가장 흔한 형태는 날개바퀴를 이용하여 지나간 물의 속도만을 설명해주기 때문에 종종 오류가 범해지기 쉽다. 대게, 이러한 날개바퀴는 그것의 속도를 로그로 전송하는 작은 자석을 안에 가지고 있다. 더욱 발달된 형태의 장비 중 하나는 잡초와 같은 움직이는 물체들을 제거함으로써 선체의 저항력을 증가시킨다. 대신에, 선박의 킬에 있는 센서와 선체 앞부분에 있는 센서들 사이에서 각각 음향신호들이 전송된다. 이러한 신호의 속도는 그 신호들 사이에 있는 물의 속도에 따라 달라짐에 따라, 요트의 속도도 달라진다. 그러고 나서 로그를 통해 거리측정이 판독된다. 로그 판독결과는 디지털 디스플레이로 항해사에게 직접적으로 중계되고 또한 보트에 설비되어 있는 다른 전산화 장치들과 전자기기들에 입력값을 제공한다.

4) 위치파악 장치

위치파악장치는 현재의 요트 항해에 있어서 주요한 변화를 가져왔다. 그것은 현재 그 순간마다 어떠한 특별한 별도의 판독 없이 즉각적으로 정확한 위치를 판별해 내는 것이 가능해졌다. 항해사가 이러한 위치파악을 언제든 할 수 있게 됨에 따라 음향측심기, 추측항법, 천체물체를 이용한 육분의법, 무선방향탐지법, 그리고 표시점이나 불빛을 이용한 방법들의 사용이 굉장히 감소되어져왔다. 세계적으로 다양한 나라들로부터 전자기술을 통해 생성되고 전송되는 위치정보를 얻을 수 있어지면서, 수많은 위치 파악 시스템들이 생겨났지만 Lorana항법, Decca항법(쌍곡선항법의 종류들), 그리고 인공위성항법이 그 중 대표적이다.

이러한 시스템들의 공통된 점은 요트의 안테나가 빈번하게 신호들을 잡아내어 그것을 마스터 세트를 통해 중계하여 컴퓨터로 전송하는 것이다. 그 신호들은 상당히 정확한 위도와 경도의 정보를 제공한다. 그 대신에, 방향과 거리는 하나의 선택되는 물체 또는 위치로부터 주어진다.

요트에서 사용되는 그 위성항법은 작은 수신 장치가 1980년대 처음으로 이용가능해진 이래로 미 해군에 의해 발명되고 사용되어온 Transit항법이다. 이 항법은 지구 궤도를 도는 다섯 개의 인공위성들로부터 정보를 제공받는 시스템이다. 그 인공위성들 중 하나가 수평선 위로 나타날 때, 수신기가 그것의 신호들을 잡아내고 그 요트의 위도와 경도에 대한 정보를 판독함으로써 변환시킨다. Transit항법은 다섯 개의 위성만을 가지기 때문에 그 다음 위치를 잡아내기까지에는 3시간 내외의 간격이 있다. 그래서 그 간격동안에는 추측 항법이 이루어져야만 한다. 그것으로부터 얻어진 정보는 위성 항법시스템으로 연결되고 위성항법을 이용해 마지막으로 파악된 위치로부터 계속적인 갱신을 이루게 도와준다. 위성 항법시스템은 또한 항해사들에게 언제 다음 위성이 나타나는지를 알려주고 항로 주요 지점사이의 중간 지점을 판독해낸다. 여러 가지 기능들을 가진 이러한 비슷한 위성 항법시스템들이 있지만 그 기본 원리는 변하지 않는다.

1990년대 초에는, GPS기술이 굉장히 향상되는 위성항법 시스템으로써, 요트에 이용된 것이다. 그것은 18개의 인공위성을 보유할 것이기 때문에 지구 위 어느 위치든 효과적으로 파악해낼 수 있다. 이 시스템의 100m 안에서의 정확성을 갖춘 위치파악력은 요트에 있어서는 충분하고도 남을 것이고 군사적이나 다른 특정용도로 쓰이는 선박들에게 있어서 더욱 더 도움이 될 것이다. GPS 시스템이 완전히 작동되면 어떠한 크거나 작은 요트건 육지나 바다의 운송수단이건 간에 항상 즉각적인 정확한 위치파악이 가능하다.

선박 GPS장치

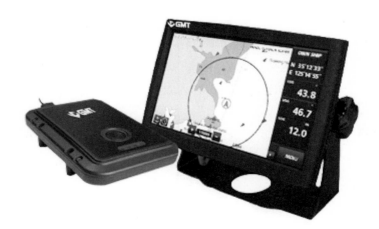

5) 쌍곡선 항법식

현대의 축소된 장비를 가지고 2개 또는 그 이상의 무선국들이 보낸 무선신호를 잡아 낼 수 있고 각각의 송신국으로부터 신호의 도달 시간의 차 또는 무선신호 구간 차를 통해 정확하게 알아낼 수 있다. 어떤 방법이 이용되든, 결론은 끊임없이 배의 경도와 위도를 항해용 해도에 나타낼 수 있다는 것이다. 이것은 두 점으로부터의 거리차가 일정하게 되는 점의 궤적이 이 두 점을 초점으로 하는 쌍곡선으로 되는 원리를 이용하는 방법이다. 선박은 두 송신국으로부터의 전파를 수신하고, 두 국으로부터의 거리차를 측정하여 하나의 위치선을 결정한다. 또, 다른 두 국의 송신국에서 다른 위치선을 구하고 두 줄의 위치선이 만나는 점에서 자선의 위치를 구할 수 있다. 위성 항법의 경우 그 순간마다 해안가 어디에서는 계속적으로 위치를 파악할 수 있는 능력이부족하거나 물고기 떼나 암초 같은 위험요소들을 파악하지 못하기 때문에 쌍곡선 항법 시스템이 필수적이다. 그러므로 Loran항법과 Decca 항법이 해안가에서 적합한 반면, 위성 항법은 외해에서 항해 중일 경우 적합하다. 실제로, 두 항법들은 해안가로부터 수백 마일 떨어지는 경우 정확성이 떨어짐에 따라 유효범위가 적다. Loran항법은해안 경찰청에 의해 관리어지며 주된 항해 항로가 있는 많은 해안가들을 포함하고 있다. 이것은 주로 미국의 해안가와 동남아시아, 일본, 중앙 지중해, 그리고 북유럽 너머까지 다루고 있다. 영국 제도에 기반을 둔 Decca항법은 실질적으로 유럽의 전체적

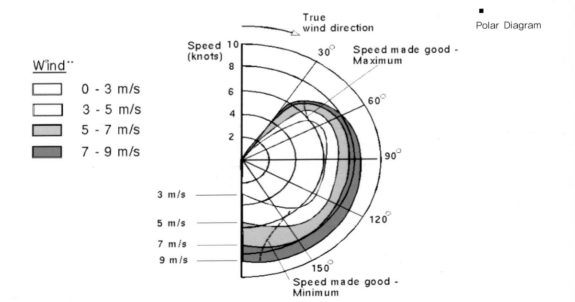

Polar Diagram

인 서해안 지방, 북해, 그리고 발트 해 지역을 포함한다.

이러한 시스템에 사용되는 소형의 장비는 해도에 장착되어져 있고 계기판을 통해 키잡이에게 시각적인 정보들을 보여준다. 그 장비는 위치 정보뿐만 아니라, 경로, 속도, 시간도 보이고 필요할 경우 알람도 보인다. 또한, 해류들을 고려하고 도착 예상시간까지 도출한다. 그리고 닻이 움직일 경우 경보로 알려주는 설비 또한 그 장비에 포함되어 있다.

6) 내장컴퓨터

요트에 설치된 내장컴퓨터와 관련하여 요트가 항해하는 데 있어서 필요한 정보와 경주 또는 항해 전에 데이터 값을 입력하는 프로그램들이 존재한다. 그 입력 값은 조류와 해류에 대한 정보뿐 아니라 풍속 값을 계산하여 항해되는 작동 시스템과 해상 상태와 항해지점을 포함하고 있다. 비교적 비싼 이러한 컴퓨터들은 뛰어난 경주용 보트와 때로는 특별히 아주 잘 장비된 커다란 크루즈에서 찾아 볼 수 있다.

요트에 적용되는 컴퓨터 기술은 종종 항해사의 능력을 능가하기도 한다. 컴퓨터에 의해 제공되는 정보는 다음 진로 변경 후의 분명한 바람의 강도와 방향, 해류를 감안하여 조종되는 매 순간경로, 그리고 그 상황조건들을 고려하여 비슷한 조건하의 이전의 항해들과 비교했을 때 최적의 조종 상태에 있는지를 알려준다. 이러한 정보는 일반적으로 항해 상태를 그래픽적인 묘사방법으로 나타낸 하나의 극선도 형태로 기록되며 현대 컴퓨터의 도입 전까지는 손으로 직접 그려진 그래프가 많이 쓰였다. 요트항해를 하는 데 이용되는 소프트웨어는 보이는 수많은 데이터들은 가지고 작동되며 어떤 데이터 값은 각각의 예상 항로를 나타낸다.

7) 기타 전자기기들

과학적 진보는 확실히 더욱 더 발달된 요트 항해 전자기기들이 발명될 것에 대한 가능성을 확인시켜준다. 오늘날 그 크기에 있어서 변천하는 항해기기들 중 단연 돋보이는 것은 바로 레이더이다. 반구형 모양(돔 모양의) 레이더는 크기에 상관없이 그 공간에 설치하는 데 있어서 디자인적으로 힘들고 수용할 수 없을 정도의 무게와 풍압 면을 위로 올라가게 야기하기 때문에 점점 더 소형 사이즈가 되고 있다. 이 외에 다른 기기들로는, 좁은 범위에서 넓은 범위까지 포함하는 새로운 통신시스템, 시각적 자료를 보여주는 해도, 그리고 요트에 설치된 거의 모든 전자기기들의 작동을 관리하는

알람시스템이 있으며, 그 알람 시스템은 항로 주요 지점사이의 중간지점 또는 특정 수치 이상으로 거세어지는 바람과 같은 정확한 항로 판독에 영향을 미치는 것들을 알려준다. 기기들의 발달이 어떻게 되던 간에, 기기에 대한 가벼운 무게감과 효율성이 가장 중요시 여겨지며 주로 추구되는 것이다.

⑧ 세일 재료

1) 스피네이커 재료

요트의 속도를 올리고 항해를 좀 더 쉽게 하기 위해 세일용 천을 찾는 것은 최근 몇 십년간 집중되어 왔다. 나일론, 데이크론, 케블러, 마일러 등의 특별한 재료들은 단일이나 복합적인 재료로 혼합되어 쓰인다. 세일제작자들은 더 빠른 세일을 만들기 위해 실험을 한다. 세일천 조각의 무게는 인습적으로 1온스당 28인치에서 36인치로 정해져있었다. 미터를 사용하는 곳은 그램당 평방미터로 적용한다. 스피네이커는 실크나 면으로 만들어졌지만, 지금은 나일론이 가볍고 튼튼한 이유로 제일 많이 사용된다. 최근에는 마일러와 직물의 혼합물이 맑은 날씨에 사용하는 스피네이커 천으로 많이 이용된다.

2) 데이크론

데이크론은 미국에서 1953년에 처음으로 제조되었다. 이것은 시장에 출시되자마자 엄청난 성공을 거두었다. 면과 비교해서 늘어나지 않았고, 물에 잘 젖지도 않고 부패되지도 않았기 때문에 면을 빠르게 대체하기 시작했다. 또한 데이크론은 무게에 비해 튼튼하고 빠르다.

스피네이커

데이크론

3) 마일러

폴리에스테르 재질로 만들어지는 마일러는 항상 직물과 조합이 가능하고 때때로 두 개의 천 사이에서 샌드위치 구조로 만들어질 때도 있다. 이 경우에는 낮은 탄성을 보인다. 마일러는 때때로 좋은 날씨에 쓰이는 제노아나 스피네이커로 생산되기도 한다.

4) 케블러

미국 듀퐁사에서 만들어진 이 인공섬유는 원래 타이어를 연구하다 나온 결과물이다. 1980년대 레이싱요트에 처음으로 사용되었지만 비용문제로 사용이 금지되기도 했다. 색은 대체로 탁한 갈색을 띤다.

■ ■
마일러 세일

■ ■
케블러

⑨ 세일의 종류별 제작과정

1) 세일의 역사

옛 메소포타미아지역의 주민들은 항해를 할 때 그들의 세일을 갈대나 풀을 엮어서 만들었다. 반면에 로마인들은 삼나무를 엮어서 만들었고 후에는 이 사이에 타르를 섞어 단단하게 만들어 사용했다. 수세기가 지나고 다양한 재료들이 세일을 만드는데 사용되었다. 19세기에 이르러서 아마섬유가 인기가 있었다. 그 후 요트대회에서 아마섬유세일보다 면으로 만들어진 세일이 더 성능이 좋다는 것이 알려지자 그 후 약 백년간 면으로 된 세일이 인기를 차지했다. 그러나 면세일은 물에 잘 젖고 부패가 쉽게 됐으며 잘 찢어져 만족스러운 기능을 가지고 있는 것은 아니었다.

2) 인공섬유 세일

면세일 대신에 인공섬유로 만들어진 세일을 처음 사용한 것은 1937년에 아메리카스 컵의 방어자인 레인저(Ranger)에 의해서였다. 레인저는 이때 레이온으로 만들어진 세일을 사용했다. 그 후 1940년에 나일론이 사용되었다. 처음에는 나일론의 잘 늘어나는 특성 때문에 잘 사용을 하지 않다가 기술이 발전되어 1947년에 미국에서 나일론을 이용한 스피네이커를 만들게 되었고 이후 지금까지 나일론은 스피네이커의 주재료가 되고 있다. 선미와 선수 쪽에 위치한 세일들의 무게가 점점 줄어들면서 거의 투명할 정도로 얇으면서 가벼워지기 시작했다. 나일론 스피네이커는 다양한 색을 가지고 있으나 보트에서는 흰색을 많이 사용한다.

세일천 제조기술의 가장 큰 발전은 1953년에 미국에서 상업용으로 폴리에스테르가 개발된 이후부터였다. 이 폴리에스테르 섬유는 전 세계에서 각광을 받기 시작했다. 1954년에 포르투갈에서 열린 요트대회에서 폴리에스테르로 만들어진 데이크론 세일을 가지고 우승을 함으로써 세일에 데이크론 섬유를 딩기요트나 레이싱요트에 이용하는 것이 널리 확산되어 면 세일을 대체하기 시작했다. 이 데이크론은 세일제작자에게도 매력적인 재료로 다가왔다. 일반 면과 비교하여 잘 찢기지 않고, 내구성도 길었으며 물에 젖지 않고 썩지도 않았다. 무엇보다 면보다 좋은 점은 가볍고 미끈한 표면 때문에 속도가 더 빠르다는 점이였다. 처음에 데이크론을 생산하면서 생기는 문제점은 생산된 데이크론의 품질이 일정치 않다는 것이었는데 1964년 아메리카스 컵에서 세

■ ■
과거의 세일
모습

■ ■
인공섬유세일

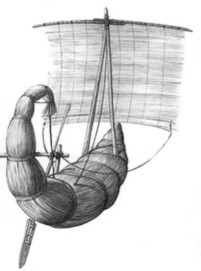

일제작자 테드후드(Ted Hood)가 자신의 노하우를 집약하여 레이싱요트용 세일을 개발하는데 성공했고 이것을 대량생산하여 상업용으로 판매하기 시작하였다.

3) 현대의 세일천

세일의 성능을 향상시키고 세일제작의 비용을 줄이기 위한 새로운 재료를 찾는 것은 아직도 진행 중이다. 미국 듀퐁사에서 개발된 케블러는 처음에 타이어에 이용하려는 목적으로 개발되었다가 후에 세일에 이용되기 시작했다. 이것은 1980년대 방탄조끼나 경주용 자동차의 차체, 요트의 세일 등에 사용되었고 아메리카스컵에도 등장하였으나 데이크론의 2.5배가 넘는 제작비용 때문에 금지되었다. 그 후 1985년에 IOR은 케블러를 세일에 한정하여 사용하는 것을 허락했고 다음연도에 그 제한이 없어졌다.

폴리에스테르재질로 만들어진 세일천은 지금도 사용이 많이 되고 있고 데이크론에 비해 비용이 많이 드는 편도 아니다. 이 세일천은 마일러라는 이름으로 듀퐁사에 의해 개발되었다. 일반적으로 데이크론과 많이 합성되어 쓰이는 이 천은 다른 천에 비해 가볍고 신축성이 적다. 그래서 맑은 날씨에 쓰는 제노아나 스피네이커로 많이 사용된다. 그리고 충격에 약하기 때문에 샌드위치 구조로 개발되었는데 두 개의 데이크

■ ■
스펙트라 세일

■ ■
케블러 세일

론 사이에 마일러를 껴 넣는 것이다. 이 구조는 좀 더 충격에 더 오래 견딜 수 있다. 세일도 또한 마일러와 데이크론, 데이크론과 케블러, 케블러와 마일러, 그리고 3가지를 다 섞어서 만들 수 있다. 이것은 세일의 용도와 특성에 맞게 따로 제작이 가능하다는 것을 의미한다.

1987년에 개발된 인공섬유 스펙트라는 최근에 레이싱요트에서 많이 쓰이고 있다. 스펙트라로 만든 세일은 연한 하늘색을 띄고 있으며 케블러의 훌륭한 대용품이 될 수 있다. 하지만 시간이 지남에 따라 점점 늘어나는 단점이 있지만 다른 재료들과 혼합할 경우에는 세일 천으로서 훌륭한 재료가 된다.

4) 성능

경주용요트의 세일에서 가장 요구되는 것은 좋은 성능을 내는 것이다. 일반적인 크루징요트에서는 좋은 성능과 오래 보존할 수 있는 것이 요구된다. 세일은 보트의 엔진이고 좋은 세일은 그만큼의 값어치를 한다. 좋은 성능을 내는 것의 최대의 적은 늘어짐과 형태를 잃는 것이다. 사하중(Dead Weight) 또한 바람직하지 않다. 예를 들어 배가 기울어지는 경우 세일은 중압을 더 받게 된다. 이러한 문제를 해결하기 위해서 요트들은 탁한 갈색의 케블러를 이용하기도 한다. 케블러가 비싸기는 하지만 무게도 가볍고 늘어나지 않는 특성을 가지고 있기 때문이다.

데이크론은 잘 늘어나지 않는 특성이 있다고 했지만 어디까지나 면과 비교해서 잘 늘어나지 않는 것이지 데이크론도 신축성을 가지고 있다.

5) 내구성

세일을 계속 사용하면 경제적인 이유를 떠나 바람의 저항에 견디기 좋은 상태가 된다. 하지만 바꿔 말하면 언제 어느 때 위험이 닥칠지 모르는 경우가 될 수 있다. 아무리 케블러의 품질이 향상되고 세일제작자들이 세일을 제작하는 데 있어 케블러가 가장 좋은 재료라 할지라도 갑자기 고장이 나버릴 수도 있다. 연안용 요트들은 이것의 사용을 제한하고 있지만 원해용 요트는 대체용 세일이 있는 큰 함을 구비하고 다닌다.

데이크론과 나일론 둘 다 오래 지속되고 썩지 않는 특성이 있다. 굳이 한 가지 약점이 있다면 바로 자외선이다. 자외선에서의 손상비율이 높기 때문에 사용하지 않을 때에는 보호 덮개로 잘 씌워 보관한다면 오래 사용할 수 있다. 하지만 롤러리프의 지

세일 보관

브를 걸을 때나 메인세일을 걷는 경우 특정한 면만 자외선에 노출될 수 있으므로 관리를 잘해야 한다.

더욱이 세일은 제작하는 데 값이 저렴하지도 않고 기타 요트에 관련된 품목들 또한 값이 상당히 나가기 때문에 요트소유자들은 항해를 하지 않을 때 세일을 접어 바람에 날리지 않도록 하는 것과 자외선을 차단하여 보관하는 것이 중요하다.

6) 조작

일반적으로 모든 요트클래스의 규칙은 접을 수 있는 소프트세일에 한정되어 있지만 C-클래스 카타마란이나 그 외 접을 수 없는 세일을 가진 요트들을 위한 것도 있다. 세일은 대단히 효과적이지만 그만큼 다루기 어렵고 완전히 펴진 상태에서 여러 각도로 불어오는 바람을 맞으며 중심을 잡거나 조작하는 것은 쉽지 않은 일이다. 그러므로 요트의 종류가 무엇이든지 간에 정박 중이거나 항구에 있을 때, 기상악화 등으로 인해 항해가 불가능 할 때 손쉽게 세일을 접어놓을 수 있도록 하는 것이 필수적이다.

🔟 로프의 재료

1) 자연섬유

전통적인 자연소재의 로프는 오래된 요트에서 찾을 수 있다. 인공섬유에 비해 약하고 무게가 많이 나간다. 또한 젖은 채로 오래 두면 썩을 수 있는 위험이 있다.

2) 나일론

나일론은 끊어지기 전에 40%가량 늘어나며 계류 시 이상적인 로프의 재료이다. 하지만 헐야드나 시트와 같이 정확한 기술이 요구되는 곳에는 쓸모가 없다. 나일론은 폴리에스테르보다 피부가 쓸리기 쉬우며 자외선에 약하다.

■ ■
자연소재의
로프

■ ■
나일론 소재의
로프

3) 폴리에틸론과 폴리프로필렌

폴리에틸론과 폴리프로필렌은 값이 저렴하고 광범위하게 사용된다. 그리고 압도적인 내구력은 부표 같은 것을 만들기에는 필요치 않다. 폴리에틸론과 폴리프로필렌 또한 살이 쓸리기 쉬우며 자외선에 약하지만 부유력이 뛰어나 구명줄 등을 만드는 데 효과적이다.

폴리에틸론
소재의 로프

폴리에스테르
소재의 로프

4) 폴리에스테르

폴리에스테르로 만드는 로프는 낮은 탄력성과 부패와 쓸림현상도 적을 뿐더러 수명이 길어 거의 모든 용도에 사용된다.

5) 케블러

미국 듀퐁사에서 만들어진 이 인공섬유는 원래 타이어를 연구하다 나온 결과물이다. 1980년대 레이싱 요트에 처음으로 사용되었지만 비용문제로 사용이 금지되기도 했다. 색은 대체로 탁한 갈색을 띈다. 강철사와 비교해 같은 강도 대비 80%의 무게만을 지닌다. 폴리에스테르와 비교해 늘어나지 않는 성질이 뛰어나며 비싸지만 경주용 요트에 많이 사용된다.

케블러 소재의
로프

제 2 편

관 리

제3장

요트항해

제1절 요트의 이해와 항해술

① 요트구조의 이해

1) 선체의 구성

(1) 선체

선체(hull)는 요트의 몸체를 이루는 부분이다. 선체는 요트의 모든 무게와 승무원의 하중에 부력을 갖도록 하여 요트가 물 위에 뜰 수 있도록 하는 역할을 한다. 선체는 전통적인 방법으로 목재나 강철 등으로 만들어지지만 최근에는 알루미늄이나 유리섬유(glassfibre)나 켈바르(kevlar) 등 특수재료를 이용하여 만들어진다.

선체의 하부 중심부분에는 선체가 옆으로 밀리는 것(leeway)을 방지하기 위하여 킬(keel: 용골)이라고 불리는 장치를 부착한다. 이러한 킬은 대형의 요트에서는 고정형으로 만들어지나 소형 크루저요트나 딩기에서는 상하로 접을 수 있도록 설치하기도 한다.

(2) 키(rudder)

키는 요트의 방향을 변환하는 장치이다. 키는 선체의 선미부분에서 긴 막대나 원형의 조종간에 연결하여 조종하는 장치이다.

(3) 의장(Rigging)

의장은 선체 상부에 설치하는 돛대(mast), 붐(boom), 세일(sails) 등으로 이루어지며 선체가 이동할 수 있도록 동력과 조종력을 제공하는 역할을 수행한다.

대부분의 요트는 돛대가 고정형 의장(standing rigging)이라고 불리는 강선(wire) 등을 이용하여 지지되어 있다. 세일은 여러 가지 로프에 의하여 지지되어 조종이 되며, 이 로프들은 도르레장치(block)나 택클 등과 연결하여 조종줄로 사용되며 이러한 장비들을 유동형 의장(running rigging)이라고 한다.

2) 로프의 매듭법

(1) 로프 사용법

① 로프 사용

전형적인 크루저 요트에는 다루기 쉬운 로프에서 정박지에서 사용하는 무거운 로프와 세일 워프(warp)까지 다양한 로프가 있다. 크루저 요트에서 사용하는 로프는 딩기요트에서 사용하는 로프보다 더 길고 무게가 많이 나가며 그 무게와 길이 때문에 다루기가 더 어려울 수 있다. 각각의 로프는 사용되는 위치와 용도가 따로 있으며 크기와 용도에 의해서 어떻게 쓰일 것인지 결정된다. 기본적인 매듭연결 방법, 고리 만들기, 클리팅(cleating), 로프 저장, 큰 로프를 히빙(heaving)하는 것을 연습하여야 한다.

② 로프의 연결과 갈무리

로프의 연결은 로프의 끝을 연결하여 두 개의 로프를 결합하는 것과 로프의 끝을 고리로 만들어 사용하는 것이다. 일단 연결이 된다면 매듭보다 더 강력하고 영구적인 힘을 발휘하게 된다. 세 가닥의 로프는 간단하게 연결할 수 있지만 땋은 로프는 연결하기가 더욱 복잡하다.

6가지 기본 매듭법

리프노트(REEF KNOT)

돛줄임시 등 동일한
굵기의 두줄을 연결
할 때 유용한 매듭

시트 밴드
(SHEET BEND)

두 로프를 함께 묶는
최상의 매듭이고, 굵
기가 다른 로프를 묶
을 경우 굵은 줄에
가는 줄을 감는다.

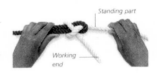

8자 매듭
(FIGURE-OF-EIGHT)

각종 줄의 끝이 구멍 등에
서 빠져 나가지 않도록
하는 매듭 방법

바우라인(BOWLINE)

가장 중요한 매듭이며 짚시트를 조종줄에 연결할 때 쓰는 매듭이고 링이나 말뚝에도 사용한다.

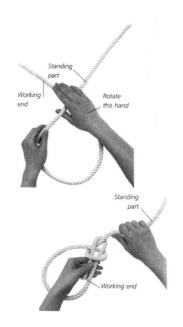

라운드 턴과 2개의 하프히치

링 등에 정박할때 유용한 매듭이다.

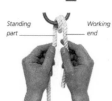

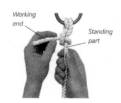

클로브 히치 (CLOVE HITCH)

말뚝이나 링에 단기간 선박을 정박할 때 유용하며, 끈의 줄을 여유있게 남겨야 좋다.

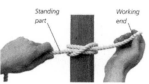

③ 로프 고정법

롤링 히치(rolling hitch)는 둥근 목재나 다른 로프와 팽팽하게 연결할 때 매우 유용하게 사용되는 매듭방법이다. 이 매듭 법은 목재 옆에 요트를 묶어두고 잠시 정박할 때 매우 강하게 죄어주며 응급 상황에도 유용하게 쓰인다.

(2) 로프 매듭법

- 리프노트(Reef knot): 동일한 굵기의 로프를 서로 연결할 때 주로 사용하고, 돛줄임 시에 주로 사용한다.
- 시트밴드(Sheet bend): 두 개의 로프를 서로 연결할 때 사용하는 매듭법. 서로 다른 굵기의 로프를 연결할 때 굵은 로프를 중심으로 가는 로프를 연결하여야 한다.
- 8자 매듭(Figure-of-eight): 8자 매듭은 블록 등을 통과한 로프가 빠지지 않도록 제동하는 역할을 한다.
- 바우라인(Bowline): 바우라인은 링이나 말뚝에 줄을 고정시킬 때 사용하며 주로 지브세일에 조종줄을 연결할 때 사용한다.
- 하프히치(Half-hitches): 이 매듭은 말뚝이나 링에 로프를 고정할 때 유용한 매듭이다. 이것은 풀기가 쉬워서 요트를 정박할 때 주로 사용한다.
- 클로브히치(Clove hitch): 이 매듭은 링이나 말뚝에 요트를 잠시 정박할 때 유용한 매듭이다. 안전을 위하여 매듭의 끝을 길게 남기는 것이 좋다.

⚓ ② 항해의 기본적 기술

1) 항해의 주요 방향

    바람의 각도와 관련하여 항해하는 요트의 방향은 아래의 그림과 같다. 항해의 방향에 따라 바람의 각도와 관련하여 돛의 위치, 킬의 위치, 승무원의 위치의 조정이 필요하게 된다. 또한 항해의 코스에 따라서 바람과 관련하여 항해의 코스의 형태와 방향이 여러 가지로 다르게 사용되어 진다. 바람쪽으로 요트가 돌아가는 것을 러핑(luffing)이라고 하고, 반대로 바람으로부터 멀어지면 베어링 어웨이(bearing away)라고 한다.

    모든 항해 방향에서 빔리치보다 바람부는 방향으로 가까이 항해하는 것을 업윈드(Upwind) 코스라고 하고, 빔리치보다 바람 방향으로부터 멀어져서 항해하는 것을 다운윈드(Downwind) 코스라고 한다.

    붐의 위치를 택(Tack)이라고 하기도 한다. 요트의 위치가 중앙선으로부터 붐이 왼쪽에 있을 때를 스타보드 택(Starboard Tack)이라고 하고(배는 오른쪽으로 돈다), 반대의 위치에 있을 때 포트 택(Port Tack)이라고 한다.(배는 왼쪽으로 돈다)

■
항해의 주요
방향

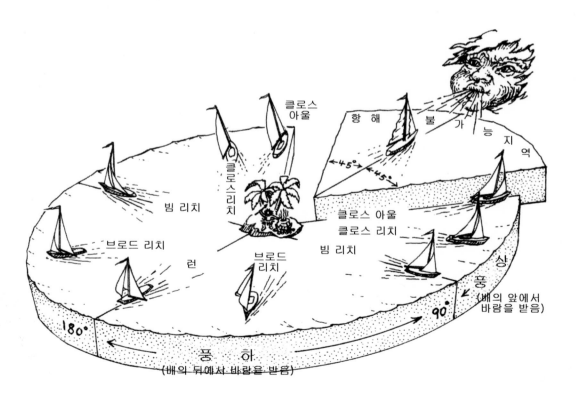

2) 항해의 시작

요트의 속도와 다섯 가지 원칙

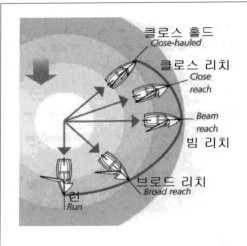

클로스 홀드
Close-hauled

클로스 리치
Close reach

Beam reach
빔 리치

브로드 리치
Broad reach

런
Run

요트의 스피드는 여러 가지 요소에 의하여 결정된다. 즉, 바람의 세기, 항해의 주요 방향, 요트의 종류, 항해기술 등이다. 그 밖에 조류와 파도도 속도에 영향을 준다. 왼쪽의 그림과 같이 일반적인 항해환경에서는 빔리치가 최고 속도를 내고 런이 가장 느린 속도를 낸다.

항해속도와 다섯 가지 주요 원칙

효율적인 항해를 위해서는 다섯 가지 주요 원칙을 알아야 한다. 즉, 세일트림, 센터보드의 위치, 요트의 균형, 요트의 트림, 좋은 항해 코스가 서로 영향을 준다.

이 중에서 한 가지라도 변화를 주면 다른 네 가지의 영향도 재빨리 판단하여야 한다.

(1) 세일트림
세일이 바람에 떨리면 그것이 멈출 때까지 조종 줄을 당긴다. 이때 텔테일의 상태를 보면서 조종하면 편리하다.

(2) 센터보드의 위치
센터보드는 옆으로 밀리는 힘을 방지하여 주고, 클로스 홀드로 항해할 때 특히 큰 효과를 낸다. 따라서 바람 쪽으로 가까이 항해하면 할수록 센터보드는 더 밑으로 내려야하고 바람 부는 방향에서 멀리 떨어지면 떨어질수록 센터보드를 올려야 한다.

(3) 요트의 균형
바람 방향에 가까이 항해할 때 요트의 기울어지는 힘이 증가하여서 승무원들은 요트가 수평을 이루도록 조종하여야 한다. 바람의 세기나 코스가 변하면 승무원은 요트의 균형을 위하여 자리를 이동하여야 한다.

(4) 요트의 트림
항상 요트의 트림이 바로 되었는지 관찰하여야 한다. 약한 바람일 때는 요트는 선수가 약간 내려간다. 강한 바람일 때는 그 반대이다. 승무원은 항상 요트의 중간에 무게 중심이 집중되도록 중심 가까이에 앉아야 한다.

(5) 좋은 항해 코스
항해방향에 항상 관심을 기울여야 한다. 요트의 항해 목적은 목적지에 가장 빠른 루트로 항해하는 것이다. 이러한 코스는 일직선일 필요는 없다. 예를 들어 풍상으로 항해할 경우는 지그재그 코스로 항해할 것이다. 그 밖에 조류의 흐름도 코스에 영향을 준다.

3) 풍상에서의 항해

(1) 빔리치

빔리치에서 센터보드를 반쯤 내리고 항해한다. 세일을 트림하고 요트 방향으로 몸의 무게를 유지한다. 만일 기울기가 심하면 돛줄임을 해야 한다. 이때 수평선과 선수의 관계의 영향을 관찰해 보는 것이 좋다. 세일의 트림을 유지하면 가장 빠른 속도를 얻는다.

(2) 클로스리치

클로스리치에서는 항상 풍상으로의 힘을 받는다. 3/4정도로 센터보드를 낮추면서 조종줄을 충분히 유지한다. 이때 기울어짐의 힘을 받게 된다. 낮은 바람에서는 가장 속도를 빠르게 낼 수 있는 항해방향이다.

(3) 클로스홀드

센터보드를 충분히 내리고 지브의 조종줄을 충분히 당겨서 조종줄을 결박한다. 다음엔 메인세일의 조종줄을 당기고 지브가 풍상으로 향하는 모습을 관찰한다. 이때 요트는 "no-sail zone"의 면을 따라 항해하고, 가능한 풍상 쪽으로 방향과 거리를 두어야 한다. 그리고 지브세일이 펄럭이면 키를 가볍게 당기어 펄럭임이 멈출 때까지 조종하여야 한다. 클로스 홀드 코스를 유지하기 위해서는 위의 동작을 부드럽게 반복해야 한다.

속도가 느려지거나 "no-sail zone"으로 너무 올라가면 지브세일이 펄럭인다. 그리고 반대일 경우에는 "텔테일"을 보고 판단한다(바깥쪽 테일이 올라가면, 메인시트를 당기고 안쪽이 올라가면 메인시트를 풀어준다). 너무 풍상으로 가거나 반대로 가는 것을 방지하려면 키를 작게 움직여야 한다.

텔테일(Tell-Tales) 보는 법

텔테일은 울이나 나일론으로 만들어진 가벼운 줄이다. 길이는 15~23cm로 세일의 앞뒷면에 붙어 있고, 세일의 표면의 바람의 흐름을 나타내 준다.

세일의 트림이 올바르게 되어 있으면 양면의 텔테일은 수평으로 흔들리고 바람쪽 텔테일(세일의 바깥면)이 안쪽보다 높으면 메인세일의 조종줄을 당기고 반대면, 메인세일의 조종줄을 느슨하게 하여준다.

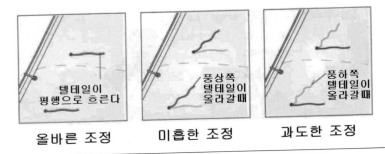

4) 풍하에서의 항해

(1) 빔리치

러프나 텔테일을 보면서 양 세일을 늦추면 빔리치에서 브로드리치로 전환이 된다. 강한 바람에서의 브로드리치는 아주 빠른 속도를 낼 수 있다.

(2) 트레이닝런(Training Run)

돛을 가능한 멀리 풀어주면 브로드리치에서 트레이닝런으로 바뀐다. 이때는 메인세일이 슈라우드에 부딪히기 때문에 너무 풀면 안 된다. 메인세일과 달리 지브세일은 제한이 없다.

(3) 데드런(Dead Run)

좌우에 롤링이 느껴지고 정 뒤로 바람을 받는 자세이다. 스키퍼는 풍상으로 선원은 풍하의 위치에 자리한다. 이때는 급작스런 자이브를 하면 안 된다.

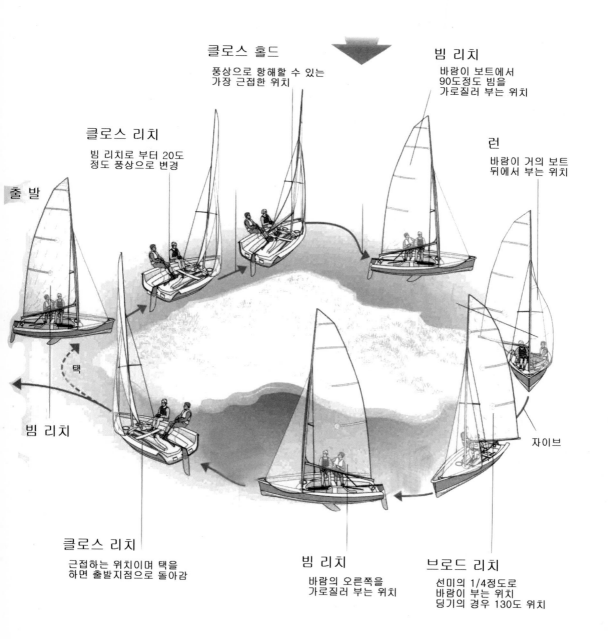

클로스 홀드
풍상으로 항해할 수 있는
가장 근접한 위치

빔 리치
바람이 보트에서
90도정도 빔을
가로질러 부는 위치

클로스 리치
빔 리치로 부터 20도
정도 풍상으로 변경

런
바람이 거의 보트
뒤에서 부는 위치

출 발

택

빔 리치

자이브

클로스 리치
근접하는 위치이며 택을
하면 출발지점으로 돌아감

빔 리치
바람의 오른쪽을
가로질러 부는 위치

브로드 리치
선미의 1/4정도로
바람이 부는 위치
딩기의 경우 130도 위치

③ 코스의 변경

1) 풍상으로의 출발

풍상코스로 변경하려면 러프를 하여야 한다. 러프를 하는 것은 스키퍼가 키를 가볍게 자신으로부터 밀어내고 메인세일의 조종줄을 당기는 것이다. 선원은 지브의 조종줄을 당기고 센터보드를 내린다. 요트가 바람쪽으로 회전하면 표면바람은 속도가 빨라지고 배의 기울기 힘이 늘어난다. 따라서 승무원은 요트가 바로 될 수 있도록 자리를 옮기면 최고의 속도로 항해할 수 있다.

2) 풍하로의 출발

바람으로부터 멀리 떨어지려고 하는 것을 베어링어웨이라고 한다. 풍하로 가기 위하여 스키퍼는 키를 스키퍼쪽으로 당기고 메인 세일을 느슨하게 해준다. 승무원은 지브

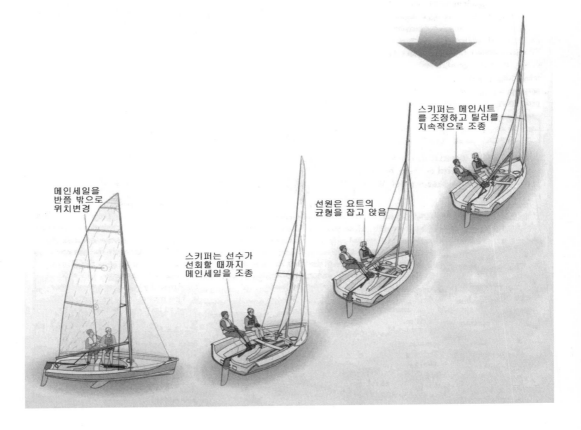

스키퍼는 메인시트를 조정하고 틸러를 지속적으로 조종

메인세일을 반쯤 밖으로 위치변경

스키퍼는 선수가 선회할 때까지 메인세일을 조종

선원은 요트의 균형을 잡고 앉음

세일을 풀어주고 센터보드를 올린다. 요트가 바람으로부터 더 멀리 회전하면 표면바람의 속도는 떨어지고 배의 기울기 힘은 감소하여 승무원은 자리를 양쪽으로 이동한다.

3) 러핑: 풍상으로의 변경

풍상으로 이동하는 것은 키와 센터보드, 세일트림과 요트의 균형이 서로 협조되어 이루어질 수 있다. 승무원은 회전하기 전에 센터보드를 더욱 내리고 지브세일과 메인세일의 조종줄을 당긴다.

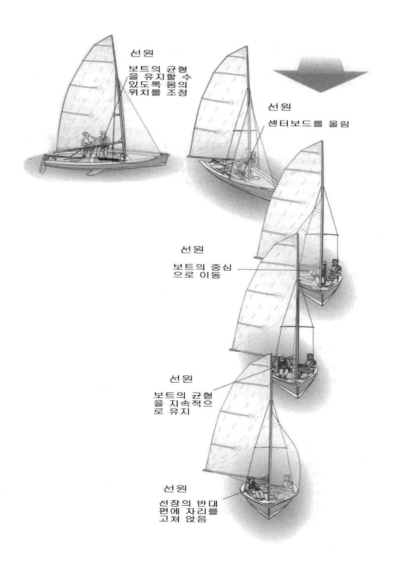

선 원
보트의 균형을 유지할 수 있도록 몸의 위치를 조정

선 원
센터보드를 올림

선 원
보트의 중심으로 이동

선 원
보트의 균형을 지속적으로 유지

선 원
선장의 반대편에 자리를 고쳐 앉음

④ 택킹

1) 요트의 특성 이해

요트의 특성에 따라 택킹의 속도는 여러 가지로 달라진다.

전통적인 버뮤단 슬루프(BERMUDAN SLOOP)는 현대적인 대량생산형 요트보다 속도가 느려진다. 따라서 요트의 의장이나 킬의 특성을 잘 이해하는 것이 필요하다.

2) 택킹 절차

크루저 요트를 택킹할 때 요트의 속도를 최대한 유지하며 선수를 돌려 새로운 항로로 진입하는 것이 우선적인 택킹의 목표가 된다.

크루저 요트의 크기와 무게 때문에 딩기요트 보다 택킹이 느리게 이루어진다. 또한 세일이 더 크기 때문에 선원들의 더 많은 노력이 필요하다. 택킹이 쉽게 이루어지게 하기 위해서 많은 수의 선원을 탑승시켜야 하지만 효과적으로 조정되기 위해서 스키퍼의 지휘가 필요하다. 만일 당신이 선원의 일원이라면 스키퍼가 좋아하는 택킹 방식이 어떠한가를 알고 있어야 하며 이해를 못했을 경우 택킹을 하는 동안 요트를 어떻게 조종할 것인지를 물어본다. 당신이 선장이라면 이러한 혼동을 피하기 위해서 선원에게 미리 간략하게 말해 준다. 예를 들면, 요트가 택킹하기 어렵게 설계되어 있다면 헤드세일을 사용하여 바람을 받아 선수의 회전을 도와야 하기 때문에 택킹하는 동안 지브(jib)를 어떻게, 왜 움직여야 하는지 선원에게 말해주어야 하는 것이다.

3) 완만한 회전

택킹하는 동안 지브를 조종할 때 선원이 직면할 편안함 또는 어려움은 택킹을 하는 동안 요트 조종을 어떻게 하는가에 달려 있다. 선수가 바람을 통과할 때 완만하게 회전함에 따라 스키퍼는 헤드세일이 바람을 완전하게 받기 전 선원들이 준비할 수 있는 충분한 시간을 줄 수 있다. 만일 스키퍼는 이러한 상황을 고려하지 않는다면 요트는 너무 빠르게 회전할 것이고 선원들은 강한 바람 속에서 조종줄을 다루는 것에 어려움을 겪을 것이다. 따라서 스키퍼는 이러한 기술을 미리 연습하고 요트의 특성을 기록해야만 하는 것이다. 모든 크루저요트는 택킹을 시도하기 전에 충분한 속도를 유지하여야 한다. 그리고 헤드세일이 바람에 펄럭이기 전까지 조종줄을 풀면 안 된다.

택킹 절차

① 스키퍼가 "택킹준비"를 외치면 선원은 새로운 조종줄을 윈치에 2바퀴 감는다. 다른쪽 선원들은 지브세일의 줄은 풀지만 줄이 팽팽하게끔 유지한다.

② 스키퍼가 "택킹"을 외치면 요트는 방향을 전환하기 시작한다. 선원은 지브세일 상태를 보고, 펄럭이기 시작하면 조종줄을 푼다.

③ 지브가 새로운 방향으로 가면, 새로운 방향의 조종줄을 당긴다.

4) 간단한 택킹

대부분의 크루저 요트 택킹에 관한 명령은 모든 선원이 정 위치에서 일하고 있음을 가정한다. 그러나 실제로 이러한 경우는 좀처럼 드문 경우이다. 크루저요트 항해는 커플 혹은 선원의 가족 그리고 비록 모든 선원이 승선했을지라도 한두 명은 경계 시스템을 맡아야 하기 때문에 갑판 위에 있을 수 없다. 때로는 오직 한 사람만이 칵핏에서 요트의 택킹을 할 수 있을 수도 있다.

5) 악천후 택킹

강한 바람과 큰 파도에서의 항해는 무풍지대로 들어가는 위험을 가지게 된다. 헬름이 균형을 유지하도록 올바른 항해구역을 유지할 수 있도록 해야 하고 방향 전환 전

에 요트가 빠르게 이동할 수 있도록 하여야 한다. 완전한 방향전환을 할 때 파도와 다음 파도 사이의 수평지점을 찾아서 택킹을 시도하는 것이 좋다.

실패한 택킹의 탈출법

요트가 택킹에 실패했을 때, 요트는 노 세일존에 들어가게 된다. 택킹에 실패하는 원인에는 여러 가지가 있다. 요트가 너무 천천히 항해하거나 스키퍼가 방향을 잘못 잡았을 때 혹은 선원이 새로운 방향의 지브의 조종줄을 너무 일찍 당겼을 때 일어난다.

1. 노 세일존에서 탈출하기 위해서는 스키퍼는 키를 좌측으로 민다.
2. 동시에 선원은 지브를 반대방향으로 당긴다. 즉, 오른쪽의 지브를 당긴다.
3. 요트는 뒤로 후진하고 키는 반대가 된다. 지브는 원하는 방향쪽의 선수로 민다.
4. 요트가 다른 방향으로 가자마자 스키퍼는 키를 중앙에 놓고, 선원은 지브를 좌측 놓는다.

⑤ 자이빙

1) 자신의 선박의 이해

자이빙은 택킹보다는 간단한 절차로 이루어진다. 만일 헤드세일이 한 개 이상인 캣치나 욜일 경우 세일이 큰 것부터 자이브해야 한다.

2) 자이빙 절차

크루저 요트와 딩기 요트에 적용되는 자이빙 절차가 같다고 하더라도 크루저 요트에는 더 무거운 기어가 장치되어 있다. 자이브 전에 헤드세일이 잘 고정되어 있는지 확인하고 메인세일의 트래블러가 중앙에 있어야 한다. 자이브가 준비되었을 때 붐이 가운데 있는 것을 확인하여야 한다. 강한 바람에서는 자이브가 되자마자 요트는 풍상으로 바꾸려고 한다. 스키퍼는 이것을 예상하고 붐이 중앙을 지나갈 때 키는 배의 중심에 있어야 회전이 된다는 것을 알아야 한다.

3) 악천후 자이빙

    요트의 속도가 느리거나 장착된 세일이나 조종줄이 가벼울 때 미풍에서의 자이빙은 쉽게 이루어지지만 강한 바람과 거친 바다에서는 더욱 어렵고 위험할 수 있다.

    악천후에서 자이빙을 시작하기 전 자이빙이 꼭 필요한지 아닌지, 택킹하며 새로운 코스로 나아가기 전 뱃머리를 바람 불어오는 쪽으로 돌려서 항해하는 것이 안전한지 아닌지를 고려해봐야 한다. 악천후에서 택킹이 자이빙보다 의장에 압력을 덜 받지만 자이빙은 바람과 파도 속에서 완벽한 회전을 할 수 있다.

    자이빙을 선택하였다면 조종하기 전 선원들에게 메인세일 조종줄을 다루는 법과 임무에 대한 충분한 설명을 해주어야 한다. 이는 자이빙을 하기 전 메인세일 중심선

자이빙 절차

① 스키퍼는 선원에게 "자이빙 준비"라고 한다.

② 메인세일의 조종줄을 당겨서 붐을 센터라인의 중앙에 위치시킨다. 메인세일의 조종줄이 칵핏을 횡단하여 설치되어 있다면 자이브 전에 중앙에 고정시킨다.

③ 다른 선원이 새로운 지브의 조종줄을 윈치에 두 바퀴 감거나 당길 준비를 하면 다른 지브의 조종줄을 풀 준비를 한다. 이때 선원들은 스키퍼에게 준비되었음을 알린다.

④ 스키퍼는 천천히 "자이브-오"를 외치며 키를 당긴다. 지브는 선수를 가로질러 이동을 하고 스키퍼는 주의 깊게 메인세일이 새로운 쪽으로 이동하도록 방향을 결정한다.

에 조종줄을 단단하게 장착하는 것이 중요하기 때문이다. 자이빙 후 요트를 풍상으로 회전시키기 위해서 조종줄을 재빨리 풀고 키의 풍상으로 회전하려는 힘을 풀어야 한다. 요트에 있는 모든 사람들은 자이빙 시 그들의 머리를 붐보다 아래에 위치시켜야 한다.

4) 급격한 자이브의 회피

모든 스텐딩 자이빙은 잠재적 위험요소를 갖고 있다. 자신의 요트가 데드런에서 항해하는 것이 아니라면 이러한 것을 피할 수 있다. 트레이닝런에서 항해한다면 예기치 않은 바람이나 파도의 영향을 최소화할 수 있다.

5) 간단한 자이빙

자이빙을 어떠한 도움 없이 해야만 한다면 충분한 시간을 갖고 우선 메인세일을 다룬다. 센터라인에 조종줄로 단단하게 고정하고 자이브를 통해서 요트를 돌린다. 이때 새로운 방향으로 갈 수 있도록 메인세일을 충분히 풀어주고, 그 다음에 헤드세일을 조종한다.

제2절 / 요트의 정박

① 정 박

크루저요트는 부교나 선창쪽에 정박하는 것은 매우 일반적이다. 부교는 물에 뜨고, 조수의 간만으로 오르내리는 것이 가능하기 때문에 조수 간만의 차가 있을 때 선호되는 경향이 있다. 이는 수위에 맞게 바꾸기 위해 예인줄(warp)을 조절할 필요가 없다는 것을 의미한다. 자신의 요트는 선창 벽과 나란히 놓였을 때 벽과 관련하여 오르내리게 된다.

1) 정박위치 선택

정박위치의 선택은 정박의 편리함을 결정하는 것이다. 가능하면 바람과 큰 물결로부터 보호된 정박위치를 선택한다. 정박위치가 항구 안으로 굽이치는 큰 물결의 영향을 받으면, 요트는 손실을 입을 수 있다. 정박위치 쪽으로 밀려드는 것보다 요트가 바람에 밀어내지도록 가능하다면 항상 부교나 선창의 풍하쪽에 둔다. 이는 떠나는 것도 더 쉽게 만들고, 더욱 편안한 정박을 제공한다. 만약 정박위치를 풍하쪽에 둘 수 없다면, 차선책은 안전한 갑판 승강구 계단이 유지될 때 바람에 정면으로 두는 것이다. 강풍이 예보되고 빨리 떠나야 한다면, 부교의 풍상쪽에 두는 것은 피한다.

2) 정박위치에서 출발하기

정박위치를 떠나려고 준비하고 있을 때 방향조종에 영향을 주는 모든 요인에 대한 세심한 관찰을 한다. 풍속과 풍향, 그리고 조수와 요트에 연관되는 영향력을 고려한다. 요트의 조종특성에 대한 올바른 지식은 특히 저속일 때 움직임, 표류 특성 그리고 빔(beam)에서 바람이 어떻게 반작용하는지에 관해 고려하여야 한다. 근처에 있는 어떤 장애든 경계하고, 어떻게 처리할지 결정한다. 선원의 힘과 경험을 참고한다. 바람이 가볍다면, 약간의 조수가 흐르고 있고, 근처에 장애가 없는 것이다. 쉽게 예인줄을 풀 수 있으며, 배를 밀어내고, 세일이나 모터를 내린다. 모든 상황은 더 복잡하지만, 세심한 준비와 실행으로 요트의 손실을 피할 수 있다.

(1) 출발 준비

사전에 모든 요인을 파악한 후 정박위치를 떠나기 위한 계획을 결정하고 선원에게 간단히 알린다. 이 일은 충분히 많은 선원이 함께하면 더 쉬워질 수 있지만, 단독으로 항해했거나, 다른 선원이 한 명뿐이라면, 자신 개인의 요트와 선원에게 적합하게 일과를 처리해야 한다.

대부분 큰 통제력을 줄 수 있는 만큼 동력을 올리고 떠나는 것이 가장 쉽고 가장 안전하다. 많은 정박위치는 세일을 올리고 안전하게 떠날 수 있으며, 가능할 때 그렇게 하는 것이 만족스럽고 유익하다. 엔진을 사용해야 할 필요가 있다면, 시동하고 출발 전에 준비할 시간을 주기 위해 중립으로 작동하여 떠나야 한다. 예인줄이 모든 적재하물 아래 있는지 확인하고, 마지막으로 밧줄을 풀기 위해 계획한다.

(2) 엔진으로 출발하기

조수가 가장 강한 힘으로 영향을 미치고 있고, 선수쪽에 있다면, 우선 선수쪽으로 떠나야 한다. 조수가 뒤에서부터 흐르면, 우선 선미쪽으로 떠나거나 예인줄로 요트를 돌린다. 조수가 심각하지 않으면 가급적 바람이 불어오는 쪽으로 떠나야 한다. 바람이 빔(beam)의 앞쪽에서 불어온다면 선수쪽을 먼저, 빔의 뒤에서 불어온다면 선미쪽을 먼저. 요트의 특별한 외형, 엔진의 동력, 그리고 바람의 세기에 따라 다르기 때문에 이러한 규칙은 엄격하게 적용되지는 않는다.

(3) 밀어내기

밧줄을 풀고 멀어져서 떠나려고 했다면(문제가 되는 바람이나 조수가 없을 때도) 요트의 선미는 회전시킴으로써 부두를 치게 될 것이다. 이를 피하기 위한 방법은 멀어지기 전에 부두에서 멀리 떨어져 있는 요트의 한쪽 끝을 회전시키는 것이다. 작고 가벼운 요트의 경우, 간단하게 보트훅(boathook)으로 선수나 선미를 밀어내어 이룰 수도 있다. 강한 앞바다로 부는 바람일 때, 요트는 예인줄이 풀어지면, 부두에서 떨어져 미끄러지게 된다.

(4) 스프링 사용하기

더 통제력 있는 출발은 요트의 회전을 돕는 스프링중 하나를 사용함으로써 이뤄질 수 있으며, 선수에서나 선미에서 먼저 떠나는 것이 가능하다. 한 번 정박위치를 떠나서 공해에 있다면, 예인줄과 펜다를 싣고, 모든 밧줄이 물과 추진기에서 떨어져 있는지 확인한다.

(5) 세일을 올리고 떠나기

세일을 올리고 정박위치를 떠나는 것은 종종 가능하지만, 바람이 가볍고, 조수가 강하게 흐른다면, 통제력이 줄어들 것이다. 보통 동력을 올리고 떠나는 것이 더 쉽다. 정박위치 위로 바람이 불고 있다면 전혀 출항할 수 없을 것이다. 정박위치 밖으로 나가기 위해 엔진과 예인줄을 사용하거나, 거룻배를 이용하여 닻을 내린다. 조수가 있으면, 최고의 통제력을 위해 항상 조수에 선수쪽으로 떠난다. 요트가 조수를 향해 선미쪽으로 놓여 있으면, 출항하기기 전에 예인줄을 이용하여 돌린다.

조수에 정면으로 놓여 있고, 바람이 빔의 위나 뒤에서 불고 있다면 헤드세일만 올리고 출항한다. 바람이 앞에서 불고 있다면, 메인세일 하나만 올리고 출항하거나 바람이 가볍다면, 메인세일과 헤드세일을 함께 올린다. 바람이 바로 앞에서 불고 있다면, 선수를 밀어내기 위해 헤드세일을 올리고 뒤로 간다.

3) 선착장에 도착하기

정박위치에 접근하는 것은 사고력과 계획이 필요한 방향조종을 복잡하게 할 수 있으며, 선원에게 잘 알려야 한다. 정박위치에서 바람과 조수의 영향을 확인하고 진입 시 피해야 할 근처의 위험물을 살핀다. 바다에 안전하게 되돌아갈 비상탈출 항로를 계획하고 마지막까지 문제점들을 고려해야 함을 기억해야 한다.

어느 쪽을 옆으로 대어 정박할지 확인해라. 다른 요트를 건너야 할 필요가 있으면, 우선 허락을 구한다. 자신의 계획을 결정했다면, 선원에게 알리고 장치, 특히 펜다와 예인줄을 준비할 충분한 시간을 준다. 항구에 입항했지만, 동력을 올리고 정박할 작정이라면 준비할 충분한 시간동안 엔진을 시동한다.

(1) 준비

갑판에서 예인줄을 준비한다. 정박할 때 통상적으로 적어도 4개의 예인줄이 필요하다.

(2) 엔진으로 도착하기

바람과 조수가 심각하지 않아 후진 기어로 멈추고자 할 때 지주대가 선미를 밀어낼 곳을 향한 쪽에서 정박하도록 한다. 이것은 한 끝을 위로하여 대는 것과 정박위치에서 평행상태를 돕는다. 가까이 대어졌을 때, 선원은 해안으로 걸어가고 단단히 고정시킨다. 바람과 조수가 심각할 때는 가장 강한 힘으로 방향을 돌려 접근한다. 통제력을 주고 정확히 정박위치에 정지하도록 도울 것이다. 피할 수 있더라도 간조나 강한 바람이 뒤에서 불면 접근하면 안 된다(강력한 엔진 없이 이러한 방향조종은 절대 시도하지 마라). 펜다를 장치하고 페어리더를 지나 바깥 끝까지 끌어 선수와 선미 예인줄을 준비하며, 충분히 당기고 갑판 밧줄걸이에 단단히 고정시킨다. 돛대밧줄의 바로 뒤 요트의 중간에서 바깥으로 선수와 선미 밧줄의 바깥쪽 끝을 잡는다. 해안에서 밧줄을 잡았을 때, 요트의 가장 넓은 부분이고, 정박할 때 정박위치에 가장 가까워야 하기 때문에 선원

은 통상적으로 이때부터 내린다. 정박하고 선수와 선미 밧줄을 고정시킬 때까지 스프링을 장치할 필요가 없을지도 모른다. 그러나 정지 스프링은 특히 엔진이 후진 시 효율적이지 못하다면, 매우 유용한 보조기구가 될 수 있다.

정박했으면, 선수와 선미 밧줄을 고정시킨다. 바람이나 조수가 선수 쪽에 있다면, 예인줄이 많은 적재화물과 정박위치에서 요트의 평행상태를 유지하므로 선미 스프링이 장치된다. 최종적으로 다른 스프링을 장치하고 모든 예인줄을 정돈하며 부두나 부교에 남겨둔 밧줄 고리가 없는지 확인한다.

(3) 세일을 올리고 도착하기

특히, 한정된 공간에서 크루저요트가 세일을 올리고 정박하려면 기술과 확실한 판단력이 필요하다. 방향조종의 성공은 요트의 조종특성에 대한 지식과 선원의 능력 및 처리속도에 따라 다르다. 접근 수단은 동력을 올리고 접근할 때와 매우 유사하다. 항상, 정박위치에 닿았을 때 멈추기 위해 이용할 수 있도록 바람과 조수의 가장 강력한 힘으로 향한다. 마지막 단계에서 너무 빨리 접근했다면 메인세일을 뒤로하거나(풍상으로 접근하고 있다면), 헤드세일을 내린다(풍하로 접근하고 있다면). 선원은 끌어당기기 위해 어느 정도 내려진 헤드세일의 뒷부분 가장자리를 잡을 필요가 있다.

2 선착장 정박

일반적으로 선착장은 연료, 신선한 물, 소나기, 상점, 식당, 술집, 상인, 수리장과 같은 편의시설과 함께 한정된 공간에서 안전한 정박위치를 제공한다. 선착장은 항해 시즌의 성수기동안 붐비는 경향이 있다. 요트는 떠 있는 부교의 망에 서로 가깝게 정박되며 그래서 방향조종의 공간은 한정된다. 훌륭한 요트 조종술은 필수적이다. 항상 주의하여 선착장에 들어오고 나가야 하며, 특히 동력을 올리고 잘 조종할 수 없다면 선착장에 들어가기 전에 잘 준비하여 선원에게 알리며 접근을 시도하기 전에 예인줄과 펜다를 준비한다.

1) 정박위치 선택

선착장은 보통 인접한 해협 가까이 많은 외부 정박위치를 추가적으로 갖추고 있다.

요트로 붐비는 부교들 사이 좁은 해협을 지나 도착된다. 선착장 레이아웃에 대해 불확실하면, 혹은 요트를 조종하기 어려우면, 가급적 외부 정박위치를 선택한다. 대부분의 선착장은 방문자가 사용하도록 상설 정박위치의 보유를 위해 정박위치를 남겨둔다. 선착장을 처음 방문했을 때 방문자 정박위치를 선택할 수 있는지 확인한다. 비록 세일을 올리고 외부 정박위치를 택하게 될지도 모르지만, 한정된 공간 때문에 선착장 안에서 정박을 시도하는 것은 현명하지 못하다.

2) 정박 준비하기

적절한 정박위치를 획득하기 위해 도착 전에 VHF 라디오로 선착장 소유자와 연결해라. 예인줄과 펜다를 준비하기 위해 요트의 어느 쪽으로 정박해야 하는지 물어봐야 함을 기억해라.

펜다가 충분하면 확실히 보호되도록 요트의 양쪽 모두에 달고 이는 또한 마지막 순간에 상황이 변경되거나, 들어가기 너무 어려운 정박위치라면 다른 쪽으로 정박할 수 있는 선택권을 준다.

선착장은 주요한 조수의 흐름 밖에 위치하며 그래서 조수의 영향은 마지막 접근 동안 심각하지 않을 수 있다. 부교가 조수를 향해 돌출되어 있으면 중대한 영향을 미칠 수 있으므로 상황을 세심하게 검토한다.

3) 선착장 정박위치 떠나기

선착장을 떠나기 전에 엔진을 시동하고 중립으로 준비함과 동시에 상황을 판단하고 출구를 계획한다. 정박위치를 떠날 때와 선착장 내에서 방향조종 시 바람과 조수가 어떤 영향을 미칠지 고려한다. 선원에게 철저히 알리고, 떠날 때 요트를 조종하기 위해 필요할지도 모르는 어떤 밧줄이든 준비하도록 한다. 선원들은 밧줄이 풀어질 순서를 알아야 하고 추진기를 더럽힐지도 모르는 물에 예인줄이 남겨지지 않았는지 확인해야 한다. 서두르지 말고 조심스럽게 나아간다.

4) 선착장 정박위치 도착하기

정박 위치를 선택할 충분한 시간을 준다. 필요하면, 그곳 설계에 대한 아이디어와 그럴싸한 정박 위치를 얻기 위해 얼마간 선착장을 지나 항해한다. 남겨진 방문자 정박위치가 명확히 표시되지 않았으면 적절한 정박위치에 대한 조언을 구한다. 정박위치를 찾았을 때, 조심히 입항을 계획한다. 선원에게 알리고 장치를 준비할 시간을 준다. 그들은 어느 예인줄이 먼저 고정되어야 하는지 알아야 하며 방향조종 시 추진기를 더럽힐지도 모르는 물에 끌리고 있는 예인줄이 없는지 확인해야 한다.

③ 부교정박(rafting alongside)

부교나 선창 옆, 말뚝 사이, 수중부표 주변에 요트를 매는 것을 부교정박이라고 한다. 혼잡한 항구에서 한정된 공간의 대부분을 구성하는 일반적인 방법이다. 부교정박이 이상적인 방법은 아니지만, 분주한 항구에서 유효한 선택이 될 수 있다. 권장할만하며, 어떻게 안전하게 요트를 결박하는지 익히고, 자신의 요트와 다른 누군가의 요

트에 피해를 주지 않도록 주의해야 한다. 또한, 결박한 위치의 안쪽과 바깥쪽에서 어떻게 안전하게 떠나는지 알아야 할 필요가 있다. 부교정박은 기본적인 방법을 따르고, 도착 또는 떠날 때 다른 선원에게 확실한 예의를 지키기만 하면 간단한 절차가 될 수 있다.

1) 부교정박의 원칙

해안 부교, 또는 말뚝에 항상 선수와 선미를 밧줄로 고정시키고, 계류밧줄(spring)과 옆 예인줄로 자신의 요트와 접한 요트를 고정시킨다. 자신의 요트를 지탱하기 위해 옆에 있는 요트의 버팀밧줄(shore line)에 의지하지 말아야 한다. 가장 안쪽의 요트에만 결박하는 버팀밧줄에 연결하지 마라. 그렇게 하면 바람과 조수의 영향으로 앞뒤로 흔들리게 되며, 불편하고 튼튼하지 못한 정박위치를 제공할 것이다. 가장 큰 요트가 안쪽에, 가장 작은 요트가 바깥쪽에 위치하면 더욱 안정적이다. 그러므로 자신의 요트보다 작은 요트 옆에 부교정박하는 것은 피하도록 한다. 연결할 때 자신의 돛대가 옆에 있는 요트의 돛대와 일직선이 되지 않도록 요트를 놓는다. 이는 충돌과 같은 손실의 원인을 방지할 것이다. 다른 요트를 지나 물가로 갈 때는 항상 앞갑판으로 지나가며, 조종석으로 절대 지나가지 않는다. 이는 사생활을 존중하기 위함이다.

2) 부교정박의 단점

부교정박의 가장 큰 단점은 출항 시 근처에 있는 요트가 방해가 될 수 있다는 것이다. 기본적으로 바깥쪽에 위치한 요트가 먼저 빠져나가야 안쪽의 요트가 출항을 할 수 있기 때문에 자신의 요트가 바깥쪽에 있으면 안쪽의 요트가 출항하고자 할 때 요트를 정리해주어야 하고, 안쪽에 있다면 출항할 때 바깥쪽에 위치한 요트의 선주에게 연락하여 요트를 정리해야 나갈 수 있는 불편함이 있다.

④ 수중앵커정박

수중앵커에 요트를 두는 것은 점심식사를 위하여 또는 야간에만 머무르기 위해 사용할 때 대중적이며 실용적인 선택이다. 수중앵커는 요트에게 편리한 정박위치를 제공하기 위해 항구, 강 그리고 만에 설치된다. 복잡한 항구나 혼잡한 선착장에 정박하

는 것보다 쉽고 스트레스가 덜하다. 그러나 수상택시를 이용할 수 없으면, 해안으로 가기 위한 부속선을 갖출 필요가 있다.

1) 수중앵커에 대해

수중앵커는 무거운 수직 체인이 부착된 해저에 하나 이상의 무거운 닻 또는 저울추로 이루어져 있다. 가끔은 밧줄로 떠 있는 부표가 부착된다. 보통 가벼운 선박을 위한 수중앵커는 1개의 작은 부표를 갖추고 있다. 아래쪽의 밧줄이나 체인은 선수 페어리더를 통과하고 밧줄걸이에 묶인다. 다른 수중앵커는 요트가 계선 밧줄(mooring line)로 묶이는 곳 꼭대기에 고리가 있거나 요트를 고정시키기 위해 배에 가져오는 작은 걸개(pick-up) 부표와 분리된 큰 부표를 갖추고 있다. 수중앵커는 보통 조수가 흐르는 방향으로 수로의 가장자리를 따라 줄지어 놓으며, 트로트(trots)라 불린다. 이 경우 각각 수중앵커의 무거운 수직 체인은 각각의 끝에서 무거운 닻이나 저울추가 부착되는 긴 그라운드 체인에 연결된다.

2) 수중앵커 선택하기

방문객 수중앵커 부표가 있는 항구를 방문할 때, 자신의 요트에 적합한 수중앵커를 선택한다. 수중앵커가 충분히 튼튼한지, 간조일 때 요트가 떠 있을 수 있도록 충분히 바다가 깊은지, 그리고 바람과 조수로 부표 주위에 흔들릴 충분한 여유가 있는지 확실하게 한다. 또한 바람과 조수로부터 특히 야간에 정박할 계획이라면, 안전한 수중앵커인지 고려해야 한다. 그리고 다른 요트와 해안쪽으로 수중앵커의 접근뿐만 아니라, 동력이나 세일을 올리고 수중앵커에 진입하고 떠나는 것이 어떻게 더 쉬울수 있는지에 대한 방법 또한 생각하는 것이 중요하다. 상설 수중앵커는 소유자가 어느 시간에든 되돌아 올 수 있고, 정박위치를 요구할지도 모르기 때문에 상설 수중앵커는 선택하지 않도록 주의한다. 누구 소유의 수중앵커를 선택해야 한다면, 소유자가 나타날 경우를 대비해 요트에 남는 선원이 없을 때 요트를 절대 떠나지 마라. 가급적 항구 관리자나 현지 항해사에게 조언을 구한다.

3) 수중앵커에 정박하기

부교나 다른 요트 옆으로 정박하는 것보다 수중앵커에 정박하는 것이 더 간단하지만, 진입하기 전에 준비되어야 한다. 수중앵커를 고르기 위해 한 명 내지 두 명의 선원에게 세부적 임무를 맡긴다. 선원들은 계선 밧줄과 보트훅을 준비한다. 진입을 검토하기 위해 항해모형을 만들고 특히 배치상태를 빈틈없이 점검한다. 흔들릴 여유가 있는지 수심을 확인한다. 대형 크루저요트에서 선수는 꽤 높이 있으므로, 부표나 계선 밧줄을 집어 올리는 것이 어렵다. 이 경우 돛대 밧줄의 바로 앞쪽 부표 옆으로 정박하며, 마지막 진입 시 키잡이가 못 볼 수도 있으므로 앞갑판 선원은 수신호로 위치와 부표와의 간격을 알려줘야 한다. 수신호는 종종 소리를 듣는 것이 불가능하기 때문에 사용된다. 자신의 선원에게 적합한 시스템을 만들어 낸다. 일반적인 방법은 계설설비에서 계속적으로 보트훅을 사용하는 것이다.

부표가 옆에 있을 때, 앞갑판 선원은 배에서 걸개(pick-up) 부표를 당기고 요트를 고정시키기 위해 아래쪽 예인줄이나 체인을 사용한다. 혹은 부표의 고리나 부표 아래 체인에 계선 밧줄을 묶는다. 고리나 체인을 지나 한 마름을 잡고, 그리고 떠날 때 훨씬 수월해질 수 있게 갑판부터 닻도록 긴 고리로 선수 밧줄을 묶는다.

걸개(pick-up) 부표가 배에서 당겨지면 부표와 주요 수직 체인 사이의 밧줄이나 체인의 상태를 확인한다. 의심스러우면 주요 체인에 묶기 위해 자신의 예인줄을 사용한다. 계선 밧줄이 페어리더를 지나거나 닻 롤러위로 끌리는지 확인한다. 앞갑판 선원은 요트가 고정되었을 때 조종석에 신호를 확실히 한다. 요트가 하나의 밧줄만 의지하지 않도록 두 번 분리하여 장치하는 것이 현명하다.

⚓ 5 닻을 내려 정박하기

확신을 가지고, 손쉽게 닻을 내려 정박시키는 능력은 특히 선착장에서 먼 곳이나 알려진 항로가 아닌 경우 매우 중요하다. 닻을 내려 정박시키는 것은 수중앵커와 같은 외부 시설에 의지하지 않고 해저에 요트를 고정시키는 능력을 요트 조종자에게 제공하므로 크루징 선원이 익혀야 하는 기본적인 기술 중 하나다. 크루징 요트조종자는 닻을 내리는 방법을 알아야 하며, 다양한 닻의 유형에 대한 장단점과 닻을 효율적으로 활용하기 위해 필요한 장비에 대해 이해하여야 한다.

1) 닻을 내려 정박시키는 이유

닻을 내려 정박시키는 것은 혼잡한 선착장에서 벗어나 느긋하게 정박하거나, 점심이나 수영할 동안 정지하기 위한 방법을 간단히 제공할 수 있다. 또한 조수가 지나가길 기다리거나 안전한 곳에서 강풍을 견디기 위해 습득해야하는 꼭 필요한 기술이다. 바람이 없는 날 엔진이 멈추게 되면 위험한 풍하쪽 해안으로부터 멀리 요트를 지킬 수 있으며, 위험 속에서 표류하는 것보다 위치를 유지하는 것이 더욱 안전한 방법이다.

2) 닻을 내리기 위한 장비

모든 요트는 체인이나 밧줄인 닻줄의 길이에 적당한 닻을 적어도 2개는 장비해야 한다. 닻을 선택하고 요트의 특성과 통상적으로 항해하는 지역의 특성에 따라 체인을

사용할지 밧줄을 사용할지 결정한다. 닻과 체인 공급업자는 스피네이커 요트의 규모와 무게에 알맞게 권할 것이며, 또한 숙련된 선원으로부터 조언을 구할 수 있다. 위험한 근해 항해를 위해, 위험에 노출된 정박위치, 강한 조수, 또는 나쁜 날씨 상태인 경우 닻을 내려야 할 필요가 있을 것 같을 때 닻의 크기와 개수, 그리고 장치하는 닻줄을 늘리는 것이 현명하다.

연안 크루저요트에 대표적으로 설치되는 것은 선수닻이라 불리는 주요닻과, 작은닻(kedge)이라 불리는 더 가벼운 닻을 포함할 것이다. 작은닻(kedge)은 좋은 날씨에서 잠깐 정지하거나 좌초된 후 사용된다. 선수닻의 닻줄은 해저의 마찰을 잘 버티기 위해 닻과 밧줄 사이에 약간의 체인이 있는 밧줄이거나, 전부가 체인인 닻줄일 수 있다. 작은 닻은 대개 닻에 약간의 체인이 있는—약 2m(6ft)— 전부가 밧줄인 닻줄을 갖추고 있다.

장거리 크루저요트는 닻을 내리는 다양한 상황에 대처하기 위해 더욱 견고한 닻과 닻줄을 장비해야 한다. 주요 선수닻과 다른 해저 상태에 대처하기 위해 비슷한 무게지만 다른 유형의 보조 선수닻, 작은닻, 그리고 예외의 상황을 대비해 강한 폭풍용 닻의 4가지 닻이 대표적이다. 체인이나 밧줄을 선택하는 것은 필요할 때 깊은 바다에 닻을 내려야 하는지, 동시에 두 개 이상의 닻을 설치하여야 하는지 고려하여 장비되어질 것이다.

3) 닻 디자인

닻은 일부분이 분리될 수 있는 최고급의 피셔맨(Fisherman's) 닻에서부터 브르스(Bruce)와 같이 날이 하나인 한쪽(one-piece)닻까지 다양하다. 모든 닻은 해저에 가라앉도록 설계된 하나 이상의 닻혀(fluke)와 닻줄이 연결되는 닻채(shank)를 갖추고 있다. 단포스(Danforth)와 포트리스(Fortress)와 같은 납작한 형태의 닻은 2개의 크고 평평한 닻혀와 회전닻채, 묘정(crown)에 설치되는 닻가지(stock)를 갖추고 있다. 쟁기 형태는 닻가지를 없애고 회전하거나 고정된 닻채를 갖추고 있다.

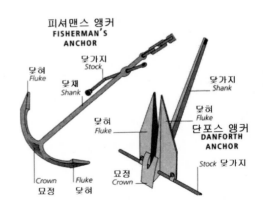

일부 최신형은 삽 모양으로 큰 하나의 닻혀와 고정된 닻채로 구성되어 있다. 이러한 디자인은 닻혀부분을 확대하고 해저에서의 각도를 조절하도록 설계된다.

(1) 닻을 내려 정박위치 선택하기

닻을 내려 정박할 위치를 선택할 때, 바람과 파도를 피할 수 있는지, 자신이 정박할 주변의 현재 수심, 해저의 형태, 흔들리는 공간, 그리고 세일이나 동력을 올리고 진입과 출발이 용이한지 고려해야 할 필요가 있다. 또한, 정박의 실제적 문제를 고려한다. 가급적 닻이 끌리면 바람과 조수가 해안에서 멀리 미는 곳에 닻을 내리도록 한다.

(2) 닻의 무게

닻에 무게를 선택하기 위해서는 닻줄의 무게, 수심, 바람과 바다 상태, 그리고 선원이나 닻 권양기의 힘에 따라 다르다. 첫 단계는 요트를 닻 위로 옮기는 것이다. 작은 요트나 좋은 상태인 경우 닻줄을 당겨 할 수 있지만, 큰 요트의 경우 엔진이나 세일 도움이 필요할 것이다. 한 명의 선원이 조종석에서 볼 수 없는 키잡이에게 닻줄의 방향을 알려줘야 한다. 요트가 닻의 위에 있을 때, 그 선원은 꺼낼 준비를 하기 위해 선장에게 알려야 한다. 닻 위에 요트를 정지하고 닻을 꺼낼 때까지 닻줄을 손이나 권양기로 올린다.

다른 방법은 닻줄을 걸고 닻을 꺼내기 위해 엔진을 사용하는 것이다. 닻을 꺼내면, 선원이 닻과 닻줄을 치우는 앞갑판까지 천천히 이동한다. 닻이 손이나 권양기로 꺼내질 수 없으면, 가능한 팽팽하게 닻줄을 잡아당겨야 할지도 모른다. 그리고 나서 고정시키고, 닻을 꺼내기 위해 엔진이나 세일 힘을 사용한다. 최선의 방법은 서서히 선미로 가는 것이며, 닻을 꺼낼 때까지 동력을 증가한다.

선수나 선체에 손상을 입힐지도 모르므로 닻줄 또는 앞으로 이동하지 않으며, 당기는 방향은 닻채쪽으로 향해질 것이다.

① 두 개의 닻 내리기

예보된 나쁜 날씨에 대비해 별도의 안전성을 높이도록 두 개의 닻을 내린다. 한 개 닻줄에 일렬로 내리거나 두 개의 닻줄에 서로 30-45도 각도로 내린다. 이러한 기술은 특히 거친 날씨가 예상되었을 때 유용하다. 조수가 바뀔 때 멀리 흔들리는 요트를 정지하고자 한다면, 요트의 선수와 선미에 두 개의 닻을 내린다. 이렇게 하기 위해 주요 닻을 내리고 필요한 만큼 두 번째 닻줄의 길이를 풀 동안 요트를 후진한다. 두 번째 닻을 선수에서 내리고, 두 개의 닻 중간에 요트가 위치하도록 작은 닻 닻줄을 늘리는 동안 주요 닻줄을 당긴다. 고리로 두 개의 닻줄을 연결하고 요트의 용골 아래에 그 연결부분이 내려지도록 두 개의 닻줄 모두 늘린다. 둘 다 고리에 고정시킨다.

주기적 방향으로 되돌아오는 조수가 있는 해협이나, 매우 제한된 정박위치에서 위치를 유지하고자 한다면, 두개의 닻을 내리거나 선미에 작은 닻 닻줄을 끌리게 한다.

② 권양기(windlass) 사용

권양기는 닻 체인을 잡기위해 설계된 수평이나 수직의 원통으로 된 강한 윈치이다. 또한, 일부 모델은 밧줄을 감아올리도록 매끄러운 원통으로 이루어져 있다. 권양기는 닻줄을 조종하여 당기거나 늘릴 수 있으며, 또한 자동으로 작동할 수도 있다. 닻의 체인은 선수 롤러에서부터 권양기까지 이어지며, 원통 위와 갑판을 지나 체인 로커를 통하는 체인파이프 아래까지 이어진다. 많은 권양기는 체인이나 밧줄 닻줄을 조종할 수 있지만, 체인만이 무게로 인해 로커에 자동으로 실린다.

권양기는 수동과, 전력이나 수력의 모델 모두에 이용할 수 있다. 전동식 버전은 정전인 경우 수동 설치를 갖추고 있다. 전력 권양기가 일반적이고 매우 유용하지만, 많은 배터리 동력을 필요로 한다. 권양기를 사용하기 전에 권양기가 사용될 때, 발전기에 배터리가 보충될 수 있도록 엔진을 시동한다.

닻을 내리는 장비로 작업할 때는 주의한다. 무겁기 때문에 장비를 주의해서 다루고, 좋은 갑판용 신발을 신고, 안전한 복장을 갖추고, 장치를 건드릴 수 있는 곳에 서 있지 않는다.

제3절 　**항해계획**

① 항해의 계획과 선상생활

1) 선장의 역할

모든 요트의 운항 상태, 안전성 그리고 선원의 복지는 선장의 책임이다. 선장은 항해와 항해 기술에 부족함이 없어야 하고 선원에게 신뢰감을 주며, 좋은 전달자가 되어야 한다. 선장은 모든 직무에 최선을 다 할 수 있어야 하고, 선원에게 일을 덜 부여하거나 과중한 임무를 부여하지 않도록 선원의 능력과 경험에 적합한 임무를 부여해야 한다. 가장 중요한 것은 선장은 서투른 선원에게 인내심이 있어야 하고, 존경과 권위를 유지하면서 손쉽게 요트를 작동할 수 있어야 한다.

2) 선원의 역할

좋은 선원은 자신의 능력만큼 가치를 지니고 있다. 가장 중요한 자질은 적극적인 태도, 유머감각, 그리고 크루저요트의 한정된 공간에서 다른 사람들과 잘 지낼 수 있는 능력이다. 또한 선원이 좋은 항해나 항해기술을 갖추고 있으면 선장은 행운이라 여길 수 있다. 선원은 요트관리와 항로계획에 관여하여야 하며, 선장은 선원의 의견을 항상 수렴해야 한다. 바다에서 범선은 민주적인 환경처럼 보일 수 있지만, 마지막 결정을 내리는 것은 선장의 담당임을 선원은 기억해야 한다.

선장들은 요트조종의 방법에 있어 엄청 다르다. 자신의 능력에 대한 불확실성으로 종종 큰 소리를 내고 긴장하는 반면 좋은 선장은 침착하게 전문가적 기질을 보여준다. 선원으로써 자신은 요트 관리의 여러 차이점과 대립할지도 모르며 선장의 특질을 어떻게 다뤄야할지 검토할 필요가 있을 것이다. 두 명의 선장에게 요트를 조종하는 방법과 해야 할 일의 선택 방법이 같을 수 없다. 자신이 선장 대행의 선원으로 고용되었다면 그들의 상반된 작업방법을 찾아야할지도 모른다. 선장이 되고자 열망한다면, 자신이 함께 항해했던 최고의 선장으로부터 배운 것을 희망을 갖고 경험을 쌓아야 할 것이다.

3) 선장이 되기 위한 학습

선장에게 요구되는 전문적인 항해술과 항해기술은 항해 학교에서 배울 수 있고, 자격을 취득할 수 있다. 항해 학교에서 배운 전문적인 항해술과 항해기술은 규칙적인 사용으로 향상될 수 있으므로 가급적 많은 경험을 쌓도록 한다. 각 항로에 대해 세심하게 미리 계획하고 전혀 확실치 않으면 자신의 계획을 점검하고, 바람과 조수에 대한 자신의 판단을 확인하기 위해 더 경험이 풍부한 선원에게 묻는다. 복잡한 공간에서 요트의 방향조정이 걱정되면 비슷한 요트나 비슷한 수중앵커 또는 비슷한 선착장 정박위치에서 다른 선장으로부터 조언을 구한다.

자신의 경험수준에 벅찬 항로를 떠맡지 않는다. 항해는 여행과 거의 같고, 성공적인 당일 여행은 선장과 선원에게 자신감이 생긴 만큼 기쁨을 줄 것이다. 단기간 여행은 또한 기술 향상을 위해 비좁은 장소에서의 요트 조종술을 필요로 한다. 궁극적인 책임은 선장에게 있지만, 일부 선원이 항해 계획 경험이 있다면 선장의 일은 훨씬 수월해진다. 자신과 함께 항해할 숙련된 선원을 찾지 못했다면, 선원의 능력 수준에 적합하도록 계획을 조절한다.

4) 숙련된 선장의 역할

배에서 보내는 시간부터 배우도록 하고 천천히 바다, 기후, 그리고 자신의 요트에 대한 지식을 넓혀간다. 계획대로 잘 되지 않더라도 낙심하거나 자신을 잃으면 안 된다. 대신 그 경우에도 배운다. 긴 항해에 필요한 기술과 자신감이 놀랍게도 빠르게 향상될 것이다.

전문적인 기술 향상이 중요할지라도, 자신의 대인관계와 선원 관리기술을 향상시키는 데 집중한다. 초보 선원은 항해에 앞서 걱정할 수 있는 반면, 다른 선원은 자만심을 가질 수 있다. 능숙한 선장은 선상에서 모두에게 관심을 갖고, 초보나 긴장한 선원에게 특히 주의를 기울인다. 선장의 자질이 향상되었을 때, 모두가 선상에서 안전하고 유쾌한 경험을 쌓을 수 있다.

5) 항해 계획

항해 계획은 출발일 전부터 시작한다. 선장이나 항해사가 한 명이라면 항해 계획을 세부적으로 준비한다.

항해 계획으로 연료, 식품 그리고 물 등 필수품을 예상할 수 있으며, 필요하면 보급품을 보충하기 위해 정박할 수 있다. 항해에 적용되는 요트의 보험 항목을 체크하고, 외국으로 가는 중이라면, 모든 선원의 여권과 필요할지도 모르는 비자가 준비되었는지 확인한다.

외국에서 항해할 예정이면(항구에 입항할 계획이 아니더라도) 요트 등록증명서가 있는지 확인한다. 또한, 유럽과 같은 지불해야 할 VAT나 다른 세금이 필요한 지역에서 항해한다면 세금 상황을 확인하는 업무를 수행하여야 한다. 세금 확인을 하지 않으면 과태료를 물거나 심지어 요트를 압수당할 수도 있다.

복사된 선원 명단을 몇 장 지참하는 것이 편리하다. 명단에는 누가 배에 있는지, 가장 가까운 친척, 여권번호, 그리고 연고 등 세부사항으로 근거를 작성한다. 여러 국가는 현재 자격증을 갖춘 선장을 필요로 한다.

(1) 해안경비대 서비스

해안선 지역의 대부분 국가에서 해안경비대 서비스는 바다에서의 구조사업에 대한 책임이 있으며, 그들 자신의 자원 또는 해군이나 공군의 자원, 구명보트 서비스, 주변

에 있는 선박을 사용한다.

대부분 해안경비대는 요트가 항해할 항해계획, 목적지, 그리고 도착 예정 날짜와 시간을 해안경비대에 알릴 수 있는 시스템으로 운영된다. 목적지에 도착했을 때, 선장은 해안경비대에 무사 도착을 알린다. 이러한 시스템으로 해안경비대는 요트가 연착하면 수색 구조 작업을 시작한다.

또한, 요트의 세부사항을 해안경비대에 미리 등록할 수 있다. 그래서 비상상태의 연락이 올 경우, 해안경비대가 자신 요트의 유형, 독특한 특징, 안전장치, 그리고 다른 세부사항을 즉시 알 수 있다. 이는 신속히 수색 구조를 하도록 도울 것이다. 해안경비대가 자신이 있는 지역에서 이와 같은 서비스를 제공한다면, 해안경비대의 편의를 이용하는 것이 현명하다. 항상 해안경비대에 도착을 알려야 함을 기억하고, 계획이 변경되었을 경우에는 다른 항구로 전환한다.

(2) 당직 시스템

항해를 계획할 때, 선장을 포함한 모든 선원이 최적의 상태에서 수행하도록 충분한 휴식을 취하는 것이 필요하다. 근해 항해는 특히 거친 바다일 때 정신적·육체적으로 피곤할 수 있다.

모두가 항해를 즐기고 요트의 항해에 공헌한다면, 항해할 동안 선원이 방심하지 않는지, 잘 먹고, 잘 쉬는지 확실하게 할 필요가 있다. 몇 시간 이상의 항해를 출발할 때 모든 선원이 휴식과 수면을 위한 시간을 갖도록 당직 시스템을 운영해야 한다. 당직 시스템은 선원을 2시간 또는 그 이상으로 나누어 한 명이 요트의 항해에 대한 책임을 맡을 동안 다른 한 명은 쉬거나 음식을 준비하도록 한다. 큰 경주용 또는 크루징 요트의 많은 선원은 보통 3조로 나누어 각 당직 주임의 지휘를 따른다. 첫 번째 조가 당직 근무할 동안 두 번째 조는 쉬고 세 번째 조는 당직 선원을 돕고 가사를 하면서 대기한다. 선원이 많으면 선장, 항해사, 그리고 가끔 요리사는 당직에서 제외된다.

전통적인 2조 당직 시스템은 4시간 동안 당직 근무를 하고 4시간 동안 쉰다. 매일 같은 당직 기간이 되지 않도록 당직순번은 늦은 오후, 초저녁, 모두가 깨어있는 동안 매 2시간의 2조 반당직으로 교체된다.

(3) 개별 시스템

전통적인 시스템을 사용할 필요가 없다. 대부분의 숙련된 선장은 항해의 기간과 선

원의 규모와 개개의 욕구에 적합하도록 그들 자신의 시스템을 고안한다. 모두가 충분한 휴식을 취하고 중요한 것이 무엇인지 그리고 비당직 선원이 잠을 잘 때는 빛과 소음은 최소한으로 제한한다.

자신이 택한 시스템이 무엇이든 어떻게 운영할 것인지 모두가 완전히 이해했는지 확인한다. 격벽에 해도를 두고 당직 명단과 시간을 지도판에 둔다.

(4) 시간 기록

모두가 당직 시간의 중요성을 이해했는지 확인한다. 작은 요트의 범위에서 사람들이 항해에 피곤을 느낄 때, 새로운 당직 선원이 늦잠을 자서 정시에 교체되지 않으면 싸움이 일어나기 쉽다. 당직조는 동료가 경계태세를 갖출 시간을 주기 위해 당직 시간 약 30분 전에 그들을 깨워야 한다. 방수복, 구명조끼, 그리고 한정된 이동 공간에서의 안전장치를 준비하는 데 필요할 수 있으므로 약간의 시간을 준다.

새로운 당직 선원에게 따뜻한 음료를 준비해주는 것이 예의다. 또한 새로운 당직 선원에게 알리기 위한 시간으로 당직 규정과 항해에 대한 지시를 전달한다. 교대하는 동안 서로의 안전에 대해 주의한다. 교대하는 당직 선원이 고정 장치 없이 야간에 갑판으로 오게 해서는 안 되며, 교대하는 키잡이는 조종하는 코스에 대하여 편안한지, 그 밖의 항해상의 문제점에 대해 확인한다.

선원이 충분히 많을 때 선장은 당직 시스템에 포함되지 않을 수도 있지만 모든 시간 전화를 대기해야 한다. 이런 경우 선장은 깨어 있어야 할 시간에 대해 당직 지시를 내릴 것이다. 이유는 바람의 세기가 강해지고, 다른 범선의 접근, 육지나 항해 표지의 관찰, 혹은 선원이 무엇이든 확인하지 않았을 때가 포함될 것이다. 선장을 깨워 곤란하게 할지도 모르지만 미루지 않는다. 상황은 매우 빠르게 향상될 수 있고, 능숙한 선장은 깨우지 않는 것보다 불필요하더라도 깨우는 편이 낫다고 생각한다.

최상이 계획에도 불구하고 선원은 과로하게 될지도 모른다. 이러한 일이 발생하면 당직 시스템에서 제외해야 한다. 선장은 그들이 다시 당직 근무를 할 수 있을 때까지 대리를 명할 필요가 있다.

6) 선상생활

2일 이상의 장기간 항해에서 일과는 빠르게 향상될 수 있으며, 요트에 필요한 것과, 적임의 선원을 유지할 의무에 의해 지시한다. 당직 순번으로 나눠진 선원은 항해,

요트정비 임무를 수행한 다음 휴식을 취한다.

당직 시스템을 운영할 때 중요한 두 가지 요인은 특히, 비당직 선원이 깊은 잠을 이루도록 서로에 대한 배려와 규율이다.

요트와 선원의 안전성은 경계태세와 유능한 선원의 보유 여부에 따라 다르며, 충분한 수면을 취하지 못했다면 장시간 항해가 불가능하다. 가능한 한 비당직 선원은 사교실, 조종실, 주방과 먼 숙소에서 잠을 자야 한다. 앞쪽과 뒤쪽 선실은 프라이버시를 제공하고, 비교적 조용하다. 또한 주방과 조종실의 조명은 수면 중인 선원을 방해하지 않도록 관리한다.

유감스럽게도, 요트의 끝에 있는 선실과 숙소는 수면을 취하는 데 있어 파도에 흔들려 덜 편안할 수 있다.

(1) 소음 줄이기

소음은 종종 잠을 청하는 선원에게 문제가 되고 당직 선원은 소음을 최소화하도록 노력해야 한다. 소음은 여러 원인에서 발생할 수 있다(해치나 사물함을 쾅하고 닫거나 조종실에서의 수다, VHP 라디오, 알람 도구, 윈치 회전 소리, 심지어 선체를 지나는 물소리 등). 소음을 없애는 것은 불가능하지만, 잠을 청하는 선원에게 방해가 되지 않도록 명심한다. 당직 시스템에서 모두가 깨어있을 때, 서로 대화를 나누고, 식사를 같이 하고, 오락을 즐길 시간을 허용한다. 이러한 시간에 선원은 활기를 되찾는다.

(2) 가사업무

요트에서 청결과 위생을 유지하는 것이 중요하다. 바다에서 작은 요트는 선원의 사기와 건강 유지에 아주 나쁜 불쾌한 환경으로 매우 쉽게 변질될 수 있다. 주방, 뱃머리, 주요 편의 구역은 선원과 요트의 규모와 날씨 상태에 따라 철저히 청결이 유지되어야 한다. 항균성 크리닝 약품은 조리대와 다른 표면의 청결을 유지하는 데 유용하다. 청소 작업은 좋아할 수 없으므로 당직 시스템 일과에 포함하고, 각각의 일은 한 명 혹은 그 이상의 선원에게 애매하지 않게 배분한다.

(3) 물 아껴쓰기

요트에서 신선한 물은 단기간으로 공급하나 근해 항해 중일 때 매일 혹은 자주 샤워하기에는 충분하지 않다. 따뜻한 기후인 경우 해수로 조종실에서 씻고 갑판 샤워기

를 이용해 신선한 물로 헹구는 것이 가능할 수도 있지만, 오래 할 수 있는 쾌적한 샤워는 다음 항구에 도착될 때까지 기다려야 할 것이다.

수영 중인 선원을 위해 그들을 지키기 위한 동료가 선내에 있는지 그리고 배를 조종하는 유능한 누군가가 있는지 확실하게 한다. 의심스러운 상황이면, 그 누구도 수영하지 못하도록 한다. 대신 해수를 퍼 올리기 위해 밧줄에 연결하여 물통을 사용한다. 가득 채워진 물통은 쉽게 손이 찢어지게 할 수 있으며, 요트가 이동할 때 채우려고 한다면 물속으로 떨어질 수 있음을 유념한다. 물통을 매는 밧줄을 밧줄걸이에 묶고 물통을 채울 때 자신의 손 주변에 감싸지 않는다.

(4) 요트 정돈 유지

선원에게 그들 자신의 소지품은 깔끔하게 관리하도록 한다.

옷과 다른 품목은 요트가 기울거나 택킹할 때 요트에 흐트러지기 쉽다. 이런 일이 발생하면 실내는 당직을 마치고 선실로 내려가는 선원을 방해하는 불쾌한 공간으로 악화될 것이다.

젖은 장치는 마른 옷과 멀리 두도록 한다. 충분한 공간이 있으면 방수복 전용의 옷장을 두는 것이 최선이다. 대신에 젖은 장치를 말릴 수 있는 오수통이 있으므로 뱃머리의 칸막이 객실을 사용한다.

가사를 나누기 위해 당번을 정하고, 식사 후 즉시 설거지할 선원을 정한다.

(5) 요리

식사준비는 요리사와 함께 항해하는 행운이 없다면 좋아하는 일은 아니지만, 바다에서의 음식과 식사시간의 중요성은 높다. 식사는 형편에 맞게 가급적 선원이 잘 먹는 것으로 정확한 시간에 준비하는 것이 필수적이다.

요리사가 없으면 좋은 요리사가 누구인지 고려할 것이며, 그 결과 일부 선원은 주방을 피할지도 모른다. 그러나 요리사에게 설거지나 청소와 같은 귀찮은 일의 일부가 덜어지지 않으면, 식사준비의 대부분을 해야 하므로 혹사된다는 느낌을 받지 않도록 하는 것이 중요하다. 요트청소, 식사준비는 당직 임무의 한 부분으로 포함되어야 한다.

식사준비는 요트에 냉장고나 냉동고 설비가 갖추어져 있으면 보다 쉽게 할 수 있다. 며칠 또는 그 이하의 항해 동안에 식사는 집에서 준비하여 냉동할 수 있다. 그리고 나서 간단히 데우기만 하면 된다.

이것이 불가능하면, 바다에서 준비하기에 어렵지 않은 간단하지만 맛있는 조리법을 선택한다. 질 좋은 재료를 구입하고 유통기간을 확인한다. 신선한 과일과 야채는 서늘하고 그늘진, 가급적 통풍이 잘 되는 곳에서 보관한다. 항해 일정과 만일의 경우를 대비해 충분한 메뉴를 준비한다. 알레르기나 선원의 기호음식 등 요구사항을 확인한다. 그들이 선호하는 음식을 먹으면 확실히 사기에 도움이 된다. 기후의 변화를 수반하는 장기간의 항해라면 음식의 요구사항변경을 알아야 함을 유념한다.

항상 강한 날씨의 경우, 빠르고 쉬운 조리 가공된 식품을 준비하고 당직 선원을 위해 초콜릿, 비스킷, 건포도, 그리고 기타 먹기 쉬운 스낵을 마련한다. 필요한 것이 무엇인지 정확히 알기 위해 식단표부터 쇼핑리스트까지 작성한다. 장기간 항해에 대비해 쇼핑중이라면 예산초과를 피하기 위해 슈퍼마켓에서 계산표를 받는다.

식사시간은 당직선원과 선장 모두 함께 시간을 보내는 공동의 시간이어야 한다. 한 명이 갑판에서 경계를 지키고, 자주 교대한다. 식사시간은 항해에 대해 상의하기에 좋은 시간이며, 다음 계획을 확인한다. 또한 정보교환, 질문과 답변, 그리고 당직 규정의 설정 등 토론의 장을 제공한다.

제4절 항법의 기초

① 항 법

1) 해 도

해도는 도로지도에서 강과 인접한 육지를 보는 조감도와 다르지 않다. 하지만 도로(세부적이지는 않지만) 대신에 해수의 깊이, 해안의 높이, 암석의 위치, 부표와 등대 같은 항해 보조도구, 북극이 표시된 컴퍼스 로즈 등의 다른 특징을 발견할 수 있다. 컴퍼스 로즈(Compass Rose)는 해도상의 현재 위치를 결정하는 데 필수적이다.

해도에는 위도와 경도가 그려져 있고, 자오선은 북극으로부터 남극까지 이어지는 선을 말한다. 수세기까지 지도 제작자는 본초 자오선이 천문대가 있는 영국 그리니치를 통과하도록 했다. 자오선은 그리니치로부터 동서로 지구 반대편까지 번호를 매기고 동서의 경도는 다시 180°에서 만난다. 지도 제작자는 다음 자오선을 가로지르

는 선을 가정하였다. 이것이 위도이며, 0°의 적도로부터 북쪽과 남쪽으로 각도가 증가한다. 위도의 각 선은 서로 평행하기 때문에 위도의 선을 평행선이라고도 한다. 지구상의 어떤 지점도 위도와 경도로 표현할 수 있다. 예를 들면, 45° N, 115° W는 라스베이거스 네바다 주의 부근이다. 또한 라스베이거스의 어떤 결혼식 예배당의 더 정확한 위치는 분과 초단위로 세분화함으로써 가능하다. 도는 60으로, 분은 60초로 구성된다.

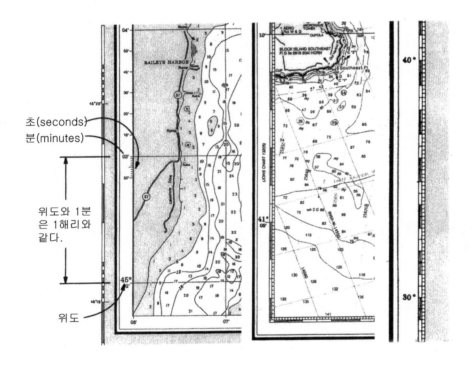

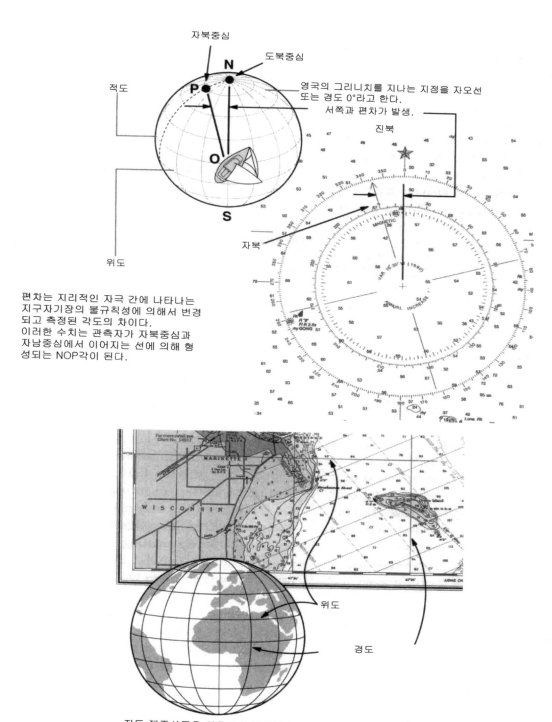

자북중심

도북중심

적도

N

P

영국의 그리니치를 지나는 지점을 자오선
또는 경도 0°라고 한다.
서쪽과 편차가 발생.

O

진북

자북

S

위도

편차는 지리적인 자극 간에 나타나는
지구자기장의 불규칙성에 의해서 변경
되고 측정된 각도의 차이다.
이러한 수치는 관측자가 자북중심과
자남중심에서 이어지는 선에 의해 형
성되는 NOP각이 된다.

위도

경도

지도 제조사들은 사용자로 하여금 눈에 혼잡하지 않고, 선과 선 사이에 충분
한 간격을 두어 위도와 경도를 이루는 격자를 선택하여 제작한다.

2) 나침반

지리적으로 진북(眞北)은 경도상의 북극 방향에 있다. 그러나 대부분의 사람들이 알듯이 나침반은 진북을 가리키지 않고 지구의 자기 북극을 가리킨다. 자기 북극은 캐나다 북극 어딘가에서 수십 년 동안 떠돌아다닌다. 자기적 북극은 사람의 위치에 따라 진북의 동쪽 또는 서쪽이 된다. 이 차이를 편차라 하고 대부분 20°를 초과한다. 몇몇 항해자는 진방향과 자기방향 사이의 앞뒤를 전환하는 난해함에서 즐거움을 얻지만, 보다 용이한 것은 모든 관찰을 자기에 한정하는 것이다.

도해의 컴퍼스 로즈를 확인하라. 외원은 진북 위치, 내원은 자기적 위치로 구별된다. 각 원의 북쪽은 0°와 180°이며, 동쪽은 90°, 남쪽은 180°, 서쪽은 270°이다. 외원의 북은 지리적인 북쪽이므로 논리적으로 수직이다. 내원의 자기 북은 편차에 해당하는 크기만큼 진북과 떨어져 있다.

모든 배에는 나침반이 있어야 한다. 나침반이 고정 설치되지 않는다면, 주머니에 넣어야 한다. 그러나 조종에 유용하기 위해서 나침반은 배의 중앙선에 정렬하여야 하며, 손에 들고 쓰는 나침반은 다음 섹션에서 알게 되는 해도에서 발견된 특징으로 위치를 파악하는 데 유용하다.

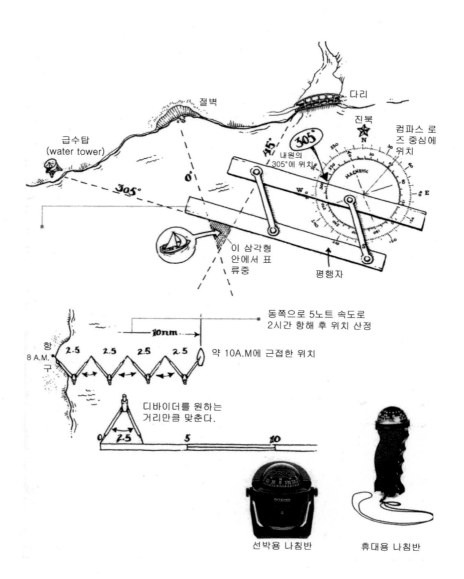

절벽

다리

급수탑
(water tower)

진북

컴파스 로
즈 중심에
위치

45°

305°

내원의
305°에 위치

MAGNETIC

305°

0°

이 삼각형
안에서 표
류중

평행자

동쪽으로 5노트 속도로
2시간 항해 후 위치 산정

10nm

약 10A.M에 근접한 위치

항
구
8 A.M.

2.5   2.5   2.5   2.5

디바이더를 원하는
거리만큼 맞춘다.

0   2.5   5   10

선박용 나침반

휴대용 나침반

3) 위치측정

해도상에 위치를 결정하는 방법은 몇 가지가 있다. 가장 쉬운 방법은 가장 나중에 고려할 GPS와 같은 전자장치의 정보를 이용하는 것이다. 우선 고전방식을 알아보자

해도와 더불어 연필, 앞에서 얘기한 휴대용 나침반, 평행자 세트가 필요하다. 평행자는 축이 되는 부분에 의해 연결된 나무 또는 플라스틱의 두 부분으로 이루어진다. 따라서 양 끝은 항상 평행하다. 한쪽 자를 고정함으로써 다른 쪽 자를 다음의 예시와 도해의 급수탑과 같은 참조하고자 하는 지점을 이등분할 때까지 이동시킬 수 있다.

해안선을 따라 육지의 목표물을 볼 수 있다고 가정하면, 이러한 육지의 목표는 휴대용 나침반으로 좌표를 정할 수 있다. 항해자의 위치는 삼각측량으로 불리는 절차에 의해 만들어진 세 개의 선에 의해 생성된 삼각형 안의 어딘가에 있을 것이다.

- 나침반을 첫 번째 육지의 목표(급수탑)로 향하게 하고, 나침반의 각도 305°를 읽는다. 이 숫자를 기억하라.
- 나침반을 두 개 이상의 육지의 목표로 향하게 한다. 즉 절벽과 다리(해도에 잘 나타난 것이면 가능). 이것들의 각도를 써 놓도록 한다. 당신은 세 개의 위치를 획득하였다.
- 평행자를 이용하여 한쪽 끝은 컴퍼스 로즈에 놓고 컴퍼스 로즈의 중앙과 내원의 305 숫자에 정치시킨다. 그리고 자를 다른 쪽 끝이 급수탑에 정치할 때까지 이동시킨다.
- 직선자라 불리는 이 끝을 이용하여 급수탑에서부터 당신이 가정한 위치방향으로 무한의 선을 그린다.(이 선을 위치선, LOP라 함)
- 절벽과 다리에 대해서도 같은 방법으로 진행한다.
- 당신은 세 개의 선이 교차하는 삼각형 내 어딘가에 있다. 당신이 좀 더 주의를 기울여 세 개의 육표 사이의 각을 더 크게 하면, 결과로 나온 삼각형은 더 작아지고 당신의 위치가 더 정확해진다.

6분의를 이용하는 천측 항법은 같은 방법의 일종이지만 더욱 복잡하다. 수학적인 재미가 있기는 하지만 대부분 전자 위성 항법시스템에 의해 대체되었다. 위성 항법과 GPS 위성의 출현 전에는 무선 방향 탐지기(RDF)가 삼각 측량에 이용되었다. 차이점은 단지 육지의 참조물로 어떤 보이는 육표가 아닌 무선탑을 이용하는 것이다. RDF의 큰 장점은 밤에도 활용 가능하다는 것이다. 하지만 이것은 위성 기반의 새로운 방식(물론 밤에도 사용 가능)에 비해 그다지 정확하지는 않다.

마지막으로 위치 찾기의 가장 원시적인 형태는 추측항법 또는 DR이라고 불린다.

이것은 추정된 속도, 시간, 거리의 기록으로 구성된다. [속도 × 시간 = 거리]라는 것을 기억하고, 항해 방향에 대한 계획이 있다면 위치를 추정할 수 있다.

당신이 항구를 8AM에 떠났고 약 5knot로 2시간을 항해했다고 가정하면, 10AM에는 약 10마일의 거리를 항행하게 된다. 항로가 정동(90°)이라는 것을 나침반을 통해 안다면 평행자를 활용하여 항구에서부터 자북의 90° 방향으로 선을 그릴 수 있다. 그리고 나서 디바이더 및 해도에 인쇄된 마일 범례와 위도 좌우경계의 해시 마크를 이용하여 10마일을 측정한다. (위도의 1분은 항상 1 마일과 일치하지만 경도의 1분은 극점까지 0으로 감소하기에 적도에서만 1마일과 일치함을 주목하라!)

2 항로의 판단

우선, 위치와 가고자 하는 곳, 평행자 세트 사이의 모든 것을 보여주는 해도, 항구 A와 섬 B 사이의 항로 또는 항구 A에서 섬 B로 도달할 수 있는 다른 지역까지의 중간 경로를 표시하기 위한 연필이 필요하다. 초심자로 A에서 B까지 어떤 방해물이 없는 직접적인 경로를 설정할 수 있다고 가정하자.

180° 반대로 되돌아온다는 것에 대해 말한다면 그것은 다시 어디에 있는지 확인하기 위해 뒤로 날아 어디로 가는지 알 수 있는 기술을 상기시킨다. 항해술에 관해 배워야 할 첫 번째 것 중 하나는 역방향의 항로이다. 위의 예시에서 당신이 조종하는 항로는 45°이다. 따라서 되돌아오는 항로는 180° 반대방향, 즉 225°가 되어야 한다. 역방향의 항로는 되돌아오는 단계에 대하여 유용하다. 항구 A를 떠나 섬 B에서 점심을 먹고자 한다면 항구 A로 돌아오는 시간이 되었을 때 간단히 역방향의 항로를 계산하면 된다. 안개가 자욱하고 항구 A의 입구를 더 이상 볼 수 없는 경우 더 유용하다.

이제 보다 현실적으로 정박지로부터 섬 B까지 직선 항로가 섬을 통하여 항구 입구로 데려다 줄 거라고 가정하자. 섬의 안전한 정박을 위해 항구로부터 나아가고, 편의를 위해 해안경비대에 의해 놓인 항구 입구 부표로 옆걸음질하게 된다. 부표는 항해 가능한 수면에 둘러싸여 있다. 따라서 이것은 출발 또는 도착의 중요한 지점이 된다. 부표로부터 당신은 다른 부표(확실히 그리워하기를 원하는 바위를 표시한)로의 항로를 정한다. 당신은 마름모형 부표에서 항구로 떠나는 것이 배를 안전하게 지켜준다는 것은 해도로부터 알 수 있다. 그리고 나서 당신은 마름모형 부표로부터 섬 B까지의 다른 항로를 정한다. 우리가 Piloting이라 부르는 절차대로 A에서 B까지 필요한 만큼 반복하는 것을 통하여 계속 진행한다.

나침반에 의해 조종하기 전에 언급할 것이 있다. 지금까지 나침반이 지구의 자기장에 반응하여 자북의 정도를 읽을 수 있다고 알고 있지만 이것은 해도의 컴퍼스 로즈로부터 자북의 정도를 읽을 수 있고 자기장의 세계를 통해 배의 항로를 조종할 수 있기 때문에 실질적인 문제가 아니다. 하지만 나침반은 보다 지역적인 자기의 영향에 반응한다. 이것을 편차라고 한다. 당신 배의 나침반이 조정 가능한 내부자기를 지니고 있고 이것들이 조정되어질 때(전문적인 나침반 조정자가 있음) 편차를 무시할 수 있어야 한다. 하지만 나침반 옆에 강철 권양기 손잡이를 두거나, 전자제품(조정석 음악 스피커 등)에 전원을 공급하여 전선에 흐르게 하면 나침반을 작동하게 하는 국부적인 자기장을 방해하게 된다. 그러면 결과는 다르게 나올 수 있다.

③ GPS를 이용한 항로 정하기

GPS는 지구 주위의 궤도를 그리며 도는 위성으로부터 신호를 수신하며, 이동을 나타내는 데이터로부터 유용한 모든 종류의 정보 즉 위치, 속도, 방향 등을 계산한다. 하지만 GPS는 마지막 3초, 10초, 1분(어떤 것은 평균시간을 프로그램 하지만 다른 것은 고정됨)의 위치 정보를 기초로 한다. 당신이 이러한 시간에 (A), (B), (C)에 있었다면 10초 이후에는 (D)에 위치할 것이라고 추측할 수 있다. 그리고 C와 D 사이의 항로는 이러이러한 정도이다. 속도와 방향의 조그마한 변화가 컴퓨터의 예상을 변경한다.

그러한 예상은 GPS가 위치와 무엇이 중요한지를 알고 있기 때문에 가능하다. 버튼을 눌러라. 그리고 그것이 좌표를 정하는 해도를 가지고 있지 않다면 크게 의미가 없는 위도와 경도로 항해자의 위치를 보여준다. 따라서 항해자는 해도의 위도와 경도로부터 항해자의 위치를 외삽하기 위한 평행자와 디바이더를 꺼내야 한다. 필자는 인쇄된 선 사이 어딘가에 실제 위치가 있을 것이기에 외삽이라고 하였다.

GPS로 항로를 정하는 것은 해도로부터 디바이더를 시용함으로써 볼 수 있는 목적지의 좌표 입력을 요구한다. 이러한 위도와 경도 좌표가 지점(Waypoint)을 정의한다. 그것은 중간 지점(앞서 예시의 마름모형 부표에 해당) 또는 목적 지점(섬 B)이 되기도 한다. 단지 GPS에 순서대로 각 웨이포인트의 좌표를 부여하라. GPS가 항해자가 어디에 있는지, 어디로 가고자 하는지 안 뒤에 둘 사이의 방향을 계산하고 조정할 항로(CTS)를 보여준다. 여기와 거기 사이에 장해물이 없도록 하는 것이 항해자의 역할이다.

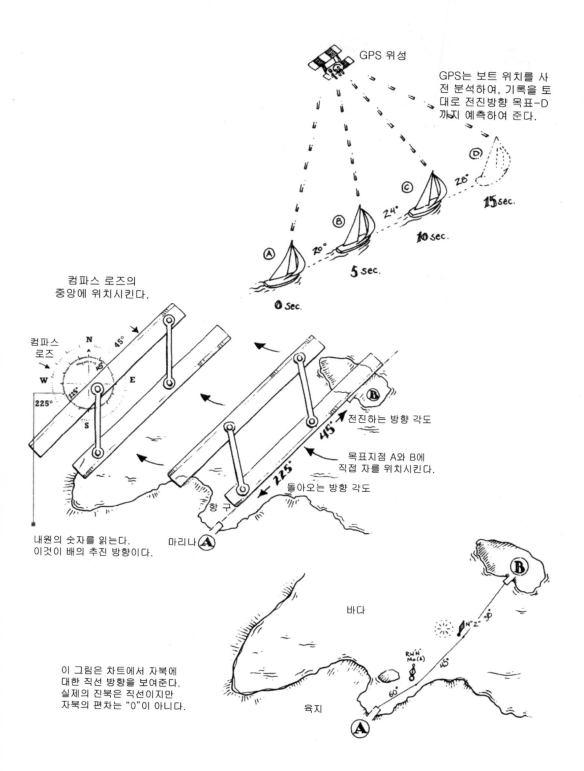

GPS 위성

GPS는 보트 위치를 사전 분석하여, 기록을 토대로 전진방향 목표-D 까지 예측하여 준다.

28°

15 sec.

24°

10 sec.

20°

5 sec.

0 sec.

컴파스 로즈의 중앙에 위치시킨다.

컴파스 로즈

N
45°
W   E
S
225°

225°

45°

전진하는 방향 각도

목표지점 A와 B에 직접 자를 위치시킨다.

225°

돌아오는 방향 각도

항구

내원의 숫자를 읽는다. 이것이 배의 추진 방향이다.

마리나 Ⓐ

Ⓑ

바다

N° 2' 30'

RW'N'
Mo(A)

45'

이 그림은 차트에서 자북에 대한 직선 방향을 보여준다. 실제의 진북은 직선이지만 자북의 편차는 "0"이 아니다.

60'

육지

Ⓐ

제5절
내륙 항해

① 내륙 항해의 장점

내륙의 강이나 호수, 운하 등에서의 항해는 염분이 있는 바다나 해안, 협곡이나 만에서의 항해와 여러 가지 면에서 다른 점이 있다. 전체적으로 수변에서의 안전상에 관한 규칙은 동일하나 여러 면에서 고려해야할 다른 점이 현존하고 있다. 현저한 다른 점의 하나는 조석간만의 차이에서 오는 어려움을 피할 수 있다는 점이다.

미국의 경우 내륙의 항해를 위한 수로가 30,000마일(48,000㎞) 이상이 된다고 할 수 있다. 미시시피, 미국의 5대호, 그리고 뉴욕의 수로시스템과 더불어, 대서양과 내륙수로의 만 등을 통해 알아본 결과, 5,000마일(8,000㎞)보다 더 많은 거리를 항해할 수 있다.

이러한 광활한 내륙 항해를 위한 연결지역은 고립되어 있거나 강과 연결된 지역을 더욱더 포함시킬 경우 레저활동을 즐기기에 충분한 크기의 수많은 강이나 호수로 이루어져 있다. 이렇게 고립되어 있는 강이나 호수는 보통 댐 뒤에 위치하고 있기 때문에 원래 있던 자리에서 바뀐 부분이 생기고 있다. 이와 더불어 놀랍게도, 오늘날 이런 곳에서 우리는 종종 "마리나" 또는 "보트용품 판매점"이라고 쓰여 있는 표지판은 발견할 수 있다.

그러나 이러한 내륙 항해지역은 여러 가지 제한 사항을 가지고 있기도 하다. 요트나 보트가 통과할 수 없는 높이의 교량이나 전선줄로 항해에 장애요소를 가지고 있기도 하다.

그럼에도 불구하고 내륙 항해는 안전성이 높고 쉽게 하선할 수 있는 조건이 바다나 연안보다 많아서 뜻밖의 즐거움을 주기도 한다.

② 내륙 항해의 고려사항

1) 제한사항

모든 항행지역에는 그곳들만의 불리한 지형이나 제한이 있다. 몇몇 강과 호수는 여울과 돌이 있을 수 있다. 다른 강들은 유효높이에 의해 문제가 생길 수도 있다. 고정

되어 있는 다리의 경우 유효높이에 대한 제한이 종종 발견되곤 한다.

이는 뉴욕의 운하 시스템에 의해 확인된 결과, 최하 15.5feet(4.7m)의 기준이며 몇 몇은 더욱 낮은 것을 찾아볼 수 있다.

그렇기 때문에 항해사들은 그들의 돛, 라디오 안테나 등을 내려야 한다. 보통 고정되어 있는 전원케이블의 경우 아무런 문제를 일으키지 않지만, 돛이 달린 배의 경우에는 정리되어야 한다고 명시되어 있다.

하지만 가끔 높은 수위로 인해 평균기준보다 유효높이가 올라갈 경우에는 추가적으로 경고를 하기도 한다.

2) 강에서의 항해

강에서의 항해를 위해서는 우선 해안선을 타고 보트를 조종할 수 있는 기술을 배워야 하며, 그런 특별한 기술을 필요로 하고 있다.

지역의 항해환경에 대한 지식은 가끔 해안가의 규칙보다 큰 몇 가지 조종원칙을 발표하고 있는데, 이는 늘 변화하는 강의 상태에 따른 지역적 지식을 주지시키기 위한 것이다. 강에서 항해하는 것은 과학보다는 예술에 가깝다고 볼 수 있다.

먼저 가장 기본적인 차이는 당연하게도 해안가와 얼마나 떨어져 있는가다.

보트조종에 있어서 많은 강에 위치하고 있는 장애물들과 위험요소를 피하는 것이 조종하는 데에 있어 하나의 스킬 이라고 볼 수 있다. 하지만 이것은 말처럼 쉬운 일은 아니다. 내륙에 위치하고 있는 물은 "비조류"라고 불린다. 하지만 비조류라고 해도 물의 높이가 항상 일정하다는 뜻은 아니다.

물의 높이의 변화는 계절별로 나타나고 있다. 예를 들어, 봄에 일어나는 홍수나, 빙하의 일부가 떠내려 오는 것, 둑이 넘쳐흐르는 물, 그리고 바다로 급속히 떠내려가는 물 등이 있다.

매년마다 바뀌는 물의 높이는 굉장히 놀라운 사실이다. St. Louis에서는, 겨울-봄의 흘러내리는 물의 상태와 늦여름-가을의 낮은 수위의 차이는 약 50feet(15m) 정도가 차이 난다고 한다. 항해할 수 있는 조금 더 작은 강에서는 갑자기 폭우가 내리면 몇 미터 이상 물이 불어나곤 하는데, 이는 비가 내리는 시간에 따라 더 강물이 불어남을 알 수 있다. 강이 흘러가면서 굽어지고, 바깥쪽으로, 또 안쪽으로 굽어지면서 속력이 줄어들 때에, 회전하면서 주위에 진흙과 모래톱 등을 형성한다. 사람이 인위적으로 만든 건물이나 물건 등은 평소와는 다른 바닥을 형성하지만, 그것은 일반적으로 해류가 돌면서, 한쪽 방향으로 깊어지는 것을 의미한다. 강의 깊이가 나와 있는 차트

를 보고 그 강의 성격에 대해 이해하여야 한다. 만약 깊이가 나와 있지 않은 차트를 받아보았을 때, 어디서 더 깊은 강을 찾아야 할 것인지 더 잘 알 수 있게 될 것이다.

이러한 이해를 통해 직선코스로 가려는 것을 줄이고, 위험요소 또한 줄일 수 있을 것이다. 물론, 각 끝의 적절한 코스는 굵게 굽어진 강의 전체적인 모습이다. 만약 항행을 돕는 가이드가 없다면 물속에서 댐과 곡선으로부터 4분의 1이 되는 지점을 지키면 된다.

몇몇의 강 차트(river chart)에는 강 스스로에게 힌트를 주기 위한 지형도까지 나와 있는 경우가 있다. 윤곽선은 만 근처에 빽빽이 그려져 있고, 절벽 밑은 깊은 물을 찾을 수 도 있는 좋은 기회를 줄 수 도 있다. 절벽은 또한 지형 물로서의 역할도 할 수 있다. 그러나 강에서의 항해는 와류나 붕괴, 부이의 이동, 토사 등 여러 가지 문제를 해결하여야 한다.

3) 운하에서의 항해

강에 댐이나 물막이 시설이 건설되기 전에는 많은 강들은 항해할 수 없었다. 이러한 자연적인 지형에서는 급경사나 협곡이 만들어져 항해가 곤란하였다.

이러한 지형을 극복하기 위하여 댐이나 물막이 시설이 건설되었고 이러한 시설로 인하여 대부분의 강들이 계단식으로 만들어져 완만한 지형과 물 흐름을 가지게 되어 항해가 가능하게 되었다. 강상의 항해에 있어서 수면의 높이는 강을 지나는 선박들이 잘볼 수 있도록 강변의 게시판에 표시되어 있다. 해도에는 이러한 게시판의 위치를 찾아볼 수 있도록 되어 있다. 이러한 해도는 미국의 경우 미 육군 공병단에서 제공하고 있다.

이러한 운하의 물막이를 통과하기 위해서는 규정에 의한 신호를 교환하여야 하는데, 무선을 이용하거나 호각에 의하거나 불빛을 이용하여 물막이 관리자(로크 키퍼, 로크 마스터)와 교신을 하게 된다. 물막이 안에 접근하거나 출발하기 위해서는 빠르고 충분하게 속도를 유지해서 수로에 도달하여야 하며 모든 승선자는 갑판으로 나오게 된다.

이러한 통과규칙은 서구에서는 특별한 규칙이나 통관규정이 없으나 미국의 경우 뉴욕 운하 법인회사에서 내륙수로안내, 수심, 안전유의사항, 통과규정 등을 명시한 팸플릿과 지도를 발간하고 있으니 참고하는 것이 좋다.

4) 호수에서의 항해

호수에서의 항해는 작은 호수에서부터 그레이트 레이크와 같은 대형 호수에 이르기 까지 다양한 환경을 가지고 있다. 이러한 대부분의 호수의 경우 해도가 갖추어져 있지 않고 단지 그레이트 레이크와 같은 대형 호수의 경우 국가 해양서비스에서 해도와 같은 자세한 지도를 발간하고 있다.

이러한 호수에서의 항해에 관한 규칙은 연방법의 저촉을 받지는 않으나 주나 다른 조직에 의한 규칙이나 규정의 적용을 받는다. 그밖에 수면에서의 모든 항해는 미국의 "내륙 항해규칙"에 의한 규정에 따른다.

제 4 장

보트의 조종술

제1절 보트 조종술

① 보트의 이해

선외기 보트는 탈부착 가능한 엔진을 가지고 있고 사이즈와 디자인, 그리고 제작되는 재료와 비용이 다양하다. 8피트 이하의 보트나 차로 이동이 가능한 작은 평저선을 주로 딩기라고 칭한다.

1) 보트의 사용

올바른 보트를 고르는 것은 선장이 어떠한 용도로 보트를 사용할 것인가 가 중요하다. 명백하게 워터스키에 이용되는 보트는 트롤링이 불가능하다. 그리고 주간항해용 보트 또한 주말 크루즈용으로는 적합하지 못하다. 거의 모든 보트 이용자들이 한가지나 두 가지 용도로 사용한다고 동의는 하지만 몇몇 이용자들은 각각의 목적마다 보트가 분류될 수 있다고 주장한다. 타협은 불가피하지만 보트가 운용되는 장소에 따라 강, 호수, 연안, 대양용으로 구분할 수 있을 것이다.

2) 선체 디자인

선체 디자인에는 일반적으로 배수형 선체와 부상형 선체로 두 가지 유형이 있다.

3) 사이즈와 선적

소형보트에 과적을 하는 것은 엄청난 위험을 가져오기 때문에 보트의 제한무게를 아는 것이 중요하다. 미국에서는 1972년 이후에 제작된 보트들에 초과무게제한을 반드시 명시하도록 되어 있다. 1980년대 이후에 선외기 보트에는 최대 마력, 탑승인원수, 최대 중량 등에 대하여 보이는 곳에 명시하고 있다. 스턴드라이브나 선내기 보트들은 이러한 것들을 생략하고 있다.

🕸 2 엔진과 부품의 이해

1) 선외기

선외기 모터는 탈부착이 가능하고 한 개에서 여섯 개에 달하는 실린더를 통해 구동축과 프로펠러가 움직여 추진력을 얻는다. 연료탱크와 작동버튼은 일반적으로 분리되지만 가장 작은 엔진의 경우 엔진의 윗부분에 나오는 경우도 있다. 일반적으로 휘발유엔진이 많지만 디젤이나 전기로 추진력을 얻는 엔진도 있다.

2) 스턴드라이브

100마력이 넘는 스턴드라이브가 요즘 많이 사용되고 있다. 이것은 4행정 가솔린엔진이나 디젤엔진이 선내에 결합되고 프로펠러의 작동은 선외기처럼 작동하는 방식이다. 스턴드라이브는 선내엔진의 높은 파워와 효율과 선외엔진의 이점들을 다 가지고 있다.

3) 선외기 vs. 스턴드라이브

2행정 선외 엔진은 4행정 스턴드라이브 만큼의 힘을 내기 때문에 트레일러보트들 사이에서 큰 이점을 얻고 있다. 2행정 선외 엔진의 경우 알루미늄으로 만들어져 가볍

고 더 높은 마력을 낼 수 있다. 예를 들어 115마력을 내는 4행정 스턴드라이브의 경우 무게가 283kg이지만 반면에 선외엔진의 경우 143kg밖에 되지 않는다. 거의 절반의 무게로 같은 힘을 낸다. 하지만 요즘에는 4행정 선외 엔진을 많이 사용한다. 이것은 2행정 엔진보다 10% 정도 더 무겁고 좀 더 비싸지만 높은 파워를 낸다.

선외 엔진은 칵핏의 공간을 거의 다 써버린다. 하지만 선외엔진을 위해 디자인된 보트는 받침대를 통해 엔진을 밖으로 고정시켜 공간을 만들어 낼 수 있다.

스턴드라이브엔진은 4행정기관의 연료효율이 더 좋고 유지보수가 쉽다. 그러나 실내 인테리어공간을 차지한다. 스턴드라이브엔진은 선외 엔진의 편리함과 선내 엔진의 디자인을 모두 선택할 수 있어 많은 보트 소유주들의 선택을 받는다.

4) 선외기 엔진 선택법

마력이 엔진선택에 있어 첫 번째 기준일 지라도 나머지 무게나 시동방법, 가격들을 고려하지 않을 수 없다. 마력은 보트의 크기와 무게, 속도에 따라 좌우된다. 14피트나 호수, 강에서 쓰는 보트들은 10마력이 적당하다. 왜냐하면 더 이상 마력이 높으면 헐의 속도보다 빨라져 마력이 낭비되기 때문이다. 워터스키용의 엔진은 40~75마력이 좋다. 큰 선외기 엔진은 보트를 더 빠르게 하고 헐에 더 큰 힘을 갖게 한다.

(1) 2행정과 4행정 엔진

최근 몇 년 전까지 모든 선외기 엔진은 엄청난 배기가스에도 불구하고 2행정 탄소화합물엔진이 대세였다. 하지만 미국 환경부에서 오염도가 높아 더 깨끗한 엔진을 사용하길 강조했고 결국 연료주입식 2행정 4행정엔진이 대체되기 시작했다.

(2) 2-스트로크 선외 엔진

전통적으로 2-스트로크 선외 엔진은 배기가스를 많이 배출하지만 상대적으로 많은 이점을 가지고 있다. 우선 단순한 디자인을 가지고 있어 결과적으로 무게도 낮고 가격도 저렴하게 되었다. 2행정 엔진의 경우 각각의 크랭크축 회전이 4행정 엔진보다 높은 힘을 내 더 나은 가속을 할 수 있다. 또한 유지와 보수를 하는 데도 더 싸고 쉽다.

그러나 이러한 여러 가지 이점에도 불구하고 배기가스와 연료, 소음 등의 문제점이 있다.

4행정 엔진과 2행정 엔진의 비교

구 분	4행정기관	2행정기관	비 고
중량	상대적으로 무겁다	상대적으로 가볍다	
회전수/1회연소	2회전	1회전	
출력	작다	크다	동일배기량 시
연료	휘발유, 경유	휘발유	
연료효율	높다	낮다	
엔진구조	복잡	단순	
	대형	소형	
엔진온도	낮다	높다	
연소	비교적 완전연소	불완전연소	
환경오염	작다	크다	
급배기밸브	있다	없다	
기타			

(3) 2-스트로크 연료주입식 엔진

2행정기관의 문제점으로 지적되어온 카뷰레터가 제거되면서 정확한양의 연료 공기혼합물이 각각의 실린더로 주입되어 엔진의 효율을 높이게 되었다. 연료는 더 잘게 분해되고 결과적으로 연료가 엔진 안에서 더 깨끗이 타게 되었다. 이것은 결과적으로 연료의 효율성을 높이고 연료화합물의 해로움을 줄이게 되었다. 연료주입식 2행정 선외기의 경우 수동으로 기름과 휘발유를 섞을 수 있는 연료주입 시스템을 가지고 있다.

5) 프로펠러

거의 모든 선외엔진들이 프로펠러가 달려있다. 어떠한 엔진들은 더 큰 프로펠러를 가진 것도 있고 여러 개의 프로펠러를 장착할 수 있는 엔진도 있다. 제조업자들은 다양한 옵션의 프로펠러를 추천한다. 하지만 제일 중요한 것은 선체와 엔진의 크기, 본인이 원하는 선박의 성능과의 조화이다. 선박을 낚시, 크루징, 워터스키 등의 다용도로 사용한다면 같은 모터일지라도 사용용도에 맞는 다양한 크기의 프로펠러를 구비하고 있어야 한다.

(1) 지름과 피치

프로펠러의 지름은 프로펠러의 날이 회전하면서 생기는 원을 가로지르는 선을 말하며 엔진의 RPM과 상관없이 일정하다.

프로펠러의 피치는 프로펠러가 한번 회전할 때 나가는 거리를 말한다. 피치는 엔진의 RPM에 따라 영향을 받는다. 같은 엔진이더라도 가볍고 빠른 보트일수록 피치가 크고 무거운 보트일수록 피치가 작다.

프로펠러는 피치와 지름에 따라 구분되는데 예를 들어 지름이 16인치고 피치가 13인치라면 '16by13' 이나 '16X13'으로 표기된다.

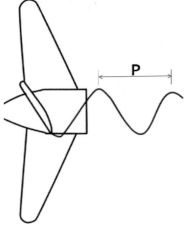

■ 프로펠러의
피치

(2) 재료

선외엔진의 대부분의 프로펠러는 수리가 간편하고 사용이 편리한 알루미늄으로 만들어진다. 스테인리스나 기타 높은 강도를 가진 금속들은 레이싱이나 워터스키용 프로펠러에 적합하고 알루미늄에 비해 상대적으로 구매비용과 수리비용이 비싸다. 플라스틱은 주로 딩기나 전자식 트롤링보트에 쓰이는 소형모터의 프로펠러로 사용된다.

(3) 시어핀과 슬립클러치

선외엔진은 상대적으로 얇은 물에서 작동을 하기 때문에 구동축이나 기어 그리고 내부 장비가 물속의 물질에 의해 손상될 우려가 있다. 이러한 손상을 예방하기 위해서 엔진은 시어핀(연식이 오래된 소형엔진에 장비)이나 슬립클러치(거의 모든 종류의 엔진)를 장착하고 있다. 시어핀은 상대적으로 부드러운 금속으로 만들어진다. 시어핀은 작동중인 프로펠러가 돌이나 기타물질에 의해 충격을 받을 경우 프로펠러와 내부기관을 보호하기 위해 일정충격치 이상 전해질 경우 자동으로 부러지게 되는 것이다. 이 경우 엔진은 작동을 멈추게 되고 재사용을 할 경우 부러진 시어핀을 뽑아내고 새로운 시어핀을 껴주면 된다. 시어핀의 불편함을 개선하기 위해서 제조업자들은 슬립 클러치를 개발했다. 슬립 클러치는 고무재질로 된 엔진안쪽의 허브를 말한다. 슬립 클러치는 구동계에 일정 이상의 충격이 가해지면 엔진의 작동을 멈추게 하여 내부의 부품을 보호한다.

③ 부속장비

1) 안전장비

(1) 구명장비

선외기를 장착한 작은 보트의 경우 큰 보트에 비해 전복될 확률이 높다. 그래서 법적으로 일정한 수 이상의 구명장비를 갖추도록 되어 있다.

(2) 노

미국에서는 몇몇 주와 지역의회에서 노와 패들을 의무적으로 구비해야 한다고 법적을 지정했다. 노는 엔진이 작동을 안 할 시 유일한 구동력이다.

(3) 물바가지(베일러)

모든 작은 보트들은 베일러를 장비하도록 되어있다. 이것은 구매를 하거나 집에서 쓰는 플라스틱 버킷을 사용해도 무방하다. 요트에 들어오는 빗물을 효과적으로 제거할 수 있고 이것 보다 더 큰 빌지펌프는 큰 선외기선박이나 스턴드라이브 엔진을 사용하는 선박에 이용된다. 또한 스펀지는 버킷을 쓰기 어려운 작은 양의 물을 제거하는데 쓰인다.

(4) 플래시와 랜턴

보트를 해가 진후에도 이용한다면 모든 작은 보트에는 플래시와 랜턴을 의무적으로 장비해야 한다. 랜턴은 방수가 되어야 하며 바다에 빠뜨렸을 시를 대비하여 물에 뜰 수 있어야한다. 또한 여분의 배터리는 방수가 되는 상자 안에 보관을 해야 한다. 랜턴이나 플래시는 위급상황에서 유용하게 쓰일 수 있다. 랜턴과 플래시는 매 보팅 시즌이 되면 교체해주어야 한다.

2) 관리장비

(1) 나침반

작은 호수에서 쓰이는 보트를 제외하고 자기식 나침반이 없는 선박은 없다. 상부가 개방되어 있는 작은 보트에서는 이 나침반을 빛이 들어오지 않는 서늘한 곳에서 보관을 해야 하며 사용하지 않을 때에도 직사광선을 비해 보관해야 한다.

(2) 공구

크기에 상관없이 모든 보트는 적어도 몇 가지의 단순한 공구들을 갖추고 있어야 한다. 드라이버와 플라이어렌치가 대표적인 것들이다. 가능하다면 여러 가지 크기가 다른 공구들을 갖추고 있는 것이 좋다. 또한 점화 플러그 렌치도 구비한다면 엔진이 고장 날 시에 유용하게 사용할 수 있다.

(3) 추가연료탱크

가장 작은 보트는 추가 연료탱크가 일체형으로 되어 있다. 그러나 4마력 이상의 엔진은 연료탱크가 분리되어 있다. 그리고 18feet 이상의 보트들은 연료탱크가 보트 안에 내장되어 있는 경우가 많다. 정박해서 연료를 채우지 않고 길게 항해를 하는 경우가 종종 발생한다. 여분의 연료탱크나 컨테이너를 고를 때에는 해양환경에서의 내구성이 높은 재질과 디자인을 고려해야 한다.

3) 보트커버

보트커버는 비 시즌동안 보트의 내부를 보호하고 외부의 오염에서 보트를 보관하는 데 큰 도움을 준다. 일반적으로 다크론이나 비슷함 섬유를 이용하는데 이런 커버들은 보트 전체를 덮을 수 있는 크기로 되어 있다. 이러한 커버는 트레일러로 보트를 옮길 시 외부의 바람으로부터 보트를 보호할 수 있다.

④ 탈착식 엔진의 기초

1) 엔진 조절

선외기나 스턴드라이브, 선내기 엔진을 장착한 보트들은 낚시나 워터스키, 크루징, 다이빙 등 다양한 여가용 목적으로 사용할 수 있다. 항해를 준비하면서 선외기를 적절한 위치에 설치하는 것이 중요하다. 싱글 엔진은 보트의 정중앙에 놓아야 하고 어떠한 엔진은 키가 중앙에 위치한 보트가 있어 특별한 위치에 설치를 해야 하는 경우가 있다. 카타마란에서 쓰는 엔진은 선체 각각에 설치된다. 이는 추가적인 공간확보에 유리하다. 만약 큰 엔진과 작은 엔진을 동시에 이용한다면 큰 엔진은 가운데 설치하고 작은 엔진을 옆쪽으로 설치하면 된다.

2) 모터 높이

모터의 높이가 너무 높으면 프로펠러가 적당한 물의 깊이에 있지 않아 회전하면서 물살을 가르고 나가기 힘들다. 반면에 프로펠러의 높이가 너무 낮으면 유체 속에서 압력이 낮은 곳이 생기면 물속에 포함되어 있는 기체가 물에서 빠져나와 압력이 낮은 곳에 모이는데, 이로 인해 물이 없는 빈공간이 생기는 공동현상이 발생한다.

3) 추력선 조절

대부분의 선외기 엔진은 높이를 조절할 수 있는 장치를 가지고 있다. 가장 좋은 성능을 위해선 프로펠러가 수면과 수평을 이루도록 해야 한다. 만약 모터가 트랜섬과 너무 가까우면 추력선은 수평선 밑으로 향해 보트의 앞부분이 물속으로 가라앉게 된다. 반면에 트랜섬과 너무 멀 경우 추력선이 수평선 위쪽으로 향해 보트 앞부분이 들리게 된다.

⑤ 트레일러

1) 올바른 장비 선택법

트레일러는 선장에게 보트의 운용에 있어 유연함을 더해준다. 예를 들어 집에서 보관을 하여 마리나의 정박요금을 피할 수 있고 트레일러에 선적하여 육지로 이동을 할 수 있다. 또한 바다의 유기체들이 선체에 붙는 것을 줄일 수 있다. 대부분 트레일러 보트는 25피트 정도의 길이와 454kg에서 1814kg 정도의 무게를 가지고 있다.

2) 견인차에 따른 고려사항

견인차들의 무게가 많이 나가면 더 많은 충격을 흡수할 수 있다. 견인차의 무게는 적어도 트레일러에 선적한 요트의 무게만큼 나가야 한다. 무거운 트레일러는 운전자가 조작하면서 나오는 흔들림의 정도가 더욱 크게 차체에 전해진다. 휠베이스의 길이는 견인차와 트레일러의 결정요소중 하나이다. 짧은 휠베이스를 가지고 있는 자동차와 소형 트럭의 경우 견인차의 역할이 힘들 수도 있다. 이와는 반대로 긴 휠베이스를 가진 긴 트럭은 훌륭히 역할을 소화해낼 수 있다. 마력 또한 중요한 요소 중 하나이다. 마력이 높으면 그만큼 트레일러를 끌기 쉬워진다.

3) 트레일러 선택

보트와 엔진과 마찬가지로 트레일러 또한 저렴한 것부터 고가에 이르기까지 종류가 다양하다. 일반적으로 프리미엄 모델은 더 나은 디자인과 더 나은 재료를 사용하고 더 견고하게 만들어 진다. 경제적인 모델은 프레임의 수가 적고 프레임의 수가 적기 때문에 롤러의 개수가 적고 때문에 롤러의 힘을 적게 받는다. 트레일러의 구매는 하중을 견딜 수 있는 능력과 길이에 의해 결정된다. 구매 전에 소유하고 있는 보트와 잘 맞는지, 크기가 적절한지 고려를 해야 한다. 트레일러는 보트와 엔진 그리고 기타 부속장비를 운반하게 된다. 보트와 엔진의 무게를 합한 것에 20% 정도 여유를 두어 구매하는 것이 일반적이다. 그렇게 하는 것이 트레일러를 연결했을 때 조작을 쉽게 할 수 있다. 만약 그렇지 않을 경우에는 한 단계 더 큰 트레일러를 구매하면 된다. 트레일러의 길이는 보트의 선미를 보호해야 하기 때문에 중요하다. 보트는 반드시 트레일러에 적재를 했을 시 트레일러에 1인치나 2인치 정도 여유 공간이 있어야 한다. 만

약 트레일러보다 보트가 길다면 선미가 손상을 입을 우려도 있다. 이것은 스턴드라이브 엔진에도 적용이 되지만 선외기일 경우 특히 신경을 써야 한다.

⚓ 6 트레일러 사용법

1) 보트선적하기

보트를 선적하기에 앞서 가능한 보트의 무게를 줄여 프레임이 받는 하중을 줄여야 한다. 모든 뾰족한 물체들은 감싸거나 지주대를 받쳐 긴급상황 시 급브레이크를 밟아도 튀어나오지 않게 해야 하고 이동하는 동안에는 보트에 탑승해서는 안 된다. 또한 불필요하게 연료탱크를 가득 채우지 말고 가능한 빈 연료통으로 이동하여 목적지 근처에서 연료를 채우는 것이 좋다.

2) 보트 안전 및 보호덮개 씌우기

보트 전체를 덮을 수 있는 캔버스나 합성물질 커버는 고속도로나 도로상의 오염물질로부터 보트를 보호해 주는 역할을 한다. 커버는 반드시 보트를 덮고 여러 개의 로프를 이용하여 촘촘히 묶어야 한다. 보트를 트레일러에 선적했다면 롤러와 선체가 밀착했는지 확인해야 한다. 대부분의 트레일러는 안전체인이나 U자형의 볼트 등으로 고정할 수 있도록 설계되어 있다. 고속도로로 장거리를 운반하는 경우 틈틈이 보트가 잘 묶여있는지 확인해야 하고 추가적으로 로프를 이용해서 보트의 옆면과 엔진부분을 묶어줘야 한다. 그리고는 매듭이 묶여진 부분이 사포와 같이 작용하여 알루미늄이나 유리섬유에 손상을 입힐 가능성이 있기 때문에 따로 감싸줘야 한다.

3) 출발 전 체크리스트

출발 전에 체크리스트를 만들어 미리 점검을 한다면 아주 효과적이다. 체크리스트를 만들어 점검하는 습관은 잠재적인 문제를 미리 없앨 수 있는 장점을 가지고 있다. 출발하기 전에 브레이크등이 들어오는지 브레이크페달의 유압은 정상적으로 작동하는지, 방향지시등 등을 확인하고 출발을 준비하는 인원 모두에게 잊은 것이 없냐고 수시로 물어봐야 사고를 미연에 방지할 수 있다.

4) 운전 중 고려사항

트레일러를 연결하여 운전을 하면 일반적인 상태보다 차체가 20~30피트 정도 길게 생각하여 핸들을 조작해야 한다. 천천히 가속과 감속을 해야 하며 제동거리도 더 길게 잡아야 한다. 항상 차의 움직임을 예측하여 핸들을 조작해야 하며 성급히 조작하는 것을 피해야 한다. 무엇보다 운전을 시작하면 보트에는 아무도 탑승을 못하게 해야 한다. 고속도로를 이용할 시에는 늘어난 제동거리를 고려해 항상 앞차와 뒤차와의 거리를 신경 써야 한다. 특히 회전을 할 경우에는 평상시보다 차를 앞으로 더 나아가 회전을 해야 트레일러가 안 걸리고 빠져나올 수 있다. 중간에 정차하여 확인을 할 경우에는 매듭이나 트레일러의 연결 상태, 방향지시등 및 미등, 트레일러 및 차량의 타이어 상태를 확인하여 사고를 미연에 방지해야 한다.

5) 도착 후 고려사항

목적지에 도착하고 난 이후에는 로프를 확인하고 혹시나 트레일러가 연결된 베어링이나 타이어 및 휠의 온도가 상승했을 경우가 있으므로 어느 정도 시간을 둔 후에 확인을 해야 한다. 트레일러를 주차시킬 경우에는 보다 더 세심한 주의가 필요하다. 트레일러로 후진을 할 경우 평상시 후진하던 방향과 반대로 핸들을 움직여야 한다. 하지만 쉽게 숙달되지 않기 때문에 평상시 넓은 운동장이나 인적이 드문 한적한 곳을 찾아 연습을 하는 것이 좋다.

6) 육상보관

트레일러로 이동이 가능한 보트들은 크기가 작고 비시즌 동안에는 육상에 보관하기가 용이하기 때문에 이러한 보트들은 해상에 있을 때보다 트레일러에 선적되어 있는 시간이 더 많다. 트레일러와 보트를 최상의 상태로 유지 보수하기 위해서는 몇 가지를 점검해야 한다. 우선 손상과 절도를 조심해야 한다. 비시즌 기간 동안 보트를 육상에 방치하다보면 물품 등의 절도나 손상을 입을 경우가 많다. 이를 방지하기 위해 트레일러에 특별한 보호 장치를 하는 경우도 있고 보트를 보안이 확실한 곳에 보관을 하는 경우도 있다. 만약 오픈된 곳에 보관을 오래해야 하는 경우가 생긴다면 배터리와 기타 전자장비, 엔진을 따로 보관하는 것이 좋다. 그리고 방수에 대해 신경을 써야 한다. 빗물은 여러 가지 이유에서 보트에 해롭다. 주요한 이유는 트레일러가 받는 하

중을 증가시켜 트레일러에 부담을 준다. 이를 방지하기 위해서 덮개를 씌우는 것이 필수적이다.

⚓ ⑦ 진수와 견인

트레일러로부터 보트를 진수하거나 다시 트레일러로 견인하는 기술은 아주 중요하다. 여기에는 경사로를 이용하는 방법과 크레인을 이용하는 2가지 방법이 있다.

1) 경사로 사용

경사로를 이용하는 방법은 보트를 육상으로 올리는데 있어 최선의 방법은 아니지만 자주 이용되는 방법이다. 진수를 하기 전에 휠베어링을 충분히 식히고 덮개를 제거한 후 덮개를 접어 차나 보트에 보관한다. 또한 안전한 장소에서 보트를 결박했던 밧줄들을 제거한다. 원치는 타이트하게 유지를 하고 있어야 한다. 선외기나 스턴드라이브 엔진 보트의 경우 트레일러가 물에 잠기는 깊이가 높아지기 때문에 반드시 차량과 연결된 전자시스템의 플러그의 연결을 해제한 후 보트를 진수해야 한다. 만약 세일보트를 물에 내린다면 지금이 마스트를 풀고 세울 시간이다. 대부분의 트레일러로 이동 가능한 세일보트들은 육지에서 마스트를 세우는 게 물 위에서 세우는 것보다 쉽다. 보트를 물에 내렸을 시 적절한 트림을 유지하기 위해서 보트 위에 있던 물건들을 빼거나 다시 부착하여야 한다. 그리고 보트를 내릴 시에는 2개의 로프를 이용하여 보트의 움직임을 통제한다. 만약 로프를 하나만 이용할 시에는 보트의 움직임을 통제하기 어렵다. 그렇게 된다면 여러 개의 펜더가 필요할 것이다.

2) 크레인을 이용한 진수와 견인

크레인을 이용해 배를 내리고 올리는 방법은 가장 쉬운 방법이다. 견인줄이 비록 크레인 운영자에 의해 작동된다고 할지라도 보트를 크레인에 올리기 전에 크레인이 보트의 무게를 견딜 수 있는지 확인해야 한다. 또한 보트가 적절한 균형을 맞추고 있는지 확인하고 크레인 작동자로부터 정확한 정보를 제공받아야 한다.

3) 보트 청소

보트가 담수나 해수에서 경사로나 크레인에서 오르고 나서 트레일러에 선적할 때 보트에 있는 물기를 모두 제거해야 한다.

⚙ 8 소형보트 조종법

1) 트림

과적은 보트사고의 주요 원인 중 하나이다. 작은 보트에서 승객들이 위치를 바꾸거나 보트에서 부산스럽게 돌아다니는 것은 상당히 위험하다. 꼭 필요하게 움직일 일이 있으면 천천히 조심스럽게 움직여야 한다.

2) 안정성

선외기 엔진을 장착한 보트는 자주 높은 속도에서 운용되기 때문에 보트의 안정성은 중요한 이슈가 되어왔다. 어떠한 선체는 직선으로 항해할 때 안정을 보이지만 방향을 바꾸거나 할 때는 선체가 위아래로 요동치는 경우가 있다. 수심 아래의 선체모양이 안정성에 있어 상당히 중요한 영향을 끼친다. 오늘날 대부분의 선외기나 스턴드라이브 보트의 선체들은 V 형태의 모양을 띤다.

이러한 디자인은 일반적으로 안정성이 높다. 그러나 높은 속도에서 회전할 시 브로칭이 발생할 확률이 높다. 밑이 평평한 형태의 선체는 킬이 방향에 대한 안정성을 주는 경우가 있다.

⚙ 9 IB(Inflatable Boat)의 이해

1) 유형

IB보트는 공기가 가득 찬 튜브로 선체를 감싸고 트랜섬이나 좌석은 나무나 금속 유리섬유로 만들어진다. 거대한 요트나 여가용 보트까지 IB가 차지하는 비율은 상당하다. 대부분의 IB보트에 사용되는 재료들은 겉면이 코팅되고 잘 짜인 폴레에스테르나

나일론 섬유로 이루어진다. IB보트는 안전성 있고 침수가 잘 되지 않으며 트레일러나 다른 것들로 운반하기 쉽다.

⑩ JET보트의 이해

선체의 종류에 따라 거대한 요트부터 개인수상오토바이까지 모두 워터제트 추진방식을 이용한다. 조작을 하는데 있어 다른 보트와 다른 특징이 있다. 가속을 하거나 정지를 할 때 즉각적인 반응이 온다. 선체 진동과 높은 속도로 인한 토크효과가 없다. 물에 빠진 사람 주변에서도 위험하지 않다는 특징이 있다.

1) 수상오토바이

수상오토바이는 일반적으로 젊은 사람들에게 더 친숙하다. 그 이유는 다른 보트들처럼 물이용할 수 있고 유지관리 및 보수가 쉽기 때문이다. 수상오토바이의 엔진추진력에 의한 데미지가 크기 때문에 소유주와 선장 모두 배에 있는 사람들의 안전을 신경 써야 한다.

⑪ 워터스키의 이해

1) 워터스키에 사용되는 보트

워터스키는 높은 파워를 내는 큰 보트가 필요 없다. 토너먼트나 경기용으로 쓰이는 것들은 복잡한 장비가 장착되어 있지만 일반적으로 작은 보트를 이용한다. 워터스키에 이용되는 보트에서 가장 중요한 요소는 엔진의 크기이다. 워터스키에 이용되는 것보다 큰 마력을 가지고 있기만 하면 된다. 또한 워터스키 이용자를 끌면서 가장 중요한 것은 속도를 유지하는 것인데, 속도를 유지함에 있어 엔진을 최고 rpm까지 끌어올려서는 안 된다. 이를 방지하기 위해서는 크기가 작은 프로펠러를 이용하면 된다. 피치가 작은 프로펠러는 높은 속도를 유지하는데 효과적이다.

제2절	**수상안전**

① 선장의 책임과 의무

보팅이 기본적으로 안전한 활동일지라도 안전과 주의를 기울이지 않는다면 보팅의 진정한 재미를 느낄 수 없다. 훌륭한 선박조종술은 보팅의 모든 방면에 있어 안전에 대한 지식과 연습이 충분한 상태에서 시작한다.

선장은 배의 구조, 장비, 유지, 보수 등과 더불어 안전에 대한 의무와 책임이 있다. 보팅에 대한 즐거움을 추구하더라도 현명한 선장은 연안이나 부유체에서 교육을 하는 동안 안전에 대해 수시로 실습을 한다. 선장은 안전의 중요성에 대해 항상 인지를 하고 있어야 한다. 대부분의 보트사고와 어려움은 무지나 책임을 회피하는 것에서부터 시작한다. 선장은 보트와 탑승하는 선원에 대해서 모든 안전을 책임져야한다. 또한 근처의 보트와 선원, 근처에서 수영하는 사람과 워터스키 등 선박이 움직임에 따라 파도나 너울에 영향을 받는 모든 사람들에 대해 신경을 써야 한다. 이것은 요트의 크기, 담수와 해수와 상관없이 항상 적용된다. 보팅의 어려운 점 중 한 가지는 보팅을 너무 즐겨 안전을 소홀히 하는 책임을 인정하는 것이다.

1) 리더십

리더십과 훈육은 여가용 보트이용자들이 거의 고려하고 있지 않은 사항이지만 그들의 소중한 재산이며 특히 소홀함으로 인한 사고가 많다. 훈육은 주로 안전을 위해 만들어진 법이나 규제에 신속하고 기꺼이 복종하는 것을 말한다. 진짜 교육은 리더십의 기능을 하고 리더십은 어느 보트에서나 발휘될 수 있다. 만약 당신이 지도자로서 권위를 확립시킨다고 한다면 보트에서 즐거움과 안전을 동시에 추구해야 할 것이다. 리더십은 3가지가 기초가 된다. 첫 번째는 선장 본인이 자신의 능력과 한계를 인지해야 한다. 두 번째는 선장으로써 더 생각하거나 해야 할 일이 없는지 생각해야 하고 세 번째는 선장은 반드시 선원과 보트에 대해 이해를 하고 있어야 하고 선원들이 응급상황에 얼마나 대처할 수 있는지 알아야 한다.

2) 선견지명

리더십 다음으로 중요한 것은 예측력이다. 일류 선장들은 응급상황이 발생하기까지 일을 진행시키지 않는다. 선장은 응급상황이 닥칠 것을 대비해 항상 대비책을 가지고 있어야 한다. 예측하지 못한 바람이나 조류의 영향에 의해 당황하는 경우에는 충분히 더 항해 경험을 쌓아야 한다. 위험한 상황이 닥칠 시 선원들에게 큰 소리로 알려야 하고 선원들에게 충분히 응급상황을 주의시켜야 한다.

3) 불침번

그 다음으로 중요한 것은 불침번이다. 선장은 반드시 보트 내외부와 선장이 목표로 하는 것을 미리 확인을 해야 한다. 불침번은 항해를 함에 있어 미리 상황에 대한 예측을 가능케 한다. 조종사처럼 목적지에 도착할 때까지 긴장을 늦춰서는 안 된다. 큰소리의 음악이나 승객들이 시끄럽게 하는 것을 방지해야 불침번이 집중할 수 있으며 위험상황에 대해 대비를 충분히 할 수 있다. 안전을 유지하는 것이 가장 중요하다.

4) 상식

(1) 장비점검

보트를 물에 내리기 전에 모든 장비가 준비가 되어 있는지 점검해야 한다. 법적 기준에 맞는 장비가 갖추어져 있는지, 작동상태는 양호한지 점검하는 것은 물론이고, 모든 항해장비 및 기타장비를 다루는 기술이 능숙한지도 점검해야 한다. 식수와 연료탱크를 점검하고 바다에서 일어날 수 있는 모든 응급상황에 대한 대비책을 세워야 한다. 출발 전 체크리스트를 만들고 항상 리스트를 수시로 점검해야 한다. 기억력과 일반적인 확신은 믿지 말아야 한다. 선박 위에서 필요한 모든 것들은 리스트를 만들고 체크해야 한다.

(2) 선장의 신체컨디션

안전한 보트운영에 있어서 선장의 컨디션 또한 중요하다. 지속적인 경계에 있어서 선장의 신체적 능력과 컨디션이 필수적이다. 긴급을 다투는 응급상황을 제외하고는 좋은 신체적 정신적 컨디션 상태에서 어떤 선장도 승객들에게 위험을 노출시키지 않

는다. 보트활동에서 음주를 허락하는 것이 일반적일지라도 선장은 항해도중이나 몇 시간 내에 항해를 시작할 예정이면 음주를 자제하는 것이 좋다. 알코올은 기억력과 균형, 야간시야, 육체적 움직임을 저해한다.

(3) 위험회피

선원이나 손님들을 불필요한 위험에 노출시켜서는 안 된다. 항상 현재 날씨를 주의하여 살피고 날씨가 좋지 않다면 항구에서 날씨가 좋아질 때까지 머무르는 것이 좋다.

(4) 조화롭게 행동하기

상식에서 큰 부분을 차지하는 것이 절제 속에서 행동을 하는 것이다. 코스와 속도를 변화함에 있어 절제를 하는 것이 중요하다. 선박 내에서 사람이 다칠 우려가 있기 때문에 급가속이나 급정거를 하지 않는다. 엔진의 출력을 최고로 높인 상태에서 출발을 할 필요가 없다. 만약 그렇게 행동해야 할 경우가 온다면 선원들에게 미리 알려 충분히 대비를 하게끔 해야 한다.

(5) 지속적인 감시

작은 선박들은 대형선박의 움직임을 쉽사리 감지하기 어렵다. 허나 경계와 위험에 대한 주의는 항상 대비하고 있어야 한다. 감시를 하는 것은 항해에 있어 필수적일 뿐만 아니라 좋은 항해감각을 길러준다.

5) 특정한 책임

선장의 책임은 다음과 같다.

- 보트의 안전한 항해
- 보트와 주변보트와의 안전과 효율적인 움직임
- 개인의 안전과 보트에 있는 장비들의 안전
- 위험상황에서의 도움

6) 선원

(1) 선원훈련

여가용 보트활동은 일반적으로 가족단위의 활동이 많다. 보트활동의 한 가지 면은 선원교육을 간과한다는 것이다. 어느 크기의 보트에서도 훈련이 안된 선원을 가지고 항해를 할 수 없다.

성공적인 가족단위 승무원 훈련 프로그램은 보트를 즐기면서 훈련을 할 수 있게 하는 것이다. 인명구조 훈련의 경우, 효과를 잃지 않으면서 게임과 같이 실행할 수도 있다. 훈련을 위한 적절한 효과는 승무원들을 숙련된 항해사로서 발전시키는 것이다. 모든 승무원들은 소화기가 어디에 있는지, 이것을 어떻게 실제로 사용하는지를 알아야 한다. 마지막으로 모든 승무원들은 무선작동법과 채널 전환하는 법, 비상시 사용법을 습득해야 한다.

(2) 추가적인 연습

적절한 훈련 프로그램은 추가적인 훈련내용을 포함해야 한다. 첫 번째로 선원에게 어떻게 무엇을 가르치는지 자기 자신부터 알아야한다. 보트 조작 같은 것이 그 예에 해당한다. 이 같은 추가적인 훈련은 각각의 선원을 더 능숙하게 만들 수 있다. 그리고 선장이 부담하는 긴장을 덜어줄 수 있다. 선장과 선원 모두 올바른 훈련을 받아야 응급상황과 기타상황에서도 올바르게 대처할 수 있다.

(3) 갑판손님 관리

승객이 배에 올랐을 때는 그들은 선원의 일부가 될 수도 있고 안 될 수도 있다. 만약 선원의 일부가 된다면 승객에게 명확하게 자기의 역할과 하는 일에 대해서 주지를 시켜야 한다. 만약 승객이 어린아이거나 항해 경험이 없다면 보트항해에 참가시키는 것이 좋다. 이점에 대해서 지나치게 신경을 쓰거나 승객들이 겁을 먹는 것이 없다면 승객들에게 빠른 발걸음으로 인한 추락, 세일의 움직임, 보트의 트림으로 인한 위험 등 보트 안에서 일어날 수 있는 위험상황을 승객들에게 설명을 해주어야 한다. 또한 화재 시 응급상황을 대비해 소화기의 위치를 확인시켜 놓고 어떻게 작동시키는지 설명해 주어야 한다.

7) 항해 중 필수 요소

다음은 항해 중에 해야 할 것과 하지 말아야 할 것을 나타내는 체크리스트다.

- 종종 육지가 보일 때나 항해에 도움이 될 때 보트의 위치를 항상 체크하고 표시해 두어야 한다. 이것은 보트의 항로에 큰 도움이 된다.
- 초음파 측심장치를 주시하고 있어야 한다. 만약 보트에 이것이 있다면 수심이 가장 낮을 경우를 대비하여 알람을 설치해야 한다. 알람으로 인해 보트가 땅에 닿아서 전복되는 일은 없을 것이다.
- 조류와 바람의 방향을 잘 기록해야 한다. 특히 얕은 물이나 근처에 다른 보트가 있을 시 특히 더 신경을 써야 한다.
- 다른 보트를 맹목적으로 쫓아가지 말아야 한다. 항상 안전한 코스로 항해하도록 해야 하고 다른 보트가 안전한 코스에 있을 거라고 추측하지 말아야 한다.
- 다른 보트의 선장이 내 보트를 못 보더라도 항상 경고하는 습관을 들여야 한다. 그래야 충돌을 미연에 방지할 수 있다.

2 기본적인 관리절차

1) 연료공급

연료를 보충하는 것은 항해에 있어서 필수적인 요소이다. 출발하기 전에 연료가 충분한지 확인해야 하고 연료가 필요할 경우에는 보충을 해야 한다. 확실한 예방책은 조심히 다루어야 하고 보트에 휘발유를 보충할 시 꼼꼼히 살펴야 하는 것이다.

(1) 연료공급 전 절차

첫 번째로는 보트를 연료를 공급할 수 있는 선석으로 이동해 정박하는 것이다. 되도록 해가 지기 전에 하는 것이 좋다.

두 번째로는 엔진, 모터, 팬, 기타장비 등 불꽃이 발생할 수 있는 모든 장비를 멈추는 것이다. 특히 배터리 등 전자 장비를 신경 써야 한다.

세 번째로는 매연이 들어올 수 있는 창문이나 문, 해치 등을 모두 닫아야 한다.

네 번째로는 모든 승객을 하선시키고 연료공급에 필요 없는 선원 또한 하선시켜야

한다.

다섯 번째로는 연료공급을 하고 있는 근처에서 흡연을 하지 말아야 한다.

여섯 번째로는 화재 시 비상상황을 대비해 소화기를 근처에 두어야 한다.

마지막으로는 연료탱크의 연료를 확인하고 탱크용량 대비 얼마나 넣어야 하는지 계획해야 한다.

(2) 연료공급 중 절차

첫 번째는 노즐을 쥐고 불꽃이 튀지 않도록 입구를 잘 막는다.

두 번째는 연료를 흘리지 말아야 한다.

세 번째는 과다하게 많이 채우지 말아야 한다. 연료탱크 안에 수용량 초과의 연료가 있을 경우 위험한 경우가 생긴다.

네 번째는 선외기 보트의 경우 보트에서 추가적인 연료탱크를 제거해야 한다.

(3) 연료공급 후 절차

첫 번째는 연료탱크 오픈 마개를 닫는다.

두 번째는 연료가 탱크 밖으로 흘렀을 경우 연료를 닦는다.

세 번째는 창문, 문, 해치를 모두 열어 환기를 시킨다.

네 번째는 연료탱크와 엔진의 냄새를 맡아 연료가 밖으로 흘렀는지 다시 한 번 확인한다. 연료가 묻어 있을 경우에는 시동을 걸어서는 안 된다. 휘발유의 경우 휘발성이 강해 환기를 시켜주면 날아가기 때문에 충분히 환기를 시킨다.

마지막으로 엔진과 기타 선을 확인한 후 떠난다.

2) 선적

(1) 선적량 결정

과적은 소형 보트나 딩기요트에서 사고의 주요 원인 중 하나이다. 물론 중형 보트에서도 상당한 부분을 차지하고 있다. 과적은 특히 사람들이 화재나 폭발사고에 민감하지 않을 경우 더 위험하다. 연료를 다루는데 조심하는 많은 선장들이 자신의 보트의 수용량을 잘 모르는 경우가 많다. 선적과 수용량은 용어적 측면에서 승선인원의 몸무게와 연료의 무게, 장비의 무게 등 안전하게 선박을 움직일 수 있는 무게와 관련

해 연관이 있다. 승선인원에 따라 안전한 선적은 선체의 크기, 디자인, 재질, 엔진의 무게, 엔진의 출력 등 여러 가지 특성에 좌우된다. 미국의 경우 USCG 표라는 것을 선외기, 선내기, 스턴드라이브 등 모든 종류의 선박에 적용한다. 이 표에는 각 선박의 승선인원, 마력, 엔진, 연료, 장비의 최대 무게 등을 기록해 놓아 선박의 적재량을 손쉽게 파악할 수 있다. 다만 이 선적량은 날씨나 파도 등 항해환경이 좋은 상태에서 적용된다. 궂은 날씨에는 이보다 더 적게 선적하여 항해를 해야 한다.

(2) 안전한 선적

승객은 움직이는 짐이라고 할 수 있다. 승객의 움직임에 따라서 연료탱크나 장비와는 다르게 보트의 무게중심이 흔들릴 수 있다. 보트의 선적량을 가득 채울 경우나 궂은 날씨에는 무게중심이 최대한 수평을 이루도록 해야 하고 최대 무게보다 적게 싣는 것이 좋다. 또한 선적한 물건의 무게중심을 자주 바꾸지 말아야 한다.

(3) 마력

작은 보트의 수용력에 있어서 두 번째 요소가 최대 마력이다. 최대 마력이 높을수록 안전하게 짐이나 승객을 태우고 항해를 할 수 있다. 보트를 이용하는 데 있어 최대 마력까지 선적을 피하고 항상 여유를 두어야 한다. 엔진은 최대마력 이하에서 작동될 때 좋은 성능을 내고 보트가 안정감 있게 되기 때문이다.

(4) 보트탑승

선박에 안전하게 탑승하기 위해서는 보트를 선석에 정박한 이후에 가능한 가운데 쪽으로 탑승을 해야 한다. 고무보트의 경우 가운데로 탑승을 하지 않고 선미가 선수 쪽으로 탑승할 경우 무게중심이 흔들려 선박이 전복될 우려가 있다. 절대로 보트에 뛰어서 탑승해서는 안 되고 선체의 끝부분으로 탑승을 해서도 안 된다. 또한 선박에 탑승할 시 선박을 고정하는 로프가 단단하게 묶여 있는지 확인을 해야 한다.

4) 출발 전 조치사항

(1) 날씨확인

보트를 소유하고 있는 선주들은 날씨를 무시하고 있는 경우가 있다. 출발 전에 있어서 날씨를 확인하는 것은 필수 사항이다. 날씨를 확인하는 제일 좋은 방법은 텔레비전이나 라디오에서 나오는 방송을 듣는 것이다. 텔레비전이나 라디오를 이용하지 못하는 경우에는 전화로 날씨를 확인할 수 있다.

(2) 출발 전 체크리스트

출발 전 체크리스트는 출항준비에 있어 중요한 요소이다. 이 체크리스트를 완전히 자기 것으로 만들고 실행하는 것이 좋다. 다음에 나오는 사항들은 일반적이고 가장 많이 사용되는 방법이다.

출발 전 체크리스트

항 목	
모든 안전장비가 선박 안에 있고 손에 닿기 쉬운 위치에 있으며 작동상태가 양호한가	엔진오일의 양은 적절한가, 엔진작동 후 냉각수가 잘 작동이 되는가
빌지펌프는 연기나 나지 않으며 물이 들어가 있지 않은가	연료탱크의 연료를 가능 채웠는지, 연료탱크가 잘 잠겼는가
모든 항해용 조명이 안전하게 작동하는가	헐거워진 기어를 모두 조였는지, 도크라인과 펜더가 잘 되어있는가
모든 승객들이 안전교육 및 비상상황대처법을 숙지하였는가	선장이 부상을 당했을 경우 부선장의 능력의 확실한가

5) 수상안전관련 조직들

(1) 교육관련 조직들

① USPS

USPS(United States Power Squadrons)는 비영리 교육단체로 1914년에 항해 간 안전과 선박조종술, 항해 등 기타 연관된 부분들을 향상시키고 교육을 통한 항해의 즐거움을 확대하고자 하는 목적에서 설립되었다. USPS는 45,000명 이상의 회원과 450여개의

단체로 이루어져 있다. 미국에서는 보트관련 가장
큰 비영리단체다. USPS는 보트에 관한 기본적인 지
식을 제공하여 많은 교육기회를 제공한다. 교육코스
는 GPS와 레이더 등 현대화된 장비를 사용한 수준
있는 교육프로그램으로 이루어져 있고 날씨와 엔진
유지관리, 해양전자시스템 및 항해, 항해계획 등을

United States
Power
Squadrons

포함한다. 또한 USPS의 핵심적인 활동 중 하나는 선박안전검사이다. 선박검사를 진
행하는 동안 USPS 선박 검사관은 미연방법에서 요구하는 장비들의 유무 및 상태를
점검한다. 선박안전검사는 비용이 들지 않고 법적으로 강제성이 없다. 많은 수의 사
람들이 USPS의 무료 항해교육을 받고 있다.

② USCG(United States Coast Guard Auxiliary)

미국 해안 경비대 산하단체는 미국 해안경비대의
자원 봉사자로 구성되었으며, 미국 해안경비대와 의
회의 활동에 의해 1939년 6월 23일에 설립되었으
며, 1941년 2월 19일에 미국 해안경비대 산하단체로
다시 지정되었다. 의회는 법 집행 활동이나 군사 작
전 중 하나에 직접 참여에 관련된 이외의 모든
USCG 임무를 지원하기 위해 보조기관의 활동을 허
가했다.

United States
Coast Guard
Auxiliary

자원 봉사자들은 급여를 지급받지 않고 활동이나 자신의 재량에 참여하고 있다. 봉
사자들은 지휘관의 명령 아래에 있을 때 발생한 비용을 상환할 수 있다. 현역 및
USCG의 예비 구성 요소와 달리, 봉사자들은 군법이 적용되지 않는다. 자원봉사자들
은 보트, 개인용 비행기, 해안 라디오 방송국 등의 소유주로 구성되어 있다. USCG는
교육과 안전검사 등을 통해 소형보트 운용의 안전을 확대하고자 노력하고 있다.

③ 미국 적십자사

적십자사는 미국 전역에 있는 3000개 이상의 기
관에서 수상안전교육을 실시하고 있다. 기본적인 수
영방법에서부터 숙련자, 생존수영, 인명구조까지 등

미국 적십자사

의 수영과 수상안전기술을 가르치고 있다. 또한 카누, 조정, 선외기, 세일링보트 등의
교육도 포함하고 있다.

미국적십자사에서 제공하는 응급처치교육 또한 각 지역기관에서 교육받을 수 있어 많은 보트 선장들이 응급상황을 대비해 교육을 받고 있다. 미국 워싱턴에 본사를 두고 있다.

(2) 보트와 장비에 관한 조직들

① 미국 보트 & 요트 표준협회

미국 보트 &
요트 표준협회

ABCY는 비영리 공적 서비스 단체로 선박의 디자인, 건설, 장비, 관리유지 등을 향상시키고자 하는 목적으로 1954년 설립되었다. 단체의 회원들은 기업에서부터 개인까지 다양하다. 미국 보트, 요트 표준협회는 소형보트들이 위험적인 요소나 가능한 불편함을 줄이기 위하여 안전기준을 만들고 공급하고 있다. 협회는 기술적인 교육과 기술자격프로그램을 제공하고 있다.

② UL(The Marine Department of Underwriters Laboratories Inc.)

Underwriters
Laboratories

UL 인증기관(Underwriters Laboratories Inc., 이하 UL)은 미국 일리노이주 노스블룩에 본거지를 두고 있는 비영리기관으로 재료, 장치, 부품, 도구류 제품에 이르기까지 기능이나 안전성에 관한 표준화를 목적으로 한 제품안전규격을 책정하고 동시에 평가방법을 설정, 평가시험을 실시한다. 시험에 합격한 것은 UL 인증마크의 사용이 인정된다.

UL은 시험 대상이 된 제품 등에 대해서 어떠한 보증을 행하고 있는 것은 아니다. 샘플을 평가해 안전 규격을 만족한 것에 대해서 그 샘플이 제품의 형상이나 구성이 동일한 경우에 한해서 합격을 나타내는 마크를 표시하는 인가를 주고 있다. UL은 마크를 발행한 리스트를 관리해 제공하는 것으로 이용자에게 재료나 제품 등의 검사 이력을 알리게 하는 역할을 하고 있다

③ USSA(United States Sailing Association)

미국 세일링 협회는 ISAF의 인증을 받은 공
인기관으로 미국 내에서 세일링에 관한 공인기
관이다. 요트, 딩기, 윈드서핑 등의 경주를 주
관하고 있으며 안전교육을 실시하고 있다.

United States
Sailing
Association

③ 안전을 위한 건조

안전한 항해의 시작은 보트자체의 디자인과 건조과정에서 시작된다. 일반적인 선
장들은 자기 자신의 보트를 만들지 않지만 가능한 적절한 보트디자인의 특성에 관해
이해를 하고 있어야 한다.

1) 선체 건조

명성이 있는 제조업자에게 생산된 보트는 일반적으로 검증된 디자인으로 제작되어
항해에 적합한 특성을 가지고 있다. 만약 보트를 고르는 경험이 없다면 자신보다 보
트를 더 잘 알고 검증된 사람에게 자문을 해야 한다.

(1) 건조 재료

항해 적합성을 위해서는 보트건조와 높은 수준의 건설에 적합한 재료가 필수적이
다. 방화성 재료 또한 어디든지 이용된다. 보트는 좋은 품질의 나무, 유리섬유, 철,
알루미늄으로 만들어진다. 이러한 재료의 조합은 강철선체에서 알루미늄구조로 만들
어질 수도 있다.

(2) 데크 안전

중형이나 대형 선박들은 데크와 추가적으로 뱃머리 쪽에 개인이 들어갈 수 있는 공
간을 가지고 있는 경우가 많다. 여기에는 네 가지 안전특성이 요구된다. 첫 번째로는
이러한 데크에는 안전발판을 위한 충분한 넓이가 확보되어야 한다. 두 번째로는 데크

의 재료가 미끄러지기 쉬운 재료로 되어있을 시 미끄럼을 방지하는 것이다. 세 번째로는 충분한 손잡이가 있어야 한다는 것이다. 누구도 흔들리는 보트 안에서 손잡이 없이 쉽게 앞으로 이동을 하거나 보트에서 하선하거나 승선할 수 없다. 네 번째로는 안전줄 및 구명장비를 충분히 갖추고 있어야 하는 것이다. 안전줄은 앞으로 이동할 수 있는 쇠고리와 같이 뱃머리나 데크에서 이동을 할 때 안정성을 부여하고 추락을 방지할 수 있다.

(3) 상부시설 및 안정성

보트가 무게를 싣고 움직일 때 트림이 길게 발생한다면 그만큼 보트가 전복될 확률이 높아진다. 이를 방지하기 위해서 플라잉 브릿지 같은 상부시설을 추가적으로 만드는 경우가 있다. 이러한 상부구조는 모터와 탱크, 기계들의 무게를 옮기는 역할을 한다. 안정성이 집중되는 곳은 주요한 무게를 이동하지 않거나 변화되지 않는 곳이다. 무게중심을 설정하는 데 있어서 전문가의 조언 없이는 배의 안정성을 확보하기 힘들다. 때때로 보트 선주들은 무게분배에 있어서 전문가의 조언으로부터 벗어나 배의 안정성을 망치기도 한다.

(4) 선체의장 설치

선체의장 설비는 흘수선 밑이나 바로 위에 시콕을 가능한 가깝게 설치하는 것이다. 이상적인 방법은 고체형태의 부식이 되지 않는 금속 파이프를 시콕이 있는 곳에 설치하고 유동성 있는 호스로 펌프까지 연결하는 것이다. 호스는 니플파이프가 설치된 곳에서 연결하고 더블호스클램프를 이용한다. 현재 이용 가능한 선체와 시콕은 UL에서 인정받은 것들을 사용해야 하고 미국의 경우 AYBC(American Yacht Boat Council)에서 제도를 마련해 관리하고 있다.

4 엔진과 연료 시스템

1) 엔진설치

보트에서의 화재나 폭발은 일반적으로 엔진룸에서 부주의한 작동이나 잘못된 설치, 부적절한 장비 등에 의해 일어나는 경우가 많다. 모든 상황이 일어나는 것은 절대

적으로 선주의 통제에 달려 있다. 엔진은 엔진의 출력과 맞는 선체에 설치되어야 한다. 선체에 비해 출력이 모자라거나 출력이 과한 경우 위험을 야기할 수 있다. 선박에 사용할 엔진을 자동차엔진처럼 대했다가는 큰 문제를 야기할 수 있다. 일반엔진과는 다르게 선박에 이용되는 엔진은 윤활과 냉각에서 차이점이 있다. 따라서 엔진을 고를 때에는 일반적인 엔진 대신에 해양환경에 특화되어 있는 엔진을 선택해야 한다.

2) 연료체계

연료체계안전에 있어 중요한 면은 화재와 폭발을 예방하는 것이다. 그러나 간과해서 안 되는 것은 화재나 폭발에 대한 문제도 중요하지만 지속적으로 깨끗한 연료를 주입하는 것 또한 중요하다. 미국의 경우 해양경찰청에서 선박추진을 목적으로 하는 엔진을 사용하는 20피트 이하의 모든 선박에 대해 연료체계에 복잡한 기술 요건을 정해놓았다. 이것으로 인해 보트 제조업자들이 보트를 생산하면서 고객들에게 양질의 보트를 판매하게 되었다.

(1) 화재예방

보트의 전반적인 연료체계는 액체연료에 맞춰있다. 그리고 선체인테리어는 연료가 증기상태로 대기에 떠다니는 상황에 대비해 디자인되어 있다. 증기상태의 연료는 공기와 만나 폭발을 일으킬 수 있다. 이러한 증기들은 대기보다 무거워 바닥에 가라앉게 되어 바닥 쪽에 환풍기를 설치하는 경우도 있다. 연료를 사용하지 않는 것은 불가능하기 때문에 예방을 최우선시 해야 한다. 항상 빌지펌프와 환풍기를 청결히 유지하고 수시로 점검을 해야 한다.

(2) 캬뷰레터(기화기)

카뷰레터는 엔진에서 일어나는 역화를 방지하기 위해 꼭 설치해야 한다. 다운드래프트 방식이 아니라면 카뷰레터는 카뷰레터 밑에서 떨어지는 연료를 모으기 위해 금속재질의 팬이 있어야 한다. 이렇게 모아진 누출된 연료는 다시 엔진으로 빨려 들어가게 된다.

(3) 연료탱크 및 게이지

영구적인 연료탱크는 반드시 어느 상황에서도 항해상황에 견딜 수 있도록 안전하게 설치되어야 한다. 탈부착이 가능한 탱크를 쓰는 것은 결코 좋은 방법이 아니다. 연료탱크는 연료와 해양상황에 잘 견딜 수 있는 금속으로 제작되어야 한다. 건설, 설치, 점검 등의 경우에 미국보트요트 표준협회에서 요구하는 기준을 따라야 한다. 가솔린 탱크는 선체에 내장할 필요가 없다.

(4) 연료라인

연료라인은 매끄러운 구리재질의 튜브형태로 된 것을 사용해야 한다. 또한 충격에서 보호되어야 하며 튜브 끝에 있는 비철금속의 진동으로부터 내성을 가지고 있어야 한다. 짧은 길이의 유동성 있는 튜브는 엔진과 연료라인 사이에 사용해야 한다. 선체와 엔진 사이에서 진동으로부터 손상되는 누출이나 파손을 예방할 수 있다. 강화된 비금속 호스는 탱크 차단밸브부터 엔진까지의 거리에 전부 이용된다.

(5) 연료증기 탐지기

연료증기 탐지기는 많은 보트이용자들에게 가솔린을 연료로 하는 선박에 없어서는 안 되는 물건으로 인식되고 있다. 연료증기 탐지기는 엔진이나 빌지에서 연료증기로 인한 위험이 감지되거나 연료증기가 외부로 유출되었을 경우 기계에 불이 들어오면서 소리로 위험을 알려주는 장치이다. 그러나 간과해서는 안 될 점은 연료증기탐지기가 위험을 감지하고 알려주는 데 있어 절대적인 기준이 되어서는 안 된다는 점이다. 장치를 이용함으로써 얻는 편의점도 있지만 기계를 맹신하지 말아야 한다.

(6) 선외기 연료체계

선외기 선체에 영구적으로 설치된 연료탱크와 연료체계는 반드시 디자인과 설치방법, 또한 매뉴얼을 따라야 한다. 탱크가 압력을 받지 않도록 유지한 상태에서 설치를 해야 한다. 퀵 커플링 공법은 엔진과 연료라인사이에서 사용되어야 하며 탈부착 시 연료탱크에서 밖으로 나오는 연료가 없게 해야 한다. 가솔린을 저장하기 위해 플라스틱 용기를 사용하는 데 있어 가장 위험한 점은 플라스틱 용기가 정전기 발생을 증가시켜 폭발위험이 증가하는 것이다. 플라스틱 용기는 방화성과 연료 양립성의 요구조

건을 충족시켜야 한다. 절대로 가솔린이나 기타 가연성 액체를 보관하는 데 있어서 일반 플라스틱 용기를 사용해서는 안 된다. 연료를 저장하고 탈부착이 가능한 연료 탱크는 물리적 충격과 직사광선으로 인한 폭발에서부터 보호를 받아야 한다.

(7) 디젤엔진 연료체계

디젤엔진의 연료 체계는 일반적으로 디젤엔진의 특성과 디젤의 자연적인 특성으로 인한 허가와 요구사항 등 몇 가지 경우를 제외하면 가솔린 연료를 이용하는 선박의 규정에 따르는 경우가 많다. 디젤연료를 위한 탱크는 철이나 금속으로 되어 있다.

3) 배기시스템

(1) 세일보트엔진 배기시스템

배기라인과 파이프는 쉽게 불에 그을리거나 잘 타는 재료를 사용해서는 안 된다. 배기시스템은 기체를 밀봉할 수 있어야 하고 배기체계 전체 길이를 수리가 용이하고 다시 설치하기 쉽도록 설계를 해야 한다.

보조동력을 사용하는 세일요트의 경우 수면 밑으로 엔진이 내려가는 경우에 해수 나 냉각수가 엔진으로 다시 빨려 들어가는 경우가 없도록 설계를 해야 한다.

(2) 신축성 배기 라인

배기 체계에 사용되는 증기관이나 기타 비금속재질의 경우 신축성을 가지고 있는 것이 가장 이상적이다. 모든 신축성 라인은 각 호스 끝에 있는 클램프의 부식으로부 터 보호되어야 하고 이러한 목적으로 사용되는 호스들은 내부에서 갈라짐을 막을 수 있도록 적절한 두께와 경도를 가지고 있어야 한다. 습식 배기장치에 이용되는 비금 속 배기 튜브는 냉각수로 인한 냉각과 배기가스의 높은 온도를 모두 견딜 수 있어야 한다.

⑤ 전기 시스템

1) 벼락예방

보트의 전반적인 전기시설 설치는 가장 안전한 상태에서 실시해야 한다. 해양환경에서 전기공사를 하는 것은 극히 위험한 일이기 때문에 항상 안전에 신경을 써야 한다. 배선장치와 기타 전기 장치들은 설치하고 난 뒤에 종종 검사를 받아 안전을 유지해야 한다. 흔하진 않지만 낙뢰에 의해 엔진이나 세일, 보트가 피해를 받는 경우가 종종 있다. 낙뢰에 의한 피해가 발생하면 그 피해는 심각하다. 낙뢰를 예방하는 방법에는 물리적인 방법과 기본적인 안전수칙에 의거하여 미리 예방하는 방법이 있다.

2) 보호원칙

낙뢰예방 시스템의 이론은 파라데이 케이지라고 잘 알려진 것을 만드는 것부터 시작한다. 파라데이 케이지란 외부 정전기 차단을 위해 기계 장치 주위에 두르는 금속판을 말한다. 19세기에 마이클 파라데이가 주장했다. 이런 케이지를 덮는 것은 낙뢰가 떨어질 확률이 높지만 낙뢰가 떨어질 경우 전류를 땅속으로 직접 흐르게 하는 역할을 한다.

보트에서 케이지는 무거운 전도체를 세일보트의 마스트나 엔진이나 스토브, 에어컨 등 낙뢰가 직접적으로 떨어질 수 있는 그 외 금속물질 위에 덮는 것이다.

3) 머리위쪽 전기선으로 인한 위험

낙뢰되지 않더라도 스키퍼는 선박 위로부터의 전선줄이나 수중의 전선줄에 대하여 진수시나 항해 시 항상 전기선과의 접촉을 경계하여야 한다. 항해자들은 전기선의 위치를 확인하고 항상 위험이 없는 곳을 항해하여야 한다. 낙뢰보호시스템이 있을지라도 전기선과의 접촉에 의한 안전시스템은 갖추어져 있지 않은 경우가 있다.

4) 낙뢰인명사고 방지법

기본적인 낙뢰보호 목표는 선상의 사람과 사람의 안전을 지키기 위한 것이다. 따라서 아래의 안전사항을 지켜야 한다.

- 뇌우가 몰아치는 동안에는 가능한 보트의 선내에 머물러야 한다.
- 낙뢰가 떨어질 수 있는 전도체나 물건을 가능한 접촉하지 말아야 한다.
- 가능한 물이나 수분이 몸에 접촉하지 말아야 한다.

⑥ 안전장비

어떤 안전장비는 법이나 해양경찰에 의해 정해진 안전장비들이 있다. 이러한 요구 사항들은 일반적으로 글로 명기되어 있지만 보트이용자들은 추가적인 지식이나 조언이 필요하다. 보트는 법적으로 요구하는 최소치의 안전장비보다 더 많은 안전장비를 필요로 한다.

1) 구명장비

법적으로 보트에 탑승하는 인원의 수만큼 구명장비를 갖춰 놓아야 한다. 현명한 스키퍼라면 구명장비의 질과 양에 돈을 아끼지 않는다. 소아용, 대인용등 개인부유장치의 유형에 따라 맞는 것을 준비시켜야 한다. 법적으로 3가지에서 4가지 정도의 개인부유장치를 고를 수 있다고 하더라고 대부분의 스키퍼는 타입1을 선택한다. 이 타입은 최대 부력을 제동하고 무의식중에도 사람이 호흡을 할 수 있도록 얼굴을 수면위로 떠오르게 해준다.

2) 소화기

엔진을 사용하는 선외기나 선내기의 경우 이산화탄소나 할론타입의 소화기를 반드시 엔진이 있는 쪽에 손이 쉽게 닿는 곳이 비치하고 있어야 한다. 화재가 나면 즉시 소화기를 화재가 난 곳으로 발사해 추가적인 산소공급을 막고 화재가 번지는 것을 막을 수 있다. 또한 요트 내부가 아닌 갑판에도 소화기를 비치해 어디서 화재가 나도 쉽게 대처할 수 있어야 한다. 미국의 경우 ABYC의 기준에 따르면 적절한 크기의 이산화탄소, 할론타입의 소화기를 다양한 장소와 엔진 부품쪽에 비치하도록 되어있다. 설치된 시스템의 유형이나 크기가 다름에도 불구하고 소화기를 조타쪽에 두어 화재가 날 시 바로 엔진을 끌 수 있도록 하고 있다.

3) 펌프와 물 바가지(베일러)

현재 베일러장비를 갖추라는 법은 없지만 모든 보트에는 펌프나 베일러 장비를 설치해야 한다. 너무 많은 스키퍼들이 전자 빌지펌프에 의지하고 있다. 빌지펌프의 수위가 갑자기 높아지면 빌지펌프가 작동을 하지 않을 수 있기 때문에 여분의 펌프와 물바가지 같은 물을 퍼낼 수 있는 장비가 필수적이다. 다른 보트들은 펌프를 설치할 수 있는 공간이가 전기가 만들어지지만 가장 작은 보트의 경우 크기가 작아서 사람의 손에 의지할 수밖에 없다.

4) 빌지워터 알람

전자 빌지 펌프는 일반적으로 부유스위치로 작동된다. 이것은 일반적으로 큰 편의를 제공하지만 전자기계에 너무 많은 것을 의존하게 된다. 안전은 빌지워터 알람의 설치로 인해 더욱더 강화시킬 수 있다. 이 꽤 단순한 시스템은 지속적으로 빌지펌프의 수위가 어느 정도인지 경고단계는 몇 단계인지 인지할 수 있도록 기계에 표시가 된다. 어떤 알람기계는 조타실에서부터 스키퍼가 취침을 하는 곳까지 알람이 울리게 되어있는 기계도 있다. 소리로 들을 수 있는 알람은 자는 사람들을 깨울 수 있을 만큼 엔진소리보다 충분히 커야 한다.

5) 조난신호장비

보트의 라디오 장비는 아마도 응급상황에 가장 많이 이용되고 있을 것이다. 특별한 장비 없이 조난신호는 다른 선박이 관측 가능한 시야에서 몸을 세우고 천천히 양쪽 팔을 흔들어 신호를 보내는 것이다. 신호탄은 몇 백 미터의 거리에서도 구조신호를 볼 수 있게 해준다. 미국의 몇 개주는 법적으로 일정한 수의 신호탄을 구비하도록 법적으로 규제하고 있기도 하다. 이러한 신호탄에는 싱글과 더블엔드 유형이 있다. 후자는 밝은 불빛과 연기가 같이 나가 야간에도 잘 볼 수 있는 특성이 있고 전자는 주간에 사용할 수 있는 신호탄이다. 신호탄을 사용하기 전에 미리 사용법을 숙지하고 있어야 한다. 그렇지 않으면 잘못된 조작으로 인해 인체나 보트에 손상을 가할 수 있다. 반드시 응급상황이 오기 전에 작동법을 미리 숙지하고 있어야 한다. 무엇보다 중요한 것은 선장 본인뿐만 아니라 보트에 탑승한 인원 전부 사용법을 숙지하고 있어야 한다는 것이다. 신호탄 등 조난신호장비는 반드시 안전한 곳에 저장이 되어야 하고 방수

재질의 용기에 담아 보관해야 하며 응급상황이나 사용 시에 찾기 쉽게 손에 닿을 수 있는 위치에 놓아야 한다.

6) 여러 가지 안전장비

안전과 편의성을 증가시키기 위한 몇 가지 장비들이 있다. 가장 작은 보트를 포함하여 모든 보트들은 여분의 조명과 적어도 한 개 이상의 전기 랜턴을 비치하도록 하고 있다. 플래시 조명은 응급상황을 대처하는 데 빠르게 도움을 줄 수 있다. 플래시 조명은 선장의 방뿐만 아니라 승객들을 위한 캐빈에도 비치하는 것이 좋다. 여기에 이용되는 배터리는 매달 점검하는 것이 좋다. 플래시 장비와 전기랜턴은 방수재질이여야 하고 혹시라도 물에 빠트릴 경우를 대비하여 부유체를 매달아 놓는 것이 좋다. 보트에 설치하는 조명의 경우 중형보트나 대형보트에 설치하는 것이 좋다. 이것은 일상항해나 정박 시, 응급상황이나 물에 빠진 사람을 구조하는 데 있어 큰 도움을 준다. 작은 보트의 경우 전기랜턴은 손전등 만큼의 효율을 보여준다. 중형이나 대형크기의 보트는 갑판에 손도끼와 응급상황에 사용할 수 있는 구명줄을 구비해 놓아야 한다. 엔진이나 기타 중요한 기계들을 수리할 수 있는 도구들도 필수적으로 중요한 요소이다. 개인적인 경험이나 숙련된 스키퍼와 대화를 통하여 자신의 보트의 장비를 준비하는 것이 중요하다. 가능한 장비들은 부식에 대해 내구성을 가진 물질을 사용해야 한다. 또한 보트들은 응급상황에 대처할 비상식량 및 식수를 확보하여야 한다. 탑승한 인원수에 맞게 식량을 확보해야 하고 이때 식량의 종류는 중요하지 않다. 응급상황에 대처할 충분한 열량만 확보하면 된다.

7) 기타 안전장비

(1) 갤리 스토브

갤리 스토브는 해양환경에서 사용하기 적합하도록 고안되고 생산된다. 연료는 일반적으로 알코올이나 전기, LPG가스를 이용한다. 어떤 보트들은 CNG가스를 갤리 스토브의 연료로 이용하는 경우도 있다. 보기 드문 경우지만 석탄이나 나무, 디젤 등 화석연료를 사용하는 경우도 있다. 가솔린은 발화점이 낮아 폭발의 위험이 있어 연료로는 사용하지 않는다. 전기는 음식을 데우는 데 있어 가장 안전한 연료이다. 물론 전기를 이용하려면 충분한 양의 배터리가 확보가 되어야 한다. 일반적으로 비싼 연료비에

비해 단순한 구조와 저렴한 가격 때문에 알코올 갤리 스토브를 많이 이용한다. LPG 갤리 스토브는 음식을 조리하거나 데우는데 효과적이지만 폭발의 위험이 높아 설치 시 까다로운 규제가 있다.

(2) 냉장고

얼음은 음식을 신선하게 하고 음료를 차갑게 하는데 사용된다. 얼음을 사용하는데 있어 특별한 위험은 없지만 얼음이 녹아 빌지펌프로 유입되는 것을 조심해야 한다. 담수가 유입되면 부패와 악취를 유발하는 것을 촉진할 수 있다. 기계적인 냉장고는 일반적으로 집에서 사용하는 것과 유사한 형태의 전기 모터를 사용한다. 기계식 냉장고의 안전한 점은 독성이 없고 불에 잘 타지 않으며 모터에서 스파크가 튀지 않도록 되어있다. 등유나 가스를 이용하는 냉장고는 약간의 불을 이용해 잠재적은 화재위험을 내재하고 있다.

(3) 난로

캐빈에 사용되는 난로는 가솔린을 절대로 연료로써 사용하지 않는다. 등유나 알코올을 이용한 난로도 많이 이용되지 않는다. 그러나 디젤 난로는 요즘 인기를 얻고 있다. 내장식 전기 히터가 안전하다.

⚓ 7 안전을 위한 점검

안전장비들은 선박위에서 안전을 증가시켜주지만 장비를 주기적으로 점검하지 않으면 장비의 효율성이 떨어지게 된다.

1) 구명장비 점검

노후된 개인구명장비 교체를 소홀히 해선 안 된다. 교체하지 않고 그대로 방치하는 순간 d응급상황 발생 시 현저히 사고율이 높아진다. 만약 당신이 구명보트를 가지고 있다면 주기적인 점검을 통해 항상 좋은 상태로 유지를 해놓아야 한다.

2) 소화기 점검

선박에 내부적으로 소화시스템이 갖춰 있다면 적어도 매년, 일반적으로는 더 빠른 주기로 검사를 해주어야 한다. 좋은 방법은 매년 보트를 물에 내려 항해를 시작할 때마다 검사를 하는 것이다. ABYC 기준 A-4에 의하면 이동식 소화기는 매달 검사해야 한다고 나와 있다.

(1) 분말소화기 점검

분말소화기는 내부의 압력상태가 표시된 게이지가 소화기 외부에 부착되어 있다. 이때 바늘이 가운데나 녹색영역에 와있어야 정상적으로 작동이 될 수 있다. 만약 소화기 안의 분말이 다 소모되어 작동이 되지 않는다면 분말을 재충전할 수 있다. 게이지 점검이 끝났다면 소화기를 고정된 상태로 보관을 해야 한다.

(2) 이산화탄소 소화기 점검

이산화탄소 소화기는 매년 무게로 점검을 한다. 원래 무게보다 10퍼센트 이상 가벼워 졌다면 실린더를 교체해야 한다. 실린더가 녹이 슬었는지 점검하고 부식이 심할 경우 소화기를 교체해야 한다.

(3) 하론소화기

하론 1301을 사용하는 자동화 시스템이나 소화기의 경우 실린더의 무게와 소화기 겉면에 있는 무게와 실질적인 소화기의 무게를 비교하여 점검한다. 매 6개월 내지 더 빠른 주기로 점검하는 것이 좋다.

(4) 기록일지

소화기 점검이나 테스트를 하고 난 뒤에 일지를 만들어 기록하는 것이 좋다. 기록일지는 소화기가 오작동 시 보험이나 고객불만사항에 증명하는 자료로서 효과적이다.

3) 엔진 및 연료시스템 점검

엔진과 연료체계 시스템의 누수와 청결을 위해 자주 점검을 해야 한다. 오일이나

그리스가 흐르는 부분을 닦고 누수가 되는 부분을 찾아 막아야 한다. 누수가 보이는 순간 바로 수리를 해야 한다. 보트를 사용하지 않는 상태라면 엔진에 연결된 모든 전선을 차단해 혹시라도 엔진에 시동이 걸리는 경우를 미연에 방지해야 한다. 연료시스템을 점검하는 것은 세밀히 진행해야 한다. 연료선의 누수나 갈라짐 등을 꼼꼼히 확인해야 한다. 만약 이음새나 호스에서 문제가 발생했다면 지체 없이 전문가를 불러 수리를 해야 한다.

(1) 빌지 통풍

제조업자들이 환풍장치 시스템의 설치를 문제없이 책임지고 해야 하지만 운영자 또한 설치된 장치를 지속적으로 점검해야 하는 책임이 있다. 보트가 오래되었다면 설치된 장치들이 이상 없이 작동하는지 주기적으로 점검을 해야 한다.

(2) 일산화탄소 탐지기

보트에 일산화탄소 탐지기 설치되어 있다면 탐지기가 올바르게 작동하는지 확인하고 사용자 매뉴얼에 나와 있는 데로 주기적으로 점검을 해주어야 한다. 소홀이 지나칠 수 있는 장비지만 일산화탄소 유출 시 선박에 탑승해 있는 모든 인원의 생명을 구할 수 있다는 점을 상기하여 점검을 게을리 말아야 할 것이다.

4) 전기 시스템 점검

보트의 전기 시스템은 모든 전선과 눈에 보이지 않는 부분까지 매년 전체적인 검사를 해야 한다. 점검 시에는 전문가의 도움을 받아야 한다. 접합부에 절린 부분이나 피복이 마모 유무 등을 유심히 검사해야 한다. 누전검사는 전류계를 이용해 검사한다. 검사 중 선체에 전류가 누출된다고 생각되면 즉시 전원을 끄고 정비를 해야 한다.

(1) 결합 시스템

만약 선체의 전반적인 장치들이 전기로 내부적으로 결합되어 있다면 매년마다 점검을 해야 한다. 금속이나 기타 전도체 장치들을 검사할 때는 특히 주의해야 한다. 선장은 눈에 보이는 것 점검할 수 있지만 전문가를 불러 전문장비를 가지고 검사하는 것이 효과적이다.

5) 선체 점검

보트는 일반적으로 수면위에 있기 때문에 선체 밑 부분의 청소와 재도색을 위해 주기적으로 물 밖으로 견인을 해야 한다. 이 경우에 수면 밑부분의 선체를 검사하기 위한 좋은 기회가 된다. 목재보트의 경우 널빤지의 물리적 손상이나 연식에 따른 퇴화 상태를 점검해야 한다. 유리섬유 보트의 경우 하중이 몰리는 부분이나 손상이 심한 지역의 균열이 있지 않은지 검사해야 한다.

(1) 선체부품 상태 점검

보트를 물 밖으로 견인할 경우 선체와 선내 배수구의 상태가 양호한지 매번 검사해야 한다. 모든 선내 배수구는 분기별로 점검해야 한다. 전기로 인한 마모나 노후된 부분이 있는지 꼼꼼히 확인해야 한다.

⑧ 수상에서의 안전

보트를 이용하는 사람들 대부분은 위급상황 시 물속에서 어떻게 대처하는지 알고 있다. 운 좋게도 보트이용자와 가족들은 수영을 할 줄 안다. 그러나 이것은 매우 제한된 환경에서, 예를 들면 안전이 보장되어 있고 몇 걸음만 가면 휴식이 보장되어 있는 따뜻한 풀장에서 수영을 하는 것이다.

특별한 주의를 주기 위해 수온과 파도가 불리한 조건에서 부유체 위에서 생존훈련을 하기도 한다. 가끔씩이지만 이것은 필요하고 먼 거리를 헤엄쳐 가는 것보단 이상적이고 도움이 올 때까지 기다리는 훈련을 할 수 있다. 선장과선원은 전부 익사방지 부유법에 대해 알고 있어야 한다.

1) 구명기구

보트 사고로 인해 물에 빠진 사람은 당연히 개인구명장비, 구명조끼, 부력 있는 쿠션을 입거나 장비하고 있어야 한다. 중요한 것은 사고가 나기 전에 입고 있거나 사용할 준비가 되어있어야 한다는 것이다. 부유 쿠션은 가장 좋은 부유장치와는 거리가 멀지만 가격이 저렴하고 편의성이 있기 때문에 여러 방면에서 사용되고 있다. 부유 쿠션은 입는 것이 아니다. 부유 쿠션을 묶은 줄은 수상인명구조를 할 때 효과적이다.

하지만 부유 쿠션은 꽉 잡고 있어야 하기 때문에 어린아이나 부상자에게는 알맞지 않고 수영을 하지 못하는 사람들에게도 맞지 않다. 쿠션을 절대로 등에 매는 것을 삼가야 한다. 그렇지 않으면 부력에 의해 얼굴이 물속에서 못나오는 경우가 생긴다. 개인 구명장비 중 가장 안전한 것은 부력 있는 물체를 재킷 안에다 재봉하고 방수 처리한 캔버스 구명재킷이다.

⑨ 응급조치

이러한 의료 응급조치는 스키퍼가 승무원들이나 항해자들의 상해를 최소화하고 아픈 곳을 치료하기 위한 것이다. 선박에는 적어도 간단한 비상의료장비가 갖추어져야 하고 이에 더하여 사용법에 관한 매뉴얼이 있어야 한다. 가장 기본적인 것은 응급의료지식과 심폐소생술 등이다. 모든 스키퍼는 구급의료장비를 사용할 줄 알아야 하고 신속하게 병원이나 의사에게 환자를 후송시킬 수 있어야 한다.

1) 신속한 의료응급상황 대처

육지에서 응급의료상황에 대비한 의료팀이 준비되어 있지만 수상에서는 이러한 시스템이 없고 시간이 소요된다. 선상에서의 스키퍼는 선상응급의료에 대한 책임이 있고 여기에 대비해서 기본적인 응급조치훈련과 장비의 공급을 받아야 한다. 또한 신체적인 상황에 따라서 보트 위에서 의료문제를 이해할 줄 알아야 한다. 응급의료를 처리할 수 있는 자신감과 수행능력은 선박조종기술의 기본에 해당된다. 이러한 지식과 연습은 자신감의 수준을 높이고 항상 기초적이고 진보된 응급의료체계를 알고 있어야 한다. 이러한 지식은 심각한 상황에 처한 승무원이나 항해자들을 구할 수 있다.

다음은 주요 수상안전요령을 서술한 것이다.

수상안전요령

1. 개인의 한계점을 인지하고 무리한 활동을 하지 말아야 한다.
2. 항상 두 사람이상과 수영을 하고 절대로 혼자 수영해서는 안 된다.
3. 다이빙 전에는 수심이 충분한지 확인하고 조수간만차이와 위험사항을 체크한다.
4. 피곤하거나 열이 날 때는 물 밖으로 나와야 한다.
5. 수영보조장비를 효과적으로 사용한다.
6. 수영을 못한다면 수영보조장비 없이 물에 들어가서는 안 된다.
7. 위험할 수 있는 상황에서 밀거나 물속에 밀어 넣어서는 안 된다.

① 응급상황 대비

거친 날씨, 과도한 자신감, 부주의, 응급상황 등은 선장의 능력을 시험해 볼 수 있는 가장 큰 기회이다. 어떻게 빨리 위험상황에 대처하는가에 따라서 사고, 화재 등 비상상황으로 인한 피해를 최소화할 수 있다. 숙련된 스키퍼는 일상에서 응급상황에 대한 준비를 한다. 물론 선원들도 훈련을 시킨다. 선원들이 능숙한 선원이나 가족 또는 친구, 손님 등으로 이루어져 있더라도 스키퍼는 언제 닥칠지 모를 위험에서 항상 선박을 안전하게 유지할 수 있도록 항상 인지하고 준비하고 있어야 한다. 소화기, 개인구명장비, 무전기, 조명탄 등 비상상황에 필요한 장비들은 선박 위에서 누구나 보기 쉬운 곳에 위치해야 한다.

1) 비상훈련의 중요성

비상훈련은 응급상황에 대비를 하는 것만큼 중요하다. 비상훈련은 필요에 의해 실시되더라도 충분한 가치가 있고 주기적으로 훈련을 해야 한다. 보트 시즌을 시작하면서 모든 선원들과 함께 훈련을 연습해야 한다. 그리고 간격을 두고 주기적으로 시행해야 한다. 훈련의 효과를 지속시키기 훈련에 참가한 모든 인원들이 즐기면서 훈련에 임할 수 있도록 해야 한다. 초대된 손님들을 일시적인 선원이라고 생각할 수 있다. 손님들은 훈련에 참가시키지 않아도 되지만 손님들에게 개인구명장비가 어디에 위치하고 있는지, 작동법은 어떻게 되는지를 알려줘야 한다. 만약 항해를 더 멀리하고 싶어하는 손님이 있다면 소화기나 빌지펌프의 작동법 같은 응급상황에 필요한 지식을 더 알려줘야 응급상황에 충분히 대처를 할 수 있다.

② 구조요청

미국의 경우 미국해안경비대는 미국 전역에서 응급상황에 도움을 줄 수 있는 SAR (Search and Rescue)를 운영하고 있다. 응급상황에 처해 있다면 구조요청을 해 미국해안경비대의 도움을 받을 수 있다.

전 세계에서 이용되는 신호를 이용한 구조방법에는 4가지 종류가 있다. 첫 번째는 VHF-FM이나 SSB-MF/HF를 이용한 음성 구조요청이다. 이 방법은 구조요청을 전파를 통해 보낼 수 있고 응급구조버튼을 눌러 자동적으로 구조요청을 할 수 있다. 다만 무전기가 작동해야 구조요청을 보낼 수 있다. 이 새로운 시스템은 DSC(Digital Selective Calling)이라고 불리며 모든 새로운 무전기에 요구된다. 버튼을 누르면 선박이름과 재난유형, GPS가 켜져 있다면 위치까지 전송이 된다.

또 다른 구조신호는 EPIRB(Emergency Position Indicating Radio Beacon)으로부터 자동적으로 전송된다. 여기에는 선박정보와 위치가 함께 위성을 통해 전송이 된다.

마지막으로는 SART(Search and Rescue Tansponder)라 불리는 새로운 기술이 있다. 이 것은 다른 선박으로부터 나오는 파동으로 활성화되며 레이더 스크린에 점으로 선박의 위치가 표시된다.

1) 구조신호와 긴급구조요청 보내기

대부분의 보트에서 무전기는 도움을 요청하기 위한 필수적인 수단이다. 채널 16 VHF/FM과 주파수 2182 kHz MF/SSB는 구조요청에 쓰이고 미국해안경비대가 항상 감시하고 있다.

2) 무선침묵

무선침묵은 조난신호 주파수가 국제적으로 이용이 되기 때문에 조난신호를 보낸 선박과 해당 방송국을 제외한 나머지 선박은 전파혼선을 방지하기 위하여 무전을 하지 않는 것을 말한다.

3) 구조신호 들었을 경우의 대비

구조신호를 들었을 경우 주의하여 들어야 한다. 구조신호를 듣고 나면 현재 자신의 보트위치가 구조하기 가장 적합한 위치인가 아니면 다른 위치에 있는 선박이 구조하기에 적합한지 결정을 내려야 한다. 만약 자신의 보트가 구조하기 가장 적합하다면 조난당한 선박에 답신을 보내야 한다. 절차는 다음과 같다

구조신호 절차

1. 조난당한 선박의 이름을 세 번 말한다.
2. 자신의 보트이름을 세 번 말한다.
3. 자신의 보트이름을 말하면서 구조요청신호를 받았다고 얘기한다.

구조요청을 들은 다른 선박이 구조요청신호에 대한 답변을 승인했을 경우 곧바로 자신의 위치와 조난장소까지의 거리, 선박의 항해속도, 도달시간 등을 지속적으로 통보해야 한다. 당신의 보트가 구조에 적합하지 않을 경우 무선침묵을 유지해야 하고 지속적으로 구조상황에 대한 감시를 해야 한다. 그리고 항해일지 작성을 위해 수신내용을 메모한다.

4) 조난상황이 아닐 때의 긴급통화 보내기

조난상황이 아니면 단순히 해양경비대에 전화를 하면 된다. 도움이 가능할 경우 해양경비대는 협조에 최선을 다한다. 만약 연락이 필요한 친구나 마리나 등이 있다면 해양경비대는 연결시도를 해줄 것이다. 또한 VHF/FM 16번 채널을 이용하여 신호를 보낼 수 있다.

5) 무선기가 없는 경우

무선기가 없거나 작동이 안 되는 경우 조난신호를 보내주거나 해양경비대에 전화를 해줄 근처 보트에 신호를 보내는 것을 시도해야 한다. 조난상황에서는 조명탄이나 기타 조난신호장치 등을 사용해 근처의 보트가 조난상황임을 인지할 수 있도록 해야 한다.

③ 충돌 시 대비책

최근 몇 년간 일어난 사고를 통계내보면 여가용 선박 관련 사고의 38%가 선박과 선박과의 충돌사고이고 13%가 부유체와의 충돌로 인한 사고다. 그러므로 충돌사고는 전체 사고의 51%를 차지한다. 보트이용자가 늘어나고 기술발달로 인한 보트의 속도가 증가하면서 충돌위험은 더 커지고 있다. 모든 스키퍼는 충돌을 피하기 위해 특별한 주의를 기울여야 한다.

1) 충돌방지법

최근 몇 년간 보트사고의 원인은 작동 부주의, 전방주시태만, 등이 있다. 만약 선박이 항해하는 코스에 다른 선박이 감지되었을 경우 나침반이나 방향을 조금씩 수정하면 된다.

2) 충돌했을 경우

충돌을 피하기 위한 최선의 노력을 했음에도 불구하고 충돌이 일어난다면 제일 먼저 배의 선원들과 충돌한 배의 선원들의 안전을 신경써야 한다. 물에 빠진 인원이 있다면 개인구명장비나 구조를 하러 가기 전까지 견딜 수 있도록 부력이 있는 물체를 던져 주어야 한다. 만약 충돌사고의 책임이 본인에게 있다면 사고경위서를 제출해야 한다.

🜨 4 침수 시 대비책

보트에 물이 들어오기 시작했다면 물이 어디서 들어오는지 찾아야한다. 만약 다른 선박과 충돌하거나 암초와 부딪혀 손상을 입었다면 손상된 부분은 찾기 쉽다. 다른 상황일 경우 손상된 부분을 찾기가 매우 힘들다. 이 경우에는 선체의장과 관련된 호스, 킬의 조임쇠 같은 선체 내부를 먼저 점검해야 한다. 이런 부품들의 위치를 알려면 먼저 선박에 대해 자세히 알고 있어야 한다. 만약 선체 내부의 부품들의 위치를 상세히 알고 있다면 문제가 있는 부분을 찾고 보완하는 일은 쉬울 것이다.

1) 누수방지대책

누수에 대한 방지를 하지 않는다면 항해 중에 누수문제를 해결해야 하는 불편함이 생긴다. 다음은 누수를 방지하기 위한 조언들이다.

- 설치가 가능한 펌프 중 가장 큰 펌프를 설치하는 것이 좋다. 스트로크 한 번에 1갤런 이상의 물을 퍼 올릴 수 있다. 따로 물을 퍼 올리지 않는 수고를 덜기 위해 펌프를 설치하는 것이 좋다.
- 선체가 손상받을 가능성에 대해 대비를 하고 있어야 한다. 부두에 정박했을 시 방수천으로 선체의 손상 입은 부분을 감싸는 것도 좋은 조치이다.

2) 즉각 조치사항

가능한 빨리 침수가 우려되는 부분을 찾고 모든 빌지펌프를 가동시켜야 한다. 도움이 필요하다 판단되면 선원에게 응급구조를 보내라는 임무를 맡겨야 한다. 충분한 인력이 갑판에 있다면 수동으로 물을 퍼 올릴 수 있도록 해야 한다. 육상전력이 연결되어 있을 때나 선박에서 120볼트의 전압을 사용할 때의 주의사항은 다른 선박이나 다른 물체와 충돌했을 시 선박의 전기 시스템이 고장 났을 경우이다. 전류가 들어오는 전기선이 빌지펌프나 기타 전자장비와의 연결이 헐거워지거나 연결이 끊겼을 경우 우선 감전을 조심해야 한다. 최우선적으로 전원을 차단하고 선의 이상유무를 검사한 후에 빌지펌프와 연결을 해야 한다.

⑤ 화재 및 폭발 시 대비책

보트에서 일어나는 화재는 아주 심각한 문제다. 주위가 불타고 있다면 아마도 불길을 피해 물속으로 뛰어들 것이다. 화재안전은 충분한 연습과 주의를 통해 예방할 수 있다. 매년 보트화재와 폭발사고는 수백 명의 인명피해를 입히고 엄청난 재산피해를 동반한다.

1) 선상화재 방지법

대부분의 화재사고는 예방이 가능하다는 것을 잊지 말아야 한다. 보트가 유지관리가 잘 된 빌지펌프와 청결한 연료체계를 갖추고 있다면 화재가 일어날 일은 거의 없다. 화재예방은 지속적인 주의를 요한다. 화재는 선장의 노력에도 불구하고 일어나기 때문에 항상 소화기를 비롯한 소화장비가 최상의 상태로 유지될 수 있도록 노력해야 한다. 연료와 연료증기는 보트 내에서의 화재 및 폭발사고의 주요한 원인이다.

2) 선상화재 체크리스트

• 연료체계가 손상을 입는 것을 항상 주의하여 신경써야 한다. 시간이 흐를수록 연료장비와 호스는 낡기 마련이다. 주기적으로 연료장비와 호스를 점검하고 교체해 주어야 한다.

- 연료탱크는 매년 주기적으로 점검해주어야 한다. 특히 바닥 밑부분을 주의해서 살펴야 한다. 바닥 밑부분은 보트와 접촉하는 부분이 많기 때문에 금이 가있거나 부식이 되어 있는지 주의를 해야 한다.
- 만약 호스나 연료탱크의 누수가 발견되었다면 보트를 사용하기 전에 교체를 해주어야 한다.
- 절대로 연료나 기타 가연성 액체는 양동이에 담아두어서는 안 된다.
- 보트에 전자식 통풍장치가 있다면 작동이 잘 되는지 확인해야 한다.

3) 선상화재진압

선장의 노력과는 달리 선상에서 화재가 발생하는 경우가 있다. 화재가 났을 경우 피해를 최소화하기 위해 노력해야 한다.

4) 폭발과 화재

화재는 엄청난 폭발로 인해 시작되거나 조그만 불씨에서 시작될 수 있다. 모든 보트의 선장들은 이 사실을 항상 주지하고 있어야 한다. 화재가 났을 시 처음으로 고려해야 하는 사항은 승객의 안전이다. 필요하다면 배를 버릴 각오를 해야 한다. 만약 폭발이 일어났다면 선원들은 개인장비를 챙길 여유가 없다. 폭발로 인한 위험이 명확해지면 그 즉시 모든 선원들에게 설명을 해주어야 한다. 부상을 입은 사람이나 부유체 없이 물에 빠진 사람들에게 도움을 주어야 한다. 선박에서 탈출하지 않아도 판단이 되면 가능한 다음과 같은 사항을 실행해야 한다.

- 무선 구조신호를 보내고 보트의 위치를 알려야 한다.
- 승객들을 보트에서 가장 안전한 부분으로 대피를 시켜야 한다.
- 가능한 소화기를 많이 확보하여 화재를 진압할 수 있도록 노력해야 한다.

5) 다양한 화재대처법

화재는 연료, 대기 중에 포함되어 있는 산소, 열 그리고 연쇄적인 화학적인 반응이 4가지 요소에 의해 발생한다. 이 요소들을 제거하거나 상호작용을 간섭하면 화재는 금방 꺼지게 된다. 많은 화재는 대기 중에 연소될 수 있는 산소의 공급을 막거나 연소가 되는 온도를 낮춰 진압하는 경우가 많다. 화재진압과정에 있어 소화기를 똑바

로 쥐고 핀을 뽑은 다음 불길로부터 3-5m 정도 거리를 두고 소화기를 사용한다. 이 때 해양용 소화기의 분출시간은 8초에서 20초 사이인 것을 기억해야 한다. 소화기 분출이 시작되면 연기쪽이 아닌 화재가 일어나는 곳으로 직접 겨냥을 해야 한다. 그 후 불길이 잡힌다 싶으면 조금씩 화재현장쪽으로 접근해야 한다. 하지만 연소되는 물질들의 온도가 내려가기 전까지는 화재가 완전히 진압된 것이 아니다. 불길이 다시 타오르는 것을 주의해야 한다. 충분히 연소되는 물체의 온도가 내려가기 전까지 기다려야 하고 너무 성급히 창문을 열거나 기타 공기가 유입되지 않도록 조심해야 한다. 갑자기 신선한 공기가 유입되면 불길은 이전보다 더 거세게 타오를 수 있다.

① 조리실 화재

조리실에서 화재가 발생하는 경우는 대부분 기름이나 프로판가스, 알코올이나 종이나 나무, 천 같은 불에 잘 타는 물체들이 연소되면서 발생한다. 만약 소화기를 이용할 수 없다면 베이킹소다와 물에 적신 타올을 사용하면 된다. 베이킹소다를 사용할 때에는 베이킹소다를 한 주먹 쥐고 화재가 난 곳으로 던지면 된다. 기름에 불이 붙었을 경우에는 절대로 물을 이용해서는 안 된다. 물을 화재가 난 곳 위로 뿌리면 기름이 물을 타고 이동해 화재의 규모가 더욱 커질 염려가 있다.

② 휘발유, 경유 및 기타 기름으로 인한 화재

B형 분말소화기나 이산화탄소 소화기를 사용하면 된다. 이 경우에도 절대로 물을 사용해서는 안 된다. 일반적으로 데크에서 일어나는 화재는 선외기 엔진에서 사용되는 휘발유에 불이 붙어 일어나는 경우가 많다.

③ 하갑판에서의 화재

선박의 캐비넷이나 라커룸에서 일어나는 화재는 대부분 나무나 종이, 천 같은 가연성 물질이 연소되면서 발생한다. A형 소화기를 반드시 하갑판에 선장과 선원이 쉽게 손에 닿을 수 있도록 배치해 놓아야 한다. 만약 A형 소화기를 이용할 수 없다면 물을 붓거나 해치를 닫아 산소를 차단하는 방법도 있다.

④ 엔진 화재

엔진룸의 자동소화장치가 작동하지 않는다면 수동으로 작동할 수밖에 없다. 화재와 연관될 수 있는 모든 엔진과 발전기의 작동을 중지해야 한다. 엔진이 계속 가동되고 있다면 화재를 확대시킬 수 있는 가스의 유입이 있을 수 있다. 훈련된 선원들에게 구명 뗏목근처에서 대기하고 언제든 작동할 수 있도록 준비시켜야 한다. 엔진룸 소화

장치가 작동되면 모든 엔진룸의 창문과 해치를 모두 닫고 화재가 모두 꺼지고 15분 정도 기다렸다 열어야 한다.

⑤ 전기화재

C형 소화기를 사용하는 것이 전기화재를 진압하는 데 있어서 가장 효과적이다. 전기화재가 일어났을 때에는 전기 때문에 물을 사용해서는 안 된다.

⑥ 입수자 구조

가장 긴박한 응급상황중의 하나가 선원이나 기타 승객들이 선박으로부터 떨어져 물에 빠지는 것이다. 입수자 구조훈련이 지난 몇 십 년간 보트교육에 포함되어 있지만 많은 사람들이 간과하고 있다. 최근에 세일보트나 파워보트에서 물에 빠진 구난자를 극적으로 구해낸 사례가 조명되고 있다. 입수 조난자는 공황상태, 낙하 중에 입은 상처, 저체온증 등 많은 위험에 직면한다. 효과적인 구조를 위해서는 신속한 판단과 구조자들의 협력이 필수적이다. 상황을 안전하게 통제하기 위해서는 평소에 긴급구조 훈련을 통해 미리 응급상황에 대처할 수 있는 능력을 길러야 한다.

1) 초동조치

가장 단순하고 효율적인 방법은 다음과 같은 4가지 방법을 따르는 것이다.

(1) 큰소리로 입수자 발견이라고 외치고 조난자를 주시한다

누군가가 선박으로부터 떨어져 있다면 즉시 행동하는 것이 필수적이다. 어느 선원일지라도 입수자를 발견하면 즉시 큰소리로 "좌현에서 입수자 발견", "우현에서 입수자 발견"이라고 소리를 쳐야하고 이때 시선은 조난자를 주시하고 있어야 한다. 그리고 조난자가 어디에 위치했는지 알려줘야 한다. 조난자를 발견한 선원은 하던 업무나 선박 내 맡은 임무를 즉시 중지해야 한다.

(2) 동시에 조난자 위쪽으로 구조장비를 던진다

선원이 구조장비를 던질 때 입수자의 상태에 따라 장비가 달라진다. 이 장비들은 개인부유장비에서부터 개인 구명뗏목, 구명재킷, 8피트 길이의 막대, 생존음식, 무선표

지 등 복잡한 인명구조 장비까지 포함된다. 그러나 대부분의 보트에서는 실용적이고 효과적인 장비는 끝에 오렌지색 깃발이 달려있는 8피트 이상의 부력이 있는 막대와 물에서도 작동하는 스트로보 라이트가 좋다. 또한 이러한 장비에는 구명튜브와 호루라기 등이 포함된다. 이러한 장비는 잘 보이고 목적을 가지고 있는데 보트의 선장을 집중시키고 조난자가 폴을 잘 잡을 수 있도록 하는 것이다. 이러한 구조장비는 몇 초 이내로 신속하게 사용할 수 있어야 한다. 이러한 구조장비가 없다면 최대한 신속하게 부유체를 던져주어야 한다. 구조장비를 던져줄 때에는 조난자의 위쪽으로 던져주어 구조장비가 밑으로 흘러 조난자가 잡을 수 있도록 해야 한다. 구조과정에는 3가지 과제가 주어진다. 첫 번째는 나침반이 가리키는 위치, 풍향, 풍속, 시간을 기록해야 하고 두 번째는 해양경찰청이나 다른 선박에 구조요청을 하는 것이다. 마지막으로는 조난자가 장비를 잡거나 의지할 때까지 지속적으로 구조장비를 운영하는 것이다.

(3) 또한 동시에 키잡이는 보트를 멈추고 조난자 쪽으로 향해가야 한다

파워보트일 경우 후진으로 감속한 뒤에 조난자 근처로 가서 원을 그리면서 움직여야 한다. 시애틀 세일링협회가 실시한 연구결과에 의하면 단순하게 원을 그리면서 조난자주위에서 움직이는 것은 보트의 마력을 불문하고 조난자와의 거리를 가깝게 해주며 안전하고 가장 신뢰가 가며 모든 방법을 시도하는 데 있어 가장 빠르다는 연구결과가 있다.

야간이나 시야확보가 어려운 경우 조난자가 어디에 있는지 찾기 어려운 경우가 있다. 이 경우에는 윌리암슨 턴이라는 것을 사용하면 된다. 윌리암슨 턴은 조난자 옆으로 지나간 뒤 60도 각도로 옆으로 움직인 후 배의 위치를 돌려 다시 조난자에게 접근하는 방식이다.

세일보트일 경우에는 항상 최선의 방법은 바람을 맞으며 퀵스텝이라는 방법을 사용하는 것이다. 퀵스텝은 바람을 정면에서 받으면서 항해하다가 택킹을 해 조난자 쪽으로 돌아가는 방법이다.

2) 조난자 접근 후

(1) 조난자 쪽으로 접근하기

동력보트에서 저단기어를 사용해 조난자 근처에 도달할 수 있지만 바람이 불어오는 쪽이나 그 반대방향으로 움직이는 것인 본인의 판단에 달려있다. 방향은 논란의

여지가 있지만 바람이 불어오는 방향으로 항해 시 바람이 거세고 파도가 높다면 조난자 근처에서 배회할 확률이 높다. 일반적인 경우에는 조난자를 구하기 적합해 이방법이 많이 사용되고 있다. 조난자에 10피트 쪽으로 접근 시 미리 계획을 세워야 하고 가까이 접근 시 속도를 최대한 줄여서 접근한다.

7 기타 응급상황

1) 부유물체와 대형선박

부유물체는 큰 통나무조각이나 기타 큰 크기의 부유물체를 말한다. 이것은 종종 가라앉았다 떠올랐다 하는데 수면 위에서 보면 빙산의 일부분 같이 조금밖에 보이지 않는다. 또한 물속의 위치를 가늠하기 어려워 근거리나 야간에 발견할 시에는 피하기 힘들다. 바위나 금속 같은 부유물은 더 위험하다. 부유물체로 인한 피해를 막기 위해서는 항상 항해 중 주의를 기울이며 감시를 게을리 하지 말아야 한다. 일반적으로 이와 비슷한 위험으로는 거대한 컨테이너선이 지나가면서 발생하는 경우가 있다. 드문 경우는 아니지만 매년 컨테이너선에 선적한 컨테이너가 바다에 떨어지는 사고가 발생한다. 이러한 컨테이너는 기본적으로 2.4m의 높이에 6~12m의 길이로 되어 있다. 컨테이너가 바다에 부유할 경우 소형선박에게는 치명적인 위험으로 다가올 수 있다.

2) 돛대파손

돛대가 파손되는 경우는 대부분 경기 중이나 보트가 수행할 수 있는 퍼포먼스의 한계치를 넘어서 돛대를 조작할 때 일어난다. 이 경우에는 즉각적인 조치가 필요하다. 돛대가 파손될 경우에 가장 큰 문제점은 돛대가 부러지면서 선체가 손상을 입을 경우다. 이 경우에는 즉시 부러진 부분을 잘라버리고 남은 부분이 더 이상 파손이 안 되도록 보호해야 한다. 부러진 돛대를 가지고 갈 경우에는 선체 옆에 로프로 매어서 선체와 돛대사이를 베개나 매트리스로 보호해야 한다.

3) 침몰 & 전복

보트가 침몰되는 것은 선박 내부가 물로 가득 찼을 때를 말한다. 그 원인은 큰 파

도가 덮쳐 물이 들어오거나 과적으로 인해 침수가 되는 경우 등 다양하다. 또한 큰 선박이 지나가면서 생기는 파도로 인해 침수가 되기도 한다. 소형 나무보트는 충분히 부유력을 가지고 있지만 전복될 시에는 쉽게 물에 뜰 수가 없다. 유리섬유로 만들어진 보트는 내부가 물에도 쉽게 뜰 수 있는 재질로 만들어져 있어 침수에 대처하기가 목재보트보다는 쉽다.

보트가 전복이 되는 것은 선박의 위아래가 뒤집히는 경우를 말한다. 종종 바람의 급격한 변화로 인해 소형보트에서 발생하는 경우가 있다. 선박이 침몰이나 전복될 위기에 처해 있다면 가장 중요한 것은 질서를 유지하고 쓸데없는 에너지 소모를 줄이는 것이다. 일반적인 위기대처방법으로는 모든 선원은 개인구명장비를 입고 가능한 배를 바르게 하도록 노력해 구조자가 쉽게 발견할 수 있도록 하는 것이다. 보트를 버리는 것은 정말 위험이 닥쳤을 경우에 실시한다. 전복된 보트가 소형선체를 가진 보트라면 선원들과의 노력을 통해 다시 원상복구 시킬 수 있을 수도 있다.

⚓ 8 헬리콥터 구조

1) 헬리콥터 도착 전

- 가능하다면 지속적으로 VHF 채널 16번을 듣거나 종종 확인한다.
- 호이스트 구조가 가장 적합한 곳을 찾아야 한다.
- 호이스트 구조를 야간에 실시한다면 가능한 모든 불빛을 켜야 한다. 그러나 빛을 직접적으로 헬리콥터에 비추어서는 안 된다. 파일럿의 시야를 방해할 수 있다.
- 헬리콥터 파일럿이 접근하는 것을 도와야 한다. 헬리콥터가 도착하기 전에 구조장소에 대해서 미리 알아 놓아야 한다.
- 헬리콥터가 도착한 후 접근 시 엄청난 소임과 함께 진동이 발생하므로 주변사람과의 대화가 불가능하다. 때문에 헬리콥터가 도착 전에 미리 수신호를 만들어 놓아야 한다.

2) 호이스트 구조법

- 보트의 코스를 가능하면 좌현으로 돌려 헬리콥터가 접근하기 쉽게 만들어야 한다.
- 필요하다면 속도를 줄이지만 키는 계속 잡고 있어야 한다.

- 소형 선박에서는 호이스트 구조에 필요한 데크의 공간이 부족하다. 이런 경우에서는 딩기나 기타 소형뗏목 등으로 호이스트 구조가 가능한 곳까지 조난자를 옮겨야 한다.
- 헬리콥터와 라디오 교신이 충분히 이루어지지 않는다면 엄지손가락을 들어 호이스트 구조가 완료되었다는 신호를 보내야 한다. 야간에는 플래시라이트를 사용하는 것이 좋다.

⚓ 9 응급 시 하선 방법

1) 하선준비

응급 시 하선을 하는 경우에는 잠재적으로 선박이 폭발할 위험이 있거나 침수가 되어 배가 가라앉을 경우에 해당된다. 처음으로 확인하여야 될 사항은 화재나 균열로 인해 선체가 손상을 입어 배를 버려야 될지 결정하는 것이다.

배를 버려야 한다고 판단되면 가능한 빨리 선원들에게 개인구명장비를 입히고 바닷물에서 충분히 체온을 유지할 수 있도록 따뜻하게 입혀야 한다. 물의 온도가 15℃ 이하라면 가능한 몸 전체를 덮는 수트를 입는 것이 좋다. 체온이 물이 노출되어 저체온증에 걸리는 것은 가장 큰 위험 중에 하나다. 긴 바지와 긴 치마, 스웨터와 재킷 등은 체온을 보존하는 데 큰 도움을 준다. 이러한 구명장비와 체온을 보존하는 것은 미묘한 차이지만 생사를 결정짓는 중요한 요소이다.

2) 하선 시 행동요령

배를 버려야 하는 순간이 오면 응급신호를 보내고 구조요청을 하고 30초 동안 기다려 응답을 기다린다. 허나 응답이 안 온다면 재시도를 해야 한다. 그 후에도 응답이 오지 않는 다면 조난당한 위치에서 쓰이는 채널로 바꾸고 근처의 선박에게 조난신호를 보내야 한다.

또한 보급품을 모아야 한다. 항해를 외해에서 하는 중일 경우 항상 손에 닿는 곳에 보급품을 담은 가방을 놓고 응급상황이 발생했을 시 구명정에 쉽게 선적할 수 있어야 한다. 가방에는 신호장비와 응급의료도구, 최소한의 물과 담수를 만들어 낼 수 있는 장비, 태양열 장비와 낚시 장비가 포함되면 더 좋다.

제 5 장

정박시설의 이해

제1절 ## 마리나의 의의와 구조

① 마리나의 구조와 시설

마리나는 해양 여가활동을 위한 각종 서비스를 제공하는 종합체로서 그 기능은 다방면에 걸쳐 있다. 마리나가 가지는 기능은 계류, 보관, 수리, 점검, 청결, 보급, 정보 제공, 식사, 숙박·휴식, 연수·교육, 안전관리, 용품판매, 그 외의 서비스 등 다방면에 걸쳐져 있다.

1) 계류기능

마리나 기능의 가장 근간을 이루는 것으로 평온한 수역과 보트를 고정하기 위한 시설(계류시설)을 필요로 한다. 평온한 수역을 확보하기 위해서는 천연항 등을 이용하는 것이 가장 경제적이지만, 자유롭게 시설을 배치 할 수 있다는 점에서 방파제를 건설하여 평온한 수역을 확보하는 경우가 대다수다.

계류시설로서는 안벽, 잔교, 브이 등이 이용되고 있으나 조위 차에 대한 대응, 승·하선의 편리성과 안전성, 각각의 선형(船型)에 대한 적응유연성, 정비비용 등의 관

점에서 부잔교가 이용되는 경우가 많다. 또한 딩기요트만의 마리나의 경우에는 계류시설을 소유하고 있지 않는 경우도 많다.

2) 보관기능

마리나의 기능의 본질을 이루는 것으로 보관의 형태로서는 수면보관과 육상보관이 있다. 수면보관은 부잔교 등의 계류시설에 보트를 계류한 채로 보관하는 것으로 육상보관은 육상에 보트를 끌어올려 보트 야드나 보트보관소에 보관하는 것이다. 보통 대형 모터보트나 크루저요트 등은 수면보관이 일반적이지만 소형 모터보트나 딩기요트는 육상보관이 대부분이다.

3) 상하가 기능

육상보관의 경우에는 출입을 하려고 하는 보트를 수면에 내리거나 올려야 할 경우 상하가 시설을 써야 할 필요가 있다. 또 수면보관의 경우에도 수리·보수·점검을 위해 상하가가 필요하게 된다. 상하가에는 경사로, 포크리프트(fork lift), 크레인 등이 이용된다.

상하가 시설의 형식·규모는 취급 보트의 선형(船型)의 종류에 의해 달라지는데, 상하가 시설의 불량은 마리나 출입항의 능력을 결정하는 중요한 요인이 되기 때문에 상하가 시설의 선정에는 신중함이 필요하다.

4) 수리·점검기능

보팅의 안전 확보를 위해서는 보트의 적정한 수리·점검이 불가피하다. 마리나에서 정비되는 수리시설에는 간편한 수리만 하는 것에서부터 본격적인 수리를 하는 공장까지 매우 다양하게 있다.

5) 보급·청소기능

마리나에 있어서 보관선박 또는 방문객의 선박을 위해 물, 연료, 식음료 등의 보급이 필요 불가피하다. 특히 장거리 항해가 성행하고 있다는 점에서 마리나의 보급기지로서의 중요성이 높아지고 있다. 또, 이러한 시점에서 쓰레기, 폐유 등의 폐기물 처리

를 위한 시설을 완비하여, 양호한 주변 환경을 유지해야 할 필요성도 있다. 더욱이 보트를 청결하고 쾌적하게 유지하기 위해 세정시설 등의 청소시설이 필요하게 된다.

이 외에도 대부분의 마리나에서는 선박용품을 판매하기 위한 선구점을 갖추고 있어서, 안전하고 쾌적한 보팅을 위해 필요한 각종 용품을 구매할 수 있다.

6) 정보제공기능

최근에는 해양 여가활동이 세계적으로 다양화함에 따라 마리나에 있어서도 기상·해상 등의 안전상 필요 불가피한 정보에서부터 이벤트 등의 정보까지 다양한 정보의 제공이 요구되고 있다. 이후, 항해술의 보급과 마리나의 네트워크화가 진행된다면 해양 여가활동에 관한 정보의 제공은 더더욱 중요하게 될 것이다.

한편, 경비·구조 활동의 일환으로서도 마리나로의 무선통신시설의 설치가 계속 이루어질 것이다.

7) 숙박 · 휴식시설

마리나에는 이용자의 휴식을 위한 시설이 불가피하여 샤워 등의 시설을 포함한 화장실은 대다수의 마리나가 갖추고 있다. 또 근년에 들어서 해양 여가활동이 장기적이고 체류형으로 변화하는 경향이 있어, 마리나에 있어서도 호텔 등의 숙박시설로서의 기능이 요구되고 있다. 현재 공공·민간을 포함하여 숙박시설의 수준은 아직 낮지만 이후 종합적 마리나에서는 필요한 시설로 그 건설은 점점 더 증가하고 있는 추세다. 또, 이용자가 식사를 하기 위한 레스토랑에 대해서는 어느 정도의 수익성을 기대할 수 있으므로 레스토랑을 갖추고 있다.

8) 연수 · 교육기능

요트 그중에서도 딩기요트는 레저로서보다 오히려 스포츠로서의 색채가 짙어 요트스쿨, 강습회 등이 많이 열리고 있다. 마리나가 주최하는 강습회 등도 다수 있어 이후의 이용자층의 확대를 위해서는 이와 같은 기회가 보다 많이 있어야 할 필요가 있다. 이를 위해서는 연수시설이 필요하며 연수를 효율적으로 진행시키기 위해 숙박시설이 완비되는 것이 바람직하다. 또, 연수시설의 일환으로서 임대요트의 요청이 높아지고 있어 이후에도 임대요트는 증대할 것이다.

9) 안전관리기능

마리나는 외양을 항해하는 레저보트의 피난·휴식 등의 안전 확보를 위한 기능·역할을 가지고 있어 이를 위해서도 마리나의 네트워크 형성이 필요하다.

더욱이 마리나의 관리·운영에 있어서 가장 중요한 점은 이용자의 안전 확보이다. 마리나 관리자는 마리나 내부의 안전뿐만 아니라 이용자가 외양에서 항해 중 안전대책에 대해서도 배려하지 않으면 안 된다. 또, 어업자와의 문제방지에도 유의해야 할 필요가 있다.

이 때문에 마리나에 있어서 출입항 신고 등에서 이용자의 동향을 파악함과 동시에 요트가 항해하기 위한 지역의 지도, 전망시설에서의 감시, 구조정 등에 의한 경비 등을 실시하고 있는 예가 많다.

10) 문화교류기능

마리나는 해양 여가활동의 기지인 동시에 이것을 통한 지역문화 양성과 교류를 촉진하는 경우도 많아 근년 들어 지역개발의 관점에서도 그러한 기능을 갖춘 종합적인 마리나의 정비를 중요하게 여기고 있다. 이를 위해 마리나에 있어서 박물관, 도서관 등의 문화학술시설이나 이벤트 광장, 집회장 등의 교류시설의 완비가 요구되고 있다.

이상으로 서술한 마리나의 기능을 달성하기 위해서 필요한 시설을 체계적으로 정리하면, 다음 표에 나타낸 것과 같이 마리나의 기본적인 기능인 레저보트의 수용 및 이용에 관한 시설과 마리나의 이용을 보다 촉진하기 위한 서비스 시설, 다기능적인 마리나 공간을 형성하기 위한 관련시설의 3종류로 크게 구분할 수 있다.

마리나의 주요시설

(1) 요트 및 보트의 수용 및 이용에 관한 시설		
• 기본시설	외곽시설 수역시설	방파제, 호안, 항로, 정박, 배를 돌리는 장소
	계류시설	계선안, 잔교, 부잔교, 계선파일, 계선부표 등
• 상하가시설		경사로, 크레인, 렌트램프, 포크리프트(fork lift), 보트리프터
• 소형선박 업무용 시설		급유, 급수시설, 수리공장, 보관시설(배 보관소, 보트 야드)

• 관리운영시설	클럽하우스	관리사무소, 로비, 홀, 휴식시설, 안전구호시설, 감시실, 정보제공시설, 무선통신실, 식당, 선구용품판매점
	연수시설	연수실, 회의실, 전시실, 숙박시설
• 임항교통시설		도로, 주차장, 교량 등
• 환경정비시설		녹지, 광장, 체육시설
• 안전시설		구조정 등
(2) 서비스 시설		
• 숙박시설		호텔, 펜션, 별장, 리조트 맨션
• 상업시설		레스토랑, 쇼핑센터
(3) 관련시설		
• 관련 레크레이션시설		인공해변, 낚시시설, 캠핑장, 수영장, 유원지
• 문화 • 학술시설		수족관, 해양박물관, 해양도서관

자료: 染谷昭夫 외 공저, 「마리나의 계획」, 1992.

위와 같이 마리나가 충족시키는 기능은 다방면에 걸쳐서 있으나 반드시 모든 시설을 갖출 필요 없이 각각의 필요한 시설을 실정에 맞게 건설해야 할 필요가 있다.

한편, 이용자를 위한 편의시설인 숙박시설, 식당, 매점, 선구점 등도 건설되는 비율이 낮다. 이것은 특히 공공마리나에 있어서 현저히 나타나고 있다. 이러한 시설은 마리나의 규모나 성격에 맞추어 건설되어야 할 것이며 반드시 획일적인 건설을 할 필요는 없는 것으로 이러한 편의시설의 정비가 진행되지 않는다면 공공마리나가 불편하고 사용하기 어렵다고 하는 불만이 나올 수 있다고 생각할 수 있다. 이러한 시설의 건설 및 관리 운영에 대해서는 공공보다도 오히려 민간마리나가 적합하여 공공마리나의 건설의 일부나 관리 운영에는 민간 또는 제3섹터를 적극적으로 도입하여 건설을 촉진할 필요가 있다.

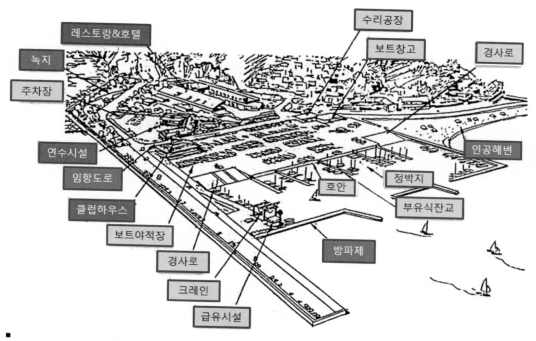

■ 마리나 시설
배치도

자료: 染谷昭夫 외 공저, 「마리나의 계획」, 1992.

제2절 **마리나의 종류와 현황**

① 마리나의 분류

마리나를 경영하는 주체의 형태로 분류할 경우에는 대부분 처음에는 공공기관에서 경영하지만 효율성 측면에서 장기적으로는 민간회사에 경영권만 이양하고 있다.

계류형태별로 분류할 경우 수문식, 부 잔교식, 육상형으로 분류하나 건설비의 경제성과 사용의 편리성에 따라서 부 잔교식으로 건설하는 것이 일반적인 형태이며, 장소별로는 도심지 재개발이나 기존항구나 조선소의 재 개발형식으로 건설이 되고 있고, 민간업자에 의하여 관광지나 도심지 주변형의 마리나가 증가하고 있는 추세다.

따라서 일반적인 기준에서 마리나를 분류하면 기능면에서 해양스포츠를 즐기기 위한 일반형 마리나와 복합시설을 갖춘 리조트형 마리나로 구분할 수가 있으며, 개발주체 및 경영관리 측면에서 공공형, 민간형, 민관합동형으로 구별할 수가 있다.

마리나의 분류

구분 \ 분류	유 형	비 고
주체별	항만청(15%), 민간(61%), 리조트(24%), 민관합동(10%)	미국
	공공(44개소), 민간(378개소), 제3섹터 (14개소)	일본
경영관리형태별	민간형, 공공형, 공공과 민간합동형(제3섹타형)	제3섹타형이 우세함
계류형태별	수문식, 잔교식, 육상계류식	잔교식이 일반적임
장소별	도시근교 및 도심지 재개발형, 산업단지형, 복합해양관광단지형(리조트형), 도서 및 내륙수변형	공공의 경우 1가지 이상의 목표를 포함하여, 복합형이 일반적임
지리적 위치별	해항, 하천항, 호항, 운하항	지중해, 일본: 해항우세
건설형태별	매립항, 굴입식항, 도크항	• 유럽형: 굴입식항 • 일본: 매립항
기능별	일상형: 마리나 주체형, 리조트형: 해변리조트, 종합시설형, 레저랜드형	일본해양건설협회, 광의로 일상형과 리조트형으로 대별
선박별	딩기요트, 크루저요트, 모터보트	• 크루저요트, 모터보트: 관광지, 도심권 • 딩기요트: 레포츠항
개발방식	신규개발형, 재래형, 재개발형, 자연조화형	일본해양건설협회

자료: 일본해양건설협회 참고 저자 작성

② 마리나의 종류와 개발유형

여기에서는 마리나의 개념을 보다 명확히 하기 위하여 각각의 관점에서 마리나를 분류하고자 한다.

마리나는 다양한 역할과 기능을 함과 동시에 배후의 도시와 밀접한 관련이 있어 역사적, 사회적, 경제적으로 각각 연관성을 가지고 있다. 이것은 오랜 역사를 가진 유럽

이나 미국의 마리나에 있어서 특히 현저하게 나타난다. 또, 자연적 · 지리적 특성에
따라 마리나의 형성과정도 다양하다. 따라서 마리나의 분류는 각각의 관점에서 다양
하게 볼 수가 있으며 아래의 분류방식은 주요한 관점을 중심으로 분류하고자 한다.

1) 건설조건이나 지리적 환경조건에 의한 분류

마리나의 건설조건에 의한 분류로서는 평온한 배후지 등의 천연의 지형에 의존하
여 건설한 천연항과 방파제 등의 외곽시설을 정비한 인공항이 있다.

천연항은 하천 · 호수와 늪지의 마리나의 대부분이 이것에 상당하는데 가나가와(神
奈川)현의 아부라츠보(油壺)가 있다. 평온한 배후지에서 요트가 계류되어 있는 것이 자
연발생적으로 모여서 마리나를 형성하는 곳도 많다.

한편 인공항은 건설을 할 때에 고액의 비용을 필요로 하기 때문에 비교적 그 수가
적고 그 대부분은 공공마리나이다. 토목기술 등의 발전에 의해 험난한 자연조건아래
에 있어도 마리나의 건설이 가능하여 해안부에 있어서도 마리나가 계획 · 건설되고
있다.

지리적 조건으로는 해항(海港), 하천항, 호항(湖港), 운하항 등으로 분류된다. 유럽과
미국에 있어서는 그 지리적 조건에서 하천 · 호수나 늪지에 건설된 마리나가 다수를
차지하고 있으나 지중해연안이나 일본의 경우 해항(海港)이 중심이 되어 있다. 특히 일
본의 경우, 사방이 바다로 둘러싸인 섬나라로 긴 해안선을 가지고 있다는 것과 일본
의 하천은 폭이 좁고 급류이며 계절마다 수량의 차가 커서 요트의 항해에 맞지 않는
다는 점에서 하천보다도 해역이 이용조건이 좋다는 것을 알 수 있다.

마리나의 건설형태로는 매립항, 굴입식항으로 나누어진다. 프랑스의 랑그독 · 루시
옹지방은 대부분 이용가치가 없던 늪과 연못지역을 개발한 것으로 여기에서의 「마리
나」는 굴입식항의 전형적인 예다. 일본에 있어서의 예는 적기는 하지만 하천, 해안
등에 있어서는 유용한 방법이라고 말할 수 있다.

하지만 일본 마리나의 대부분은 필요한 용지의 확보로 미리 매립방식에 의한 것이
많아 배후의 선구점 등의 시설용지를 포함한 대규모의 매립을 행하는 예가 많다. 더
욱이 최근에는 부유식정박 등을 이용한 부잔교식 마리나의 실용화도 검토가 진행 중
에 있다.

2) 기능 및 역할에 따른 분류

마리나의 기능에 주목한 분류로서는 일상형 마리나와 리조트 형 마리나가 있다. 일상형 마리나는 지역의 주민이 일상적으로 이용하는 마리나로 도시근교에 있어서 주말 등의 하루일정, 또는 단기체재형의 이용에 대응하는 것이다. 일본 마리나의 대대수는 이에 상응한다.

한편, 리조트형 마리나는 관광·레크리에이션의 가능성이 높은 지역에 있어서 숙박체재형의 이용에 가능한 시설을 제공하는 마리나로서 숙박시설을 시작으로 각종 시설을 갖춘 종합 레저기지로서의 성격을 띠고 있다.

마리나에 수용되는 주된 대상보트에 주목한다면 딩기요트 중심, 크루저요트 중심, 모터보트 중심의 마리나로 크게 분류할 수 있다. 딩기요트 중심의 마리나는 스포츠를 즐기는 마리나로 필요 최소한의 시설을 갖춘 공공 타입이 것이 많다. 이 안에는 수역시설을 보유하고 있지 않고 수납래크 등의 육상보관시설만을 갖추고 요금을 최소화한 마리나 등도 포함하고 있다.

크루저요트나 대형 모터보트를 중심으로 하는 마리나는 대도시권이나 관광지에 많아 이들의 선박은 요금부담이 크기 때문에 양질의 시설을 갖춘 경우가 많다.

또 소형 모터보트 중심의 마리나는 이들의 보트 대부분이 낚시를 주목적으로 하기 때문에 계류기능 이외의 기능에 대한 요구가 비교적 많지 않고 요금부담이 적기 때문에 간소한 경우가 많다.

일본의 해양건설협회의 분류방식을 적용하여 세계의 마리나를 분류하면, 위의 표와 같이 일상형마리나로서 마리나 주체형과 리조트형으로 해변리조트, 종합시설형, 레저랜드형으로 분류하기도 한다.

3) 개발 및 관리 운영주체에 따른 분류

개발주체에 주목을 둔 분류로서는 공공마리나와 민간마리나가 있다. 공공마리나는 항만관리자 등의 공적주체가 건설한 마리나로서, 민간마리나는 민간사업자 또는 민간단체가 건설한 마리나이다. 또 양자의 중간적인 것으로서 제3섹터가 건설하는 민관합동형 마리나가 있다. 민관합동형 마리나는 공공성과 편리성을 겸한 것으로 이후 마리나 개발의 새로운 방향을 나타내는 것이라고 할 수 있다.

한편, 관리·운영측면으로의 분류로서는 공공마리나의 경우에는 공적 섹터가 관리·운영을 행하는 것과 일부 또는 전부를 민간업체에 위탁하여 관리하는 것이 있다.

또 공적 섹터가 관리와 운영을 행하는 경우에도 설치주체인 항만관리자 등이 직접관리와 운영을 행하는 것과 공사 등을 설치하여 행하는 것이 있다.

미국의 경우 아래의 그림과 같이 정부소유의 마리나가 15%, 개인기업의 형태가 9%, 유한책임 회사나 유한책임합자 회사가 각각 7%와 13%를 차지하고 있다.

또한 소규모 회사의 형태인 C-Corporation이나 S-Corporation의 형태가 23, 33%를 차지하여 세금이나 주주관리가 편리하고, 미국의 영주권자나 시민권자가 설립한 형태의 회사 구조를 가지고 있는 것이 대부분이다.

■ 마리나의
소유구조

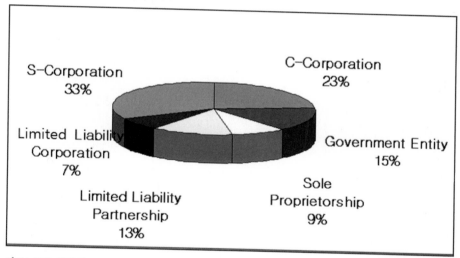

자료: IMI 보고서, 1999.

⚓ ③ 세계의 마리나 시설 및 개발유형별 분석

세계의 마리나를 유형별로 분류하면 아래의 표와 같이 마리나 주체형, 해변리조트 주체형, 종합시설형, 레저랜드 주체형 등으로 분류할 수가 있다.

개발방식으로 분류할 경우에는 신규개발형, 재래형, 재개발형, 자연조화형으로 분류할 수 있다.

그 밖의 숙박시설의 체재방식이나 기술적 특징 등은 다음 표와 같다.

세계의 주요 마리나의 유형별 분류

국가명	지구	시설명	시설분류	개발방식	체재방식	개요	기술적 특징	비고
영국	Brighton	Brighton Marina	마리나 주체형	신규 개발형	장기~영구 주거형	• 런던에서 1시간 이내에 위치한 호텔, 각종 레저시설, 레스토랑 등을 합친 복합 리조트 시설 • 관광명소인 파레스 피아는 유럽 최대의 마리나	• 해안 언덕을 깎고, 해안을 매립하여 만든 리조트 • 간만의 차 7m에 대응하기 위한 로크, 부잔교. • 110기의 콘크리트 caisson에 의해 활처럼 굽은 방파제 • 2층식 고정 잔교	• 입체 주차장 1,600대, 영화관 • 대형 슈퍼마켓, 쇼핑, 레스토랑 • 고급 아파트, 호텔, 레저센터, 회의실 • 선석 규모: 1,900척
	Portsmouth	Port Solent	마리나 주체형	신규 개발형	장기~영구 주거형	• Portsmouth 하버의 가장 구석에 조수가 괴어 있는 호수를 이용하여 개발 된 마리나	• 간만차가 크고 간조가 되면 만에서부터 물이 없어져 버리는 것을 수로를 파내는 것에 의해 극복 • 하버 입구에는 폭 43m의 도크 수문	• 요트하버(850척) • 선석 부착 주택 330개 • 워터 프론트 아파트 280개 • 오피스부, 쇼핑센터 22점포
네덜란드	Den Haag	Scheveningen	해변 리조트 주체형	재래(在來)형	중장기형	• Haag의 북쪽으로 이전에는 작은 어촌이었으나 지금은 네덜란드의 대표 고급 리조트가 되었다.	• 인공지반상의 대규모 부두(pier) • 500m 마다 바다를 향해 구멍을 낸 방파제에 의한 침식 방지. • 앞 바다의 레저시설	• 궁전 같은 온천휴양지 • 카지노, 유보 잔교, 해안산책로
	Lisselmeer	Andyk Marina	마리나 주체형	신규 개발형	단기형	• 아이셀 호수와 북해를 구분하는 대제방 부근 • 용지를 충분히 파내고 그곳을 호수나 운하와 연결 지어 물을 넣기만 한 마리나	• 컴퓨터에 의한 아이셀 호수와 운하의 수위 조절	• 계류 공간 60척, 동계시 육상계류 100척
덴마크	Sjaelland	Koge-Bugt Strandpark	종합 시설형	신규 개발형	단기형	• 1977년 이래 개발된 코펜하겐남부 해안에서 해수욕장, 일광욕, 요팅을 위한 마린·레저 랜드	• 140만m³의 준설토사의 투입에 의한 인공해변 조성 • 300~400m의 방파제를 1.2~2.4km	• 장장 약 7km의 인공 해변조성 • 뒷부분에 있는 저습지의 홍수방어 • 마리나 조성에 따

					등을 갖춘 대규모 해변 리조트	의 간 폭으로 배치. • 조성한 흘수 역을 준설하여 (100만 m³), 수심 0.5~1.5m의 인공 염수 호를 조성	르는 주차장
이탈리아	Sardegna	Costa Smeralda	해변 리조트 주체형	신규 개발형	중장기형	• 너무 대중화된 프랑스의 Cote d'Azur 대신에 리조트로서 국제적 위상을 이끌어낸 고급 리조트	• 만구(湾口)가 좁고 내수면이 크다.	• 호텔 4동, 골프장 • 콘도, 별장 • 마리나 버스 수: 요트(6.5~55m), 크루즈 계 650척
그리스	Piraeus	Akti Apolona	마리나 주체형	재래(在來)형	단기형	• Piraeus항에서 스니오갑까지 약 70km의 해안 • 근대적인 마린 리조트 지역이 되었다.	• 역사적 건조물과의 공생	• 10 이상의 마리나, 20 이상의 비치 등의 제설비 • Piraeus지역의 기원전 5세기경에 건설된 3개의 항 • 펠로폰네소스 전쟁에서 파손된 해안 요새 유적
스웨덴	Stockholm	Vasa Marina & Bulland Island	마리나 주체형	재래(在來)형	장기~영구 주거형	• Stockholm부근의 도시형 마리나 • 전통적으로 환경보호적 개발을 행하여 마리나 매상의 2.5%가 환경보호 비용으로 사용되고 있다.	• 수질보호대책	• 국민 8명 중 1명이 보트 보유 • 전통적인 건물이 남아있는 시가지
스위스	L. Leman	Geneve, Nyon, Lausanne	마리나 주체형	재래(在來)형	장기~영구 주거형	• Leman호안의 온화한 기후와 우수한 경관을 배경으로 별장이나 스포츠 시설, 해안공원 등의 리조트기능을 포함한 워터 프론트	• 방파제식, 굴 입식 등의 중소형 마리나	• 온화한 주변의 넓은 가로수와 호안공원에 대비되는 국제기관 본부, 상업빌딩, 사무 빌딩.
모나코	Cote d'Azur	Monte Carlo	마리나 주체형	재개 발형	중장기형	• 갑에 위치한 성벽 아래 마을을 중심으로 발달하여 보양, 환락중심지가 되었다. • 웅장하게 설계된 공원, 정원 및 성곽	• Larvotto Beach (離岸堤, 제방, 기초사석(捨石), 양병(養兵)재료) • 대형 크루즈의 계류시설과 항로수심의 유지	• 마리나 선석 수: 510척 • 카지노, 나이트클럽, 레스토랑, 점포, 스포츠시설, 문화시설 • 피트니스클럽을

					을 가진 거리풍경과 대형 마리나 시설	• 깨끗한 해수환경의 유지와 월파(越波)제한장치의 구조 • 좁은 토지를 최대한 이용하고 있는 도로와 호안의 구조	시작으로 하는 각종 스포츠클럽과 해양박물관(지하에는 수족관)
프랑스	Cote d'Azur	Nice	마리나 주체형	재개발형	중장기형	• 역사가 깃든 거리의 색채가 깊은 파스텔 칼라로 통일되어 있다. • 거리와 대형 마리나가 완성된 미를 보여준다. • 리비에라의 여왕이라 불리는 항구를 재개발	• 이전에는 무역의 중심지였던 항구를 재개발 • 대형 크루즈의 계류시설과 항로수심의 유지 • 인공해변 조성과 그 재료	• 마리나 선석 수: 470척 • 카지노는 금지 • 영화제와 프라이버시 비치, 콘서트홀, 미술관, 카니발·골프, 테니스 등의 스포츠 시설
		Marina Baie Des Anges (천사의 마리나)	마리나 주체형	자연 조화형	중장기형	• 총 면적 20ha 안의 8ha를 녹지로서 확보 • 고층의 주택지를 배제하고 600척 수용 가능한 이 지방에서는 중규모 마리나 • 항을 둘러싸는 것 같은 긴 주거형 건물을 설치하여 배치, 옥상정원	• 항을 지키는 방파제의 구조 • 계선 잔교와 호안의 구조	• 마리나 선석 수: 587척 • 스포츠 스쿨, 요트 클럽, 다이빙 클럽, 피트니스클럽 • 세계중의 409 시설과 네트워크
	Cote d'Azur	Cannes	마리나 주체형	재개발형	중장기형	• 해안에는 topless의 여성들이 일광욕을 즐기는 부유층을 위한 리조트 • 1965년 오픈한 프랑스에서 가장 아름다운 하버로 인기, 소규모이나 급유구를 잔교에 설치	• Croisette Beach의 도로확장과 보도와 해변의 확장(양병(養兵)재료와 시트파일식의 제방과 그 배수구조) • 대형 크루즈 계류시설과 호안 • 항로수심의 유지와 그 방법	• 마리나 선석 수: 1,700척 • 프라이버시 비치와 영화관을 하는 컨벤션 센터 • 카지노, 나이트클럽, 레스토랑, 점포, 스포츠시설, 문화시설 • 마리나의 어항이 인접하여 상업항으로서의 가치도 높다.
		St-Tropez	해변 리조트	자연 조화형	중장기형	• 칸 서쪽 75km에 위치한 이질적인 리	• 대형 크루즈의 계류시설과 호안	• 마리나 선석 수: 1,046 척

		주체형			조트 • 세계 각국의 거대한 크루즈선 정박	의 구조 • 항로수심의 유지	• 계선료: 15,000 프랑/년 (12m급), 주변 마리나에 비교해 2배
		Port-Grimaud	마리나 주체형	신규 개발형	영구 주거형	• 침전하는 진흙이 갯벌을 매립하여 아무것도 없는 늪지에서 하나의 마을을 창출 • 콘도에서 직접 요트 어프로치가 가능 • 베네치아 풍의 저층주택과 일체형 마리나	• 인접하천과의 순환에 의한 운하의 수질을 보존 • 경관시설에 의한 주변 마을과의 조화 • 각 주거에서 직접 탈 수 있는 호안, 잔교의 구조	• 마리나 선석 수: 2,100척 계선료: 8,541 프랑/년 (12m급) • 유사(有史)이전의 고성도시의 이미지 • 정비면적은 건설용지로서 75ha, 2,000개의 여러 타입의 주거 • 프랑수와 스포에리(건축가)에 의해 개발
프랑스	Pro-vence	Prado Beach	해변 리조트 주체형	재개 발형	단기형	• 역사가 깃든 어항과 마리나를 정비한 프랑스 제1의 항구도시 마르세이유 도시개발을 진행한 과정에서 조성된 인공해안 • 장장 2km의 인공해안 북단에 세일링센터, 남단에 마리나를 배치하고 있다.	• 프라드 해안인공해변 (L=1,900m)의 창출 • 인공해변의 대규모 수리모형 실험 • 비치샌드의 좋은 해변모래는 석회석(입자 3~6mm)을 사용	• 마리나 선석 수: 3,200척 • 계선료: 6,549 프랑/년 (12m급)
	Bay of Biscay	La Rochelle	마리나 주체형	재개 발형	영구 주거형	• 대 조류 시에는 10m 부근에 간만의 차가 있는 부잔교식 구조 • 역사적 문화를 배경으로 한 아름다운 길과 유명한 요트레이스 개최	• 간만의 차에 대응하는 계류시설 및 갑문 있는 도크 (1778년)	• 마리나 선석 수: 3,200척 • 많은 조선소나 부품 메이커가 근처에 있다. • 바다와 하이테크의 마을 • 각종 이벤트, 회의장, 호텔전문학교, 수족관, 바다의 박물관
	Langued oc-Rous sillion	Port-Camar gue	마리나 주체형	신규 개발형	장기~영구 주거형	• 로누천의 퇴적토사가 만들어낸 광대한 대 습지대를 가	• 습지대개발 계획, 방법 • 지반개량공법	• 마리나 선석 수: 4,200척, 수심 -5m(외항)

프랑스	延長: 180km 너비: 20km					진 크로 평야의 남쪽 변두리로 유럽초의 대규모 플레저 보트 전용 항만을 개발했다.	• 항내의 해수정화 방법 및 유지 • 호안과 잔교의 구조	• 해양 스포츠 학교와 요트 실무교육 • 설상(舌狀)의 토지에 3~4층막의 프레캐스트 사용의 건물을 배치 • 항만본부, 옥외극장, arena
		La Grande Motte	마리나 주체형	신규 개발형	장기~ 영구 주거형	• 랑 도크・루시온 연안지방 관광정비의 대표적 리조트의 본부가 된 마을이다. • 굴 입식 항은 최대 선장 15m의 계류가 가능한 다소 기이한 피라미드형 건축물	• 굴 입식 항만의 계획과 그 시공방법 • 지반개량공법 • 항내의 해수정화 방법 및 유지 • 최대선장 30m을 받아들일 수 있는 호안과 잔교 및 선로유지	• 마리나 선석 수: 1,364척, 계선료: 10,881 프랑/년 (12m급) • [놀람]을 테마로 하는 고층 건축물과 700,000㎡에 달하는 식재 • 국제회의장, 수족관, 영화관, 해양스포츠, 카지노 • 테니스, 골프장 개발책임자: 존 패터도올 (건축가)
		Cap d'Agde	해변리조트 주체형	신규 개발형	중장기형	• 이 지방에서 유일한 암초를 가진 해안과 해수욕장을 소유한 리조트로 컬러풀한 마을을 창출했다. • 콘도는 다양한 변화가 있다. • 항내로의 차량 출입은 불가능	• 굴 입식 항만의 계획과 그 시공방법 (수심-4m(외항)) • 항내의 해수정화 방법 및 유지 • 호안과 잔교의 구조	• 마리나 선석 수: 2,460척 계선료: 8,858 프랑/년 (12m급) • 해상요양센터, 박물관, 고고학센터, 회의장 • 본격적 테니스 클럽, 해양스포츠, 아쿠아랜드, 누디스트 마을 • 도시계획책임자: 존 룩터 (건축가)
스페인	Catalunya (Costa Brava)	Barcelonas	마리나 주체형	재개발형	중장기형	• Catalunya의 산업을 지지한 스페인 최대의 무역항 • 거대한 2km 이상의 방파제를 소유 • 요트 마리나는 만의 가장 구석에 있	• 만 구석에서 도시 배수와 그 처리. • 계선잔교나 호안의 구조 • 연장 2km의 대제방 • 경관, 녹지의 환	• 남, 북 각각 50개의 마리나 • 계선료: 2,000円/日 (3일 넘으면 3배가 됨) • 마요르카 섬으로 향하는 페리 터미널

					으며 교외에는 가장 긴 모래사장의 해변을 가지고 있다.	경보전을 위한 1,000㎡ 이하의 부지 건축금지.	
		Ampuria brava Marina	마리나 주체형	신규 개발형	중장 기형	• 35km의 수로에 의해 구성된 마리나 • 7,000척 수용 가능한 마리나를 감싸고 있는 총면적 8㎢의 부지 내에 제시설은 이용자를 위한 설비	• 개발 콘셉트와 그 시공방법 • 내수로 수심의 유지 • 호안 및 계류잔교의 구조	• 마리나 선석 수: 7,000척 • 리조트용의 모든 설비 • 심벌 타워, 경사로, 크레인, 클럽하우스 • 관리용 메인 부두
	Andal-ucia (Costa Del Sole)	Malaga (El Paso Beach)	종합 시설형	자연 조화형	중장 기형	• Malaga는 Costa Del Sole의 현관으로 지중해에 접하고 북아메리카 인근 유럽의 피한지로서 유명 • 비치는 연장 1.8km, 평균 폭 25m로 3기의 이안제, 1기의 Y자 제방 및 곡선 제방으로 구성	• 제방의 구조와 모래의 유지관리 • 사용한 모래는 석회암을 분쇄한 것	• 마리나 선석 수: 1,000척 (마리나 ; Benalmadena) • 연장 1.7km의 산책로, 65,000㎡의 유원지 • 해변 동쪽 끝부분에 마리나 • 골프장, 카지노
캐나다	Tront	Pod Complex at Ontario Place	종합 시설형	재개 발형	중장 기형	• Ontario주정부에 의해 전람회장을 이용하여 대규모 복합 이용 지역으로서 재개발 • 총면적 37ha, 마리나 수용척수 360척, 호수 안의 18ha의 인공 섬에 5개의 전시시설을 설치	• 인공 섬 (박람회장적지)에 의한 정조 수역 형성 • 콘크리트선 침설에 의한 방파제 • 연락잔교상의 전시관건물은 하이테크 철골구조	• 라이프시어터로서 Ontario EXPO '86이 있었음. • 콘크리트 선은 제2차 세계대전시의 발선(3척)
미국	Losangeles	Marina del Rey	마리나 주체형	신규 개발형	장기~영구 주거형	• 세계 최대 규모의 인공 마리나 • 총면적 320ha, 마리나 수용척수 8,000척, 해양레저 주택을 복합한 도시형 워터 프론트 개발	• 입수로가 태평양을 향해 개정된 마리나 원형 • 하구습지대를 준설하여 방파제를 연결 • 도시형 마리나로서 정비	• 공공행정 서비스에 충실 • 군 소유 토지의 60년 임대사용 • 마리나, 콘도, 호텔, 레스토랑, 스포츠시설, 공장 등의 복합시설

Balti-more	Inner Harbor	마리나 주체형	재개 발형	단기형	• 미국에서도 가장 사람이 많이 모이는 장소 • 개발면적 97.1ha, 마리나 수용척수 160척 • CIMC를 중심으로 관민공동방식에 의한 재개발 사업	• 조위차가 작은 것을 이용하여 호안이나 수책(水栅)을 배치하지 않고 물가로의 자연 액세스와 개방감을 가지도록 하고 있다.	• 상업, 레저, 문화, 업무 등의 시설을 쉽게 제휴 가능하도록 배치 • 유람선, 수상택시, 보트 등을 추가한 경관
San Francisco	San Francisco Water Front	레저 랜드 주체형	재개 발형	당일 치기형	• 샌프란시스코항의 상업개발과 항만 기능의 재개발 • 만 면적 10만ha, 마리나 수용척수 600척(Pier39內) • 워터 프론트 보존을 위한 개발제어 (야생동물보호)	• [베이·커미션]에 의한 개발계획안과 인허가 권의 보유 • Pier 39내의 리사이클 목조건물이나 목제 덩기 · 통로 • aquatic park의 친수성 호안(계단식)	• 마리나, 별장, 쇼핑센터, 유람선, 산책로 등의 시설 • 피샤먼즈 · 워프, pier 39 등의 시설이 있는 집객력을 자랑함.
San Diego	San Diego Water Front	마리나 주체형	재개 발형	중장 기형	• 면적 약 52ha, 마리나 수용척수 4,400척 • sea port village, 하버섬, 쉘터섬 3구역으로 구성되어 있다.	• 수로를 준설한 토지를 매립하여 인공섬을 조성 • 인공해변의 조성	• 레저 시설의 충실 (마리나, 요트클럽, 인공해변, 낚시잔교, 선박회사, 호텔, 레스토랑) • 임대방식에 의한 운영 • 자연이 좋은 항내에 해군기지와 레저 시설이 동거하고 있다.
Miami	Bayside Marketplace and Mia Marina	종합 시설형	재개 발형	중장 기형	• 마을과 워터프론트를 연결한 플레저 하버 • 길이 16m, 마리나 수 18개 • 기존의 건물이나 설비를 고려한 디자인	• 부두공원에 의해 풍경이 조성된 마리나 • 자연지형과 인공섬 조성의 합체	• 개방적인 시설배치(오픈마켓, 야외극장, 카페 베란다 등의 야외 공간)
Chicago	Chicago Lake Front	레저 랜드 주체형	재개 발형	당일 치기형	• 미시건 호수의 전람회장 유지 레이크 프론트 계획에서 도시와 자연의 접점으로서 재정비되고 있다.	• 요트는 호수의 특성을 살려 수역계류방식(잔교가 없다.) • 시카고 천의 배수 일시저장 목적으로 지하유수 터	• 수족관, 자연박물관, 마리나, 공원, 스케이트장 등 레저 시설 • 네이비 pier는 항구의 짐을 도매하여

						널을 설치. • 강철 시트 파일 벽의 침수성 호안 • 잠제에 의한 인공해변의 모래가 흐르는 것을 방지		잔교를 다목적 이용시설로서 재개발 한 것으로 연간 이용객 수는 800만 명이다.
	Hawaii	Hawaii Marine Resort	해변리조트 주체형	신규 개발형	중장기형	• 호텔의 프라이버시 비치로 대표되는 세계적인 마린 리조트. 하와이제도 전체 리조트 개발	• 인공 lagoon의 효과적 배치	• 호텔 소유의 프라이버시 비치나 레저시설이 주체 • 콘도, 별장 등의 고급 별장지, 마린레저 시설, 골프코스, 인공lagoon 등을 충실히 하고 있다.
뉴질랜드	Auckland	Westhaven, etc	마리나 주체형	재래 (在來) 형	단기형	• Auckland는 인구 4분의1이 워터 스포츠와 관련되어 있어 그 활동을 중심으로 하는 것이 Westhaven이다.	• 자연환경보호와 해양개발의 밸런스 • 준설 및 준설토의 처리방법 • 하수처리 관리	• 수면계류 1,600척 • 플레저 하버 콤플렉스
오스트레일리아	Perth	Peel Harvey Estuary	해변 리조트 주체형	재래 (在來) 형	단기형	• 자연보호구역으로 둘러싸인 레저 일체형 개발 • 해수의 교환이 나쁜 폐쇄성 수역을 연결수로에 의해 순환시켜 수질정화를 하고 있다.	• 외해와의 연결수로의 건설 • 샌드바이패스에 의한 표사처리 • 스완 하천의 인공해변	• 수로연장 2.5km 폭 130~200m, 해면 깊이 −4.5~6.5m
		Hillarys Boat Harbor	마리나 주체형	신규 개발형	단기형	• Perth근처의 해안선에 새로운 방파제를 건설하여 레크리에이션 시설을 정비한 마리나 주체 해양레저시설	• 투과식 방파제와 용수에 의한 항내정화 • 앞 바다에 산호초에서 리프가 발달하여 큰 파도가 오지 않기 때문에 비교적 소단면의 방파제로 대처 • 특수한 compact 타입의 리조트 시설	• 마리나 선석 수 :435척, (內요트클럽 220척) • 호텔 이외의 48실의 아파트 • 수족관과 돌고래 쇼 개최 • 1,500대 수용의 주차장 외 예비 주차장 소유
	Gold Coast	Sanctuary Cove	종합 시설형	신규 개발형	장기~영구 주거형	• 자연이 풍부한 지역에 만들어진 대규모 복합 리조트 시	• 습지대의 준설에 의한 개발 • 준설토의 조성 성	• 잔교 부착 주거시설(고급주택지) • 마리나 선석 수:

					설로 물가에 별장을 배치	토 이용 • 식재된 방파제 및 천과 마리나 사이의 섬이 흐름을 안정시키기 위한 제방이 되는 토사의 퇴적을 방지하고 있다.	330척 • 호텔, 레스토랑, 쇼핑, 골프장(2코스) • 피트니스 클럽
일 본	도쿄	도쿄 도립 유메노 시마 마리나	마리나 주체형	신규 개발형	중장 기형	• 도심지에 위치한 공공 마리나로 전철로 新木場(신키바) 역에서 걸어서 15분 거리에 위치하고 있다. • 도쿄역과 10분, 동경디즈니랜드 6분	• 습지대개발 계획, 방법 • 지반개량공법 • 항내의 해수정화 방법 및 유지 • 호안과 잔교의 구조	• 수용능력: 전용(659척), 방문객전용(12척) • 육지면적 5.7ha , 수역면적 18.0ha • 주요시설:급수, 급전, 급유시설, 상하가시설, 수리공장, 마린센터, 주차(480대), 주륜(100대)
	효고현	신 니시 노미야 요트하버	마리나 주체형	신규 개발형	장기~ 영구 주거형	(社) 일본선정공업협회(日本舟艇工業会) 주최로 간사이 국제보트쇼를 개최하였다. *서일본 최대의 마리나로 요트하버 등의 마린스포츠 시설, 레저 시설, 리조트, 호텔, 쇼핑센터 설치를 목적으로 마리나 파크시티를 건설	• 굴 입식 항만의 계획과 그 시공방법 • 지반개량공법 • 항내의 해수정화 방법 및 유지	• 수용능력: 870척(육지: CY120, MB540, 계류: CY44, MB:166) *수역면적 約 27ha, 육지면적 約 8ha *주요시설: 센터하우스, 방문객버스, 계류잔교, 서비스공장, 상하가시설, 급수, 급유시설, 주차장(800대)
	후지사와	에노시마 요트하버	마리나 주체형	신규 개발형	중장 기형	• 관광단지형 마리나로서 (주)소난 나기사파크에서 카나가와현 후지사와시의 소난해안 및 에노시마를 요트하버에 포함하여 스케이트파크, 테니스공원, 각종 워터스포츠가 가능한 테마형 공원을 각각 도입하여 요트하버와 함께	• 항내의 해수정화 방법 및 유지 • 호안과 잔교의 구조	• 수용능력: 1303척(수면계류:98, 육상 보관:981, 비지터 야드:226) • 요트보관면적: 28,000㎡ • 주요시설: 요트하우스, 상하가시설, 딩기용슬로프, 수리공장, 급수, 급유시설주차장(300대), 본선안벽, 녹지 등

					관광시설로서 운영하고 있다.		
나가사키현	하우스 덴보스 마리나	마리나 주체형	신규 개발형	중장기 및 영구 주거형	• 관광단지형 마리나로서 하우스덴보스 테마파크와 연계하여 건설됨 • 대형보트와 소형 크루즈선도 접안이 가능할 정도의 정박시설이 완비되고, 테마파크의 부대시설을 이용하여 다양한 시설 이용가능	• 항내의 해수정화 방법 및 유지 • 호안과 잔교의 구조	• 수용능력: 330척 (해상계류), 보관시설, 상하가시설, 수리시설, 급유시설 등 • 단기 및 장기 보관 가능

자료: 일본해양개발건설협회, 「세계의 해양토목기술」, 산해당, 2003(참고 저자 재작성).

요트와보트

제 3 편

산 업

제6장

세계의 보트산업과 임대요트사업

제1절 요트와 보트 연관사업과 인력수요

1 해양관광시장의 규모와 요트와 보트산업

해양관광분야는 요트 등 해상스포츠, 다이빙, 수중잠수 등 해양관련 관광을 포괄하며 20개 해양산업 분야에서 2위를 나타내고 있다. 2005년 대비 2010년 성장률은 18%로 예상되며, 2010년 기준 예상 산업비중은 204,614백만 유로(약 20BN유로)이다.

레저보트분야는 2005년 대비 2010년 성장률이 무려 43%로 20개 해양산업 분야에서 해양에너지 및 보안 분야에 이어 세 번째로 높은 성장률이 예상되며 2010년 기준 예상 산업비중은 17,303백만 유로이다. 세계의 레저선박 분야는 미국이 약 80%를 차지하고 있으며, 이탈리아, 프랑스, 영국이 그 뒤를 따르고 있다.

독일은 이탈리아와 더불어 슈퍼요트를 많이 건조하고 있으며, 호주와 뉴질랜드도 비교적 큰 규모의 자체 레저선박 수요시장이 있다. 아시아권에서는 일본이 야마하, 혼다 등 레저선박 엔진을 비롯하여 PWC(Personal water craft: 개인용 수상 레저기구)시장에 세계적인 명성을 유지하고 있으며 중국은 고무보트의 대량생산 체계를 갖춤은 물론 아메리카스 컵 참가 등을 통해 보트산업 육성에 박차를 가하고 있다.

대만은 세계 5위권의 슈퍼요트 생산국으로 기술면에서 상당한 비교우위를 점하고

있다. 레저보트분야에 포함되는 마리나 산업은 미국이 점차 그 규모를 축소해 나가고 있으며 유럽, 중동, 아시아권역에서는 지속적 성장이 예상된다. 특히 중동국가 중 UAE와 중국, 한국은 폭발적인 증가세가 예상된다.

세계의 해양관광시장의 규모

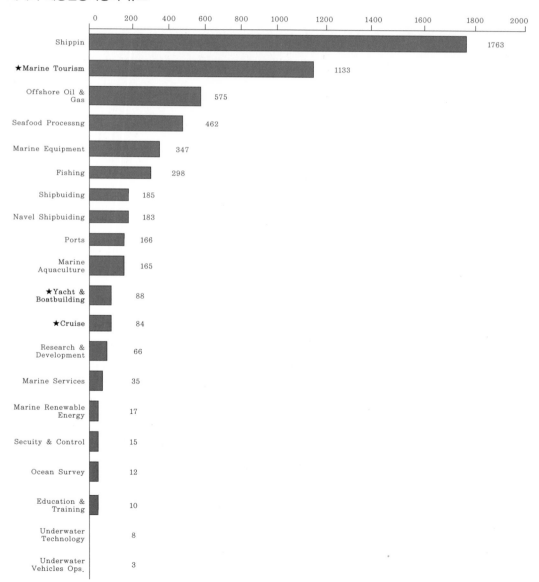

자료: 더글라스 웨스트우드사(2005), 세계 해양시장 분석

레저보트분야의 총 생산액(173억 유로)과 한국이 세계시장을 주도하고 있는 조선분야의 생산액(302억 유로)을 비교해 볼 때 약 57%에 육박하고 있어 조선강국 1위인 우리나라에서 레저보트 분야를 새로운 산업으로 육성할 필요성이 있다.

크루즈산업분야의 2005년 대비 2010년 성장률은 28%로 예상되며, 2010년 기준 예상 산업비중은 15,501백만 유로이다. 크루저 분야도 레저보트분야와 마찬가지로 미국이 세계 시장의 70%를 점유하고 있으며, 나머지는 유럽시장이 차지하고 있다. 유럽 크루즈 협회에 따르면 2003년 기준 약 2.7백만 명의 유럽인이 크루즈여행을 하였다.

② 해양관광시장의 파급효과

해양관광산업의 핵심적인 파생산업은 요트와 모터보트 등 소형선박의 생산과 판매 등과 관련된 산업과 부품판매와 정비 등에 관련된 산업으로 전통적인 관광산업을 결합하여야만 효과적인 동반발전을 할 수가 있다

- 1차 핵심 사업: 슈퍼요트, 임대요트 사업(Charter yacht), 요트 및 모터보트 생산, 중고요트 및 모터보트 매매, 부품산업, 정비사업 등
- 2차 부대사업: 호텔, 레스토랑, 카지노, 예식장, 피트니스, 연회시설, 카페, 극장 등

■ 연관 산업의 범위

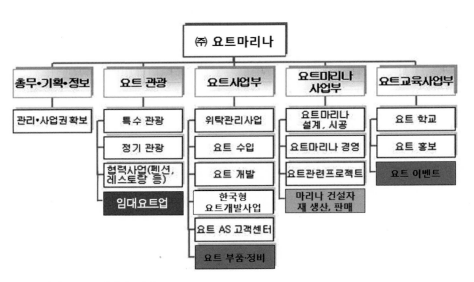

자료: 김천중, 요트관광의 이해, 2008.

슈퍼요트는 움직이는 작은 고급호텔의 개념을 가지고 있으며, 일차적으로는 임대요트 회사들에 의해서 운영, 관리되고 확산 될 것이다.

선진 요트생산 국가들은 슈퍼요트의 생산과 판매에 주력하고 있으며, 호주의 경우 정부가 직접 슈퍼요트의 생산과 대외판매에 직접 관여하여 발전시키고 있다.

③ 해양 관광레저산업의 전망

요트와 보트관련 산업은 해양과 내수면의 여가활동의 발전과 더불어 발전하여 왔다. 따라서 광의로 분류하면 요트와 보트의 부품생산과 건조시장과 활동과 관련된 시장으로 분류할 수가 있다. 해양산업분류에서는 이러한 활동과 관련된 시장은 해양관광시장에 포함되어 제2위의 규모를 보이고 있고, 생산 시장은 보트건조시장으로 분류하고 있다. 구체적인 인력과 참여자를 흡수할 수 있는 분야를 분석하면 관광레저산업 측면에서 아래의 표와 같고 직접적인 시장규모를 이해하기 위하여 제2절과 제3절에서는 국가별 생산과 활동시장을 중심으로 분류하였다.

해양
레저산업의
범위

해양관광레져산업

해양관광레져산업

해양관광레져산업

해양관광레져산업

해양관광레져시설 건설업

- 해양관광레져 마리나 및 보트 계류장 설계 및 시공
- 카누·조정 등 각종 경기장 시설 건설업

해양관광레져용품 제조업

- 보트 등 각종용품 제조업
- 해양관광레져 신발 (요트, 스포츠잠수용 등) 제조업
- 해양관광레져 식·음료 제조업

해양관광레져시설 경기업

- 요트경기 등 해상관람업
- 해양관광레져 이벤트업

해양관광레져시설 운영업

- 임대요트업, 임대요트관광업
- 해양관광레져시설 (스포츠잠수샵 등) 이용중심의 해양리조트 운영업
- 해양관광레져시설 대여업
- 마리나, 보트계류장, 다기능 어항시설 관리업 등

해양관광레져용품 운영업

- 해양관광레져용품 도소매업
- 해양관광레져용품 대여업
- 해양관광레져용품 택배업
- 해양관광레져용품 고장수리업

해양관광레져 마케팅업

- 해양관광레져 마케팅 대행업
- 해양관광레져 에이전트업
- 해양관광레져 라이센싱업
- 해양관광레져 교습업

해양관광레져 정보업

- 해양관광레져 월간지출관업
- 해양관광레져 방송업
- 해양관광레져 포탈사이트업
- 해양관광레져체험 여행업
- 파워보트, 수상 오토바이 등 프로화에 따른 복권, 복표
- 해양리조트회원권 판매업
- 해양관광레져 관련 소프트웨어 개발업
- 중고보트 판매 소개업

자료: 해양관광과 마리나산업(2010)

④ 해양레저산업 발전효과

- 세계 해양시장의 총량은 1,232억 BN유로 예상된다.(2010년)
- 해양레저산업의 규모는 광의로 해양관광, 크루즈 관광, 요트/보트산업을 포함하여 232억 BN유로로 추정할 수 있다.
- 요트 및 보트 조선산업은 해양레저산업의 가장 중추적인 기반산업으로서 17BN유로의 규모로서 크루즈산업을 능가하고 있다.

■
해양산업 중
해양레저산업
규모

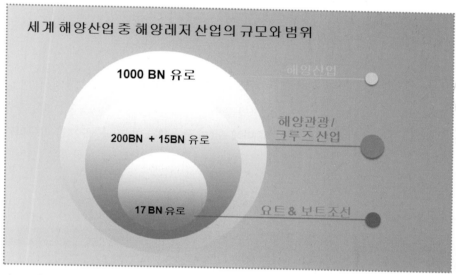

자료: 해양관광과 마리나산업(2010)

제2절 **세계의 요트와 보트산업현황**

① 영 국

영국은 해양기기산업, 조선산업, 보트산업 등이 고루 발달했다. 특히 영국은 유럽에서 두 번째로 큰 보트시장으로 알려져 있고, 전체인구 100명당 1명이 보트를 소유하고 있을 정도다. 과거 영국은 보트제조업으로 명성을 떨쳤으나, 고임금 등으로 제

조원가가 상승하여 경쟁력을 상실한 상태다. 그러나 '슈퍼요트'라 일컫는 일부 초부유층을 대상으로 하는 초고가 보트 등에서 명성을 이어가고 있다. 현재 영국의 보트제조업은 Sunseeker, Princess Yachts, Fairline, Sealine 등의 몇몇 선두기업이 전체 매출의 80%를 차지하고 있으며 제조업이 축소된 대신 관련 관광산업 등 관련서비스업이 급격히 성장하여 현재 제조업과 거의 비슷한 규모에 이르렀다.

보트 및 연관산업의 규모(매출기준)

연도	2005	2006	2007
생산자 매출 (파운드)	756,547	796,419	866,821
판매자 매출 (파운드)	933,575	1,007,918	1,150,723

비고: 레저 및 스포츠용 보트 매출 규모

2007년 영국의 보트산업은 판매자 매출기준으로 약 11억 5천만 파운드선이었으며 매년 빠른 속도로 증가해 왔다. 관련산업을 통틀어 2007년 레저 및 소규모 해양산업의 규모는 약 30억 파운드로 전년에 비해 6.5% 증가했다. 그러나 2007년 말부터의 모기지 금융파동 및 2008년 하반기 금융위기로 인한 경기침체로 보트산업은 큰 영향을 받을 것으로 전망된다.

영국 내 보트 및 관련제품의 소비규모

	2005	2006	2007
US Manufacturer Sales	767,650	812,633	872,983
Intra EU Export	225,049	252,465	298,659
Extra EU Export	270,070	333,344	306,506
Tatal Export	495,119	585,809	605,165
Intra EU Import	133,889	125,261	133,718
Extra EU Import	174,360	103,572	189,459
Total Import	308,780	228,833	323,177
UK Net Supply	580,780	455,657	590,995

영국 대부분의 산업이 수입에 의존하는 것과 달리, 보트산업의 경우는 영국 내 생산비중이 절대적이며 수출량은 수입량의 약 2배 정도이며 수출량과 자국 소비량이 비슷한 편이다. 2006년 영국 내 소비가 주춤하면서 수입량도 줄었으나 영국 내 생산량은 꾸준히 증가했다.

1) 영국정부의 보트산업 및 보트쇼 관련정책

영국정부의 보트산업 정책은 레저 및 스포츠 등의 문화적인 부분은 시장경제의 논리에 따라 자연히 성장하게 하는 대신, 방위산업에 중요한 보트기술을 보호하고 발전시키는 방향에 초점을 맞추고 있다. 영국정부가 중점을 두고 있는 보트기술분야는 해양기기 시스템엔지니어링, 복합군함제조기술, 원자력에너지 활용 등이다.

2) 영국 보트산업의 향후 전망

현재 영국 내에 정박해 있는 보트는 약 6십만 대이며, 이외에도 해외에 소유하고 있는 보트가 약 1백만 대 정도가 될 것으로 추정된다. 전체인구의 약 2% 정도가 보트 스포츠를 즐기고 있으며 이 숫자는 급격히 증가하는 추세였으나 최근 경기침체로 인해서 성장세는 둔화될 것으로 예상되며, 특히 평균 보트 소유기간이 늘어날 것으로 보여, 신규 보트판매량은 큰 타격을 받을 것으로 예상된다.

🛳 2 프랑스

1) 보트산업의 주요특성

프랑스는 지리학적으로 대서양과 영불해협, 지중해를 접하고 있어 전통적으로 해양문화, 특히 보트에 강한 전통을 갖고 있어 관련산업이 잘 발달되어 있다. 프랑스 해안길이는 8,245km로 수많은 보트정박항구가 있다. 이중 Port Camargue는 유럽 제1위, La Rochelle의 Minimes은 유럽 제2위 정박항구이다. 보트학교가 잘 발달되어 있고 보트항해 면허증을 취득하는 사람들이 계속 증가 추세이며 이는 1998-2002년 사이 구매력이 증가하고 주35시간 근무제 도입으로 여가시간이 증가한데 기인하고 있다. 2006년 프랑스에 등록되어 있는 배는 종류를 불문하고 모두 90만 척에 달하며 이중 50만 척이 정기적으로 이용된다.

2) 보트 및 연관산업의 규모

보트 및 연관산업은 프랑스 주요산업의 하나로 2006년 기준 프랑스의 해양산업은 45,000명의 종사자가 4,867개 해양산업 관련업체에서 46억5천만 유로의 매출액을

올리고 있다. 보트 및 연관산업은 보트생산, 보트무역, 선박보수유지, 엔진 및 부품제
조, 장비제조, 대여서비스, 부두서비스, 내부전자부품제조, 항해 및 경주, 디자인 등
을 포괄한다.

프랑스 요트·보트산업의 현황

분야	업체 수	시장규모 (백만 유로)	전년대비 증가율	종업원 (명)
Marinas	404	282.5	5.50%	3,017
Specialist service stations	168	69.9	8.50%	1,073
Architects, design consulting	131	20.3	2.20%	364
Professional maritime surveyors	71	15.5	2.90%	262
Ad hoc surveyors	202	3.9	-2.20%	258
Boat builders	46	1,063.00	8%	7,534
Artisanal manufacturers	116	46.6	-3.80%	571
Professional equipment manufacturers	154	299.7	2%	2,164
Other equipment manufacturers	115	14	-5.60%	230
Sailmaking, Marine upholstery	153	52.1	4.70%	600
Specialist clothing	98	47.9	-1.80%	422
Engines: import, sale, repair	567	422.7	2.70%	3,288
Electricity, electronics (including import)	209	84.3	-1.30%	944
Trading and maintenance	734	473.1	11.90%	4,799
Brokers and boat importers	230	181.7	5.10%	2,253
Professional maritime rental companies	176	181.5	13.70%	1,512
Professional inland waterway rental companies	78	64.2	6.20%	649
Boat schools	241	49.6	1.20%	1,052
Repairs (excluding engine)	1,261	537.7	6.40%	5,717
Security	201	38.8	-4.50%	511
Ship chandlers (including import)	690	383.9	3.20%	3,762
Boat-riding sport	116	64.1	6.70%	801
Outdoor recreation	81	36.1	5.70%	323
Skippers, yacht delivery, transport	68	12.7	0.30%	259
national insurers	96	130.9	6.60%	1,618
Press & media	103	57	1.50%	614
총 계	4,867	4,651.90	5.80%	45,061

자료: 프랑스 해양산업 연합회

비고: 2007년 레저용 보트(bateaux de plaisance: 범선, 모터보트) 제조 및 연관산업 매출액은 15억
유로임.

연도별 레저용 보트 순수 제조 매출액

연도	매출액
1997	354
1998	465
1999	557
2000	671
2001	878
2002	902
2003	944
2004	1006
2005	1076
2006	1166
2007	1288

자료: 프랑스 해양산업 연합회

1997년 이후 프랑스 요트 수출량은 내수시장을 앞질렀고 2005년 기준 해외판매량은 7.4% 증가했다. 이와 같이, 수출의 증가로 프랑스는 세계 제1의 요트와 고무보트 수출국이며, 특히 선박모터의 기술력과 선박제조방법 및 선박재료 등에서 경쟁력을 보유하고 있다. 2004년 OECD 통계자료에 의하면, 프랑스는 모터보트(1위 이탈리아, 2위 독일, 3위 미국)를 제외한 고무보트(1위 프랑스, 2위 이탈리아, 3위 스페인)와 요트(1위 프랑스, 2위 독일, 3위 네덜란드) 부문에서 선두에 있다. 최근 보트수선산업과 유람선제조산업이 니치마켓으로 부가가치가 높은 산업으로 각광을 받고 있다.

3) 보트 및 관련제품의 소비규모

프랑스에서 이용되는 레저선박은 885,555대(2007년 8월 31일 기준)가 있고, 이중 75%가 모터구동이며, 72.5%는 6미터 이하의 소형선박이다. 2006년 매출액 중 자국 내 매출액은 431백만 유로, 수입액은 951백만 유로로 총 내수규모는 자국 내 매출액과 수입액을 고려할 때 약 13억 유로로 추정된다. 2003년까지 내수규모가 크게 증가한 후 2004년부터 정체상태다.

4) 보트수입동향

프랑스는 매년 약 7억 유로 상당의 레저용 보트를 수입하며 주요 수입국가는 이탈

리아로 나타났으며 이 중 수입이 가장 많은 분야는 파워보트로 수입 대상지역 및 대상국가는 아래 표와 같다.

수입현황

지역별	2006		2007	
	금액 (천유로)	물량 (척수)	금액 (천유로)	물량 (척수)
총수입	481,155	729	351,912	–
유럽	401,007	686	317,421	155
유럽(26)개국	397,004	678	308,545	143
EU가입 14개국	397,004	678	30,821	141
유로화 사용지역	331,943	482	262,415	128
EU 신가입 12개국	0	0	326	2
아프리카	2,831	15	353	10
미주	74,435	14	16,969	36
중동	0	0	0	0
아시아	2,732	13	17,169	–
기타	150	1	0	0
국가별				
이탈리아	267,300	123	223,787	90
영국	65,061	196	45,804	13
Cayman 섬	47,901	3	80,000	5
파나마	0	0	0	0
미국	1,565	7	5,482	17
말타	0	0	0	0
스위스	225	2	1,745	6
중국	585	7	3,799	–
스페인	11,427	286	10,578	21
네덜란드	46,214	20	23,546	7
호주	1,403	4	3,201	6
튀니지	16	13	11	9
지브랄타	0	0	6,500	3
Saint-Vincent	8,000	1	0	0
대만	0	0	9,900	1
기타국	16,458	66	9,559	36

자료: KOTRA

5) 보트산업 및 보트쇼 관련정책

보트산업 육성을 위해 기존 정박지를 재개발하여 La Rochelle Minimes은 규모면에서 유럽 최대의 마리나로 부상했다. 프랑스 보트산업연합회는 《Bateaux hors d'usage》라는 프로그램을 통해 사용 불가능한 보트의 재활용을 추진하고 있다.

6) 보트산업의 향후전망

프랑스의 레저보트생산은 1997년부터 2007년까지 꾸준히 증가하였다. 2002년까지는 내수시장의 성장에 힘입었으나 그 이후에는 세계시장, 특히 중동 및 미국의 수요증가 추세에 기인했다. 전 세계 금융위기로 레저보트시장이 위축될 것이 확실시되고 프랑스 보트산업계는 위기를 타개하기 위해 시장이 성장할 것으로 예상되는 아시아 및 중동시장을 확대하려 노력할 것이다. 또한 보트 및 엔진수리 등의 니치마켓에 지속적으로 영향력을 확대하려 할 것이다. 요트생산업체 Rodriguez는 2008년 9월 30일 기준 전년대비 매출액은 34.2%, 신규보트 판매는 30.4% 감소하였다. 동사는 금융위기로 고객들이 신규보트 주문을 취소하거나 연기하였다고 밝혔다. 향후 1분기 이상 이러한 경향은 확대될 것으로 전망했다. 프랑스투자은행 Natixis는 전 세계 경제상황을 볼 때 레저보트 및 선박산업은 당분간 어려움을 겪을 것으로 전망하고 또한 신규보트주문보다는 기존보트를 재활용하고 구매하는 쪽으로 경향이 바뀌고 있다고 밝혔다. 향후 보트산업은 환경오염을 줄이는 방향으로 개발이 진행될 것이다. 한편 지난9월에 막을 내린 칸 보트쇼에서 나타난 최근의 경향은 최고의 부유층을 위하여 더욱 크고 더욱 호화로운 보트의 수요가 늘어나고 있다. super-yacht(길이 24미터 이상), 또는 mega-yacht(길이 50미터 이상)가 시선을 주목받고 있으며 후자의 경우 현재 100척이 전 세계적으로 생산중이다.

③ 독 일

1) 독일 레저용 보트산업의 기원 및 정의

독일에서 요트는 레저용으로 사용되는 배를 통칭하고 있다. 요트와 보트의 기준은 7m를 기준으로 7m 이하의 레저용 배는 보트로, 7m 이상의 배는 요트로 구분하고 있

다. 일반적으로 독일에서의 요트는 10~15m 규모의 레저용 배를 의미하며, 15~24m 길이의 요트는 Maxiyacht, 24m 이상의 배는 Superyacht로 개념정의를 하고 있다. 독일의 요트산업은 대개 15m 내외의 요트에 집중되어 있다.

2) 독일 요트산업의 특성

독일 요트산업의 특징은 내수를 위한 산업이 아닌 수출을 위한 산업이라는 점이다. 2008년 상반기 중 독일의 요트수입액은 203백만 유로에 그친 반면 1,267백만 유로를 수출하였다. 독일 요트수요자들의 경우 작고 저렴한 요트는 수입을 통하여 구입하고, 15m 내외의 중대형 요트는 독일산 요트를 구입하는 경향이 있다. 독일 요트산업의 특성으로는 개인이 요트를 소유하는 것보다는 Charter라고 하는 요트렌트산업이 발달하였는데, 이는 고가의 요트를 구입하는 비용, 관리비용, 정박비용, 거리상의 문제 등을 해결할 수 있으며 대중이 이용할 수 있다는 점이 장점으로 작용하고 있다. 렌트업체들의 매출은 마지막 조사가 이뤄진 2003년 기준으로 128백만 유로다.

3) 독일인의 기호에 맞는 요트조건

- 넉넉한 공간을 제공하는 보트(15m 내외)
- 조정방법이 간편한 보트
- 통신시설이 갖추어져 무선통신이 가능한 보트
- 위치를 파악할 수 있는 내비게이션이 갖추어진 보트
- 편리한 인테리어 및 내장가구를 장치한 보트
- 안전성을 확보한 보트

4) 보트 및 연관산업의 규모

(1) 전체산업규모

독일의 수상레저인구는 15세 이상 독일인을 기준으로 총 634만 명으로 추산되고 있으며 수상레저종류는 다음과 같다. 요트, 모터보트, 카누, 윈드서핑 및 워터스키 등 보트관련 이용자가 수상레저인구의 70%에 달하여 총 444만 명의 독일인이 보트관련 레저를 즐기고 있다. 독일의 보트 및 연관산업에 대한 구체적인 조사통계는 별도로

조사된바 없으나, 전체적인 요트를 포함한 레저용 보트산업의 규모는 수출을 포함 30억 유로(한화 약 5조 원 규모)로 추산된다. BWVS에 따르면 독일의 전체 수상레저관련시장은 2003년 기준으로 17억 유로 수준으로 추산하고 있다.

독일의 보트산업 규모

보트 길이	무동력 보트	모터 보트	보트(모터분리형)
7.5m 이하	76000	49000	
7.5m - 12m	41000	31000	n.a
12m 이상	6000	5000	
총계	123000	85000	325000

비고: 독일의 요트를 포함한 전체 보트 대수는 신고가 의무가 아닌 관계로 추정치만 공개

(2) 요트산업관련 파생산업 및 관계자

요트산업의 경우 요트제조업체, 부품업체, 가구 및 인테리어관련 내부설비업체, 수입관련업체, 요트 전문딜러, 건축가, 요트임대업체, 전문잡지사 및 이벤트기획사 등 수많은 파생산업을 포함하고 있다. 뒤셀도르프 보트전시회의 경우 총 14개 부품군에 총 500여 개 세부부품군으로 구분되는 등 요트산업관련 부품군이 매우 세분화되어 있다.

독일 요트산업관련 파생 업체 수

보트관련 업체 종류	업체 수
요트관련 딜러	500
보트제조업체	450
보트부품업체	1650
보트정비업체	1400
보트주유소업체	150
보트보험업체	40
기술서비스	100
보트관련 학원 및 학교	450
중개업체	175
보트렌트업체	60
마리나/수상레저항구 운영업체	2250
총계	7225

5) 독일 보트 및 관련제품의 규모

(1) 독일 보트산업의 규모

독일의 레저보트 내수시장은 약 17억 유로(한화 약3조 원) 규모로 수출을 포함 시 약 30억 유로에 달할 것으로 예상된다. 요트시장만을 분류하여 보았을 때, 신제품보트/중고보트/부품 및 장비(보트 및 요트 포함) 독일의 전체시장은 약 7억 3천만 유로 정도로 추산하고 있다.

(2) 독일 보트산업의 수출입

① 수입시장현황

독일 보트수입시장은 2006년부터 급격히 감소하는 추세를 보이고 있다. 2008년 상반기 세일링 보트수입은 58백만 유로로 전년대비 금액으로는 43.3%, 대수로는 48%가 감소하였다. 모터보트와 요트수입은 2008년 상반기 중 145백만 유로, 총 3,412대가 수입되었고 독일 보트수입시장은 전반적으로 저가의 소형보트는 증가하고 독일보트산업의 주력제품인 고가의 대형요트는 감소하는 추세를 보이고 있다.

독일 보트 수입현황

연도	2006		2007		2008(1-6)	
	수입액수 (백만유로)	대수	수입액수 (백만유로)	대수	수입액수 (백만유로)	대수
내륙용 요트/보트	112	3974	139	5494	103	4117
대양용 요트/보트	343	125	66	127	42	69
요트/보트(합)	455	4099	205	5621	145	4186
내륙용 세일링 요트/보트	35	1256	36	1328	18	633
대양용 세일링 요트/보트	51	262	38	150	40	n.a
세일링 보트(합)	86	1518	74	1478	58	n.a
Import Total	541	5617	279	7099	203	n.a

② 수출시장현황

독일 보트수출시장은 2008년 상반기 중 1267백만 유로로 전년 동기대비 43%의 높은 증가세를 유지하고 있다. 2008년 중 상반기 세일링요트 수출대수는 1881대이며, 요트는 4524대, 소형요트는 6419대가 수출되었다. 독일 보트산업의 주력수출제품은 모터요트로 2008년 상반기 중 수출액이 796.7백만 유로에 달한다. 독일 보트수출시장은 전반적으로 고가의 중대형 요트가 주력수출상품으로 자리잡고 있고, 저가시장은 수입시장이 양분하는 형태를 보이고 있다. 그러나 최근 금융위기여파로 인하여 경기변동에 민감한 독일 요트수출시장에 변화가 감지되고 있다. 2008년 11월 현재 오더감소, 대금결재지연 등의 사유로 독일 대형요트업체가 인원감축 등 강도 높은 구조조정과 더불어 일부 업체는 구제금융 등을 요청하고 있는 상황으로 2009년 수출전망은 매우 어두울 것으로 예상하고 있다.

독일 보트수출현황

연도	2006		2007		2008(1–6)	
	수입액수 (백만 유로)	대수	수입액수 (백만 유로)	대수	수입액수 (백만 유로)	대수
내륙용 요트/보트	119	1858	147	2148	124	2033
대양용 요트/보트	385	150	767	59	903	31
요트/보트(합)	503	2008	914	2207	1027	2064
내륙용 세일링 요트/보트	156	2625	170	2697	144	1673
대양용 세일링 요트/보트	76	552	82	588	96	n.a
세일링 보트(합)	232	3177	252	3285	240	n.a
Export Total	735	5185	1156	5492	1267	n.a

6) 독일정부의 보트산업 및 보트쇼 관련정책

(1) 독일의 보트산업 진흥정책

독일의 경우에는 별도의 보트산업 진흥정책이 없다. 보트산업의 경우 신기술을 적용하는 분야가 아닌 관계로 연방차원의 지원책이 없으나, 최근 금융위기로 인하여 어려움을 겪고 있는 독일요트 제조업체에 대한 개별지원이 이루어질 것으로 전망된다.

(2) 보트쇼 관련진흥정책

독일의 경우 일반 컨벤션진흥정책과 동일하며 보트쇼 관련 별도정책은 없다.

7) 독일보트산업의 향후 전망

(1) 독일 보트산업전망

고급 요트산업의 경우 경기에 가장 민감한 분야로 미국발 금융위기로 인하여 가장 큰 타격을 받고 있는 산업분야이다. 2008년 4월 DBSV의 경기전망보고서가 발간 될 당시만 해도 전반적인 요트산업전망을 긍정적으로 전망하였다. 200여 명의 요트관계자 설문응답을 기반으로 작성된 DBSV의 경기전망보고서에 따르면 전체의 90%가 2008년 관계기업의 매출과 순익을 전년수준유지 또는 증가할 것으로 예측하였으나, 2008년 11월 현재 독일의 대형요트업체들 중 일부가 감원, 감산, 생산중단, 파산 등의 상황을 겪고 있으며 이런 경향은 지속될 것으로 예상된다. Bavaria Werft사의 경우에는 생산을 중단하였으며, Hanse사의 경우에는 110명의 직원을 감원하였고, Dehler사는 파산에 가까운 상황에서 주 정부의 지원을 받아 구조조정을 단행하고 있는 중이다. 독일 11월 4일자 FAZ에 따르면 금융위기에 직접적인 영향을 받지 않는 일부 대형보트제조업체들 역시 향후 보트쇼에 부스 및 참여를 축소하거나 불참을 고려하고 있는 등 금융위기 여파가 지속될 것으로 예상되고 있다.

4 이탈리아

1) 이탈리아 보트산업 특성

이탈리아 보트산업은 세계보트 산업에서 중요한 위치를 차지하고 있으며 특히 호화요트산업의 경우 그 품질이 우수하여, 세계적 경쟁력을 보유하고 있다. 호화요트산업의 경우 정치적, 경제적 요인의 영향을 많이 받는 다른 사치품 분야의 매출과 차별되며, 반대의 경향을 보이는 특징이 있다. 따라서 이탈리아 호화요트산업은 최근 국제적 금융위기의 영향을 가장 덜 받은 분야로 2008년 한해 18%의 성장이 이루어졌다. 이탈리아 전체 산업 중 보트산업이 유일하게 전년대비 2007년 두 자리 성장률 (12~14%)을 기록하였다. 이탈리아 보트산업에는 직접적으로 34,500명이 종사하고 있으며 전체 매출액은 약 50억 유로인 것으로 집계된다.

2) 이탈리아 보트 및 연관산업의 규모

(1) 전체규모

2007년 이탈리아의 보트산업 규모는 약 34억 5천만 유로로, 이중 국내 생산 분은 약 29억 8천만 유로(86.46%)이며 수입 분은 4억 6천만 유로(13.54%)인 것으로 조사된다. 국내 생산분 중 12억 2천만 유로(41.08%)는 내수 매출액이며, 17억 5천만 유로(58.92%)는 국외 수출분이다.

수출의 경우 EU 회원국으로 약 9억 3천만 유로가(53.36%), 비EU국으로 약 8억 1천만 유로(46.64%) 상당의 수출이 이루어지고 있다. 수입 역시 주로 EU 회원국으로부터 대부분이 이뤄지고 있으며, 3억 5천만 유로(75.19%)가 이들 국가로부터 이뤄지고 있고, 외국으로부터의 수입은 1억 1천만 유로(24.81%)가 이루어지고 있다. 이탈리아의 2007년도는 보트산업 매출액은 전년대비 19.57% 증가하였으며, 보트산업 수출의 호조로 무역수지 흑자를 실현하였다.

(2) 관련부품산업

이탈리아 보트부품 생산에 종사하는 기업은 대부분 중소기업이다. 보트부품부문에 해당하는 제품으로는 일반부품, 항해용 의류, 선체 전자계측장비, 엔진부품, 원자재, 발전기, 돛, 하선용 장비 및 기구, 수화물 운반대, 잠수 및 스포츠낚시용 장비 등이 포함된다. 2006년 보트부품산업 전체 총 매출액은 13억 8천만 유로로 이 중 10억 3천만 유로는 국내에서 생산 분이며, 3억 5천만 유로는 수입으로 이루어졌다. 국내생산분 10억 3천만 유로 중, 3억 6천만 유로는 해외수출분이고 수입규모는 총 3억 5천만 유로로 이 중 2억 유로는 EU회원국으로부터 이뤄지고 있으며, 1억 4천만 유로의 수입은 비EU 국가로부터 이루어진다. 2006년 보트부품 부문은 전년도 무역수지 적자를 만회한 것으로 나타났다.

이탈리아 보트부품 산업 현황

	전체생산		수입	무역수지
	내수	수출		
2005	657	268	318	−50
2006	663	369	350	19
변동 율	0.86%	37.56%	9.98%	

(3) 엔진부문산업

이탈리아 보트엔진부문 산업 총 매출액은 4억 3천백만 유로이며 이중 국내생산분이 8100만 유로, 수입이 3억 5천만 유로로 구성되어 있다. 국내생산분 중 5200만 유로는 수출로 인한 매출액이며 엔진수입 중 3억 유로는 EU국가들로부터, 4900만 유로는 비EU국가로부터 수입하고 있다. 보트엔진의 경우 수입이 수출보다 많아 무역수지 적자를 실현했다.

이탈리아 보트엔진 산업 현황

	전체생산		수입	무역수지
	내수	수출		
2005	58	41	341	−242
2006	29	52	350	−269
변동 율	−49.95%	27.73%	2.56%	

자료: 이탈리아 교통부

(4) 이탈리아 총 등록보트 수

2005년 12월 31일자로 이탈리아에 총 등록된 보트는 73,311대로 등록된 보트는 종류별로 다음과 같다.

이탈리아 총 등록보트 현황

보트(돛)	보트(엔진)	선박	합계
14,844	58,924	173	73,311

자료: 이탈리아 교통부

3) 이탈리아 정부의 보트산업 및 보트쇼 관련정책

이탈리아 정부는 2007년 기준, 전년 대비 두 자리 수의 성장을 기록한 레저보트 생산증가에 힘입어 레저보트용 항만시설 확충에 대한 특별 방안을 마련할 예정이다. 이를 통해 보트 정박시설에 대한 증가하는 수요를 만족시키고 이와 연계해 선박관리, 숙박음식산업 및 관련관광산업이 발전 될 수 있을 것으로 예상된다. 특히 소규모 항

구시설개발은 지중해 연안관광산업에 있어 필수적 요소이며 활성화 될 경우 이탈리아 남부지역 경제발전으로까지 이어지는 효과가 나타날 것으로 예상된다. 2009년 정부 예산법을 통해 메가급 규모의 요트항해에 관한 규제를 간소화시키고 요트렌트산업에 대한 지원을 강화하기로 결정했다. 지방정부도 보트산업 진흥에 중요한 역할을 담당하고 있으며 Liguria주의 경우 La Spezia시 마리나 시설의 잉여공간을 재활용하여 관광보트산업을 육성화 하는 계획과 함께 지역소재 대학 보트공학부 연구소 지원계획을 가지고 있으며 이탈리아 경제발전부와 보트산업협회는 최근 자국보트산업의 세계화에 관한 협력방안에 상호 서명을 하고 이탈리아 무역공사ICE의 도움을 받아 2010년 상하이엑스포 및 인도, 브라질에서 열리는 주요 보트전시회에 참가하여 자국 보트산업홍보 및 해외시장 개척을 강화할 예정이다.

⚓ ⑤ 미 국

1) 보트산업의 구성

보트산업에는 약 19,000개의 기업이 직원 154,000명을 고용하고 있다. 이 중 보트제조업체는 2007년 기준 1,136개로 추정된다. 보트산업이 가장 발달한 주는 Florida, California, New York, Tennessee, Michigan이다.

2) 소비트렌드

중고보트 구매자들의 1/3은 신품보트 구매로 이어지고 점진적으로 성능이 좋고 규모가 큰 보트구매가 증가했다. 현지 보트 소유자들의 3/4은 연소득이 100,000달러 이하로, 중산층이 주요 고객층임을 알 수 있다.

3) 보트 및 연관산업의 규모

2007년에는 보트산업 관련매출 및 서비스규모가 375억 달러에 달했으며 이는 전년대비 5% 감소한 수치로 NMMA(National Marine Manufacturers Association) 통계에 의하면, 2007년 레저보트 총 지출의 39%(144억 달러)가 신품보트 구매와 관련된 지출이며, 중고보트는 30%(114억 달러) 차지했다. 조사에서 유류비, 보험, 유지비 등을 포함한 기

타비용은 총 지출의 24%(88억 달러)를 차지하였으며 보트 관련 After market은 가장 적은 7%(26억 달러) 차지했다.

4) 자국 내 보트 및 관련제품의 소비규모

2007년 boating을 즐긴 미국인은 전년대비 10% 증가한 5,910만 명으로 추정되며 이는 미국성인의 1/4 수준으로 2007년 boating에 사용된 배는 1700만 대로 추정된다. 2007년에는 처음으로 미국의 보트 수출액이 수입액을 초과해 총 수출이 29억 달러, 총 수입이 25억 달러로 3.91억 달러 흑자무역을 달성하였다.

5) 미국정부의 보트산업 및 보트쇼 관련정책

2008년 7월 'Clean Boating Act of 2008' 법안이 통과되었다. 동 법안은 'Clean Water Act'법으로 인하여 레저용 보트가 불이익을 당하지 않도록 하는 법안으로 레저보트계에서 매우 환대받고 있다. 보트관련사업 및 보트등록수가 미국에서 가장 많은 플로리다주는 최근 하향세에 있는 보트산업을 활성화시키기 위하여 주 무역진흥기관인 Enterprise Florida를 통한 산업지원을 강화할 움직임을 보이고 있다.

6) 미국 보트산업의 향후전망

현재 미국레저 보트시장은 금융위기로 촉발된 경기하강으로 수요가 눈에 띄게 감소하고, 각종 보트관련 전시회에도 성과가 전년대비 악화되었다. 대부분의 레저보트가 일시적으로는 시장 감소가 불가피해 보이는 상황에서, 초호화 대형슈퍼요트시장은 유망할 것으로 보이며 Bain & Co. 컨설팅 회사의 최근조사에 의하면, 세계의 보트생산시장은 슈퍼요트를 제외하고는 2009년에3~7% 감소할 것으로 조사되었다. 동조사에 의하면, 고급선박시장의 40% 정도를 차지하고 있는 100만~450만 달러 사이의 entry-level 요트들은 시장이 4% 감소해 총 60억 달러 규모에 그칠 것으로 예상되나, 2000만 달러를 넘는 슈퍼요트(선박길이가 80ft 이상)는 2010년까지 18% 성장해 총 시장규모가 65억 달러에 달할 것으로 예상된다.

⑥ 캐나다

1) 시장개요

(1) 주요시장특성

캐나다의 레저보트산업은 범선, 파워보트, 개인수상보트로 구성되어 있으며, 안전, 청결유지, 부속품 및 관련제품업체들도 통계청 기록 상 레저보트산업에 광범위하게 포함되어 있다.

① 캐나다 레저보트산업의 주요한 사회환경적 특징

캐나다는 러시아 다음으로 국토면적상 9.9㎢로 가장 큰 국가이며 약 202,080km의 해안선과 서쪽동쪽으로 태평양과 대서양으로 둘러싸여 있고, 어떤 국가보다 많은 해안, 호수가 있다. 미국은 캐나다와 지리적으로 조건이 비슷한 관계로 레저보트는 물론 카누와 카약시장도 매우 발달되어 있으며 이러한 비슷한 특징으로 인해 미국은 캐나다의 주요 수출국이다. 캐나다는 안정적인 경제환경을 갖추었으며 개인레저보트 소유비율은 약 16.4명 중 1대로 주요선진국에 비해 상대적으로 높은 편이다. 반면 캐나다는 미국경제와 직접적인 연관이 있어 환율에 따라 상당한 영향을 받고 있다.

(2) 레저보트 및 부품시장규모

① 레저보트 개인 소유 현황

캐나다는 32.8Million의 인구가 있으며 GDP는 약 U$1.3Trillion(2007년 기준)이고 총 해양시장 생산규모는 약 U$9.7Billion이며, 총 보트산업 소비량은 약U$6.0Billion로 알려져 있다. 1999년도 캐나다 산업부에 발표된 캐나다인들의 보트관련 소비금액은 보관료, 연료비, 마리나 렌트비용, 부속품소비량을 포함하면 총 U$2.0 Billion으로 전 세계 소비액인 U$40.5 Billion의 1.8%를 차지했다. 다수의 보트제조 및 유통업체들은 캐나다 산업수도인 온타리오주 위주로 반경 300㎞ 이내에 포함된 도시인 오타와 및 몬트리올시에 위치하고 있다. 보트소유현황은 637,350척의 카누, 148,500척의 범선, 349,650척의 노로 젓는 보트, 823,200척의 선외모터보트 및 120,000척의 기타보트로 일반인들은 총 2천만 척의 레저보트를 소유하고 있다.

(3) 레저보트 제조업체 현황

2006년도에는 캐나다 산업부에 약 349개의 보트제조업체들이 등록되었으며 총 84,000명의 관련산업 종업원들이 기록되었다. 캐나다는 카약 및 카누 위주로 사업을 운영하는 업체들이 대부분으로 1-4명의 종업원으로 운영하는 중소기업과 영세업체들이 207개와 142개로 보트산업을 구성하고 있다. 대략 10개사 정도가 슈퍼요트 생산이 가능한 것으로 판단하고 있다. 반면 소기업들은 인력과 생산비용이 적게 소요되는 카누 및 카약제조사업을 주로 담당하고 있으며, 전체생산량의 56%를 차지하고 있다.

- 국내보트총생산액: 약 U$925Million
- 개인수상보트: U$360Million
- 섬유유리보트: U$400Million
- 카누: U$ 36Million
- 선외모터보트: U$ 55Million(Source: Industry Canada)

캐나다 레저보트 제조업체 현황

주(Province)	종업원 수			
	소	중	대	대대
British Colombia	72	45	2	0
Alberta	7	5	0	0
Manitoba	3	4	2	0
New Brunswick	7	3	0	0
NewFoundland	5	12	0	0
Nova Scotia	37	24	0	0
Nunavut	0	0	0	0
Ontario	41	30	1	0
Prince Edward Island	4	5	0	0
Quebec	31	14	4	0
Saskatchewan	0	0	0	0
Yukon Territory	0	0	0	0
Northwest Territory	0	0	0	0
전체	207	142	9	0
업체들의 비율	57.8%	39.7%	2.5%	0%

자료: 캐나다 통계청

2) 수출입동향

(1) 캐나다 보트산업 무역수지(매출기준)

　캐나다의 주 수출국은 미국으로 전체 수출액의 76%를 차지하고 있으며 2006년 대비 2007년 수출액은 6% 정도 감소하였다. 그 외 주요수출국은 호주, 벨기에, 프랑스 순이나 전체 시장에 차지하는 비중은 그다지 높지 않다.

캐나다 보트산업 무역매출 현황

국가별 \ 연도	2003	2004	2005	2006	2007
미국	407,521	405,476	412,884	464,055	437,661
호주	585	893	10,032	17,371	18,787
벨기에	149	313	811	4,702	14,494
프랑스	5,392	9,524	10,885	6,548	11,603
러시아	4,533	6,572	6,725	6,965	11,542
미국령 영토와 그 외 섬들	–	–	–	–	9,719
일본	5,491	7,370	8,225	6,617	7,777
브라질	841	3,337	3,908	5,668	7,386
남아공	572	1,896	2,826	6,695	5,617
아랍에미레이트	364	862	1,062	1,019	3,486
계	425,448	436,243	457,357	519,640	528,072
기타 국가	32,596	47,992	52,112	49,558	48,456
총 수출액	458,004	484,235	509,469	569,228	576,527

자료: 캐나다 통계청

　주요수입국은 미국, 멕시코, 중국 순으로 되어 있으며 전체 수입 시장의 89% 정도를 차지하고 있어 수입 대상국에 있어서도 미국이 가장 주요한 국가로 인식되고 있다. 미국에 대한 수입이 2007년 급증한 것으로 되어있으나 이는 환율변동에 기인한 것으로 분석된다.

캐나다 레저보트 무역수지 현황

연도 \ 수출액	2003	2004	2005	2006	2007
총 수출액	458,044	484,235	509,469	569,228	576,527
총 수입액	291,794	391,389	508,602	667,164	821,297
무역수지	166,249	92,846	867	−97,935	−244,770

자료: 캐나다 통계청

⑦ 호 주

1) 호주의 보트산업현황

(1) 보트산업의 주요특성

호주는 미국에 이어 세계2위의 보트생산국이며 보트등록대수는 미국, 스웨덴, 프랑스, 핀란드 등에 이어 세계5위이다. 호주의 마리나당 보트 수는 348척으로 세계1위를 차지하고 있는데, 미국(840척), 프랑스(2006척) 등 타 국가대비, 마리나 인프라가 매우 발달되어 있다.

(2) 보트 및 연관산업의 규모

호주 레저보트산업은 전체 관광산업의 약 10.3%를 차지하고 있으며, 2000년 이후 굉장히 증가하고 있는 추세이다. 당일 관광수요를 포함시킬 경우 전체 관광산업규모의 약 4.3%를 차지한다. 2007년 기준, 호주 레저보트산업의 매출은 호주달러로 $78억 수준이며, 수출규모는 약 13억 달러이다. 호주 레저보트업계는 약 75,000명을 직, 간접적으로 고용하고 있는 것으로 조사되었으며 이 중 24,000여 명은 직접적으로 고용되어 있다.

(3) 호주 내 보트 및 관련제품 소비규모

2007년 기준, 호주의 보트등록 대수는 총 763,700척으로 지역별로는 New South Wales주 222,464척, Queensland주 212,545척, Victoria주 162,869척, Western Australia주 85,334척, South Australia주 55,123척 등으로, NSW, QLD, VICTORIA주가 주요 보트시장이다.

호주 등록보트현황

연도	2004	2005	2006	2007
보트등록대수	689,763	733,662	770,021	763,700

자료: 호주 산업부

2003년 발간된 레저형 낚시시장에 대한 보고서에 따르면 레저낚시활동의 약 40%는 보트를 이용한 것으로 조사되었는데, 보트산업은 레저형 낚시시장에서 약 12억 달러 정도의 부가가치를 창출한 것으로 추정된다. 호주는 연간 약 호주달러로 4억 규모의 레저형 보트를 수입하며 주 수입국은 미국, 영국, 프랑스 등이다. 호주로 수입되는 보트 중 약 40% 정도가 6미터 이하의 파워보트이다.

(4) 호주정부의 보트산업 및 보트쇼 관련정책

호주연방정부는 2004년 전략산업위원회를 발족하여 해양산업발전방안을 위한 22개의 아젠다를 선정하였는데, 동아젠다의 주요 골자는 국내 및 해외시장 개발, 규제완화, 기술혁신, 전문인력 육성, 산업 리더십개발 등이다. 정부는 아젠다 추진팀을 업계 및 관련단체와 공동으로 조직하여 해외시장 개척을 위한 전시회 참가지원, 각종규제완화, 기술혁신을 위한 컨퍼런스 개최 등의 지원을 하고 있다. 주정부의 경우, 마리나개발 및 보트제조 클러스터 형성 등 보다 직접적인 업계지원을 추진한 바 있는데, 대표적으로 퀸즈랜드 주정부가 개발한 보트산업단지를 들 수 있다. 퀸즈랜드 주정부의 보트산업단지는 호주 내 최대보트 제조사인 Riviera사가 입주한 이후 관련 부품업체 및 보트제조업체들의 입주가 뒤따르면서 성공적으로 보트산업클러스터가 형성된 사례이다. 보트쇼의 경우 각 주별 보트협회에서 매년 개별 개최하는데, 협회 대부분의 수입을 보트쇼 개최를 통해 수익을 올리는 것으로 알려졌다.

(5) 호주 보트산업의 향후 전망

호주 보트업계에 따르면 금번 경제위기를 피해 갈 수는 없을 것으로 전망한다고 하며, 내수시장 및 수출시장 위축을 예상한다고 한다. 그러나 과거를 되돌아보면 불경기 이후에는 항상 더욱 큰 호경기가 있었으므로 업체들이 불경기를 잘 견뎌내면 불황 이후 보트산업은 더욱 팽창할 것으로 판단된다.

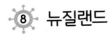 뉴질랜드

1) 뉴질랜드 보트산업의 주요 특성

4면이 바다로 둘러싸인 뉴질랜드에서는 사람이 태어나면서부터 해양레저에 친숙하게 되는데, 보트를 운전하는데 면허 같은 것이 일체 필요 없으며, 요트(보트 포함) 애호가들의 모임인 요트클럽수도 전국에 걸쳐 130여개가 존재한다. 이러한 이유로 뉴질랜드는 1995년과 1999년 등 2회에 걸쳐 세계 최대의 요트경기 대회인 America's cup대회를 제패했으며, 전 세계에서 가장 높은 인구비례 보트보유율(10명당 1대)을 기록중이다.

호주 보트관련업체 현황

업종별	업체 수	주요기업
보트(요트) 제조업	99	Alloy Yacht, Salthouse
설계업	43	Bakewell-White
수리개조업	49	Stevenson, Rees & Jones
유리창, 돛, 해상의류	21	Yacht spars, Event Clothing
엔진	45	Yamaha NZ, Transdiesel Ltd
철물, 전기부품, 액세서리	132	Diverse NZ, LightHouse Equip
트레일러 제조업	3	DMW Trailers Ltd
보트(요트) 브로커·딜러	101	Gulf Group, Sea Craft Ltd
정박관련업	32	Westhaven Marina
해양관련 출판, 광고업	20	Trade a Boat Magazine
합계	545	

자료: MIANZ(Marine Industry Association New Zealand

청정낙농국가인 뉴질랜드에서 보트산업은 제조업 중 수출경쟁력을 보유한 거의 유일한 산업이다. 보트산업 유관업체는 본체 또는 부품제조, 설계, 광고업 등을 망라하여 총 545개사가 뉴질랜드 보트산업협회(MIA;Marine Industry Association)에 등록되어 있으나, 이들 대부분이 종업원 수 9명 이내의 가족기업 형태로 운영되고 있다. 그러나, Alloy Yachts, Salthouse Marine 등 중견기업은 세계적으로 유명한 Super Yacht 제조업체로서 규모가 탄탄하며, 뉴질랜드의 Super Yacht 제조능력은 2006년 9위에서 2007년 7위로 도약했다.

전 세계 슈퍼요트 제조실적(2007)

순위/국별	건조대수	전체 길이 (천 ft)	2006년 순위	척당 평균 길이
1/이탈리아	347	39.1	1	113
2/미국	103	13.0	2	127
3/네덜란드	54	8.9	3	166
4/영국	60	5.6	4	94
5/독일	22	5.6	5	254
6/대만	44	4.3	7	97
7/뉴질랜드	16	2.2	9	137
8/프랑스	17	2.0	9	137
9/터키	12	1.7	–	144
10/중국	13	1.4	6	110

자료: MIANZ(Marine Industry Association New Zealand

보트 및 연관산업의 시장규모는 2007년 기준 US$ 11.1억 수준이었으며, 2008년에는 US$ 12.0억으로 7.7% 성장했다. 아래의 분야별 시장규모를 보면, 보트제조가 약 47%, 부품이 29%, 정박관리 및 광고 등 서비스 16%, 수리업이 약 8%를 차지하고 있다. 산업전체의 시장규모 대비수출은 45% 수준이었으나, 보트제조의 경우 국내생산의 약 57%가 수출되고 있음을 알 수 있다.

연관산업별 시장 규모

구분	국내판매		수출	합계
	국내산품	수입품		
Trailer Power Boat	90	40	10	140
Yacht & Launches	25	83	35	170
Superyacht	15	4	157	176
Racing Yachts	6	0	25	30
RHIBs	16	14	15	45
보트 소계	180	140	241	561
Refit	64	0	31	95
Equipment	127	45	175	347
Services	193	0	5	197
해양레저산업 총계	563	186	452	1200

자료: MIANZ(Marine Industry Association New Zealand

⑨ 싱가포르

1) 싱가포르 보트산업의 개요

(1) 싱가포르 보트산업의 주요 특징

싱가포르는 선박, 소형선박과 보트 등 외국에서 생산되어 수입된 제품들이 주류를 이루고 있다. 해양선박의 주요시장은 보트와 요트 등 산업용/상업용과 임대용과 소비자시장으로 구분할 수 있다. 싱가포르와 아시아에서 중산층의 성장에 따라 레저용으로 보트를 구매할 만한 사람들을 대상으로 전시하고 있으며, 장기간에 걸쳐 보트를 소유하고 유지할 수 있는 개인들을 위해 보트를 판매하고 있다. 레저용 보트를 판매하는 기업에 따르면 싱가포르의 중산층은 보트의 구입과 개조에 관심이 있으며 보트의 가격을 문의하는 경우가 많아지고 있다고 한다. 한편, 보트산업의 전문가에 따르면, 홍콩은 아시아에서 보트시장을 선도하고 있으며, 싱가포르와 같은 시장에서 꾸준하고 지속적으로 관심을 갖고 있다. 싱가포르에서 레저용 보트의 인구는 3,000명 정도로 작은 편이며 신규보트의 등록은 2005년도 184대에서 2006년도 192대로 약간 상승하였고, 싱가포르의 30대와 40대 회사 중역이사급의 40%가 보트에 관심을 갖고 있다. 싱가포르 외에 지역적으로는 홍보용 휴일 보트타기행사를 개최함으로써 항해관광의 혜택을 누릴 수 있도록 하고 있다. 동남아지역은 보트생활이 익숙한 신세대가 늘어나고 있는 추세에 따라 6개국에 걸쳐 59개 이상의 마리나를 보유하고 있으며 건축 중인 마리나 시설은 21개에 이르고 있다. 싱가포르에서는 유럽에서 설계한 레저용 보트가 판매되고 있으며, 싱가포르와 동남아 지역에서 판매되며 가격을 맞추기 위해 보트의 생산은 중국과 말레이시아에서 제조하고 있다.

(2) 싱가포르 보트산업과 연관산업의 시장 규모

2006년도 싱가포르 해양산업은 US$ 67억 매출에 이르고 있다. 해양산업의 3개 분야인 선박수리 및 개조, 선박의 건조와 해양시추 엔지니어링은 해양산업에서 다양한 분야에 걸쳐 산업의 규모가 커지고 있으며 결과적으로 큰 수익을 가져왔다. 레저보트에 대한 세계적인 수요증가에 따라 2005년도 US$ 238억 판매와 연간성장률 7%에 이르고 있고, 2011년도까지 매년 US$ 371억 정도의 판매가 지속될 것으로 예측하고 있다. HS Code 8903으로 분류한 해양스포츠용 요트, 보트, 카누, 조정과 다른 용도의 선

박시장의 규모는 2007년도에 US$ 72백만 달러로 58%의 성장률을 기록하였다. 소비자의 구매력에 대한 단적인 예로 2008년도 4월 싱가포르에서 개최된 Boat Asia 2008 전시회에서 US$ 37백만 달러의 판매성과로 반영되었다.

Boat Asia 2008 전시회에서 선보인 레저용 보트 중에 최신기술의 Rivera SY 4700, 현대형 Princess 58 Flybridge, 날렵한 Horizon 62, 스타일한 Azimut 55, 풍부한 Ocean Yachts N95 등이 인기를 끌었으며, 이들 요트는 US$ 7백만 달러 정도의 가격에 8명이 선원이 승선하여 침대와 값비싼 주방시설, 사우나시설, 오락시설을 갖추고 있다.

싱가포르와 아시아에는 최근 몇 년간에 걸쳐 수많은 마리나가 개발되었으며 향후 5~10년 사이에 개발을 준비하고 계획 중에 있는 경우도 있다. 또한, 싱가포르는 보다 많은 보트들이 정박할 수 있는 마리나 시설을 만들기 위해 노력하고 있다.

🎡 **10** **중 국**

중국선박협회 총비서 사무총장 양신파(楊新發)에 따르면, "중국의 경제발전 및 가처분소득증대를 고려하면, 중국의 레저보트 산업은 주택과 자동차에 이어 중국소비산업 붐(the next booming Chinese consumer industry)이 될 것"이라고 한다. 중국은 레저보트산업을 발전시켜 세계에서 가장 매력적인 보트시장으로 발돋움하려고 노력하고 있다. 특히, 마리나 개발 사업은 중국 내 최대화두이며, 지방정부, 보트제조업체, 부동산개발상은 중국보트산업의 미래를 보고 투자를 확대하고 있다.

1) 중국 보트산업의 특징

중국의 보트산업은 크게 보트제조, 장비 및 관련부품, 그리고 마리나 설비 및 운영으로 나누어지고 있다. 이들 산업에는 보트디자인, 마리나컨설팅, 보트제조컨설팅, 해양인프라, 마리나시설 및 장비, 보팅교육 및 트레이닝 등이 포함되어 있다. 보트 및 관련 장비 제조업체의 50% 이상이 상해시, 장쑤성, 저장성, 안후이성등 중국 동부 연해지역에 위치해 있고 대부분의 제조업체들은 독립브랜드를 보유하고 있지 않으며 주문자생산방식으로 제조하고 있다. 국내외 시장수요의 증대로 인하여 향후 보트장비에 대한 수요 또한 급격히 증가할 것으로 예상된다. 현재 중국시장에는 외국장비공급업체가 거의 전무하다. 중국에는 54개의 마리나(marina)가 있으나 대부분 소규모이며 종

합적인 시설은 없다.

현재 수십 개의 마리나시설이 추가로 공정 또는 계획 중에 있는데, 대부분의 투자자들은 해외투자자이고, 중국 내에서는 부동산개발업체가 투자하고 있다. 상해시 정부는 세계수준의 도시로 발돋움하기 위한 노력의 일환으로 도심지 하천에 마리나 및 크루징 선박센터를 만들 계획이다. 샤먼(Xiamen)에서는 보트타운을 만드는 대규모 프로젝트가 진행되고 있다. 이는 아시아 최대 규모의 수상클럽이며, 3억 달러를 투자했고 2009년에 완공될 예정이다. 현재 저우산(舟山), 칭다오(青岛), 다렌(大连), 닝뽀어(宁波), 베이하이(北海), 동관(东莞), 선쩐(深圳), 하이난(海南岛)에서 마리나 프로젝트를 진행하고 있거나 계획 중에 있다.

2) 보트 및 관련산업의 규모

중국의 레저보트산업은 2006년도에 전년 대비 40%의 성장률을 보였다. 같은 년도에 중국 내 보트전문 제조업체의 수는 264개에 달하였으며 보트수출에 있어 세계 9위를 기록했다. 2007년도 매출규모는 CNY 659억 위안으로 전년대비 41.08% 증가하였으며 급격한 신장세를 보인다. 영업이익 또한 지속적으로 증가세를 보며 2007년도의 전체 영업이익이 CNY 35억 위안으로 전년대비 156.01% 증가하였고 순이익은 CNY 22억 위안이다. 중국에서 제조된 요트의 수출액은 2007년도 US$ 2.2억으로 전년 대비 25% 증가하였다. 보트소매시장에서도 큰 증가를 보이고 있으며 2007년도 요트매매 성약액은 US$7천만 이상이며 전년대비 60% 증가했다.

3) 산업주체별 분석

(1) 투자자

중국 내 보트산업 투자자는 대부분 개인 또는 기업형태의 해외투자자로 중국 내 투자자들은 주로 부동산 개발상으로 이루어져 있다. 그들의 고객기반을 활용해서 최고급 고객들에게 보트를 판매하거나 그 외 기타서비스 등을 제공하면서 현재 크게 성장하고 있는 레저보트특수를 누리고 있다. 해외투자자의 대표적인 성공사례로 쑤저우에 위치한 Mercury Club을 예로 들 수 있다. Mercury 클럽은 Brunswick Group이 투자한, 중국내에서 가장 성공한 보트클럽이다. 이 클럽의 주요 성공요인으로는 i)투자자의 확고한 장기계획, ii)현지정부 관계자와의 원활한 관계, iii)그리고 프로젝트를

실행해 나갈 유능한 중국 내 파트너 등이 있다.

(2) 보트제조업체

2007년 기준, 중국에는 약 326개의 보트제조업체가 있으며, 연해지역을 중심으로
한 중국화동지역에 집중되어 있다. 성공한 보트 제조업체로는Guangdong Xianli,
Shanghai Double Happiness, Shanghai Defever, Guangdong Polymarine,
Xiamen Hansheng 등이 있다. 이들은 해외에서 선진화된 경험을 배우고 해외업체들
과 기술 및 자금협력을 통해 OEM 방식으로 생산을 시작하였다. 높은 기술수준을 갖
춘 업체는 10% 미만이며, 대부분이 OEM방식으로 해외업체의 수주를 받고 있는 실정
이다. 대부분이 자체적인 브랜드가 없으며 보트디자인, 품질관리, 인테리어기호, 그
리고 기술면에서 도움을 필요로 한다. 특히 중상층 고객들의 요구에 미치지 못하고
있다. 이 때문에 많은 수의 고객들이 보트 및 관련장비를 해외에서 구입하고 있다.

중국 지역별 요트제조업체 현황

지역	동부	남부	중부	북부	서부
업체개수	144	78	20	73	11

(3) 장비 및 용품공급업체

고품격요트시설, 엔진, 전기장치, 통신 및 항해, 자재 및 도구들에 대한 공급이 매
우 부족하며 중국의 보트산업시장이 성장하면서 보트 및 해양장비에 대한 수요가 급
격히 증가할 것으로 보인다. 이는 보트소유자 및 국제조선소에서 특정브랜드의 장비
및 용품을 필요로 하기 때문이다. 현재 중국 내에는 외국계 장비공급업체가 거의 없
으며 이미 수요는 크게 성장하고 있는 상황이다.

(4) 정책결정자

중국정부는 2006년 9월 보트검사, 등록, 오염방지 등에 대한 규정을 발표하였으
며, 운전면허증발급을 위하여 보트 및 요트학교도 설립되었다. 개인사용목적의 보트
와 요트의 반입에 관한 규정도 통일화되었고, 50개 이상의 도시는 외국인 투자에 관
한 우대조치를 마련하였다.

(5) 기타

중국에는 12개의 해외전매업체가 있으나 그 수가 너무 적으며 중국시장에 대한 경험이 없다. 중국은 보트디자인 등과 같은 관련업체들을 필요로 하고 있다.

중국 내에는 7종류의 보트관련 전문잡지 및 아래와 같은 11개의 웹사이트가 있다.

- www.chineseboating.com.cn
- www.chinaboating.com.cn
- www.chinayacht.com
- www.chinaboating.net
- www.bbs.bbsboat.com
- www.boatsec.com
- www.chinasailing.com
- www.pcyachts.com.cn
- www.yachtage.cn
- www.aqoo.com.cn

4) 보트 및 관련용품에 대한 수요

중국 내에는 90,000개의 호수, 6,500개의 섬 그리고 약 20,000킬로미터의 해안선이 있다. 보트산업에 있어서 최적의 지리적 조건을 갖추었다. 이와 더불어 자본적 부유함이 확산되면서 보트에 대한 수요 또한 크게 증가할 것으로 예상된다. 향후 경제수준이 높아지면, 중국 내에 보트에 대한 수요가 550,000대에 이를 것으로 예상되고 있다(www.chinaboatmarket.com).

아직 중국의 레저보트시장은 초기단계이지만, 백만장자(달러기준)가 550,000명에 이르고 중국 내 중상층이 빠르게 늘어나면서 레저에 대한 사람들의 인식이 변화하고 있으므로 중국 내에 레저보트에 대한 수요는 지속적으로 증가할 것으로 보인다.

5) 보트산업에 대한 정책

국가수준에서의 정책을 보면, 2006년 9월에 중국교통부에서 보트검사, 등록, 그리고 오염방지에 대한 정책을 발표하였다. 운전면허를 발부하기 위해 보트 및 요트학교가 설립되었고 보트 및 요트에 관한 70가지의 국가표준을 제정하였다. 또한, 외국보

트 및 요트를 개인용도로 들여오는 것에 대한 법을 통합하였다. 지방정부차원에서는 중국 내 50개 도시에서 해외투자에 대한 진흥책으로 승인과정, 토지사용, 세금에 있어서 특혜를 주는 일련의 정책들을 발표하였다. 지방정부관계자들이 수자원을 활용한 '요트경제'에 대해 깨닫기 시작하였으며, 이로 인해 고용, 서비스수입 및 관광수입이 증가할 것으로 예상된다. 하지만 세금문제로 인해 본토 보다는 홍콩에서 요트를 구입 및 정박하는 것을 선호하고 있다. 부가가치세, 수입관세 그리고 특별소비세로 인해 요트구입 시 40%의 비용차이가 발생하고 있다.

6) 중국 보트산업의 미래

중국의 레저보트산업은 매년 큰 성장률을 보이고 있다. 개인보트 소유자가 10,000명당 5.5대에 이를 것이라는 예측도 있었으나 금융위기로 인해 성장이 둔화될 것이다. 현재 550,000명이라는 백만장자(달러기준)가 매년 12%의 증가세를 보여 왔고, McKinsey & Company가 2015년까지 중국 내의 고가품에 대한 수요가 전 세계 고가품 시장의 29%에 달하는 $115억에 이를 것이라 예측하고 있으므로 레저보트에 대한 구매력이 여전히 있다.

⑪ 홍 콩

1) 홍콩 보트산업의 주요특성

홍콩의 보트산업은 제조보다는 무역과 중개업체 위주로 구성되며, 무역 역시 수입 및 재수출위주이다. 따라서 대부분의 관련업체들은 보트와 요트딜러십 또는 무역업체이며, 홍콩에 본사를 둔 제조업체들 역시 제조활동은 중국에서 영위하고 있는 것으로 나타나고 있다. 저렴한 중국과 대만산 요트와 보트에 대한 수요가 증가하면서 홍콩에서의 수출규모도 상승세에 있다.

2) 보트 및 연관산업의 규모

홍콩의 2007년 보트시장규모는 USD 1.5억 수준이었으며 이는 전년 동기대비 8% 증가한 수치이다. 홍콩의 보트무역 규모는(수출입합산) USD 165.2백만('05), 205.7백만

('06), 303.2백만('07) 규모로 성장해왔다. 2008년 1월-10월 기간 중 홍콩의 보트무역 규모는 346.4백만 미화 달러이며, 수출 중 재수출이 차지하는 비중은 99.8%이다.

3) 자국 내 보트 및 관련제품의 소비규모

정확한 보트 및 관련 제품 소비규모는 통계화된 수치가 없어 추정이 어렵지만, 현재 홍콩에는 13개의 마리나클럽과 8,000여 대의 레저용 보트와 요트가 등록되어 있다.

12 대 만

1) 대만 보트산업의 주요특성

대만 보트산업은 1970년대 초기 미국의 주문제작으로부터 시작되어 저렴한 인건비 및 숙련된 기술력을 바탕으로 급속히 발전했다. 기본적으로 대만 보트산업은 내수시장보다는 대외수출 의존도가 압도적으로 높기 때문에 대다수의 보트업체들은 수출편리성을 위해 지룽 및 가오슝 국제항 주변에 분포되어 있다. 특히 가오슝을 구심점으로 가오슝 및 타이난 지역에 밀집한 편으로 가오슝 및 타이난 지역 보트업체의 연간 대외보트 수출 점유율은 85%에 달한다. 1980년대 대만 보트산업의 전성기 시절에는 보트제조업체가 무려 100여 개사에 달한 바 있으나 1990년대에 들어 대만통화 평가절상과 지가와·인건비상승 등의 영향으로 1990년 말에는 70% 이상이 경쟁력 저하로 인하여 현재 약 30개사가 대만 보트산업을 지탱하고 있다. 전반적으로 전성기 시절에 비해 생산량 및 수출량은 대폭 감소했으나 기존의 중저가 소형보트 위주 생산에서 대형 호화보트로 치중됨에 따라 단가가 상승하여 안정적인 수익 증가세를 보이고 있다. 수출단가는 1980년도 8만 달러 수준에서 2007년도에는 1백만 달러를 돌파하는 수준까지 증가했으며 또한 산업발전 초기 당시 대만 보트산업은 미국의 주문제작으로 시작하여 미국시장에 대한 수출의존도가 매우 높다.

2) 보트 및 연관산업 규모

보트매거진〈Show Boats International〉의 통계에 따르면, 2007년도 80ft 이상

의 대형요트 수주량을 기준으로 대만은 이탈리아, 미국, 네덜란드, 독일과 함께 세계 5대 보트대국이다

2007년도 대만의 80ft 이상의 대형요트 수주량은 71척으로 총 선체길이 2,093m로 전년도 대비 60% 성장했으며 세계시장 점유율6%를 차지한다. 대만정부는 2015년도에 보트산업 규모 195억 대만달러 달성, 대형보트 수주량 세계 4위권 진입, 대만보트 제조업체중 최소 1개사의 세계 4위권 진입을 목표로 보트산업발전을 장려하고 있다. 경제부 통계청 자료에 따르면 2007년도 기준 대만의 보트생산량은 251척으로 연간 생산액은 100억 대만달러를 돌파한 104억 대만달러로 집계되었다.

대만의 연간 보트 생산규모

연도	생산량(척)	생산액(억 대만달러)
2003	187	53.47
2004	218	58.33
2005	222	70.65
2006	254	75.30
2007	251	104.06

자료: 경제부 통계처

3) 자국 내 보트 및 관련제품의 소비규모

대만 현지 보트시장의 경우 보트레저 활동상의 법률적 제한과 국내외 보트 입출국 과정의 불분명, 보트 선착장 부족 및 주변시설 미비 등의 문제로 내수시장의 발전여지가 제한된 상태로, 대만은 연간보트 생산량의 90% 이상을 대외수출에 의존하고 있다. 통계청 자료에 따르면, 2007년도 대만의 보트생산량은 총 251척으로 그 중 대외수출량이 243척에 달하는 반면, 내수판매량은 단 7척에 불과했다.

대만 자국 내/외 보트관련제품 소비량 비교

연도	생산량	내수 소비량	대외수출량	비율
2003	187	15	174	8:92
2004	218	14	203	6:94
2005	222	22	202	10:90
2006	254	11	243	4:96
2007	251	7	243	3:97

자료: 경제부 통계처

4) 대만 정부의 보트산업 및 보트쇼 관련정책

대만교통부는 어업항구에 보트선착장을 마련하여 보트선착장 부족문제를 해결하고 궁극적으로 보트레저 산업의 발전을 촉진하기 위한 방침으로 보트레저 활동발전방안(推動遊艇活動發展方案) 수립을 추진 중에 있다. 또한 대형 호화보트 세계수주량의 45% 비중이 이탈리아에 편중되어 있을 뿐 아니라 중국과 터키 등 신흥 보트제조국가의 급격한 신장세로 대만보트산업의 분발이 요구되는 가운데 특히 요트산업 전문인력 부족문제가 시급한 해결과제로 지적되고 있다. 2007년도에 대만경제부공업국이 현지보트업체를 대상으로 실시한 설문조사에 따르면, 경영상 3대 문제점으로 전문엔지니어 부족, 기술인력의 노령화, 기술인력 유치의 한계가 지적된 바 있다. 이러한 산업결함을 해소하기 위해 대만경제부공업국은 2008년도부터 '요트산업인재양성3개년프로젝트(遊艇産業人才培育計劃)'를 실시 중이다.

5) 대만 보트산업의 향후 전망

금융위기의 타격으로 미국 보트시장의 소비력이 동결됨에 따라 2009년도 수요량이 20~30% 감소할 것으로 예상되고 있는 가운데 상대적으로 대미수출 의존도가 심한 대만의 경우 타격을 입을 수밖에 없을 것으로 예측된다. 현 시점에서 대만 보트산업은 유럽 및 기타시장을 개척하여 미국시장 의존도를 분산하는 것이 시급한 사안으로 부상되었다.

13 일 본

1) 일본 보트산업 시장현황

(1) 시장개황

1987년 시행된 리조트법에 의해 지방에서도 기업을 유치하여 리조트시설을 개발하는 움직임이 활발하게 일어났으며 이 시기에 일본 각지에 마리나시설 및 요트항이 건설되어 마린스포츠에 대한 관심도가 높아졌다. 그러나 버블경기 침체 이후에 각지의 마린관련시설이 큰 타격을 받았으며 보트제조, 수리관련업계도 큰 타격을 입었다. 그러나 보트보다는 저렴하게 즐길 수 있는 수상오토바이 붐이 일어나 현재에도 높은 수

요를 보이고 있다. 일본 경제산업성의 "공업통계표"에 의하면 보트(주정)제조, 수리업의 출하액은 조금씩 감소하는 경향을 보이고 있으며 사업자와 종업원도 그와 같이 감소하고 있다.

보트제조, 수리업 관련 통계자료

년도	사업장수(개)	종업원수(명)	출하금액(백만엔)
2001	368	3648	43192
2002	316	3011	35777
2003	361	3165	35964
2004	308	2866	36491
2005	325	2929	34648
2006	286	2731	35816

자료: 경제산업성 경제산업정책국 조사통계부

사업장 규모를 살펴보면 종업원수 4~9명의 사업장이 전체의 70% 이상을 차지하고 있으며 10~19명의 사업장을 더하면 90% 이상을 차지한다. 보트제조, 수리업은 소규모사 업장이 대부분을 차지하고 있으며 종업원 29명 이하의 사업장에서 전체 출하액의 70% 이상을 차지하고 있다.

일본 보트관련업체 규모

종업원수	사업장수	종업원수	출하금액(백만엔)
4~9명	218	1196	9478
10~19명	47	619	8340
20~29명	9	227	4735
30~49명	8	303	4197
50~99명	2	161	–
100~199명	2	225	–

자료: 경제산업성 경제산업정책국 조사통계부

(2) 업계동향

생활양식의 다양화와 함께 여유를 즐기는 생활을 추구하게 되면서 보트 및 요트 등을 이용한 마린 스포츠의 관심이 높아지면서 2000년도부터 PWC의 급속한 보급증가에 힘입어 레저보트 보유수가 약 44만 척에 달하였다. 그러나 2000년을 정점으로 경기침체 등으로 매년 조금씩 감소하는 추세에 있다.

(3) 면허취득자수 추이

엔진을 탑재한 보트, 요트 및 PWC를 조정하기 위해서는 보트면허를 취득해야 하며 보트면허의 취득자 수는 매년 증가하고 있는 추세이다. 보트면허 취득자수의 약 70%가 레저용 보트 이용자로 판단되며 최근 일본국토교통성은 건전한 마린레저 진흥을 위해 보트면허제도에 대한 개정을 실시하여 간소화하였다. 또한, 2마력 이하의 미니보트를 이용하는 인구가 증가하여 2004년 기준으로 약 5,000대 판매되었다.

(4) 수입관련시장

일본의 보트수입은 완만한 증가추세에 있으며 2007년도는1.48%의 증가를 보였다. 주요 수입국으로는 미국이 7200만 달러로 가장 많았으며 그 뒤를 프랑스, 캐나다 등이 차지하고 있으며 한국에서의 수입은 약 20만 달러로 나타났다. 엔고의 영향으로 2008년도 수입액은 10월 현재 108.1백만 달러로 작년과 대비해서 거의 변함이 없으나 내수시장의 축소로 엔고특수를 누리지 못하고 있는 것으로 나타났다.

(5) 과제 및 전망

① 레저보트 가격저하

일본 국내에 출하된 모터보트의 평균가격은 90년대에 약 300만 엔을 넘었으나 최근 절반이하로 떨어졌다. 모터보트의 소재구성이 FRP(유리섬유강화플라스틱)보다 염가의 알루미늄정의 수요가 증가하여 평균가격 저하에 영향을 미쳤다고 볼 수 있다.

② FRP선의 리사이클

FRP선은 고강도로 폐기처리가 불가능했던 이유로 불법투기의 원인이었으나 최근 시멘트의 원료로 사용할 수 있는 기술을 개발하여 사단법인 일본 주정공업회에서 2003년부터 리사이클 시스템을 운영하고 있다.

③ 마리나시설의 정비

마린레저의 진흥을 위해 항만의 마리나 시설 확충이 중요한 과제임. 이를 위해 일본정책 투자은행이 민간 및 지자체에서 실시하는 마리나 설비정비에 대한 융자지원을 실시하고 있다.

(6) 향후전망

최근 소형요트, 모터보트를 포함한 전체대수가 감소하고 있는 추세이다. 그러나 전장10M 이상의 대형보트의 수요는 큰 증가를 보이고 있다. 이는 부유층을 중심으로 호화 크루즈의 인기가 높아지면서 제조사들도 계속하여 신제품을 개발, 출시하고 있기 때문이다. 그리고 여전히 인기가 높은 PWC보다 염가에 조정이 간편한 워터크레프트의 개발에 의해 레저인구확대가 예상되며 렌트보트 등 다양한 서비스의 확충과 트레일러를 이용하는 마린레저인구도 증가추세에 있다. 장기적으로 마린레저인구는 확대될 것으로 전망되며 그로 인한 다양한 마린보트의 수요도 증가될 것으로 전망되고 있다.

14 아랍에미레이트

1) UAE 보트산업현황

(1) GCC 및 UAE 보트산업

GCC 국가 중 UAE 및 쿠웨이트의 레저용 보트수요가 높으며, 보트소유 비율은 인구 423명당 1대꼴로 주말보트를 이용한 레저도 활성화되어 있는 상태다.

GCC는 25~45feet 사이의 규모를 가진 보트의 수요가 전체의 80%의 수요를 차지하고 있으며, 일본 Yamaha를 비롯하여 세계 각국 보트들이 공급되고 있다. 또한 전체 3만 대의 보트 가운데 15% 정도는 요트의 수요로 파악되고 있다.

UAE 보트 산업 현황

구분	주요내용	비고
GCC 총 보유수량	30,000대	
UAE, 쿠웨이트의 보유수량	20,000대	67%
수입보트 비율	75%	
보유비율/인구	1/423	
The World 완공 시 추가 보트 수요	24,000대	두바이

자료: Gulf NEWS

Gulf news에 따르면 UAE는 13,000대의 보트를 보유하고 있으며, 350명 중 1명이 보트를 소유하고 있는 것으로 조사되고 있다.

UAE 현지 보트업계에 따르면 해안선 개발프로젝트 활성화로 수송 및 레저용 보트 수요가 급증세로 이탈리아, 프랑스 및 중국 업체들이 보트조립 공장설립도 추진 중이다. 두바이의 경우, 대형개발업체(Developer)인 Nakheel사에서 진행하고 있는 303개의 인공섬으로 구성될 The World와 Water front가 완공되면 총 3만 개의 선착장이 추가되어 최소한 같은 수 이상의 수송 및 레저용 보트수요가 생길 예정이다.

(2) 걸프지역 해양개발 프로젝트 활성화로 보트수요 증가

GCC 6개국(UAE, 사우디아라비아, 쿠웨이트, 카타르, 바레인, 오만)은 해안선 확장을 통한 쾌적한 주거환경 제공을 위해 인공섬 등 해안프로젝트 개발을 진행 중이다. 이에 따라 수송용 및 레저용 보트(Boat) 수요도 증가세에 있다.

UAE 이외에 쿠웨이트, 사우디, 카타르등도 각종 해안개발 프로젝트를 추진하고 있다. 최근 국제금융위기로 인하여 UAE 주식시장은 외국자본의 이탈로 인하여 하락세를 보였으며, UAE 은행권은 AED 5000억(약 1390억 달러)에 이르는 자금부족으로 인해 유동성 위기를 겪었다. 이에 UAE 정부는 금융정책과 자금투입으로 경제안정을 위해 노력하고 있다.

제3절 세계의 임대요트사업의 현황

① 영 국

1) Pembrokeshire Cruising(http://www.pembrokeshirecruising.co.uk)

Pembrokeshire 요트임대회사는 요트학교와 요트임대사업과 요트의 판매와 요트여행을 취급한다. 영국의 유일한 해양국립공원에서 운항을 하고 있고, 때 묻지 않은 자연과 아름다운 해안선을 전문가와 항해할 수 있다.

Pembroke—
shire
homepage

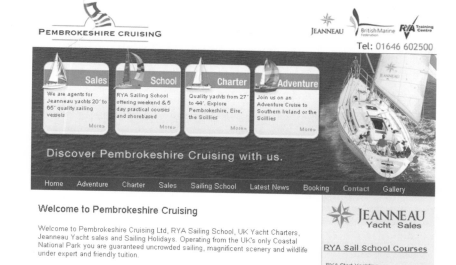

요금표

기 간	요트종류	전장(feet)	주말 2일	일주일	기타
4월 ~ 9월	Hunter Horizon	27	£330	£750	£135
	Jeanneau Sun Odyssey	36	£615	£1385	£245
	NEW Jeanneau Sun Odyssey	37	£685	£1550	£275
	Jeanneau Sun Magic	44	£660	£1485	£265
10월 ~ 3월	Hunter Horizon	27	£285	£640	£115
	Jeanneau Sun Odyssey	36	£520	£1175	£210
	NEW Jeanneau Sun Odyssey	37	£595	£1350	£240
	Jeanneau Sun Magic	44	£560	£1260	£225

기타 요금표

방수복(Waterproofs)	£ 2.00 per day
슬리핑 백(Sleeping Bags)	£ 1.00 per day
선장(Skipper)	£ 90.00 per day
선외엔진(Outboard Engine)	£ 50.00per week
보증금(Security Deposits on all yachts VAT not applicable)	£ 750.00 (£1000 for 37')

2) Top Yacht(http://www.top-yacht.com)

가장 오래 정착되어온 영국의 많은 요트 임대회사들 중에 하나인 탑 요트는 최고 품질의 요트들과 서비스를 전문으로 제공한다. 1981년 이후 탑 요트는 터키에서 선단을 관리해 왔다. 탑 요트의 선단들은 개인적으로 소유되며, 배의 설계와 장비들은 고객이 원하는 대로 해주고 있다. 탑 요트는 개인 소유의 요트를 이용하지 않고 대여를 원할 경우에는 무디 54(Moody 54)를 대여해주고 있다.

요금표

GULET	C/W	길이	5월	6월	7월	8월	9월	10월
Kaya Guneri 3	8/8	29.80m	£816	£1,167	£1,387	£1,476	£1,167	£816
Yaselam	8/8	25.50m	£699	£859	£973	£1,140	£859	£699
Kaya Guneri 2	8/8	25.20m	£699	£865	£993	£1,168	£865	£660
Ulucinar	8/8	24.00m	£699	£859	£973	£1,140	£859	£699
Kaya Guneri 4	6/6	34.60m	£1,857	£2,088	£2,584	£2,584	£2,088	£1,857
Cevri Kaptan 2	6/6	26.00m	£675	£849	£1,044	£1,248	£934	£675
Tilsim 1	6/6	25.00m	£869	£976	£1,079	£1,276	£976	£869
Liarya	6/6	24.00m	£559	£736	£889	£1,010	£743	£559
G. lrmak	6/6	24.00m	£616	£718	£959	£1088	£806	£616
Ariva 1	6/6	23.00m	£532	£683	£813	£912	£698	£532
Cumhur	6/6	22.50m	£581	£775	£894	£1,096	£775	£643
Kaya Guneri	6/6	20.00m	£545	£623	£739	£884	£654	£552
Heaven	6/6	20.00m	£526	£650	£740	£875	£650	£526
Yadigar	6/6	20.00m	£471	£555	£669	£784	£576	£471
Sardunya	6/6	20.00m	£471	£555	£669	£784	£576	£471
Xenos 3	5/6	29.50m	£1,580	£1,849	£2,419	£2,419	£1,849	£1,580
Lady ipek	5/5	24.40m	£899	£899	£1,199	£1,299	£1,015	£759
Sirena	5/5	24.00m	£639	£771	£986	£1,096	£771	£639
Pavurya	5/5	18.10m	£373	£448	£538	£634	£455	£373
Xenos 2	4/4	24.00m	£742	£814	£996	£1,010	£869	£742
Xenos	4/4	20.00m	£602	£699	£912	£912	£771	£602
Melanurya	4/4	18.60m	£366	£442	£538	£644	£461	£367
Magnolia	4/4	17.30m	£353	£431	£519	£611	£431	£353
M. Barbaros	4/4	17.55m	£348	£423	£515	£576	£423	£348

② 프랑스

1) Yachting Performance S.A.R.L

(http://www.yachting-performance.fr)

칸의 중심에 있는 오래된 항구에 위치해 있으며, 주차장, 상점, 편의시설과 인접해 있다. 또한 니스국제공항과도 30분 거리에 있으며, 열차역은 항구로부터 5분 내에 위치하고 있어 여행을 더욱 편하게 만들어 준다. 이 회사는 그들 자신의 항로를 가지고 있고, 쾌적한 여행을 위해서 많은 노력을 하고 있다.

Yachting
Performance
S.A.R.L
homepage

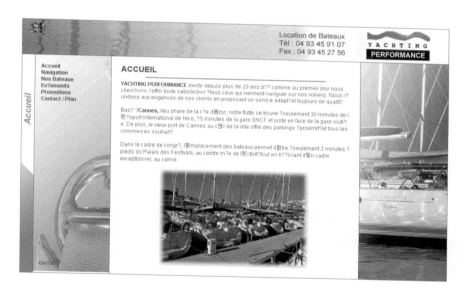

2) Moody Yachts France(http://www.elmarine.com)

안티베(Antibes)와 칸 사이에 위치해 국제공항과 30분 거리에 있다. 무디 요트 프랑스는 프랑스, 모나코, 스위스 무디 요트 공급자다. 또한 프랑스의 리비에라(Riviera), 지중해, 카리브해, 전 세계를 항해 할 수 있는 요트임대뿐만 아니라 호화로운 요트항해와 요트의 중개업도 전문적으로 다루고 있다. 55대의 요트가 있으며 모두 임대가 가능하다.

Moody Yachts France homepage

③ 스페인

1) Premier Yachts Spain(http://www.premieryachts-spain.com)

데니아 마리나(Denia Marina)와 이비자(Ibiza)에 새롭게 위치한 사무실에서 판매와 판매보증, 정비까지 서비스를 제공한다. 유럽이나 영국에서 판매중인 중고 보트를 찾고 있다면 항상 사무실을 통하여 판매대기 중인 다양한 보트를 구입할 수 있다. 볼보 펜타(Volvo Penta), 맨(Mann), 캐터필라(Caterpilla)에 대한 직원과 서비스뿐만 아니라 전문적인 공인된 서비스와 보증을 자신하고 있다. STCW95와 RYA, Red Ensign은 전반적인 안전교육코스를 제공한다.

■
Premier
Yachts Spain
homepage

(4) 네덜란드

1) **Maran Yachtcharter**(http://www.maran.nl)

Maran Yachtcharter는 차터권을 25년 이상 보유한 경험이 있는 회사로서 50척 이상의 선박이 완벽하게 항구 안에 준비되어 있다. 고객들이 즐거운 항해를 즐길 수 있도록 고객만족을 최우선으로 한다. 요트를 처음 이용하는 사람에게는 약 3시간 동안의 간단한 교육을 제공하여 쉽게 요트를 즐길 수 있도록 도와준다.

Maran
Yachtcharter
homepage

요금표

Charges 2006 per week	10. 13~4. 07	4. 07~4. 28 9. 22~10. 13	4. 28~6. 30 9. 01~9. 22	6. 30~9. 01
Jeanneau S.O. 34.2	1040	1175	1295	1350
Jeanneau S.O. 26	630	725	825	865
Jeanneau S.O. 24.2	510	565	650	710
Friendship 33	855	985	1055	1145
Friendship 28 MK III	725	865	940	995
Friendship 26 Free	625	715	815	865
Friendship 26 Sport	515	575	675	725
Friendship 22 Free	445	525	590	635
Friendship 22 Sport	315	390	445	495
Bavaria 32 Holiday	930	1040	1115	1215
vande Stadt 27	495	555	610	675
Wibo 830 Extra	420	480	530	595

* 요금은 유로(£)로 계산해야 하며 19% 세금이 부과된다. 또한 £400로 모든 선박의 보험을 들어야
  하며, 카드(MasterCard, Visa) 사용이 가능하다

⑤ 터 키

1) **Turkuaz–Guide.net**(http://www.turkuaz-guide.net)

전통 터키식의 갤리선에 의해 서남 터키의 아름답고 손상되지 않은 연안선을 탐험할 수 있는 경험을 제공한다. 태양, 수영, 좋은 음식과 성대한 풍경 아래에서 긴장을 풀고, 맑은 물 위에서 새로운 모험을, 그리고 미지의 곳인 푸르른 관광지가 그 즐거움의 보답을 드릴 것이다. 편안하게 적응하며 얼굴을 매끄럽게 마사지 받으며, 다이빙, 스노클링, 또는 낚시와 같은 흥미로운 활동을 경험할 수도 있다.

Turkuaz–
Guide.net
homepage

2) **Yachtingturkey.com**(http://www.yachtingturkey.com)

터키의 에게해와 지중해연안 지역을 주로 항해하고, 선상 위에 올라 대륙 쪽을 바라보면 태양, 바다, 역사를 두루 갖춘 환상의 지역을 보면서 그 낭만에 빠져볼 수 있는 최고의 여행이 될 것이다.

■ Yachtingturkey.com homepage

Turkey yacht charter, Blue Cruises, sail boat cruise, yachting in Turkey

요금표

(단위: 유로)

선 명	4월/5월	6월	7월	8월	9월	10/11월
Hera	400	455	520	575	455	400
Simgecan	600	650	700	700	650	600
Felix	850	850	1000	1000	850	850
Lara	460	540	650	750	600	460
Maranda	700	900	1000	1000	900	700
Okoto	900	1000	1200	1250	1150	900
Nurten	1625	1625	1750	1750	1625	1625
Galip	1500	1500	1650	1650	1500	1500
K.Sevket	1200	1400	1650	1875	1550	1200

6 그리스

1) S/Y Kyknos(http://www.yacht.gr)

S/Y 키크노스는 1990년 프랑스의 베네토(BENETEAU)에 의해 설립되었다. 그리스 주요 해안에서 세일링을 즐길 수 있으며, 승무원들은 고객들에게 많은 즐거움을 제공해 줄 것이다.

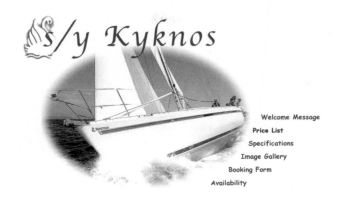

Welcome Message
Price List
Specifications
Image Gallery
Booking Form
Availability

요금표

기간	1주	2주	3주	4주	보증금 환불
A	3,380	6,760	9,630	12,170	1800
B	3,130	6,260	8,920	11,270	" "
C	2,250	4,500	6,420	8,110	" "
기간 A		기간 B		기간 C	
2002. 7. 20 ~ 9. 13		2002. 4. 05 ~ 7. 19 2002. 9. 14 ~ 11. 10		2002. 4. 05 이전 2002. 11. 10 이후	

⑦ 이탈리아

1) InterCharter(http://www.intercharter.com)

인터차터는 1995년 경쟁사로부터 살아남은 세계적인 요트 차터 회사이다. 인터차터의 모든 요트는 가장 호화롭고 럭셔리한 것을 기본으로 만들어 졌으며 능력 있는 충분한 경험이 있는 승무원들의 주의 깊은 관심과 세심한 관리, 그리고 전문성으로 관리되고 있다.

주요 노선인 카리브 해, 크로아티아, 이오니아 그리스(Ionian Greece)의 각 지역을 항해하면서 연계한 항해를 즐길 수 있을 것이다.

InterCharter
homepage

요금표

선명	선체길이	지역	목적지	성수기	중간시즌	비수기
Sun Odyssey 54 DS	16.75m	CROATIA	Zadar (Croatia)	Eu 6350	Eu 5500	Eu 4700
Sun Odyssey 52.2	16m	GREECE CYCLADES	Athens (Cyclades)	Eu 6700	Eu 6090	Eu 4450
Beneteau 510	15.5m	CARIBBEAN	Antigua (Leeward Islands)	USD 5295	USD 4495	USD 3395
Gib'Sea 51	15.5m	CARIBBEAN	Le Marin (Martinique)	Eu 5275	Eu 4250	Eu 2350
Bavaria 50	15.4m	CROATIA	Trogir (Croatia)	Eu 4500	Eu 4050	Eu 2400
Bavaria 50	15m	ITALY − TYRRHENIAN SEA	Olbia (Italy − Sardinia)	Eu 6075	Eu 4400	Eu 3075
Bavaria 49	15m	CARIBBEAN	Grenada (Windward Islands)	USD 5995	USD 4895	USD 3795

⚓ 8 미 국

1) Fraser Yachts Worldwide(http://www.fraseryachts.com)

젊은 데이비드 프레저(David Fraser)는 오랜 시간 일에 대한 열정과 노력으로 1947년
사무실을 열고 요트임대 회사를 설립하였다. 오늘날, 미국, 모나코, 프랑스, 뉴질랜
드, 영국, 밀라노, 그리스, 그리고 러시아에 걸쳐 참여기업만 해도 100개의 이르는 기
반이 탄탄한 회사이며, 연간 중개업으로 인한 수입으로 총 3억 5천만 달러 이상 판매
한다. 임대사업을 위해 40척 이상의 요트가 일 년의 거래액 중 천만 달러 이상이 예
약으로 이루어진다. 메가요트 크루저 5척과 차터로 이용되는 요트는 모터요트 380척,
세일요트 119척을 현재 보유 중이다. 요트판매 사업으로는 모터요트 1395척, 세일요
트 356척이 등록되어 있다.

Fraser Yachts
Worldwide
homepage

2) Bay Breeze Charters(http://www.sailsfbay.com)

샌프란시스코의 금문교 아래에서 석양을 보며 낭만적인 분위기에 매료 될 수 있다.
낮에는 역사적인 알카트라즈(Alcatraz) 섬, 소살리토 등 살아 숨 쉬는 샌프란시스코의
해안지역을 항해하며, 밤에는 지평선의 화려한 모습들을 볼 수 있다. 샌프란시스코만
에서 "Glory Days" 요트를 승선하여 항해하고, 엔젤(Angel)섬에서 단체이벤트, 회식,
결혼식, 세일링 조정경기 등을 전문으로 한다.

Sail San Francisco Bay Aboard the Yacht *Glory Days*

Enjoy romantic sunsets under the Golden Gate Bridge, the thrill of gliding past historic Alcatraz, Sausalito, and the breath-taking San Francisco waterfront by day and its glittering skyline by night.

BAY BREEZE
CHARTERS

About the Yacht
About the Crew
Services
Events
Map & Directions
Photo Gallery
Charter Rates
Individual Rates
Reservations
Customer Letters

Bay Breeze Sailing and
Yacht Charters
Sausalito and San
Francisco California
415.381.2760
800.849.9256

We invite you to help hoist and trim the sails and take your turn at the helm of our boat for the full sailing experience or just sit back, relax and enjoy the sights while our professional crew does the work.

"Glory Days" is an ideal way to entertain clients, hold business meetings or enjoy a corporate event with an exciting adventure sail, team building regatta, San Francisco bay cruise, or sail to Angel Island for a barbeque.

Celebrate a birthday, anniversary or wedding with the captain performing the ceremony. Make your next special occasion a day to remember by reserving this beautiful yacht for a private charter or join us for one of our individually ticketed afternoon, sunset or full moon cruises. Sail out of Sausalito, Tiburon, or other locations such as South Beach Harbor, convenient to the financial district, major hotels and convention centers in San Francisco. "Glory Days"

Bay Breeze Charters homepage

요금표

기 간	
월요일 ~ 금요일	$325.00
토요일, 일요일	$350.00
공휴일	$375.00

3) Treasure Harbor Marine, Inc(http://www.treasureharbor.com)

　　미국 플로리다에 위치해 있으며, 19피트에서 41피트에 이르는 중소형 요트를 이용하여 차터사업을 진행하고 있다. 차터요트는 베어보트 요트 세일링에 이용되는 요트 8대를 포함하여 카타마란 등 총 13대로 운영되고 있다.

Treasure Harbor Marine homepage

요금표

Bareboat Sail	선명	성수기 11/15-04/30		비수기 05/01-11/14		보증금
선박		일일	일주일	일일	일주일	Keys | Bahamas*
Cape Dory 19	Typhoon	$110.	$450.	$95.	$400.	$200.
Hunter 23.5	Sara Jean	$150.	$650.	$120.	$550.	$400.
Watkins 25	Springtide	$175.	$850.	$150.	$750.	$600.
Watkins 32	Sea Mist	$225.	$1100.	$200.	$1000.	$800.
Watkins 33	Sans Souci	$250.	$1200.	$225.	$1100.	$800.
Morgan 413	South Wind	$300.	$1500.	$250.	$1350.	$1200.
Morgan 416	Trade Wind	$350.	$1900.	$300.	$1650.	$1200.
Morgan Classic 41	Rainbow Connection	$400.	$2100.	$360.	$1850.	$1200.
Captain Sail	선명	성수기 11/15-04/30		비수기 05/01-11/14		보증금
선박		일일	일주일	일일	일주일	Keys | Bahamas*
Morgan 512 Out Island	Traveler	$550.	$3250.	$500.	$2950.	$400. $800.*
Bareboat Catamaran	선명	성수기 11/15-04/30		비수기 05/01-11/14		보증금
선박		일일	일주일	일일	일주일	Keys
Antiqua 37	Zephyr	$450.	$2700.	$420.	$2300.	$1200.
Leopard	Sloop De Jour	$750.	$4500.	$650.	$3800.	$2500.
Bareboat Power	선명	성수기 11/15-04/30		비수기 05/01-11/14		보증금
선박		일일	일주일	일일	일주일	Keys
Mainship 39	Shaboom 35	$700.	$3800.	$600.	$3400.	$2500.
Chen-Hwa 35	Compass Rose	$400.	$2000.	$350.	$1750.	$1200

4) 아메리칸 사파리 크루저(American Safari Cruise)

사파리 크루저는 1996년에 설립되었으며, 본사는 미국의 시애틀과 워싱턴에 위치하고 있다. Safari Quest, Safari Escape, Safari Spirit, Safari Explorer, Safari Legacy 등 총 5척의 요트를 소유하고 있다. 멕시코 및 하와이에서는 스노클링 및 스쿠버다이버를 즐길 수 있으며, 또한 해양에서 카약을 이용 할 수 있다. 최고의 요리사들이 신선하고 훌륭한 음식을 제공하며, 또한 와인 및 다양한 음료를 제공한다.

노선별 여행일정 및 기간

여행일정	선박명	기간
Alaska 's Inside Passage		
Juneau Roundtrip	Safari Explorer	8days / 7night
Juneau to Sitka	Safari Quest	8days / 7night
Juneau to Petersburg	Safari Spirit	8days / 7night
Juneau to Prince Rupert	Safari Escape	9days / 8night
Seattle to Juneau	Safari Spirit, Safari Quest Safari Escape	15days / 14might
Juneau Roundtrip	Safari Legacy	8days / 7night
Mexico's Sea OF Cortes		
La Paz to Loreto	Safari Quest	8days / 7night
Loreto to San Carlos(Guaymas)	Safari Quest	10days / 9 night
Hawaiian Islands		
Kailia−Kona, Big Island to Kahului, Maui	Safari Explorer	8days / 7night
Pacific Northwest		
Friday Habor, WA Round Trip	Safari Escape	8days / 7night
Columbia & Snake River		
Lewiston to Astoria	Safari Spirit	9days / 8night
Astoria to Lewiston	Safari Spirit	9days / 8night

요금표

Mexico's Sea Of Cortes				
Mariner	Captain	Admiral	Single	Full Yacht Charter
$ 5,495	$ 6,495	$ 7,495	$ 6,495	$ 127,895
Hawaiian Island				
Mariner	Captain	Admiral	Single	Full Yacht Charter
$ 4,895	$ 5,895	$ 6,995	$ 5,895	$ 209,995
Pacific Northwest				
Mariner	Captain	Admiral	Single	Full Yacht Charter
$ 4, 295	·	$ 6, 295	·	$ 58,995
Columbia & Snake River				
Mariner	Captain	Admiral	Single	Full Yacht Charter
$ 4,995	$ 5,995	$ 7,195	·	$ 68,995
요금포함사항				

Exclusive shore excursions, Premium wine, beer, liquor, All meals aboard ship, Kayaking and small boat exploration, Onboard Expedition Leader, Airport transfers, All taxes, port charges and fees

⑨ 캐나다

1) Blue Pacific Yacht Charters(http://www.bluepacificcharters.ca)

캐나다 브리티시 콜롬비아에 위치한 밴쿠버 요트 차터 회사로서 베어보트, 세일보트와 파워보트 차터를 전문적으로 한다. 승무원들은 5가지 언어를 유창하게 하고 브리티시 콜롬비아 또는 위싱턴주의 해안들을 순항한다.

Blue Pacific
Yacht Charters
homepage

요금표

선명	맴버쉽 요금	보증금	표준기간 한달요금	특별기간 한달요금
SAILBOATS				
Catalina 27	1200	2000	250	415
Catalina 34	1200	3000	440	735
Beneteau 393	1400	4000	600	1000
Bavaria 40	1400	4000	600	1000
Maple Leaf 42	1400	3000	540	900
Samarkand	2500	7000	850	1420
POWERBOATS				
Bayliner 28	1100	3000	375	630
Bayliner 32	1400	3000	570	950
Silverton 34C	1500	4000	750	1245

Grand Banks 36 (GB)	1400	5000	620	1030
Bayliner 37	1400	5000	600	1000
Meridian 381	1500	5000	830	1378
Nordhavn 40	2000	5000	1480	2460
Grand Banks 42	1500	5000	710	1200
Bayliner 4587	1700	5000	950	1580
Maxum 4600	1700	6000	950	1580
Meridian 490 (KY)	2000	7000	1540	2560
Meridian 490 (FD)	2000	7000	1540	2560
Carver 53	2500	10000	2000	3320
Carver 57	2500	10000	2300	3820
Kha Shing 65	2500	12000	2500	4150

모든 가격은 캐나다 달러($)로 계산되며 세금은 포함되지 않는다.

2) Desolation Sound Yacht Charters

(http://www.desolationsoundyachtcharters.com)

본사는 벤쿠버 섬 안에 있는 코모스(Comox)에 있으며 밴쿠버로부터 북쪽으로 3시간 거리의 선착장과 도로 쪽에 위치하며 모든 중요한 9개의 항공을 매일 연결한다. 전세를 낼 수 있는 배는 24대로 이루어져 있고, 항해용 배 16대, 25' to 45'에 이르는 규모의 배가 8척이 있다. 순항 지역은 북서태평양 지역으로 그곳의 가장 장엄한 항해 지역을 경험할 수 있다.

■ Desolation Sound Yacht Charters homepage

요금표

선명	비수기 7월 2일 이전 9월 2일 이후 $ US*	성수기 7월 2일 ~ 9월 2일 $ US*
25' Mirage	$836	$1,077
31' Hunter 310	$1,677	$2,052
31' Catalina 310	$1,677	$2,052
32' Beneteau Oceanus 311	$1,772	$2,148
32' Catalina 320	$1,867	$2,237
35' Hunter 35.5	$1,957	$2,428
35' Hunter 356	$2,237	$2,708
35' Catalina 350	$2,237	$2,708
37' Jeanneau Sun Fast 37	$2,428	$2,893
37' Beneteau 373	$2,518	$2,989
38' Hunter 38	$2,613	$3,174

⑩ 호 주

1) Australian Yacht Chaters

호주 요트 차터는 그레이트 배리어 리프(Great Barrier Reef)의 마린 파크(Marine Park)를 포함한 호주 내의 주요 크루저 지역에서 보트와 요트를 대여하고 있다. 이 호주 요트 차터는 그레이트 배리어 리프의 마린 파크의 중심에 위치하고 있어서 관광객들에게 세상에서 가장 안전하고 아름다운 산호초와 열대어를 볼 수 있는 기회를 제공해준다고 하고 비용은 하루에 200불에서 3,000불(호주달러)까지 아주 다양하다.

2) Victorian Yacht Charters

(http://www.victoriayachtcharters.com.au)

빅토리아주 멜버른의 포트필립만(Port Phillip bay)을 고급스럽고 호화로운 요트로 항해할 수 있다. 모든 요트는 고급스러움과 쾌적함을 갖추어 항해하는 동안 즐거움과 안락함을 준다. 멜버른 안의 브라이튼(Brighton)에 위치하고 있어 도시사람들이 쉽게 찾아와 항해할 수 있다. 많은 것을 보고 경험할 수 있으며 역사적인 윌리암스 타운

(Williams town)을 비롯하여 많은 곳을 둘러 볼 수 있고, 물개나 돌고래가 지나가는 것도 볼 수 있다.

■ Victorian Yacht Charters homepage

⑪ 뉴질랜드

1) Pacific Charters(www.pacificcharters.co.nz)

Pacific Charters는 휴일에 있어서 모터보트, 요트, 낚싯배 등 모든 종류의 선박을 제공한다. 약혼, 결혼식, 생일파티, 각종행사 등을 시행할 수 있으며, 제트스키, 스쿠버 다이빙, 수상스키 등 스포츠 활동 또한 즐길 수 있다. 아름다운 풍경, 깨끗한 수질, 다양한 해양공원, 야생동물, 대 산호초 섬(Great Barrier Island) 등을 보고 체험할 수 있으며, New Caledonia, the Solomon Islands, Vanuatu, Fiji and Tonga. 섬을 방문하여 이국적인 생활을 느낄 수 있다.

2) Charter Link(www.charterlinksouth.co.nz)

Charter Link는 뉴질랜드의 아름다운 경관 등을 제공한다. Marlborough Sounds 및 Tasman & Golden Bays가 대표적인 한 예이다. 뉴질랜드 북 섬 꼭대기에 위치해

있는 Marlborough Sounds는 수생생물의 천국이라 할 만큼 다양한 수생생물이 있으며 약 1,500km나 되는 아름다운 해안선은 세계최고라 할 수가 있다. Marlborough Sounds는 요트 및 Queen Charlotte Track에서 도보로 도착할 수가 있다. 또한 수심이 깊어 스쿠버 다이빙, 수상스키, 낚시 등 다양한 해양스포츠 활동을 하기 적합하다.

■
Charter Link
homepage

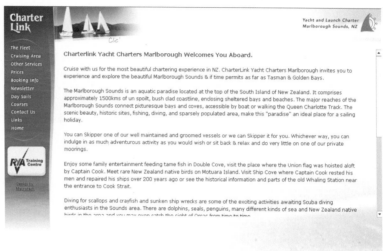

요금표

BAREBOAT	선명	겨울	봄/가을	여름	선석/최대
Waianawa	Carpenter 29	$305	$390	$425	4/6
Waiari	Carpenter 29	$305	$390	$425	4/6
Red Jacket	Lotus 9.2	$350	$420	$460	4/6
Zig Zag	Raven 31	$380	$450	$485	4/6
Rapport	Jeanneau 31	$400	$465	$500	4/6
Syrena	Lotus 10.6	$400	$500	$570	6/7
Vis a Vis	Jeanneau 36	$550	$675	$750	6/8
Mashava	Beneteau 432	$625	$760	$820	6/8
Alacalufe	Bavaria 390	$610	$715	$775	8
Ämanzi	Warwick 36	$630	$710	$795	8/9
Tsunami	Salthouse 760	$285	$340	$385	2/4

3) Compass Charters(www.compass-charters.co.nz)

Compass Charters는 뉴질랜드 Marlborough Sounds의 보트차트 및 보트임대를 제공한다. 태평양 지역의 넓은 지역을 항해를 할 수 있으며, 다양한 보트의 종류가 있다. Waikawa Marina를 바탕으로 뉴질랜드 남섬의 여러 섬들을 항해할 수 있다. 또한 정박시설 또한 안전하며, 최고의 시설을 갖추고 있다.

■ Compass Charters homepage

요금표

Peak	12월 20일 ~ 2월 15일 & 부활절		
Shoulder	2월 16일 ~ 5월 1일		
Economy	5월 1일 ~ 12월 19일		
Yachts	Design	Peak	Shoulder	Economy
---	---	---	---	---
Southern Endurance	Herroshoff 28	$325.00	$290.00	$250.00
Zachary Hicks	Carpenter 29	$420.00	$380.00	$300.00
Chieftain or Chinook	Chieftain 38 (x 2)	$600.00	$550.00	$480.00
St Paul	Raven 39	$770.00	$700.00	$610.00
Metaxa	Beneteau 390	$770.00	$700.00	$610.00
Launches	Design	Peak	Shoulder	Economy
Phoenix	Resort 35	$650.00	$590.00	$510.00
E.J.	Salthouse 35	$680.00	$625.00	$550.00
Tasman Ranger	Pelin Ranger	$795.00	$740.00	$640.00
Topaz	Pelin 45	$850.00	$800.00	$700.00
Runabouts	Design	Peak	Shoulder	Economy
Compass Rose	McLeod	$320.00	$260.00	$230.00
Huntsman	Huntsman S 6000	$360.00	$300.00	$270.00
Aluminium Power Cats	Design	Peak	Shoulder	Economy
Cut Cat	"Modified"	$370.00	$310.00	$270.00

⑫ 일 본

1) Sailing Holiday(http://www.yachtcharter.jp)

도쿄에 본사를 두고 태평양 인근 주변의 세계 여러 지역을 항해하며 차터 사업을 하고 있다. 타히티, 푸켓, 랑카위, 뉴질랜드, 피지, 하와이, 카리브 해 등 따뜻하고 세일링하기에 가장 좋은 곳으로 고객을 안내한다.

■
Sailing
Holiday
homepage

2) Charter Yacht OKINAWA(http://www.yacht-okinawa.com)

많은 마린 레저를 즐길 수 있는 오키나와에 위치한 Charter Yacht OKINAWA는 오키나와현 기노완시 마시키의 기노완항 마리나 내에 자리하고 있다. 요트는 베네트 워세아니스 281·29피트의 크루저, 선실 안에는 개인실, 화장실, 키친, 온수샤워, CD 데크를 완비하였고, 세일링으로 인근 섬까지 가서 스노클링을 즐기거나 마리나 내의 평저선에 계류해 한가롭게 요트 라이프를 즐길 수 있는 매력이 있다.

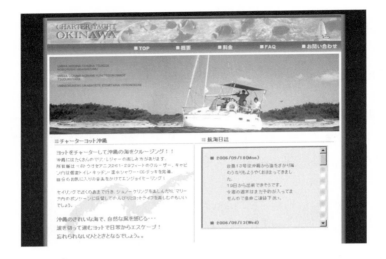

요금표

일일 무인도 항해 シュノーケリング 코스
10시에 출발 16시 항구에 돌아올 때까지 음료 및 식사를 제공한다.
1인 9000엔 シュノーケリング과정은 수상스키 및 해양장비 임대를 제공한다.
Sun set 항해 코스
17시에 출발 20시에 항구에 돌아온다. 또한 음료 및 식사를 제공한다.
1인 5,000엔
외딴 섬 항해 및 1박 2일 숙박 코스
음료 및 식사제공
1인 1일 숙박 10,000엔, 서양식 여관은 6,500엔 예약 가능하다.

⑬ 한국의 보트산업과 유사 임대요트 현황

1) 현황

한국의 요트와 보트산업은 세계 제1의 조선산업의 성과에도 불구하고 레저보트산업 분야는 미흡한 발전현황을 보이고 있다. 현재 요트 및 레저보트 생산회사는 앞에서 언급한 바와 같이 약 11개사에서 생산하고 있다. 그러나 최근에 마리나 관련법의 제정과 함께 18개 지역에 마리나가 건설되었고 6개 지역에 국제적 규모의 거점형 마리나가 건설될 계획이다. 이러한 마리나를 중심으로 임대요트회사가 속속 설립되어

운영되고 있으나 관련법규의 정비가 이루어 지지 않고 있어서 외국과 같은 의미의 본격적인 임대요트회사로 발전하기 위해서는 시간이 소요될 전망이다.

아래의 표는 현재 운영되고 있는 임대요트 회사들이다.

국내 임대요트 현황

국가	대여회사 / 지역	요트종류 / 승선인원	1일 평균 대여료(원)
대한 민국	한진 마리나 (서울 / 한강)	크루저급 / 23인승	750,000 (60분)
		크루저급 / 8인승	120,000 (60분)
		크루저급 / 19인승	500,000 (60분)
	서울 마리나 (서울 / 한강)	크루저급 / 8인승	120,000 (60분)
		크루저급 / 12인승	600,000 (60분)
		크루저급 / 24인승	336,000 (60분)
	펀코스트 (인천)	크루저급 / 6인승	150,000 (60분)
	클럽 현대요트 (경기 화성 / 전곡항)	크루저급 / 6인승	250,000 (3시간)
		크루저급 / 10인승	2,000,000 (3시간)
	알리아 마린 (경기 화성 / 전곡항)	크루저급 / 27인승	600,000 (60분 / 12인기준 인원 추가당 +5만원)
		크루저급 / 12인승	600,000 (60분)
	샹그릴라 (제주 서귀포)	크루저급 / 12인승	60,000 (60분 / 단체동승)
		크루저급 / 26인승	500,000 (70분 / 단독임대 5명기준 인원 추가당 +8만원)
	씨 윈드 마린 (서울 / 뚝섬유원지)	크루저급 / 6인승	300,000 (60분 / 이벤트 시 추가요금)
		크루저급 / 12인승	300,000 (60분 / 이벤트 시 추가요금)
	부산 요트라이프 (부산 / 해운대)	크루저급 / 15인승	2,500,000 (120분)
국내 최저 대여료		60,000 (60분)	
국내 최고 대여료		2,500,000 (120분)	

자료:요트항해입문 참고 재작성(2013)

2) 관련 법규 검토

요트 및 보트 관련 사업 법규는 관광진흥법, 체육시설의 설치 이용에 관한 법률, 수상레저안전법 등에 근거하여 운영되고 있다. 각 법규의 주요내용은 아래와 같다.
• 관광진흥법에서는 관광유람선업으로 일부 사업이 추진 중이다.

- 체육시설의 설치·이용에 관한 법률에서는 요트장업을 '신고 체육시설업'으로 지정하고, 사업 시행 및 운영에 관한 내용을 포괄한다.
- 수상레저안전법은 요트 및 보트를 비롯한 동력 및 무동력 수상레저기구를 사용하는 수상레저사업과 수상레저교육사업에 관한 전반적인 내용을 포함한다.
  체육시설의 설치·이용에 관한 법률에서 명시하고 있는 요트장업과 수상레저안전법에서 제시하는 수상레저사업 및 수상레저교육사업에 중복됨으로써 사업을 시행하는 사업자에게 혼란을 초래하고 있다.
- 체육시설의 설치·이용에 관한 법률을 적용하는 경우에는 신고제로 사업을 시행함
- 수상레저안전법을 근거로 사업을 시행하기 위해서는 수상레저사업의 경우에는 등록제, 수상레저교육사업의 경우에는 신고제를 적용해야 한다.

요·보트 사업 관련 법규 비교

구분	관광진흥법	체육시설의 설치·이용에 관한 법률	수상레저안전법	
	일반관광유람선업	요트장업	수상레저사업	수상레저교육사업
사업 범위	일반관광유람선업	요트장	1. 모터보트 2. 요트 3. 수상오토바이 4. 고무보트 5. 스쿠터 6. 호버크래프트 7. 수상스키 8. 패러세일	9. 조정 10. 카약 11. 카누 12. 워터슬레드 13. 수상자전거 14. 서프보드 15. 노보트
사업 정의	「해운법」에 따른 해상여객운송사업의 면허를 받은 자나 「유선 및 도선사업법」에 따른 유선사업의 면허를 받거나 신고한 자가 선박을 이용하여 관광객에게 관광을 할 수 있도록 하는 업	바람의 힘으로 추진되는 선박으로서 체육활동을 위한 선박을 갖춘 요트장을 경영하는 업	수상레저기구를 빌려주는 사업 또는 수상레저활동을 하는 자를 수상레저기구에 태우는 사업	수상레저사업자가 수상레저활동을 하려는 자를 위하여 국토해양부령으로 정하는 수상레저기구로 교육사업을 하는 사업
사업시행 방식	등록제	신고제	등록제	신고제
사업 승인	특별자치도지사·시장·군수·구청장	특별자치도지사·시장·군수·구청장	해수면 : 해양경찰서장 내수면 : 시장·군수·구청장	시장·군수·구청장

3) 관광진흥법

(1) 관광유람선업 관련 법규

유람선업은 관광진흥법에서 관광객 이용시설업 중 관광유람선업으로 구분되어 있으며, 일반관광유람선업의 경우 해운법 혹은 유선 및 도선사업법에 의해 면허를 취득하는 것을 전제로 하고 있다.

유람선 사업의 등록 및 사업시행

법규	조항	내용
관광진흥법	시행령 제2조 (관광사업의 종류)	3. 관광객 이용시설업의 종류 라. 관광유람선업 1) 일반관광유람선업: 「해운법」에 따른 해상여객운송사업의 면허를 받은 자나 「유선 및 도선사업법」에 따른 유선사업의 면허를 받거나 신고한 자가 선박을 이용하여 관광객에게 관광을 할 수 있도록 하는 업
해운법	법 제3조 (사업의 종류)	5. 순항(巡航) 여객운송사업: 선박 안에 숙박시설, 식음료시설, 위락시설 등 편의시설을 갖춘 …… 관광을 목적으로 해상을 순회하여 운항하는 해상여객운송사업
해운법	시행규칙 제2조 (해상여객운송사업 면허의 신청 등)	① 「해운법」에 따라 해상여객운송사업의 면허를 받으려는 자는 해상여객운송사업 면허신청서에 다음 각 호의 서류를 첨부하여 국토해양부장관 또는 지방해양항만청장에게 제출하여야 한다. 1. 선박국적증서 및 선박검사증서 사본 2. 사업계획서 3. 정관(법인인 경우에만 제출한다)
해운법	법 제4조 (사업 면허)	① 해상여객운송사업을 경영하려는 자는 제3조에 따른 사업의 종류별로 항로마다 국토해양부장관의 면허를 받아야 한다. 다만, 순항 여객운송사업 및 복합 해상여객운송사업의 경우에는 항로와 관계없이 면허를 받을 수 있다. ③ 제1항에 따른 면허를 받으려는 자는 국토해양부령으로 정하는 바에 따라 사업계획서를 첨부한 신청서를 국토해양부장관에게 제출하여야 한다.
유선 및 도선 사업법	법 제3조 (사업의 면허 또는 신고)	① 유·도선 사업을 하려는 자는 규모 또는 영업구역에 따라 다음 각 호에 해당하는 관할 관청의 면허를 받거나 관할 관청에 신고하여야 한다. 1. 유·도선장 또는 영업구역이 하천과 바다에 걸쳐 있거나 2 이상의 시·도에 걸쳐 있는 경우: 관할 시·도지사 또는 해양경찰청장 3. 영업구역이 바다인 경우: 해양경찰서장 4. 서울특별시의 한강: 유·도선에 관한 업무를 관장하는 기관의 장

유람선 사업을 시행하기 위한 실질적인 측면인 면허 및 사업신고 등과 관련된 사항들이 해운법이나 유선 및 도선사업법에 분포되어 있어 사업시행자에게 혼란을 초래하고, 유람선 사업의 통합적인 발전을 저해하고 있다.

2008년 8월 고부가가치 관광산업인 크루즈업에 대한 정책적 지원의 근거를 마련하기 위하여 관광유람선업을 세분화하여 크루즈업의 정의 및 등록기준을 마련하는 등 관광진흥법을 개정하였다.

선박을 이용한 관광사업형태인 관광유람선업을 보다 세분화하여 일반관광 유람선업과 숙박 등의 편의를 함께 제공하는 크루즈업으로 구분하고, 객실 및 편의시설 등 크루즈업의 등록기준을 마련하였다.

관광진흥법상 관광유람선업 내용

현행

라. 관광유람선업
 1) 일반관광유람선업: 「해운법」에 따른 해상여객운송사업의 면허를 받은 자나 「유선 및 도선 사업법」에 따른 유선사업의 면허를 받거나 신고한 자가 선박을 이용하여 관광객에게 관광을 할 수 있도록 하는 업
 2) 크루즈업: 「해운법」에 따른 순항(巡航) 여객운송사업*이나 복합 해상여객운송사업**의 면허를 받은 자가 해당 선박 안에 숙박시설, 위락시설 등 편의시설을 갖춘 선박을 이용하여 관광객에게 관광을 할 수 있도록 하는 업
 * 순항(巡航) 여객운송사업: 해당 선박 안에 숙박시설, 식음료시설, 위락시설 등 편의시설을 갖춘 대통령령으로 정하는 규모 이상의 여객선을 이용하여 관광을 목적으로 해상을 순회하여 운항(국내외의 관광지에 기항하는 경우를 포함한다)하는 해상여객운송사업
 ** 복합 해상여객운송사업: 제1호부터 제4호까지의 규정 중 어느 하나의 사업과 제5호의 사업을 함께 수행하는 해상여객운송사업

[별표 1] 관광사업의 등록기준(제5조 관련)

라. 관광유람선업
 (1) 일반관광유람선업
 (가) 구조: 「선박안전법」에 따른 구조 및 설비를 갖춘 선박일 것
 (나) 선상시설: 이용객의 숙박 또는 휴식에 적합한 시설을 갖추고 있을 것
 (다) 위생시설: 수세식화장실과 냉·난방 설비를 갖추고 있을 것
 (라) 편의시설: 식당·매점·휴게실을 갖추고 있을 것
 (마) 수질오염방지시설: 수질오염을 방지하기 위한 오수 저장·처리시설과 폐기물처리시설을 갖추고 있을 것
 (2) 크루즈업
 (가) 일반관광유람선업에서 규정하고 있는 관광사업의 등록기준을 충족할 것
 (나) 욕실이나 샤워시설을 갖춘 객실을 20실 이상 갖추고 있을 것
 (다) 체육시설, 미용시설, 오락시설, 쇼핑시설 중 두 종류 이상의 시설을 갖추고 있을 것

2010년 기준 관광유람선업으로 등록되어 있는 사업체는 전국 총 38개로 집계되며, 이 중 2개의 요트 관련 사업이 관광유람선업으로 등록되어 있고 요트를 대여하는 형태와 요트에 관광객을 태우는 형태로 운영하고 있다.

시·도별 관광객 관광유람선업 등록 현황

서울	부산	대구	인천	광주	대전	울산	경기	강원	충북	충남	전북	전남	경북	경남	제주	계
1	5	–	8	–	–	–	–	2	–	2	5	5	–	4	6	38

자료: 문화체육관광부, 2010년 기준 관광사업체 기초통계 조사

4) 체육시설의 설치·이용에 관한 법률

체육시설의 설치·이용에 관한 법률에서는 체육시설업을 등록 체육시설업과 신고 체육시설업으로 구분하고 있으며, 요트장업의 경우는 '신고 체육시설업'으로 분류하고 있다. 체육시설업의 종류별 범위에서 요트장업을 바람의 힘으로 추진되는 선박으로서 체육활동을 위한 선박을 갖춘 요트장을 경영하는 업의 범위로 규정하고 있다.

체육시설업의 등록 및 사업시행

법규	조항	내용
체육시설의 설치·이용에 관한 법률	법 제10조 (체육시설업의 구분·종류)	① 체육시설업은 다음과 같이 구분한다. 1. 등록 체육시설업: 골프장업, 스키장업, 자동차 경주장업 2. 신고 체육시설업: 요트장업, 조정장업, 카누장업, 빙상장업, 승마장업, 종합 체육시설업, 수영장업, 체육도장업, 골프 연습장업, 체력단련장업, 당구장업, 썰매장업, 무도학원업, 무도장업
	법 제20조 (체육시설업의 신고)	제10조 제1항 제2호에 따른 체육시설업을 하려는 자는 제11조에 따른 시설을 갖추어 문화체육관광부령으로 정하는 바에 따라 특별자치도지사·시장·군수 또는 구청장에게 신고하여야 한다
	시행규칙 제21조 (체육시설업의 신고 등)	① 법 제20조에 따라 체육시설업을 신고하거나 신고 사항을 변경하려는 자는 별지 제13호서식의 체육시설업 신고(변경신고)서에 다음 각 호의 서류를 첨부하여 시장·군수 또는 구청장에게 제출하여야 한다. 다만, 체육시설업의 변경신고를 할 때에는 제3호의 서류만을 첨부한다. 1. 부동산의 임대차계약서 등 사용권을 증명할 수 있는 서류 2. 시설 및 설비 개요서 3. 변경내용을 증명할 수 있는 서류 4. 임시사용 중인 건축물인 경우에는 임시사용 승인서 사본

5) 수상레저안전법

(1) 수상레저(교육)사업 시행 관련 법규

수상레저안전법은 수상레저기구를 활용하는 사업을 수상레저사업과 수상레저교육사업으로 구분하여, 각각 사업의 등록 및 신고, 사업시행, 관리 등에 관한 전반적인 사항을 다루고 있다.

- 수상레저사업: 동력 및 무동력 수상레저기구를 대여하거나 태우는 사업
- 수상레저교육사업: 수상레저기구로 교육사업을 하는 사업

수상레저안전법은 안전관리업이라는 측면에서 수상레저스포츠 및 수상레저사업을 진흥하는 법이라기보다는 규제하는 법의 성격을 가지는 문제점이 있다.

현재 해양수산부 산하 해양경찰청에서 수상레저스포츠에 관한 총괄적인 업무를 담당하고 있는 것이 현 법률의 문제점이라고 할 수가 있다. 해양수산부와 해양경찰청에서는 수상레저스포츠의 안전과 관련한 사항만을 담당하고, 그 밖의 수상레저스포츠의 관리, 지원, 육성 등과 관련된 사항을 문화체육관광부에서 담당함으로써 법률적 단순함을 극복할 것이 타당할 것이다.

수상레저사업의 등록 및 사업시행

법규	조항	내용
수상레저안전법	법 제39조 (수상레저사업의 등록 등)	① 수상레저사업을 경영하려는 수상레저사업자는 다음 각 호의 구분에 따른 자에게 등록을 하여야 한다. 1. 영업구역이 해수면인 경우: 해당 지역을 관할하는 해양경찰서장 2. 영업구역이 내수면인 경우: 해당 지역을 관할하는 시장·군수·구청장 3. 영업구역이 둘 이상의 해양경찰서장 또는 시장·군수·구청장의 관할 지역에 걸쳐 있는 경우: 수상레저사업에 사용되는 수상레저기구를 주로 메어두는 장소를 관할하는 해양경찰서장 또는 시장·군수·구청장
	법 제39조의2 (수상레저교육사업의 신고 등)	① 제39조제1항에도 불구하고 수상레저사업자가 수상레저활동을 하려는 자를 위하여 국토해양부령으로 정하는 수상레저기구로 교육사업을 하려는 경우에는 주소지를 관할하는 시장·군수·구청장에게 교육사업 신고를 하여야 한다.
	법 제45조 (안전점검)	① 해양경찰서장 또는 시장·군수·구청장은 수상레저활동의 안전을 위하여 관계 공무원으로 하여금 수상레저기구와 선착장 등 수상레저시설에 대하여 안전점검을 실시하도록 하여야 한다

6) 현행 관련법규의 문제점

레저선박을 구입하거나 임대사업을 시행하는 측면에서의 문제점을 인허가과정과 선박등록과정, 운영 중 선박검사 및 임대사업 허가 및 운영과정상의 문제점을 분석하면 아래와 같다.

(1) 인허가 과정상의 문제점

인허가상의 문제점

구 분	수상레저안전법	유선사업법	도선사업법
기착지 정박	불가: 수상에서만 영업행위 가능	가능: 승객 하선 후 선박 대기	가능: 승객 하선 후 선박 출항
섬 입고 관련 동의서	불필요	섬(어촌계)/섬 지역주민 동의서 필요	섬(어촌계)/ 섬 지역주민 동의서 필요 기득권자 동의서 필요 ※유람선 운영자(도종업계 동의거)
사업장시설 (출항)	계류장 또는 탑승장, 매표소, 화장실 및 승객대기시설	좌동	좌동
사업장시설 (기착)	중간 기착 불가능	출항지 시설과 동일하게 조성 필요	기존 선착장 이용가능
주요 프로그램	요트투어	요트투어 & 선상다이닝	요트투어 & 선상다이닝 & 섬트레킹
법적승무원	요트조정면허자 1명	25톤 이하: 6급항해사, 기관사(소형면허) 2명 25톤 이상: 5급항해사, 6급항해사, 6급기관사 3명	

(2) 선박등록 과정상의 문제점

선박등록 과정상 문제점

	선 박	어 선	수상레저기구
등록 대상	대한민국 선박 (어선 및 수상레저기구 제외)	수산업을 목적으로 하는 선박	총톤수 20톤 미만의 모터보트, 수상오토바이, 고무보트 등
등록 기관	지방해양항만청(선적항)	시·군·구청(선적항)	시·군·구청(소유자 주소지)
관련 법	선박법	어선법	수상레저안전법
등록 절차	선박소유자 → 총톤수측정신청 → 증명서발급 → 선박등록신청 → 선적증서발급 ← 지방해양항만청	어선소유자 → 총톤수측정신청 → 증명서발급(선박안전기술공단) / 어선등록신청 → 선적증서발급(시군구청)	• 안전검사신청 (소유자) • 안전검사증교부 (검사대행) • 책임보험가입 (보험회사) • 등록신청 (시군구청) • 등록증 및 번호판 교부·부착
필요 서류	[24m(78ft) 미만 톤수 측정 시] • 일반배치도(선박) • 선체선도(선박) • 중앙횡단면도(선박) [선박 등록 시] • 선박등록신청서 • 선박등기부 등본	• 어선건조(발주)허가서 • 어선총톤수측정증명서 • 선박등기부등본(20톤 이상) • 대체 어선 처리 서류 • 일반배치도(선박) • 선체선도(선박) • 중앙횡단면도(선박)	• 안전검사증(사본) • 양도·제조·수입 증명서 • 수상레저기구 사진(전후좌우) • 보험가입증명서(사본) • 공유자가 있는 경우 증명서류 ※ 20톤 이상은 선박 등록

※ [유선 및 도선사업법]에 따른 유도선업을 영유하고자 하는 경우 [선박(안전)법]에 따라 선박등록 및 선박검사를 받아야 함
※ 수상레저기구로 사용하고자하는 경우에는 [수상레저안전법]에 따른 안전검사를 받아 등록해야 함

(3) 선박검사의 문제점

선박검사의 문제점

	선박안전법	어선법	수상레저안전법
검사 대상	대한민국 정부/국민 소유 선박 (어선 및 수상레저기구 제외)	대한민국 정부/국민 소유 어선	총톤수 20톤 미만의 모터보트, 수상오토바이, 고무보트 등
관할 기관	국토해양부	농림수산식품부	해양경찰청
대행 기관	선박안전기술공단, 한국선급	선박안전기술공단, 한국선급	선박안전기술공단, 수상레저안전연합회
검사 종류	• 건조검사 (선박건조 시) • 정기검사 (최초 및 5년 단위) • 중간검사 (정기검사 사이) • 임시검사 (개조·수리·변경) • 임시항해검사 (임시항해 시)	• 건조검사 (어선건조 시) • 정기검사 (최초 및 5년 단위) • 중간검사 (정기검사 사이) • 임시검사 (개조·수리·변경) • 특별검사 (특수 용도 사용 시) • 임시항해검사 (임시항해 시)	• 신규검사 (최초 등록 시) • 정기검사 - 개인 : 5년 단위 - 사업자 : 1년 단위 • 임시검사 (구조/장치 변경 시)
필요 서류	• 선박검사신청서 • 선박국적증서 또는 선적증서 • 선박검사증서(최초 정기 제외) • 도면 등 해당 선박검사 서류	• 어선검사신청서 • 선박국적증서 또는 선적증서 • 어선검사증서(최초 정기 제외) • 도면 등 해당 어선검사 서류	• 안전검사신청서 • 검사대상장비명세서 • 검사 면제 증명 서류
검사 시기	1년 2년 3년 4년 5년 / 건조검사 중간검사 중간검사 중간검사 중간검사 / 정기검사 ... 1종 중간검사(택일) ... 정기검사		1년 2년 / 정기검사 정기검사 정기검사 / 신규검사

※ 수상레저기구의 안전검사에 비하여 선박검사의 과정 및 절차 등이 복잡함

(4) 사업 운영상의 문제점

사업운영상의 문제점

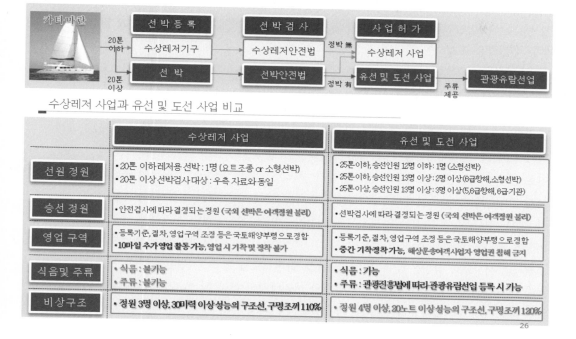

수상레저 사업과 유선 및 도선 사업 비교

	수상레저 사업	유선 및 도선 사업
선원 정원	• 20톤 이하 레저용 선박 : 1명 (요트조종 or 소형선박) • 20톤 이상 선박검사 대상 : 우측 자료와 동일	• 25톤 이하, 승선인원 12명 이하 : 1명 (소형선박) • 25톤 이하, 승선인원 13명 이상 : 2명 이상 (6급항해, 소형선박) • 25톤 이상, 승선인원 13명 이상 : 3명 이상 (5,6급항해, 6급기관)
승선 정원	• 안전검사에 따라 결정되는 정원 (국외 선박은 여객정원 불리)	• 선박검사에 따라 결정되는 정원 (국외 선박은 여객정원 불리)
영업 구역	• 등록기준, 절차, 영업구역 조정 등은 국토해양부령으로 정함 • **10마일 추가영업 활동가능**, 영업 시 기착 및 정착 불가	• 등록기준, 절차, 영업구역 조정 등은 국토해양부령으로 정함 • **중간 기착정착 가능**, 해상문송여객사업자 영업권 침해 금지
식음 및 주류	• 식음 : 불가능 • 주류 : 불가능	• 식음 : 가능 • 주류 : 관광진흥법에 따라 관광유람선업 등록 시 가능
비상구조	• 정원 3명 이상, 30마력 이상 성능의 구조선, 구명조끼 110%	• 정원 4명 이상, 20노트 이상 성능의 구조선, 구명조끼 120%

26

7) 해외에서 바라본 한국 보트산업 및 시장

(1) 해외 제조업체들의 한국 보트시장에 대한 인식

대부분의 해외업체들은 향후 미국 및 유럽시장의 비중은 점차 축소되고, 러시아, 중동, 중국, 한국, 일본 등 아시아권이 중요한 신흥시장으로 부상할 것이라는 공감대를 형성하고 있지만 한국시장에 대해서는 대체로 매우 낮은 인식수준을 보이고 있으며, 국내에서도 구체적인 마케팅활동계획을 갖고 있지 않다. 특히, 최근 금융위기로 인하여 기본시장을 지키는 데에도 애로를 겪고 있는 많은 보트업체들은 신흥시장에 대한 극적인 해외마케팅을 추진하기 어려운 상황으로 보인다. 한국시장에 대해 높은 수준의 인식을 보이는 해외업체들도 한국에서 고급레저산업에 대한관심과 수요가 높아지고 있으나, 요트산업의 저변이 확대되기 위해서는 앞으로도 상당한 시간과 노력이 필요하다는 의견이 지배적이다. 한국 보트 레저시장의 활성화를 위해서는 무엇보다도 기반부대시설 인프라구축이 선행되어야 한다는 의견이 많다. 세계적인 금융위기

로 선진국 시장이 축소됨에 따라 대안시장으로 한국의 보트시장을 바라보는 업체들이 늘어나는 추세이나, 세계적인 경기침체로 대외의존도가 높은 한국경제가 많은 영향을 받고 보트시장 확대 및 발전도 더디게 진행될 것이라는 의견이 대세이다. 단기적으로 볼 때, 한국시장은 그 자체로서는 그다지 매력적이라고 말하기는 어려우며, 중국, 일본등 주변국을 포괄하여 하나의 시장권역으로 접근할 것으로 예상되고 있다.

(2) 해외투자가의 한국보트산업 및 마리나 시설투자에 대한 인식

전반적으로 해외투자가들의 한국보트 및 마리나 시장에 대한 인지도는 매우 낮은 편이다. 한국 보트레저산업이 초기단계에 있어 아직까지는 기반이 잡혀 있지 않고, 이로 인하여 외국인 투자가들도 위험을 무릅 쓰고 한국보트 산업 등에 투자할 유인은 크지 않다. 특히, 금융위기 및 세계경제의 침체로 한국보트산업의 성장 환경은 급격히 약화되었고, 투자 자본들도 보수적으로 투자결정을 하는 상황이기 때문에 당분간 외국인 투자의 유치는 어려울 것으로 사료되고 있다. 일부 대형 해양레저 기업들은 선진국의 시장포화 상황을 극복하기 위해서 또 한편으로는 제조원가절감을 위한 아웃소싱 투자차원에서 한국 등 신흥시장에 대한 마리나시설 투자 및 제조업투자에 대한 가능성을 배제하지 않았으나 금융위기로 인해 현재로서는 시기상조라는 반응을 보인다. 한국 마리나 시설투자에 관심을 보이는 일부업체들은 남해안, 한강유역, 서해안권의 개발 잠재력에 관심을 보인다. 많은 외국인 투자가들이 한국의 보트산업 활성화를 위해서는 마리나 시설확충이 우선적으로 이루어져야 한다는 점에 의견을 함께하고 있어, 외국인 투자유도를 위해서는 우선 정부 및 지자체차원에서 적극적으로 마리나 시설 개발을 통하여 붐을 조성할 필요가 있을 것으로 사료된다.

(3) 해외 바이어의 한국보트 및 부품/장비산업에 대한 인식

많은 해외 요트관련업계관계자들은 한국이 조선산업에서 갖고 있는 명성에 비하여 보트제조 및 관련부품/장비산업은 상당히 미약한 것으로 인식하고 있다. 대부분의 관련업계에서 한국보트 부품 및 장비산업에 대한 최소한의 정보조차 파악하지 못하고 있으며, 한국 내에서 관련 제품을 조달할 필요성을 느끼지 못하는 것으로 파악되고 있다. 해외 바이어들은 한국의 레저용 보트산업이 확대되기 위해서는 먼저 한국 내수시장이 어느 정도 활성화 되어야 하며, 내수시장에서 축적된 기술력을 바탕이 되어 수출시장 진출에 박차를 가할 수 있을 것이라 조언하고 있다.

요트와보트

제7장

요트관련 교육과 정책

제1절 국내·외 수변관련 정책

① 한 국

1) 해양레저산업 규제합리화 방안

해양레저산업을 우리나라의 새로운 수출전략산업으로 육성, 신 성장 동력산업화하기 위하여 해양레저산업의 자율적 발전을 저해해온 10개 규제개혁과제를 개선함을 목적으로 실시했다. 그 내용으로는 레저선박 제작·검사기준 현실화, 레저선박 검사절차 간소화, 수상구조물 등기제도 도입, 공유수면 점·사용료 감면, 수상교통수단 옥외 상업광고 허용, 자연공원 구역 내 요트계류장 설치 허용, 공유수면매립 협의절차 간소화, 레저선박 취득세 인하, 원거리 수상레저 활동신고 간소화, 수상레저사업에 필요한 국가하천 점용허가권 일원화 등의 방안을 제시하였다.

해양레저산업 규제 합리화방안

정책명	내용
해양레저산업 규제합리화 방안 (국무총리실 외 4개 부처)	레저선박 제작 · 검사기준 현실화
	레저선박 검사절차 간소화
	공유수면 점 · 사용료 감면
	수상교통수단 옥외 상업광고 허용
	자연공원 구역 내 요트계류장 설치 허용
	수상구조물 등기제도 도입
	공유수면매립 협의절차 간소화
	레저선박 취득세 인하
	원거리 수상레저 활동신고 간소화
	수상레저사업에 필요한 국가하천 점용허가권 일원화 방안

자료: 해양레저산업 규제합리화 방안, 국무총리실 외 4개 부처, 2008

2) 관광 · 레저산업 육성방안

레저스포츠 활성화를 위한 물적 · 인적 기반을 구축하기 위하여 요트, 카약 등 해양레포츠 시설 신설 및 개·보수자금 지원, 레포츠 강사 및 동호인들 대상의 안전교육을 활성화하기 위해 레포츠 관련협회 교육 지원, 국내외 해양레저스포츠경기 유치 및 지원확대 등의 계획을 포함하고 있다. 또한 해양레저 활성화를 위한 기반을 강화하기 위하여 청소년 대상 해양레포츠 강습 프로그램 확대 및 해양레저 관련 통계시스템 구축을 통해 해양레저활동 지원, 해양수산발전기본법, 하천법 등 관련 법령을 관광·레저산업 육성에 적합하도록 정비 등의 계획을 포함했고 레저 전문인력 육성과 관련하여 마리나, 요트 등 해양레포츠 전문인력 양성, 지역 해양레포츠 교육센터를 설립하여 배출된 전문강사의 신규 고용 유도 등의 계획을 포함했다.

관광레저산업 육성방안

정책명	내용
관광 레저산업 육성방안 (기획재정부 외 5개 부처)	요트, 카약 등 해양레포츠 시설 신설 및 개 · 보수자금 지원
	레포츠 강사 및 동호인들 대상의 안전교육 활성화를 위한 교육지원
	국내외 해양레저스포츠경기 유치 및 지원확대
	청소년 대상 해양레포츠 강습 프로그램 확대 및 해양레저 관련 통계시스템 구축을 통한 해양레저활동 지원
	해양수산발전기본법, 하천법 등의 관련법령을 관광 · 레저산업 육성에 적합하도록 정비

자료: 관광레저산업 육성방안, 기획재정부 외 5개 부처, 2010

3) 해양관광·레저 활성화 방안(국토해양부, 2010)

해양레저스포츠 수요층 저변확대 및 해양레저산업 인적 인프라 확충을 위하여 지자체에서 해양레저스포츠 교육프로그램 운영이 가능한 해양소년단연맹 및 요트협회 등의 단체를 활용하여 사업 추진, 국토부에서 예산지원 및 사업관리 지침 제시 등 행정적 지원 등의 계획을 포함하고 있고 마리나항만을 통해 레저활동 대중화를 선도하기 위하여 요·보트 계류, 교육·장비개발·전문인력 양성 등의 기능 수행을 위한 복합 마리나항만 조성, 요·보트 활동 등 수상레저문화 대중화를 위하여 내수면과 해수면 마리나 간 네트워크 구축 등의 계획과 해양관광레저 활성화 방안을 차질 없이 추진하기 위해 '해양관광레저진흥 종합계획'을 수립하고 관련 법령을 정비해 나갈 방침이다.

해양관광레저 활성화 방안

정책명	내용
해양관광레저 활성화 방안 (국무총리실 외 4개 부처)	지자체에서 해양레저스포츠 교육프로그램 운영이 가능한 해양소년단연맹 및 요트협회 등의 단체를 활용하여 사업 추진
	국토부에서 예산지원 및 사업관리 지침 제시 등 행정적 지원 계획
	요트·보트 계류, 교육·장비개발·전문인력 양성 등의 기능 수행을 위한 복합 마리나 항만 조성
	요·보트 활동 등 수상레저문화 대중화를 위하여 내수면과 해수면 마리나 간 네트워크 구축
	해양관광레저 진흥 종합계획 수립 및 관련 법령 정비

자료: 해양관광레저 활성화 방안, 국토해양부, 2010

② 호 주

1) 호주 카누법인(Australian Canoeing)의 무동력 스포츠활동 가이드라인

1949년에 설립된 Australian Canoeing은 호주정부 내 스포츠 위원회의파트너로서 호주 무동력 수상관광레저의 홍보, 관리, 협력 및 개발을 담당하는 국가 단체이며, AC의 7개 지역협회에서 선출된 7명의 위원회에서 운영하고 있다. AC의 목적은 모든 수상관광 레저활동 참가자들에게 공정한 경쟁과 활동 참여기회를 동등하게 제공하는

것이며, AC는 수상스포츠 참가자들의 안전문제, 참여기회 제공 및 경쟁을 위한 기준을 마련하고 있다. AC에서 제공하고 있는 훈련 프로그램은 Touring, 카누폴로, 카누마라톤, 바다카약(sea kayaking), 그리고 올림픽 종목인 Sprint canoeing과 카누경주(slalom)이다. 호주 카누법인은 무동력 수상관광 레저활동에 참가하는 일반인들과 정부기관 사이에서 매개자의 역할을 수행하고 있으며, 호주지역 민간부문에서 무동력 수상관광레저 활성화에 최선의 노력을 다하고 있다. 수상스포츠 배 종류에 따른 패들링을 선택해야 한다. 각각의 종류에 따라 다른 형태의 기준이 적용되고 있다. 예) 관람용, 경주용, 해안서핑용, 래프팅용 등

2) 호주 퀸즈랜드주 관련 정책: Adventure Activity Standards(AAS)

호주 퀸즈랜드 주 정부는 AAS를 통하여 카누(canoeing), 카약(kayaking)에 관한 정의를 규명하고 있으며, 개인과 단체들의 안전한 활동을 수행하기 위한 가이드라인을 다음과 같이 규정하고 있다.

(1) 가이드라인

① 활동리더 및 단체들은 참가자의 인구통계적, 신체적 특성, 활동형태 및 참가그룹의 규모 등을 파악해야 한다.
② 활동리더 및 단체들은 장소 특성 및 장비 상태를 확인해야 하며, 전문강사의 능력 및 날씨 등을 수시로 확인해야 한다.
③ 무동력 수상관광 레저활동에 대한 위험관리(risk management)는 사람(참가자 및 리더), 장비, 환경과 같은 3가지 측면에서 접근해야 한다.(참가자의 신체적 심리적 특성을 파악하고, 리더의 능력 및 준비성을 파악해야 하고 장비에 대한 철저한 사전정비 및 장소에 대한 기후변화를 수시로 확인해야 한다)
④ 활동리더 및 단체들은 심각한 상처, 질병 및 위험한 상황이 발생하였을 때는 응급처치 후 주정부에 보고해야 한다.
⑤ 수상관광 레저활동 참여 시 리더 수와 참가자들 수의 적절한 비율을 확보해야 한다.(최소 1:4부터 최대 1:12)
⑥ 화상은 수상관광 레저활동 시 주요한 위험요소중의 하나이므로, 참가자들은 화상을 예방하기 위한 몇 가지 수칙을 따라야 한다. 활동 참가자들은 날씨에 적절한 의복을 착용해야 하고, 참가자 전원이 선크림, 모자 및 선글라스를 착용하

고, 수시로 물을 마시도록 권장해야하며, 그늘에서 휴식을 취해야 한다.

⑦ 활동리더 및 강사들은 18세 미만 청소년들 및 어린이들의 참가 시 Child Guardian Act 2000을 준수해야 한다.

⑧ 무동력 수상관광 레저활동 참가자, 리더, 단체들은 자연문화 유산을 보호하기 위하여 다음과 같은 원칙을 지켜야 한다.

　가. 장소특성 및 장소와 관련된 규제들을 미리 확인하고, 자연환경 최소화하기 위한 음식물들을 재활용하도록 한다.

　나. 보트 운행 시 자연환경 훼손을 최소화하는 범위 내에서 운행하고 정박하며, 캠프파이어는 지정된 장소에서만 행한다.

　다. 보트 운행 시 소음을 발생하지 않도록 조용히 운행하며, 야생동물에게 절대로 먹이를 주지 않도록 하며, 경이로운 마음자세로 야생동식물을 대한다.

　라. 허가되지 않은 장소는 절대로 방문하지 않으며, 새로운 토속문화에 대한 존경심과 더불어 배우는 자세로 임한다.

1) 호주 해밀턴 패들링 이벤트

매년 6월 호주 해밀턴 섬에서 개최되는 패들링 이벤트는 세계에서 가장 거친 카누 경주 이벤트 중의 하나로서 호주카누협회 및 Surf Life Saving과 최근에 파트너십을 체결했다. 이벤트는 청소년, 일반, 고급수준의 경주 형태로 구성되어 있으며, 특히 42km 마라톤 경주 이벤트가 이색적인 특징을 가지고 있다.

- 참가비용: 이벤트는 4일 동안 지속되며, 사전예약제를 실시하고 있으며 1일 입장료($50)를 지불해야 함
- 참가자격: 일정수준의 기술과 능력을 갖춘 15세 이상이며, 기본 및 필수장비를 갖추어야 함

2012년 이벤트 참가 상금은 총 9만 달러로 책정되었으며, 이벤트 참가자를 위한 숙박안내를 실시하고 있다.

③ 미 국

1) 미국 해안경비대 보트안전국
(U.S. Coast Guard's Boating Safety Division)

미국 해안경비대는 개인의 피해, 재산 및 생명 손실의 최소화를 위하여 일반인들의 안전하고 즐거운 수상관광 레저경험을 제공하는 것을 최우선 목표로 이러한 것을 실현하기 위하여 미국 해안경비대는 다음과 같은 전략적 목표를 제안했다.

- 미국해안경비대에서 인증하는 보트 안전교육 자격증(Safety Education Certificates) 제도 실시: 미국 각 지역에서 점점 증가하고 참가자들을 위하여 보다 엄격한 안전교육자격증 제도를 실시하고 있다.
- 다양한 교육재원 및 대중매체를 통하여 보트 안전메시지를 전달한다.
- 전문적인 수준의 보트 교육 프로그램을 실시한다.

2) 미국카누협회(ACA: American Canoe Association)

미국카누협회는 지역(local), 주(state), 연방(federal)정부를 대표하여 미국 내 카누, 카약과 같은 패들링(paddling) 스포츠 정책 이슈 및 다양한 교육, 안전프로그램을 운영하는 단체이다. 1990년 조직된 이후, 패들링 스포츠 강사 및 전문가 교육을 위한 다양한 프로그램을 제공함 미국카누협회는 무동력 수상관광 레저활동 참가자들의 안전을 위하여 보험프로그램을 실시하고 있으며 개인 및 클럽 단위로 사용자 보험에 가입하여 사고 발생 시 각종 혜택을 제공받을 수 있다.

④ 캐나다

1) 무동력 수상스포츠 관련 정책

2011년 캐나다 연방정부는 카누와 카약과 같은 무동력 수상관광 레저활동 참가자들에게 도난방지를 위하여 실시되었던 카누와 카약의 등록비(50달러)를 면제하는 법안이 통과되었고 무동력 수상관광레저기구 등록비 면제에 대한 요구는 주로 캠핑 및 스

카우트 관련 단체로부터 제안되었으며, 등록비 면제에 의해서 더욱더 많은 사람들이 수상관광 레저활동에 참가할 것으로 기대되고 있다.

그러나 무동력 수상관광레저기구 이외에 엔진으로 운행하는 모든 동력 수상관광레저기구에 대한 등록비는 여전히 부과하고 있으며 주로 상업적이거나 규모가 큰 보트가 면제 대상인 문제점을 가지고 있다.

캐나다 교통부(Transport Canada)는 무동력 스포츠와 관련하여 다음과 같은 안전수칙을 제정하고 있으며, 이것은 수상관광 레저활동 참가자들이 준수해야 할 사항으로 제도화하고 있다. 바다에서 수상관광레저활동 참여 시 전복사고를 방지하기 위하여 카약 길이는 최소한 4m 이상을 권장하고 있고, 기본적이고 필수적인 카약 장비(패들 여유분, 지도, 컴퍼스, 응급처치도구 등)를 갖추어야 하고 수상관광 레저활동 참여 시 어떠한 도움도 없이 자유자재로 운항할 수 있을 정도의 기술과 능력을 갖추어야 한다. 현재 캐나다 곳곳에서 카누, 카약 지역협회 및 클럽에서 다양한 기술과 능력에 따른 코스를 개설하고 운영 중에 있다.

수상스포츠 활동 참가자들은 해안지형 형태, 수질온도 및 바람등과 같은 기후의 변화, 보트의 종류 및 항해속도 등 위험요소를 미리 파악해야 한다.

캐나다 정부는 수상관광 레저활동 참가자의 수준에 따라 지역을 4곳으로 구분하고 있으며, 구분된 지역의 상세한 정보를 제공함으로써, 참가자들의 안전에 더욱 집중하고 있다.

2) 패들 캐나다(Paddle Canada)

캐나다 레크레이션 카누협회(the Canadian Recreational Canoeing Association)는 캐나다 전역에 걸친 카누와 카약 참가자들을 지원하기 위하여 1971년 패들 캐나다로 새롭게 조직되었다. 패들 캐나다의 장기적 목표는 안전하고 즐거운 카누 및 카약 활동을 위한 기술 및 지식 개발이고 패들 캐나다 위원회는 지역협회 및 강사들 그리고 일반 참가자들과 유기적인 관계 속에서 장기적 목표를 달성하기 위하여 노력 중이다. 패들 캐나다는 현존 프로그램 및 추세 속에서 카누 및 카약과 같은 무동력수상관광 레저활동 참가자를 위한 최초의 국가적인 프로그램으로 설계되었다. 또한 캐나다에서 대부분의 카약, 카누 활동 참가자들은 패들 캐나다의 가이드라인을 따르고 있다.

패들 캐나다의 모든 프로그램들은 환경보호와 인식제고 및 카약, 카누와 같은 무동력 수상관광 레저활동이 국가유산의 한 부분이라는 인식을 참가자들에게 전달하고 있는 최상의 도구로 활용 중에 있다.

현재 패들 캐나다는 1,500명의 개인회원, 8곳의 지역협회와 2곳의 관련단체로 구성되어 있으며, 매년 5천 명 이상의 일반인들이 패들 캐나다의 프로그램에 참가하고 있다.

3) 캐나다 패들링 프로그램(www.crca.ca/programs.html)

캐나다 패들링 프로그램은 국가 유산자원 한 부분으로서 카누와 카약과 같은 무동력 수상관광레저 활성화 및 환경인식과 보호에 중점을 둔 캐나다 국가차원의 프로그램이다. 대부분 참가자들은 다양한 프로그램을 통하여 패들 캐나다(Paddle Canada)의 메시지를 파악하고 있으며, 크게 4가지 형태의 프로그램(카누, 바다카약 SeaKayaking, 호수카약 River Kayaking, SUP: Stand Up Paddleboarding)을 운영하고 있다. 참가하는 모든 패들러는 아름다운 캐나다 자연환경의 보전을 위하여 "Leave No Trace" 원칙을 준수해야 한다.

(1) 카누(Canoeing)

2009년에 개설된 카누 프로그램은 참가자의 수준 및 능력에 따라서 3가지로 구분된다.

- 초급(Introduction): 초급 과정은 참가자들의 안전하고 즐거운 경험 제공 및 기술 및 지식을 제공하기 위하여 보트를 통제하는 학습을 한다.
- 중급(Intermediate): 중급 과정을 통하여 참가자들은 카누의 스릴 등과 같은 경험을 할 수 있으며, 안전하고 즐거운 경험과 더불어 보트를 자유자재로 운항할 수 있다.
- 고급(Advanced): 고급 과정은 가장 수준 높은 자격프로그램으로서 더욱 도전적인 상황 속에서 참가자의 기술과 능력을 향상시키는 것이 핵심인 프로그램이다.

(2) 바다카약(Sea Kayaking)

이 프로그램은 국가공인자격 프로그램으로서 5단계의 기술수준, 5단계의 전문강사 수준, 4단계의 강사 · 트레이너 수준을 포함하고 있으며, 캐나다의 바다 및 자연환경을 배경으로 안전한 카약 여행을 기본으로 하고 있다. 5단계 기술수준 프로그램의 나이제한은 없으나, 강사수준에서는 최소한 16세 이상이 되어야 한다는 나이 제한을 두고 있다.

(3) 호수카약(River Kayaking)

국가공인자격 프로그램으로서 4단계 기술수준과 전문강사 수준을 포함하고 있으며, 4단계 기술수준 프로그램에서의 나이제한은 없으나, 전문강사 수준에서는 최소한 16세 이상이 되어야 한다는 나이 제한을 두고 있다. 2010년, 카누 카약 캐나다(CKC: Canoe Kayak Canada)와 파트너십을 체결한 패들 캐나다(Paddle Canada)는 NCCP(National Coaching Certification Program)으로 통합되었다.

(4) Stand Up Paddleboarding(SUP)

SUP 프로그램은 참가자들의 안전한 SUP 실습을 최우선 과제로 삼고 있으며, 참가자들의 연령은 16세 이상이 되어야 참가가 가능하다. 프로그램은 5가지의 기술수준, 3가지 형태의 전문 강사 수준, 3가지 형태의 강사 · 트레이너 수준으로 나뉘어져 있다.

⑤ 일 본

1) 스포츠 투어리즘 추진정책

(1) 추진 경위

2009년 12월 관광입국의 실현을 위해 국토교통성 장관(國土交通省大臣)을 본부장으로 각 부처 차관(副大臣)으로 구성된 '관광입국추진본부(觀光立國推進本部)'가 출범했다. 2010년 1월 동 본부 산하의 '관광연계 컨소시엄 회의(觀光連携コンソーシアム)'에서 '스포츠 · 관광'을 주제로 채택하였으며, 2010년 5월 스포츠단체, 관광단체, 스포츠관련기업, 여행관계기업, 미디어 및 각 부처로 구성된 「스포츠 · 투어리즘 추진연락회의」가 발족되었고 2011년 6월 동 연락회의가 논의를 거쳐 「스포츠 · 투어리즘 추진 기본방침」을 발표했다. 스포츠 · 투어리즘 추진정책은 일본이 보유한 자연과 환경의 다양성을 활용하고, 스포츠라고 하는 새로운 동기부여를 통해 방일 외국인관광객 및 국내관광여행 수요증대, 여행소비 확대, 고용 창출에 기여하고자 하는 것을 목적으로 하고 있다.

(2) 추진 목적

스포츠를 통해 새로운 여행의 매력을 창출하고, 국내의 다양한 지역관광자원을 상품화하여, 방일여행·국내관광의 활성화를 도모하고 스포츠와 관광을 의도적으로 융합함으로써, 목적지에 여행하는 명확한 목적성을 부여하고, 새로운 가치, 감동, 그리고 비즈니스 환경을 창출하는 데 있다. 스포츠와 관광의 울타리를 넘어 지방공공단체 및 각종 단체 간의 연계와 협동을 통해, 대회·합숙 유치, 프로스포츠 유치 등 관광 마찌즈꾸리의 일환으로서 정책 추진의 필요성을 느껴 시행하게 되었다.

(3) 기본 방향

정책의 기본 방향은 다음과 같다.

스포츠 · 투어리즘 정책 기본방향

내용	세부내용
매력적인 스포츠 콘텐츠 만들기와 스포츠 관광 마찌즈꾸리	마찌즈꾸리 시책과 연동된 지역고유의 스포츠 콘텐츠 개발
	지방공공단체 · 스포츠단체 · 관광단체·기업의 지역연계 · 협동에 의한 스포츠커미션 설립 촉진 정보발신강화, 다국어 대응 등의 인프라 정비
국제경기대회 등의 적극적인 유치 · 개최	유치 · 개최에 대한 적극적인 도전에 의한 노하우 구축
	국제경기대회유치를 위한 국가적인 지원체제 형성 관계자와의 정보교류와 지역주민의 이해 · 협력에 의한 규제에 대한 대처
	유치 · 개최 후의 마케팅과 프로모션에 의한 새로운 확장
여행상품화와 정보발신 추진	일본의 스포츠 투어리즘 브랜드의 구축과 적극적인 정보발신
	외국인 여행자를 위한 티켓판매 방법 구축과 다국어로의 정보발신
	상세한 니즈 조사와 폭넓은 상품개발, 집중 · 특화된 프로모션 추진
	국내에 있어서의 스포츠 투어리즘 추진의 기운 형성과 헌장제도 창설
스포츠 투어리즘 인재 육성 · 활용	스포츠 투어리즘을 담당할 인재 인정제도 창설과 인재정보 집약
	톱 애슬리트의 경험을 활용한 세컨드 캐리어로서 인재활용
	외국인을 활용한 국제적으로 통용될 콘텐츠 만들기와 정보발신
	대학 등에서의 교육기회와 유 · 소년기의 스포츠와 여행기회의 충실
전일본 스포츠투어리즘 추진연계조직(JSTA: Japan Sport Tourism Alliance) 창설	전국의 스포츠단체 · 관광단체 · 기업의 네트워크를 강화하여 상기 4가지 정책을 중심으로 해외와의 창구가 되어 스포츠 · 투어리즘 추진

2) 아사히쬬(朝日町) 수변 프라자 정비사업

(1) 사업 배경

야마가타(山形)현 신죠(新庄)시에 위치한 아사히쬬를 흐르는 모가미가와(最上川)는 예로부터 주운(舟運)으로 활용되었던 역사적 배경을 보유하고 있으며, 강의 흐름과 아름다운 주변경관은 카누 등 수상관광 레저활동의 최적 장소로 알려져 있다. 이러한 배경에서 카누 등 무동력 수상관광레저기구에 의한 수면 이용을 활성화하고 관광 측면에서 지역진흥에 기여할 수 있도록 국토교통성의 수변프라자 정비사업을 2003년부터 시행하고 있다.

(2) 정비 방침

정비방침은 다음과 같다.

수변프라자 정비사업 정비 방침

내용	세부내용
최소한의 정비를 도모	카누는 자연을 만끽하는 스포츠이므로 과도한 정비를 행하지 않고 최소한의 불편 해소를 도모하고 편익성을 향상하는 방식을 취함 모가미가와의 경관은 지역의 보고로서 과도한 정비를 피함(경관보전)
지역 활성화를 도모	유키타니(雪谷)지구, 다마노이(玉乃井)지구는 장래 경기 카누 대회를 개최할 것을 고려하여 거점정비를 실시함
하천의 균등한 사용	지역주민·카누이용자·일반관광객 등 각각의 이용을 배려한 정비를 도모함
낚시와 카누의 조화	낚시이용객과 카누이용자의 마찰이 발생하지 않도록 배려함

(3) 아사히쬬 관광교류 네트워크의 형성

아사히쬬는 국토교통성의 수변프라자 정비사업을 통해 카누 중심지에 관광교류거점을 형성하였고, 이외에도 지역 내 풍부한 사적 및 풋패스(Foot-path: 산책로) 등 관광자원을 연계·정비하여, 모가미가와를 매개체로 한 관광교류 네트워크를 형성했다.

(4) 모가미가와 유역 내 다른 수변 프라자와 연계

모가미가와 유역 내에는 아사히쬬 수변프라자 외에도 4개의 수변 프라자가 정비되어 연계·활용 중이고 각 수변 프라자별로 시설구성 및 테마 차별화를 도모하고 있다.

모가미가와 수역 내 다른 수변프라자 연계내용

	지자체	테마	주요정비내용
사가에 수변프라자	사가에시	하천 레크리에이션	선착장, 산책로, 물놀이, 낚시, 전국 도시녹화페어 회장
오오에 수변프라자	오오에초	하천 휴양	온천, 미치노에키(道の駅) 등이 병설
가와기타 수변프라자	가와기타초	하천 스포츠	스포츠, 카누, 계단, 산책로
나카야마 수변프라자	나카야마초	하천 환경	선착장, 하천방재스테이션, 공원, 미니추어공원
아사히 수변프라자	아사히초	하천 스포츠	카누하우스, 카누경기 등

자료: 국토교통성 야마가타하천국도사무소, 「아사히지구 수면이용계획」, 2004

(5) 연안 자치단체와 연계한 리버투어리즘의 전개

모가미가와라는 공통된 하천자원을 바탕으로 광역 지역의 관광테마를 리버투어리즘으로 설정하고 정비사업 및 홍보 등을 연계 추진하고 있다.

연안 자치단체와 연계한 리버투어리즘

추진주체	모가미가와 유역관광교류추진협의회
주요 추진사업	모가미가와의 매력을 활용한 리버투어리즘의 전개
	하천연변의 매력을 재발견하는 리버투어리즘 ~ 모가미가와의 자연과 역사, 분화를 활용하여 관광의 다양한 연계공간 만들기
	관광교류공간을 추진하기 위해 정보공유, 정보발신 및 사업연계를 위한 NPO 지원조직으로서 "리버투어리즘 네트워크"의 창설
	눈과 재즈를 융합시킨 "눈과 등롱의 재즈회랑" 개최

(6) 관광 유입효과

아사히쵸는 물론 모가미가와 리버투어리즘의 전개를 통해 관광객 수는 증가하고 있다. 리버투어리즘을 테마로 한 모가미가와 유역의 관광객 수는 2006년 2,784만 2천 명에서 2009년 2,984만 5천 명으로 증가했다. 같은 기간 중 야마가타현 전체 관광객 수가 3.2% 증가한데 비해, 모가미가와 유역의 관광객 수는 7.2% 증가한 것으로 나타났다.

관광 유입효과

	야마가타현 전체		모가미가와 유역	
	관광객 수	증감	관광객 수	증감
2006	40,535	100.0	27,842	100.0
2007	40,077	98.8	27,906	100.2
2009	41,844	103.2	29,845	107.2

자료: 모가미가와 유역 관광교류추진협의회

3) 오모노가와(雄物川) 카누 관광교류 추진사업

(1) 사업 배경

아키타(秋田)현의 아키타시, 요코테시 등 14개 지자체가 연계하여 '오모노가와'라고 하는 공통된 지원을 바탕으로 카누 · 먹거리 · 문화 등 관광자원을 연계한 관광교류 추진사업을 시행하고 있다. 「오모노가와가 잇는 카누 · 먹거리 · 문화 체험형 관광공간 조성」이라는 타이틀로 카누 크루징, 그린투어리즘, 지역 고유의 관광자원을 연계하여 지자체가 중심이 되어 실행하되, 필요 사업에 대해서는 중앙정부의 사업과 연계하여 시행하고 있다. 오모노가와 유역은 '아키타 코마치'로 대표되는 곡창지대로서 유역 고유의 자연과 풍토, 축제, 농촌문화와 "쌀"과 "물"에서 유래된 각종 축제나 행사 등을 보유하고 있다. 또한 오모노가와의 격류는 일본을 대표하는 카누 최적 장소로 각광받고 있어 이러한 '오모노가와'라는 공통된 자원을 매개체로 하여 지역 관광활성화의 필요성이 대두됨에 따라 추진하게 되었다.

(2) 사업 방침

일본 최초로 국제 코스로 인정받는 '오모노가와 카누 크루징장'을 NPO가 운영 · 관리하고, 국내는 물론 국외로부터 외국인관광객 유치를 촉진하고 계절별 특색 있는 축제나 행사 등 전통행사와 체험형 관광과의 연계를 통한 4계절형 관광 메뉴 만들기 등을 실시하고 있다. 농가민박에서의 농업과 전통공예 체험 등 그린투어리즘과 오모노가와를 이용한 관광상품의 개발과 카누의 이용을 촉진하고 있다.

(3) 국제 카누크루징장 조성 및 활용

1998~2004년에 카누 등 수면이용활용을 촉진하기 위해 국토교통성의 하천이용사업의 지원을 받아 국제적 규모에 맞는 국제 카누크루징장을 조성했다. 2012년 현재 오모노가와 유역에는 27개소의 선착장이 정비되어 있어, 진수공간 및 이·활용거점으로 사용되고 있으며 시설 조성 외에 다양한 경기 및 체험 프로그램이 NPO 특정비영리활동법인 오모노가와 국제카누크루징협회에 의해 시행되고 있다. 카누 선착장 외에도 카누 이용객의 숙박을 위한 캠프장이 7개소 병설되어 있다.

| 제2절 | **요트관련교육** |

🎡 ① 한국의 요트교육

1) 대한요트협회 교육시스템

대한요트협회는 2013년에 아래 그림과 같은 내용의 프로그램을 실시할 예정이다. 크게 3가지 영역으로 딩기 교육과정, 세일링 지도자 과정, 세일 크루즈 교육과정으로 나뉜다.

■
대한요트협회
교육시스템

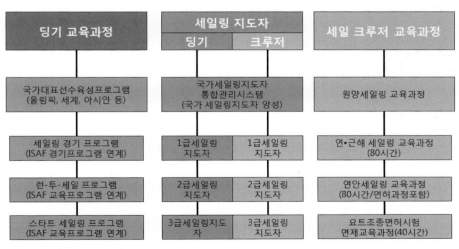

딩기 교육과정	세일링 지도자		세일 크루저 교육과정
	딩기	크루저	
국가대표선수육성프로그램 (올림픽, 세계, 아시안 등)	국가세일링지도자 통합관리시스템 (국가 세일링지도자 양성)		원양세일링 교육과정
세일링 경기 프로그램 (ISAF 경기프로그램 연계)	1급세일링 지도자	1급세일링 지도자	연·근해 세일링 교육과정 (80시간)
런-투-세일 프로그램 (ISAF 교육프로그램 연계)	2급세일링 지도자	2급세일링 지도자	연안세일링 교육과정 (80시간/면허과정포함)
스타트 세일링 프로그램 (ISAF 교육프로그램 연계)	3급세일링지도자	3급세일링 지도자	요트조종면허시험 면제교육과정(40시간)

자료: 대한요트협회(2013)

(1) 문화체육관광부와 함께하는 강바람 타고 요트체험교실 프로그램

대한요트협회는 문화체육관광부와 함께 국내관광 활성화를 유도하고 국민의 여가 활동 참여율을 높이기 위하여 4대강 사업으로 조성된 풍부한 내수면 공간을 활용한 요트체험교실을 운영하고 있다. 국민소득 및 여가시간 증가에 따라 요트·카누 등 수상레저 활동이 대폭 늘어날 것이라고 전망되고 있어 수상레저관광 활성화를 위한 요트체험프로그램이다. 그동안 "바라만 보던 강"의 이미지를 "체험하고 즐기는 강"으로 변화시키기 위한 취지다. 이 요트교실은 2012년 8월부터 10월까지 운영되었으며 매주 토요일, 일요일을 이용하여 일 2회 교육이 이루어지고 있다. 장소는 충주, 상주, 부여 3군데에서 이뤄지고 있으며 초등학생 이상, 개인 및 단체로 이용할 수 있다. 비용은 약 5,000원 정도 소요되며 각 지역 당 1회 교육 20명 씩 40명 내외 규모로 교육이 이루어지고 있다. 주요 교육내용은 딩기요트로 세일링에 관해 택킹, 자이빙 등의 세일링 초급과정과 매듭법이나 범장, 코스 세일링 등을 가르치고 있다. 자세한 교육프로그램은 아래와 같다.

강바람타고 요트교실 개요

사업명	문화체육관광부와 함께하는 '강바람타고 요트교실'
운영기간	2012. 08 ~ 2012. 10(매주 토·일, 10시~18시, 일2회)
장소	충주(한강), 상주(낙동강), 부여(금강)
체험대상	초등학생 이상, 개인 및 단체
체험비용	5,000원
체험규모	지역별 1일 40명내외(오전 20명, 오후 20명)
교육종목	딩기요트
핵심교육내용	• 세일링 초급 • 매듭법, 범장 등 • 코스 세일링
개인준비물	간단한 물놀이 복장, 세면도구, 썬크림, 모자, 여벌 옷 등

자료: 대한요트협회(2013)

강바람타고 요트교실 교육내용

구분		시간	내용	비고
오전반	입실	9:30~10:00 (30분)	· 등록 및 교육장 입실	개인준비물 지참
	이론교육	10:00~10:45 (45분)	· 수상안전교육 · 기초이론교육	
	체험준비	10:45~11:00 (15분)	· 조편성(4개조) · 조별 복장착용(구명조끼 등) · 준비운동(체조, 스트레칭) · 조별이동	
	교육	11:00~13:00 (120분)	· 세일링하기	딩기요트
점심시간		13:00~14:30 (90분)	· 점심식사 및 자유시간	점심도시락 지참
오후반	입실	14:30~15:00 (30분)	· 등록 및 교육장 입실	개인준비물 지참
	이론교육	15:00~15:45 (45분)	· 수상안전교육 · 기초이론교육	
	체험준비	15:45~16:00 (15분)	· 조편성(4개조) · 조별 복장착용(구명조끼 등) · 준비운동(체조, 스트레칭) · 조별이동	
	교육	16:00~18:00 (120분)	· 세일링하기	딩기요트
종료		18:00~19:00 (60분)	· 샤워 및 교육종료	세면도구 지참

자료: 대한요트협회(2013)

체험자 모집은 인터넷 예약접수로 대한요트협회 홈페이지에서 신청이 가능하고 해당 운영일자 1주일 전부터 이용 전일까지 선착순으로 모집을 한다. 참가자 개인이 직접 접수를 해야 하며 이용시간대별로 접수가능하다. 인터넷 예약인원 미달 시 현장 방문으로 접수가 가능하다.

(2) 해양수산부 해양레저스포츠 및 요트체험교실

해양수산부는 대한요트협회와 함께 국민들의 해양레저스포츠 활동 참여율을 높이고 해양 스포츠 문화의 창달을 위하여, 풍부한 수면공간을 활용하여 해양스포츠의 꽃인 요트를 중심으로 다양한 워터스포츠 체험교실을 운영하고자 체험교실을 운영하고

있다.

이러한 활동은 '바라만 보던 해양스포츠'문화에서 '직접 참여하는 해양스포츠 생활
문화'로의 전환을 도모하면서 해양스포츠 요트에 대한 막연한 인식이 변화되고 있으
므로 해양수산부와 대한요트협회는 워터스포츠 활동에 직접 참여할 수 있는 여건을
마련하여 국민의 여가활동 참여폭을 넓히고자 하는데 있다.

요트체험교실 개요

사업명	해양수산부와 함께하는 요트체험교실
운영기간	2013. 07.10 ~ 2013. 10.15(주말, 토일 운영)
장소	대구시(화원유원지), 세종시(중앙호수공원)
체험대상	초등학생 이상, 개인 및 단체
체험주체	대한요트협회
체험규모	지역별 1일 100명 내외(오전 50명, 오후 50명)
교육종목	딩기요트, 카누, 카약 등
교육내용	• 세일링 초급 • 매듭법, 범장 등 • 코스 세일링
후원	해양수산부(해양레저과)

자료: 대한요트협회(2013)

2) 요트면허 및 취득절차

(1) 응시절차

① 응시원서 접수

동력수상레저기구 조종면허시험에 최초로 응시하고자 할 때 작성하는 경우이다.

전국의 해양경찰서, 면허시험장에 방문, 또는 인터넷, 우편접수가 가능하며, 응시
일정 중 희망일자 및 장소를 선택할 수 있으나 선착순으로 접수되며 공고된 시험일
기준 2개월 전부터 2일 전까지 가능하다. 접수 후 일시변경은 당해 연도 공고된 시험
일 기준 2개월 전부터 2일 전까지 횟수 제한 없이 가능하다. 접수 후 종별변경은 신
규접수 후 최초시험일 기준 2일 전까지 가능하며 횟수 제한이 없고, 일반에서 요트
또는 요트에서 일반 종별 변경 불가능하다. 장소변경은 원칙적으로 불가능하나 관할
해양경찰서가 같은 경우에는 당해 연도 공고된 시험일 기준 2개월 전부터 2일전까지
변경 가능하다.

요트면허 응시서류

구 분	내 용	비 고
구비서류	응시원서(해양경찰 소정양식) 1통 증명사진 2매(2.5cm×3.5cm) 시험면제사유에 해당하는 사람은 해당 증빙서류 (해양경찰서 방문접수만 가능) 주민등록증 또는 국가발행 신분증(여권, 자동차 운전면허증 등) -사진 첨부된 것(미발급자 학생증)	원서접수 후에는 수수료가 반환되지 않음
수수료	일반조종면허1급, 2급, 요트 4,000원(인터넷 접수 시 처리 비용 별도)	
대리접수	응시원서, 응시자 신분증, 대리인 신분증 지참 접수가능	

자료: 해양경찰청(2013)

② 필기시험

필기시험 신규접수 또는 재 접수하는 경우 접수한 날로부터 1년간 재접수 가능하며 전국의 해양경찰서-면허시험장 방문 또는 인터넷이용-우편접수가 가능하며, 응시 일정 중 희망일자 및 장소를 선택할 수 있으나 선착순으로 접수된다.

요트면허 시험내용

구 분	내 용	비 고
시험방법	4지 선다형으로 50문제 출제	
시험내용	일반조종면허: 수상레저안전(20%), 운항 및 운용(20%), 기관(10%), 법규(50%) 요트조종면허: 요트활동 개요(10%), 요트(크루즈급)(20%), 항해 및 범주(20%), 법규(50%)	구술시험, 외국어, PC시험 가능
준비물	주민등록증 또는 국가발행 신분증(여권, 자동차 운전면허증 등) -사진 첨부 된 것 (미 발급자 학생증), 컴퓨터용 수성사인펜	

자료: 해양경찰청(2013)

③ 실기시험

실기시험 접수 시 지정된 응시일자 및 장소에서 실기시험을 실시한다. 자세한 내용은 실기시험 안내를 참고한다.

④ 수상안전교육실시

- 수상안전교육 대상

가. 조종면허를 받고자 하는 자

나. 조종면허를 갱신하고자 하는 자

- 구비서류

가. 수상안전교육 신청서

나. 응시표(신규 취득자) 또는 조종면허증(면허 갱신자)

다. 주민등록증 또는 국가발행 신분증(여권, 자동차 운전면허증 등)-사진 첨부된 것(미 발급
   자 학생증)

라. 수수료 12,000원

- 수상안전교육 내용 · 방법 및 시간

가. 교육내용

나. 수상레저안전 관계법령

다. 수상레저기구의 사용 · 관리

라. 수상상식

마. 수상구조

바. 교육방법 및 시간: 영상교육을 포함하여 3시간으로 하되, 50분 교육 후 10분간
   휴식을 취하는 방법으로 실시

- 시험업무 종사자 교육을 이수한 자

⑤ 교부신청서 접수

- 조종면허시험에 합격한 후 수상안전교육을 받은 자는 동력 수상레저기구 조종면
  허증 교부신청서, 응시표, 수상안전교육필증, 사진1매(2.5cm×3.5cm) 제출
- 조종면허 갱신자는 수상안전교육을 받은 후 동력수상레저기구조종면허증갱신교
  부신청서, 수상안전교육필증, 사진 1매(2.5cm×3.5cm) 제출
- 재교부 신청자는 동력 수상레저기구 조종면허증재교부신청서, 사진 1매(2.5cm×
  3.5cm)를 제출

⑥ 면허증교부

- 조종면허시험 합격자는 동력수상레저기구조종면허증을 14일 이내에 교부
- 갱신 신청자 또는 재교부 신청자는 갱신교부신청서 또는 재교부신청서 작성 후 7
  일 이내 교부하고 있으나 민원인 편의를 위해 당일~2일 이내 발급, 문자 메시지

및 전자 우편으로 발급내역을 통보, 해양경찰서 방문수령 및 우편수령(본인이 반송 우편 제출한 경우)도 가능

(2) 필기시험

① 필기시험 안내

요트면허시험 필기시험 내용

구 분	내 용	비 고
시험방법	4지선다형으로 50문제 출제	
시험내용	일반조종면허: 수상레저안전(20%), 운항 및 운용(20%), 기관(10%), 법규(50%) 요트조종면허: 요트활동의 개요(10%), 요트(크루즈급)(20%), 항해 및 범주(20%) 법규(50%)	
준비물	응시표, 주민등록증 또는 국가발행 신분증(여권, 자동차 운전면허증 등) – 사진 첨부된 것(미 발급자 학생증), 컴퓨터용 수성사인펜	
문제지추첨	응시생 중 2명이 2개 유형 문제지 추첨	원서접수 후에는 수수료가 반환되지 않음
주의사항	응시표에 기재된 시간 30분전 입실완료 신분증 소지, 지정좌석 착석, 대리시험 여부 등 확인 시험 종료 후 문제지는 시험관에게 답안지는 답안지함에 투입하고 퇴실 컴퓨터 채점기에 의해 채점 후 결과를 게시판 게시	
필기시험 결과발표	응시표에 합격 또는 불합격날인 후 본인에게 재교부 응시자는 본인 응시표 및 합격, 불합격 날인여부 확인	
기 타	필기시험 합격일로부터 1년 이내에 실기시험에 합격하여야 하며, 1년 이내 불합격 시 신규접수해야 합니다.	

자료: 해양경찰청(2013)

② 필기시험 과목

요트면허시험 필기시험 과목

구 분	내 용	비 고
1. 요트활동의 개요	가. 해양학 기초(조석, 해류, 파랑) 나. 해양기상학 기초(해양기상의 특성, 기상통보, 일기도 읽기)	
2. 요트	가. 선체와 의장 나. 범장 다. 기관 라. 전기시설 및 설비 마. 항해장비 바. 안전장비 및 인명구조 사. 생존술	원서접수 후에는 수수료가 반환되지 않음
3. 항해 및 범주 (帆走)	가. 항해계획과 항해(항해정보, 각종 항법) 나. 범주 다. 피항과 묘박 라. 식량과 조리.위생	
4. 범주	가. 「수상레저안전법」 나. 「개항질서법」 다. 「해상교통안전법」 라. 「해양오염방지법」 마. 「전파법」	

자료: 해양경찰청(2013)

(3) 실기시험

① 실기시험 안내

요트면허시험 실기시험

구 분	내 용	비 고
구비서류	응시표 시험면제사유에 해당하는 사람은 해당 증빙서류 (해양경찰서 방문접수만 가능) 주민등록증 또는 국가발행 신분증(여권, 자동차 운전면허증 등) - 사진 첨부된 것(미발급자 학생증)	원서접수 후에는 수수료가 반환되지 않음
수수료	일반조종면허 1급, 2급 또는 요트조종면허 54,000원(대행기관 영수필증) (인터넷 접수 시 처리 비용별도)	
대리접수	응시표, 응시자 신분증, 대리인 신분증 지참 접수가능	

자료: 해양경찰청(2013)

② 실기시험용 수상레저기구

요트면허시험 실기시험용 기구 제원

길 이	약10m	전 폭	제한없음
탑승인원	20마력 이상	최대속도	제한없음
부대장비	6인승 이상	기 관	선내기

③ 요트조종면허 실기시험의 채점기준 및 운항코스

실기시험 채점 및 운항코스

과 제	항 목	세부내용	감점	채 점 요 령
1. 출발 전 점검 및 확인	가. 로프취급 미숙	8자묶기를 하지 못한 때(8자묶기) 바우라인(bowline)묶기를 하지 못한 때(Bowline묶기) 클로브(clove) 묶기를 하지 못한 때(clove묶기) 클리트(cleat) 묶기를 하지 못한 때(cleat묶기)	3	각 세부내용에 대하여 2회까지 채점할 수 있다.
	나. 구명동의 착용	구명동의를 착용하지 아니하였거나 올바르게 착용하지 아니한 때(구명동의 착용불량)	4	세부내용에 대하여 1회만 채점한다.
	다. 출발준비 불량	분담된 임무에 해당하는 위치를 선정하지 못한 때(위치선정불량) 출발전 전후좌우 물표 및 장애물을 확인하지 아니한 때(ⓢ출항 전 안전확인)	4	각 세부내용에 대하여 1회만 채점한다.
2. 출발 및 기주(機走)	가. 크루(crew) 지휘 불량	스키퍼(skipper)가 크루(crew)에게 지시를 하지 아니하거나 부정확한 지시 또는 시험관이 들을 수 없을 정도의 목소리로 지시한 때(ⓢ지휘불량)	4	세부내용에 대하여 1회만 채점한다.
	나. 이안(離岸) 불량	요트의 선체가 직접 계류장과 부딪힌 때(ⓢ계류장의 충격) 이안후 펜더(fender)를 달고 운항한 때(ⓒ펜더 달고 운항) 이안후 계류줄을 정리하지 아니하고 운항한 때(ⓒ계류줄 미정리) 출항준비 지시 후 계류줄을 걷지 아니하는 등 준비상태가 불량한 때(ⓒ출항준비 불량)	3	각 세부내용에 대하여 2회까지 채점할 수 있다.
	다. 이안 시	엔진시동을 하지 못한 때(ⓢ엔진시	4	각 세부내용에 대

	급발진 및 엔진정지	동 미숙) 엔진시동 중 레버조작의 잘못으로 엔진이 정지한 때(ⓢ레버조작 불량) 레버를 급히 조작함으로써 급하게 발진한 때(ⓢ레버급조작, 급출발)		하여 1회만 채점한다.
	라. 항내 기주시 속력 미준수	항내 기주 시 규정속도를 초과한 때 (ⓢ항내기주 5노트 초과)	4	세부내용에 대하여 2회까지 채점할 수 있다. 시험관은 당해 시험장의 제한속도를 응시자에게 제시하여야 한다. 바람 또는 충돌위험 회피 등의 사유로 시험관의 지시에 따라 속력을 초과한 경우를 제외한다.
	마. 침로기주 불량	지시된 침로를 15초 이내로 ±5° 이내로 유지하지 못한 때(ⓢ지정침로±5° 초과) 변침후 침로를 ±5° 이내에서 유지하지 못한 때(ⓢ침로유지 불량)	4	각 세부내용에 대하여 3회까지 채점할 수 있다. 변침은 좌·우현을 달리하여 3회 실시하고, 변침 범위는 45°, 90° 및 180° 내외로 각 1회 실시하여야 하며 나침의로 변침 방위를 평가한다. 변침후 15초 이상 침로를 유지하는지 확인하여야 한다.
3. 범주(帆走)	가. 크루택킹 (tacking: 맞바람 방향전환 역할 불량)	스키퍼의 "택킹준비"지시에 따른 필요한 동작을 취하지 아니한 때(ⓒ준비동작 불량) 스키퍼의 "택킹" 지시에 따른 필요한 동작을 취하지 아니하거나 민첩한 동작이 이루어지지 아니한 때(ⓒ택킹동작 불량) 택킹 후 위치 선정이 불량한 때(ⓒ위치선정 불량) 택킹 후 돛의 조절 또는 시트상태가 불량한 때(ⓒ돛 또는 시트상태 불	3	본 과제 평가 시 바람이 없어 범주가 불가능한 경우에는 기주에 의하여 범주를 평가할 수 있다. 각 세부내용에 대하여 3회까지 채점할 수 있다.

		량)		
	나. 스키퍼 (skipper) 택킹불량	택킹이 이루어지지 아니하거나 택킹이 지나쳐 클로스 리치(Close reach) 이상 회전한 때(ⓢ택킹 불량) 필요한 지시의 생략 또는 부정확하거나 적은 목소리로 지시를 할 때(ⓢ택킹지휘 불량) 택킹후 침로 및 지정침로를 유지하지 못한 때(ⓢ택킹 후 침로유지 불량) 택킹후 위치이동이 불량한 때(ⓢ위치이동 불량)	4	각 세부내용에 대하여 2회까지 채점할 수 있다.
	다. 크루 자이빙 (gybing: 뒷바람 방향전환) 역할 불량	스키퍼의 "자이빙준비" 지시에 따른 필요한 동작을 취하지 아니한 때(ⓒ준비동작 불량) 스키퍼의 "자이빙" 지시에 따른 필요한 동작을 취하지 아니하거나 민첩한 동작을 취하지 아니한 때(ⓒ자이빙 동작 불량) 자이빙후 위치선정이 불량한 때(ⓒ위치선정 불량) 자이빙후 돛의 조절 또는 시트상태가 불량한 때(ⓒ돛 또는 시트 상태 불량)	3	각 세부내용에 대하여 3회까지 채점할 수 있다.
	라. 스키퍼 자이빙 불량	자이빙이 이루어지지 아니하거나 자이빙이 지나쳐 브로드 리치(Broad reach)이상 회전한 때(ⓢ방향전환 불량) 필요한 지시의 생략 또는 부정확하거나 적은 목소리로 지시를 한 때(ⓢ자이빙 지휘불량) 자이빙 후 침로 및 지정침로를 유지하지 못한 때(ⓢ자이빙후 침로 유지 불량) 방향전환 후 위치이동이 불량한 때(ⓢ위치이동 불량)	4	각 세부내용에 대하여 2회까지 채점할 수 있다.
4. 입항	가. 접안불량	지정계류석으로부터 50m의 거리에서 3노트 이하로 속도를 낮추지 아니하거나 접안위치에서 변속기어를 중립으로 하지 아니한 때(ⓢ50m 전방 3노트 초과, 미중립) 계류장과 선체가 직접 부딪힌 때(ⓢ	4	각 세부내용에 대하여 1회까지 채점할 수 있다.

		계류장 충돌) 시험선과 계류장이 2m 이내의 평행이 되게 접안하지 못한 때(ⓢ접안 불량)		
나. 계류불량	계류하여야 할 위치에 계류하지 못한 때(ⓢ계류위치 부적절) 계류줄의 묶는 방법이 틀리거나 풀리기 쉽게 묶은 때(ⓒ결색 불량)	3	각 세부내용에 대하여 1회까지 채점할 수 있다.
다. 펜더 (fender) 취급미숙	펜더를 요트 접안현의 적당한 높이에 달지 못한 때(ⓒ펜더높이 부적절) 펜더에 달린 로프의 묶은 부분이 느슨하거나 풀린 때(ⓒ펜더 묶인 상태 부적절)	3	각 세부내용에 대하여 1회까지 채점할 수 있다.
라. 뒷정리 불량	로프를 제대로 정리하지 아니한 때(ⓒ계류 후 로프정리 불량)	3	세부내용에 대하여 2회까지 채점할 수 있다.

자료: 해양경찰청(2013)

(4) 요트면허 시험 결격자

다음에 해당하는 사람은 수상레저안전법 제5조(조종면허의 결격사유)에 의거 조종면허를 받을 자격이 없다.

- 14세 미만인 자. 다만, 제7조제1항제1호에 해당하는 자[국민체육진흥법] 제2조제10호의 규정에 따른 경기단체에 동력수상레저기구의 선수로 등록된 자)는 그러하지 아니한다.
- 정신질환자·정신미약자 또는 알코올중독자
- 마약·대마 또는 향정신성의약품 중독자
- 제13조 제1항의 규정에 의하여 조종면허가 취소된 날부터 1년이 경과되지 아니한 자
- 제20조 본문의 규정에 위반하여 조종면허를 받지 아니하고 동력수상레저기구를 조종한 자로서 그 위반한 날부터 1년(사람을 사상한 후 구호조치 등 필요한 조치를 하지 아니하고 도주한 자는 그 위반한 날부터 4년)이 경과되지 아니한 자
- 조종면허시험 중 부정행위로 적발된 경우 2년간 응시불가

3) 요트면허 면제교육

(1) 관계법령

수상레저안전법 7조 6항, 시행령 7조 5항 4호에 의거하여 요트면허시험 면제교육을 받은 사람에게 한해 별 다른 시험 없이 면허를 취득하게 할 수 있다.

① 수상레저안전법 7조 6항

수상레저안전법

제7조(면허시험의 면제) ① 해양경찰청장은 다음 각 호의 어느 하나에 해당하는 자에 대하여 면허시험 과목의 전부 또는 일부를 면제할 수 있다. 다만, 제6호에 해당하는 때에는 면허시험(제2급 조종면허와 요트조종면허에 한정한다) 과목의 전부를 면제한다. 〈개정 2011.6.15〉

　　1. 대통령령으로 정하는 체육 관련 단체에 동력수상레저기구의 선수로 등록된 자
　　2. 「고등교육법」 제2조에 따른 학교에 설치된 대통령령으로 정하는 동력수상레저기구 관련 학과를 졸업한 자로서 해당 면허와 관련된 동력수상레저기구에 관한 과목을 이수한 자
　　3. 「선박직원법」 제4조제2항 각 호에 따른 해기사면허 중 대통령령으로 정하는 면허를 가진 자
　　4. 삭제 〈2011.6.15〉
　　5. 「한국해양소년단연맹 육성에 관한 법률」에 따른 한국해양소년단연맹 또는 「국민체육진흥법」 제2조제11호에 따른 경기단체에서 동력수상레저기구의 이용 등에 관한 교육·훈련업무에 1년 이상 종사한 자로서 해당 단체의 장의 추천을 받은 자
　　6. 대통령령으로 정하는 기관이나 단체에서 실시하는 교육을 마치고 정하여진 자격을 받은 자
　　7. 제1급 조종면허 필기시험에 합격한 후 제2급 조종면허 실기시험으로 변경하여 응시하려는 자
　② 제1항에 따른 시험 면제의 기준 등에 필요한 사항은 대통령령으로 정한다.
[전문개정 2008.3.28]

② 수상레저안전법 시행령 7조 5항 4호

수상레저안전법 시행령

제7조(면허시험의 면제 등) ① 법 제7조제1항제1호에서 "대통령령으로 정하는 체육 관련 단체"란 「국민체육진흥법」 제2조제11호에 따른 경기단체를 말한다.

② 법 제7조제1항제2호에서 "대통령령으로 정하는 동력수상레저기구 관련 학과"란 동력수상레저기구와 관련된 과목을 6학점 이상 필수적으로 마쳐야 하는 학과를 말한다.

③ 법 제7조제1항제3호에서 "대통령령으로 정하는 면허"란 「선박직원법」에 따른 항해사·기관사·운항사 또는 소형선박 조종사의 면허를 말한다.

④ 삭제 〈2011.12.16〉

⑤ 법 제7조제1항제6호에서 "대통령령으로 정하는 기관이나 단체"란 다음 각 호의 기관 또는 단체를 말한다. 〈개정 2011.12.16〉

　1. 경찰청, 소방방재청, 해양경찰청, 합동참모본부 및 육군·해군·공군 본부

　2. 「국민체육진흥법」 제2조제11호에 따른 경기단체로서 수상레저활동과 관련 있는 경기단체

　3. 법 제28조의2에 따른 한국수상레저안전협회

　4. 그 밖에 그 설립목적이 수상레저활동과 관련 있는 기관·단체로서 해양경찰청장이 지정·고시하는 기관·단체

⑥ 제5항에 따른 기관 또는 단체가 갖추어야 할 인적기준 및 장비기준과 실시하여야 할 교육내용은 별표 3과 같다. 이 경우 해양경찰청장은 필요하다고 인정하는 경우에는 해당 인적기준·장비기준 및 교육내용의 확인을 위하여 관련 자료의 제출을 요구할 수 있다. 〈개정 2011.12.16〉

⑦ 법 제7조제2항에 따른 시험면제의 세부 기준은 별표 4와 같다.

[전문개정 2009.3.31]

---

(2) 면제교육과정과 교육내용

주간 연안 항해 스키퍼 능력 획득 및 수상레저안전법에 의한 요트조정면허시험면제 면허 취득을 위한 40시간 교육과정은 아래와 같다. 처음에는 관계법령을 비롯하여 해상안전과 기초 상식, 요트의 기본적인 구조와 원리에 대해 이론 수업을 각 4시간씩 진행하고 항해와 기주, 범주 등에 대해 실습을 24시간 진행한다. 후에 구급 및 응급처치요령 순으로 진행된다.

요트교육면허 면제교육내용

구분	교육제목	교육 중점 사항	시간배정
관계 법령	수상레저안전법	해양레저에 관련되는 법규의 내용 중 준법활동, 안전활동, 예방활동에 해당되는 내용을 교재에 따라 교육	이론 4시간
	해사안전법		
	개항질서법		
	해양환경관리법		
	항로표지법		
안전	해상안전	해양레저 활동 중의 해상 안전	이론 4시간
수상상식	수상 기초	해류, 조류, 조석, 암초, 어망분포 등	이론 4시간
	해양 기상	해양 기상개요, 기상요소, 기상도, 기상예보 식별 등	
요트 개요	구조 및 장비의 구성	정의, 역사, 안전, 용어, 선체의 구조 및 각부 기능	이론 4시간
	요트의 추진 원리	요트의 추진 원리, 풍하·측풍·풍상 항해원리	
항해 및 기관 (교육순서 준수)	항해계기, 수로서지	GPS, RADAR, NIS, 측심기, 항로표지, 해도	이론/ 실습 6시간
	항해계획서 작성	ETD, ETA, 기상, 일·월 출몰, 항로, 거리, 통신 등	
	항법 및 해무통신	레저선박 항해술, 해무통신계획	
	세일드라이브 엔진의 취급	시동과 운전, 예방 정비, 경정비	
기주 및 범주법 (교육순서 준수)	매듭법	BOW LINE, CLEAT HITCH, SHEET BAND, SQUARE KNOT 등	실습 18시간
	접이안1	접이안 시 크루의 임무 수행	
	풍하·측풍·풍상 범주법	침로 유지, 변침, 바람 상대각 별 세일의 조절	
	목표점 범주법	바람 상대방위 별 목표점에 대한 침로 및 세일 조절	
	황천 범주법	황천 시 침로유지, 세일조절, 기관사용, 피항지 판단	
	범주 인명구조	범주 중 익수자 구조	
	목적 범주 항해	스키퍼로서 원거리 목적 항해	
	접이안2	스키퍼로소 접이안하기	
	평가	기관시동→이안→기주→범주→인명구조→기주→접안 과정	
구급 및 응급처치	구명장비사용법	구명장비 별 기능 및 사용법	이론/ 실기 8시간
	인공호흡, 심폐소생법	이론 및 실기: 인공호흡, 심폐 소생법	
	수상생존요령	저체온증, 해수온도, 체온보존법, 고체온증, 취식	
계		40시간	

자료: 해양경찰청(2013)

4) 요트교육기관 및 요트면허 면제교육장

(1) 대한요트협회 요트학교 공인규정(안)

요트교육기관 공인규정안

항목	내용
제1조 (목적)	본 규정은 국내에서 운영되고 있는 각급 요트학교의 공인을 통하여 국가표준프로그램을 실시하고 요트학교 간 호환된 교육의 효율성을 도모하고 체계적인 교육의 수준을 향상시키고 통일된 교육 프로그램으로 교육을 실시함으로서 교육학교의 수준향상 도모를 목적으로 한다.
제2조 (공인요건)	본회의 공인을 받고자 하는 요트학교는 다음과 같은 요건을 갖추어야 한다. ① 본회의 회원일 것. ② 본회가 정한 시설 및 장비기준을 충족할 것. ③ 본회의 세일링지도자 자격을 취득한 지도자로 조직될 것.
제3조 (시설기준)	1) 교실 　가)적절한 냉, 난방 시설을 갖추어야 한다. 　나)교육생이 불편하지 않을 정도의 편안한 의자가 준비되어야 한다. 　다)노트할 수 있는 딱딱한 표면 　라)차트 등을 걸 수 있는 넓은 장소 　마)시청각자료 　바)눈의 피로를 푸는 조명시설 　사)슬라이드나 비디오를 위한 영상실 　아)외부의 소음으로부터 잘 격리되는 설비 　자)휴게소(화장실) 설치 　차)급수대나 식수대 설치 　카)장애자를 위한 시설 2) 작업과 수리실 3) 사무실 4) 기록 5) 다른 가능한 설비 등등 6) 장애자를 위한 시설 　가)휠체어, 목발, 의족이용자, 맹인들을 위한 주차장과 전용도로를 갖추어야 한다. 　나)장애자를 위한 탈의실, 세척실, 샤워실 등을 갖추어야 한다. 　다)식당 카페테리아 교실 등 휠체어 장애자들의 통로
제4조 (장비기준)	
제5조 (신청, 심의 및 표시)	① 본 협회에 공인을 신청하고자 하는 요트학교는 다음 서류를 구비하여 제출한다. 　1. 공인신청서(본회 양식) 　2. 연혁 　3. 정관 또는 규약

	4. 시설현황	
	5. 장비현황	
	6. 지도자명단	
	② 접수된 사항은 본회 상임이사회의에서 심의하고 이사회의 의결로 공인된다.	
	③ 본 협회에 의하여 공인된 요트학교는 본회 홈페이지에 공시하며 대한요트협회 공인현판 및 공인증서를 발급한다.	
제6조 (권리와 의무)	① 공인요트학교에서 이수한 각급 요트자격은 본회의 공인자격으로 인정한다. ② 공인요트학교는 본회에 대하여 교육에 따른 지도자 파견 및 프로그램 업데이트 등 기타 요트학교운영에 따른 지원을 요청 할 수 있으며 본회는 이에 응하여 적절한 조치를 취하여야 한다. ③ 공인요트학교는 본회가 정한 제반규정 및 지침을 준수하여야 한다.	
제7조 (제한사항)	① 본회 정관에서 정한 의무사항 및 지시사항을 소홀히 하거나 해태할 경우 본회 정관에서 정한 권리사항을 제한하거나 예산의 지원을 보류 또는 중단 할 수 있으며, 중대한 규정위반 시 공인을 취소할 수 있다.	
제8조 (공인취소신청)	탈퇴코자 하는 경우 또는 탈퇴를 의결하기 위하여 다음 서류를 갖추어야 한다. ① 탈퇴원서	
제9조 (사후보고)	본 협회가 공인한 요트학교는 매년 12월 31일까지 당해년도 사업결과를 본 협회에 문서로서 보고하여야 한다.	
제10조 (부칙)	본 규정은 이사회에서 승인된 날로부터 시행한다.	

자료: 해양경찰청(2013)

(2) 대한요트협회 공인인증요트 교육기관 및 면제교육장 현황

대한요트협회 공인인증요트교육기관 현황

대한요트협회 공인인증요트교육기관 (22개)			면제 교육장
거제요트 스쿨	위치	경상남도 거제시 일운면 지세포 해안로1(어항부지)	○
	보유장비	크루저요트, 딩기요트, 윈드서핑, 오메가요트, 카약	
	사용마리나	지세포항	
	홈페이지	www.geojeyacht.co.kr	
경기요트 학교	위치	경기도 평택시 현덕면 권관리 331-3	○
	보유장비	크루저요트, 딩기요트, 윈드서핑, 카약, 모터보트 등	
	사용마리나	평택호 요트장	
	홈페이지	www.yacht-school.org	
경기씨그 랜트요트 학교	위치	인천광역시 남동구 용현동 253번지 인하대학교 6호관 133호	
	보유장비	딩기요트, 카약, 레프팅, 크루저요트	
	사용마리나	전곡마리나	
	홈페이지	www.ggsg.co.kr	

고성요트 학교	위치	경상남도 고성군 회화면 당항리 57번지	○
	보유장비	크루즈, 딩기 요트, 윈드서핑, 카약 등	
	사용마리나	당항포 마리나	
	홈페이지	www.yacht.goseong.go.kr	
남해군 요트학교	위치	경상남도 남해군 삼동면 동부대로 1030번길 42-26	
	보유장비	딩기요트, 크루저요트, 모터보트	
	사용마리나	물건항 마리나	
	홈페이지	www.yacht.namhae.go.kr	
마산해양 레포츠 스쿨	위치	경상남도 창원시 마산합포구 월영동 656번지	
	보유장비	딩기요트, 크루저요트, 모터보트, 윈드서핑	
	사용마리나	돝섬	
	홈페이지	www.maritimeschool.or.kr	
목포요트 마리나 요트학교	위치	전남 목포시 산정동 1452	○
	보유장비	딩기요트, 크루저요트, 모터보트, 윈드서핑	
	사용마리나	목포요트마리나	
	홈페이지	www.mokpo-marina.com	
보령요트 학교	위치	충청남도 보령시 남포면 월전리 590-2 보령요트경기장	
	보유장비	딩기요트, 크루저요트, 모터보트, 윈드서핑	
	사용마리나	보령요트경기장	
	홈페이지	www.cnyacht.or.kr	
부산요트 학교	위치	부산광역시 해운대구 우1동 1393번지	○
	보유장비	딩기, 크루저 요트	
	사용마리나	부산수영만 요트계류장	
	홈페이지	www.bsaf.or.kr	
부안요트 학교	위치	전라북도 부안군 변산면 격포리 651-7	
	보유장비	딩기, 크루저 요트	
	사용마리나	부안변산 요트경기장	
	홈페이지		
사천요트 학교	위치	경상남도 사천시 송포동 1370-3번지 사천요트학교	
	보유장비	딩기, 크루저 요트, 수상스키, 윈드서핑, 제트스키, 바나나보트	
	사용마리나	삼천포 마리나	
	홈페이지	www.4000yacht.co.kr	
서울요트 학교	위치	서울특별시 중랑구 상봉2동 136-18호 서울시체육회 508호	
	보유장비	딩기, 크루저 요트	
	사용마리나	한강 시민공원 난지지구 요트훈련장	
	홈페이지	www.sya.or.kr	
서울요트 마리나 아카데미	위치	서울특별시 영등포구 여의서로 160	○
	보유장비	딩기, 크루저 요트	

	사용마리나	서울마리나	
	홈페이지	www.seoul-marina.com	
양양요트 학교	위치	강원도 양양군 손양면 수산리 89-12번지	○
	보유장비	딩기, 크루저 요트	
	사용마리나	양양 수산항 요트마리나	
	홈페이지	www.ccafe.daum.net/klka	
인천요트 학교	위치	인천광역시 중구 을왕동 810-92	
	보유장비	딩기, 크루저 요트	
	사용마리나	왕산앞바다	
	홈페이지	www.icsaf.org	
전남요트 학교	위치	전라남도 여수시 소호동 502-2번지 소호 요트경기장	
	보유장비	윈드서핑, 크루저요트	
	사용마리나	소호 요트경기장	
	홈페이지	www.jnsf.org	
제주국제 요트학교	위치	제주특별자치도 서귀포시 안덕면 화순리 847-1 황금미락 2층	
	보유장비	윈드서핑, 크루저요트	
	사용마리나	화순항 앞바다 일대	
	홈페이지	www.jejuyacht.kr	
제주요트 학교	위치	제주특별자치도 제주시 애월읍 고내리 79-8번지 다인리조트 f동	
	보유장비	윈드서핑, 크루저요트	
	사용마리나	이호해수욕장 일대	
	홈페이지	www.jejudoyacht.org	
진해해양 레포츠 스쿨	위치	경상남도 창원시 진해구 덕산동 588번지외 1필지	
	보유장비	크루저요트, 딩기요트, 바나나보트, 윈드서핑, 카약 등	
	사용마리나	진해 앞바다 일대	
	홈페이지	www.maritimeschool.cwsisul.or.kr	
통영요트 학교	위치	경상남도 통영시 도남동 639번지 통영해양스포츠센터 2층	○
	보유장비	크루저요트, 딩기요트	
	사용마리나	충무마리나	
	홈페이지	www.tyyacht.com	
해군사관 학교	위치	경상남도 창원시 진해구 앵곡동	○
700 요트클럽	위치	서울특별시 마포구 상암동 487-254	○
	보유장비	크루저요트, 딩기요트, 파워보트	
	사용마리나	난지한강공원 한강일대	
	홈페이지	www.700yachtclub.com	

자료: 해양경찰청(2013)

② 외국의 요트교육

1) 호주

(1) 영국왕실요트협회 공인교육기관 Navathome

전 세계적으로 인정을 받는 요트 및 각종 해양레저활동의 교육코스를 가지고 있으며 세계최초로 설립된 영국왕실요트협회는 1875년 11월에 설립되었다. 서로 다른 클래스의 보트가 서로 공정하게 경쟁할 수 있도록 다양한 레이싱 요트를 측정하여 규칙을 표준화시켰다.

1953년 영국왕실요트협회가 되었고 1967년 자사의 교육활동에 대한 내용을 정립하기 위해 위원회를 설치하였고 이듬해인 1968년 교육코스를 72개 학교에서 진행하였다. 1971년 정립된 Yachtmaster과정은 1년 후 영국군대에서 훈련체계로 사용하기 시작했다.

현재 RYA는 영국은 물론 유럽, 오세아니아, 아메리카, 아시아, 아프리카 등 전 세계적으로 인정하는 공인해양레저교육기관이다. 전 세계적으로 업무협약 및 협정을 통해 매년 15만 명이 넘는 인원이 RYA 교육코스를 받고 있다. 교육코스는 굉장히 다양하며 세부적으로 나누어져 있다. 코스는 아래와 같다.

RYA 요트교육코스

RYA 교육코스	
· Sail Cruising (세일항해)	· Windsurfing
· Motor Cruising (동력항해)	· Inland Waterways
· Navigation & Seamanship Theory	· Personal Watercraft
· Powerboat	· Specialist Short course
· Cruising Abroad	· Certificates of Competence

세일요트나 모터요트에 대한 교육이 있고 보통 한 코스는 하루에서 5일 정도 소요된다. 과정은 화살표를 따라 진행된다.

Sail Course

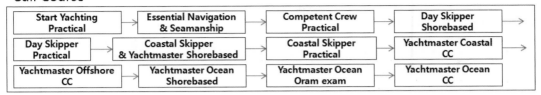

Motor Course

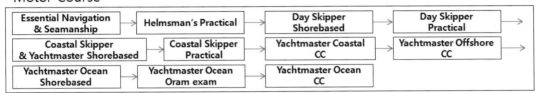

요트교육
세일요트부문
진행도

요트교육
모터요트부문
진행도

교육을 이수하면 수료증을 주는 코스는 아래와 같다.

교육을 이수하면 수료증을 주는 코스

코스명	내용
Start Yachting Practical	연령제한 없음, 2일 교육, 세일링과 조종술의 소개
Essential Navigation and Seamanship	16시간 교육, 항해술과 안전소개
Competent Crew Practical	연령제한 없음, 5일 교육, 기초적인 세일링, 항해술, 조종술, 날씨 등
Day skipper Shorebased	경력자우대, 40시간 교육과 시험, 기본적인 세일링 및 항해술
Day skipper Practical	16세 이상, 5일 교육, 추천사항(바다 5일 100miles 4시간 야간 세일링) 기본적인 수로계획과 보트핸들링 및 정립
Watch Leader Practical	5일 교육, 추천사항(바다 5일 100miles 4시간 야간 세일링), 날씨, 항해술, 조종술
Coastal Skipper & Yachtmaster Offshore Shorebased	40시간 교육과 시험, 전 단계 코스 이수자, 대양항해, 연안항해 조종술과 항해술 및 수로계획
Coastal Skipper Practical	17세 이상, 5일 교육, 추천사항(바다15일, 2일 스키퍼, 300miles, 8시간 야간항해), 항해계획
Yachtmaster Ocean Shorebased	40시간 교육과 시험, 전반적인 모든 항해술

시험을 통과해야 자격증을 주는 코스는 아래와 같다.

시험에 통과해야 자격증을 주는 코스

코스명	내용
RYA/MCA Yachtmaster Coastal	시험자격요건(바다 30일, 2일 스키퍼, 800miles, 12시간 야간 세일링), 필요자격증(VHF, First Aid)
RYA/MCA Yachtmaster Offshore	시험자격요건(바다 50일, 5일 스키퍼, 2500miles, 밤새도록 야간세일링 2회), 필요자격증(VHF, First Aid)
RYA/MCA Yachtmaster Ocean	시험자격요건(스키퍼 혹은 그에 상응하는 크루로 대양항해 경력, Yachtmaster Offshore Certificate, Yachtmaster Ocean Shorebased 수료증)

영국왕실요트협회의 교육과정은 체계적이고 세분화가 잘되어 있다. 위의 Dayskipper 자격증 취득 시 유럽 40여 개국에서 사용할 수 있으며 10m 이하의 모터요트를 조종할 수 있다. RYA의 자격증은 국제 자격증이라고 할 수 있으며 ICC로 자격증명을 할 수 있다. 또한 이론수업을 인터넷으로 수강할 수 있으며 가격은 코스별로 상이하다.

③ 한국의 보트교육

1) 조종면허시험

(1) 필기시험과목

필기시험과목 종류

구분	내용		비고
1. 수상레저안전	가) 수상환경(조석, 해류) 나) 기상학 기초(일기도, 각종 주의보, 경보) 다) 구급법(생존술, 응급처치, 심폐소생술) 라) 각종 사고 시 대처방법 마) 안전방지 및 인명구조		원서접수 후에는 수수료가 반환되지 않음
2. 운항 및 운용	가) 운항계기 다) 신호	나) 수상레저기구 조종술	
3. 기관	가) 내연기관 및 추진장치 다) 연료유, 윤활유	나) 일상정비	
4. 법규	가) 「수상레저안전법」 다) 「해상교통안전법」	나) 「개항질서법」 라) 「해양환경관리법」	

자료: 해양경찰청 수상레저종합정보

(2) 실기시험용 수상레저기구

시험용 수상레저기구 제원

선체	빗물, 햇빛을 차단할 수 있도록 조종석에 지붕이 설치되어 있을 것		
길이	약 5m	전폭	약 2m
최대출력	100마력 이상	최대속도	60km/h
탑승인원	4~6인승	기관	제한없음
부대장비	나침의(기름 10mm 이상), 속도계(MPH), RPM게이지 각 1개, 예비노, 소화기, 자동정지줄		

자료: 해양경찰청 수상레저종합정보

(3) 실기시험 채점기준

실기시험 채점기준표

과제	항목	세부내용	감점	채점요령
1.출발전 점검 및 확인	(가) 구명동의 착용불량	구명동의를 착용하지 아니하였거나 올바르게 착용하지 아니한 때 (구명동의 착용불량)	3	출발 전 점검 시 착용상태를 기준으로 1회 채점한다
	(나) 점검 불이행	출발 전 점검사항 [구명부환(救命浮環). 소화기. 예비 노/엔진 연료. 배터리. 핸들. 속도전환레버. 계기판. 자동정지줄]을 확인하지 아니한 때(점검사항 누락)	3	(가) 점검사항 중 1가지 이상 확인하지 아니한 경우 1회 채점한다. (나) 확인사항을 행동 및 말로 표시하지 아니한 경우에도 확인하지 아니한 것으로 본다. 다만, 특별한 신체적 장애 또는 사정이 있는 경우에는 말로 확인하지 아니할 수 있다.
2.출발	(가) 시동요령 부족	속도전환레버를 중립에 두지 아니하고 시동을 걸 때 또는 엔진이 시동된 상태에서 시동키를 돌리거나 시동이 걸린 후에도 시동키를 2초 이상 돌린 때(시동불량)	2	세부내용에 대하여 1회만 채점한다.
	(나) 이안(離岸) 불량	(1) 계류줄을 걷지 아니하고 출발한 때 (계류줄 묶임) (2) 출발 시 보트 선체가 계류장 또는 다른 물체와 부딪히거나 접촉한 때(출발 시 선체접촉)	2	각 세부내용에 대하여 1회만 채점한다.

	(다) 출발시간 지연	출발지시 후 30초 이내에 출발하지 못한 때 (30초 이상 출발지연)	3	(가) 세부내용에 대하여 1회만 채점한다 (나) 다른 항목의 세부내용을 원인으로 하여 출발하지 못한 경우에도 적용하며 병행 채점한다. (다) 출발하지 못한 사유가 시험선 고장 등 조종자의 책임이 아닌 경우를 제외한다.
	(라) 속도전환 레버 등 조작불량	(1) 속도전환레버를 급히 조작하거나 급히 출발한 때(급조작, 급출발) (2) 속도전환레버 조작불량으로 클러치 마찰음이 발생하거나 엔진이 정지된 때 (레버마찰음 발생 또는 엔진정지) (3) 지시 없이 엔진트림(trim 조절 스위치를 조작한 2개(트림 스위치 작동)	2	(가) 각 세부내용에 대하여 1회만 채점한다. (나) 탑승자의 신체일부가 젖혀지거나 엔진 회전소리가 갑자기 높아지는 경우에도 급출발로 채점한다.
	(마) 안전미 확인	(1) 자동정지줄을 착용하지 아니하고 출발한때(자동정지줄 미착용) (2) 전후좌우의 안전상태를 확인하지 아니하거나 탑승자가 앉기 전에 출발한 때 (안전 미확인.앉기 전 출발)	3	(가) 각 세부내용에 대하여 1회만 채점한다. (나) 고개를 돌려서 안전상태를 확인 하고 말로 이상 없음을 표시하지 아니한 경우에도 확인하지 아니한 것으로 본다.
	(바) 출발침로 (針路) 유지불량	(1) 출발 후 15초 이내에 지시된 방향 ±10°이내의 침로를 유지하지 못한 때 (15초 이내 출발침로 ±10°이내 유지불량) (2) 출발 후 일직선으로 운항하지 못하고 침로가 ±10°이상 좌우로 불안정하게 변한 때(출발침로 ±10°이상 불안정)	3	각 세부내용에 대하여 1회만 채점한다.
3. 변침	(가) 변침불량	(1) 제한시간 내(45°. 90°내외 변침은 15초, 180°내외변침은 20초)에 지시된 침로의 ±10°이내로 변침하지 못한 때 (지시각도 ±10°초과) (2) 변침 완료 후 침로가 ±10°이내에서 유지되지 아니한 때 (±10°이내 침로 유지 불량)	3	(가) 각 세부내용에 대하여 2회까지 채점할 수 있다. (나) 변침은 좌·우현을 달리하여 3회 실시하고 변침범위는 45°. 90°및 180°내외로 각 1회 실시하여야 하

				며 나침의로 변침방위를 평가한다. (다) 변침 후 10초 이상 침로를 유지하는지 확인하여야 한다.
	(나) 안전확인 및 선체동요	(1) 변침 전 변침 방향의 안전상태를 미리 확인하고 말로 표시하지 아니한 때 (변침 전 안전상태) (2) 변침 시 선체의 심한 동요, 급경사가 발생한 때(선체동요) (3) 변침 시 10노트 이상 15노트 이내의 속력을 유지하지 못한 때(변침속력)	2	각 세부내용에 대하여 2회까지 채점할 수 있다.
4. 운항	(가) 조종자세 불량	(1) 핸들을 정면으로 하여 조종하지 아니하거나 창틀에 팔꿈치를 올려놓고 조종한때(핸들 비정면, 창틀 팔) (2) 시험관의 조종자세 교정지시에 불응한 때(교정지시 불응) (3) 한손으로만 계속 핸들을 조작하거나 필요 없이 자리에서 일어나 조종한때 (한손. 서서 조종) (4) 필요 없이 속도를 조절하는 등 불필요하게 속도 전환레버를 반복 조작할 때 (불필요한 레버조작)	2	(가) 각 세부내용에 대하여 1회만 채점한다. (나) 특별한 신체적 장애 또는 사정으로 인하여 이 항목의 적용이 어려운 경우에는 감점하지 아니한다.
	(나) 지정속력 유지불량	(1) 증속 및 활주지시 후 15초 이내에 활주 상태가 되지 아니한 때 (활주시간 15초 초과) (2) 시험관의 지시가 있을 때 까지 활주 상태를 유지하지 못한 때 (활주상태 유지불량) (3) 15노트 이하 또는 25노트 이상으로 운항한 때(저속 또는 과속)	4	(가) 각 세부내용에 대하여 2회까지 채점할 수 있다. (나) 시험관은 세부내용에 대하여 1회 채점 시 시정지시를 하여야 하며 시정지시 후에도 시정하지 않거나 재발하는 경우 2회 채점한다.
5. 사행 (蛇行)	(가) 반대방향 진행	첫 번째 부이(Buoy)로부터 시계방향으로 진행하지 아니하고 반대방향으로 진행한 때(반대방향 진행)	3	(가) 세부내용에 대하여 1회만 채점한다 (나) 반대방향으로 진행하는 경우 과제5 의 다른 항목은 정상적인 사행과 동일하게 적용한다.
	(나) 통과간격 불량	(1) 부이로부터 3m 이내 접근한 때 (부이 3m 접근) (2) 첫 번째 부이 전방 25m 지점과 세	9	(가) 각 세부내용에 대하여 2회까지 채점할 수 있다.

		번째 부이 후방 25m지점의 양쪽 옆 각 15m 지점을 연결한 수역을 벗어난 때 또는 부이를 사행하지 아니한 때(15m 초과. 미사행)		(나) 부이를 사행하지 아니한 때라함은 부이를 중심으로 왼쪽 또는 오른쪽으로 반원(타원)형으로 회전하지 아니한 경우를 말한다.
	(다) 침로이탈	(1) 첫 번째 부이 약 30m 전방에서 3개의 부이와 일직선으로 침로를 유지하지 못한 때(사행진입 불량) (2) 세 번째 부이사행 후 3개의 부이와 일직선으로 침로를 유지하지 못한 때 (사행 후 침로불량)	3	각 세부내용에 대하여 1회만 채점한다.
	(라) 핸들조작 미숙	(1) 사행 중 핸들조작 미숙으로 선체가 심하게 동요하거나 선체후미의 급격한 쏠림이 발생하는 때(심한 동요. 쏠림) (2) 사행 중 갑작스런 핸들조작으로 선회가 부자연스런 때 (부자연스러운 선회)	3	(가) 각 세부내용에 대하여 1회만 채점한다. (나) 선회가 부자연스러운 때 라 함은 완만한 곡선으로 회전이 이루어지지 아니한 경우를 말한다.
6.급정지 및 후진	(가) 급정지 불량	(1) 급정지 지시 후 3초 이내에 속도전환 레버를 중립으로 조작하지 못한 때 (급정지 3초 초과) (2) 급정지 시 후진레버를 사용한 때 (후진레버 사용)	4	각 세부내용에 대하여 1회만 채점한다.
	(나) 후진동작 미숙	(1) 후진레버 사용 전 후방의 안전상태를 확인하지 아니하거나 후진중 지속적으로 후방의 안전상태를 확인하지 아니한 때(후진방향 미확인) (2) 후진 시 진행 침로가 ±10°이상 벗어난 때(후진침로 ±10°이상) (3) 후진레버를 급히 조작하거나 급히 후진한 때(후진레버 급조작. 급후진)	2	(가) 각 세부내용에 대하여 1회만 채점한다. (나) 탑승자의 신체일부가 후진으로 인하여 한쪽으로 쏠리거나 엔진 회전소리가 갑자기 높아지는 경우 이 항목 세부내용(3)의 "후진레버 급조작. 급후진"으로 채점한다. (다) 응시자는 시험관의 정지 지시가 있을 때까지 후진하여야 하며, 후진은 후진거리를 감안하여 15초에서 20초 이내로 실시한다.
7.인명구조	(가) 물에 빠진 사람에게	(1)물에 빠진 사람 발생 고지 후 3초 이내에 5노트 이하로 감속하고 물에 빠진 사람의 위치를 확인하지 아니한 때 (3초	3	(가) 각 세부내용에 대하여 1회만 채점한다. (나) 물에 빠진 사람의

	접근불량	이내 물에 빠진 사람 미확인) (2) 물에 빠진 사람 발생 고지 후 5초 이내에 물에 빠진 사람이 발생한 방향으로 전환하지 아니한 때 (5초 이내 물에 빠진 사람 발생 향미전환) (3) 물에 빠진 사람을 조종석 1m 이내로 접근시키지 아니한 때 (조종석 1m 이내 접근불량)		위치 확인 시 확인 유.무를 말로 표시하지 아니한 경우도 미확인으로 채점한다.
	(나) 속도조정 불량	(1) 물에 빠진 사람 방향으로 방향전환 후 물에 빠진 사람으로부터 15m 이내에서 3노트 이상의 속도로 접근한때 (3노트이상 접근) (2) 물에 빠진 사람이 시험선의 선체에 근접하였을 때 속도전환레버를 중립으로 하지 아니하거나 후진레버를 사용한 때(미중립. 후진사용)	3	각 세부내용에 대하여 1회만 채점한다.
	(다) 구조실패	(1) 물에 빠진 사람(부이)과 충돌한 때 (물에 빠진 사람과 충돌) (2) 물에 빠진 사람 발생 고지 후 2분 이내에 물에 빠진 사람을 구조하지 못한 때(2분 이내 구조실패)	6	(가) 각 세부내용에 대하여 1회만 채점한다. (나) 시험선의 방풍막을 기준으로 선수 부에 물에 빠진 사람이 부딪히는 경우에는 충돌로 채점한다. 다만, 바람. 조류. 파도 등으로 인하여 시험선의 현측에 가볍게 접촉하는 경우를 제외한다. (다) 항목 가. 세부내용의 (3)또는 항목 나. 세부내용에 해당하는 경우에는 응시자로 하여금 재접근하도록 하여야 한다.
8. 접안	(가) 접근속도 불량	계류장으로부터 30m의 거리에서 속도를 5노트 이하로 낮추어 접근하지 아니한 때 또는 계류장접안 위치에서 속도를 3노트 이하로 낮추지 아니하거나 속도전환 레버가 중립이 아닌 때(후진을 사용하는 경우를 포함한다)(접안속도 초과)	3	(가) 세부내용에 대하여 1회만 채점한다 (나) 접안 시 시험관은 정확한 접안위치를 응시자에게 알려주어야 한다.
	(나) 접안불량	(1) 접안위치에서 시험선과 계류장이 1m 이내의 평행이 되지 아니한 때 (평행상태)	3	(가) 각 세부내용에 대하여 1회만 채점한다. (나) 선수란 방풍막을

		(2) 계류장과 선수 또는 선미가 부딪힌 때 (계류장 충돌) (3) 접안위치에 접안을 하지 못한 때 (접안실패)	기준으로 앞쪽 굴곡부를 지칭한다.

자료: 해양경찰청 수상레저종합정보

※ 비고: 다음 각 호의 경우에는 시험을 중단하고 "실격"으로 한다.

1. 3회 이상 출발지시에도 출발(속도전환레버를 조작하여 계류장을 이탈하는 것)하지 못하거나 응시자가 시험포기의 의사를 밝힌 경우(3회 이상 출발불가 및 응시자 시험포기)
2. 속도전환레버 및 핸들의 조작미숙 등 조종능력이 현저히 부족한 것으로 인정되는 경우(조종능력 부족으로 시험진행 곤란)
3. 사행부이 등과 충돌하는 등 사고를 일으키거나 사로를 일으킬 위험이 현저한 경우(현저한 사고 위험)
4. 술에 취한 상태(혈중알코올농도 0.08% 이상)이거나 취한 상태는 아니더라도 음주로 인하여 원활한 시험이 어렵다고 인정되는 경우(음주상태)
5. 사고의 예방과 시험진행을 위한 시험관의 지시 및 통제에 불응하거나 시험관의 지시 없이 2회 이상 임의로 시험을 진행하는 경우(지시 통제불응 또는 임의 시험 진행)
6. 이미 감점한 점수의 합계가 합격기준에 미달하게 됨이 명백한 경우(중간점수 합격기준 미달

(4) 실기시험 운항코스

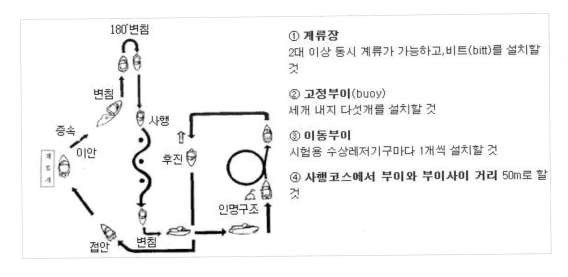

① **계류장**
2대 이상 동시 계류가 가능하고, 비트(bitt)를 설치할 것

② **고정부이(buoy)**
세개 내지 다섯개를 설치할 것

③ **이동부이**
시험용 수상레저기구마다 1개씩 설치할 것

④ **사행코스에서 부이와 부이사이 거리** 50m로 할 것

2) 면허시험면제

면제대상 기준표

면제대상자	면제되는 시험의 구분	
	면허의 종류	시험의 종류
1. 국민체육진흥법 제2조 제11호의 규정에 의한 경기단체에 동력수상레저기구의 선수로 등록된 자	제2급조종면허	실기
2. 고등교육법 제2조의 규정에 의한 학교에 설치된 동력수상 레저기구에 관한과목을 6학점 이상 필수적으로 이수하여야 하는 학과 졸업자로서 당해 면허와 관련된 동력수상레저기구에 관한 과목을 이수한 자 3. 선박직원법 제4조 제2항 각호의 규정에 의한 해기사 면허 중 항해사, 기관사, 운항사 또는 소형선박 조종사의 면허를 가진 자	제2급 조종면허 요트조종면허	필기
4. 한국해양소년단연맹육성에관한 법률에 의한 한국해양소년 단연맹 또는 국민체육 진흥법 제2조 제11호의 규정에 의한 경기단체에서 동력수상레저기구의 이용에 관한 교육·훈련 업무에 1년 이상 종사한 자로서 해당 단체의 장의 추천을 받은 자	제2급조종면허	실기
5. 경찰, 소방방재청, 해양경찰청, 합동참모본부 및 육군·해군·공군 본부, 국민체육진흥법 제2조제11호에 따른 경기 단체로서 수상레저활동과 관련 있는 경기단체, 한국수상레저안전협회, 그밖에 그 설립목적이 수상레저활동과 관련 있는 기관·단체로서 해양경찰청장이 지정·고시하는 기관·단체에서 실시하는 교육을 마치고 자격을 받은 자	제2급 조종면허 요트조종면허	필기 및 실기
6. 제1급 조종면허 필기시험을 합격한 후 제2급 조종면허 실기시험으로 변경하여 응시 하고자 하는 자(제2급 조종면허 /필기)	제2급조종면허	필기

※ 제1급 조종면허에는 면제되는 사항이 없다.
자료: 해양경찰청 수상레저종합정보

3) 원서접수처 및 시험관련 문의처

전국의 조종면허시험 관리문의처

지역 / 시설	전화번호	주소
인천	032-650-2351	인천 중구 축항대로 10 수상레저계 서울 02-304-5900,5951
속초	033-634-2349	강원 속초시 동명항길 35
동해	033-741-2349	강원 동해시 임항로29
포항	054-750-2551	경북 포항시 북구 용흥로28번길9
울산	052-230-2249	울산 남구 장생포 고래로288번길 20
완도	061-550-2249	전남 완도군 완도읍 중앙길 93
목포	061-241-2351	전남 목포시 청호로 231
군산	063-539-2249	전북 군산시 군산창길 21
태안	041-950-2551	충남 태안군 태안읍 동백로 92-13
부산	051-664-2551	부산 영도구 해양로 293
통영	055-647-2551	경남 통영시 광도면 죽림2로 45
창원	055-981-2349	경남 창원시 마산회원구 무역로 145
여수	061-840-2551	전남 여수시 문수로 111
제주	064-766-2251	제주 제주시 임항로 154
서귀포	064-793-2549	제주 서귀포시 남원읍 중산간동로 7415
서울	02-304-5900, 5951	마포구 하늘공원로 108 한강공원 난지지구
경기	031-584-5700, 5119	경기 가평군 청평면 호반로 162
강원	033-252-9097	강원 춘천시 고산배터길 27-6
경북 영덕	054)732-8884	경북 영덕군 강구면 강영로 33
경북 안동	054-821-2020	경북 안동시 석주로 514 (안동호 석동선착장)
울산	052-258-6115	울산 남구 여천동 부두로 288
전남 해남	061-537-0741	전남 해남군 산이면 관광레저로 1615
전북 김제	063-548-7774, 7775	전북 김제시 만경읍 만경리 726-1번지
충남 아산	041-541-9423	충남 아산시 방축동 신정호길 15-14
충북 충주	043-856-3119	충북 충주시 동량면 하천리 436번지
부산 수영만	051-742-0367	부산 해운대구 해운대대변로 요트경기장 107호(행정)
경남 마산	055-271-9977	경남 마산시 진동면 요장리 181번지
경남 합천	055-933-1973	경남 합천군 봉산면 서부로 4270-8
전남 여수	061-683-6458	전남 여수시 화양면 화양로 1436-29
제주 제주시	064-743-6232	제주 제주시 도리로 15-20

서울요트	02-304-5900, 5951	서울 마포구 하늘공원로 108 한강공원난지지구
강원요트	033-576-0611	강원도 삼척시 근덕면 해병길 104
경북요트	054)732-8884	경북 영덕군 강구면 강구대게길 22
경남통영요트	055-641-5051	경남 통영시 도남로 269-28
경남고성요트	055-673-5080	경남 고성군 회화면 당항만로 1116
부산요트	051-410-4242	부산 동삼동 1번지 한국해양대학교 평생교육원
전남요트	061-247-0331	전남 목포시 해양대학로 91
제주요트	064-743-7536	제주 제주시도두항서길 34

자료: 해양경찰청 수상레저종합정보

4) 전국해양경찰서 담당부서

해양경찰서	담당부서	담당시험장
인천해양경찰서	인천 중구 축항대로 10 수상레저계 (TEL: 032-650-2351)	서울시험장 서울요트시험장 경기시험장
태안해양경찰서	충남 태안군.읍 장산리 286-4 수상레저계 (TEL: 041-950-2251)	충북시험장 충남시험장
군산해양경찰서	전북 군산시 군산창길 21 교통레저계 (TEL: 063-539-2249)	북김제시험장
목포해양경찰서	전남 목포시 청호로 231 수상레저계 (TEL: 061-241-2351)	남서부시험장
제주해양경찰서	제주 제주시 임항로 154 교통레저계 (TEL: 064-766-2251)	제주시험장
완도해양경찰서	전남 완도군 완도읍 중앙길 93 교통레저계 (TEL: 061-550-2249)	
여수해양경찰서	전남 여수시 문수동 111-3 수상레저계 (TEL: 061-840-2551)	전남동부시험장
통영해양경찰서	경남 통영시 광도면 죽림리 1575-1 수상레저계 (TEL: 055-647-2351)	통영요트시험장 고성요트시험장
창원해양경찰서	경남 창원시 마산회원구 무역로 145 수상레저계 (TEL: 055-981-2349)	경남시험장 서부경남시험장
부산해양경찰서	부산 영도구 해양로 293 수상레저계 (TEL: 051-664-2451)	부산시험장
울산해양경찰서	울산 남구 장생포 고래로 288번길 2 교통레저계 (TEL: 052-230-2249)	울산시험장

포항해양경찰서	경북 포항시 북구 용흥로 28번길9 수상레저계 (TEL: 054-750-2351)	경북 제1시험장 경북 제2시험장
동해해양경찰서	강원 동해시 임항로 29 교통레저계 (TEL: 033-741-2351)	강원요트시험장
속초해양경찰서	강원 속초시 동명항길 35 교통레저계 (TEL: 033-634-2349)	강원시험장
서귀포해양경찰서	제주특별자치도 서귀포시 남원읍 중산간동로 7415 교통레저계 (TEL: 064-793-2549)	
평택해양경찰서	경기도 평택시 포승읍 만호리 570-1 마린센터 2, 3 층 (TEL: 031-8046-2349)	

자료: 해양경찰청 수상레저종합정보

5) 시험대행기관 지정현황

전국 조정면허 시험대행기관 현황

구분	내용
서울 조종면허 시험장	(사)한국수상레저안전협회 서울 마포지부 사무실: 서울 마포구 하늘공원로 108 한강공원난지지구 실기시험장위치: 마포구 하늘공원로 108 한강공원난지지구(대표 자: 류진수) 연락처: T.02)304-5900 / F.02)304-1162
서울요트 면허시험장	(사)한국외양 요트 연맹 사무실: 서울 마포구 하늘공원로 108 한강공원난지지구 실기시험장위치: 마포구 하늘공원로 108 한강공원난지지구(대표 자: 류진수) 연락처: T.02)304-5900 / F.02)304-1162
경기 조종면허 시험장	(사)한국수상레저안전협회 경기 가평지부 사무실: 경기 가평군 청평면 호반로 162 실기시험장위치: 가평군 청평호(대표자: 김찬수) 연락처: T.031)584-5700 / F.031)584-9734
강원 조종면허 시험장	(사)한국수상레저안전협회 강원 춘천지부 사무실: 강원도 춘천시 고상배터길 실기시험장위치: 강원도 춘천시 고상배터길(대표자: 안규희) 연락처: T.033)252-9097 / F.033)242-9098

강원요트 조종면허 시험장	강원대학교삼척캠퍼스 해양관광레저스포츠센터 사무실: 강원 삼척시 근덕면 덕산리해병길 104 실기시험장위치: 삼척시 근덕면 덕산항(대표자:김진국) 연락처: T.033)576-0611
충남 조종면허 시험장	(사)한국수상레저안전협회 충남 아산지부 사무실: 충남 아산시 신정호길 15-14 실기시험장위치: 아산시 신정호(대표자: 김현철) 연락처: T.041)541-9423~4 / F.041)541-9425
충북 조종면허 시험장	(사)한국수상레저안전협회 충북 충주지부 사무실: 충북 충주시 동량면 하천리 436번지 실기시험장위치: 충주시 동량면 충주호(대표자: 김학성) 연락처: T.043)856-3119 / F.043)851-4311
경북 조종면허 시험장	(사)한국수상레저안전협회 경북 영덕지부 사무실: 경북 영덕군 강구면 강영로 33 실기시험장위치: 경북 영덕군 강구면 강영로 33(오십천)(대표자: 전길봉) 연락처: T.054)732-8884 / F.054)734-1021
경북요트 조종면허 시험장	(사)한국외양요트협회 경북지부 사무실: 경북 영덕군 강구면 강영로 33 실기시험장위치: 경북 영덕군 강구면 강구대게길 22(대표자:전길 봉) 연락처: T.054)733-8884
경북제2 조종면허 시험장	(사)한국수상레저안전협회 경북 안동지부 사무실: 경북 안동시 석주로 514 실기시험장위치: 경북 안동시 석주로 514 (대표자: 전길봉) 연락처: T.054)821-2020 / F.054)823-1215
경남 조종면허 시험장	(사)한국수상레저안전협회 경남 마산지부 사무실: 경남 창원시 마산합포구 진동면광암회단지길 42 실기시험장위치: 창원시 광암해수욕장(대표자: 권평집) 연락처: T.055)271-9977 / F.055)271-0041
서부경남 조종면허 시험장	(사)한국수상레저안전협회 서부경남지부 사무실: 경남 합천군 봉산면 서부로 4270-8 실기시험장위치: 경남 합천군 봉산면 서부로 4270-8(대표자: 윤 웅주) 연락처: T.055)933-1973 / F.055)933-1974
울산 조종면허 시험장	(사)한국수상레저안전협회 울산 남구지부 사무실: 울산시 남구 여천동 부두로 288 실기시험장위치: 울산시 남구 여천동 부두로 288(대표자: 허명찬) 연락처: T.052)298-6025 / F.052)298-9137

부산 조종면허 시험장	(사)한국수상레저안전협회 부산 수영만지부 사무실: 부산 해운대구 해운대대변로 84 요트경기장 107호 실기시험장위치: 부산 수영구 민락동 336-23앞 해수면(대표자: 최상순) 연락처: T.051)742-0367 / F.051)747-6279
제주 조종면허 시험장	(사)한국수상레저안전협회 제주 제주시지부 사무실: 제주시 도리로 15-20 실기시험장위치: 제주시 도리로 15-20(대표자: 권혁성) 연락처: T.064)743-6232 / F.064)743-6231
전북 조종면허시험장	(사)한국수상레저안전협회 전북 김제지부 사무실: 전북 김제시 만경읍 만경리 726-1 실기시험장위치: 김제시 만경읍 만경리 능제저수지(대표자: 방인규) 연락처: T.063)548-7774 / F.063)548-7776
전남서부 조종면허시험장	(사)한국수상레저안전협회 전남 해남지부 사무실: 전남 해남군 산이면 관광레저로 1615 실기시험장위치: 해남군 금호호(대표자: 이수환) 연락처: T.061)537-0741 / F.061)537-0742
전남동부 조종면허시험장	(사)한국수상레저안전협회 전남 여수지부 사무실: 전남 여수시 화양면 화양로 1436-29 실기시험장위치: 여수시 해양소년단 훈련장(대표자: 김유평) 연락처: T.061)683-6458 / F.061)664-7052
통영요트 조종면허시험장	통영요트학교 사무실: 경상남도 통영시 도남로 269-28 실기시험장위치: 통영시 통영항 도남관광단지(대표자:윤상휴) 연락처: T.055)641-5051
고성요트 조종면허시험장	(사)한국외양요트협회 경남서부지부 사무실: 경상남도 고성군 회화면 당항만로 1116 실기시험장위치: 고성군 회화면 당항리 당항포관광지(대표자:곽상칠) 연락처: T.055)672-7885 F.055)672-7884
전남요트 조종면허시험장	목포해양대학교 산학협력단 사무실: 전남 목포시 해양대학로 91 실기시험장위치: 전남 목포시 해양대학로 91 목포해양대학교 산학협력단 앞해역(대표자:고재용) 연락처: T.061)247-0331~2 F.061)247-0333
부산요트 조종면허시험장	한국해양대학교 평생교육원 사무실: 부산광역시 동삼동 1번지 한국해양대학교 평생교육원 실기시험장위치: 부산광역시 동삼동 1번지 한국해양대학교 평생교육원(대표자:김길수) 연락처: T.051)410-5005 F.051)405-2080

제주요트 조종면허시험장	제주한라대학 산학협력단 사무실: 제주시 도두서항길 34 실기시험장위치: 제주시 도두서항길 34(대표자:김성훈) 연락처: T.064)743-7536, 7537　F.064)743-7538

④ 외국의 보트교육

개별적이고 상업적인 요트클럽과 보트학교와 함께 미국과 캐나다의 보트사용자들은 비상업적이고, 정부조직으로부터 보트와 관련된 활동과 교육을 받게 된다. 민간부분에서 미국의 모터보트연맹과 캐나다 보트요트연맹은 중요한 역할을 수행하고 있다. 미국의 해양경찰의 방대한 업무를 보조하기 위하여 미국모터보트연맹(USPS)이 설립되었다. 캐나다의 경우 캐나다 해양경찰과 별개로 캐나다 보트연맹이 조직되었고, 역할면에서 중요한 위치를 차지하고 있다.

1) 미국의 보트교육(USPS)

(1) USPS의 발전과정

United States
Power
Squadrons

1912년에 모터보트가 여가용 보트 활동의 분야에서 세일보트에 변화를 주기 시작하였고, 보스턴 요트클럽의 일부 회원들이 이러한 새로운 활동에 대한 지식의 결핍을 느끼게 되었다. 따라서 이러한 지식을 얻기 위하여 보스턴 요트클럽 내에 모터보트 조직이 설립되었고, 이 조직에 의하여 모터보트 연맹의 교육기반이 만들어졌다.

USPS는 1914년 2월 2일에 뉴욕요트클럽에서 Charles F. Chapman 등이 참가하여 미국 모터보트연맹이 설립되었다. 1차 세계대전 이후, USPS는 보트와 보트를 즐기는 사람들에 대한 새로운 기회를 제공하였다. 세계2차대전 이후, 보트 붐이 다시 일기 시작했고, 새로운 모터보트연맹이 일본, 오키나와(당시 미국영토), 하와이, 파나마 반도,

알레스카 등 전 세계적으로 확산되었다. 하지만 모든 조직이 USPS만큼 활발하게 운영되지는 않았다.

비영리단체인 USPS는 보트를 타는 사람들이 스스로 안전하게 보트를 탈 수 있도록 교육하고 있다. 2003년에 USPS의 회원 규모는 60,000명 이상으로 늘어났고, 450개 이상의 조직이 33개의 지구에서 활동하고 있다.

(2) USPS의 회원

USPS의 회원은 16세 이상의 남녀로 구성되어 있으며, 그들은 국가적 조직에서 지정한 가입자격을 충족시키거나, 조직에 속해있는 사람의 추천을 통해 USPS에 가입할 수 있다. USPS의 회원은 Active 회원과 Family 회원으로 나눌 수 있는데, Active 회원들은 조직의 모든 혜택을 누릴 수 있는 정회원이고, Family 회원들은 Active회원의 혈연이거나, 배우자, 혹은 입양에 의해 함께 살고 있는 사람들이 가입할 수 있는 회원이다. Family 회원은 조직 내의 투표나, 사무실을 이용할 수 없지만, 보트경기에 참가하거나, 조직 내의 위원회에 참가할 수 있다.

비영리단체인 USPS는 회원들을 지속적으로 지원해주고 있다. 그러므로 회원들은 그들이 가진 재능과 시간을 조직에 투자하고, 그에 따른 지식과 새로운 기술을 얻을 수 있는 기회를 얻게 된다.

(3) USPS의 조직

USPS의 해외 조직들은 기본적으로 Squadron이라는 이름을 가지고 있고, 앞에 지역을 뜻하는 US는 각 지역의 조직마다 다르다. 각 조직은 최소 20명 이상의 회원을 보유하고 있고, 많게는 500명 이상까지도 있는 경우가 있다. Squadron은 각 지역에 그룹화 되어 있고, 그 그룹들은 지역단위와 국가기관 단위로 각각 다른 숫자로 나누어져 있다.

Squadron은 각 지역마다 조직의 단체장과 부단체장이 존재하는데, 그들은 그 지역에서의 투표에 의해 정해진다. USPS에서는 5가지 분야의 최고권위자를 순위를 매겨 모든 지역의 총단체장을 선출한다. 부총단체장은 중앙위원장과 중앙사무실 간부 전체의 순위에 따라 결정된다. 모든 중앙사무실 간부들은 자원봉사자들로 이루어져 있다. 급여를 지급받는 인원은 미 Raleigh지역과 NC지역의 중앙간부들 뿐이다. USPS는 여름과 겨울에 주로 운영되고, 회원들을 위한 유니폼을 제공한다. 회원들은

유니폼을 구입해야 할 필요가 없고, 없는 사람이 대다수이다. 유니폼을 입을 때는 조직회의 때나, 회합, 행사, 기타 다른 용무가 있을 때이다. USPS의 다양한 교육행사에서는 유니폼을 입지 않아도 상관없다.

USPS를 대표하는 유니폼 모양은 소매에 새겨진 USPS의 자수 휘장이다. 이는 다양한 종류의 진한 파란색 줄무늬와 함께 사용된다. 유니폼 모자는 USPS의 다양한 유니폼과 함께 착용할 수 있다. USPS의 다양한 조직 내의 서열은 모자로 표현된다. USPS의 모자는 장식용 모자와 보트를 탈 때 쓰는 모자로 나누어져 있다. 그리고 그것은 조직 내의 서열을 표기한다. 임원들의 모자는 서열에 따라 각각의 휘장이 다르게 나타난다.

(4) USPS의 교육과정

교육 프로그램은 USPS의 주요 활동내용 중 하나이다. 그들은 세 가지 단계로 구분하여 교육을 진행한다. 기초교육과정은 모두에게 제공된다. 공식적인 연령제한은 없지만 적어도 12세 이상의 아이들부터 보호자의 동반 하에 교육을 제공받을 수 있다. 상급교육과정과 고급교육과정은 USPS의 회원들과 군인, 개인적인 레슨을 받는 사람에게만 제공되고, 기타 국가비상사태 때에는 모든 사람들에게 제공된다. 이러한 과정에 대한 설명은 아래와 같다.

① 기초교육과정

USPS사의 보트안전교육은 국가공인 기본보트교육코스로 선정되어 있다. 이중에서 보트를 타는 사람들에게 필요한 최소한의 안전교육은 국가에서 법률로 지정되어 있을 정도의 수준이다. 다음은 기초교육과정의 기본 교육내용이다.

- 보트 유형, 용어, 선체 기능 및 추진
- 연료, 출발 전 체크리스트, 보트 관리, 도킹 및 고정
- 수상바이크 및 기타 수상 스포츠
- 보트안전, 선상예절, 환경문제
- 등록, 설비 및 기타 권장장비
- 정부관련규정
- 항로탐색규칙 및 보조
- 위급상황 시 해양 무선전화 사용방법

USPS는 이러한 교육과정을 직접 제작하고, 전국적으로 분포하여 보트를 타는 사람들이 숙지해야 할 기본적인 안전을 갖출 수 있도록 자체 인증시험을 시행하고 있다. 시험을 주관하는 인원들은 각 지역의 USPS에 속해 있는 자원봉사자 들이다. 그들은 외부 전문가와 각 지역 해양관련 공무원들과 함께 시험을 진행하고 있다. 시험기준은 공식적으로 정해져있지만, 지역에 따라 다르게 적용하기도 한다. 시험을 보고자 하는 인원들은 기출자료나 실기시험 기록 등을 참조하여 미리 연습하는 것이 좋다. USPS의 회원 중 Family 회원들은 기초교육과정정도는 통과할 수 있어야 한다.

boat smart코스는 현재 미국에서 진행 중인 교육과정으로, 가장 최신 교육과정이며, 현재 USPS 교육과정 중 가장 인기 있는 과목으로, 8시간의 교육내용을 가지고 있다. 이 교육과정은 미국의 해양경비대와 협력하여 개발되었다. 이 교육은 인터넷을 통해 온라인으로 학습할 수 있다. 가상 교육은 교육서와 함께 CD로 제공되기도 한다. USPS의 교육과정은 이 외에도 12시간의 추가 교육과정이 있는데, 그 내용은 아래와 같다.

- 해양 나침반 설치 및 사용
- 방위와 다른 지역의 위치
- 기본 차트워크, 플로팅 및 라벨
- 현위치 탐색 및 플로팅 코스

USPS는 강의를 들을 시간이 없는 사람들을 위해 VHS형식의 강의 비디오를 제공하고 있는데, 청각 장애인들을 위한 자막도 함께 제공하고 있다. 이러한 강의 비디오는 매년 수업내용을 반영하여 제작하며, 각각의 시리즈를 가지고 있다.

USPS에서는 교육을 제공하는 것 외에도 보트 위에서의 특별한 경험을 위해 매년마다 교육생이 가족과의 특별한 이벤트를 즐길 수 있는 기회를 제공하고 있다. 이러한 이벤트는 USPS의 웹사이트나 문의전화를 통해 신청할 수 있다. 그 외에도 USPS는 교육생들이 흥미를 가질만한 몇 가지의 특별한 프로그램을 제공한다.

Chart Smart라는 프로그램에서는 4시간의 교육으로 해양나침반의 사용방법과 차트워크, 플로팅 등의 교육을 속성으로 제공하고, Jet Smart라는 프로그램에서는 4시간동안 수상바이크에 대한 교육을 제공한다. 그 외에도 USPS Learning Guides라는 프로그램은 USPS회원이나 해군들이 자유롭게 학습할 수 있는 프로그램이다. 현재 제공받을 수 있는 USPS Learning Guides 교육과정은 다음과 같다.

② 상급교육과정

상급교육과정에서는 과학적인 분석을 통해 얻어진 지식들을 5가지 등급의 과정으로 분류하여 회원들에게 제공하고 있다.

- 선박조종술
- 플로팅
- 보조플로팅
- 부항해사
- 항해사

이러한 교육과정들은 각각 12시간의 교육시간을 가지고 있고, 2가지 내지 3가지의 항목이 연계되어 교육된다. 이러한 교육방식은 최대한 각 과정간의 연관성을 고려하여 진행하고 있다. 이 교육의 목적은 교육생들이 항해 중 일어날 수 있는 각종 위급상황을 대처하고 같이 항해하는 선원들에게 신뢰를 잃지 않도록 하는 것이다.

선박조종술 과정은 초급교육과정뿐 아니라 상급교육과정에서도 필수적인 교육과정으로 자리잡고 있다. 선박조종술과정은 평시와 위급상황 시 실용적인 밧줄 스파이크 사용법, 선체 디자인과 구조, 내비게이션 작동법과 스키퍼의 책임감, 화재 예방, 질병 예방, 보트 관리, 마리나 운영과 깃발사용법 등을 포함하고 있다.

플로팅 과정은 먼저 내륙과 해안에서의 두 가지 과정으로 나누어서 교육을 진행한다.

이것은 기본적인 보트의 플로팅을 유지하여 보트의 움직임을 파악하고 어떤 위치에서도 항로를 알아내어 정해진 코스로 운항을 하는 것에 중점을 잡고 있다. 항로를 파악하는 방법은 항해표지와 마리나 나침반을 이용하여 항로의 탈선유무를 파악하고, 항로의 위치를 바로잡은 뒤, 잘못된 항해표지를 수정하는 것으로 이루어져 있다.

고급 플로팅 과정은 내륙과 해안에서의 항해에 대한 두 번째 파트다. 이 과정에서는 현대식 항해시스템과 다른 고급기술들을 사용하여 항로를 찾는 것을 중점으로 하고 있다.

교육의 주요 내용은 레이더와 LORAN, GPS, 전자항해표지, 바다에서의 해류나 강의 조류에 따른 플로팅기법, 마리나의 육분의를 사용하여 정확한 방위와 방향을 찾아가는 법, 자신의 항해표지에 항로를 기록하는 법 등이 있다.

연안항해교육은 두 가지의 프로그램으로 진행된다. 첫 번째 기초항해과정은 항로를 알아보는 법, 전자항해시스템 사용법, 정시에 목적지에 도착하는 방법, 해상달력

의 사용법, 해, 달, 행성, 별 등을 활용해 방향을 찾는 방법, 항해표지를 이용해 항해
하는 방법, 출발지에서 새로운 항로를 설정하는 방법 등이 있다.

중급항해과정은 연안항해교육의 두 번째 과정으로서, 항해를 하는 방법을 이론적
으로 심화교육하는 과정이다. 이 교육과정은 최소한의 정보로 항해하는 방법, 평시에
항해사의 선상일상, 위급 시 배에서 살아남는 법과 구명보트 사용법 등을 중점으로
교육하고 있다.

③ 고급교육과정

USPS는 위의 두 가지 과정 외에도 회원들이 선정한 5가지의 흥미로운 보트기술과
자연에서 생존하는 법에 대한 교육까지 총 6가지의 고급교육과정을 제공한다. 고급교
육과정은 약 21시간 이상의 교육시간을 가지고 있고, 두세 가지의 파트로 구분된다.

상급교육과정 중 해안경비대에서 제공하는 교육은 항해 중 선박에 문제가 생겼을
때 문제를 진단하고 스스로 응급조치를 하는 방법에 대해 알려주고 있다. 기본적으로
선박 엔진이 휘발유인지, 경유인지 파악하고 있어야 하며, 엔진이 선외에 있는지, 선
내에 있는지 알아야 한다. 세부적으로는 선박의 구성요소와 엔진 냉각시스템, 배선장
치, 연료, 파워트레인 작동법, 보조추진장치 사용, 기본적인 선박수리 및 선박유지에
대한 안전교육을 제공한다.

USPS에서 제공하는 상급교육과정은 고난이도의 선박항해법이다.

이 과정에서는 강한 바람과 해류에 맞서 배의 중심을 잡는 방법, 핸들 조종법, 다
양한 선박들의 항해기법 등을 제공한다. 고급교육과정의 참고서적 중 가장 좋은 것은
'USA Today's The Weather Book'이다. 이 책은 자연현상의 위험성에 대해 알려주
고, 기상관측자료와 하늘의 상태를 통해 날씨를 예측하는 방법, 기이한 자연환경과
그에 대처하는 방법, 날씨를 기록하는 방법 등을 알려준다.

이러한 교육은 생존에 관련된 교육이기 때문에 다른 교육들보다 학생과 강사의 소
통이 매우 중요하며, 어린이들은 교육에 참가할 수 없다. 이 교육의 참고서는 'Basic
Public Education'이라는 책인데, 이는 USPS회원이 아니더라도 열람할 수 있다. 하
지만, 그들에게 제공되는 내용은 그다지 많지 않기 때문에 이 책을 공부하기 위해서
는 스터디그룹을 형성하여 여러 사람이 서로의 지식을 공유하면서 공부하는 것이 좋
다. 참고서는 USPS의 사무실이나 해안경비대를 통해 제공받을 수 있다.

(7) USPS의 기타활동

① 통계프로그램 제공

USPS에서는 요트에 대한 각종 통계정보를 NOS라는 프로그램을 통해 제공하고 있다. NOS가 제공하는 내용은 보트·크루즈 이용객 수, 보트대회 등의 내용과 제한된 지역에 대한 각종 자료들을 제공한다. 이는 해양산업 종사자들과 개인보트 소유자들에게 많은 도움이 된다.

② 선장체험프로그램

선장체험프로그램은 USPS의 회원들이 가지고 있는 지식과 경험들을 공유하는 프로그램으로, 운항과 정박, 마리나, 기초선박수리, 선상서비스 등의 정보를 제공한다.

③ 선박안전검사

USPS의 회원들은 그들이 가지고 있는 노하우로 일반인들에게 선박안전검사 서비스를 제공하고 있다.

④ 사회적 활동

USPS는 해상에서 뿐만 아니라 육지에서도 폭넓고 다양한 사회적 활동을 하고 있다. 사회적 활동을 하는 시기는 주로 봄과 가을이다. 또한 그들은 일을 하는 기간에도 틈틈이 사회적 활동을 하고 있다. 그들은 세계적인 수준의 교육세미나를 민간인과 정부를 대상으로 진행하고 있다.

2) 캐나다의 보트교육

USPS의 성공적인 보트교육과 공공서비스는 지금부터 소개할 CPS(Canadian Power & Sill Squadrons)와 같은 조직들이 만들어지게 되는 계기가 되었다.

(1) 임무와 조직

CPS는 보트에 대한 안전지식을 교육과 훈련을 통해 회원들과 대중들에게 제공하고 있다. 그 외에도 회원 간의 친목과 파트너십 형성을 위해 다양한 프로그램을 제공하고 있다.

1938년 설립된 Canadians Power Squadrons은 1985년 Canadians Power and Sail Squadrons(CPS)로 개명한 뒤 독립적인 조직으로 운영되기 시작하였고, 캐나다에서 가장 큰 보트관련조직으로 성장하게 되었다. 프랑스 정부에서는 USPS의 다른 조직들처럼 CPS를 모토로 만든 'Les Escadrilles Canadiennes de plaisance'라는 조직을 만들기도 하였다. CPS는 보트안전교육을 널리 알리는 것에 많은 노력을 하고 있다. 그들이 제공하는 교육은 기초과정, 상급과정, 고급과정으로 나누어져 있고, USPS와 마찬가지로 상급과정과 고급과정은 회원들에게만 제공된다. 그들은 주로 캐나다에서 활동하고, 그들이 제공하는 모든 서비스는 비영리적인 것을 기본으로 한다. USPS나 CPS와 같은 각 국의 Squadron조직들은 Squadron Network라는 프로그램을 사용하여 서로의 지식과 교육프로그램을 공유하며 많은 교류를 갖는다.

CPS에서는 보트를 타는 사람들 외에도 관련직업 종사자들이 CPS의 안전교육을 제공받고 있고, 민간인을 대상으로 한 공익안전교육도 제공하고 있다. CPS의 교육을 제공받고자 하는 사람들은 CPS본사에 연락하거나 홈페이지를 통해 신청할 수 있다.

(2) 기초과정

기초과정은 모든 사람들에게 제공되는 교육으로, 직접 강의를 듣거나, 가상강좌를 통해서도 제공받을 수 있다. 기본내용은 간단한 키 조작과 선박조종술, 비상시 응급대처법, 기초항해법, 항로의 법칙, 해상일지의 사용법, 플로팅에 관한 교육 등이다. 교육에 대한 자세한 정보는 CCG(Canadian Coast Guard)에서 제공하고 있다. CCG의 정보를 제공받기 위해서는 회원증이 필요한데, 이 회원증을 얻기 위해서는 별도의 시험을 거쳐야 한다. CCG시험에 합격한 사람들은 CPS회원으로 가입되어 다양한 정보와

혜택을 받을 수 있게 된다.

CCG에서는 전문보트교육을 제공하는데, 이 교육 역시 CPS의 회원에게만 제공된다. 이 특별한 교육은 NASBLA(National Association of State Boating Law Administrators)에서 처음 시행되었고, 북미사람들에게는 보트안전교육의 정석으로 알려져 있다. CPS에서는 8세부터 12세까지의 어린이들을 대상으로 한 안전교육도 제공하고 있다. 아이들은 다양한 보트의 종류와 보트의 각 부분별 명칭, 안전장비 사용법, 구명조끼의 중요성, 기상관측의 중요성 등에 대해 교육받게 된다. 그 외에도 환경보호 보트교육도 제공하고 있는데, 이 교육은 다른 교육들과 다르게 환경친화적인 보트운영방법에 대한 주제를 다루고 있다. 이 교육은 보트를 관리하는 방법, 오수처리방법, 재활용품 활용법, 강과 바다를 깨끗하고 안전하게 보존하는 방법 등을 교육하고 있다.

(3) 상급과정

CPS의 회원들에게만 제공되던 상급과정은 최근 모든 사람들이 교육받을 수 있도록 바뀌었다. 하지만, 회원들에게 제공되는 정보만큼 세부적인 교육은 받을 수 없다.

Power Boating과정은 기초적인 보트안전교육과 엔진이나 기타장비의 이상을 진단하는 방법을 알려준다. 선박조종술 과정은 안전한 항해와 다양한 자연환경에 대처하는 것을 중점으로 선박 키 조정과 더욱 다양한 선박 조종에 대해 알려준다. Extended Cruising과정은 장거리 항해 시 최대한의 즐거움을 얻되, 위험은 최소화하는 방법을 교육하고 있다. 선박조종술 과정은 이 과정을 완벽하게 습득하기 위한 기초과정이다. 그 외에도 Fundamentals of Weather라는 교육과정을 통해 날씨에 대한 기본적인 이해와 바람과 온도, 구름 등을 통해 다음날의 날씨를 예측하는 방법 등을 알려준다.

(4) 고급과정

성공적으로 상급과정을 이수한 CPS회원들은 고급과정을 제공받을 수 있게 된다. 이 과정은 보트를 더욱 더 재미있게 즐길 수 있도록 알려주는 과정이다.

고급과정에서는 해상에서의 새로운 항해법과 목적지를 설정하는 방법, 다양한 항로를 선택하는 방법 등을 제공한다. 이것을 가능하게 하는 것은 GPS와 내비게이션의 정확한 사용방법 숙지와 이를 응용할 수 있는 능력을 기르는 것이다. 이 교육을 완벽하게 이수한다면 정해진 항로 외에도 자신만의 항로를 스스로 개척하여 더욱 멋진 여행을 할 수 있게 될 것이다.

(5) 기타 활동

① 선장체험 프로그램

USPS와 마찬가지로 CPS에서도 같은 프로그램을 제공한다. 이 프로그램은 항해에 대한 기초지식과 안전사항 등을 교육받고 직접 항해를 해볼 수 있는 체험 프로그램이다.

② Marep(Marine Report)

CPS에서는 해상의 날씨와 그에 따른 항해법을 매일 업데이트하여 회원들에게 제공하고 있다. 이 서비스를 통해 항해 도중 내비게이션을 업데이트할 수도 있고, 더욱 안전한 항로를 통해 여행할 수 있게 된다.

③ 사회적 활동

CPS는 여름에는 요트경기개최, 크루즈서비스 등의 활동을 하고, 겨울에는 회원들과 특별한 손님을 초대하여 다양한 파티를 개최한다. 하지만 이들이 가장 중요하게 여기는 활동은 더욱 많은 사람들에게 CPS의 안전교육을 제공하여 그들이 안전하게 보트를 즐길 수 있도록 도와주는 것이다.

요트와보트

제8장

세계의 요트대회

제1절 ⟋ 요트경기의 의의

① 요트경기 입문

　요트경기는 주말을 이용하여 여가생활로써 즐기는 것에서부터 TV중계와 상금이 걸린 전문 그랑프리 경기까지 다양하게 즐길 수 있는 스포츠다. 항해자들은 바다에서 항해를 시작한 순간 주위를 항해하고 있는 요트와 경주를 해본 경험이 있을 것이다. 스포츠로서 자리 잡기 위한 요트항해는 세일요트경기로 공인되어 1800년대부터 시작되었다. 다음 세기로 바뀔 때쯤 가장 명성이 높은 아메리카스 컵에서 영국과 미국의 세일요트경기는 우발적으로 추정되는 사건(미국 항해자가 정정당당한 항해를 하지 않는다는 영국항해자의 주장)으로 인하여 세일요트경기 전쟁으로까지 열기가 달아올랐다.

　요트경기는 이러한 스포츠로서의 의미만이 아니라 관광객을 유인하고 관광수입을 올릴 수 있는 중요한 관광자원으로서의 가치도 올라가고 있다. 예를 들어 2007년 아메리카스 컵 요트대회가 열린 스페인의 발렌시아에는 6백만 명의 관광객이 방문하였고, 시청자도 40억 명으로 추산하고 있다. 또한 스페인 경제에 영향을 준 경제적 효과도 40억 유로로 추산할 정도로 올림픽이나 월드컵 축구대회와 함께 최고의 세계적 스포츠 이벤트 중의 하나다. 이러한 요트경기는 아래와 같은 장점으로 인하여 더욱

확산되어 가고 있다.

1) 모두가 즐길 수 있다

경기용 세일요트는 남녀노소를 불문하고 누구나 쉽게 이용할 수 있다. 비록 아메리카스 컵의 전문적인 선원(grinder)들과 같은 특정 세일요트에 유능한 선원이 위치하는 경우 여러 가지 능력에 대한 요구가 있어야하지만, 세일요트경기자의 기본 요건은 집중력, 민첩성, 배우고자하는 열망, 즉 정신력에 있는 것이다. 심지어 세일요트경기는 신체 장애인들도 참여할 수 있다.

남성과 여성은 다양한 세일요트경기에서 동등하게 기량을 겨룰 수 있다. 1995년, 팀 구성원이 전부 여성으로 이루어진 JJ팀은 아메리카스 컵에 참여할 수 있는 엄청난 기회를 얻었다. 지역 세일요트경기에서 성대결은 쉽게 찾아볼 수 있는 일이지만 이는 최초로 전문 스포츠에 있어서 여성이 남성과 정면으로 맞선 수준 높은 경기였다.

2) 진정한 스포츠맨 정신을 키워준다

세일요트경기는 부정한 행위에 대한 벌칙을 적용하는 규칙이 적용되기 때문에 경기자들에게 페어플레이 정신을 심어준다. 심판이 경기를 치르고 있는 요트와 함께 경기장에 있는 경우가 있기도 하지만 대부분의 경기는 경기자들의 스포츠맨 정신을 서로 믿고 심판 없이 경기를 한다.

3) 환경친화적이다

세일요트경기는 소음, 고무의 연소, 화석 연료의 사용이 필요 없는 무공해 스포츠이다. 그리고 세일요트경기자는 트랙의 중심을 벗어난 자동차 경주자와는 다르게 자연의 중심을 벗어나는 일이 없으며, 항해자는 자연 환경에 피해를 주지 않는다. 요트가 지나간 뒤 남는 것은 오직 요트의 항적뿐이다.

세일요트경기에서 좋은 성적을 내기 위해서는 풍향의 변화를 피부로 느끼며 수면 상태의 변화를 읽을 수 있도록 항해 감각을 넓혀야 한다. 경주에 있어서는 어느 방향으로 항해할지 주변을 살피고 계획을 세워서 최대한 빠르게 항해하여야 한다.

4) 항상 새로운 것을 배울 수 있다

파도와 바람이 빈번하게 변화하는 물 위에서 축구경기가 열린다고 상상해 보자. 그것이 바로 요트경기다. 또한 요트경기는 체스판의 말들이 계속적으로 움직이는 3D체스 게임과도 유사하다. 아메리카스 컵은 1대1 경주방식으로 진행되어 공중에서 벌어지는 전투기의 싸움과 같이 'Match racing'이라고 말한다. 어떠한 방식의 경기든 기상과 조류, 돛과 요트에 작용되는 수력 및 공기역학, 전술, 압력에 어떻게 대처할 것인가를 꾸준히 배워나가야 한다.

5) 최고로 아름다운 지역에서 열린다

세일요트경기는 세계 여러 곳에서 개최된다. 이미 알고 있듯이 최적의 장소인 호주의 퍼스(Perth), 프랑스의 샹 트로페(Saint-Tropez) 그리고 세일링을 즐길 수 있는 대부분의 멋진 해안은 우리가 세일요트 경주를 최고의 스포츠라 부르는 이유 중에 하나다.

② 경기 규칙

다른 사람들과 함께 게임을 즐기기 위해서는 게임의 규칙에 동의해야만 한다. 세일요트경기의 규칙들은 요트 관리 기구인 국제 세일링 연맹(International Sailing Federation, ISAF)에서 지정한다. ISAF는 4년마다 경기 규칙을 업데이트한다. 1997년에 ISAF는 경기 규칙을 보다 쉽게 이해하도록 만들려고 노력을 기울였다.

국가기관 혹은 각 지역 해양 전문 상점에서 얻을 수 있는 국제 세일요트경기규칙 사본을 갖고 있다면 세일요트경기를 할 수 있을 것이다. 다음 목록은 세일요트경기의 기본적인 일곱 가지 규칙을 보여주고 있다.

① 다른 요트, 부표 또는 회전지점과의 충돌을 피해야 한다. 우리가 항해하는 요트는 놀이동산의 범퍼요트가 아니다.

② 정당한 출발을 해야 한다. 출발 신호가 있은 후에 출발선을 통과해야 한다. 신호가 있기 전에 출발선을 통과한다면 다시 돌아와서 출발해야 한다.

③ 우현으로 택킹하는 요트가 좌현으로 택킹하는 요트보다 우선권이 있다. 이 규칙과 다음에 나올 두 가지의 규칙은 교통규칙과 경기 규칙에 유효하다.

④ 풍하로 항해하는 요트가 풍상으로 항해하는 요트보다 우선권이 있다. 두 대의 요트가 같은 방향으로 택킹할 때 이 규칙이 적용되며 반대 방향으로 택킹하고 있다면 앞서 말한 규칙이 적용된다.

⑤ 추월하고 있는 요트를 방해하지 않는다. 추월하고 있는 요트를 방해하는 것은 생각조차 하지 못할 일이다.

⑥ 어느 한 지점을 회전 할 때에는 안쪽에 있는 요트가 우선이다. 만일 반환점 또는 장애물에 두 대의 요트 혹은 그 이상의 요트가 겹쳐서 접근한다면 안쪽 코스에 있는 요트가 우선권을 갖는다.

⑦ 반칙에 대한 대가를 치른다. 세일링 지침에 따라 다양한 페널티가 적용된다. 요트 경기에서는 반칙에 대한 책임은 지정된 원을 두 바퀴 돌게 하거나 최종적으로 획득한 점수에 페널티를 부과하는 경우가 있지만 대부분의 경기에서는 다른 요트에 반칙을 범했을 경우 페널티를 부과하지 않고 곧바로 퇴장처분과 함께 경기자격을 박탈당한다.

3 경기전략

1) 전문 서적을 통한 연구

올림픽 경기 우승자들의 노하우가 담긴 책이나, 각종 관련 잡지를 통하여 연구한다.

2) 요트경기 세미나 참가

Kolius Racing School과 같은 세계적인 세미나에 참석해 본다.

3) 좋은 요트 선택

경기가 이루어지는 장소나 형태에 따라 사용되는 요트는 변한다. 주말 저녁, 가볍게 경기를 즐길 수 있는 딩기요트는 훌륭한 부부 팀을 구성하게 해 준다. 여러 종류의 요트를 접해보고 경주에 대한 감각을 익힌다.

4) 경기규칙에 대한 이해

요트경기에서 미리 전략을 세운 팀은 많은 이점을 얻을 수 있다. 예를 들면, 반환점에 가까이 있을 때 전략적 이점을 얻기 위해 우현으로의 택킹을 시도한다.(우현으로 택킹하는 요트에 우선권이 주어진다.)

5) 충분한 연습

팀원들과 함께 빠르게 항해하는 방법, 전략적으로 완벽한 택킹 기술, 요트 조종술 등을 익히기 위해 많은 시간을 보내야 한다. 최고의 경기자는 많은 시간을 실제 경기보다 연습하는 것에 더 많이 사용한다.

6) 선원으로 참가

대부분의 사람들은 초면인 사람보다 친구와 함께 요트경기에 참여 하는 것을 더 원한다. 따라서 자주 항구에 나가 요트경기 항해자들에게 자신을 소개한다면, 더 많은 선원이 필요하게 될 경우 인원을 충당하여 경기에 참가할 수 있는 기회를 얻을지도 모른다.

요트경기 현황

① 세계의 요트경기

경기수역	명칭	거리	경기지역
내해 요트경기	어드미럴스 컵	코웨	영국
	아메리카스 컵	우승국 연안	우승국
외해 요트경기	파스넷	코웨-폴리머스	영국
	뚜르드 프랑스	영국-지중해	프랑스
	시드니-호바트	시드니-호바트	호주
	뉴포트-버뮤다	뉴포트-버뮤다	미국
	시카고-맥키낙	시카고-맥키낙	미국 미시건호
	코스탈 클래식	오클랜드-베이섬	뉴질랜드
	상 페르난도	홍콩-필리핀	홍콩
대양횡단 요트경기	럼루트	생말로=그란떼레	프랑스-남미
	미니트란셋	프랑스-카나리아섬	프랑스
	오사카컵	멜버른-오사카	일본
	트랜스 퍼시픽	샌프란시스코-하와	미국
	케이프-리오	케이프-리오	남아공
	오클랜드-피지	오클랜드-피지	뉴질랜드
세계일주 요트경기	볼보챌린지	포츠머스항-리오	영국
	단독일주	로드섬	미국
	비티챌린지	사우스햄턴	영국
	벤디 글로브	르자벨드롱	프랑스
	줄베르느	브리타니	프랑스
	더 레이스	지브롤터	영국

자료: 김천중, 전게서, pp.35-53.

② 한국의 경기수역별 요트경기

경기수역	명칭	경기지역	비고
외해 요트경기	아리랑레이스	한국-일본	친선경기
	코리아컵요트대회	후포-독도-후포	국제대회
	전남-제주대회	여수(목포)-제주	편의상 외해로 분류
연안요트경기(혼성)	해군 참모총장배	부산 수영만	
	해양경찰청장배	통영시 도남단지	
	선주협회장배	부산 수영만	
	해양스포츠제전배	전국 순회	각종 해양스포츠
	인천광역시장배	인천 왕산	
연안요트경기(크루저급)	부산컵	부산	
	장보고배	완도군	
	이순신배	통영	
	코리아 매치컵	전곡(화성시)	국제대회

자료: 김천중, 전게서, pp.57-77.

③ 국내 및 국제·세계 요트경기대회

국제요트대회		국내요트대회	
딩기	크루저	딩기	크루저
올림픽경기 요트대회	Round World Race (볼보오션레이스 등)	A급 전국대회	A급 전국대회
세계요트 선수권대회	Trans Ocean Race (루뜨 드럼 등)	B급/C급 전국대회	B급/C급 전국대회
클래스별 세계대회	Offshore Race (코리아 컵, 차이나 컵 등)	시도지부 대회	시도지부 대회
아시안게임 요트경기	Coastal Race (코리아매치 컵 등)	지역별 주말리그	지역별 주말리그

자료: 대한 요트협회(2013)

④ 대한요트협회 주최 국제대회 및 전국대회

월	대회명	기간	장소	비고
3	해양경찰청장배	6일간		제13회
4	해군참모총장배	5일간		제17회
5	코리아컵국제요트대회	9일간		제6회
	소년체전	3일간		
6	해양수산부장관배	6일간	유치시도 선정에 따름	제2회
7	대통령기	4일간		제27회
	울진바람축제 요트대회	3일간		
8	해양제전	4일간		
9	아시아요트선수권대회	10일간		
10	전국체전	7일간		

자료: 대한 요트협회(2013)

⑤ 지역 협회와 가맹단체 개최 국제대회 및 전국대회

번호	대회명	기간	장소	주관단체	종목	규모
1	코리아매치컵 프로암	3월 중	전곡	경기도	크루저	국제
2	코리아매치컵 예선전	4월 중	전곡	경기도	크루저	국제
3	부산슈퍼컵국제요트대회	5월 중	부산	부산요트협회	크루저	국제
4	서울국제요트대회	5월 중	한강	서울요트협회	딩기/크루저	국제
5	코리아 매치컵	5월-6월 중	전곡	경기도	크루저	국제
6	한국레이저요트선수권대회	6월-7월 중	양양	한국레이저협회	레이저	국내
7	부산시장배	7월 중	부산	부산요트협회	딩기	국내
8	황해컵 국제요트대회	8월 중	인천/청도/위해	인천시	크루저	국제
9	전남-제주대회		여수/제주	전남/제주협회	크루저	국내
10	이순신배		통영	경남요트협회	크루저	국내
11	경기도요트협회장배 겸 한일친선요트대회	10월 중	평택	경기도요트협회	딩기	국제
12	세계여자매치레이스		부산	부산요트협회	크루저	국제
13	한국레이저요트협회장배		부산	한국레이저협회	레이저	국내
14	한일 교환경기	11월 중	한강	서울요트협회	딩기/크루저	국제

자료: 대한 요트협회(2013)

제3절	**세계의 요트경기**

① 세계의 외해 요트경기

1) 파스넷(Fastnet)

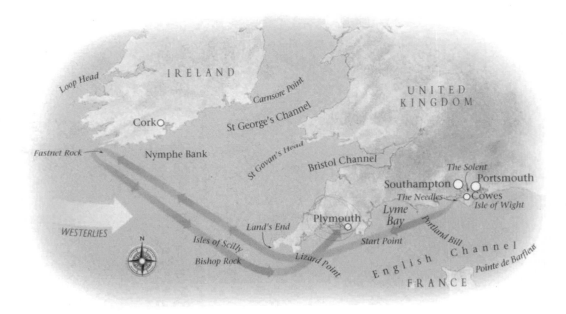

　파스넷 레이스(Fastnet race)는 영국에서 열리는 요트경기이고, 전통적인 요트경기의 대표적인 것이다. 이것은 2년마다 개최되고, 600마일(1111km)의 코스를 항해한다. 코스는 코웨(Cowes)에서부터 아일랜드 남쪽 연안에 떨어져 있는 파스넷 락(Fastnet rock)까지 한 바퀴 돌고, 샐리(Scilly)섬의 남쪽을 거쳐 플리머스로 돌아오는 것이다.

■
파스넷 경기
코스

2) 투르드 프랑스 알 라 보일르(Tour de France Ala Voile)

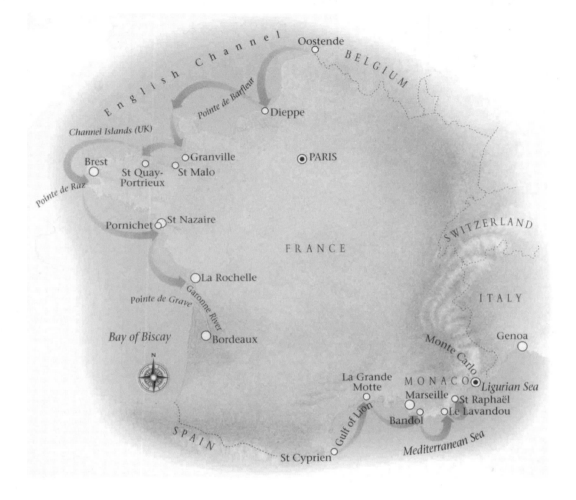

■
투르드 프랑스
알 라 보일르
경기 코스

투르드 프랑스 알 라 보일르는 프랑스 해안을 도는 요트경기이다. 1978년을 시작으로 7월에 프랑스령 리비에라와 영국해협 등 두 코스를 15,000명 이상의 사람들이 참가하였다. 일반적으로 영국해협을 출발하여 3주 후에 지중해에 도착하는 스탑오버(Stopovers)코스를 항해한다.

3) 시드니 – 호바트(Sydney – Hobart)

시드니 – 호바트 요트경기는 1945년에 영국의 존 일링워스(John Illingworth) 선장에 의해서 시작되었다. 그는 호주의 정통적인 대양요트경기를 소개하였고, 이 경기는 매년 호주의 크루징요트 클럽에 의해서 조직되었다.

이 경기는 시드니 하버를 출발하여 호주의 동쪽 해안을 따라 타스매니아섬의 호바트까지 가는 630마일(1167km)의 거리를 항해한다. 전통적으로 매년 12월 26일 박싱데이(boxing day)에 출발한다.

■
시드니 – 호바트
경기 코스

4) 뉴포트 - 버뮤다(Newport - Bermuda)

■
뉴포트 – 버뮤다
경기 코스

　　뉴포트 – 버뮤다 요트경기는 미국 크루저요트클럽과 버뮤다 요트클럽에 의해서 후
원되어 격년제로 열리고 있다. 뉴포트를 출발하여 대서양의 버뮤다까지의 635마일
(1176km)을 전 세계의 승무원들이 모여서 경기를 펼친다.

5) 시카고 – 맥키낙(Chicago – Mackinac)

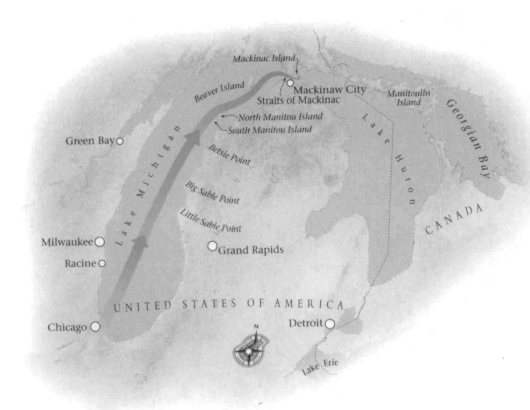

시카고 – 맥키낙 요트경기는 세계에서 가장 오래된 육지의 호수에서 이루어지는 요트경기이다. 1898년에 경기가 시작되었고, 미시건호수의 시카고에서 출발하여 맥키낙까지 80마일(148km)을 항해한다.

■ 시카고 – 맥키낙
경기 코스

⚓ ② 세계의 연안 요트경기(Coastal Classics)

■
연안 경기 코스

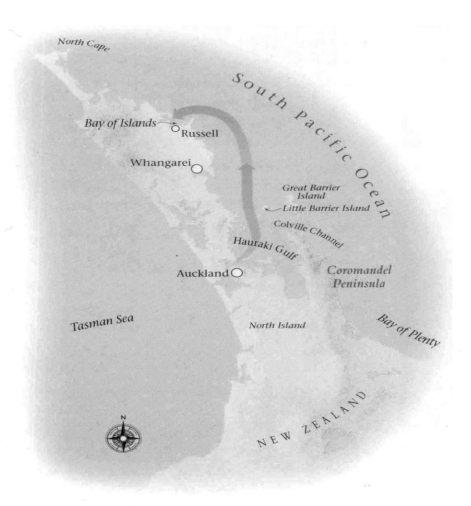

1) 오클랜드 – 러셀 요트경기

　　매년 10월 마지막주말에 열리는 경기로 첫 번째 레이스는 1982년 뉴질랜드 멀티홀 클럽의 제독 던컨 스튜어트(Duncan Stuart)와 데븐포트 요트 클럽의 도움으로 조직화 되었다. 뉴질랜드 오클랜드의 하우라키만을 출발하여 러셀의 베이 오브 아일랜드까지 125.5마일(232km)을 항해하며, 오늘날 이 요트경기는 주요 이벤트로 하나의 크루징, 다섯 개의 킬러와 두 개의 멀티홀을 디비전으로 하여 매년 참가자 수가 200명을 넘는다.

2) 상 페르난도(San Fernando)

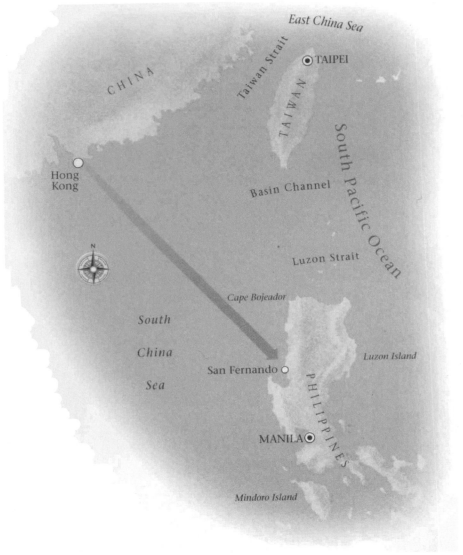

홍콩 요트 클럽이 상 페르난도 요트경기를 주최하였다. 첫 번째 경기는 1975년에 열렸고, 홍콩을 출발하여 필리핀 상 페르난도에 이르는 400마일(740km)을 항해하는 경기다.

⚓ ③ 세계의 대양횡단 요트경기(OCEAN CLASSICS)

1) 럼루트 경기(Route de Rhum)

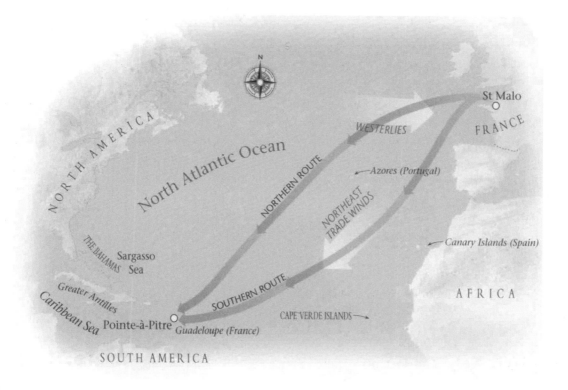

■ 럼 루트 경기
코스

럼 루트 요트경기는 3700마일(685.2km)을 편도 항해하는 경기이며, 프랑스의 생 말로(Saint Malo)에서 출발하여 남미의 프랑스령의 섬인 구아데로페 그란떼레에 있는 포인따 피뜨레(Point-à-Pitre)항구에 도착하는 경기다. 이 경기는 약 10~15일 정도 걸리며 1978년도에 시작되었고, 4년마다 한 번씩 열린다.

2) 미니 - 트란샛(Mini - Transat)

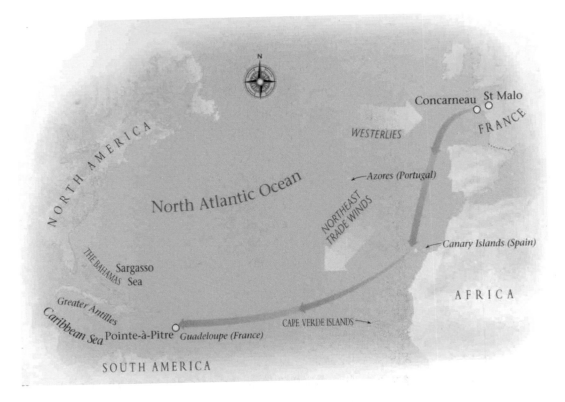

이 요트경기는 2년마다 한 번씩 열리며, 1977년 영국인 밥 살면에 의해 생겨나게 되었다. 프랑스의 콩 카르노(Concarneau)에서 출발하여 카나리아 제도를 거쳐 대략 4800마일(8890km)을 항해한다.

미니 - 트란샛 경기 코스

3) 오사카 컵(Osaka Cup)

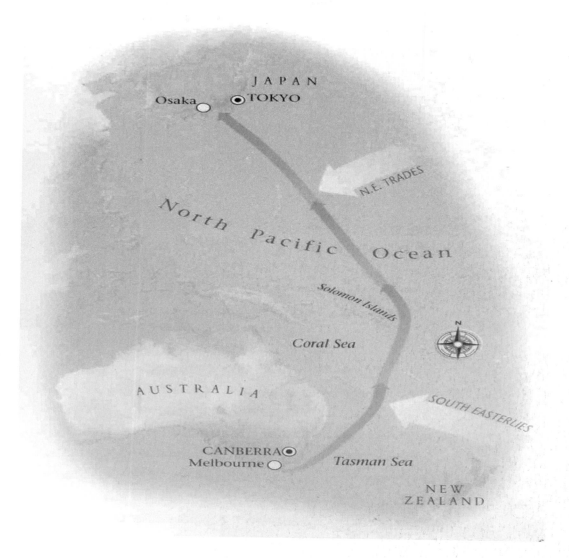

■
오사카 컵
경기 코스
　　　　오사카 컵은 1983년에 아시아에서 최초로 국제 범선 이벤트인 '83오사카 세계범선
축제를 개최한 오사카시가 오사카항 개항 120주년을 맞이하여 오사카북항요트 하버
의 오픈 기념행사로 해외의 다양한 타입의 요트레이스의 정보를 모아 일본세일링연맹
(JSAF)와 함께 검토, 기획하였다.

　　　　이 경기는 4년에 한 번씩 열리며 호주의 멜버른에서 출발하여 오사카까지 약 5,500
마일(10,200km)을 항해한다. 1987년 1회 대회를 시작으로 올해로 6회째를 맞이한다.

4) 트랜스 퍼시픽(Transpacific)

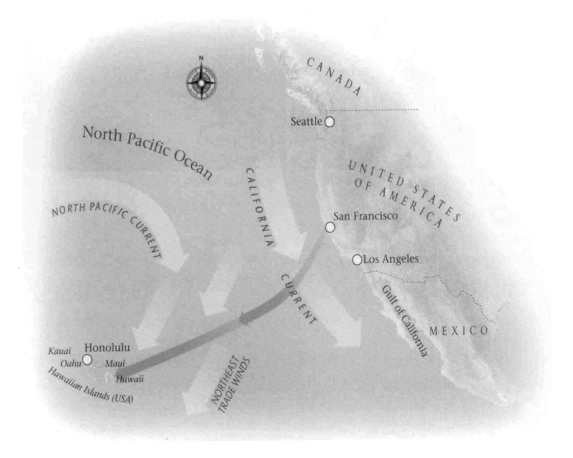

트랜스퍼시픽 요트경기는 1886년 9월25일 하와이의 카라카우아 왕(Kalakaua)이 샌프란시스코의 퍼시픽요트클럽의 제독에게 샌프란시스코에서 호놀룰루까지의 요트레이스 초대장을 보낸 것이 계기가 되었다. 1906년 6월 11일에 첫 경기가 열렸고, 샌프란시스코에서 호놀룰루까지 약 2,225마일(4,120km)을 항해한다. 그리고 이 요트경기는 2년에 한 번씩 열린다.

■ 트랜스 퍼시픽 경기 코스

5) 케이프 – 리오(Cape to Rio)

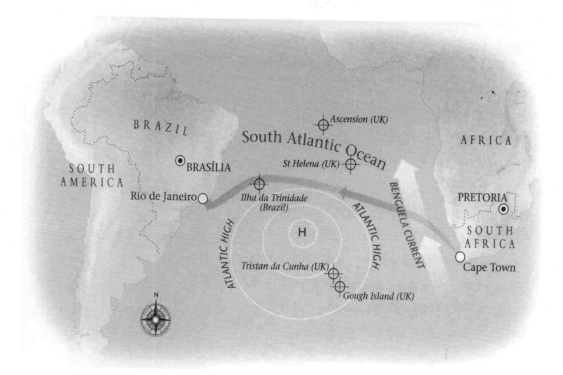

■
케이프 – 리오
경기 코스

케이프 – 리오 요트경기는 세계에서 가장 장거리 국제 요트경기다. 이 경기는 남아 프리카의 비어맨(Bierman) 회장과 부르스 달링(Bruce Dalling)에 의해서 시작되었으며, 남 아프리카의 케이프타운에서 브라질의 리우데자네이루를 항해하는 코스다. 1971년 처 음으로 경기가 열린 이후 3~4년에 한 번씩 열리고 있는 대양횡단 요트경기다.

6) 오클랜드 – 피지(Auckland – Fiji)

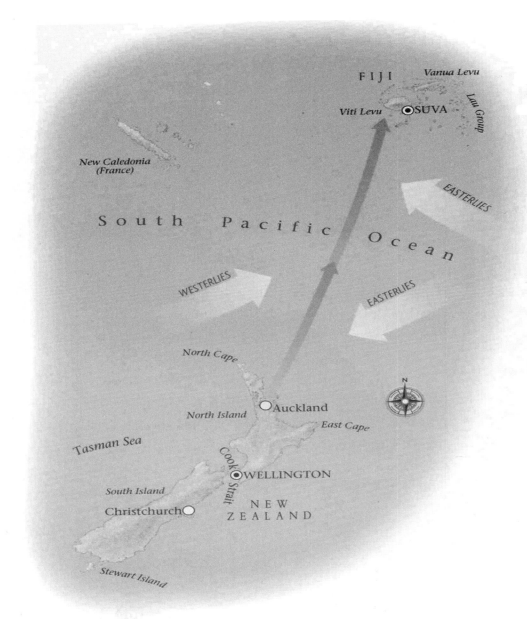

오클랜드 – 피지 요트경기는 1956년 5월 첫 번째 경기가 시작되어 뉴질랜드의 오클랜드에서 피지의 수바까지 항해하는 경기이다.

■ 오클랜드 – 피지 경기 코스

4 세계일주 요트경기(ROUND THE WORLD RACES)

1) 볼보챌린지(Volvo Challenge)

공식적으로 Whitbread Round the World Race로 알려진 Volvo Ocean Race는 매 4년마다 12명의 선원이 60피트 슬루프를 타고 세계 곳곳에서 경쟁을 벌이는 세일요트 경주대회다. 이 대회는 여러 항로로 나눠지며 각 나라의 항구에 몇 주간 기항한다. 가장 길고 격렬한 경기 항로는 남극해 항로로 강한 바람 속에서 빙산을 피하며 항해해야 한다. 경주의 일부분이 TV로 중계되기도 한다.

2) 단독일주(Around Alone)

Whitbread Round the World경주와 비슷하지만 60피트의 세일요트를 단독으로 항해하는 경주라는 차이가 있다. 매 3~4년마다 개최되는 이 경주는 BOC(British Oxygen Company)라고 부른다.

3) 비티 챌린지(BT Challenge)

비티 챌린지의 첫 번째 경기는 1992/93년에 시작되었고, 처음에는 브리티시 스틸(British Steel) 챌린지로 알려졌다. 그러나 영국의 통신회사인 브리티시 텔레콤이 1996/97년에 후원을 하면서 비티 챌린지가 되었다. 비티챌린지에 선택되는 요트는 20m(67ft) 강철선체의 커터들로 디자인된다. 모든 비티 요트들은 플리머스(Plymouth)에서 건조된다. 이들 요트들은 무겁지만 강하여 난파될 위험이 적다.

4) 벤디 글로브 챌린지(Vendée Globe Challenge)

벤디 글로브 챌린지는 전 세계를 단독으로 항해하는 세일요트 경주대회로 특별한 사람만이 참가한다. 전문적 항해기술을 바탕으로 한 60피트 슬루프로 100일 동안 전 세계를 빠른 속도로 항해하는 것은 두말할 나위 없이 매우 위험한 일이다.

5) 쥴 베르느 트로피(Jules Verne Trophy)

'80일 간의 세계일주'를 쓴 작가 쥴 베르느를 기념하여 시작된 요트경기로 1993년에 첫 번째 우승자의 기록은 프랑스 요트맨 브루노 페이론(Bruno Peyron)이 세운 79일 6시간 15분 56초의 무기항 세계일주 요트항해경기다.

6) 더 레이스(The Race)

더 레이스 요트경기는 요트의 종류나 승무원 등의 제한이 없는 세계일주 경기이다. 단지, 출발일과 출발지역이 지정된 세계일주 경기다.

5 세계의 내해 요트경기(INSHORE RACES)

1) 어드미럴스컵(Admiral's Cup)

영국의 코웨(Cowes)에서 어드미럴스컵은 2년마다 개최된다. 여섯 가지 형태의 경주로 이루어진 이 경기는 부표를 회전하는 주간 경주와 아일랜드를 출발하여 돌아오는, 600마일(1111km)을 경주하는 것으로 잘 알려진 장기 세일요트경기 파스넷 레이스로 이루어져 있다.

2) 아메리카스컵(America's Cup)

아메리카스컵 요트레이스는 매3년 내지 4년마다 두 개의 팀이 방어자와 공격자가 되어서 경주를 하는 시합이다. 방어자는 전 아메리카스컵 대회의 우승자이고, 도전자는 아메리카스컵 대회 바로 전에 열리는 루이뷔통컵(Louis Vuitton Cup)의 우승자이다. 루이뷔통컵은 파리에 기반을 두고 가방을 만드는 회사인 루이뷔통 사에서 1983년부터 도전자 시리즈(The Challenger Series)의 스폰서가 되었다. 각 팀들은 아메리카스컵으로 알려진 은색 트로피의 주인이 되기 위하여 경기를 한다.

【아메리카스컵】

우승컵은 영국의 보석상 로버트 가라드(Robert Garrard)에 의하여 Garrard & Sons사가 만들었다. 올드머그(Auld Mug)라고 하는 우승컵은 바닥이 없는 은제 물항아리다. 무게는 134온스(약 3.8kg)이고 높이는 약27인치(68cm)이다.

제4절　한국의 요트경기

① 대한요트협회 주최 주요 국제대회 및 전국대회

1) 해양경찰청배

해양경찰청은 21세기 국가 해양세력의 주체적 역할수행 기관으로서 범국민적 바다 체육행사를 개최하여 건전한 스포츠 문화 창달에 기여하고 수상레저활동 업무관장기관으로서 해양종사자의 안전의식 고취 동기부여와 해양경찰의 대국민 위상제고를 위해 2001년 제1회 대회를 시작으로 현재 13회째를 맞이하고 있다. 전국의 요트선수들이 각자의 명예를 걸고 레이스를 펼치게 된다. 해양경찰청장배 전국요트대회는 매년 봄철 정기적으로 국가대표 선발전을 위해 거행되며 해양경찰청과 대한요트협회가 공동 주최하고 있다.

해양경찰청배 개최장소 및 대회기간

	개최장소	대회기간
1회	부산 수영	01. 03. 30 ~ 04. 04
2회	부산 수영	02. 03. 29 ~ 04. 03.
3회	부산 수영	03. 04. 18 ~ 04. 23.
4회	충남 보령	04. 05. 28. ~ 06. 02.
5회	전북 부안	05. 04. 20. ~ 04. 25.
6회	경남 통영	06. 06. 15. ~ 06. 20.
7회	경남 통영	07. 04. 25. ~ 04. 30.
8회	경남 통영	08. 04. 16 ~ 04. 20
9회	강원 양양	09. 06. 18 ~ 06. 22
10회	강원 양양	10. 04. 29 ~ 05. 03
11회	전남 여수	11. 05. 12 ~ 05. 16
12회	경북 울진	12. 09. 23 ~ 09. 27
13회	경남 거제	13. 03. 28 ~ 04. 02

2) 해군참모총장배

해군참모총장배 요트대회는 해양스포츠 저변 확대를 통한 국민 해양사상 고취와 우수 선수를 발굴하여 국가체육 발전에 기여하기 위해 지난 96년도에 첫 대회를 개최한 이래 국내 최대 규모의 요트대회로 자리매김해왔다. 올해로 17회째를 맞이하고 있다. 해군참모총장배 요트대회는 해군본부와 대한요트협회에서 주최한다.

3) 코리아컵 국제 요트대회

■ ▫
제17회
해군참모총장배
요트경기
기념사진

▫ ■
코리아컵
국제요트대회

2007년 시작된 코리아컵 국제 요트대회는 범세계 요트인의 교류·화합의 장 마련과 경기력 향상, 2020년 아메리카스 컵 수준의 권위 있는 국제대회 유치 능력 구비, 스포츠 문화축제를 통한 지역홍보 및 지역경제 발전에 기여를 목적으로 개최되고 있고 올해 6회째를 맞이하고 있다. 코리아컵국제요트대회는 대한요트협회와 경북요트협회가 주관하고 있다.

4) 소년체전

'몸도 튼튼, 마음도 튼튼, 나라도 튼튼'이라는 표어 아래 지(智)·덕(德)·체(體)를 연마하는 전인교육의 광장으로, 대한체육회가 주관하여 해마다 봄에 거행되는 전국적 규모의 소년·소녀 체육대회이다. 자라나는 소년·소녀에게 기초적인 스포츠를 보급하고 스포츠 정신을 고취하며, 학교체육의 활성화는 물론 체육 인구의 저변 확대 및 생활체육 기반을 조성하고 우수선수의 조기 발굴을 통한 스포츠 국제경쟁력 강화를 목적으로 한다. 미국의 에이지 그룹, 일본의 스포츠 소년단, 독일의 스포츠 유겐트 등의 활약에 영향을 받아 1972년 제1회 전국스포츠소년대회를 발족하였으며, 그 규모도 해마다 커지고 있다. 현재 사용되는 명칭은 1975년 제4회 부산대회 때부터 개칭되었다. 대회 참가자격은 각 경기단체에 선수등록을 마친 전국의 초등학교 5·6학년과 중학교 1·2·3학년 학생으로, 초등학교부는 만 12세 이하, 중학교부는 만 15세 이하로 연령제한을 한다. 현재 42회째를 맞이하고 있으며 소년체전 요트경기는 2008년 대회 때부터 시범종목으로 정해져 3년간 시행되다가 2011년 대회부터 정식종목으로 채택되어 진행되고 있다.

5) 해양수산부장관배

여수엑스포의 성공적인 개최를 기원하며 2012년 처음 열렸으며 2013년 대회에는 한국과 싱가포르, 홍콩, 중국, 일본 등에서 400여 명이 출전한다. 이번 대회에서는 내년 인천에서 열리는 아시안게임에 출전할 국가대표를 선발하기 위한 제2차 선발전도 함께 열린다.

6) 해양제전

전국해양스포츠제전은 2005년부터 해양수산부가 주최하고 울진군, 대한체육회 가맹단체 및 해양소년단연맹이 주관해 요트, 비치발리볼, 카누 등 5개 공식 종목과 일반인 대상의 수상오토바이, 윈드서핑, 바다낚시 등 체험경기를 진행하게 된다. 또한 울진군은 해양스포츠에 적합한 조류와 바람, 청정 백사장 등 자연 환경이 양호하고, 개·폐회식에 활용할 수 있는 시설이 조성돼 있는 등 대회 개최 여건과 높은 개최 의지가 있어 동해시, 남해군, 제주도, 목포시를 제외하고 전국해양스포츠제전위원회의 심

■ ▪ ▫
해양수산부장관
배 요트경기

■ ▪ ▫
제8회 해양제전
포스터

의를 거쳐 결정되었다. 해양부는 이 대회가 해양스포츠산업 육성의 기반을 마련하고 해양레포츠에 대한 친숙도를 제고하여 친해양문화를 확산시키는 계기가 될 것으로 기대하고 있다.

해양제전 개최장소 및 대회기간

개최년도	대회기간	개최장소	수 상	참가인원
제1회(2006년)	8월12일 ~15일	경북 울진	1위: 경기도 2위: 부산광역시 3위: 경상북도	약 3만6천 명
제2회(2007년)	8월10일 ~13일	강원 삼척	1위: 경기도 2위: 부산광역시 3위: 서울특별시	약 4만8천 명
제3회(2008년)	7월26일 ~29일	전남 목포	1위: 전라남도 2위: 경기도 3위: 충청남도	약 4만8천 명
제4회(2009년)	8월12일 ~15일	경북 포항	1위: 부산광역시 2위: 경상북도 3위: 경기도	약 4만7천 명
제5회(2010년)	8월12일 ~15일	경남 통영	1위: 경상북도 2위: 경기도 3위: 경상남도	약 4만9천 명
제6회(2011년)	8월12일 ~15일	경남 남해	1위: 경상남도 2위: 경기도 3위: 부산광역시	약 15만9천여 명
제7회(2012년)	8월10일 ~13일	전북 부안	1위: 경상남도 2위: 경기도 3위: 전라북도	약 8만8천여 명

8) 전국체전

대한체육회 주최로 매년 가을에 개최되는 전국 규모의 종합경기대회로 이 대회는 경기를 통하여 겨레의 단결심과 인내력을 기르며, 준법정신을 생활화하고 올바른 승부의 가치관을 깨우치고, 나아가 강인한 체력과 슬기로운 민족의 저력을 배양하여 세계에 국위를 선양하는 것을 목적으로 하고 있다. 개최 시기는 매년 10월 3일부터 1주일 이내로 되어 있고, 스케이트와 스키경기가 개최되는 동계대회는 1~2월에 실시한다.

■ 전국체전
요트대회
포스터

제93회 전국체육대회 요트경기

INVITATION

초청의 글

귀하의 관심과 성원에 힘입어
2012년도 제93회 전국체육대회 요트경기를
울진군 후포요트경기장에서 개최하게 되었습니다.
바쁘시더라도 경기의 시작을 알리는 개회식에 참석하시어
자리를 빛내주시기 바랍니다.

대한요트협회장 박순호   대구요트협회장 김일식
울 진 군 수 임광원   경북요트협회장 박경조

● 대회개요 ■ 일 시 : 2012. 10.11(목) ~ 16(화), 6일간
　　　　　■ 장 소 : 울진 후포요트경기장
　　　　　■ 주 최 : 대한체육회, 대한요트협회
　　　　　■ 주 관 : 대구시체육회, 대구요트협회, 경북요트협회
　　　　　■ 후 원 : 문화체육관광부, (주)세정

● 대회일정

일 자	시 간	내 용	비고
10.11 (목)	09:00 ~14:00	· 출전선수 등록	후포요트경기장 특설무대
	14:00 ~16:00	· 연습경기	
	17:00 ~19:00	· 개회식 및 선수환영 만찬	
10.12 (금)	12:00 ~	· 1, 2차 경기	
10.13 (토)	12:00 ~	· 3, 4차 경기	
10.14 (일)	12:00 ~	· 5, 6차 경기	
10.15 (월)	12:00 ~	· 7, 8차 경기	
10.16 (화)	10:00 ~	· 9차 경기	후포요트경기장 특설무대
	15:00 ~16:00	· 시상식 및 폐회식	

● 경기종목

구 분	세부종목	비 고
고등부	레이저 급	1 인승
	윈드서핑 급	1 인승
	420 급	2 인승
일반부	레이저 급	1 인승
	윈드서핑 급	1 인승
	470 급	2 인승
	호비16 급	2 인승

● 대회장소 찾아오시는 길 (경북요트협회)
경북 울진군 후포면 후포리 054-788-4777

② 시·도 협회와 가맹단체 개최 국제대회 및 전국대회

1) 부산슈퍼컵 국제요트대회

2012년부터 시작된 부산 슈퍼컵 국제요트대회가 2013년 4월 26일부터 28일까지 3일간 해운대 인근 바다에서 개최되었다. 전 세계 15개국 100개 팀이 출전했다.

제2회 부산컵 요트레이스

대회일정	2013. 04. 26.(일)
대회장소	부산 수영만 요트경기장
클래스	크루저급(ORC) 36Feet이상, 크루저급(ORC) 36Feet미만, J-24급
대회코스	해운대 및 광안리 일대
대회주최	부산광역시, 부산광역시요트협회

ISAF 창립 100주년 기념 및 부산컵 요트레이스 참여인원 및 선수들

3) 코리아 매치컵

경기도 화성시 전곡항에서 열리는 코리아 매치컵은 2008년부터 매년 독일, 미국, 프랑스 등 전 세계 6개국에서 펼쳐지는 세계적인 규모의 World Match Racing Tour 의 한국 대회이며, 아메리카즈 컵과 볼보오션레이스와 함께 세계 3대 특별 대회 중 하나로 이미 해양강국에서는 최대인기 스포츠로 각광 받고 있는 행사다. 세계 최고의 요트 대회인 아메리카즈 컵에 이은 프로페셔널 요트대회로 ISAF(세계요트연맹)에서 아메리카스 컵, Volvo Ocean Race(세계일주 요트대회)와 함께 공인한 스페셜 요트 이벤트로 골프의 PGA 투어와 같은 성격의 요트대회, 세계 최고의 프로 요트 선수들이 6개국을 돌아가며 매년 시합을 펼치고 각 투어 대회는 최고의 상금으로 우수 선수를 유치한다.

코리아 매치컵 일정표

기간	일정
2013년 4월 25일(목) ~ 4월 28일(일)	코리아 매치컵 선발전, 우승팀 본선 와일드카드 획득
2013년 5월 28일(화)	프로암대회(화성시 전곡항)
2013년 5월 29일(수)	개막식 (메인전시장 Main gate)
2013년 5월 29일(수) ~ 5월 30일(목)	예선전 총 12개팀 라운드 로빙 방식, 상위 8개팀 선발
2013년 5월 31일(금)	8강전: 3전 2선승제 토너먼트 방식 코리아 매치컵 환영만찬 (롤링힐스 대연회장)
2013년 6월 1일(토)	4강전: 3전 2선승제, 토너먼트 방식
2013년 6월 2일(일)	결승 5전 3선승제 시상식 (전곡항 메인 이벤트 무대)

세계의 World Match Racing Tour

4) 이순신배

2007년에 시작된 이순신배 요트대회는 올해로 7회째를 맞고 있다. 경상남도 통영시 도남항 및 한산만 요트경기장에서 매년 열리고 있으며 경남요트협회가 주관한다. 경기는 인쇼어와 오프쇼어로 나누어 진행되며 국제대회의 경우 전 세계 19개국의 선수들이 이 대회에 참가한다.

■
이순신 장군배
국제요트대회
경기모습

5) 아리랑 레이스

아리랑 레이스는 1973년 5월에 일본최초의 국제외양 요트레이스로서 시작되었다. 이후 30년 이상 지나면서, 이 레이스는 한국과 일본의 요트맨을 양성함과 동시에 한일친선의 가교로서의 그 역할을 완수해 왔다. 그래서 이번에, 현해요트클럽과 부산광역시 요트협회의 공동주체에 즈음하여, 관계각사, 단체, 조직의 협찬, 후원, 협력아래에 2007년 5월 2일 제18회 한일친선 아리랑레이스를 개최하기에 이르렀다. 올해로 21회째를 맞이하고 있다.

제 21회 한일친선 아리랑 레이스

대회일정	2013 05. 01. ~ 05. 05.
대회코스	한국(부산) ~ 일본(후쿠오카)
클래스	IRC 클래스
	오픈 클래스 (모노-헐)
대회주최	부산광역시요트협회(BYA), 겐까이요트클럽(GYC), 재단법인 일본 세일링연맹가맹단체

아리랑 레이스
전야제

요트와보트

제 9 장

슈퍼요트

제1절 슈퍼요트의 의의

 ① 슈퍼요트

슈퍼요트는 공식적으로 24m(80ft) 이상의 요트 중에서 전문 선원이 운항하는 고가의 개인 소유 호화 요트로 슈퍼요트협회로부터 디자인 인증을 받은 요트를 지칭한다.

슈퍼요트는 세일링요트를 포함한 모든 고급 레저선박을 통칭하는 용어라 할 수 있는데 크루즈선박과 더불어 부가가치가 매우 높아 최근 조선 산업에서 급속하게 부각되고 있는 선박이다.

해양레저산업이 태동기에 있는 국내에는 아직 잘 소개되지 않은 생소한 선박이지만 세계적으로는 레저보트산업의 대표적인 주자의 하나로 자리매김하고 있다.

일반적으로 슈퍼요트는 "레저보트의 대형화와 고급화의 경향에 부응하면서, 크기는 80ft 이상, 500ft 이하의 전장을 가지면서 선내시설이 쾌적하게 설비된 선박"을 슈퍼요트라고 한다.

현 세계최대
슈퍼요트
'두바이호'

⚓ 2 슈퍼요트의 분류

세계 럭셔리 슈퍼요트 시장은 지속적인 발전을 하면서 그 크기에 있어서도 점차 길어지고 커지고 있다. 아직까지 슈퍼요트들의 크기에 따라 명칭을 정하는 것에 뚜렷한 구분은 없다. 하지만 대체적으로 3가지로 구분할 수 있다. 초기의 슈퍼요트는 40ft~80ft 전후의 크기를 가지고 있었다. 현대에 와서 80ft의 요트가 대세를 이루다가 최대 500ft의 슈퍼요트가 탄생하면서 메가요트 혹은 기가요트라는 용어를 쓰기 시작하였다.

아직 정확한 메가 요트와 기가요트에 대한 정의는 내려진 것이 없으나 기존의 슈퍼요트보다 더 큰 요트들이 등장함에 따라 메가 요트와 기가요트라고 가정적으로 구분하고 있는 것이다.

■ ■ ■
Super yacht:
'Lady
Christine'호
182.5 ft (55m)

■ ■ ■
Mega yacht:
'O'Mega'호
270.6 ft
(82.5m)

■ ■ ■
Giga yacht:
'Rising Sun'호
452.7 ft(138m)

⚓ ③ 슈퍼요트의 발전 과정과 현황

■
피라미드 범위
내의 슈퍼요트
위치

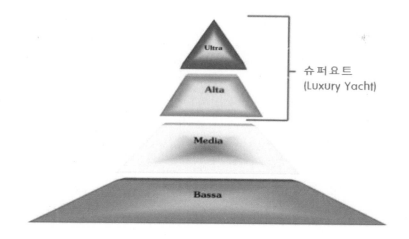

슈퍼요트 시장은 시시각각 변하는 국제 경제 상황에도 불구하고 피라미드의 꼭대기에서 성장을 계속하고 있다. 슈퍼요트는 2003-2004년 기준으로 볼 때 세계적으로 약 507척이 건조되었으며 이후 그 추세가 계속 상승하고 있다. 2004-2005년 28.4% 성장을 비롯하여 지난 수년 동안 매년 10% 이상 증가하고 있으며 향후에도 지속적으로 성장할 전망이다. 슈퍼요트의 성장추세는 확고한 위치를 차지하고 있으며, 아래와 같은 외형적 영향에도 불구하고 발전추세는 상당기간 지속될 전망이다.

즉, 세계 무역센터, 이라크 전쟁에 대한 공격 등 911테러로 인해 주식 시장의 손실, 사스에 대한 우려, 달러와 엔화의 평가 절하 등에도 거의 영향을 받지 않았다.

2006년 슈퍼요트 주문량은 668unit, 2005년 보다 5%성장하는 규모를 보였다. 지난 6년 동안 럭셔리 슈퍼요트 시장은 평균 14.3%로 올랐다. 세일링 요트보다 모터 슈퍼요트가 전체 시장의 90%를 차지하고 있으며 그 크기도 년도가 올라갈수록 커지고 있다. 30m 이상 40m 이하보다 40m~50m, 50m 이상의 요트 수요가 늘고 있다.

특히, 150ft 이상의 슈퍼요트 시장이 지속적인 성장을 이루고 있는데 이것들의 대부분은 전적으로 사용자의 요구에 의해 만들어지고 있다.

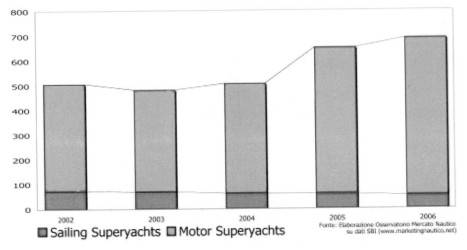

■ ■ 세일링
슈퍼요트와
모터슈퍼요트의
증가율

■ ■ 슈퍼요트
선체크기의
증가율

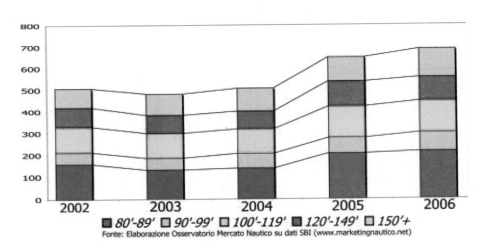

　　이런 슈퍼요트 부분에서 이탈리아는 세계적으로 잘 알려진 우수한 실력을 갖추고 있다. 이들은 잘 알려진 그들만의 디자인, 스타일링, 실내외 인테리어 등 슈퍼요트에 관한 모든 부분에서 우위를 달리고 있어 그만큼 슈퍼요트 시장에서 지도력 있는 자리에 있다 할 수 있다. 다음 그래프는 슈퍼요트의 생산량에 관한 것과 주요 생산 국가의 시장 점유율 동향이다.

■ ■
1999~2003년도
슈퍼요트 생산량

■ ■
1999~2003년도
슈퍼요트 주요
생산국가 시장
점유율

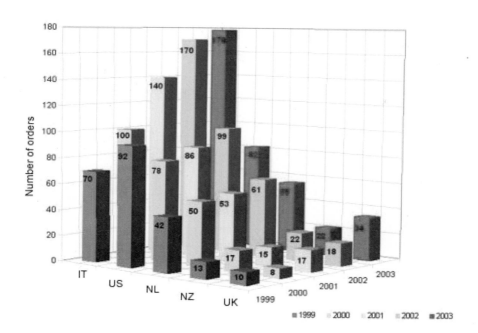

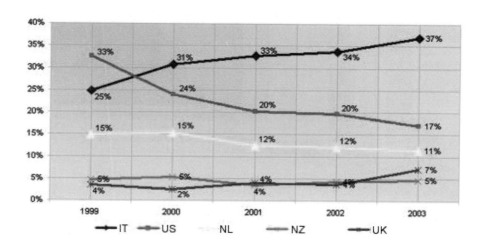

　　비록 2003년도에 침체를 했더라도 이후 다시 지속적인 성장을 보이고 있는 슈퍼요
트는 2006년 세계 모든 슈퍼요트 시장의 슈퍼요트 건조 길이 전체 평균을 분석해 보
았을 때 84.844ft로 2005년도에 비해 11% 증가했다. (396쪽 참조)

슈퍼요트의
길이 합계 평균

럭셔리시장과
슈퍼요트
시장의 비교

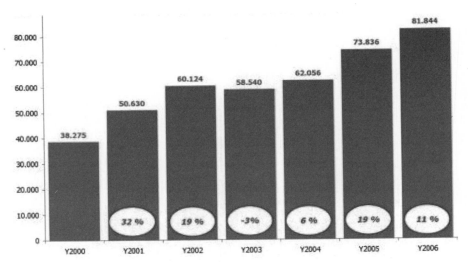

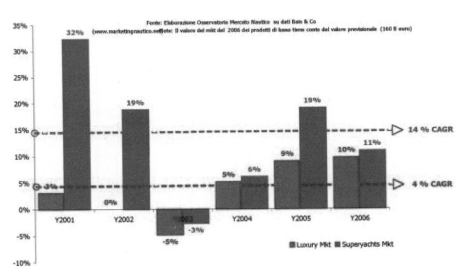

　이렇게 시장과 함께 슈퍼요트가 발달하면서 매 해마다 메가급의 슈퍼요트들이 탄생하고 있다. 그 중 지금까지 만들어진 가장 큰 슈퍼요트는 '두바이호'다.

　2006년에 건조된 두바이호는 '골든 스타 및 플래티넘 프로젝트'의 결과로서도 유명하다. 또한 2008년 가장 크고 가장 비싼 요트로 알려졌다. 두바이호는 두바이의 통치자인 '셰이크 모하메드 빈 라시드 알 마크툼'을 위해 만들어졌는데, 단지 개인의 요트라기보다는 정부의 슈퍼요트라고 볼 수 있다. 이 거대한 슈퍼요트는 531ft로 비용이

**두바이호
외부 모습**
자그마치 3억 달러에 이른다고 한다. 선체와 요트 상부는 독일 요트 제작 기술자 Blohm & Voss와 독일 디자이너 Lurssen이 맡았고 인테리어 같은 경우는 앤드류 위치에 의해 디자인 되었다.

이 두바이호는 바비큐 파티장, 디스코장, 대형 시네마, 스쿼시 코트장, 체육관, 헬기 착륙 장소 등 시설이 갖춰져 있다.

이와 같은 현재의 슈퍼요트는 안정성, 선회성, 스피드 등 최고의 기능을 요구하고 아름다운 외관, 안락한 실내공간이 요구된다. 슈퍼요트 디자인 능력에서 최고를 달리는 이탈리아를 비롯해 네덜란드, 미국, 영국, 프랑스 등 요트 선진국이 슈퍼요트산업을 이끌고 있다.

4 슈퍼요트의 특징과 구조

슈퍼요트는 일반적인 요트와는 달리 크루즈선급에 맞먹는 육상의 콘도와 비슷한 개념으로 연안에서의 휴식이나 레저를 위한 공간으로 사용되고 있는 중대형 초호화요트이다.

이런 슈퍼요트는 표준화되어 대량생산을 하는 보트와 달리 선주 개인의 요구사항과 아이디어를 수렴한 주문제작방식으로 생산되어 디자이너 역량, 선주 취향, 실내외

'슈퍼요트
velvet35'호의
외관

'슈퍼요트
velvet35'호의
실내

인테리어 재료와 컬러 그리고 시대적 디자인 경향 등이 혼합되어 선박마다 독특한 매력을 지니고 있다.

하지만 설계 시 몇 가지 고려해야 할 사항이 있다. 그 크기나 항해범위를 고려하면서 국내 및 국제적인 규정과 제한사항을 따라야 한다는 것이다. 선박안전에 관련된 국제 협약 'SOLAS'에 따르면 슈퍼요트는 사고 발생 시 국제적으로 문제를 일으키는 여객선이나 화물선과는 달리, 유람용 성격이 강하여 국제 법으로 제재를 가하지 않는다는 예외 조항이 있다. 그러므로 안전에 관한 사항은 선주와 조선소의 계약에 따라 달라진다. 단, 슈퍼요트 승무원에 대해서는 국제 노동기구의 규정에 의거하며 슈퍼요트가 국내 항해를 넘어 국제 항해까지 생각한다면 설계 시 장래 방문하게 될 국가의 규정을 미리 고려하여 입항을 거부당할 일이 생기지 않게 하여야 한다.

1) 슈퍼요트의 외관

돌고래를 닮은
듯한 'oculus'호

슈퍼요트는 총체적인 외관 디자인을 이루는 형태나 선, 스타일의 조화는 보는 이로 하여금 아름다움을 제공하면서도 활동 무대인 수면 위에서 안정감과 속도감을 확보하여야 한다.

■
외형 설계

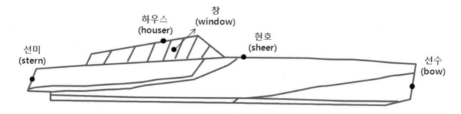

슈퍼요트 외관 디자인은 현호와 상부구조물 하우스, 선수, 선미, 창으로 이루어지며 이 모든 것이 조화되었을 때 슈퍼요트의 전체적인 스타일이 완성된다.

(1) 선체(Hull)

슈퍼요트의 선체는 취향에 따라 Round bottom형, V형, 쌍동선형 등 여러 가지 선형으로 건조되는데 크기가 큰 경우 선저 부양하중이 크게 증가하는 V형은 줄어들고 있다.

Round형은 전통적이고 일반적이며 속도가 변하더라도 트림의 변화가 적고 비교적 안정적인 주항이 가능한 것이 특징이며 이러한 항해를 추구하는 선주들이 주로 찾는다. V형은 고속 항주 시 선저의 형상에 따라 물을 배제하여 접수면적을 줄이도록 설계된다. 이 선형은 고속항주를 즐기는 선주들에게 인기가 많지만 일반적으로 활주선형은 배의 크기가 커질수록 선저에 가해지는 하중이 커져 효율이 떨어진다.

복합선체는 Round형과 V형의 장점만을 취한 것으로 선체의 일부는 라운드형으로, 나머지는 브이 형으로 설계된 선체다. 이것은 라운드형이 주는 안정성과 브이 형이 주는 고속성능을 적당히 혼합하려는 목적으로 만들어진다.

(2) 갑판(Deck)

가장 먼저 슈퍼요트의 외관을 결정하게 되는 갑판의 수는 선박의 규모를 결정한다. 갑판은 바텀데크(bottom deck), 로우데크(lower deck), 메인데크(main deck), 어퍼데크(upper deck), 선데크(sun deck) 등으로 이루어진다.

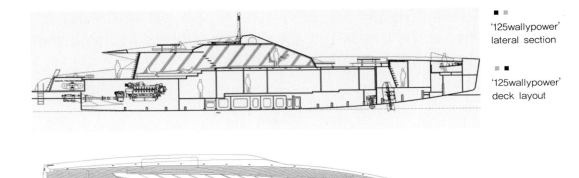

■ ■
'125wallypower'
lateral section

■ ■
'125wallypower'
deck layout

그 중 선데크는 가장 높은 곳에 위치한 데크로서 스카이라운지로 이용되는 실외공간이며 선미 데크와 연결된다. 이곳에는 실외 식탁테이블, 그릴바, 선 베드가 설치되고 텐더보트가 있을 시 보트와 함께 크레인 등 그 외 장비를 설치할 수 있다.

(3) 현호(Sheer)

현호는 요트의 측면에서 바라볼 때 뱃머리에서 선미까지 선각 윗부분의 선을 말한다. 이 라인은 상부구조물인 하우스와 하부구조물인 선각을 시각적으로 구분하면서 동시에 선수 및 선미부와 연결되는 선으로 확연히 들어나는 디자인 요소다.

■
'Caressa K'의
계단식
현호라인

현호의 유형은 크게 S라인, 바나나, 볼록, 오목, 계단, 플랫형으로 나눌 수 있다. 슈퍼요트에서 가장 많이 볼 수 있는 현호는 계단 형으로서 선수가 가장 높고 선미 쪽으로 단을 형성하며 내려가는 선형으로 전통적인 외관스타일을 갖추며 3,4개의 상갑판을 가지는 중대형 모던 스타일이 많다.

(4) 하우스, 창, 선수, 선미(House, Window, Bow, Stern)

슈퍼요트의 상부 구조물을 이루는 하우스는 현호와 함께 라인이 중시된다. 특히 하우스라인의 중요 요소인 하우스 탑과 루프라인은 수선 및 현호라인과 조화가 필요하며 모든 루프라인은 선수 쪽을 향해 기울어 있다.

창의 모양은 외관에 있어 큰 영향을 주기 때문에 하우스 및 선체와의 비례관계를 고려하여 창의 크기와 형태의 디자인이 잘 고려되어야 한다. 원형이거나 정사각형 창은 전통적인 클래식 요트에서 많이 나타나며 모던스타일의 선박에서는 각지거나 둥근 코너의 사다리꼴 창이 사용되기도 한다. 이 외에도 요즘은 자신의 개성을 살리기 위한 다양하고 새로운 형태의 창 모습들이 나타난다.

슈퍼요트의 외관을 완성하기 위한 마지막 단계는 선수와 선미 부분이다. 이 부분은 수면과 접하는 부분으로 디자인의 심미성 이외에도 해양에서 선박의 안전과 추진성능 등 기능적인 측면에서도 중요하다. 선수는 현호와의 조화를 통해 전체적인 진행감을 나타내 줄 수 있고, 선체의 중심부분과 매끄러운 연속성을 가질 수 있는 형상으로 모델링되어야 한다.

■ ■
'OH Que
Luna'호의
전통적 창 모습

■ ■
'Hatteras
80'호의 현대적
창 모습

선미 부는 일반선형의 선미부와 달리 매우 복잡한데 특히, 선미부의 'revers transom'은 빔과 트랜섬 규모 증가에 따른 중량 감소의 장점을 가지며 출입구, 계단, 사다리, 수영 플랫폼, 텐더보트 게이트 등이 집중되어 구조와 기능에 적절하게 대응해야 한다.

■
'Azimut
103s'호의
선미 부분

2) 슈퍼요트의 실내

슈퍼요트의 실내는 외관 디자인만큼 신경을 써야하며, 아름다워야 하고 어떠한 해상 조건에서도 안락하고 쾌적할 수 있도록 설계되어야 한다. 투박한 일반 선박과는 달리 슈퍼요트의 매력 중의 하나인 이 실내공간은 인테리어 디자인이 가장 중요하며 심미성을 포함하여 동선 설계, 최적 공간배치기법, 공기조화설비 등을 사용하여 기능적이면서 경제적인 실내공간이어야 한다.

슈퍼요트의 실내 공간구성은 갑판에 따라서도 달라지는데 갑판의 명칭은 완벽히 정립되지 않아 소유주나 요트 회사에 따라 자체적으로 칭하고 있다. 보통의 슈퍼요트에는 3, 4개의 갑판이 들어가는데 주로 로우데크, 메인데크, 어퍼데크 등으로 나뉜다. 이 데크들 안에 계획된 공간들은 각 요트마다 선주의 취향, 디자이너의 역량, 요트의 크기 등에 따라 달라지기 때문에 모든 슈퍼요트가 똑같이 구성될 수는 없다.

(1) 상 갑판(Upper deck)

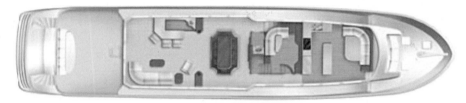

해터러스호의
upper deck
layout

이곳은 조종실이 위치해 있으며 주로 실외 식사공간이나 휴식공간으로 이용된다. 또한 메인살롱에 이어 두 번째 살롱이 있는데 이것을 종종 스카이 라운지라 부른다. upper deck 바로 위에 sun deck가 존재한다. 스카이라운지는 upper deck나 sun deck 어느 곳에든 설계가 가능하다. 또한 각종 다양한 룸이 있으며 선장의 개인적인 공간, 오피스, 보트데크 등이 있다.

velvet 35호
조정실

선수에 위치한 조정실은 중앙 홀, 또는 로비계단에서 진입이 가능하다. 조정좌석과 소파, 데스크가 배치되고 인접한 곳에 통신실과 캡틴실이 위치한다.

velvet 35호
실외 휴식 공간

(2) 전망 갑판(Sun deck)

어퍼데크의 지붕으로서 상부 오픈공간이다. 여기에는 조정실이나 스카이라운지, 선탠베드, 자쿠지 등이 설치된다.

velvet 35호
선탠베드

nadara35호
스카이라운지
제2조정실

　스카이라운지는 안락한 의자, 소파, 대형 전망 윈도우가 특징을 이룬다. 그 외, 바와 스크린 TV, 음향시설 등 엔터테인먼트가 설치된다.

2007 슈퍼요트
디자인상을
수상한'TRIPLE
SEVEN'호의
스카이 라운지

(3) 주 갑판(Main deck)

아늑한 응접실이 준비되어 있고 룸과 살롱, 로비, 실외공간, 식탁, 바, 주방, 마스터룸, 다이닝룸이 있다. 이곳은 선박의 구심점이 되는 갑판으로 중앙부 주출입구와 메인 홀에서 계단을 통해 승객동선과 승무원동선으로 구분되는 곳이기도 하다.

TRIPLE
SEVEN호의
마스터룸

메인데크, 혹은 브릿지데크에 위치하는 선주의 마스터룸은 주 출입 홀과 연결되고 오피스와 통하게 되며 킹사이즈 침대, 드레스룸, 자쿠지, 화장실, 수납공간, 냉장고, TV 등 가장 고급스럽게 설계된다.

velvet 35호
메인살롱

메인살롱은 보통 안락한 소파, 게임테이블, 바, 대형 스크린 TV, 엔터테인먼트 시스템이 계획되고 다이닝룸과 연결된다.

TRIPLE
SEVEN호의
다이닝룸

메인사롱과 연결되어 있는 다이닝룸은 파티션, 가구 등으로 구분되며 주방과 주 출입홀 등이 직접 연결된다.

(4) 하 갑판(Lower deck)

수영플랫폼과 게스트룸, 샤워룸, 엔진실, 승무원 숙소, VIP룸, 텐더보트 등이 자리 잡고 있다. 선미부의 트랜섬은 수영플랫폼과 선미쪽 주출입구 역할을 한다.

승객을 위한 공간으로 트윈 또는 더블침대, 화장실, TV, 수납공간 등이 계획되어 있으며 좌현과 우현으로 구분되어 2~4개의 객실에 승객 4~8인을 수용하는 것이 일반적이다. 또한 따로 마련된 VIP룸은 게스트 룸보다 중요한 공간으로서 킹사이즈 침대가 제공되면서 더욱 멋스러운 실내공간으로 설계된다.

■
'velvet 90'
텐더보트

■
TRIPLE
SEVEN호의
게스트룸

　트랜섬 타입의 선미에 위치하며 주출입 계단으로 승선하는 공간이며 수면과 접하는 공간으로 텐더보트와 제트보트를 이용할 수 있도록 계획된다. 이곳은 계단을 통하여 메인데크로 연결된다.

'velvet 90'호의
수영플랫폼 및
테라스

제2절 **세계의 슈퍼요트 산업**

① 슈퍼요트 산업의 동향

앞서 발전 과정과 현황에서 전체적인 슈퍼요트 산업의 흐름을 살펴보았듯이 슈퍼요트 산업은 지난 수년 동안 매년 10% 이상 증가하고 있으며 향후에도 지속적으로 성장할 전망이다.

2006~2008년 사이 요트 수주건수는 유럽이 5%가량 증가하고 미국은 3% 정도 감소, 나머지 지역들이 1% 미만으로 감소했다. 그 중, 슈퍼요트의 최강국이라고 불리는 이탈리아가 그 비중을 37%를 차지하고 있다.

■ 국가별
슈퍼요트
주문 건수

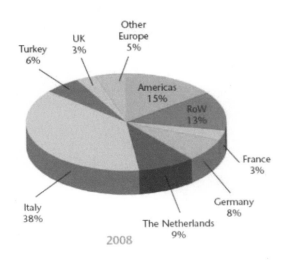

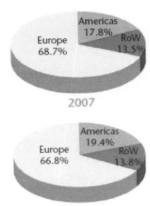

2008 세계 요트 생산 5대국

국가명	순위		총 선체길이	평균 선체길이	수주량
	2008년도	2007년도			
이탈리아	1	1	49,475ft(15,080m)	116	427
미국	2	2	13,300ft(4,054m)	129	104
네덜란드	3	3	10,486ft(3,196m)	161	65
독일	4	4	9,123ft(2,780m)	294	31
대만	5	5	6,867ft(2,093m)	95ft	71

자료: Show Boats International(The 2008 Global Order Book)

요트 전문지인 'The Yacht Report'는 2010년부터는 건조능력을 훨씬 뛰어넘는 많은 주문량이 기다리고 있다고 분석했다. 그리고 한 요트 조선소 관계자에 따르면 2007년도의 95%가 30m 이상의 슈퍼요트 이었다고 하며, 요트 전문지 'Yacht France Magazine'에 따르면 26m 이상 요트를 가장 많이 건조하는 국가는 이탈리아라고 한다. 이탈리아는 2007년 1월부터 11월까지 1만 8,847미터를 건조했으며 이어 미국, 네덜란드, 영국, 독일 등이 뒤를 이었다.

슈퍼요트 주요
생산국가(Trend
market share%
total units)

슈퍼요트 주요
생산국가
(Trend market
share% total ft)

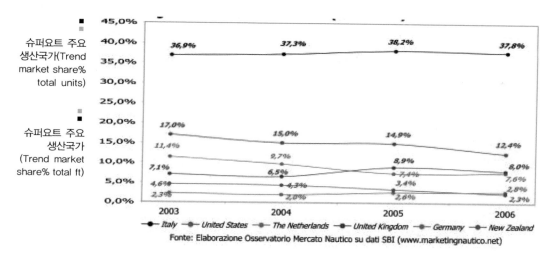

Fonte: Elaborazione Osservatorio Mercato Nautico su dati SBI (www.marketingnautico.net)

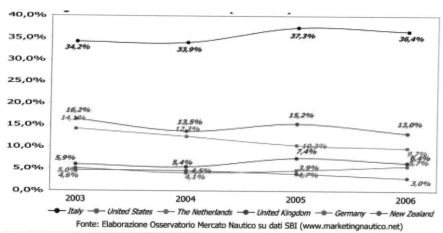

Fonte: Elaborazione Osservatorio Mercato Nautico su dati SBI (www.marketingnautico.net)

위의 두 그래프는 슈퍼요트 산업에서의 흥미로운 관점을 제시해준다. 이탈리아의 조선소가 시장의 리더로서 위치를 차지하고 있다는 것을 알 수 있다. 생산해 내는 슈퍼요트의 수나 길이 면에서 모두 두각을 나타낸다. 하지만 이전까지는 시장 점유율에서 선두 주자의 자리를 보유하고 있었지만 2006년 자리를 조금 양보했다. 생산척수 면에서 0.9%, 선체길이 면에서 0.5%가 감소되었다. 이러한 결과는 다른 나라들의 요트산업이 경쟁력 있게 발전했다는 증거이다.

일부 신흥 요트산업국들을 보면 미국의 보트 산업시장은 감소하고 있는데, 척수에서 2.5%, 길이에서 2.2%로 저하를 보인다.

반면에 네덜란드 시장은 각각 0.2%, 0.5%씩 조금이나마 증가한 모습을 볼 수 있다. 또, 네덜란드와 달리 독일의 보트산업은 1.1%의 수가 감소되었고, 길이 면에서

1% 증가하였다.

　이런 면에서, 신흥 요트산업 국가들이 기존의 요트강대국들을 조금씩 미뤄낼 수 있는 위협요소를 가지고 있을 것으로 보인다.

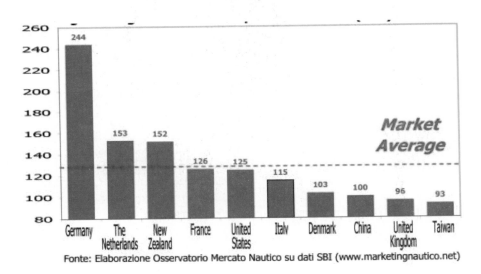

■ 주요 요트생산국들의 2006년 요트 생산평균 길이

Fonte: Elaborazione Osservatorio Mercato Nautico su dati SBI (www.marketingnautico.net)

　위 그래프는 주요 슈퍼요트 생산에서의 평균적인 단위길이를 보여준다. 독일은 2006년 평균 길이로 볼 때 가장 최대로 244ft를 자랑하고, 다음으로는 네덜란드가 153ft, 이탈리아가 6위로 115ft를 나타내었다.

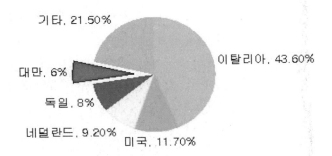

■ 주요 국가별 세계 요트시장 점유율

자료: Show Boats International(The 2008 Global Order Book)

🎡 2 각국의 경쟁력 분석

아래의 표는 각 나라의 세분화된 슈퍼요트산업의 경쟁력을 나타낸다. 표를 보는 방법은 화살표의 움직임이다. 180° 를 기준으로 하여 오른쪽으로 기울수록 해당 산업의 발달이 높고, 왼쪽으로 기울수록 발전이 미비하다. 그 중 large flybridge와 large open 부분이 전체 슈퍼요트 시장에서 87%를 넘게 차지하며 'sport fishing'과 'expedition yachts'를 제외하고 이탈리아가 대부분의 시장을 점유하고 있다.

이 자료는 진출할 슈퍼요트 분야에서 얼마만큼 경쟁력이 있는지를 파악하고 그에 따른 전반적인 평가를 위해 중요하다. 시장 리더로서 콘셉트를 잡을 때 어느 분야가 경쟁력이 있는가를 평가할 수 있다. 각 부분의 슈퍼요트 산업은 나라의 경쟁력이나 요팅을 위해 갖춰진 환경을 고려하여 그 특색에 맞는 분야를 발전시킬 필요가 있다.

Business Segment / Paesi	Motor				Sail
	Flybridge	Open	Sport Fishing	Expedition Yachts	Sailing Yachts
Italy					
USA					
Netherlands					
New Zealand					
China					
Australia					
France					
Germany					
Canada					
Taiwan					
Brazil					
Russia					
Spain					
Turkey					
United Kingdom					
Egypt					
Finland					
Argentina					
Denmark					
Greece					
Philippines					
Poland					
Singapore					
South America					

■ 슈퍼요트생산 국가들의 분야별 경쟁력

(*)Il livello di capacità competitiva tiene anche conto della notorietà internazionale dei brand presenti

1) 이탈리아

성능뿐 아니라, 디자인에서 차별성이 뛰어난 슈퍼요트는 선체 설계, 인테리어, 외장 등에 있어서 디자인적 요소가 중요하며, 특히 인테리어에 사용되는 다양한 소품들 또한 최상의 가치를 추구하기 때문에 슈퍼요트 제작에는 다양한 분야의 뛰어난 디자인 능력이 요구된다. 이러한 디자인적 특성을 잘 살린 것이 이탈리아를 슈퍼요트 생산의 중심지로 성장시킨 중요한 요소라 할 수 있다.

■
이탈리아의
슈퍼요트 산업

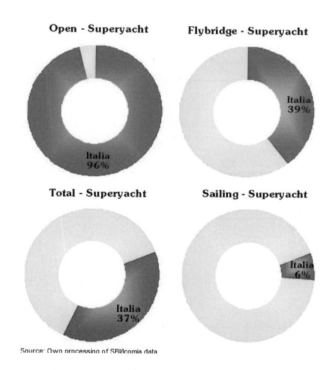

이탈리아는 2000년도 미국을 앞서 슈퍼요트의 주요 생산국으로 부상하였다.

또한, 수요가 점점 높아지는 요트시장에서 전 세계 고급요트의 45%를 담당한다. 2008년 상반기 요트시장의 44.7%를 생산하며 1위를 지키고 있으며 꾸준한 성장세를 보이고 있다. 이탈리아는 그만큼 매출이 증가함에 따라 슈퍼요트 산업에 대한 투자와 관리가 지속적으로 이루어질 것으로 보인다.

이탈리아의 선박업체에 대한 투자도 활발한데 지난해 Leopoldo Rodriguez의 Morgan Yachts사 지분 80%를 Aicon사가 매각한 것을 비롯해 2006년엔 Pentar사가 Franchini International의 지분 48%를 매각하였다. 또한, Cantiere del Pardo는

지난 2002년과 2006년 두 번이나 대주주가 바뀌었고 2002년엔 Intesa BCI와 Credit Agricole가 각각 30%, 10%의 주식을 매각했으며, Rhone Group이 2006년 70%의 주식을 매각한 바 있다.

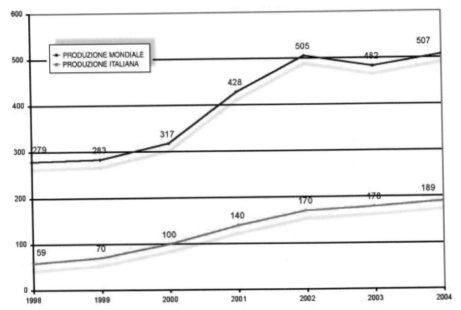

■ 지난 7년간의 이탈리아 및 세계의 주문량

아래의 표는 각 나라마다 슈퍼요트를 생산하는 조선소의 통계다.

국가별 슈퍼요트 조선소 수

순위	국가	조선소수
1	이탈리아	24
2	미국	22
3	네덜란드	15
4	뉴질랜드	9
5	중국	7
6	호주	6
6	프랑스	6

자료: Sono conteggiati solo I principali Cantieri nautici − Foote: Elaborazione propria su dati ICOMIA/SBI

2) 호주

호주는 천혜의 자연환경 및 높은 수준의 해양문화를 기반으로 해양레저가 발달한 해양레저산업의 강국이다.

레저장비산업의 기반은 보트 생산업체가 약 410개이며, 판매 및 레저 사업체 약 1,800개의 회사에 이른다. 요트와 보트 보유 규모는 약 587천 척 정도이며 레저 선박의 생산능력은 스포츠용 소형, 레저 중소형, 크루즈용 고급형, 슈퍼요트 고급형 등으로 수요자의 다양한 욕구에 대응하고 있다. 요트 부분에서는 회원제로 운영하는 요트클럽이 많고 인구가 증가함에 따라 개인이 요트를 소유하는 추세로 발전하고 있다. 지역별로는 퀸스랜드가 요트 수요가 가장 크다.

보트이벤트 중에서 5월에 열리는 '생추어리 코브 인터내셔널 보트쇼'는 물 위에서 열리는 고급 보트이벤트라고 할 수 있다. 아시아 태평양지역에서 가장 규모가 큰 보트 쇼로써 각광받고 있으며 세계 각국의 각종 요트와 슈퍼요트 전시를 비롯해 다양한 부속품인 기계장치, 전자제품 등을 선보인다.

3) 대만

대만 요트산업은 70년대 초 미국의 주문제작으로 시작되어 저렴한 임금과 숙련된 기술로 급속하게 성장하고 있다. 대만의 전성기는 1980년으로 제조업체가 100여 개에 달했었지만 90년대 들어와 임금상승과 물가 영향으로 인하여 업체 70% 이상이 도태되었다.

최근 5년간 대만의 요트 수출동향

연도	수출량(척)	수출액(달러)	수출액기준 성장률(%)	단가(달러/척)
2003년	269	129,968,540	−17.23	483,154
2004년	234	170,007,220	30.81	726,527
2005년	238	216,830,960	27.54	911,054
2006년	228	206,290,630	−4.86	904,783
2007년	236	281,054,080	36−24	1,190,907

자료: 대만요트협회

전성기에 비해 요트 건조량과 수출량이 줄었지만 대형 슈퍼요트에 치중하면서 단가가 상승함에 따라 수익도 늘고 있다.

대만 요트산업 규모는 선박산업에서 18.9%를 차지하고 있으며 생산능력 역시 매년 증가하는 추세를 보이고 있어 2009년도에도 성장세가 조금씩이라도 계속될 것으로 보인다. 수출동향 또한 안정적이고 증가하는 편이다.

4) 네덜란드

네덜란드는 우리나라와 비슷하게 국토가 바다와 인접해 있으며 대다수의 사람들이 해수면보다 낮은 곳에서 생활한다. 네덜란드의 조선 산업은 밝은 편으로 해양레저의 발달로 요트 관련 선박 수요가 증가하고 있다. 대형 선박산업에 있어서는 한국에 뒤지지만 슈퍼요트 등 고부가가치 선박시장에서는 상당한 자리를 차지하고 있다.

네덜란드 슈퍼요트 업체는 보통 1년에 1~2척 정도 생산 판매하고 있으며 가격은 최하 2,000만 유로에서 최고 8,000만 유로에 다다르고 있다. 약 170개의 조선소 업체 중에서 슈퍼요트급을 생산할 수 있는 조선소는 15개에 이른다.

5) 뉴질랜드

뉴질랜드는 항해의 도시라고 불리기도 하며 요트와 스포츠레저생활이 각광받는 곳이다. 뉴질랜드는 아주 많은 요트 제조업체가 있음에도 불구하고 소량제조에 그치고 있어 대부분 수입에 의존하고 있다. 요트대회에서는 매년 우수한 성적을 거두고 있으며 바람도 좋고 해안선도 길어 요팅을 하기에 무척이나 좋은 자연환경을 가졌다.

뉴질랜드에는 독특하게 요트전문기술대학인 '유니텍'이 있다. 1년제 보트빌딩코스와 보트디자인 및 프로젝트 매니저 등을 공부하는 3년제 학위과정으로 분류된다. 교육과정 중 제작된 선박은 판매가 가능하여 이를 위해 실제 상업적으로 판매되는 선박의 소재를 동일하게 사용한다. 이는 졸업 후 현업에 바로 투입되는데 지장이 없도록 하기 위한 실무위주 교육방침 때문이다.

이렇게 점문적인 요트학교가 있을 만큼 기술도 뛰어난 뉴질랜드 또한 슈퍼요트 산업에서 점점 두각을 나타내고 있다.

유니텍 대학
요트 건조 과정
모습

3 세계의 100대 슈퍼요트 분석(The world's 100 Largest Yachts)

순위	요트 명	ft(길이)	비고
1	DUBAI	525 ft	Owned by Sheik Mohammed bin Rashid al-Maktoum.
2	AL SAID	508.5 ft	Owned by sultan of Oman
3	PRINCE ABDUL AZIZ	482.4 ft	Built in 1984
4	EL HORRIYA	478 ft	Top speed of 16 knots
5	AL SALAMAH	459.4 ft	Top speed of 21.5 knots
6	RISING SUN	452.9 ft	Owned by Larry Ellison
7	SAVARONA	446.3 ft	Built by Blohm+Voss
8	PROJECT MAY	437 ft	Top speed of 20 knots/ cruising speed 18 knots
9	OCTOPUS	420 ft	Shipyard in Bremen(Lürssen Yachts)
10	ALEXANDER	397.3 ft	1 Master suite, 18 Double cabins, 7 Twin cabins, 1 Single cabin

11	TURAMA	382 ft	Shipyard in Rauma(Rauma Shipyard)
12	ATLANTIS Ⅱ	380 ft	Built in Greece
13	ISSHAM AL BAHER	379.1 ft	Built in Greece
14	PELORUS	375.8 ft	Launched in 2003
15	LE GRAND BLEU	349 ft	Launched in 2000
16	LADY MOURA	344 ft	Owned by Dr.Nasser al-Rashid
17	AL SAID	340.9 ft	Top speed 18 knots
18	CHRISTINA O	325.3 ft	reBuilt 1954
19	CARINTHIA Ⅶ	318.3 ft	maximum speed: 26 knots
20	SEA CLOUD	316.7 ft	reBuilt 1978
21	LIMITLESS	315.9 ft	Owned by Leslie Wexner
22	INDIAN EMPRESS	311.8 ft	Shipyard in Alblasserdam (oceAnco)
23	PROJECT SAFARI	305.11 ft	designed by Tim Heywood
24	TATOOSH	303.2 ft	Shipyard in Rendsburg (Nobiskrug)
25	ATTESSA IV	302.2 ft	Shipyard in Nagasaki(Evergreen Shipyard)
26	NAHLIN	300ft	completed in 2009/2010
27	ICE	295.7 ft	2006 world superyacht Awards.
28	NERO	295.3 ft	Built by Corsair Yachts within the Yantai Raffles Shipyard
29	ASEAN LADY	289.2 ft	Owned by Brian chang
30	MALTESE FALCON	288.9 ft	Owned by Tom perkins/ Top speed: 24 knots.
31	ARCTIC P	287.4 ft	Built in 1969
32	KINGDOM 5KR	282.2 ft	Shipyard in Viareggio(Benetti SpA)
33	ECSTASEA	282 ft	Top speed: 35 knots
34	ALYSIA	279.1 ft	Launched in 2005
35	DELMA	279.1 ft	Launched in 2004
36	EOS	271 ft	Built in Germany(Lürssen Yachts)
37	O'MEGA	270.8 ft	Built in Japan(Mitsubishi Heavy Industries Ltd.)
38	OCEAN BREEZE	269.2 ft	Owned by Saddam Hussein (president of Irap)
39	ALFA NERO	269 ft	1 Master suite, 2 double VIP cabins, 2 double guest cabins, 1 twin guest cabin

40	BART ROBERTS	264.11 ft	Built in 1963/ 1 Owner's cabin, 7 Double cabins, 1 Twin cabin
41	NORGE	263 ft	Owned by Thomas sopwith
42	GOLDEN ODYSSEY	262.11 ft	Owned by Khaled bin Saltan(Saudi Arabian Prince)
43	AMEVI	262.6 ft	Top speed: 20 konts/ cruising speed: 14 knots
44	CONSTELLATION	262.6 ft	Top speed: 23 knots/ Built in Durban(south Africa)
45	STARGATE	262.6 ft	4 VIP suits, 6 guestrooms
46	ATHENA	260 ft	Built by Royal Huisman/Shipyard in Holland
47	AL DIRIYAH	258 ft	Owned by Sheik Ahmed Yamani
48	DELPHINE	257.11 ft	tip speed: 15 knost
49	PRINCESS MARIANA	257.1 ft	6 decks/ 1 Owner's cabin, 2 VIP cabins, 2 Double cabins, 1 Twin cabin
50	TUEQ	257.5 ft	Owned by Salman/ Top speed: 19 knots/ cruising speed: 16 knots
51	EMINENCE	257.2 ft	Owned by Horb chamber
52	MONTKAJ	256.1 ft	Top speed: 18 knots/ cruise at 15 knots
53	LONE RANGER	256 ft	1 Master cabin, 2 double cabins, 2 twin cabins
54	SAMAR	252.8 ft	7 Staterooms
55	LADY SARYA	250.7 ft	1 Master cabin, 4 Double cabins, 1 Singel cabin
56	TALITHA G	247 ft	Built in 1930
57	MIRABELLA	246.9 ft	Built in Thailand/ Top speed: 20 knots
58	PHOCEA	249.6 ft	Top speed: 26 knots
59	LEANDER	245.5 ft	Owned by sir Douald Gosling
60	DANNEBROG	244.9 ft	Launched in 1930
61	ENIGMA	244.5 ft	Purchased by Oracle founder Larry Ellison
62	ILONA	241.9 ft	uilt for Frenklowy
63	GIANTI	241.2 ft	cruising speed: 14.3 knots
64	SALEM	241.2 ft	Built for Dutch government in 1964

65	SLBER	240.2 ft	established in 2003/ cruisng speed: 18 knots/ 132 gallons of fuel an hour
66	SIREN	240 ft	Launched in 2008
67	LAUREL	240 ft	Built in North America since 1921
68	QUEEN K	238.3 ft	Built by Lurssen Yachts
69	RM ELEGANT	237.6 ft	Built in Greece
70	CORAL ISLAND	236.3 ft	owend by Al sheik Modhassan
71	KOGO	235.3 ft	Owned by Mansour/ Top speed: 16 knots
72	UTOPIA	234.11 ft	maximum speed: 16 knots/ economic speed: 12 knots
73	THE ONE	233.2 ft	Launched in 1973
74	SKAT	232 ft	Owned by Charles simonyi
75	BOADICEA	231.3 ft	Owned by Reg Grundy
76	SAINT NICOLAS	230.3 ft	Built in Germany
77	MARTHA ANN	230.3 ft	gym/spa pool/bar/VIP cabin/double guest cabin
78	AMADEUS	229.7 ft	Shipyard in Wilhelmshaven (Neue Jadewerft GmbH)
79	REVERIE	229.7 ft	Built by Benetti
80	SHERAKHAN	229.6 ft	10 guest stater rooms/beauty salon/massage room/sauna/fitness room
81	FLORIDIAN	228.2 ft	Built in 2003
82	ATTESSA	225 ft	Built by Feadship member Royal Van Lent & Zonen
83	LADY ANNE	224.9 ft	Top speed: 17.4 knots
84	KISMET	223.6 ft	Top speed: 15.5 knots
85	ALWAELI	223.1 ft	Built by CRN
86	AVIVA	223.1 ft	Launched in 2007
87	WHITE CLOUD	220.7 ft	Launched in 1983
88	ALLURE	220 ft	6double cabins/sky lounge/swimming pool/cinema/game room/ library/gym/spa area
89	SIRAN	219.9 ft	Built by Feadship member Koninklijke De Vries Scheepsbouw
90	ANNA	219.1 ft	Designed by Michael Leach

91	APOISE	219.1 ft	Top speed: 16 knots/ cruising speed: 13 knots
92	AMAZON EXPRESS	219 ft	1 Owner's cabin, 5 Double cabins, 1 Twin cabin
93	GOLDEN SHADOW	219 ft	Shipyard in San diego(Campbell Shipyards)
94	HAIDA G	217.11 ft	Launched 1929
95	TRIPLE SEVEN	217.1 ft	Top speed: 17 knots/ cruising speed: 15 knots
96	DILBAR	216.7 ft	Owned by Alisher Usmanov
97	YAAKUN	216.5 ft	Launched in 1987
98	ASTARTE Ⅱ	213.1 ft	1 Owner's cabin, 1 Double VIP cabin, 3 Double cabins, 5 Twin cabins
99	CALLISTO	213.1 ft	Top speed: 16 knots/ cruisng speed 12 knots
100	CEDAR SEA Ⅱ	213.7 ft	Shipyard in De Kaag (Feadship)

자료: Boat Internatoinal USA, May 2008.

부 록 　해외 주요 지역별 보트쇼

영 국

런던보트쇼

명칭	Southampton International Boat Show 2009	
기간	2009. 9. 11 ~ 9. 20 (10일간)	
장소	May Flower Park, Southampton, UK	
개최규모 (전년도 기준)	◦ 전시보트수: 1,000개	◦ 참가업체수: 600개
	◦ 참관객수: 121,389명	
전시 일정	–	
주요 특성	보트관련 게임, 수상스포츠, 레이싱 등의 엔터테인먼트를 제공하여 보트산업 인사뿐 아니라 일반 대중까지 참여할 수 있는 전시회	
최근 동향	최근 경기침체로 인해 보트산업이 어려움을 겪고 있기는 하나 주최측은 올해 55해를 맞는 전시회에 적년 수준의 참가자가 있을 것으로 기대	

☼ 프랑스

파리보트쇼

명칭	LE SALON NAUTIQUE DE PARIS (nautic)	
기간	2009. 12.	
장소	PARIS EXPO PORTE DE VERSAILLES	
개최규모 (전년도 기준)	◦ 전시면적: 150,000㎡	◦ 참가업체수: 1,200
	◦ 참관객수: 268,800	
전시 일정	◦ 등록 및 설치: 미정	◦ 개막식: 미정
	◦ 전시기간: 미정	◦ 철거: 미정
주요 특성	프랑스 최대 보트쇼로 보트 종류별로 나누어 전시 9일간 개최	
최근 동향	참가업체 및 관람객 증가	

칸국제레저보트 페스티발

명칭	FESTIVAL INTERNATIONAL DE LA PLAISANCE CANNES
기간	2009. 9. 9 ~ 9. 14 (6일간)
장소	VIEUX PORT & PORT PIERRE CANTO
개최규모 (전년도 기준)	◦ 전시면적: 95,000㎡ 　　　◦ 참가업체수: 600 ◦ 참관객수: 65,000
전시 일정	◦ 등록 및 설치: 미정 　　　◦ 개막식: 미정 ◦ 전시기간: 미정 　　　　◦ 철거: 미정
주요 특성	유럽 최고의 레저보트쇼로 항구에서 개최, 전년대비 참가업체 증가
최근 동향	전년 대비 참가업체 증가

라로셀 국제수상보트쇼

명칭	GRAND PAVOIS(SALON NAUTIQUE INTERNATIONAL A FLOT)
기간	2009. 9. 23 ~ 9. 28 (6일간)
장소	PORT DE LA ROCHELLE
개최규모 (전년도 기준)	◦ 전시면적: 100,000 　　　◦ 참가업체수: 832 ◦ 참관객수: 104,000
전시 일정	◦ 등록 및 설치: 미정 　　　◦ 개막식: 미정 ◦ 전시기간: 미정 　　　　◦ 철거: 미정
주요 특성	유럽 최고의 수상 보트 쇼로 항구에서 개최
최근 동향	전년 대비 참가업체 및 관람객 지속 증가

 독 일

뒤셀도르프 보트쇼

명칭	17th BOOT Duesseldorf
기간	2009. 1. 17 ~ 1. 25 (9일간)
장소	Duesseldorf Messe 뒤셀도르프상설전시장
개최규모 (전년도 기준)	◦ 전시면적: 221,150평방미터 　　　◦ 참가업체수: 1,701개사 ◦ 참관객수: 267,379명
전시 일정	◦ 등록: 2008.6.30일 마감 　　　◦ 개막식: '09. 1. 17 ◦ 전시기간: '09. 1. 17 ~ 25 10:00-18:00 　◦ 철거: '09. 1. 25 18:00 이후
주요 특성	독일 최대 보트전시회로 고급 요트업체의 경우 칵테일 파티, 신제품전시 등 다채로운 행사가 지속되는 전시회
최근 동향	미국발 금융위기로 전시 참가업체 및 참관객 감소 예상

프리드리히스하펜 보트쇼

명칭	INTERBOOT Friedrichshafen
기간	2009. 9. 19 ~ 9. 27 (9일간)
장소	Friedrichshafen 상설전시장
개최규모 (전년도 기준)	◦ 전시면적: 76,100평방미터 ◦ 참가업체수: 576개사 ◦ 참관객수: 94,743명
전시 일정	◦ 전시장치 '09. 9. 11 ~ 18 ◦ 개막식: '09. 9. 19 ◦ 전시기간: '09. 9. 19 ~ 27 10:00-18:00, 10:00-19:00(야외전시장) ◦ 철거: '09. 9. 27 18:00 이후
주요 특성	프리드리히스하펜의 전시장과 항구를 전시장으로 활용하여 야외와 실내전시장을 이용
최근 동향	미국발 금융위기로 전시참가업체 및 참관객 감소 예상

함부르크 보트쇼

명칭	Hanseboot
기간	2009. 10. 24 ~ 11. 1 (9일간)
장소	함부르크상설전시장
개최규모 (전년도 기준)	◦ 전시면적: 83,500평방미터 ◦ 참가업체수: 775개사 ◦ 참관객수: 105,549명
전시 일정	◦ 전시장치 '09. 10. 19 ~ 23 ◦ 개막식: '09. 10. 24 ◦ 전시기간: '09. 10. 24 ~ 11.1 10:00-18:00, 10:00-19:00(수요일 ◦ 철거: '09. 11. 1 18:00 이후
주요 특성	독일 최대 항구도시인 함부르크에서 개최되며 규모면에서 뒤셀도르프 보트쇼 다음 2위의 전시회
최근 동향	미국발 금융위기로 2008년 11월 전시회의 참관객수가 다소 감소 700여 명

 미 국

2009 Marine Aftermarket Accessories trade Show(MAATS)

명칭	Marine Aftermarket Accessories Trade Show(MAATS)
기간	2009. 7. 15 ~ 7. 17 (3일간)
장소	The Orange County Convention Center, 플로리다 주 올랜도
개최규모 (전년도 기준)	◦ 전시면적: 20,000(㎡)　　　　　　　　　◦ 참가업체수: 293 ◦ 참관객수: 1,833명
전시 일정	◦ 개막식: '09. 7. 15 8:00 ◦ 전시기간: '09. 7. 15 ~ 16 8:00-18:00, '09. 7. 17 8:00-15:00 ◦ 철거: '09. 7. 17 15:00-19:30
주요 특성	미국 보트관련 애프터마켓 전문 전시회로 제조업체와 바이어 간의 상담 주선 서비스도 제공하고 있음. 특히 스포츠 낚시 전시회와 공동 개최되며 일반에 공개되지 않는 전문 전시회임
최근 동향	전 세계적인 금융 위기에도 불구하고 전시 및 참관바이어의 참가 여부 등에는 큰 변화 없을 것으로 전망

2009 시카고보트쇼

명칭	79th Chicago Boat RV, & Outdoors Show
기간	2009. 1. 14 ~ 1. 18 (5일간)
장소	시카고 McCormick Place 전시장
개최규모 (전년도 기준)	◦ 전시면적: 32,516(㎡)　　　　　　　　　◦ 참가업체수: 200 ◦ 참관객수: 50,000명
전시 일정	◦ 등록 및 설치: '09. 1. 8 ~ 13 07:00-16:30 ◦ 개막식: '09. 1. 14 11:00 ◦ 전시기간: '09. 1. 14 ~ 16 11:00-21:00, '09. 1. 17(토 10:00-21:00 　　　　　　　'09. 1. 18(일 10:00-17:00 ◦ 철거: '09. 1. 18 17:00-
주요 특성	시카고 보트 전시회는 보트 및 캠핑카 딜러들이 참가하는 전시회로 주로 보트 실수요자를 대상으로 함
최근 동향	전 세계적인 금융 위기로 전시 및 관람객 감소 예상

2009 53rd Los Angeles Boat Show

명칭	53rd Los Angeles Boat Show
기간	2009. 2. 7 ~ 2. 15 (9일간, 2일 휴장 포함)
장소	Los Angeles Convention Center
개최규모 (전년도 기준)	◦ 전시면적: 35,303(㎡) ◦ 참가업체수: 약 200 업체 ◦ 참관객수: 비공개
전시 일정	◦ 개막식: '09. 2. 7 10:00 ◦ 전시기간: '09. 2. 7 ~ 8 10:00-21:00, '09. 2. 9-10 휴장Closed), '09. 2. 11 ~ 13 13:00-21:00, '09. 2. 14-15 10:00-21:00,
주요 특성	LA보트 전시회는 미국 서부 지역 최대 규모의 보트관련 전시회로서 딜러와 관련 액세서리 제조업체들이 주로 참가하는 전시회로 알려져 있음. 동 전시회 또한 주로 보트 실수요자를 대상으로 함
최근 동향	전 세계적인 금융 위기로 전시 및 관람객 감소 예상

Houston International Boat Sports and Travel Show

명칭	Houston International Boat Sports and Travel Show	
기간	2009. 1. 2 ~ 1. 11 (10일간)	
장소	휴스턴 Relient Center	
개최규모 (전년도 기준)	◦ 전시면적: 75,251(㎡) ◦ 참관객수: 150,000명	◦ 참가업체수: 450

전시 일정	◦ 개막식: '09. 1. 2 17:00-21:00
	 ◦ 전시기간: '09. 1. 3 10:00-21:00, '09. 1. 4 12:00-21:00,
	            '09. 1. 5 ~ 9 10:00-21:00, '09. 1. 10 10:00-21:00
	            '09. 1. 11 12:00-18:00	

주요 특성	휴스턴 보트 전시회는 주로 보트 및 캠핑카 딜러들이 참가하는 전시회로 주로 보트 실수요자를 대상으로 한 전시회임	
최근 동향	금융 위기로 인한 경기 침체에 따른 레저시장 침체로 관람객 축소 전망	

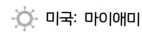 미국: 마이애미

2009 Miami International Boat Show

명칭	Miami International Boat Show & Strictly Sail
기간	2009. 2. 12 ~ 2. 16 (5일간)
장소	Miami Beach Convention Center
개최규모 (전년도 기준)	◦ 전시면적: 232,820m² (2007년기준)　　　◦참가업체수: 2217 ◦ 참관객수: 130,496 (유료참관객기준)
전시 일정	◦ 등록 및 설치: '09. 2. 6 ~ 11　　　◦개막식: '09. 2. 12 10:00 ◦ 전시기간: '09. 2. 12 ~ 16 10:00-18:00/20:00 ◦ 철거: '09. 2. 16 18:00-
주요 특성	전시장소가 3군데로 분산되어 실내/실외 전시가 가능하며 전 가족이 즐길 수 있는 다채로운 행사 준비
최근 동향	금융 위기 여파로 전시 참가업체 감소 예상

2009 International BoatBuilders' Exhibition & Conference

명칭	IBEX 2009
기간	2009. 10. 12 ~ 10. 14 (3일간)
장소	Miami Beach Convention Center
개최규모 (전년도 기준)	◦ 전시면적: 46,711m²(실내전시장면적기준)　◦ 참가업체수: 850 (2007년기준) ◦ 참관객수: 4,570 (2007년기준)
전시 일정	◦ 등록 및 설치: 미정　　　◦ 개막식: '09. 10. 12 10:00 ◦ 전시기간: '09. 10. 12 ~ 14 10:00-18:00/16:00 ◦ 철거: '09. 10. 14 16:00-
주요 특성	업체만 참가가 가능하며 18세 이하는 출입금지임. 세마나 및 네트워킹 세션 등 동반 개최
최근 동향	금융위기 여파로 전시 참가업체 감소 예상

2009 Fort Lauderdale International Boat Show

명칭	50th Fort Lauderdale International Boat Show	
기간	2009. 10. 29 ~ 11. 2 (5일간)	
장소	Broward County Convention Center 등6군데	
개최규모 (전년도 기준)	∘ 전시면적: 278,711㎡ 이상 ∘ 참관객수: 140,000	∘ 참가업체수: 자료없음
전시 일정	∘ 등록 및 설치: 미정 ∘ 전시기간: 미정	∘ 개막식: 미정 ∘ 철거: 미정
주요 특성	다양한 크기 및 종류의 보트, 부품 등이 전시되는 세계 최대 보트 종합 전시회	
최근 동향	금융 위기 여파로 전시 참가업체 감소 예상	

☀ 캐나다

Toronto International Boat Show

명칭	Toronto International Boat Show	
기간	2009. 1. 10 ~ 1. 18 (9일간)	
장소	Direct Energy Centre, Exhibition Place	
개최규모 (전년도 기준)	∘ 전시면적: 700,000㎡ ∘ 참관객수: 91,000	∘ 참가업체수: 600
전시 일정	∘ 등록 및 설치: '09. 1. 8~9 ∘ 전시기간: '09. 1. 10~18 10:00~19:00	∘ 개막식: '09. 1. 9 ∘ 철거: '09. 1. 13
주요 특성	옥션, 제품 콘테스트, 대형 어항 물고기 쇼, 신제품 쇼, 어린이 보트탐험 쇼, 어린이 낚시 대회, 구형 및 클래식 보트 전시, 보트 구매 노하우 강의	
최근 동향	계획대로 많은 참가자를 기대함	

Vancouver International Boat Show

명칭	Vancouver International Boat Show	
기간	2009. 2. 4 ~ 2. 8 (5일간)	
장소	BC Place Stadium	
개최규모 (전년도 기준)	∘ 전시면적: N/A ∘ 참관객수: 40,000	∘ 참가업체수: 300
전시 일정	∘ 등록 및 설치: '09. 2. 2~3 ∘ 전시기간: '09. 2. 4~8 11:00~21:00	∘ 개막식: '09. 2. 3 11:00 ∘ 철거: '09. 2. 8
주요 특성	부모와 함께 하는 보트 제조 시합, 어린이 구역, 정부주 기관 부스 참가, 보트 콘테스트	
최근 동향	특이사항 없음, 계획대로 진행할 예정	

Winnipeg International Boat Show

명칭	Winnipeg International Boat Show
기간	2009. 2. 26 ~ 3. 1 (4일간)
장소	Winnipeg Convention Centre
개최규모 (전년도 기준)	◦ 전시면적: N/A ◦ 참가업체수: 140 ◦ 참관객수: 20,000
전시 일정	◦ 등록 및 설치: '09. 2. 24 ~ '09. 2. 25 ◦ 개막식: '09. 2. 26 11:00 ◦ 전시기간: '09. 2. 26 ~ '09. 3. 1 11:00-19:00 ◦ 철거: '09. 3. 1
주요 특성	GPS 세미나, 요리 대회, 대형 물고기 쇼
최근 동향	특이사항 없음, 계획대로 진행할 예정

Halifax International Boat Show

명칭	Halifax International Boat Show
기간	2009. 2. 19 ~ 2. 22 (4일간)
장소	Direct Energy Centre, Exhibition Place
개최규모 (전년도 기준)	◦ 전시면적: N/A ◦ 참가업체수: 16,000 ◦ 참관객수: 100
전시 일정	◦ 등록 및 설치: '09. 2. 17 ~ 18 ◦ 개막식: '09. 2. 19 10:00 ◦ 전시기간: '09. 2. 19 ~ 22 (12:00-21:00) ◦ 철거: '09. 2. 22
주요 특성	보트 옥션을 통해 IWK Health Centre Foundation을 위한 봉사를 실시할 예정
최근 동향	특이사항 없음, 계획대로 진행할 예정

 호 주

2009 Sanctuary Cove International Boatshow

명칭	2009 Sanctuary Cove International Boatshow
기간	2009. 5. 21 ~ 5. 24 (4일간)
장소	Sanctuary Cove(퀸즐랜드 주)
개최규모 (전년도 기준)	◦ 전시면적: 7,000sqm + 9,000Sqm (Out Door) ◦ 참가업체수: 455개사 ◦ 참관객수: 50,600명
전시 일정	◦ 등록 및 설치: '09. 5. 18 ~ 20 06:00-20:00 ◦ 개막식: '09. 5. 21 10:00 - 11:00 ◦ 전시기간: '09. 5. 21 ~ 5. 04 ◦ 철거: '09. 5. 24 18:00-21:00, '09. 5. 25 06:00-15:00
주요 특성	실내전시 보다 실외전시에 초점
최근 동향	금융위기 여파로 행사장내 보트 판매대수는 감소할 것으로 예상되나 참가업체 수는 예년과 비슷한 수준으로 유지할 것으로 보임

2009 시드니보트쇼

명칭	2009 Sydney Boat Show
기간	2009. 7. 30 ~ 8. 4 (6일간)
장소	Sydney Convention and Exhibition Centre & Cockle Bay Marina, Darling Harbour
개최규모 (전년도 기준)	◦ 전시면적: 28,000sqm + 800 Meter Marina (Out Door) ◦ 참가업체수: 370개사 ◦ 참관객수: 70,000명
전시 일정	◦ 등록 및 설치: '09. 7. 28 ~ 29 06:00-20:00 ◦ 개막식: 없음 ◦ 전시기간: '09. 7. 30 ~ 8. 04 10:00-20:00 (Halls), 10:00-18:00 (Marina) ◦ 철거: '09. 8. 04 18:00-21:00, '09. 8. 05 06:00-15:00
주요 특성	패션 퍼레이드, 보트 만들기 대회, 낚시 클리닉 등의 부대행사가 전시기간 동안 다채롭게 개최됨
최근 동향	2004년 이후 참관객수가 감소하는 추세이며 금융위기 여파로 인해 다소 위축될 것으로 보임

 뉴질랜드

오클랜드 국제보트쇼 2009

명칭	The Auckland International Boatshow 2009
기간	2009. 3. 5 ~ 3. 8 (4일간)
장소	Viaduct Harbour, Auckland (2000,2003 America's Cup개최지
개최규모 (전년도 기준)	◦ 전시면적: 약 5만 평방미터 ◦ 참가업체수: 225 ◦ 참관객수: 2만 명
전시 일정	◦ 등록 및 설치: '09. 3. 3 ◦ 개막식: '09. 3. 4 ◦ 전시기간: '09. 3. 4 ~ 8 ◦ 철거: '09. 3. 9
주요 특성	뉴질랜드마린산업협회MIA; Marine Industry Asso.)가 주관하는 최대의 보트전시회로서 America's Cup 행사개최지였던 오클랜드의 Viaduct Harbour에서 개최되는 내륙+해상전시회
최근 동향	보트 쇼 참가 외국기업 점증세

허치윌코보트쇼

명칭	Hutchwilco New Zealand Boat Show 2009
기간	2009. 5. 14 ~ 5. 17 (4일간)
장소	ASB Show Ground, Auckland
개최규모 (전년도 기준)	◦ 전시면적: 약 3만 평방미터 ◦ 참가업체수: 230 ◦ 참관객수: 34,000명
전시 일정	◦ 등록 및 설치: '09. 5. 12 ~ 13 ◦ 개막식: '09. 5. 14 ◦ 전시기간: '09. 4. 14 ~ 17 ◦ 철거: '09. 4. 18
주요 특성	내륙 전시회
최근 동향	특이사항 없음

크라이스트처치보트쇼 2009

명칭	Christchurch Boat Show 2009
기간	2009. 7. 3 ~ 7. 5 (3일간)
장소	Westpac Centre, Christchurch, New Zealand
개최규모 (전년도 기준)	◦ 전시면적: 6,000 ◦ 참가업체수: 67 ◦ 참관객수: 7,746
전시 일정	◦ 등록 및 설치: '09. 7. 2 ◦ 개막식: '09. 7. 32 ◦ 전시기간: '09. 7. 3 ~ 5 ◦ 철거: '09. 7. 5
주요 특성	남섬의 유일한 보트전시회로서 Auckland International Boatshow를 개최하는 MIA 가 관장함
최근 동향	특이사항 없음

와이카토보트레저쇼 2009

명칭	Waikato Boat, Fishing & Leisure Show 2009
기간	2009년행사일정미정
장소	The Expo, C/-Mystery Creek Event Centre, Hamilton
개최규모 (전년도 기준)	◦ 전시면적: 12,000 ◦ 참가업체수: 100 ◦ 참관객수: 11,000
전시 일정	◦ 등록 및 설치: 미확정 ◦ 개막식: 미확정 ◦ 전시기간: 미확정 ◦ 철거: 미확정
주요 특성	전문 보트쇼라기보다는 수상레저용품 전시회임
최근 동향	특이사항 없음

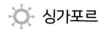 **싱가포르**

명칭	Boat Asia 2009
기간	2009. 4. 23 ~ 4. 26 (4일간)
장소	Marina at KeppelBay, Singapore

전시 일정	○ 오픈시간: 1:00pm-9:00pm(Thursday-Saturday), 1:00pm-7:00pm(Sunday)
	
	○ 입장료
	   - 주중: 어른S\$10; 12세 이하 청소년: S\$5
	   - 주중패키지: 어른2명+ 12세 이하 청소년 2명: S\$25
	   - 주말: 어른\$16; 12세 이하 청소년: S\$8
	   - 주말패키지 어른2명 12세 이하 청소년 2명: S\$40
	   - 시즌권: S\$30
	
	○ 동시진행이벤트
	   - Fashion Show - Trial Rides
	   - Lucky Draw - Admiral Suite
	   - Charity Gala Dinner - The Lil' Ones

주요 특성	-
최근 동향	특이사항 없음

중 국

15th China International Boat Show 2009

명칭	15th China International Boat Show 2009
기간	2009. 4. 16 ~ 4. 19 (4일)
장소	Shanghai Exhibition Centre
개최규모 (전년도 기준)	○ 면적: 30,000(s/m) ○ 참가업체수: 365 ○ 바이어 및 방문객수: 14,050
전시 일정	○ 등록: '09. 4. 14 ~ 15 08:30-17:00 ○ 개막식: '09. 4. 16 09:30 ○ 박람회기간: '09. 4. 16 ~ 19 10:00-18:00, '09. 4. 19 10:00-17:00 ○ 폐막식: '09. 4. 19 17:00-22:00
주요 특성	칵테일파티, 리셉션, 대연회 등 보트 업체 간 사교모임 성격의 부대행사가 전시기간 동안 다채롭게 개최됨 금융위기로 인해 바이어 및 박람업체의 참여를 끌어들이는 데 어려움이 있음
최근 동향	특이사항 없음

China International Marine Fair

명칭	The 7th China International Marine Fair concurrent and Aquatic Sports & Boat Show, Qingdao
기간	2009. 5. 22 ~ 5. 25 (4일간)
장소	-
개최규모 (전년도 기준)	◦ 면적: 15,000(s/m) ◦ 참가업체: 100 ◦ 바이어 및 방문객수: 18,081
전시 일정	◦ 등록: '09. 5. 21 ~ 22 09:00-16:00 ◦ 박람회기간: '09. 5. 23 ~ 25 9:00-17:00 ◦ 폐막식: '09. 5. 25 15:00-17:30
주요 특성	칵테일파티, 리셉션, 대연회 등 보트 업체 간 사교모임 성격의 부대행사가 전시기간 동안 다채롭게 개최됨 금융위기로 인해 바이어 및 박람업체의 참여를 끌어들이는 데 어려움이 있음
최근 동향	특이사항 없음

China Guangzhou International Water Supplies Show 2009

명칭	6th China Guangzhou International Water Supplies Show 2009
기간	2009. 3. 10 ~ 3. 12 (3일간)
장소	-
개최규모 (전년도 기준)	◦ 면적: 15,000(s/m) ◦ 참가업체: 200 ◦ 바이어 및 방문객수: 13,560
전시 일정	◦ 등록: '09. 3. 8 ~ 9 08:30-17:00 ◦ 개막식: '09. 3. 10 09:30 ◦ 박람회기간: '09. 3. 10 ~ 12 9:00-17:00 ◦ 폐막식: '09. 3. 12 14:00-17:00
주요 특성	칵테일파티, 리셉션, 대연회 등 보트 업체 간 사교모임 성격의 부대행사가 전시기간 동안 다채롭게 개최됨 금융위기로 인해 바이어 및 박람업체의 참여를 끌어들이는 데 어려움이 있음
최근 동향	특이사항 없음

 홍 콩

2009 골드코스트보트쇼

명칭	Gold Coast Boat Show 2009
기간	2009. 5. 8 ~ 5. 10 (3일간)
장소	Gold Coast Yacht & Country Club, HK
개최규모 (전년도 기준)	◦ 전시면적: n/a ◦ 참가업체수: 39개사 ◦ 참관객수: 4,000여 명
전시 일정	◦ 등록 및 설치: early bird 2009.12.31. 일반 참가신청은 4월말까지 가능 설치는 개막전 1주일부터 가능 ◦ 개막식: 2009. 5. 9 (금) ◦ 전시기간: 2009. 5. 9 - 5. 10 ◦ 철거: 종료 후 1주일까지 가능
주요 특성	◦ 홍콩 부동산 투자업체 Sino Group이 개발한 Gold Coast 요트컨트리클럽에서 11년 연속 매년 개최된 홍콩의 주요 보트쇼임 ◦ 2008년 USD 5천~65백만까지 다양한 요트가 전시됐으며 특히 홍콩사상 최고가의 요트 2대가 금년 전시되었음(Ambrosia, Grand Delight) 홍콩에서 슈퍼요트를 수용할 수 있는 유일한 마리나이기도 함 ◦ 현지 고급백화점 Lane Crawford 및 명품브랜드 Chloe 등에서 미스홍콩 및 모델들을 동원 고가 수영복 및 패션아이템 패션쇼를 전시시간 중 개최해 참관객 유치에 일조함
최근 동향	◦ 최근 몇 년간의 호황으로 인해 홍콩의 백만장자가 급증해 요트에 대한 수요 또한 늘고 있음 ◦ 특히 200ft대의 대형 최고급 요트수요가 늘고 있다는 것이 전시관계자의 설명임

Hong Kong International Boat Show 2008

명칭	Hong Kong International Boat Show 2008
기간	2008. 11. 21 ~ 11. 23 (3일간)
장소	Marina Cove, Sai Kung, HK
개최규모 (전년도 기준)	◦ 전시면적: 비공개 ◦ 참가업체수: 55개사 ◦ 참관객수: 8,000여 명
전시 일정	◦ 등록 및 설치: 등록마감 10.23 (목, 설치는 개막 1주일 전부터 가능) ◦ 개막식: 11.21 (금 ◦ 전시기간: 11.21 (금 - 23 (일 ◦ 철거: 전시종료 후 1주일까지
주요 특성	럭셔리 보트전문쇼로는 아시아에서 가장 큰 규모로 알려져 있으며 총14회 개최됨
최근 동향	◦ 경기의 영향으로 10월 중 전시회 취소까지 고려했으나 후원사들의 지원으로 개최가 가능했다는 것이 관계자의 설명임 ◦ 11회째 참가하고 있는 현지 참가업체 인터뷰결과 작년에 비해 참관객수 및 실제 구매의사가 있는 바이어의 문의가 현저히 줄었다고 함

대 만

- 대만은 2005년도 12월 중순경 국내 최초로 국제보트Taiwan Internatioanl Boat and Watersports Show)를 개최했으나 전시장 부적합 등의 문제점으로 첫회를 끝으로 무산.
- 현재 대만에서 개최되는 보트쇼는 전무한 상태임.

일 본

2009 일본국제보트쇼(48회)

명칭	Japan International Boat Show 2009 in Yokohama
기간	2009. 3. 12 ~ 3. 15 (4일간)
장소	Pacifico Yokohama
개최규모 (전년도 기준)	◦ 전시면적: 20,169㎡, 11,995㎡ (Floating space) ◦ 참가업체수: 207사　　　　　　　◦ 참관객수: 47,103명
전시 일정	◦ 등록 및 설치: '09. 3. 10 ~ 11 08:00-18:00 ◦ 개막식: '09. 3. 12 11:45 ◦ 전시기간: '09. 3. 12(12시 ~ 15 10:00-18:00, ◦ 철거: '09. 3. 14 17:00-24:00
주요 특성	바이어 및 일반관객을 위한 다양한 부대행사가 전시기간 동안 다채롭게 개최됨
최근 동향	

UAE

Dubai International Boat Show

명칭	Dubai International Boat Show
기간	May 3 2009 - May 7 2009
장소	Dubai International Marin Club-Mina Seyahi
개최규모 (전년도 기준)	◦ 전시면적:　　　　　　　　　◦ 참가업체수: ◦ 참관객수:
전시 일정	◦ 등록 및 설치:　　　　　　　◦ 개막식: ◦ 전시기간:　　　　　　　　　◦ 철거:
주요 특성	중동지역은 해안개발에 많은 투자를 하고 있는 지역이며, 두바이와 인근 중동 국가들은 이로 인한 레저 보트 및 관련 장비, 서비스의 수요가 높은 지역임. 두바이 국제 보트쇼는 이와 관련된 각국의 많은 업체들이 참여한 보트 관련 중동지역의 대표적인 보트쇼임
최근 동향	

참 l 고 l 문 l 헌

국내문헌

〈항만 및 선박〉

오인호, 『선박의 동력 전달과 추진』, 다솜출판사, 2005

대한조선학회, 『조선해양공학개론』, 동명사, 1993

용인대학교 관광사업협력센터, 『제주외항 크루즈 터미널 건설』, 2006

Kuroyanagi, Akio, 『해양성 레크리에이션 시설』, 과학기술, 1999

한국해양연구원, 『연안개발』, 한국해양연구원, 2001

Horikawa, Kiyoshi, 『해안공학』, 청문각, 2002

장영주 역, 『크루저핸드북』, 한국외양범주, 2004

_____, 『요트와 관련한 우리말 갈래사전』, 한국외양범주, 2004

하명수 역, 『주말에 배우는 요트』, 하서, 1997

홍성완 역, 『요트의 과학』, 지성사, 2006

〈해양관광〉

김천중, 『해양관광과 마리나산업』, 백산출판사, 2012

_____, 『해양관광과 크루즈산업』, 백산출판사, 2012

_____, 『마리나와 해양레저관광』, 백산출판사, 2010

_____, 『마리나의 이해와 경영』, 백산출판사, 2010

_____, 『요트항해 입문』, 백산출판사, 2008

_____, 『요트관광의 이해』, 백산출판사, 2008

_____, 『크루즈관광의 이해』, 백산출판사, 2008

_____, 『요트의 이해와 항해술』, 상지 피앤아니, 2007

_____, 『크루즈사업론』, 학문사, 1999

〈관 광〉

김천중, 『관광학』, 백산출판사, 제5판, 2012(공저)

_____, 『여행안전과 관광정보』, 대왕사, 2008

_____, 『최신 관광정보시스템』, 대왕사, 2003

_____, 『여행과 관광정보』, 대왕사, 2003

_____, 『관광상품론』, 학문사, 2002

_____, 『여행업 – 창업과 경영실무 –』, 대왕사, 2002

_____, 『현대 관광상품론』, 백산출판사, 2002

_____, 『21세기신여행업』, 학문사, 1999

_____, 『관광사업론』, 대왕사, 1998

_____, 『관광정보론』, 대왕사, 1998

_____, 『관광정보시스템』, 대왕사, 1998

_____, 『관광학』, 백산출판사, 1997

외국문헌

〈요트/보트 분야〉

Casey, Don, *Inspecting The Aging Sailboat*, The International Marine Sailboat Library, 2005.

Creagh-osborne, Richard, *The yatch racing rules*, John de Graff inc.,1969.

Fishwick, Mark, *West Country Cruising*, Yachting Monthly, 1996.

Gleckler, Walt, *All About Cruising*, Passagemaker Productions, 1998.

Goss, Pete, *Top Yacht Races of The World*, Tien Wah Press(PTE) LTD, 2000.

Harand, Joseph, *The Coastal Cruising Handbook*, Hollis & Carter,1977.

Harle Philippe, *The Glenans Sailing Manual*, Granada Publishing Limited, 1972.

JJ and Isler, Peter, *Sailing for Dummies*, Wiley Publishing, Inc, 1997.

Johnson, Peter, *The Encyclopedia of Yachting*, A Dorling Kindersley Book, 1989.

Jones, Charles, *Glass Fibre Yachts Improvement and Repair*, Nautical Publishing Company, 1972.

Larsen,Paul, *America's Cup 2000*, Hodder moa Beckett Publishers Limited, 1999.

Lindsey, Sandy, *Quick & Easy Boat Maintenance*, International Marine / McGraw-Hill, 1999.

Maloney, Elbert S., *Chapman Piloting & Seamanship 64th edition*, New York: Hearst Books, 2003.

Ramsay, Ray, *The Complete Book of America's Cup Defence*, Wilke and Company Limited, 1987.

Rayner, Ranulf, *The Story of The America's Cup 1851-1995*, David bateman, 1995.

Rhodes, Bernard, *High Tide*, HarperCollins Publishers, 2002.

Ryan, Pat, *The America's Cup*, Creative Education, Inc., 1993.

Scanlan, Mike, *Coastal navigation*, Reed, 2001.

Scanlan, Mike, *Safety in small craft*, NZ Coastguard Federation, 1989.

Slight, Steve, *The New Complete Sailing Manual*, London: DK London, 2005.

Spurr, Daniel, *Your First Sailboat*, International Marine / McGraw-Hill, 2004.

Steve and Colgate, Doris, *Fast Track to Cruising*, International Marine / McGraw-Hill, 2005.

Vigor, John, *The Practical Encyclopedia of Boating*, International Marine / McGraw-Hill, 2004.

Whiting, Penny, *Sailing with PennyWhiting*, Reed, 2002.

Whiting, Penny, *Penny Whiting;s guide to The America's Cup*, Reed, 2002.

〈마리나분야〉

• 영어문헌

Doson, Paul E, *Practices & Products For Clean Marinas*, International Marina, 1994

Ross, Neil W, *Auto Parking in Marinas*, Association of Marina, 2001

Ross, Neil W, *Marina Operations Manual*, International Marina Institute, 1991

LLP, Moss Adams, *The 2000 Financial & Operatonal Benchmark Study For Marina Operators*, International Marina, 1999

Agerschou, Hans. Ect All, *Planning and Design of Ports and Marine Terminals*, Thomas Telford, 2004

Bruce O. Tobiasson, P. E, *Marinas and Small Craft Harbors*, Westviking Press, 2000

Couper, A. D, *Shipping and Port in the Twenty-first Century*, Routledge, 2004

Gold, Seymour M, *Recreation Planning and Design*, McGraw-Hill, 1980

Wild, G. P, *International Ports*, LLP, 1995

Allan, Mark, Ect All, *Waterfront Spectacular*, Entcom, 2005

Sleight, Steve, *Go Sail*, DK, 2006

Peter, A. G, *Glass Fibre Yachts*, Nautical Publishing Company, 1972

American Society of Civil Engineers, Planning and Design Guidelines for Small Craft Harbors, American Society of Civil Engineers, 2000

Gaythwaite, John W. Design of Facilities for the Berthing, Mooring, and Repair

of Vessels, ASCE press, 2004

• 일어문헌

Adie, Donald W, 『アリーナ』, 舵社, 1998

KAZIムシク, 『Boating Guide』, KAZIムシク, 2003

KAZIムシク, 『Boating Guide』, KAZIムシク, 2004

日本マリーナ・ビーチ協会, 『プレジャーボート用浮桟橋 品質管理 マニュアル』, 日本マ
    リーナ・ビーチ協会, 平成 18年

日本マリーナ・ビーチ協会, 『プレジャーボート用簡易係施設 設計 マニュアル』, 日本マ
    リーナ・ビーチ協会, 平成 14年

日本マリーナ・ビーチ協会, 『プレジャーボート用簡易係施設 試設計計算書 マニュアル
    』, 日本マリー ナ・ビーチ協会, 平成 15年

日本マリーナ・ビーチ協会, 『上下施設・立体保管施設手引書』, 日本マリーナ・ビーチ協
    会, 平成 7年

日本リーナ協会, 『マリーナにおける安全管理指針案』, 日本リーナ協会, 昭和 61年

日本リーナ協会, 『マリーナにおける安全管理指針案』, 日本リーナ協会, 昭和 56年

日本海洋開発建設協会, 『人と自然に優しい海洋施設をめざして』, 日本海洋開発建設協
    会, 平成 7年

Japan marina & beach association, 『全国アリーナ ガイドブック』, 新版, 平成 7年

저자소개

김 천 중(金天中)
현재) 용인대학교 관광학과 교수
용인대학교 산학협력단 부설(크루즈&요트마리나 연
구소 소장)
대한 요트협회 이사, 마리나산업위원회 위원장
중앙항만정책심의회 위원(해양수산부)

〈주요저서〉
1. 관광학 관련분야
관광정보론 (1998, 대왕사) 외 15권
2. 크루즈 및 요트마리나 관련
해양관광과 크루즈산업 (2012, 백산출판사)
해양관광과 마리나산업 (2012, 백산출판사)
마리나와 해양레저관광 (2010, 백산출판사)
마리나의 이해와 경영 (2010, 백산출판사)

요트항해 입문 (2008, 백산출판사)
요트관광의 이해 (2008, 백산출판사)
크루즈관광의 이해 (2008, 백산출판사)
요트의 이해와 항해술 (2007, 상지피엔아이)
크루즈사업론 (1999, 학문사)

〈요트면허〉
2004년 뉴질랜드
2005년 부산 03-00081-00

〈E-mail 및 홈페이지〉
centersky@hanmail.net
www.요트관광.com
www.yachtschool.or.kr

요트와 보트
-해양관광시대의 창조산업-

2014년 3월 10일 1판 1쇄 인쇄
2014년 3월 15일 1판 1쇄 발행

지은이 김 천 중
펴낸이 강 찬 석
펴낸곳 도서출판 미 세 움
주 소 150-838 서울시 영등포구 도신로51길 4
전 화 02-703-7507   팩스 02-703-7508
등 록 제313-2007-000133호

ISBN 978-89-85493-78-9   93550

정가 25,000원

미세움 아름다운 도시만들기 시리즈

도시·건축·디자인·문화를 중심으로 한 창조도시 및 도시경관관련 출판사로서, 아름다운 도시만들기와 아름다운 농어촌만들기를 위한 도서와 건강한 도시만들기, 문화도시 만들기 등을 주제로 한 도서를 지속적으로 출판함으로써 건강한 출판문화를 창조하는 데 노력하고 있습니다.

해양관광시대의 창조산업인 요트·보트산업의 발전은 한국인의 해양인식을 일깨우는 계기가 될 것이다. 조선산업을 중소기업화하면 유휴인력을 흡수하고, 요트관광과 마리나시설 등을 이용하면 관광인력과 체육관련 학생들의 취업기회가 늘어나고, 임대요트사업, 정비, 요트부품의 생산과 판매관련 창업을 확대하는 계기가 될 것이다.

내륙일변도로 발전하여 불균형적인 시장환경으로 정체상태인 한국의 관광산업에도 해양관광시장이라는 거대한 시장을 확대하는 효과를 가져와 조선과 관광산업의 발전에 새로운 기회를 줄 것이다.

93550

9 788985 493789
ISBN 978-89-85493-78-9

정가 25,000원